1 MONTH OF
FREE
READING

at

www.ForgottenBooks.com

By purchasing this book you are eligible for one month membership to ForgottenBooks.com, giving you unlimited access to our entire collection of over 1,000,000 titles via our web site and mobile apps.

To claim your free month visit:

www.forgottenbooks.com/free1210788

ISBN 978-0-428-75223-1
PIBN 11210788

CHEMISCHES

CENTRAL-BLATT.

REPERTORIUM

für

REINE, PHARMAZEUTISCHE, PHYSIOLOGISCHE UND TECHNISCHE CHEMIE.

DRITTE FOLGE. XV. JAHRGANG.

MIT ZAHLREICHEN ABBILDUNGEN, SYSTEMATISCHER INHALTS-ÜBERSICHT, SACH- UND AUTORENREGISTER.

HAMBURG UND LEIPZIG,

VERLAG VON LEOPOLD VOSS.

1884.

Druck von Metzger & Wittig in Leipzig.

Systematisches Register.

I. Allgemeines und Physikalisches.

Allgemeines.

Suspendierter Mineralstaub in Wasser und Luft (Thoulet) 83. Neue Analogie zwischen festen, flüssigen und gasförmigen Körpern (Spring) 117. Einw. von Druck auf feste pulverförmige Körper (Spring) 117. Vollkommene Elastizität fester, chemisch bestimmter Körper (Spring) 117. Einw. von Druck auf feste Körper (Friedel) 117. Einw. von Druck auf feste pulverförmige Körper (Jannettaz) 386. Kinetische Theorie der Materie (Thomson) 881.

Gase.

Absorption der Gase durch Platin (Berthelot) 177. Verdichtung von Gasen (Poleck) 177. Verflüssigung des Sauerstoffes, Stickstoffes und Kohlenoxyds (v. Wroblewski und Olszewski) 449. Geschwindigkeit der chem. Absorption von Gasen (Wood) 585. Kritische Temperatur u. Druck des Stickstoffes (Olszewski) 660. Flüssiges Sumpfgas als Kältemittel (v. Wroblewski) 639. Kritische Temperatur u. Druck der Luft (Olszewski) 690.

Flüssigkeiten.

Bestimm. der Erstarrungstemperatur einiger Gase und Flüssigkeiten (Olszewski) 449. Kapillaritätskonstanten der Flüssigkeiten bei ihrem Siedepunkt (R. Schiff) 482. Sphäroidaler Zustand (Luvini) 580.

Wärme.

Volumveränderung während des Schmelzens (R. Schiff) 580. Anw. des Methans zur Hervorbringung niedriger Temperaturen (Cailletet) 593. Relation zwischen den kritischen Temperaturen der Körper und deren thermischer Ausdehnung im flüssigem Zustand (Thorpe u. Rücker) 353. Ausdehnung d. Flüssigkeiten durch die Wärme (Mendelejeff) 482. 690.

Spez. Wärme der gasförmigen Elemente bei sehr hohen Temperaturen (Berthelot und Vieille) 433. Spez. Wärme des Wassers und der Kohlensäure bei sehr hohen Temperaturen (Berthelot u. Vieille) 435. Versuch eines allgemeinen Gesetzes über die spez. Wärme (Sperber) 593. Einfl. des Konzentrationsgrades auf die spez. Wärme der Lösungen v. Metallchloriden (Blümcke) 913.

Elektrizität.

Leitungsfähigkeit sehr verdünnter Salzlösungen (Berthelot) 178. Elektrische Leitungsfähigkeit von Kohlenstoffverbb. (Bartoli) 785. Elektrische Leitungsfähigkeit des verunreinigten Quecksilbers (C. Michaelis) 482. Galvanisches Verhalten der Amalgame des Zinks u. des Cadmiums (Robb) 7. Galvanische Polarisation (Pirani) 7. Leitungsfähigkeit sehr verdünnter Salzlösungen (Bouty) 177. 273. 690. Faraday'sches Gesetz (Berthelot) 241. Faraday'sches u. Bouty'sches Gesetz (Wurtz) 241. 242. Einw. der elektr. Effluvien auf Sauerstoff und Stickstoff (Hautefeuille u. Chappuis) 337. 690. Unters. der Leistungsfähigkeit der Salzlösungen, Anw. des Faraday'schen Gesetzes bei ders. (Bouty) 435. Transport der Ionen u. dessen Beziehung zur Leitungsfähigkeit d. Salzlösungen (Bouty) 435.

Licht.

Konstante Lichteinheit (v. Hefner-Alteneck) 661. Refraktionsäquivalente organ. Verbb. (Gladstone) 484. 786. Magnetische Molekularrotation chemischer Verbb. (Perkin) 594. 786. Grund der Veränderung d. spez. Drehungsvermögens unter dem Einflusse der verschiedenen Lösungsmittel (Bremer) 786. Über eine beim Polarisieren beobachtete störende Erscheinung (Schmidt u. Hänsch) 913.

II. Allgemeine Chemie.

Allgemeines.

III. Anorganische Chemie.

Allgemeines.

IV. Organische Chemie.

Allgemeines.

V. Physiologische, medizinische und pharmazeutische Chemie.

Pflanzenchemie.

VI. Mineralogische und geologische Chemie.

VII. Analytische Chemie.

VIII. Technische Chemie.

Allgemeines.

Gefährdung der Dampfkessel durch Eisensulfat (List) 351.

Apparate.

Ofen zur Darst. reiner Kohlensäure (Meyer-
Mülsen, E.) 428.

Bergbau.

Asbestgewinnung in Italien 590. Schwefelgewinnung in Italien (Beco und Thonard)
853.

Metalloide.

Kostenberechnung der Pyritschwefelsäure in
Amerika (Lunge, G.) 110. Vorgänge in
den Schwefelsäurekammern (Lunge und
Naef) 232. Darst. von Schwefelsäure
(Chem. Fabrik Grisheim) 268. Nutzbare
Gewinnung der schwefligen Säure der
Röstgase (Hänisch und Schröder) 458.
Apparat zur Darst. wasserfreier Schwefel-
säure (Rath) 527. Darst. von Ammoniak
(Rinmann) 111; (Fogarty) 289. Entstehung
der Ptomaine (Cappola) 125. Zersetzung
von Ammoniak durch Hitze (Ramsay und

Young) 572. Ammoniakgewinnung aus
den Gasen der Koksöfen (Winkler) 575.
Barium und Strontium im Kesselstein (Bloxam) 125.
Herstellung von kohlensaurem Wasser mit
flüssiger Kohlensäure (Wolff, H. u. Sohnke)
74. Bein's Mineralwasserapparat 91. Verwendung der flüssigen Kohlensäure (Lohmann) 95. 108. Sodawassererzeugung
(Gawalowsky) 500. Fabrikation einiger
Cyanide (Willm) 748. Graphitsorten (Jüptner, v.) 909.

Alkalien. Glas, Salze etc.

Darst. von Kaliumchlorat (Muspratt) 512.
Einw. von Nitraten auf Alkalisulfide (Parnell) 748. Darst. der Metalle alkalischer
Erden durch Elektrolyse (Grätzel) 854.
Einw. von verdünnten Säuren auf Flaschenglas (Egger) 501. Gehärtetes Glas (Siemens) 763. Englisches Flaschenglas (Gottstein) 878.
Matte Vergoldung auf Porzellan (Gebrüder
Schönau) 268. Einfl. der Titansäure auf
die Schmelzbarkeit feuerfester Thone (Seger) 591. Rasche Probe auf die Haltbarkeit von Töpferglasuren (Herbelin) 783.

No. 1.

Chemisches
Central-Blatt.

2. Januar 1884.

Wöchentlich eine Nummer von
1-2 Bogen. Der Jahrgang mit
Nach- und Namen-Register,
nebst system. Übersicht.

Der Preis des Jahrgangs
ist 30 Mark. Durch alle
Buchhandlungen und Post-
anstalten zu beziehen.

REPERTORIUM

für reine, pharmazeutische, physiologische und technische Chemie.

Dritte Folge. XV. Jahrgang.

Über einige physikalische Eigenschaften chemischer Verbindungen.

I.

Da in den letzten Jahren die physikalischen Eigenschaften chemischer Verbindungen zum Gegenstande zahlreicher Untersuchungen gemacht worden sind, so
dürfte eine kurze Darstellung dieser Forschungen nicht unwillkommen sein. Freilich muſs zugegeben werden, daſs die Forschungen auf diesem Gebiete noch lange
nicht zum Abschlusse gediehen sind. Es sollen der Reihe nach die Arbeiten über
die Molekularrefraktion flüssiger chemischer Verbindungen und ihren Zusammenhang mit der Verbrennungswärme, ferner die Untersuchungen über die Dichte und
das Molekularvolum besprochen werden.

Bekanntlich ändern sich der Brechungsquotient n und die Dichte d bei Gasen
mit dem Drucke und der Temperatur in der Weise, daſs der Quotient $B = \dfrac{n-1}{d}$
konstant bleibt. Dieser Quotient, *das spezifische Brechungsvermögen* der Substanz,
ist also blofs von der chemischen Natur des Gases abhängig.

Eine genaue experimentelle Untersuchung an einer Reihe von Flüssigkeiten
ergab, daſs dieser Quotient B auch bei flüssigen chemischen Verbindungen von dem
Drucke und der Temperatur nahezu unabhängig ist. So beobachtete LANDOLT,
daſs für Äthylalkohol B bei 12° den Wert 0,4426, bei 28° den Wert 0,4423 hat.
Also muſs auch bei flüssigen chemischen Verbindungen B der Hauptsache nach
von der chemischen Konstitution der Verbindung abhängen. Eine Vergleichung
des spezifischen Brechungsvermögens zahlreicher Substanzen läfst hoffen, wichtige
Aufschlüsse über die chemische Konstitution derselben zu erlangen.

Die Unabhängigkeit des spezifischen Brechungsvermögens von der Temperatur
ist indessen keineswegs eine absolute, namentlich nimmt Wasser eine Ausnahme-
stellung ein, deshalb hat SCHRAUF statt $\dfrac{n-1}{d}$ die Gröfse $\dfrac{n^2-1}{d}$ als Maſs des spezifischen Brechungsvermögens vorgeschlagen. Wie LANDOLT nachgewiesen hat, ist
das Verhältnis $\dfrac{n-1}{d}$ vorzuziehen, da es sich unabhängiger von der Temperatur
erweist.

XV.

Aus theoretischen Gründen hat man noch $\cdot \dfrac{n^2-1}{(n^2+2)d}$ als Maſs des spezifischen Brechungsvermögens angenommen. Für Äthylalkohol ist bei 12^0 der Wert des Bruches $= 0,3412$, bei $28^0 = 0,3416$.. Eine ausführliche Untersuchung, welcher von beiden Brüchen vorzuziehen ſei, scheint noch zu fehlen. In folgendem soll der bis jetzt allgemein benutzte Bruch $B = \dfrac{n-1}{d}$ zu grunde gelegt werden.

Von gröſserer Wichtigkeit ist die Lichtsorte, welche man zur Bestimmung des Brechungsquotienten benutzt. Natürlich wird man den Brechungsquotienten aller Substanzen mit derselben Lichtsorte bestimmen, doch ist die Wahl derselben nicht gleichgültig. Toluol $= C_7H_8$ hat bei 20^0 die Brechungsquotienten $n_\alpha = 1,491$, $n_\beta = 1,507$, $n_\gamma = 1,517$, welche der roten Linie α, der grünen β und der violetten γ des Wasserstoffspektrums entsprechen. Die Dichte bei derselben Temperatur beträgt $0,8656$. Mesitylen $= C_9H_{12}$ hat bei derselben Temperatur die Brechungsquotienten $n_\alpha = 1,487$, $n_\beta = 1,501$, $n_\gamma = 1,510$. Die Dichte ist $0,8556$. Für Toluol ist $\dfrac{n_\alpha-1}{d} = 0,567$, $\dfrac{n_\gamma-1}{d} = 0,597$. Für Mesitylen ist $\dfrac{n_\alpha-1}{d} = 0,569$, $\dfrac{n_\gamma-1}{d} = 0,596$. Legt man also das rote Wasserstofflicht den Messungen zu grunde, so ist das spezifische Brechungsvermögen des Toluols kleiner, als das des Mesitylens, für das violette Licht hat letztere Substanz das kleinere Brechungsvermögen.

Wenn auch bei den Substanzen, welche das Licht nicht stark zerstreuen, das· spez. Brechungsvermögen für verschiedene Lichtsorten nicht so sehr abweicht, wie bei den angeführten aromatischen Kohlenwasserstoffen, so stellte sich doch das Bedürfnis heraus, einen von der Dispersion unabhängigen Brechungsquotienten einzuführen. BRÜHL (LIEB. Ann. 200. und 203.) hat deshalb einen Brechungsquotienten n zu grunde gelegt, welcher der Wellenlänge $\lambda = \infty$ entspricht.

Nach der CAUCHY'schen Dispersionsformel ist $n = A + \dfrac{B}{\lambda^2} + \dfrac{C}{\lambda^4} + \cdots$

n ist groſs für kleine Wellenlänge, für $\lambda = \infty$ ist n das erste Glied A der Reihe. BRÜHL hat von dieser Reihe nur zwei Glieder beibehalten und die Gröſsen A und B in seinen Tabellen angeführt. Für nicht stark zerstreuende Substanzen genügt die Formel mit zwei Konstanten vollständig, bei Amylalkohol heiſst sie $n = 1,39655 + \dfrac{0,37010}{\lambda^2}$, wo ein Zehntausendstelmillimeter als Maſseinheit für λ angenommen ist.

Die drei Wasserstofflinien α, β, γ haben die Wellenlängen $6,567$, $4,862$ und $4,343$, mit diesen Zahlen ergiebt sich aus der Formel:

Berechnet: $n_\alpha = 1,40519$, $n_\beta = 1,41221$, $n_\gamma = 1,41617$
Gefunden: $n_\alpha = 1,40513$, $n_\beta = 1,41222$, $n_\gamma = 1,41617$.

Die Übereinstimmung zwischen Berechnung und direkter Messung ist bei stark dispergierenden Substanzen nicht so gut, man muſs von der CAUCHY'schen Formel mehr als zwei Konstanten beibehalten. Auch die LOMMEL'sche Formel $n^2 = 1 + \dfrac{a}{1 - \dfrac{\lambda_0^2}{\lambda^2}}$ mit zwei beliebigen Konstanten a und λ_0, welche die Beobachtungen besser wiedergiebt, als die von CAUCHY mit zwei Konstanten, genügt nicht in allen

Fällen. BERNHEIMER und NASINI (Atti della R. Accademia dei Lincei Trans. Ser. 3 Vol. VII. Maggio 1883. 227) wenden deshalb in einer bis jetzt blofs auszüglich mitgeteilten Abhandlung eine Formel mit drei Konstanten an. In folgendem soll stets $B = \dfrac{A-1}{d}$, resp. $\dfrac{V1 + a - 1}{d}$ gesetzt werden.

Ebenso wichtig als das spezifische Brechungsvermögen B ist noch das Produkt desselben mit dem Molekulargewichte P der Substanz, also die Gröfse $\dfrac{P(n-1)}{d}$. Dieses Produkt führt den Namen *Molekularrefraktion* und soll mit 𝔐r bezeichnet werden.

Die Beobachtungen LANDOLT'S schienen nun folgende vier Sätze zu ergeben:

I. *Isomere Substanzen haben dasselbe spezifische Brechungsvermögen, resp. dieselbe* 𝔐r.

Dieser Satz ist experimentell vielfach begründet worden, für Butylalkohol = $C_4H_{10}O$ ist 𝔐r = 35,45, für Trimethylcarbinol, ebenfalls = $C_4H_{10}O$, ist 𝔐r = 35,53. Die Struktur der ersten Verbindung ist bekanntlich $CH_3—CH_2—CH_2—CH_2—OH$, die der zweiten $= \overset{CH_3}{\underset{CH_3}{>}} C <\overset{OH}{CH_3}$.

II. *Auch physikalische Mischungen haben dieselbe* 𝔐r, *wie chemische Verbindungen von derselben prozentischen Zusammensetzung.*

LANDOLT prüfte diesen Satz verschiedentlich. Die Mischung von 1 Äquival. Propionsäure, $C_3H_6O_2$, und 1 Äquival. H_2O gab nahezu dieselbe 𝔐r wie Glycerin $= C_3H_8O_3$, im ersten Falle war 𝔐r = 34,71, im zweiten = 34,32.

III. *Deshalb ist die Molekularstruktur ohne Einflufs auf die Gröfse der* 𝔐r.

IV. *Die Molekularrefraktion eines Moleküls ist die Summe der* 𝔐r *der das Molekül konstituierenden Atome, und zwar übt jedes Atom einen bestimmten, in jedem Moleküle nahezu gleichbleibenden Einflufs aus.*

Den letzten Satz leitete LANDOLT unter anderen aus Beobachtungen homologer Reihen her. Für die Alkohole hat man folgende 𝔐r:

					Differ.
Methylalkohol,	CH_4O	. . .	𝔐r =	12,93	7,38
Äthylalkohol,	C_2H_6O	. . .	„ =	20,31	7,69
Propylalkohol,	C_3H_8O	. . .	„ =	28,00	7,45
Butylalkohol,	$C_4H_{10}O$	. . .	„ =	35,45	

Wächst das Molekulargewicht um CH_2, so wächst die 𝔐r nahezu um 7,6, oder CH_2 übt in jedem Molekül den Einflufs 7,6 auf die 𝔐r aus. So hat LANDOLT gefunden, dafs die 𝔐r nahezu um 1,3 wächst, wenn das Molekulargewicht um H, ferner um 5, wenn dasselbe um C zunimmt. Als Mittel aus vielen Beobachtungen haben LANDOLT und HAAGEN die Atomrefraktionen der Elemente für das rote Wasserstofflicht berechnet, wie folgt:

Elemente	H	O	C	Cl	Br	J	S	P	Na etc.
𝔐r	1,3	3	5	9,8	15,34	24,87	16,32	14,93	4,89

Die aus diesen Atomrefraktionen berechneten Molekularrefraktionen stimmen ziemlich gut mit der beobachteten 𝔐r, für Propylalkohol, C_3H_8O, z. B. berechnet sich 𝔐r $= 3.5 + 8.1,3 + 3 = 28,40$, während für rotes Wasserstofflicht beobachtet wurde 𝔐r = 28,30.

4

Brühl hat die Zahlen für die Atomrefraktionen der drei Elemente C, H O etwas verändert, weil er den Strahl mit unendlicher Wellenlänge benutzt. Für diesen Strahl ist H = 1,29, C = 4,86, O = 2,9.

Die Übereinstimmung zwischen Rechnung und Beobachtung ist bei allen *gesättigten Verbindungen der Fettreihe* eine so gute, dafs daraus die Richtigkeit der Gesetze von Landolt zu folgen schien. Bedenken gegen die Sätze wurden erst erhoben, als man auch *ungesättigte Verbindungen der Fettreihe und aromatische Körper* zu beobachten anfing.

Janowsky (Wien. Sitzungsber. 539—53) bestreitet Satz I. Er zeigt, dafs die $\mathfrak{M}$r isomerer Substanzen oft Abweichungen zeigen, welche nicht von den Beobachtungsfehlern herrühren können. Wie weiter unten angegeben wird, ist in der That das Gesetz I. nur dann gültig, wenn beide Körper nur einfache Bindungen enthalten, wie Butylalkohol und Trimethylcarbinol. Propylaldehyd, C_3H_6O, und Allylalkohol, C_3H_6O, haben verschiedene Molekularrefraktionen, die $\mathfrak{M}$r des ersten Körpers ist = 27,09, die des letzten Körpers = 25,42.

Einen zweiten Einwand gegen die Richtigkeit der Konstanz der Atomrefraktionen liefert eine Beobachtung Faraday's an flüssigem Chlor. Er beobachtete die Dichte = 1,33 und giebt an, dafs Chlor das Licht etwas schwächer breche, als Wasser, dafs also $n < 1,32$ sei. Selbst wenn $n = 1,32$ ist, kann die $\mathfrak{M}$r von flüssigem Chlor höchstens $= \dfrac{35,5\,(1,32-1)}{33} = 8,5$ sein. Statt dieser Zahl giebt Landolt die Atomrefraktion des Chlors zu 9,8 an.

Völlig in Frage gestellt sind aber die Gesetze III. und IV. durch die Beobachtungen Gladston's (Lond. Roy Soc. Proc. **18.** 9; Chem. Soc. Journ. **8.** 101 u. 107) und Brühl's (l. c.). Sie zeigen, dafs allgemein *alle ungesättigten Verbindungen der Fettreihe und die aromatischen Verbindungen* gröfsere $\mathfrak{M}$r haben, als die normale, nach der Landolt'schen Regel berechnete.

Es sind zwei Erklärungsgründe für diese Abweichung aufgestellt worden. Gladstone nimmt an, dafs der Kohlenstoff drei verschiedene Atomrefraktionen habe, nämlich fünf in den gesättigten Verbindungen der Fettreihe, wo er durch eine oder zwei Valenzen des benachbarten Kohlenstoffes gesättigt ist, sechs in den Verbindungen, wo er mit drei Valenzen des anderen Kohlenstoffes verbunden, und acht, wenn er mit vier Valenzen des benachbarten Kohlenstoffes gesättigt ist. Diese Erklärung ist wohl unhaltbar, denn wie oben angegeben, hat Trimethylcarbinol die $\mathfrak{M}$r 35,53, welche normal ist, da sich berechnet $\mathfrak{M}$r von $C_4H_{10}O = 4.4,86 + 10.1,29 + 2,9 = 35,24$.

Nach Gladstone müfste aber die $\mathfrak{M}$r um 1 gröfser sein, als die normale, da ein Atom C mit drei Valenzen des benachbarten Kohlenstoffes verbunden ist. Ferner müfste Perchloräthylen $Cl_2C = CCl_2$ eine normale $\mathfrak{M}$r besitzen, nämlich 47,8, während beobachtet wurde 49,7.

Eine zweite Erklärung hat Brühl geliefert. Er sieht als einzige Ursache für die Vergröfserung der $\mathfrak{M}$r die doppelten Bindungen zwischen den Kohlenstoffatomen an. Jede doppelte Bindung derselben soll die $\mathfrak{M}$r um zwei vermehren. Von den zwanzig Verbindungen, welche Brühl zum Beweise seiner Theorie anführt, seien hier nur als Beispiel folgende drei mit einer, zwei und drei Doppelbindungen angeführt:

Diff.

Perchloräthylen, C_2Cl_4 ... $\mathfrak{M}r$ $\begin{cases} \text{ber. } 47,8 \\ \text{beob. } 49,7 \end{cases} 1,9$

Valerylen, C_5H_8 ... „ $\begin{cases} \text{ber. } 34,6 \\ \text{beob. } 38,7 \end{cases} 4,1$

Benzylalkohol, C_7H_8O .. „ $\begin{cases} \text{ber. } 47,2 \\ \text{beob. } 53,2 \end{cases} 6,0.$

Ist also in der Verbindung C_mH_n die Anzahl der doppelten Bindungen gleich z, so soll $\mathfrak{M}r = 4,86\,m + 1,29\,n + 2\,z$ sein. Diese Formel giebt die Beobachtungen BRÜHL's befriedigend wieder.

BRÜHL hat später seine Theorie dahin ausgedehnt, dafs überhaupt doppelte Bindung zwischen irgend zwei mehrwertigen Atomen die $\mathfrak{M}r$ erhöhe. Die beiden Atome C und O sollen, einfach gebunden, den Wert 7,57, doppelt gebunden, den Wert 8,15 auf die $\mathfrak{M}r$ ausüben.

Nach diesem letzten Satze von BRÜHL gilt also die LANDOLT'sche Regel nur noch für die wirklich gesättigten Verbindungen der Fettreihe. Die Fettsäuren und ihre Ester, in denen C doppelt an O gebunden ist, müssen eine etwas gröfsere $\mathfrak{M}r$ besitzen als die normale.

Wegen der Wichtigkeit der BRÜHL'schen Regel namentlich für die Konstitution des Benzols haben BERNHEIMER und NASINI Derivate des Naphtalins untersucht, worin bekanntlich fünf doppelte Bindungen zwischen Kohlenstoffatomen angenommen werden. Durch ihre Resultate ist die BRÜHL'sche Regel hinfällig geworden. Sie finden bei den Derivaten des Naphtalins die $\mathfrak{M}r$ um vierzehn gröfser als die normale, während sie nach der BRÜHL'schen Regel nur um zehn gröfser sein sollte.

Eine ganz abweichende Theorie der Abhängigkeit der $\mathfrak{M}r$ von der chemischen Konstitution hat SCHROEDER (WIED. Ann. 15. 636) aufgestellt. Er bestreitet zunächst die Gültigkeit des Satzes IV auch für gesättigte Fettkörper, aus einer Zusammenstellung der Beobachtungen LANDOLT's, BRÜHL's und KANNONIKOW's (Ber. Chem. Ges. 14. 1697. 1881) leitet er den Satz her, *dafs der Einflufs der Elementaratome auf die $\mathfrak{M}r$ kein konstanter, sondern ein mit dem Molekulargewichte wachsender sei.* Es geht dies z. B. aus der von LANDOLT mitgeteilten Reihe hervor:

Diff.

$\mathfrak{M}r$ Ameisensäure, $CH_2O_2 = 13,61$] 7,08

„ Essigsäure, $C_2H_4O_2 = 20,69$] 7,32

„ Propionsäure, $C_3H_6O_2 = 28,01$] 7,49

„ Buttersäure, $C_4H_8O_2 = 35,50$]

Dieselbe Erscheinung zeigt sich bei den Alkoholen, Estern etc. SCHROEDER leitet nun den Hauptsatz seiner Theorie ab:

A. *In den gesättigten Verbindungen übt jedes Kohlenstoff-, Sauerstoff- und Wasserstoffatom gleichen Einflufs auf die $\mathfrak{M}r$ aus. Die Gröfse dieses Einflusses heifst Stere oder Refraktionsstere.*

Propylalkohol, C_3H_8O, hat die $\mathfrak{M}r$ 27,92. Da zwölf Atome einfach verbunden sind und gleichen Einflufs ausüben, so ist die Gröfse der Stere für diesen Alkohol $= 27,92 : 12 = 2,33.$

B. *Die Gröfse der Stere wächst mit dem Molekulargewichte meist sehr regelmäfsig.*

Der Wert der Stere liegt zwischen den Grenzen 2,16 bis 2,50. Bei den

Alkoholen $C_n H_{2n+2} O$, z. B. ergiebt sich folgende Tabelle:

$n =$	1	2	3	4	5	8
Größe der Stere beob.	2,16	2,26	2,33	2,36	2,39	2,43
Größe der Stere ber.	2,12	2,26	2,33	2,37	2,40	2,45.

Versteht man unter S die Anzahl der Steren, welche in einem Molekül vorkommen, und welche bei gesättigten Verbindungen mit der Anzahl der Atome übereinstimmt, so kann man bei den Alkoholen den Wert einer Stere nahezu aus der Formel finden: Stere $= 2,54 - \dfrac{2,54}{S}$. Die oben angeführten, mit dieser Formel berechneten Werte der Stere stimmen mit den beobachteten gut überein.

Die Molekularrefraktion der Alkohole ist also gleich $S\left(2,54-\dfrac{2,54}{S}\right)=2,54\,S$ $-2,54$, wo S die Anzahl der Atome bedeutet. Die Formel liefert Resultate, welche mit den Beobachtungen gut übereinstimmen.

C. *Bei den ungesättigten Körpern ist die Anzahl der Steren gröfser, als die Anzahl der Atome.* Jede Doppelbindung zwischen C und O erhöht die Anzahl der Steren um ein Atom, jede Doppelbindung zwischen zwei Atomen C vermehrt die Sterenanzahl um zwei, eine dreifache Bindung zweier Atome C vergröfsert die Zahl der Steren um drei.

Es ist die Anzahl der Steren in der Ameisensäure $CH_2O_2 = 6$, da eine doppelte Bindung zwischen Sauerstoff und Kohlenstoff vorkommt. Beim Diallylcarbinol, $C_7H_{12}O$, ist sie gleich 24, da zwei doppelte Bindungen zwischen Kohlenstoffatomen vorkommen. Bei allen Verbindungen ist die Größe der Stere in erster Annäherung gleich $2,54 - \dfrac{2,54}{S}$, jedoch kann sie hiervon um einige Prozent abweichen. Wäre die Formel genau richtig, so müfsten alle Körper von derselben Sterenanzahl auch gleich grofse Steren haben, was nicht der Fall ist. Z. B. haben Toluol, C_7H_8, und Capronsäure, $C_6H_{12}O_2$, dieselbe Anzahl von Steren, nämlich 21 (da im Toluol drei Doppelbindungen zwischen C vorkommen), jedoch ist die Größe der Stere bei Toluol (wo $\mathfrak{M}r = 50{,}06$) $= 2{,}38$, bei der Capronsäure ($\mathfrak{M}r = 51{,}62$) $= 2{,}41$. Die Formel $2{,}54 - \dfrac{2{,}54}{S}$ ergiebt die Stere $= 2{,}42$.

Wie SCHROEDER aus seiner Theorie praktischen Nutzen zieht, zeigt er an dem Menthol, $C_{10}H_{20}O$, welches nach der früheren Ansicht ein doppelt gebundenes Kohlenstoffpaar enthält. Dann müfste die Anzahl der Steren gleich 33 sein. Die $\mathfrak{M}r$ ist 77,6, also wäre die Stere gleich 2,35. Diese Größe ist zu klein für das grofse Molekulargewicht. Die Anzahl der Steren muß also gleich 32 sein, das Menthol hat somit doppelt gebundenen Sauerstoff und gehört zu den Ketonen.

Schon jetzt ein Urteil über die Richtigkeit der SCHROEDER'schen Theorie geben zu wollen, dürfte verfrüht sein, da SCHROEDER selbst noch nicht angegeben hat, wie die Anzahl der Steren bei den Naphtalinderivaten, welche einen Prüfstein der Theorie abgeben könnten, berechnet werden soll. Auffallend niedrig ist die Größe der Stere bei den Diallylverbindungen und beim Valerylen, C_5H_8, wo die Stere $= 38{,}65 : 17 = 2{,}27$ ist, während bei anderen Verbindungen, wo die Anzahl der Steren gleich 17 ist, der Wert der Stere etwa gleich 2,39 ist.

Die bis jetzt aufgestellten Gesetze sind wohl nichts weiter als Annäherungen an das wahre Naturgesetz.   F. NIEMÖLLER.

Wochenbericht.

1. Allgemeines und Physikalisches.

Emilio Pirani, Über *galvanische Polarisation*. Zweck der Arbeit war die Untersuchung, ob die chemische Natur der Elektroden einen Einfluß auf die Vorgänge der Polarisation habe. An der Hand der gewonnenen Resultate läßt sich die Frage nach dem Einfluß der Natur der Elektroden auf die Werte der Polarisation wie folgt beantworten: Die Polarisation ist unter gewöhnlichen Umständen von der Natur der Elektroden abhängig. Diese Abhängigkeit zeigt sich sowohl in den Werten bei geschlossenem Strome, wie in dem Verlauf der Abnahme nach Öffnen des Stromes. Sie besteht auch bei Erwärmung der Flüssigkeit — ist also nicht auf Bildung von Wasserstoffsuperoxyd oder Ozon zurückzuführen. — Ein Wasserstoffvorrat an der Anode, der den sich entwickelnden Sauerstoff bindet, desgleichen Trennung der Elektroden, also Hinderung des Hinüberdiffundierens der elektrolytischen Gase und Trennung der Elektroden durch eine Zwischenzelle, in der sich siedende Flüssigkeit befindet, hebt die obige Abhängigkeit nicht auf. Abschluß gegen atmosphärische Luft durch Benzol bringt keine Änderung hervor. Messungen unter völligem Luftabschlusse und stetem Auspumpen der elektrolytischen Gase ergaben immer noch eine Abhängigkeit von der Natur der Elektrode. Alle diese Kautelen vermochten also nicht, ein Übereinstimmen in dem Verhalten der verschiedenen Metalle hervorzubringen. Weitere einflußreiche Vorsichten sind nicht möglich, so daß die Frage dahin beantwortet werden muß, daß ein Einfluß der chemischen Natur der Elektrode auf die Werte der Polarisation — bei noch so großer Übereinstimmung des chemische Prozesses — wohl deutlich hervortritt. (Inaug.-Dissertat. 16. Juni 1883. Berlin.) P.

Joh. Härtel, *Apparat zur Darstellung von Chlorwasser*. Um kleinere Mengen Chlorwasser bequem und in der Weise darzustellen, daß man dabei von Chlor möglichst wenig belästigt wird, hat der Vf. folgenden, in beistehender Figur abgebildeten Apparat konstruiert.

A ist das Entwicklungsgefäß, *B* eine Waschflasche. Das Gefäß *D* ist am Halse in das Gefäß *C* gasdicht eingeschliffen. *E* ist ein leeres Gefäß, in welches die Röhren *d* und *e* nicht tiefer als bis zum Halse hineinragen. *F* ist eine gewöhnliche Flasche, erfüllt mit einer Pottaschelösung oder mit Kalkmilch. Bei der Benutzung füllt man das Gefäß *C* mit destilliertem Wasser, gießt in das Gefäß *A* Salzsäure, schüttet chlorsaures Kali hinzu und drückt den Stöpsel *a* fest an. Das entwickelte Gas strömt durch die Waschflasche *B*, das Verbindungsrohr *c* in das Wasser von *C*, dieses nach *D* hinaufdrückend.

Unter dem Wasserdrucke von *D* aus wird das Gas leichter absorbiert. Sobald die Entwicklung des Gases aufgehört hat, schließt man das Rohr *c* durch einen Quetschhahn, entfernt das Rohr *d* aus *D* und schüttelt die Gefäße *C D*, miteinander verbunden, bis vollkommene Absorption stattgefunden hat. In Thätigkeit gesetzt, kann der Apparat, z. B. über Nacht, sich selbst überlassen werden, für welchen Zweck das Gefäß *E* eingeschaltet ist, um die in *E* befindliche Flüssigkeit aufzunehmen, falls nach vollendeter Entwicklung und völliger Absorption Zurücksaugen eintritt. Bei gutem Schlusse der Stopfen und Schläuche wird höchstens gegen Ende der Operation ein schwacher Chlorgeruch bemerkbar. Bei einem Rauminhalte des Gefäßes *C* von einem Liter genügen 24 g Kaliumchlorat und 240 g Chlorwasserstoffsäure zur Erzeugung der erforderlichen Gasmenge. Der Apparat ist auch zur Darstellung von Schwefelwasserstoffwasser geeignet. (Pharm. Ztschr. f. Rußl. **20**. 690.)

William L. Robb, Über *das galvanische Verhalten der Amalgame des Zinks und Kadmiums*. Die Versuche führten zu folgenden Hauptergebnissen: Amalgamiertes und reines Zink sind ihrer galvanischen Beschaffenheit nach so nahe gleich, daß der Potentialunterschied derselben in einer konzentrierten Lösung eines Zinksalzes, wenn dieselbe nicht neutralisiert ist, nur gleich einigen Tausendstel des Potentialunterschiedes eines Daniells ist, während derselbe, wenn die Zinksalzlösung genügend neutralisiert ist, um keine Wirkung auf das amalgamierte Zink auszuüben, verschwindend klein ist. Amalgamiertes Zink verhält sich in den Säuren positiv gegen unamalgamiertes Zink; der Grund liegt nicht in dem Unterschiede der elektrischen Beschaffenheit desselben, sondern ist wenigstens hauptsächlich durch Umsetzung der Säure in Salze an der Oberfläche der Zinkstäbe veranlaßt.

In einer neutralisierten konzentrierten Lösung von Kadmiumsulfat verhält sich das amalgamierte Kadmium negativ gegen das unamalgamierte Kadmium, und zwar ist der Potentialunterschied beider unmittelbar nach der Amalgamation ziemlich bedeutend, nimmt aber mit der Zeit ab, bis eine gewisse Grenze erreicht ist. (Inaug.-Dissertat. 16. August 1883. Berlin.) —r.

Julius Schober*, *Ein neuer Schärfer für Korkbohrer.* An einem Hefte aus Holz sitzt ein messingener Kegel, welcher durch einen einige Millimeter großen Spalt in zwei Teile geteilt ist.

Auf dem Metallkegel wird der zu schärfende Korkbohrer aufgesetzt und an diesen nun eine an einem Scharnier hin und her bewegliche Stahlklinge mit dem Finger leise angedrückt. Die Schärfung des Bohrers findet jetzt statt, sobald man entweder den Schärfer oder den Bohrer dreht. Um die Klinge während der Aufbewahrung vor Verletzungen zu schützen, wird sie nach jedesmaligem Gebrauche, wie die Klingen bei den Taschenmessern, in den Spalt des Kegels hineingedrückt. Das Instrument hat vor den bisher gebräuchlichen Korkbohrschärfern den Vorteil, daß der Korkbohrer infolge der Führung auf dem Umfange des Messingkegels seine vollkommen runde Form beibehält. Da der Druck, der beim Schärfen des Bohrers durch die Stahlklinge stattfindet, nur ein sehr schwacher zu sein braucht, ist nur eine möglichst geringe Abnutzung des Korkbohrers vorhanden. (Nach Privatmitteil. des Erfinders.)

P.

Jul. Schober*, *Ein Schiefsofen für Vorversuche.* Um bei chemischen Operationen, welche in zugeschmolzenen Röhren unter Druck ausgeführt werden sollen, erst die Vorgänge mit geringen Mengen Substanz und in möglichst kurzer Zeit studieren zu können, dient ein kleiner Schiefsofen, in welchem, wie bei den größeren Apparaten dieser Art, eiserne Röhren sich befinden. In letztere werden die mit den zu digerierenden Substanzen beschickten, 5—15 mm weiten, zugeschmolzenen Glasröhren eingeführt. Die Heizung des Ofens, den man bis zu den Röhren mit Paraffin füllt, kann mittels Gas- oder Spiritusflamme geschehen. In einer Öffnung am Deckel läßt sich ein Thermometer anbringen. Um Wärmeverluste zu vermeiden, wird der Ofen mit einem Sargdeckel ähnlichen Schutzdache überdeckt. Jeder Ofen wird mit mehreren Röhren zugleich beschickt, die man verschieden lange Zeit bestimmten oder wechselnden Temperaturen aussetzt, bis der gewünschte Zweck erreicht ist. Auf diese Weise lassen sich die Versuchsbedingungen, welche beim Versuche im größeren Maßstabe einzuhalten sind, leicht ermitteln. (Nach einer Privatmitteilung des Erfinders.)

P.

4. Organische Chemie.

Henry, Über das *Methylenbromid.* Das Methylenbromid, CH_2Br_2, wurde zuerst im Jahre 1859 von BUTLEROW beschrieben, welcher es durch Einwirkung von Brom auf Methylenjodid erhielt. Später, im Jahre 1874, wurde es von STEINER (Ber. Chem. Ges. 7. 507) neben Bromoform durch Einwirkung von Brom auf Methylbromid in geschlossenen Gefäßen dargestellt. Es siedet nach STEINER bei 80—82° und hat das spezifische Gew. 2,0884 bei 11,5°.

Des Vf's. Beobachtungen stimmen hiermit nicht überein. Er stellte den Körper nach BUTLEROW's Angaben und unter denselben Bedingungen dar, unter denen er früher das

---

*Zu beziehen bei J. SCHOBER, Berlin SO., Adalbertstr. 44.

Äthylenchlorobromid, C_2H_4ClBr, aus dem entsprechenden Chlorojodid erhalten hatte. Brom reagiert leicht, aber ruhig auf Methylendijodid, CH_2J_2, unter Wasser. Nach einiger Zeit tritt eine nicht unbedeutende Erwärmung ein. Dieselbe ist indes geringer, als die, welche bei der Einwirkung von Brom auf das Jodid eines an Wasserstoff reicheren Kohlenwasserstoffes eintritt. Die Abscheidung des Jodes ist nur dann vollständig, wenn man einen grofsen Überschufs von Brom anwendet. Der Vf. nahm das doppelte der theoretischen Menge. Die Ursache hiervon liegt darin, dafs das Brom sich mit dem ausgeschiedenen Jod zu Bromjod, JBr, verbindet:

$$CH_2J_2 + Br_4 = CH_2Br_2 + 2BrJ.$$

Die Reaktion wird beendigt, indem man das Bromjod durch eine Alkalilösung beseitigt und nach dem Trocknen destilliert. Das erhaltene Produkt ist fast rein. Es stellt eine farblose, leicht bewegliche, vollkommen durchsichtige Flüssigkeit von angenehmem chloroformähnlichen Geruche und süfsem, zugleich stechendem Geschmacke dar. Im Lichte wird es, wenn es völlig rein ist, nicht verändert, siedet bei 98,5° (756 mm; Quecksilbersäule ganz in Dampf); spez. Gewicht 2,493 bei 0°, bezogen auf Wasser von der gleichen Temperatur. Ausdehnungskoeffizient 0,001 001 bei 10° und 0,000 973 6 bei 0°; Dampfdichte gefunden 5,96, berechnet 6,01; in einer Kältemischung von —12° bleibt es noch flüssig. In Wasser, Alkohol, Äther etc. ist es unlöslich.

Auf Phenolkalium, C_6H_5KO, in Alkohol wirkt es nach mehrstündigem Erhitzen im Wasserbade am Rückflufskühler ein und giebt *Dioxyphenylmethan*, $CH_2(OC_6H_5)_2$, welches eine etwas dickliche farblose, nach Phenol riechende Flüssigkeit ist vom spez. Gewichte 1,1136 bei 18° und vom Siedepunkte 293—295° (758 mm).

Die Leichtigkeit, mit welcher Antimonpentachlorid auf das Äthylendibromid wirkt und dasselbe in C_2H_4ClBr umwandelt, liefs den Vf. hoffen, dafs sich das Methylendibromid ähnlich verhalten und ein Chlorobromid von der Formel CH_2ClBr geben würde. Dem ist indes nicht so; die Reaktion von $SbCl_5$ auf CH_2Br_2 ist schwach und langsam. Man mufs erhitzen, um sie zu bewirken. Das dabei entstehende Produkt ist aber nicht die erwartete Verbindung, sondern das Methylendichlorid, CH_2Cl_2. (Ann. Chim. Phys. [5.] 30. 266—74. 1883.)

Johannes Frentzel, *Ein Beitrag zur Kenntnis des normalen primären Hexylalkohols und seiner Derivate.* Vf.!hat nach !der von A. W. Hofmann (82. 357 und Ber. Chem. Ges. 15. 407. 752. 977) angegebenen Methode Önanthamid mittels Brom das normale Hexylamin dargestellt und gelangte von diesem zum normalen Hexylalkohol, indem derselbe das salpetrigsaure Hexylamin (aus Hexylaminchlorhydrat und Silbernitrit) erhitzte. Die Reaktion trat in der zur Sirupdicke eingedampften Flüssigkeit schon bei einer Temperatur von etwa 100° ein. Die wässerige Lösung des Hexylaminnitrits wurde in Retorten destilliert. Ein Versuch, den Alkohol nach der Methode von Linnemann (Lieb. Ann. 144. 129) aus Hexylaminnitrit und Salzsäure zu bereiten, blieb erfolglos. Vf. erhielt dabei nur das salzsaure Hexylamin.

Der reine normale Hexylalkohol siedet bei 157,3° (korr.) bei einem Barometerstande von 763 mm und hat bei 17°C. das spez. Gewicht 0,813. Mittels einer Kältemischung von fester Kohlensäure und Äther zum·Erstarren gebracht, bildet der Alkohol keine Krystalle. Frentzel stellte folgende Derivate aus dem normalen Alkohol her:

Ameisensäurehexyläther (flüssig, Siedep. 146°, spez. Gew. bei 170° 0,8495)
Benzoesäurehexyläther (flüssig, Siedep. 272°, spez. Gew. bei 170° 0,998)
Hexylsulfoharnstoff (schmilzt bei 40°)
Hexylsenföl (Siedep. 212°C.)
Monohexylsulfoharnstoff (Schmelzp. 83°C.).

Bei dem Versuche, das Hexylchlorid nach dem Verfahren von C. E. Groves (74. 564) herzustellen, resultierte eine bei 130° siedende Flüssigkeit, welche bei der geringen Ausbeute des Produktes nicht analysiert werden konnte. (Inaug.-Dissertat. 4. August 1883. Berlin.)

E. Divers, *Darstellung von Hydroxylamin aus Salpetersäure.* Lossen stellte im J. 1865 das Hydroxylamin durch Einwirkung von Zinn und Salzsäure auf Äthylnitrat dar. Maumené zeigte, dafs man für letzteres auch Ammoniumnitrat anwenden kann. Im J. 1872 fand der Vf., dafs die Darstellung auch mit Natriumnitrat und selbst mit freier Salpetersäure gelingt. Seitdem hat er sich mit dem Gegenstande weiter beschäftigt und teilt seine Resultate in der vorliegenden Arbeit mit. Er giebt eine detaillierte Beschreibung über die Einwirkung verschiedener Metalle auf Salpetersäure für sich, sowie bei Gegenwart von Salzsäure und Schwefelsäure. Als ein Beispiel sei folgendes angeführt. 58 ccm rauchender Salzsäure wurden mit 5 ccm Salpetersäure (1,42 spez. Gewicht) gemischt und die Mischung auf 35 g granuliertes Zinn gegossen, welches in einer mit

Kohlensäure gefüllten Flasche enthalten war. Während dessen wurde letztere durch Eintauchen in kaltes Wasser abgekühlt. Nach Beendigung der Reaktion goſs man die Flüssigkeit ab und fand, daſs 21 g Zinn gelöst waren. Nach dem Verdünnen der Lösung mit Wasser wurde das Zinn mit Schwefelwasserstoff etc. beseitigt und das Hydroxylamin im Filtrate durch $^1/_{10}$ Normaljodlösung bestimmt. Es ergab sich, daſs etwa $4^1/_3$ g der Salpetersäure in Hydroxylamin umgewandelt waren.

Folgende Reaktion eignet sich für einen *Vorlesungsversuch.* Man gieſse etwas verdünnte Schwefelsäure auf Zink und setze dann etwas Salpetersäure hinzu; nach einer halben Minute gieſse man die Lösung ab, versetze sie mit einem groſsen Überschusse von Kalilösung, so daſs das abgeschiedene Zinkhydrat wieder gelöst wird, und setze eine geringe Menge Kupfersulfatlösung hinzu. Der hierbei entstehende charakteristische gelbe Niederschlag zeigt die Gegenwart von Hydroxylamin an.

Als Resultate seiner Versuche teilt der Vf. schlieſslich folgendes mit. Freie Salpetersäure giebt Hydroxylamin, wenn sie mit Zinn, Zink, Kadmium, Magnesium und Aluminium behandelt wird. Bei Gegenwart von Salzsäure oder Schwefelsäure ist die Menge desselben (bei Zinn und Zink) beträchtlich. Die Metalle wirken in zweierlei Weise auf die Salpetersäure und können dementsprechend in zwei Klassen geteilt werden. Die eine Klasse enthält die Metalle Silber, Quecksilber, Kupfer und Wismut, welche Nitrit, Wasser und Nitrat, aber weder Ammoniak noch Hydroxylamin bilden und ihr Nitrat nicht in Nitrit umwandeln. Diese Metalle zersetzen die Salpetersäure in Hydroxyl und Nitroxyl und verbinden sich mit diesen Radikalen zu Hydroxyd und Nitrit, welche durch sekundäre Wirkungen Wasser, salpetrige Säure und Nitrat geben. Die andere Klasse von Metallen enthält Zinn, Zink, Kadmium, Magnesium, Aluminium, Blei, Eisen und die Alkalimetalle. Diese geben Ammoniak und in der Regel auch Hydroxylamin, aber kein Nitrit oder salpetrige Säure mit freier Salpetersäure. Dagegen geben sie leicht Nitrit durch Einwirkung auf ihr eigenes Nitrat. Sie üben zweierlei Wirkungen aus. Die eine auf die Salpetersäure, die andere auf das Hydroxylamin. Zuerst wirken sie auf sieben Moleküle der Säure, scheiden den Wasserstoff aus sechs derselben in Form von Hydroxyl ab und geben Nitrat, indem das siebente in Wasser und Hydroxylamin umgewandelt wird. Die zweite Wirkung besteht darin, daſs sie sich mit dem Hydroxylamin zu einem Metallammoniumhydroxyd verbinden, welches sich mit Wasser in Metallhydroxyd und Ammoniak zersetzt. (Chem. N. **48**. 223.)

G. Dyson, Über *einige Verbindungen des Phenols mit den Amidobasen.* In einer neueren Untersuchung sind DALE und SCHORLEMMER zu dem Schlusse gelangt, daſs sich das Aurin mit den Amidobasen verbindet, und haben reines Rosanilinphenat dargestellt. Der Vf. hat die Darstellung desselben wiederholt und auſserdem die analogen Verbindungen: Anilinphenat, Toluidinphenat, Naphtylaminphenat, Anilin-β-naphtat, Toluidinnaphtat, Rosanilinphenat, Xylidinnaphtat, Rosanilinaurinat und Anilinaurinat erhalten. (Chem. N. **48**. 224.)

5. Physiologische, medizinische und pharmazeutische Chemie.

Miquel, *Die antiseptische Wirkungskraft verschiedener chemischer Stoffe gegen Bakterien.* Die in nachstehender Tabelle angeführte Gewichtsmenge der Desinfektionsmittel ist erforderlich, um 1 l Ochsenbouillon fäulnisunfähig zu machen. Die Reihe beginnt mit dem stärksten und endigt mit dem schwächsten der aufgezählten antiseptischen Stoffe.

Quecksilberdijodür	0,025 g	Chromsaures Kali	1,30 g
Silberjodür	0,03	Pikrinsäure	1,30
Wasserstoffsuperoxyd	0,05	Bleichlorür	2,10
Quecksilberchlorid	0,07	Mineralsäuren	2,00—3,00
Silbernitrat	0,08	Bittermandelessenz	3,20
Osmiumsäure	0,15	Carbolsäure	3,20
Chromsäure	0,20	Kaliumpermanganat	3,50
Jod	0,25	Anilin	4,00
Chlor (gasförmig)	0,25	Alaun	4,50
Blausäure	0,40	Tannin	4,80
Brom	0,60	Arsenige Säure	6,00
Chloroform	0,80	Borsäure	7,50
Kupfersulfat	0,90	Chloralhydrat	9,50
Salicylsäure	1,00	Eisenvitriol	11,00
Benzoesäure	1,10	Amylalkohol	14,00

Schwefeläther	. . . . . . 22,00 g	Jodkalium	. . . . . . 140,00 g
Borax	 70,00	Cyankalium	 185,00
Äthylalkohol	 95,00	Unterschwefligs. Natrium	. . . 275,00.
Rhodankalium	 120,00		

(Centralbl. f. allgem. Gesundheitspfl. 2. 403; aus Semaine medicale.) **P.**

F. Neelsen, *Neuere Ansichten über die Systematik der Spaltpilze.* (Biol. Centralbl. **3.** 545—58. 15. Nov. 1883. Rostock.)

E. Wollny, Über *die Thätigkeit niederer Organismen im Boden.* Das Endresultat der Darlegungen des Vf's. kann man dahin präzisieren, dafs alle Veränderungen, welchen die organischen Stoffe im Boden unterliegen, fast ausschliefslich durch den Lebensprozefs niederer Organismen vermittelt werden, und dafs die Tätigkeit der letzteren von demselben Naturgesetze beherrscht wird, nach welchem die Lebenserscheinungen der höheren Pflanzen geregelt sind, d. h. dafs die Funktionen der Mikroorganismen im Boden von demjenigen der mafsgebenden Faktoren abhängig sind, der im Minimum auftritt. Von hier ab nehmen sie an Intensität zu, je günstiger sich die äufseren Lebensbedingungen gestalten. In Rücksicht auf die zahlreichen Belege für die aufserordentlichen Schwankungen, welchen diese Lebensbedingungen je nach der physikalischen Bodenbeschaffenheit und dem jeweiligen Zustande der Atmosphäre unterworfen sind, glaubt Vf. den Nachweis geliefert zu haben, dafs der organische Prozefs im Boden eine Erscheinnng ist, die aus einer Komplikation verschiedener, teils sich unterstützender, teils sich gegenseitig aufhebender Ursachen herrührt und eben deswegen nicht, wie vielfach geschehen, aus einer einzigen Ursache erklärt werden kann. (Vortrag, gehalten am 30. Juni 1883 in der hygieinischen Ausstell. zu Berlin. D. Vierteljahrsschr. f. öffentl. Gesundheitspfl. **15.** 705—25.) —r.

A. Tschirsch, *Die Reindarstellung des Chlorophyllfarbstoffes* (IV.) (Ber. D. Bot. Ges. **1.** Generalvers. in Freiburg XVII—XXII. (17. Sept. 1883) und Ber. Chem Ges. **16.** 2731—36. 23. Nov. 1883. Berlin.) **P.**

Märcker, Über *die Anwendung künstlicher Düngemittel unter Verhältnissen des neu eingeführten Zuckerrübenbaues.* (Scheibler's Neue Ztschr. für Rübenz.-Ind. **11.** 133 bis 135.) **P.**

J. Otto, *Studien über das Hämoglobin.* Von der Richtigkeit der Angabe von Saarbach, dafs sich bei der Reduktion von Methämoglobin durch Schwefelammonium bei Ausschlufs der Luft zuerst Oxyhämoglobin bilde, dann erst Hämoglobin, konnte sich Vf. nicht bestimmt überzeugen; dagegen bildete sich bei der Einwirkung von Kaliumchlorat auf Hämoglobin stets sofort Methämoglobin, ohne dafs vorher Oxyhämoglobin nachweisbar war. Diese Beobachtungen lassen sich mit dem aus den früheren Versuchen von Hüfner und dem Vf. gefolgerten Ergebnisse vereinigen, dafs das Methämoglobin ebensoviel Sauerstoff enthalte, wie das Oxyhämoglobin, nur in einer anderen Art der Bindung. Für dieses Resultat, welches als Verdrängungsversuchen mit Kohlenoxyd gefolgert war, hat Vf. nach einer weiteren Bestätigung gesucht. Wenn man eine Oxyhämoglobinlösung von bekanntem Gehalte auspumpt, so geht ein Teil des Oxyhämoglobins in Methämoglobin über. Wenn beide Substanzen gleichen Sauerstoff enthalten, so mufs die Summe des durch Auspumpen erhaltenen Sauerstoffes und des aus der Menge des Methämoglobins berechneten übereinstimmen mit der aus der angewendeten Quantität Oxyhämoglobin berechneten Sauerstoffmenge. Dies ist nach den Versuchen des Vf's. in der That der Fall. Das Methämoglobin enthält also ebensoviel Sauerstoff, wie das Oxyhämoglobin, nur in einer anderen Form der Bindung. Durch Einwirkung von Zinkstaub und Natriumamalgam auf Methämoglobin erhielt Vf. farblose, gut krystallisierende Substanzen, deren nähere Untersuchung noch aussteht. (Pflüger's Arch. **31.** 245; Med. C.-Bl. **21.** 853.)

G. Bunge, Über *das Sauerstoffbedürfnis der Darmparasiten.* Die Lehre, dafs die Verwandtschaft des eingeatmeten Sauerstoffes zur aufgenommenen Nahrung die alleinige Quelle des lebendigen Kraft im Tierkörper sei, ist bekanntlich durch neuere Forschungen wesentlich modifiziert worden. Wir wissen jetzt, dafs die Nahrungsstoffe vor ihrer Oxydation einer Spaltung unterliegen müssen, und dafs bereits bei dieser Spaltung ein Teil der mit Nahrung eingeführten chemischen Spannkräfte in lebendige Kraft sich umsetzt. Die Verbrennungswärme gewisser Spaltungsprodukte ist geringer, als die der Nahrungsstoffe, aus denen sie hervorgingen. Wir wissen ferner aus den Versuchen Hermann's, dafs der Muskel auch in sauerstofffreien Medien sich kontrahiert, dafs er dabei Kohlensäure abspaltet, aber keinen Sauerstoff aufnimmt. Es ist daher schon mehrfach die Vermutung ausgesprochen worden, dafs die Quelle der Muskelkraft hauptsächlich in den Spaltungsprozessen zu suchen sei und nicht nur in den Oxydationsprozessen.

Mit dieser Annahme stehen auch die Ergebnisse der vergleichenden Untersuchungen über das Sauerstoffbedürfnis der Repräsentanten aller Klassen des Tierreiches im besten Einklange: Der Unterschied in dem Sauerstoffbedürfnisse der verschiedenen Tierarten ist ein sehr grofser; er scheint jedoch in keiner Beziehung zu stehen zu der von den Tieren geleisteten Muskelarbeit, wohl aber zu der Körperwärme, welche die Tiere entwickeln. Der Sauerstoffverbrauch in 24 Stunden auf 1 g des Körpergewichtes in Kubikzentimetern auf 0° und 760 mm Quecksilberdruck berechnet, beträgt für:

Sperling	161,0	Regenwurm	1,7
Ente	23,2—31,6	Schleie (cypr. tinca)	1,3
Hund	15,1—23,4	Aal (muraena anguilla)	0,97—1,2
Mensch	7,1—10,7	Eidechse, im Winterschlafe erstarrt	0,41
Frosch	1,1— 1,8		

Wenn die Annahme, dafs die Muskelkraft vorherrschend durch die Spaltung der Nahrung und die Körperwärme vorherrschend durch Oxydation erzeugt wird, richtig ist, so müfste man erwarten, dafs diejenigen Tiere, welche gar keine Körperwärme zu entwickeln brauchen, auch das geringste Sauerstoffbedürfnis haben. Dies ist der Fall bei den Parasiten des Darmes, welche in einem nahezu sauerstofffreien Medium leben; es kann daher die Sauerstoffmenge, welche sie aufnehmen, nur eine äufserst geringe sein. Es wäre denkbar, dafs sie sich an die Wandungen des Darmes anschmiegen und den aus den Geweben der Darmwand diffundierenden Sauerstoff aufnehmen, bevor er von den reduzierenden Substanzen des Darminhaltes gebunden wird. Es wäre aber auch denkbar, dafs sie mit Spuren von Sauerstoff leben, oder ganz ohne Sauerstoff, wie es von gewissen Bakterien behauptet wird.

Um diese Frage zu entscheiden, hat der Vf. Versuche mit dem im Dünndarme der Katze lebenden Spulwurme Ascaris mystax ausgeführt, welcher von allen Darmparasiten aufserhalb des Wirtes der resistenzfähigste zu sein scheint. Eine nicht zu überwindende Schwierigkeit stellte sich bei diesem Versuche in der Herstellung einer geeigneten Nährlösung entgegen, weil sie bei der notwendigen Versuchstemperatur (38° C.) stets sehr rasch in Fäulnis überging.

Als Ersatz für dieselbe wurde eine Lösung von 1 p. c. Chlornatrium und 0,1 p. c. Natriumcarbonat angewendet, in welcher die Tiere, wie vorläufige Versuche erwiesen, auch ohne Nahrung ihr Leben 7—10 Tage und noch länger fortsetzen konnten. Die Versuche wurden in Reagenzgläsern ausgeführt, welche man mit ausgekochter und dann bis auf 38° abgekühlter Salzlösung füllte und nach dem Hineinbringen der Ascariden entweder über Quecksilber absperrte, oder in Glaskolben zugleich mit einer sauerstoffabsorbierenden Substanz (Pyrogallol und Kalilauge, oder frisch gefälltes Eisenoxydul) einschmolz. Bei allen Versuchen blieben die Tiere vier bis fünf Tage am Leben und zeigten während dessen volle Beweglichkeit. Der Sauerstoffverbrauch in 24 Stunden konnte im ungünstigsten Falle auf 1 g Körpergewicht allerhöchstens 0,02 ccm betragen, also 40—80 mal weniger, als beim Frosch und 1000 mal weniger, als beim Hunde. Bei den übrigen Versuchen (mit Pyrogallol und Eisenoxydul) noch weniger. Bei einem Versuche wurde sogar frisch ausgewaschenes Eisenoxydul mit in das Reagensglas gethan, und der Wurm lebte dennoch vier Tage lang unter fortdauernd lebhaften Bewegungen.

Hieraus ergiebt sich, dafs die Quelle der Muskelkraft bei diesen Tieren unbedingt nicht die Oxydation sein kann. Unter normalen Verhältnissen, wo sie beständig in einem Überflusse von Nahrung schwimmen, können sie verschwenderisch mit derselben umgehen und nur denjenigen Teil der chemischen Spannkraft ausnutzen, welcher durch blofse Spaltung in lebendige Kraft sich umsetzt. In der Salzlösung, wo sie auf die in ihrem Körper aufgespeicherten Nahrungsstoffe beschränkt waren, gingen sie daher verhältnismäfsig rasch zu grunde. (Ztschr. phys. Chem. 8. 48—59.)

C. Schotten, Über die Quelle der Hippursäure im Harn. Allgemein nimmt man das Eiweifs als die Muttersubstanz der Hippursäure an; darüber aber, welches unmittelbare Spaltungsprodukt des Eiweifs zur Bildung der Hippursäure Anlafs gäbe, sind bis jetzt höchstens Vermutungen ausgesprochen worden. Der Vf. hat Fütterungsversuche an Hunden mit α-Amidophenylpropionsäure und Phenylpropionsäure ausgeführt, aus denen sich ergab, dafs in beiden Fällen Hippursäure im Harn aufgefunden wurde; jedoch nach Fütterung mit der nichtamidierten Säure in mindestens achtzehnmal gröfserer Menge, als im anderen Falle.

Er schliefst daraus folgendes: Die α-Amidophenylpropionsäure, welche ein Spaltungsprodukt des Eiweifs ist, wird im normalen Verdauungsprozesse fast vollständig verbrant. Ein kleiner Teil derselben wird aber durch Fäulnisfermente innerhalb des Darmes in Phenylpropionsäure verwandelt. Die letztere wird als solche resorbiert, in den Geweben zu Benzoesäure oxydiert und tritt, nachdem sie sich mit Glykokoll gepaart hat, als Hippursäure im Harn aus. Ob der gröfsere Reichtum des Harns der Herbivoren an Hippursäure auf einer qualitativen Verschiedenheit der als Nahrungsstoffe dienenden Eiweifskörper, oder ob er nur auf der gröfseren Intensität der im Darme der Pflanzenfresser verlaufenden Fäulnisprozesse beruht, läßt sich erst entscheiden, wenn die quantitativen Verhältnisse der bei der Spaltung von Albumin entstehenden Amidosäuren genauer studiert sein werden. Auch darf die Frage noch nicht als erledigt betrachtet werden, ob nicht sowohl im Verlaufe der normalen Darmfäulnis, als namentlich in Krankheitszuständen, in welchen die aromatischen Substanzen des Harns eine Vermehrung erfahren, die niedrigere Homologe jener Säure, die Phenylessigsäure, aus der Amidophenylpropionsäure entstehen kann, welche nach den Versuchen von SALKOWSKI als Phenacetursäure im Harn austritt. Der Vf. hat ferner den Nachweis geliefert, daß die Amidophenylessigsäure, welche sich aus Benzaldehyd, Blausäure und Ammoniak leicht in beliebiger Menge darstellen läßt, im Organismus zum großen Teil in *Mandelsäure* verwandelt wird und im Harn austritt. Eine andere Säure als diese war nicht aufzufinden, insbesondere keine Hippursäure, und dies mußte überraschen, da nach den Versuchen von SCHULTZEN und GRAEBE dem Organismus zugeführte Mandelsäure als Hippursäure im Harn austritt. Der Vf. hat deshalb auch Fütterungsversuche mit Mandelsäure angestellt und ein negatives Resultat erhalten; Hippursäure war danach im Harn nicht aufzufinden. (Ztschr. physiol. Chem. 8. 60—69.)

Georg Hoppe-Seyler, *Zur Kenntnis der indigobildenden Substanzen im Harn.* Der Vf. hat seine Versuche mit o-Nitrophenylpropiolsäure (**83.** 505) fortgesetzt. Zunächst wurde festgestellt, daß auch im normalen Hundeharn die stets vorhandene Substanz, welche mit Salzsäure und Chlor Indigo bildet, nichts anderes als das von BAUMANN und BRIEGER entdeckte indoxylschwefelsaure Kalium ist, wie es von vorn herein zu vermuten war. Ferner wurden darin ziemlich beträchtliche Mengen von phenolschwefelsaurem Kalium nachgewiesen.

Da die früheren Versuche an Kaninchen die Umwandlung der o-Nitrophenylpropiolsäure in indoxylschwefelsaures Kalium dargethan hatten, so lag es nahe, zu untersuchen, wie sich letztere Substanz, wenn sie in den Organismus eingeführt wird, verhalte; ob sie weiter hydroxyliert werde, oder ihn ungestört passiere. Die Versuche wurden an einem Hunde ausgeführt und führten zu dem Resultate, daß, wenn überhaupt, so nur geringe Mengen von dem (durch Injektion) eingebrachten Salze zersetzt sein konnten, und dieses zum allergrößten Teile intakt durch den Organismus ging.

Schließlich wurden noch Versuche mit o-Nitrozimmtsäure, o-Amidozimmtsäure und o-Nitrobenzaldehyd an Hunden ausgeführt, doch zeigte sich in keinem Falle eine Vermehrung der Indoxylschwefelsäure. (Ztschr. physiol. Chem. 8. 79—84.)

A. Zeller, Über *die Schicksale des Jodoforms und Chloroforms im Organismus.* HÖGYES hat die Vermutung ausgesprochen, daß das im Jodoform zur Resorption gelangte Jod zunächst mit dem Eiweiß der Gewebe in Verbindung träte und als Jodalbumin wirksam sei. Wenn diese Behauptung richtig ist, so müßte diese Verbindung die Ursache davon sein, daß die Resorption vom Darme aus eine so unvollkommene ist, wie auch davon, daß eine Retention des Jodes im Blute und in den Organen stattfindet. Der Vf. hat zur Entscheidung dieser Frage Fütterungsversuche an einem Hunde mit Jodalbuminlösung ausgeführt, welche ergaben, daß aus 300 g einer solchen Lösung, die 2,51 g Jod enthielt, die Jodausscheidung durch den Harn kaum an neun Tagen vollendet war. Ein geringer Teil davon war durch die Fäces ausgeschieden worden. Hieraus geht hervor, daß Verbindungen des Jodes mit Eiweiß nur sehr schwierig resorbiert werden, da die Ausscheidung des Jodes nach einer einmaligen Gabe von Jodalbumin neun Tage lang dauerte. Dieses Resultat unterstützt also die von HÖGYES gemachte Annahme, daß das aus dem Jodoform abgespaltene Jod sich als Jodalbumin im Organismus befindet.

Eine andere Versuchsreihe, mit Chloroform ausgeführt, ergab, daß der Gehalt an Chloriden im Harn nach Eingabe von Chloroform eine Steigerung erfährt, welche sich mehrere Tage lang fortsetzt, jedoch in unregelmäßiger Weise. In welchen Verbindungen das vom Chloroform abgespaltene Chlor zunächst im Organismus verweilt, dürfte schwer zu ermitteln sein. Immerhin ist es von Interesse, daß die Chlorausscheidung in ähnlicher Weise langsam erfolgt, wie die Jodausscheidung. Endlich ergab sich, daß im ganzen etwa ⅓ des Chlors auf diesem Wege ausgeschieden worden ist; es ist also nur der dritte Teil des Chloroforms *als solches* durch die Respiration oder durch den Harn ausgeschieden worden. (Ztschr. physiol. Chem. 8. 70—78.)

Valter Lindberger, *Beitrag zur Kenntnis von der Trypsinverdauung bei Gegenwart freier Säure.* (Aus Upsala läkarefören. förh. **18.** 516; SCHMIDT's Jahrbücher **199.** 233 bis 234.)   P.

O. Minkowsky, Über *Spaltungen im Tierkörper.* Hippursäurespaltung im lebenden Organismus. — Hippursäurespaltung durch Fermentwirkung. — Versuche über Spaltung von Benzylamin. — Versuche über Spaltung von Amidosäuren. (Arch. f. exper. Pathol. und Pharmakol. 17. 444—65. 20. Nov. 1883. Königsberg.)

14

7. Analytische Chemie.

A. B. Clemence, *Apparat zur Bestimmung des Kohlenstoffes im Stahle.* Die Methode, den bei der Auflösung des Stahles abgeschiedenen Kohlenstoff in einem Glastrichter durch Asbest abzufiltrieren, dann zu trocknen, in ein Porzellanrohr zu übertragen und im Sauerstoffstrome zu verbrennen, ist ungenau, weil es oft nicht möglich ist, den an der Glaswand anhaftenden Kohlenstoff vollständig in das Rohr zu bringen. Vf. bedient sich dazu eines Platinrohres von der in beifolgender Figur gezeichneten Form. Der weitere

Teil desselben ist $^3/_4''$ (englisch) weit und 7″ lang, und der engere Teil $^3/_{16}''$ weit und $4^1/_2''$ lang. Drei bis fünf Gramm des zu untersuchenden Stahles werden in einer Auflösung von Ammoniumkupferchlorid, welche 36 g Salz und 120 ccm Wasser für 3 g Stahl enthält, aufgelöst. Nachdem das abgeschiedene Kupfer vollständig wieder gelöst ist, schiebt man bei *b* einen Asbestpfropfen ein, filtriert direkt durch das Platinrohr und wäscht mit heifsem Wasser gut aus. Kohlenstoffteilchen, welche an der Wand des Platinrohres hängen geblieben sind, schiebt man mittels eines zweiten befeuchteten Asbestpfropfens nach *b*. Dann trocknet man das Ganze in einem Luftbade bei 150—175° eine Stunde lang, verschliefst das weite Ende *c* mit einem durchbohrten Kautschukstöpsel, durch den eine Glasröhre geführt ist, verbindet das Ende *a* mit einem Kalirohre, leitet Sauerstoff durch und verbrennt durch Erhitzen mittels eines einfachen BUNSEN'schen Brenners den Kohlenstoff vollständig. Die Resultate sind genau, und der Gasverbrauch ein sehr geringer. (Chem. N. **48**. 206.)

Guyard, *Darstellung einer Molybdänsalpetersäurelösung im Zustande höchster Konzentration.* Man löst in einem grofsen Becherglase gepulvertes oder krystallisiertes molybdänsaures Ammoniak bis zur Sättigung auf, d. h. so lange, bis sich Krystalle an der Glaswand an der Oberfläche der Flüssigkeit bilden und durch Umrühren nicht wieder gelöst werden. Die so erhaltene Lösung zeigt sich gegen Lackmus stark sauer. Dann bringt man in kleinere Gläser etwa 15—20 ccm Salpetersäure (1 Volum konzentrierte Salpetersäure und 1 Volum Wasser) und setzt unter Umrühren die Molybdänlösung so lange zu, bis der anfänglich wieder verschwindende Niederschlag bleibt, und die Flüssigkeit schwach milchig erscheint. Durch Zusatz von einigen Tropfen Salpetersäure beseitigt man die Trübung wieder und läfst die Flüssigkeit völlig erkalten. Auf diese Weise erhält man in jedem Glase 125—150 ccm höchst konzentrierte Molybdänsalpetersäurelösung. Man darf nicht versuchen, eine gröfsere Menge des Reagens in einem Glase darzustellen, da es in diesem Falle sehr leicht geschieht, dafs sich, wenn die Temperatur an irgend einem Punkte zu hoch steigt, die ganze Molybdänsäure völlig wieder abscheidet, und die Flüssigkeit sogar zu einer Masse erstarrt. Es ist dann sehr schwer, den abgeschiedenen Niederschlag zu lösen, und man erhält immer nur äufserst verdünnte Lösungen. Wenn dagegen das Reagens einmal im Zustande höchster Konzentration bereitet und abgekühlt ist, kann man die Temperatur bis 70 und 100° steigern, ohne dafs ein Niederschlag entsteht. Nur wenn man zum Sieden erhitzt, bildet sich ein ganz geringer Ansatz von Molybdänsäure an der Glaswand. Hat man in fünf bis sechs Gläsern das Reagens in der oben gedachten Menge hergestellt, so kann man sämtliche Flüssigkeiten, nachdem sie völlig abgekühlt sind, ohne Gefahr mischen und die Lösung zum Gebrauche aufbewahren. Man darf das oben angegebene Verfahren nicht umkehren, also nicht die Salpetersäure in die Molybdänlösung giefsen, denn in diesem Falle scheidet sich jene unbedingt aus. (Bull. Par. **40**. 423—25.)

Aubry, Über *die Brauchbarkeit des Ebullioskops von Vidal-Malligand zur Bieranalyse.* (Rep. anal. Chem. **3**. 339—41.)

Antony Guyard, Über *die Anwendung der Borsäure und des Hämatoxylins in der Alkalimetrie.* Der Vf. schlägt für die alkalimetrischen Bestimmungen Borsäure vor, welche leicht durch Krystallisation und Glühen im Zustande gröfster Reinheit erhalten werden kann. Als Indikator benutzt er Hämatoxylin in der Form, wie es im Handel vorkommt. Einige Körnchen davon werden vor dem Gebrauche in destilliertem Wasser gelöst, und die Lösung bleibt während der Dauer eines Tages brauchbar, mufs aber dann beseitigt werden. Der Farbenübergang in blafsgelb wird durch starke und schwache Säuren mit gleicher Bestimmtheit bewirkt, und Spuren von Alkali bringen eine deutliche purpurrote Färbung hervor, welche sich verhältnismäfsig lange Zeit hält; nie beobachtet man die unangenehmen Schwankungen wie beim Lackmus. Überdies ist das Hämatoxylin ein äufserst empfindliches Reagens auf Ammoniak, welches noch dem NESSLER'schen vorzuziehen ist. (Bull. Par. **40**. 422.)

Aubry, *Zum Nachweise der schwefligen Säure.* (Rep. anal. Chem. **3**. 341—42.)

J. E. Siebel, *Quantitative Bestimmung von Brom und Jod.* Vf. bestimmt diese beiden Halogene in jeder Lösung und in Anwesenheit anderer neutraler Salze auf rechnerischem Wege. Man ermittelt die Kubikzentimeter Silbernitratlösung, welche für die Fällung beider Halogene nötig sind (Kaliumchromat als Indikator). Der Niederschlag von Brom- und Jodsilber wird filtriert, ausgewaschen und gewogen. Bezeichnet n die gebrauchten Kubikzentimeter $^1/_{10}$ Normalsilberlösung, T das Gewicht des Silberbromids und Jodids in Grammen, so ist der

$$\text{Jodgehalt} \;=\; 127 \left(T - \frac{108\,n}{10{,}000} \right)$$

und der

$$\text{Bromgehalt} \;=\; T - \frac{108\,n}{10{,}000} - J \quad \text{oder} = \frac{80\,n}{10{,}000} - \frac{80\,J}{127}.$$

(Chem. Rev. **3**. 194. 1. Oktober 1883.) P.

C. Meineke, *Titrierung des Mangans durch übermangansaures Kali.* (Rep. anal. Chem. **3**. 337—39.)

W. H. Greene, *Über eine neue Form des Ureometers* (siehe die nebenstehende Figur). Der Apparat besteht aus einem kleinen. tubulierten Glasgefäfse, welches mit einer graduierten Röhre versehen ist. Man füllt es vollständig mit einer Lösung von Hypobromit und setzt es auf einen Napf, welcher die während der Analyse auslaufende Flüssigkeit aufnimmt. Mittels einer kleinen Pipette, deren unteres Ende so umgebogen ist, dafs man es durch den Tubulus bis in die Mitte des Gefäfses hineinbringen kann, führt man ein oder mehrere Kubikzentimeter Harn ein; die Zersetzung erfolgt in dem Mafse, wie der Harn aus der Pipette ausfliefst. Die Öffnung der letzteren mufs so klein sein, dafs nicht mehr als 3—4 ccm in der Minute ausfliefsen. Ist sie vollendet, so verschliefst man den Tubulus mit einem Stöpsel, durch den ein Trichterrohr geführt ist, so dafs letzteres senkrecht steht, und giefst in dieses soviel Hypobromitlösung ein, bis das Niveau in beiden Röhren gleich hoch ist. Man liefst dann ab und führt die Rechnung aus. Zur Kontrolle kann man 1 ccm einer titrierten Harnstofflösung in gleicher Weise zersetzen und die aus beiden entwickelten Stickstoffvolume miteinander vergleichen. Der Inhalt des Glasgefäfses beträgt etwa 50 ccm und der der Mefsröhre etwa 20—25 ccm. (C. r. **97**. 1141—42. [19.*] Nov. 1883.)

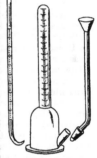

A. Mallat, *Über die Acetonharne.* Nach MEHU, NEUBAUER, VOGEL, LÉCORCHÉ etc. wird die Gegenwart von Aceton im Harn durch zwei charakteristische Reaktionen nachgewiesen: 1. die Flüssigkeit nimmt nach Zusatz von Eisenchlorid eine rotbraune Färbung an; 2. durch reine Schwefelsäure wird sie hellrosa und auf Zusatz von Eisenchlorid orangegelb. Diese Rosafärbung darf nicht mit der blafsroten verwechselt werden, welche man mit Schwefelsäure erhält, sobald im Harn viel organische Substanzen sind.

Die Harne, welche diese Reaktion geben, sind nicht so selten, als man bisher glaubte. Alle diabetischen Harne, besonders die von stark abgemagerten Patienten, zeigen dieses Verhalten. Der Vf. hat sich gefragt, ob in diesem Falle die Braunfärbung durch Eisenoxyd ebenfalls von der Gegenwart von Aceton herrührt. Er vermischte normalen Harn mit einigen Tropfen Aceton und schüttelte denselben, konnte aber weder mit Eisenchlorid die rotbraune, noch mit Schwefelsäure die hellrosa Färbung erhalten. Der Versuch wurde mit wechselnden Mengen Aceton wiederholt, aber stets mit negativem Erfolge. Hiernach galt es, festzustellen, welchem Körper die obige Farbenänderung zuzuschreiben sei. Nach JALISCH wird sie nicht durch Aceton, sondern durch Acetylessigsäure oder Äthyldiacetsäure, welche in der Flüssigkeit als Natronsalz vorhanden ist, bewirkt. Dieses zerfällt leicht in Aceton, Alkohol und Natriumdicarbonat nach der Gleichung:

$$C_{12}H_9NaO_6 + 2H_2O_2 = C_6H_6O_2 + C_4H_6O_2 + NaHC_2O_6.$$

Wenn man nun aber einen Harn, welcher die obigen Reaktionen giebt, bis zur vollständigen Zersetzung aufbewahrt, so bewirkt Eisenchlorid trotz des Verschwindens des Äthyldiacetats dennoch die charakteristische Färbung in rotbraun, dagegen verhält sich ein

16

Gemenge von Alkohol, Aceton und Natriumdicarbonat indifferent gegen das Reagens. Hiernach kann die Äthyldiacetsäure nicht als die Ursache der Reaktion betrachtet werden. Versetzt man eine sehr verdünnte Lösung von Pepton tropfenweise mit Eisenchlorid, so entsteht zuerst ein grauweißer Niederschlag, welcher sich in dem überschüssigen Reagens auflöst und der Flüssigkeit dann die obige charakteristische Rotbraunfärbung erteilt. Stellt man denselben Versuch mit einem gesunden Harn an, indem man ihn zuerst mit zwei oder drei Tropfen Eisenchlorid vorsetzt, so bildet sich eine grauweiße Wolke, welche nach größerem Zusatze des Reagens sich wieder löst und dem Harn dieselbe Färbung erteilt. Prüft man einen sogen. Acetonharn ebenso, so zeigt derselbe das gleiche Verhalten. Hiernach darf man annehmen, daß das Pepton die Ursache der Farbenreaktion ist, welche gewisse diabetische Harne zeigen. Trennt man den anfänglich gebildeten Eisenniederschlag durch Filtration, so giebt das Filtrat mit Eisenchlorid keinen weiteren Niederschlag, sondern färbt sich damit stets rosa. Diese Färbung scheint also mit der Gegenwart von Pepton nicht zusammenzuhängen. Der Vf. gab zur Kontrolle einigen Kranken, welche nicht an Glykosurie litten, Pepton und prüfte deren Harne zwölf Stunden danach. Dieselben gaben mit Eisenchlorid einen grauweißen Niederschlag, aber die Färbung in rotbraun zeigte sich auf Zusatz von überschüssigem Eisenchlorid nicht. (Journ. Pharm. Chim. [5.] 8. 495—98.)

Ankündigung.

Das chemische Centralblatt wird von diesem Jahre ab, um mit den sich stetig mehrenden Publikationen auf dem Gebiete der chemischen Litteratur in allen ihren Zweigen besser Schritt halten zu können, in erweitertem Umfange erscheinen, und zwar in der Weise, daß von Zeit zu Zeit je nach Bedarf Doppelnummern im Umfange von zwei Druckbogen ausgegeben werden. Der Jahrgang wird demnach einen Band von mindestens 60 Bogen (statt wie bisher 52 Bogen) bilden, in gleichem Format und Druck wie bisher.

Eine Preiserhöhung wird mit dieser beträchtlichen Volumvermehrung **nicht** verbunden sein.

Statt der Figurentafeln, die von nun ab wegfallen, sollen die Illustrationen in den Text eingeschaltet werden, wodurch ein rascheres Erscheinen der betreffenden Artikel ermöglicht wird.

Originalberichte von nicht zu großem Umfange werden, wie bisher, gern Aufnahme finden und entsprechend honoriert werden. Sie werden stets sofort nach der Einsendung und zwar in kürzester Frist zum Abdruck gelangen. Man bittet, dieselben an die Adresse der Redaktion (Leipzig, Lessingstr. 5) zu richten.

Die Redaktion.   Die Verlagsbuchhandlung.
R. Arendt.   Leopold Voss.

Inhalt: Aubry, Brauchbark. des Ebullioskops von VIDAL-MALLIGAND zur Bieranalyse 14; Nachweis der schwefligen Säure 15. — Bunge, G., Sauerstoffbedürfnis der Darmparasiten 11. — Clemence, A. B., Apparat zur Bestimm. des Kohlenstoffes im Stahle 14. — Divers, E., Darstell. von Hydroxylamin aus Salpetersäure 9. — Dyson, G., Verbb. des Phenols mit den Amidobasen 10. — Frentzel, J., Kenntnis des normalen primären Hexylalkohols und seiner Derivate 9. — Greene, W. H., Neue Form des Ureometers 15. — Guyard, A., Molybdänsalpetersäurelösung im Zustande höchster Konzentrat. 14; Anw. der Bors. und des Hämatoxylins in der Alkalimetrie 14. — Härtel, J., Apparat zur Darst. von Chlorwasser 7. — Henry, Methylenbromid 8. — Hoppe-Seyler, G., Indigobildende Subst. im Harn 13. — Lindberger, V., Trypsinverdauung bei Gegenwart freier Säure 13. — Mallat, A., Acetonharne 15. — Märcker, Anwendung künstl. Düngemittel unter Verhältnissen des neu eingeführten Zuckerrübenbaues 11. — Meinecke, C.; Titrierung des Mangans durch Übermangans. Kali 15. — Minkowsky, O., Spaltungen im Tierkörper 13. — Miquel, Antisept. Wirkungskraft verschied. chem. Stoffe gegen Bakterien 10. — Neelsen, F., Systematik der Spaltpilze 11. — Niemöller, F., Physik. Eigensch. chemischer Verbb. 1. — Otto, J., Studien über d. Hämoglobin 11. — Pirani, E., Galvan. Polarisation 7. — Robb, W. L., Galvan. Verh. der Amalgame des Zinks und Kadmiums 7. — Schärfer, J., Neuer Schärfer für Korkbohrer 8; Schießofen für Vorversuche 8. — Schotten, C., Quelle der Hippursäure im Harn 12. — Siebel, J. E., Quant. Best. von Brom und Jod 15. — Tschirsch, A., Reindarstell. des Chlorophyllfarbstoffes 11. — Wollny, E., Thätigk. niederer Organismen i. Boden 11. — Zeller, A., Jodoform u. Chlorofirm im Organism. 13.

Redaktion: Prof. Dr. **Rud. Arendt.**

Verlag von **Leopold Voss** in Hamburg u. Leipzig. — Druck von **Metzger & Wittig** in Leipzig.

No. 2.

Chemisches Central-Blatt.

9. Januar 1884.

Wöchentlich eine Nummer von
1–2 Bogen. Der Jahrgang mit
Sach- und Namen-Register,
nebst system. Übersicht.

Der Preis des Jahrgangs
ist 20 Mark. Durch alle
Buchhandlungen und Post-
anstalten zu beziehen.

REPERTORIUM

für reine, pharmazeutische, physiologische und technische Chemie.

Dritte Folge. XV. Jahrgang.

Wochenbericht.

1. Allgemeines und Physikalisches.

Lothar Meyer und **Karl Seubert**, *Die Atomgewichte der Elemente aus den Original-zahlen neu berechnet.*

	O = 1	H = 1		O = 1	H = 1
Aluminium, Al . . .	1,694	27,04	Molybdän, Mo . .	6,01	95,9
Antimon, Sb	7,494	119,6	Mosandrium, Ms . . .	?	?
Arsen, As	4,693	74,9	Natrium, Na	1,4408	22,995
Barium, Ba	8,575	136,86	Nickel, Ni	3,67	58,6
Beryllium, Be . . .	0,569	9,08	Niobium, Nb (Colum-		
Blei, Pb	12,932	206,39	bium, Cb)	5,87	93,7
Bor, B	0,683	10,9	Norwegium, Ng . .	?	?
Brom, Br	4,997	79,76	Osmium, Os	12,2	195
Cäsium, Cs . . .	8,315	132,7	Palladium, Pd . . .	6,66	106,2
Calcium, Ca . . .	2,501	39,91	Phosphor, P	1,940	30,96
Cer, Ce	8,847	141,2	Platin, Pt	12,177	194,3
Chlor, Cl	2,2159	35,37	Quecksilber, Hg . .	12,52	199,8
Chrom, Cr	3,284	52,45	Rhodium, Rh . . .	6,52	104,1
Decipium, Dp . . .	?	?	Rubidium, Rb . . .	5,34	85,2
Didym, Di	9,09	145,0	Ruthenium, Ru . . .	6,49	103,5
Eisen, Fe	3,501	55,88	Sauerstoff, O	1,00	15,96
Erbium, E	10,4	166	Samarium (Yβ ?), Sa .	?	?
Fluor, F	1,194	19,06	Scandium, Sc . . .	2,755	43,97
Gallium, Ga	4,38	69,9	Schwefel, S	2,0037	31,98
Gold, Au	12,29	196,2	Selen, Se	4,942	78,87
Indium, In	7,108	113,4	Silber, Ag	6,7456	107,66
Iridium, Ir	12,06	192,5	Silicium, Si	1,754	28,0
Jod, J	7,9284	126,54	Stickstoff, N	0,8779	14,01
Kadmium, Cd . . .	7,00	111,7	Strontium, Sr . . .	5,47	87,3
Kalium, K	2,446	39,03	Tantal, Ta	11,42	182
Kobalt, Co	3,67	58,6	Tellur, Te	8,00	127,7
Kohlenstoff, C . . .	0,7502	11,97	Terbium, Tb	?	?
Kupfer, Cu	3,959	63,18	Thallium, Tl	12,76	203,7
Lanthan, La	8,680	138,5	Thorium, Th	14,534	231,96
Lithium, Li	0,439	7,01	Thulium, Tl	?	?
Magnesium, Mg . .	1,500	23,94	Titan, Ti	3,15	50,25
Mangan, Mn . . .	3,43	54,8	Uran, U	15,03	239,8

18

	O = 1	H = 1		O = 1	H = 1
Vanadin, V	3,20	51,1	Ytterbium, Yb . . .	10,81	172,6
Wasserstoff, H . . .	0,06265	1,00	Yttrium, Y	5,61	89,8
Wismut, Bi	13,00	207,5	Zink, Zn	4,065	64,88
Wolfram (Tungsten) W	11,50	183,6	Zinn, Sn	7,353	117,35
Y_a und Y_β	?	?	Zirkonium, Zr . . .	5,66	90,4

(Die Atomgewichte d. Elemente, Leipzig 1883. 244—45.)

Jul. Schober, *Ein Gasbrenner mit Selbstverschlufs.* Für chemische Operationen, welche ein längeres Erwärmen erfordern, ist neuerdings von dem Mechaniker am physiologischen Institute zu Berlin, H. PFEIL, ein Gasbrenner konstruiert worden, welcher es gestattet, die chemischen Arbeiten auch während der Nacht im Gange zu belassen, ohne dafs man infolge eines zufälligen Verlöschens der Gasflamme, welches oft genug stattfindet, eine Ausströmung von Leuchtgas zu befürchten braucht. Die Erlaubnis, diesen Brenner im grofsen herstellen zu dürfen, hat SCHOBER von dem Erfinder durch Kauf erworben. In nebenstehender Figur ist *h* die Zuströmungsröhre für das Leuchtgas, *d* die Ausströmungsöffnung, *k* ist ein Hahn, dessen Hebel verlängert ist und am Ende der Verlängerung das Gewicht *m* trägt. Beim Gebrauche legt man den Hebel *l* auf *e*, wodurch der Hahn geöffnet ist, und worauf man das Gas bei *d* entzündet. Die Flamme erwärmt die beiden Spiralen *b* und *c*, welche gegen die Brenneröffnung schräg zulaufen, aus verschiedenen Metallen bestehen und deren Windungen entgegengesetzt aufgerollt sind. Beide Spiralen sind an einem Rohre befestigt, welches um das Brennerrohr drehbar ist. Durch die Erwärmung dehnen sich beide Spiralen aus, und zwar mufs diese Ausdehnung eine ungleichmäfsige werden; auch findet die letztere nach entgegengesetzten Richtungen statt. Die Folge davon ist, dafs die Spiralen sich um das Brennerrohr derart drehen, dafs man den Hebel *l* mit seinem Gewichte auflegen kann. In dieser Lage verbleiben die Spiralen und mithin auch der Hebel *l* so lange, als das Gas brennt. Verlischt aber dasselbe, so kühlen sich die Spiralen ab und führen die entgegengesetzte Bewegung wie vorhin aus. Dem Hebel *l* wird die Unterstützung entzogen, er fällt zurück und schliefst auf diese Weise die Gaszufuhr ab.

In der SCHOBER'schen Fabrik (JUL. SCHOBER, Berlin SO., Adalbertstr. 44) werden derartige Brenner sowohl für leuchtende, als auch nichtleuchtende Flammen angefertigt. Auf die Mannigfaltigkeit der Anwendung braucht wohl kaum hingewiesen zu werden, auch erscheint es unnötig, die Vorteile, die der Brenner gewährt, anzuführen. Die Brenner werden schon lange im Gesundseitsamte angewendet, um Thermostaten Tag und Nacht auf derselben Temperatur zu erhalten und funktionieren stets gut und sicher. (Nach einer Privatmitteil. des Hrn. SCHOBER und mit Erlaubnis desselben publiziert.) P.

2. Allgemeine Chemie.

Isambert, *Dissociation des wasserfreien Ammoniumcarbonates bei Gegenwart eines Überschusses seiner Elemente.* Die Gase, welche das wasserfreie Ammoniumcarbonat (Ammoniumcarbamat) konstituieren, verbinden sich, um dieses Produkt zu geben, in einem Volumverhältnisse von 1 : 2, und es ist klar, dafs gleiche Überschüsse des einen und des anderen Gases nicht denselben Effekt hervorbringen können. Unter der Annahme, dafs der Dampf dieses Körpers aus freien Gasen besteht, haben HORSTMANN, GULDBERG und WAAGE, sowie LEMOINE durch Rechnung gefunden, dafs das Gesetz für die Variation des Druckes bei derselben Temperatur durch die Formel $x^2 y = C$ gegeben ist, wo x der

Gesamtdruck des Ammoniakgases, und y der Gesamtdruck der Kohlensäure ist. Dieser Gesamtdruck ist die Summe der Spannungen des überschüssigen freien Gases und derjenigen, welche demselben Gase in der Spannung des wasserfreien Ammoniumcarbonates unter den Versuchsbedingungen zukommt. Hat man kein freies Gas hinzugefügt, und ist p der Druck des Dampfes im Vakuum bei der Temperatur t, so ist $C = \frac{4p^3}{27}$ u. die obige Gleichung wird:

$$x^2 y = \frac{4p^3}{27}.$$

Nennt man a die Tension des freien Gases, welches im Überschusse zugefügt wurde, und b die des Carbamates bei Gegenwart des Überschusses a, so wird die Formel für den Fall, daß das Ammoniak im Überschusse ist:

$$(3a + 2b)^2 b = 4p^3;$$

und für den Überschuß a von Kohlensäure:

$$(3a + b)^2 = p^3.$$

Die experimentellen Daten für a und b gestatten demnach, für eine gegebene Temperatur den Druck b zu berechnen, und da man diesen ebenfalls experimentell messen kann, so erhält man eine Kontrolle für die Genauigkeit der Formel. HORSTMANN hat über diesen Gegenstand Resultate veröffentlicht, welche LEMOINE bei seinen Untersuchungen über das chemische Gleichgewicht (Étude sur les équilibres chimiques S. 65) wiedergegeben hat. Leider beziehen sich diese Versuche nur auf ein sehr enges Temperaturintervall von 17,7—21,8°. Die Übereinstimmung zwischen den beobachteten und berechneten Werten für p ist für den Fall, daß die Kohlensäure im Überschusse ist, ziemlich befriedigend, im anderen Falle dagegen, wenn Ammoniak im Überschusse vorhanden ist, keineswegs. Dies ergiebt sich aus der folgenden Tabelle, in welcher der Vf. die von HORSTMANN gefundenen Werte von p denen gegenübergestellt, welche sich aus den von H. für a und b angegebenen Werten berechnen:

p gef.	p ber.	p gef.	p ber.	p gef.	p ber.
70,9	67,0	51,2	65,3	50,5	79,3
65,3	70,0	70,4	63,9	65,3	82,3
66,2	73,5	65,8	87,5	70,9	67,7
52,6	56,1	51,2	68,1	66,2	107,4
66,2	69,1	70,4	52,5	69,9	64,0
72,1	68,1	51,5	67,0	71,5	89,7
66,2	70,6	69,9	57,9	64,8	77,7
64,3	78,3	70,4	63,8	53,0	109,1

Der Vf. hat neue Versuche bei höherer Temperatur unternommen, um zu finden, ob in der That eine Übereinstimmung zwischen den Versuchsresultaten und der Rechnung existiert. Da die Herstellung des Spannungsgleichgewichtes lange dauert, so wurde ein Apparat angewendet, welcher gestattete, die Barometerröhren, tage- und wochenlang bei einer konstanten Temperatur zu erhalten; es wurden gleichzeitig fünf, in Zehntelkubikzentimeter geteilte Röhren angewendet und neben einander aufgestellt. Die Wände dieser Röhren waren mit wasserfreiem Ammoniumcarbonat bedeckt; wurden sie auf dieselbe Temperatur gebracht, so zeigten sie dieselbe Spannung. Die eine dieser Röhren blieb unverändert, um die Gesamtspannung im Vakuum anzugeben, die andere wurde mit abgemessenen Volumen von Ammoniak oder Kohlensäure beschickt. Der Versuch ergab den Gesamtdruck als Differenz des Barometerdruckes und der Quecksilbersäule im Rohre; die Messung des Gasvolums gestattete die Messung des dem überschüssigen freien Gase zukommenden Druckes, und die Differenz der beiden giebt den Druck, den der Carbonat unter den Versuchsbedingungen zukommt. Setzt man diese Zahlenangaben für a und b in den obigen Formeln ein, so erhält man die Werte von p. In allen Fällen war die Temperatur während mehrerer Tage vollkommen konstant erhalten worden, bis die Übereinstimmung zweier Messungen innerhalb eines Intervalls von zwölf Stunden den Beweis geliefert hatte, daß das Gleichgewicht erreicht war. Die folgende Tabelle enthält die Resultate:

Temperatur	p gefunden	p berechnet			
		Überschuſs 12,9 ccm CO_2	Überschuſs 6,1 ccm OO_2	Überschuſs 6,0 ccm NH_3	Überschuſs 11,4 ccm $4NH_3$
Grad	mm	mm	mm	mm	mm
34	169,8	170,4	164,5	166,8	181,3
37,2	211,0	210,8	204,6	205,9	215,5
39,1	234,1	234,4	228,5	229,4	236,9
41,8	269,4	271,7	267,7	265,6	274,5
42,5	288,3	289,2	284,2	286,2	291,9
43,9	313,8	314,5	311,8	313,5	318,4
46,9	375,7	375,3	372,0	375,6	378,3
50,1	453,8	452,9	452,2	454,1	455,0
52,6	526,2	523,5	522,3	523,8	526,2

Die Übereinstimmung zwischen diesen verschiedenen Werten von p ist sehr befriedigend; die Differenzen sind nicht sehr beträchtlich und im allgemeinen für eine und dieselbe Kolumne in demselben Sinne, was darauf hinzudeuten scheint, daſs eine gemeinsame Fehlerquelle existiert. Ein Irrtum von $^1/_{100}$ bei der Messung des Volums genügt, um den Wert von b und infolgedessen auch von p wesentlich zu alterieren.

Hierdurch sind die obigen, theoretisch aufgestellten Gesetze durch den Versuch verifiziert, unter der Annahme, daſs die Zersetzung im Momente der Dampfbildung eintritt, und hierdurch wiederum ist die Thatsache einer solchen Zersetzung bestätigt. (C. r. 97. 1212—15. [26.*] Nov. 1883.)

G. André, Über die *Bildungswärme einiger Oxychloride und Oxybromide des Bleies.* Die Oxychloride wurden dargestellt, indem man Bleichlorid aus seiner Lösung durch Kali fällte nach Maſsgabe folgender Gleichungen:

$$2PbCl + KO = PbCl, PbO + KCl$$
$$3PbCl + 2KO = PbCl, 2PbO + 2KCl$$
$$4PbCl + 3KO = PbCl, 3PbO + 3KCl.$$

Bei der Darstellung der Oxybromide wurde ebenso verfahren. Die auf diese Weise entstehenden amorphen Niederschläge wurden durch Dekantieren gewaschen und getrocknet und überdies ihre Zusammensetzung durch die Analyse verifiziert.

Die Oxychloride wurden dann im Kalorimeter durch Salzsäure ($^1/_2$ Äq. im Liter), welche zuvor mit Chlorblei gesättigt war, behandelt, so daſs am Ende der Reaktion alles Oxychlorid in niedergeschlagenes Bleichlorid verwandelt war, ohne daſs man nötig hatte, die Lösungswärme des Bleichlorides in Salzsäure in Rechnung zu ziehen. Ebenso wurde mit den Oxybromiden verfahren, indem man sie mit Bromwasserstoffsäure ($^1/_2$ Äq. im Liter) behandelte, welche mit Brombleigesättigt war. Die Löslichkeit des Bleichlorides in HCl ($^1/_2$ Äq.) ist übrigens gering; nach den Versuchen des Vf's. lösen sich 0,880 g in 1 l bei 11° und 8 g in 1 l reinem Wasser von derselben Temperatur. Die Löslichkeit des Bleibromides in HBr ($^1/_2$ Äq.) beträgt 1,25 g in 1 l bei 11° und 5 g in Wasser von derselben Temperatur.

Folgende Resultate wurden mit Oxychloriden bei 10° erhalten:

PbCl, PbO fest + HCl gesättigt mit PbCl ($^1/_2$ Äq. = 1 l) entw.	+ 9,04 cal
PbCl, 2PbO + 2HCl	+ 19,98 „
PbCl, 3PbO + 3HCl	+ 31,60 „.

Hieraus berechnet sich die Bildungswärme aus wasserfreiem Bleioxyd und Chlorid (wenn PbO wasserfrei + HCl verdünnt, mit Bleichlorid gesättigt +12,3 cal entwickelt), wie folgt:

PbO wasserfrei + PbCl wasserfrei, entw.	+ 3,26 cal
2PbO + PbCl entw.	+ 4,62 „
3PbO + PbCl entw.	+ 5,30 „.

Mit den Oxybromiden wurden bei 10° folgende Resultate erhalten:

PbBr PbO fest + HBr gesättigt mit PbBr ($^1/_2$ Äq. = 1 l) entw.	+ 12,00 cal
PbBr 2PbO + 2HBr entw.	+ 24,97 „
PbBr 3PbO + 3HBr entw.	+ 37,80 „.

Hieraus berechnet sich die Bildungswärme aus wasserfreiem Oxyd und Bromid (PbO wasserfrei + HBr verdünnt, mit PbBr gesättigt, entwickelt + 14,0 cal) wie folgt:

$$PbO \text{ wasserfrei} + PbBr \text{ wasserfrei entw.. } . \quad + 2,00 \text{ cal}$$
$$2PbO + PbBr \text{ entw.} \quad . \quad . \quad . \quad . \quad + 3,03 \text{ „}$$
$$3PbO + PbBr \text{ entw.} \quad . \quad . \quad . \quad . \quad + 4,20 \text{ „} .$$

Aus diesen Zahlen ergiebt sich, daſs sowohl für die Oxychloride als auch Oxybromide die entwickelte Wärme um etwa 1 cal wächst, wenn man 1 Áq. Bleioxyd hinzufügt. (C. r. **97.** 1302—3. [3.°] Dez. 1883.)

3. Anorganische Chemie.

E. Maumené, Über *die Schmelzbarkeit der Salze. Nitrate.* Die Nitrate von BaO und PbO können nicht geschmolzen werden, ohne Zersetzung zu erleiden. Wenn man sie aber in kleinen Krystallen auf Kalium- oder Natriumnitrat bringt, so läſst sich ihre Schmelzung bewirken, ohne daſs sich eine Spur von Sauerstoff oder NO_4 entwickelt. Schmilzt man auf diese Weise Barium- und Natriumnitrat zu gleichen Äquivalenten, so erhält man nur eine unbedeutende Erniedrigung des mittleren Schmelzpunktes; dieser läſst sich nicht mit dem Quecksilberthermometer beobachten, da er mindestens bei 370° liegt. Bei gleichen Gewichten dieser Salze ist der berechnete mittlere Schmelzpunkt 374° (indem man für Bariumnitrat 450° annimmt). Der Versuch ergab beim Auftreten der ersten Krystalle + 322° und beim Erstarren + 288°. Die Erniedrigung des Schmelzpunktes beträgt also mindestens 52°, resp. 86°.

Werden Bleinitrat und Natriumnitrat in gleichen Gewichtsmengen geschmolzen, so erhält man eine sehr klare Flüssigkeit, deren Erstarren nicht nur an der Oberfläche, sondern auch am Boden des Gefäſses beginnt. Das Thermometer zeigt bei 282° einen stationären Punkt. Die Rechnung verlangt 374°; es findet demnach eine Erniedrigung um 92° statt. Schmilzt man gleiche Gewichtsmengen von Kalium-, Natrium- und Bleinitrat, so ist das geschmolzene Gemenge nicht durchscheinend, und die Erstarrung erfolgt bei 259°, während die Rechnung 358° ergiebt; die Erniedrigung beträgt demnach 99°. Auch Ammoniumnitrat kann mit anderen Nitraten zusammengeschmolzen werden. Wird es für sich erhitzt, so schmilzt es bei + 153° und erstarrt bei 135°; seine Zersetzung beginnt bei einem Drucke von 760 mm bei 212° unter Entwicklung von Stickoxyd.

Schmilzt man eine Gemenge von gleichen Gewichten oder auch gleichen Äquivalenten Kalium- und Natriumnitrat und setzt dann eine gleiche Menge Ammoniumnitrat hinzu, so schmilzt letzteres ohne Gasentwicklung, das Thermometer sinkt, und man erhält eine sehr klare durchsichtige Flüssigkeit. Beim Erstarren bilden sich die ersten Krystalle bei 144° und bei 137—136° wird die Temperatur stationär; die Rechnung ergiebt 233°; die Schmelzpunktserniedrigung beträgt demnach 123°. Fügt man diesem Gemenge nochmals eine gleiche Quantität Ammoniumnitrat hinzu, so bilden sich beim Abkühlen erst bei 125° Krystalle, und bei 122° wird die Temperatur stationär. Die Rechnung verlangt 233°, die Temperaturerniedrigung beträgt also 111°.

Man kann ein Gemenge nach gleichen Äquivalenten von Ammoniumnitrat und jedem der oben genannten Alkalisalze, z. B. Natriumnitrat ohne Zersetzung schmelzen. Man braucht nur beide fein zu pulvern, sorgfältig miteinander zu mischen und dann in kleinen Portionen in einen Platintigel zu werfen, in welchem das Salzgemisch sehr bald schmilzt, ohne Dämpfe zu entwickeln. Die Flüssigkeit ist fast völlig durchscheinend. Bei 135° treten die ersten Krystalle auf; bei 114,5° zeigt sich ein stationärer Punkt; die Rechnung verlangt 225,5°; die Temperaturerniedrigung beträgt also wiederum 111°. Dieses Salzgemenge läſst sich vorteilhaft zu einem Trockenbade benutzen, dessen Temperatur nicht über 120—125° zu sein braucht. Eine etwas gröſsere Menge läſst sich leicht viele Stunden lang auf 115—120° erhalten. Das Mangannitrat, welches sehr leicht unter Abscheidung von MnO_2 zersetzbar ist, läſst sich in einem Gemenge von Natrium- und Ammoniumnitrat unverändert schmelzen. Dieses Gemenge von drei Salzen läſst sich auf 140° erhitzen, ohne daſs die geringste Spur von Mangansuperoxyd abgeschieden wird. Es kann bis auf 76° abgekühlt werden, ohne vollständig zu erstarren. Ist das Mangannitrat nicht vollkommen trocken, so bleibt das Salzgemisch selbst noch bei + 15° flüssig. Auch Strontiumnitrat kann für sich nicht zersetzt geschmolzen werden, wohl aber mit Kalium- und Natriumnitrat (zu gleichen Gewichtsmengen). Aus der Schmelze scheidet sich schon bei 295° ein ziemlich dicker Niederschlag ab; bei 237° beginnt die Krystallisation, ist aber erst bei 214° vollständig. Während der Schmelzung entwickelt sich eine geringe Menge Sauerstoff, jedoch keine roten Dämpfe. Die Resultate dieser Versuche zeigen, daſs man durch derartige Gemenge verschiedener Nitrate sehr gut die Ölbäder ersetzen kann. (C. r. **97.** 1215—18. [26.°] Nov. 1883.)

A. **Müntz** und **E. Aubin,** *Bestimmung der Kohlensäure in der Luft.* (Ann. Chim. Phys. [5.] **30.** 238—48; C.-Bl. 1883, 545.)

G. S. Johnson, Über *die Zersetzungsprodukte einer wässerigen Lösung von Ammonium-nitrit.* Die Hauptsachen, welche der Vf beobachtete, sind folgende. Durch alkalische Lösungen von reinem Ammoniumnitrit wird kein Oxyd des Stickstoffes entwickelt. Bei 100° entweicht Stickstoff; die Entwicklung wird durch Platinschwamm beschleunigt. Reiner Stickstoff wird erhalten, wenn man die Lösung bei gewöhnlicher Temperatur mit krystallisiertem Kupferchlorid versetzt. Säuert man die Lösung des Ammoniumnitrites an, so werden 40 p. c. Stickoxyd entwickelt. Der Vf. hat beobachtet, daſs 2 p. c. des Gases, welches durch Kupferchlorid entwickelt wird, aus Stickstoff in einen eigentümlichen aktiven Zustand besteht, so daſs dadurch Jod und Jodwasserstoffsäure und andererseits Ammoniak gebildet werden, wenn man das Gas mit Wasserstoff mischt und durch eine rotglühende Röhre mit Platinschwamm leitet. Dieser aktive Stickstoff wird durch Glühhitze zersetzt und entsteht überhaupt nicht, wenn die Temperatur der Lösung mehr als 90° beträgt. (Chem. N. **48.** 245.)

R. Cowper und **V. B. Lewes,** Über die *vermeintliche Zersetzung des Phosphorig-säureanhydrids durch Sonnenlicht.* Nach A. IRVING soll sich Phosphorigsäureanhydrid, dargestellt durch Leiten eines Luftstromes über geschmolzenen Phosphor, im Sonnenlicht in amorphen Phosphor und Phosphorsäureanhydrid zersetzen. Der Vf. hat den Versuch wiederholt und die dabei durch Verbrennen von Phosphor in der angegebenen Weise erhaltene Substanz analysiert. Dieselbe besteht aus 78,2 p. c. Phosphorsäureanhydrid, 4,7 p. c. Phosphorigsäureanhydrid und 17 p. c. Phosphor. Durch Einwirkung von Sonnenlicht wurde sie rot, indem der Phosphor in die amorphe Varietät umgewandelt wurde. Bei einem anderen Versuche leitete man den Luftstrom, nachdem er den geschmolzenen Phosphor passiert hatte, durch Schwefelkohlenstoff. Nach einiger Zeit wurde die Lösung auf Fließpapier gegossen und hinterlieſs nach dem Verdampfen soviel Phosphor, daſs sich bald ein dicker Rauch entwickelte. (Chem. N. **48.** 224.)

A. Ditte, *Darstellung krystallisierter Borate.* (Ann. Chim. Phys. [5.] **30.** 248—65. C.-Bl. 1883. 469.)

Emil Loevinsohn, Über den *Einfluſs der Verteilung und der Masse eines Körpers auf die Bestimmung seines spezifischen Gewichtes.* Vf. fand das spezifische Gewicht für Silber:

Gefällt durch FeSO₄: 10,4241 und 10,4314, Mittel 10,4278 (bestimmt bei 20°, reduziert auf Wasser von 4° und den leeren Raum).

Gefällt durch Natriumsulfid: im Mittel von sechs Bestimmungen 10,4631.

Gefällt als Chlorsilber und reduziert durch Natron und Zucker: im Mittel von zehn Bestimmungen 10,4731.

Reduziert durch Ameisensäure: Mittel von drei Bestimmungen 10,4651.

Abgeschieden durch den Strom: Mittel von vier Bestimmungen 10,4463.

In keinem Falle ergab sich eine Zahl, die über die von COSE gefundene, 10,4896, für das kompakte Metall hinausging. Mit der Feinheit des Niederschlages wächst durchaus nicht das spez. Gewicht, und von einer wahrnehmbaren Verdichtung von Flüssigkeit auf der Oberfläche des Silbers kann nach diesen Resultaten nicht die Rede sein. Es ergiebt sich ferner beim *Chlor-, Brom-* und *Jodsilber,* daſs es ohne Einfluſs ist, ob die Substanz in frisch gefälltem oder getrocknetem oder geschmolzenem Zustande zur Bestimmung verwendet wird, denn es ergaben sich u. a. für:

	frisch gefällt	getrocknet	geschmolzen
Bromsilber	6,4738	6,4721	6,4707
Jodsilber	5,6853	5,6826	5,6684
Chlorsilber	5,5667	5,5661	5,5549 .

Das Resultat seiner Arbeit faſst Vf. kurz dahin zusammen, daſs *weder Verteilung noch Masse eines Körpers einen Einfluſs auf die Bestimmung seines spez. Gewichtes haben.* Die Bestimmungen des spez. Gewichtes dehnte Vf. noch auf das Jod und Silicium aus. Im Mittel ergab sich das spez. Gewicht des Jods (bei 20° bestimmt, auf Wasser von 4° C. und den leeren Raum reduziert) zu 4,9218 und des Siliciums zu 2,3436. (Inaug.-Dissert. 16. Aug. 1883. Berlin.)

4. Organische Chemie.

H. Kolbe, Die *realen Typen der organischen Verbindungen.* In einer im Jahre 1860 in den Annalen der Chemie **113.** 293 veröffentlichten Abhandlung, welche die Überschrift trägt: „Über den natürlichen Zusammenhang der organischen mit den anorganischen Verbindungen, die wissenschaftliche Grundlage zu einer naturgemäſsen Klassifikation der organischen chemischen Körper," hat der Vf. über die natürlichen Typen der organischen

Verbindungen zuerst seine Ansichten entwickelt. Nach dieser Auffassung, an welcher er auch jetzt noch unverrückt festhält, ist die Kohlensäure als Typus der Essigsäure, wie überhaupt der Carbonsäuren, die Schwefelsäure als Typus der Sulfone und der Sulfonsäuren, die schweflige Säure als Typus der Triäthylsulfinverbindungen, das Ammoniak als Typus des Methylamins etc., die Arsensäure als Typus der Kakodylsäure, die arsenige Säure als solcher des Kakodyloxydes etc., anzusehen.

Diese *realen Typen* stellte er (1865) den künstlichen mechanischen Typen von GERHARDT und den gemischten Typen KEKULÉ's gegenüber. Dies geschah in einer Abhandlung, welche in seiner Schrift: „Das chemische Laboratorium der Universität Marburg etc.", veröffentlicht wurde. Da der Vf. auf den Inhalt dieser Schrift auch heute noch Gewicht legt, bewirkt er in seinem Journal einen unveränderten Abdruck derselben, worauf hierdurch verwiesen sei. (J. pr. Chem. **28**. 440—47.)

J. Nemirovsky, Über *die Einwirkung von Chlorkohlenoxyd auf Äthylenglykol.* Die Darstellung des bis jetzt noch nicht bekannten *Glykolcarbonates,* $\genfrac{}{}{0pt}{}{CH_2O}{CH_2O}{>}CO$, gelingt sehr leicht dadurch, dafs man in einer zugeschmolzenen Röhre ein Mol. reinen Glykol auf ein Mol. flüssiges Chlorkohlenoxyd bei gewöhnlicher Temperatur einwirken läfst. Die beiden Flüssigkeiten mischen sich anfangs nicht, nach und nach vereinigen sich aber die gesonderten Schichten, so dafs nach einigen Stunden der Inhalt der Röhre homogen ist. Öffnet man hierauf die Röhre, nachdem sie vorher stark abgekühlt ist, so entweichen Ströme von Chlorwasserstoff. Läfst die Entwicklung dieses Gases nach, so destilliert man den Inhalt der Röhre aus einem Fraktionierkölbchen; die Temperatur steigt sehr rasch bis 235°, und das Destillat erstarrt in der Vorlage zu grofsen weifsen Prismen. Dieselben werden aus heifsem Äther umkrystallisiert und über Schwefelsäure getrocknet. Der neutrale *Kohlensäureglykoläther* zeichnet sich durch seine Beständigkeit aus. Er löst sich sowohl in Wasser, wie in Alkohol leicht auf, schwer in kaltem Äther, jedoch leicht beim Erwärmen, und krystallisiert aus der ätherischen Lösung in farblosen schönen Nadeln. Der Schmelzpunkt desselben liegt bei 38,5°—39°, er siedet ohne Zersetzung bei 236°. Sehr schöne farblose Prismen bilden sich, sobald der geschmolzene Äther in einer flachen Schale langsam erkaltet. (Journ. pr. Chem. **28**. 439.)

Louis Henry, Über *das diprimäre Dichloräthylacetat.* Das an Kohlenstoff gebundene Chlor erleidet durch den Einflufs des Sauerstoffes eine beträchtliche Veränderung in seiner Reaktionsfähigkeit. In der That ist es genügend bekannt, welche Verschiedenheiten in ihrem Verhalten zu verschiedenen Wasserstoff- und Metallverbindungen (z. B. Wasser, Ammoniak, Alkohol, Alkalien etc.) die beiden Kerne;

$$H_2C-Cl, \text{ primärer Haloidäther, } OC-Cl, \text{ Säurechlorid}$$

zeigen. Das Monochloracetylchlorid, $\genfrac{}{}{0pt}{}{H_2CCl}{OCCl}{}$, welches beide Kerne in demselben Molekül vereinigt enthält, ist in dieser Hinsicht ein Körper von hohem Interesse. Jener Einflufs des Sauerstoffes mufs offenbar sein Maximum in dem Kerne $OC-Cl$ erreichen, wo die Elemente Cl und O an dasselbe Kohlenstoffatom gebunden sind und sich demnach zu einander in gröfster Nähe befinden müssen. Die Wirkungssphäre des Chlors[*] ist indes nicht auf diese enge Grenze beschränkt. Sie breitet sich über das Kohlenstoffatom, an welches jenes gebunden ist, aus. Dies hat der Vf. mit Hilfe des diprimären Dichloräthylacetates $\genfrac{}{}{0pt}{}{ClCH_2-CH_2}{ClCH_2-CO}{>}O$ zu beweisen versucht.

Er erhielt dieses Acetat durch Einwirkung von Monochloracetylchlorid auf Einfachsalzsäureglykol:

---

[*] Wenn der Sauerstoff das Chlor durch seine Nachbarschaft modifiziert, so wird er seinerseits durch letzteres modifiziert. Dies zeigt sich aus der sehr verschiedenen Energie, mit welcher das Phosphorpentachlorid, PCl_5, auf die Aldehydgruppe HCO und die Säurechloridgruppe ClCO einwirkt, eine Verschiedenheit, welche nur dadurch bewirkt werden kann, dafs der Sauerstoff durch die Nachbarschaft des Chlors andere Eigenschaften annimmt, als in der Nachbarschaft von Wasserstoff. Eine solche reziproke Einwirkung von Sauerstoff und Chlor bildet nach des Vf's. Ansicht ein greifbares Beispiel des Einflusses, den die Elemente oder Radikale, welche an das Kohlenstoffskelett organischer Verbindungen fixiert sind, aufeinander ausüben. Der Vf. hat dafür den Namen *funktionelle Solidarität* (Ann. Chim. Phys. [5.] **29**. 543) eingeführt.

$$\begin{matrix} \text{ClCO} \\ | \\ \text{ClCH}_2 \end{matrix} + \begin{matrix} \text{ClCH}_2 \\ | \\ \text{(HO)CH}_2 \end{matrix} = \begin{matrix} \text{ClCH}_2-\text{CH}_2 \\ \\ \text{ClCH}_2-\text{CO} \end{matrix} \Big\rangle \text{O} + \text{HCl}.$$

Diese Reaktion geht nicht nur leicht und rasch von statten[*], sondern liefert auch ein Produkt von bestimmter Struktur. Sie läſst ferner den Unterschied zwischen der Einwirkung der beiden Kerne ClCH$_2$ und Cl—CO auf einen primären Alkohol HO—CH$_2$ erkennen. So dargestellt bildet das diprimäre Dichloräthylacetat eine farblose, vollkommen klare, etwas dickliche Flüssigkeit von schwachem stechenden Geruch und brennendem Geschmack; sie erleidet im Lichte keine Veränderung; spezifisches Gewicht 1,3217 bei 10,6° bezogen auf Wasser von gleicher Temperatur; Siedepunkt 197—198° (nicht korr.) bei gewöhnlichem Druck, unlöslich in Wasser. Auſser anderen Reagenzien ist das Natriumjodid geeignet, den Unterschied zu zeigen, welcher bezüglich des Chlors zwischen den beiden Systemen ClCH$_2$—CH$_2$ und ClCH$_2$—CO besteht. Die Verbindung erleidet leicht mit Natriumjodid in alkoholischer Lösung eine Wechselzersetzung, welche sich nach kurzem Erhitzen unter Auftreten eines reichlichen Niederschlages von Natriumchlorid vollendet; hierbei wird aber, selbst wenn man das Jodnatrium in einer Menge von mehr als zwei Molekülen anwendet, stets nur ein Chloratom durch Jod vertreten. Die dabei entstehende Verbindung ist das Chlorjodäthylacetat C$_6$H$_8$(ClJ)O$_2$; dasselbe bildet eine ölige, noch dickere Flüssigkeit, als das gechlorte Produkt, ist farblos, bräunt sich aber im Lichte, wie alle Jodderivate, unlöslich in Wasser, spezifisches Gewicht 1,954 bei 18°, läſst sich nicht destilliren, sondern zersetzt sich bei 240° stark unter Abscheidung von Jod. Das Jod steht hier in der Acetylgruppe, also in der Nachbarschaft des Sauerstoffes. Um sich hiervon noch sicherer zu überzeugen hat der Vf. die Zersetzungsprodukte dieser Äther studirt.

Wenn die Verbindung wirklich der primäre, einfach gechlorte Jodessigsäureäthyläther ist, so muſs sie durch Aufnahme von Wasser Einfachsalzsäureglykol und Jodessigsäure geben. Das Wasser zersetzt den Äther leicht; man braucht ihn damit nur einige Zeit lang am Rückfluſskühler zu erhitzen, um ihn vollständig zum Verschwinden zu bringen. Die Jodessigsäure aber ist ein zu unbeständiger Körper und zersetzt sich zum gröſsten Teil unter Abscheidung von Jod. Der Vf. konnte aus dem braunen Reaktionsprodukte nur eine gewisse Menge Einfachsalzsäureglykol extrahiren. Er zog es deshalb vor, statt des Chlorjodäthers das entsprechende Chlorbromprodukt, den Chlorbromessigäther C$_4$H$_6$ClBrO$_2$ zu den weiteren Versuchen zu verwenden. Dieser wird leicht erhalten, wenn man in der obigen Verbindung das Jod durch Brom ersetzt. Man läſst bei Gegenwart von Wasser für jedes zu deplazierende Atom Jod ein Molekül Brom einwirken. Das Jod, sowie der Überschuſs von Brom wird durch Kaliumdisulfit beseitigt. Das gebildete Chlorbromprodukt wird, wie sich der Vf. überzeugt hat, leicht durch Kali zerstört.

Der so dargestellte Chlorbromäther bildet eine farblose, im Lichte beständige, etwas klebrige Flüssigkeit von schwachem zu Thränen reizenden Geruch und brennendem Geschmacke, unlöslich in Wasser, spezifisches Gewicht 1,6499 bei 11,4°; siedet unter geringer Zersetzung bei 213—215° bei gewöhnlichem Druck; das Destillat ist mehr oder weniger braun; mit etwas Quecksilber geschüttelt, entfärbt es sich vollständig. Wird es mit seinem mehrfachen Volum Wasser am Rückfluſskühler erhitzt, so löst sich der Chlorbromessigäther vollständig auf, und aus dem Produkte kann man ohne Schwierigkeit Einfachsalzsäureglykol (Siedep. 128—130°, Dampfdichte 2,72; ber. 2,78), sowie Monobromessigsäure isoliren. Es besteht hiernach kein Zweifel über die Natur und die Konstitution dieser gemischten Essigäther: es sind Jod- und Bromacetylderivate des Einfachsalzsäureglykols, was durch die folgenden Formeln:

$$\begin{matrix} \text{ClCH}_2-\text{CH}_2 \\ \text{JCH}_2-\text{CO} \end{matrix}\Big\rangle\text{O} \quad \text{und} \quad \begin{matrix} \text{ClCH}_2-\text{CH}_2 \\ \text{BrCH}_2-\text{CO} \end{matrix}\Big\rangle\text{O}$$

ausgedrückt wird.

Das Jodnatrium übt demnach auf das diprimäre Dichloräthylacetat eine Einwirkung aus, welche sich ausschlieſslich nur auf den Kern —ClCH$_2$, der der —CO-Gruppe in dem Acetylfragment des Moleküls benachbart ist, erstreckt. Diese Reaktion zeigt zur Evidenz, daſs der Sauerstoff seinen Einfluſs noch auf das mit dem benachbarten Kohlenstoffatom verbundene Chlor ausübt. Dagegen hat der Vf. Ursache, zu glauben, daſs dieser Einfluſs

---

[*] Das diprimäre Dichloräthylacetat ist zum ersten Male 1878 von MULDER und BREMER (Ber. Chem. Ges. 11. 1958) erwähnt worden, und zwar als das Hauptprodukt der Einwirkung von Unterchlorigsäureanhydrid, Cl$_2$O, auf Äthylen. Diese an sich sehr interessante Reaktion ist indes keine vorteilhafte Darstellungsmethode des Körpers.

nicht weiter geht. Er gedenkt, dies durch Untersuchung des diprimären Dichlorortho-propylpropionates $\begin{matrix} ClCH_2-CH_2-CH_2 \\ ClCH_2-CH_2-CO \end{matrix}>O$ zu erörtern. (C. r. **97**. 1308—11. [3.*] Dec.1883.)

Ad. Wurtz, *Hydratation des Crotonaldehyds.* Wie bekannt, spaltet sich der Aldol beim Erwärmen in Crotonaldehyd und Wasser, abgesehen von Nebenprodukten, von denen Vf. früher einige aufgezählt hat. Die Hauptreaktion wird durch die Gleichung:

$$CH_2-CH.OH-CH_2-CHO = CH_2-CH=CH-CHO + H_2O$$
$$\text{Aldol} \qquad\qquad\qquad \text{Crotonaldehyd}$$

ausgedrückt. Die umgekehrte Reaktion, d. h. die Hydratation des Crotonaldehyds kann unter folgenden Umständen eintreten.

Crotonaldehyd wird bei 0° mit dem zweifachen Gewichte Wasser und dem zweifachen Gewichte Salzsäure gemischt und das Gemenge drei Stunden lang an einem hellen Orte bei einer Temperatur von 25° oder auch von einem Tage zum anderen bei einer Temperatur von 10° sich selbst überlassen. Nach Ablauf dieser Zeit ist es braun geworden, und der Geruch des Crotonaldehyds zum großen Teil verschwunden. Neutralisiert man jetzt die Flüssigkeit mit Natriumcarbonat, so erhält man einen harzigen Niederschlag, und das Wasser enthält einen Körper gelöst, den es beim Schütteln mit Äther an diesen abtritt. Nach Verjagung des Äthers läfst sich aus dem Rückstande durch Destillation im Vakuum Aldol und Kondensationsprodukte gewinnen. Da die Ausbeute gering ist, so ist es von Wichtigkeit, vollkommen reinen Crotonaldehyd anzuwenden, so daß der Paraldehyd, welcher die Resultate trüben könnte, vollständig ausgeschlossen ist. Zu diesem Zwecke wird der zur Untersuchung benutzte Crotonaldehyd mit größter Sorgfalt gereinigt und immer nur ein Produkt angewendet, welches zweimal hintereinander vollständig zwischen 101 und 103° überging.

Bei einem ersten Versuche lieferten 35 g Crotonaldehyd (I) 4 g einer Flüssigkeit (a), welche zwischen 110 und 130° bei 10 mm Druck überging, und 5 g einer Flüssigkeit (A) zwischen 155 und 170° bei 10 mm destillierend. Beide waren in Wasser löslich und reduzierten Silbersalze stark. Andererseits erhielt man 35 g Harz, aus welchem man durch fraktionierte Destillation im Vakuum zuerst Wasser und Crotonaldehyd und dann 8 g eines Produktes, welches zwischen 100 und 150° (bei 15 mm) überging, und 9 g eines Produktes (B), welches in Wasser teilweise löslich war und zwischen 150 und 170° (bei 15 mm) siedete. Die wässerige Lösung dieser Produkte wurde im Vakuum getrocknet, dann bei 15 mm destilliert und lieferte hierbei zuerst einige Tropfen einer unlöslichen Flüssigkeit und dann 140—170 g eines klebrigen Körpers (B'), welcher analysiert wurde (siehe weiter unten).

Bei einem zweiten Versuche gaben 45 g Crotonaldehyd (II) bei gleicher Behandlung 9 g eines in Wasser löslichen Produktes, welches durch Äther extrahiert wurde; indem man es im Vakuum destillierte, erhielt man 4,5 g eines Produktes (b), bei 100—115° siedend, und 4,5 g eines anderen Produktes, bei 115—140° siedend (10 mm). Andererseits gewann man 35 g Harz, welches durch fraktionierte Destillation im Vakuum einige Gramm eines in Wasser fast vollkommen unlöslichen Produktes liefert, das im Vakuum bei 100 bis 150° siedete; ferner 10 g eines dicken, in Wasser teilweise löslichen Produktes, bei 150—170° im Vakuum siedend, und endlich eine kleine Menge eines dicken, bei 170 bis 210° im Vakuum übergehenden Körpers.

Die flüchtigsten Produkte, welche durch Extraktion mit Äther bei den oben beschriebenen Versuchen erhalten wurden, gaben bei der Analyse:

	I (a)	II (b)	$C_8H_8O_2$	C_4H_6O
Kohlenstoff	57,76	58,17	54,54	68,57
Wasserstoff	8,80	9,03	9,09	8,87

nähern sich also in ihrer Zusammensetzung der des Aldols und enthalten eine beträchtliche Menge dieses Körpers, auch scheiden sie innerhalb einiger Monate Krystalle von Paraldol ab, welcher mit Äther gewaschen und analysiert wurde. Die Analyse ergab 54,42 C und 9,08 H. Die Formel $C_6H_6O_2$ verlangt 54,54 C und 9,09 H. Folgendes sind die Analysen der Produkte A, B und B':

	A 155—170°	B 150—170°	B' 140—170°	$C_8H_{14}O_3$
Kohlenstoff	60,08	61,35	60,75	60,76
Wasserstoff	8,58	8,69	8,98	8,86.

Diese Körper besitzen demnach eine dem Dialdan, dem Deshydratationsprodukte des Aldols ähnliche Zusammensetzung. Wie angegeben, sind sie zum großen Teile löslich in

Wasser, und ihre Lösung reduziert energisch das Silbernitrat; als sie einige Monate sich selbst überlassen blieben, schieden sie Krystalle ab, welche durch zwei Krystallisationen aus Alkohol gereinigt, den Schmelzpunkt 141° und die Zusammensetzung des Dialdans besaßen.

Es scheint, daß diese Versuche keine Zweifel über die Bildung des Aldols und seiner Kondensationsprodukte durch Hydratation des Crotonaldehyds unter dem Einflusse von Wasser und Salzsäure übrig lassen. Es ist dies ein neues Beispiel reziproker Reaktionen, welche unter verschiedenen Bedingungen eintreten. Was den Mechanismus der Reaktion betrifft, so läßt sich derselbe folgendermaßen denken: der Crotonaldehyd, eine ungesättigte Verbindung, fixiert zuerst Salzsäure, und indem das so gebildete Chlorid auf Wasser reagiert, wird Salzsäure regeneriert, und es entsteht Aldol:

$$CH_3-CH=CH-CHO + HCl = CH_3-CHCl-CH_2-CHO$$
$$CH_3-CHCl-CH_2-CHO + H_2O = CH_3-CH.OH-CH_2-CHO + HCl.$$

(C. r. **97**. 1169—72. [26.*] Nov. 1883.)

R. Seifert, *Dijodchinon und Dijodchinonchlorimid.* Der Vf. stellte zunächst Dijodparaamidophenol dar. indem er p-Nitrophenol durch Behandeln mit Jod und Quecksilberoxyd in Dijodparanitrophenol überführte und dieses dann in rauchender Salzsäure mit Zinnchlorür reduzierte. Das Dijodparaamidophenol krystallisiert in weißen Nadeln oder Blättchen, welche bei 221.5° unter Abspaltung von Jod schmelzen. Durch Eintritt der beiden Jodatome wird der basische Charakter des p-Amidophenols bedeutend geschwächt, so daß sich salzsaures Dijodparamidophenol schon beim Zerreiben mit kaltem Wasser in Salzsäure und die freie Base zerlegt.

In die verdünnte, schwach saure Lösung von salzsaurem Dijodparamidophenol ließ man nun Chlorkalklösung tröpfeln. Hierbei schied sich Dijodchinonchlorimid in gelbroten Flocken aus. Zur vollständigen Umsetzung sind auf ein Mol. p-Amidophenol zwei Mol. Chlor nötig. *Dijodchinonchlorimid*, $C_6H_2J_2N\diagdown{}^O_{Cl}$, schmilzt bei 123° zu einem hellbraunen Öle: beim Überhitzen verpufft es. Mit Dimethylanilin entsteht ein dem *Trichlorchinondimethylanilenimid* (82. 118) entsprechendes Dijodchinondimethylanilenimid.

Zu einer mit Schwefelsäure versetzten Lösung von Dijodparamidophenolsulfat wurde eine Lösung von chromsaurem Kali gesetzt. Sofort schied sich *Dijodchinon*, $C_6H_2J_2O_2$, in bräunlich gelben, feinpulverigen Massen aus, welche, aus kochendem Ligroïn krystallisiert, goldgelbe, glänzende Blättchen vom Schmelzpunkte 177—179° bilden. Durch Erwärmen des Dijodchinons mit Salzsäure und Zinnchlorür erhielt man Dijodhydrochinon, $C_6H_2J_2(OH)_2$, welches aus heißem Wasser in weißen, langen Nadeln vom Schmelzpunkte 144—145° krystallisiert. Eisenchlorid verwandelt es wieder in reines, schön gelbes Dijodchinon vom Schmelzpunkt 177—179°. (J. pr. Chem. **28**. 437—38.)

M. Andresen, *Über Trichlorchinonchlorimid, Tri- und Tetrachlorchinon.* Eine frühere Untersuchung „über das Trichlorchinonchlorimid und seine Umsetzungen", welche Vf. mit R. Schmitt gemeinschaftlich ausführte (82. 117), hatte ergeben, daß Trichlorchinon und Trichlorchinonchlorimid gegen primäre aromatische Amine insofern ein übereinstimmendes Verhalten zeigen, als in beiden Fällen Dichlorchinondianilid gebildet wird. Nach den Mitteilungen von G. Schultz (Lieb. Ann. **210**. 181) und von Knapp führt aber die Einwirkung von Trichlorchinon auf Anilin zu einem Monochlorchinondianilid. Dieses abweichende Resultat veranlaßte den Vf., auch noch das Dichlorchinondianilid aus Tetrachlorchinon und Anilin darzustellen und den Vergleich der drei Anilide möglichst genau durchzuführen.

1. *Trichlorchinon und Anilin.* Trichlorchinon war durch Einwirkung von unterbromigsaurem Natrium auf Trichlor-p-amidophenol nach der Gleichung:

$$C_6HCl_3(NH_2)OH.HCl + 2Br + H_2O = C_6HCl_3(O_2) + H_4NCl + 2HBr$$

dargestellt. Die Ausbeute betrug 93 p. c. Mit reinem Anilin setzte es sich nach der Gleichung:

$$2C_6HCl_3(O_2) + 3C_6H_5NH_2 = C_6Cl_2(NH_2.C_6H_5)_2(O_2) + C_6H_5NH_2.HCl$$

um. Dies wurde in Übereinstimmung mit den früheren Mitteilungen (s. o.) bestätigt. Ein Chloratom uud das Wasserstoffatom eines Moleküls Trichlorchinon wird durch die beiden Anilide $NH(C_6H_5)$ vertreten, während gleichzeitig ein weiteres Trichlorchinon zu Trichlorhydrochinon reduziert wird. Das Dichlorhydrodianilid bildet schillernde, eigentümlich an- und übereinander gruppierte Blättchen.

2. *Tetrachlorchinon und Anilin.* Das Tetrachlorchinon wurde durch Einwirkung von konzentrierter Salzsäure auf Trichlorchinon und Oxydation des hierbei gebildeten Tetra-

chlorhydrochinons mittels Salpetersäure erhalten. Mit Anilin setzt es sich, wie der Versuch ergeben hat, nach der Gleichung:

$$C_6Cl_4(O_2) + 4C_6H_5NH_2 = C_6Cl_2(NH.C_6H_5)_2(O_2) + 2C_6H_5NH_2HCl$$

um. Das auf diese Weise erhaltene Dichlorchinonanilid hat sich mit dem aus Trichlorchinon erhaltenen als vollkommen identisch erwiesen. Beide Produkte ergaben übrigens bei der Analyse immer etwas zuviel Kohlenstoff, während es doch eher in der Natur der Elementaranalyse liegt, zu wenig Kohlenstoff zu liefern. Diese Erscheinung würde eine Erklärung finden, wenn man eine gegenseitige Bindung der Stickstoffatome im Anilid gemäß der Formel $C_6Cl_2(C_6H_5.N-NC_6H_5)(O_2)$ annimmt.

3. *Trichlorchinonchlorimid und Anilin.* Die früheren Angaben sind dahin zu ergänzen, daß hierbei außer dem Dichlorchinondianilid noch eine Verbindung von der Formel:

$$C_6Cl(NH.C_6H_5)_3(O.NC_6H_5),$$

also *Monochlordianilidophenylchinonimid* entsteht. Dasselbe krystallisiert in langen braunen, elastischen Nadeln vom Schmelzpunkte 195°, löslich in Alkohol, Benzol, Eisessig und Schwefelkohlenstoff.

Durch Einwirkung von salpetriger Säure in Alkohol entsteht daraus eine Nitrosoverbindung; durch längeres Kochen mit Alkalien in wässeriger Lösung wird es nicht verändert, wohl aber auf Zusatz von Alkohol, wodurch eine in roten glänzenden Nadeln krystallisierende Verbindung, $C_6Cl(NH.C_6H_5)_3(Na.NC_6H_5)ONa$, entsteht, die sich beim Übergießen mit Alkohol sehr leicht wieder in das Chlordianilidophenylchinonimid zurück verwandeln läßt, wobei Natriumalkoholat regeneriert wird. Durch Einwirkung von Salzsäure auf das Chlordianilidophenylchinonimid entsteht *Monochlorchinondianilid*:

$$C_6ClH(NH.C_6H_5)_2(O_2),$$

welches in seinen Eigenschaften wesentlich von dem Dichlorchinondianilid abweicht, während G. SCHULTZ und v. KNAPP keine wesentliche Verschiedenheit ihres Monochlorchinondianilids von dem Dichlorchinondianilid anführen.

Einwirkung von Chlor- und Bromwasserstoff auf Trichlorchinonchlorimid. Bei der Überführung der Paraamidophenole oder Paradiamine in die entsprechenden Chinonchlorimide beobachtet man stets, daß sich als intermediäre Produkte violett gefärbte, unbeständige Körper bilden. Dieselben Verbindungen scheinen zu entstehen, wenn die Rückbildung der Paraamidoverbindungen aus Chinonchlorimiden erfolgt, man möge dieselbe durch Einwirkung der Halogenwasserstoffsäure oder aber durch direkte Reduktionsmittel, wie Zinn und Salzsäure, bewirken. Alle Versuche, die violetten Zwischenprodukte in eine faßbare Form zu bringen, waren bis jetzt erfolglos. Es ist dem Vf. gelungen, durch die Einwirkung von trockenem Chlorwasserstoff auf die Chinonchlorimide diesen Verbindungen näher zu treten.

Die Salzsäure wirkt bekanntlich reduzierend auf die Chinonchlorimide ein. Aus Chinonchlorimid entsteht nach R. HIRSCH (Ber. Chem. Ges. 11. 1980) hierbei gechlortes Paraamidophenol, aus Thymochinonchlorimid (81. 355) wird Monochloramidothymol. Durch Anwendung geeigneter Lösungsmittel für die Chinonchlorimide gelingt es, die Reduktion bei jenem violetten Zwischenprodukte abzubrechen. Es hat sich jedoch gezeigt, daß die violette Färbung den reinen Verbindungen nicht eigen ist. Dieselben sind gelblich gefärbt, ähnlich den Chinonen und Chinonchlorimiden und zeichnen sich dadurch aus, daß sie durch Wasser sofort zersetzt werden, indem sie sich bei Berührung hiermit momentan violett bis schwarz färben. Mäßigt man jedoch die Einwirkung des Wassers in der Weise, daß man die Umsetzung in einer mit Wasserdampf gesättigten Atmosphäre sich vollziehen läßt, so gelingt es, den Verlauf der Reaktion zu verfolgen, insbesondere gilt dies von dem beständigeren Produkte aus Trichlorchinonchlorimid. Es unterliegt hiernach kaum noch einem Zweifel, daß die Einwirkung des Chlorwasserstoffes auf die Chinonchlorimide bei Ausschluß von Wasser nach der Gleichung:

$$C_6H_4(O.NCl) + 2HCl = C_6H_4(O.N.H)HCl + Cl_2$$

erfolgt und somit zu den wirklichen „*Chinonimiden*" führt. Vf. studierte die Reaktion zunächst am Trichlorchinonchlorimid und operierte hierbei folgendermaßen:

Trockenes Trichlorchinonchlorimid wurde in wasserfreiem Benzol gelöst und nunmehr ein wohlgetrockneter Strom von Salzsäuregas in die Lösung geleitet. Nach kurzem Einleiten färbt sich die gelbe Flüssigkeit intensiv braun, und man beobachtet im Moment darauf die Abscheidung eines gelben, flockigen Körpers. Sobald dies ausgeschiedene Produkt sich nicht weiter vermehrte, wurde thunlichst schnell abfiltriert, mit etwas trockenem Benzol ausgewaschen und der Filterrückstand in eine trockene Atmosphäre gebracht. Der neue Körper ist unlöslich in Äther, Benzol, Schwefelkohlenstoff, Chloroform; Alkohol löst denselben auf; jedoch tritt hierbei bereits Zersetzung ein. Die Analyse lieferte nur unvollkommen auf die Formel stimmende Zahlen. Die Vermutung lag nahe, daß der schwer vollständig erreichbare Ausschluß des Wassers hier in Frage kommen möchte. Vf. versuchte deshalb, das Verhalten der Verbindung gegen Wasser zunächst festzustellen. Übergießt man das gelbe Produkt mit Wasser, so tritt momentan Schwarzfärbung ein, und eine tief eingreifende Zersetzung hat sich vollzogen. Man ließ darauf das Wasser in Dampfform einwirken. Das Produkt besitzt alsdann auch, nachdem sich die Reaktion abgespielt, noch seine gelbe Farbe und besteht aus einem Gemenge von Trichlorchinon und Salmiak, deren Trennung durch Äther, welcher, wie schon erwähnt wurde, das salzsaure Trichlorchinonimid nicht löst, quantitativ bewirkt werden konnte. Das Trichlorchinon besaß den Schmelzpunkt 163°. Der Salmiak war farblos und vollständig frei von Beimengungen. Die Umsetzung wäre hiernach zu interpretieren durch die Gleichung:

$$C_6Cl_3H(O.NH)HCl + H_2O = C_6Cl_3H(O_2) + H_4NCl.$$

Die oben für die Bildung der Chinonimide aufgestellte Gleichung setzt voraus, daß Chlor in Freiheit tritt. Freies Chlor konnte jedoch nicht nachgewiesen werden. Dasselbe tritt vielmehr in das Benzol ein, welches bei der Reaktion zugegen war. Die Mutterlaugen mehrerer Darstellungen wurden behufs Reinigung derselben mit verdünnter Natronlauge und darauf mit Wasser wiederholt geschüttelt, hierauf getrocknet und der Rektifikation unterworfen. Zuerst destillierte reines Benzol, dann stieg die Temperatur rasch auf den Siedepunkt des Monochlorbenzols. Das Destillat erwies sich nunmehr stark chlorhaltig und lieferte bei der Analyse ziemlich gut auf Chlorbenzol stimmende Zahlen: Auch aus dem nicht gechlorten Chinonchlormid läßt sich das entsprechende salzsaure Chinonimid leicht darstellen. Dasselbe zeichnet sich durch noch größere Unbeständigkeit gegen Wasser aus. Kurzes Liegen der Verbindung an der Luft genügt zu seiner Zersetzung, doch geht dieselbe hier nicht in so glatter Weise wie beim salzsauren Trichlorchinonimid vor sich. Man erhält vielmehr schon durch bloßes Exponieren des salzsauren Chinonimids in feuchter Luft schwarze, nicht faßbare Substanzen. Die Unbeständigkeit der Chinonimide gegen Wasser und Alkohol, sowie andererseits ihre Unlöslichkeit in allen anderen Lösungsmitteln mußte den Vf. veranlassen, das Studium derselben vorläufig einzustellen.

Von der Einwirkung des Wassers auf das salzsaure Trichlorchinonimid läßt sich a priori das Verhalten des Trichlorchinonchlorimids gegen Chlorwasserstoff bei Anwesenheit von Wasser, also gegen wässerige Salzsäure, voraussagen. Es ist zu erwarten, daß hierbei unter Eliminierung von Chlor Trichlorchinon und Salmiak entstehen. In der That nimmt die Reaktion diesen Verlauf:

$$C_6Cl_3H(O.NCl) + H_2O + 2HCl = C_6H(O_2) + H_4NCl + Cl_2.$$

Ein Teil des in Freiheit gesetzten Chlors führt, wie durch Analysen festgestellt wurde, das gebildete Trichlorchinon partiell in Tetrachlorchinon über; der Rest entweicht gasförmig. Bromwasserstoffsäure wirkt ganz analog ein. Beim Übergießen des Trichlorchinonchlorimids mit konz. farbloser Bromwasserstoffsäure färbt sich die ganze Masse von ausgeschiedenem Brom intensiv schwarz. Nach dem Abdampfen des Broms bleibt Trichlorchinon, dem geringe Mengen von Bromtrichlorchinon beigemengt sind, von rein gelber Farbe zurück. Aus den Mutterlaugen wurde der Salmiak in Substanz gewonnen. Schließlich hebt Vf. hervor, daß insbesondere die so glatt verlaufende Einwirkung der Bromwasserstoffsäure auf das Trichlorchinonchlorimid:

$$C_6Cl_3H(O.NCl) + H_2O + 2HBr = C_6Cl_3H(O_2) + H_4NCl + Br_2$$

mehr denn jede andere Reaktion geeignet ist, die *Konstitutionsfrage der Chinonchlorimide* endgültig zu entscheiden. (Journ. pr. Chem. **28.** 432—36.)

Kleine Mitteilungen.

Über die Beurteilung von Wein auf Grund analytischer Daten, von R. KAYSER. Nur zu oft kommt es vor, daß Weine von verschiedenen Chemikern verschieden beurteilt werden, so zwar, daß derselbe Wein von dem einen Chemiker beanstandet, von dem anderen als nicht zu beanstanden erklärt wird. Die Ursache dieser Differenzen kann in verschiedenen Momenten liegen. Es können verschiedene Methoden bei der Untersuchung angewendet und deshalb verschiedene Resultate erhalten worden sein, obgleich diese Ursache weit seltener vorliegt, als es gemeinhin geglaubt wird. In der Mehrzahl von Fällen ist es eine verschiedenartige Auffassung hinsichtlich der Bedeutung der erhaltenen analytischen Werte, nicht selten verbunden mit einer gewissen Dürftigkeit oder Oberflächlichkeit der ausgeführten Analysen, welchen auch verschiedenartige Beurteilungen entwachsen.

Ein Beispiel für die Richtigkeit der in vorstehenden Sätzen ausgesprochenen Ansicht mag durch die Zusammenstellung zweier Analysen gegeben werden, welche sich auf denselben Wein beziehen und von zwei verschiedenen Chemikern ausgeführt worden sind, welchem Beispiele übrigens noch zahlreiche andere angereiht werden könnten. Es handelte sich um einen Pfälzer Weißwein, angeblich 80er, von dem im Détail ein Liter mit 85 Pfennigen verkauft wurde.

Die Analyse I war von dem Vf., die Analyse II von einem bekannten badischen Önochemiker, den wir der Kürze wegen N. nennen wollen, ausgeführt worden, und zwar folgte die Analyse II auf Analyse I nach etwa acht Tagen.

In 100 ccm waren enthalten bei 15°C.:

	I vom Vf.	II von N.	
Alkohol	12,0	12,2	ccm
Extrakt	1,79	1,66	g
Mineralstoffe	0,14	0,14	,,
Kalk (CaO)	0,009	nicht bestimmt	,,
Magnesia (MgO)	0,011	,,	
Phosphorsäure (P₂O₅) . . .	0,017	,,	
Glycerin	0,700	,,	
Zucker	nicht bestimmt	0,17	,,
Polarisation V. S.	nicht ausgeführt	0,2°C.	
Säure, auf Weinsteinsäure ber. .	0,63	0,52	,,

Die Beurteilungen waren folgende:

I. Vf. erklärte den Wein für einen mit Hilfe von Alkohol und Wasser hergestellten.

II. N. sagte: „Nach dieser Untersuchung liegt kein Grund vor, den Wein als unecht zu halten."

Wie ein Blick auf die obenstehenden analytischen Daten der beiden Untersuchungen zeigt, entfernen sich dieselben so wenig voneinander, daß hierin trotz der wahrscheinlichen Verschiedenheit der Methoden, nach denen sie erhalten wurden, nicht die Ursache der Verschiedenheit der Beurteilungen liegen kann.

Vf. giebt in kurzen Zügen den Gedankengang, der ihn zu seinem Urteile führte, dabei aber untergeordnete Momente ganz übergeht.

1. Es ist sehr unwahrscheinlich, daß ein Wein mit einem Alkoholgehalte von 12 p. c. V. letzteren nur aus in seinem Moste vorhanden gewesenen Zuckergehalte (ca. 25 p. c. Zucker) erhalten hat, da deutsche Weißweine, die aus Mosten von so hervorragender Qualität hergestellt wurden, unmöglich im Detailverkaufe für 85 Pfennige abgegeben werden können. Derartige Weine müssen entweder Ausleseweine sein oder guten Lagern und guten Jahrgängen entstammen, wenn sie nicht mit Alkohol verschnitten oder gallisiert sind.

2. Das Vorhandensein eines Verschnittes mit Alkohol wird, abgesehen von den übrigen Zahlen, besonders durch die für 12 p. c. V. Alkohol viel zu geringe Glycerinmenge bestätigt, da 12 ccm Alkohol mindestens 1,2 g Glycerin entsprechen, während nur 0,7 g vorhanden waren; hierdurch ist auch die für einen Wein mit 12 p. c. V. Alkohol ganz unerhört niedrige Extraktzahl erklärt, da das Glycerin einer der wesentlichsten Extraktkomponenten ist; 2,2 g Extrakt müßte ein solcher Wein mindestens enthalten (vergl. übrigens einstweilen Tagebl. der 55. Vers. deutsch. Naturf. und Ärzte in Eisenach 1882. 162 ff.: die Bestimmung des Glycerins und ihre Bedeutung für die Beurteilung der Weine). Die der vorhandenen Alkoholmenge nicht entsprechende Glycerinmenge beweist ferner, daß keine Gallisierung vorliegt, da das Glycerin in diesem Falle die normale Relation zum Alkohol zeigen müßte.

3. Die relativ geringe Extraktmenge und die für Mineralstoffe, Magnesia, Phosphorsäure liefern den Beweis, daß ein sehr erheblicher Wasserzusatz stattgefunden hat, da Weine mit 0,011 g Magnesia und 0,017 g Phosphorsäure in 100 ccm nur in Weinen vorkommen können, die aus gänzlich unreifen Beeren hergestellt wurden, ihre Moste haben selbstverständlich aber nicht 25 p. c. Zucker und etwa 0,9 p. c. Säure.

4. Da sämtliche Zahlen den schon durch den hohen Alkoholgehalt hervorgerufenen Verdacht bestätigen und auch keine einzige von ihnen damit im leisesten Widerspruche steht, so ist der Beweis geliefert, daß der entstandene Verdacht ein gerechtfertigter war, daß ein Zusatz von Alkohol und Wasser stattgefunden hatte.

Beurteilung II von N.·

Keine der von N. gefundenen Zahlen scheint merkwürdigerweise irgend einen Verdacht in ihm erregt zu haben, denn nur so ist es zu erklären, daß er seiner Untersuchung nur die etwas bescheidene Ausdehnung gab und die Bestimmung der Mineralbestandteile, P_2O_5 und MgO, unterließ, die allerdings wenig bequem auszuführen ist.

Die Beurteilung N's. ist jedoch, wenn auch wertlos für ihren eigentlichen Zweck, so doch außerordentlich wertvoll nach einer anderen Richtung hin: Sie zeigt zur vollsten Evidenz die völlige Wertlosigkeit der sogen. Grenzzahlen. Weil es Weine giebt, die 12,2 ccm Alkohol, oder 1,66 g Extrakt, oder 0,14 g Mineralstoffe etc. besitzen, erklärt N. die Weine als nicht zu beanstanden. Vf. erklärt dem gegenüber, daß die Aufstellung der Grenzzahlen in der Önochemie letztere für die Praxis überflüssig machen würde, denn ein Weinkünstler müßte geradezu tölpelhaft ungeschickt verfahren, der nicht Wein mit jeder gewollten Grenzzahl liefern könnte, wenn ihm nur einigermaßen die nötige Anleitung gegeben wird, zu welcher es ja leider an Gelegenheit nicht fehlt. Allerdings würde die Aufstellung von Grenzzahlen für den Önochemiker sehr bequem sein, und würde eine solche den fabrikmäßigen Betrieb bei Weinuntersuchungen, wie er gar nicht so selten vorkommt, noch ganz wesentlich erleichtern. (Rep. anal. Chem. 3. 200—2.)

Die erste Verwendung der Kohle in England. Zu Beginn des dreizehnten Jahrhunderts wurden gegen die Einführung der Kohle in London viele Einwände erhoben wegen der Schädlichkeit des Rauches. In einigen Stadtvierteln dauerte dieser Widerstand nahe 200 Jahre, doch mußte derselbe angesichts des zunehmenden Holzmangels erlahmen. Anfang des vierzehnten Jahrhunderts wurden in der Nähe von Newcastle on Tyne viele Kohlenwerke von geringer Teufe betrieben. Über den Fortschritt des Kohlenverbrauches im fünfzehnten Jahrhundert ist nur wenig bekannt, aber er war jedenfalls bedeutend. In einer Petition der Gesellschaft der Bierbrauer im Jahre 1578 finden wir schon die Bitte derselben, nur in der Nähe des Westmünster-Palastes Holz als Feuerungsmaterial anwehden zu müssen, indem sie wohl einsehe, daß die Königin durch den Steinkohlenrauch und -geruch sich außerordentlich belästigt fühle. Im Jahre 1631 schreibt ein Autor, daß in den vergangenen 30 Jahren die feinen Londoner Damen Räume, in denen Kohle gebrannt wurde, zu betreten sich scheuten und nur ungern Speisen genossen, die über Kohlenfeuer bereitet waren. Indessen fand im siebzehnten Jahrhundert die Kohle immer mehr Eingang sowohl im Hause als in allen Industriezweigen. Die Gruben hielten sich noch immer in geringer Teufe, und zur Wasserlösung bediente man sich nur der Stollen. Versuche zur Wasserhebung mit Maschinen waren allerdings schon gemacht; so finden wir 1486 in den Ausgabeposten der Mönche der Finchtale Priorei eine Geldsumme für Neueinrichtung einer Pumpe auf einem ihrer Kohlenwerke und für den Ankauf von Pferden zum Betriebe derselben eingesetzt. Auch Grubenbrände und das Auftreten schädlicher Gase waren um diese Zeit bekannt. Das Gezähe bestand aus einer Kohlenpicke, einem Hammer, Bergeisen und einer Holzschaufel. Zur Förderung bediente man sich teils der Haspel, teils wurde die Kohle von Weibern auf dem Rücken zu Tage gefördert. Die Zahl der Schiffe, welche die Produktion der nördlichen Kohlengruben nach London und den anderen Orten verfrachteten, belief sich im Jahre 1615 auf 400 und zwanzig Jahre später zählte die Kohlenflotte schon nahe 700 Segel. (Engin. and Min. Journ. 34. 269; Österr. Zschr. 31. 481.)

Über Cinchocerotin von A. HELMS. Unter diesem Namen hatte KERNER im J. 1859 und 1862 auf den Weltausstellungen in Paris und London einen von ihm aufgefundenen Bestandteile der Chinarinden vorgeführt. Zur Herstellung desselben wurde flache südamerikanische Calisayarinde mit Kalkmilch getrocknet, mit Alkohol ausgekocht und abgekühlt. Die Abkühlung erfolgte in kupfernen Röhren, durch welche die Auflösung langsam geführt wurde. Nach sechs bis neun Monaten waren dieselben mit dem rohen Cinchocerotin inkrustiert. Nach Untersuchungen vom Vf. ist das rohe Cinchocerotin eine braune Masse, bestehend aus einer in Alkohol schwer löslichen, weißgelben Substanz und einer in Alkohol leicht löslichen Verbindung, das Cinchocerotin, welches weiße, sehr leichte krystallinische Schuppen bildet. Das Cinchocerotin schmilzt bei 103°, löst sich leicht in Äther, Chloroform und Alkohol, löst sich nicht beim Kochen mit Wasser, Salzsäure, verdünnter Schwefelsäure und Eisessig. Beim Kochen mit einer Lösung von kohlensaurem Natrium oder mit Natronlauge wird es nicht angegriffen. Die Zusammensetzung desselben entspricht der Formel $C_{27}H_{46}O_2$: (Arch. Pharm. [3.] 21. 279—83.)

Berg- und Hüttenproduktion in Österreich im Jahre 1881.

Produkte	Metrische Centner	gegen 1880 (+) (−)	Proz.	Wert in Gulden	gegen 1880 (+) (−)	Proz.
I. Bergwerksproduktion.						
Golderz . . .	7 842 +	6 562	512,66	12 810 —	2 490	19,39
Silbererz . .	123 835 —	1 897	1,51	3 030 297 —	103 262	3,29
Quecksilbererz .	482 040 +	28 400	6,26	491 171 +	7 199	1,49
Kupfererz . .	44 452 --	4 814	9,77	247 118 +	41 643	20,26
Eisenerz . .	6 189 638 —	778 685	11,17	1 788 202 —	194 044	9,79
Bleierz . .	135 424 +	27 006	24,91	1 030 056 —	113 956	9,96
Nickel- u. Kobalterz	400,33 +	241,05	151,3	500 —	603	
Zinkerz . . .	273 398 +	57 759	26,78	361 003 +	74 466	25,99
Zinnerz . . .	10 514 +	4 274	68,49	--	—	—
Wismuterz . .	135,6	--	—	—	—	—
Antimonerz . .	1 870 —	150	7,42	20 435 —	19 938	49,38
Arsenikerz . .	—	—	—	—	—	—
Uranerz . .	59 +	7,6	14,78	45 975 +	12 337	36,36
Wolframerz . .	625 +	29	4,86	6 924 +	1 788	34,81
Chromerz . .	2 952 +	184	6,6	15 498 +	1 104	6,6
Schwefelerz . .	89 178 —	15 482	14,79	96 922 —	15 290	13,63
Alaun- und Vitriol-schiefer . .	811 518 —	191 414	19,08	63 065 —	10 279	14,01
Manganerze . .	91 097 +	2 353	2,42	95 219 +	17 382	22,33
Graphit . .	133 792 —	3 385	2,46	536 693 —	28 169	4,99
Asphaltstein . .	486 —	1 525	75,83	861 --	1 965	69,53
Braunkohlen . .	89 614 983 +	5 408 514	6,42	16 019 507 +	643 730	4,18
Steinkohlen . .	63 433 159 +	4 536 848	7,70	20 736 431 +	1 399 703	7,24
II. Hüttenproduktion.						
Gold . . .	0,186 —	0,226	54,83	26 046 —	32 254	55,32
Silber . . .	313,596 +	11,02	3,64	2 794 111 +	98 003	3,63
Quecksilber .	3 980,6 +	289,6	7,85	771 908 —	3 771	0,49
Kupfer . .	4 819 —	182	3,64	355 082 —	27 075	7,08
Frischroheisen .	3 378 436 —	515 234	17,99	14 957 869 +	1 866 571	14,25
Gusroheisen .	417 962 +	78 144	22,99	2 613 580 +	451 777	20,89
Blei . .	63 857 +	7 417	13,14	1 159 840 +	72 972	6,71
Glätte . .	29 961 —	5 945	16,55	514 813 —	137 188	21,04
Nickel- und Kobalt-speise . .						
Zink . . .	41 192 +	3 635	9,68	708 555 —	4 157	0,58
Zinn . . .	394 +	103	35,4	43 852 +	9 469	27,56
Wismut . .	5,84 +	0,5	9,36	—	—	—
Antimon . .	839,60 —	409,78	32,79	26 106 —	15 581	59,68
Arsenik . .	—	—	—	—	—	—
Uranpräparate	32 +	3,61	12,71	63 327 +	5 320	9,0
Schwefel .	4 356 +	335	8,33	30 282 +	213	0,71
Schwefelkohlenstoff	1 779 +	881	98,10	46 254 +	22 906	98,10
...vitriol .	11 950 —	72	0,6	42 180 —	2 349	5,27
...iolstein . .	63 308 —	3 360	5,0	144 984 —	6 572	4,3
...efelsäure und ...eum . .	142 677 +	20 332	16,61	1 211 329 +	39 549	3,37
...um . .	20 404 —	634	3,01	145 847 —	21 089	12,63
...ralfarben (excl. ...Uranpräparate)	14 674 +	832	6,0	33 290 +	3 424	11,4

...tistisches Jahrb. des k. k. Ackerbauministeriums für 1881; B.-H.-Z. 42. 125.)

Kaïrin, d. h. **Oxychinolinmethylhydrür**, dargestellt von O. FISCHER in München, stellt in seiner Verbindung mit Salzsäure ein graugelbliches, krystallinisches Pulver dar, welches salzigbitter und etwas zusammenziehend schmeckt, dabei löslich in Wasser ist. Es wurde schon im verflossenen Jahre (Wiener med. Bl.) als ein Mittel gerühmt und empfohlen, welches fähig sei, die fieberhafte Temperatur zur Norm zurückzuführen. Nach in jüngster Zeit von Prof. DRASCHE in Wien gemachten zahlreichen Beobachtungen geht hervor, daß kein Mittel die fieberhafte Temperatur so prompt und namhaft herabzusetzen im Stande sei. (Ber. d. Wien. med. Presse 1883. 16; Arch. Pharm. [3.] **21**. 617.)

Heizkraft verschiedener Brennmaterialien. Setzt man die Heizkraft des Weißbuchenholzes gleich 1000, so erhält man für Ahorn 1011, Rotbuche 966, Eiche 960, Esche 886, Birke 855, Kiefer 697, Tanne 690, Erle 600, Espe 570, Weide 508. Es haben an Heizkraft $3^1/_2$ cbm Weißbuche = $20^4/_5$ Ztr. Steinkohlen, Rotbuche = $19^3/_4$ Ztr. Steinkohlen, Eiche = 18 Ztr. Steinkohlen, Esche = $15^3/_5$ Ztr. Steinkohlen. Böhmische Braunkohle hat eine um 16 p. c. geringere Heizkraft als englische Steinkohle. $3^1/_2$ cbm Kiefernholz oder $1^{80}/_{100}$ cbm gute Steinkohle haben die Heizkraft von $14^{21}/_{100}$ cbm schlechtem, $6^{80}/_{100}$ cbm mittlerem und $3^{86}/_{100}$ cbm vorzüglichem Torf. (Neue illustr. Ztg.; B.-H.-Z. **42**. 530.)

Zur Untersuchung von ätherischen Ölen, von MC CLELLAN FORNEY. Der Vf. untersuchte die Einwirkung des Jodpentabromids, hergestellt durch Lösen von 7,73 g Jod in 24,36 g Brom, auf ätherische Öle, indem er sechs Tropfen des ätherischen Öles mit einem Tropfen Jodpentabromid auf einem Uhrglase mischte. Bittermandelöl und Crotonöl zeigten keine, Bernsteinöl, Cassiaöl und Wintergrünöl schwache, die übrigen starke Einwirkung, meist unter Entwicklung von Dämpfen. Durch Versetzen der ätherischen Öle mit Alkohol wird die Einwirkung gemindert, durch Terpentinöl aber verstärkt. (Amer. Journ. of Pharm. **54**. 546.)

Über den Bleigehalt der Weinsäure, von A. KREMEL. Aufmerksam gemacht, weil sich das Seignettesalz des von mehreren Wiener Drogisten und Kaufleuten als Probe entnommenen Seidlitzpulvers bleihaltig (bis zu 0,002 p. c.) erwies, prüfte Vf. auch viele Sorten Weinsäure, und erwiesen sich von zwölf Sorten neun als bleihaltig. Vf. bemerkt dabei, daß, wenn man die Weinsäure oder auch andere organische Säuren, wie Citronensäure, Milchsäure etc. und deren Verbindungen auf einen Bleigehalt prüfen will, man die Prüfung mit Schwefelwasserstoff nicht in saurer Lösung, wie es alle Vorschriften verlangen, vornehmen soll, sondern in neutraler oder schwach alkalischer Lösung, weil im ersteren Falle bei sehr geringen Mengen Blei der Schwefelwasserstoff keine Braunfärbung oder Trübung hervorbringt. (Pharm. Centralh. **24**. 398 — 399.)

Beiträge für das Centralblatt bittet man an die Redaktion (Leipzig, Lessingstr. 5) zu richten. **Originalarbeiten** von nicht zu großem Umfange werden entsprechend honoriert und gelangen stets sofort nach der Einsendung, und zwar in kürzester Frist, zum Abdruck.

Redaktion: Prof. Dr. **Rud. Arendt.**

Verlag von Leopold Voss in Hamburg und Leipzig. — Druck von Metzger & Wittig in Leipzig.

N̲o̲· 3.

Chemisches

16. Januar 1884.

Wöchentlich eine Nummer von
1—2 Bogen. Der Jahrgang mit
Sach- und Namen-Register,
nebst system. Übersicht.

Central-Blatt.

Der Preis des Jahrgangs
ist 30 Mark. Durch alle
Buchhandlungen und Post-
anstalten zu beziehen.

REPERTORIUM

für reine, pharmazeutische, physiologische und technische Chemie.

Dritte Folge. XV. Jahrgang.

Doppel-Aspirator

von

ROB. MUENCKE.

Bezugnehmend auf die von mir früher beschriebenen Doppel-Aspiratoren (Pol. Journ. **224.** 619; **232.** 41), stellt der in beistehender Figur abgebildete Apparat den einfachsten und vollendetsten Doppel-Aspirator dar, der durch einfaches Drehen um seine Axe ein kontinuierliches Arbeiten gestattet, ohne weder Hähne schliefsen oder öffnen, noch Schlauch wechseln zu müssen.

Zwei cylindrische, mit Wasserstandsröhren versehene Blechgefäfse von gleichem Inhalte sind central durch eine Messingsäule mit einfachem Hahne und seitlich durch zwei eiserne Schienen miteinander verbunden; sie sind durch Verschraubungen verschliefsbar, die einerseits in gekrümmte, der Länge der Cylinder entsprechende messingene Röhren, andererseits in T-förmig geformte Fortsätze endigen. An den eisernen Bändern sind diametral Axen angeschraubt, die in Lagern sich bewegen, welche von dem hölzernen oder metallenen Gestelle getragen werden. Die eine dieser Axen bewegt sich als Hahnküken in einem Gehäuse mit zwei Schlauchansätzen, die andere ist einfach cylindrisch geformt. Um Luft in das obere Gefäfs eintreten und aus dem unteren Gefäfse austreten lassen zu können, ist der Hahnküken den Schlauchstücken des Axenlagers entsprechend einerseits winklich gebohrt, andererseits nutenartig ausgefräfst; sein schlauchstückartiges Ende, welches mit den Apparaten verbunden wird, durch welche gesaugt werden soll, steht durch die winklige Bohrung mit dem einem seitlichen Schlauchstücke des Lagers und dieses mit dem gefüllten oberen Behälter in

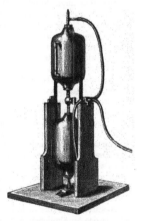

---

* Zu beziehen durch Dr. ROB. MUENCKE, Fabrik u. Lager chemischer Apparate, Berlin NW.

Verbindung, während das andere seitliche Schlauchstück durch die Nut im Hahnküken die Verbindung des unteren Behälters mit der Atmosphäre vermittelt. Zwischen den Pfeilern des Gestelles ist auf dem Grundbrette eine starke Messingfeder mit runder Öffnung angebracht, in welche die zapfenartigen Enden der T-förmig geformten Verschraubungen der Gefäße eingreifen und dadurch dem Apparate eine feste senkrechte Stellung sichern; ein Druck auf die Feder hebt diese Arretierung auf. Die Hahnstellung der Mittelsäule reguliert die Quantität der durchzusaugenden Luft. Ist das Wasser aus dem oberen in den unteren Cylinder abgeflossen, so genügt nur eine Drehung des Cylinderpaares, um den Apparat sofort wieder in Thätigkeit zu setzen.

Apparat zur volumetrischen Bestimmung gröfserer Mengen Kohlensäure*,

von

ROB. MUENCKE.

Auf einem eichenen Grundbrette sind zwei starke, ca. 1 m lange Metallstäbe festgeschraubt, die an ihren einen Enden durch einen Querstab verbunden sind. An dem einen Stabe bewegt sich in einer federnden Vorrichtung die Niveauröhre b, an dem anderen ist die Gasmefsröhre a, die Luftröhre c und ein Thermometer e verstellbar angeschraubt. Die Gasmefsröhre, die in 200, resp. 300 ccm eingeteilt ist, trägt bei d einen Dreiweghahn, welcher teils die Verbindung mit der Atmosphäre, teils mit der Luftröhre c, resp. mit der Entwicklungsflasche vermitteln kann. Das Säuregefäfs in der Entwicklungsflasche ist aus Hartgummi gefertigt. Die Röhren abc sind untereinander durch Schläuche verbunden. Die Niveauröhre b ist kurz und weit, die Mefsröhre dagegen von dem Durchmesser, dafs $^1/_2$ ccm deutlich abgelesen werden können. Durch Form, Gröfse, bequeme Handhabung der Röhre e und durch die Vorrichtung, dieselbe dicht an die Mefsröhre anlegen zu können, ist man leicht und sicher in den Stand gesetzt, die Einstellung in gleiches Niveau bewirken zu können. Der Dreiweghahn gestattet einen absolut dichten und leicht verstellbaren Verschlufs. Die Handhabung des Apparates ist leicht aus der einfachen Konstruktion ersichtlich; die einzelnen Teile des Apparates sind leicht durch andere, nicht absolut genau geformte Ersatzteile

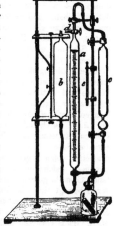

zu ergänzen, und die metallenen Stäbe geben dem Apparate eine gröfsere Stabilität, als das zu ähnlichen Apparaten angewendete Holzgestell.

---

*Zu beziehen durch Dr. ROB. MUENCKE, Fabrik u. Lager chem. Apparate, Berlin NW.

Wochenbericht.

4. Organische Chemie.

Robert Ludwig, *Ein Beitrag zur Kenntnis der Oxybenzaldehyde und Cumarsäuren.*
Aus m-Nitrobenzaldehyd erhält man mittels Eisessig und Zinn den m-Amidobenzaldehyd
als gelbe amorphe Substanz, welches auch mittels Zinnchlorür und Salzsäure in der
Wärme entsteht. Natriumnitrit und Salzsäure führt diese Verbindung in den Zinnchlorid-
m-Diazobenzaldehyd über, welcher beim Kochen den ganzen Stickstoff verliert und in
Metoxybenzaldehyd übergeht (Schmelzp. 104°). Dargestellt wurde daraus Acetmetoxy-
benzaldehyd (Siedep. 263°), Essigsäureacetmetoxybenzaldehyd (Schmelzp. 76°) und Methylmetoxybenzaldehyd (vergl. D. R. Pat. 18016).
Metoxybenzaldehyd mit Natriumacetat und Essigsäureanhydrid geschmolzen, liefert
die Acetmetacumarsäure (Schmelzp. 151°); diese geht beim Erhitzen mit Kalilauge in das
Kaliumsalz der Metacumarsäure über. Die Säure besitzt den Schmelzp. 191° und wird
durch Natriumamalgam zu Hydrometacumarsäure (Schmelzp. 111°) reduziert, welche bereits von J. Braunstein (Inaug.-Dissertat. Zürich 1876) dargestellt worden ist. Aus
Methylmetoxybenzaldehyd gelangt man nach dem oben für Metacumarsäure geschilderten
Darstellungsverfahren zur Methylmetacumarsäure (Schmelzp. 115°), von dieser zur Hydro-
methylmetacumarsäure (Schmelzp. 51°).
Durch Nitrieren des Metoxybenzaldehyds werden β-Nitrometoxybenzaldehyd (Schmelzp.
166°) und α-Nitrometoxybenzaldehyd (Schmelzp. 128° C.), und γ-Nitrometabenzaldehyd
(Schmelzp. 138°) gebildet. Von Derivaten der letzteren beschreibt der Vf. den α- und
β-Nitrometoxybenzaldehyd (Schmelzp. 107, resp. 82—83°). Nitriert man Methylmetoxybenzaldehyd, so erhält man α-Dinitromethylmetoxybenzaldehyd (Schmelzp. 110°C.) und
β-Dinitromethylmetoxybenzaldehyd (Schmelzpunkt 155° C.) (Inaug.-Dissertation 21. Juli
1883. Berlin). P.

Martin Herzberg, *Beitrag zur Kenntnis der Zimmtsäure und der Hydroxizimmt-
säure.* Über *p-Nitrobenzaldehyd.* Vf. erhielt durch Kochen der aus o-Amidozimmtsäure
dargestellten o-Diazozimmtsäure zuerst o-Chlorzimmtsäure, $C_6H_4 \begin{cases} C_9H_7.COOH & (1) \\ Cl & (2) \end{cases}$ (Schmp.
200°), und aus dieser mittels Phosphor und Jodwasserstoffsäure die o-Chlorhydrozimmt-
säure (Schmelzp. 96,5°). Erwärmt man das Nitrat der o-Diazozimmtsäure mit Jodwasserstoffsäure, so gelangt man zur o-Jodzimmtsäure (Schmelzp. 212—214°), und von dieser
zur o-Jodhydrozimmtsäure (Schmelzp. 102—103°), welche sich aber bei ihrer Darstellung
aus JH und Phosphor durch zu langes Kochen in Hydrozimmtsäure zerlegt.
Aus m-Nitrozimmtsäure (aus m-Nitrobenzaldehyd, Essigsäureanhydrid und Natriumacetat hergestellt), stellte Vf. die m-Diazozimmtsäure her, und aus letzterer nach den
obigen Methoden:

m-Chlorzimmtsäure, $C_9H_4 \begin{cases} C_9H_7.COOH & (1) \\ Cl & (3) \end{cases}$ (Schmelzp. 167°)

m-Chlorhydrozimmtsäure (Schmelzp. 77—78°)
m-Jodzimmtsäure (Schmelzp. 181—182° unter Zerfall)
m-Jodhydrozimmtsäure (Schmelzp. 65—66°, mit Spuren von Hydrozimmtsäure verunreinigt).

Außerdem beschreibt Herzberg die

p-Chlorzimmtsäure (Schmelzp. 240—242°)
p-Chlorhydrozimmtsäure (Schmelzp. 124°)
p-Jodzimmtsäure „ 255°)
p-Jodhydrozimmtsäure „ 140—141°)

Die p-Acetamidozimmtsäure bildet sich aus p-Amidozimmtsäure und Essigsäureanhydrid. Ihr Schmelzp. liegt bei 259—260° C. Diese wird von rauchender Salpetersäure
in Dinitro-p-Acetamidostyrol, $C_6H_3CH.CH_2$ (1).NHC_2H_3O (4)$(NO_2)_2$ (Schmelzp. 211—212°),
übergeführt. Durch Einwirkung von rauchender Salpetersäure auf die Acetamidozimmt-
säure unter starker Abkühlung bildete sich Mononitro-p-Acetamidozimmtsäure, aus welcher
durch Natronlauge die m-Nitro-p-Amidozimmtsäure (Schmelzpunkt 224,5°) hergestellt
werden kann.
Behandlung von Zinnoxydulkali bewirkt den Übergang der letzteren in m-p-Diamido-
zimmtsäure (Schmelzp. 167—168°). Brom erzeugt aus der p-Acetamidozimmtsäure das
Bromacetamidostyrol (Schmelzp. 182,5°).

3*

Aus *p-Nitrobenzaldehyd* und Hydroxylamin erhielt HERZBERG das p-Nitrobenzaldoxim, $(C_6H_4\begin{Bmatrix}C.HN(OH)\,(1)\\NO_2\quad\quad(4)\end{Bmatrix}$ (Schmelzp. 128,5°), das mit Schwefelammonium in p-Amidobenzaldoxim (schmilzt bei 124,5°C.) übergeht. Beim Übergießen mit Säuren bildet sich eine rote Gallerte oder dunkelrote, blau reflektierende Nadeln. Diese Erscheinung ist für die p-Verbindung charakteristisch, da die isomeren o- und m-Verbindungen nach noch nicht veröffentlichten Versuchen von GABRIEL farblose Salze liefern. Die rote Verbindung enthält p-Amidobenzaldehyd (Schmelzp. 69,5—71,5°), welches in gelben Nadeln krystallisiert, die mit Salzsäure ein rotes Salz geben. Schließlich beschreibt der Vf. das p-Acetamidobenzaldehyd und das p-Acetamidobenzaldoxim (Schmelzp. 205—206°.) (Inaug.-Dissertat. 15. Aug. 1883. Berlin.)
P.

C. L. Jackson und **A. E. Menke**, *Eine neue Darstellung des Borneols.* Der Campher wird in dem Zehnfachen seines Gewichtes gewöhnlichen Alkohols gelöst, worauf die berechnete Quantität und außerdem $^1/_2$ mehr derselben Natrium zugefügt wird. Man giebt das Natrium in kleinen Mengen (nicht über 1,0 auf einmal) hinzu, und wenn man mit Mengen arbeitet, die nicht 10,0 übersteigen, so kann die Reaktion in einer offenen Flasche ohne Kühlung stattfinden. Darauf wird der Alkohol abdestilliert und Wasser zugesetzt, worauf sich rohes Borneol abscheidet. Dieses wird von Natriumhydrat durch Auswaschen mit Wasser befreit und aus Alkohol umkrystallisiert. Eine einmalige Umkrystallisation liefert ein Borneol vom Schmelzp. 197°. 10 g Campher geben nach dieser Methode 9,5 g rohes Borneol, also 94 p. c. der theoretisch berechneten Menge. (Deutsch-Amerik. Apoth.-Ztg. **4.** 512. 1. Nov. 1883.)
r.

Schiaparelli, Über das *Saponin.* Die Wurzel der Saponaria wurde mit siedendem Alkohol ausgezogen und das beim Abkühlen sich längerem Stehen sich ausscheidende unreine Saponin durch wiederholtes Auflösen in Alkohol, Behandeln mit Tierkohle, Fällen mit Barythydrat, Einleiten von Kohlensäure etc. gereinigt. In dieser Weise erhielt es der Vf. zuletzt als ein schneeweißes, von Aschenbestandteilen freies Pulver von der Zusammensetzung $C_{32}H_{54}O_{18}$. Es erregt heftiges Nießen, besitzt einen unangenehmen Geschmack und giftige Wirkungen; es löst sich leicht in Wasser, schwer in Weingeist, gar nicht in Äther, Benzin und Chloroform. Beim Erhitzen auf Platinblech verbreitet es einen Karamelgeruch und hinterläßt eine schwer verbrennliche Kohle. Das Saponin besitzt die bemerkenswerte Eigenschaft, die Abscheidung verschiedener unlöslicher Verbindungen aus Wasser zu verhindern; eine mit Schwefelwasserstoff behandelte, Saponin enthaltende Bleizuckerlösung geht schwarz durch das Filter; ebenso können Bariumcarbonat und Bariumsulfat durch Zusatz von Saponin in gewissen Mengen in Wasser gelöst erhalten werden. Beim Erhitzen mit stark verdünnten Säuren spaltet sich das Saponin in Sapogenin und Glykose, welche letztere ein ungewöhnlich schwaches Drehungsvermögen besitzt. Der Vf. schlägt übrigens für das Sapogenin den Namen *Saponetin* vor. (Ann. di Chim. appl. all Farm. ed Med. **77.** 65.)

P. C. Plugge, Über das *Vorkommen von Andromedotoxin in Andromeda polifolia L.* Nachdem der Vf. im vorigen Jahre (**83.** 72) aus dem Holze und den Blättern von Andromeda Japonica Thunb. einen giftigen Bestandteil — das Andromedotoxin — abgeschieden hatte, hat er nun untersucht, ob dieser Stoff auch in der hier wild wachsenden Andromeda polifolia L. vorkomme. Zuerst hat er sich durch Fütterung an Kaninchen mit dieser Pflanze, oder durch Einspritzung des wässerigen und alkalischen Extraktes derselben bei Fröschen und Kaninchen überzeugt, daß Andromeda polifolia wirklich zu den Giftpflanzen gehört. Dann wurden Versuche zur Darstellung des Andromedotoxins aus größeren Mengen von Blättern der Andromeda polifolia unternommen und das Verhalten des gewonnenen Produktes mit dem des Andromedotoxins aus Andromeda Japonica verglichen. Das Resultat der Vergleichung geht dahin, daß der Vf. auf Grund des chemischen Verhaltens der Substanz mit voller Gewißheit annimmt, daß die hier heimische Art ihre Giftigkeit ebenfalls dem Andromedotoxin verdankt. (Arch. Pharm. [3.] **21.** 813—19.)

Barbaglia, *Neues Alkaloid in Buxus sempervirens.* Außer dem Buxin, welches mit dem Bebeerin identisch ist, und dem Parabuxin, hat Vf. noch ein drittes Alkaloid aus Buxus sempervirens gewonnen, welches er *Buxinidin* nennt. Dieses wird zugleich mit dem Parabuxin aus der alkoholischen Lösung der drei Alkaloide durch Oxalsäure gefällt. Scheidet man dann aus diesem gemischten Niederschlage das Buxin wieder rein ab und schüttelt mit dem Äther, so nimmt letzterer nur das Parabuxin auf und läßt das Buxinidin zurück, welches ein schneeweißes, amorphes, in Wasser und Äther unlösliches, in Alkohol etwas lösliches Pulver bildet. (Gazz. chim. **3.** 249.)

A. Etard, Über das *Hydronicotin und Oxytrinicotin.* Unter den mancherlei Beziehungen zwischen den Formeln des Nicotins und den Basen der Pyridinreihe erscheint diejenige am einfachsten, nach welcher das Nicotin als ein Piperidylpyridin aufzufassen ist. In der That läßt sich begreifen, daß eine Base von der Formel des Nicotins durch Einwirkung von Piperidin auf Brompyridin nach der Gleichung entsteht:

$$C_5H_4BrN + C_5H_{11}N = C_{10}H_{14}N_2.HBr.$$

Wenn das Nicotin also einen nicht gesättigten Pyridinkern enthält, so war zu hoffen, denselben durch Fixierung von Wasserstoff zur Sättigung zu bringen.

In der That läßt sich ein Hydronicotin darstellen, wenn man folgendermaßen verfährt. Eine Reihe von sehr widerstandsfähigen Röhren beschickt man je mit einem Gemenge von 5 g rotem Phosphor, 5 g Nicotin und 60 g rauchender Jodwasserstoffsäure. Die Röhren werden dann zu zwei und zwei zehn Stunden lang auf 260—270° erhitzt. Etwa die Hälfte der Röhren widersteht dem Drucke, und diese enthalten dann außer Wasserstoff einen krystallisierten Körper, wahrscheinlich ein Perjodid, welches man durch Kali zersetzt, um die damit verbundenen Basen abzuscheiden, und trennt dann die ölförmigen Basen durch fraktionierte Destillation, und kann auf diese Weise sehr leicht etwas Hydrocollidin vom Siedepunkte 205°, und Nicotin vom Siedepunkte 244° isolieren, um endlich eine neue, bei 263—264° siedende Base zu erhalten, deren Zusammensetzung nach der Analyse $C_{10}H_{16}N$, ist. Sie enthält also H_2 mehr als das Nicotin.

Das Hydronicotin, $C_{10}H_{16}N_2$, ist eine ölige, bei 263—264° siedende Substanz vom spez. Gewichte 0,993 bei 17°; löslich in Wasser, Alkohol und Äther in allen Verhältnissen, von schwachem Geruche. Es ist linksdrehend, $[\alpha]_D = -15°40'$. Platinchlorid scheidet selbst aus den sehr verdünnten Lösungen von Hydronicotin ein krystallinisches, hellgelbes Chloroplatinat ab, welches sich leicht von dem Chloroplatinat des Nicotins unterscheidet und davon trennen läßt, da letzteres sehr löslich ist. Die Analyse ergab $C_{10}H_{16}N_2$, $2HClPtCl_4 + H_2O$. Mit Goldchlorid, Ferro- und Ferrisalzen, Quecksilberchlorid und Kaliumdichromat giebt das Chlorhydrat des Hydronicotins in verdünnten kalten Lösungen keinen Niederschlag.

Die Jodwasserstoffsäure ist der einzige Körper, mit dem es dem Vf. bis jetzt gelungen ist, Wasserstoff auf das Nicotin zu fixieren.

Gegen Oxydationsmittel verhält sich das Nicotin verschieden. Der Vf. beschränkt sich zunächst auf die Beobachtungen, die er mit Quecksilberoxyd gemacht hat. Nicotin wurde bis nahe zu seinem Siedepunkte (244°) erhitzt, und dann in kleinen Mengen gewöhnliches Quecksilberoxyd zugesetzt. Jeder Zusatz bringt eine lebhafte Reaktion hervor; es bildet sich Wasserdampf, welcher entweicht und metallisches Quecksilber sammelt sich am Boden des Gefäßes an. Sobald das Nicotin durch diese Behandlung braun und dick geworden ist, läßt man es erkalten, löst die Masse in verdünnter Salzsäure auf, filtriert, behandelt das Filtrat mit Schwefelwasserstoff und scheidet das gebildete Quecksilbersulfid durch abermalige Filtration ab. Hierdurch erhält man eine Flüssigkeit von kaffeebrauner Farbe, welche mit Alkalien einen braunen, flockigen basischen Niederschlag giebt, welcher immer von gleicher Zusammensetzung ist und der Formel $C_{30}H_{27}N_5O_2$ entspricht. Wahrscheinlich ist statt dieser rohen Formel $(C_{10}H_9N_2)_3O_2$ zu setzen, wodurch die Verbindung mit dem *Thiotetrapyridin*, $(C_{10}H_9N_2)_3S$, vergleichbar wird, welches CAHOURS und der Vf. entdeckt haben. Die Bedingungen, unter denen diese Base entsteht, sind denen für die Bildung des Thiotetrapyridins analog. Letzteres bildet sich bei der Einwirkung von freiem Schwefel und man kann wohl annehmen, daß das Quecksilberoxyd bei 240° sich gegenüber einer organischen Substanz wie freier Sauerstoff verhält. Der Vf. schlägt deshalb für die braunschwarze Masse den Namen *Oxytrinicotin* vor. Das Chlorhydrat derselben ist unkrystallinisch und besitzt, wie das des Thiotetrapyridins, einen zusammenziehenden Geschmack. Das Chloroplatinat hat die Formel:

$$(C_{10}H_9N_2)_3O_2,2PtCl_6H_2 + 8H_2O.$$

Verschiedene andere aromatische Basen von hohem Siedepunkte wurden durch Quecksilberoxyd oxydiert und gaben meistens gefärbte Substanzen, deren Untersuchung nicht in der Absicht des Vfs. liegt. (C. r. **97**. 1218—21. [26.*] Nov. 1883.)

H. Yoshida, *Zur Chemie der Lacke.* 1. Teil. (Vergl. **83**. 254). Der japanesische Lack (Urushi) ist der Milchsaft von Rhus vermicifera. Es giebt zwei Varietäten von Urushi: „Ki urushi" und „Seshime urushi". Der Ki urushi oder rohe Lack ist der beste. Er fließt aus Einschnitten, die man in den Stamm des Baumes macht. Der Seshime urushi wird durch Einweichen der Zweige in Wasser gewonnen. Der Urushi wird in der Regel mit Lampenruß, Zinnober, Indigo etc. gefärbt. Der reine Urushi ist eine graue, dicke Flüssigkeit von charakteristischem, angenehmem Geruche, vom spez. Gewichte 1,0020 bei 20°. Wird er bei 20° in dünnen Schichten der feuchten Luft ausgesetzt, so färbt er sich bald dunkel und trocknet zu einem glänzenden, durchsichtigen Firnis ein. ISHIMATSU hat bereits im Jahre 1879 vor der Manchester Philosophical Society einen Bericht über diesen Lack gegeben und darin mitgeteilt, daß derselbe ein Harz, ein Gummi,

Wasser und eine geringe Menge eines in Äther, Wasser und Alkohol unlöslichen Rückstandes enthält. Der Vf. extrahierte den Urushi mit Alkohol und erhielt eine eigentümliche Säure, *Urushinsäure*, nebst einer flüchtigen, giftigen Substanz. Die Urushinsäure, $C_{14}H_{18}O_7$, bildet eine teigige, in Benzin etc. lösliche Masse, welche an feuchter Luft nicht eintrocknet. Der Vf. hat auch die Einwirkung von Brom, starker Salzsäure und Salpetersäure untersucht und das Kupfer-, Blei- und Eisensalz dargestellt. Das Gummi ist identisch mit dem arabischen Gummi. Eine Mischung von Gummi und Urushinsäure erhärtet nicht an der Luft. Der in Alkohol und siedendem Wasser unlösliche Rückstand enthält eine eigentümliche stickstoffhaltige Substanz, ist aber nach dem Sieden ohne Einwirkung auf Urushinsäure. Wird dagegen der Rückstand von der Behandlung des Urushi mit Alkohol mit kaltem Wasser behandelt, so erhält man ein Extrakt, welches eine diastatische Substanz enthält, die das Erhärten des Urushi bewirkt.

Der Vf. hat Versuche über dieses Erhärten in verschiedenen Gasen gemacht. Er fand, dafs feuchte Luft bei der Temperatur von 20—23° am günstigsten wirkt. Nach dem Erhärten ist die Urushinsäure in eine neue Substanz, $C_{14}H_{18}O_8$, umgewandelt, welche in allen Lösungsmitteln unlöslich ist. Sie kann auch durch Einwirkung von Chromsäure auf Urushinsäure erhalten werden. (Chem. N. **48.** 223—24; Journ. Chem. Soc. **43.** 472 bis 486. Dez. 1883.)

Massara, *Eine neue Verbindung von Chinin mit Chloral.* Wenn man einer Lösung von Chinin in Chloroform eine äquivalente Menge Chloral zusetzt, so findet eine Temperatursteigerung statt. Überläfst man die Mischung der gewöhnlicher Temperatur der Verdunstung an trockener Luft, so erhält man einen gallertartigen, durchscheinenden, gelblichen Rückstand. Wird dieser in kaltem Äther aufgenommen und dann die ätherische Lösung gelinde erwärmt, so beginnt alsbald eine so reichliche Ausscheidung einer weifsen warzenförmigen Krystallisation, dafs in kurzer Zeit die ganze Flüssigkeit dadurch in einen Brei verwandelt wird. Auf viel kürzerem Wege erhält man den nämlichen, nach der Formel

$$C_{20}H_{24}N_2O_2 \Big\rangle$$
$$CCl_3.COH \Big\} \text{ zusammengesetzten Körper, indem man 32 Tle. wasserfreies Chinin in Chloro-}$$

form löst, diese Lösung mit wasserfreiem Äther verdünnt, 147,5 Tle. Chloral zusetzt und gelinde erwärmt. Die Bildung der bald die ganze Flüssigkeit durchsetzenden Warzenkrystalle geht von den Wandungen der benutzten Porzellanschale aus, so dafs man nunmehr die Ausscheidung nur auf einem Filter zu sammeln, mit kaltem Äther zu waschen und schliefslich über Schwefelsäure zu trocknen braucht, um die erwähnte Verbindung als schneeweifse, sehr leichte Masse zu erhalten, welche anfänglich geschmacklos, doch einen leicht bitteren Nachgeschmack besitzt. An trockener Luft unveränderlich verflüchtigt sich Chloralchinin bei 149°. Seine Lösungen in verdünnten Säuren zeigen die Fluoreszenz der Chininlösungen und geben auch die bekannte Reaktion mit Chlorwasser und Ammoniak, mit Natriumdicarbonat einen chlorfreien Niederschlag, so dafs es scheint, als ob das Chloralchinin in wässeriger Lösung nicht existieren könne, sondern zersetzt werde. (L'OROSI. **6.** Arch. Pharm. [3.] **21.** 857.)

J. **Ossipoff,** *Vorläufige Notiz über das Hopfenöl aus käuflichem Lupulin.* Nach PERSONNE ist das Hopfenöl ein Gemenge eines Kohlenwasserstoffes $C_{15}H_{18}$ und einer sauerstoffhaltigen Verbindung $C_{10}H_{16}O$. Der Vf. hat Hopfenöl durch Destillation von käuflichem Lupulin mit Wasser bereitet. Das mit kohlensaurem Kali gesättigte Destillat giebt an Äther ein Öl ab, welches man mit einer gesättigten Lösung von saurem schwefligsauren Natron schüttelt und sodann über kohlensaurem Kali, zuletzt über Chlorcalcium trocknet.

Salzsäure wirkt ·auf das so gereinigte Öl unter Bildung harziger Produkte ein. — Mit Brom reagiert dasselbe so energisch, dafs es verkohlt. Läfst man aber in seine, mit Eis gekühlte Lösung in Chloroform Brom eintropfen, so tritt Entfärbung ein, was auf die Entstehung eines Additionsproduktes hinweist; das erzeugte Bromür ist ein gelbliches Öl von charakteristischem Geruch; jedoch wurde dasselbe noch nicht rein erhalten. Durch Erhitzen des (gereinigten) Hopfenöls mit 50 p. c. Schwefelsäure (im Rohr auf 150°) löst sich ein Teil desselben; im Destillat von der wässerigen Lösung findet sich eine Säure, welche ein krystallinisches Barytsalz und ein Silbersalz liefert, dessen Gehalt an Silber 42,5 p. c. beträgt. Mit Chromsäuregemisch behandelt, wird das Hopfenöl zum teil oxydiert. Im Destillat der sauren Lösung fand sich durch fraktioniertes Sättigen mit Alkali und durch ebensolches Fällen mit Silbersalpeter Essigsäure und Valeriansäure nachgewiesen. Trägt man in das Hopfenöl Natrium ein, so löst sich dieses unter Erwärmung und Gasentwicklung darin auf; das Öl färbt sich braun und wandelt sich schliefslich in eine rotbraune, zum teil krystallinische, in Wasser unlösliche Masse um. Verdünnte Schwefelsäure zersetzt diese unter Abscheidung eines Öles (eines Terpens?); die wässerige Lösung enthält flüchtige Säuren, deren eine wahrscheinlich Valeriansäure ist. — Die Einwirkung von Jodmethyl und von Acetylchlorid auf obige Natriumverbindung soll noch studiert werden. (Journ. pr. Chem. **28.** 447—48.)

E. Jahns, Über das *Ätherische Öl von Thuja occidentalis*. Das Öl ist, wie bereits SCHWEIZER (Ann. Chem. Pharm. **52.** 398) angegeben, sauerstoffhaltig; Zusammensetzung 83,12 C, 10,29 H und 6,59 O. Bei der fraktionierten Destillation gingen über: 8 p. c. bei 160—180°, 24 p. c. bei 180—190°, 46 p. c. bei 190—200°, 12 p. c. bei 200—210°, 3 p. c. bei 210—230°, 4 p. c. bei 230—250°, und 3 p. c. blieben Rückstand. Die ersten Fraktionen zeigten saure Reaktion (von Essigsäure mit etwas Ameisensäure). Aus den Fraktionen unter 210° konnte ein Kohlenwasserstoff von der Formel $C_{10}H_{16}O$ isoliert werden. Dieses *Thujaterpen*, von dem das rohe Öl etwa 10 p. c. enthält, unterscheidet sich im Geruche nicht wesentlich vom Terpentinöl, Siedepunkt 159—161°, spezifisches Gewicht 0,852 bei 15°, Brechungsindex für D — 1,465 bei 18°; rechtsdrehend, [α]ᴅ — + 36,7°. In seinen Eigenschaften kommt es dem *Australen* aus Pinusarten nahe.

Als Hauptbestandteil des Öles wurde ein bei 195—197° siedender, linksdrehender und ein bei 197—199° rechtsdrehender Anteil gewonnen, beide von der Zusammensetzung $C_{10}H_{16}O$. [α]ᴅ bei jenem gleich —8,28°, bei diesem + 7,2°; abgesehen vom Siedepunkte und der in entgegengesetztem Sinne sich äußernden Wirkung auf die Ebene des polarisierten Lichtstrahles wurde in den physikalischen und chemischen Eigenschaften dieser beiden Bestandteile, für welche Vf. den gemeinsamen Namen *Thujol* vorschlägt, keine Verschiedenheit beobachtet; spez. Gew. 0,924, Brechungsindex für D 1,452 bei 18°, Geruch und Geschmack campherartig. (Arch. Pharm. [3.] **21.** 748—54.)

5. Physiologische, medizinische und pharmazeutische Chemie.

R. Kayser, Über das *Vorkommen von Rohrzucker und einigen seiner Umwandlungsprodukte im Organismus der Pflanzen*. Die zur Zeit herrschende Ansicht von dem Auftreten der Kohlenhydrate in den Blättern der Pflanzen geht bekanntlich dahin, daß durch Einwirkung diastatischer Fermente die in den Pflanzenzellen vorhandenen Stärkekörner invertiert und aus ihnen Glykose und Dextrin gebildet werden. Unter Glykose wird jedoch nicht nur Traubenzucker, sondern jede auf FEHLING's Lösung direkt reduzierend einwirkende Zuckerart verstanden. Der in Pflanzen vorhandene Rohrzucker wurde bis jetzt vorzugsweise als Reservematerial derselben betrachtet (W. PFEFFER, Pflanzenphysiologie 1881. 1. 319).

Da die bisherigen Untersuchungen sich, soweit sie auf einen Rohrzuckergehalt der Blätter Bezug nehmen, nur auf vereinzelte, teils sogar abnorme Fälle erstreckten, erschien es von Wichtigkeit, die Natur der in den Blättern und sonstigen Organen verschiedener Arten von Pflanzen vorkommenden Zuckerarten eingehend zu erforschen, sowie auch möglichst die Mengenverhältnisse derselben in verschiedenen Stadien der Vegetationsdauer, sowie ferner in den einzelnen Pflanzenteilen kennen zu lernen.

Der Vf. hat deshalb im Jahre 1883 eine Reihe von Untersuchungen ausgeführt, indem er in den Blättern, Stielen, jüngeren Trieben und Früchten etc. folgender Pflanzen den Rohrzucker- und Invertzuckergehalt, daneben auch in den meisten Fällen die Säure bestimmt hat: Weinrebe, Vitis vinifera; Birnbaum, Pirus communis; Runkelrübe, Beta vulgaris; Kartoffelstaude, Solanum tuberosum; Zwiebel, allium cepa; Blumenkohl, Brassica oleracea cauliflora; Fichte, Picea excelsa.

Es ergab sich in den meisten Fällen, daß die Blätter der untersuchten Pflanzen vorzugsweise Rohrzucker enthalten, welcher aus dem darin enthaltenen Stärkemehl entstanden ist. Dieser wird dann auf seinem Wege durch die übrigen Organe ganz oder teilweise in Invertzucker umgewandelt. Dies findet auch auf dem Wege der mikroskopischen Prüfung seine Bestätigung. Behandelt man ein Blattstück, etwa der Weinrebe, in üblicher Weise mit alkalischer Kupferlösung und erwärmt auf 70—80° C. einige Minuten, so nimmt man nur in den Gefäßen des Blattes, besonders in der Mittelrippe, und zwar je mehr sie sich dem Blattstiele nähert, eine Ausscheidung von Kupferoxydul wahr. Behandelt man in gleicher Weise einen Querschnitt des Blattstieles, so findet sich Kupferoxydul reichlich in allen peripherischen, im Triebe oder Rohre auch in den zentralen Gefäßen. In den Zellen des Blattes, in welchen reichliche Mengen von Chlorophyll- und Stärkekörnern wahrnehmbar sind, gelang es bei Weinblättern nie, eine Kupferoxyd unter den angegebenen Verhältnissen reduzierende Zuckerart nachweisen zu können.

Es ist sonach die Annahme wohl nicht ungerechtfertigt, daß die Umwandlung des Stärkemehles in Rohrzucker durch ein diastatisches Ferment in dem ersteren enthaltenen Blattzellen vor sich geht, daß der Rohrzucker alsdann in die Gefäße des Blattes gelangt, in diesen, sowie in jenen des Blattstieles Stengels etc. in der Regel vollständig in Invertzucker (BARANETZKY, Die stärkeumbildenden Fermente in den Pflanzen, 1878) durch ein dem Invertin ähnliches Ferment umgewandelt wird, bevor er durch die Oxydationsvorgänge des vegetabilischen Atmungsprozesses entweder ganz oder doch zum gröfseren Teile zu organischen Säuren und schliefslich zu Kohlensäure oxydiert wird, selbstverständlich unter kontinuierlicher Sauerstoffaufnahme und Wasserabspaltung. Es ergiebt sich ferner aus den Untersuchungsresultaten, besonders aus den umfassenderen, sich auf die Weinrebe beziehenden, dafs nur ein verhältnismäfsig sehr geringer Teil des in den Blättern gebildeten Zuckers in die Früchte gelangt, denn, während z. B. der Saft der Blätter mit Blattstielen am 21. Juli 1,020 p. c. Invertzucker neben 0,895 p. c. Rohrzucker, also zusammen nahezu 2 p. c. Zucker enthielt, wovon gleichzeitig in den, nebenbei bemerkt noch sehr kleinen und aufserdem spärlich vorhandenen, Beeren nur 0,810 p. c. Zucker (Invertzucker) vorhanden. Erst mit beginnender Reife findet eine Anhäufung des Zuckers in den Früchten als Reservestoff bei gleichzeitig erhöhter Produktion der Blätter statt, wie aus den Untersuchungen der Weinblätter etc. vom 27. August hervorgeht. Von besonderem Interesse sind die an der Kartoffelstaude beobachteten Erscheinungen. Die in den Blättern zuerst neben Invertzucker vorhandenen beträchtlichen Mengen von Rohrzucker sind vor der Reife (2. August) in den Stengeln nur stark herabgemindert bei entsprechender Zunahme des Gehaltes an Invertzucker, während der Reife jedoch (13. August) ist der Rohrzucker in den Stengeln vollständig verschwunden, und dafür in ihnen um so reichlicher Invertzucker vorhanden. Der in den Blättern aus Stärkemehl entstandene Rohrzucker ist sonach vor der Reife neben Invertzucker in die Knollen gelangt, wobei es zweifelhaft bleibt, ob erstere oder der letztere oder beide zur Rückbildung des Stärkemehles dienen.

Der bedeutende Gehalt des Honigthaues an Rohrzucker, welchen BIOT u. a. fanden, erklärt sich übrigens jetzt sehr leicht, da von den die Erscheinung des Honigthaues durch Anstechen der Blattoberfläche hervorrufenden Aphisarten eben nur die Blattzellen und nicht die Blattrippen verletzt werden. Da nun der Zucker der ersteren ganz oder vorwaltend Rohrzucker ist, so mufs selbstverständlich auch der aus ihnen durch die Stichöffnungen heraustretende und dann eintrocknende Saft vorzugsweise Rohrzucker enthalten. (Landw. Vers.-Stat. 29. 461—73.)

Ernst Täuber, Über den *Alkaloidgehalt verschiedener Lupinenarten und Varietäten.* Der Vf. hat den Alkaloidgehalt der Lupinensamen im wesentlichen nach der von WILDT (Milchzeitung 8. Nr. 11) eingeschlagenen Methode bestimmt. Diese besteht darin, dafs die gepulverten Lupinen mit Alkohol am Rückflufskühler ausgekocht werden; der alkoholische Auszug wird dann mit Salzsäure versetzt und destilliert; der Rückstand im Wasserbad unter Zusatz kleiner Mengen von Wasser auf wenige Zentimeter eingedunstet, der dickflüssige Rest in einem Scheidetrichter mit Petroleum ausgeschüttelt, der Auszug bei 50° eingedampft, der Rückstand mit Ammoniak und etwas Kalilauge aufgenommen und im Scheidetrichter wieder mit Petroleumäther ausgeschüttelt. Endlich wurde letzterer in einem gewogenen Kolben abdestilliert und der Rückstand acht Stunden lang bei 50° getrocknet und gewogen. Auf diese Weise erhält man die Gesamtmenge der Alkaloide. Um den Gehalt an flüssigen und festen Alkaloiden zu bestimmen, wird der getrocknete Rückstand mit Alkohol gelöst, möglichst genau mit einer Mischung von einem Teil Salzsäure und zehn Teilen Alkohol neutralisiert und mit Platinchlorid tropfenweise versetzt, solange man genau erkennen kann, dafs jeder weitere Tropfen Platinlösung eine weitere Fällung erzeugt. Den entstandenen Niederschlag, welcher das flüssige Alkaloid als Platindoppelsalz enthält, bringt man auf ein gewogenes Filter und prüft, ob im Filtrat durch Platinchlorid ein weiterer Niederschlag entsteht, den man dann ebenfalls auf das Filter bringt. Die Methode ist nicht gerade bequem, giebt aber gute Resultate.

Es wurden nun verschiedene Lupinensorten in dieser Weise untersucht und dabei folgendes gefunden:

Name der Lupine	Gesamter Alkaloidgehalt	Gehalt an flüssigem Alkaloid	Gehalt an festem Alkaloid
		in Prozenten	
Lupinus Cruikshanksii	1,00	0,45	0,55
„ luteus	0,81	0,39	0,42
„ „ weifssamige Varietät .	0,70	0,29	0,41
„ albus	0,51	0,08	0,43
„ polyphyllus	0,48	0,08	0,40
„ termis	0,39	0,03	0,36

Name der Lupine	Gesamter Alkaloidgehalt	Gehalt an flüs- sigem Alkaloid	Gehalt an festem Alkaloid
		in Prozenten	
Lupinus coeruleus, weifssam. Varietät	0,37	0,02	0,35
„ linifolius	0,32	0,02	0,30
„ coeruleus.	0,29	0,05	0,24
„ albus, dicksamige Varietät .	0,27	0,02	0,25
„ angustifolius	0,25	0,03	0,22
„ hirsutus	0,02	—	0,02

(Landw. Vers.-Stat. **29**. 449—57.)

O. Kellner, *Untersuchungen über die Benutzung mit Carbolsäure desinfizierter Exkremente als Dünger*. Es ergab sich aus einer gröfseren Reihe von Versuchen mit Weizen, Gerste und Buchweizen nur in einem Falle eine nachteilige Wirkung. Eine junge Weizensaat von 10 cm Höhe ging ein, als sie mit einem 2 p. c. Carbolsäure enthaltenden Dünger versehen wurde. In späteren Entwicklungsstadien waren selbst 3 p. c. nicht mehr schädlich, wenn der Dünger nicht direkt auf die Pflanzen, sondern in eine dicht längs derselben gezogene Furche gegossen wurde. (Landw. Vers.-Stat. **30**. 52—58.)

O. Kellner, *Untersuchungen einiger japanischer Bodensorten*. (Landw. Vers.-Stat. **30**. 1—17.)

O. Kellner, *Agrikulturchemische Studien über die Reiskultur*. Die Arbeit enthält 1. Wasserkulturversuche zur Entscheidung der Frage, ob der Sumpfreis seinen Bedarf an Stickstoff den Nitraten oder Ammoniakverbindungen des Bodens zu entnehmen vermag. 2. Salpetersäurebildung im Reisfelde. 3. Die Zusammensetzung des auf den Reisfeldern benutzten Rieselwassers vor und nach der Benutzung. (Landw. Vers.-Stat. **30**. 18—41.)

Dael v. Koeth, *Zur Beurteilung neuerer Forschungen auf dem Gebiete der Weinbergdüngung*. (Landw. Vers.-Stat. **29**. 413—31.)

P. Baessler, *Analyse der Platterbse (Lathyrus pratensis)*. Die untersuchten Pflanzen waren im westfälischen Sauerlande auf ungedüngtem Grauwackeboden gewachsen und vor der Blüte geschnitten. 100 Tle. Lufttrockensubstanz enthielten 15,16 Wasser, 5,52 Asche, 79,32 organische Stoffe. Die Asche selbst enthielt 32,65 Kali und 10,96 Phosphorsäure. Die Eiweifsstoffe wurden direkt bestimmt und mit dem Gesamtstickstoffgehalt verglichen. In den jungen Pflanzenteilen betrug der Gesamtstickstoff 4,76 und der Eiweifsstickstoff 3,65; in der ganzen oberirdischen Pflanze: der Gesamtstickstoff 3,91, der Eiweifsstickstoff 3,65. In den jungen Pflanzen stellt sich das Verhältnis beider wie 100 : 76,7, in der grofsen Pflanzen wie 100 : 83,1, was mit der bekannten Thatsache im Einklang steht, dafs in den jungen Pflanzenteilen die Amide stärker vertreten sind, als in den älteren, wo sie zum gröfseren Teile zur Bildung von Proteïnkörpern Verwendung finden. Für Nichteiweifskörper bleiben somit noch 0,66 p. c. N der Trockensubstanz oder 17,1 p. c. vom Gesamtstickstoff übrig.

Die Nichteiweifskörper, auf Trockensubstanz berechnet, bestanden aus 0,0046 p. c. N_2O_5, 0,0380 NH_3 und aus Amiden, welche nach der SACHSSE'schen Methode, wie sie durch BÖHMER modifiziert worden ist, bestimmt wurden. Das eiweifsfreie Pflanzenextrakt wurde in drei gleiche Teile geteilt, von denen der eine direkt, der zweite nach zweistündigem Kochen mit Salzsäure (10 ccm rauchende Salzsäure auf 100 ccm Wasser) und Neutralisation der Flüssigkeit im Azotometer mit Bromlauge behandelt wurde. Die Differenz beider Bestimmungen repräsentiert den Stickstoff der Amidosäureamide. Zur Bestimmung der Amidosäuren wurde der dritte Teil des eiweifsfreien Extraktes mit Salzsäure behandelt, zur Entfernung des Ammoniaks mit Kali eingedampft, der mit Wasser aufgenommene Rückstand fast neutralisiert und der Einwirkung von salpetriger Säure ausgesetzt, wobei sich Vf. genau an die von BÖHMER gegebene Vorschrift hielt. Es resultierten:

Amidosäureamidstickstoff . . . . . . 0,053 p. c. N
Amidosäurestickstoff . . . . 0,044 p. c. N

Somit findet sich als nicht bestimmter Stickstoff immerhin noch, wenn man die Summe der Zahlen für Eiweifs-, Ammoniak-, Salpetersäure- und Amidstickstoff vom Gesamtstickstoff subtrahiert, die Menge von 0,53 p. c. N der Trockensubstanz. Die Zahlen aber, welche für Berechnung des Futterwertes von Lathyrus pratensis bei Berücksichtigung des wahren Proteïngehaltes zu verwenden sind, stellen sich folgendermafsen: 6,35 Asche, 20,31 Rohproteïn, 22,53 Rohfaser, 1,91 Rohfett, 48,90 stickstofffreie Extraktivstoffe. (Landw. Vers.-Stat. **29.** 433—38.)

B. J. Stokvis, *Das Trübewerden des eiweifshaltigen Urins beim Kochen.* Der sich beim Kochen mancher eiweifshaltiger Urine bildende Niederschlag besteht aus tertiärem Calciumphosphat $Ca_3(PO_4)_2$, dessen Entstehung sich dadurch erklären läfst, dafs das im Harne enthaltene sekundäre Calciumphosphat sich in tertiäres und primäres Calciumphosphat umsetzt: $2Ca_2(HPO_4)_2 = Ca_3(PO_4)_2 + Ca(H_2PO_4)_2$. Beim Erkalten verschwindet der Niederschlag sehr häufig, indem sich wieder sekundäres Calciumphosphat bildet. Die saure Reaktion des Harnes kann dabei unverändert bleiben. Im Niederschlage ist neben tertiärem Calciumphosphat oft Calciumsulfat und Oxalat in geringen Mengen vorhanden, wogegen Magnesiumverbindungen fehlen. (Nederl. Tijdschr. vor Geneesk. Bylog.; Med. Centrbl. **21.** 885. 8. Dezember 1883.) P.

W. G. Smith, *Über die Natur des Phosphat-Niederschlages, welcher beim Kochen des Urins entsteht.* Vf. gelangt für die Ausscheidung des dreibasisch-phosphorsauren Kalkes zu derselben Erklärung wie STOKVIS, ohne die Abhandlung des letzteren zu kennen. Eine wässerige Lösung von primärem Calciumphosphat mit Ammoniak versetzt, trübt sich beim Erwärmen und klärt sich beim Erkalten teilweise wieder, wie die Urin. Mischungen von KH_2PO_4 und Calciumchlorid zeigten nicht das beschriebene Verhalten, wohl aber, wenn gleichzeitig etwas Na_2HPO_4 zugegen war. (Aus Dubl. J. of med. Science durch Med. Centrbl. **21.** 885—86. 8. Dezember 1883.) P.

O. Kellner, *Chemische Untersuchungen über die Entwicklung und Ernährung des Seidenspinners.* (Bombyx Mori.) (Landw. Vers.-Stat. **30.** 59—80 u. ff.)

P. C. Plugge, *Über eine wahrscheinliche Umsetzung von Strychnin im tierischen Organismus und ein aus Strychnin bei der Behandlung mit Kaliumhypermanganat entstehendes Oxydationsprodukt* (Vgl. **83.** 713). PLUGGE stellte sich die doppelte Aufgabe 1. verschiedenen Tieren Strychnin zu geben und danach die Gewebe, das Blut und den Harn auf die mögliche Anwesenheit eines Oxydationsproduktes zu untersuchen, das sich zum Strychnin verhielt, wie Dihydroxylchinin zum Chinin; 2. zu untersuchen, ob bei der Oxydation von Strychnin mit Kaliumpermanganat auch ein solches Produkt gebildet wird, wie bei der Behandlung des Chinins mit diesem Oxydationsmittel. Der bei der Oxydation von Strychnin erhaltene Stoff ist amorph, braungelb oder hellgrau, nicht bitter von Geschmack, unter 100° schmelzbar, wobei er eine dem Chinoïdin ähnliche Masse liefert. Er löst sich in Alkohol, in Alkalien leicht, schwer in Äther, Chloroform und Salzsäure auf. Aus der Lösung in letzterer wird er durch viel Wasser wieder gefällt. Der Körper besitzt nicht mehr die Eigenschaften eines Alkaloïds, da er aus seinen Lösungen in Wasser durch die gewöhnlichen Alkaloïd-Fällungsmittel nicht niedergeschlagen wird. Übergiefst man etwas von dem Oxydationsprodukte mit konzentrierter Schwefelsäure und Kaliumdichromat (oder rotem Blutlaugensalz, auch Bleisuperoxyd), so entsteht eine prächtig rot-violette Färbung, die in Rot übergeht und allmählich schwächer wird. Diese Reaktion des Strychninderivates ist wegen ihrer grofsen Empfindlichkeit von grofser Wichtigkeit für seinen Nachweis. Versuche an Tieren ergaben, dafs der Stoff nicht giftig ist. Glühen mit Natronkalk und die LASSAIGNE'sche Probe zeigten, dafs derselbe stickstoffhaltig sei. Seinen Reaktionen zufolge gehört er zu den Säuren, weshalb ihn Vf. mit dem Namen: Strychninsäure belegt. Der von HANRIOT (C. r. **96.** 1671; C.-Bl. **83.** 538) gefundene Körper ist nach Versuchen, die Vf. darüber angestellt hat, mit dem von ihm dargestellten ganz gleich. 40 Tle. NaHO verbinden sich mit 232,5 Tln. Strychninsäure. Im Verein mit der von HANRIOT gefundenen Formel für das Silbersalz ($C_{11}H_{10}AgNO_2$, H_2O) ist anzunehmen, dafs die Strychninsäure eine einbasische Säure ist. Das vom Vf. gefundene Verbindungsgewicht 232,5 ist zugleich als Molekulargewicht der Strychninsäure zu betrachten, das mit dem nach der Formel von HANRIOT berechneten (223) ziemlich übereinstimmt. Die Untersuchungen sind als vorläufige zu betrachten. Die Strychninsäure wird durch Petroleumäther weder aus der sauren, noch ammoniakalischen Lösung aufgenommen, dagegen von Benzol in sehr grofser Menge. Chloroform nimmt aus der ammoniakalischen Lösung nur wenig. aus der sauren dagegen mehr auf, in gleicher Weise verhält sich Äther und Amylalkohol. (Aus Weekbl. van het Nederl. Tijdschr. vor Geneesk. 30. 1883 d. SCHMIDT's Jahrbücher. **199.** 227—28.) P.

J. Guareschi und **A. Mosso,** *Chemische, physiologische und forensisch-medizinische Untersuchungen über die Ptomaïne.* Erster Teil. Die Kadaveralkaloïde gehören wahrscheinlich in die Gruppe der Pyridinbasen. Physiologisch zeigen sowohl die aus faulem, menschlichem Gehirn, wie die aus faulem Fibrin durch Extraktion mit Säuren oder mit Chloroform dargestellten Ptomaïne im wesentlichen die Eigenschaften des Curare, nur sind sie·nicht so giftig wie dieses. (Arch. italienn. de biol. **2.** 367 und **3.** 241.) P.

J. Schiffer, Über die *Wirkung des Guachamacagiftes.* (Du Bois Reymond. Arch. f. Phys. u. Anat. 1883. Hft. 4 u. 5. 289—96. April. Berlin.)

Isaak Kamnitzer, Über die *Wirkungsweise der Granatwurzelrinde.* Die Wurzel enthält neben einem Eisenchlorid blau färbenden Gerbstoffe Mannit, Stärkemehl, Kalkoxalat. In neuester Zeit sind von TANRET vier Alkaloide darin nachgewiesen worden, davon drei flüssige: das Pelletierin, $C_{16}H_{15}NO_2$, das Methylpelletierin, $C_{18}H_{19}NO_2$, das Iso- und das krystallisierende Pseudopelletierin, $C_{16}H_{15}NO_2$. Mäßige Gaben der Granatwurzelrinde verursachen meist Schmerzen im Magen, Brechneigung, wirkliches Erbrechen, Kolikschmerzen, einige Stuhlausleerungen und starke Diurese. Nach größeren Gaben entstehen Schwindel, Betäubung, Zittern der Glieder, Erbrechen, Durchfall, selbst Entzündung des Magens und Darmkanales. Man hat diese letztere Wirkung, wie die Versuche des Vf's. erweisen, nicht dem Pelletierin, sondern dem hohen Tanningehalte der Droge zuzuschreiben. Nach Entfernung des Tannins sind die schweren lokalen Störungen im Magen ausgeschlossen. Es wäre am sichersten, wenn zur Abtreibung des Bandwurmes nicht Dekokte, sondern nur Macerationen der frischen Granatwurzel, die durch ein- bis zweitägiges Stehen hergestellt werden und das wirksame Pelletierintannat enthalten, verwendet werden. (Inaug.-Dissert. 21. Juni 1883. Berlin.) P.

H. v. Hösslin, Über *Ernährungsstörungen infolge Eisenmangel in der Nahrung.* (Ztschr. f. Biol. **18.** 612; Med. Centralbl. **21.** 870—72.)

Frans Gurkens, *Experimentelle Untersuchungen über die Wirkungen von Nickelsalzen.* Vf. suchte die Fragen zu beantworten, ob Speisen, welche längere Zeit in vernickeltem Geschirre gestanden haben, noch zur Aufnahme in den tierischen Organismus geeignet sind, und wie weit der Nickelgehalt jener gehen darf, ohne als schädlich betrachtet werden zu müssen. Hieran schliefsen sich Versuche über das Verhalten löslicher Nickelverbindungen im Körper überhaupt; die hierbei gewonnenen Ergebnisse führten schliefslich auch dahin, die Nickelsalze auf ihre antiseptischen Eigenschaften zu prüfen.

Zwei Liter Milch, welche acht Tage lang in einer Schale aus Nickel gestanden hatten, enthielten nach dieser Zeit 0,022 g Nickel.

Tierversuche ergaben, dafs Nickelacetat viel intensiver wirkt, wenn es sofort durch subkutane Injektion in den Säftestrom gelangt, wie wenn es erst den Magen zu passieren hat. Der Grund dafür ist einfach der, dafs ein Teil des durch den Mund aufgenommenen Salzes im Magen so verändert wird, dafs es nicht mehr resorbiert werden kann. Nickel ist ein Körper, der nach der Aufnahme ins Blut an die Gewebe gelangend, dort Entzündungsvorgänge bedingt, die zumal an der Drüsenschicht des Intestinaltraktus zum Ausdrucke gelangen, wie beim Quecksilber, Arsen u. dergl. Ein Versuch mit einem Hunde, welche innerhalb 29 Tagen 14,5 g Nickelacetat in seinem Futter aufgenommen hatte, ein Quantum, das weit aufserhalb der Möglichkeitsgrenzen für die Nickelmenge liegt, welche in derselben Zeit bei Verwendung gut vernickelten Geschirres aufgenommen werden kann, ergab, dafs die Gefahr einer chronischen Vergiftung durch Nickel beim Gebrauche vernickelter Gefäße nicht vorliegt, natürlich muß der Nickelüberzug auch in der That aus vollkommen reinem Nickel bestehen.

Nickelsalze, zumal aber das Nickelchlorür, zeigen ausgesprochene antiseptische Kraft. Sie sind im stande, die Fäulnifs tierischen Materiales längere Zeit hinauszuschieben. Das Wachsen von Schimmel auf vegetabilischen Substanzen wird nur mäfsig beschränkt (vgl. H. SCHULZ, C.-Bl. 1883, 566.) (Inaug.-Dissertat. 4. Aug. 1883. Bonn). P.

Adolf Baginsky, Über die *Verwendbarkeit der durch Einwirkung hoher Temperaturen (über 100° C.) dargestellten Milchkonserven als Kindernahrungsmittel.* Die chemische Untersuchung erstreckte sich auf die Beantwortung der vier Fragen: 1) Inwieweit ist das Verhalten der Eiweifskörper der Milch durch das Überhitzen verändert, und zwar sowohl der einzelnen Eiweifskörper gegen einander, wie gegen die Verdauungsfermente (Labferment, Pepsin) und gegen die im Magen wirksame Verdauungssalzsäure? 2) Welche Veränderungen lassen sich in dem Gehalte der Milch an Lecithin und Nuclein nachweisen? 3) Welche Veränderungen erleidet der Milchzucker, insbesondere aber auch das in der Milch vorhandene, für den Milchzucker so bedeutungsvolle Milchsäureferment? 4) Sind in der Zusammensetzung der Milchsalze Veränderungen vor sich gegangen; insbesondere in welcher Verbindung befindet sich nach dem Überhitzen der Milch die Phosphorsäure? (Chem. C.-Bl. 1883. 506.) Aus den Versuchsergebnissen heben wir hervor, dafs der Gehalt an Caseïn durch die Konservierungsmethode keine nennenswerte Abänderung erleidet. Auffallend war das Verhalten des Albumins der Milchkonserve; es war trotz der sorfältigsten Kautelen im Zusatz von Essigsäure beim Kochen nicht möglich, eine nennenswerte Gerinnung im Filtrat der Konservemilch zu erzielen.

Eine kalorimetrische Prüfung von roher Milch und von Konserven von ROMANSHORN und SCHERFF auf *Pepton* ergab keinen Unterschied in der Farbenintensität. — Die Konservierung der Milch nach der SCHERFF'schen Methode hebt die Löslichkeit des Caseïns in Wasser nahezu und nach der in Romanshorn geübten mit Kondensation verbundenen Methode vollständig auf. — Was das Verhalten gegen Labferment betrifft, so kann man schliefsen, dafs das letztere auf beide Milchkonserven bei 15° R. nahezu ohne jede Einwirkung bleibt, und dafs seine Wirksamkeit bei höherer Temperatur (53°) ungleich geringer als auf die rohe Kuhmilch ist. Es gehören beträchtlich gröfsere, und zwar etwa die doppelten Mengen Labsaft dazu, um dieselbe Wirkung zu erzielen, welche das Labferment auf die rohe Milch ausübt.

Um zu ermitteln, inwieweit etwa eine Vermehrung der in der Milch vorhandenen oder in derselben auch unter normalen Verhältnissen auftretenden Substanzen die Wirksamkeit des Labfermentes beeinflussen konnte, wurde sowohl rohe Milch mit Pepton und Milchzucker versetzt als auch eine mit diesen Zusätzen nach SCHERFF konservierte Milch in den Versuch gezogen. Bei der ersteren ergab sich kein irgend nennenswerter Einflufs der Zusätze auf die Art der Einwirkung des Labfermentes, insbesondere nicht soweit die Schnelligkeit und Intensität der Einwirkung in Frage kam, höchstens schien es, als ob das in der mit Milchzucker versetzten Milch gebildete Gerinsel feinflockiger war, als sonst. Bei der SCHERFF'schen Konserve liefs sich nun in der That durch den Zusatz von Pepton die Gerinnungsfähigkeit des Caseïn als gesteigert erkennen, während ein Effekt des Milchzuckerzusatzes wenigstens für den aus der Magenschleimhaut des Kalbes dargestellten Labsaftes nicht zu konstatieren war. — BAGINSKY konnte fernerhin konstatieren, dafs die oben erwähnte Eigenschaft des noch in der Milch befindlichen Caseïns der SCHERFF'schen Konserve, gegenüber dem Labferment eine verringerte Fällbarkeit zu zeigen, auch an dem rein dargestellten Caseïn zur Geltung kommt.

Weitere Versuche ergaben, dafs die mittels hoher Temperaturen hergestellten Konserven durch Salzsäure (0,135 p. c.) leichter fällbar sind, als die rohe Kuhmilch, und zwar im Verhältnis von etwa 2:3. Ferner zeigte sich, dafs die Gerinnung der rohen Milch unter dem Einflufs der Salzsäure wesentlich anders erfolgt, als durch das Labferment; dieselbe ist viel feinflockiger. Endlich unterscheidet sich die SCHERFF'sche Konserve von der Romanshorner darin, dafs letztere mit Salzsäure leichter gerinnt und ein viel grobkörnigeres Gerinnsel giebt als erstere. Die Filtrate der Caseïnniederschläge von der rohen Milch und von den beiden Konserven liefern Reaktionen, welche beweisen, dafs die Umwandlung in lösliche Peptone bei den Konserven entschieden in geringerem Mafse stattgefunden hat, als bei der rohen Milch.

Bei der künstlichen Verdauung (mit Magensaft und Salzsäure) zeigen die drei Milchsorten bis auf eine geringe Differenz der Löslichkeit des Caseïnrestes in Wasser keine Verschiedenheit in den Reaktionen der Verdauungsprodukte.

Was die Beantwortung der Frage 2 anbetrifft, so verweist Vf. auf seine frühere Arbeit darüber (Chem. C.-Bl. 1883. 506).

Dafs der Milchzucker eine Veränderung bei der Konservierung erlitten hat, verrät schon die bräunliche Farbe der beiden in Rede stehenden Konserven. Betreffs des Einflusses der hohen Temperaturen auf die Anwesenheit und Wirksamkeit der Milchsäurefermente konnte festgestellt werden, dafs das Milchsäureferment durch die Überhitzung der Milch über 100° C. entweder nicht abgetötet wird, oder dafs der Milch die Eigenschaft innewohnt, dasselbe aus der Luft rasch wieder zu ergänzen. Die Konserven gerinnen, wenn sie an der Luft stehen, fast in derselben Zeit wie die rohe Kuhmilch, und zwar unter gleichzeitiger Bildung von nahezu gleichen Mengen von Milchsäure. Für die Praxis folgt aus dieser Prüfung, dafs man die Konserven, sobald einmal die Flaschen geöffnet sind, ebenso schnell verwenden und aufbrauchen mufs, wie rohe Milch.

Aus einem von neun Ernährungsversuchen mit den Konserven konnte BAGINSKY folgern, dafs man mit einer der präparierten SCHERFF'schen Konserve ein Kind normal ernähren kann; aus den übrigen Fällen liefsen sich Schlüsse für die Nährfähigkeit wegen der Kürze der Beobachtungsdauer nicht ziehen. Das eine soll man aber nicht vergessen, dafs man von Konserven überhaupt nicht mehr verlangen darf, als man von einer normalen frischen Kuhmilch verlangt. (Sep.-Abdr. aus Arch. f. Kinderheilkunde 4.) P.

E. Reichardt, *Chemische Untersuchung des Moores von Schmiedeberg.* Der betreffende Moor, welcher seit längerer Zeit zu *Badezwecken* Verwendung findet, diente in früherer Zeit auch zur Gewinnung von Eisenvitriol. Der ganz frische, nasse Moor war von fast schwarzer Farbe, durchsetzt mit den gewöhnlichen Moosarten der Torfmoore, krümlich und teilweise mattglänzend. Die Reaktion war stark sauer. Die Analyse ergab 83,2 p. c. Wasser, 3,90 p. c. Asche, etwa 1 p. c. flüchtige Säuren (Essigsäure und Ameisensäure) neben einzelnen nach Teer riechenden Stoffen (2,8 p. c. in Alkohol lösliche Teile von wachsartiger Beschaffenheit und stark teerartigem Geruche), 1 p. c. in Benzin lösliche Stoffe, den vorigen ähnlich, und 0,95—1,10 p. c. in Schwefelkohlenstoff lösliche Stoffe, worunter namentlich Schwefel, sowie organische teerartige Stoffe. Der wässerige

Auszug reagiert stark sauer, enthält Eisen und Kalk gelöst in Form von Eisenvitriol, resp. Gips; freie Schwefelsäure konnte nicht nachgewiesen werden.

Für den Zweck der Untersuchung (Beurteilung des Wertes des Moores als Material für Bäder) hatte das weitere Eingehen auf die einzelnen Bestandteile keinen Wert. Geben Ärzte einen besonderen Wert auf den Gehalt an Eisen, so ist dieser Moor überreich daran, allein weit mehr Wichtigkeit dürften die in Wasser gelösten Eisensalze, namentlich der Eisenvitriol besitzen. Verlangt man von dem Moore, daß er sich in reger Umsetzung befinde und namentlich organische Säuren enthalte, so ergab der Moor von Schmiedeberg nicht weniger als 1 p. c. derselben. Jedenfalls liegen Mengen von Schwefelkies in demselben verteilt vor oder in unmittelbarster Berührung, nur so läßt sich der reichliche Gehalt an freiem Schwefel, als Abscheidung dieser Kiese, erklären. Mögen die Anforderungen an Moor für Badezwecke auf die eine oder andere Weise aufgefaßt werden, so entspricht das vorliegende Material übergenügend denselben.

Von weiterem Interesse sind aber die Ergebnisse der unmittelbaren Behandlung des Moores mit Lösungsmitteln, sowie der Gehalt an Stickstoff und organischen Säuren. Die Zersetzung der schwefelhaltigen Gemengteile, jedenfalls von Schwefelkies, führt bis zur reichlichen Abscheidung von Schwefel, welcher unmittelbar von Schwefelkohlenstoff aufgenommen wurde. Die Behandlung mit Alkohol und Benzin erwies dagegen schon fertig gebildete feste Kohlenwasserstoffe, ähnlich oder gleich den bei der trockenen Destillation zu gewinnenden Teerbestandteilen; die Menge der durch Alkohol ausziehbaren Teile, von wachs- oder paraffinartiger Beschaffenheit, ist sogar größer, als der durch trockene Destillation gewonnene Teer (1,07 p. c.), ein Ergebnis, wie es Vf. wiederholt auch bei anderen Kohlensorten, namentlich Braunkohlen, beobachtet hat. Das Auftreten der flüchtigen organischen Säuren bei derartigen Umsetzungen ist leicht erklärlich, und wurde früher gerade diesen Zersetzungsstoffen ein besonderer Wert bei der Benutzung der Moorbäder zugeschrieben. In Deutschland hat man der Verarbeitung des Torfes in Irland noch wenig Aufmerksamkeit zugewendet, weit ausgedehnter in Irland. Erwägt man den Gehalt von über 1½ p. c. Stickstoff, so ist es wohl fraglos, daß bei einer sachverständigen Ausnutzung für Teer- und Ammoniakgewinnung hier wertvolle Bestandteile zu erlangen sind, welche in der Zukunft nicht unbenutzt bleiben werden. (Arch. Pharm. [3.] **21.** 840—44.)

Wilh. Fließ, *Das Piperidin, als Anästhetikum, und die Beziehungen desselben zu seinem Homologon Coniin.* (Inaug.-Dissertat. 19. April 1883. Berlin.)

Fr. Kronecker, *Über die Hippursäurebildung beim Menschen in Krankheiten.* (Arch. f. exp. Path. **16.** 344.)

E. Vallin, *Experimentelle Kontrolle der Theorie von Donkin, Lenz, Herscher über die Ventilationskoeffizienten.* (Rev. d'Hygiène **5.** 951—59. Nov. 1883.)

C. Hartwich, *Übersicht der technisch und pharmazeutisch verwendeten Gallen.* (Arch. Pharm. [3.] **21.** 819—40.)

Paolo Pellacani, *Zur Pharmakologie der Camphergruppe.* Über das Campherol, Borneol, Menthol und den Bromcampher. Über die Umsetzungsprodukte dieser Campherarten im Organismus. Zersetzungsprodukte der Borneol- und der Mentholglykuronsäure. (Arch. f. exper. Pathol. und Pharmakol. **17.** 369—91. 20. Nov. 1883. Modena.)

Theodor Scheller, *Über Fleischkonservierungsmethoden und deren Verwendbarkeit für Heereszwecke.* Vf. bespricht zunächst die Konservierungsmethoden, welche durch Wärmeentziehung Erfolge haben sollen: das FRIGORIFIC-Verfahren, die Methode von DAWIS, BONSER, HOPKINS (Anwendung von Kältemischnngen, wie Eis und Kochsalz, durch Eis abgekühlte Luft unter gleichzeitiger Mitwirkung von Schwefeldioxyd), von TELLIER (Verdunstung von Methyläther) und von BELL-COLEMAN (Ausdehnung von komprimierter Luft). Auch die Methode BOUSSINGAULT's sei hier noch kurz erwähnt, welcher in seiner Arbeit: „Substances alimentaires conservées par l'action du froid" angiebt, daß in Flaschen gefüllte Fleischbrühe, einige Stunden einer Temperatur von 20° C. ausgesetzt, noch nach acht Jahren von einer frisch zubereiteten Brühe nicht zu unterscheiden sei. Die Methoden haben sich je nach den gegebenen Verhältnissen im allgemeinen gut bewährt. Der Grund, weshalb man jetzt dieselben weniger anzuwenden pflegt, liegt erstens darin, daß das so konservierte Fleisch sehr schnell in Fäulnis überging, und zwar unzweifelhaft Bildung giftiger Stoffe, z. B. des Sepsins, sobald es mit der Luft auch nur einige Stunden in Berührung gekommen war. Zweitens wurde dieser Umstand für die Unternehmer äußerst unvorteilhaft, da sie fast niemals für ihre volle, oft das Fleisch von mehreren hundert Ochsen enthaltende Befrachtung sofort Abnehmer fanden und daher durch die so schnell eintretende Fäulnis größerer Quantitäten pekuniär sehr geschädigt wurden.

Die zweite Art der Konservierung gründet sich auf Wasserentziehung: Konserven dieser Kategorie waren mit wenigen Ausnahmen alle längere oder kürzere Zeit bei den verschiedenen Armeen eingeführt. Es gehören unter die Rubrik dieser Konserven auch die verschiedenen Fleischmehle, Fleischzwiebacke etc., deren Hauptvorteil darin besteht, daſs ihnen alle anderen nötigen Nahrungsstoffe als Fette und Kohlehydrate zugesetzt werden können. Zu den Methoden der wasserentziehenden Konservenbereitung gehört 1) das Trocknen in der Sonne. Diese Art der Konservierung läſst sich bis ins graue Altertum zurückführen; in der Gegenwart findet dieselbe die meiste Anwendung bei den eingeborenen, sowie eingewanderten Arbeitern und Jägern Nord- und Südamerikas. Nachdem das Fleisch möglichst ausgeblutet, von Fett und Sehnen befreit ist, wird dasselbe in langen, dünnen Streifen mit Maismehl und Salz bestreut und so lange den Sonnenstrahlen ausgesetzt, bis es zu einer noch biegsamen, aber nicht mehr fäulnisfähigen Masse eingetrocknet ist, welche in Nordamerika *„Pemikan"*, in Südamerika *„Tassajo"* oder *„Charque"* genannt wird. Solches Fleisch bleibt enorm lange haltbar und sein Nährgehalt ist gleich dem des frischen Fleisches. Die bayerische Spezialkommission für Heeresverpflegung nennt den Pemmikan „das Vorbild eines guten eisernen Bestandes, da er eine bei den härtesten Anstrengungen ausreichende Nahrung, wenigstens für einige Zeit, gewähre." 2) Eine Abart des vorigen ist das sogenannte *Charque dulce*, welches ohne Salzbestreuung an der Luft getrocknet und mitunter sogar etwas mit Zucker bestreut wird. 3) Das HASSAL'sche Fleischmehl wird aus fettfreiem, bis zur Breikonsistenz zerkleinertem Fleisch hergestellt, das bei mäſsiger Temperatur getrocknet und dann fein gepulvert wird. Dem Pulver fügt man Arrow-root nebst den nötigen Salzen und Gewürzen hinzu. Es enthält 12,7 p. c. Wasser, 11,0 p. c. Fett, 3,8 p. c. Salze, 57 p. c. Eiweiſs und 15,5 p. c. Kohlehydrate. — 4) Die ENDEMANN'sche Konserve besteht ebenfalls aus auf obigem Wege hergestelltem Fleischpulver, das mit Eiereiweiſs etc. zu einem Stück von beliebiger Gröſse geformt werden und dann fast wie frisches Fleisch behandelt werden kann. — 5) Die VERDIEL'sche Methode ist der HASSAL'schen ganz ähnlich, nur setzt selbe das in fingerdicke Streifen zerschnittene Fleisch vor dem Trocknen einem Dampfstrome von vier Atmosphären 15 Minuten lang aus. — 6) Das von GEHRIG und GRUNZIG hergestellte Fleischmehl, dessen Fabrikation nicht genau bekannt ist. enthält 17 p. c. Wasser, 4,3 p. c. Fett, 8,8 p. c. Salze, 35,3 p. c. Eiweiſs und 34,7 p. c. Kohlehydrate. — Hierher gehören noch BORDON's meat-biscuit, THIEL's Fleischmehl, MESSERSCHMIDT'scher Fleischgries, HUCH'sche Fleischmehltafeln, welche aus Fleischextrakt und Erbsenmehl bestehen, und RÖHRIG'scher Blutzwieback, aus Mehl und getrocknetem Blut hergestellt.

Die neuesten derartigen Präparate, über deren Brauchbarkeit erst die Zukunft entscheiden wird, sind die unter dem Namen *„Carne pura"* jetzt überall käuflichen Patent-Fleischmehlpulver und die sogenannten *Fleischgemüsepatronen*. Das erstere enthält nach einer Analyse von FR. HOFMANN 12 p. c. Wasser, 73 p. c. Eiweiſs, kein Fett, 15 p. c. Kohlehydrate; die Fleischgemüsepatrone ergab 9,5 p. c. Wasser, 32,5 p. c. Eiweiſs, 23,0 p. c. Fett und 35,0 p. c. Kohlehydrate.

Zu den durch *Luftabschluſs hergestellten Konserven* gehören das Korned-beef, Boiledbeef u. a. m. Ihre Herstellungsweise ist eine doppelte, einmal kann die Luft durch erhöhte Temperatur etc. aus den mit dem Fleisch gefüllten Gefässen ausgetrieben werden, andererseits beruht die Art des Luftabschlusses darauf, daſs die zu konservierende Masse mit einem für Luft impermeablen Stoffe umgeben wird. Zu den Methoden der ersteren Art gehört die APPERT'sche, die von FASTIER, der ABERDEEN-Prozeſs, die beiden letzteren sind lediglich eine Modifikation der ersten; nach der ANGILBERTH'schen Methode wird die Luft aus den Blechbüchsen durch Wasserdämpfe verdrängt, nach der NASMYTH'schen durch Alkoholdämpfe, nach der JONE'schen wird die Büchse durch ein Metallrohr mit einem luftleeren Raume in Verbindung gebracht und sodann einer Temperatur ausgesetzt, die nicht halb so hoch zu sein braucht, wie bei den vorigen Verfahren, um die Luft aus der Büchse zu entfernen. Das Fleisch wird dadurch nicht trocken und faserig, sondern erhält sich recht saftig und frisch. (Hierher gehört auch das Verfahren von CLOSSET (D. P.), nach welcher die in der Büchse vorhandene Luft durch eine Flüssigkeit, z. B. Alkohol, und letztere wieder durch ein Gas verdrängt wird; auch kann man zu dieser Art von Konservierung das von KOLBE mittels Kohlensäure angegebene (C.-Bl. 1883. 8) rechnen. D. Red.)

Der zweiten Art des Luftabschlusses bedienen sich GRAUHOLM und TALLERMANN, welche das Fleisch mit Talg umgieſsen. REDWOOD, der das bereits gebratene Fleisch mit Paraffin und sodann mit einer Leimschicht zu umgeben, doch haben sich beide Versuche bald als unzweckmäſsig herausgestellt.

Die vierte Art der Konservierung beruht auf der *antiseptischen Wirkung chemischer Substanzen*. Die Zahl der auf diesem Gebiete gemachten Versuche ist eine enorm groſse. Trotzdem ist gerade diese Art der Konservierung nicht geeignet, für Volk und Heer einen passenden Ersatz frischen Fleisches zu liefern. Abgesehen vom Pökeln und Räuchern, welche Verfahren noch die besten Resultate liefern, sind alle anderen Methoden mehr oder weniger nur brauchbar, einzeln bestimmte Formen von Konserven wohl als Delikatesse, aber nie als allgemeine Nahrung herzustellen. Vf. bespricht noch die Fleischextrakte von LIEBIG, BUSCHENTHAL und JOHNSTON. (Wir erlauben uns hierbei auch auf das flüssige Fleischextrakt „*Oibils*" zu verweisen, welches von Brasilien hier eingeführt wird. Dasselbe kommt in Flacons im Preise von 2 M. auf den Markt und bildet eine trübe Flüssigkeit, von der zwei Kaffeelöffel für eine Tasse voll siedenden Wassers genügen, um eine wohlschmeckende Brühe zu erzeugen. Nach HILGER besteht dieses Fleischextrakt (vom spez. Gewichte 1,21) aus:

35,04 p. c. Gesamtrückstand (der gelösten Substanzen)
19,44 „ Asche
16,00 „ organische Stoffe
0,37 „ Fett
2,10 „ Stickstoff (lösliche Albuminate, Kreatinin etc.)
9,36 „ Chlor (in Form von NaCl, KCl).

FRÜHLING und SCHULZ ermittelten in 100 Tln. des Extraktes:

16,16 p. c. organische Stoffe mit 2,54 p. c. Stickstoff
4,05 „ Phosphate und Kalisalze
15,00 „ Kochsalz
64,79 „ Wasser.

(100 Tle. Trockensubstanz enthalten 45,99 p.'c. organische Stoffe und 7,21 p. c. Stickstoff. D. Red.).

Von einer Armeekonserve hat man zu verlangen: 1. Daß dieselbe die zum Ersatz des durch Muskelarbeit etc. erfolgten Kräfteverlustes des menschlichen Körpers erforderlichen Nährstoffe in genügender Menge enthalte, ohne dabei teurer zu werden, als dieselben Mengen von Nahrungsstoffen enthaltenden frischen Nahrungsmittel, 2. daß sie lange Zeit unverändert brauchbar bleibt, 3. eine schmackhafte Speise liefert, 4. daß ihre Zubereitung nicht viel Zeit in Anspruch nimmt, 5. daß die Konserve ein möglichst geringes Volumen, Gewicht und eine leichte Transportfähigkeit besitzt und endlich 6. daß sie leicht und schnell in gleiche Teile zu zerlegen ist. Prüft man die nach den oben aufgezählten vier Konservierungsmethoden hergestellten Präparate unter Berücksichtigung der eben genannten an brauchbare Konserven zu stellenden Eigenschaften, wozu auch noch die Mischfähigkeit mit vegetabilischen Substanzen zu rechnen ist, so ergiebt sich, daß bisher noch nicht eine einzige Konserve vorhanden ist, welche die auf dem Wege der Wasser- und Luftentziehung hergestellten Konserven, aber auch diese erfüllen noch lange nicht alle an sie zu stellenden Anforderungen. Am besten scheint es, einen Tag Konserven, den anderen Tag frische Nahrung zu verabreichen, womit die Gefahren der einseitigen Ernährung oder der Widerwille gegen Nahrungsaufnahme infolge mangelnder Abwechselung fortfallen. (Inaug.-Dissert. 4. August 1883. Berlin.) P.

Kleine Mitteilungen.

Reaktion auf salpetrige Dämpfe, Spuren Salpetersäure, Spuren Chlor etc. **Dütemprobe,** von H. HAGER. Der Nachweis der Salpetrigsäure, Untersalpetersäure, Salpetersäure, überhaupt der sogenannten salpetrigen Dämpfe mittels konzentrierter Schwefelsäure und konzentrierter Ferrosulfatlösung ist wegen der jedesmaligen Herstellung dieser Lösung umständlich, wegen der vorsichtigen Schichtung der Flüssigkeiten schwierig, und bei dunkelfarbigen Flüssigkeiten nicht anwendbar. Bei der Prüfung eines Ferrichlorides auf einen Gehalt an Stickstoffsäuren wurde Vf. veranlaßt, nach einer leichteren Prüfungsmethode Umschau zu halten, und gelangte zu folgender Reagiermethode: In einen nicht über 12 cm langen Reagiercylinder giebt man 2 bis 4 ccm der betreffenden Flüssigkeit, und wenn die Stickstoffsäuren nicht im freien Zustande vorhanden sind, 1 bis 2 ccm konzentrierte Schwefelsäure dazu. In die Öffnung des Cylinders setzt man eine ca. 5 cm lange kleine Düte aus Filtrierpapier, deren Spitze man entweder in Kaliumjodidlösung oder in die volumetrische Stärkelösung (Zinkjodid-Stärkelösung) eingetaucht und damit angefeuchtet hat, so daß die Düte den Cylinder schließt und die Spitze der Düte in der Axe des Cylinders liegt. Erwärmt man nun die in den Cylinder gegebene Flüssigkeit je nach den vorliegenden Umständen etwas oder stärker oder bis zum Kochen, so wird die mit Kaliumjodid genäßte Dütenspitze braun bis schwarzbraun werden, je nach der Menge der freiwerdenden salpetrigen Gase, oder die mit der volumetrischen Stärkelösung genäßte Dütenspitze wird blau. Die erstere Reaktion ist eine äußerst empfindliche, und selbst unbedeutende Spuren salpetriger Gase lassen sich damit entdecken.

Da Chlor in gleicher Weise wirkt, so kann diese Probe auch auf den Chlorgasnachweis angewendet werden. Auch die mit Ferrosulfatlösung an ihrer Spitze genäßte Düte bräunt sich, wenn die zu prüfende Flüssigkeit mit Schwefelsäure versetzt erhitzt wird, jedoch ist die Empfindlichkeit dieses Reagens nur $^1/_{10}$ so stark als die des Kaliumjodides. Da man mit der Schichtprobe mit Schwefelsäure und Ferrosulfatlösung Spuren salpetriger Gase nicht immer zur Erkennung bringen kann, so dürfte die Dütenprobe mit Kaliumjodid allezeit den Vorzug verdienen. Zum Unterschiede von der Schichtprobe, wäre die vorstehende Methode mit Dütenprobe zu bezeichnen.

Die Herstellung einer kleinen 5 cm langen, an ihrer Öffnung kaum 2 cm breiten Düte stellt man aus einem Filtrierpapierscheibensegment her, welches 15 cm lang und in der Mitte 6 cm breit ist. Die nach innen der Düte und zuerst umgelegte Ecke fasse nur höchstens 6 cm der Länge, so daß die nach außen zu liegen kommende Ecke 9 cm der Länge faßt. Dann kann man den an der Öffnung überstehenden Teil nach innen einschlagen und der Düte Festigkeit und Halt geben. Ein aus Pappe hergestelltes, 15 cm langes und 5 cm breites Scheibensegment hält sich Vf. zur Hand, um danach sich das nötige Filtrierpapierstück jederzeit leicht abschneiden zu können. Diese Dütenmethode läßt sich noch zur Prüfung auf viele andere gasige Substanzen, wie Schwefelwasserstoff, Kohlensäure, Essigsäure, Salicylsäure, Jod, Brom etc. anwenden, indem man die Spitze der Düte mit dem bezüglichen Reagens tränkt. Bei Untersuchung eines Streupulvers von dunkler Farbe, welches Gerbsäure nicht enthielt, gab Vf. von dem Pulver ca. 3 ccm in ein 6 cm langes Reagierglas und setzte eine Düte mit stark verdünnter Ferrichloridlösung getränkt auf. Unter Erhitzen des Pulvers stieg ein Dampf auf, welcher die Düte violettblau färbte. Wenn die Dämpfe der zu bestimmenden Stoffe sehr schwer sind, wie von Salicylsäure und Jod, dann muß man einen möglichst kurzen Reagiercylinder anwenden. Hoffentlich werden diese kurzen 6 bis 8 cm langen und 1,6 bis 2 cm weiten Reagiercylinder im Handel zu erlangen sein oder später erlangt werden. (Pharm. Centralh. **24.** 389—90.)

Beiträge für das Centralblatt bittet man an die Redaktion (Leipzig, Lessingstr. 5) zu richten. **Originalarbeiten** von nicht zu grofsem Umfange werden entsprechend honoriert und gelangen stets sofort nach der Einsendung, und zwar in kürzester Frist, zum Abdruck.

Redaktion: Prof. Dr. **Rud. Arendt.**

Verlag von **Leopold Voss** in Hamburg u. Leipzig. — Druck von **Metzger & Wittig** in Leipzig.

Chemisches Centralblatt.

REPERTORIUM
für reine, pharmazeutische, physiologische u. technische Chemie.

1884. **Beiblatt.** **16. Januar.**

Alle auf das Beiblatt bezüglichen Mitteilungen, Anfragen und Zusendungen sind zu richten an die Buchhandlung LEOPOLD VOSS in Hamburg, Hohe Bleichen 18.
Inserate werden mit 20 Pf. für die gespaltene, mit 40 Pf. für die durchlaufende Petit-Zeile berechnet.
Bei größeren Inseraten und mehrmaligen Wiederholungen tritt entsprechende Ermäßigung des Preises ein.
Beilagen nach Übereinkunft.

Neu erschienene Bücher.

Annalen der Physik u. Chemie Hrsg. v. G. Wiedemann. Jahrg. N. 8b u. 12 b. gr. 8. Leipzig. M. 7.—

Bibliotheca historico - naturalis, physico-chemica et mathematica. Hrsg. v. R. von Hanstein. 33. Jahrg. 1. Hft. Jan.—Juni 1883. gr. 8. Göttingen. M. 1.60.

Bibliotheca medico-chirurgica, pharmaceutico-chemica et veterinaria. Hrsg. v. C. Ruprecht. 37. Jahrg. 1. Hft. Jan.—Juni 1883. gr. 8. Göttingen. M. —.80.

Bierbrauer, Der. Berichte über d. Fortschritte b. gesammten Brauwesens. Hrsg. v. C. Schneider u. G. Behrend. 15. Bd. 1884. (24. Nrn.) Nr. 1. gr. 8. Halle. Halbjährl. M. 4.50.

Central-Blatt, Chemisches, Repertorium für reine, pharmazeutische, physiologische u. technische Chemie. Red. Prof. Dr. R. Arendt. III. Folge. 15. Jahrg. (Der ganzen Reihe 55. Jahrg.) 1884. 52 Nrn. Nr. 1 u. 2. Lex 8. Hamburg u. Leipzig. Leopold Voss. Jährlich M. 30.—.

Centralhalle, Pharmaceutische, f. Deutschland. Hrsg. v. H. Hager u. E. Geissler N. F. 5. Jahrg. 1884. Nr. 1. gr. 8. Berlin. p. kpl. M 8.—.

Destillateur - Zeitung, deutsche. Central. Organ f. d. gesammte Spirituosen-Branche. 5. Jahrg. 1884 (104 Nrn.) Nr. 1. fol. Bunzlau. Halbjährl. M 5.—

Dietzsch, O., Die wichtigsten Nahrungsmittel u. Getränke, deren Verunreinigungen u. Verfälschungen. 4. Aufl. gr. 8. Zürich. M. 6.—.

Fischer, B., Über Disazo-Verbindungen. gr. 8. Köln. M. 2.—.

Fresenius, R., Chemische Analyse d. Oberbrunnens zu Salzbrunn in Schlesien. 3. Aufl. gr. 8. Wiesbaden. M. —.60.

Hankel, W, G., Elektrische Untersuchungen. 17. Abhandlg. Über die bei einigen Gasentwickelungen auftretenden Elektricitäten. Lex. 8. Leipzig M. 1.80.

Harancourt, C., Cours élémentaire de chimie, à l'usage des écoles normales primaires (programme du 3. aout 1881) 2 éd., revue et corrigée. 8. 251 p. avec 212 fig. Paris. 4 Fr.

Jahresbericht über die Fortschritte der Chemie und verwandter Teile anderer Wissenschaften. Hrsg. v. F. Fittica. Für 1882. 1. Hft. gr. 8. Giessen. M. 10.—.

Jahresbericht über die Fortschritte der Pharmacognosie, Pharmacie und Toxicologie. Hrsg. v. H. Beckurts. Neue Folge. 16. u. 17. Jahrg. 1881 u. 1882. 1. Hälfte. gr. 8. Göttingen. M. 7.—.

Kräher, D., Chemische Unterrichtsbriefe. 17. Brief. gr. 8. Leipzig. M. 1.—.

Mittheilungen aus dem Verein f. öffentliche Gesundheitspflege d. Stadt Nürnberg. 6. Heft. Geb. M. 2.50.

Naturforscher, Der, Wochenblatt zur Verbreitung der Fortschritte in d. Naturwissenschaften. Hrsg. v. W. Sklarek. 17. Jahrg. 1884. No. 1. 4. Berlin. Viertelj. M. 4.—.

Notizblatt, Polytechnisches, f. Chemiker, Gewerbtreibende, Fabrikanten u. Künstler. Hrsg. u. red. v. Th. Petersen. 39. Jahrg. 1884. (24. Nov.) Nr. 1. 8. Frankfurt a. M., p. tpl. M. 8.—.

Planté, G., Recherches sur l'électricité. 8. 332 p. avec 89 fig. Paris.

Poiré, P., Chimie. 2. éd. revue et corrigée. 8. 345 p. avec 178 fig. Paris.

Repertorium der analytischen Chemie für Handel, Gewerbe und öffentliche Gesundheitspflege. Organ des Vereins analytischer Chemiker. Red Dr. S. Skalweit. IV. Jahrg. 1884. 24 Nrn. No. 1 u. 2. Lex. 8. Hamburg und Leipzig. Leopold Voss. Halbjährlich M. 9.—.

Medicus, L., Kurze Anleitung zur Maßanalyse. 2. Aufl. gr. 8. Tübingen. M. 2.40.

Rau, Albrecht, Die Theorien der modernen Chemie. 3. (Schluß-) Heft: Die Entwickelung der modernen Chemie. Neue Folge. Braunschweig. M. 7.—.

Richter, V. v., Lehrbuch der anorganischen Chemie. 4. Auflage. 8. Bonn. M. 8.—.

Rundschau, Hygieinische. Monatsblätter für Gesundheits- und Krankenpflege. Hrsg. v. H. Guttmann. 1. Jahrgang. 1884. No. 1. gr. 8. Berlin. p. kpl. M. 4.—.

Seifenfabrikant, Der. Zeitschrift f. Seifenkerzen- u. Parfümeriefabrikation, sowie verwandte Geschäftszweige. Hrsg. v. E. Deite. 4. Jahrg. 1884. (52 Nrn.) Nr. 1. 4. Berlin. Vierteljährlich M. 2.50.

Watts, H., A manual of chemistry. Vol. I 8. London. 9 sh.

White, A. H. Scott-, Chemical Analysis for Schools and Science Classes, Qualitative, Inorganic. Adapted to meet the requirements of the London Preliminary, Scientific, and Intermediate B. Sc., and the South Kensington Practical Chemistry. 12. (130 p.) London. 2 sh.

Zeitschrift f. analytische Chemie. Hrsg. v. C. R. Fresenius. 23. Bd. 1. Hft. gr. 8. Wiesbaden. p. kpl. M. 12.—.

Zeitung, Pharmaceutische. Centralorgan f. gewerbl. u. wissenschaftl. Interessen der Pharmacie und verwandten Berufs- u. Geschäftszweige. Red. H. Müller. 29. Jahrg. 1884. (104 Nrn.) No. 1. Fol. Bunzlau. Vierteljährl. M. 2.—.

Vermischte Notizen.

Nachdem eine direkte Telephon-Verbindung zwischen Berlin und Magdeburg hergestellt ist, wird jetzt auch eine solche zwischen Berlin-Hamburg und auch zwischen Hamburg-Lübeck vorbereitet.

Der photographische Verein zu Berlin hat an die photographischen Vereine ein Zirkular erlassen, in welchem derselbe um Beteiligung an einer im Jahre 1884 zu veranstaltenden photographischen Ausstellung in Berlin ersucht. Ebenda hält auch der deutsche Photographenverein seine Wanderversammlung ab. —

Ende Dezember v. J. hat sich unter der Firma Deutsch-Russische Naphta-Importgesellschaft mit dem Sitze in Berlin eine Aktiengesellschaft konstituiert, welche den Kauf und Verkauf von Naphta und Naphta-Produkten aller Art, namentlich aber der Naphta-Produkte der Naphta-Produktions-Gesellschaft Gebrüder Nobel in Petersburg bezweckt. Das Grundkapital ist auf 1,500,000 M. festgesetzt und in 300 Namensaktien à 5000 M. eingeteilt. Die neue Gesellschaft hat sich den ausschliefslichen Vertrieb des Petroleums und der Naphta-Produkte der Petersburger Gesellschaft dauernd zu Preisen gesichert, welche für eine erfolgreiche Konkurrenz mit Amerikanischem Petroleum eine ausreichende Garantie bieten.

Wie der „B. B. C." vernimmt, schweben gegenwärtig Verhandlungen, welche darauf abzielen, eine Koalition der sämtlichen deutschen Eisenwerke das heifst also nicht nur eine solche derjenigen von Oberschlesien und Westfalen, sondern auch der mitteldeutschen und süddeutschen Eisenwerke herbeizuführen. Der Plan hierzu geht von dem leitenden oberschlesischen und von dem leitenden westfälischen Aktienunternehmen, von der Laurahütte und von der Dortmunder Union, aus. Eine Beratung der hauptsächlichen Beteiligten soll im Laufe der nächsten Zeit in Berlin stattfinden.

Der Ölheimer Petroleum-Industrie-Gesellchaft, Adolf M. Mohr ist nunmehr durch amtliche Verfügung gestattet worden, das aus den Petroleum-Borlöchern abfliessende Salzwasser wöchentlich in der Zeit vom Sonnabend Abend bis Montag Mittag in den Schwarzwasserbach ablaufen zu lassen. Die Verwaltung hat infolgedessen beschlossen, den Pumpbetrieb wieder aufzunehmen. Erforderlich ist nur noch die Herstellung von Sammelbassins, in welchen sich das während der Woche aus den Borlöchern ausfliessende Salzwasser ansammelt, deren Anlegung Kosten von Belang nicht verursachen wird. —

In Berlin ist vor einigen Tagen unter der Firma: Aktiengesellschaft für Kohlensäure-Industrie eine Gesellschaft begründet worden, welche die Dr. Raydt-Kunheimschen Patente zur Verwendung tropfbar flüssiger Kohlensäure beim Heben und Ausschänken von Bier etc. erworben hat. Die Erfindung, deren grofse Vorzüge in ökonomischer und hygienischer Beziehung bekannt sind, ist bisher durch die chemische Fabrik von Kunheim & Co. exploitiert worden. —

Zum Zoll auf Mineralschmieröle. Durch die am 6. d. M. seitens des Bundesrats beschlossenen Abänderungen des Warenverzeichnisses zum Zolltarif sind die Mineralschmieröle, welche bisher Zollfreiheit genossen, vom 1. Januar 1884 ab dem Petroleumzoll von 6 M. pro 100 kg unterworfen. Mit Unrecht hat man dies von offiziöser Seite als einen Vorteil für die einheimische Petroleumindustrie, sowie für die Rüböl- und die sächsisch-thüringische Braunkohlenindustrie hingestellt. Das Ältestenkollegium der Berliner Kaufmannschaft, welches seitens des preufsischen Finanzministers um Auskunft in der Sache ersucht worden war, hat sich entschieden für die fernere zollfreie Einführung von Mineralschmierölen ausgesprochen und angeführt, dafs die Bitterfelder, Hallenser etc. Braun-

---

3

kohlen- und Mineralschmierölindustrien von dem Zoll auf Schmieröle einen Vorteil nicht haben würden, weil sie im Wesentlichen nur Leuchtöle produzieren und ihre Braunkohlen- und Paraffinöle, die nicht geeignet seien, die Petroleumschmieröle zu ersetzen. dafs ferner nach dem gegenwärtigen Stande der Dinge der grofse Bedarf der Gewerbe und Eisenbahnen an geeigneten Schmierölen durch die im Inlande erzeugten Mineralschmieröle nicht befriedigt werden könnte. Auch die Handeskammer zu Halle a. d. S. hat sich in einem auf Veranlassung des Provinzial-Steuerdirektors der Provinz Sachsen abgegebenen Gutachten gegen die Einführung eines Zolles auf Mineralschmieröle ausgesprochen, weil man durch Aufhebung der bisherigen Zollfreiheit den Gewerben, welche leichte und schwere Öle in den Färbereien, in der Gummiindustrie, im Maschinenbetrieb etc. verwenden, grofsen Nachteil zufügen würde, welcher mit dem Nutzen, den die Mineralölindustrie hieraus ziehen könnte, nicht im Verhältnis stände und weil in der kurzen Zeit der Verzollung des Petroleums zu wenig Erfahrungen gemacht seien, um zweckmäfsige Abänderungen vorschlagen zu können, zudem jede Veränderung im Zollsystem eine Verschiebung im Handel zur Folge habe, deren häufige Wiederkehr nicht gewünscht werden kann. — (H. B. H.)

„Bells Weekly Messenger" meldet, dafs die Rübenzuckerfabrik in Lavenham, Suffolk, welche Mr. James Duncan vor einigen Jahren etablierte, deren Betrieb aber eingestellt werden mufste, von einer Aktiengesellschaft wieder eröffnet werden soll, welche einen neuen patentierten Prozefs für die Fabrikation nach einem verbesserten System erworben hat. —

Nach dem Bericht des Hüttendepartements stellt sich die Goldproduktion Rufslands folgendermafsen im vergangenen Jahre: Es wurden gewonnen in Ostsibirien 667½ Pud, im Amurschen Gebiet 253 Pud, in den übrigen Bezirken 217½ Pud, in Westsibirien gegen 12¾ Pud und im Ural 190 Pud; die Gesamt-Goldausbeute also über 1340 Pud. Dieses Resultat befriedigt aber an mafsgebender Stelle nicht, namentlich hält man an der Meinung fest, dafs der nördliche Ural aufserordentlich ergiebig sein müsse, und doch hat bis jetzt keine Exploitation desselben stattgefunden. Es ist daher beschlossen worden, in den nächsten Monaten eine spezielle wissenschaftliche Expedition nach dem Ural auszurüsten, in deren Personalbestand sich Geologen, Ingenieure, Geodäten, Topographen, Naturforscher, Steiger, geübte Arbeiter etc. befinden sollen. Man setzt grofse Hoffnungen auf diese Expedition, die Rufsland endlich die Goldschätze des Urals erschliefsen soll. —

Das vorläufige Ergebnis von Deutschlands Rübenzuckerproduktion der Campagne 1883/84 ist wie folgt: In 373 Fabriken sind bis zum 1. Dezbr. 47 899 020 Doppelzentner Rüben verarbeitet, und hieraus 6 563 540 D.-Z. Füllmasse gewonnen worden. Als mutmafsliches, in der Campagne noch zu verarbeitendes Rübenquantum sind 38 697 953 D.-Z. angegeben, so dafs die Gesamtmenge der für die laufende Campagne in den Zuckerfabriken zur Verarbeitung kommenden Rüben auf 86 595 973 D.-Z. sich stellt. In der Vorkampagne 1882/83 waren in 358 Rübenzuckerfabriken 87 471 537 D.-Z.Rüben verarbeitet worden. —

Eine Anzahl von im Schatzamt zu Washington beschäftigten Frauen und Mädchen sind an Arsenvergiftung erkrankt und zwar infolge des Hantierens mit den neuen Banknoten. Die Verwendung arsenhaltigen Materials bei dem Druck derselben oder bei der Zubereitung der Papiermasse sollte unter keinen Umständen geduldet und eine Untersuchung sofort eingeleitet werden. Mehrere der Fälle sind sehr ernstlicher Natur. (D.-amerik. Apoth.-Ztg.)

Unter dem Protektorat der Königin Victoria, dem Präsidium des Prinzen von Wales und der Leitung von Männern wie Sir F. Paget, Fayrer. Dr. Buchanau u. a. wird im Jahre 1884 in London eine „International Health - Exposition" stattfinden, mit dem Zwecke, „in möglichst lebendiger und praktischer Weise den Einflufs von Nahrung, Kleidung, Wohnung, Schule und Arbeit auf die Gesundheit zu illustrieren und die neuesten Verbesserungen auf diesen Gebieten vorzuführen." —

Im New-Yorker Herald fand sich folgende Annonce: Die Wittwe eines Arztes wünscht das Diplom ihres verstorbenen Gemahls billig zu verkaufen. Man adressiere etc. etc. Die D. amerik. Apoth.-Ztg. sagt dazu: Entweder war die Wittwe sehr naiv und unschuldig, oder eine „unternehmende Geschäftsfrau", oder aber eine abgefeimte Schwindlerin, die inzwischen vielleicht „einen Dummen" gefunden und das Diplom an den Mann gebracht hat! —

Auf seinem Gute starb nach kurzem Krankenlager der Präsident des deutschen Weinbauvereins Dr. jur. Freiherr v. Köth-Wanscheid im 75. Lebensjahre. —

Joachim Barrande, der berühmte Geologe, ist am 5. Novbr. 1883 auf Schlofs Frohsdorf gestorben.

No. 4.

Chemisches

23. Januar 1884.

Wöchentlich eine Nummer von
1.–2 Bogen. Der Jahrgang mit
Sach- und Namen-Register,
nebst system. Übersicht.

Central-Blatt.

Der Preis des Jahrgangs
ist 20 Mark. Durch alle
Buchhandlungen und Post-
anstalten zu beziehen.

REPERTORIUM

für reine, pharmazeutische, physiologische und technische Chemie.

Dritte Folge. XV. Jahrgang.

Über einige physikalische Eigenschaften chemischer Verbindungen.

II.

Bekanntlich hat schon NEWTON die Beobachtung gemacht, daſs brennbare Körper sich durch ein hohes Lichtbrechungsvermögen auszeichnen, und daraus gefolgert, daſs der das Licht stark brechende Diamant ein brennbarer Körper sei. Erst jetzt nach zwei Jahrhunderten ist es BRÜHL möglich geworden, gestützt auf zahlreiche optische und thermische Messungen die Untersuchung über den Zusammenhang zwischen der Lichtbrechung und der Verbrennungswärme der flüssigen organischen Verbindungen wieder aufzunehmen (LIEB. Ann. 211. 121). Als spezifisches Brechungsvermögen ist in folgendem der Bruch $\dfrac{n-1}{d}$ beibehalten, die angeführten Verbrennungswärmen sind die bei vollständiger Verbrennung zu Wasser und Kohlensäure von einem Gramm der Substanz entwickelten Wärmemengen gemessen in Grammkalorien.

Eine oberflächliche Vergleichung der Verbrennungswärme und des spezifischen Brechungsvermögens könnte zu der Vermutung führen, daſs eine vollständige Proportionalität zwischen beiden Konstanten stattfinde, da im allgemeinen jeder Körper, welcher eine groſse Verbrennungswärme besitzt, auch ein hohes Brechungsvermögen besitzt. Terpentinöl hat das spezifische Brechungsvermögen 0,64 und die Verbrennungswärme 10852 cal, bei der Essigsäure haben diese Konstanten die Werte 0,34 und 3505. Diese Zahlen zeigen schon, daſs eine Proportionalität nicht stattfindet. Ja es kann sogar der Fall eintreten, daſs ein Körper ein gröſseres Brechungsvermögen, aber eine kleinere Verbrennungswärme besitzt als ein anderer. Z. B. ist das spezifische Brechungsvermögen des Methylalkohols 0,4042, und seine Verbrennungswärme beträgt 5307, während diesen Konstanten beim Äthylacetat die Werte 0,4029 und 6293 zukommen.

Es ist auch BRÜHL noch nicht gelungen, eine allgemeine Regel über den Zusammenhang der optischen und thermischen Konstanten aufzustellen, auf dem Gebiete der Thermochemie fehlt es sowohl an genügendem Beobachtungsmaterial, als auch an einer Theorie, nach welcher man die Verbrennungswärme aus der Zusammensetzung berechnen könnte. Bis jetzt scheint nur von THOMSEN (Ber. Chem. Ges. 13. 1388) für Kohlenwasserstoffe eine brauchbare thermochemische Regel angegeben zu sein. Für die Kohlenwasserstoffe (der Fettreihe) läſst sich hiernach leicht eine Formel konstruieren, welche den Zusammenhang zwischen Verbrennungswärme W und dem spezifischen Brechungsvermögen B angiebt. Bei den Paraffinen C_nH_{2n+2} z. B. ist nach der THOMSEN'schen Formel W eine Funktion von n, während das spezifische Brechungsvermögen B sich nach der LANDOLT'schen Regel ebenfalls durch n ausdrücken läſst. Durch Elimination von n aus beiden Gleichungen kann man leicht die gesuchte Beziehung zwischen W und B finden.

Zu seinem ersten Satze gelangt Brühl durch folgende Überlegung. Die Verbrennungswärme als Mafs der inneren Energie eines Körpers ist bekanntlich unabhängig von dem Wege, auf welchem die Verbrennung vor sich geht, wenn nur die Endprodukte (Wasser und Kohlensäure) dieselben sind. Z. B. liefert 1 g Propylalkohol, C_3H_8O, bei vollständiger Verbrennung 8005 cal. Dieselbe Wärmemenge würde auch entstanden sein, wenn der Propylalkohol durch allmähliche Verbindung mit Sauerstoff (resp. Entziehung von Wasserstoff) zu Propylaldehyd, C_3H_6O, zu Propionsäure, $C_3H_6O_2$, und schliefslich zu Kohlensäure und Wasser oxydiert worden wäre. Da nun bei jeder dieser Oxydationen schon Wärme frei wird, so folgt, dafs 1 g Propylaldehyd eine geringere Verbrennungswärme besitzt, als 1 g Propylalkohol. Ebenso ist die Verbrennungswärme des Propylaldehyds gröfser, als die der Propionsäure. Beobachtet wurden die Verbrennungswärmen des Alkohols, des Aldehyds und der Säure gleich 8005, 7241 und 4670 cal. Ausnahmslos nehmen die Verbrennungswärmen chemischer Verbindungen bei zunehmender Oxydation ab, so dafs die Verbrennungswärmen eines Kohlenwasserstoffes, des entsprechenden Alkohols, Aldehyds und der entsprechenden Säure eine abnehmende Zahlenreihe bilden. Dasselbe Verhalten zeigt auch das spezifische Brechungsvermögen. Propylalkohol, Propylaldehyd und Propionsäure besitzen die spezifischen Brechungsvermögen 0,4667; 0,4382 und 0,3785. Aus den von Brühl angegebenen Tabellen führen wir nur noch folgende kleine Tafel an:

	Verbrennungs-wärme	Spez. Brechungs-vermögen
Äthylalkohol	7184	0,4422
Acetaldehyd	6364	0,4139
Essigsäure	3505	0,3448.

Die Abnahme des spezifischen Brechungsvermögens mit zunehmender Oxydation läfst sich auch unter Benutzung der Landolt'schen Regel beweisen (S. 3, Regel IV), nach welcher man die Refraktion eines Moleküls aus den Refraktionen der einzelnen Atome berechnen kann. Nehmen wir mit Landolt für Kohlenstoff, Sauerstoff und Wasserstoff die Atomrefraktionen 5, 3 und 1,3 an, so hat der Kohlenwasserstoff C_mH_n die Molekularrefraktion $5m + 1,3n$, der Quotient dieser Gröfse durch das Molekulargewicht $12m+n$ giebt das spez. Brechungsvermögen $B = \dfrac{5m + 1,3n}{12m + n}$. Der entsprechende Alkohol C_mH_nO hat das spez. Brechungsvermögen $B_1 = \dfrac{5m + 1,3n + 3}{12m + n + 16}$. Der letzte Bruch ist kleiner, als der erste. Das Brechungsvermögen des entsprechenden Aldehyds, $C_mH_{n-2}O$,

ist gleich $B_2 = \dfrac{5m + 1,3(n-2) + 3}{12m + n - 2 + 16} = \dfrac{5m + 1,3n + 0,4}{12m + n + 14}$,

dieser Wert ist kleiner, als B_1. Bildet man den Bruch für das spezifische Brechungsvermögen B_3 der Säure $C_mH_{n-4}O_2$, so findet man B_3 kleiner, als B_2.

Das Resultat der Betrachtung läfst sich in folgendem Satze zusammenfassen: Das Lichtbrechungsvermögen und die Verbrennungswärme eines Körpers nehmen bei allmählicher Vereinigung mit Sauerstoff stetig ab, sie werden um so kleiner, je mehr Sauerstoff in die Verbindung eintritt. Ebenso wirkt eine Entziehung von Wasserstoffatomen. Deshalb bilden die Zahlen für die beiden Eigenschaften bei den Kohlenwasserstoffen, den entsprechenden Alkoholen, Aldehyden, Säuren und Oxysäuren eine abnehmende Reihe.

Eine zweite Beziehung zwischen beiden Konstanten ergiebt sich aus der Betrachtung *homologer Reihen*. Ein Gramm Methylalkohol, CH_4O, hat 50 p. c. Sauerstoff und 50 p. c. oxydationsfähige Elemente. Der derselben homologen Reihe angehörige Caprylalkohol, $C_8H_{18}O$, hat nur 12,3 p. c. O, dagegen 87,7 p. c. oxydationsfähige Stoffe. Daher ist die Verbrennungswärme des letzten Alkohols (9709 cal) viel gröfser, als die des Methylalkohols, welche zu 5307 beobachtet wurde. Bei allen homologen Reihen beobachtet man eine Zunahme der Verbrennungswärme bei zunehmendem Increment CH_2. Jedoch werden die Differenzen mit zunehmendem Molekulargewichte für das Increment CH_2 immer kleiner, wie z. B. aus folgender Tabelle für die Alkohole $(CH_2)_n H_2O$ hervorgeht:

$n =$	1	2	3	4	5	8	16
Verbrennungs- wärme für 1 g	5307	7184	7971	8604	9018	9709	10629.

Die Differenzen für die ersten fünf Alkohole sind 1877, 787, 633 und 414.

In derselben Weise wächst das spezifische Brechungsvermögen mit dem Steigen der Reihe, auch hierbei nehmen die einen Zuwachs von CH_2 entsprechenden Differenzen ab, wie folgende Tabelle der angeführten Alkohole zeigt:

$n =$	1	2	3	4	5
Spez. Brechungsverm.	0,4042	0,4415	0,4629	0,4785	0,4888.

Die Differenzen sind 0,0373; 0,0214; 0,0156; 0,0103.

Nach LANDOLT ist das spezifische Brechungsvermögen eines Alkohols $(CH_2)_n H_2O$ gleich $\dfrac{7,6n + 5,6}{14n + 18}$. Dieser Bruch wächst mit zunehmendem n. Die Differenz zwischen den spezifischen Brechungsvermögen dieses und des folgenden Alkohols ergiebt sich:

$$\frac{7,6\,(n + 1) + 5,6}{14\,(n + 1) + 18} - \frac{7,6n + 5,6}{14n + 18} = \frac{14,6}{(7n + 9)\,(7n + 16)},$$

sie nimmt also mit wachsendem n ab.

Da dieselbe Beziehung bei allen homologen Reihen beobachtet wird, so läfst sich der Satz aufstellen: Bei allen homologen Reihen nehmen Verbrennungswärme und Lichtbrechungsvermögen mit dem Steigen der Reihe zu, die dem Zuwachse eines Increments CH_2 entsprechenden Differenzen nehmen aber mit steigendem Molekulargewichte ab.

Ein dritter Satz ergiebt sich bei der Betrachtung der *Substitutionsprodukte*, welche entstehen, wenn Wasserstoff durch Chlor oder andere Halogene ersetzt wird. Wie bei der Oxydation, so wird auch bei der Halogenisation Wärme frei, daher ist die Verbrennungswärme solcher Substitutionsderivate kleiner, als die der Ausgangsprodukte.

Bei der Verbrennung der drei gasförmigen Substanzen: Methan, CH_4, Methylchlorid, CH_3Cl, Methylidenchlorid, CH_2Cl_2 zu CO_2, flüssigem H_2O und gasförmigem HCl wurden die Wärmemengen beobachtet: 13 344, 3099 und 1256 cal. Dem entspricht das optische Verhalten dieser Derivate. Je mehr Wasserstoff durch Chlor ersetzt wird, desto kleiner wird das Brechungsvermögen, wie z. B. aus folgender Tabelle für das spezifische Brechungsvermögen hervorgeht:

Essigester	$C_4H_8O_2$ . . .	0,4029
Chloressigester	$C_4H_7O_2Cl$ . .	0,3552
Dichloressigester	$C_4H_6O_2Cl_2$ . .	0,3324
Trichloressigester	$C_4H_5O_2Cl_3$ . .	0,3163.

Leider fehlen noch für diese Chlorverbindungen direkte Messungen der Verbrennungswärmen, doch bestätigen die oben angeführten Zahlen hinreichend die Regel: Dafs das spezifische Brechungsvermögen und die Verbrennungswärme der halogensubstituierten Verbindungen um so kleiner wird, je mehr Wasserstoffatome durch Halogen ersetzt werden.

Eine Vergleichung der *jodierten, bromierten* und *chlorierten Produkte* führt zu dem Satze:

Das Lichtbrechungsvermögen und die Verbrennungswärmen der Jodide sind kleiner, als die der entsprechenden Bromide, diese wieder kleiner, als die der entsprechenden Chloride. Aus dem von BRÜHL beigebrachten Beweismateriale seien nur folgende Substanzen angeführt: Chlormethyl, CH_3Cl, Brommethyl, CH_3Br und Jodmethyl, CH_3J, liefern bei der Verbrennung zu Kohlensäure Wasser und Chlor, resp. Brom und Jod die Wärmemengen 3347, 1899 und 1291. Ebenso verhalten sich auch die Zahlen für das Lichtbrechungsvermögen solcher Halogenverbindungen. Propylchlorid, Propylbromid und Propyljodid haben die Brechungsvermögen 0,4250; 0,3105 und 0,2767.

Von grofsem Interesse für unsere Frage ist die Zusammenstellung der optischen und thermischen Konstanten polymerer und isomerer Körper. Da polymere Verbindungen, wie z. B. der Aldehyd C_2H_4O und der Paraldehyd $C_6H_{12}O_3$ dieselbe prozentische Zusammensetzung haben, so müfste nach der LANDOLT'schen Regel, dafs das spezifische Brechungsvermögen nur von der prozentischen Zusammensetzung abhängig ist, das spezifische Brechungsvermögen beider Verbindungen genau gleich sein. Aber schon LANDOLT bemerkt selbst, dafs diese Konstante bei der Verdoppelung (oder Verdreifachung) der Substanz stets eine Verminderung erleidet. Aldehyd, C_2H_4O, Buttersäure, $C_4H_8O_2$, und Paraldehyd, $C_6H_{12}O_3$, haben die Brechungsvermögen 0,4132; 0,4034 und 0,3976. Da bei der Polymerisation Wärme frei wird, so ist klar, dafs der Paraldehyd eine geringere Verbrennungswärme besitzt, als der Acetaldehyd, woraus er durch Polymerisation entsteht. Acetaldehyd hat die Verbrennungswärme 6364, Buttersäure 5647, die des Paraldehyds ist noch nicht untersucht. Schon von FAVRE und SILBERMANN ist ausgesprochen worden, dafs gleiche Gewichtsmengen polymerer Produkte ungleiche Wärmemengen entwickeln, und dafs die Verbrennungswärme mit wachsendem Molekulargewichte stets abnimmt. Es herrscht also auch bei polymeren Körpern vollständige Analogie zwischen den optischen und thermischen Eigenschaften.

Bei der Besprechung isomerer Körper sind drei Fälle zu unterscheiden. Erstens können beide isomeren Körper gesättigt sein und derselben Klasse angehören, z. B. Propylalkohol und Isopropylalkohol; oder sie sind beide gesättigt, gehören aber verschiedenen Klassen an, z. B. Essigsäure und Methylformiat, beide von der Zusammensetzung $C_2H_4O_2$; endlich kann man einen gesättigten mit einem ungesättigten isomeren Körper vergleichen.

Gehören beide gesättigte Körper derselben Klasse an, wie z. B. eine Normal- und die entsprechende Isoverbindung, so ist die Übereinstimmung der Brechungsvermögen eine fast absolute, z. B. hat diese Gröfse beim Propyl- und Isopropylalkohol die Werte 0,4667 und 0,4665. Aus einer Vergleichung von fünf Paaren isomerer Körper schliefst BRÜHL, dafs auch die Verbrennungswärmen solcher Körper gleich sind. Propyl- und Isopropylalkohol haben die Verbrennungswärmen 8005 und 7971. Die Unterschiede in diesen Zahlen lassen sich genügend aus Beobachtungsfehlern erklären.

Nicht so gut ist die Übereinstimmung gesättigter isomerer Körper verschiedener Klassen, namentlich in thermischer Beziehung. BRÜHL hat die Verbrennungswärme von sechs Paaren isomerer Körper zusammengestellt, je eine Säure mit einem isomeren Ester. Ganz allgemein zeigt sich, dafs die thermische Konstante der Säure um einige Prozente niedriger ist, als die des isomeren Esters. So hat Buttersäure, $C_4H_8O_2$, die Verbrennungswärme 5647, das isomere Äthylacetat dagegen 6293. Nur die Verbrennungswärme von Äthylbutyrat ist um 1 p. c. kleiner, als die der isomeren Capronsäure, was vielleicht auf einen Fehler in der Beobachtung zurückzuführen ist, da die Ester sehr unbeständig sind. Nach den neuesten optischen Untersuchungen von JOHN H. LONG (Amer. Journ. of Science 21. 279) scheint festzustehen, daß auch das Lichtbrechungsvermögen von Säuren und isomeren Estern nicht genau gleich ist, wenn auch die Abweichungen in optischer Beziehung nicht so bedeutend sind, als in thermischer.

Das Verhalten gesättigter isomerer Körper in optischer und thermischer Beziehung läßt sich hiernach in dem Satze zusammenfassen: **Das Brechungsvermögen isomerer Alkohole, Aldehyde und isomerer Körper anderer Klassen der Fettreihe ist identisch, auch die Verbrennungswärme ist dieselbe. Gesättigte isomere Körper aus zwei verschiedenen Klassen der Fettreihe haben nur angenähert gleiches Brechungsvermögen, sie entwickeln Wärmemengen, welche erheblich voneinander abweichen.**

Von hohem theoretischen Interesse ist das optische und thermische Verhalten isomerer Körper verschiedenen Sättigungsgrades. Aus den optischen Messungen LANDOLT's und BRÜHL's geht mit Sicherheit hervor, daß der ungesättigte Körper ein größeres Brechungsvermögen besitzt, als der isomere gesättigte. Propylaldehyd und Allylalkohol, beide von der Zusammensetzung C_3H_6O, haben die Brechungsvermögen 0,4382 und 0,4670, der letztere ist ungesättigt. In der letzten Zeit hat LOUGUININE (C. r. 91. 297) mehrere Körper mit Doppelbindungen thermisch untersucht, er weist nach, daß der Allylalkohol und seine Homologen eine erheblich größere Verbrennungswärme liefern, als die isomeren Aldehyde und Ketone. Die Verbrennungswärme des Allylalkohols beträgt für das Molekül (58 g) 442 650 cal, die des isomeren Acetons ist nur 423 574 cal.

Es sind in der BRÜHL'schen Arbeit im ganzen vier Paare solcher in thermischer Beziehung untersuchten isomeren Körper angegeben, bei allen bestätigt sich, daß der ungesättigte Körper sowohl eine größere optische, als auch thermische Konstante hat.

Diese Paare sind:

		Verbrennungswärme für 1 g	Molekularrefraktion
C_3H_6O	Aceton . . .	423 574	25,55
	Allylalkohol . .	442 650	27,09
$C_5H_{10}O$	Valeral . . .	742 157	40,66
	Äthylvinylcarbinol .	753 214	41,91 ?
$C_7H_{14}O$	Önanthol . . .	1 062 596	?
	Homologer Allylalkohol	1 072 562	?
$C_{10}H_{20}O$	Menthol . . .	1 509 160	77,6
	Allyldipropylcarbinol .	1 544 993	79,64.

Aus der Tabelle geht hervor, daß das Menthol keine doppelte Bindungen zwischen Kohlenstoffatomen enthält, wie auch SCHRÖDER aus seiner Sterentheorie findet (S. 6).

Jedenfalls wären weitere experimentelle Untersuchungen der optischen und thermischen Eigenschaften isomerer Körper verschiedenen Sättigungsgrades sehr erwünscht, da sie jedenfalls wichtige Aufschlüsse über den Unterschied zwischen doppelter und einfacher Bindung der Atome geben werden. Die Ansicht BRÜHL's über das Wesen der doppelten Bindung soll im nächsten Referate im Zusammenhange mit den neuesten Arbeiten über das Molekularvolum chemischer Verbindungen besprochen werden.   F. NIEMÖLLER.

Formeln, um das Verhältnis zu ermitteln, in welchem zwei Lösungen von bekanntem Prozentgehalte gemischt werden müssen, um eine Lösung von bestimmtem anderweiten Prozentgehalte zu erzielen,

von

Dr. R. RIETH.

Unter diesem Titel ist schon zweimal in diesem Blatte, zuerst von WRAMPEL-
MEIER, S. 223, dann von W. LENZ, S. 453 vom vor. Jahre, berichtet worden. Als
weiteren Beitrag zu diesem Thema kann ich einen Abschnitt aus dem von mir
verfaßten Werkchen: „Volumetrische Analyse etc.", erschienen bei LEOPOLD VOSS,
Hamburg 1883, anführen. In dem Kapitel Acidum hydrochloricum ist der Fall
angenommen, daß man eine zu starke und eine zu schwache Säure derart mischen
wolle, daß die von der Pharmakopöe vorgeschriebene Konzentration resultiere. Es
müssen zu 2 g Salzsäure, welches Gewicht die Pharmakopöe zur Bestimmung vor-
schreibt, 13,7 ccm Normalkali geradeauf verbraucht werden. Wie man nun durch
Vermischen von zwei Säuren verschiedener Konzentration eine solche von gewünschter
Konzentration kürzer noch als mit Zuhilfenahme von Formeln erhält, ist S. 58
wörtlich folgendermaßen beschrieben:

„Angenommen, man habe zwei Säuren, von der einen verlangten 2 g =
12,5 ccm Normalkali, von der anderen verlangten 2 g = 16,8 ccm Normalkali, so
wäre das Verhältnis der Konzentration und ihre Differenz:

zu verdünnt	verlangte Stärke	zu stark
12,5	13,7	16,8
Differenz	Differenz.	
1,2	3,1	

Da man desto mehr von der dritten nehmen muß, je verdünnter die erste ist,
oder auch desto mehr von der ersten, je konzentrierter die dritte ist, so ist also von
jeder im umgekehrten Verhältnisse ihrer Differenz zu der richtigen zu nehmen;
also 3,1 Tle. der schwachen + 1,2 Tle. der starken, um 4,3 Tle. der richtigen zu
erhalten. Diese Verhältnisse rechnet man auf eine gerade Zahl um, am besten auf
1000 ccm; man hat folgende Gleichung:

$$4,3 : 3,1 = 1000 : x$$
$$x = 720,93 \text{ ccm schwache Säure;}$$

nach demselben Ansatze die starke Säure berechnet, ergiebt 279,07 ccm; mischt
man diese Anzahl Kubikzentimeter jeder Säure, so erhält man 1 l richtige, 25 prozentige Säure".

Die Formeln von WRAMPELMEIER und LENZ sagen ja im wesentlichen, aber
in wenig verständlicher Weise dasselbe, und zudem verlangen sie beide unzweifelhaft bedeutend mehr Zeit und mehr Rechnungen, und haben den großen Nachteil,
vom Anfänger ohne Verständnis, rein mechanisch, angewendet zu werden.

Bei chemischen Arbeiten kommt der vorliegende Fall nicht so häufig vor,
daß sich die Formel durch den Gebrauch dem Gedächtnisse einprägen wird, man
wird also immer wieder aufs Nachschlagen angewiesen sein; wer dagegen meine
Berechnung einmal ausgeführt hat, wird bei Wiederholung auch ohne alle Hilfsmittel sofort richtig verfahren.

Ähnliche Betrachtungen lassen sich auch bei der Umrechnung eines gefundenen auf korrigiertes Gasvolum anstellen.

Spandau, den 30. Dez. 1883.

Wochenbericht.

3. Anorganische Chemie.

D. Gernez, *Untersuchungen über die Erstarrung des überschmolzenen Schwefels.* (C. r. **97**. 1366—69. [10*.] Dez., 1433—35 [17*.] Dez. und 1477—80 [24*.] Dez. 1883.)
L. Th. Reicher, Über den *Punkt der allotropischen Umwandlung des Schwefels im Verhältnis zum Drucke.* — (Inaug.-Dissertat. Amsterdam 1883; Recueil des Trav. Chim. des Pays-Bas. **2**. 246—69. Dez. [Sept.] 1883.)

H. Brereton Baker, Über die *direkte Verbindung von Stickstoff und Wasserstoff.* STILLINGFLEET JOHNSON behauptete in zwei Arbeiten, welche er der Chemical Society im Jahre 1880 und der Royal Society 1881 vorlegte, daß es ihm gelungen sei, N und H direkt miteinander zu NH_3 zu verbinden (**81**. 177. 292. 519). Derselbe schloß aus seinen Experimenten ferner, daß N in zwei allotropischen Modifikationen aufträte, als aktiver und inaktiver Stickstoff. Da diese Resultate auf vielen Zweifel stießen, so entschloß sich Vf., der Sache näher zu treten.

JOHNSON experimentierte folgendermaßen: H wurde dargestellt aus Zn und H_2SO_4, N durch Erwärmen einer schwachen wässerigen Lösung von NH_4NO_2. Beide Gase wurden durch $AgNO_3$-Lösung und starke H_2SO_4 geleitet, dann durch einen LIEBIG'schen Kugelapparat, welcher mit NESSLER's Reagens beschickt war, darauf durch ein Verbrennungsrohr, in welchem Platinschwamm zur schwachen Rotglut erhitzt wurde, und dann wieder durch NESSLER's Reagens. Resultat: das NESSLER'sche Reagens hinter dem Verbrennungsrohr wurde gebräunt, während das davor befindliche nicht verändert wurde. Das Experiment wurde dann geändert, daß der Stickstoff durch Überleiten von Luft über glühendes Kupfer erhalten wurde; Resultat: keine Ammoniakbildung, woraus JOHNSON schloß, daß der Stickstoff der Luft beim Passieren der glühenden Röhren seine Aktivität eingebüßt habe.

Vf. stellte nun bei seinen Kontrollversuchen den N aus der Luft auf verschiedene Weise dar, unter Vermeidung der Glühhitze, erhielt aber niemals auch nur Spuren von NH_3, solange er den H direkt durch metallisches Na und Wasser entwickelte. Wohl aber erhielt er bei verschiedenen Versuchen NH_3, wenn er den H vorher durch $AgNO_3$-Lösung leitete. Dabei wurde die Ag-Flüssigkeit durch ausgeschiedenes Ag schwarz gefärbt. Er verfuhr zuletzt so, daß er den durch $AgNO_3$ geleiteten H erst durch einige Waschflaschen mit gesättigter $FeSO_4$-Lösung streichen ließ, dann durch konzentrierte H_2SO_4, darauf erst durch NESSLER I, Verbrennungsrohr und NESSLER II. Die Eisenlösung in der ersten Waschflasche wurde gebräunt, ein Zeichen des Vorhandenseins von N+O-Verbindungen, NESSLER I wurde nicht gefärbt, NESSLER II gab NH_3-Reaktion.

Vf. schließt nun aus seinen Versuchen, daß reiner N, einerlei ob geglüht oder nicht, sich nicht direkt mit H verbindet, daß also keine allotropische Modifikation des N bisher entdeckt wurde, ferner, daß beim Durchleiten von H durch $AgNO_3$-Lösung sich eine Verbindung des N mit O bildet, durch welche $FeSO_4$-Lösung nicht braun gefärbt wird, sowie daß der Fehler bei JOHNSON's Experimenten darin lag, daß durch das Überleiten von Oxyden des Stickstoffes bei Gegenwart von Wasserstoff über glühenden Platinschwamm Ammoniak gebildet wurde. (Chem. N. **48**. 187—88; Rep. anal. Chem. **3**. 369. Dez. 1883.)

Ch. Taquet, Über *Chromselenit. Darstellung des Diselenits.* Der Vf. hat das Chromdiselenit durch vorsichtige Einwirkung von Salpetersäure auf das neutrale Selenit (**83**. 291) erhalten. Das Diselenit bildet unregelmäßige Blättchen, welche kleiner und dunkler grün sind als die des entsprechenden Eisenselenits. Es ist unlöslich oder sehr wenig löslich in Wasser, löslich in Säuren, zersetzt sich in der Wärme und giebt dabei zuerst neutrales Selenit und selenige Säure, zuletzt Chromsesquioxyd und selenige Säure. (C. r. **97**. 1435 [17.] Dez. 1883.)

Baubigny, *Bestimmung des Atomgewichtes des Aluminiums mit Hülfe seines Sulfates.* (C. r. **97**. 1369—71 [10*] Dez. 1883.)

Spencer U. Pickering, Über das *Aluminiumsulfat.* Nach P. MARGUERITE-DELACHARLONNY (**83**. 380) soll das krystallisierte Aluminiumsulfat 16 Mol. Wasser enthalten und nicht, wie gewöhnlich angegeben wird, 18 Mol. Der Vf. hat schon früher dieses Salz durch Umkrystallisieren gereinigt und bei der Analyse desselben ebenfalls Zahlen erhalten, die mit der Formel $Al_2(SO_4)_3$, $16 H_2O$ übereinstimmen. (Chem. N. **48.** 275. 14. Dez. 1883.)

J. T. Savory, *Darstellung von Urannitrat oder Uranacetat aus den Rückständen.* Der Niederschlag von Uranylphosphat oder Uranylammoniumphosphat wird ausgewaschen, bis er von allen löslichen Salzen völlig frei ist; dann wird er getrocknet und geglüht, um alles Ammonium zu vertreiben. Der Rückstand von Uranylphosphat wird unter Erwärmen in starker Salpetersäure gelöst und, während die Lösung noch auf dem Wasserbade steht, reines granuliertes Zinn in kleinen Mengen zugesetzt, so daſs schlieſslich die ganze Zinnmenge etwa die Hälfte des Phosphatniederschlages beträgt. Sobald die Einwirkung aufgehört hat, wird die Masse zur Trockne gedampft und im Wasserbade gelinde erhitzt. Das Zinnoxyd, welches alle Phosphorsäure enthält, wird wiederholt mit verdünnter Salpetersäure (1 : 4) ausgekocht und die Lösung filtriert. Letztere giebt beim Eindampfen Krystalle von Urannitrat, welche man auf einer porösen Platte trocknet. Umkrystallisieren ist im allgemeinen unnötig.

Soll Acetat bereitet werden, so wird die Lösung des Nitrates zur Trockne gebracht und gelinde erhitzt, bis keine salpetrigen Dämpfe mehr entweichen; der Rückstand, welcher aus Uranoxyd besteht und gelblichrot aussehen muſs, wird in warmer Essigsäure gelöst, filtriert, und das Salz zur Krystallisation gebracht.

Das bei dieser Darstellung benutzte Zinn braucht nicht rein zu sein und darf auch nicht allzufein granuliert sein. Ist letzteres der Fall, so ist die Reaktion zu heftig, so daſs das Zinn teilweise zum Schmelzen kommt, ja die Masse selbst glühend werden kann. (Chem. N. **48.** 251.)

F. W. Clarke und **O. T. Joslin,** *Über einige Phosphide von Iridium und Platin.* Eine Probe von sogenanntem Iridium, wie es bei der Fabrikation von Goldfedern in Anwendung kommt, ergab die Zusammensetzung 80,82 Iridium, 6,95 Osmium, 7,09 Phosphor, 7,20 Ruthenium und Rhodium. Durch die Analyse verschiedener Phosphorplatine ergab sich als wahrscheinlich die Existenz dreier Platinphosphide PtP_2, PtP und Pt_2P, sowie eines Doppelphosphides Pt_3P_4. Das Monophosphid ist besonders durch seine Unlöslichkeit in Königswasser bemerkenswert. Die Verbindung PtP_2 ist wahrscheinlich identisch mit dem von SCHOTTEN beschriebenen Phosphid, welches er durch Erhitzen von fein verteiltem Metall in Phosphordämpfen erhielt. (Amer. Chem. Journ.; Chem. N. **48.** 285—86. 21. Dez. 1883.)

H. Debray, *Über eine neue Rhodiumverbindung.* H. SAINTE-CLAIRE DEVILLE und DEBRAY haben gezeigt, daſs beim Erhitzen von Pyrit mit Platin zuerst ein krystallisiertes Platinsulfid, und wenn die Erhitzung bis zu sehr hohen Temperaturen gesteigert wird, ein eisenhaltiges, nicht magnetisches Platin entsteht. Mit Ruthenium erhält man das Sulfid RuS_2, welches identisch mit dem Laurit ist, oder auch krystallisiertes Ruthenium, wenn die Temperatur hoch genug ist, um das Sulfid zu zerstören. Der Vf. hat diese Untersuchungen auf die Darstellung von Iridium, Osmium und Osmium-Iridium ausgedehnt. Bei allen Versuchen bildet sich die krystallisierte Substanz innerhalb einer geschmolzenen Masse von Eisenmonosulfür, welches man dann in verdünnter Salzsäure löst. Es bleibt ein Rückstand, welcher aus einem Gemenge der krystallisierten Substanz und einer schwarzen amorphen Masse besteht, die man durch Auflösen in reiner Salpetersäure beseitigt. Die schwarze Masse enthält reichliche Mengen von Schwefel; ihrer Entstehung nach scheint sie ein Sulfid der Platinmetalle in einem eigentümlichen allotropischen Zustande zu sein, in welchem sie in Salpetersäure löslich ist, während letztere in der Regel auf die Sulfide dieser Metalle nicht einwirkt, besonders wenn sie in der Hitze dargestellt waren. Die Sulfide von Platin und Ruthenium widerstehen nicht allein der Einwirkung der Salpetersäure, sondern auch selbst der des Königswassers. Die obige Annahme über die Natur der schwarzen Masse, so natürlich sie auch erscheint, ist doch wahrscheinlich nicht genau, wie sich aus den folgenden Versuchen wird.

Als man fein verteiltes Rhodium mit seinem 20—30fachen Gewichte Eisenkies schmolz, erhielt man eine Masse, welche nach der Behandlung mit Salzsäure schwarzen Rückstand hinterlieſs. Derselbe ist in verdünnter Salpetersäure vollkommen löslich, solange er noch feucht ist, ebenso wie die schwarzen Rückstände, deren oben gedacht wurde: man erhält eine gefärbte Lösung. Durch Austrocknen wird der Rückstand in verdünnter Salpetersäure unlöslich, bleibt aber löslich in konzentrierter, wenn er nicht etwa bei zu hoher Temperatur getrocknet war. Dieses Produkt ist kein Sulfid des Rhodiums; bei 100° in trockner Luft oder im Vakuum getrocknet, enthält es etwa 9,6 p. c. Wasser und 8,6 p. c. Sauerstoff. Beide entweichen beim Erhitzen, und zwar der Sauerstoff in Verbindung mit Schwefel als schweflige Säure, und diese Gasentwicklung hört erst bei Rotglühhitze auf. Es bleibt dann ein Monosulfür des Rhodiums, welches eine Spur Eisen

(0,7 p. c.) enthält und durch Königswasser nicht angegriffen wird. Die Zersetzung geschieht bisweilen unter Erglühen, wobei auch eine Spur Schwefel entweicht. Der Vf. leitet aus diesem Verhalten und den analytischen Resultaten für den Rückstand die Formel $2 RhS + SO_2 + H_2O$ ab, welche 9,6 p. c. Wasser, 17,2 p. c. schweflige Säure oder 8,6 p. c. Sauerstoff und 73,2 p. c. Rhodiumsulfür verlangt. Über die Art der Verbindung der Elemente soll durch obige Formel nichts Positives ausgesagt sein.

Es ist sicher, daß bei der Einwirkung von Eisenkies auf Rhodium bei hoher Temperatur nur ein Rhodiumsulfid entstehen kann, welches sich entweder mit einem Teil des entstandenen Eisensulfürs verbindet oder darin löst. Die Leichtigkeit, mit welcher dieses amorphe Produkt sich in der Hitze zersetzt, schließt jede andere Annahme aus. Die Aufnahme von Wasser und von Sauerstoff kann also nur bei der Auflösung in Salzsäure geschehen. Der Vorgang ist ganz so, als wenn ein Rhodiumsesquisulfid sich oxydiert und hydratiert:

$$Rh_4S_6O_3, H_2O_3 = 2RhS + SO_2 + H_2O_3.$$

Die Erscheinung ist ganz der analog, welche Vf. bei der Einwirkung von verdünnter Salpetersäure auf Blei, welches etwas Rhodium enthält, beobachtet hat. Auch hier erhält man als Rückstand eine schwarze, fein verteilte Masse, welche Rhodium, Blei und ungefähr 15 p. c. Nitroprodukte, die der verdünnten Salpetersäure entstammen, enthält. Dieser Rückstand explodiert beim Erhitzen unter Entwicklung reichlicher nitroser Dämpfe; er ist leicht löslich in warmer konzentrierter Schwefelsäure, welche das Rhodium nicht angreift. In derselben Weise fixiert das Rhodiumsulfür, welches notwendig bei der Auflösung der geschmolzenen, aus Eisensulfür und Rhodium bestehenden Masse in Salzsäure entstehen muß, Wasser und Sauerstoff und giebt eine Verbindung, welche infolgedessen viel leichter angreifbar ist, als das gewöhnliche Sulfür. (C. r. **97**. 1333—35. [10*] Dez. 1883.)

T. E. Thorpe, *Über das Atomgewicht des Titans.* Aus drei Versuchsreihen ergaben sich die Zahlen 48,014, 48,016 und 47,969, im Mittel 48,000. Bei der Berechnung wurden die von LOTHAR MEYER berechneten Atomgewichte O = 1, Ag = 6,7456, Cl = 2,21586 und H = 0,06265 zu Grunde gelegt. (Chem. N. **48**. 251—53.)

4. Organische Chemie.

P. Cazeneuve, *Bildung des Acetylens aus Jodoform.* Seitdem BERTHELOT gezeigt hat, daß beim Überleiten von Chloroformdampf über rotglühendes Kupfer Acetylen entsteht, und nachdem FITTIG die Bildung desselben Gases aus Chloroform durch Einwirkung von Natriumamalgam bewirkt hat, ist die Bildung des Acetylens C_2H_2 durch Kondensation der Gruppe CH als eine Thatsache zu betrachten. Es war vorauszusehen, daß sich Jodoform in ähnlicher Weise verhalten würde. Der Vf. hat gefunden, daß Jodoform in der That unter den einfachsten Bedingungen in Acetylen übergeht. Mischt man dasselbe mit feuchtem Silberpulver, so zerfällt es selbst in der Kälte rasch in Acetylen nach der Gleichung:

$$2CHJ_3 + 6Ag = 6AgJ + CH{\equiv}CH.$$

Bringt man das Gemenge in eine Röhre, welche man mit einem Stöpsel verschließt, so läßt sich schon mit ammoniakalischem Kupferchlorür, welches man an der Wand der Röhre herablaufen läßt, durch die charakteristische Reaktion des Acetylenkupfers die Gegenwart von Acetylen nachweisen. Das feuchte Silberpulver ist noch aktiver, wenn es mit fein verteiltem Kupfer gemischt ist, wie man letzteres durch Fällung mittels Zink erhält. Die Reaktion kann als *Vorlesungsversuch* dienen. Auch andere Metalle, welche zu Jod Affinität besitzen, bringen die gleiche Wirkung hervor. Quecksilber, Zink und Eisen zersetzen das Jodoform bei Gegenwart von etwas Wasser unter Bildung von Metalljodiden und Acetylen. Versuche mit Zink hat der Vf. in größerem Maßstabe ausgeführt. Mischt man gleiche Gewichte von Jodoform und Zinkstaub mit etwas Wasser, so steigt die Temperatur. Mitunter, je nach dem Verteilungsgrade des Zinkes, tritt die Gasentwicklung freiwillig ein, in anderen Fällen muß man erwärmen. Man erhält eine Flüssigkeit und ein Gemenge von zwei Gasen. Die Flüssigkeit ist dichter als Wasser, besitzt einen angenehmen ätherischen Geruch und einen süßlichen Geschmack. Die Gase bestehen aus Acetylen und einem Jodderivate, welches mit weißlicher, an den Rändern purpurrot gefärbter Flamme brennt. Hierbei entsteht Jodwasserstoff, während sich Jod an den Rändern der Röhre, in welcher die Reaktion vorgenommen wird, abscheidet. Der Vf. wird über diese Produkte noch eingehendere Untersuchungen machen.

Wenn man statt Wasser eine kalt gesättigte Lösung von Kupfersulfat zu dem Gemenge von Jodoform und Zink hinzusetzt, so ist die Bildung des Acetylens weit beträchtlicher. Das durch das überschüssige Zink gefällte Kupfer bildet mit jenem ein

Zinkkupferelement, dessen hydrogenierende Wirkung die Zersetzung des Jodoforms erleichtert und auch die obengenannten Jodderivate teilweise zersetzt. Auch diese Reaktion kann als *Vorlesungsversuch* dienen, da sich das feuchte Zinkkupferpulver beim Vermischen mit Jodoform spontan erhitzt und eine regelmäßige Entwicklung von Acetylen bewirkt. Auch auf pyrogenem Wege läßt sich Acetylen aus Jodoform gewinnen, wenn man dasselbe über seinen Schmelzpunkt erhitzt.

Die Konstitution des Acetylens $CH\equiv CH$ wird durch diese Bildungsweise aus Jodoform bestätigt, welche an die Synthese des Äthylenwasserstoffes oder Dimethyl aus Methyljodid und Zink bei 150° erinnert:

$$2CH_3J + Zn = ZnJ_2 + CH_3{-}CH_3.$$

Es ist wahrscheinlich, daß das Zink bei seiner Einwirkung auf Methylenjodid Äthylwasserstoff $CH_2{=}CH_2$ geben wird. (C. r. **97.** 1371—73. [10.*] Dez. 1883.)

E. Divers und **M. Kawakita,** Über die *Konstitution der Fulminate.* Die Vff. fanden in Übereinstimmung mit den Angaben von CARSTANJEN und STEINER, daß durch Einwirkung von starker Salzsäure auf feuchtes Quecksilberfulminat reines salzsaures Hydroxylamin, frei von Ammoniak entsteht; dabei bildet sich zugleich viel Cyanwasserstoffsäure, was bei Anwendung von trocknem Salz nicht der Fall ist. Im letzteren Falle erhält man die theoretische Ausbeute an Hydroxylamin. Der ganze Kohlenwasserstoff des Quecksilberfulminates geht bei der Behandlung mit konzentrierter Salzsäure in Ameisensäure über. Dieses Verhalten haben die Vff. für die Analyse des Quecksilberfulminates benutzt, wobei das Quecksilber durch Schwefelwasserstoff niedergeschlagen wurde. Sie erhielten folgende Zahlen: 70,40 Quecksilber, 9,85 Stickstoff, 8,17 Kohlenstoff. Bei dieser Zersetzung wird keine Spur von Oxalsäure gebildet. (Chem. N. **48.** 276. 14. [6.] Dez. 1883. London, Chem. Soc.)

E. Divers, Über die *Konstitution der Fulminate.* Nachdem der Vf. verschiedene von BERZELIUS, KEKULÉ, ARMSTRONG und STEINER vorgeschlagene Formeln diskutiert und eine längere Betrachtung über die Bildung, die Zersetzungen und Eigenschaften der Fulminate angestellt hat, giebt er als wahrscheinlichste Konstitutionsformel für die Knallsäure $\underset{N=C}{\overset{N=COH}{\diagup\diagdown}}\Big|$ an. (Chem. N. **48.** 14. [6.] Dez. 1883. London, Chem. Soc.)

E. Divers und **M. Kawakita,** Über *Liebig's Darstellung von Knallsilber ohne Anwendung von Salpetersäure.* Nach LIEBIG soll sich durch Einleiten von salpetriger Säure in eine alkoholische Lösung von Silbernitrat Knallsilber in großen Nadeln abscheiden, ohne daß die Flüssigkeit dabei ins Kochen gerät. Die Vff. haben diesen Versuch wiederholt und ebenfalls Krystalle erhalten; allein diese bestanden nur aus Silbernitrat nebst einer Spur eines organischen Silbersalzes, welches kein Knallsilber ist. Ein zweiter Versuch, bei welchem Silbernitrat und Silbernitrit in Alkohol gelöst und die Lösung dann tropfenweise mit Salpetersäure versetzt wurde, gab ebenfalls kein Fulminat. Die Vff. schließen hieraus, daß nascierende salpetrige Säure, Alkohol und ein Silbersalz für sich kein Fulminat geben, sondern daß dasselbe nur durch eine energische Oxydation des Alkohols durch eine Salpetersäure und Quecksilber- oder Silbernitrat entsteht. Schließlich berichten die Vff. über verschiedene erfolglose Versuche zur Darstellung von knallsaurem Kupfer. (Chem. N. **48.** 276. 14. [6.] Dez. 1883. London, Chem. Soc.)

H. E. Armstrong, Über die *Konstitution der Fulminate.* In dieser Note hält der Vf. seine Ansichten über die Konstitution der Knallsäure mit einer geringen Modifikation (HO.N) C.C.H (NO) gegenüber den Ausführungen von DIVERS aufrecht und bespricht die wahre Natur der Reaktion zwischen Alkohol, Salpetersäure und Quecksilber. Es ist nicht wahrscheinlich, daß das Fulminat das unmittelbare Produkt der Einwirkung von salpetriger Säure auf Alkohol ist (diese Arbeit war geschrieben, bevor die obige Mitteilung von DIVERS und KAWAKITA erschienen war); vielmehr ist es gewiß, daß Alkohol, wenn er mit verdünnter Salpetersäure behandelt wird, zwei Wasserstoffatome gegen Hydroxyl austauscht. Dadurch entsteht ein Körper von der Konstitution $CH_2(OH).CH(OH)$, und diesen Körper betrachtet der Vf. als die erste Quelle für die Entstehung des Fulminates, welches sich dann durch die gleichzeitige oder nachfolgende Einwirkung von salpetriger Säure und Hydroxylamin bildet. (Chem. N. **48.** 276. 14. [6.] Dez. 1883. London, Chem. Soc.)

August Kekulé, Über die *Carboxytartronsäure und die Konstitution des Benzols.* Für das Benzol sind zur Zeit zwei Konstitutionsformeln im Gebrauche: die KEKULÉ'sche (I) und die hauptsächlich von LADENBURG verteidigte (II).

I. II.

Zwischen diesen konnte bisher nicht sicher entschieden werden. Nun fanden aber vor einigen Jahren GRU- BER (**79.** 147) und v. BARTH (**81.** 4), daß sich aus Derivaten des Benzols durch Oxydation eine Säure gewinnen lasse, welche Carboxytartronsäure genannt wurde, und welcher die Ent- decker folgende Formel zuschrieben:

HO—C—COOH. Es ist klar, daß, wenn diese Formel richtig wäre, das KEKULÉ'sche
/COOH
\COH

Benzolschema kaum mehr aufrecht erhalten werden könnte. Denn wenn das Benzol eine Säure zu liefern im stande wäre, die die Atomgruppierung $C—C<^C_C$ enthält, so müßten in ihm selbst doch offenbar vier Kohlenstoffatome so gebunden sein, daß eines derselben mit drei anderen zusammenhängt. Solchem Postulate entspricht aber die Formel KEKULÉ's nicht, vollkommen hingegen diejenige LADENBURG's, nach welcher der Kohlenstoffkern der Carboxytartronsäure aus dem Benzol einfach durch Wegnahme (Oxydation) von zwei C-Atomen entstände.

KEKULÉ hat nun diesen, der allgemeinen Annahme seiner Formel im Wege stehenden Einwand dadurch beseitigt, daß er zeigte, daß die bisher angenommene Formel der Carboxytartronsäure unrichtig ist. Indem er die Säure einerseits durch Reduktion in Weinsäure, COOH—CH.OH—CH.OH—COOH, überführte, andererseits sie aus Wein- säure durch Oxydation darstellte, bewies er, daß die Formel der sogen. Carboxytartron- säure nicht die bisher angenommene, sondern die folgende sei: COOH—CO—CO—COOH, und daß ihre Beziehungen zur Weinsäure durch folgende Gleichungen ausgedrückt werden müssen:

Reduktion der Carboxytartronsäure zu Weinsäure.

Oxydation der Weinsäure zu Carboxy- tartronsäure.

Sonach enthält die Carboxytartronsäure nicht drei Kohlenstoffatome in Verbindung mit einem vierten, sondern vielmehr die vier Kohlenstoffatome in fortlaufender Reihe miteinander verkettet. Ihre Bildung steht also nicht im Widerspruche, sondern im Ein- klange mit KEKULÉ's Benzolformel. (LIEB. Ann. **221.** 230—60; Ntf. **16.** 475—78.)

D. Klein, Über die *Brechweinsteine der Schleimsäure und Zuckersäure.* JUNGFLEISCH (Journ. de Pharm. **26.** 209) hat gezeigt, daß die Brechweinsteine der Weinsäure nicht als Doppelsalze, sondern als die Alkalisalze der sauren Äther der Weinsäure betrachtet werden müssen, wobei letztere die Funktion eines vieratomigen Alkohols spielt. Von dieser Idee ausgehend, hat der Vf. versucht, die Brechweinsteine der der Weinsäure zu- nächststehenden Säuren darzustellen, was ihm mit der Schleim- und Zuckersäure gelungen ist. In einer kurzen Notiz (**83.** 486) wurde bereits auf die Existenz der Schleimsäure-. Brechweinsteine hingewiesen.

Natriumantimonmucat (schleimsaures Natriumantimonoxyd). Trägt man in eine zum Sieden erhitzte Lösung von zweifach schleimsaurem Natrium in kleinen Mengen Anti- monoxyd ein, so löst sich dieses; nach dem Filtrieren und Abdampfen der Lösung scheidet sich ein amorphes, etwas gelatinöses Salz ab, welches in kaltem Wasser wenig, in heißem leicht löslich ist. Durch Auflösen in heißem Wasser und Abkühlung der Lösung läßt es sich reinigen. Bei 100° getrocknet, bildet es eine poröse weiße Masse von analoger Zusammensetzung wie der gewöhnliche Brechweinstein:

$$C_4H_4(OH)_2(SbO)(CO,ONa)(CO,OH).$$

Bei 150° giebt es 1 Molekül Wasser ab und bei 185° 1½ Molekül. Durch Auflösen in Wasser nimmt es wieder seine ursprüngliche Zusammensetzung an, über 185° zersetzt es sich unter Braunfärbung.

Kaliumantimonmucat, $C_4H_4(OH)_2(SbO)(CO,OK)(CO,OH)$ wird auf ähnliche Weise dargestellt und zeigt dasselbe Verhalten wie das Natriumsalz. Auch mit Ammonium-mucat wurden entsprechende Verbindungen erhalten, welche gallertartig sind. *Brechweinstein oder Zuckersäure.* Die sauren Saccharate lösen sowohl antimonige, als auch Antimonsäure. Das Kaliumsaccharat scheint mit beiden Säuren unkrystallisier-bare Brechweinsteine zu geben. Der Vf. gedenkt, diese Untersuchung fortzusetzen. (C. r. **97.** 1437—38. [17.°] Dez. 1883.)

F. Allihn, Über die *Einwirkung der verdünnten Salzsäure auf Stärkemehl.* Versuche darüber, ob Salzsäure besser verzuckernd auf Stärke wirke, als Schwefelsäure, haben äußerst günstige Resultate ergeben. 12 g lufttrockener Stärke können in der kurzen Zeit von $1^1/_2$ Stunden und ohne Druck mit 100 ccm zweiprozentiger Salzsäure bis zu einem Betrage von 95 p. c. verzuckert werden. Wenn diese Resultate auch für die Praxis bei der Fabrikation von Traubenzucker wegen der Schwierigkeit, die Salzsäure zu entfernen, keinen grofsen Wert haben, so sind dieselben um so beachtenswerter, wenn es sich um Darstellung reinen Traubenzuckers aus Stärkemehl für den Laboratoriumsgebrauch handelt. Die Entfernung der Salzsäure läfst sich hierbei ohne Schwierigkeit durch Neutralisation mit Soda oder Natronlauge bewerkstelligen; zum Umkrystallisieren der eingedampften Masse bedient man sich am besten des verdünnten Methylalkohols (spez. Gew. 0,81). Derselbe löst zwar einen kleinen Teil des beim Neutralisieren gebildeten Chlornatrium auf; da aber die Löslichkeit des Chlornatriums in verdünntem Methylalkohol in der Hitze annähernd dieselbe ist, wie in der Kälte, also das während des Kochens gelöste Salz beim Erkalten nicht wieder ausgeschieden wird, so kann es durch mehrmaliges Umkrystallisieren leicht und vollständig beseitigt werden. (Zschr. d. Ver. f. Rüb.-Zuck.-Ind. **20.** 791. Dez. 1883.)

A. P. N. Franchimont, Über die *Oxycellulose von Georges Witz.* (Recueil des Trav. Chim. des Pays-Bas **2.** 241—45. Dez. [Sept.] 1883.)

Alois Smolka, Über *Isobutylbiguanid und seine Verbindungen.* Als Ausgangspunkt diente das schwefelsaure Isobutylbiguanidkupfer, aus dem man zuerst durch Schwefel-wasserstoff das Kupfer abschied und schwefelsaures Isobutylbiguanid erhielt, worauf letzteres durch Barytwasser zersetzt wurde. Das Isobutylbiguanid:

$$(C_4H_9)HN—C(NH)—NH—C(NH)—NH_2$$

ist eine kräftige, das Ammoniak leicht austreibende Base; seine Salze sind durchweg leicht oder sehr leicht löslich. Auch das Platindoppelsalz wird von Äther aufgenommen. Mit den meisten Metallsalzen erzeugt es Niederschläge der betreffenden Hydroxyde und fällt selbst die des Bariums, Strontiums und Calciums. Diese Eigenschaft stellt das Iso-butylbiguanid in seinen Reaktionen den Alkalien nahe, und zwar am nächsten dem Natron, insofern die Base weder durch Platinchlorid noch durch Weinsäure gefällt wird.

Es wurden folgende Verbindungen dargestellt: Isobutylguanidkupfer ($C_5H_{14}N_5$), Cu und dessen schwefelsaures, salzsaure, salpetersaure Salze, ferner das neutrale und saure Isobutylbiguanidsulfat, das neutrale und saure Isobutylbiguanidchlorhydrat, das Platin-doppelchlorid, das Isobutylbiguanidchromat und das neutrale Isobutylbiguanidoxalat. (Monatsh. f. Chem. **4.** 815—32.)

C. A. Lobry de Bruyn, Über die *Reaktion zwischen dem o- und p-Dinitrobenzol und Cyankalium und über die Trennung des o-Dinitrobenzols von seinen Isomeren.* Wenn man eine siedende Lösung von o-Dinitrobenzol in absolutem Alkohol mit reinem Cyan-kalium versetzt, so bildet sich nur eine Spur von Nitrit; das gewöhnliche Cyankalium liefert mehr davon, was der Vf. auf einen geringen Gehalt an Kali zurückführt. Man erhält nach dem Sieden das o-Dinitrobenzol intakt wieder, was sehr bemerkenswert ist in anbetracht der aufserordentlichen Leichtigkeit, mit welcher es durch alkoholisches Kali angegriffen wird.

Das p-Dinitrobenzol, dargestellt durch successive Krystallisationen nach der Methode von KÖRNER und ZINCKE (Ber. Chem. Ges. **7.** 869 und 1372), von welchem der Vf. nur wenige Gramm zur Verfügung hatte, reagiert nicht, oder nur wenig bei gewöhnlicher Tem-peratur auf eine alkoholische Lösung von Cyankalium. Beim Sieden tritt die Reaktion bald ein. es bildet sich kein Farbstoff, wohl aber Kaliumnitrit und ein Körper von aro-matischem Geruch. Nach dem Abdampfen des Alkohols erhielt man eine krystallinische Masse, welche mit warmem Benzin erschöpft wurde. Nach der Abdampfung des Lösungs-mittels wurde der Rückstand aus Alkohol umkrystallisiert, und es bildeten sich dabei gelbe, weinrote Nadeln von kümmelartigem Geruch. Es ist demnach sicher, dafs das Cyan nicht direkt für die NO₂-Gruppe eingetreten ist, obgleich sich Kalium-nitrit gebildet hatte, denn in diesem Falle hätte sich p-Nitrocyanbenzol bilden müssen, welches bei 59° schmilzt. Der Vf. hatte von dem bei 59° schmelzenden Körper zu wenig um weitere Prüfungen damit vorzunehmen, indessen genügen die erhaltenen Resaltate, um von neuem den grofsen Einfluſs der relativen Stellung einer und derselben Atomgruppe auf die Eigenschaften der Körper zu zeigen.

Die beschriebene Reaktion kann zur Trennung des o-Dinitrobenzols von seinen Isomeren, welche sich zugleich mit ihm bei dem Nitrieren des Benzols bilden, dienen. Nach der Methode von RINNE und ZINCKE ist diese Trennung ziemlich schwierig. Der Vf. empfiehlt folgendes leicht ausführbares Verfahren, welches er an den Fabrikationsrückständen des m-Dinitrobenzols von KAHLBAUM studierte. 100 g dieser Rückstände wurden in 1½ l Alkohol gelöst, auf etwa 40° erwärmt und mit 40 g Cyankalium (von 96—98 p. c.) welches in etwas Wasser gelöst war, versetzt. Es treten hierbei dieselben Erscheinungen auf, wie bei reinem m-Dinitrobenzol. Nach Beendigung der Reaktion destilliert man mit Alkohol ab und verdampft den Rückstand in einer Schale. Man fügt dann Salpetersäure (1,35 spez. Gewicht) in kleinen Portionen hinzu und erhitzt, bis die Flüssigkeit eine ziemlich schwache Bräunlichfärbung angenommen hat. Hierauf gieſst man das Produkt in Wasser und erhält einen Niederschlag, welchen man abfiltriert. Zuletzt destilliert man diesen Niederschlag mit Wasser. Das o-Dinitrobenzol geht, wenn auch langsam, mit den Wasserdämpfen über, und nach dem Umkrystallisieren aus Alkohol erhält man es rein. Eine direkte Destillation des Rückstandes mit Wasserdämpfen führt zu keinem Resultat, weil das m-Dinitrobenzol sich gleichzeitig mit verflüchtigt. (Recueil des Trav. Chim. des Pays-Bas. **2.** 238—40. Dez. [Sept.] 1883.)

O. Kornatzki, Über *einige Azotoluoldisulfosäuren.* (LIEB. Ann. **221.** 179—91.)

O. Kornatzki, Über *eine p-Bromtoluoldisulfosäure.* (LIEB. Ann. **221.** 191—202.)

G. Mohr, Über die *Benzylsulfonsäure.* (LIEB. Ann. **221.** 215—30.)

W. Hentschel, *Verfahren zur Darstellung von Salicylsäure und alkylierten Phenolen aus Phenylkohlensäureestern.* (D. P.) Mengt man Diphenylcarbonat mit einer äquivalenten Menge Alkali als geschmolzenes Natriumhydrat oder Natriumalkoholat, resp. Natriumhydrat und Alkohol und erhitzt in einer indifferenten Atmosphäre auf 200°, so destilliert Phenol, resp. Phenetol ab, während aus dem in Wasser gelösten Rückstande die Salicylsäure sich auf Zusatz von Salzsäure abscheidet. Die Umsetzungen verlaufen nach folgenden Gleichungen:

$$CO(OC_6H_5)_2 + C_6H_5ONa = C_6H_4.COONa.OH + C_6H_5.O.C_6H_5.$$
$$CO(OC_6H_5)_2 + NaOH = C_6H_4.COONa.OH + C_6H_5OH.$$

Zur Herstellung des Diphenylcarbonates leitet man in eine wässerige Lösung von Phenolnatrium Chlorkohlenoxyd, wodurch das Diphenylcarbonat, mit wenig Phenol verunreinigt, ausfällt. Es wird mit verdünnter Natronlauge gewaschen, mit Wasser ausgelaugt und gewaschen; nach dem Erkalten wird das überstehende Wasser abgegossen und das Diphenylcarbonat destilliert.

Statt des Diphenylcarbonates können indes auch andere Phenylkohlensäure-Alkylester zur Darstellung der Salicylsäure benutzt werden; dieselben ergeben beim Destillieren mit Phenolnatrium in indifferenter Atmosphäre alkylierte Phenole und salicylsaures Natrium; die folgende Gleichung versinnlicht diese Umlagerung für den Phenylkohlensäureäthylester;

$$CO(OC_6H_5)_2 + C_6H_5ONa = C_6H_4.COONa.OH + C_6H_5OC_2H_5.$$

(Pol. Journ. **250.** 427—28.)

H. Limpricht, Über das *Verhalten der Amide einiger Sulfosäuren gegen salpetrige Säure.* 1. Über das Amid der Amidobenzol-m-Sulfosäure von F. Hybbeneth. 2. Über das Amid der p-Amidotoluol-o-Sulfosäure von A. Heffter. 3. Über das Amid der o-Amidotoluol-p-Sulfosäure von W. Paysan. (LIEB. Ann. **221.** 203—15,)

Chastaing, *Einwirkung von Brom auf Pilocarpin.* Wenn man eine Chloroformlösung von Pilocarpin $C_{22}H_{16}N_2O_4$ mit Brom versetzt, so erhitzt sich die Flüssigkeit, und es scheidet sich alsbald unter dem Chloroform eine sehr dicke ölige Masse ab. Dabei wird die Mischung sauer. Das Chloroform bleibt durch einen Überschuſs von Brom gefärbt und hält eine kleine Menge eines bromierten Produktes zurück, welches sich nach einigen Tagen in krystallinischer Form an den Wänden des Gefäſses absetzt. Verdampft man das von dem dichten Öl und den Krystallen abgegossene Chloroform, so erhält man abermals eine gewisse Menge von Krystallen, welche den vorher genannten ähnlich sind. Das Verdampfen muſs langsam erfolgen, zuletzt unter Zusatz von Kalk, welcher die sauren Dämpfe absorbiert. Was die ölige Flüssigkeit betrifft, so hinterläſst sie beim raschen Verdampfen einen harzigen Rückstand von schön goldgelber Farbe. Wird dieser in einer sehr grofsen Menge Chloroform aufgenommen, so erhält man durch langsame Verdampfung des letzteren ein krystallinisches Produkt. Die Krystalle bestehen aus mikroskopischen kleinen Prismen. Die Elementaranalyse ergab die Formel $C_{22}H_{16}N_2O_4B_2$, welche man in anbetracht des Verhaltens dieses Produktes $C_{27}H_{14}Br_2N_2O_4, HBr, Br_2$ schreiben kann. Hiernach wäre der Körper das Dibromid des bromwasserstoffsauren · Dibrompilocarpins. In Berührung mit Metallen, z. B. mit Kupfer tritt dieses Dibromid einen Teil seines Broms ab unter Bildung von Metallbromid; mit Silberoxyd bei Gegenwart von Wasser und Chloroform behandelt, giebt es 3Br ab unter Hinterlassung der gebromten Base $C_{22}H_{14}Br_2N_2O_4$. Diese besitzt das Aussehen des Pilocarpins, ist aber weniger flüssig. Sie bläut Lackmus, doch weniger energisch als die nichtgebromte Base. Durch Platinchlorid wird sie gefällt. Sie ist geruchlos, zieht aus der Luft Feuchtigkeit an und gewinnt dadurch den Geruch eines Bromwasserstoffäthers. Sie verändert sich also unter dem Einfluß der Luft, und das dadurch entstehende Produkt ist ärmer an Kohlenstoff als das ursprüngliche. Als man Brom auf Pilocarpin bei Gegenwart von etwas Wasser einwirken ließ, erhielt man nicht die obengenannte Verbindung, sondern das Dibromid des Bromhydrates einer schwachen Base, welche von dem Pilocarpin durch zwei Atome Kohlenstoff differiert. Das entstandene Salz hat die Zusammensetzung $C_{20}H_{14}Br_2N_2O_4, HBr, Br_2$. (C. r. 97. 1335—37 [17*] Dez. 1883.)

D. B. Dott, Über den *Verbindungszustand des Morphins im Opium*. Vf. schließt aus folgenden Thatsachen, daß Morphin im Opium sowohl als Sulfat, wie als Meconat existiert: Ein wässeriges Opiumextrakt enthält genügend Schwefelsäure, um das gesamte, darin enthaltene Morphin zu sättigen; die in demselben Extrakte enthaltene Meconsäure ist nicht hinreichend, das gesamte, darin enthaltene Morphin zu binden; 3. das Extrakt enthält anorganische und organische Basen, mit welchen die Schwefelsäure eher Verbindungen eingeht, als mit Morphin; der Rest der Schwefelsäure ist nicht hinreichend, das gesamte Morphin zu binden. (Aus Chem. and Drugg. d. Deutsch.-Amer. Apoth.-Ztg. 4. 571.)
P.

J. v. Laborde und **H. Dusquesnel,** *Aconit und Aconitin.* Das Aconit verdankt seine besonderen Eigenschaften dem krystallisierten Aconitin. Jede gut charakterisierte Aconitart besitzt sein eigenes krystallisiertes Aconitin und wohl auch, wie Aconitum Napellus, ein amorphes unlösliches Aconitin und ein amorphes lösliches Alkaloid. Das krystallisierte Aconitin ist in Wasser fast, in Glycerin ganz unlöslich, löslich in Alkohol, und dreht die Polarisationsebene nach links; es bildet Salze.

Das amorphe Aconitin und Napellin unterscheiden sich von dem krystallisierten auch physiologisch vollkommen. Den größten Gehalt an wirksamer Substanz enthalten die Wurzeln; getrocknet verlieren alle Teile der Pflanze an Wirksamkeit.

Das Gift findet sich in der Leber. Auf dieses Organ muß deswegen bei gerichtlichen Untersuchungen besonders Rücksicht genommen werden. (G. Masson. d. D. Med. Ztg. 4. 781. Dez. 1883. Paris.)
P.

5. Physiologische, medizinische und pharmazeutische Chemie.

A. Tschirch, *Untersuchungen über das Chlorophyll.* (Ber. Bot. Ges. 1. 462—71. [10. Nov.] 21. Dez. 1883.)
P.

O. E. R. Zimmermann, *Die Hefe.* (Ztschr. f. Mikroskop. und Fleischschau 2. 15. Dez. 1883.)

H. Weiske, Über *den Gehalt an Bitterstoff in den verschiedenen Lupinenarten und Varietäten.*

Lupinus Cruckshanksii	(weiße Lupine)	1,00 p. c.	Bitterstoff
· „ luteus	(gelbe „)	0,81	„
·: „	(weiße „)	0,51	„
„ polyphyllus	(perennier. „)	0,48	„
„ termis	(weiße „)	0,39	„
„ angustifolius	(weißsamige Varietät)	0,37	„
„ linifolius	(blaue Lupine)	0,29	„
·· „ albus	(dicksamige Varietät)	0,27	„
„ angustifolius		0,25	„
„ hirsutus		0,02	„ ·

Die betreffenden Lupinen sind alle unter gleichen Verhältnissen auf dem Versuchsfelde der ehemaligen Akademie Proskau gewachsen. Auch andere Proben von Lupinus hirsutus, welche fast gar keinen Bitterstoff enthält, ergaben das gleiche Resultat, und sei deshalb nicht zu bezweifeln, daß diese Lupinenart von den Tieren ohne Nachteil aufgenommen werden könne. Lupinus hirsutus zeichnet sich der am meisten angebauten gelben Lupine gegenüber auch dadurch aus, daß ihr Fettgehalt doppelt so groß sei; auf Trocken-

substanz berechnet, habe dieselbe einen Gehalt von 13,5 p. c. Fett und 28 p. c. Proteïn.
(Landwirt 11. Dez. 1883; Milchztg. **13.** 8--9. 2. Jan.) P.

Alex. Elliot Haswell, Über die *Gesamtanalyse des Harns.* (Rep. anal. Chem. **3.**
357—62. Wien. Dez. 1883.)

W. Kühne, Über *Hemialbumose im Harne.* Als Hemialbumose bezeichnet Vf. den
äufserst seltenen Albuminstoff, den zuerst BENCE-JONES im Harne eines Osteomalacischen
(Phil. Trans. 1848. I) aufgefunden, und der seitdem nur in einem Falle von akuter Osteomalacie
der Rückenwirbel beobachtet wurde. Der Harn war hellgelb, stark sauer und enthielt ein
teils aus Harnsäure und Uraten, teils aus Hemialbumose bestehendes Sediment. Beim
Erwärmen des Harnes trat bei ca. 43° eine Trübung auf, die bis 50° zunahm und flockig
wurde, bei weiterem Erwärmen aber sich wieder löste, um beim Erkalten von neuem
aufzutreten. (Die gereinigte neutrale Lösung der Hemialbumose trübte sich bei 52—60°;
nach Zusatz von viel Chlornatrium schied sich die Substanz schon bei 37° aus.) Diese
charakteristische Reaktion liefs sich beliebig oft wiederholen; eine mäfsige Menge von
Säure verhinderte das Zustandekommen derselben nicht, wohl aber ein gröfserer Überschufs. Essigsäure und Kohlensäure fällt die Hemialbumose nicht, wohl aber eine gewisse
Menge Salpetersäure oder Salzsäure in der Kälte: beim Erwärmen löst sich der Niederschlag, der beim Abkühlen wieder ausfällt. Ähnlich verhalten sich fast alle durch Reagenzien erzeugten Fällungen. Diese Eigenschaft unterscheidet die Hemialbumose von
allen anderen Albuminstoffen. Dafs es sich hier in der That um einen Albuminstoff
handelt, ergiebt sich, wie Vf. eingehend erläutert, aus den übrigen Reaktionen, aus der
Elementaranalyse und aus den durch Alkalien und Säuren erhaltenen Spaltungsprodukten.
Künstlicher Magensaft führt die Hemialbumose in Pepton, Trypsinverdauung in Pepton,
Leucin und Tyrosin über. Die Lösungen der Hemialbumose liefern die Biuretreaktion,
demnach ist die Hemialbumose als ein Zwischenprodukt zwischen Eiweifs und Pepton
aufzufassen. (Zeitschr. f. Biol. **19.** 209—27; Fortschr. d. Med. **7.** 805. 15. Dez. 1883.) P.

Fjörd, *Nährwert der zentrifugierten abgerahmten Milch.* Infolge eines von STRUCK-
MANN gehaltenen Vortrages in der Augustversammlung dänischer Ärzte wurde die Resolution angenommen, dafs abgerahmte Zentrifugenmilch im allgemeinen ein unzulängliches,
für Kinder schlechthin gefährliches Nahrungsmittel sei; weniger in einer Mischung mit
frischgemolkener Milch in einem passenden Verhältnis. Entgegen der Behauptung STRUCK-
MANN's, dafs der Fettgehalt der zentrifugierten Milch 0,2 p. c. und derjenige der abgerahmten Bütenmilch 1,0 p. c. betrage, wird von FJÖRD auf Grund von 101 Analysen von
Bütenmilch nachgewiesen, dafs der Durchschnittsgehalt der letzteren nur 0,58 p. c. Fett
ergiebt. Ferner ist der Gehalt an Zucker und Eiweifs in der zentrifugierten Milch derselbe, als in abgerahmter Bütenmilch. Vf. fand in beiden ungefähr 3,6 p. c. Eiweifs und
4,6 p. c. Zucker. Die erstere hat manche Vorzüge vor letzterer: sie ist reiner und frei
von allem Schmutze, ebenso frisch, wie süfse Milch, während abgerahmte Bütenmilch
leicht säuerlich wird. Die Klagen, dafs die zentrifugierte Milch nicht gekocht werden
kann, stehen unzweifelhaft in Verbindung damit, dafs man die Milch vor dem Zentrifugieren nicht gehörig durch Eis gekühlt hat. Erhebungen bei Zentrifugen-Meiereien ergaben, dafs bei zehn derselben mit der zentrifugierten Milch als Futter für Kälber und
Schweine ein eben so gutes Resultat erzielt worden ist, als mit abgerahmter Milch, drei
dagegen behaupteten, ein geringeres Resultat erzielt zu haben. (Milchztg. **13.** 9—10.
2. Januar 1883.) P.

Jos. Zanni, *Neue Versuche über Butter.* In einer preisgekrönten Schrift (Wien 1883,
Internationale pharm. Ausstellung) schlägt nach einem Rückblicke auf die seither angewandte Methoden Vf. folgende Prüfungsweisen vor.

1. Man schmelze eine kleine Quantität Butter in einem Porzellanschälchen bis zu
einer Temperatur von 130°C. Nachdem dieselbe einen Tag zum Erkalten bei Seite gestellt war, malaxiere man sie mittels eines Glasspatels recht kräftig. Mischbuttersorten
geben hierbei einen deutlichen, unangenehmen Geruch nach Unschlitt, was bei Milchbutter
selbst nach Monaten nicht der Fall ist.

2. Man verbrenne 2 g der Butterprobe im Platintiegel. Reine Kuhbutter läfst höchstens
0,012 Margarin, 0,025 Conyronkfett, sogar 0,036 Aschenbestand zurück.

3. Nachweis von Buttersäuregehalt. (Etwa zugesetzt der Säurekorrektur wegen).
Auswaschen der zu prüfenden Butter mit destilliertem H₂O und Titrieren dieser Lauge
mit Normalalkalilösung, sodann Abziehen der gefundenen Zahl von der aus der gleichen
(ungewaschen) Butterprobe erhaltenen Quantität der flüchtigen Fettsäuren, letzteres
nach dem Verfahren von HEHNER, ANGHELL oder REICHERT. Sodann Bestimmen des
Gehaltes an unlöslichen Fettsäuren in ausgewaschener und nicht ausgewaschener Butter.
Der Unterschied im Verhältnisse der unlöslichen Fettsäuren in gewaschener, und der
jener in ungewaschener Butter mufs mit dem jeweiligen Gehalte an löslichen Fettsäuren
korrespondieren. Ist dieser Gehalt zu hoch befunden, so hat man die Quantität der

(durch fraktionierte Destillation) zu findenden Capron- und Caprylsäure zu subtrahieren und hat dann den Gehalt an Buttersäure.

4. Durch das Mikroskop. Reine Kuhbutter bei einer Temperatur zwischen 26—30°C. erscheint unter dem Mikroskop in regelmäßig kugeliger und durchsichtiger Form. Mit vegetabilischen Ölen vermischte Butter verliert schon einen Teil dieser Eigenschaft zwischen 18—24°. Mischungen von Butter und Margarin oder Conyronkfett zeigten dagegen eine mehr oder minder krystallinische Form, die darin enthaltenen Teilchen animalischen Fettes aber erschienen in unregelmäßig kugeliger Form und zumeist verdunkelt.

5. Man kann also jedenfalls unter dem Mikroskop durch Bestimmung der erscheinenden Membranen den ungefähren Gehalt an animalischen Fetten bestimmen, wie auch S. E. FAYK PASCHA, Prof. d. Chemie, und HAY-DAR EFFENDI, Prof. der Mikroskopie durch eingehende Versuche mit dem Vf. in dieser Richtung übereinstimmen.

6. Um vegetabilische Öle in Butter nachzuweisen, zerrieb Vf. in der Handfläche eine kleine Quantität recht fest. Bei Anwesenheit der besagten Öle tritt deutlich der Geruch derselben hervor.

7. Schmilzt man Butter mit Ozonwasser vollständig und läßt bis zur Temperatur von 18—25° erkalten, so scheidet sich bei Gegenwart eines fetten Öles dieses von der Oberfläche ab und kann mit der Pipette abgezogen werden.

8. Eine Butter, die über 53 p. c. Ölsäure enthält, ist immer als eine mit vegetabilischen Ölen vermengte Mischung anzusehen. Behandeln derselben mit der Presse, und Bestimmen der Öl- und Stearinsäure durch Alkohol oder Magnesiumacetat werden hier zum Ziele führen.

Aus mehr denn 80 ausgeführten Analysen von Butter mittels der HEHNER'schen Methode ergiebt sich, daß eine gute Butter 87,5 bis 88 p. c. an unlöslichen Fettsäuren enthalten muß. Jedenfalls ist nicht allein vom Gehalte an fixen Fettsäuren die Reinheit der Butter abhängig. (D. Amer. Apoth.-Ztg. 4. 578. Konstantinopel.)

C. Glasvecke, Über die *Ausscheidung und Verteilung des Eisens im tierischen Organismus nach Einspritzung von Eisensalzen.* Ferrum citricum wird von allen Salzen des Eisens am besten und sichersten resorbiert; dasselbe macht auch Eisensulfat noch einigermaßen resorbierbar. Der Harn enthält Ferro- und Ferrisalze, jedoch meistenteils diejenigen Verbindungen, welche durch Injektion dem Organismus einverleibt wurden. In der Niere hält sich der Eisengehalt drei Jahre lang, ebensolange in der Leber. Der Eisengehalt der Milz und des Knochenmarks wird durch Injektion nicht beeinflußt. (Inaug.-Dissert. Kiel.) P.

Rabuteau, *Untersuchungen über die physiologischen Wirkungen der Galliumsalze.* (C. r. de la Soc. de Rive. 1883. 310—14.) P.

Imanuel Munk, *Der Einfluß des Asparagin auf den Eiweißumsatz und die Bedeutung desselben als Nährstoff.* (Arch. für pathol. Anat. u. Phys. 94. 436—54. 10. Dez. 1883. Berlin.)

E. Meisal und F. Strohmer, Über die *Bildung von Fett aus Kohlehydraten im Tierkörper.* Die Vff. beschreiben einen Versuch mit einem Schweine, welcher hauptsächlich in der Absicht angestellt wurde, die Frage: ob aus Kohlehydraten im Tierkörper Fett entsteht oder nicht, zur Entscheidung zu bringen. Das zur Versuche dienende Tier war etwa 1¹/₄ Jahr alt und hatte beim Beginn des Versuches am 9. August 1882 ein Lebendgewicht von 140 kg. Der Versuch dauerte sieben Tage; das Futter bestand täglich aus 2 kg Reis, welcher mit 4 l Wasser weich gekocht war, und 15 g Kochsalz. Am Ende des siebenten Tages betrug das Körpergewicht 143,5 kg, das Tier hatte also 3,5 kg oder 0,5 kg pro Tag zugenommen. Fett, Kot und Harn wurden täglich analysiert, und außerdem wurde noch an zwei Versuchstagen mittels eines großen PETTENKOFER'schen Respirationsapparates die ausgeatmete Kohlensäure bestimmt.

Der Kot wird gewöhnlich als das Residuum der Nahrung betrachtet und unter Vernachlässigung der demselben beigemischten Stoffwechselprodukte, die Differenz zwischen der aufgenommenen Nahrung und dem Kote, als der verdaute Anteil der Nahrung angesprochen. Sobald die Kotausscheidung eine reichliche ist, kann dies auch ohne wesentlichen Fehler geschehen. In dem vorliegenden Falle jedoch machen die Stoffwechselprodukte einen nicht unerheblichen Teil des Kotes aus. So besteht besonders der in Äther lösliche, als Fett bezeichnete Anteil des Kotes zum allergrößten Teile aus Produkten der Stoffmetamorphose. Versetzt man den in Äther löslichen Bestandteil des Kotes, nach dem Verdunsten des Äthers, mit alkoholischer Kalilauge und titriert mit Salzsäure bei Gegenwart von Phenolphtalein als Indikator zurück, so findet man, daß annähernd die Hälfte der Fett bezeichnete Substanz aus freien, sofort schon in der Kälte verseifbaren Säuren besteht. Nur ein kleiner Teil wird erst beim Kochen mit alkoholischer Kalilauge verseift, besteht also aus Glyceriden, beziehungsweise Neutralfetten. Die Menge dieser beträgt kaum ein Viertel des Ätherextraktes. Der Rest besteht hauptsächlich aus

Cholesterin und Gallenbestandteilen, die sich übrigens auch unter den freien Säuren finden. Ein Teil der stickstoffhaltigen Substanzen des Kotes ist gleichfalls den Stoffwechselprodukten zugehörig, was daraus hervorgeht, daß durch Wasser sowohl kleine Mengen Stickstoff als Schwefel in Lösung gehen. Wenn man dennoch im folgenden die Verdaulichkeit des Reises aus der Differenz zwischen den verzehrten und im Kote ausgeschiedenen Mengen berechnete, so geschah dies nicht bloß, um der üblichen Annahme zu folgen, sondern deswegen, weil es keine brauchbaren Methoden giebt, den Anteil der Stoffwechselprodukte im Kote zu ermitteln, und weil die absoluten Mengen des bei diesem Versuche ausgeschiedenen Kotes so gering sind, daß sie ohne wesentlichen Einfluß auf das Resultat bleiben.

	Verzehrt Gramm		Im Kot Gramm		Verdaut Gramm		Von der Nahrung sind verdaut
	In Summa	pro Tag	In Summa	pro Tag	In Summa	pro Tag	
Trockensubstanz	12097,4	1728,2	172,94	24,71	11924,46	1703,49	98,57 p. c.
Protein	823,2	117,6	93,14	13,31	730,06	104,29	88,68
Fett	55,6	7,94	18,61	2,66	36,99	5,28	66,53
N freie Subst.	11146,2	1592,31	40,50	5,79	11105,7	1586,52	99,63
Asche	58,4	8,34	20,65	2,95	37,75	5,39	64,64
Kohlenstoff	5357,6	765,37	83,97	12,00	5273,63	753,37	98,43
Stickstoff	130,7	18,67	14,90	2,13	115,80	16,54	88,68

Unter Berücksichtigung des oben Gesagten wird sich die faktische Verdaulichkeit etwas höher stellen, als die im vorstehenden berechnete, namentlich soweit das Fett in Betracht kommt, um ein geringes erhöht sich auch die des Proteins und vielleicht der Asche; letztere deshalb, weil im Kote möglicherweise auch ein Teil der im Wasser enthaltenen Mineralstoffe ausgeschieden wird. Das Kochsalz erscheint dagegen, wie hier bemerkt werden mag, nahezu vollständig im Harne.

Der Stickstoff im Harn wurde sowohl azotometrisch, als auch durch Glühen mit Natronkalk bestimmt. In der nachstehenden Tabelle sind die täglich gelassenen Gesamtmengen, das spez. Gewicht und die Zusammensetzung des Harnes, soweit sie uns hier interessieren, angeführt.

Datum	Harngesamt-menge	Spez. Gew.	Stickstoff		Kohlenstoff		
			azoto-metrisch in 100 g	Gesamt-menge in 100 g	pro Tag	in 100 g	pro Tag
9. August	8245,5	1,005	0,114	0,141	11,626	0,142	11,709
10.	6650,0	1,007	0,130	0,152	10,108	0,158	10,507
11.	6460,0	1,007	0,129	0,150	9,690	0,158	10,207
12.	7918,0	1,004	0,112	0,151	11,956	0,154	12,194
13.	6553,5	1,005	0,139	0,164	10,748	0,184	10,194
14.	6739,0	1,007	0,144	0,149	10,041	0,141	11,604
15.	6156,5	1,009	0,122	0,147	9,050	0,171	9,790
Summa	48735,5				73,219		76,205
Durchschn. pro Tag	6960,3				10,46		10,887

Wie ersichtlich, ergab die Bestimmung des Stickstoffes mit unterbromigsaurem Natron weniger als die Verbrennung mit Natronkalk, was darauf hindeutet, daß nicht der gesamte Stickstoff in Form von Harnstoff im Harne enthalten ist. Thatsächlich konnte aus dem mit Kalilauge eingedampften Harn nach dem Ansäuern durch Extraktion mit Äther Benzoesäure isoliert werden; der Harn enthielt demnach Hippursäure, die direkte Prüfung darauf ergab bloß ein zweifelhaftes Resultat. Ferner ließen sich Spuren von Harnsäure qualitativ nachweisen. Daß der Harn außer Harnstoff noch kohlenstoffreichere organische Substanzen enthalten mußte, ist auch aus dem Verhältnisse von N : C, das nahezu wie 1 : 1 ist, zu entnehmen; während der Harnstoff weniger als halb soviel Kohlenstoff als Stickstoff enthält.

XV.

Die Respirationsversuche ergaben an zwei Versuchstagen 1660,00, resp. 1664,00 p. c. Kohlensäure, entsprechend 452,72, resp. 453,81 g Kohlenstoff pro 24 Stunden.

Auf Grund dieser Resultate ist es nun möglich, die Stickstoff- und Kohlenstoffbilanz aufzustellen und damit zu einem Urteile über den Fettumsatz und die Quelle des Fettes zu gelangen.

Stellt man die Stickstoff- und Kohlenstoffmengen in den Ausscheidungen des Schweines nebeneinander, so erhält man folgende Zahlen:

	Kohlenstoff, ausgeschieden in			Stickstoff, ausgeschieden in	
	Kot	Harn	Respirat. Gasen	Kot	Harn
9. August	16,20	11,71	—	2,63	11,63
10.	18,72	10,51	—	3,14	10,11
11.	8,58	10,21	452,72	1,47	9,69
12.	0,00	12,19	—	0,00	11,96
13.	24,13	10,19	—	4,70	10,75
14.	0,00	11,60	453,81	0,00	10,04
15.	16,34	9,79	—	2,96	9,05
Summe	83,97	76,21		14,90	73,22
Im Durchschnitte pro Tag	12,00	10,89	453,26	2,13	10,46
Im Ganzen pro Tag 476,15g				12,59 g	

Die befriedigende Gleichmäfsigkeit der täglichen Stickstoff- und Kohlenstoffausgabe läfst es gestattet erscheinen, aus den Summen die durchschnittliche Ausgabe pro Tag zu berechnen. Vergleicht man diese mit der durchschnittlichen täglichen Einnahme (siehe die erste Tabelle), so ergiebt sich für den Kohlenstoff- und Stickstoffumsatz pro Tag:

Kohlenstoff			Stickstoff		
Einnahme	Ausgabe	Im Körper verblieben	Einnahme	Ausgabe	Im Körper verblieben
765,37	476,15	289,22	18,67	12,59	6,08

Es ist demnach eine verhältnismäfsig grofse Menge Kohlenstoff und nur wenig Stickstoff zum Ansatz gelangt.

Berechnet man durch Multiplikation mit dem konventionellen Faktor 6,25 den angesetzten Stickstoff auf Eiweifs, so ergiebt sich ein täglicher Ansatz von 38 g Eiweifs an. Der im Körper verbliebene Kohlenstoff gehört teilweise dem angesetzten Eiweifs an, und nur der nach Abzug des Eiweifs-Kohlenstoffes bleibende Rest mufs, wenigstens zum weitaus überwiegenden Teile als Fett zurückgeblieben sein, nachdem sonst keine andere kohlenstoffreiche und stickstofffreie Substanz in gröfserer Menge im Tierkörper vorkommt.

Die 38 g zum Ansatz gelangten Eiweifs enthalten, wenn man die gewöhnlich angenommene Zusammensetzung desselben (N=10 p. c., C=53 p. c.) zu grunde legt, 30,1 g Kohlenstoff. Mithin entfallen von den im Körper verbliebenen Kohlenstoff = 289,22 g auf das angesetzte Eiweifs = 20,10 g, und es verbleiben zur Fettbildung = 269,12 g C disponibel. Das Schweinefett enthält 76,5 p. c. C., somit entsprechen die 269,12 g C = 351,8 g Fett, welche aufser dem Eiweifs gleichfalls zum Ansatz gelangt sein müssen.

Nun ist noch zu entscheiden, woher stammt das angesetzte Fett? Ein Teil des Fettes kann aus der Nahrung schon fertig vorhandenen stammen. Nimmt man selbst an, dafs das ganze Nahrungsfett wirklich verdaut und angesetzt wurde, so sind dies pro Tag 7,94 g. Ein anderer Teil des Fettes kann aus dem im Körper zerfallenen Eiweifs entstanden sein. Nach HENNEBERG können im Maximum aus 100 Teilen Eiweifs nach Abspaltung von Harnstoff 51,4 p. c. Fett entstehen. Das Mafs für das im Körper zersetzte Eiweifs bildet der im Harne ausgeschiedene Stickstoff. Im vorliegenden Falle sind dies 10,46 g pro Tag (siehe die zweite Tabelle) entsprechend 65,4 g Eiweifs; diese bilden im günstigsten Falle 33,6 g Fett. Der nach Abzug dieses, noch verbleibende Rest des angesetzten Fettes mufs neu entstanden sein, und zwar da aufser dem Eiweifs der einzige Bestandteil der Nahrung, der die Elemente des Fettes enthält, die Stärke ist, aus dieser. – Das zum Ansatze gelangte Fett verteilt sich also folgendermafsen: Fett aus der Nahrung

7,9 g pro Tag, Fett aus dem im Körper zerfallenen Eiweiſs 33,6 g pro Tag, Fett aus Kohlehydraten neu gebildet 310,3 g pro Tag, im Körper angesetzt 351,8 g pro Tag.

Es ist demgemäſs, selbst wenn man alles Fett der Nahrung als verdaut annimmt und aus dem im Körper zerfallenen Eiweiſs die gröſstmögliche Menge Fett entstehen läſst, immer noch sieben- bis achtmal mehr Fett aus Kohlehydraten entstanden. In Wirklichkeit dürfte sich das Verhältnis noch günstiger für die Kohlehydrate stellen, so daſs vielleicht nahezu das gesamte, zum Ansatz gelangte Fett aus denselben stammt. (Monatsh. für Chem. **4.** 801—14, Mitte Dezember [5° Juli] 1883, Wien; Landw. Vers.-Stat.)

B. Schulze, *Einfluſs des Bromkaliums auf den Stoffwechsel.* Der Vf. hat an sich selbst Versuche angestellt, welche ergaben, daſs unter dem Einfluſs des Bromkaliums der Phosphorumsatz herabgesetzt, der Eiweiſsumsatz um ein geringes gesteigert wird. Vf. meint, dieses Resultat dahin deuten zu müssen, daſs unter dem Einfluſs des Bromkali eine wesentliche Herabminderung des Stoffumsatzes im Innern des (an phosphorhaltigen Stoffen reichen) Nervensystemes und damit eine bedeutende Herabsetzung der Nerventhätigkeit eingetreten ist. Erwähnt sei noch, daſs an den Bromkalitagen das tägliche Harnvolumen um 40—50 p. c. anstieg, um mit dem Aussetzen des Mittels sofort wieder zur Norm zurückzukehren, während, wie die Prüfung des Harns auf Brom (mittels Chlorwasser und Chloroform) ergab, am Tage der KBr-Einfuhr nur sehr wenig davon im Harn wieder auftrat, die Hauptmenge erst am folgenden Tage bei normalem Harnquantum. (Ztschr. f. Biol. **19.** 301; Med. C.-Bl. **21.** 948—49.)

M. Schrodt, *Ein neues Konservierungsmittel für Milch und Butter.* BUSSE erwähnt in der Milchzeitung 1882 Nr. 33 einige Versuche, welche er mit einem neuen antiseptischen Mittel, *Wasserstoffsäure* genannt, behufs Konservierung von Milch und Butter angestellt hat. Durch weitere Versuche (l. c. 1883 Nr. 21. 24. 25.) mit diesem Konservierungsmittel haben sich solche günstige Erfahrungen ergeben, welche den Vf. veranlaſsten, das Mittel zu prüfen. Zu diesem Behufe wurde durch Vermittelung anderer Personen das Mittel direkt aus der Fabrik von BUSSE bezogen. Dasselbe stellt eine wasserhelle, sauer reagierende Flüssigkeit dar, welche namentlich beim Schütteln Gasblasen entwickelte und einen geringen weiſslichen Bodensatz aufwies. Das Gas ist *Sauerstoff,* welcher von *Wasserstoffsuperoxyd* (mittels der Chromsäure-Reaktion konstatiert) herstammt. Die Flüssigkeit enthält auſserdem noch *Salzsäure,* welche dem leicht zersetzbaren Wasserstoffsuperoxyd eine gröſsere Beständigkeit verleiht, Spuren von Schwefelsäure und als ferneren wesentlichen Bestandteil, in einer Menge von ca. 2 p. c., *Borax.*

Die Konservierungsversuche erstreckten sich nicht allein auf die Prüfung der BUSSE'schen Flüssigkeit, sondern auch auf diejenige von reinem Wasserstoffsuperoxyd (dreiprozent. Lösung). Von der den Versuchen unterworfenen Milch, welche für jede Versuchsreihe von derselben Melkung herstammte und stets eine amphotere Reaktion zeigte, gelangten je 200 g zur Verwendung. Seitens des Fabrikanten wird ein Zusatz der Konservierungs-Flüssigkeit zur Milch von 1 : 500 angeraten; dieses Verhältnis wurde später auf 2 : 500 erhöht. Sobald die Milch anfing, auf empfindliches blaues Lackmuspapier einzuwirken, galt der Versuch als abgeschlossen. Der Zusatz der BUSSE'schen Flüssigkeit hebt die amphotere Reaktion der Milch nicht auf. (Der Versuch wurde bei Kellertemperatur 11—16° C. angestellt.)

Es ergab sich das Resultat, daſs sowohl der Zusatz der BUSSE'schen Flüssigkeit, als auch des reinen Wasserstoffsuperoxydes den Beginn der durch Lakmuspapier nachzuweisenden Säuerung der Milch um vierzehn Stunden verzögerte. Der Zeitraum, welcher zwischen dem Auftreten der sauren Reaktion und der Gerinnung verfloſs, ist im Durchschnitt ein nur wenig differierender. Es geht hieraus hervor, daſs der Zusatz der beiden Konservierungsmittel haben sich die fortschreitende Säuerung, welche schlieſslich in der Gerinnung der Milch gipfelt, aufzuhalten nicht im stande war. Vergleiche des BUSSE'schen Mittels mit dem konservierenden Wirkung des Borax allein wiesen darauf hin, daſs ersteres eine entschieden stärker konservierende Wirkung ausübte, als letzterer. Der durch die BUSSE'-sche Flüssigkeit bewirkte Einfluſs macht sich nämlich durch ein um ungefähr 18, resp. 21 Stunden verzögertes Eintreten der Säuerung, resp. Gerinnung der Milch gegenüber der mit Boraxlösung versetzten bemerkbar. Aber auch in Mittel dieser Versuche wird weder durch den Zusatz von BUSSE'scher Flüssigkeit, noch durch den der Boraxlösung das Fortschreiten der Säuerung gehemmt. — In einer letzten Versuchsreihe wurde nochmals der Einfluſs des Wasserstoffsuperoxyds zur Milch (2 : 500) im Vergleich mit reiner Milch verfolgt, und zwar im wesentlichen mit dem gleichen Resultat, wie bei den früheren Versuchen. Die BUSSE'sche Flüssigkeit bietet vor dem reinen Wasserstoffsuperoxyd hinsichtlich der Konservierung der Milch keine besonderen Vorteile. (Milchztg. **12.** 785—88. 12. Dez. 1883. Kiel.)   P.

Julius A. Post, *Wasser und seine Beziehung zur Gesundheit.* Am Schlusse eines Vortrages über das obige Thema, bei welchem auch die bei der Wasseruntersuchung in betracht kommenden Methoden erwähnt wurden, stellt POST folgende Sätze für die Beurteilung des Wasers auf.

1. Bewirkt NESSLER's Reagens zwar eine Färbung des Wassers, aber keinen Niederschlag, sind Nitrate, Nitrite und Chloride abwesend, ist ferner das Wasser weich, so kann es genossen werden. Das Ammoniak ist alsdann pflanzlichen Ursprungs.

2. Giebt NESSLER's Reagens eine reichliche Fällung, aber keine Färbung, sind Chloride reichlich vorhanden, Nitrate und Nitrite oder organische Stoffe abwesend, ist aufserdem das Wasser hart, so ist letzteres allenfalls noch zu gebrauchen.

3. Wasser, in dem sich Ammoniak, Nitrite und Chloride vorfinden, darf nicht gebraucht werden; dagegen steht der Anwendung des Wassers nichts entgegen, wenn zwar Salpeter- und salpetrige Säure, aber kein Ammoniak und keine Chloride nachgewiesen wurden.

4. Nitrite und Chloride in reicher Menge machen das Wasser verdächtig, auch wenn Ammoniak fehlt.

Als Grenze für den Chlorgehalt hat man 2—3 Gran in einer Gallone Wasser anzusehen. (The Sanitarian 11. 721—27. 15. Nov. 1883.) P.

E. Zeitzschel, *die Schwefelmetalle.* Vf. giebt eine Skizzierung der Schwefelmetalle, soweit dieselben als Mineralien in der Natur vorkommen, und bespricht ihre Bildung in Erzgängen, wie sie sich nach den Untersuchungen LANDBERGER's ergeben hat. Nach ihrem chemischen Charakter lassen sich die Schwefelmetalle — wenn man die Schwefelverbindungen des Arsens, Wismuts und Antimons unter sie mit aufnimmt — sehr bequem klassifizieren. Schliefst man dabei die Arseniosulfide (Arsenkies, Kobaltglanz), welche den Übergang von den reinen Arseniden zu den Sulfiden bilden, aus, so erhält man folgende Gruppen:

1. *Sulfobasen,* a) einfache (Bleiglanz, Kupferglanz, Zinkblende, Zinnober),
b) zusammengesetzte (Kupferkies, Buntkupfererz, Silberkupferglanz).
2. *Hypersulfide* (Eisenkies, Wasserkies, Hauerit).
3. *Sulfosäuren* (Auripigment, Antimonglanz, Wismutglanz).
4. *Sulfosalze* (Fahlerz, Rotgiltigerz, Sprödglaserz, Boulangerit).

(HUMBOLDT. 3. 14—22. Januar 1884. Görlitz.)

Hoffmann, *Cibil's Fleischextrakt.* Das Präparat unterscheidet sich wesentlich von den übrigen Fleischextrakten, indem es 1. flüssig ist, 2. mehr Eiweifs enthält und 3. einen wesentlich besseren Geschmack besitzt. Das Extrakt wird bereitet, indem das Fleisch zerkleinert und kalt mit reiner Salzsäure extrahiert wird. Die Säure neutralisiert man mit kohlensaurem Natron, und aus dem hohen Kochsalzgehalt resultiert der angenehme Geschmack. Bei dieser Methode wird der Leim gar nicht angegriffen; durch das Neutralisieren der Säure scheidet sich das Eiweifs in zarter Form aus, weshalb es wünschenswert ist, den Extrakt vor dem Gebrauche leicht umzuschütteln. (Vortrag. D. Med. Ztg. 4. 772. [3.] 20. Dez. 1883.) P.

Remy, *Notiz über das Gift japanischer Fische.* (C. r. de la Soc. de Biol. 1883. 263—65.) b.

S. J. Bendiner, Über die *Zersetzung des Jodoforms in Verbindung mit Calomel durch das Licht.* Fünf Proben im Verhältnisse von 1 Tl. Jodoform und 2 Tln. Calomel wurden unter folgenden Umständen bei gleicher Temperatur dem Sonnenlichte ausgesetzt:

1. unter einer $^{1}/_{4}$ Zoll dicken farblosen, 2. unter einer bernsteingelben, 3. unter einer kobaltblauen, 4. unter einer schwarzen Glasplatte und 5. frei auf weifsem Papiere. Nach sechs Stunden zeigte Probe 1 eine gleichmäfsige ziegelrote Farbe, Probe 2 und 3 hier und da schmutzig rosafarbige Flecke, Probe 4 war unverändert, Probe 5 zeigte eine intensiv schmutzig gelbe Farbe. Nach weiteren drei Stunden zeigte Probe 1 eine tiefrote Ziegelfarbe, Probe 2 und 3 eine rosagelbliche Farbe, Probe 4 war unverändert, Probe 5 rote Flecke in der gelben Masse. Nach weiteren 48 Stunden waren diese Farbenerscheinungen wenig verändert. Es folgt daraus, dafs das obige Gemisch in schwarzen Gläsern zu dispensieren sei. Beim gelinden Erwärmen im Reagierglase tritt die Zersetzung schneller und unter Entwicklung von starkem Chloroformgeruch und von Salzsäure ein. Die Reaktion mit Quecksilberchlorür dürfte analog der Einwirkung des Sublimates auf Jodoform verlaufen, also sich Jodchloroform bildet, welches mit diesem im Geruche nahezu identisch ist. (Vortrag auf d. New-Yorker Deutsch. Apoth.-Vers. d. D. Amerik. Apoth.-Ztg. 4. 546.) P.

J. L. Rössler, Über die *Verfälschung einiger Droguen und Chemikalien.* Vortrag in der österr. Gesellsch. z. Förderung der chemischen Industrie in Prag. (Rundschau. 9. 750—51. 20. Dez. 1883.) P.

Lennox Browne giebt als gefahrloses Anästhetikum eine Mischung aus 2 Tln. Chloroform und 1 Tl. Eau de Cologne an. Er nennt diese Mischung *Chlorätherin*. (Progr. méd. d. D. Med. Ztg. **4.** 791.) P.

F. H. Fremster, *Proxentgehalt von Caffeïn in der Guarana des Handels*. Probe Nr. 1 enthielt 4,3, Nr. 2, 4,6, Nr. 3, 4,9 Nr. 4, 4,8, Nr. 5, 5 p. c., im Mittel 4,7 p. c. Caffeïn. (Weekly Drug. N. and Amer. Pharm. **7.** 487. Cincinnati.) P.

7. Analytische Chemie.

P. C. Plugge, *Natriumhypobromit als Reagens zur qualitativen und quantitativen Bestimmung des Ammoniakharzes*. PICARD fand im Jahre 1852, dafs Natriumhypochlorit ein empfindliches Reagens auf Ammoniakharz ist. Fügt man, wie er angiebt, einige Tropfen des Hypochlorites zu einer alkoholischen Ammoniakharzlösung, so entsteht augenblicklich eine rote Farbe, die sehr empfindlich, doch nicht standhaft ist. Nach PICARD verschwindet jene Farbe beim Zutritt der Luft, bei der zu reichlichen Hinzufügung des Hypochlorites und bei der Anwesenheit von Säuren, wodurch Chlorgas frei wird. Er wies nach, dafs freies Chlor, Jod, Chromsäure, salpeterige Säure und Salpetersäure, die Lösung unverändert lassen, bewies, dafs die Reaktion nicht mit dem Gummi, wohl aber mit dem in Äther löslichen Harze erhalten wird, und konstatierte endlich noch, dafs die anderen Umbelliferenharze diese Reaktion nicht zeigen.

Der Vf. hat diese Versuche mit gleichem Resultate wiederholt und überdies gefunden, dafs auch durch Hinzufügung einiger Tropfen Bromwasser zu der alkalischen Lösung des Ammoniakharzes eine prächtig violettrote Färbung entsteht. Man kann sich mit Vorteil hier der sogenannten Bromlauge bedienen, welche man durch Lösung von 30 g reinem Natronhydrat in destilliertem Wasser, Zusatz von 20 g Brom und Verdünnung des Ganzen auf 1 l erzeugt. Fügt man einige Tropfen dieser Bromlauge zu einer Lösung des Ammoniakharzes in verdünnter Natronlauge (auch in der alkoholischen oder ätherischen Lösung des Harzes), oder befeuchtet man mit diesem Reagens eine Spur des Harzes, die zurückgeblieben ist nach der Verdunstung einiger Tropfen der ätherischen Lösung auf einem Porzellandeckel, so tritt die Reaktion sehr schön auf. Fügt man die Bromlauge langsam und tropfenweise zu der alkalischen Harzlösung, dann sieht man, dafs die rote Farbe anfangs augenblicklich verschwindet (die Flüssigkeit wird dann blafsgelb) um allemal, nach Hinzufügung eines neuen Tropfens wieder aufzutreten. Darauf folgt ein Stadium, worin die rote Farbe einige Sekunden fortdauert, aber wiederum ganz verschwindet, sobald man sie umschüttelt und einige Augenblicke wartet. Fügt man nun von der Bromlauge noch mehr hinzu, so tritt die rote Farbe stets weniger intensiv auf, und endlich erreicht man den Punkt, da ein neuer Tropfen des Reagens keine Rotfärbung mehr verursacht, die Flüssigkeit aber rein gelb läfst.

Es läfst sich vermittels dieses Reagens noch leicht 1 p. c. Gummiharz in Mischungen entdecken. Der Vf. hat dasselbe auch zur quantitativen Bestimmung des Harzes benutzt, und zwar mit sehr befriedigendem Erfolge. Bezüglich der Ausführung dieser Prüfung ist auf das Original zu verweisen. (Arch. Pharm. [3.] **21.** 801—13.)

Van de Vyvere, *Bestimmung von Methylalkohol im Weingeist*. Der Vf. benutzte hierzu die Eigenschaft des Methylalkoholes, mit wasserfreiem Chlorcalcium eine Verbindung einzugehen, die bei 100° nicht zersetzt wird, sich aber auf Zusatz von Wasser unter Abscheidung des Methylalkoholes spaltet. Der zu untersuchende Weingeist wird unter wasserfreiem Natriumcarbonat aus dem Wasserbade destilliert und das Volum des Destillates bestimmt. Ein Teil desselben wird zur qualitativen Prüfung auf Methylalkohol benutzt und der andere Teil mit einem gleichen Gewichte von wasserfreiem Chlorcalcium versetzt und 24 Stunden damit in Berührung gelassen. Dann destilliert man den Äthylalkohol aus dem Wasserbade ab, versetzt den festen Rückstand, welcher jetzt nur Methylalkohol an Chlorcalcium gebunden enthält mit Wasser, und destilliert abermals, wodurch man jenen mit Wasser verdünnt erhält. (Journ. de Pharm. d'Anvers. **39.** 301.)

A. Petit, *Neues Verfahren zur Prüfung der Chinarinden*. PROLLIUS giebt an, dafs wenn man 40 g Chinarinde mit 800 g eines Gemenges von 67 Tln. 95 prozentigem Alkohol und 733 Tln. 65 prozentigem Äther mischt, dann 32 g Ammoniak zusetzt und schüttelt, alle Alkaloide der Chinarinde in Lösung gehen. Vergleichende Versuche haben dem Vf. gezeigt, dafs die Rinde sehr fein gepulvert sein mufs, und dafs, wenn man alle fünf Minuten schüttelt, die Erschöpfung nach einer Stunde vollständig ist, als auch nach fünf- bis sechsstündiger Maceration. Man dekantiert 600 g der Flüssigkeit, welche ³/₄ der in der zu untersuchenden Menge vorhandenen Alkaloide enthalten, und versetzt die ätherische Lösung mit verdünnter Schwefelsäure (1 : 3) in genügender Menge, damit sich die wässerige, saure Flüssigkeit gut von dem Äther abscheidet; im allgemeinen werden 20 ccm genügen. Diese wässerige Lösung enthält alle Alkaloide, welche vorher in der ätherischen Lösung enthalten waren. Man trennt sie durch einen Scheidetrichter, schüttelt die ätherische Flüssigkeit noch einmal mit 5 ccm Säure und 5 ccm Wasser aus, trennt abermals und vereinigt beide wässerige Lösungen. Dann erhitzt man im Wasserbade, bis aller Äther verjagt ist, verdünnt mit dem doppelten Volum Wasser und fällt durch überschüssiges kaustisches Natron. Beim Umrühren mit einem Glasstabe und, wenn es nötig ist, durch gelindes Erhitzen im Wasserbade scheiden sich die Alkaloide ab. Man bringt diese in eine tarierte Schale und trocknet sie bei 100°. Auf diese Weise erhält man das Gesamtgewicht der in 30 g (³/₄ der angewendeten Menge) enthaltenen Alkaloide. Hieraus berechnet man den Gehalt von 1 kg Rinde.

Man löst hierauf die Alkaloide in einem geringen Überschuß von Schwefelsäure, fügt 25 ccm Äther von 65° und 5 ccm Ammoniak hinzu und schüttelt. Die Alkaloide lösen sich in dem Äther, welchen man dekantiert, man schüttelt von neuem mit 10 ccm Äther und dekantiert ein zweites Mal. Beide ätherische Lösungen werden vereinigt, und nach ¹/₄ stündiger Ruhe, während welcher Zeit die am schwersten in Äther löslichen Alkaloide sich abgesetzt haben, wird dekantiert, mit 10 ccm Schwefelsäure (1 : 20) und nach der Abscheidung nochmals mit 5 ccm derselben Säure geschüttelt. Beide Flüssigkeiten, welche deutlich sauer sein müssen, werden vereinigt. Man bringt das Ganze auf 25 ccm, sättigt mit reinem, verdünntem Ammoniak (1 : 5) und erhitzt, bis die Reaktion nur noch ganz schwach alkalisch ist. Hierbei scheidet sich das schwefelsaure Chinin in Form schöner Krystallnadeln ab. Man sammelt es nach vollständiger Abkühlung auf einem tarierten Filter, wäscht mit einer gesättigten Lösung von Chininsulfat aus, trocknet bei 100° und wägt. Auf diese Weise erhält man die Menge Chinin, welche in 30 g Rinde enthalten war, woraus sich der Gehalt von 1 kg Rinde berechnet.

Um sich zu überzeugen, ob das Chininsulfat genügend rein ist, löst man es in Schwefelsäure und prüft die Lösung am Polarimeter. Wenn das Rotationsvermögen sich nicht genügend der Zahl 238,3° für die Linie D und die Temperatur 15° nähert, so reinigt man es von neuem durch Äther und Ammoniak und durch eine zweite Krystallisation. Nach des Vf. Versuchen ist die polarimetrische Ablenkung proportional der Menge des gelösten Salzes; die Schwefelsäure ist darauf ohne Einfluß, wenn sie nicht in einer solchen Menge da ist, daß sie Chinindisulfat bilden könnte. (Journ. Pharm. Chim. [5.] **8**. 481—83.)

W. Eliassor, *Beiträge zur Lehre vom Schicksal des Morphins im lebenden Organismus.* Nach Einverleibung großer Morphingaben ist dasselbe sicher im Harne nachzuweisen. Nach Gaben von einigen Zentigrammen bis einigen Dezigrammen ist es nicht möglich, das Morphin unverändert im Harne zu finden; dafür erscheint im Harne ein Umwandlungsprodukt des Morphins, welches die oben erwähnten Reaktionen darbietet. Selbst wenn durch Verabreichung von Chinin oder Curare die tierischen Oxydationsprozesse herabgesetzt sind, gelingt es dennoch nicht, den Übergang von kleinen Mengen Morphin in den Harn nachzuweisen. Nach großen Morphingaben ließ sich eine nicht unerhebliche Zunahme der Ammoniakausscheidung nachweisen. Doch hält Vf. die Versuche noch nicht für ausreichend, um hieraus auf eine Ammoniakabspaltung aus dem Morphin zu schließen. (Dissert. Königsb. 1882.)

G. Heppe, *Prüfung des Petroleums auf Verfälschung mit Solaröl.* Nach dem Vf. kann das Kupferbutyrat als ein Mittel zur Unterscheidung von Petroleum und Solaröl dienen. Trockenes Kupferbutyrat löst sich schon bei schwachem Erwärmen sowohl in Petroleum als in Solaröl mit blaugrüner Farbe; erwärmt man aber weiter, so wird die Lösung in Solaröl bei 120° C. gelb und scheidet gelbe Flocken aus, während die Lösung des Kupferbutyrates in Petroleum noch bei 210° grün und klar bleibt. In einem Gemisch von Petroleum und Solaröl giebt sich die Gegenwart des letzteren beim Erwärmen mit Kupferbutyrat auf 120° durch Gelbfärbung und Abscheidung gelber Flocken zu erkennen, war der Zusatz von Solaröl nur gering, so tritt bei 120° eine grünlich gelbe Färbung ein, bei 210° ist aber die Farbe auch rein gelb. Beim Erkalten scheidet sich aus der Lösung von Kupferbutyrat in Petroleum ersteres fast vollständig aus, wobei die Lösung fast farblos wird. Die Lösung in Solaröl scheidet unter gleichen Umständen einen starken gelbbraunen Niederschlag ab, bleibt aber gelb. Bei einem Gemische von Petroleum und Solaröl setzt sich nach dem Erkalten ein gelbbrauner und über diesem ein grünblauer Niederschlag ab, die überstehende Flüssigkeit ist blaßgelb. Diese Reaktionen gestatten also eine scharfe Unterscheidung von Petroleum und Solaröl, doch gelten sie, wie Vf. besonders hervorhebt, vorläufig nur für die von ihm untersuchten Ölsorten, amerikanisches Petroleum und Solaröl aus der Weißenfelser Gegend. Wie sich kaukasisches und Ölheimer Petroleum gegen Kupferbutyrat verhalten, muß erst noch ermittelt werden. (Chem.-techn. Central-Anz.; Ind.-Bl. **20**. 406.)

E. Geissler, *Zur Untersuchung des Pfeffers.* Der Vf. hat das Extrakt, die Asche und den Sand der verschiedenen Pfeffersorten bestimmt und stellt die Resultate tabellarisch zusammen. (Pharm. C. H. **24.** 521—23.)

V. Berthold, *Nachweis von Weizenmehl im Roggenmehle.* Dieser Nachweis bietet einige Schwierigkeiten, weil die sonst bei diesen Mehlen zur Unterscheidung dienenden Stärkekörner beim Roggen und Weizen sich wesentlich nur durch ihre Gröfse unterscheiden. Beide Mehle haben grofse einfache, dick linsenförmige und sehr kleine rundliche und zusammengesetzte Stärkekörner. Die grofsen linsenförmigen Körner erscheinen, von der Seite gesehen, länglich und zeigen hierbei scheinbar eine dunkle Längsspalte in der Mitte. Die Gröfse der Stärkekörner beim Weizen (Fig. 1)* beträgt etwa 0,028 mm im Mittel, schwankt aber zwischen 0,015 und 0,045 mm, die des Roggens (Figur 2) meist 0,040 mit 0,014 bis 0,050 mm. Die Stärkekörner des Roggens zeigen·nicht selten Schichtung oder radiale Streifung, welche beim Weizen sehr selten ist. Aufserdem zeigen die

Fig. 1.   Fig. 2.

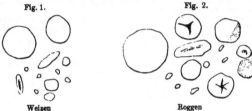

Weizen   Roggen

Stärkekörner des Roggens oft zwei bis fünf breite Radialspalten, welche beim Weizen nie breit und viel seltener sind. Diese Gröfsenunterschiede können aber zum Nachweise von Weizenmehl in Roggenmehl nicht benutzt werden, da viele Roggenstärkekörner ebenso grofs sind wie die des Weizens. Die für Roggen charakteristischen Kernspalten könnten nur im umgekehrten Falle, nämlich beim Nachweise von Roggenmehl im Weizenmehle, Anhaltspunkte geben.

Die Fruchtschale beim Weizen (Fig. 3), resp. Roggen (Fig. 4) besteht aus übereinander liegenden Schichten von Langzellen *a*, Querzellen *b* und Knüttelzellen *c*; die Samen-

Fig. 3.   Fig. 4.

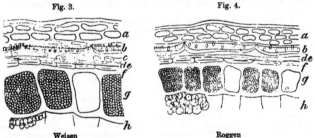

Weizen   Roggen

schale aus der braunen Haut *d* und *e* und der hyalinen Schicht *f*. Darauf folgt die Kleberschicht *g* und das Stärkegewebe *h*. Die Knüttelzellen sind nach Fr. v. Höhnel nicht geeignet zur Unterscheidung, da sie bei allen Getreidearten stellenweise fehlen.

Die Abmessungen der Gröfse der einzelnen Elemente, wie sie L. Wittmack in Wagner's Jahresber. 1882. 677, angiebt, führten zu keinem Resultate, da die erhaltenen Zahlen keine genügenden Unterschiede ergeben, und nicht nur bei den verschiedenen Weizen, resp. Roggensorten wechseln, sondern auch davon abhängig sind, ob die Abmessungen an Elementen vorgenommen werden, die sich in der Nähe des Scheitels oder in der Mitte des Kornes befinden. Nur die Gröfse der Kleberkörner und die Dicke der

---

*Die Vergröfserung beträgt bei allen Figuren 325.

Haare und Breite ihres Lumens haben Wert und können als unterscheidende Merkmale benutzt werden. Die Langzellen des Weizens sind kürzer und dickwandiger, sowie dichter getüpfelt, als die des Roggens. Die Querzellen des Weizens sind länger und meist dickwandiger, als die des Roggens. Ihre Wandungen sind scharf begrenzt, gewöhnlich geradlinig, dicht getüpfelt und ohne Zwischenzellräume aneinander schliefsend. Die Querzellen des Roggens sind dagegen spärlich getüpfelt oder ganz ohne Poren, haben eine nicht scharf begrenzte Wandung, sind an den Enden gewöhnlich abgerundet, schliefsen hier nicht eng aneinander, zeigen daher ziemlich grofse Interzellularräume.

Die Kleberzellen des Weizens sind etwas gröfser, als die des Roggens, die Kleberkörner sind erheblich gröfser; bei Weizen 0,003 mm, beim Roggen 0,0015 bis 0,002 mm. Um die Kleberkörner leicht ersichtlich zu machen, • wird das Mehl auf dem Objektträger fein verteilt und mit alkoholischer Jodlösung betupft, wodurch blofs die Kleberkörner gefärbt werden. Sieht man dann im Mehle verschieden grofse Körner, so kann man mit Sicherheit auf eine Verfälschung schliefsen.

Weizen besitzt zwar im allgemeinen mehr und längere Haare, als Roggen; das charakteristische der Haare liegt aber im Verhältnisse der Wanddicke zur Lumenbreite. Beim Weizen (Fig. 5) ist das Lumen schmäler, als die Wand, oft nur linienförmig, während es beim Roggen (Fig. 6) ebenso breit oder breiter als die Wand ist. Die Wanddicke der Haare des Weizens beträgt 0,005 bis 0,008 mm, des Roggens 0,003 bis 0,006, die Breite des Lumens derselben bei Weizen 0,0015 bis 0,004 mm, bei Roggen 0,004 bis 0,012 mm. Nur bei den Haaren vom Dinkel (Triticum spelta) beträgt die Wanddicke 0,008 bis 0,012, die Lumenbreite 0,008 bis 0,010 mm.

Fig. 5   Fig. 6

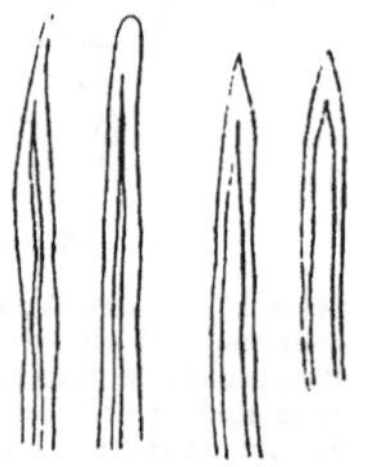

In den Mehlen findet man meist nur Bruchstücke der Haare, an denen aber diese Merkmale leicht ersichtlich sind; doch kommen beim Weizen sowohl als beim Roggen einzelne Haare vor, welche diese charakteristischen Eigentümlichkeiten nicht zeigen, so dafs man aus dem Aussehen eines Haares noch keinen Schlufs ziehen darf. Sehr günstig für die Erkennung ist es aber, dafs die Haare des Weizens länger sind und in gröfserer Menge vorkommen, ihre Auffindung also leichter ist. Nach L. WITTMACK sind ferner die Roggenhaare meist allmählich konisch verjüngt, während die Weizenhaare lang cylindrisch sind, was indes nicht allgemein bestätigt werden konnte.

Die braune Haut giebt keine Unterscheidungsmerkmale. Daraus folgt, dafs zum Nachweise von Weizenmehl im Roggenmehle nur folgende Elemente benutzt werden können: die Kleberkörner, die Querzellen und die Fruchthaare. Weit weniger wichtig sind für den genannten Zweck die Langzellen und die Kleberzellen; gar nicht können hierzu die Stärkekörner verwendet werden.

Eine sehr verbreitete Meinung ist nun die, dafs selbst bei den feinsten Mehlen, wenn auch nur sehr oder äufserst geringe Mengen aller Gewebe der Getreidefrüchte, enthalten sind. Diese Ansicht mag für die Mehle der Flachmüllerei ihre Berechtigung haben; gewifs ist sie aber für die Produkte der Hochmüllerei unrichtig, da diese häufig keine Spur von Schalenteilen enthalten. Um zur leichteren Auffindung der Schalenteilchen die Stärkekörner aufzulösen, wurden die Mehle mit verdünnter Salzsäure gekocht, die zurückbleibenden Elemente durch Verdunstenlassen der Flüssigkeit auf einen kleinen Raum eingeengt und nun erst untersucht. Da aber durch diese Behandlung selbst bei Anwendung sehr verdünnter Säure die Gewebselemente kleine Veränderungen bezüglich ihres Aussehens erleiden, so ist darauf Rücksicht zu nehmen. Es zeigte sich, dafs in den feinsten Mehlen aufser Stärke und Kleber keine weiteren Elemente aufzufinden sind. Bei solchen bietet nur die Gröfse der Kleberkörner ein Unterscheidungsmerkmal. Da aber die feinsten Mehle wohl nie verfälscht werden, so kommt dieser Fall in der Praxis ganz aufser betracht. Selbst in den gröberen Mehlen kommen die charakteristischen Gewebe nur in geringer und sehr wechselnder Menge vor.

Handelt es sich also darum, zu untersuchen, ob zu einem Roggenmehle Weizenmehl betrügerischer Weise beigemengt ist, so wird man zunächst einige kleine Mehlproben, mit Jodlösung behandelt und möglichst fein verteilt, mikroskopisch dahin untersuchen, ob zweierlei Kleberkörner vorhanden sind. Dann wird man eine gröfsere Probe durch Kochen mit sehr verdünnter Salzsäure von den Stärkekörnern befreien und die zurückbleibenden festen Teilchen bezüglich der vorkommenden Haare und Querzellen untersuchen. Nur eine genaue und ausdauernde Untersuchung, sowie die Rücksichtnahme auf alle unterscheidenden Merkmale erlauben die Lösung dieser schwierigsten Frage, welche das Kapitel der Mehluntersuchung aufweist. (Fachzeitung für Warenkunde, Beilage der Ztschr. für landw. Gew. 1883; Pol. J. **250**. 227—30.)

T. F. Hanausek, *Mikroskopischer Nachweis des Kastanienmehles.* Im Kastanien-mehle, welches als Zusatz zum Wurstgefüllsel, zu Gemüsen, zum Bestreuen der Feigen, als Kaffeeersatz u. dgl. ein empfehlenswertes Nahrungsmittel bildet, sind die Stärkekörner (Fig. 7) besonders charakteri-stisch. Man muß namentlich auf die dreieckigen und die mit spitzen Verlängerungen versehenen Formen achten und deren Größe (0,0201 bis 0,0256 mm) be-rücksichtigen. Auch die auffallend kleinen polygo-nalen Kleberzellen, die dünnwandigen, durch Eisen-chlorid gebläuten elliptischen Mittelschichtzellen, die dickwandigen braunen Oberhautzellen und die Haare, deren Wandstärke sehr wechselnd ist, werden zur Bestimmung herangezogen werden können. Jeden-falls ist das Kastanienmehl von dem Mehle der Ge-treide- und Hülsenfrüchte auf den ersten Blick zu unterscheiden. (Fachzeitung für Warenkunde, Beilage der Ztschr. für landw. Gew. 1883; Pol. J. **250**. 230—31.)

Fig. 7

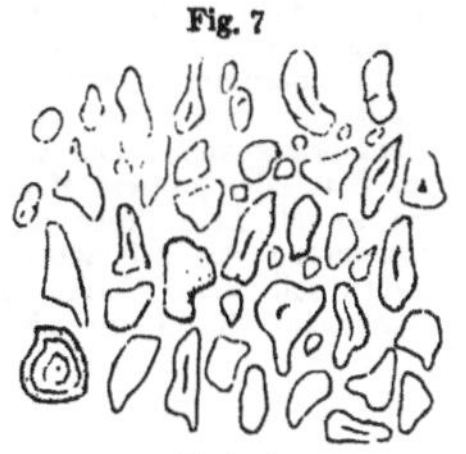

Kastanie

Carl Junck, *Schnelle Ermittelung des Wertes von Malzextrakt.* Zur Ermittelung des Trockenrückstandes, resp. des Wassergehaltes eignet sich das Maltometer von CZECZETKA, oder die GRIESSMEYER'schen Tabellen oder auch das spez. Gewicht einer 50prozentigen Lösung des betreffenden Malzextraktes; für letzteres Verfahren teilt Vf. eine Tabelle mit, nach der man die Trockensubstanz aus dem spez. Gewicht erfahren kann. Ein gutes Malzextrakt darf nicht mehr als 25 p. c. Wasser enthalten. Salicylsäure läßt sich durch Extrahieren mit Äther nachweisen; schon 0,25 p. c. dieser Säure macht die Diastase un-wirksam. Die Säure, meistenteils aus Milchsäure bestehend, titriert man mit einer 5 g im Liter enthaltenden Natronlauge; 10 g Malzextrakte sollen nicht mehr als 6—7 ccm davon brauchen.

Will man die diastatische Wirkung des Malzextraktes erfahren, so werden 10 g Stärke mit 150 g Wasser gekocht, die Lösung läßt man auf 38° C. abkühlen und versetzt sie mit einer Lösung von 10 g Malzextrakt in der gleichen Gewichtsmenge Wasser. Ein gutes Malzextrakt verflüchtigt den Stärkekleister bereits in einer Minute. Nun bringt man zwei Tropfen dieser Lösung in eine vorher bereitete Jodlösung enthaltend 60 g Wasser und zwei Tropfen einer Jod-Jodkaliumlösung (2 g Jod und 4 g Jodkalium in 150 g Wasser gelöst) und wiederholt den Versuch von Minute zu Minute, bis die vollständige Inver-tierung der Stärke erfolgt ist. Ein gutes Malzextrakt bewirkt bei 38° C. in zehn Minuten die Umwandlung seines gleichen Gewichtes Stärke in Zucker, bei höherer Temperatur noch mehr in viel kürzerer Zeit. Die Minutenanzahl dient als Maß für den Diastase-gehalt. Die Eiweißstoffe werden folgendermaßen bestimmt: 20 ccm Malzextrakt werden in einem in 100 gleiche Teile geteilten Cylinder mit einer kalt gesättigten Pikrinsäure-lösung gelöst, wobei die Proteïnsubstanzen ungelöst bleiben, und die Menge derselben nach dem Absetzen nach 24 Stunden langem Stehen an der Teilung abgelesen wird. Jeder Teilstrich entspricht einem Prozent bei 100° C. getrockneter Eiweißstoffe, von denen nach dieser Methode in manchen Präparate 3—3,25 p. c. vorhanden sein sollen.

Um Hopfenharz, Kohlenhydrat und Glycerin zu bestimmen, trocknet man 2—5 g Malzextrakt mit 20 g Sand bei 100° bis zum konstanten Gewicht ein. Mit Äther zieht man das Hopfenharz aus dem Trockenrückstande aus, mit Alkoholäthermischung (2 Vol + 3 Vol) das Glycerin, mit Weingeist den Zucker und mit heißem Wasser schließlich das Dextrin. Diese Bestandteile ermittelt man durch die Gewichtsdifferenzen, welche der Rückstand nach jedesmaliger Extraktion ergiebt. Im Sand bleibt das Eiweiß zurück; zur Kontrolle kann man nun glühen und muß darauf das Gewicht des angewandten San-des zurückerhalten. (Amer. Journ. of Pharm. 1883. 289—92 Juni.) P.

Belfield, *Unterscheidung von Talg und Schweinefett*, Der Vf. hat gefunden, daß eine ätherische Lösung der Fette nach längerem Stehen Krystalle von bestimmter Form ab-scheidet, die eine Unterscheidung möglich machen. Bei Schweinefett besitzen die Krystalle die Form von rhombischen Blättchen mit schief abgeschnittenen Ecken. Bei Talg sind sie ungefähr elliptisch oder auch gekrümmt wie ein *f*. Über die chemische Zusammensetzung dieser Krystalle ist nichts mitgeteilt. (Boston Med. and Surgic. Journ. **19**. 7.)

A. R. Leed's, *Schema zur Seifenanalyse.* (Chem. N. **48**. 167; Rep. anal. Chem. **3**. 382. Dez. 1883.)

Franz Göbel, *Untersuchung von essigsaurem Kalk.* (Rep. anal. Chem. **3.** 374—75. Dez. 1883. Braunschweig.)

E. D. Peters, Über die *Bestimmung von Gold und Kupfer.* Für Gold- und Silbererze, namentlich für Aufbereitungsabgänge und andere wenig Gold enthaltende Erze ist insbesondere die Tiegelprobe mit Glätte und Soda zu empfehlen. Zur Bestimmung des Kupfers in Schlacken, Steinen etc. ist die PARKES'sche Cyankaliumprobe empfohlen, bei welcher die ammoniakalische Kupferlösung mit einer Cyankaliumlösung von bekanntem Wirkungswerte bis zur Entfärbung versetzt wird. Wenn kein Zink oder gröfsere Mengen von Arsen, Antimon, Nickel oder Kobalt vorhanden sind, so soll diese Probe für gewöhnliche Betriebszwecke hinreichend genau sein. Zur Bestimmung des gebildeten Kupfersulfates und Oxydes beim Rösten von Erzen und Steinen soll dieses Verfahren geradezu unentbehrlich sein, weil es wenig Zeit erfordert. (Engin. and Min. Journ. **35.** 30; Pol. Journ. 7. **250.** 235.)

8. Technische Chemie.

A. Nord, Über das *Brennen von Strontianit.* Das feingemahlene Mineral wird mit etwas Sägespänen gemischt und durch die Mischung mit Hilfe eines Klebmittels in Ziefelform gebracht. Unter diesen Umständen erfordert die Zerlegung des Strontianits keine wesentlich höhere Temperatur als die des Kalksteins. (SCHEIBLER, Neue Ztschr. f. Rüb. Zuck. Ind. **11.** 66.)

H. Wolff und **J. Sohnke,** Neue Versuche zur *Herstellung von kohlensaurem Wasser* mittels flüssiger Kohlensäure. (Corresnbl. Ver. Deutsch. Mineralw.-Fabr. **1.** 117—21. Aug. 132—34. Oktober 1883.)

A. Ledebur, Über *Tiegelgufsstahl.* TROOST und HAUTEFEUILLE haben nachgewiesen, dafs beim Gufsstahlschmelzen in kieselsäurehaltigen Tiegeln aus diesen durch Kohlenstoff Silicium reduziert und dieses dem Eisen zugeführt wird, welcher Gehalt die Fähigkeit des flüssigen Eisens abzumindern pflegt, beim Erstarren Gase zu entlassen. Aus Graphittiegeln reduziert sich reichlicher Silicium, als aus Thontiegeln (z. B. aus Bauxittiegeln mit 9 p. c. C 0,144 p. c. Si, aus Chamottetiegeln mit 28 p. c. C 0,274 p. c. Si, aus Chamottetiegeln mit 39,5 p. c. C 0,392 p. c. Si). Auch trägt der Mangangehalt des Schmelzgutes zur Siliciumreduktion bei (Stahl ohne und mit Zusatz von Eisenmangan enthielt resp. 0,24 und 0,49 p. c. Si). Ferner befördert das im Stahl zurückbleibende Mangan die Reduktion von Si durch den Kohlenstoffgehalt des Tiegels. Wegen der gröfseren Verwandtschaft zwischen C und Mn, als zwischen C und Fe, zeigt sich beim Schmelzen manganarmen Stahles eine geringe Abnahme des C, bei manganreicherem eine starke Zunahme daran, herbeigeführt durch Aufnahme aus dem kohlenstoffhaftigen Tiegel. (Stahl und Eisen 1883. Nr. 11; B. H. Z. **42.** 597.)

K. Labler, *Gefärbter Kaffee.* Ein unter sehr bekannter Marke verkaufter Kaffee erwies sich als mit Indigo und Curcuma gefärbt. Vf. erwähnt den Fall deshalb, weil in ELSNER's Praxis des Nahrungsmittelchemikers erwähnt wird, dafs solche Nachfärbung noch nicht vorgefunden wurde. (Rundschau f. d. Interess. d. Pharm. Chem. **9.** 735. 10. Dez. 1883.)

R. Kayser, *Untersuchung eines Äpfelweines.* (Vergl. **83.** 443). Der zur Darstellung des Äpfelweines verwendete Most wurde von dem Vf. aus Ruppiner Äpfeln gekeltert. Die Zusammensetzung des Äpfelweines, vier Wochen nach beendigter Gärung, war die nachstehende. Es waren enthalten in 100 ccm Äpfelwein bei 15°C.:

Alkohol	7,2 cm	Schwefelsäure (SO_3)	. . .	0,005 g
Extrakt	2,85 g	Phosphorsäure (P_2O_5)	. . .	0,012
Mineralstoffe	0,300	Kalk (CaO)	. . . .	0,007
Äpfelsäure	0,634	Magnesia (MgO)	. . . .	0,011
Essigsäure	0,015	Kali (K_2O)	. . . .	0,155
Citronens. u. Weinsteinsäure	nicht nachw.	Eisen	. . . . .	0,002
Glycerin	0,79 g	Mangan }		
Zucker	0,16	Thonerde }	. . .	nicht nachweisbar.

Auffallend, früheren Untersuchungen gegenüber, ist der verhältnismäfsig geringe Gehalt an Extrakt, es scheinen sonach die unvergärbaren dextrinartigen Stoffe in den Äpfelmosten, resp. den aus ihnen dargestellten reinen Weinen in sehr wechselnden Mengen vorhanden zu sein. (Rep. anal. Chem. **3.** Dez. 1883. Nürnberg.)

v. Wering, Über *Weinverbesserung.* Eine zweckmäfsige Veränderung unreif gebliebener, zu saurer und zu wenig zuckerhaltiger Jahrgänge durch wohl überlegten Zusatz von Zucker und auch Wasser nach den Methoden von HALL und PETIOT ist nicht nur

nicht gesundheitsschädlich, sondern wohlthätig und nützlich. Die Unschädlichkeit des Traubenzuckers (Kartoffelzuckers) hat MERING durch mannigfache Versuche dargethan; und die Unbedenklichkeit der Weinverbesserung erkennt man täglich dadurch an, dafs man die in obiger Weise bearbeiteten französischen, spanischen und ungarischen Weine am Krankenbette anwendet. Selbst völligen Kunstwein, wenn er gut hergestellt ist, würde MERING für ein empfehlenswertes Getränk halten, um dem Unbemittelten den Schnapsgenufs zu entreifsen. Dieses Fabrikat aber müfste stets als Kunstprodukt deutlich und kenntlich gemacht werden. Dagegen müsse man bei dem nach erstbeschriebener Weise lediglich verbesserten Naturwein die einfache Bezeichnung Wein gestatten, solange dies auch bei den importierten französischen und anderen Weinen ohne weiteres gestattet sei. Sonst würde man lediglich die inländische Produktion zum Vorteil der ausländischen bedrücken. Beschränkungen in dieser Beziehung könnten nur durch internationale Vereinigung in allen Ländern gleichmäfsig eingeführt werden. (Vortrag im Ärztl. hygieiuischen Verein von Elsafs-Lothringen; Deutsch. Wochenbl. f. Gesundh.-Pfl. und Rettungsw. 11. 11—12.)
P.

Das Behr'sche Kaffeesurrogat (bestehend aus Weizenkleie, Mais und Gerstengraupen) besteht nach einer Analyse von R. **Fresenius** aus:

9,78 p. c. Cellulose
8,34 „ Stärke
49,51 „ Dextrin, inkl. einer geringen Menge Zucker
11,87 „ Stickstoffsubstanz
9,83 „ sonstige stickstofffreie Stoffe
4,54 „ Asche
2,22 „ Feuchtigkeit
100,00

100 Gewichtstle. enthalten 61,33 in Wasser lösliche Stoffe nämlich 3,37 p. c. Asche (darin 1,31 Phosphorsäure) 57,96 p. c. organische Substanzen und 36,45 in Wasser unlösliche Stoffe, nämlich: 1,17 p. c. Asche, 35,28 p. c. organische Substanzen.

Der Behr'sche Maltokaffee, ebenfalls aus Getreidesorten unter Hinzufügen von schwach angeröstetem Malz bereitet, enthält:

4,22 p. c. Eiweifsstoffe
50,19 „ Dextrin
7,57 „ in 92 p. c. Alkohol lösliche Extraktivstoffe
2,27 „ Asche (darin 0,54 Phosphorsäure).

64,25 in siedendem Wasser lösliche Bestandteile
35,40 darin unlösliche Bestandteile
0,35 Feuchtigkeit
100,00

P.

H. Schmid, *Zusammensetzung der sogenannten Türkischrot-Öle.* (Polytch. Journ. **250.** 543—48.)

Emil Gottlieb, Untersuchung über die *elementare Zusammensetzung einiger Holzarten in Verbindung mit kalorimetrischen Versuchen über ihre Verbrennungsfähigkeit.* In der Litteratur findet sich kein Versuch, die absolute Verbrennungswärme der Holzarten zu bestimmen, und doch mufs man sagen, dafs dieselbe nicht nur eine ökonomische, sondern auch eine wissenschaftliche Bedeutung hat. Man wird in der technischen Litteratur angegeben finden, welche Bedingungen die Verbrennungswärme oder, wie es mitunter genannt wird, die Brennkraft eines Holzart bestimmen (vgl. z. B. Eigenschaften der Hölzer von NÖRDLINGER und Die Forstbenutzung von K. GAYER, sowie mehrere chemisch-technische Werke); bei den verschiedenen Versuchen, welche hierüber gemacht sind, hat man aber, sozusagen, niemals zur selben Zeit die Zusammensetzung des betreffenden Brennmateriales bestimmt. Die gefundenen Gröfsen bleiben deswegen ganz relativ, indem man ein bestimmtes Holz, z. B. Buchenholz, als Einheit setzt.

Durch gegenwärtige Arbeit hat Vf. versucht, die absolute Verbrennungswärme unserer Hölzer zu bestimmen. Von den Stoffen, welche sich im Holze finden, und dessen Gehalt an Kohlenstoff und Wasserstoff über das mehren der Cellulose antrifft, weifs man fast gar nichts. Der oder die Stoffe, welche mit dem Namen von inkrustierten Stoffen bezeichnet werden, Lignin, der Holzstoff des Botanikers, sind nie isoliert worden, müssen aber eine ganz andere Zusammensetzung als die Cellulose haben; denn die geringe Menge von Gerbstoffen, Fett, Harz und stickstoffhaltigen Stoffen, welche sich in den verschiedenen Hölzern finden, werden nicht im stande sein, die elementare Zusammensetzung so zu ändern, dafs sie soviel von der Kohlenhydrate (der Cellulose, des Mehlstoffes, des Holzgummis und mehrerer der Formel $n(C_6H_{10}O_5)$ abweichen, was man auch aus den nachfolgenden Analysen sehen wird.

Von den zu untersuchenden Hölzern wurden die Proben auf die Weise genommen, dafs eine Scheibe von 3—4 Zoll Dicke von dem Stamme nach dem Fällen abgesägt wurde; diese wurde dann den Durchmesser entlang zerhauen, und mit einer Raspel aus hartem Stahl raspelte man gleichförmige kleine Stücke von der äufseren Kante nach der Mitte des Holzes. Der Vf. beschreibt alle Vorsichtsmafsregeln, welche er anwendete, um zuverlässige Resultate zu erhalten. Die Feuchtigkeit wurde durch Austrocknen bei 115° bestimmt. Zur Bestimmung der Aschenbestandteile wurden 5 g Holz in einem Platintiegel über einer kleinen Gasflamme vorsichtig erhitzt, so dafs keine Entzündung eintrat. Der Tiegel wurde dann zur Dunkelrotglühhitze gebracht. In einigen Fällen, wie beim Eichenholz, war es nötig, nach dem ersten Glühen die Asche mit einigen Tropfen Wasser und ein wenig kohlensaurem Ammoniak zu durchfeuchten, bei 100° zu trocknen und dann zu erhitzen, um den kleinen Kohlenüberrest zu entfernen. Die Elementaranalyse wurde im Platinschiffchen mit Kupferoxyd und Sauerstoff ausgeführt.

Zu den kalorimetrischen Versuchen diente ein Kalorimeter, welches in nebenstehender Figur abgebildet ist. Die Verbrennungskammer a desselben besteht aus dünnem Kupferbleche und hat eine etwas konische Form; oben, wo ein dünner messingener Rand festgelötet ist, ist sie 9 cm, unten 7,3 cm breit. Der Deckel b, aus Kupferblech von derselben Dicke gebildet, geht mit einem Rande ein wenig über die Kammer a hinaus; es ist eine dünne Messingkante, 1,3 cm hoch, angelötet, und in diese ist ein feiner Schraubengang eingedreht, welcher luft- und wasserdicht den Deckel mit der Verbrennungskammer verbindet. In den Deckel sind drei kupferne Rohre, c, d, f mit Silber eingelötet. Der Querschnitt des Rohres c ist 0,6 cm, die Höhe 8,3 cm; es geht 1 cm tief in die Verbrennungskammer und endigt oben mit einem kleinen Falze. Das Rohr d, Querschnitt 1,6 cm, Höhe 7,3 cm, ist oben luftdicht mit einer dünnen Glasplatte bedeckt, welche von derselben Gröfse als die innere Weite des Rohres geschliffen und in einer Entfernung von 0,2 cm von der obersten Kante des Rohres eingekittet ist. Das Rohr f ist 1,5 cm hoch und hierin ist das Rohr g sorgfältig eingeschliffen, welches wie ein Stöpfel in f hinuntergeht. Das Rohr g ist 7,5 cm hoch, in der Mitte ist eine kupferne Platte eingeschmolzen und das spiralförmige Abkühlungsrohr s ist, jedes auf seiner Seite, in diese Platte eingelötet. Das Abkühlungsrohr besteht aus fünf Spiralwindungen und ist aus möglichst dünnem Kupfer konstruiert. Über das Rohr c hinaus, welches 1 cm tief in die Verbrennungskammer hinuntergeht, wird ein dünnes Kupferrohr h gedrückt, welches gegen die Mitte der Kammer eingebogen ist; unten ist es etwas schmäler und schräge abgeschnitten. Etwa 1 cm von seiner untersten Kante steht eine kleine Platinschüssel, 6 cm breit, 2,5 cm hoch, unmittelbar auf dem Boden der Verbrennungskammer.

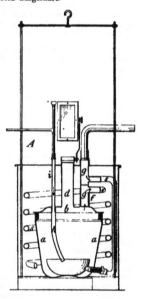

Die Verbrennungskammer ruht, nachdem der Deckel festgeschraubt und das Abkühlungsrohr damit verbunden worden ist, auf einem 1,5 cm hohen Dreifufse von dünnem Messingbleche innerhalb des offenen kupfernen Cylinders A.

Dieser Cylinder, aus dünnem Kupferblech, 17 cm hoch und 14,5 cm im Durchmesser ist, fafst ungefähr $2^{1}/_{2}$ l, ist mit einer umgebogenen Kante und mit einem dünnen kupfernen Deckel versehen. Der letztere besteht aus zwei Teilen, die über einander geschoben werden können, so dafs der gröfsere gegen 1 cm unter den anderen hineingeht, und, wenn dieses ausgeführt ist, schliefsen halbkreisförmige Öffnungen fest um die Röhren c, d, g. Durch die gröfsere Hälfte des Deckels geht der Rührapparat, zwei dünne messingene Stangen, welche, oben mit einer Querstange zusammengehalten, unten einen horizontalen, dünnen Messingring tragen. Der Ring ist an dem aufwärts gehenden Teile des Abkühlrohres durchbrochen. In dem anderen Teile des Deckels ist ein Loch für das Thermometer, welches auf der Zeichnung nicht gesehen wird; es reicht mit seiner Kugel bis zur Mitte des Cylinders A hinab.

Die kleinen Röhren von der Verbrennungskammer, welche ungefähr 0,8 cm über den Deckel hinausragen, tragen folgende Apparate: c, ein ⊣förmiges Rohr; an dem einen Zweige ist dieses mit einem guten Stöpsel verschlossen, mit dem anderen Zweige wird es durch einen Kautschukschlauch auf dem Rohre c festgehalten, d ist durch einen senkrecht durchschnittenen Tubus abgeschlossen, und über diesen ist ein kleiner Spiegel angebracht, welcher, unter einem angemessenen Winkel gestellt, den Gang der Verbrennungen zeigt, und g ist entweder mit einem umgebogenen Rohre, welches die Verbrennungsprodukte wegführt, wie es auf der Zeichnung angegeben ist, oder mit einem ⊢ förmigen Rohr versehen, so dafs die Temperatur des Verbrennungsgases mit einem empfindlichen Thermometer geprüft werden kann.

Zur Isolierung des oben beschriebenen kupfernen Kalorimeters wurden zwei messingene Cylinder, den einen in dem anderen, benutzt, dem Kalorimeter von J. THOMSEN (POGG. Ann. 148. 184 ff.) ähnlich; sie sind nicht in die Zeichnung aufgenommen. Das kupferne Kalorimeter ruht auf einem dünnen, 3 cm hohen messingenen Dreifufs im inneren Cylinder; dieser ist 21 cm hoch und 20 cm breit und steht ebenfalls auf einem dünnen, 2 cm hohen Dreifufs aus Messing innerhalb des äufseren Messingcylinders, welcher 23 cm hoch und 24 cm weit ist. Die Luftschicht, welche den inneren Kupfercylinder umgiebt, wird 2,7 cm, oben am Deckel 2 cm, zwischen den beiden Messingcylindern ist sie 2 cm. Die Cylinder sind oben mit einem dünnen Deckel von Messingblech verschlossen, welcher, wie der innere Deckel, aus zwei Teilen besteht, von welchen der eine den anderen bedeckt. Die Cylinder sind poliert und werden sorgfältig blank gehalten; um sie vor Oxydation zu schützen, sind sie gefirnist.

Das benutzte Quecksilberthermometer war ein Normalthermometer, wo jeder Grad eine Länge von 0,4 cm hat und in 10 Tle. eingeteilt ist, der Quecksilberbehälter ist cylindrisch, der Durchmesser 5 mm, die Länge 20 mm. Es wurde vor den Versuchen sorgfältig geprüft, da die Genauigkeit der Resultate völlig davon abhing. Mit Hilfe eines vorzüglichen Kathetometers mit Fernrohr, dessen Objektiv 30 cm Fokus hat und mit Fadenkreuz versehen ist, wurde zuerst die Genauigkeit der Thermometerskala für 0—100° mit 5° zwischen jeder Messung dann von 10—30° durch Ablesen mit Nonius für jeden einzelnen Grad sorgfältig untersucht, und endlich mit Hilfe einer Mikrometerschraube, welche auf dem Kathetometer angebracht ist, und bei der die Höhe des Schraubenganges $\frac{1}{2}$ mm entspricht, Zehntel von jedem Grade zwischen 15 und 20° gemessen. Diese Messungen zeigten, dafs die Skala mit Hilfe einer Teilungsmaschine von noch gröfserer Genauigkeit als die des Kathetometers eingeteilt war, denn die Abweichung der Masse zwischen den einzelnen Teilen ist unmerklich; die vom Millimetermafse ist so gering, dafs der Fehler, welcher hierdurch stattfinden kann, innerhalb der Grenze der Beobachtungsfehler liegt. In schmelzendem Eise geprüft, zeigt das Thermometer + 0,4° und hat bei einem Drucke von 760 mm einen Kochpunkt von 100,6°; dies ist ganz gewifs ein Fehler; denn dadurch wird jeder einzelne Grad um 0,002 zu klein. Endlich wurde das Thermometer durch das Kalibrieren des Glasrohres untersucht. Ein kleines Stück der Quecksilbersäule wurde losgestofsen, und die Weite des Rohres wurde auf gewöhnliche Weise durch das Verschieben des Quecksilberfadens untersucht; auch diese Probe bestand das Thermometer völlig.

Der Gasometer und der Apparat für Zuführung des Sauerstoffes bestand aus zwei grofsen gläsernen Flaschen, deren jede 6 l fafste; sie wurden so aufgestellt, wie es die Zeichnung auf der nächsten Seite erläutert.

Die Flasche O wird zuerst mit destilliertem Wasser gefüllt. Der Hahn a wird verschlossen, b geöffnet und das Rohr c mit dem Sauerstoffgasometer in Verbindung gesetzt. Zur selben Zeit ist die Flasche A (eine sogen. MARIOTTE'sche Flasche) mit ihrer Mündung unter den Hahn b gestellt, so dafs das Wasser aus O in A zurückläuft. Die Verbindung zwischen den einzelnen Teilen geschieht durch gute Kautschukschläuche, und Vf. hat sich durch vorläufige Versuche überzeugt, dafs die Länge des Rohres f der Schnelligkeit angemessen war, womit der Sauerstoff in die Verbrennungskammer strömen sollte. Die benutzten gläsernen Röhren hatten 6 mm Durchmesser (im Lichten). Der Sauerstoff, wie oben angegeben, dargestellt, wird in einem gröfseren, 60 l fassenden Gasometer aufbewahrt und durch Waschen mit 30 prozent. Kalilauge gereinigt, ehe er in die Flasche O eintritt. Der grofse Gasometer ist im Arbeitslokale aufgestellt, und das Wasser, welches den Sauerstoff in die Flasche O hineinprefst, hat immer einen Tag und eine Nacht da gestanden, besitzt also die Temperatur des Zimmers. Im Glase O wird der Sauerstoff durch Chlorcalcium getrocknet, ehe er in das Kalorimeter hineinströmt, und, dafs das Trocknen vollkommen ist, hat man durch mehrere Versuche festgestellt, indem ein kleines abgewogenes Chlorcalciumrohr von der Form, welche bei der Elementaranalyse benutzt wird, mit dem Rohre g in Verbindung gesetzt, keine Gewichtsänderung dadurch zeigte, dafs mit der gröfsten Schnelligkeit die doppelte Menge Gas hindurch geleitet wurde.

Das Versuchsverfahren war folgendes:

Den abgewogenen Stoff legt man lose in die kleine Platinschale in der Verbrennungskammer, die einzelnen Teile des Kalorimeters werden auf ihren Platz gebracht, auf die oben erwähnte Weise zusammengefügt und mit dem Sauerstoffapparate in Verbindung gesetzt, worauf der Hahn a geöffnet wird. Das Wasser, welches die Verbrennungskammer umgiebt, ist abgewogen und auf eine Temperatur gebracht, die ungefähr ebensoviel unter der Temperatur der Luft liegt, als man annehmen kann, dafs die Wärme am Schlusse der Versuche darüber steigen wird. Das Wasser wird in das Kalorimeter gebracht, mit dem Rührapparate, der senkrecht auf und nieder mit Hilfe eines Flaschenzuges bewegt werden kann, umgerührt, das Thermometer wird hineingesetzt, und die Temperatur vorläufig durch Kathetometer abgelesen. Der Hahn am Rohre g wird nun schwach geöffnet, in die Verbrennungskammer etwas Sauerstoff, ungefähr $^1/_4$ l, geleitet, wonach der Sauerstoffstrom unterbrochen wird.

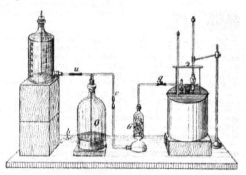

Nach dem Verlaufe von etwa zwei Minuten wird der Wärmegrad wieder abgelesen und augenblicklich notiert, ein kleines Stück Holzkohle von einem Gewichte von $^1/_4 - ^1/_2$ mg wird bereit gehalten, durch eine kleine Weingeistlampe zum Glühen gebracht, darauf durch das ⌐förmige Rohr, dessen Pfropf schnell wieder aufgesetzt wird, in die Verbrennungskammer geworfen, und unmittelbar danach wird Sauerstoff eingelassen. Dafs die Verbrennung eingeleitet ist, wird durch den Spiegel über dem Kalorimeter gesehen, und sie wird dann so gleichförmig in Gang gehalten, als der brennbare Körper es verlangt. Einige Übung wird erfordert, um die einzelnen, auf einander folgenden Arbeiten schnell und sicher auszuführen; ehe dem Vf. dies gelang, mufste er viele Versuche anstellen.

Von grofser Wichtigkeit ist es, dafs der organische Körper nicht auf einmal verbrenne, sondern dafs die Verbrennung nur an einem Punkte eingeleitet werde und sich sodann von einem Teile zum anderen langsam verpflanze. Die Schnelligkeit des Sauerstoffstromes kann deswegen nicht konstant, sondern mufs im Anfange langsam, später stärker sein, und die Verbrennung wird die ganze Zeit am Spiegel beobachtet, was sehr leicht ist, da der Boden der Verbrennungskammer, wo die Platinschüssel steht, völlig erleuchtet wird. Da die Hauptmenge der entwickelten Wärme sich dem Wasser in dem oberen Teile des Kalorimeters mitteilt, so mufs der Rührapparat die ganze Zeit in Bewegung gehalten werden, um einen Wärmeverlust zu verhindern.

Nach dem Verlaufe von ungefähr drei Minuten ist die Verbrennung beendet, man unterbricht den Sauerstoffstrom, und das Wasser wird gut umgerührt. Eine Minute danach wird das Thermometer abgelesen, das Wasser wieder umgerührt, und dieses wiederholt sich mit einem Zwischenraume von zwei Minuten, derart, dafs das letzte Ablesen fünf Minuten nach dem Schlusse der Verbrennung unternommen wird. Zwischen den beiden letzten Ablesungen war da selten ein Unterschied, und die Wärme in den einzelnen Teilen des Apparates mufs zu der Zeit gleichmäfsig verteilt worden sein.

Behufs Berechnung der Versuche wurde der Wasserwert des Kalorimeters, der Platinschale und des Thermometers bestimmt. Derselbe betrug 148,90 g. Man brachte nun 1851,1 g Wasser hinein, so dafs die gesamte Wassermenge des Kalorimeters gleich 2000 g wurde. Zur Verbrennung nahm man stets 2 g des betreffenden Holzes, und demnach giebt die gefundene Temperaturdifferenz gerade die Wärmeeinheiten für 1 g an.

Die Resultate sind in der folgenden Tabelle zusammengestellt:

Name des Holzes	Kohlenst.	Wasserst.	Sauerst. u. Stickstoff		Asche	Wasser-gehalt	Verbrenn. wärme
Eiche . . .	50,16	6,02	43,45		0,37	13,30	4620
Esche . . .	49,18	6,27	43,98		0,57	11,80	4711
Hagebuche .	48,99	6,20	43,31		0,50	12,02	4728
Buche, 60 jähr.	49 14	6,16	44,07	0,09	0,54	13,95	4766
„ 130 „	49,03	6,06	44,36	0,11	0,44	12,95	4785
„ 100 „	48,87	6,14	44,29	0,06	0,64	13,75	4770
Birke . . .	48,88	6,06	44,67	0,10	0,29	11,83	4771
Tanne . . .	50,36	5,92	43,39	0,05	0,28	12,17	5035
Fichte . . .	50,31	6,20	43,08	0,04	0,37	11,80	5085

Die Zahlen für die Elementarzusammensetzung sind mit Ausnahme der für das Buchenholz geltenden Mittelzahlen und zwar nicht nur insofern, als sie aus den Analysen verschiedener Bäume derselben Spezies berechnet wurden, sondern auch in der anderen Hinsicht, daß von jedem Baume zwei Stücke, eines nahe der Wurzel und eines aus dem oberen Teile des Stammes ausgesägt und für sich analysiert wurden. Die einzelnen Analysen variierten untereinander, doch nicht sehr erheblich.

Aus den kalorimetrischen Bestimmungen, im Vergleiche zur Elementarzusammensetzung ergiebt sich, daß man in keinem Falle die Verbrennungswärme aus den Resultaten der Elementaranalyse berechnen kann, wie es von DULONG behauptet wurde, da sie sich beim Versuche stets größer ergiebt. Die Formel DULONG's für die Berechnung der Wärmefähigkeit eines Brennstoffes beruht auf der Annahme, daß die Verbrennungswärme einer Verbindung gefunden wird, wenn man die Verbrennungswärme ihrer einzelnen Bestandteile addiert, indem man so viel Wasserstoff davon abzieht, als mit dem Sauerstoff des Brennstoffes gerade Wasser bilden würde.

Berechnet man in dieser Weise die Verbrennungswärme des Holzes der 130 jährigen Buche, so erhält man 49,03 p. c. Kohlenstoff und 0,52 p. c. Wasserstoff. Wenn die Verbrennungswärme des Kohlenstoffes zu 8080 cal (nach FAVRE und SILBERMANN), und des Wasserstoffes zu 34 180 cal (J. THOMSEN) angenommen wird, so ist die berechnete Wärmemenge gleich 4139 cal, während die gefundene 4785 cal beträgt. Ein ähnliches Resultat ergiebt sich für die Tanne, bei welcher sich eine Wärmemenge von 4240 cal berechnet, während die gefundene 5035 cal beträgt.

Der Vf. berichtet noch über einige Versuche zur Bestimmung der Verbrennungswärme reiner Cellulose. Er wendete hierzu Baumwolle an, die er zuerst mit verdünnter Natronlauge kochte, dann 24 Stunden lang mit schwacher Salzsäure stehen ließ und vollständig mit Wasser, Weingeist und Äther, und schließlich nochmals mit Wasser auswusch. Die bei 115° getrocknete Substanz ergab bei der Elementaranalyse im Mittel 44,35 C und 6,16 H (ber. für $C_6H_{10}O_5$ 44,44 C und 6,17 H). Die Verbrennungswärme wurde im Mittel von vier Versuchen gleich 4155 cal gefunden. C. v. RECHENBERG (Ann. Chim. Phys. [3.] 34. 409) hat 4250 cal, auf 1 g reiner Cellulose berechnet, gefunden. BERTHELOT giebt als Verbrennungswärme 671 cal für 1 Mol. an, was auf 1 g berechnet, 4142 cal beträgt; diese Zahl ist aus der Wärmeentwicklung durch die Explosion der Schießsbaumwolle gefunden und sie nähert sich sehr der vom Vf. gefundenen Zahl.

Endlich hat der Vf. auch noch die Verbrennungswärme der Baumwollenkohle bestimmt und im Mittel gleich 8033 cal gefunden. Dies ist etwas niedriger, als die von FAVRE und SILBERMANN erhaltene Zahl (8080). Bei der Elementaranalyse ergab sich, daß die Kohle nicht absolut rein war, sondern noch im Mittel 1,4 p. c. Wasserstoff enthielt. (Gekrönte Preisschrift der dän. Ges. d. Wissensch.; Journ. pr. Chem. 28. 385—421.)

P. Frankland, Über *die Leuchtkraft des Äthylens, wenn es mit nichtleuchtenden brennbaren Gasen verbrannt wird.* Äthylen wurde aus Alkohol und Schwefelsäure dargestellt und in geeigneter Weise gereinigt; es enthielt 0,05 CO_2, 0,94 O, 1,49 N und 97,52 C_2H_4. Als nichtleuchtende Gase wurden Wasserstoff (aus Zink und Schwefelsäure) Kohlenoxyd (aus Ferrocyankalium und konzentrierter Schwefelsäure) und Sumpfgas angewendet. Das durch Erhitzen von Natriumacetat mit Natronkalk erhaltene Produkt war so unrein, daß der Vf. genötigt war, das Sumpfgas durch Zersetzung von Zinkmethyl mit Wasser darzustellen. Die Leuchtkraft wurde mittels des EVANS'schen Photometers gemessen. Bei jeder Messung wurde eine Probe von dem betreffenden Gasgemenge entnommen und analysiert. Bei einem Verbrauch von 5 Kubikfuß per Stunde beträgt, wie die Versuche ergaben, die Leuchtkraft des Äthylens 68,5 Kerzen. Wird es allmählich mit steigenden Mengen Wasserstoff bis zu 90 p. c. gemischt, so sinkt die Leuchtkraft von 68,5 bis auf Null herab. Eine Mischung mit 25 p. c. Äthylen besaß eine Leuchtkraft von 20 Kerzen. Die Versuche mit Kohlenoxyd ergaben eine geringere Leuchtkraft, als die, welche bei den entsprechenden Verbindungen mit Wasserstoff gefunden werden. Bei Sumpfgas ergab sich, daſs äthylenreiche Gemenge ungefähr dieselbe Leuchtkraft besaſsen, als diejenigen mit Wasserstoff und Kohlenoxyd; bei solchen Gemengen jedoch, welche reich an Sumpfgas waren, fand man eine gröſsere Leuchtkraft, als in den beiden anderen Fällen. Die wahre Leuchtkraft des Äthylens, berechnet für einen Verbrauch von 5 Kubikfuſs per Stunde nimmt mit dem Gehalt an Sumpfgas fortwährend zu. So fand man für ein Gemenge, welches 92 p. c. Sumpfgas enthielt, eine Leuchtkraft, welche 175 Kerzen entsprach, bei einem Verbrauch von 5 Kubikfuſs per Stunde. Die verhältnismäſsig hohe Leuchtkraft des Steinkohlengases bei dem doch durchschnittlich sehr geringen Gehalt an Äthylen (4,51 p. c.) erklärt sich wahrscheinlich durch den hohen Wert des Sumpfgases als Verdünnungsmittel. Dieses Verhalten des Sumpfgases erklärt sich wahrscheinlich durch die groſse Verbrennungswärme desselben: 1 Molekül H giebt 68,924 cal, 1 Mol CO 67,284 cal. und 1 Mol. Sumpfgas 209,008 cal. (Chem. N. **48**. 245.)

Beiträge für das Centralblatt bittet man an die Redaktion (Leipzig, Lessingstr. 5) zu richten. Originalarbeiten von nicht zu groſsem Umfange werden entsprechend honoriert und gelangen stets sofort nach der Einsendung, und zwar in kürzester Frist, zum Abdruck.

Redaktion: Prof. Dr. **Rud. Arendt.**

Verlag von **Leopold Voss** in Hamburg u. Leipzig. — Druck von **Metzger & Wittig** in Leipzig.

No. 5.

Chemisches

Central-Blatt.

30. Januar 1884.

Wöchentlich eine Nummer von
1—2 Bogen. Der Jahrgang mit
Sach- und Namen-Register,
nebst system. Übersicht.

Der Preis des Jahrgangs
ist 30 Mark. Durch alle
Buchhandlungen und Post-
anstalten zu beziehen.

REPERTORIUM

für reine, pharmazeutische, physiologische und technische Chemie.

Dritte Folge. XV. Jahrgang.

Über die Beurteilung von Wein auf grund analytischer Daten,

von

Dr. J. NESSLER.

In Nr. 2 dieser Zeitschrift sind aus dem Repert. der analyt. Chemie Bemerkungen des Hrn. R. KAYSER über Beurteilung von Weinen auf grund analytischer Daten mitgeteilt, welche als unrichtig zurückgewiesen werden müssen. Der dort besprochene Wein wurde in der Anstalt, welcher ich vorstehe, untersucht.

Hr. KAYSER sagt, ein Wein von 12 Volumproz. Weingeist müsse wenigstens 1,2 p. c. Glycerin enthalten. Es ist dies unrichtig; wir können als niederste Grenze des Glyceringehaltes für echte Weine keine höhere Verhältniszahl zwischen Glycerin und Weingeist annehmen, als 7 des ersteren zu 100 Gewichtstln. des letzteren, wobei der Flüchtigkeit des Glycerins auf grund unserer Erfahrungen Rechnung getragen ist (s. E. BORGMANN, Ztschr. anal. Chem. **22**. 58, und NESSLER u. BARTH, ebend. **21**. 53). 12 Volumproz. Weingeist entsprechen 9,7 Gewproz., erfordern also 0,68 p. c. Glycerin. Der von Hrn. KAYSER besprochene Wein enthielt 0,7 p. c. davon, war also auf grund dieses Gehaltes nicht zu beanstanden. Der Gehalt an Glycerin wurde in hiesiger Anstalt ausnahmsweise bei diesem Weine nicht bestimmt, weil man dies nach der Beschaffenheit des Extraktes für unnötig hielt.

Hr. KAYSER verbreitet sich noch über den Wert oder Unwert der Grenzzahlen und findet, dafs der vorliegende Wein im Verhältnisse zum Weingeiste zu wenig Extrakt und Mineralbestandteile enthielt. Hr. Dr. BARTH und ich haben schon vor Jahren darauf hingewiesen, dafs in manchen Fällen einzelne Grenzzahlen allein nicht mafsgebend sein können (Ztschr. anal. Chem. **21**. 53). Wenn man aber von den von den übrigen Chemikern angenommenen Grenzzahlen abgehen will, so mufs man von den Umständen, welche auf die Zusammensetzung des Weines Einflufs haben, genaue Kenntnisse besitzen, die dem Hrn. KAYSER nach seinen Erörterungen unzweifelhaft abgehen.

Beim Rebholze, sowie bei vielen anderen Pflanzenteilen ist es längst nachgewiesen, dafs sie sehr verschieden reich an Phosphorsäure, Kalk und anderen Mineralstoffen werden, je nachdem der Boden, auf dem sie wachsen, mehr oder weniger davon enthält. Es ist mit Sicherheit anzunehmen, dafs dies bei den Trauben auch der Fall ist.

XV.

Die Trester (Hülsen, Kerne und Kämme) sind reicher an löslichen Extraktivstoffen und an Asche als der Saft. Grofsbeerige Trauben (Sylvener, Gutedel, Elbling) enthalten mehr Saft im Verhältnisse zu den Trestern, als die kleinbeerigen Trauben (Riesling). Je mehr Trester im Verhältnisse zu dem Safte vorhanden sind, je länger das Keltern nach dem Zerstampfen der Trauben hinausgeschoben wird und je stärker die Trauben ausgeprefst werden, um so reicher kann der Wein in gewissen Grenzen an Extrakt und Asche werden, während ein sogen. Vorlauf auch bei hohem Zuckergehalte verhältnismäfsig arm an diesen Stoffen sein kann. Einen Anhaltspunkt, zu beurteilen, ob ein Wein länger oder weniger lang mit den Trestern in Berührung war, haben wir in der wenigstens annähernd auszuführenden Bestimmung des Gerbstoffes, welche aber von Hrn. KAYSER nicht ausgeführt und auch bei seiner Angabe meiner Analyse nicht mitgeteilt wurde. Wir fanden, dafs der Wein nur sehr wenig Gerbstoff enthielt. Alle genannten grofsbeerigen Trauben können unter besonders günstigen Verhältnissen einen Wein geben, welcher bei 10 Gewichtsproz. Weingeist verhältnismäfsig wenig Extrakt und Asche enthält.

Zu den sogen. Auseleseweinen werden oft teilweise faule und eingetrocknete Beeren verwendet, das Auspressen findet meist erst längere Zeit nach beginnender Gärung statt; infolge dieser Verhältnisse werden die Auseleseweine oft reich an Extrakt und an Asche; daraus aber den Schlufs ziehen zu wollen, dafs alle Weine mit 10 Gewichtsproz. Weingeist einen hohen Gehalt an diesen Stoffen haben müssen, ist durchaus falsch.

Durch die bei der Gärung entstehende Hefe werden Mineralstoffe, besonders wird Phosphorsäure aus dem Weine entfernt. Da nun bekanntermafsen, je nach der Beschaffenheit des Mostes, auch abgesehen vom Zuckergehalte, und je nach dem Wärmegrade sehr verschieden viel Hefe entstehen kann, und da bei längerem Lagern des Weines auf der Hefe diese sich zuweilen teilweise zersetzt und dabei Aschenbestandteile in Lösung gehen läfst, so ist klar, dafs aus diesen und den oben angeführten Gründen der Gehalt an Asche, besonders an Phosphorsäure im Weine, aufserordentlich verschieden sein kann.

Auf grund von Tausenden von Analysen konnte man Grenzzahlen für die Gesamtasche vereinbaren. Für die einzelnen Bestandteile derselben bestehen aber bestimmte Grenzwerte bis jetzt nicht, ganz besonders bestreite ich, dafs man berechtigt sei, einen Wein zu beanstanden, weil er nur 0,009 Kalk, 0,011 Magnesia und 0,017 Phosphorsäure enthält.

Die Schlufsfolgerungen des Hrn. KAYSER sind also durchweg falsch und überlasse ich den Lesern dieser Zeitschrift, die Äufserungen des Hrn. KAYSER nach Gebühr zu würdigen.

Karlsruhe, 18. Januar 1884.

Dr. J. NESSLER.

Wochenbericht.

1. Allgemeines und Physikalisches.

J. Thoulet, *Untersuchungen über die Geschwindigkeit von Wasser- oder Luftströmen, welche fähig sind, mineralische Pulver in Suspension zu erhalten.* Der Vf. hat es unternommen, die wichtigen Untersuchungen von DAUBRÉE über die Fortführung von Sand und Staub durch Wasserströme zu vervollständigen. Unter der Einwirkung des fliefsenden Wassers stofsen sich die Sandkörner gegenseitig ab, runden sich und nutzen sich so weit ab, bis sie hinreichend klein geworden sind, um in dem bewegten Wasser schwimmen zu können; sie bleiben dann suspendiert, folgen ohne Widerstand allen Bewegungen, die ihnen mitgeteilt werden und hören auf, ihr Volum zu vermindern. Die Grenze der Abnutzung hängt von der Dichte der Körner, von ihren Dimensionen und von der Bewegung der Flüssigkeit ab. Wenn zwei dieser Variabeln bekannt sind, so kann man die dritte daraus ableiten mittels einer unter dem Mikroskop mit hinreichender Genauigkeit auszuführenden Messung. Die Lösung dieses Problems bietet Interesse für die Geologie, denn sie macht es z. B. möglich, durch eine einfache Beobachtung der Körner eines Sandsteines die Grenze der Kraft der Ströme zu bestimmen, innerhalb derer sich der Sandstein abgelagert hat, und daraus läfst sich wiederum schliefsen, ob das geologische Meer, aus welchem die Ablagerung erfolgt ist, mehr oder weniger breit, tief und bewegt war, und ob die Ablagerung in einem geschützten Golfe oder an einem der vollen Kraft des Windes und der Wellen ausgesetzten Strande stattgefunden hat.

Der Vf. hat die Kraft bestimmt, welche ein Wasserstrom haben mufs, um feste Partikel von verschiedener Dichte und Gröfse in Suspension zu erhalten. Zu diesem Zwecke wurde eine gut kalibrierte Röhre von genau gemessenem Durchmesser vertikal aufgestellt und durch eine Kautschukröhre mit einem Hahne in Verbindung gesetzt, dessen Öffnung sehr allmählich vergröfsert oder verkleinert werden konnte, so dafs man durch die Röhre einen aufsteigenden Wasserstrom von bestimmt zu regulierender Intensität strömen lassen konnte. Man brachte in diese Röhre nacheinander Kugeln von bekanntem Durchmesser und Gewichte und folglich auch von bekannter Dichte; dieselben waren aus Wachs dargestellt und enthielten in ihrem Centrum ein mehr oder weniger schweres metallisches Korn von Blei, Zinn, Kupfer oder Gold. Dann liefs man einen Wasserstrom von solcher Intensität durch die Röhre fliefsen, dafs die Kugel absolut unbeweglich an einem bestimmten Punkte der Röhre verharrt, endlich sammelte und wog man das während einer bestimmten Zeit ausgeflossene Wasser; die Geschwindigkeit wird in Milligrammen Wasser ausgedrückt, welche während einer Sekunde für jeden Quadratmillimeter Querschnitt ausgeflossen sind.

Auf grund der durch zahlreiche Versuche gewonnenen Zahlen wurden Kurven gezeichnet, und zwar bestimmte man hierdurch folgendes:

1. Den Einflufs der Höhe, in welcher die Kugel innerhalb der Röhre erhalten wird; zu diesem Zwecke wurde die Geschwindigkeit des Wasserstromes so reguliert, dafs die Kugel auf bestimmten Höhepunkten blieb, und die dabei ausgeflossene Wassermenge bestimmt.

2. Den Einflufs der Dichte und des Volums des eingetauchten Körpers. Die Dichten wechselten zwischen 1,18 und 12,01, die Radien unterhalb 2,5 mm.

3. Der Einflufs des Durchmessers der Röhre. Man arbeitete zu diesem Zwecke mit derselben Kugel in Röhren von verschiedenem Durchmesser.

4. Den Einfluss der Neigung der Röhre, indem man dieselben Versuche mit derselben Kugel und derselben Röhre unter verschiedenen Neigungswinkeln der letzteren wiederholte. Diese Winkel betrugen 0, 15, 30, 45, 60, 75 und 90°.

Endlich wurden dieselben Versuche auch noch unter Anwendung eines Luftstromes ausgeführt, so dafs man, wenn von den drei Gröfsen: Geschwindigkeit des Windes, Dichte und Gröfse der Sandkörner, zwei bekannt sind, die dritte berechnen kann. (C. r. **97.** 1513—14. [24.*] Dez. 1883.)

3. Anorganische Chemie.

A. Joly, Über die *Zersetzung der sauren Alkalierdphosphate durch Wasser.* Wenn man zu einer verdünnten Lösung von Phosphorsäure (1 Äq. = 61) eine äquivalente Menge Kalk- oder Barytwasser setzt, so erhält man eine Flüssigkeit, welche Lackmus rötet, aber neutral gegen den Farbstoff Helianthin ist, welchen der Vf. schon benutzt hat, um die

6*

Sättigung der Phosphorsäure durch alkalische Basen zu studieren. Mit Flüssigkeiten von der Verdünnung, welche man notwendig bei Anwendung von Baryt- und besonders von Kalkwasser erhält, wird die Lösung neutral, sobald die Sättigung vollendet ist; wenn man aber die Wände des Gefäßes mit einem Glasstabe reibt oder die Temperatur auf 80° erhöht, so trübt sich die Lösung; es entsteht ein krystallinischer Niederschlag, und wenn man die Flüssigkeit mit einigen Tropfen einer verdünnten Lösung von Helianthin gefärbt hatte, so geht die Färbung rasch in rot über und zeigt hierdurch die Abscheidung von freier Phosphorsäure an. Der Niederschlag ist ein wasserhaltiges zweibasisches Phosphat. Das einbasische Phosphat, welches zuerst gebildet war, zersetzt sich also durch das Wasser unter dem Einflusse einer mechanischen Wirkung oder Erhöhung der Temperatur in ein unlösliches zweibasisches Phosphat, welches niederfällt und in freie Phosphorsäure, während eine entsprechende Menge des zuerst gebildeten einbasischen Phosphates in Lösung bleibt. Das Verhältnis des niedergeschlagenen zweibasischen Salzes hängt übrigens von der Verdünnung der angewendeten sauren und alkalischen Lösungen ab; es steigt mit der Konzentration, und wenn diese einen gewissen Grad überschritten hat, so bleibt die Neutralität nicht bestehen: das zweibasische Salz scheidet sich von selbst ab.

DEBRAY hat bei seinen Untersuchungen über die metallischen Phosphate und Arseniate schon vor längerer Zeit die Beobachtung gemacht, daß das Wasser ein Phosphat in ein mehr basisches Phosphat und freie Phosphorsäure zersetzt; dieser Reaktion hat er sich bedient, um eine größere Zahl dieser Salze in krystallinischem Zustande darzustellen. Was die Alkalierdphosphate betrifft, so hat ERLENMEYER gezeigt, daß diese sich bei Gegenwart von Wasser in zweibasische Phosphate, welche sich niederschlagen, und eine saure Flüssigkeit, welche noch Base enthält, zersetzen. Es war natürlich, sich zu fragen, ob die Zersetzung dieser Phosphate durch Wasser eine Erscheinung derselben Art ist, wie die Zersetzung des Wismutnitrates, des Antimonchlorides und anderer Salze durch Wasser. Es wird sich zeigen, daß die Erscheinung ganz anderer Art ist.

Das einbasische Calciumphosphat kann in schönen durchsichtigen, rhomboidalen, an der Luft unveränderlichen Blättern erhalten werden, wenn bei gewöhnlicher Temperatur reines Calciumphosphat in einer überschüssigen Lösung von dreibasischer Phosphorsäure gelöst und die saure Flüssigkeit im Vakuum eingedampft wird. Die Zusammensetzung dieser Krystalle entspricht der Formel $CaO, 2HO, PO_5 + HO$. Bringt man dieses Salz mit Wasser von gewöhnlicher Temperatur zusammen, so zersetzt es sich: die Flüssigkeit wird sauer und ein krystallinischer Niederschlag von zweibasischem Phosphat, $2CaO, HO, PO_5 + 4HO$, scheidet sich ab.

Der Vf. hat dasselbe Wasservolum (z. B. 100 ccm) auf steigende Mengen von Monocalciumphosphat einwirken und das ganze mehrere Tage lang unter häufigem Umschütteln stehen lassen. Hiernach wurde in jeder Flüssigkeit, die mit dem abgeschiedenen zweibasischen Phosphat in Berührung geblieben war, der Kalk und die Phosphorsäure bestimmt. Nimmt man an, daß der Kalk in der Lösung mit Phosphorsäure zu Monocalciumphosphat verbunden ist, so ist die überschüssige Säure diejenige Menge, welche der Vf. *freie Phosphorsäure* nennt. Man findet auf diese Weise, daß nicht allein das Gewicht der freien Phosphorsäure in der Lösung zugleich mit dem Gewichte des zersetzten einbasischen Phosphates zunimmt, sondern daß auch das Verhältnis zwischen der gesamten und der gebundenen Phosphorsäure kontinuierlich bis etwa zu 1,5 wächst. Vergleicht man das Gewicht P des mit einem gegebenen Wasservolum (100 ccm) zusammengebrachten Monophosphates mit dem Gewichte p der freien Phosphorsäure und dem Verhältnisse R der gesamten zur freien Phosphorsäure, so findet man, daß P von 4,02 g bis 49,01 g, p von 0,106 g bis 5,645 g und R von 1,05 bis 1,34 g variiert.

Vermehrt man die Menge des Monocalciumphosphates, so kommt ein Moment, bei welchem dieses Salz nicht mehr verschwindet: die Flüssigkeit ist damit' gesättigt. Für $P = 64,32$ g erhöht sich das Verhältnis R auf 1,40 und das Gewicht p auf 8,06 g; aber es bleibt ein Teil des Salzes ungelöst. Setzt man eine kleine Menge Wasser hinzu und analysiert die Flüssigkeit nach einiger Zeit, so erhöht sich das Verhältnis R bis auf nahe 1,5 g, worauf es bei weiterem Wasserzusatze von neuem abnimmt und sich wieder der Zahl 1,34 nähert.

Es geht aus diesen Zahlen hervor, daß in dem Maße, wie sich das Monocalciumphosphat gegenüber einem bestimmten Wasservolum vermehrt, das Verhältnis der gesamten zu der verbundenen Phosphorsäure von einer Zahl, die sehr wenig von 1 abweicht, bis auf 1,5 steigt; von hier ab lösen sich neue der Flüssigkeit zugesetzte Mengen Salz ohne Zersetzung und das Verhältnis R vermindert sich um etwas.

Mit anderen Worten, wenn man eine der konzentrierteren Lösungen, welche abgeschiedenes zweibasisches Phosphat enthält, mit Wasser verdünnt, so verschwindet letzteres Salz zum teil. Der Wert von R vermindert sich und kommt für sehr verdünnte Lösungen der Einheit nahe. In einer sauren Flüssigkeit, welche in 100 ccm ein Gewicht p Phosphorsäure enthält, kann man im Maximum ein Gewicht P von Monocalciumphosphat lösen, ohne dafs dieses sich zersetzt. Wenn man dieses Gewicht überschreitet, so setzt sich zweibasisches Phosphat ab. Konzentriert man durch Abdampfen im Vakuum eine verdünnte Lösung, so nimmt das Verhältnis R zu, zweibasisches Phosphat scheidet sich aus und man kann durch langsames Verdampfen schöne Krystalle dieses Salzes erhalten. Sobald das Verhältnis R den Wert 1,5 erreicht hat, so scheidet sich Monocalciumphosphat aus und das Verhältnis der freien Säure innerhalb der Flüssigkeit nimmt zu.

Setzt man zu einer der sauren Lösungen, die durch Zersetzung von Monocalciumphosphat bei Gegenwart von Wasser entstehen, eine kleine Menge irgend einer Substanz, welche fähig ist, Phosphorsäure zu einem löslichen oder unlöslichen Salze zu binden (Natron, Kali, Ammoniak, Calciumcarbonat, alkalische Acetate, Eisenoxyd, Thonerde), so wird das Gleichgewicht gestört und es scheidet sich Dicalciumphosphat ab. Auf diesen letzteren Gegenstand wird Vf. in einer späteren Mitteilung noch einmal zurückkommen. (C. r. **97.** 1480—83. [24.*] Dez. 1883.)

Le Chatelier, Über ein *Calciumchlorosilikat.* In einer früheren Mitteilung (**82.** 536) hat der Vf. angegeben, dafs er durch Einwirkung von Kalk auf Kieselsäure bei Gegenwart von geschmolzenem Chlorcalcium ein in rechtwinkligen Tafeln krystallisierendes Salz erhalten habe, dem er damals die Formel eines Kalkperidots, SiO_2, $2CaO$, gab. Es war ihm indes nicht gelungen, diese Krystalle, welche aufserordentlich veränderlich sind, zu isolieren, um damit eine Analyse zu machen. Er hat nun neuerlich diese Untersuchung wieder aufgenommen und erkannt, dafs der Körper kein einfaches Silikat, sondern eine Verbindung des genannten Silikates mit Chlorcalcium ist: $CaCl + SiO_2$, $2CaO$. In folgender Weise läfst es sich darstellen.

Man schmilzt bei Dunkelrotglut ein Gemenge von 1 Äq. Kieselsäure, 2 Äq. Kalk und 4 Äq. Chlorcalcium. Nach dem Abkühlen wird die Masse gröblich gepulvert und mit absolutem Alkohol digeriert, welchen man von Zeit zu Zeit erneuert. Dies wird solange fortgesetzt, bis in den Waschwässern kein Chlorcalcium mehr nachzuweisen ist. Erst nach einem Monat konnte dieses Resultat erreicht werden. Der unlösliche Rückstand besteht aus mikroskopischen Krystallen von der obigen Zusammensetzung; spez. Gewicht 2,77. Die Lösungswärme in verdünnter Salzsäure (1 Äq. = 1 l) SiO_2, $2CaO$, $CaCl + nHCl$ ist 36 cal. Die Krystalle sind mikroskopisch klein, ihre Länge geht nicht über einige Hundertstel Millimeter hinaus. (C. r. **97.** 1510—12. [24.*] Dez. 1883.)

S. Birnie, Über die *Zersetzung des Ferrooxalates durch Wärme im Stickstoff- und Wasserstoffstrome.* Die Untersuchungen des Vf's. haben zu folgenden Resultaten geführt. In einem Stickstoffstrome verliert das krystallisierte Ferrooxalat bei längerem Erhitzen etwas über 100° einen Teil seines Krystallwassers, während es sich zugleich etwas zersetzt. Unter 200° geht alles Krystallwasser weg. Über 340° tritt totale Zersetzung ein. Die Gase, welche bei der Zersetzung entweichen, bestehen aufser Wasserdampf aus Kohlensäure und Kohlenoxyd. Letztere beide betragen etwa je 5 p. c. des Oxalates, was einer Spaltung der Oxalsäure in gleiche Volume Kohlensäure und Kohlenoxyd entspricht. Der feste Rückstand der Zersetzung ist von schöner schwarzer Farbe und besteht zum gröfsten Teile aus Eisenoxydul; er enthält immer eine kleine Menge Kohlenstoff und gewöhnlich auch etwas reduziertes Eisen. Die Menge des abgeschiedenen Kohlenstoffes beträgt 1—1,5 p. c. des Oxalates und hängt wahrscheinlich von der Art der Zersetzung ab. Das metallische Eisen wird durch Reduktion des Oxyduls durch freien Kohlenstoff erzeugt. Die Menge des reduzierten Eisens hängt hauptsächlich von der Dauer der Erhitzung über die Zersetzungstemperatur ab und schwankt zwischen 0,3 und 2 p. c. des Oxalates. Das Eisenoxydul verliert bei 390—400° die Fähigkeit, sich an gewöhnlicher Luft zu entzünden.

Im Wasserstoffstrome erleidet das Ferrooxalat im Anfange der Erhitzung fast genau dieselbe Veränderung, wie im Stickstoffstrome. Unter 340° wird das Salz vollständig zersetzt, haupsächlich in Eisenoxydul, Kohlensäure und Kohlenoxyd. Bei ungefähr 370° wird das Eisenoxydul durch den Wasserstoff reduziert. Das Reduktionsprodukt enthält stets Kohlenstoff, gewöhnlich 1—2 p. c. des Oxalates, mitunter auch mehr. Der Einflufs des Wasserstoffes auf die gasförmigen Produkte zeigt sich darin, dafs die Menge der Kohlensäure, welche sich entwickelt, geringer ist, als bei der Erhitzung im Stickstoffe. Das Eisen verliert auch bei 435° nicht die Fähigkeit, in gewöhnlicher Temperatur an der Luft Feuer zu fangen. Durch stärkeres Erhitzen (470°) hört es auf, pyrophorisch zu sein. Reines Wasser wird merklich durch das pyrophorische Produkt zersetzt und zwar schon unterhalb 10°; bei 56—60° sehr stark. Die pyrophorischen Produkte, welche man durch Erhitzen von Ferrooxalat für sich oder im Wasserstoffstrome erhält, verdanken ihre Entzündlichkeit nicht einem Gehalte an absorbierten brennbaren Gasen, sondern nur dem Zustande feinster Zerteilung. Die Gegenwart von fein verteiltem Kohlenstoffe scheint ebenfalls ohne Einfluſs zu sein, denn die am meisten pyrophorischen Produkte entwickeln bei der Oxydation immer die geringste Menge Kohlensäure. (Recueil des Trav. Chim. des Pays-Bas **2**. 273—94. Ende Dez. [Nov.] 1883. Utrecht.)

Lecoq de Boisbaudran, *Abscheidung des Galliums.* Trennung des Galliums von Terbium, Ytterbium und dem Elemente, dessen Erde von MARIGNAC provisorisch Y$_\alpha$ genannt worden ist; Trennung von Skandium und Fluor. (C. r. **97.** 1463—65. [24.*] Dez. 1883.)

Jul. Löwe, Über die *Darstellung von arsenfreiem Wismutmetall und das Atomgewicht des Wismuts.* Das zu reinigende Metall wird in gelinder Wärme in reiner Salpetersäure gelöst unter Vermeidung eines gröſseren Überschusses. Dann versetzt man die Lösung mit soviel kaltem destilliertem Wasser, als ohne Bildung einer Trübung geschehen kann, und setzt hierauf unter Kühlung Natronlauge zu, bis alles Wismut als Hydrat ausgefällt ist. Man fügt nun noch etwa ebensoviel Natronlauge hinzu, als zur Ausfällung des Oxydes nötig ist und gieſst darauf unter Umschwenken nach und nach zu dem Niederschlage so lange sirupdickes reines Glycerin, bis völlige Lösung des Wismutoxydes erfolgt ist. Hierbei bleiben etwa beigemengte fremde Metalle wie Nickel, Eisen etc. ungelöst. Das arsensaure Wismut dagegen löst sich in einer alkalischen Glycerinlösung fast mit derselben Leichtigkeit, wie das Wismutoxydhydrat. Der Lösung setzt man nun einige Tropfen kohlensaures Natron hinzu, schüttelt um und läſst den gut verschlossenen Kolben 12 Stunden lang zur Klärung stehen, dekantiert, zuletzt auf ein Filter, wäscht den Rückstand mit Wasser, welches einen Zusatz von Glycerin und Natronlauge erhalten hat, aus, und versetzt das alkalische Filtrat unter Kühlung mit einer Lösung von reinem Traubenzucker, die dem Gewichte nach etwa das Vier- bis Fünffache an Zucker enthält, als Metall zur Auflösung kam. Die Flasche wird dann luftdicht verschlossen und an einem mäſsig warmen, dunklen Orte aufgestellt. Enthält die Lösung Silber und Kupfer, so wird nach einiger Zeit ersteres als Metall, letzteres als rotes Oxydul ausgefällt. Nachdem dies geschehen, wird filtriert, der Rückstand auf einem Filter ausgewaschen und das Filtrat in einem gesättigten Kochsalzbade einige Zeit lang zum Sieden erhitzt. Hierbei scheidet sich das Wismut in Form eines grauen, sich leicht absetzenden Schlammes ab. Die nicht reduzierten Metalle, z. B. Zink, bleiben, wenn sie vorhanden waren, in der Lösung zurück. Der Niederschlag wird zuerst mit Wasser, dann mit einprozentiger verdünnter Schwefelsäure, zuletzt wieder mit Wasser ausgewaschen und nach in einem warmen Luftstrome getrocknet; dann preſst man das Metall in einen Porzellantiegel, überschichtet es mit Kienruſs und schmilzt das Metall bei Tiegelverschluſs nieder. Auf diese Weise erhält man, wie Vf. sich durch wiederholte Prüfungen überzeugt hat, ein völlig arsenfreies Metall.

Mit einem solchen Präparate bestimmte Vf. das Atomgewicht, indem er dasselbe in Salpetersäure löste, die Lösung in einer Platinschale im Wasserbade solange eindampfte, bis alles bei der genannten Temperatur in festes basisches Salz übergeführt war. Hierauf wurde das Salz in der Platinschale unter Platinbedeckung stärker erhitzt, bis zur völligen Zersetzung, zuletzt bis zum Schmelzen des Oxydes und bis zum konstanten Gewichte. Hieraus ergiebt sich die Zusammensetzung des Oxydes. Vf. fand im Mittel 89,648 Bi und 10,352 O; hieraus berechnet sich das Atomgewicht des Wismuts gleich 207,330 (O = 15,96) oder 207,845 (O = 16,00.) (Ztschr. anal. Chem. **22.** 498—505. Dez. [Mai] 1883. Frankfurt a. M.)

4. Organische Chemie.

L. Henry, Über einige *Haloidderivate des Äthans.* 1. *Chloräthylendibromid.* CH$_2$Br—CH $<^{Cl}_{Br}$. Inbezug auf die Frage nach der Reaktionsfähigkeit der Halogene in ihren organischen Verbindungen besitzt dieser Körper ein besonderes Interesse; in der That enthält er zwei Halogene von verschiedener Energie: Cl und Br; das letztere befindet sich überdies in bezug auf seine Nachbarschaftsverhältnisse in zwei verschiedenen Zuständen, nämlich in der Gruppe H$_2$CBr als Haloidätherbrom und in HCClBr als aldehydisches Brom. Endlich ist das Brom für zwei verschiedene Reaktionen geeignet: gegen positive Reagenzien, wie Metall- und Wasserstoffverbindungen, z. B. KOH etc., und gegen negative Reagenzien, wie z. B. SbCl$_5$ etc.

a. *Positive Reagenzien.* Alkoholisches Kali, KOH: Ein Molekül auf ein Molekül CH$_2$Br—CHClBr. Reichliche, sofortige Fällung von reinem KBr. Dieser Niederschlag gab bei der Analyse 158,3 p. c. der Silberverbindung; KBr entspricht 158 p. c. AgBr. Bildung von Chlorbromäthylen, C$_2$H$_2$ClBr; dieses siedet übereinstimmend mit den Angaben von DENZEL bei 62—63°; es ist das dissymmetrische Chlorbromäthylen, CH$_2$—CClBr.

Bei dieser Reaktion wird also ausschlieſslich das Brom eliminiert und zwar nur das

Atom, welches in dem Kerne CH_2Br enthalten ist. Cyankalium verhält sich wie alkoholisches Kali.

b. *Negative Reagenzien.* Antimonpentachlorid, $SbCl_5$: Einwirkung weniger energisch als auf $CH_2Br—CH_2Br$. Sie muß durch geringes Erhitzen unterstützt werden. Es entsteht dabei *Dichlormonobromäthan*, $C_2H_3Cl_2Br$ (Siedep. 137—138°); dasselbe giebt durch Einwirkung von 1 Mol. alkoholischem Kali reines Kaliumbromid und dissymmetrisches Dichloräthylen, $CH_2\overline{}CCl_2$ (Siedep. 35—37°; Dampfdichte 3,36, ber. 3,35). Das bei der obigen Reaktion von $SbCl_5$ erhaltene Dichlormonobromäthan muß also der Formel $CHBr_2—CHCl_2$ entsprechen, d. h. es ist dabei nur das Brom des Aldehydkernes, $CHClBr$, angegriffen worden.

2. *Äthylidendibromid*, $CH_3—CHBr_2$. Diese Verbindung verhält sich gegen $SbCl_5$ völlig anders, als ihr Isomeres, $CH_2Br—CH_2Br$. Bei letzterem wird das Brom successive eliminiert, und man erhält zuerst $CH_2Cl—CH_2Br$, zuletzt $CH_2Cl—CH_2Cl$. Auf Äthylidenbromid dagegen ist die Reaktion energischer und immer total. Eine Verbindung, $CH_3—CHClBr$, welche durch partielle Substitution entstehen würde, ist nicht zu erhalten; selbst dann, wenn man die beiden Körper in dem Verhältnisse:

$$SbCl_5 : 2(CH_3—CHBr_2)$$

anwendet, gelangt man immer zu dem Äthylidenchlorid $CH_3—CHCl_2$ (Siedep. 59°; Dampfdichte 3,47, ber. 3,42).

Die Einwirkung von $SbCl_5$ auf die beiden Isomeren $C_2H_4Br_2$ zeigt den Unterschied, welcher zwischen einer multiplen einatomigen Verbindung wie $CH_2Br—CH_2Br$, und einer mehratomigen Monocarbonverbindung wie $CH_3—CHBr_2$ existiert, in deutlicher Weise.

3. *Bromäthylendibromid*, $CH_2Br—CHClBr$. Dasselbe enthält wie $CH_2Br—CHClBr$ das Brom in zwei verschiedenen Stellungen und ist deshalb für die Erörterung derselben Fragen geeignet.

a. *Positive Reagenzien.* Kaustisches Kali, Natriumäthylat, Kaliumacetat etc. in alkoholischer Lösung. Bildung von dissymmetrischem Äthylendibromid, $CH_2\overline{}CBr_2$ (Sdp. 86—88°) als einziges unmittelbares Produkt. Der Vf. bestätigt die Resultate von ARTHUR MICHAEL (Amer. Chem. Journ. **5.** 192), durch welche die von TAWILDAROFF (LIEB. Ann. **176.** 21) korrigiert worden sind.

Das als HBr eliminierte Brom ist daher ausschließlich das des Kernes CH_2Br.

b. *Negative Reagenzien:* $SbCl_5$. Die vorhergehenden Reaktionen gestatten vorauszusehen, wie sich $CH_2Br—CHBr_2$ verhalten wird. Der Vf. hat konstatiert, daß die Seite CH_2Br „respektiert" und nur der Aldehydkern $CHBr_2$ angegriffen wird; letzteres erfolgt indessen immer total, selbst dann, wenn man die beiden Körper in dem Verhältnisse $SbCl_5$ auf $2(CH_2Br—CHBr_2)$ anwendet. Bei einem unter diesen Bedingungen ausgeführten Versuche erhielt der Vf. neben einer gewissen Menge von unangegriffenem primitiven Produkte, *Dichlormonobromäthan* (Siedep. 137—138°, Dampfdichte 6,20, ber. 6,13), welches mit alkoholischem Kali KBr und dissymmetrisches Dichloräthylen, $CCl_2\overline{}CH_2$ (Siedep. 35—37°) giebt.

Diese Reaktion beweist die Formel $CH_2Br—CHCl_2$.

Schließlich bemerkt der Vf., daß $SbCl_5$ noch weniger leicht auf $CH_2Br—CHBr_2$, als auf $CH_2Br—CHClBr$ einwirkt.

Durch diese Untersuchung sind also drei verschiedene Systeme oder Kerne:

$$CH_2Br, \qquad CH<^{Br}_{Br} \qquad CH<^{Cl}_{Br}$$

in ihrem Verhalten zu positiven und negativen Reagenzien studiert worden. Die Resultate haben ergeben, welche Verschiedenheiten in dem Verhalten des Broms durch die Verminderung der Zahl der benachbarten Wasserstoffatome und durch Vertretung des einen von ihnen durch ein negatives Radikal, Chlor oder Brom selbst, bewirkt werden. Gegenüber den positiven Reagenzien wird die Reaktionsfähigkeit des Broms vermindert, gegenüber einem negativen Reagens, $SbCl_5$, im Gegenteile vermehrt. (C. r. **97.** 1491—94. [24.*] Dez. 1883.)

L. Th. Reicher, Über *die Geschwindigkeit der Bildung des Maleïnsäureanhydrids.* MENSCHUTKIN hat vor einiger Zeit gefunden, daß die einbasischen Säuren, obgleich sie dieselbe Grenze der Ätherifikation besitzen, doch in bezug auf ihre Ätherifikationsgeschwindigkeit in drei Klassen geteilt werden können, in denen die Gruppe CO_2H verbunden ist mit CH_2 (primäre Säuren), resp. CH (sekundäre Säuren) oder C (tertiäre

Säuren). Er beobachtete Anfangsgeschwindigkeiten* von 30, resp. von 20 und 3. Später (Ber. Chem. Ges. **14.** 2631) giebt er als Resultat seiner Untersuchungen an, daſs die zweibasischen Säuren wenigstens in dieser Hinsicht sich wie die einbasischen Säuren verhalten. Er konstatiert, daſs, während die Ätherifikationsgrenze ungefähr dieselbe für alle untersuchten zweibasischen Säuren ist, die Anfangsgeschwindigkeit für die primären doch gröſser ist, als für die sekundären, und bei den letzteren wiederum gröſser, als bei den tertiären. Nur die Zahlen sind etwas gröſser als die obigen. Er fand z. B. als Anfangsgeschwindigkeit der normalen Brenzweinsäure ($CO_2H.CH_2.CH_2.CH_2.CO_2H$) 50,21; als die der sekundären Säure ($H_2C.CH.CO_2H.CH_2CO_2H$) 42,85, während die der tertiären Terephtalsäure so klein ist, daſs sie nicht bestimmt werden konnte. Aus diesen Thatsachen schlieſst MENSCHUTKIN, daſs die Untersuchung der Anfangsgeschwindigkeiten der Ätherifikation für die zweibasischen Säuren ebensogut als für die einbasischen dazu dienen kann, in zweifelhaften Fällen ihre Konstitution zu bestimmen. In dieser Absicht untersuchte er die Fumarsäure und die isomere Maleïnsäure und fand als Anfangsgeschwindigkeit der Ätherifikation für jene 22,96 und für diese 51,45. Er erblickt hierin einen Beweis dafür, daſs die Konstitution dieser beiden Säuren durch die Formel von FITTIG:

$$CO_2H.CH = CH.CO_2H \text{ und } CO_2H.CH_2 -- C.CO_2H$$

auszudrücken ist. Demnach würde die Fumarsäure die primäre und die Maleïnsäure die sekundäre Säure sein. Gegen diese Schluſsfolgerung erhebt SCHWAB (**83.** 419) Bedenken. Aus verschiedenen Gründen erschien es ihm nicht wahrscheinlich, daſs das angegebene Prinzip stets eine feste Base für die Bestimmung der Konstitution bilde und aus Gründen, die übergangen werden können, studierte er die Ätherifikation bei 100° für den Fall, wo beide Säuren mit einem groſsen Überschuſs von Äthylalkohol zusammengebracht sind. Er fand nach acht Stunden ätherifiziert:

> von der Fumarsäure . . . . 3 p. c.
> von der Maleïnsäure . . . . . . 44,9 p. c.

Vergleicht man hiermit noch die von SCHWAB unter gleichen Umständen für die Essigsäure und die Benzoesäure erhaltenen Zahlen in betreff der Ätherifikation nach acht Stunden:

> Essigsäure . . . . 2,9 p. c.
> Benzoesäure . . . . . 1 p. c.

so fragt man sich unwillkürlich angesichts der enormen Differenzen zwischen 44,9 einerseits und 3, 2,9, 1 andererseits, ob hier nicht vielleicht eine besondere Ursache obgewaltet hat, welche die Ätherifikation der Maleïnsäure begünstigte.

SCHWAB vermochte zu zeigen, daſs die Maleïnsäure bei 100° sich zu einem beträchtlichen Teile in Anhydrid umwandelt. Da es nun bekannt ist, daſs die Anhydride mit den Alkoholen sehr leicht ätherartige Verbindungen eingehen, so ist die Ätherifikation der Maleïnsäure das Resultat zweier Ursachen, welche sich durch folgende Gleichungen ausdrücken lassen.

1. Gewöhnliche Ätherifikation (direkter Weg):

$$C_4H_4O_4 + 2C_2H_6O = 2H_2O + C_8H_{12}O_4.$$

2. Ätherifikation durch Anhydrid (indirekter Weg):

> a. $C_4H_4O_4 = C_4H_2O_3 + H_2O.$
> b. $C_4H_2O_3 + 2C_2H_6O = C_8H_{12}O_4 + H_2O.$

Es ist klar, daſs weder die Anfangsgeschwindigkeit der Ätherifikation, noch die von MENSCHUTKIN benutzte Gröſse zur Vergleichung der verschiedenen Säuren, welche sich nur auf die Reaktion No. 1 bezieht, in dem vorliegenden Falle auf die gewöhnliche Weise bestimmt werden können, weil das Endresultat das Produkt der Reaktion 1 und 2 zugleich ist. Es verdient überdies bemerkt zu werden, daſs SCHWAB die Bildung des Anhydrids schon bei 100° beobachtete, während MENSCHUTKIN bei 150° arbeitete, wahrscheinlich doch ohne Zweifel die Bildung des Anhydrids mit der Temperatur zunimmt. Wenn sie demnach schon bei den Versuchen von SCHWAB beeinfluſste, so muſs dies noch in viel höherem Maſse bei den von MENSCHUTKIN der Fall gewesen sein.

Indem MENSCHUTKIN auf diese Bemerkungen antwortete, gab er die Bildung des Anhydrids bei 100° zu, allein sich stützend auf die Analogien mit anderen Säuren er-

---

* Unter dem Ausdrucke Anfangsgeschwindigkeit versteht man die Äthermenge, welche bei 150° nach einer Stunde gebildet ist, wenn Säure und Alkohol zu gleichen Molekülen angewandt wurden.

achtete er diesen Einfluſs so gering, daſs er die Menge des zusammengesetzten Äthers trotzdem als wesentlich durch die Reaktion No. 1 gebildet betrachtete (**83**. 743). Um diese Frage aufzuklären, hat der Vf. die Gröſse des Einflusses der Reaktion 2, d. h. die Menge des bei 100° gebildeten Anhydrids zu bestimmen versucht. Er wollte sehen, ob die Zahl 44,9 in acht Stunden, welche SCHWAB fand, wirklich zum gröſseren Teile auf diese Spaltung zurückgeführt werden muſs, oder ob nicht vielleicht im Gegentheil durch die Anhydridbildung nur ein verhältnismäſsig kleiner Teil der Säure ätherifiziert worden ist. Bei den folgenden Versuchen, welche zu diesem Zweck ausgeführt wurden, studierte er das Verhalten der Maleïnsäure bei 100° im Vakuum und bei Abwesenheit wasserentziehender Körper, um den Einwurf zu vermeiden, daſs eine besondere Ursache irgend welcher Art die Bildung des Anhydrids begünstigt haben könnte.

Maleïnsäure wurde in einem leeren Ballon auf 100° erhitzt, dessen Gröſse hinreichend war, damit die ganze Wassermenge, welche sich bilden konnte, im Dampfzustand verbleiben konnte. Nach 4¹⁄₂ stündiger Erhitzung sah man während der Abkühlung auf den Wänden des Ballons eine beträchtliche Menge Anhydrid krystallisiert, welches man leicht an seinem Schmelzpunkt und an der charakteristischen Überschmelzung erkennen konnte. Dieses Anhydrid blieb lange Zeit unverändert, weil das Wasser im Ballon im dampfförmigen Zustand war. Wegen dieser Spaltung scheint es so, als wenn die Maleïnsäure sich bei 100° beträchtlich verflüchtigt, weil das Anhydrid unter diesen Umständen flüchtig ist. Es war indes möglich, zu beweisen, daſs die Maleïnsäure sich ohne Zersetzung nicht verflüchtigt, und daſs die Dämpfe, welche entweichen, ausschlieſslich nur aus Anhydrid und Wasser bestehen; ein genügender Beweis war eigentlich schon durch den obigen Versuch geliefert, weil man in den Wänden des Ballons gebildeten Absatz keine Spur von Maleïnsäure nachweisen konnte. Die Bestimmung der Dampfdichte bestätigt indes jene Schluſsfolgerung vollkommen. Diese wurde nach der Methode von HOFMANN ausgeführt und wurde = 28,4 gefunden, während die Rechnung für den Fall, daſs die Dämpfe ausschlieſslich nur aus Anhydrid und Wasser bestehen, 29 ergiebt.

Hieraus ergiebt sich eine einfache Methode, die Bildung des Anhydrids bei 100° zu bestimmen. Sie besteht darin, die Geschwindigkeit der anscheinenden Verflüchtigung der Maleïnsäure bei der angegebenen Temperatur zu bestimmen. Hierzu boten sich zwei Wege dar:

1. Man entfernte so rasch als möglich die bei 100° entwickelten Dämpfe von Anhydrid und Wasser; hierdurch bestimmt man die Menge der Spaltungsprodukte, welche sich in einer bestimmten Zeit bilden; um die Dämpfe so rasch als möglich zu beseitigen, wurde die Maleïnsäure in einer möglichst dünnen Schicht ausgebreitet, auf 100° erwärmt und ein rascher Strom verdünnter trockner Luft darüber geleitet. Um die Säure in möglichst dünner Schicht zu erhalten tränkte man Glaswolle mit einer starken Lösung von Maleïnsäure und trocknete sie. Eine an beiden Enden geöffnete Röhre wurde mit dieser gewogenen und getrockneten Glaswolle gefüllt und in der beschriebenen Weise behandelt. Das Gewicht der Säure vor der Erhitzung betrug 0,1023 g, nach zweistündiger Erhitzung auf 100° 0,0457 g; es waren also 0,0566 g verschwunden. Unter diesen Umständen waren also im Zeitraum von zwei Stunden nicht weniger als 55 p. c. Maleïnsäure in Anhydrid und Wasser gespalten worden.

2. Nach einem anderen Verfahren bediente sich der Vf. eines Ballons, welcher zur Bestimmung der Dampfdichte benutzt worden war. Eine gewogene Menge Maleïnsäure wurde auf der inneren Wand desselben in sehr dünner Schicht ausgebreitet und gewogen; der Kolben wurde evakuiert und über Quecksilber abgesperrt wie bei der Bestimmung der Dampfdichte. Nachdem man mittels eines Kathetometers die Spannung der zurückbleibenden Luft gemessen hatte, wurde der Apparat auf 100° erhitzt, während man von Stunde zu Stunde den Druck beobachtete. Mit 0,0689 g Maleïnsäure erhielt man bei 100° ein Volum von 1421 ccm Dampf.

Beobachtungszeit in Stunden	Druck (korrigiert) in Millimetern Quecksilber	Gebildetes Anhydrid in Prozenten
0	4,38	0
1	6,03	11,6
2	6,53	15,2
3	7,87	24,6
4	9,19	33,9
5	10,32	41,9
6	12,40	56,5

Beobachtungszeit in Stunden	Druck (korrigiert) in Millimeter Quecksilber	Gebildetes Anhydrid in Prozenten
$6^1/_2$	13,52	64,4
$7^1/_2$	14,85	73,8
$8^1/_2$	15,58	78,9
$9^1/_2$	16,54	85,7
$10^1/_2$	17,01	89,0
$11^1/_2$	17,33	91,3

Auf grund dieser Resultate scheint dem Vf. die Ansicht von SCHWAB eine bedeutende Stütze zu erhalten, SCHWAB konstatierte die abnorme Gröfse der Geschwindigkeit der Ätherifikation der Maleïnsäure und schob sie der Bildung von Anhydrid zu. MENSCHUTKIN erachtete dagegen die Anhydridbildung zu gering, um einen beträchtlichen Einflufs auf das Resultat ausüben zu können. Die Resultate der obigen Versuche stehen dieser Annahme entgegen und zeigen die grofse Geschwindigkeit, mit welcher sich das Anhydrid bildet. Die Anhydridmengen, welche bei den Versuchen a und b (nach zwei Stunden 55 p. c. und nach acht Stunden 76 p. c.) gebildet worden sind, sind so beträchtlich, dafs man ihnen allein die ganze Ätherifikation zuschreiben kann. Die Temperatur von 150°, welche MENSCHUTKIN anwendete, mufs demnach noch viel ungünstiger für die Bestimmung der Konstitution der Maleïnsäure mit Hilfe der Ätherifikationsgeschwindigkeit sein. (Recueil des Trav. Chim. des Pays-Bas **2**. 308—316. Ende Dez. [8. Dez.] 1883. Amsterdam).

E. Duvillier und **H. Malbot**, Über *die Einwirkung von Ammoniak auf Methylnitrat.* E. DUVILLIER und A. BUISINE (**80**. 327) haben gezeigt, dafs man durch Erhitzen einer methylalkoholischen Lösung von Ammoniak mit Methylnitrat in geschlossenen Röhren auf 100° eine reichliche Menge von Methylamin nebst einer geringen Menge von salpetersaurem Tetramethylammonium und nur Spuren von Dimethylamin und Trimethylamin erhält. Sie haben überdies gefunden, dafs unter denselben Bedingungen durch Einwirkung von Methylamin auf Methylnitrat fast nur salpetersaures Tetramethylammonium nebst Spuren von Dimethylamin und Trimethylamin entsteht.

Durch Abänderung der Bedingungen sind die Vff. zu sehr abweichenden Resultaten gelangt. Ein Strom Ammoniakgas wurde in Methylnitrat, welches mit $^1/_{10}$ seines Volums Holzgeist versetzt war, geleitet. Der Ballon, in welchem die Reaktion vorgenommen wurde, war mit einem Rückflufskühler versehen. Das Ammoniak löste sich, und die Flüssigkeit wurde heifs; sobald die Absorption aufhörte, wurde der Ammoniakstrom unterbrochen. Durch die Abkühlung schieden sich reichliche Mengen von Krystallen ab. Es wurde hierauf durch Destillation das überschüssige Ammoniak und der Holzgeist entfernt und der Rückstand mit überschüssiger Kalilauge behandelt. Die flüchtigen Ammoniake entwickelten sich und wurden nach den Angaben von DUVILLIER und BUISINE (Ann. Chim. Phys. [5.] **23**. 319) getrennt.

Die stark alkalische Flüssigkeit, welche nach der Destillation der flüchtigen Ammoniake übrig blieb, wurde mit Salpetersäure genau neutralisiert; der gröfste Teil des gebildeten Kaliumnitrates scheidet sich schon bei der ersten Krystallisation aus; nach mehreren Konzentrationen und successiven Krystallisationen wurden die sirupförmigen Mutterlaugen mit siedendem absoluten Alkohol behandelt, welcher den Rest des Salpeters ungelöst zurückliefs. Die alkoholische Flüssigkeit wurde zur Trockne gedampft und der Rückstand in absolutem siedenden Alkohol aufgenommen. Beim Abkühlen krystallisiert eine reichliche Menge von salpetersaurem Tetramethylammonium aus, welches man durch eine nochmalige Umkrystallisation aus Alkohol reinigte. Die relativen Mengen von zusammengesetzten Ammoniaken und gewöhnlichem Ammoniak, die bei dieser Reaktion entstehen, sind folgende:

> Gewöhnlicher Ammoniak . . . 5
> Tetramethylammoniumoxyd . . 3
> Methylamin 2
> Dimethylamin und Trimethylamin Spuren

Bei der Einwirkung von gasförmigem Ammoniak auf Methylnitrat bildet sich also das Methylamin in beträchtlichen Mengen, ist aber nicht das Hauptprodukt. (C. r. **97**. 1487 bis 1488. [24.°] Dez. 1883.)

7. Analytische Chemie.

Schucht, *Zur Elektrolyse.* Der Vf. beschreibt das Verhalten der Blei-, Thallium-, Silber-, Wismut-, Nickel-, Kobalt-, Mangan-, Selen- und Tellurverbindungen bei der Elektrolyse. (Ztschr. anal. Chem. **22**. 485—95.)

Peter T. Austen und **Fr. A. Wilber**, Über die *Reinigung von Ammoniumfluorid.*
Eine der besten Methoden zur Bestimmung der Kieselsäure in titanhaltigen und anderen
Erzen besteht darin, dieselbe durch Fluorammonium und Schwefelsäure oder direkt durch
Flufssäure als Fluorsilicium zu vertreiben. Die gröfste Schwierigkeit liegt indessen in
der Beschaffung von reinem Fluorammonium oder reiner Flufssäure. Die Vff. schlagen
zur Reinigung der betreffenden Materialien folgendes Verfahren vor. Soviel Fluorammonium, als man zu einer Analyse braucht, wird in möglichst wenig Wasser in einer Platinschale gelöst und mit starker Ammoniakflüssigkeit in geringem Überschusse versetzt.
Hat man Flufssäure, so neutralisiert man dieselbe durch Ammoniak und bedient sich
dazu, um alles Umherspritzen zu vermeiden, einer kleinen Pipette, aus der man die Ammoniakflüssigkeit tropfenweise ausfliefsen läfst. In diesem Falle mufs man unter einem
guten Abzuge arbeiten. In beiden Fällen entsteht ein reichlicher Niederschlag. Hierauf
macht man sich aus Filtrierpapier, welches mit Flufssäure ausgezogen ist, ein Faltenfilter
von entsprechender Gröfse und hängt dies an einem Ringe von Platindraht auf, sodafs
es gerade über dem Platintiegel, welcher das fein gepulverte Erz enthält, steht. Dann
giefst man die mit Ammoniak versetzte Flüssigkeit aus der Platinschale von dem Niederschlage ab und läfst sie in den Platintiegel laufen. Ist letzterer für die anzuwendende
Flüssigkeitsmenge zu klein, so mufs man im Wasserbade konzentrieren, doch ist besser,
wenn dies vermieden werden kann. Man versetzt hierauf die Lösung mit reiner Schwefelsäure und dampft zur Trockne. Sollte hierdurch die Kieselsäure noch nicht vollständig
ausgetrieben sein, so mufs das Verfahren noch einmal wiederholt werden. Die Vff. haben
übrigens gefunden, dafs man in der Regel mit einmaligem Eindampfen ausreicht. Das
in der oben beschriebenen Weise behandelte Ammoniumfluorid hinterläfst nach dem Eindampfen keinen Rückstand. Das Verfahren kann hiernach zugleich zur Prüfung des Am-
moniumfluorides auf seine Reinheit dienen. Die Vff. ziehen übrigens die Anwendung von
Fluorwasserstoffsäure vor. (Amer. Chem. Journ.; Chem. N. **48**. 274. 14. Dez. 1883.)

Ed. Tuma, Über *bleihaltige Glaswolle.* Vier Sorten einer feinen Glaswolle aus Tann-
wald bezogen, enthielten Blei, welches von Salzsäure und Alkalien der Glaswolle entzogen
werden konnte. Die eine Probe (III) ergab 16,27 p. c. Bleioxyd. (Rundschau f. Inter.
d. Pharm. Chem. **9**. 925—26. 10. Dez. 1883. Prag.) P.

F. Sestini, Über *die Anwendung der Dialyse in den Bodenanalysen.* Petermann
hat bereits 1872 in der Versammlung der Deutschen Naturforscher vorgeschlagen, die
Dialyse in den Ackerbodenanalysen anzuwenden. Der Vf. zeigt, dafs er dieselbe Idee
bereits vor mehr als 20 Jahren (Giornale die Farmacia e Chimica) vorgeschlagen hat.
(Landw. Vers.-Stat. **29**. 459—60.)

Leonard P. Kinnicutt und **John U. Nef**, *Mafsanalytische Bestimmung der gebundenen salpetrigen Säure.* Die Bestimmung der salpetrigen Säure im käuflichen Kalium-
und Natriumnitrit wird in der Regel folgendermafsen ausgeführt. Die Nitrite werden
in schwach angesäuertem Wasser gelöst, mit einer Lösung von Kaliumpermanganat versetzt, bis die Oxydation der salpetrigen Säure beinahe vollendet ist, dann die Flüssigkeit
stark sauer gemacht und mit Permanganat fertig titriert. Diese Methode ist indessen
sehr ungenügend, da sie nur ausnahmsweise genaue Resultate giebt. Die Ursache hiervon liegt wahrscheinlich darin, dafs kleine Verluste an salpetriger Säure nicht zu vermeiden sind und dafs die Oxydation der letzten Anteile durch das Kaliumpermanganat
sehr langsam erfolgt. Die Vff. schlagen folgendes Verfahren vor.
Das Nitrit wird in der 300fachen Menge Wasser gelöst und die Lösung mit Zehntel-
normalchamäleon so lange versetzt, bis die Rotfärbung nicht mehr verschwindet. Hierauf
fügt man zwei oder drei Tropfen verdünnte Schwefelsäure und sogleich einen Überschufs
von Permanganat hinzu. Die stark rot gefärbte Lösung wird mit Schwefelsäure versetzt,
zum Sieden erhitzt und der Überschufs von Permanganat durch Zehntelnormaloxalsäure
bestimmt. (Amer. Chem. Journ.; Chem. N. **48**. 274. 14. Dez. 1883.)

H. Wilfarth, *Zur Bestimmung der Salpetersäure.* Der Vf. verwandelt die Salpetersäure in bekannter Weise in Stickoxyd und oxydiert dieses dann durch Wasserstoffsuperoxyd wieder in Salpetersäure, welche er titriert. Seine Methode ist also die ursprünglich
Schlösing'sche, aber in so veränderter Gestalt, dafs, wenn die Arbeit nach Schlösing
aufserordentlich schwierig und zeitraubend war, die hier vorgeschlagene Bestimmungsweise
eine der einfachsten analytischen Operationen darstellt. Der hierzu geeignete Apparat
ist auf der folgenden Seite abgebildet. Das Stickoxyd gelangt in die gewöhnlichen
Kolben *C* von 250 ccm Inhalt durch die Glasröhre *i*. Diese ist an ihrer Mündung nahe
der Oberfläche der Flüssigkeit etwas erweitert und umgebogen, so dafs durch ein Tröpfchen Wasser hier ein Verschlufs gebildet werden kann, der eine Diffusion gegen den
Gasstrom verhindert. Der Kolben ist durch einen zweifach durchbohrten Kautschukstopfen verschlossen, und durch eine rechtwinklig gebogene Glasröhre mittels Gummischlauches der Apparat *e* angefügt. Derselbe ist ähnlich einer Will-Varrentrapp'-

92

schen Stickstoffröhre gebildet, trägt aber vorn eine ca. 150 ccm grofse, an den Enden etwas birnförmig aufgezogene Kugel, deren Axe nahezu horizontal liegt *. Um den Apparat zu beschicken, füllt man in den Kolben C 20 ccm Natronlauge und 20 ccm Wasserstoffsuperoxyd, spült den Hals mit etwas Wasser ab und saugt etwa ein Drittel der Flüssigkeit in den Apparat c, zu welchem Zwecke der Schenkel g so lang sein mufs, dafs der Boden des Kolbens bequem erreicht werden kann. Man befestigt dann den Apparat so, dafs sich ein Teil des Aufgesogenen in der grofsen Kugel befindet, während der Rest den Apparat so anfüllt, dafs der Gasstrom ihn durchstreichen mufs. Wenn die Oxydation beendet ist, spült man einfach den Inhalt von c wieder in den Kolben C zurück, übersättigt mit Schwefelsäure, läfst einige Minuten stehen, kocht zur Vertreibung der CO_2, kühlt bis Zimmertemperatur ab und titriert mit Natron zurück. Es bildet sich nämlich bei der Operation eine kleinere Menge salpetriger Säure, die nicht in alkalischer, aber sofort in saurer Lösung durch das noch zur Hälfte vorhandene H_2O_2 oxydiert wird; ein Verlust von NO findet hierbei nicht statt. Das Abkühlen ist nötig, weil der Indikator in der Hitze durch H_2O_2 zersetzt wird. Zur Kontrolle ist es gut, mit g verbunden noch einen zweiten, ganz ebenso wie C gebauten Apparat D, den man mit 10 ccm Natron und 10 ccm Wasserstoffsuperoxyd füllt und für sich titriert, anzubringen; bei regelmäfsigem, nicht zu schnellem Gange der Zersetzung konnte nie eine Aufnahme von Salpetersäure in D konstatiert werden.

Das Zersetzungsgefäfs wandte Vf. in derselben Form an, wie es BÖHMER (**83.** 357) beschreibt. Ein ERLENMEYER'scher Kolben von 200—250 ccm Inhalt ist durch einen dreifach durchbohrten Kautschukstopfen verschlossen, ein Zuleitungsrohr für die Kohlensäure und ein Scheidetrichter gehen bis zum Boden des Kolbens und sind unten ausgezogen und umgebogen, ein drittes Rohr führt oben das Stickoxyd ab; dasselbe passiert zwei in kaltem Wasser stehende Reagensröhren und gelangt dann in den oben beschriebenen Absorptionskolben C.

Bezüglich der Ausführung der Methode ist auf das Original zu verweisen. (Landw. Vers.-Stat. **29.** 439—49.)

Hott, *Methode zum Nachweise geringer Arsenmengen.* Die Flüssigkeit, welche man auf Arsen prüfen will, wird filtriert. Man berührt dann die Oberfläche des Filtrates zuerst mit einer Silbernitratlösung und dann mit einem mit Ammoniaklösung benetzten Glasstabe. Ist die geringste Menge Arsenik in Lösung, so entsteht ein orangefarbener Niederschlag. (Monit. des prod. chim. d. D. Amer. Apoth.-Ztg. **4.** 476.)   P.

Zabudsky, *Bestimmung des Kohlenstoffes in Gufseisen und Stahl.* Man löst 20 g Kupfersulfat und 20 g Chlornatrium in Wasser und dampft das Gemenge zur Trockne. Von dem Trockenrückstande werden 20 g auf 1 g des zu untersuchenden, fein verteilten Eisens mit letzterem unter Zusatz von etwas Wasser zu einem Teige angerührt. Diesen bringt man in ein Glas, erwärmt ihn zuerst ohne, und dann mit Salzsäure schwach, und bringt den erhaltenen Rückstand, welcher aus unreinem Kohlenstoffe besteht, auf ein Asbestfilter. Die Verbrennung des Kohlenstoffes geschieht in gewöhnlicher Weise. (Zurn. rusk. chim. obsc. **15.** 410.)

John Clark, Über *die Trennung von Kobalt und Nickel.* Im Jahre 1879 veröffentlichte PH. DIRVELL ein Verfahren zur Trennung von Kobalt und Nickel (**80.** 40), welches der Hauptsache nach darin besteht, dass Kobalt durch Phosphorsalze und Ammoniumdicarbonat (oder Ammoniumacetat) zu fällen (Näheres siehe a. a. O.). Der Vf. hat gefunden, dafs den Nachweis von Ammoniumcarbonat die vollständige Ausfällung des Kobalts Schwierigkeiten bietet, ja mitunter erhielt er selbst keine Fällung. Mit Ammoniumacetat und Phosphorsalz gelingt die Fällung besser, doch immer nur ungenügend. Gleichwohl läfst sich das Verfahren verbessern, und auf Grund zahlreicher Versuche konnte der Vf. folgendes feststellen: 1. Ammoniumphosphat ist die geeignetste Substanz zur Fällung des Kobalts, gewöhnliches Natriumphosphat ist weniger dazu geeignet. 2. Es ist nicht nötig, zur Abscheidung des Kobalts Ammoniumdicarbonat oder Ammoniumacetat zu verwenden, da Chlorammonium, Ammoniumsulfat und Ammoniumnitrat dieselben Dienste

* Solche Apparate sind nach der Angabe des Vf's. von dem technischen Institute von Dr. R. MÜNCKE, Berlin NW., Louisenstr. 58, angefertigt und können von dort bezogen werden.

leisten wie das Acetat und jedenfalls bessere, als das Dicarbonat. 3. Wendet man Ammoniumphosphat an, so ist es nur nötig etwas mehr, als die theoretisch erforderliche Menge zuzusetzen, um sowohl Kobalt und Nickel, als Phosphate zu fällen; nimmt man jedoch Natriumphosphat, so muß man weit mehr davon anwenden. 4. Die von DIRVELL, gegebene Formel· für das Ammoniumkobaltphosphat, $CONH_4PO_4 + H_2O$, ist richtig.

Um Kobalt und Nickel nach dieser Methode zu trennen, verfährt man folgendermaßen. Die gemischte Lösung, welche die beiden 'Metalle als Chloride, Nitrate oder Sulfate enthält, wird mit einem geringen Überschuß von Ammoniumphosphat (etwa mit der fünffachen Menge der gemischten Salze) versetzt und für jeden Teil Ammoniumphosphat ungefähr fünf Teile gewöhnlicher Salzsäure hinzugefügt. Hierauf wird die Lösung einige Minuten lang gekocht, das Becherglas vom Feuer genommen und sofort vorsichtig mit Ammoniak versetzt bis der zuerst entstehende Niederschlag sich wieder löst. Die Lösung wird dann etwa eine Minute lang tüchtig umgerührt, worauf sich das Kobaltsalz als ein feines purpurrotes Krystallpulver, welches Ammoniumphosphat und Kobalt enthält, niederschlägt. Man setzt dann etwa zehn Tropfen Ammoniak hinzu und bringt das Glas einige Minuten lang in ein Wasserbad. Sobald sich der Niederschlag abgesetzt hat, wird er filtriert, mit kaltem Wasser gewaschen, getrocknet, geglüht und als Kobaltpyrophosphat, $CO_2P_2O_7$, gewogen, welches 40,4 p. c. Kobalt enthält. Das Filtrat von dem Kobaltsalze ist mehr oder weniger hellblau gefärbt, je nach seinem Gehalt an Nickel. Da es meist noch eine geringe Menge von Kobalt enthält, so ist es nötig, dasselbe nochmals auf 100° zu erhitzen, bis das Nickelsalz sich abzuscheiden beginnt. War vorher alles Kobalt ausgefällt worden, so ist der jetzt entstehende Niederschlag grün; war aber noch etwas Kobalt in Lösung, so erscheint er mehr oder weniger rot gefärbt. In jedem Falle wird er abfiltriert, in Salzsäure gelöst und das Kobalt, falls er solches enthält, wie vorher abgeschieden. Das Filtrat vereinigt man dann mit dem übrigen. Endlich fällt man das Nickel nach Zusatz von Ammoniak durch Schwefelwasserstoff, filtriert das Schwefelnickel ab, glüht es, löst es in Königswasser auf, schlägt das Nickel durch Kali nieder und wägt es als Oxyd. Der Vf. hat nach diesem Verfahren verschiedene Kobalterze analysiert und immer sehr zufriedenstellende Resultate erhalten und zwar nicht nur, wenn große Mengen Kobalt neben kleinen Mengen Nickel vorhanden waren, sondern auch in dem umgekehrten Falle. Bei der Analyse von Erzen st es vorzuziehen, beide Metalle zuerst aus essigsaurer Lösung als Sulfid zu fällen. Große Vorsicht muß angewendet werden, um vorhandenes Mangan zu beseitigen, weil dieses die genaue Bestimmung des Kobalts sehr beeinträchtigt. Die gemischten Sulfide werden nach dem Glühen gewogen, um ungefähr die Gesamtmenge von Kobalt und Nickel zu erfahren, dann in Königswasser gelöst und in der beschriebenen Weise weiter behandelt. (Chem. News 48. 262—63. 7. Dez. 1883).

H. Schwarz, *Zur Aufschließung des Chromeisensteines.* (Ztschr. anal. Chem. 22. 530—31.)

8. Technische Chemie.

O. Kaspar, Über die *Zusammensetzung von Naturweinen.* Vf. giebt auf grund von 250 Analysen von reinen Weinen, welche teils in der Litteratur vorhanden sind, teils von ihm ausgeführt worden waren, eine Zusammenstellung des Verhältnisses von Extrakt zu den Mineralbestandteilen gefunden:

5 mal wurde gefunden		7 Tle. Extrakt auf 1 Tl. Mineralbestandteile	
29 „	„	8 „	„
45 „	„	9 „	
84 „	„	10 „	
47 „	„	11 „	
17 „	„	12 „	
3 „·	„	13 „	
8 „	„	14 „	
5 „·	„	15 „	
3 „	„	16 „	
2 „	„	17 „	
1 „·	„	19 „	
1 „	„·	20 „	

94

J. Moritz, *Weinanalysen.* Der Vf. hat zwölf verschiedene Sorten Naturweine analysiert und darin bestimmt: Gesamtsäure, Extrakt, Mineralstoffe, Glycerin, Alkohol, Phosphorsäure, Schwefelsäure, spez. Gewicht und Polarisation. Die Resultate sind tabellarisch zusammengestellt. (Ztschr. anal. Chem. **22.** 513—15. Dez. 1883. Geisenheim.)

Senderens, *Rasches Verfahren zum Erhitzen (Pasteurisieren) des Weines.* Der Wein wird in einem weiten und flachen kupfernen Kessel erwärmt; dieser Kessel ist mit einem Deckel versehen, durch dessen Mitte ein mit einem Hahn versehenes Trichterrohr bis fast auf den Boden des Kessels geht. Durch dieses Rohr fließt der Wein zu und andererseits durch ein am oberen Rande des Kessels angebrachtes, ebenfalls mit einem Hahne versehenes Überlaufrohr ab. Die Temperatur des Weines wird in dem letzteren Rohre gemessen, welches zu diesem Zwecke ein in einer Hülse steckendes Thermometer trägt. Man läßt den Kessel zuerst voll Wein laufen und erhitzt ihn über freiem Feuer, bis das Thermometer im Überlaufrohre 60—65° zeigt. Dann öffnet man beide Hähne und reguliert die Ausflußgeschwindigkeit so, daß die Temperatur möglichst konstant bleibt. (C. r. **97.** 1502—3. [24.*] Dez. 1883.)

Ach. Livache, *Beschleunigung der Oxydation trocknender Öle.* Der Vf. hat gefunden, daß die Sikkativität trocknender Öle beträchtlich erhöht wird, wenn man sie der Einwirkung von fein verteiltem Blei, und in etwas geringerem Grade auch von Kupfer unterwirft. Andererseits ist der Einfluß von Mennige, Bleiglätte und Manganoborat hinreichend bekannt. Dies führte den Vf. dazu, innerhalb solcher Öle Metalle zur Wechselwirkung mit Salzlösung zu bringen. Wenn man z. B. ein mit fein verteiltem Blei behandeltes Öl, welches infolgedessen Blei gelöst enthält, mit einer Lösung von Zinksulfat behandelt, so erhält man ein Öl, welches keine Spur von Blei, statt dessen aber Zink enthält; ebenso kann man durch Einwirkung von Manganosulfat und Kupfersulfat auf Bleiglätte leicht Öle erzeugen, welche Mangan, Kupfer etc. enthalten.

In dieser Weise hat der Vf. eine Reihe von Versuchen ausgeführt, um dadurch die Schnelligkeit zu bestimmen, mit welcher derartig behandelte Öle trocknen. Wenn man ein bleihaltiges Öl in dünner Schicht auf einer Glasplatte ausbreitet, so trocknet dasselbe nach etwa 24 Stunden; substituiert man darin das Blei durch Mangan, so ist die Trocknung schon nach fünf bis sechs Stunden vollendet; dagegen dauert dieser Prozeß, wenn man das Blei durch Kupfer, Zink oder Kobalt ausfällt, 30—36 Stunden, und wenn man Nickel, Eisen, Chrom etc. anwendet, so ist die Eintrocknung noch nach 48 Stunden nicht vollendet.

Wenn man bei einer derartigen Präparation der Öle zur Substitution der Metalle die betreffenden Salzlösungen anwendet und die Öle damit schüttelt, so erhält man eine Emulsion, aus der sich das Öl sehr schwer abscheidet, und man muß erhitzen, um dies überhaupt zu bewirken. Zur Vermeidung dieses Übelstandes wendet der Vf. das Salz in festem und pulverförmigem Zustande an, und es gelang ihm auch in dieser Weise das Blei vollständig durch Schütteln mit Mangansulfat durch Mangan zu substituieren. Ein so bereitetes Öl besitzt eine außerordentliche Sikkativität, bedarf aber seiner Darstellung genügt eine einfache Dekantation, um es vollkommen klar zu erhalten. Wie übrigens vorauszusehen war, lassen sich die beiden Operationen: das Schütteln mit fein verteiltem Blei und mit gepulvertem Mangansulfat auch in eine vereinigen, doch erhält man in diesem Falle ein Öl, welches nicht ausschließlich Mangan, sondern auch Blei enthält.

So rasch ein manganhaltiges Öl in dünner Schicht trocknet, so langsam geht der Prozeß von statten, wenn man das Öl in einer einigermaßen dicken Schicht aufstreicht. Es bildet sich dann bald an der Oberfläche eine dünne Haut, welche die Oxydation der Masse vollkommen verhütet. Zerstört man dieselbe in dem Maße, wie sie sich bildet, so wirkt der Einfluß des Sauerstoffes fort, aber man gelangt doch schwer zu einer vollständigen Eintrocknung. Wendet man Wärme an, so ist die Wirkung eine raschere, aber es dauert immer noch sehr lange Zeit, um das Öl ganz fest zu machen. Ebenso gelingt die Umwandlung der Öle in eine feste Masse, wenn man ein Lösungsmittel, z. B. Benzin, anwendet. Wird ein manganhaltiges Öl mit der gleichen Menge Benzin gemischt und in einem geschlossenen Gefäße mit Luft geschüttelt, so wird der Sauerstoff rasch absorbiert, besser noch, wenn man eine Temperatur von 40—50° anwendet. Erneuert man dann die Luft unter fortgesetztem Schütteln so oft, bis das ganze Öl oxydiert ist (wozu etwa 14—15 p. c. Sauerstoff nötig sind), so verdickt sich das Öl allmählich und bildet schließlich nach Abdestillation des Lösungsmittels ein Produkt, welches beim Abkühlen zu einem festen, vollkommen elastischen Körper erstarrt. Man begreift leicht, daß man auf diese Weise unter geeignetem Abbrechen der Behandlung Produkte von jeder beliebigen Konsistenz erhalten kann. Das mit Sauerstoff bis zur Sättigung behandelte Produkt ist sehr elastisch, unlöslich in Wasser, Alkohol und Äther und wird durch Kali fast augenblicklich in der Kälte verseift. Extrahiert man nach der Verseifung die Fettsäuren, so läßt sich leicht konstatieren, daß die festen Fettsäuren nicht modifiziert, die flüssigen dagegen vollständig verschwunden sind; dafür findet man klebrige Produkte, welche sich durch ihre Löslichkeit in Wasser und die verschiedenen Salze, die sie bilden können, charakterisieren. Über diesen Punkt wird der Vf. seine Untersuchung noch fortsetzen. (C. r. **97.** 1311—14. [3.*] Dez. 1883.)

Kleine Mitteilungen.

Der Beins'sche Mineralwasserapparat. Derselbe unterscheidet sich in zwei Punkten von den gewöhnlichen Mineralwasserapparaten. 1. Dadurch, daß die Kohlensäure erst in den Flaschen mit den zu imprägnierenden Flüssigkeiten in Berührung kommt und erst in den Flaschen die Absorption der Kohlensäure stattfindet; 2. daß eine nach eigener Methode komprimierte Kohlensäure verwendet wird.

Der Apparat, von BEINS, HOEN und CORVES gebaut, funktioniert wie folgt:

Zur Erzeugung der Kohlensäure wird eine eiserne Retorte, mit Natriumdicarbonat gefüllt, in einen kleinen Ofen gebracht, der mittels eines gewöhnlichen BUNSEN-Brenners geheizt werden kann. Je nach der Größe und Leistungsfähigkeit des Apparates enthält derselbe eine oder zwei solcher Retorten. Die nach der Füllung hermetisch verschlossene Retorte wird mittels starker kupferner Röhren mit einem eisernen oder kupfernen Reservoir verbunden, wohin die Kohlensäure unter hohem Drucke gelangt; letzterer kann beliebig reguliert werden. Das Reservoir, in dem die Kohlensäure aufgefangen wird, ist vorher mit trockner reiner Holzkohle gefüllt worden. Dieselbe dient als Waschmittel für das Gas. Das gesammelte und gewaschene Gas gelangt in ein zweites Reservoir, von dem aus es zur Imprägnierung verwendet wird; auch hier kann der Druck nach Belieben reguliert werden. Von hier aus tritt das Gas in eine oder mehrere hohe Wellen. Diese haben seitlich 48 Öffnungen, jede derselben ist mit einem Kautschukventil versehen, auf welches die mit der zu imprägnierenden Salzlösung vorher gefüllten Flaschen gesetzt werden. Nachdem alles vorbereitet, wird nach Öffnen der Hülsen die Welle 10—15 Minuten lang langsam gedreht; die Zeitdauer des Umdrehens richtet sich hierbei nach dem vorhandenen oder dem beabsichtigten Drucke. Die Welle ist mit einem Schutzdrahtgitter überdacht.

Die Vorzüge dieses Systemes sind folgende: die Wässer sind vollkommen rein, besonders frei von metallischen Verunreinigungen, z. B. Kupfer, Blei, Zinn. Die Reinheit der Kohlensäure ist gesichert und das Material zu ihrer Erzeugung erfordert weniger Raum, als die bisher verwendeten Substanzen. Unkosten und Unbequemlichkeiten, welche die Verwendung von Dampf und Gasmaschinen mit sich bringen, sind völlig vermieden. Die bei komplizierteren Maschinen häufig vorkommenden Reparaturkosten fallen fort; die Manipulationen sind bald erlernt, für die Bedienung ist wenig Personal nötig. (Korrespbl. d. Ver. deutsch. Mineralw.-Fabr. **1.** 137—39. Oktob. 1883.)

Über die Verwendung der flüssigen Kohlensäure in den Gewerben, von PAUL LOHMANN. (Vortrag.) Vor dem Bekanntwerden der RAYDT'schen Versuche tauchte wiederholt die Idee auf, die beim Verdunsten der flüssigen Kohlensäure eintretende große Temperaturerniedrigung zur Erzeugung von Eis nutzbar zu machen. Der HOFMANN'sche Bericht über die Wiener Weltausstellung (1873) erwähnt eine Maschine, in welcher Kohlensäure zugleich als Kraft und Kälte erzeugendes Mittel verwendet werden sollte. Die Kohlensäure, aus Spateisenstein und Schwefelsäure hergestellt, entwickelte sich in einem geschlossenen Raume unter einem Drucke von vier bis sechs Atmosphären. Auf Brunnenwasserwärme abgekühlt, strömte sie dann in eine Expansionsmaschine, um hier gleich dem Dampfe Arbeit zu leisten. Infolge der Expansion kühlte sie sich bedeutend ab und sollte, aus der Maschine austretend, zum Abkühlen oder zur Erzeugung von Eis benutzt werden. Die Kosten des Gases sollte der gebildete Eisenvitriol decken. Es stellte sich aber heraus, daß außerordentlich große Mengen von Material für den Prozeß nötig sind, so daß der erzeugte Eisenvitriol kaum genügende Verwendung gefunden hätte; man hat von dieser Maschine auch nichts weiter gehört. Aber auch bedeutend zur Eiserzeugung verwendet, kann die komprimierte Kohlensäure ein günstiges Resultat nicht geben, da der enorme Druck sehr starke Gefäße erfordert; die vielen notwendigen Dichtungen müßten mit der größten Sorgfalt hergestellt werden; der Apparat würde zu teuer kommen. Den zu anderen, bisher zu diesem Zwecke benutzten Materialien hat die Kohlensäure allerdings den Vorzug der Billigkeit und den Ätherarten gegenüber auch noch den der Unverbrennlichkeit.

Die RAYDT'schen Versuche zur Verwendung der komprimierten Kohlensäure begannen mit dem Heben unter Wasser gesunkener Gegenstände. Ballons aus gummiertem Segeltuche wurden unter Wasser durch expandierende Kohlensäure aufgebläht. Ein so aufgeblähter Ballon besitzt eine nach oben gerichtete Zugkraft, welche bekanntlich gleich dem Gewichte der verdrängten Wassermasse ist. Ein kugelförmiger Ballon von 3 m Radius entwickelt daher die enorme Tragfähigkeit von 113 000 kg. Das Aufblähen dieses Ballons geschieht entweder von oben her durch Einpressen von Luft oder dadurch, dafs man dem Ballon einen Behälter von flüssiger Kohlensäure mitgiebt und diese zum Aufblasen des Ballons benutzt.

Im Feuerlöschwesen unterscheidet man zwei verschiedene Arten der Verwendung der flüssigen Kohlensäure, als Druckmittel bei Extinkteurs und Feuerspritzen, und nach WITTE zum Betriebe der Pumpe der Dampfspritze während des Anheizens derselben, bis genügend Dampf vorhanden ist. Eine dritte Verwendung hat C. MÖNCH zur Patentierung angemeldet.

Redner spricht über Verwendung der flüssigen Kohlensäure zur Herstellung dichter Metallgüsse nach KRUPP, über welche bereits (83. 671) berichtet worden ist. (Schlufs folgt.)

Vereinbarungen betreffs der Untersuchung und Beurteilung von Nahrungs- und Genufsmitteln, sowie Gebrauchsgegenständen, festgestellt von der freien Vereinigung Bayerischer Vertreter der angewandten Chemie auf grund der in München in ihrer Versammlung vom 28.—30. Sept. 1883 gefafsten Beschlüsse. (Nürnberg 1883, Verlag BIELING).

Die Vereinbarungen betreffen Milch (Referenten: VOGEL und SOXHLET); Mehl und Brot (HÖCHTLEN u. HILGER); Trinkwasser (EMMERICH u. HILGER); Butter und Schmalz (SENDTNER); Wein (KAYSER, LIST); Bier (PRIOR, HOLZNER); Thee (HILGER); Kaffee, Kakao (WEIN, HILGER); Gewürze (HILGER) und Gebrauchsgegenstände, darunter Farben und alle diejenigen Gebrauchsgegenstände, welche infolge ihrer Herstellungsweise durch Auftragen von Farben und Färben in der Faser der Gesundheit nachteilig werden können, sowie bei deren Herstellung Blei und Zink oder deren Verbindungen Verwendung finden.

Eine mit ausführlichen Motivierungen versehene Ausgabe nachstehender Vereinbarungen befindet sich in Vorbereitung und wird demnächst im Buchhandel erscheinen. P.

Neues Klärmittel für Wein und Spirituosen, Als solches wird Caseïn empfohlen. Man stellt dasselbe aus Milch her, welche vorher in der Zentrifuge oder durch Boraxzusatz entrahmt worden ist. Der Caseïnniederschlag wird geprefst, getrocknet, gepulvert, und wenn er für feine Liqueure Anwendung finden soll, durch Extraktion mit reinem Benzin entfettet. Das gereinigte Caseïn läfst man in wenig der. zu klärenden Flüssigkeit quellen und zergehen und setzt es in der Menge von 0,5 kg auf 100°C. dem zu klärenden Reste der Flüssigkeit zu. (Aus Rev. univ. de dist. et brass. durch D. Amer. Apoth.-Z:g. **4.** 603.)

Beiträge für das Centralblatt bittet man an die Redaktion (Leipzig, Lessingstr. 5) zu richten. **Originalarbeiten** von nicht zu grofsem Umfange werden entsprechend honoriert und gelangen stets sofort nach der Einsendung, und zwar in kürzester Frist, zum Abdruck.

Redaktion: Prof. Dr. **Rud. Arendt** in Leipzig.

Verlag von **Leopold Voss** in Hamburg und Leipzig. — Druck von **Metzger & Wittig** in Leipzig.

Nº. 6.

Chemisches

6. Februar 1884.

Wöchentlich eine Nummer von
1–3 Bogen. Der Jahrgang mit
Sach- und Namen-Register,
nebst system. Übersicht.

Central-Blatt.

Der Preis des Jahrgangs
ist 30 Mark. Durch alle
Buchhandlungen und Post-
anstalten zu beziehen.

REPERTORIUM

für reine, pharmazeutische, physiologische und technische Chemie.

Dritte Folge. XV. Jahrgang.

Wochenbericht.

1. Allgemeines und Physikalisches.

E. E. Robinson, *Automatische Filtration.* Über den langen äuſseren Schenkel eines Hebers ist ein kurzes Stück Kautschukrohr geschoben, so daſs dasselbe etwas über das Glasrohr hinausragt. Eine kleine hohle Glaskugel mit gut ausgezogener und zugeschmolzener Spitze wird so, wie es Fig 1 zeigt, mit ihrer Spitze in den Heber hineingeschoben. Dieselbe schwimmt auf der filtrirenden Flüssigkeit, und wenn diese einen genügend hohen Stand erreicht hat, verschlieſst das Rohr den Kautschukschlauch und unterbricht das Nachlaufen der Flüssigkeit. Beim Sinken öffnet sich der Heber von neuem etc. (Chem. N. **48.** 262. 7. Dez. 1883.)

A. Gawalovski, Über *Extraktionsapparate.* Der Vf. hat viele Extraktionsapparate durchgeprüft und sich schlieſslich für den Ph. WAGNER'schen entschieden, bei dem er, wie Fig. 2 zeigt, einige kleine Abänderungen angebracht hat. Das Ätherdampfröhrchen *ab* bekommt bei *b*, einen Hahn, wodurch es möglich wird, *B* von Zeit zu Zeit abzusperren. Geschieht dies und wird zugleich die Flamme unter

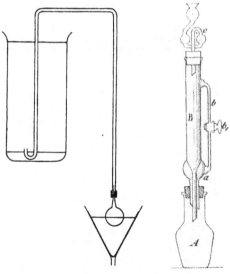

Fig. 1   Fig. 2

A entfernt, so wird die Extraktlösung aus *B* nach *A* gesaugt. Das Ätherdampfgefäſs *a* ist derart erweitert, daſs die zu extrahirende Substanz in *B* kontinuierlich durch die aus *A* aufsteigenden Dämpfe heiſs erhalten wird, was bei Fettrückständen nicht unwichtig ist. Statt des Rückflußkühlers ist ein WELTER'sches Rohr aufgesetzt, durch das man zugleich Extraktionsflüssigkeit nachfüllen kann.

Sind Substanzen zu extrahieren, welche ein trübes Extrakt geben, so verbindet der Vf. den Extraktionsapparat mit einem DRECHSEL'schen Trichter D, Fig. 3. Dieser ist insofern abgeändert, als die Ätherdämpfe aus dem Siedekolben K durch das Ätherröhrchen e streichen, welches mit K nicht in direkter Verbindung steht. Der Apparat wird von FR. FISCHER und RÖWER in Stützerbach geliefert. (Ztschr. anal. Chem. **22.** 528—29.)

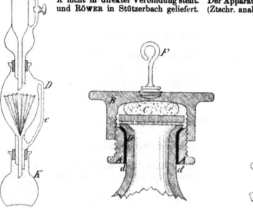

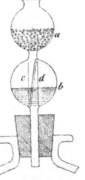

Fig. 3.   Fig. 4.   Fig. 5.

A. Gawalovski, Über *eine praktisch erprobte Rekonstruktion der Lintner'schen Druckflasche.* An den Hals einer gewöhnlichen Sodawasserflasche D (Fig. 4) wird eine Messingfassung A angebracht, welche mittels eines Schraubengewindes mit der Verschlußkapsel B verbunden ist. Zwischen A und D ist ein Kautschukschlauch d behufs vollkommener Dichtung eingeschaltet. Der Rand des Flaschenhalses ist eben geschliffen und mit der ebenfalls glatt geschliffenen Glasplatte E bedeckt. Diese wird mittels des Kautschukballens C durch die Metallfassung B fest aufgedrückt. Der Haken F dient zum Aufhängen der Flasche in ein Bad. (Ztschr. anal. Chem. **22.** 526—27.)

Paul Julius, *Ein neuer Exsikkatorenaufsatz.* Die Kugel b (Fig. 5) ist mit Schwefelsäure gefüllt und a enthält Glasperlen. Stellt man einen heißen Tiegel unter den Exsikkator, so wird die Schwefelsäure durch das Rohr c in die obere Kugel gedrückt. Beim Abkühlen geht sie nach b zurück, Luft tritt durch c ein, geht durch die Schwefelsäure und gelangt durch d trocken in den Exsikkator. (Ztschr. anal. Chem. **22.** 525—26. Dez. 1883.)

P. Seidler, *Gasentwicklungsapparat.* Soll der in Fig. 6 abgebildete Apparat zur Darstellung von Kohlensäure dienen, so wird das Gefäß A bis zur Marke a mit Kalksteinstücken gefüllt und durch den Stutzen e gesättigte Chlorcalciumlösung eingegossen, bis dieselbe aus dem Rohre H auszuufließen beginnt. Dann setzt man den mit Hahn D und Steigrohr versehenen Salzsäureballon B auf und verschließt den Stutzen F mit einem Hahnrohre. Durch Regulierung der Hahnstellung D läßt sich ein kontinuierlicher Kohlensäurestrom von beliebiger Stärke erzeugen Der Apparat kann auch zur Entwicklung von Wasserstoff und Schwefelwasserstoff dienen. (Ztschr. anal. Chem. **22.** 529—30. Dez. 1883.)

Fig. 6

2. Allgemeine Chemie.

Ledebur, Über *Oxydation und Reduktion.* Bei der Oxydation und Reduktion scheint nach dem Vf. die Dissociation der Verbindungen eine Rolle zu spielen, d. h. eine Verbindung kann in einer gewissen hohen Temperatur nicht mehr bestehen und es findet zuweilen eine Wiedervereinigung der getrennten Bestandteile statt, z. B. von Wasserstoff und Sauerstoff, wenn die Temperatur unter jenes Niveau sinkt. Wasserdampf zerlegt sich bei etwa 1000° C. in seine Bestandteile. Kohlensäure wirkt um so stärker oxydierend auf viele Metalle, Kohlenstoff, Silicium etc. ein, je mehr sich die Temperatur der Dissociationstemperatur der Kohlensäure nähert. Wahrscheinlich sind alle zusammengesetzten Körper durch ausreichend hohe Temperatur in ihre Bestandteile zu zerlegen, wenn man nur immer die hierzu erforderlichen hohen Temperaturen hervorbringen könnte. Für jeden mit Sauerstoff verbindbaren Körper giebt es eine bestimmte Temperatur, wo diese Verbindung am stärksten ist, d. h. wo die Verwandtschaft jenes Körpers zum Sauerstoff ihr höchstes Mafs erreicht hat. Beim Überschreiten dieser Temperatur verringert sich die Verwandtschaft zum Sauerstoffe, und die Reduktion durch einen zweiten Körper wird, sofern bei diesem jenes Maximum der chemischen Verwandtschaft zum Sauerstoffe in einer höheren Temperatur liegt, durch Temperatursteigerung erleichtert. Der Kohlenstoff ist z. B. ein so vorzügliches Reduktionsmittel für schwer reduzierbare Oxyde, weil seine Verwandtschaft zum Sauerstoffe bei Zunahme der Temperatur im stärkeren Grade wächst, als diejenige zahlreicher anderer Körper, und weil jene Temperatur, wo seine Verwandtschaft zum Sauerstoffe ihr Maximum erreicht, höher liegt, als bei vielen anderen Körpern. Kohlensäure wird zu Kohlenoxyd reduziert, wenn sie in höherer Temperatur, etwa heller Rotglut, mit metallischem Eisen, Zink, Mangan etc. zusammenkommt; es werden dagegen die Oxyde dieser Metalle von Kohlenstoff reduziert, wenn man sie mit Kohlensäure auf die nämliche Temperatur erhitzt, wie im ersten Falle. In beiden Fällen entsteht Kohlenoxyd und wird der Vorgang durch hohe Temperatur befördert. Es hört deshalb Kohlenoxydgas in niedrigerer Temperatur auf, als Reduktionsmittel zu wirken, als feste Kohle. Auf den Verlauf der Oxydation und Reduktion sind besonders von Einfluss die Verdünnung, in welcher die einzelnen aufeinander wirkenden Körper sich befinden, sowie die Anwesenheit eines dritten Körpers, welcher Neigung hat, mit dem reduzierten oder oxydierten Körper in Verbindung zu treten. Als Beispiele für den ersteren Fall können gelten, dafs im flüssigen schmiedbaren Eisen neben kleinen Mengen Kohlenstoff schon Eisenoxydul gelöst sein kann, ohne dafs eine Einwirkung beider aufeinander stattfindet, weil sie sich in stark verdünntem Zustande in Eisen gelöst befinden; ferner das Gemisch von Kohlensäure und Kohlenoxyd auf Metalle, z. B. Eisen und Metalloxyde, eigentümlich wirken: Kohlenoxyd reduziert Eisenoxyd unter Kohlensäurebildung, und zwar steigert sich die Einwirkung bis zu einer noch nicht mit Sicherheit ermittelten Temperaturgrenze; Kohlensäure aber wirkt ebenfalls, und um so kräftiger oxydierend auf Eisen, je höher die Temperatur, es erlahmt jedoch die reduzierende Kraft des Kohlenoxydes bei der Steigerung der Temperatur früher, als die oxydierende der Kohlensäure, indem, wie oben bemerkt, durch hohe Temperatur stets die Bildung von Kohlenoxydgas sowohl aus Kohle, als auch aus Kohlensäure befördert wird. Hieraus erklärt sich, dafs zur Reduktion von Eisenoxyden durch Kohlenoxyd ein um so gröfserer Überschufs des letzteren vorhanden sein mufs, je höher die herrschende Temperatur ist, und je vollständiger die Eisenreduktion stattfinden soll. Ein und dasselbe Gemisch kann in niedriger Temperatur reduzierend, in höherer oxydierend wirken, wie auch BELL und AKERMAN nachgewiesen haben.

Als Beispiel für den anderen Fall, dafs die Anwesenheit eines dritten Körpers den Vorgang beeinflufst, kann gelten, dafs Silicium sich aus Kieselsäure durch Kohlenstoff auch in den höchsten Temperaturen nicht ohne weiteres reduzieren läfst, wohl aber schon in heller Rotglut von Kohlenstoff in Anwesenheit von metallischem Eisen unter Bildung von Siliciumeisen. Ähnlich verhält sich Mangan, und so spielen solche Vorgänge eine wichtige Rolle beim Bessemerprozesse und im Martinofen, sind aber noch nicht völlig aufgeklärt. Theoretisch wird zwar die hieran sich knüpfende Frage der Blasenbildung im Eisen und Stahl genugsam erörtert, praktisch aber ist aufser durch MÜLLER's Untersuchungen noch sehr wenig für ihre Erledigung gethan. Es ist auffallend, dafs gerade viele Praktiker, welche das geschmolzene Flufseisen täglich vor Augen haben, die Anwesenheit von Wasserstoff in demselben in Frage stellen. (Stahl und Eisen 1883. Nr. 7; B.- u. H.-Z. **42.** 617—18. Ende Dez. 1883.)

Guntz, *Neutralisationswärme der Alkalien und alkalischen Erden durch Fluorwasserstoffsäure.* Die zu den folgenden Versuchen benutzte wässerige Fluorwasserstoffsäure enthielt 1 Äq. in 2 kg Lösung.

1. *Ammoniak.* Die Neutralisation einer Ammoniaklösung durch das entsprechende Gewicht Fluorwasserstoff entwickelte $+15{,}2$ cal bei $13°$:

NH_3 gelöst (1 Äq. $= 2$ l) $+$ HFl gelöst (1 Äq. $= 2$ l) $= NH_4Fl$ gelöst . . $+15{,}2$ cal.

Diese Zahl ist etwas kleiner, als die für Kali gefundene, was im allgemeinen auch bei allen übrigen Säuren der Fall ist. Die Differenz zwischen der Neutralisationswärme des Kalis und des Ammoniaks durch Fluorwasserstoff und der derselben Basen durch Chlorwasserstoff ist von derselben Gröfsenordnung: $+0{,}9$ cal für die erstere und $+1{,}2$ cal für die zweite Säure. Da die Lösungswärme des Fluorammoniums durch FAVRE bereits bestimmt ist, so kann man die Bildungswärme dieses Salzes aus den gasförmigen Elementen berechnen:

$$NH_3 \text{ Gas} + HFl \text{ Gas} = NH_4Fl \text{ fest} \quad \ldots \ldots \quad +37{,}3 \text{ cal}$$
$$NH_3 \text{ Gas} + HFl \text{ flüss.} = NH_4Fl \text{ fest} \quad \ldots \ldots \quad +30{,}1 \text{ „} .$$

Vergleicht man diese zwei Werte mit der Bildungswärme anderer Ammoniakverbindungen, z. B. Chlorammonium aus gasförmiger Salzsäure ($+42{,}5$ cal) und Ammoniumsulfat aus flüssiger Schwefelsäure ($+34{,}2$ cal), so sieht man, dafs die Bildungswärme des Fluorids um $5{,}2$ cal geringer ist, als die des Chlorids, und um $4{,}1$ cal geringer, als die des Sulfates. Der Vf. hat für die entsprechenden Kalisalze Ähnliches beobachtet. Die analogen Differenzen sind $+11{,}0$ cal, resp. $+10{,}2$ cal, wobei wiederum die kleinere Zahl dem Sulfat entspricht, wie oben.

Baryt. Wenn man eine Barytlösung (1 Äq. $= 6$ l) durch ihr äquivalentes Gewicht Fluorwasserstoffsäure neutralisiert, so bleibt die Lösung einige Sekunden lang klar, dann trübt sie sich und scheidet einige Minuten lang Bariumfluorid ab, wobei Wärme entwickelt wird, doch ist letztere sehr gering. Der Vf. hat sich davon in folgender Weise überzeugt. Er nahm Lösungen von Natron und Barytsäure in solchen Konzentrationen, dafs die Temperatur beim Mengen beider sich um ebenso viele Grade steigerte, als beim Vermischen von Barytwasser mit Fluorwasserstoffsäure. Eine Vergleichung der Temperaturkurven beider Mischungen zeigte, dafs nur $^{99}/_{100}$ der gesamten Wärme sich in der ersten Minute entwickelt. Die Gesamtwärme, welche bei der genannten Reaktion entwickelt wird, beträgt:

$$BaO \text{ (1 Äq.} = 6 \text{ l)} + HFl \text{ (1 Äq.} = 2 \text{ l)} \quad \ldots \ldots \quad +17{,}4 \text{ cal.}$$

Ein Teil Fluorbarium bleibt gelöst (2,83 g im Liter bei $10°$), was ungefähr einem Viertel des gebildeten Fluorids entspricht. Die Neutralisationswärme konnte nicht auf das völlig gelöste Salz berechnet werden, denn das getrocknete Bariumchlorid löst sich nicht mehr in Wasser. Die Reaktion:

$$BaHO_2 \text{ fest} + HFl \text{ Gas} = BaFl \text{ fest} + H_2O_2 \text{ fest}$$

entwickelt ungefähr 35,7 cal. Diese Zahl entspricht dem Falle, dafs alles Fluorid gefällt ist: die wirkliche Zahl wird etwas gröfser sein, aber die Differenz ist unbedeutend.

Strontian. Dieselben Umstände zeigen sich bei der Neutralisation einer Strontianlösung (1 Äq. $= 10$ l) durch Fluorwasserstoffsäure; nur läfst sich die Fällung nicht durch das Thermometer konstatieren; es wurde gefunden:

$$SrO \text{ (1 Äq.} = 10 \text{ l)} + HFl \text{ (1 Äq.} = 2 \text{ l)} = SrFl \quad \ldots \quad +17{,}9 \text{ cal bei } 11°.$$

Vernachlässigt man die Löslichkeit des Strontianfluorids, welche weit geringer ist, als die des Bariumfluorids, so hat man:

$$SrHO_2 \text{ fest} + HFl \text{ Gas} = SrFl \text{ fest} + H_2O_2 \text{ fest.} \quad \ldots \quad +35{,}9 \text{ cal.}$$

Kalk. Die Neutralisation einer Kalklösung (1 Äq. $= 25$ l) durch das äquivalente Gewicht Fluorwasserstoff ergab:

$$CaO \text{ (1 Äq.} = 25 \text{ l)} + HFl \text{ (1 Äq.} = 2 \text{ l)} = CaFl \text{ fest} \quad \ldots \quad +18{,}6 \text{ cal bei } 11°.$$

Da das Calciumfluorid vollkommen unlöslich ist, so erhält man genau:

$$CaHO_2 \text{ fest} + HFl \text{ Gas} = CaFl \text{ fest} + H_2O_2 \text{ fest} \quad \ldots \ldots \quad +33{,}3 \text{ cal.}$$

Vergleicht man die Bildungswärme der Fluoride aus gasförmiger Fluorwasserstoffsäure mit der der entsprechenden Chloride, so erhält man:

KFl	. . $+38{,}2$ cal	NaFl	. $+39{,}9$ cal	NH_4Fl	. . $+37{,}3$ cal
KCl	. . $49{,}2$ „	NaCl	. . $43{,}4$ „	NH_4Cl	. . $42{,}5$ „
BaFl	. . $+35{,}7$ „	SrFl	. . $+35{,}9$ „	CaFl	. . $+33{,}3$ „
BaCl	. . $37{,}0$ „	SrCl	. . $32{,}2$ „	CaCl	. . $25{,}7$ „.

Man sieht, daß die Bildungswärme der Fluoride, verglichen mit der der Chloride, keine konstanten Differenzen giebt, und zwar weder der Ordnung, noch der Größe nach. Stellt man dieselbe Vergleichung zwischen den Fluoriden und Sulfaten an, indem man von flüssiger Fluorwasserstoffsäure ausgeht, um vergleichbare Zustände zu erhalten, so ergiebt sich:

KFl . . $+31{,}0$ cal | NaFl . . $+32{,}7$ cal | NH$_4$Fl . . $+30{,}1$ cal
KSO$_4$ . . $+41{,}2$ „ | NaSO$_4$ . . $+35{,}2$ „ | NH$_4$SO$_4$ . . $+34{,}2$ „
BaFl . . $+28{,}5$ „ | SrFl . . $+28{,}7$ „ | CaFl . . . $+26{,}1$ „
BaSO$_4$. $+33{,}5$ „ | SrSO$_4$ . . $+30{,}0$ „ | CaSO$_4$ . . . $+25{,}2$ „.

(C. r. **97**. 1483—86. [24.*] Dez. 1883.)

4. Organische Chemie.

Reboul, *Untersuchungen über die sauerstoffhaltigen zusammengesetzten Ammoniakbasen.* I. *Hydroxallyldiamine.* Die Untersuchungen von WURTZ über die Hydroxäthylenamine und deren Homologe haben gezeigt, daß die einwertigen Radikale der Glykolchlorhydrine, indem sie den Wasserstoff im Ammoniak substituieren, sauerstoffhaltige, mehr oder weniger zusammengesetzte Ammoniakbasen geben, aber immer nur Monamine, infolge der Einwertigkeit des Radikals. Mehrwertige Radikale müssen sauerstoffhaltige Polyamine geben. Wenn man z. B. das zweiwertige Hydroxallyl (C$_3$H$_5$—OH)″ anwendet, so müssen Diamine und selbst Polyamine entstehen. Das Epichlorhydrin, C$_3$H$_5$$\diagdown\!\!\!\diagup^O_{Cl}$, gestattet, die Bildung solcher Verbindungen zu realisieren.

Um die möglichen Komplikationen zu vermeiden, welche durch die drei typischen Wasserstoffatome des Ammoniaks bewirkt werden könnten, hat der Vf. ein sekundäres Monamin angewendet, welches nur noch ein Wasserstoffatom enthält, nämlich das Diäthylamin.

1. Epichlorhydrin und Diäthylamin wirken aufeinander ein, ohne daß man die Mischung zu erhitzen braucht. Die Temperatur steigt langsam, und nach einiger Zeit wird sie sogar hoch genug, um bei Anwendung von 100—150 g Gemenge in einem nicht sehr widerstandsfähigen Ballon eine Explosion verursachen zu können, wenn man nicht für Abkühlung Sorge trägt. Es bilden sich hierbei mehrere Basen, deren relative Mengen von dem Verhältnisse der beiden Körper und der Temperatur abhängen. Zu der Flüssigkeit, welche mitunter sirupartig, mitunter zum großen Teile krystallisiert ist, je nach den Bedingungen des Versuches, wird überschüssiges festes Kaliumhydrat gesetzt und im Ölbade bis 300° destilliert. Es ist indessen besser, besonders wenn man Polyamine, die über 280—300° sieden, erhalten will, nicht im Ölbade zu destillieren, sondern Äther zuzusetzen, welcher beim Schütteln die durch das Kali abgeschiedenen Basen auflöst. Die ätherische Lösung wird getrennt, der Äther im Wasserbade verdunstet und die zurückbleibenden Basen durch fraktionierte Destillation getrennt. Es sind derselben namentlich drei: ein Monamin, ein Diamin und ein Triamin; außerdem bilden sich noch kondensiertere Polyamine. Mit 1 Vol. Epichlorhydrin und 1,5 Vol. Diäthylamin überwiegt das Diamin: *Hydroxallylleträthyldiamin*, N$_2$(C$_2$H$_5$)$_4$(C$_3$H$_5$—OH)″, welches sich nach der Gleichung:

$$C_3H_5\diagdown\!\!\!\diagup^O_{Cl} + 2\,N\diagdown\!\!\!\diagup^{(C_2H_5)_2}_H = HCl + N\diagup\diagdown^{(C_2H_5)_2}_{N\diagdown(C_2H_5)_2}\!\!>(C_3H_5-OH)''$$

bildet.

Diese Base ist sehr beständig, sie siedet bei gewöhnlichem Drucke unzersetzt bei 236—238°. Ihr Molekulargewicht, bestimmt durch ihre Sättigungskapazität gegenüber der Salz- und Schwefelsäure, gab die Zahl 203; die Formel verlangt 202.

Das Chloroplatinat krystallisiert beim Abkühlen seiner siedenden wässerigen Lösung sehr schön. Mit Schwefelsäure und Oxalsäure giebt das Diamin sirupartige, unkrystallisierbare, neutrale Salze. Es ist leichter in Wasser und darin wenig löslich. Es verbindet sich mit 2 Mol. Äthyljodid. Beide Körper mischen sich in der Kälte, aber bei 100° in geschlossenen Röhren scheidet sich bald eine obere sirupartige Flüssigkeit aus, deren Volum steigt, und die beim Abkühlen zu einer durchsichtigen Masse erstarrt, welche nicht in krystallisiertem Zustande erhalten werden konnte. Eine Jodbestimmung läßt indessen mit Sicherheit annehmen, daß die Verbindung das *Hydroxallylhexäthyldiammoniumjodid*, N$_2$(C$_2$H$_5$)$_6$(C$_3$H$_5$—OH)″J$_2$, ist (gef. 49,2, ber. 49,4 Jod).

Mit Allylbromid mischt sich das Diamin in der Kälte ebenfalls vollkommen. Die

Flüssigkeit trübt sich bald und erhitzt sich mehr und mehr, wobei sich eine aufschwimmende, äuſserst dicke Schicht abscheidet, welche das Produkt der Verbindung von $2\,C_2H_5Br$ mit 1 Mol. Hydroxallylteträthyldiamin ist.

Endlich wurde noch durch Verbindung von 1 Mol. Äthylendibromid mit dem Diamin ein *Äthylenhydroxallylleträthyldiammoniumbromid* erhalten.

2. Ein Homologes dieser Base erhielt man durch Einwirkung von Epichlorhydrin auf Äthylamin. Man muſs in geschlossenen Gefäſsen und mit kleinen Mengen arbeiten und zugleich durch kaltes Wasser abkühlen, da sonst leicht Explosionen eintreten. Unter den Produkten, welche man durch Destilliren aus dem Ölbade mit überschüssigem Kali erhält, findet sich eine dicke, farblose, in Wasser in allen Verhältnissen lösliche, bei 185° siedende Base: *Hydroxallyldiäthyldiamin*, $N_2(C_2H_5)_2H_3(C_3H_5-OH)''$.

3. Die obige Formel, welche die Bildung des Hydroxallylteträthyldiamins darstellt, entspricht nur der Endreaktion. In der That entsteht diese Base durch weitere Einwirkung von Diäthylamin auf das gechlorte Monamin, welches durch direkte Einwirkung von Epichlorhydrin auf Diäthylamin zu gleichen Molekülen entsteht. Hierüber wird der Vf. in einer folgenden Notiz Näheres mittheilen. (C. r. **97**. 1488—91. [24.°] Dez. 1883.)

E. Duvillier, Über *die Kreatine und Kreatinine*. 4. Mittheilung. In seinen früheren Mitteilungen (**82**. 633; **83**. 518) hat Vf. gezeigt, daſs durch Einwirkung von Cyanamid auf Methylamido-α-Buttersäure, Methylamidoisovaleriansäure, Methylamido-α-Capronsäure und Äthylamido-α-Capronsäure direkt Kreatinine und nicht Kreatine entstehen. Die vorliegende Mittheilung ist eine Fortsetzung dieser früheren Untersuchungen.

Äthylamido-α-Butyrocyamidin. $NH-C<^{N(C_2H_5)-C_4H_8O}_{NH}$

Setzt man 1 Mol. Cyanamid zu einer wässerigen, kalt gesättigten Lösung von 1 Mol. Äthylamido-α-Buttersäure und auſserdem noch einen Tropfen Ammoniak, so findet man nach etwa einem Monate in der Flüssigkeit ziemlich groſse, tafelförmige Krystalle abgeschieden, welche das Ansehen von rhombischen Tafeln besitzen. Diese Krystalle vermehren sich langsam. Nach sechs Monaten scheinen sie nicht mehr an Menge zuzunehmen. Bei der Analyse lieferten dieselben 66,05 Stickstoff, was dem Stickstoffgehalte des Dicyandiamides (ber. 66,66) entspricht. Um sich zu vergewissern, daſs das Cyanamid auf die Äthylamido-α-Buttersäure eingewirkt hat, wurde die Mutterlauge eingedampft. Hierbei schied sich ein Gemenge von Dicyandiamid und einem in Blättern krystallisirenden Körper aus. Die letzteren Krystalle wurden durch Wasser gereinigt und gaben bei der Analyse Zahlen, welche der Zusammensetzung des Äthylamido-α-Butyrocyamidins entsprachen. Dasselbe bildet schöne tafelförmige, durchsichtige, im allgemeinen ziemlich groſse Krystalle, welche wie die Blätter eines geöffneten Buches miteinander verbunden sind. Die Krystalle sind wasserfrei und sehr leicht löslich in Wasser und Alkohol.

Bei der Einwirkung des Cyanamids auf Äthylamidoisovaleriansäure wurden keine befriedigenden Resultate erhalten; es scheint, daſs beide Körper aufeinander nicht einwirken, denn nach mehreren Monaten fand man die Amidosäure und das Cyanamid wieder, letzteres als Dicyandiamid. (C. r. **97**. 1486—87. |24.°] Dez. 1883.)

5. Physiologische, medizinische und pharmazeutische Chemie.

Meissl, Über *die Prüfung der Hefe*. Die vom Vf. mitgetheilte Methode gründet sich, wie die meisten anderen, auf die Voraussetzung, daſs eine Hefe um so kräftiger ist, je mehr Kohlensäure sie unter sonst gleichen Verhältnissen aus einer bestimmten Menge Zucker entwickelt. Man bereitet sich zur Ausführung der Untersuchung ein inniges Gemenge von 400 g Rohrzuckerraffinade, 25 g saures Ammoniumphosphat, 25 g saures Calciumphosphat. 4,5 g dieses Gemisches werden in 50 ccm Trinkwasser in einem etwa 70—80 ccm fassenden Kölbchen gelöst und mit 1 g der zu untersuchenden Hefe versetzt. Das Kölbchen ist mit einem doppelt durchbohrten Kork versehen, durch dessen eine Bohrung ein rechtwinklig gebogenes, bis auf den Boden reichendes Glasrohr hindurchgeht. Die äuſsere Öffnung des Rohres wird während der Gährung durch einen Stöpsel verschlossen. Die zweite Bohrung dient zur Aufnahme eines kleinen Chlorcalciumrohres. Die Hefe wird durch Umschütteln und Rühren in der Flüssigkeit derart vertheilt, daſs keine Klümpchen mehr sichtbar sind. Das Kölbchen samt Inhalt wird gewogen und sechs Stunden lang in 30° C. warmes Wasser eingestellt. Nach dieser Zeit wird aus dem Kölbchen die Kohlensäure durch Hindurchsaugen von Luft verdrängt und wieder gewogen. Der Gewichtsverlust ergiebt die durch Gährung gebildete Kohlensäure. Um endlich die von verschiedenen Hefesorten entwickelten Kohlensäuremengen und damit die *Triebkraft* sofort vergleichen zu können, werden diese in Prozenten der von einer idealen Normalhefe unter denselben Verhältnissen erzeugten Kohlensäurequantität ausgedrückt, wobei unter Normalhefe eine solche verstanden ist, welche unter den gleichen Umständen aus

4,5 g Zuckerphosphatgemisch bei 30° C. in sechs Stunden 1,75 g CO_2 abscheidet. Die Prozente Triebkraft ergeben sich demnach aus der Gleichung:

$$\text{Gefundene } CO_2 \times \frac{100}{1,75} = \text{p. c. Triebkraft.}$$

Es empfiehlt sich, in den Analysencertifikaten die Triebkraft nur in ganzen Prozenten anzugeben. Der Zusatz der sauren Phosphate ist zur Erzielung einer reinen und regelmäßigen Gährung unbedingt notwendig, schon deshalb, weil während der Sommermonate die Preßhefe in den Fabriken mitunter so stark abgewässert werden muß, daß sie nicht mehr genug Nährsalze zur gedeihlichen Entwicklung enthält, und weil überdies die Gährung in saurer Lösung besser vor sich geht. — Für die Wahl der Normalhefe, resp. die Annahme, daß eine solche unter den gegebenen Bedingungen 1,75 g CO_2 erzeugt, ist maßgebend gewesen, daß die Triebkraft selbst der besten Preßhefe sehr selten oder niemals diesen Wert erreicht (gute Preßhefe besitzt eine Triebkraft von 75—85 p. c.), und daß 1,75 g genau einem Liter mit Wasserdampf gesättigter Kohlensäure, bei 20° C. und 743 mm B. gemessen, entsprechen. Es ist demnach möglich, die Kohlensäure anstatt zu wägen, zu messen, und die Prozente Triebkraft annähernd genau direkt abzulesen. Mit der Prüfung der Triebkraft ist auch jene auf Stärkezusatz, und zwar mikroskopisch, auszuführen. Die Endreaktion oder die Methode der Invertierung giebt ein zweifelhaftes Resultat. Jede auch vollkommen von Stärke freie Hefe liefert beim Behandeln mit Schwefelsäure reduzierende Substanzen, deren Menge auf Stärke berechnet etwa 1,5 bis 3 p. c. beträgt. Außerdem enthält jede Hefe von der Erzeugung her eine geringe Quantität Stärke, deren Körner sich immer in stark gequollenem und zerrissenem Zustande vorfanden, und dadurch leicht von absichtlich nachträglich beigemengter Stärke zu unterscheiden sind. (Chem. techn. Central-Anz.; Rundschau 10. 8—11.)

Edward Schunck, *Zur Konstitution des Chlorophylls.* Bei einer Untersuchung über verschiedene Chlorophyllderivate hat sich Vf. wiederholt die Frage über die Konstitution des Chlorophylls vorgelegt, ein Gegenstand, über welchen die Meinungen zur Zeit noch geteilt sind. Abgesehen von der physiologischen Bedeutung ist das Chlorophyll für den Chemiker nichts anderes als ein Farbstoff. Nun giebt es bekanntlich drei Klassen von Farbstoffen. Zu der ersten Klasse gehören diejenigen, welche fertig gebildet und in freiem Zustand in vegetabilischen und animalischen Organen vorkommen, wie z. B. die Farbstoffe des Safrans, Safflors etc. Die zweite Klasse umfaßt diejenigen, welche aus farblosen Chromogenen durch die vereinigte Wirkung von Sauerstoff und Alkalien entstehen, z. B. die Farbstoffe des Blauholzes und verschiedener Flechten. Diese ändern sich bei längerer Einwirkung von Sauerstoff und Alkalien rasch, sind aber in Berührung mit Säuren sehr beständig. Die dritte Klasse endlich umfaßt die Glykoside, welche durch Einwirkung von Alkalien nicht wesentlich verändert werden, aber mit Säuren oder Fermenten in Glykose und gewisse Substanzen zerfallen, in denen die färbenden Eigenschaften der Muttersubstanz in gewissem Sinne noch erhalten sind. Hierzu gehören die Farbstoffe des Krapps, der Quercitronrinde, der Cochenille etc. Nun steht das Chlorophyll seinen allgemeinen Eigenschaften nach den Gliedern der letzten Klasse so nahe, daß die Annahme, es gehöre selbst zu den Glykosiden, nicht unberechtigt erscheint. Es besitzt bei Gegenwart von Alkalien eine große Beständigkeit, wird aber durch Säuren rasch zersetzt und giebt wieder Farbstoffe, welche zum Teil noch ein kräftigeres Absorptionsvermögen für gewisse Strahlen des Spektrums besitzen, als das Chlorophyll selbst. Deshalb erschien es von Interesse, zu untersuchen, ob bei der Zersetzung des Chlorophylls durch Säuren auch Zucker gebildet wird.

Da die Darstellung von reinem Chlorophyll mit Schwierigkeiten verbunden ist, so begnügte sich Vf. damit, eine Lösung desselben herzustellen, von der man sicher war, daß sie keine in Wasser lösliche Pflanzensubstanz, und namentlich keine fertig gebildete Glykose enthielt. Zu diesem Zwecke verfuhr er folgendermaßen.

Grüne Blätter wurden mit siedendem Alkohol extrahiert und dann die alkoholische Lösung von dem Niederschlag, der sich nach einiger Zeit daraus absetzte, durch Filtrieren getrennt; das klare Filtrat wurde mit seinem gleichen Volumen Äther und dem doppelten Volumen Wasser gemischt und geschüttelt. Die Flüssigkeit schied sich in zwei Schichten: eine obere grüne, welche das Chlorophyll des alkoholischen Extraktes enthielt, und eine untere, gelb gefärbte, in welcher Tannin, ein gelber Farbstoff, eine mit FEHLING-scher Lösung die Zuckerreaktion gebende Substanz und wahrscheinlich noch andere Körper enthalten waren. Die zwei Flüssigkeiten wurden in der gewöhnlichen Weise getrennt und die obere mit Wasser geschüttelt, welches daraus etwas Farbstoff löste. Dieser Prozeß wurde so oft mit frischem Wasser und unter Zusatz geringer Mengen Äther wiederholt, bis die wässerige Lösung nicht mehr die Glykosereaktion gab. Die grüngefärbte ätherische Lösung hinterließ nach dem freiwilligen Verdunsten einen grüngefärbten

Rückstand, welcher, wenn auch nicht reines Chlorophyll, so doch frei von jeder in Wasser löslichen Substanz war; er konnte deshalb dazu dienen, um zu bestimmen, ob durch Einwirkung von Säuren daraus eine in Wasser lösliche Substanz gebildet wird. Man behandelte dementsprechend einen Teil desselben mit konzentrierter Schwefelsäure in der Kälte, womit er eine grüngefärbte Lösung gab, die auf Zusatz von Wasser einen dunkelgrünen Niederschlag abschied. Letztere besteht wesentlich aus zwei Substanzen: dem Phyllocyanin und Phylloxanthin von FREMY, welche zweifellos Derivate des Chlorophylls sind. Die davon abfiltrierte Flüssigkeit wurde mit Kupfersulfat und überschüssigem, kaustischem Kali gemischt, und die hierdurch entstehende blaue Lösung gab beim Kochen den bekannten Niederschlag von Kupferoxydul. Derselbe Versuch wurde noch in einer etwas anderen Weise ausgeführt. Der nach dem freiwilligen Verdunsten der grünen ätherischen Chlorophyllösung entstehende Niederschlag wurde in Alkohol gelöst, die Lösung mit Schwefelsäure versetzt, einige Zeit lang gekocht, dann abgedampft, bis der gröfste Teil des Alkohols verflüchtigt ist, filtriert, das Filtrat alkalisch gemacht und mit FEHLING'scher Lösung gekocht. Auch hierbei wurde die Glykosereaktion erhalten. Um ganz sicher zu sein, dafs die Reaktion nicht etwa durch fertig gebildete Glykose bewirkt worden sei, wendete Vf. in jedem Falle die Vorsicht an, einen Teil des grünen Chlorophyllrückstandes mit FEHLING'scher Lösung vor der Einwirkung der Säure zu kochen. Dies liefs sich leicht in der Weise ausführen, dafs man die Substanz mit wässerigem Alkohol, dem etwas alkoholisches Kali und FEHLING'sche Lösung zugesetzt war, erhitzte, worin sie sich leicht zu einer grünen Flüssigkeit löste, welche beim Sieden niemals eine Spur von Kupferoxydul abschied, wohl aber nach vorherigem Kochen mit Säuren.

So oft der Versuch in der einen oder anderen Weise wiederholt wurde, gab er stets dasselbe Resultat, und man kann deshalb daraus schliefsen, dafs die grünen Blätter der Pflanzen ein in Wasser unlösliches, in Alkohol und Äther aber lösliches Glykosid enthalten. Dafs dieses Glykosid nun in der That Chlorophyll ist, ist höchst wahrscheinlich, wenn auch nicht absolut gewifs; denn da die untersuchte Substanz ein Gemenge ist, so wäre es möglich, dafs man bei Anwendung irgend einer anderen Pflanze auch einmal ein negatives Resultat erhalten würde, womit dann jene Schlufsfolgerung hinfällig würde. Schlagen dagegen die Versuche niemals fehl, so würde sich mit Sicherheit nur das behaupten lassen, dafs entweder das Chlorophyll ein Glykosid ist, oder dafs es in der vegetabilischen Zelle stets mit einem Glykosid mit ähnlichen Eigenschaften vergesellschaftet vorkommt.

Schliefslich erwähnt der Vf. noch, dafs er auch versucht hat, die Glykose oder glykoseähnliche Sudstanz, welche sich bei der Behandlung mit Säuren bildet, zu isolieren. Bei Anwendung von Spinatblättern erhielt er einen gummiartigen, hellgelben Körper, welcher keine Neigung zur Krystallisation zeigte.* (Chem. N. 49. 3. 4. Jan.)

V. Jodin, *Pflanzenkultur in Lösungen von in Zersetzung begriffenen organischen Substanzen.* Der Vf. liefs Pflanzen in wässeriger Düngerlösungen wachsen; als Dünger wählte er gepulverte Erbsenpflanzen. Ungefähr 10 g davon wurden in eine poröse Porzellanzelle gebracht, welche genau mit einem Deckel von derselben Substanz verschlossen war. Die Zelle wurde dann in eine 0,15 m tiefe Schicht von destilliertem Wasser gebracht, welches in einem Gefäfse von passenden Dimensionen enthalten war. Auf der Oberfläche dieses Wassers wurden in geeigneten Schwimmern die Samen der zu untersuchenden Pflanzen gebracht. Das Erbsenpulver wird bald durchfeuchtet und giebt an das umgebende Wasser lösliche Bestandteile ab. In kurzer Zeit befindet sich diese Lösung in Fäulnis. Nach drei bis vier Monaten, nachdem die Pflanzen geerntet waren, fand man in der Thonzelle einen Teil des Düngers, welcher dem Auswaschen und der Fäulnis widerstanden hatte, wieder. Die Flüssigkeit hatte den fauligen Geruch, welchen sie im Anfange des Versuches besafs, verloren, war klar und wenig gefärbt und zeigte einen geringen Bodensatz. Durch Abdampfen der Flüssigkeit erhielt man einen Rückstand, welcher Kali und eine gummiähnliche Substanz enthielt. Aufserdem fand sich darin etwas Salpetersäure. Die Versuche, welche mit Mais- und Erbsensamen ausgeführt wurden, hatten folgende Resultate ergeben:

Gewicht des als Dünger benutzten Pulvers bei 100° getrocknet   8,00 g

Maisernte, bei 100° getrocknet	5,81 „
Erbsenernte „ „	1,10 „
Gesamternte .	6,92 „
In der Thonzelle zurückgebliebener, nicht zersetzter Dünger .	2,86 „.

* In der nächsten Nummer werden wir einige Bemerkungen von Dr. ROB. SACHSSE zu dem obigen Artikel bringen, aus denen hervorgeht, dafs dieser die glykosidähnliche Substanz des Chlorophylls bereits vor mehr als drei Jahren aufgefunden und untersucht hat.   D. Red.

Die Stickstoffbestimmungen ergaben:

Im ursprünglich angewendeten Dünger	0,267 g
Im Rückstande des Düngers bei Beendigung des Versuches	0,059 „
In den genannten Pflanzen zusammen	0,113 „
In der Flüssigkeit des Gefäfses	Spuren
Gesamtmenge des wiedergefundenen Stickstoffes	0,162 g .

Es waren also ungefähr 35—36 p. c. Stickstoff verschwunden, jedenfalls in Form von Ammoniak oder freiem Stickstoffe. (C. r. **97.** 1506—7. [24.*] Dez. 1883.)

Th. Weyl, *Apparat zur Beobachtung und Messung der Sauerstoffausscheidung grüner Gewächse.* Dieser Apparat, welcher in nebenstehender Figur abgebildet ist, besteht aus einem Kolben *K*, welcher die zu untersuchenden Gewächse aufnimmt, und dem Gassammler *S*, in dem das Gas gemessen werden kann. *W* ist eine pneumatische Wanne. *S* ist mit zwei Hähnen versehen, von denen der untere doppelt durchbohrt ist. Durch ein mit diesem verbundenes Kautschuktrichterrohr kann man Wasser in *S* eintreten lassen und dadurch das Gas behufs der Messung oder der Analyse austreiben. (Ztschr. anal. Chem. **22.** 545.)

A. Emmerling, *Beitrag zur Kenntnis der chemischen Vorgänge in der Pflanze.* 2. Abhandl. (Über die erste Arbeit ist im Jahrgange 1872 S. 754 berichtet). Die physiologischen Ergebnisse dieser umfangreichen Untersuchungen, inbezug deren Details auf das Original verwiesen werden mufs, fafst der Vf. in Kürze folgendermafsen zusammen:

Es wurde eine Bestätigung dafür gefunden, dafs Kaliumnitrat auch in sehr verdünnten Lösungen durch Oxalsäure unter Bildung freier Salpetersäure zerlegt wird. Während Oxalsäure den kohlensauren Kalk nicht angreift, indem sie denselben mit einer undurchdringlich dünnen Schicht von Calciumoxalat überzieht, vermag eine gewisse Menge Salpetersäure, vorausgesetzt, dafs die relative Menge derselben nicht unter eine gewisse Minimalgrenze sinkt, die Aktivität der Oxalsäure herzustellen und zu erhalten. Die Art der Beteiligung der Salpetersäure ist dabei eine fermentartige, sofern sie schon in relativ kleiner Menge anregend wirkt, scheinbar unverändert bleibt und ihre Wirkung so lange fortsetzt, als ein genügender Überschufs von Oxalsäure in der Flüssigkeit vorhanden ist. Da der Salpeter durch Oxalsäure teilweise zerlegt wird, so läfst sich eine ähnliche Wirkung durch Hinzufügen kleiner Mengen von Kaliumnitrat zu der Lösung der Oxalsäure hervorbringen. Die beobachteten Wirkungsgröfsen folgen im allgemeinen dem Gesetze der chemischen Massenwirkung. Die von den Vffn. befolgte Methode erwies sich als geeignet, um die relative Wirkungsgröfse verschiedener Säuren und Gemenge von solchen zu studieren, und wird sich daher auch zum Studium des Verhaltens anderer Pflanzensäuren oder Mineralsäuren verwerten lassen. Die Methode war dagegen aus Gründen, die sich erst durch die Untersuchung selbst klar herausstellten, nicht mehr geeignet, um die Gröfse der Zersetzung des Kalisalpeters durch Oxalsäure zu ermitteln. Die gesuchte Gröfse liefs sich dagegen berechnen mit Hilfe der in neuerer Zeit weiter entwickelten Theorie der chemischen Massenwirkung. Wenn auch das Resultat der Berechnung wegen der nicht hinreichend genauen Feststellung der betreffenden Affinitätskoeffizienten nur auf annähernde Richtigkeit Anspruch erheben kann, so giebt dieselbe doch ein Bild von dem Grade der Zersetzung unter wechselnden Verhältnissen der Säure und des Salpeters. Sie zeigt, wie die Zersetzungsgröfse mit zunehmender Oxalsäure wächst und bei einem erheblichen Überschusse der letzteren eine sehr bedeutende wird. Stellt man sich zur Vereinfachung der Vorstellung eine Pflanze vor, welche als einzige aktive Säure Oxalsäure enthielte und als einziges Nitrat den Kalisalpeter aufnähme, so erkennt man, dafs sowohl eine Vermehrung des Salpeters wie eine Vermehrung der Oxalsäure zu einer stärkeren Bildung freier Salpetersäure führt. Besitzt die Pflanze ein nur geringes Säurebildungsvermögen, so würde der beschränkte Säurevorrat durch gesteigerte Aufnahme von Salpeter wenigstens möglichst vollständig ausgenützt. Aber die prozentische Zersetzungsgröfse des Salpeters würde hierbei mehr und mehr abnehmen, und nur langsam (parabolisch) würde die Menge der frei gewordenen Salpetersäure sich jener Grenze nähern, welche dem vollständigen Verbrauche der vorhandenen Säure entspricht. In diesem Falle würde sich demnach ein Überschufs unzerlegten Salpeters in der Pflanze anhäufen. Bildet eine Pflanze dagegen reichlich Oxalsäure, während ihr aus dem Boden nur spärliche Salpetermengen zufliefsen, so bewirkt die Vermehrung der Säure eine der Vollständigkeit nahe Zersetzung und Ausnutzung des Salpeters. Von dem letzteren können dann nur kleine Mengen unverändert zurückbleiben. Wenn für gewisse Abteilungen der Pflanzenwelt die Zerlegung des Salpeters als ein normaler, mit der Eiweifsbildung verknüpfter Vorgang betrachtet werden darf, so steht hier das Wachstum und die Vermehrung der Masse demnach in einer Abhängigkeit von dem Säurebildungsvermögen der Pflanzen einerseits und der Fähigkeit des Bodens, Salpeter zu erzeugen, andererseits. Man erkennt zugleich nach dem Obigen, dafs diese beiden Bedingungen sich bis zu einem gewissen Grade kompensieren können. Ob die vom Vf. beobachtete Aktivierung der Oxalsäure durch kleine Mengen von Salpetersäure oder salpetersaurem Salze auch manchmal teilnimmt bei den von der Wurzel ausgeübten korrodierenden Wirkungen, läfst er vorläufig dahingestellt, bis weitere Untersuchungen Gelegenheit geben, diesen Punkt näher zu erörtern. (Landw. Vers.-Stat. **30.** 109—44. Anf. Jan. Kiel.)

Fausto Sestini und **Angiolo Funaro,** *Die Summe der mittleren Temperaturen im Zusammenhang mit der Kultur der Getreidepflanzen, insbesondere des Mais.* (Landw. Vers.-Stat. **30.** 97—107. Anf. Jan.)

A. B. Griffiths, *Experimentelle Untersuchungen über den Wert des Ferrosulfates als Dünger.* In einer früheren Mitteilung hat der Vf. die Resultate verschiedener Versuche über den Einflufs des Eisensulfates auf das Wachstum einzelner Pflanzen beschrieben. In der vorliegenden Arbeit teilt er seine Beobachtungen über Versuche mit, welche er in grofsem Mafsstabe auf den Feldern in der Nähe von Bromsgrove Worcestershire mit Bohnen und Weizen ausgeführt hat. Das eine Versuchsfeld wurde mit käuflichem krystallisiertem Eisensulfat, 56 Pfd. per acre, gedüngt, das andere blieb in seinem natürlichen Zustande. Das Gesamtgewicht der trocknen Ernte (Körner und Stroh) von dem gedüngten Felde betrug 5882 Pfd. und von dem normalen 4487 Pfd. Das erste gab 56 Bushels Bohnen, das letztere 35 Bushels. Die Asche der ganzen Pflanzen und der Hülsen von dem gedüngten Felde war beträchtlich reicher an Eisen und an Phosphorsäure, als die von dem ungedüngten. Die Samen zeigten in dieser Hinsicht nur einen geringen Unterschied. Beim Weizen waren zwar die Halme kräftiger und schöner, doch zeigten die Aschen keine Differenz im Eisen- und Phosphorsäuregehalte. Der Vf. hat ferner Versuche in Töpfen ausgeführt, die er verschiedenen Regionen des Spektrums aussetzte. Der Boden war mit Eisensulfat gedüngt. Die im gelben Lichte gewachsenen Pflanzen gaben eine Asche, welche 2,5 p. c. Fe_2O_3 enthielt. Die Asche der im violetten Lichte gewachsenen enthielt nur 0,15 p. c. Fe_2O_3. (Chem. N. **48.** 276—77. 14. [6.] Dez. 1883. London, Chem. Soc.)

Märcker, Über den *Futterwert der getrockneten Diffusionsrückstände.* Vf. kommt bei seinen Versuchen u. a. zu folgendem Resultate.

Die mit getrockneten Diffusionsrückständen ausgeführten Fütterungsversuche haben erwiesen, dafs dieses Futtermittel von Milchkühen, Mastochsen und Mastschafen mit grofser Begierde bis zu einem Quantum von 21 pro Haupt Grofsvieh aufgenommen und ohne den geringsten Nachteil für die Gesundheit, das Wohlbefinden und Wohlbehagen der Tiere vertragen wurde. Die getrockneten Diffusionsrückstände erwiesen sich als vollkommen haltbar, sehr wenig hygroskopisch und dem Verderben ebensowenig ausgesetzt, wie jedes andere Trockenmittel. Bei der Verfütterung an Milchkühe wurde in der Milchproduktion ein bei allen Versuchen gleichmäfsig günstiges Resultat erzielt. Die Wirkung der getrockneten Diffusionsrückstände zeigte sich am deutlichsten gegenüber einer sehr wasserreichen, aus Schlämpe und nassen Diffusionsrückständen zusammengesetzten Ration. Die getrockneten Rückstände konnten als Ersatz für ein gleiches Quantum Heu den Tieren dargereicht werden. Bei milchproduzierenden Tieren zeigte sich hierbei im Milchertrage kein Unterschied gegenüber der Heugabe. Dagegen wurde beim Übergange von der Heufütterung zur Fütterung mit getrockneten Diffusionsrückständen anfänglich ein Zurückgehen, resp. ein langsameres Zunehmen des Lebendgewichtes als bei der vergleichenden Heufütterung beobachtet. Dieser Umstand ist wahrscheinlich darauf zurückzuführen, dafs die getrockneten Diffusionsrückstände mit ihrem hohen Gehalte an verdaulichen Bestandteilen weniger Ballast im Magen- und Darminhalte zurücklassen, als das schwer verdauliche Heu; die Beeinflussung des Lebendgewichtes beschränkte sich hiernach auf den wertlosen Magen- und Darminhalt. Bei den ausgeführten Fütterungsversuchen boten die getrockneten Diffusionsrückstände einen Ersatz für einen grofsen Teil gewisser Kraftfuttermittel, und zwar speziell für Kleie und Gerstenschrot. $1^{1}/_{4}$ Gewichtstle. der getrockneten Rückstände waren im stande, etwa einen Gewichtsteil Kleie, resp. Gerstenschrot zu ersetzen. Demnach dürfen die Diffusionsrückstände nach den jetzigen Preisen der Kraftfuttermittel einen Wert von reichlich 3,5—4 Mark beanspruchen. Die für diese Untersuchungen nötigen Diffusionsrückstände wurden auf einer Cichoriendarre getrocknet, und lieferten 2500 Ztr. davon genügende Mengen Trockenfutter, um die Versuche Monate lang durchführen zu können. Die durchschnittliche Zusammensetzung des gewonnenen Trockenfutters war folgende:

	Probe I	Probe II
Feuchtigkeit	6,14	7,58 p. c.
Asche	8,36	6,72 „
Eiweifs	7,69	7,87 „
Rohfaser	19,85	19,45 „
Stickstofffr. Extraktst.	57,96	58,38 „

(Journ. f. Landw. 1883. 305; SCHEIBL. N. Ztschr. **12.** 1—8. 37—46.) P.

A. Hénoque, *Spektroskopische Untersuchung der Einwirkung des Kaliumnitrits auf das Blut.* Das Blut eines durch Natriumnitrit vergifteten Tieres zeigt nach dem Tode eine bräunliche Farbe, analog derjenigen, welche sich auch bei der Vergiftung mit anderen Nitriten wiederfindet. Spektroskopisch beobachtet, bemerkt man jenseits der beiden charakteristischen Bänder des Oxyhämoglobins ein drittes, dem Methämoglobin charakteristisches Band. Wenn man dieses Blut mit Ammoniumsulfid behandelt, so entsteht ein Absorptionsband, welches dem Oxyhämoglobin zukommt. Die Veränderungen, welche das Blut bei der Einwirkung von Kaliumnitrit erleidet, erstrecken sich auf eine Umänderung des Hämoglobins in Methämoglobin. Ersteres ist nicht mehr in stande, diejenige Sauerstoffmenge zu fixieren, welche zur Bildung von Oxyhämoglobin nötig ist, mit anderen Worten ist das Methämoglobin eine niedrigere Oxydationsstufe des Hämoglobins, als das Oxyhämoglobin vorstellt. (C. r. hebdom. des séanc. de la Soc. de Biol. [7.] **4.** 669—73. 22. Dez. 1883. Paris.) P.

C. Kruckenberg und **H. Wagner**, *Zur Kenntnis des Carnins.* Zur Darstellung des Carnins kochen die Vff. den Niederschlag, welcher in der Lösung von Fleischextrakt durch basisches Bleiacetat hervorgebracht wird, mit Wasser aus und dampfen den Auszug auf ein kleines Volumen ein. Nach einigen Tagen scheidet sich das Carnin aus, das aus heifsem Wasser umkrystallisiert wird. 500 g Fleischextrakt lieferte 1—2 g Carnin. Die Elementaranalyse ergab für das Carnin die Formel $C_7H_8N_4O_3 + H_2O$. (Vgl. H. WEIDEL, C.-Bl. 1871. 436.) Eine Tabelle, welche die Abhandlung enthält, giebt eine Übersicht über die Reaktionen des Carnins, Xanthins, Hypoxanthins, Paraxanthins von SALOMON, Guanin und eines von den Vff. aus Alligatormuskeln erhaltenen Xanthinkörpers mit Silbernitrat, Bleiacetat und Bleiessig, Kupferacetat, Quecksilberchlorid, Mercurinitrat, Pikrinsäure und Natronlauge. Die Reaktion mit Chlorwasser, Salpetersäure und Ammoniak trat weder am Carnin, noch am Hypoxanthin, noch am Xanthin ein; letzteres gab ein bräunliches Roth. Die Verbreitung des Carnins ist eine spärliche. Die Vff. fanden es im Fleisch einiger Süfswasserfische und im Froschfleisch, vermifsten es in Alligatormuskeln und in Äthalium septicum. (Würzburger phys.-med. Sitzgsber. 1883. S.-A.; Med. C.-Bl. **22.** 31.)

B. v. Anrep, *Einiges über physiologische Wirkungen der Ptomaine.* POEHL (Ber. Chem. Ges. **16.** 1975) hatte bei Untersuchungen über Fäulnisalkaloide des Roggenmehles die Überzeugung gewonnen, dafs schon im ersten Stadium des Fäulnisprozesses die Eiweifszersetzung im Mehl, das mit Mutterkorn versetzt war, nicht beträchtlicher ist, als in reinem und in dem mit Schimmel vermischten Mehle, und hatte die Frage aufgeworfen, ob nicht die als Ergotismus bekannten Intoxikationserscheinungen nach Genufs mutterkornhaltigen Brotes durch faulige Zersetzung des Mehles und der bei dieser Zersetzung sich bildenden Alkaloide herbeigeführt würden.

Vf. hat die Frage experimentell zu beantworten gesucht. Die Resultate sind die folgenden: 1. Die aus faulendem Mehl oder aus faulenden Gemischen von Mehl mit Pepsin oder Mutterkorn dargestellten Alkaloide besitzen toxische Eigenschaften. 2. Die giftige Wirkung dieser Körper äufsert sich bei Fröschen, bei Warmblütern wird sie nicht beobachtet. 3. Qualitativ sind die Indoxicationssymptome in allen Fällen dieselben, ebenso nach Vergiftung mit Auszügen aus reinem Mehl, wie aus Mehl mit Pepsin oder Mutterkorn. 4. Im Verlaufe verschiedener Perioden des Fäulnisprozesses des Mehles ist der Grad der Giftigkeit der Fäulnisalkaloide verschieden; so haben zweitägige Auszüge aus reinem Mehl eine kaum zu bemerkende, fünftägige schon eine etwas stärkere, fünfzehntägige eine noch stärkere Wirkung ausgeübt, trotz der annähernd gleichen Mengen des Rückstandes. 5. Die Auszüge aus Mehl mit Zusätzen von Mutterkorn (5 p. c.) oder Pepsin waren immer giftiger, als die Auszüge aus reinem Mehl. 6. Es scheint kein Unterschied im Charakter und in der Intensität der Wirkung des mit Mutterkorn und des mit Pepsin versetzten Mehles zu bestehen. Die stärkste Wirkung haben Auszüge aus solchem Mehle nach fünftägiger Fäulnis.

Vf. beschreibt die mit Fröschen angestellten Intoxikationsversuche und Erscheinungen. Trotz der negativen Resultate bei Warmblütern hält Vf. einen endgültigen Schluß über die Rolle der Fäulnisalkaloide bei dem Zustandekommen des Ergotismus nicht für statthaft, da ja auch das für Menschen so deletäre Wurst- und Käsegift bei Hunden häufig wirkungslos ist. — Zum Schluß berichtet Vf. über zwei Versuche, welche er mit einem von POEHL aus dem Harn eines Flecktyphuskranken dargestellten Fäulnisalkaloide anstellte. (Petersb. med. Wochenschr. 1883. **35**; Med. C.-Bl. **22**. 29—30.)

M. Hay, *Die chemische Natur und physiologische Wirkung des Nitroglycerins.* Die Giftigkeit des Nitroglycerins läßt sich nicht aus den Wirkungen der Bestandteile, aus welchen die Verbindung sich bildet, erklären. Die Symptome gleichen den durch Amylnitrit und Kaliumnitrit hervorgebrachten. Vf. fand, daß bei der Einwirkung der Alkalien auf Nitroglycerin von den drei in letzterem vorhandenen NO_2-Gruppen nur eine als Nitrat austritt, wogegen die anderen sich mit dem Alkali zu Nitrit vereinigen, wobei der frei werdende Sauerstoff das regenerierte Glycerin oxydiert. Eine alkoholische Nitroglycerinlösung zersetzt sich in obenangegebenem Sinne mit einer alkoholischen Natriumhydratlösung äußerst schnell unter starker Erwärmung. Die Bildung von Nitrit findet aber selbst dann statt, wenn man eine wässerige Nitroglycerinlösung (1 : 800) mit wenig Natriumhydrat (0,2 p. c.) bei 40° C. digeriert. Wobei die Zersetzung nach zehn Minuten vollendet ist. *Blut* von Körpertemperatur wirkt auf Nitroglycerin in gleicher Weise ein; das Blut nahm hierbei eine schokoladenartige Färbung an, wie dieselbe auch bei der Einwirkung von Amyl- oder Kaliumnitrit beobachtet werden kann. Die spektroskopische Prüfung ergab die Methämoglobinstreifen. Reduktionsmittel stellen, wie bei Kaliumnitrit und Amylnitrit, die rote Farbe des Hämoglobins wieder her. Danach wirkt das Nitroglycerin durch seine Umsetzung in Nitrite. (The practitioner 1883. 422—33.)　　　　P.

Kleine Mitteilungen.

Über die Verwendung der flüssigen Kohlensäure in den Gewerben, von PAUL LOHMANN. (Vortrag). (Schluß aus vorig. Nr.). Allgemeineres Interesse beansprucht die Verwendung der flüssigen Kohlensäure im Bierausschanke. Die Vorteile, welche die Bierpressionen mit flüssiger Kohlensäure haben, beginnen damit, daß die Oberfläche des Faßinhaltes fortwährend mit Kohlensäure, einem der wesentlichsten Bestandteile des Bieres, gefüllt ist, daß mithin der atmosphärische Sauerstoff überhaupt nicht eintreten kann, und das Bier in betreff der Qualität sich stets gleich bleiben wird. Den bisher sehr häufig benutzten Bierpressionen mit komprimierter Luft gegenüber besitzt die Verwendung der flüssigen Kohlensäure den Vorzug penibelster Sauberkeit. Die Handhabung und Bedienung des Apparates ist ferner eine so einfache, daß Unregelmäßigkeiten, sofern nicht gerade mit berechneter Willkür verfahren wird, nie eintreten können. Mit Flaschen mit 8 kg flüssiger Kohlensäure, entsprechend 4000 l Kohlensäuregas unter gewöhnlichem Drucke kann man 2000—2500 l Bier verschenken. Da die Kohlensäure rein ist, so ist auch der Geschmack des so ausgeschenkten Bieres ein absolut reiner.

Bei den Versuchen zur Darstellung von Mineralwässern mit flüssiger Kohlensäure hat sich folgendes herausgestellt. Die Kohlensäure kann ohne weiteres, d. h. ohne Einschaltung eines Windkessels, wie er bei Bierpressionen verwendet wird, in den Mischcylinder eingelassen werden. Die Einschaltung eines Windkessels ist für diesen Zweck eine kostspielige und überflüssige Vorsichtsmaßregel, da der durch Einfließenlassen der flüssigen Säure in den Mischcylinder erzeugte Druck sehr bequem beobachtet und reguliert werden kann. Bei genügender Vorsicht läßt sich, ohne daß zuviel Gas verloren geht, ein fast völlig luftfreies kohlensaures Wasser mit Leichtigkeit erzeugen. Pumpen und Gasometer werden durch die Verwendung der flüssigen Säuren nicht überflüssig, da sie zum Überdrucke verwendete Gas doch nicht gut weggeworfen werden kann. Der allgemeineren Einführung der flüssigen Kohlensäure in die Mineralwasserfabrikation steht augenblicklich der Preis derselben hindernd im Wege, der Herstellungspreis für das selbstbereitete Gas ist ungleich niedriger.

Endlich gedenkt der Vortragende auch noch derjenigen Versuche, welche die Verwendung der flüssigen Kohlensäure zur Bewegung von Kleinmotoren bezwecken. Einen praktischen Erfolg haben diese Versuche bis jetzt noch nicht gehabt; es darf aber angenommen werden, daß wir in absehbarer Zeit auch hierüber von Erfolgen hören werden. Wenn man berücksichtigt, daß zum Inbetriebsetzen eines derartigen Motors nur ein einziger Druck am Ventil des Kohlensäurebehälters gehört und daß durch eine ebensolche Bewegung ein solcher Motor fast augenblicklich zum Stillstand gebracht werden kann, daß dabei Verluste, wie sie Heizanlagen mit sich bringen, völlig ausgeschlossen sind, daß von Feuergefährlichkeit gar nicht die Rede sein kann, so ergeben sich aus diesen wenigen Punkten schon ganz erhebliche Vorteile. Wenn es aber gelingt, bei einem derartigen Motor auch die abziehende Kohlensäure, sei es chemisch oder in anderer Weise noch nutzbar zu machen, so ist es wohl nicht zu viel gesagt, wenn man einen solchen Mechanismus als das Ideal eines Motors bezeichnet.

Ein Einwand, der selbst von Fachleuten der Einführung komprimierter Kohlensäure entgegengestellt wurde, wird in der vermeintlichen Explosionsgefahr gefunden. Die Ungefährlichkeit der flüssigen Kohlensäure ergiebt sich einmal aus dem Vergleich mit dem Druckverhältnisse des in der Zahnheilkunde so vielfach verwendeten Stickoxyduls, alsdann aus folgender Betrachtung. Nimmt man den in der Praxis möglichst ungünstigen Fall an, daß die Flaschen mit flüssiger Kohlensäure auf unbedecktem Wagen in glühender Sommerhitze den Kunden zugefahren werden und mehrere Stunden lang den direkten Sonnenstrahlen ausgesetzt sind, so würde die Temperatur allerhöchst 40° C. erreichen; dieser Temperatur entspricht eine Dampfspannung von 91 Atmosphären, also noch nicht die Hälfte des Druckes, auf welche die Kohlensäureflasche amtlich geprüft ist. Einen sehr interessanten Versuch hat RAYDT in Bezug auf die Explosionsfähigkeit der komprimierten Säure angestellt. Derselbe legte eine an beiden Enden geschlossene starkwandige, mit flüssiger Kohlensäure gefüllte Flintenröhre in ein lebhaftes Kohlenfeuer. Die Röhre platzte mit kaum wahrnehmbarer Detonation, man hörte nur das zischende Geräusch des aus der Röhre entweichenden Gases, durch welches auch die Wirkung des Feuers gemäßigt wurde. Nach dem Erkalten der Röhre zeigte es sich, daß dieselbe nur einen ganz schmalen Riß hatte, durch welchen das Gas entwichen war.

Sollte durch irgend welche zufälligen Umstände eine Kohlensäureflasche platzen, so würde bei der großen Expansionsfähigkeit der Säure und der dadurch bedingten großen Temperaturerniedrigung, ein Teil der Kohlensäure fest werden und dann verhältnismäßig langsam verdunsten. Es kann also auch in einem solchen Falle von einer wirklichen Gefahr nicht die Rede sein. (Sep.-Abdr. aus d. Verhandl. d. polyt. Ges. Berlin. 45. 37—48. 25. Oktbr. 1883. Berlin; Vgl. Chem. Centralbl. 1883. 671.)

Verunreinigung des Wienflusses. Das Stadtphysikat in Wien hat einen interessanten Bericht ausgearbeitet, dem wir folgendes entnehmen. Das Wasser gleicht bei seinem Eintritte in das Wiener Stadtgebiet einer Kanaljauche, namentlich haben die Gerbereien und Färbereien, die chemischen Fabriken und das Hütteldorfer Brauhaus an der Wasserverderbnis Anteil. Aus der von Dr. KRATSCHMER vorgenommenen Analyse von Wasserproben, die an vier verschiedenen Stellen des Wienflusses entnommen worden waren, ergiebt sich, daß das Wasser des Wienflusses bis zu seiner Einmündung in die Donau reichlicher mit organischen Stoffen und deren Zersetzungsprodukten verunreinigt ist, als sonst ein Bach- und Flußwasser. Die in einem Bezirke (V) entnommene Probe ergiebt die Charaktere einer jauchigen Flüssigkeit, deren Gehalt an organischen Substanzen mehr als die Hälfte sämtlicher fester Bestandteile ausmacht, nämlich 108 von 180, während in der Donau nur 20—30 auf 100000 Tle. vorhanden sind. Die Menge des Ammoniaks beträgt 5,1, die des Chlors 22 auf dieselbe Wassermenge. Die Menge des letzteren verschwindet allmählich und erfährt das Wasser in seinem Laufe eine mehr bemerkenswerte Reinigung. Die Selbstreinigung des Wassers beruht auf Sedimentierung: im Schlamme befinden sich noch zahlreiche Fäulnisprodukte, die den Fluß trotz der erwiesenen Reinigung nicht zu einem völlig harmlosen machen. (Wien. med. Wochenschr. 33. 1510.) P.

Sulfitverfahren. Die „Papierzeitung" (8. Nr. 43. 1461. (25.) Oktob. 1883) faßt die in den verschiedenen Ländern angewandten Sulfitverfahren folgendermaßen zusammen:

1. Das MITSCHERLICH'sche Verfahren des Kochens mit doppeltschwefligsaurem Kalk in innen ausgemauerten festliegenden Kesseln von etwa 4 m Durchmesser und 12 m Länge.

2. Das Verfahren von FRANCKE in Mölndal (Schweden) durch Kochen mit doppeltschwefligsaurem Kalk in mit Bleiblech ausgekleideten Stahldrahtkesseln von etwa 2 m Durchmesser und 10—15 m Länge.

3. Das Verfahren von EKMAN in BERGVIK (Schweden) durch Kochen mit doppeltschwefligsaurer Magnesia in mit Bleiblech ausgekleideten, nicht sehr großen, senkrecht drehbaren Kesseln mit Dampfmantel (ähnlich den ROEMER-LAHOUSSE'schen Strohkochern).

4. Das Verfahren von GRAHAM in England durch Zweiteilung des Kochens; erstlich mit einfachschwefligsaurem Kalk und einfachschwefligsaurer Magnesia, die aus Dolomit gleichzeitig

110

hergestellt wurden, bei geöffnetem Kessel; dann unter Hinzufügung überschüssiger schwefliger Säure zur Bildung saurer Salze bei geschlossenem Kessel.

5. Das zur Patentierung angemeldete Verfahren von C. KELLNER und Baron Ritter v. ZAHONY in Görz (Österreich), über das noch nichts veröffentlicht ist.   P.

Kostenberechnung der Pyritschwefelsäure in Amerika, von G. LUNGE. Bekanntlich wird in Amerika noch immer die meiste (bis vor kurzem alle) Schwefelsäure aus sicilianischem Schwefel gemacht, obwohl im Lande eine große Menge von Pyriten zu finden ist. Neuerdings schenkt man den letzteren mehr Aufmerksamkeit; verschiedene Fabriken sollen schon damit arbeiten und eine Anzahl von Gesellschaften sind zur Ausbeutung der Pyritgruben gegründet worden. Der Vizepräsident einer solchen, der Sulphur Mines Company of Virginia, W. G. CRENSHAW, veröffentlicht im Engineering and Mining Journal, 1883. **85.** 74 folgende Vergleichung der Kosten von Schwefelsäure aus Rohschwefel oder Pyrit, angeblich gegründet auf einjährige Arbeit mit einem Kammersysteme von 3115 cbm (110 000 Cubikfuß) Inhalt, wozu Vf. einige kritische Anmerkungen macht:

Aus Rohschwefel.		Aus Pyrit.	
	Dollars		Dollars
Anlagekosten [1]	30 000	Anlagekosten [1]	32 000
1100 Tons [2] zu 31,50 . .	34 659	2100 Tons [2] zu 6,00 . .	12 600
88 Tons Salpeter [3] zu 55,00 .	4 840	80 Tons Salpeter [3] zu 55,00 .	4 400
Arbeit [4]	1 200	Arbeit [4]	1 200
Kohlen	1 200	Kohlen	1 600
	41 890		19 800
Zinsen, Ausbesserungen, General-kosten 20 p. c. [5] . . .	6 000	Zinsen, Ausbesserungen, General-kosten 20 p. c. [5] . . .	6 400
	47 890		26 200
Ausbringen 4950 Tons Kammersäure zu 11 Doll. Verkaufspreis [6] . .	54 450	4050 Tons Kammersäure bei 11 Doll. Verkaufspreis [6]	44 550
Gewinn = 13,69 p. c. der Kosten	6 560	Gewinn = 70 p. c. der Kosten .	18 350
Bei 10 Doll. Verkaufspreis	49 500	Bei 10 Doll. Verkaufspreis . .	40 500
Gewinn 3 1/3 p. c. . . .	1 610	Gewinn 54 p. c.	14 300
Bei 9 Doll. Verkaufspreis . .	44 550	Bei 9 Doll. Verkaufspreis . .	36 450
Verlust	3 340	Gewinn 39 p. c.	10 250
Kosten der Kammersäure [7] aus Rohschwefel für 1 Ton von 2000 Pfd. engl. . . . . . Dollars 9,71		Kosten der Kammersäure [7] aus Pyrit für 1 Ton von 2000 Pfd. engl. Dollars 6,47.	

[1] Der Mehrbetrag der Anlagekosten für Pyritbetrieb muß viel höher als 2000 Dollars gegenüber Rohschwefel sein, selbst mit Berücksichtigung der um 1/5 niedriger angeschlagenen Produktion. Für jene Summe kann man unmöglich Kiesöfen, Kiesbrecher etc. herstellen.

[2] Unter „Tons" sind stets die amerikanischen zu 2000 Pfd. engl. = 907,18 kg verstanden.

[3] Der Salpeterverbrauch ist enorm hoch, augenscheinlich weil man keine Wiedergewinnung in GAY-LUSSAC und GLOVER hat. Aber der Unterschied im Verbrauche zwischen Rohschwefel und Pyrit dürfte gerade unter diesen Umständen erheblich größer als hier angenommen sein.

[4] Es ist unsinnig, den Arbeitslohn bei Rohschwefel und Pyrit gleich zu setzen. Bei letzterem dürfte er zwei- bis dreimal so hoch kommen, eingerechnet Brechen des Kieses und Ausfahren des Abbrandes.

[5] Es ist völlig unzulässig, die Ausbesserungen und Generalkosten bei Pyrit nicht höher, und zwar erheblich höher, als bei Schwefel, anzusetzen.

[6] Der Preis von Säure aus Pyrit kann unmöglich gleich dem aus Rohschwefel gesetzt werden. Ihres Arsen- und Eisengehaltes wegen ist sie stets weniger wert.

[7] Unter „Kammersäure" wird wohl solche von 120° TWADDELL = 54° B. verstanden sein, welche in England die gewöhnliche Basis der Berechnung bildet; doch kann man dies für Amerika nicht bestimmt wissen.

Diese Anmerkungen zeigen, daß die Berechnungen von CRENSHAW durchaus phantastische und augenscheinlich auf ein „Gründungs"-Publikum berechnet sind. Daß in Amerika Säure aus dortigem Pyrit erheblich billiger zu stehen kommen wird, als solche aus von Sicilien her eingeführtem Schwefel, ist ja selbstverständlich; aber Übertreibungen obiger Art sind nur schädlich für die Sache, denn sie verleiten das Publikum (und dies scheint eben ihr Zweck zu sein), unsinnig hohe Preise für die Pyritgruben zu zahlen und damit die darauf beruhende Industrie von vornherein zum Vorteile einiger Gründer lahm zu legen. (Pol. J. **248.** 35—37.)

Im Verein für öffentliche Gesundheitspflege in Nürnberg sprach Dr. MERKEL über das Hopfenschwefeln und die Hopfenschwefelanstalten in Nürnberg. Der Vortragende gab zunächst eine geschichtliche Darstellung des Hopfenschwefelns. Dieses wurde anfänglich nur als betrügerische Manipulation betrachtet, indem man annahm, daß dadurch nur alter oder schlechter Hopfen ein frisches Aussehen erhalten sollte. Mit der fortschreitenden Entwicklung des Hopfenhandels wurde das Schwefeln Bedürfnis, man lernte erkennen, daß sich geschwefelter Hopfen besser konserviere, als ungeschwefelter. Das Schwefeln geschah anfänglich in äußerst primitiven Holzkästen, die nicht selten samt Inhalt und dem Stadel, in dem sie aufgestellt waren, ein Raub der Flammen wurden. Bald erbaute man steinerne Darren, aber mit sehr niedrigen Kaminen, die zwar etwas besser, keineswegs aber in hygieinischer Beziehung zufriedenstellend funktionierten, bis endlich Darren neuester Konstruktion nach v. PUSCHER-KÄMMERER'schen Systeme mit genau berechneter Zugseinrichtung und 30 m hohem Schornsteine an deren Stelle traten. Zur Zeit befinden sich ca. 150 Darren in Nürnberg, darunter 59 ältester Konstruktion. Redner demonstriert Originalzeichnungen von Darren nach drei Systemen, sowie einen Stadtplan, in welchem alle Darren nach System und Ort genau eingezeichnet sind. Redner bespricht die sekundären Nachteile der Schwefelanstalten. Genau drei Jahre nach polizeilicher Genehmigung des Schwefelns — es war bis zum Jahre 1857 verboten und wurde nur im Geheimen betrieben — begannen die Klagen, die sich bis zum heutigen Tage forterhalten und steigern. Der Vortragende führt einige recht drastische Beispiele, an denen er die Schädlichkeit der alten Darren demonstriert, vor. Den Pfarrgarten zu St. Lorenzen, der durch die alten SCHARRER'schen Darren in eine förmliche Wüste verwandelt war, ferner Telegraphendrähte in der Nähe von Hopfendarren in der Marienvorstadt u. a. m. Er betont, daß an der richtigen Verteilung der Darren unbedingt festgehalten werden müsse, ebenso aber auch an der Umwandlung der alten Darren in neue, von welch letzteren ihm so gut wie keine Klage bekannt sei.

Redner bespricht schließlich einzelne Methoden der Unschädlichmachung der schwefligen Säure und hebt die Wertlosigkeit derselben hervor. Einen Unterschied mache eine in den letzten Tagen von Dr. PRIOR demonstrierte Absorptionsdarre; dieselbe habe an dem Modelle ganz gutfunktioniert. Der mittels Gasmotors in Bewegung gesetzte Pulsometer treibe die schweflige Säure vor ihrem Entweichen gegen konzentrierte Natronlauge, von welcher sie vollständig absorbiert werde, so daß nur reine Luft entweiche. Ernste Bedenken habe er gegen die Darre, weil die Kontrolle ihm nahezu ganz unmöglich scheine, wenn man bedenke, daß selbst noch solche basisch reagierende Lauge unter Umständen keine Säure mehr absorbiere, die dann eben wie früher in die Luft entweiche. Bis hier sichere Abhilfe geschaffen sei, werde er von dem PUSCHER-KÄMMERER'schen Systeme nicht abgehen. (Deutsches Wochenbl. für Gesundheitspfl. u. Rettungswesen 1. 22.) P.

Alkohol aus Kastanien. In „Le Detail" wird darauf hingewiesen, daß aus den gewöhnlichen, wie aus den Roßkastanien ein Alkohol vorzüglicher Qualität hergestellt werden kann. Die Früchte werden getrocknet, enthülst und dann mit Wasser abgekocht; die wässerige Lösung enthält Zucker. Die gekochten Früchte werden dann zerquetscht und mit dem Dekokt der Gärung überlassen. 100 l Kastanien ergaben ca. 8 l Alkohol. Die Rückstände eignen sich zu Viehfutter und zu Düngezwecken. (D. Amer. Apoth.-Ztg. **4.** 475.)

Amerikanische Patente. J. D. DARLING, New-York. Thonerdefabrikation. Calcinierung von aus Alaun niedergeschlagenem Thonerdemagnesium oder anderen Thonerdesalzen, und Auslaugen des Rückstandes. Ver.-St.-Pat. Nr. 285579. — L. LETRANGE, Paris. Reduktion von Zinkerzen. Die Zinksulfidverbindungen werden in einem Apparate geröstet, der mit einer Kammer in Verbindung steht, in welcher zur selben Zeit die zinkcarbonathaltigen Erze behandelt werden. Der aus den Sulfiden entweichende Schwefel dient zur Umwandlung des Carbonates in Sulfat. Ver.-St.-Pat. Nr. 286195. — J. B. FREEMAN, England. Weiße Farbe aus Zinkoxyd und Bleisulfat. Ver.-St.-Pat. Nr. 286918. — G. O. RINMANN. Darstellung von Ammoniak nach seiner Verwendung bei der künstlichen Eisfabrikation. Der Apparat besteht aus einer Serie von Darren in eine Verbindung stehenden Retorten, in welchen das Ammoniak durch Hitze aus seiner Lösung herausgetrieben wird. Das Ammoniakgas wird absorbiert und weiter verwendet. Ver.-St.-Pat. Nr. 287056. P.

Chlorozon, von MILL. Wenn man Chlorkalk in der Kälte mit Salzsäure zersetzt und das sich hierbei entwickelnde Chlor, mit Luft gemengt, in einer Lösung von kaustischem Natron auffängt, so entsteht eine entfärbende und bleichende Flüssigkeit von unbekannter chemischer Zusammensetzung, welche von ihrem ersten Darsteller, DE DIENHEIM-BROCHOWSKI in Paris, als „Chlorozon" bezeichnet wurde. Vf. hat festgestellt, daß dasselbe mit dem bekannten Bleichsalze, dem unterchlorigsauren Natron, welches eigentlich das Produkt der oben beschriebenen Reaktion bilden sollte, durchaus nicht identisch ist und sich von diesem durch Geruch und Farbe, sowie durch viel energischere Bleichwirkung unterscheidet.

Das Chlorozon bildet eine klare Flüssigkeit von dem spezifischen Gewichte 1,27; es ist von gelber Farbe und besitzt einen charakteristischen Geruch; selbst in konzentrierten Lösungen ist es, in gläsernen Ballons an kühlen dunklen Orten aufbewahrt, ziemlich haltbar und zersetzt sich nur langsam unter Sauerstoffabgabe, verdünnte Lösungen, sogen. Chlorozonwasser, sind noch beständiger. Seine kräftige Bleichwirkung wird durch Zusatz von Säuren, Brom, sowie durch das Licht noch erhöht. In der Bleicherei finden verdünnte Lösungen von dem spezifischen Gewichte 1,07 und 1,03 Verwendung, welche ebenso wie das konzentrierte Chlorozon käuflich bezogen werden können.

Bleichoperationen mit Chlorozon müssen in gut mit Pech oder Asphalt ausgegossenen Gefäßen vorgenommen werden, Holz mindert die Wirkung, weil es selbst angegriffen wird, Sandsteingefäße geben leicht zur Bildung von Eisenflecken Veranlassung. Das Bleichen folgt direkt auf das alkalische Bad, erst in der Kälte, dann bei einer Temperatur von 50—60°C.; Auspressen, Ansäuren und Waschen geschieht wie bei dem gewöhnlichen Schnellbleichverfahren. Das Chlorozon eignet sich zum Ersatze des Chlorkalkes für Baumwolle, Flachs, Leinen, Jute und Hanf, für Seide und Wolle ist es nicht verwendbar. Für häusliche Zwecke, sowie für öffentliche Waschanstalten ist Chlorozon in ganz verdünnten Lösungen (1:400) an Stelle des Chlorkalkes zu empfehlen, bei energischerer Wirkung ist seine Handhabung leichter und ungefährlicher. In der Verdünnung von 1:34 entfernt es einen Tag alte Rotweinflecke in einer halben Stunde. Schließlich noch erwähnt, daß Chlorozon auch ein starkes Desinfektionsmittel ist. (Färberei-Muster-Ztg.; D. Ind.-Ztg. **24.** 457.)

Ein neues Sprengmittel. Dieses von LANDOY entdeckte Sprengmittel führt den Namen Pyronome und enthält: 69 Tle. Salpeter, 9 Schwefel, 10 Kohle, 8 Spießglanz, 5 Kaliumchlorat, 4 Roggenmehl und sehr geringe Mengen Kaliumchromat Das Ganze wird mit der gleichen Gewichtsmenge kochenden Wassers gemischt, welches man verdampfen läßt und nach dem Trocknen pulvert. Das Explosiv ist weniger kostspielig, aber bei seiner Fabrikation und seinem Geruche gefährlicher als Dynamit. (Rev. Scient. [3.] **32.** 608.)   P.

Beiträge für das Centralblatt bittet man an die Redaktion (Leipzig, Lessingstr. 5) zu richten. Originalarbeiten von nicht zu großem Umfange werden entsprechend honoriert und gelangen stets sofort nach der Einsendung, und zwar in kürzester Frist, zum Abdruck.

Redaktion: Prof. Dr. **Rud. Arendt** in Leipzig.

Verlag von **Leopold Voss** in Hamburg und Leipzig. — Druck von **Metzger & Wittig** in Leipzig.

Chemisches Centralblatt.

REPERTORIUM
für reine, pharmazeutische, physiologische u. technische Chemie.

1884. **Beiblatt.** 6. Februar.

Alle auf das Beiblatt bezüglichen Mitteilungen, Anfragen und Zusendungen sind zu richten an die Buchhandlung LEOPOLD VOSS in Hamburg, Hohe Bleichen 18.
Inserate werden mit 20 Pf. für die gespaltene, mit 40 Pf. für die durchlaufende Petit-Zeile berechnet.
Bei größeren Inseraten und mehrmaligen Wiederholungen tritt entsprechende Ermäßigung des Preises ein.
Beilagen nach Übereinkunft.

Neu erschienene Bücher.

Biedermann, R., Technisch - chemisches Jahrbuch 1882—1883. Ein Bericht über die Fortschritte auf dem Gebiete d. chem. Technologie v. d. Mitte 1882 bis Mitte 1883. 5. Jahrg. gr. 8. Berlin. geb. M. 12.—.

Biedermanns Central-Blatt für Agrikulturchemie u. rationellen Landwirthschaftsbetrieb. Red. v. M. Fleischer. 13. Jahrg. 1884. 1. Hft. gr. 8. Leipzig. Halbjährl. M. 10.—.

Dinglers polytechnisches Journal. Herausgegeben v. J. Zeman u. F. Fischer. Jahrg. 1884. 1. Hft. gr. 8. Stuttgart. p. kpl. M. 36.—.

Geissler, E., Grundriſs d. pharmaceutischen Maaſsanalyse. gr. 8. Berlin. M. 2.40.

Gesundheits-Ingenieur. Zeitschrift f. d. Versorg. d. Gebäude m. Wasser u. Luft, Wärme u. Licht. Hrsg.: G. Stumpf. 7. Jahrg. 1884. (24. Nrn.) Nr. 1. 4°. Berlin. Viertelj. M. 3.—.

Gray, A., Absolute measurements in electricity and magnetism. 18°. London. 3 sh. 6 d.

Hager, H., Technik d. pharmaceutischen Receptur. 4. Aufl. gr. 8. Berlin. M. 6.—; geb. M. 7.20.

Jelinek, H., Über Verdampfapparate u. Verdampfstationen. 2. Abth. gr. 8. Prag. M. 1.70.

Kräher, D., Chemische Unterrichtsbriefe 18 u. 19. Brief. gr. 8. Leipzig. je M. 1.—.

Montan- und Metallindustrie - Zeitung, Österreichisch - ungarisch., Red.: G. Pappenheim. 18. Jahrgang. 1884. [52 Nrn.] Nr. 1. Febr. p. kpl. M. 18.—.

Patentblatt und Auszüge a. d. Patentschriften. Jahrg. 1884. 1. Hft. p. kpl. M. 40.—. Patentblatt ap. p. kpl. M. 12.—.

Peschke, O., Die Petrische Methode zur Reinigung städtischer Kanalwässer. Geschichte u. Kritik der Methode m. besonderer Berücksichtigung der Berlin-Plötzensee'er Versuchs - Anlage. Ein Beitrag zur Frage der Verwendbarkeit

v. Torfgrus als Filtermaterial. gr. 8. Berlin. M. 1.25.

Riedler, A., Dampfmaschinen mit feuerlosem Natronkessel v. M. Honigmann in Grevenberg b. Aachen. 4. Freiberg. M. 1.—.

Schwartze, Th., Die Motoren der elektrischen Maschinen m. Bezug auf Theorie, Construction und Betrieb. 8. Wien. M. 3.—; geb. M. 4.—.

Sundström, K. J., Traité général des matières explosives à base de nitroglycérine. 8. Brüssel. 3 fr.

Vierteljahrsschrift, deutsche, für öffentliche Gesundheitspflege. Red. v. G. Varrentrapp u. A. Spiess. 16. Bd. 1. Hft. gr. 8. Braunschweig. M. 3.60.
— f. gerichtliche Medicin u. öffentl. Sanitätswesen. Herausg. v. H. Eulenburg. N. F. 40. Bd. Suppl. Hft. gr. 8. Berlin. M. 1.60.

Inh.: Gutachten d. königl. wissenschaftl. Deputation f. d. Medicinalwesen in Preussen betr. d. Lienursche Reinigungsverfahren in Städten. Hrsg. v. H. Eulenburg.

Watts, H., Physical and inorganic chemistry. 8. London. 9 sh.

Wilde, P. de., Traité élémentaire de chimie générale et descriptive. 3. éd. Vol. I. 12. Brüssel. Vol. I. u. II. 14 fr.

Wochenblatt, Deutsches, für Gesundheitspflege u. Rettungswesen, Hrsg. v. P. Börner. 1. Jahrg. 1884. Nr. 1. gr. 4. Berlin. Vierteljähr. M. 2.—.

Zeitschrift, österreichische, f. Berg- und Hüttenwesen. Red.: H. Höver und C. v. Ernst. 32. Jahrg. 1884. (52 Nrn.) Nr. 1. 4. Wien. p. kpl. M. 4.—.
— f. Elektrotechnik, Red.: J. Kareis. 2. Jahrg. 1884. (24 Hefte.) 1. Hft. gr. 8. Wien. Halbjährl. M. 8.—.
— — Elektrotechnische, Red. v. K. E. Zettsche und A. Slaly. 5. Jahrg. 1884. (12 Hefte.) 1. Heft. 4. Berlin. p. kpl. M. 20.—.
— Neue, f. Rübenzucker-Industrie. Hrsg. v. C. Scheibler. 12. Bd. Nr. 1. 4. Berlin. p. kpl. M. 25.—.

Zeitung, Berg- u. Hüttenmännische. Red.: B. Kerl u. F. Wimmer. 43. Jahrg. 1884. Nr. 1. 4. Leipzig. Vierteljährl. M. 6.50.

Vermischte Notizen.

Über die Petroleum-Industrie in Baku brachte die *Frankf. Ztg.* kürzlich interessante Mitteilungen. Es geht daraus hervor, daſs jahrelang in unglaublicher Weise die Ausbeutung des Petroleumreichtums vernachlässigt worden ist, trotzdem schon lange die neueren Apparate zum Raffinieren des Petroleums erfunden waren, trotzdem es unternehmungslustige Personen gab, welche eine groſsartige Verwertung des Erdreichtums beabsichtigten. So kam es, daſs das amerikanische Erdöl sogar in Ruſsland eindringen konnte. Im Jahre 1862 lieferte Amerika bereits 2,500,000 Barrels, Baku erst 50,000. Endlich 1872 entzog die russische Regierung den lässigen Pächter, der sein ausschlieſsliches Recht der Petroleumgewinnung in für das Land so verderblicherweise brach liegen lieſs, sein Monopol. Von dem Augenblick entwickelte sich die Petroleum-Industrie zu einem ganz andern, gröſsern Umfange. 1872 bereits wurden 212,000 Barrels produziert und es folgten in rapider Steigerung 850,000 Barrels in 1875, 3 Millionen Barrels in 1875, 5 Millionen in 1882. Eine groſse Schwierigkeit aber war es nun, das durch neue Bohrmethoden in enormen Quantitäten ans Licht gebrachte Öl auf die Hauptmärkte Ruſslands und des übrigen Europas zu bringen. Die kolossalen Transportspesen verhinderten, es mit dem amerikanischen Petroleum, selbst in Petersburg konkurrenzfähig zu machen. Während die meisten Produzenten diese Verteuerung als notwendiges Übel hinnahmen, führte die Firma Gebrüder Nobel nach mehrjährigen Mühen und mit kolossalen Kosten eine zweckmäſsigere Versendungsmethode ein. Während sonst das Petroleum in einzelnen Behältern auf Karren zur Raffinerie gefahren wird, von dort in Fässern auf die Kaspischen Dampfschiffe, dann auf die Wolgafahrzeuge, endlich auf die Eisenbahn, hat die genannte Firma Dampfer erbauen lassen, welche kolossale, schwimmende Behälter bilden, in welche das Petroleum durch ein Röhrensystem geleitet wird, ebenso wie ein gleiches das Rohpetroleum vorher in die Raffinerie geführt hat. Vom Dampfschiff wird das Petroleum in ebenfalls besonders konstruierte Eisenbahn-Waggons übergepumpt. In neuerer Zeit sind verschiedene Unternehmungen geplant und zum Teil in Thätigkeit getreten, welche den kolossalen Ölreichtum Bakus auszubeuten suchen.

Leere Petroleumfässer sind in den letzten Jahren in auſserordentlich groſser Anzahl verschifft. Nach der *Wes. Ztg.* sind in 1879: 692,203 Barrels, 1883: 876,237 Barrels ab Bremen expediert.

In dem bekannten Prozeſs der Swan-Compagnie in London gegen die Deutsche Edison-Gesellschaft hat letztere vor dem Reichspatentamt ein obsiegendes Erkenntnis erstritten.

Die bisher in die Öffentlichkeit gedrungene Mitteilung über die Beratungen der Kommission zur Feststellung der Verordnung, betr. den. Verkehr mit Weinentsprechen gröſstenteils nicht der Wirk, lichkeit, da den Mitgliedern der Kommission Schweigen auferlegt ist. Sie sindmeist durch unwesentliche Andeutungen hervorgerufen und oft in ganz falscher Weise aufgefaſst worden, so daſs vielfach das Gegenteil von dem veröffentlicht wurde, was festgestellt ist. Die Verhandlungen sind bis jetzt so weit gediehen, daſs kurz nach Neujahr eine beschlieſsende Versamm. lung stattfindet und der aufgestellte Entwurf möglicherweise in der neuen Session dem Reichstage vorgelegt wird. Durch die Bestimmungen über den Wein werden andere geistige Getränke, sowie Cognac nicht berührt werden. (*D. Weinztg.*)

In dem Gutachten der Berliner medizinischen Fakultät über die Vivisektion ist u. a. hervorgehoben, daſs die medizinische Wissenschaft dem Tierversuch den Einblick verdankt in die Ursachen der Volkskrankheiten, der Seuchen und Epidemien, sowie in die Wirksamkeit der zu ihrer Verhütung und Abwehr notwendigen Maſsnahmen. Die Wasserversorgung, Ableitung der Auswurfstoffe und die Desinfektion derselben würden ohne den Tierversuch gar nicht nach jenen Regeln ins Leben gerufen worden sein, auf welchen sie jetzt gegründet sind.

Das Adreſsbuch „The paper-mill of the World" von Clarr W. Bryan in Halyoke (Massachusets) herausgegeben, giebt die Anzahl der Papier- und Papierstofffabriken der Welt, wie folgt an: Canada 56, Centralamerika 8, Südamerika 2, Ver. Staaten von Amerika 1099, England 289, Schottland 67, Irland 15, Insel Man 2, Italien 205, Norwegen 44, Portugal 18. Indien 5, Australien 4, Frankreich 555, Deutschland 1108, Oesterreich-Ungarn 438, Niederlande 72, Belgien 56, Schweiz 57, Spanien 118, Ruſsland 139, Schweden 80, Dänemark 12, Algier 6, Japan 6, Neu-Seeland 2. Im Ganzen 4468.

Der Vorstand des Vereins deutscher Mineralwasserfabrikanten erläſst in seinem *Correspondenzbl.* folgende Aufforderung: Es giebt in Deutschland eine Anzahl von Mineralwasserfabrikanten, welche ein an ihrem Wohnorte gern getrunkenes Brunnenwasser oder Quellwasser ohne jeden Salzzusatz, sowie sie dasselbe aus dem Brunnen schöpfen, nur mit Kohlensäure in Mineralwasserapparate mischen und auf

Flaschen gefüllt, als kohlensaures Trink-wasser verkaufen. Der Vorstand des Ver-eins bittet seine Mitglieder oder einen Jeden, der diese Aufforderung liest, ihm doch der-artige Fabrikanten unter der Adresse des Herrn J. Sohnke in Leipzig, Querstr. 25, freundlich namhaft machen zu wollen.

In Philadelphia soll im Herbst dieses Jahres eine Internationale elektrische Ausstellung abgehalten werden; die Ein-ladungen zu derselben gehen vom Franklin-Institut aus. Der Kongress der Vereinig-ten Staaten hat das Projekt gebilligt. Für die Ausstellungsgegenstände ist der zollfreie Eingang genehmigt. Nähere Auskunft er-teilt der Sekretär des Franklin-Instituts.

Eine Deputation des Geschäftsaus-schusses des österreichen Ärztevereins-Ver-bandes sprach in einer Audienz beim Minister-präsidenten die Bitte um Errichtung eines Reichs-Gesundheitsamtes in Öster-reich und um Veranlassung eines genauen Studiums der Desinfektionsfrage aus. Der Minister versprach die Angelegenheit in Erwägung zu ziehen. (Wien. med. Blätter).

Die Stadt Brünn gedenkt, wie die „Rundschau" schreibt, ein Laboratorium für Zwecke der Gesundheitspflege mit einem Kostenaufwande von 300 fl. (!!!) zu errichten. Bedenkt man, dafs um diesen Betrag kaum ein leidliches Mikroskop be-schafft wird, so mufs man staunen, womit denn der designierte „Chemiker" — derzeit Lehrer der Kalligraphie an einer Mittel-schule in Brün — überhaupt die mitunter höchst kostspielige Apparate erheischende komplizierte Nahrungsmittelanalyse vor-nehmen soll.

Der Präsident der Republik Guatamela hat mit dem Pflanzer Forsyth einen Ver-trag abgeschlossen, die Samen für 5 Mil-lionen Cinchonenbäume zu liefern; Grund dafür ist die immer steigende Ver-wendung der Chinarinde zur Chininfabrika-tion und als Ersatzmittel für Hopfen, so wie für verschiedener Handelszwecke. Auch die brasilianische Regierung wendet in neuerer Zeit der Chinakultur gröfsere Auf-merksamkeit zu. (Drog. Ztg.).

In Ost-Holstein plant man die Errich-tung einer Rübenzucker-Fabrik. — Die vor einigen Monaten vorzugsweise von Hamburger Kapitalisten gegründete Gesell-schaft „Norddeutsche Zuckerraffine-rie" hat am 5. d. M. in der Nähe des Bahn-hofes Frellstedt bei Helmstedt (Herzogthum Braunschweig) ein Terrain von ca. 10 Hek-taren angekauft, um dort eine Zucker-raffinerie in grofsem Mafsstabe anzulegen. Dieselbe soll sowohl die Verarbeitung von Rohzucker als auch auf die Entzuckerung von Melasse mittelst des Strontianitver-fahrens eingerichtet werden und wird für etwa 3—400 Arbeiter Beschäftigung bieten.

Schlagende Wetter in englischen Gruben. Durch schlagende Wetter ver-loren im Jahre 1883 in Grofsbritanien 113 Personen das Leben. Die Zahl der Explosionen (21) und der verloren gegangenen Menschenleben ist 37 bez. 128 unter dem Durchschnitte der letzten 32 Jahre. Die meisten Explosionen folgten seit Mitte Ok-tober (10 mit 101 Todesfällen) fast regel-mäfsig bei raschem Steigen des Barometers. Das meteorologische Amt erliefs 30 War-nungen, und 101 Menschenleben gingen innerhalb drei Tagen nach diesen War-nungen verloren. (Zeitschr. des Versiche-rungswesen).

Die bisherigen korrespondierenden Mit-glieder der physikalisch-mathematischen Klasse der königl. preufsischen Akademie der Wissenschaften Prof. Adolfe Würtz und Charles Hermite (Mathematiker), beide in Paris, sind zu auswärtigen Mitgliedern derselben Klasse bestätigt worden. Des-gleichen hat die Akademie der Wissen-schaften den Prof. Baeyer in München zum korrespondierenden Mitgliede ihrer physikalisch-mathematischen Klasse ernannt.

Prof. Stoeckhardt, Docent der Chemie an der Akademie zu Tharand, trat nach 36-jähriger segensreicher Thätigkeit in den Ruhestand. Vom Professoren-Collegium wurde dem Scheidenden die Urkunde zu einer „Stoeckhardt-Stiftung" für würdige und arme Studenten an der Forstakademie Tharand überreicht.

Die zweite (goldene) Hanbury-Medaille, die alle zwei Jahre einmal für die beste Arbeit über die Geschichte und Chemie der Drogen ertheilt wird, erhielt in diesem Jahre John Eliot Howard für seine allbe-kannten und werthvollen Arbeiten über die verschiedenen Cinchonaarten. (D. Amer. Apoth. Zta.).

Aus München wird berichtet, dafs es den Bemühungen Baeyers und Petten-kofers gelungen ist die Liebig Statue von der durch Bubenhand ausgeführten Beschmutzung zu säubern.

Der Municipalrath von Paris hat in seiner Sitzung vom 26. December v. Jahres beschlofsen, dem berühmten Chemiker und Dekan der Akademie der Wissenschaften Chevreul zu Ehren eine der neuen Strafsen in Paris, mit dem Namen des-selben zu belegen. Bis jetzt galt es als Prinzip, Strafsen nicht mit dem Namen noch lebender Personen zu benennen. Wie die Rev. Scient. schreibt war obiger Be-schlufs auf Wunsch von Victor Hugo gefalst worden.

In Northumberland, Pa., wurde vor kur-zem eine stille, aber würdige Feier begangen Bekanntlich verschied am 16. Juli 1804 da-selbst Jos. Priestley, der Entdecker des Sauerstoffs. Die Nachkommen des Verstor-

4

benen vermachten vor einiger Zeit den gesamten. wissenschaftlichen Nachlaſs dem Nationalmuseum in Washington und wurde bei Überantwortung dieser Sammlung die alte Heimstätte Priestley's und deren Umgebung von Chemikern Amerikas und Forschern auf andern Gebieten besichtigt. Der Nachlaſs besteht aus chemischen und physikalischen Apparaten, Büchern, Manuskripten etc. und wird binnen kurzem in Washington zur Besichtigung aufgestellt sein. (*D. Amer. Apoth.-Ztg.*)

Gauthier hat der Académie de sciences in Paris kürzlich einen Bericht über eine neue Infusorienart vorgelegt, welche er in einem Brunnen auf der Oberfläche des Wassers fand, welches durch eine benachbarte Kloake verunreinigt war.

Nach der Ph. Post ist den studierenden Pharmaceuten vom Laboratoriums-Diener des Wiener Universitätslaboratoriums der folgende „Glückwunsch eines Laboranten“ überreicht worden:

„Flüchtig wie Hydrazen entschwinden die Atome der Zeit und sammeln sich unter dem grofsen Rezipienten der Ewigkeit. Ein Jahr mit einer neuen stöchiometrischen Zahl entwickelt sich aus dem Prozeſse der Natur und spannt unsere Erwartungen wie die Dämpfe in einem Papin'schen Topfe; denn wer hat wohl jemals das hermetische Siegel der Zukunft gelöst? Da nun die Analyse dieses neuen Stoffes noch ein Problem ist, so wünsche ich Ihnen aus dem tiefsten Grunde meiner Herzensretorte, dafs sich derselbe gegen ihre Reagentien stets als chemisch-reines Glück verhalte. Der grofse Chemiker über den Sternen, gegen den unser Gay-Lussac, Thenard, Berzelius und Davy nur arme Laboranten sind, möge Ihnen die Tage des beginnenden Jahres mit seinem reichsten Segen infundieren, jede Säure in Ihrem Lebensgenusse mit den Basen der Wonne neutralisieren und den herben Gerbstoff der Mifsgeschickes daraus scheiden, damit Sie sich am Schlusse eines genügenden Prozentgehaltes an Zufriedenheit erfreuen mögen. Und haben Sie so auf trocknem und nafsem Wege das Glück dieses Jahres erprobt, so lassen Sie auch gütigst demjenigen, der Ihnen das Amalgam dieser Wünsche bereitete, etwas aus der Retorte Ihrer Grofsmut in seine Vorlage hinüber destillieren“. (*Ph. Ztg.*)

№ 7.   **Chemisches**   13. Februar 1884.

Wöchentlich eine Nummer von 1—2 Bogen. Der Jahrgang mit Sach- und Namen-Register, nebst system. Übersicht.

Central-Blatt.

Der Preis des Jahrgangs ist 20 Mark. Durch alle Buchhandlungen und Postanstalten zu beziehen.

REPERTORIUM

für reine, pharmazeutische, physiologische und technische Chemie.

Dritte Folge. XV. Jahrgang.

Über einen neuen Farbstoff aus Chlorophyll,

von

ROBERT SACHSSE.

Vor einiger Zeit (**81.** 169—185) habe ich drei Farbstoffe beschrieben, welche sich aus dem Chlorophyll darstellen lassen. Sie unterscheiden sich voneinander aufser durch ihre Zusammensetzung auch durch ihre Löslichkeit in Alkohol, denn während der eine in Alkohol fast unlöslich ist, ist der zweite darin schwer löslich, so dafs er sich beim Erkalten der heifs bereiteten alkoholischen Lösung wieder ausscheidet und durch Auswaschen mit kaltem Alkohol gereinigt werden kann. Der dritte dieser Farbstoffe ist in Alkohol sehr leicht löslich, wie ich damals angegeben habe, ich möchte indessen nach meinen nunmehrigen Erfahrungen die Selbständigkeit dieses Körpers etwas anzweifeln. Möglicherweise rührt seine leichte Löslichkeit von Verunreinigungen fett- oder wachsartiger Natur her, die sich nach Lage der Sache gerade in ihm anhäufen müssen.

Was die Beziehungen dieser Farbstoffe zu anderweit bekannten Zersetzungsprodukten des lebenden Chlorophylls anlangt, so möchte ich sie für Gemengteile des unter dem Namen modifiziertes Chlorophyll bekannten Farbstoffgemisches halten. Nicht allein die eigentümliche braungelbgrüne Färbung, die man an den neutralen Lösungen der Farbstoffe ohne weiteres wahrnehmen kann, stimmt mit der Färbung von Lösungen des sogen. modifizierten Chlorophylls überein, sondern auch die feinere Beobachtung der Lösung mit Hilfe des Spektralokulars zeigt keine Unterschiede, aufser geringfügigen, die man erwarten kann, wenn man bedenkt, dafs die Lösung des modifizierten Chlorophylls noch manchen anderen Farbstoff, aufser den hier in Rede stehenden, enthalten kann.

Wegen der schon oben erwähnten eigentümlichen braungelbgrünen Färbung, welche diese Farbstoffe zeigen, will ich sie als Phaeochlorophyll bezeichnen, ein Name, der jedenfalls passender ist, als der von mir früher angewandte Phyllocyanin, denn nur in stark alkalischen wässerigen Lösungen tritt eine stark grüne Färbung mit Schimmer ins Blau hervor. Da ich ferner mindestens zwei, vielleicht drei solcher Substanzen unterscheiden mufs, so will ich die in Alkohol fast unlösliche als α-Phaeochlorophyll, die in Alkohol schwer lösliche als β-Phaeochlorophyll bezeichnen, es einstweilen dahin stellend, ob sich die Selbständigkeit des in Alkohol leicht

XV.   8

löslichen Farbstoffes wird aufrecht erhalten lassen, dem in diesem Falle die Bezeichnung γ zufallen würde.

In dieser Mitteilung handelt es sich zunächst um das β-Phaeochlorophyll. Diese Substanz sieht in trocknem Zustande fast schwarz aus, ist unlöslich in Wasser, löslich in heißem Alkohol, aus dem sie sich beim Erkalten in amorphen Flocken wieder abscheidet, und in Benzol. Die Lösungen zeigen in beiden Fällen die schon erwähnte Färbung. Die wässerigen Lösungen in Natron oder Kalilauge sehen grün, die in wässerigem Ammoniak mehr rotbraun aus. Das Ammoniak ist nur sehr locker gebunden, dampft man die Lösung ein, so entweicht alles Ammoniak und die Substanz bleibt mit ihrem ursprünglich angewandten Gewichte wasserunlöslich zurück. Die Formel des β-Phaeochlorophylls ist $C_{27}H_{33}N_3O_4$, wie folgende Zahlen zeigen:

			Berechnet
C	69,40	69,53	69,97
H	7,00	7,00	7,12
N	8,90	8,70	9,07.

Die ältere Analyse desselben Präparates, die ich in der früheren Mitteilung gab, stimmt ziemlich mit diesen Zahlen. Sie ergab C 69,5, H 7,1, N 8,4.

Die ammoniakalische Lösung des β-Phaeochlorophylls wird durch eine schwach ammoniakalische Lösung von Kupfersulfat vollständig gefällt. Indessen enthält der Niederschlag außer Kupfer noch Schwefelsäure, die sich durch lange fortgesetztes Waschen nicht entfernen läßt. Eine ammoniakalische Lösung frisch gefällten Kupferoxydhydrates giebt nur eine Trübung. Ich habe daher auf die Analyse der Kupferverbindung verzichtet.

Man kann dem β-Phaeochlorophyll mit Leichtigkeit Kohlensäure entziehen, indem man diesen Farbstoff entweder mit Barytwasser etwa acht Stunden lang im zugeschmolzenen Rohre erhitzt oder ihn im Silbertiegel mit Natronhydrat zusammenschmilzt. Im ersteren Falle findet man nach dem Erhitzen einen Absatz von Bariumcarbonat, vermischt mit einem rotbraunen Farbstoffe. Die Röhre öffnet sich fast ohne Druck. Zur Reindarstellung des Produktes habe ich diesen Absatz nach Entfernung des wässerigen farblosen Röhreninhaltes mit durch Schwefelsäure angesäuertem Alkohol ausgekocht, die auf diesem Wege erhaltene Lösung mit Wasser gefällt und durch Auswaschen dieses Niederschlages mit Wasser die anhängende Schwefelsäure entfernt.

Bei der Darstellung durch Schmelzen mit Natron hat man nur nötig, die Schmelze in Wasser aufzulösen und sie nach dem Filtrieren mit Schwefelsäure zu fällen. Der Niederschlag wird auch in diesem Falle durch Waschen mit Wasser gereinigt.

Der neue Farbstoff sieht trocken dunkelrotbraun aus. Seine Formel ist $C_{26}H_{33}N_3O_2$.

			Berechnet
C	74,46	74,20	74,46
H	7,97	8,00	7,87
N	10,20	9,80	10,02.

Die erste Analyse bezieht sich auf das mittels Barytwasser, die zweite auf das mittels Natron dargestellte Präparat. Die Zersetzung, welche zur Bildung dieses Farbstoffes aus dem β-Phaeochlorophyll führt, läßt sich demnach ausdrücken, wie folgt:

$$C_{26}H_{32}N_3O_2.CO_2H = C_{26}H_{33}N_3O_2 + CO_2.$$

Der Farbstoff löst sich mit dunkelroter Farbe in Alkohol auf, setzt man aber dieser Lösung einige Tropfen Schwefelsäure zu, so ändert sich die Färbung in hellrotviolett um. Man kann dieselbe nunmehr am besten mit der Färbung des im Schwefelkohlenstoffe gelösten Jods oder mit der Färbung des durch angesäuerten Alkohol bereiteten Auszuges von Veilchenblütenblättern vergleichen. Eine genauere Vergleichung des Veilchenfarbstoffes mit dem neuen Farbstoffe ergiebt indessen trotz dieser äufseren Ähnlichkeit gewisse Unterschiede. Beide Farbstoffe zeigen allerdings, wenn man sie in konzentrierter saurer Lösung oder dickerer Schicht untersucht, nur eine einzige breite Absorptionsbande, welche, zwischen F und b anhebend, das ganze Grün und Gelb bis etwas über D hinaus hinwegnimmt. In dünnerer Schicht bleibt das Band beim Veilchenfarbstoffe in seiner vollen Breite erhalten und wird nur allmählich blässer und blässer, bis zum Verschwinden. Bei dem neuen Farbstoffe dagegen löst sich in dünnerer Schicht das ursprünglich breite Band in drei Bänder auf, von denen das breiteste und intensivste im Grün auf E liegt, während zwei andere, minder breite, dicht neben einander uud dicht an D auf dessen weniger brechbaren Seite liegen. Während ferner der Veilchenfarbstoff bei Behandlung mit Alkalien grün wird, wird die angesäuerte Lösung des neuen Farbstoffes beim Übersättigen mit Alkali gelb oder in konzentrierterer Lösung rot. Unterwirft man den neuen Farbstoff, mit Natron gemischt, der trocknen Destillation, so erhält man ein schon in dem Retortenhalse krystallinisch erstarrendes, dunkelrot gefärbtes Destillat, während in der Vorlage sich etwas ammoniakalisch riechende Flüssigkeit ansammelt, aus der eine Platinverbindung gewonnen werden konnte, die sich als Platinsalmiak erwies. Von dem krystallinischen Sublimate, das in Alkohol, namentlich aber in Äther leicht löslich ist, habe ich eine Stickstoffbestimmung gemacht und 10,2 p. c. gefunden. Freilich bestand wegen der geringen Ausbeute die ganze Reinigung der zur Analyse verwandten Substanz lediglich in wiederholter Behandlung mit verdünnter Salzsäure zur Entfernung basischer Stickstoffverbindungen, die indessen bis jetzt nicht gefunden werden konnten. Da somit eine Menge sonstiger teeriger Produkte mit verbrannt worden sind, so dürfte der Stickstoffgehalt des ganz reinen Produktes noch viel höher sein, als oben angegeben. Es ist merkwürdig, dafs bei Behandlung dieses stickstoffhaltigen Körpers mit Salzsäure und verdünntem Alkohol Flüssigkeiten erhalten werden, die häufig fast ebenso violett aussehen, wie die Lösung des Körpers $C_{26}H_{33}N_3O_2$. Sollte etwa zwischen beiden beiden ein ähnliches Verhältnis bestehen, wie zwischen Pyrrol und Pyrrolrot?

Einige Bemerkungen über das Chlorophyll,

von

ROBERT SACHSSE.

Die in der letzten Nummer dieses Blattes (S. 103) mitgeteilte Arbeit von EDWARD SCHUNK: *Zur Konstitution des Chlorophylls* giebt mir Veranlassung, auf einige meiner älteren Arbeiten zurückzukommen, weil in diesen bereits Resultate veröffentlicht worden sind, die mit den jetzt von SCHUNK erhaltenen identisch zu sein scheinen.*

* Phytochemische Untersuchungen I. S. 6 und 41, vergl. auch C.-Bl. 1881. 169 und 185.

N*

Wie aus der zitierten Arbeit hervorgeht, hat SCHUNK mit einem ätherischen Chlorophyllauszuge schliefslich die Glykosearten erhalten. Mein Verfahren war folgendes:

Die alkoholische Chlorophylllösung wurde mit Benzin ausgeschüttelt, wobei, wie bekannt, der gröfste Teil des grünen Farbstoffes aus dem Alkohol an das Benzin übertritt. Diese Benzinlösung wird mit Natriumstückchen beschickt, wodurch mit der Zeit ein grüner Niederschlag entsteht, der in Wasser löslich ist. Zersetzt man diese Lösung mit Salzsäure, so scheidet sich ein Niederschlag ab, der hier nicht weiter zur Sache gehört, und die vorher intensiv gefärbte Flüssigkeit wird fast farblos. Kocht man die filtrierte Flüssigkeit einige Zeit mit Salzsäure und prüft sie dann mit FEHLING'scher Flüssigkeit oder nach der BRAUN'schen Methode mit Pikrinsäure, so erhält man in beiden Fällen Reduktion zu Kupferoxydul, resp. Pikraminsäure. Eingedenk des Umstandes, dafs wohl in jedem Chlorophyllauszuge Glykoside vorkommen können, verfuhr ich weiter folgendermafsen. Wäre der fragliche Stoff einfach ein in die Benzinlösung mit übergegangenes, durch Natrium mit gefälltes Glykosid, so müfste man die Zuckerreaktion auch mit der Benzinlösung ohne vorhergehende Einwirkung des Natriums erhalten können. Ich habe daher in vielen Fällen mit Pflanzen der verschiedensten Arten den folgenden Versuch angestellt.

Die Benzinlösung des Chlorophylls wurde in zwei gleiche Teile geteilt, der eine derselben wurde mit Natrium gefällt, der andere eingedampft und der Rückstand ohne weiteres mit verdünnter Salzsäure gekocht. Die so gewöhnlich grün gefärbte Lösung gab indessen mit FEHLING'scher Lösung keine Reaktion, während der aus dem anderen Teile erhaltene grüne Niederschlag nach passender Vorbereitung eine unzweideutige Ausscheidung von Kupferoxydul erkennen liefs.

Obwohl nun die angeführten Thatsachen noch keineswegs bewiesen, dafs gerade das Chlorophyll die Muttersubstanz des fraglichen reduzierenden Stoffes sein mufste, hielt ich doch eine nähere Untersuchung desselben für notwendig.

Die Darstellung der glykosidähnlichen Substanz des Chlorophylls, wie ich sie damals nannte, findet man in meinen phytochemischen Untersuchungen I. S. 41 beschrieben. Man erhält schliefslich eine amorphe sirupartige Masse, deren Analysen am besten zu der Formel $C_{36}H_{80}O_{30}$ stimmen. Sie dreht die Ebene des polarisierten Lichtstrahles schwach nach rechts und wirkt auf alkalische Kupferlösung erst reduzierend nach kurzer Behandlung mit Salzsäure. Die Grenze der Verzuckerung ist erreicht, wenn etwa die Hälfte der Substanz in Zucker verwandelt ist. So weit eine kurze Wiederholung meiner früheren Resultate.

SCHUNK hat offenbar denselben Körper gesehen, den ich damals unter den Händen gehabt habe. Was nun die Bedeutung des Fundes anlangt, so möchte ich darüber noch eine Bemerkung machen. Bei meinen jahrelang fortgesetzten Untersuchungen über das Chlorophyll habe ich nicht aufgehört, auf die merkwürdige Substanz zu achten, habe sie aber nicht in allen Fällen finden können, auch wenn dieselbe Pflanze zur Untersuchung gezogen wurde. Vorzugsweise scheint das Chlorophyll junger Blätter die Zuckerreaktion zu geben, während sie in älteren Sommerblättern fehlt. Auch diese Thatsache spricht freilich noch nicht entscheidend gegen die Auffassung des reduzierenden Stoffes als Spaltungsstück des funktionierenden Chlorophylls, da dieses, nach allen mikroskopischen, optischen und chemischen Erscheinungen zu schliefsen, wohl kaum immer und zu allen Zeiten von genau gleicher Beschaffenheit sein wird.

Mit diesen Bemerkungen verbinde ich übrigens keineswegs die Absicht, Hrn. SCHUNK etwa von einem weiteren Verfolge seiner Beobachtung abhalten zu wollen.

Im Gegenteile wäre auch mir eine möglichst baldige Klarstellung des ganzen Verhältnisses höchst erwünscht.

Leipzig im Februar 1884.

Wochenbericht.

2. Allgemeine Chemie.

W. Spring, Über *vollkommene Elastixität fester, chemisch bestimmter Körper. Neue Analogie zwischen festen, flüssigen und gasförmigen Körpern.* (Bull. Par. **40.** 515—20. 20. Dez. [Okt.] 1883. Paris.)

W. Spring, *Einwirkung von Druck auf feste pulverförmige Körper.* (Bull. Par. **40.** 520—26. 20. Dez. [Okt.] 1883. Paris.)

C. Friedel, *Beobachtungen über die Versuche von W. Spring über die Einwirkung von Druck auf feste pulverförmige Körper.* (Bull. Par. **40.** 526—28. 20. Dez. [Oktob.] 1883. Paris.)

Rob. Muencke, *Bürettenhalter.* Der in beistehenden Figuren abgebildete Bürettenhalter gestattet nicht nur engere und weitere Büretten gleich fest zu halten und die Skala unverkürzt ablesen zu können, sondern bietet auch den grofsen Vorteil, die eingespannte Bürette sofort auszuwechseln. Die einfache Konstruktion des Halters ist aus der Figur ersichtlich; derselbe besteht aus drei Teilen, dem winklig geformten Backen mit Stiel, dem geraden Backen mit Handgriff und einer starken, S-förmig gebogenen Feder. Der Stiel endigt meist in einer offenen Muffel (A) oder, wenn zwei und mehrere Halter gleichzeitig Anwendung finden, in einer Nufs, in welcher die Stiele der Halter eingelötet sind (B).

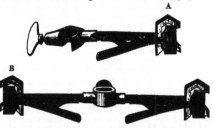

Beide Backen sind durch ein am vorderen Teile befindliches Gelenk miteinander verbunden. Die S-förmig geformte Feder ist am Stiele des gekrümmten Backens festgeschraubt und drückt den beweglichen Backen gegen den winklig · geformten, resp. gegen die in denselben eingelegte Bürette. Ein Druck auf den Griff des beweglichen Backens genügt, um den Halter zu öffnen. Der Halter ist zu beziehen durch ROB. MUENCKE, Berlin NW, Louisenstr. 58.

C. Reinhardt, *Spirituslampe mit konstantem Niveau.* (Ztschr. anal. Chem. **23.** 40—41.)

F. Urech, *Die Lilienfein'sche Lampe für niedrig siedendes Petroleum.* (Ztschr. anal. Chem. **23.** 35—40.)

E. Fleischer, *Das Hygrometer im Exsiccator.* Der Vf. hat durch Beobachtung eines im Exsiccator untergebrachten LAMBRECHT'schen Hygrometers gefunden, dafs das Chlorcalcium als Trockensubstanz für die im Exsiccator sehr wenig geeignet ist und der Schwefelsäure bedeutend nachsteht. Es eignet sich zwar vortrefflich zur Wasserentfernung, wenn es von einem zu trocknenden Gase überströmt wird; bei einer stillstehenden Luft aber, wie im Exsiccator, ist nicht entfernt so empfehlenswert, wie die konzentrierte Schwefelsäure. Dies wird durch einige Beobachtungen bewiesen. (Ztschr. anal. Chem. **23.** 33 bis 35. Ende Dez. 1883.)

C. Reinhardt, *Das Numerieren der Porzellantiegel.* Wenn mehrere Porzellantiegel bei gröfseren analytischen Arbeiten in Benutzung sind, so ist es vorteilhaft, dieselben zu numerieren. Der Vf. benutzt hierzu Schmelzfarben, bestehend aus Kieselsäure, Mennige, Borsäure und einem färbenden Metalloxyd. Dieselben sind von jeder Porzellanfabrik mit Leichtigkeit zu beziehen. Sie werden mit Lavendelöl zu einem dicklichen Breie angerieben und mittels eines feinen Pinsels auf den Porzellantiegel aufgetragen. Letzterer wird dann zuerst auf einer Eisenplatte langsam getrocknet und schließlich in einer Muffel geglüht. Die Farben dürfen nicht zu dick aufgetragen werden. (Ztschr. anal. Chem. **23**. 42—43.)

3. Anorganische Chemie.

F. W. Clarke, *Neue spezifische Gewichtsbestimmungen.* Der Vf. hat durch Studenten in seinem Laboratorium die spezifischen Gewichte der unten bezeichneten Substanzen neu bestimmen lassen. Die Salze wurden in Benzin gewogen und die Dichte des Wassers bei 4° als Einheit angenommen. Die Zahlen sind Mittelzahlen aus mehreren gut übereinstimmenden Versuchen:

Uranylsulfat (H. SCHMIDT) 3,280 bei 16,5°
Uranylammoniumsulfat (H. SCHMIDT) 3,0131 bei 21,5°
Uranylkaliumsulfat (H. SCHMIDT) 3,363 bei 19,1°
Doppelsalz, $K_2CrO_4.2Hg(CN)_2$ (H. SCHMIDT) 3,564 bei 21,8°
Eisenchlorid, sublimiert (J. P. GRABFIELD) 2,804 bei 10,8°
Eisenchlorür (J. P. GRABFIELD) 2,988 bei 17,9°
Chromchlorid, violett (J. P. GRABFIELD) 2,757 bei 15°
Chromchlorür (J. P. GRABFIELD) 2,751 bei 14°.

Die letzte Verbindung enthielt 14 p. c. Chromoxyd als Verunreinigung, und das wirklich gefundene spez. Gewicht betrug 3,067. Durch Korrektion unter Annahme des von SCHRÖDER angegebenen Wertes 5,01 für Cr_2O_3 wurde die obige Zahl erhalten.

Strontiumchlorid (E. MÜHLBERG) 1,964 bei 16,7°
Cadmiumchlorid (P. A. KNIGHT) 3,655 bei 16,9°
Cadmiumbromid (P. A. KNIGHT) 4,794 bei 19,9°
Cadmiumfluorid (E. A. KEBLER) 5,994 bei 22°
Thalliumjodid, gefällt (E. TWITCHELL) 7,072 bei 15,5°
Thalliumjodid, geschmolzen (E. TWITCHELL) 7,0975 bei 14,7°
Thalliumbromid, gefällt (H. KECK) 7,540 bei 21,7°
Thalliumbromid, geschmolzen (H. KECK) 7,557 bei 17,3
Bleibromid (H. KECK) 6,572 bei 19,2°
Silbertartrantimonit (C. S. EVANS) 3,4805 bei 18,2°.

(Amer. Chem. Journ. **5**. Nr. 4; Chem. N. **49**. 3. 4. Jan.)

G. Brügelmann, *Verwandlung der unterschwefligsauren in schwefelsaure Salze durch übermangansaures Kali.* Gelegentlich der Untersuchung von Mischkrystallen aus den Natriumsalzen der unterschwefligen, Phosphor-, Salpeter-, Bor- und Essigsäure, dargestellt auf grund und zum Nachweise seines neuen Gesetzes von der kombinierten Krystallisation (**82**. 522 und **83**. 471. 493. 507), war es dem Vf. wünschenswert, eine Methode zur Verwandlung des unterschwefligsauren Natrons in schwefelsaures Natron durch ein solches Oxydationsmittel zu besitzen, welches einerseits die Essigsäure nicht angreift und andererseits nach seiner Einwirkung derart wieder beseitigt werden kann, daß die ursprüngliche Substanz oder Lösung, abgesehen von der in Schwefelsäure verwandelten unterschwefligen Säure, vollkommen unverändert wiedererhalten wird. Da zu diesem Zwecke weder die rote rauchende Salpetersäure, noch das Königswasser, noch auch Chlor- oder Bromwasser, welche gemeiniglich zur Oxydation benutzt werden, brauchbar sind, wurde mit bestem Erfolge der bisher nicht angestellte Versuch einer Oxydation mittels übermangansauren Kalis gemacht.

Das Verfahren ist folgendes: Von einer konzentrierten, etwa kalt gesättigten Lösung von übermangansaurem Kali in Wasser wird in der Siedehitze so lange zu der Substanzlösung gegeben, bis diese eben deutlich violett gefärbt ist: hierauf wird das überschüssig zugesetzte übermangansaure Kali mit Alkohol zerstört, der entstandene Manganniederschlag abfiltriert und mit heißem Wasser ausgewaschen, worauf die erhaltene Flüssigkeit, nötigenfalls nach Verjagung des Alkohols, die gewünschte Beschaffenheit besitzt.

Das unterschwefligsaure Natron ($Na_2S_2O_3 + 5aq$) wird durch übermangansaures Kali nach folgender Gleichung in schwefelsaures Natron und schwefelsaures Kali verwandelt:

$$2KMnO_4 + Na_2S_2O_3 = K_2SO_4 + Na_2SO_4 + Mn_2O_3.$$

Die Richtigkeit dieser Gleichung wird durch die Analyse bestätigt. (Ztschr. anal. Chem. **23**. 24—25. Ende Dez. [27. Juli] 1883. Wiesbaden.)

Rudolf Eck, *Methode zur Abscheidung der Blausäure aus dem rohen Bittermandelöle, resp. Kirschlorbeeröle.* Vf. führt die Abscheidung mittels eines kräftigen, bis 140° erhitzten Dampfstromes in eine Mischung von 10 Tln. Kirschlorbeeröles, 6 Tln. Kalkhydrat und 3 Tln. schwefelsaurem Eisenoxydul aus. (Pharm. Ztg. **29**. 31—32. 16. Jan.)

4. Organische Chemie.

C. A. Lobry de Bruyn, Über die *Einwirkung von m-Dinitrobenzol auf Cyankalium in alkoholischer Lösung.* Wenn man 1 Mol. Dinitrobenzol in Alkohol löst und eine wässerige, kalte, konzentrierte Lösung von 2 Mol. Cyankalium zusetzt, so färbt sich die Flüssigkeit sofort hellrot, dann dunkler und zuletzt schmutzigbraun. Nach fünf- bis sechsstündiger Ruhe bei gewöhnlicher Temperatur hat die Lösung die Farbe eines dunkeln Rotweins angenommen. Nach des Vf. Ansicht muß die erste Rotfärbung und der Übergang derselben in Schmutzigbraun der geringen Menge kaustischem Kali zugeschrieben werden, welche in dem Cyankalium enthalten ist. Wenn man zu einer alkoholischen Lösung von Dinitrobenzol Kali setzt, so tritt stets eine Rotfärbung ein, welche bald in Violett und Blau übergeht, sobald man mehr Kali hinzufügt.

Die weinrote Färbung der Flüssigkeit geht bei gewöhnlicher Temperatur langsam und beim Sieden rasch in Dunkelbraun oder in Rotbraun über. Zugleich scheidet sich ein schwarzes oder dunkelbraunes Pulver ab. Dieselben Erscheinungen treten ein, wenn man warme oder siedende Lösungen von Dinitrobenzol und Cyankalium vermischt. Während der Reaktion entwickelt sich kein Ammoniak. Das amorphe schwarze Pulver wurde nach dem Abscheiden getrocknet und die alkoholische Flüssigkeit verdampft; letztere hinterließ einen harzigen Rückstand. Erschöpfte man beide durch Äther, so erhielt man nach dem Abdampfen des Lösungsmittels einen sehr schön krystallisierten, hellrot gefärbten Körper. Ein Umkrystallisieren aus Alkohol nach dem Entfärben mit Tierkohle lieferte den Körper in fast farblosen, sich weich anfühlenden Blättchen von schönem Glanz. Diese schmolzen bei etwa 137°. Sie bestanden also nicht aus unverändertem Dinitrobenzol, welches bei 91° schmilzt und auch ein anderes Ansehen besitzt. Das schwarze Pulver enthielt noch beträchtliche Mengen von Cyankalium und der Rückstand der alkoholischen Lösung nicht unerhebliche Quantitäten von Kaliumnitrit.

Durch Wiederholung und Abänderung der Versuche gelangte der Vf. zu den folgenden Beobachtungen. Wenn man 1 Mol. Dinitrobenzol auf 1 Mol. Cyankalium einwirken läßt, so verläuft anscheinend alles in derselben Weise; die einzige Differenz besteht darin, daß sich unter den Produkten kein unverändertes Cyankalium und ebensowenig unverändertes Dinitrobenzol mehr befindet. Der Vf. schließt daraus, daß 1 Mol. Cyankalium genügt. Zur Abscheidung des Farbstoffes von dem ungefärbten Körper, behandelt man das Produkt mit Wasser, welches jenen löst und einen krystallisierten Körper zurückläßt, jedoch stark gefärbt. Man kann ihn durch längeres Digerieren mit Salpetersäure (1,35) bei gelinder Wärme entfärben; die Säure zerstört die Farbsubstanz, greift aber unter diesen Umständen den krystallisierten Körper nicht an. Um den Farbstoff zu erschöpfen, kann man sich an Stelle des Äthers auch des Benzols oder des Chloroforms bedienen.

Nimmt man an Stelle des Äthylalkohols Methylalkohol, so erscheint die weinrote Färbung rascher und ihre Nüance ist schöner. Zugleich mit dem Farbstoff bildet sich ein ungefärbter Körper, welchen man auf dieselbe Weise abscheiden und reinigen kann, wie oben angegeben ist. Der Schmelzpunkt desselben beträgt 171°.

Eine dritte Beobachtung endlich wurde angestellt, um über die bei der Reaktion auftretende Wärmeentwicklung, sowie über die Menge des sich dabei bildenden krystallisierten Körpers einen Aufschluß zu erlangen. Zwei Versuche wurden zu diesem Zwecke ausgeführt:

1. 13 g Dinitrobenzol wurden in der Wärme in 200 ccm gewöhnlichem Alkohol und 5 g Cyankalium (dargestellt aus Cyanwasserstoffsäure und alkoholischem Kali) in sehr wenig Wasser gelöst und letztere Lösung der ersteren, welche auf 44° abgekühlt war, zugesetzt. Die beschriebene Färbung trat ein, und ungefähr zehn Minuten nachher betrug die Temperatur 53°, wobei die Reaktion vollendet war. Nach Abdampfen des Ganzen zur Trockne wurde mit Chloroform erschöpft. Die Chloroformlösung hinterließ nach der Destillation einen roten Rückstand, welcher mit Salpetersäure erwärmt und mit Wasser gewaschen wurde. Das Gewicht betrug 6 g. Die mit Chloroform erschöpfte Masse, welche außer dem Farbstoff noch Kaliumnitrit enthielt, besaß ein Gewicht von 12 ½ g; fast die Hälfte des Dinitrobenzols war demnach in den krystallisierten Körper umgewandelt worden.

2. 26 g Dinitrobenzol wurden in 300 ccm Methylalkohol gelöst und in derselben Weise mit 10 g Cyankalium behandelt. Die Temperatur stieg nach zehn Minuten auf 43—59°. Man erhielt ungefähr 12 g des krystallisierten Körpers und 24 g von dem Gemenge des Farbstoffes und dem Kaliumnitrit, also relativ dieselben Mengen wie vorher.

Der Vf. bemerkt bei dieser Gelegenheit, daß die Cyanwasserstoffsäure in Alkohol gelöst auf Dinitrobenzol keine Wirkung ausübt.

Darstellung und Beschreibung der krystallisierten Produkte. Man löst 100 g Dinitrobenzol in der Wärme in ungefähr $1\frac{1}{2}$ l gewöhnlichem Alkohol, und nach dem Abkühlen auf 40° setzt man 45 g Cyankalium (96—98 p. c. enthaltend), in etwas Wasser gelöst, hinzu. Die beschriebene Farbenänderung und die Entwicklung von Wärme treten ein, und nach einer viertel oder einer halben Stunde ist die Reaktion vollendet. Man läſst hierauf die Lösung, welche ein schwarzes Pulver abzuscheiden beginnt, einen Tag lang in Ruhe, filtriert dann, preſst die schwarze Masse durch Leinwand aus, trocknet sie an der Luft und zerreibt sie zu Pulver. Will man den Farbstoff opfern, so kann man dieses Pulver sofort mit Salpetersäure von 1,35 spez. Gew. behandeln. Man setzt letztere allmählich hinzu und erhitzt einige Tage lang zuerst im Wasserbad und dann im Sandbad, bis sich keine roten Dämpfe mehr entwickeln, und die Flüssigkeit eine schwache Braunfärbung angenommen hat. Hierauf setzt man Wasser hinzu, wodurch die krystallinische Substanz abgeschieden wird, filtriert, wäscht und trocknet.

Einige Umkrystallisationen aus Alkohol und Entfärbung mit Tierkohle genügen, um den Körper völlig zu reinigen.

Will man dagegen den Farbstoff nicht preisgeben, so extrahiert man das schwarze Pulver in einem Extraktionsapparat mit Chloroform, was ungefähr sechs Stunden dauert. Das Chloroform wird dann abdestilliert und der Rückstand mit Salpetersäure behandelt. Was den Alkohol betrifft, so kann man denselben noch zu einer zweiten Darstellung benutzen; hiernach destilliert man ihn ab. Der Rückstand davon wird ebenfalls mit Salpetersäure in der beschriebenen Weise behandelt und giebt noch eine ziemlich beträchtliche Menge des Körpers.

Für die Darstellung mittels Methylalkohol sind die Operationen genau dieselben, nur mit dem Unterschied, daſs man ihn vier- bis fünfmal benutzen kann, bevor man destilliert.

Der krystallisierte Körper, welcher aus Äthylalkohol gewonnen wurde, und den der Vf. vorläufig kurzweg als das *Äthylderivat* bezeichnet, krystallisiert aus Alkohol in seideglänzenden, weichen, mitunter bandförmigen Lamellen. In dünner Schicht sind diese weiſs, in dickeren Schichten zeigen sie eine schwach gelbliche Färbung. Der Schmelzpunkt beträgt 137° (unkorr.). Bei gewöhnlicher Temperatur löst sich der Körper in Chloroform, Aceton und Essigäther. Aus letzteren beiden krystallisiert er in biegsamen, mitunter sternförmig gruppierten Nadeln. In der Wärme löst er sich ziemlich gut in Benzin, Alkohol, Essigsäure, Salpetersäure und Schwefelkohlenstoff, weniger leicht in Äther, sehr wenig in Petroleumäther und in Wasser. Läſst man eine Lösung in Benzin freiwillig verdunsten, so erhält man mitunter ein Aggregat von ziemlich groſsen, harten, senkrecht zu einander gestellten Platten; mitunter krystallisiert auch die Chloroformlösung in rechtwinkligen, harten, schwach gelblichen Platten. Der Körper läſst sich, obgleich schwierig, sublimieren und bräunt sich dabei. Bei der Destillation im Vakuum gehen bei 210—215° farblose Tröpfchen über, während sich die erhitzte Substanz mehr und mehr bräunt. Mit Wasserdämpfen ist der Körper nicht flüchtig.

Das Methylderivat gleicht dem Athylderivat auffallend. Sein Schmelzpunkt ist 171° (unkorr.). Es krystallisiert aus Chloroform, Aceton und Essigäther in biegsamen, mehr oder weniger langen Nadeln, dagegen gelang es nie, dasselbe in Form von harten Platten zu erhalten. Die Analyse ergab die Formel $C_9H_8N_2O_3$.

Der Farbstoff. Hierüber konnten nur wenig Beobachtungen angestellt werden und überdies nur mit dem Produkt, welches aus Äthylalkohol gewonnen war. Es ist bereits bemerkt, daſs sich bei der Reaktion kein Ammoniak entwickelt, d. h. nicht viel mehr, als wenn man das Cyankalium allein anwendet. Der Vf. hat, um dies festzustellen, vergleichende Versuche angestellt. Es konnte ferner weder Kohlensäure noch Cyanwasserstoffsäure nachgewiesen werden. Nach dem Erschöpfen mit Chloroform wurde eine Reinigung des Farbstoffes versucht, indem man ihn zuerst mit etwas Wasser zur Beseitigung des Kaliumnitrites und Cyanides behandelte, dann in warmem, verdünntem Alkohol löste und filtrierte. Beim Erkalten scheidet sich der Farbstoff im amorphen Zustand wieder ab. Im Wasserbad getrocknet, bildet er eine schwarze, glänzende Masse, welche bei starkem Erhitzen sich aufbläht, verkohlt und zuletzt eine alkalisch reagierende Masse zurückläſst. Es ist also das Kalium darin enthalten. Die gereinigte und im Wasserbad getrocknete Substanz löst sich weniger leicht in Alkohol als die bei gewöhnlicher Temperatur getrocknete. Die Lösung besitzt eine weinrote Farbe und überträgt diese auf Wolle und Seide. Der Farbstoff löst sich ferner in Wasser mit schmutzig braunroter Farbe. In dieser Lösung erzeugen schwache Säuren einen flockigen, braunen Niederschlag, und die Flüssigkeit entfärbt sich fast vollständig, während sich Kohlensäure entwickelt. Essigsaures Blei, Chlorbarium, schwefelsaures Kupfer und salpetersaures Silber geben amorphe, dunkelbraun oder schwarz gefärbte Niederschläge, während sich die Lösung entfärbt.

Es wurde bereits erwähnt, daß der mit Methylalkohol erhaltene Farbstoff sich in Alkohol mit schöner Nüançe löst.

Umwandlung des Äthyl- und Methylderivates. Erhitzt man die vorher beschriebenen krystallisierten Produkte in Mengen von 1—1¹/₂ g mit ungefähr 5 ccm starker Chlorwasserstoffsäure in geschlossenen Röhren auf 160—170°, so erhält man eine schwach gefärbte Flüssigkeit und eine braune krystallisierte Masse. Beim Öffnen der Röhren entweicht unter starkem Druck ein Gas, welches ein Gemenge von Kohlensäure und einem gechlorten Kohlenwasserstoff nach gleichen Volumen ist. Die krystallinische Substanz erwies sich als m-Nitrophenol mit allen den Eigenschaften, welche FITTIG und BANTLIN (Ber. Chem. Ges. 7. 179; 11. 2100) angegeben haben. Der Vf. fügt noch hinzu, daß sich dasselbe in warmem Chloroform löst und sich daraus gut umkrystallisieren läßt. Dagegen löst es sich nicht in Petroleumäther; das Kaliumsalz enthält Krystallwasser, welches es bei 110° unter Dunkelrotfärbung abgiebt. Die Einwirkung der Salzsäure läßt sich durch folgende beide Gleichungen ausdrücken:

$$C_9H_9N_2O_3 + 2\,HCl + 2\,H_2O = C_6H_4NO_2.OH + NH_4Cl + CO_2 + C_2H_4Cl.$$
$$C_8H_7N_2O_3 + 2\,HCl + 2\,H_2O = C_6H_4NO_2.OH + NH_4Cl + CO_2 + CH_3Cl.$$

Hieraus geht hervor, daß das Äthyl- und Methylderivat nicht nur die Gruppe NO_2, sondern auch die Kohlenwasserstoffgruppe CH_3, bez. C_2H_5 enthält, und daß demnach der bei der Darstellung benutzte Alkohol an der Reaktion teilnimmt. Da das Nitrophenol die Metaverbindung ist, so erhält man hierdurch Anhaltepunkte für die relative Stellung jener Gruppen.

Mit Barytwasser (¹/₂ Mol.) geben das Methyl- und Äthylderivat nach vier- bis fünftägigem Erhitzen unter Entwicklung von etwas Ammoniak eine schwach braunrot gefärbte Lösung, aus der sich krystallinische Produkte von der Formel $C_9H_9N_2O_4$, resp. $C_9H_{10}N_2O_4$ abscheiden lassen. Diese Körper enthalten also 1 Mol. Wasser mehr, als die genannten Derivate. Sie bilden sich indes nur in geringer Menge. Das Hauptprodukt der Reaktion bildet sich in Form der Barytverbindung in der rotbraunen Lösung. Es wird daraus nicht durch Kohlensäure, wohl aber durch schwache Salzsäure in weißen Flocken gefällt, welche sich freiwillig in eine braune, harzige Masse umwandeln. Eine Reinigung derselben ist bis jetzt nicht gelungen.

Einwirkung von Kali in Methylalkohol auf das Methylderivat. Der Vf. löste 20 g des Methylderivates in ¹/₂ l Methylalkohol, setzte 20 g Kali in etwas Wasser gelöst hinzu und erhitzte das Gemenge eine Stunde lang zum Kochen. Hierbei entwickelt sich kein Ammoniak. Nach dem Neutralisieren mit Chlorwasserstoffsäure oder durch Kohlensäuregas wurde filtriert und von dem Filtrat der Alkohol zum Teil abdestilliert. Der Rückstand gab beim Erkalten eine ziemlich große Menge weißer Nadeln. Verdampft man den Rest des Alkohols, so kann man aus der braunen rückständigen Masse mittels heißen Benzin noch neue Mengen davon extrahieren. Im ganzen erhielt der Vf. 17 g. Diese Krystalle konnten durch Umkrystallisieren aus Alkohol und Entfärben mit Tierkohle gereinigt werden. In dieser Form bildet der Körper prismatische, bei 118° schmelzende Nadeln oder rechtwinklige Tafeln, welche sich leicht in warmem Alkohol, sehr leicht bei gewöhnlicher Temperatur in Benzin und Chloroform, weniger leicht in Aceton und Essigäther, und sehr wenig, selbst beim Erwärmen in Schwefelkohlenstoff, Äther, Wasser und Petroleumäther lösen. Siedepunkt ungefähr 310°. Die Zusammensetzung entspricht der Formel $C_9H_9NO_3$. Der Körper enthält also mehr Kohlenstoff und weniger Stickstoff, als das Methylderivat. Der verschwundene Stickstoff findet sich als Kaliumnitrit in dem braunen Rückstand, welcher nach dem Abdampfen des Alkohols und Erschöpfen mit Benzin hinterbleibt. Es scheint also, als sei dieser Körper durch Austausch der Gruppe NO_2 gegen Oxymethyl entstanden. Um hierüber Gewißheit zu erlangen, wurde der Körper mit starker Chlorwasserstoffsäure auf 170° in geschlossenen Röhren erhitzt, dabei entwickelte sich Kohlensäure und wahrscheinlich Methylchlorid, während im Reaktionsprodukt Resorcin und Chlorammonium nachgewiesen werden konnten. Die Reaktion ist also wahrscheinlich nach der Gleichung:

$$C_9H_9NO_3 + 3\,HCl + 2\,H_2O = C_6H_4(OH)_2 + 2\,CH_3Cl + CO_2 + NH_4Cl$$

von statten gegangen.

Bei einem anderen Versuch wurde der bei 118° schmelzende Körper mit Barytwasser erhitzt, wobei Ammoniak entwich, und ein Körper von der Zusammensetzung einer *Dioxymethylbenxoesäure*, $C_9H_{10}O_4$, wahrscheinlich nach der Gleichung:

$$C_9H_9NO_3 + 2\,H_2O = NH_3 + C_9H_{10}O_4$$

entstand.

Ferner wurde der bei 118° schmelzende Körper noch mit schmelzendem Kali behandelt. Hierbei erhielt man ein Produkt, welches wahrscheinlich mit der *β-m-Dioxybenzoesäure* von SENHOFER und BRUNNER (Wien. Sitz.-Ber. **80.** 515) übereinstimmt. Eine genaue Untersuchung war nicht möglich. Endlich wurde auch noch die Einwirkung von starker Salpetersäure versucht. Der Körper löst sich darin, aber nach einiger Zeit beginnt eine langsame Reaktion, welche man an einer Grünfärbung der Flüssigkeit erkennt. Durch Erhitzen wird die Reaktion beschleunigt und vollendet sich unter Entwicklung von roten Dämpfen. Durch Behandeln der Masse mit Wasser wird eine weiße Substanz gefällt, welche nach dem Waschen mit Wasser und Lösen in Alkohol in langen, biegsamen, gelben, bei 111° schmelzenden Nadeln von der Formel $C_9H_8N_2O_4$ krystallisiert.

Einwirkung von methylalkoholischem Kali auf das Aethylderivat. Dieselbe vollzieht sich in ähnlicher Weise wie beim Methylderivat, dauert aber länger. Der hierbei erhaltene Körper hat die Formel $C_{10}H_{11}NO_3$, schmilzt bei 66°, löst sich bei gewöhnlicher Temperatur leicht in Benzol, Chloroform, Aceton, Essigäther, beim Erwärmen auch in Äther, Alkohol und Schwefelkohlenstoff, ist aber wenig löslich in Wasser und Petroleumäther. Er krystallisiert aus Alkohol in prismatischen Nadeln oder rechtwinkligen, mitunter sehr großen Tafeln.

Einwirkung von äthylalkoholischem Kali auf das Methylderivat. 10 g Methylderivat wurden in Äthylalkohol gelöst und mit 10 g Kali, welches in etwas Wasser gelöst war, zwei bis drei Stunden lang erhitzt. Hierbei bildet sich eine ziemliche Menge Kaliumnitrit und ein Körper von der Zusammensetzung $C_{10}H_{11}NO_3$, welcher wahrscheinlich identisch mit dem vorherbeschriebenen ist.

Einwirkung von äthylalkoholischem Kali auf das Äthylderivat. Das hierbei auftretende Hauptprodukt schmilzt bei 122°, krystallisiert aus alkoholischer Lösung durch freiwilliges Verdunsten in zusammengehäuften Nadeln, welche mitunter 5 ccm lang werden. Aus der Benzinlösung erhält man prismatische Krystalle. Bei gewöhnlicher Temperatur ist dieser Körper sehr leicht in Benzin, Chloroform und Aceton, weniger leicht in Alkohol und Äther löslich; in der Wärme leicht löslich in Äther und Schwefelkohlenstoff und sehr wenig löslich in Wasser und Petroleumäther. Die Analysen führten zu der Formel $C_{11}H_{13}NO_3$.

Eine Vergleichung dieser vier Umwandlungsprodukte des Methyl- und Äthylderivates ergiebt unter anderem, daß diejenigen Produkte, welche zweimal das gleiche Alkoholradikal enthalten, höhere Schmelzpunkte (118° und 122°) besitzen, als die, welche zwei verschiedene Alkoholradikale (Methyl- und Äthyl) einschließen (66°). Auch in den Löslichkeitsverhältnissen zeigen sich Differenzen, welche schon bei Alkohol, noch stärker aber bei Äther und Schwefelkohlenstoff hervortreten: die Umwandlungsprodukte mit gleichen Alkoholradikalen lösen sich selbst in der Wärme nur schwer, während die mit zwei verschiedenen sich besonders in der Wärme ziemlich leicht lösen. Alle vier Produkte bräunen sich allmählich, wenn man sie zum Sieden bringt; ihre alkoholischen Lösungen zeigen eine gelbgrüne Fluoreszenz wie das Fluorescëin. Der Siedepunkt aller vier Verbindungen liegt etwa bei 310°; obgleich es scheint, daß diejenigen, welche den höheren Schmelzpunkt besitzen, auch einen etwas höheren Siedepunkt haben dürften; eine genaue Bestimmung war wegen der geringen Menge Substanz, über die der Vf. verfügen konnte, nicht möglich.

Reduktionsprodukte. Der Vf. beschreibt mehrere Versuche, um durch Behandlung des Äthyl- und Methylderivates mit Schwefelammonium, resp. mit Zink und Salzsäure Reduktionsprodukte zu erhalten. Die dabei auftretenden Körper sind noch nicht analysiert worden.

Theoretische Schlußfolgerungen. Auf Grund der vorstehenden Resultate läßt sich eine Vorstellung von der Struktur des sogenannten Methyl- und Äthylderivates gewinnen. Die Bildung von Nitrophenol durch Salzsäure und von Kaliumnitrit durch alkoholisches Kali beweisen die Gegenwart der Gruppe NO_2. Die Entstehung chlorierter Kohlenwasserstoffe durch Salzsäure weist ferner auf die Gegenwart von Kohlenwasserstoffresten oder Oxyalkylen hin. Zieht man von den empirischen Formeln $C_9H_9N_3O_2$ und $C_8H_8N_3O_2$ eine NO_2-Gruppe ab und erwägt dabei, daß ein Kohlenwasserstoffrest vorhanden ist, so muß man schließen, daß in den Benzolkern eine NO_2-Gruppe und ein Atomkomplex von der Zusammensetzung:

$$(C_2H_5.C.N.O), \text{ resp. } (CH_3.C.N.O)$$

eingetreten sein muß. Aus der Zahl der noch vorhandenen Wasserstoffatome in den empirischen Formeln folgt, daß diese Atomkomplexe zweiwertig sein müssen. Die einfachste Vorstellung von der Konstitution derselben würde die sein, nach welcher sie aus einer Cyangruppe und einer Oxyalkylgruppe bestehen. Man erhält demnach die rationellen Formeln:

$$C_6H_3\begin{cases}NO_2 \\ OC_2H_5 \\ CN\end{cases} \quad \text{und} \quad C_6H_3\begin{cases}NO_2 \\ OCH_3 \\ CN\end{cases},$$

und die Verbindungen würden demnach als *Oxyäthyl-* und *Oxymethylnitrobenzonitril* zu bezeichnen sein. Diese Anschauung wird durch das Verhalten der Verbindungen unterstützt. Durch die Einwirkung von Salzsäure entsteht, wie gezeigt wurde, Nitrophenol, Chlorammonium, Kohlensäure und ein gechlorter Kohlenwasserstoff, und zwar die letzteren beiden in gleichem Volumen. Die Kohlensäure und das Chlorammonium entstammen der Cyangruppe und der Kohlenwasserstoff der Oxyalkylgruppe, welche in Hydroxyl umgewandelt wird. Das Nitrophenol ist die Metaverbindung, und es ist demnach klar, daß, wenn man von einer allerdings möglichen intramolekularen Atomverschiebung absieht, die NO_2- und die Oxyalkylgruppe zu einander in der Metastellung stehen. Durch Einwirkung von alkoholischem Kali wurden Kaliumnitrit und Körper erhalten, deren empirische Formeln denen von *Dioxyalkylbenzonitrilen* entsprechen. Die Gruppe NO_2 ist demnach eliminiert und durch ein Oxyalkyl ersetzt worden. Die Reaktionen dieser letzteren Körper mit Salzsäure, Barytwasser und geschmolzenem Kali können als Beweise für diese Konstitution gelten. Nun aber wurde aus dem Körper, welcher aus dem Methylderivat durch methylalkoholisches Kali entstand, durch Einwirkung von Salzsäure ein Produkt erhalten, welches die Hauptreaktionen des Resorcins zeigte, ferner Chlorammonium, Methylchlorid und Kohlensäure. Das Volumverhältnis der letzteren beiden betrug 2:1. Die zwei Volume Methylchlorid weisen auf die Gegenwart von zwei Oxymethylgruppen hin, und die sehr wahrscheinliche Bildung von Resorcin, welches außerdem ein Metaderivat ist, zeigte, daß die beiden Oxymethylgruppen sich zu einander in der Metastellung befinden. Da eine Oxymethylgruppe an die Stelle der NO_2-Gruppe des Methylderivates getreten ist, so nimmt letztere darin die Metastellung ein. Durch Barytwasser wurde unter Ammoniakentwicklung eine Säure von der prozentischen Zusammensetzung einer Dioxymethylbenzoesäure erhalten, und durch geschmolzenes Kali entstand eine Säure, welche der β-Dioxybenzoesäure von SENHOFER und BRUNNER sehr ähnlich war. Bei der ersten Reaktion wurde nur die Cyangruppe in Carboxyl und Ammoniak umgewandelt; bei der zweiten sind beide Oxymethylgruppen zugleich verseift worden. Nun haben TIEMANN und PARRISIUS (Ber. Chem. Chem. **13**. 2354) gezeigt, daß die β-Dioxybenzoesäure, welche sie γ-Resorcylbenzoesäure nennen, die Stellung 1.2.6 hat, wenn man im Benzolring die Stelle der Carboxylgruppe 1 nennt. In den Nitrilen, welche der Vf. erhielt, wird demnach die Cyangruppe dieselbe Position einnehmen. Mit dieser Annahme steht auch die Thatsache in Einklang, daß von den beiden erhaltenen Körpern der eine durch methylalkoholisches Kali aus dem Äthylderivat und der andere durch äthylalkoholisches Kali aus dem Methylderivat entstanden, beide aber identisch sind. Da nun die Cyangruppe in Beziehung zu den beiden anderen Gruppen eine symmetrische Stellung einnimmt, so erklärt sich dieses leicht.

Aus alledem darf man schließen, daß das Methyl- und Äthylderivat als das Oxymethyl- und Oxyäthylnitrobenzonitril 1.2.6 (CN = 1) zu betrachten sind.

Diese Formeln geben auch Rechenschaft von der Reaktion der Körper mit Barytwasser. Wird dasselbe in geringer Menge angewendet, so entstehen dieselben Nebenprodukte wie bei alkoholischem Kali, nämlich Körper, welche sich von dem Oxymethyl- und Oxyäthylnitrobenzonitril durch ein Plus von H_2O unterscheiden. Sie können demnach die Amide der Oxymethyl- und Oxäthylnitrobenzoesäure sein. Auch entwickeln sie Ammoniak, wenn man sie von neuem mit Barytwasser kocht. Wird das Barytwasser in genügender Menge angewendet, so wird die Gruppe NO_2 durch OH ersetzt. Diese Einwirkung ist demnach mit der des alkoholischen Kalis zu vergleichen, und die Produkte würden sein:

$$C_6H_3(OH)(CN)(OC_2H_5), \text{ resp. } C_6H_3(OH)(CN)(OCH_3).$$

Trotzdem ist es auffallend, daß man das Nitril mehrere Stunden lang mit überschüssigem Barytwasser kochen konnte, ohne daß es zersetzt wurde. Die schwache Ammoniakentwicklung scheint hiermit in Übereinstimmung zu sein, doch läßt sie sich auch noch, wie es scheint, auf eine andere Weise erklären. Wirkt Ammoniak auf Bariumnitrit, so kann eine schwache Stickstoffentwicklung eintreten (dieser Gedanke kam dem Vf. zu spät, um ihn noch verifizieren zu können). In diesem Falle würden die Produkte, welche sich so leicht verharzen, die *m-Oxyalkyloxybenzoesäuren* sein. Selbstverständlich setzt diese letztere Annahme noch eine weitere gehende experimentelle Erörterung voraus.

Es fragt sich nun, in welcher Weise die Bildung der Nitrile aus Dinitrobenzol, Cyankalium und Alkohol zu erklären ist. Um den Austausch der NO_2-Gruppe gegen Oxyalkyl zu erklären, könnte man geneigt sein, anzunehmen, daß der Alkohol und das Cyankalium Cyanwasserstoffsäure und Kaliumalkoholat (wenn auch nur in sehr kleinen Mengen) geben, und letzteres könnte dann auf das Dinitrobenzol unter Bildung von Nitrit einwirken.

Besondere Versuche haben aber dem Vf. gezeigt, dafs durch m-Dinotrobenzol und alkoholisches Kali bei 100° der Äther des m-Nitrophenols nicht entsteht, obgleich sich Kaliumnitrit bildet. Wenn man nicht auf den status nascens rekurrieren will, so bleibt dieser Punkt unerklärt. Am schwierigsten zu verstehen ist aber der Eintritt der CN-Gruppe. Dies ist eine völlig aufsergewöhnliche Reaktion, welche nach des Vf. Ansicht nur durch Auftreten von Farbstoffen in grofsen Mengen verständlich wird.

Bei der Bildung der Nitrile verschwinden zwei Wasserstoffatome, das eine aus dem Alkohol, das andere aus dem Benzolkern. Demnach könnte man glauben, dafs sich jene Verbindungen durch eine Art Oxydation bilden. Unwillkürlich denkt man hier an die Reaktion von WALLACH (Ber. Chem. Ges. 6. 117 und 10. 1525, 2120) zwischen Chloral und Cyankalium, bei welcher man Oxydation und Reduktion zu gleicher Zeit beobachtet. und man fragt sich, ob die Farbstoffe nicht vielleicht die Reduktionsprodukte seien, oder aus diesen entstehen könnten. Gleichwol besteht zwischen diesen beiden Reaktionen ein grofser Unterschied, welcher nicht übersehen werden darf, indem bei der WALLACH'schen Reaktion die CN-Gruppe nicht in die Produkte eintritt, was bei der obigen der Fall ist.

Schliefslich geht der Vf. noch auf die von v. RICHTER (Ber. Chem. Ges. 4. 465; 7. 1145; 8. 1418) beschriebene Reaktion des Cyankaliums auf die Halogenderivate des Nitrobenzols und Nitrotoluols ein. Hierbei wird auch die NO_2-Gruppe eliminiert, und die CN-Gruppe tritt ein, jedoch an einen anderen Platz. Die allgemeine Regel v. RICHTER's ist, dafs das Cyan sich dem Halogen nähert. So gehen die Paraverbindungen in Meta, die Metaverbindungen in Ortho über, während die Orthoverbindungen nicht mehr reagieren. In dem hier vorliegenden Falle nähert sich die CN-Gruppe auch der NO_2-Gruppe. Allein diese Reaktionen zeigen einen grofsen Unterschied, zuerst verlangt die v. RICHTER'sche Reaktion eine Temperatur von 120—250°, die hier beschriebene aber vollzieht sich bei gewöhnlicher Temperatur. Bei der letzteren bilden sich zu gleicher Zeit und in grofser Menge Farbstoffe, und die Alkohole nehmen an der Reaktion teil. Endlich erhält man aus einem Diderivat des Benzols ein Triderivat. (Recueil des Trav. Chim. des Pays-Bas 2. 205—235. Dez. [Sept.] 1883. Leiden.)

C. A. Lobry de Bruyn, Über die *Ersetzung der NO_2-Gruppe durch ein Oxyalkyl*. Es ist eine bekannte Thatsache, dafs man die NO_2-Gruppe durch andere Gruppen, z. B. OH, NH_2 etc. ersetzen kann, und zwar nicht allein in aromatischen Körpern, welche aufser der NO_2-Gruppe ein Halogen enthalten, sondern auch in solchen, welche zwei oder mehrere NO_2-Gruppen einschliefsen. In der vorigen Mitteilung hat der Vf. einige Beispiele davon gegeben, dafs man diese Gruppe durch ein Oxyalkyl ersetzen kann, wenn man eine Lösung von Kali in Äthyl- und Methylalkohol einwirken läfst. Obgleich für gewöhnlich die Nitrokörper durch alkoholisches Kali in Azokörper umgewandelt werden, so wurde doch schon die gleichzeitige Bildung von Kaliumnitrit durch HECKMANN (LIEB. Ann. 220. 140) konstatiert. Der Vf. hat dies in allen oben erwähnten Fällen und auch noch in anderen beobachtet. Erhitzt man im Wasserbade alkoholisches Kali mit Pikrinsäure, Dinitrotoluol, Dinitronaphtalin etc., so bildet sich jener Körper immer, häufig zu gleicher Zeit mit braunen Produkten.

Besonders ist das Verhalten des o-Dinitrobenzols in dieser Hinsicht interessant, weil LAUBENHEIMER (Ber. Chem. Ges. 9. 1828; 11. 1155) gezeigt hat, dafs es leicht mit wässerigem Kali und alkoholischem Ammoniak reagiert. Der Vf. hat gefunden, dafs es mit alkoholischem Kali schon bei gewöhnlicher Temperatur Kaliumnitrit giebt. 1¹/₂ g o-Dinitrobenzol wurden in 10 ccm Methylalkohol gelöst und mit ¹/₂ g Kali, welches in Methylalkohol gelöst war, einige Stunden lang in einer geschlossenen Röhre im Wasserbade erhitzt. Die Flüssigkeit blieb klar, obgleich sie sich etwas färbte, und enthielt Kaliumnitrit. Nach Zusatz von verdünnter Schwefelsäure und Filtration wurde der Alkohol verdampft und der Rückstand, welcher aus einer schwach gefärbten Flüssigkeit bestand, über Chlorcalcium getrocknet; er wog etwa 1¹/₂ g. Der Siedepunkt betrug ungefähr 260°. Es ist sehr wahrscheinlich, dafs dieses Produkt o-*Nitroanisol* ist, dessen Siedepunkt bei 276° liegt. 2 g o-Dinitrobenzol wurden auf dieselbe Weise, jedoch unter Anwendung von Äthylalkohol behandelt und gaben etwa 1,5 g einer schwach gefärbten Flüssigkeit vom Siedep. 250° und aufserdem Kaliumnitrit. Der Siedepunkt des o-*Nitrophenyläthyläthers* liegt bei etwa 268°. Erhitzt man die erhaltene Flüssigkeit mit starker Salzsäure (in geschlossenen Röhren und nach vorhergehender Austreibung der Luft durch Salzsäure) auf etwa 200°, so erhält man ein mit grün gesäumter Flamme brennendes Gas. Es ist hiernach wahrscheinlich, dafs in diesem Falle auch die NO_2-Gruppe durch Oxyäthyl ersetzt ist. Der Vf. hat später beobachtet, dafs dieselbe Reaktion auch bei gewöhnlicher Temperatur von statten geht. (Recueil des Trav. Chim. des Pays-Bas 2. 235—37. Dez. [Sept.] 1883. Leiden.)

8. Technische Chemie.

Cappola, *Die Entstehung der Ptomaïne.* Während PATERNO und SPICA im Blute und Eiereiweifs, und GAUTIER selbst im normalen Harn Ptomaïne nachzuweisen im stande waren, ist dieser Nachweis dem Vf. nicht gelungen, als er arterielles Blut direkt in Benzin einströmen liefs. Wahrscheinlich haben sich die Ptomaïne erst infolge der verschiedenen Manipulationen gebildet, welche die obigen genannten Forscher zur Isolierung derselben angewandt haben. (Arch. italiennes de Biol. **4.** 63—72.) P.

Ç. L. Bloxam, *Über die Gegenwart von Barium und Strontium im Kesselsteine.* Der Vf. fand in einer harten Kruste aus einem Dampfkessel aufser den gewöhnlich vorkommenden Bestandteilen (Calciumcarbonat, Calciumsulfat, Kieselsäure etc.) Spuren von Bariumsulfat und 1,54 p. c. Strontiumsulfat. (Chem. N. **49.** 3. 4. Jan.)

W. Demel, *Die Abwässer der Zuckerfabriken.* Vf. erweitert seine in den Berichten der Österreichischen Gesellschaft zur Förderung der chemischen Industrie (**82.** 69) enthaltene Mitteilung über die Verunreinigung eines Flufswassers durch die Schmutzwässer einer Zuckerfabrik durch Angabe mehrerer Analysen von Abwässern verschiedener in Schlesien arbeitender Zuckerfabriken.

Aus den mitgeteilten Analysen geht die Schädlichkeit der einzelnen Abwässer für einen Flufs zur Genüge hervor. Der grofse Gehalt an organischen gelösten und suspendierten Substanzen, die entweder schon in Zersetzung sind oder bald in Fäulnis übergehen, ist der Hauptbestandteil dieser Wässer. Bei einzelnen derselben erreichen die nachgewiesenen Quantitäten übergrofse Zahlenwerte; so beträgt der Glühverlust der in zwei Osmosewässern gelösten Stoffe: 72,55 und 72,77 p. c. des Abdampfrückstandes, und das Wasser, das eine Fabrik direkt in den Flufs entläfst, giebt vom Abdampfrückstand seiner gelösten Substanzen einen Glühverlust von 83,33 p. c. Die Spodiumwässer, deren freie Säure nur in einzelnen Fällen durch Kalkmilch neutralisiert wird, begünstigen, da sie selbst in Fäulnis begriffen sind, die Zersetzbarkeit der anderen Wässer, mit denen sie vereinigt werden. Durch Abänderung des Spodiumregenerationsverfahrens liefse sich dieser Übelstand lindern, thatsächlich wird auch in einer der Fabriken das Spodium ohne Anwendung von Salzsäure und Gärung regeneriert; dieses Abwasser ist verhältnismäfsig reiner, als es sonst Spodiumwasser sind.

Dafs die Absatzgruben in ihrer gewöhnlichen höchst primitiven Beschaffenheit keine Reinigung der Abwässer herbeiführen, geht gleichfalls aus einer Analyse hervor. Diese Abwässer erreichen den Flufs noch mit einem Gehalt von 363,49 Tln. gelöster und suspendierter Stoffe in 100 000 Tln. und einer Oxydierbarkeit von 240,5 Tln. Chamäleon. Auch die Abkühlung der Abwässer wird durch Anwendung der gewöhnlichen Absatzgruben nicht herbei geführt; die gröfste, überhaupt beobachtete Temperaturdifferenz am Einlauf in die Gruben und am Ausflufs aus denselben betrug bei verschiedenen Messungen höchstens 3° C., in zwei Fällen aber nur 1° C.

Eine Abhülfe für diese mannigfachen Übelstände wäre wohl zunächst darin zu suchen, dafs die Osmosewässer nicht mit den anderen Abwässern vereinigt in die Flüsse abgeleitet, sondern auf Pottasche verarbeitet werden möchten. Eine Fabrik, welche ihr Osmosewasser an andere Fabriken abgiebt, läfst daher ein verhältnismäfsig sehr reines Abwasser in den Flufs ab, da es nur 74,87 Tln. Gesamtstoffe in 100 000 Tln. bei einer Oxydierbarkeit von 21,38 Tln. Chamäleon enthält. Wenn noch die Einführung des schon erwähnten Spodiumregenerierungsverfahrens hinzutritt, so erhält man ein und für sich reinere Abwässer, und zwar in viel geringerer Menge als gegenwärtig, wodurch ihre fernere Behandlung nach irgend einem in Vorschlag gebrachten, oder schon benutzten Verfahren (BODENBENDER, TÖLKE und ELSÄSSER, MÜLLER, J. STINGL) wesentlich erleichtert wird. (Extrabl. aus d. Ber. d. Österr. Ges. z. Förder. d. Chem. Ind. Co. III. 1833; SCHEIBL. Neue Ztschr. **12.** 11—14.) P.

R. Fresenius und **E. Borgmann**, *Analysen von reinen Naturweinen.* Die Vff. lassen ihrer früheren Mitteilung (**83.** 202) die analytischen Resultate der Analyse einer Anzahl reiner Naturweine folgen, und zwar: Steinberger, Marcobrunner, Hattenheimer, Gräfenberger, Neroberger, Afsmannshäuser, ferner verschiedene Flaschenweine und Bordeauxweine. Sie sehen von einer Besprechung der gegenseitigen Verhältnisse der einzelnen Weinbestandteile ab, sondern geben aufser den Einzelresultaten, welche tabellarisch zusammengestellt sind, eine Übersicht über die Grenz- und Mittelwerte der einzelnen Bestandteile, sowie das Verhältnis zwischen Alkohol und Glycerin.

A. *Grenz- und Mittelwerte der untersuchten Traubenweine im allgemeinen.*
100 ccm enthalten Gramme.

	Maxima	Minima	Mittel
Alkohol	12,49	4,66	7,71
Extrakt *	6,80	1,96	2,75
Freie Säure	1,48	0,55	0,73
Mineralstoffe	0,33	0,16	0,23
Glycerin	1,18	0,47	0,79
Schwefelsäure	0,072	0,009	0,038
Phosphorsäure	0,077	0,023	0,040
Kalk	0,037	0,005	0,018
Magnesia	0,029	0,013	0,018
Kali	0,123	0,069	0,092
Chlor	0,009	0,002	0,004
Weinstein	0,31	0,14	0,20

B. *Verhältnis zwischen Alkohol und Glycerin.*

		Alkoh.	Glycerin
Maximum	. . .	100	: 14,4
Minimum	. . .	100	: 7,3
Mittel aus allen Weinen		100	: 10,4

(Ztschr. anal. Chem. **23**. 44—48.)

W. Dmitriew, *Kapir oder Kefir, echter Kumys aus Kuhmilch.* In der Brochüre über diesen Gegenstand befindet sich eine Tabelle über Zusammensetzung dieses Getränkes im Vergleich mit Kumys und Kuhmilch; die Analysen sind vom Apotheker TUSCHINSKY ausgeführt:

Im Liter sind enthalten:	Von Milch spez. Gew. 1,028	Von zweitägigem Kefir aus abgerahmter Milch spez. Gewicht 1,026	zweitäg. Stutenkumys, Analyse von HARTGE
Albuminate . .	48,00	38,00	11,20
Fett	38,00	20,00	20,50
Laktose . . .	41,00	20,03	22,00
Milchsäure . .		9,00	11,50
Alkohol . . .		8,00	16,50
Wasser u. Salze	873,00	904,07	918,3

(St. Petersburg 1883. 2. Aufl. (in russischer Sprache); D. Med.-Ztg. **5**. 50.)   P.

J. Polak, *Über Kefir.* Nach WYSZINSKY heifst Kefir ein Ferment und auch das mittels desselben dargestellte Getränk. Das gelbe, körnige, im Wasser leicht schwellende und dasselbe gelb färbende Ferment zerfällt in der Milch in kleinere Körnchen, welche wieder schwellen und zuerst herabfallen, um nach zwei Stunden wieder samt den Kohlensäurebläschen hinaufzusteigen. Das fermentierte Getränk hat einen angenehmen Geschmack und wird von Russen und Karbadinen „Kefir" oder „Kyfir" und von den Kaukasiern „Kyppe" genannt. Es existiert in Kaukasien eine Sage, dafs Kefir der Menschheit von Mahomet geschenkt worden sei. Das säuerliche, dem Schmand ähnliche, schaumige Getränk wird gegenwärtig in vielen Städten Rufslands, und namentlich in Piatigorsk (Kaukasien) verfertigt. Da es mehr Eiweifsstoffe als der gewöhnliche Kumys, sein Geschmack ist angenehmer, ist leicht verdaulich, stellt ein gutes Diureticum, Diaphoreticum und Expectorans vor und wird aus der leichter zu beschaffenden Kuhmilch hergestellt; dies sind seine Vorzüge vor dem Kumys. (D. Med.-Ztg. **5**. 50—51.)

W. Hoff, *Der Multiplikator, ein neuer Apparat zur Destillation von Leuchtülen.* Kohlenwasserstoffe, welche bis über den Siedepunkt erhitzt werden, zerlegen sich eines-

---

* Das Maximum und Mittel liegen hoch, da die Weine Nr. 18 und 19 noch ungegorenen Zucker enthielten.

teils in flüchtige und an Kohlenstoff arme, anderenteils in weniger flüchtige und an Kohlenstoff reichere. Es ist demnach bei gewissen Temperaturen möglich, an Kohlenstoff arme Öle, z. B. Leuchtöle, aus schweren, an Kohlenstoff reichen Ölen auszuscheiden; die hierbei im Destillierkessel zurückbleibenden schweren Öle erleiden bei zunehmender Temperatur denselben Zersetzungsprozeß, welcher so oft und so lange wiederholt wird, bis das Rohöl vollständig in Leuchtöl und Kohle zersetzt ist. Aus einem Gemenge von Dämpfen verschieden schwerer Kohlenwasserstoffe kondensieren sich bei einer gewissen Temperatur zuerst die Dämpfe der schweren Kohlenwasserstoffe, während die der leichteren Kohlenwasserstoffe bei derselben Temperatur nicht niedergeschlagen werden.

Gestützt auf diese Beobachtungen hat Vf. einen Apparat konstruiert, um bei der Destillation des Rohöles größere Mengen von Leuchtöl zu gewinnen, und nannte denselben „Multiplikator". Derselbe gestattet, aus Rohöl von 0,90 spez. Gewicht oder 27° B. bis 95 p. c. Leuchtöl zu gewinnen; ebenso kann damit alles Öl, welches in dem Abfalle bei der Reinigung des Leuchtöles durch Schwefelsäure enthalten ist, ausgeschieden werden. Der Apparat unterscheidet sich von den gegenwärtig gebräuchlichen durch die Einrichtung des Helmes und des Kühlapparates (s. nebenstehende Figur). An einen gewöhnlichen Destillierkessel a ist ein Deckel angeschraubt, welcher mit einer Öffnung b zum Reinigen und einem bei d kugelförmig erweiterten und mit dem Kühlrohre e verbundenen Abführungsrohre c ver-

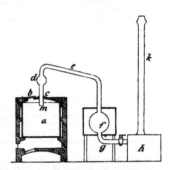

sehen ist. Das Abführungsrohr c hat $\frac{1}{3}$, die kugelförmige Erweiterung $\frac{1}{9}$ der Höhe des Kessels. Das Kühlrohr ist 7 m lang und endigt in dem Kondensator f, welcher mit Wasser umgeben und durch das Rohr g mit dem Sammler h verbunden ist. An dem letzteren befindet sich ein senkrechtes Rohr k, welches über das Dach der Fabrik hinausragt und zur Ableitung der leicht entzündlichen Gase dient, und ein Hahn zum Ablassen des Destillates. Wenn die Temperatur im Kessel 300° erreicht hat, so beginnt die Zersetzung der schweren Öle in flüchtige Kohlenwasserstoffe, welche sich erst im Kondensator, und in weniger flüchtige, die sich schon im Helme oder Kessel kondensieren, wo sie bei der zunehmenden Temperatur wiederum zersetzt werden. Die Größenverhältnisse des Helmes sind so bemessen, daß sich die Dämpfe der Kohlenwasserstoffe mit dem spezifischen Gewichte über 0,830 im Helme verflüssigen, während die Dämpfe der leichteren Öle sich erst im Kühlrohre oder Kondensator niederschlagen. (Pol. J. **250.** 410—13.)

Kleine Mitteilungen.

Fabrikation von Stärkezucker, von A. C. LANDRY und C. LAUGA. [A. P.]. Die Verzuckerung von Stärkemehl soll durch gasförmige Chlorsäure oder Unterchlorsäure, erhalten durch Behandeln von Kaliumchlorat oder -perchlorat mit Oxalsäure, bewirkt werden. Der dazu benutzte Apparat besteht aus zwei Kesseln, welche abwechselnd beschickt werden. Zunächst bringt man in den einen Kessel die stärkehaltige Substanz nebst dem glykosehaltigen Waschwässern von der vorigen Operation, vermischt beide durch ein Rührwerk und leitet Dampf ein. Wenn die Temperatur auf 88°C. gestiegen ist, wird der Dampf abgesperrt und das chlorsaure Gas eingeleitet. Wenn die gewöhnlichen Reagenzien, Jod, Kupferlösung und das Saccharometer, anzeigen, daß die Verzuckerung beendet ist, wird die Gaszuleitung unterbrochen und wieder Dampf eingeleitet. Der letztere führt das noch unverändert in der Flüssigkeit vorhandenen Gase in den zweiten Kessel über, welcher zuvor mit Stärke beschickt war, und wo dieselben wieder zur Verzuckerung nutzbar gemacht werden. (Scient. Amer. **49.** 47.)

Manganfirnisse. Die Manganfirnisse werden unter Zuhilfenahme von Manganoxydul, Manganoxyd, Mangansuperoxyd, ganz besonders aber mit Manganborat bereitet. Namentlich liefert das letztgenannte Präparat einen Firnis von so vorzüglichen Eigenschaften, daß es anderen, zu gleichem Zwecke benutzten Präparaten vorzuziehen ist. Manganboratfirnis stellt man nach folgendem Verfahren dar: 2 kg vollkommen trocknes und eisenfreies weißes Manganborat, welches in ganz feines Mehl verwandelt ist, werden allmählich in 10 kg Leinöl eingerührt, das in einem passenden Gefäße erhitzt wird. Durch beständiges Rühren bewirkt man gleichmäßige Verteilung des Salzes in der Flüssigkeit, und erhitzt so lange, bis das Öl eine Temperatur von etwa 200° angenommen hat. Es ist zu bemerken, daß nur völlig eisenfreies Manganborat einen schnell trocknenden Firnis liefert. Gleichzeitig bringt man in den Firniskessel 1000 kg Leinöl, erhitzt dieses, bis es Blasen zu werfen beginnt, läßt die Mischung aus Leinöl und Manganborat in einem dünnen Strahle in den Kessel fließen, verstärkt das Feuer und läßt das Ganze heftig aufkochen. Nach etwa 20 Minuten langem Aufwallen beginnt man mit dem Ausschöpfen des fertigen Firnis, den man noch durch Baumwolle filtriert und sogleich verwenden kann. Holztafeln, welche in den noch heißen Firnis getaucht wurden, waren nach 16—18 Stunden mit einer vollkommen trocknen, glasartigen Firnisschicht überzogen. Nach angestellten Versuchen ergab sich, daß dem Manganborat die Eigenschaft zukommt, schon bei verhältnismäßig niederen Temperaturen Leinöl in schnell trocknenden Firnis zu verwandeln; es genügt hierzu eine Temperatur von 40°. Hängt man in eine 10 l fassende Flasche mit Leinöl, die in einem mit Wasser gefüllten Topfe steht, ein Leinensäckchen mit etwa 30 g Manganborat und stellt das Ganze an einen warmen Ort, so ist nach zehn bis vierzehn Tagen das Leinöl in rasch trocknenden Firnis verwandelt. (Der Metallarbeiter 1883. 223.)

Darstellung essigsaurer Thonerdepräparate, von J. ATHENSTÄDT. [D. P.] Nach dem Vf. wird zweidrittelbasisches Aluminiumacetat, $Al_2(C_2H_3O_2)_4(OH)_2$, in amorpher, wasserlöslicher Form aus konzentrierten Lösungen abgeschieden, wenn diese bei 30—35° mit einer genügenden Menge Natriumsulfat unter fortwährendem Umrühren versetzt werden. Bei der Darstellung dieses Präparates durch Wechselzersetzung von Aluminiumsulfat und Natriumacetat kann die Wassermenge so bemessen werden, daß eine genügend konzentrierte Lösung von Natriumsulfat gebildet wird, wobei dann nach schnellem Erhitzen auf 30—35° die amorphe Modifikation als eine honigdicke Schicht an die Oberfläche steigt und abgeschöpft wird. Das Präparat wird bald krystallinisch und unlöslich und in dieser Form in den Handel gebracht. Frisch bereitet, ist es löslich und eignet sich die mit wenig Essigsäure versetzte Lösung für Färbereizwecke. Versetzt man das amorphe Rohprodukt mit etwas Kalk, so bildet sich die trockne Masse, aus welcher sich mit verdünnter Schwefelsäure unter Abscheidung von Gips leicht eine Aluminiumacetatlösung erhalten läßt. (Pol. J. **250.** 91.)

Beiträge für das Centralblatt bittet man an die Redaktion (Leipzig, Lessingstr. 5) zu richten. **Originalarbeiten** von nicht zu großem Umfange werden entsprechend honoriert und gelangen stets sofort nach der Einsendung, und zwar in kürzester Frist, zum Abdruck.

Redaktion: Prof. Dr. **Rud. Arendt** in Leipzig.

Verlag von **Leopold Voss** in Hamburg u. Leipzig. — Druck von **Metzger & Wittig** in Leipzig.

№ 8. **Chemisches** 20. Februar 1884.

Wöchentlich eine Nummer von
1-2 Bogen. Der Jahrgang mit
Sach- und Namen-Register,
nebst system. Übersicht.
Central-Blatt.
Der Preis des Jahrgangs
ist 30 Mark. Durch alle
Buchhandlungen und Post-
anstalten zu beziehen.

REPERTORIUM
für reine, pharmazeutische, physiologische und technische Chemie.

Dritte Folge. XV. Jahrgang.

Die Krakatoa-Aschen des Jahres 1883*,

von

Dr. A. Sauer,
Geolog an der königl. sächs. geologischen Landesanstalt.

Das gewaltige Naturereignis, welches am 26. und 27. August vorigen Jahres in der Sundastrafse furchtbare Verheerungen anrichtete und die Küstenlinie von West-Java zum Teil völlig veränderte, wurde durch eine am Morgen des 26. Aug. beginnende Ascheneruption des Vulkankegels der Insel Krakatoa am westlichen Eingange der Sundastrafse zwischen Sumatra und Java eingeleitet. Die nach vorliegenden Berichten (Globus, November-Nummer) nur einen Tag während Ascheneruption war eine so heftige, dafs noch in Batavia, d. h. nahezu 30 geographische Meilen östlich vom Eruptionspunkte die dicht niederfallende Asche eine vollkommene Finsternis hervorrief und in weitem Umkreise auf dem Lande einen so dicken, weifslichgrauen, alles überkleidenden Niederschlag bildete, dafs die tropische Landschaft wie in ein winterliches Kleid gehüllt erschien.

Eine Probe dieser auf Java gesammelten vulkanischen Asche gelangte durch die Freundlichkeit des Hrn. Stadrat Gerischer in Leipzig an die königl. sächs. geologische Landesanstalt und wurde vom Vortragenden einer speziellen mikroskopischen und chemischen Untersuchung unterworfen.

Die Asche stellt ein weifslichgraues, ziemlich lockeres, feines Pulver dar, in welchem erst beim Reiben zwischen den Fingern gröbere Bestandteile bemerklich werden. Beim Schlemmen gewahrt man, dafs der gröbere Anteil sehr beträchtlich ist, etwa ein Viertel der Gesamtmasse ausmacht und einem fein- bis grobkörnigen, aus hell- und dunkelgrauen, schwärzlichen opaken, sowie wasserhell glasglänzenden, teils blasigen, teils kompakten Partikeln bestehenden Sande gleicht.

Unter den Bestandteilen desselben fallen zunächst bis über 2 mm grofse, unregelmäfsig eckige, lichtgraue, bisweilen seidenglänzende Bruchstücke auf, welche zum Teil auf dem Wasser schwimmen und sich sowohl hierdurch, sowie auch durch die feinblasig schaumige Beschaffenheit beim Betrachten mit der Lupe als Bimsstein erweisen.

---

* Eine zweite Untersuchung über denselben Gegenstand s. S. 148.
XV.

Die mikroskopische Untersuchung der leicht zerdrückbaren Bimssteinfragmente lehrt, dafs diese aus einem farblosen Gesteinsglase bestehen, in welchem aufser ganz spärlichen wasserhellen, meist anisotropen Nädelchen krystallisierte Bestandteile vollkommen fehlen. Dahingegen ist die Glasmasse von Luftblasen dicht erfüllt. Die Gestalt der letzteren ist eine sehr variable, bald kuglig, birnförmig, spindlig, oder bis zu dem Grade fein haarförmig, dafs der Hohlraum kaum noch als solcher sich zu erkennen giebt und oft nur noch durch einen feinen dunklen Strich angedeutet ist. An manchen Bimssteinfragmenten waltet die strichförmige Ausbildung der Hohlräume so vor, dafs hierdurch eine geradezu faserige Struktur derselben hervorgerufen wird. Rundblasige und faserige Struktur sind niemals an demselben Fragmente vereinigt.

Ferner enthält der grobe Bestandteil der Asche nicht wenig der Quantität nach jedoch gegen die hellen Bimssteinfragmente bedeutend zurücktretend, schwarze schlackige Gesteinspartikel. Obwohl diese ebenfalls der Hauptsache nach aus Gesteinsglas bestehen, so weicht doch ihr Charakter recht auffällig von demjenigen der Bimssteinfragmente ab, indem die glasige Hauptmasse nicht farblos ist, sondern eine hell- bis dunkelbraune Farbe besitzt, nur von wenigen gröfseren Luftblasen durchsetzt wird und daher im Gegensatze zum Bimssteine kompakt zu nennen ist und endlich im höchsten Grade mikrolithisch entglast erscheint, d. h. von nadel- und leistenförmigen, sowie körnigen, farblosen und opaken Krystallgebilden erfüllt ist. Die letzteren stimmen zum Teil mit jenen zierlichen, von ZIRKEL aus vielen Basalten beschriebenen, rechtwinklig-skelettartigen Wachstumsformen des Magnetits überein. Dafs auch hier Magnetit vorliegt, scheint aus ihrem Verhalten gegen Salzsäure und daraus hervorzugehen, dafs solche an diesen opaken Krystallaggregaten besonders reiche Fragmente des Gesteinsglases von dem Magnetstabe angezogen werden. Ganz selten führt das letztere endlich noch schwach grünliche, ihrer Form nach vermutlich dem Augit angehörende Kryställchen.

Einen dritten, recht charakteristischen Bestandteil der Asche bilden farblose, glasglänzende Feldspatkörnchen von 1—2 mm Durchmesser, häufig krystallographisch begrenzt, mit mehr oder weniger deutlich entwickelten Flächen. Ihrem allgemeinen optischen Verhalten nach scheinen sie, obwohl polysynthetische Zwillingsbildung beinahe als Seltenheit an ihnen auftritt, fast nur den Plagioklasen anzugehören, und bei rundum entwickelter Ausbildung Kombinationen von P, M, T, l, y und x darzustellen, welche bei alleinigem Vorwalten von M einen tafelartig sechsseitigen, bei gleichzeitig stark ausgebildetem P einen mehr lang prismatischen Charakter zur Schau tragen. Polysynthetische Zwillingsbildung tritt, wie bemerkt, an diesen Feldspaten nur vereinzelt auf, während eine einfache Verwachsung nach dem Albitgesetze, und wie es scheint auch nach anderen Gesetzen, sich häufiger darbietet. Unter dem Mikroskop betrachtet, zeigen die Kryställchen oft feine Anwachsstreifen und beherbergen fremde Einschlüsse dreierlei Art oft in grofser Anzahl:

1. Bald rundliche, bald unregelmäfsig gelappte oder den Krystallumrissen des Wirtes konform gestaltete Einschlüsse von heller oder dunkler braunem Glase mit einem, zwei oder sehr zahlreichen Luftbläschen.

2. Lange dünne, oft quergegliederte und pyramidal abgestumpfte farblose Nädelchen, an welchen bisweilen tropfenähnliche Partikel brauner Glassubstanz haften. Die Nädelchen sind der Phosphorsäurereaktion* zufolge jedenfalls zum Teil Apatit.

---

* Die Reaktion wurde in der Weise ausgeführt, dafs ein kleiner Teil des Feldspatpulvers wiederholt mit Salpetersäure behandelt und wiederholt ganz zur Trockne eingedampft wurde, damit die von der teilweisen Feldspataufschliefsung herrührende lösliche Kieselsäure erst vollkommen wieder abgeschieden werde. Nur dann hat die schöne, sehr empfindliche Reaktion mit molyb-

3. Magnetitkörnchen. Aus verschiedenen Gründen war es nicht thunlich, das optische Verhalten zu einem Schlusse auf die chemische Zusammensetzung des vorliegenden Plagioklases zu verwerten, denn einmal verhinderte das vollständige Fehlen deutlicher Spaltrisse schon die genaue Orientierung, sodann war die Lage der Auslöschungsschiefe infolge der meist entwickelten zonaren Struktur überhaupt eine wenig präzise und endlich wurde die Beobachtung gemacht, daß an nicht wenig Kryställchen bei voller Horizontaldrehung in keiner Lage Auslöschung eintrat. Um die nähere Plagioklasnatur festzustellen, mußte daher eine chemische Analyse ausgeführt werden, welche, obwohl mit wenig (0,135 g) und dazu noch durch fremde Einschlüsse verunreinigter Substanz veranstaltet, ein immerhin ganz zufriedenstellendes, und zwar folgendes Resultat lieferte: 51,03 SiO_2, 28,37 Al_2O_3, nebst Spuren von Eisen, 10,74 CaO, 8,74 Na_2O, 1,11 K_2O.

Das Eisen, von den fremden Einschlüssen, von der Glassubstanz, den Augit- und Magnetitmikrolithen herrührend, war nur in so geringen Spuren vorhanden, daß sich seine Anwesenheit noch nicht durch die schwächste Gelbfärbung des Thonerdeniederschlages zu erkennen gab; es zeigt dieser Umstand, daß die fremden Einschlüsse, deren Quantität man nach mikroskopischer Beobachtung zu überschätzen geneigt ist, doch zu sehr im Verhältnisse zur ganzen Kryställmasse zurücktreten, um das Ergebnis der Analyse wesentlich beeinflussen zu können. Hiernach gehört der analysierte Feldspat der Asche zweifellos zum Labrador. Möglicherweise ist diesem, dem 1,11 p. c. K_2O zufolge, etwas Sanidin beigemengt, dem man auch schon beim Studium der losen Kryställchen unter dem Mikroskope einzelne Individuen mit, wie es scheint, vollkommen rechteckigen Umrißformen zuweisen möchte.

Außer den Feldspaten findet man in dem sandigen Schlemmprodukte der Asche noch zwei andere krystallinische Bestandteile, nämlich Augit und Magnetit, beide jedoch in weit geringeren, einen Millimeter kaum erreichenden Dimensionen. Die Augite lassen bei durchweg prismatischer Ausbildung nicht selten ganz deutlich die Flächenkombination ∞P, $\infty P\bar{\infty}$ und P, seltener dazu eine basische Abstumpfung erkennen, sind flaschengrün gefärbt, vollkommen frei von Spaltrissen und stark pleochroitisch (grüngelblichbraun). Die Auslöschung erfolgt teils parallel, teils schief zur Prismenkante. Hiernach scheint sowohl ein rhombischer (?Hypersten), als auch ein monokliner Augit vorhanden zu sein, obschon äußerliche Unterschiede nicht darauf hinweisen. Sie führen gleich den Feldspaten zahlreiche Einschlüsse von Magnetit, braunem Glase und farblosen Nädelchen, jedoch mit dem Unterschiede, daß die letzteren hier auffällig zurücktreten, während hingegen Magnetit in Gestalt größerer Körner oft so überwuchert, daß das Volum der Einschlüsse dasjenige des Wirtes übersteigt; häufig durchquert ein einziges Korn das prismatische Augitkryställchen und ragt noch zu beiden Seiten über dasselbe hinaus. Dieser massenhaften Durchwachsung von Magnetit zufolge vermag man

---

dänsaurem Ammon Beweiskraft für die Anwesenheit von Phosphorsäure. Im anderen Falle hingegen, d. h. bei Anwesenheit von gelöster Kieselsäure, entsteht schon durch diese besonders beim Eindampfen ein in Krystallform und Farbe von phosphormolybdänsaurem Ammon nicht zu unterscheidender Niederschlag von wahrscheinlich kieselmolybdänsaurem Ammon. Mit recht macht daher Hr. Prof. STELZNER (Über Melilith und Melilithbasalte, Neues Jahrbuch, II. Beilage-Bd. S. 382) auf dieses in der chemischen Analyse wohlbekannte Verhalten der Kieselsäure aufmerksam, welches zu Täuschungen mit bezug auf das Vorhandensein von Phosphorsäure in durch Säuren leicht zersetzbaren Silikaten führen kann, zumal in der That vielfach darauf bei mikrochemischen Reaktionen auf Phosphor nicht Rücksicht genommen wurde, wie es z. B. aus den von Prof. BÜCKING an Rhöngesteinen mitgeteilten Reaktionen ersichtlich ist. (Jahrb. d. königl. preuß. geol. Landesanstalt 1880). Diese bedürfen daher einer Revision.

9*

mit Hilfe des Magnetstabes den gröfsten Teil des Augits aus der Asche zu gewinnen und auf diese Weise bequem zu studieren.

Die losen Magnetitkörnchen besitzen bisweilen deutliche Oktaederform oder sind knäuelförmig zu unregelmäfsig begrenzten Aggregaten verwachsen.

Die Krakatoa-Asche besteht sonach in ihren gröberen Teilen aus Bimsstein-fragmenten, Plagioklas (Labrador) und Augitkryställchen, Magnetitkörnchen und Partikeln von braunem Glase; genau dieselbe Zusammensetzung wiederholt sich an dem feineren und feinsten Pulver der Asche*.

Sämtliche, eben beschriebene krystallinische Bestandteile der Asche sind von einer farblosen blasigen Glashülle umzogen und erbringen dadurch gewissermafsen den Beweis für ihren ehemaligen Zusammenhang mit dem Bimssteinglase. Charak-teristisch für die Krakatoa-Asche ist es, dafs die Umrisse dieser Hülle an den Hun-derten zur Beobachtung gelangten Kryställchen ausnahmslos einen eckigsplittrigen Verlauf besitzen, so dafs die Kryställchen wie aus der glasigen Matrix herausge-brochen erscheinen. Eine gleich eckigsplittrige Form kommt auch allen, den grös-seren, sowie den winzigsten, bisweilen nur nach Tausendstel vom Millimeter messen-den Bimsstein- und Glasfragmenten der Asche zu. Nirgends war eine Spur äufser-lich rund geschmolzener Glasteilchen zu entdecken, wie solche in Form von Glas-thränen ähnlichen Körpern nach ZIRKEL'S, SCACCHI'S u. a. Untersuchungen in vulkanischen Aschen und Sanden gar nicht selten vorkommen.

Der oben angeführten petrographischen Zusammensetzung zufolge stammt das Material der Krakatoa-Asche von einer Lava her, die offenbar zur Familie der Augit-Andesite gehört. Die von der Asche ausgeführte Bauschanalyse liefert die weitere Bestätigung hierzu. Es wurde gefunden:

Kieselsäure . . .	63,30	Natron 5,14
Thonerde	14,52	Kali 1,43
Eisenoxyd }		Glühverl. i. Kohlensäurestrome 2,17
Eisenoxydul } . . .	5,82	In Wasser lösl., vorwiegend
Titansäure	1,08	Ca, H₂SO₃, Spuren K₂O
Kalk	4,00	und Na₂O . . . 0,82
Magnesia	1,66	Summa 100,17
Manganoxydul . . .	0,23	

Bei der relativen Armut an Augit ist der gröfste Teil des Kalkgehaltes der Analyse auf Rechnung des Feldspates (Labradors) zu stellen, während dieser etwa nur 3 p. c. des Natrons beansprucht, so dafs noch ein beträchtlicher Überschufs von Natron auf das Gesteinsglas entfällt, welches hiernach bei ungestörter Krystall-bildung neben Labrador vermutlich einen dem Albit nahestehenden Feldspat aus-geschieden haben würde**. Recht bemerkenswert ist die Zusammensetzung des wässerigen Auszuges*** der Asche. Derselbe besteht hauptsächlich aus schwefel-

---

* Vereinzelt noch in der Asche vorkommende rot gefärbte, undurchsichtige, in Salzsäure nicht lösliche Körnchen sind wohl als zufällige und lokale Verunreinigung der Asche aufzufassen.

** Das Material der Krakatoa-Asche scheint sich obiger Zusammensetzung nach manchen San-torinlaven zu nähern, die nach FOUQUÉ'S umfassenden Untersuchungen zum Teil Labrador und Albit führende Augitandesit sind.

*** Die aufserordentliche Feinheit, zu welcher der staubartige Anteil der Asche herabsinkt, machte sich bei der Darstellung des wässerigen Auszuges in unangenehmer Weise geltend. Der-selbe mufste dreimal filtriert werden, zweimal durch ein doppeltes, ein drittes Mal durch ein vierfaches Filter, und dennoch zeigte sich das Filtrat immer noch schwach getrübt. Dasselbe wurde zur Trockne eingedampft, der Rückstand mit heifsem Wasser wieder ausgezogen, wobei der in Wasser unlösliche, mit durch das Filter gegangene Staub an den Wandungen der Platin-schale fest haften blieb.

saurem Kalk. Die Gegenwart der Schwefelsäure erklärt sich wohl daraus, daſs Dämpfe von schwefliger Säure die Eruption begleiteten, bei Gegenwart von Wasserdampf sich zu Schwefelsäure oxydierten, welche auf die Kalksilikate zersetzend einwirkte und als Kalksulfat fixiert wurde.

Da es von Interesse war, die Zusammensetzung des Bimssteines für sich kennen zu lernen, so wurde auch dieser analysiert. Da nur 0,3838 g Substanz aus der mir zur Verfügung stehenden Asche gewonnen werden konnten, so muſste auf eine Bestimmung der Alkalien verzichtet werden.

Kieselsäure .	.	.	.	66,73	Magnesia .	.	.	1,50
Titansäure .	.	.	.	0,50	Manganoxydul .	.	.	Spur
Thonerde .	.	.	.	16,59	Natron ⎱			
Eisenoxyd ⎱		.	.	4,08	Kali ⎰			5,65
Eisenoxydul ⎰					Glühverlust. . .	.		2,13
Kalk .	.	.	.	3,82		Summa	100,00	

Auch das Resultat dieser Analyse trägt dazu bei, die Augit-Andesitnatur des Aschenmateriales der Krakatoa-Eruption vom 26. August 1883 zu bestätigen.

Nach Abschluſs dieser Untersuchungen gelangte ich durch die Freundlichkeit des Hrn. Redakteurs LAUE in Leipzig noch in den Besitz einer Aschenprobe von der Maieruption des Krakatoakegels. Die Asche wurde am Bord des deutschen Kriegsschiffes Elisabeth, welches das imposante Schauspiel dieser Eruption von Anfang an in unmittelbarer Nähe erlebte, von Hrn. Unterlieutenant zur See LAUE gesammelt. Dieselbe gleicht ebenfalls einem weiſslichgrauen, lockeren, jedoch sehr gleichmäſsig feinem Pulver ohne merklich gröbere Bestandteile, welches seiner Zusammensetzung nach, soweit diese mit Hilfe des Mikroskopes ermittelt werden konnte, vollkommen mit der oben ausführlich beschriebenen Asche der Augusteruption übereinstimmt. Der einzige, in der Korngröſse der beiden Produkte liegende Unterschied ist ein unwesentlicher; derselbe erklärt sich daraus, daſs die auf der Elisabeth gesammelte Probe der Maieruption jedenfalls einem längeren Transporte durch die Luft unterworfen gewesen war, als die an gröberen Bestandteilen reiche, auf Java aufgenommene Probe der Augusteruption.

Mit folgendem mögen noch einige die Genesis der untersuchten Aschen betreffende Betrachtungen und Schluſsfolgerungen Platz finden, wie solche sich ungezwungen aus vorstehenden Beobachtungen ergeben.

Wenden wir uns zunächst den krystallinischen Bestandteilen zu, so war durch oben mitgeteilte Beobachtungen ermittelt worden, daſs diese Bestandteile sich durch die Führung zahlreicher verschiedener Einschlüsse auszeichnen; die Feldspate und Augite enthalten braunes Glas, farblose Nädelchen und Magnetitkörnchen, dazu kommen noch im Feldspate nicht selten Augitnädelchen, während umgekehrt Feldspat niemals als Gast des Augits erscheint, und endlich Magnetit weder Feldspat noch Augit beherbergt. Gröſsere und zahlreiche Luftblasen fehlen in sämtlichen krystallinischen Bestandteilen, welche dadurch in Gegensatz sich stellen zu den die Hauptmasse der Asche ausmachenden Glasfragmenten, welche eben dem Reichtume an Luftbläschen ihre schaumige Struktur zu verdanken haben. Diese Erscheinung weist untrüglich darauf hin, daſs in dem Magma, aus dessen Zertrümmerung die Asche hervorging, die Ausscheidung der krystallinischen Bestandteile bereits vor dem massenhaften Eindringen der die glutflüssige Gesteinsmasse zu Bimsstein auftreibenden Gase und Dämpfe erfolgt sein muſste, und zwar in der Reihenfolge, daſs Magnetit zuerst, sodann Augit, zuletzt Feldspat auskrystallisierte. Was nun die Art der Entstehung der Asche aus der Lavamasse selbst betrifft, so ist zunächst daran zu erinnern, daſs die Untersuchungen RATH'S, SCACCHI'S,

VOGELSANG'S, vor allen ZIRKEL's an Aschen des Vesuvs und Ätnas zur Bestätigung der zuerst von DE LA GROYE und MORICAND vermutungsweise ausgesprochenen Ansicht geführt haben, nach welcher die vulkanische Asche dadurch entstanden zu denken ist, dafs die noch flüssige oder halbflüssige Lava durch Dampfexplosionen zerstäubt wurde und alsdann zu einem Gesteifsstaube erstarrte. Mit recht sieht ZIRKEL den Hauptbeweis für einen derartigen Vorgang in dem Vorkommen von Glasthränen und Glaströpfchen, welche bald für sich, bald an Kryställchen haftend sich nicht selten unter den Bestandteilen der von ihm untersuchten vulkanischen Aschen vorfinden.

Zu einer hiervon abweichenden Anschauung betreffs der Entstehung der vulkanischen Aschen kam LANG infolge seiner Untersuchung der Turrialba-Asche von Costarica, und zwar auf grund der Erscheinung, dafs Glaströpfchen in dieser vollkommen fehlten, dafs diese Asche sonach lediglich aus eckigsplittrigen Bestandteilen gebildet wurde. Hieraus schliefst LANG, die Turrialba-Asche sei durch Zertrümmerung einer bereits fest erstarrten Lava entstanden.

Hinsichtlich der äufseren Struktur der Bestandteile gleichen nun die von uns untersuchten Krakatoa-Aschen vollkommen derjenigen von Turrialba, auch sie bestehen, wie oben gezeigt wurde, lediglich aus eckigen Fragmenten. Es wäre indessen übereilt, hieraus ohne weiteres auf eine gleiche Art der Entstehung schliefsen zu wollen, ohne die näheren, die Eruption begleitenden Umstände, hauptsächlich die Quantitäten der ausgeworfenen Aschen mit in Berücksichtigung zu ziehen. Auf eine massenhafte Ascheneruption ist die LANG'sche Erklärung nicht anwendbar. Es ist wohl möglich, dafs die einem Vulkane entströmenden Dampf- und Gasmassen durch die heftige Reibung der mitgeführten Lavabrocken aneinander und an den Kraterwänden im Verlaufe einer länger dauernden Eruption in geringem Mafse die Bildung vulkanischer Aschen und Sande herbeiführen können, hingegen ganz undenkbar, dafs in der kurzen Zeit von 1—2 Tagen eine so ungeheure Quantität von Sand und Asche, wie sie der Krakatoa-Kegel am 26. August lieferte, ebenfalls durch die mechanische Zertrümmerung einer im Krater bereits erstarrten Lava durch die Thätigkeit der ausströmenden Dampfmassen entstanden sei. Dasselbe gilt für die Produkte der Maieruption, welche in fast denselben kurzen Zeit Quantitäten von Asche, Sand und Bimsstein an den Tag förderte, die nach verschiedenen Berichten ebenfalls ganz enorm gewesen sein müssen. Für die ungeheuren Dimensionen dieser Ascheneruption liefert einen recht drastischen Beleg, der hier angeführt zu werden verdient, eine briefliche Mitteilung des Hrn. Lieutenant zur See LAUE hierüber an seinen Vater, nach welcher die Elisabeth vom 20. Mai 4 Uhr nachmittags bis zum 22. Mai 4 Uhr morgens, also auf die Dauer von 36 Stunden, in dichteste Achenwolken eingehüllt wurde, während welcher Zeit das Schiff einen Weg von 289 Seemeilen zurücklegte.

Für die Krakatoa-Eruptionen bleibt daher nur die andere Ansicht übrig, welche wie schon erwähnt, die Entstehung der vulkanischen Aschen und Sande auf eine Zerstäubung der noch glutflüssigen Lavamassen durch Gase und Dämpfe zurückführt, und diese Anschauung liefert in der That eine vollauf befriedigende Erklärung für die immense Aschenproduktion des Krakatoa-Vulkanes am 20. Mai und 26. August. Der Umstand, dafs den Krakatoa-Aschen Glaskügelchen und -tröpfchen, wie sie nach ZIRKEL in den Ätna-, Vesuv- und anderen Aschen vorkommen, hier vollständig fehlen, bietet kein Hindernis, sich die Aschen nach dem erwähnten Vorgange entstanden zu denken, wenn man berücksichtigt, dafs in unserem Falle die glutflüssig zerstäubten und zerfetzten Lavamassen einer ganz rapiden Erkaltung dadurch ausgesetzt waren, dafs die Aschenmassen zu aufserordentlicher Höhe empor geschleudert wurden. (Nach den am Bord der Elisabeth vorgenommenen Messungen erreichte die Dampf- und Aschensäule der Maieruption die Höhe von 10000 m). Infolge der dadurch herbeigeführten plötzlichen Erstarrung nahmen dieselben jenen Zustand extremster Sprödigkeit an, wie dieser uns an den künstlich erzeugten Glasthränen bekannt ist, in welchem schon die geringste Reibung der Glaströpfchen aneinander genügt, um sie zu vollständiger Decrepitation zu bringen.

Die Krakatoa-Asche verdankt somit letzterem Vorgange, also der Decrepitation, einen ihrer wesentlichsten Charakterzüge, nämlich ihre Zusammensetzung aus lauter eckigsplittrigen Fragmenten.

Schliefslich sei noch erwähnt, dafs sich auch in Übereinstimmung mit diesem bezüglich der Entstehung der Krakato-Asche gewonnenen Resultate die oben geschilderte, sehr eigentümliche gestreckt faserige Struktur der Bimssteinfragmente leicht erklären läfst.

Bei der Zerreifsung der schaumig aufgetriebenen glutflüssigen Lavamasse in gröfsere, kleinere und kleinste Fetzen, und zugleich durch die heftige Bewegung der ausströmenden Gase und Dämpfe mufsten die noch zähflüssigen Lavateile vielfach in die Länge gezogen (ähnlich Pélé's-Haar), gestreckt und zum Teil strickartig gedreht werden, und mit ihnen natürlich auch die eingeschlossenen, ursprünglich mehr kugelrunden Luftbläschen, welche hierdurch bis zu den feinsten Haarröhrchen, ja bis zum völligen Verschwinden ausgezogen wurden, und auf diese Weise die eingangs geschilderte gerad- oder spiralfaserige Struktur mancher Bimssteinfragmente erzeugten. (Naturforschende Ges. zu Leipzig.)

Wochenbericht.

4. Organische Chemie.

Ad. Wurtz, *Einwirkung der Wärme auf Aldol und Paraldol.* Die Einwirkung der Wärme auf den Aldol und Paraldol ist je nach dem Temperaturgrade und auch nach der Natur, d. h. der Reinheit des Präparates verschieden. Der Vf. hat Temperaturen von 100°, 125° und 170° darauf einwirken lassen. Zunächst sollen die Produkte beschrieben werden, welche im letzteren Falle entstehen.

Das Hauptprodukt ist immer Crotonaldehyd, welcher sich zugleich mit Wasser bildet. Unabhängig hiervon wird eine kleine Menge Aldehyd regeneriert, und aufserdem entstehen Produkte, welche nach der Natur des angewandten Aldols verschieden sind. Ist letzterer unrein, so dafs er einen Geruch nach Crotonaldehyd und mit Wasser eine geringe Trübung giebt, so besteht das Reaktionsprodukt aus zwei Schichten: einer unteren, wässerigen, farblosen und einer oberen dunkelbraun bis schwarz gefärbten. Letztere besteht hauptsächlich aus Crotonaldehyd und enthält verschiedene in Wasser unlösliche Kondensationsprodukte von höherem Siedepunkt, auf welche Vf. in einer späteren Mitteilung zurückkommen wird. In anderen Fällen indes, als der Vf. mit Aldolproben, die jedenfalls reiner waren, aber über deren Darstellung er nichts Bestimmtes mehr anzugeben vermag, arbeitete, war das Resultat ein anderes.

Das Produkt, welches nach 4—6stündigem Erhitzen auf 160—170° in geschlossenen Röhren erhalten wurde, war dann sehr wenig gefärbt und vollkommen homogen, auch hatte sich keine Spur von Wasser gebildet. Bei der Destillation lieferte dieses Produkt noch Crotonaldehyd, aber in kleinerer Menge, als in dem vorhergehenden Falle, und nachdem dieser übergegangen war, stieg das Thermometer allmählich bis 300°, wobei in der Regel ein sehr wenig gefärbter Rückstand blieb.

Das Produkt, welches bei 250—300° überging, enthielt einen in Wasser löslichen Körper, welchen der Vf. bereits in seinen früheren Mitteilungen erwähnte, und der die Zusammensetzung des Aldehyds oder Aldols besitzt. Die Menge dieses Körpers besitzt im günstigsten Falle etwa 15 p. c.; unter anderen, weniger günstigen Bedingungen bildet er sich gar nicht, und der Vf. war genötigt, mehrere kg Aldol zu opfern, um nur etwa 100 g des Produktes zu erhalten. Er schiebt diesen Mifserfolg auf eine Verunreinigung des Aldols und findet den Beweis hierfür in der Thatsache, dafs ein Aldol, welcher sich beim Erhitzen schwärzt, nach mehrwöchentlichem Stehen einen Paraldol lieferte, welcher nach dem Waschen mit Äther bei vier- bis fünfstündigem Erhitzen auf 170° fast farblos blieb und eine gute Ausbeute von dem in Wasser löslichen polymeren Produkt gab. Es ist also dieser Paraldol, welchen man vornehmlich wählen mufs, um den letzteren Körper zu erhalten. Derselbe wurde in folgender Weise gereinigt.

Das Destillationsprodukt wurde bei gewöhnlichem Druck destilliert. Nachdem der Crotonaldehyd und das Wasser übergegangen waren, sammelte man zuerst eine Fraktion zwischen 150 und 260° und dann die Produkte, welche zwischen 260°.und 290° und 300° übergingen. Die letzteren sind ziemlich dickflüssig und hellgelb gefärbt. Sie wurden mit Wasser behandelt, worin sie sich, wenn die Operation gut geglückt war, lösten. Im umgekehrten Falle schieden sich ölige Tropfen ab. Die wässerige Lösung wurde zu wiederholten Malen mit kleinen Mengen Äther geschüttelt, welcher daraus die öligen Produkte löste und eine fast wässerige Lösung zurückliefs. Diese wurde im Vakuum bis zur Sirupskonsistenz konzentriert. Der dicke Rückstand begann im Vakuum (10 mm Druck) bei 160—170° zu destillieren. Man fing alles, was bis 190° überging, auf und reinigte das Produkt von neuem, indem man es in Wasser löste und mit Äther schüttelte. Nach einer abermaligen Konzentration und einer zweiten Destillation im Vakuum ging alles bei 170—175° über. Die Analyse für dieses Produkt und die Bestimmung der Dampfdichte (welche indes nicht mit genügender Genauigkeit ausgeführt werden konnte) ergab Zahlen, welche mit der Formel $C_4H_8O_2$ übereinstimmen. Diese hielt der Vf. auch lange Zeit für die richtige. Der Körper wäre dann ein nicht gesättigter Glykol, welcher sich von den Butylglykolen durch ein Minus von H_2 unterscheidet. In der That besitzt der Körper das Aussehen und die Eigenschaften eines Glykols. Durch nascierenden Wasserstoff wird er in β-Butylglykol umgewandelt, wie bereits in einer früheren Mitteilung gezeigt wurde. Durch Acetylchlorid, Benzoylchlorid und Phosphorchlorid wird er unter Entwickelung von Salzsäure und Bildung von Ätherderivaten lebhaft angegriffen. Mit Acetanhydrid erhitzt, giebt er ein Acetylderivat. Brom wird in der Kälte nicht energisch fixiert, was die Annahme von dem Vorhandensein einer offenen Kette mit vier Atomen Kohlenstoff, von denen zwei durch doppelte Bindung verbunden sind, ausschliefst. Überdies spricht auch der hohe Siedepunkt (170°) gegen eine solche Annahme und scheint darauf hinzuweisen, dafs der fragliche Körper eine eigentümliche Zusammensetzung besitzt. Der Vf. gab ihm die symmetrische Formel CH . OH $\underset{\diagdown CH_2 \diagup}{\overset{\diagup CH_2 \diagdown}{}}$ CH . OH unter der Annahme, dafs die Reaktion, nach welcher der Aldol durch Vereinigung zweier Aldehydmoleküle entsteht, sich beim Aldol gewissermafsen wiederholt, indem die beiden freien Enden der Kette sich schliefsen:

$$CH_2 - CH . OH - CH_2 - CHO.$$

Um diese Hypothese zu prüfen, wurde das Acetin des präsumierten Glykols dargestellt. Zu diesem Zwecke erhitzte man letzteren (1 Teil) mit überschüssigem Acetanhydrid (3 Teile) 12 Stunden lang auf 100° und schliefslich auf 110°. Die fast farblose Flüssigkeit, welche hierdurch entstanden war, wurde durch Destillation im Vakuum von Essigsäure und Acetanhydrid befreit. Sobald das Thermometer auf 80° (bei 15 mm Druck) gestiegen war, unterbrach man die Destillation, wusch den Rückstand mit kaltem Wasser und liefs ihn einige Stunden lang damit in Berührung. Auf diese Weise erhielt man eine ölige Flüssigkeit, welche schwerer als Wasser war und das Acetin repräsentiert. Die Ausbeute hat niemals dem Diacetin $C_4H_6(C_2H_3O)_2$ entsprochen.

Nach der Destillation im Vakuum zeigt das Acetin folgende Eigenschaften: Es ist eine farblose Flüssigkeit vom spezifischen Gewicht 1,095 bei 0°; sein Siedepunkt ist etwa 275° unter gewöhnlichem Druck und 176° unter einem Druck von 15 mm. Es ist in Wasser unlöslich und wird dadurch verseift, wenn man es mehrere Tage lang in geschlossenen Röhren damit erhitzt. Die Analyse ergab im Mittel 55,67 C und 7,90 H. Die Theorie verlangt für:

	I.	II.	III.
	$C_4H_6(C_2H_3O)_2O_2$	$C_4H_7(C_2H_3O)O_2$	$C_8H_{14}(C_2H_3O)_2O_4$
Kohlenstoff:	55,81	55,38	55,38
Wasserstoff:	6,97	7,69	7,62

Die Formel I. entspricht dem Diacetin des Glykols $C_4H_8O_2$ und stimmt mit den Resultaten der Säurebestimmung überein, welche man durch Verseifen des Acetylderivates mittels schwacher titrierter Kalilauge erhielt. Die Analysen aber haben konstant einen beträchtlichen Überschuſs von Wasserstoff ergeben. Die Formel ist deshalb zu verwerfen. Die Formel II. eutspricht dem Monoacetin desselben Glykols. Sie stimmt mit den Analysen, aber nicht mit den Säurebestimmungen und muſste ebenfalls verworfen werden. So bleibt denn die dritte Formel übrig, welche das Diacetylderivat des oxybuttersauren Butylglykols darstellt:

$$CH_2-CH-OH-CH_2-CH_2.O-CO-CH_2-CH.OH-CH_3.$$

Diese stimmt nicht nur mit den Analysen und mit den Säurebestimmungen, sondern auch mit den Reaktionen des Körpers. In der That erhält man durch Verseifen mit Kali, Baryt und Magnesia nicht den ungesättigten Glykol $C_4H_8O_2$, sondern Butylglykol, ferner Essigsäure und β-Oxybuttersäure oder deren Derivat Crotonsäure. Auch das anderweite Verhalten des Körpers stimmt mit der Formel überein, worüber sich die Vf. in einer späteren Mitteilung aussprechen wird.

Der Vf. hält sich demnach vorläufig zu der Annahme berechtigt, daſs der mit dem Aldol isomere Körper, dessen Darstellung beschrieben wurde, ein zusammengesetzter Äther ist, der, wie die obige Formel zeigt, zwei Hydroxyle enthält und infolgedessen einige Reaktionen des Glykols zeigt; wenn dem so ist, so bildet sich der Körper unter bemerkenswerten Bedingungen. Der Vf. verschweigt indes nicht, daſs diese Annahme weder mit der oben angegebenen Dampfdichte, noch mit der des Acetylderivates übereinstimmt. Allerdings sind die Dampfdichtebestimmungen nur ungenau. (C. r. **97**. 1525 – 30 [31.*] Dez. 1883.)

P. **Van Romburgh**, Über *die Nichtexistenz des Pentanitrodimethylanilins.* Seine Untersuchungen über· die Nitroderivate der Alkylaniline haben die Aufmerksamkeit des Vf. auf einen Körper gelenkt, welchen MICHLER und SALATHÉ (Ber. Chem. Ges. **12**. 1790) durch Einwirkung von rauchender Salpetersäure auf Naphtyldimethylphenylsulfon, und MICHLER und KARL MEYER (Ber. Chem. Ges. **12**. 1793) durch dieselbe Reaktion mit Diphenyldimethylamidosulfon erhalten haben. Die Analyse dieser Körper führte zu Zahlen, welche mit der Formel eines Pentanitrodimethylanilins übereinstimmen. Dieses Körper schmilzt bei 127°, ist in Wasser, warmen Alkohol und Essigsäure löslich und explodiert beim Erhitzen auf Platinblech. Dieser Körper gleicht also in seinen Eigenschaften vollkommen demjenigen, welches MERTENS (Ber. Chem. Ges. **10**. 995) 1877 beschrieben hat, und welches der Vf. vor einiger Zeit (Recueil **2**. 108) als ein Trinitromonomethylnitranilin charakterisierte. Es erschien von Interesse, die Versuche von MICHLER und MEYER zu wiederholen, um dieses Pentanitrodimethylanilin zu erhalten, welches der erste Körper sein würde, in dem sich fünf NO_2-Gruppen in dem Benzolkern finden, und welches durch einfache Wechselzersetzung ein Paranitrophenol geben könnte.

Andererseits erschien in anbetracht der Resultate, welche der Vf. durch die Einwirkung von rauchender Salpetersäure auf die Mono- und Dialkylaniline erhalten hat, die Bildung dieses Pentanitroproduktes unter den angegebenen Umständen unwahrscheinlich, und man könnte vielmehr erwarten, das Trinitromonomethylnitranilin zu erhalten.

Der Vf. stellte das *Diphenyldimethylamidosulfon* $C_6H_5.SO_2.C_6H_4N(CH_3)_2$ nach der Methode von MICHLER und MEYER dar, indem er im Wasserbade ein Gemenge von Dimethylanilin (2 Mol.) und Sulfophenylchlorid (1 Mol.) erhitzte.· Das Reaktionsprodukt wurde mit Ammoniak gesättigt und das abgeschiedene Dimethylanilin mit Wasserdämpfen abdestilliert. Der Rückstand wurde durch Chlorwasserstoffsäure ausgezogen und aus Alkohol, der mit· etwas Salzsäure und Wasser versetzt war, krystallisiert. Durch Krystallisieren des Produktes aus Petroleumäther läſst sich eine blaue Substanz, durch welche es verunreinigt wird, beseitigen. Der Schmelzpunkt des weiſsen Produktes ist 78°. Es löst sich leicht in rauchender Salpetersäure zu einer dunkelroten Flüssigkeit, welche beim Erhitzen im Wasserbade sich dunkler färbt und rote Dämpfe entwickelt und zuletzt hellgelb wird. Wasser scheidet daraus gelbe Flocken ab, welche nach zweimaligem Umkrystallisieren aus Alkohol hellgelbe, bei 127° schmelzende Krystalle geben, die vollständig denen gleichen, welche der Vf. durch Einwirkung von Salpetersäure auf Mono- und Dimethylanilin (und deren Di- und Trinitroderivate) erhalten hat. Die Analyse wurde mit grofser Vorsicht ausgeführt und ergab Zahlen, welche mit der Formel eines Tetranitromonomethylanilins $C_7H_5N_5O_8$ übereinstimmen. Der erhaltene Körper scheint demnach identisch mit demjenigen zu sein, welchen der Vf. früher als ein *Trinitromonomethylnitranilin* $C_6H_2.(NO_2)_3-N<^{CH_3}_{NO_2}$ beschrieben hat. Um die Identität beider Körper aufser Zweifel zu setzen, wurden etwa 3 g des Produktes mit einer Lösung von Natriumcarbonat gekocht und dadurch eine braunrot gefärbte Flüssigkeit erhalten, welche eine beträchtliche Menge Pikrinsäure enthielt. Das Destillat davon, welches das bei der Reaktion gebildete Amin enthielt, würde mit Salzsäure gesättigt und zur Trockne gedampft. Der

Rückstand, mit Kali zersetzt, gab alkalische Dämpfe, welche man in Alkohol leitete. Indem man diese Lösung mit Chlorpikryl in alkoholischer Lösung mischte, erhielt man einen von Chlor freien Rückstand, welcher bei 111° schmolz, nämlich *Trinitromonomethylanilin*. Mit einer alkoholischen Lösung von α-Dinitrobrombenzol bildet sich ein Niederschlag von *Monomethyldinitranilin*. Es ist demnach kein Zweifel, daſs das von MICHLER und MEYER erhaltene Nitroprodukt nicht Pentanitrodimethylanilin sein kann, und da es mit dem von MICHLER und SALATHÉ durch Behandlung von α- und β-Naphtyldimethylamidophenylsulfon mit Salpetersäure erhaltenen identisch ist, so muſs für letzteres dasselbe gelten. (Recueil des Trav. Chim. des Pays-Bas. **2.** 304—7 Ende Dez. [5. Dez.] 1883. Leiden.)

8. Hoogewerff W. A. Van Dorp, Über *die vom Lepidin derivierenden Farbstoffe.* in einer kürzlich veröffentlichten Note (**83·** 434) haben die Vff. über Farbstoffe berichtet, welche man die Additionsprodukte des Chinolins und Lepidins, welche diese Basen mit Methyljodid, Äthyljodid etc. geben, mit Kalilauge behandelt; die dort mitgeteilten Resultate zeigen, daſs in den untersuchten Fällen ein Molekül des Chinolinadditionsproduktes sich unter dem Einfluſs der Kalilauge mit einem Molekül des Lepidinadditionsproduktes unter Verlust von einem Molekül Jodwasserstoff und wahrscheinlich auch von zwei Atomen Wasserstoff verbindet nach der Gleichung:

$$C_9H_7N.XJ + C_{10}H_9N.YJ = C_{19}H_{18}N_2.XYJ + HJ + H_2,$$

wo X und Y die Methyl-, Äthyl- etc. Reste bedeuten. Sie geben vorläufig dem Radikal $C_{19}H_{15}N_2$ den Namen *Cyanin*, wodurch sich diese Farbstoffe leicht bezeichnen lassen. Sie entlehnen diesen Namen dem von G. WILLIAMS entdeckten Produkte (s. w. u.), da die zu beschreibenden Verbindungen ohne Zweifel derselben Reihe angehören, wie jener bemerkenswerte Körper.

Dimethylcyaninjodid. Nach der oben angegebenen Gleichung müſste man die zur Darstellung dieses Salzes nötigen Jodide im Verhältnisse ihrer Molekulargewichte anwenden: es ist indessen besser, die Chinolinverbindung im Überschuſs anzuwenden. Man nimmt am besten 2 Tle. Methylchinolylammoniumjodid auf 1 Tl. Methyllepidylammoniumjodid (das Chinolin war von Kahlbaum bezogen, das Lepidin aus Chinabasen dargestellt). Beide wurden in 3 Tln. Wasser gelöst und die siedende Lösung mit Kali in einer solchen Menge versetzt, daſs dasselbe der Hälfte des in der Mischung enthaltenen Jods äquivalent ist. Um das grüne Harz, welches man erhält, zu reinigen, erhitzt man es mit Alkohol und läſst erkalten. Man filtriert den krystallisierten Rückstand zu wiederholten Malen aus verdünntem Alkohol um; das Jodid scheidet sich in Form feiner grüner Nadeln ab; manchmal erhält man auch kleine Tafeln. Die Verbindung wird in Form glänzender dunkelgrüner Nadeln oder Blättchen erhalten, wenn man sie in Salzsäure löst, mit Ammoniak neutralisiert und die grüne Masse, welche sich ausscheidet, aus verdünntem Alkohol umkrystallisiert.

Das Salz ist etwas löslich in Wasser, welches sich damit blaurot färbt. Es löst sich schwer in Alkohol, selbst in der Wärme; die Lösung ist blau im auffallenden, violett im durchgehenden Licht. Verdünnter Alkohol löst das Salz leichter auf. In Säuren löst es sich mit gelber Farbe; auf Zusatz von Alkohol werden mehrerer dieser Lösungen fluoreszierend. Leitet man einen Strom Kohlensäure durch eine wässerige Lösung des Salzes, so wird sie entfärbt, nimmt aber ihre Farbe wieder an, wenn man sie an der Luft stehen läſst, erhitzt oder Alkohol zusetzt. Verdünntes wässeriges Ammoniak löst das Salz in der Wärme, beim Abkühlen scheidet es sich daraus unverändert wieder ab. Das Jodid ist etwas löslich in Chloroform und Aceton, welche dadurch blau gefärbt werden, fast unlöslich in Äther und Benzin. Es bildet mit mehreren Metallsalzen Doppelsalze und kann auf 200° ohne sein Gewicht zu verändern, erhitzt werden; in einer Capillarröhre erhitzt, schmilzt es bei 291°. Die Produkte, welche man durch oxydierende und reduzierende Mittel erhält, werden noch näher untersucht werden.

Die Analyse führte zu der Formel $C_{21}H_{19}N_2J$, und die Bildung dieses Körpers würde demnach nach folgender Gleichung stattfinden:

$$C_9H_4N.CH_3J + C_{10}H_9N.CH_3J = C_{21}H_{18}N_2J + H_2 + HJ.$$

Wenn die Formel $C_{21}H_{21}N_2J$ richtig ist, so würde die Bildung nach folgender Gleichung von statten gehen:

$$C_9H_7N.CH_3J + C_{10}H_9N.CH_3J = C_{21}H_{21}N_2J + HJ.$$

Wenn man das Dimethylcyaninjodid in Salzsäure löst, so wird es nur teilweise in Chlorid umgewandelt; vorteilhafter kann dieses Salz dargestellt werden, wenn man eine alkoholische Lösung des Jodides im Wasserbad mit Chlorsilber einige Stunden lang digeriert, dann filtriert und eindampft. Den Rückstand nimmt man mit möglichst wenig Alkohol auf und setzt Äther zu. Das Chlorid, welches sich abscheidet, ist eine grüne

Masse, welche beim Reiben Metallglanz annimmt. Die Vff. werden auf diese Verbindung zurückkommen.

Die Lösung des Chlorids in Alkohol mit Chlorwasserstoff angesäuert, giebt mit Platinchlorid einen gelben Niederschlag.

Diäthylcyaninjodid. Die Darstellung dieses Salzes ist der des vorhergehenden absolut analog; hierbei wurde beobachtet, dafs man eine bessere Ausbeute erhält, wenn man eine Viertelstunde im Wasserbad erhitzt. Um das Jodid von dem grünen Harz, welches mitunter schon ein vollkommen krystallinisches Ansehen hat, zu trennen, kann man in der oben beschriebenen Weise verfahren, oder besser, das Harz in der Wärme mit Amylalkohol behandeln, erkalten lassen, filtrieren und den krystallinischen Rückstand aus verdünntem Alkohol umkrystallisieren. Weiter beobachteten die Vff., dafs es zur Reinigung kleiner Mengen Harz vorzuziehen ist, dasselbe in Chloroform zu lösen und das Jodid durch Äther niederzuschlagen.

Das Diäthylcyaninjodid setzt sich aus seinen Lösungen in Form schöner, grüner, glänzender Prismen ab, schmilzt in einer Capillarröhre bei 271—273° und bläht sich alsbald auf. Es besitzt im allgemeinen denselben Charakter wie das Dimethylcyaninjodid. Seine Zusammensetzung ist nach der Analyse $C_{23}H_{23}N_2J$. Es entsteht nach der Gleichung:

$$C_9H_7N.C_2H_5J + C_{10}H_9N.C_2H_5J = C_{23}H_{23}N_2J + H_2 + HJ.$$

Die erhaltenen Resultate machen es wahrscheinlich, dafs die allgemeine Formel der in diese Klasse gehörenden Farbstoffe $C_{19}H_{12}N_2.XYJ$ ist, wo X und Y die Methyl-, Äthyl- etc. Reste bedeuten.

Die durch die obigen Beobachtungen gegebene Reaktion ist keineswegs die einzige, wonach sich diese Körper bilden können. Die Menge Cyaninjodid, welche man erhält, entspricht ungefähr der Hälfte des Gewichtes des angewendeten Lepidinderivates. Man erhält aufserdem Farbstoffe, welche sich leicht in Alkohol mit roter Farbe lösen, und, wenigstens bei der Darstellung des Dimethylcyanins, amorphe, in Alkohol unlösliche Produkte, welche noch nicht gereinigt werden konnten. Es ist wahrscheinlich, dafs der Wasserstoff, welcher bei der Reaktion frei wird, an der Bildung dieser amorphen Körper teilnimmt, welche nach dieser Annahme von den Hydrüren des Chinolins und Lepidins derivieren würden.

Der von G. WILLIAMS beschriebene Farbstoff (Jahresber. f. Chem. 1860. 735), welcher unter dem Namen Cyanin bekannt ist und durch Einwirkung von Kali auf unreines Amylchinolylammoniumjodid entsteht, scheint, wie bereits gesagt, derselben Körperklasse anzugehören. Die Vff. gelangen zu dieser Annahme dadurch, dafs eine vollkommne Analogie zwischen der Bildung des WILLIAM'schen Cyanins und der obigen Cyaninjodide besteht, da das rohe Chinolin, welches W. zur Darstellung seines Farbstoffes benutzte, Lepidin enthielt.

HOFMANN (Jahresber. 1862. 351), sowie NADLER und MERZ (Journ. pr. Chem. 100. 129) haben das WILLIAM'sche Cyanin untersucht. Das HOFMANN'sche Produkt stammt aus der Fabrik von MENTER in Paris; es besafs die Formel $C_{30}H_{29}N_2J$ (von W. bestätigt). Seine Bildung kann durch die Gleichung:

$$2C_{10}H_9N.C_5H_{11}J = C_{30}H_{29}N_2J + HJ \quad \cdots \cdots \quad (I)$$

ausgedrückt werden.

Dieser Chemiker fand ferner, dafs der Farbstoff eine kleine Menge des homologen Salzes $C_{29}H_{25}N_2J$ enthielt, welches aus dem Amylchinolylammoniumjodid nach der Gleichung:

$$2C_9H_7N.C_5H_{11}J = C_{29}H_{25}N_2J + HJ \quad \cdots \cdots \quad (II)$$

entsteht.

NADLER und MERZ haben ein von MÜLLER in Basel fabriziertes Produkt untersucht. Die Zusammensetzung entsprach der Formel $C_{29}H_{25}N_2J$. Dieser Körper ist also identisch mit demjenigen, welchen HOFMANN in kleinerer Menge erhielt. NADLER und MERZ, ebenso wie HOFMANN haben mehrere Derivate dargestellt; die analytischen Resultate bestätigen diese Formel.

Die Vff. haben nun bewiesen, dafs das reine Chinolin, wenn es mit Amyljodid und dann mit Kali behandelt wird, kein Cyanin giebt. Die Gleichung (II) ist also zu verwerfen; das Cyanin von der Formel $C_{29}H_{25}N_2J$ existiert nicht.

Die Vff. können sich noch nicht mit Bestimmtheit über die Frage entscheiden, ob die Additionsprodukte des reinen Lepidins Farbstoffe, welche zu dieser Klasse gehören, geben. Ihre Versuche sind noch nicht beendigt. Bis jetzt ist es ihnen indes nicht gelungen, krystallisierte Farbstoffe durch Einwirkung von Kali auf die Salze zu erhalten, welche das Lepidin mit Methyl- und Äthyljodid giebt.

In einer vor einigen Monaten (**83.** 434) veröffentlichten Note haben die Vff. ihre

Absicht mitgeteilt, ihre Untersuchungen auch auf die Additionsprodukte anderer Methylchinoline auszudehnen. Sie waren bereits damit beschäftigt, in dieser Hinsicht das Chinaldin $C_9H_6N.CH_2$, welches von DÖBNER und MÜLLER entdeckt worden ist, zu studieren, als SPALTEHOLZ (Ber. Chem. Ges. 16. 1847) eine Abhandlung über denselben Gegenstand veröffentlichte. Dieser Chemiker erhielt durch Einwirkung von Kali auf ein Gemenge von Äthylchinolylammonium und Äthylchinaldylammonium einen krystallisierten Farbstoff. Die Reaktion kann durch die Gleichung:

$$C_9H_7N.C_2H_5J + C_{10}H_9N.C_2H_5J = C_{12}H_{26}N_2J + HJ.$$

ausgedrückt werden. Es ist wahrscheinlich, dafs das Produkt von SPALTEHOLZ eine analoge Konstitution hat wie die von den Vff. untersuchten Körper. Es würde dann, wenn die Interpretation der Reaktion richtig ist, die Formel $C_{21}H_{21}N_2J$ haben.

Das Lepidin giebt mit dem p-Toluchinolin $C_9H_6N.CH_3$ von SKRAUP (Monh. 2. 139) unter denselben Bedingungen wie mit Chinolin krystallisierte Farbstoffe. Die Vff. werden hierauf in einer folgenden Mitteilung zurückkommen; die durch die Analyse erhaltenen Resultate machen es wahrscheinlich, dafs diese Farbstoffe das Cyaninradikal enthalten. Wahrscheinlich geben die beiden anderen Toluchinoline mit Lepidin ebenfalls Farbstoffe. (Recueil des Trav. Chim. des Pays-Bas. 2. 317—326. Ende Dez. [2. Dez.] 1883.)

O. Löw, *Zur Kenntnis des aktiven Albumins.* Vf. ging von der Überlegung aus, dafs, wenn das lebende Protoplasmaeiweifs, wie er annimmt, Aldehydgruppen enthält, es vielleicht möglich ist, diese Aldehydgruppen zur Reaktion mit anderen Gruppen zu bringen, ohne dafs dabei die Fähigkeit, Silberoxyd zu reduzieren, aufhört. Vf. wählte hierzu sehr verdünntes Ammoniak und Hydroxylaminlösung; in ersterem Falle konnte sich Aldehydammoniak, in letzterem Aldoxim bilden, welche beide auf Silberlösung reduzierend wirkten. Der Versuch bestätigte die Voraussetzung. Algenfäden (Spirogyren), welche eine halbe Stunde lang in sehr verdünnte und alkalisierte Lösungen von salzsaurem Hydroxylamin, resp. Chlorammonium eingelegt und dann sorgfältig mit Wasser gewaschen waren, zeigten die Fähigkeit, Silberoxyd zu reduzieren. Dafs dieses Verhalten nicht auf dem Persistieren von aktivem Eiweifs beruht, ergiebt sich nach dem Vf. daraus, dafs die Hydroxylamin- und Ammoniakalgen nach dem sorgfältigen Auswaschen fähig sind, neutrale Silberlösung (von 1—2 p. c.) zu reduzieren, was nie geschieht, wenn lebende Algenfäden in eine solche Lösung gebracht werden. Eine weitere Stütze für seine Anschauung findet Vf. in dem verschiedenen Verhalten von Algenfäden zur Salmiaklösung einerseits, Chlornatrium- und Chlorbariumlösung andererseits. (PFLÜGER's Arch. 32. 113; Med. C.-Bl. 22. 21—22.)

5. Physiologische, medizinische und pharmazeutische Chemie.

Paumès, *Untersuchungen über die Atmung der Hefe (Saccharomyces cerevisiae). Einwirkung des Äthers auf die Atmung.* Vf. bestimmte den Sauerstoffverbrauch normaler Bierhefe und wiederholte die gleiche Beobachtung, wenn der Flüssigkeit 1—6 p. c. Äther zugesetzt war. Jene höchste Dosis war im stande, den Sauerstoffverbrauch vollständig zu unterdrücken, ohne jedoch das lebende Hefe zu vernichten, denn jene zeigte sofort wieder Oxydation, sowie der Äther verjagt war. (Fortschr. d. Med. 2. 53.)　P.

Aimé Girard, *Untersuchungen über die Zuckerbildung in der Zuckerrübe.* Unter Zuckerbildung (Saccharogenie) soll hier nur die Bildung und Anhäufung von Saccharose und nicht überhaupt von irgend einer zuckerartigen Substanz in gewissen vegetabilischen Geweben verstanden werden. Unter den saccharogenen Gewächsen nimmt die Zuckerrübe eine der ersten Stellen ein. Die Feststellung der Bedingungen, unter denen der Rohrzucker sich in dieser Pflanze bildet und anhäuft, ist jedenfalls von hohem Interesse. BOUSSINGAULT (1865) erklärte das Blatt als die erste Etappe für die Bildung der Zuckersubstanzen, welche man in verschiedenen Teilen des vegetabilischen Organismus verbreitet findet. Später (1875) zog CL. BERNARD diese Hypothese in Zweifel, doch sind diese Zweifel durch neuere Untersuchungen von DUCHARTRE, VIOLETTE, CORENWINDER, HUGO DE VRIES, ISIDORE PIERRE, CHAMPION und PELLET, LEPLAY u. a. wieder beseitigt worden.

Neuere Untersuchungen von DEHÉRAIN, CORENWINDER und CONTAMINE etc. haben sogar gezeigt, dafs in gewissen Teilen der Rübenblätter zu gleicher Zeit Saccharose und reduzierender Zucker zu finden sind; diese Untersuchungen haben indes bis jetzt weder die Bedingungen der Zuckerbildung, noch der Auswanderung desselben aus den Blättern aufgeklärt.

Der Vf. hat zur Ausfüllung dieser Lücke eine Reihe von Untersuchungen unternommen, durch welche zunächst die schon von PELIGOT gemachte Beobachtung bestätigt wurde, dafs die Wurzel der Zuckerrübe nicht zu jeder Zeit Saccharose enthält; ferner konnte er zeigen, daſs die Wurzelfasern eine analoge Zusammensetzung haben, und endlich, daſs die Saccharose neben reduzierenden Substanzen nicht nur in den Blattstielen und in den Nerven, sondern auch im Parenchym der Blätter vorkommt. Bezüglich der Einzelheiten ist auf das Original zu verweisen. (C. r. **97.** 1305—8. [3.*] Dez. 1883.)

E. Wollny, *Untersuchungen über den Einfluſs der Exposition des Bodens auf dessen Feuchtigkeitsverhältnis.* Die Ergebnisse der Versuche lassen sich in folgenden Sätzen zusammenfassen:

1. Bei verschiedener Lage des Bodens gegen die Himmelsrichtung ist die nördliche Seite die feuchteste, dann folgt die West-, hierauf die Obstabdachung, während die Südexposition den geringsten Wassergehalt besitzt.

2. Die Unterschiede in der Feuchtigkeit sind zwischen dem Nord- und Südabhange beträchtlich gröſser, als zwischen der Ost- und Westseite.

3. Bei Ostwinden und trockener Witterung sinkt der Wassergehalt der Osthange unter denjenigen der Südexposition.

4. Durch die Pflanzendecke werden die Unterschiede in der Bodenfeuchtigkeit verschieden exponierter Ackerflächen, namentlich diejenigen zwischen der Nord- und Südseite vergröſsert.

5. Bei der Bearbeitung des Ackerlandes in Beeten sind die Feuchtigkeitsmengen in derselben Weise verteilt, wie ad 1 angegeben ist.

6. Die Richtung der Beete von Norden nach Süden ist wegen geringerer Unterschiede in den Feuchtigkeitsverhältnissen der Seitenflächen für die Vegetation vorteilhafter als von Osten nach Westen.

7. Im Vergleich zu einem in Beete niedergelegten Ackerland zeigt das eben bearbeitete einen geringeren Wassergehalt, als Nordabhänge, ist aber meist feuchter, als die übrigen Expositionen.

8. Während das Bodenwasser auf Beetflächen ungleichmäſsig verbreitet ist, indem seine Menge von dem Rücken nach der Beetfurche zunimmt, ist seine Verteilung in dem ebenen Felde weit geringeren Schwankungen unterworfen.

9. Mit Rücksicht auf den Einfluſs der Bodenfeuchtigkeit bietet die Ebenkultur aus vorstehenden Gründen gröſsere Vorteile als die Beetkultur. (Forsch. a. d. Geb. d. Agrikulturphys. **6.** 377—388. München.) P.

Herbert E. Smith, *Enthalten die Knochen Keratin?* Auf Grund seiner Versuche muſs Vf. die Frage verneinen. (Ztschr. f. Biol. **19.** 469—82.) P.

E. Harnack und **J. Grundler,** *Über die Form der Jodausscheidung im Harn nach Anwendung von Jodoform.* Das Jodoform setzt sich zum Teil in Jodalkali, zum Teil in jodsaures Alkali im Organismus um. Jedoch bilden sich neben diesen auch organische Jodverbindungen, deren Jodgehalt erst nach dem Veraschen des Harnes nachgewiesen werden kann. Letztere Jodverbindungen treten besonders in tötlich verlaufenden Fällen von Jodoformintoxikationen auf; in solchen Fällen tritt das Jodalkali zurück. Bei einer Reihe ohne üble Folgen verlaufender Fälle ist das Jodalkali die wesentliche Ausscheidungsform. (Berl. Klin. Wochenschr. **20.** 723—26.) P.

Max Rubner, Über *Einfluſs der Körpergröſse auf Stoff- und Kraftwechsel.* 1. Absolute und relative Gröſse des Kraftwechsels gröſser und kleiner Tiere. 2. Die Ursache des relativ höheren Gesamtstoffwechsels kleiner Tiere. 3. Bedeutung der Oberflächenentwicklung für die Warmblüter. 4. Die Relation des Eiweiſs- und Fettverbrauches bei groſsen und kleinen Hunden im Hungerzustande. (Ztschr. f. Biol. **19.** 535—62. München.) P.

Max Gruber, *Zweiter Beitrag zur Frage der Entwicklung des elementaren Stickstoffes im Tierkörper.* (Vgl. C.-Bl. 1881. 487.) (Ztschr. f. Biol. **19.** 563—68.) P.

C. F. A. Koch, Über *die Ausscheidung des Harnstoffes und der anorganischen Salze mit dem Harn unter dem Einfluſs künstlich erhöhter Temperatur.* (Ztschr. f. Biol. **19.** 447--68. Amsterdam.) P.

Wolckenhaar, *Vergiftung von Hühnern durch schwarze Senfsamen.* (Rep. anal. Chem. **4.** 6—7.)

Max Siewert, Über *den Einfluſs der ungeschälten Baumwollensamenkuchen auf die Milchproduktion.* (L.-V.-St. **30.** 145—60. Anf. Jan.).

E. Meissl, *Calf Meal, ein Geheimmittel auf dem Gebiete der Viehzucht.* Dieses Mittel (SIMPSON's Patent) wird als Ersatz für Milch bei der Aufzucht von Kälbern und Jungvieh empfohlen. 112 Pfd. engl. — 50³/₄ kg ab Hamburg kosten 32 M. Die Probe besteht aus einem gröberen Mehle von rötlich-brauner Farbe, das einen deutlichen Geruch nach Bohnen hatte und mit warmem Wasser einen dicken Schleim bildete. Die chemische Zusammensetzung ist folgende:

Wasser	8,61 p. c.	Rohfaser	3,13 p. c.
Proteïn	21,01 „	Asche	4,90 „
Fett	4,70 „	Sand	2,48 „
Stickstofffr. Subst.	55,07		

Von der stickstoffhaltigen Substanz bestand ein grofser Teil aus Legumin. Die mikroskopische Untersuchung ergab, dafs Calf Meal aus sehr viel Bohnenmehl und wenig Leinsamenmehl besteht. Man erhält ein im Aussehen und der chemischen Zusammensetzung, also auch im Nährwerte vollkommen gleiches Futtermittel durch Zusammenmischen von 9 Tln. Bohnen- und 1 Tl. Leinsamenmehl. (Wiener Landw. Ztg.; D. Wochenbl. f. Gesundheitspfl. u. Rettungsw. 1. 21.)   P.

K. Albertoni, Über *Wirkung und Metamorphose einiger Substanzen im Organismus in Beziehung zur Entstehung der Acetonämie und des Diabetes.* Aus seinen Versuchen an Tieren und Menschen gelangt Vf. zu folgenden Resultaten.

1. Das Aceton wird vom Organismus gut vertragen und bringt selbst in erhöhten Dosen nur ein Gefühl des Rausches hervor. Beim gesunden Menschen wird die Substanz wenn man mehr als 3 ccm giebt, unverändert ausgeschieden.

2. Wenn man Kaninchen oder Hunden Glykose oder Alkohol reicht, findet man im Urin weder Aceton noch Acetessigsäure.

3. Isopropylalkohol setzt sich im Organismus teils in Aceton um, teils wird er unverändert ausgeschieden.

4. Acetessigäther und Acetessigsäure rufen bei Tieren keine Erscheinungen hervor, die dem Coma diabeticum ähnlich sind. Sie bewirken eine bisweilen starke Albuminurie, welche den Diabetes begleitet, ohne dafs Veränderungen in der Niere erscheinen.

5. Buttersäure bringt im Organismus keine bemerkenswerten Veränderungen hervor und wird nicht in Acetessigsäure verwandelt.

6. Die Lävulinsäure bewirkt Prostration und schnellen Tod, ihre Bildung kann möglicherweise das plötzliche schnelle Ende der Diabetiker veranlassen. (Aus Italia med. 1883. Nr. 44 durch Allgem. med. Centralztg. **53.** 6.)   P.

W. Hesse, Über *Abscheidung der Mikroorganismen aus der Luft.* Vf. kommt auf Grund seiner Versuche, die er mit Filtrierpapierproben angestellt hat, zu folgenden Hauptergebnissen:

1. Die Möglichkeit, die Luft von den ihr beigemengten Mikroorganismen vollständig zu befreien, ist für einen sehr ungünstigen Fall (Hadersaalluft) bewiesen.

2. Ebenso ist die Möglichkeit der Herstellung keimdichter Filter zu persönlichen (Respiratoren), wie zu Ventilationszwecken aufser Frage gestellt.

3. Es ist zu erwarten, dafs sich die in der Luft schwebenden pathogenen Mikroorganismen weder physikalisch, noch den Filtern gegenüber anders verhalten, als die im Haderstaube enthaltenen Keime, mit welchen Vf. experimentiert hat. Es ist also im höchsten Grade wahrscheinlich, dafs wir uns gegebenen Falles vor Infektionen, soweit solche durch Aufnahme pathogener Keime in die Atmungswerkzeuge erfolgen, durch Respiratoren, welche bei kompendiöser Form und bequemer Anwendung das Atmen kaum erschweren, werden sichern können. Es erscheint ferner ausführbar, künstlich ventilierten Räumen nicht nur keimfreie Luft zuzuführen, sondern auch die in ihnen (Krankenräume) etwa in die Luft gelangten pathogenen Keime zurückzuhalten. Die Desinfektion oder Sterilisierung infizierter Filter bereitet nicht die geringsten Schwierigkeiten.

4. Keimdichte Filter können auch zur Beseitigung anderen, insbesondere der Gesundheit schädlichen Staubes mit Vorteil verwendet werden, wie dies mit Luftströmen, welche reichliche Mengen Mennige, Ultramarin und Schweinfurtergrün in Staubform beigemischt enthielten, nachgewiesen werden konnte. Selbst Filtrierpapier in einfacher Schicht hielt jene Stoffe so vollkommen zurück, dafs chemisch nachweisbare Spuren derselben jedenfalls nicht durch das Filter drangen.

5. Die mit dem Filtrierpapier vom Vf. angestellten Versuche geben einen neuen Beleg für einige wichtige Schlüsse, welche bereits bei der Prüfung von Baumaterialien auf ihre Durchlässigkeit für Luftkeime sich ergeben hatten. Aus dem Umstande, dafs es nicht die Bakterienkeime, sondern die Bazillensporen sind, welche die kleinsten Filterporen durchdringen, sondern Schimmelpilzsporen, geht nämlich hervor, dafs jene gar nicht als einzelne Individuen in der Luft enthalten sind; sie müssen vielmehr entweder zu mehreren zusammenhängen oder in Teilchen ihres Nährbodens eingebettet sein, resp. dann daran oder anderen Substanzen (Keimträgern) haften und dadurch unregelmäfsig geformte, schwerere und gröfsere Körperchen bilden, als die kleinsten Schimmelpilzsporen. Dieser Schlufs findet auch durch das Mikroskop seine Bestätigung. Wenn man Haderstaub z. B. auf Deckgläschen zur Ablagerung bringt, dafs sich die einzelnen Teile sofort befestigen und nicht mehr aus ihrer Lage gebracht werden (mittels einiger Tropfen Chloroform-Kanada-

balsamtinktur), so sieht man die Bakterien (alle Nichtschimmelpilze) meist in gröfseren, seltener in kleineren Gruppen zusammenliegen, welche letztere fast ausnahmslos aus gleichgeformten und gleich stark gefärbten, also wohl auch gleichen Individuen (Reinkulturen) bestehen.

Vf. hat seine Versuche auch auf die Durchlässigkeit von Watte ausgedehnt und wird darüber, wie über vorstehend behandelten Gegenstand noch ausführlicher berichten.

In einem Nachtrag giebt HESSE an, dafs bei Untersuchung sehr leicht luftdurchlässiger Filtrierpapiersorten zur Erzielung vom Keimdichtigkeit eine weit gröfsere Schichtenzahl erforderlich und dementsprechend auch der Übergang von der Bakteriendichtigkeit zur völligen Keimdichtigkeit nicht mehr durch Hinzufügen nur noch einer einzigen Schicht, wie bei den obigen Versuchen. zu erreichen ist. Weiter lassen mit Cellulose begonnene Versuche darauf schliefsen, dafs sich dieser Stoff, besonders in dickeren lockeren Pappen, zur Filtration von Luft vorzüglich eignet und für praktische Zwecke, wobei es auf vollkommene Abhaltung der Keime bei leichtester Luftdurchlässigkeit ankommt, höchst wahrscheinlich alle Filtrierpapiere übertrifft.

Die Methode, welche bei obigen Versuchen angewandt wurde, war im grofsen und ganzen die nämliche, welche Vf. zur Untersuchung der Luft auf entwicklungsfähige Mikroorganismen angegeben hatte. (KOCH, die neueren Untersuchungsmethoden zum Nachweis der Mikrokosmen in Boden, Luft und Wasser. Repert. analyt. Chem. **3**. 348 bis 351.) (D. Med. Wochenschr. **10**. 17—20. 10. Jan. Schwarzenberg i. S.). P.

Fr. Hofmann, *Grundwasser und Bodenfeuchtigkeit.* Die hygieinische Bedeutung, welche dem Wasser im Boden zukommt, wird nach zwei Richtungen zu beachten sein. Einmal ist die Anwesenheit einer bestimmten Wassermenge erforderlich, um überhaupt Zersetzungsvorgänge einzuleiten, sowie die Entwicklung und Vermehrung organisierter Gebilde zu ermöglichen, und zweitens vermag das Wasser direkt als Transportmittel zu dienen, welches Keime und schädliche Stoffe auf weite Strecken seitlich oder in die Tiefe des Bodens verbreitet.

Den vom Vf. mitgeteilten Versuchen zufolge hat man *drei* ungleichwertige Gebiete oder Schichten hinsichtlich der *Feuchtigkeit* im Boden zu unterscheiden:

1. Die Verdunstungszone. Es ist dies die oberste Strecke, welche, abhängig von den Witterungsverhältnissen, den gröfsten Schwankungen im Wassergehalte ausgesetzt ist. Hier können die Zustände von fast gänzlicher Trockenheit bis völliger Sättigung der Bodenkapillaren wechseln. Diese Zone hat hygieinisch um so gröfsere Bedeutung, als sie den von oben her erfolgenden Verunreinigungen, der direkten Invasion von pathogenen Pilzen, teilweise wie den niedrigsten Temperaturgraden am meisten ausgesetzt ist. Sie ist der Raum, in dem nach vorhergehender andauernder Trockenheit der Regen eines halben oder selbst eines ganzen Jahres aufgefangen und festgehalten werden kann, so dafs kein Tropfen in die unteren Schichten abfliefst.

2. Die Durchgangszone. Vf. bezeichnet damit die mittlere Bodenstrecke, in welcher Wasserverdunstung nicht mehr zur Geltung kommt, da die obere Verdunstungszone einen hinreichenden Wasservorrat birgt. Diese Durchgangszone hat einen konstanten und reichlichen Wassergehalt entsprechend der Gröfse der Bodenkapillaren. Das Wasser hier stagniert vollkommen im Boden, solange nicht von oben aus ein Zuflufs erfolgt. Derselbe ändert aber nur vorübergehend den Wasserreichtum dieser Strecke, insofern das eindringende Wasser die Kapillaren je nach ihrer Gröfse rascher oder langsamer passiert, und sich nach dem Abfliefsen wieder der vorher vorhandene Wassergehalt einstellt. Um den unteren Schichten Wasser zu spenden, mufs diese Zone vorher in einen völlig mit Wasser gesättigten Zustand versetzt sein, erst dann fliefst der Überschufs weiter. Die absoluten Wassermengen können hier, je nach der Mächtigkeit der Bodenschicht, höchst ansehnliche Werte erreichen, welche den Niederschlägen mehrerer Jahre entsprechen.

3. Die Zone des kapillaren Grundwasserstandes. Dieselbe hebt von der Fläche des Grundwassers an und macht den Boden in dem Grade wasserreich, als die Gröfse der Zwischenräume ein höheres oder geringeres Ansteigen des Wassers bedingt. In einem grobkörnigen Boden wird diese Zone nur wenige Dezimeter, in feinkörnigem 1 und 2 m betragen können.

Die Beziehungen zwischen Grundwasserstand und Bodendurchfeuchtung lassen sich nach den Versuchen des Vfs. gleichfalls näher präzisieren.

Grundwasserschwankungen können von *seitlichen Zuflüssen* abhängig sein und sind dann selbstverständlich nur insoweit ein Maafsstab der lokalen Bodendurchfeuchtung, als sie die dritte Zone der kapillaren Grundwassererhebung betrachten. Beobachtet man, dafs an einem Orte, welcher von seitlichen Zuflüssen nicht beeinflufst wird, der *Grundwasserspiegel stillsteht oder fällt,* so ist nur *der* Rückschlufs zulässig, dafs kein Wasser mehr von oben her zufliefst, und dafs die Durchgangszone die Konstante ihres Wassergehaltes erreicht hat, und das Niedersinken von Wasser aufhört. Diese Konstante kann in einem Kubikmeter Erde (d. i. bei 1 qm Grundfläche und 1 m Bodenschicht) absolut mehr Wasser betragen, als die während eines Jahres in den Boden eindringenden Niederschläge darstellen. Der Stillstand oder das Sinken des Grundwassers gewährt also für diese *mittleren* Bodenschichten keinen oder nur einen unwesentlichen ٫ Maafsstab der Trockenheit, indem die in der Zeiteinheit durchsickernde Wassermenge nur einen kleinen Bruchteil des schon vorhandenen Wassers ausmacht.

Das Fallen des Grundwassers weist vor allem darauf hin, dafs die obersten Schichten kein Wasser mehr an die mittleren und unteren abgeben, dafs also bereits oben Wassermangel herrscht. Je weitgehender die Austrocknung in der oberen Verdunstungszone des Bodens fortgeschritten ist, desto andauernder und tiefer wird das Grundwasser fallen müssen, indem nunmehr selbst reichliche Regen in der ersten Strecke festgehalten werden, und das Grundwasser noch so lange weiterfällt, bis das obere ausgetrocknete Wasserbassin im Boden wieder gefüllt ist. Erst wenn dies durch reichliche Niederschläge geschehen ist, beginnt der Abflufs des Wassers von der Oberfläche des Bodens zum Grundwasser. Von lokalen Bedingungen, wie von der Höhe der Erdschicht, durch welche das Wasser zu filtrieren hat, von der leichteren Durchlässigkeit des Bodens, in dem eine Abwärtsbewegung bald vollendet ist, u. dgl. m. hängt es ab, in welcher Frist das Steigen des Grundwassers wieder beginnt, und wie lange es nachhält. Es ist verständlich, weshalb gleiche Regenmengen nicht gleiche Grundwasserbewegungen hervorrufen können.

Die *lokalen Grundwasserschwankungen*, d. h. jene, welche nur durch lokales Eindringen von Niederschlägen unter Ausschlufs der zeitlichen Zuflüsse bewirkt werden, *geben somit vorzugsweise einen Maafsstab für die vorhergehenden Durchfeuchtungszustände der obersten Bodenschichten.*

Das *Sinken des Grundwassers* sagt, dafs nicht nur der Abflufs aus den obersten Schichten aufgehört hat, und die Verdunstung hier überwiegt, sondern *dafs auch alle auf die Oberfläche gebrachten, organisierten wie nicht organisierten Verunreinigungen hier verbleiben, und selbst starke Regen nur eine oberflächliche Benetzung hervorbringen, ohne die Stoffe tiefer nach dem Grundwasser zu führen.*

Mag das Grundwasser z. B. 5 m oder 15 m unter der Oberfläche stehen, oder infolge von andauernd nassen oder trockenen Jahrgängen einen durchschnittlich hohen oder tiefen Stand besitzen, so geben die örtlichen Schwankungen ein zutreffendes Bild über die vorausgegangenen Durchfeuchtungszustände der obersten Bodenschichten, während gleichzeitig in den mittleren Zonen eine für jede Korngröfse des Bodens nahezu konstante Durchfeuchtung vorhanden ist und von Schicht zu Schicht andere Werte besitzt, wie die Wertbestimmungen im natürlichen Boden beweisen. (Arch. f. Hygieine **1**. 273—304.) P.

Nikanorow, *Beitrag zur Pharmakologie der Lithionsalze*. (St. Petersb. Med. Wochenschrift **8**. 415. 5. Januar.) P.

Sigismund Lustgarten, Über *ein neues Quecksilberpräparat*. Vf. berichtet über die chemischen und therapeutischen Eigenschaften des von ihm dargestellten *Hydrargyrum tannicum oxydulatum*. Dasselbe stellt ein ca. 50 p. c. quecksilberhaltiges dunkelgrünes, geruch- und geschmackloses Pulver dar, das unzersetzt nicht löslich ist, von verdünnter Salzsäure nicht wesentlich angegriffen, wohl aber unter Ausscheidung von Quecksilber durch verdünnte Alkalien zersetzt wird. Vf. konnte eine rasche Aufnahme des Quecksilbers aus diesem Präparate in den Kreislauf nachweisen: 24 Stunden nach der Eingabe desselben war im Harn Quecksilber nachzuweisen. (Wien. Med. Wochenschr. **34**. 72. 5. Januar.) P.

Oscar Griswald, *Krystallisiertes Elaterin*. 1. Das krystallisierte Elaterin ist der einzig wirksame Bestandteil der Springgurke (Momordica Elaterium). — 2. Die Krystallform bietet die zuverlässigste Garantie für die Wirksamkeit des Präparates dar. — 3. Die Normaldosis für Erwachsene ist ein Zehntel Gran. (Vortrag in der New-York. Academy of Medicin. D. Amer. Apoth. Ztg. **4**. 604.) P.

A. B. Lyons, *Jambu Assu*. Jambu Assu ist der Name für eine Pflanze — aller Wahrscheinlichkeit nach ein Strauch —, welche in Brasilien indigen ist. Aus der dem zur Untersuchung eingesandten Muster beiliegenden Beschreibung ging hervor, dafs alle Teile der Pflanze medizinisch verwendet werden. Man giebt sie als Stimulans bei Fiebern und als Antisepticum etc.

Vf. giebt zuerst eine *botanische* Beschreibung der Pflanze.

Zur *chemischen* Prüfung wurde eine Portion der Drogue, bestehend aus einer Mischung von Stengeln und Wurzeln verwandt. Der Aschengehalt beträgt 2,78 p. c.; 41,4 p. c. der Gesamtasche besteht aus Kieselsäure, nahezu 2,50 p. c. aus Eisen. — Das mittels Petroleumbenzin erhaltene Extrakt gab deutliche Alkaloid- und Gerbsäurereaktionen. Der ätherische und alkoholische Auszug besafs den charakteristischen Geruch der Drogue, deren medizinische Wirksamkeit in einem weichen Harze zu suchen ist. Die alkoholische

Lösung enthielt eine ziemliche Menge eines Alkaloids, das leicht mit Schwefelsäure eine krystallisierbare Verbindung eingeht.

Benzin extrahierte 2,80 p. c., bestehend aus:

ätherischem Öl (bei 110° getrocknet)	0,55	p. c.
in Wasser löslichem (Alkaloid)	0,45	„
Harz etc., löslich in Alkohol	1,55	„
fettem Öl, Wachs etc.	0,25	„

Der Ätherauszug (2,75 p. c.) enthielt:

flüchtige Bestandteile (bei 110° C)	0,35	p. c.
in Wasser Lösliches	0,05	„
Harze, in Alkohol löslich	1,70	„
Fett und Wachs	0,65	„

Alkohol löste 6,10 p. c., nämlich:

anorganische Stoffe	0,50	p. c.
in Wasser schwer Lösliches	0,60	„
in Wasser Lösliches	3,00	„
saure Harzsubstanz	0,94	„
neutrale Harzsubstanz	0,74	„
Rückstand, in absolutem Alkohol und Wasser unlöslich	0,31	p. c.

Der wässerige Auszug enthielt 1,25 p. c. Asche. Weder Stärke noch Zucker konnten in der Drogue aufgefunden werden. Der mit Petroleumbenzin, sowie Alkohol erhaltene Extrakt enthielt einen krystallinischen Körper in reichlicher Menge. Die Krystalle sind in kochendem Wasser schwer löslich, leichter aber in Schwefelkohlenstoff und besonders in Chloroform; sie sind geschmacklos, reagieren neutral, unlöslich in Säuren, etwas mehr löslich in alkalischen Flüssigkeiten. Man kann sie aus Alkohol oder Petroleumbenzin umkrystallisieren. Die Lösung des Alkaloids, welches mittels Alkohol der Drogue entzogen wird, besitzt einen charakteristischen bitteren Geschmack. Ferner wurde eine in Wasser lösliche Säure, die in kleinen rhombischen Tafeln krystallisiert, aufgefunden; sie zeigt viel Ähnlichkeit mit Harnsäure. Der brennende Geschmack der Drogue rührt von einem Bestandteile des Ölharzes her. Das ätherische Öl und das weiche Harz, welche die medizinischen Wirkungen besitzt, stehen in innigem Zusammenhange. Vf. setzt seine Untersuchungen fort. (Therapeut. Gazette 1883. 449; D. Amer. Apoth.-Ztg. 4. 609—610. Detroit.)   P.

J. Biel, *Zur Untersuchung des Ferrum hydrogenio reductum.* Vf. vergleicht die von der deutschen Pharmakopöe vorgeschriebene Prüfungsmethode mit der von ihm im Jahre 1878 (Pharm. Ztschr. f. Rufsl. **17.** 620) publizierten, welche beide Titrieren mit Kaliumpermanganat anwenden. Die vom Vf. angegebene Methode basiert auf der Kalkulation, dafs in dem noch nicht völlig reduzierten Eisen nur die Verbindung Fe$_3$O$_4$ vorhanden sein kann. Diese Verbindung enthält 72,4 p. c. Eisen und 27,6 p. c. Sauerstoff. Man wägt also 0,56 g des zu untersuchenden Präparates ab (Atomgewicht des Eisens = 56), löst in 20 ccm verdünnter Schwefelsäure, wobei konstatiert werden mufs, dafs nichts Unlösliches vorhanden, und dafs das entwickelte Gas frei von Schwefelwasserstoff ist. In die Lösung bringt man einige linsen- bis erbsengrofse Stückchen reinen Zinks, schliefst den Kölbchen mit einem Bunsen'schen Kautschukventil und reduziert auf diese Weise die Oxydverbindungen. Die Lösung wird mit ausgekochtem destillierten Wasser etwas Schwefelsäure auf 100 ccm verdünnt und ein aliquoter Teil mit einem Zehntel Normalchamäleon titriert. Die auf 100 ccm der Lösung verbrauchte Anzahl Cubikzentimeter Chamäleon entspricht genau dem Prozentgehalt an metallischem Eisen im ganzen. Subtrahiert man von dieser Zahl obiger Formel gemäfs 72,4 und dividiert den Rest mit 0,276, so erhält man eine Zahl, die den gesuchten Gehalt des Präparates an reduziertem metallischen Eisen repräsentiert.

Die nach der Deutschen Pharmakopöe gewonnenen Zahlen sind um ein geringes höher, als die nach der Methode des Vfs. erhaltenen. Dagegen ist die erstere Methode etwas umständlicher und führt leicht zu Verlusten, wenn der Verschlufs des Stöpselglases kein ganz besonders guter ist. (Pharm. Ztsch. f. Rufsland, **23.** 1—4. 1. Januar. St. Petersburg.   P.

6. Mineralogische und geologische Chemie.

J. Blaas, Über *Roemerit, Botryogen und natürlichen Magnesia-Eisenvitriol.* (Monatsh. f. Chem. **4.** 833—849.)

Edward Divers und **Tetsukichi Shimidzu,** Über *den roten Schwefel (Tellurschwefel) von Japan.* Seit lange kennt man in Japan ein von dem gewöhnlichen Schwefel verschiedenes Vorkommen von dunkelorangeroter Farbe unter dem Namen seki-rin-seki (gediegener roter Schwefel). Er ist dem Selenschwefel von den liparischen Inseln (STRO-MEYER) von Neapel (PHIPSON) und Hawaii (DANA) verwandt, unterscheidet sich aber von diesem in der Zusammensetzung. Eine Analyse ergab folgende Resultate: 0,17 Tellur, 0,06 Selen, 0,01 Arsen, Spur Molybdän und erdige Substanzen, 99,76 Schwefel, durch Differenz bestimmt. Wird der Tellurschwefel mit Schwefelkohlenstoff behandelt, so bleibt das Arsen als Sulfid zurück. Der Tellurschwefel scheint sich in allen vulkanischen Schwefelablagerungen Japans zu finden. Der mit dem roten Schwefel zusammen vorkommende gelbe Schwefel enthält mitunter ebenfalls Spuren von Tellur und Selen. (Chem. N. **48.** 284. 21. Dez. 1883.)

C. Rammelsberg, Über *den Cuprodescloizit, ein neues Vanadinerz aus Mexiko.* Vor einigen Jahren (Berl. Akad. 22. Juli 1880) berichtete Vf. über Vanadinerze der Gegend von Cordoba in Argentinien, woselbst neben dem Vanadinit der bis dahin so seltene Descloizit vorkommt, dessen Form zwar von DES CLOIZEAUX bestimmt war, von dessen Zusammensetzung jedoch die Analyse DAMOUR's ein ganz unrichtiges Bild geliefert hatte. Er zeigte, dafs dieses Mineral ein wasserhaltiges Viertelvanadat von Blei und Zink ist, und erklärte hierdurch die Isomorphie des Descloizits mit den analog zusammengesetzten Phosphaten und Arseniaten des Kupfers, dem Libethenit und Olivenit.

Mexico, dasjenige Land, welches das erste Vanadinerz, den von WÖHLER als solchen erkannten Vanadinit von Zimapan geliefert hat, ist zugleich der Fundort eines dem Descloizit sehr nahe stehenden Erzes, welches der Vf. durch SCHUCHARDT erhielt. Es stammt von S. Luis Potosi und wurde für Vanadinit gehalten. Es bildet schwärzliche, an der Oberfläche undeutlich krystallinische, nierenförmige, flachgewölbte, im Innern stänglige Massen, welche ein braunes Pulver geben, und ist von Kalkspat begleitet. Sein sp. G. ist 5,856. Es schmilzt leicht und löst sich in Salpetersäure mit grüner Farbe auf. Die Untersuchung zeigte, dafs es ein chlorfreies Vanadat von Blei, Zink und Kupfer ist und beim Schmelzen Wasser verliert. Kleine Mengen Phosphor- und Arsensäure sind aufserdem vorhanden. Bei der Analyse wurde das Blei als Sulfat bestimmt, das Kupfer (und Arsen) durch Schwefelwasserstoff gefällt und die Vanadinsäure mit kohlensaurem Natron geschmolzen. Beim Ausziehen mit Wasser blieb Zinkcarbonat zurück. Der geringe Phosphorgehalt ergab sich nach Abscheidung des Vanadins als $AmVO_3$ durch zugefügte Magnesiamischung. Die analytischen Resultate führen zu der Formel:

	1.	2.		At.	
Phosphorsäure . .		0,17	= P	0,07	0,24
Arsensäure		0,28	= As	0,18	0,24
Vanadinsäure . . .		22,47	= V	12,64	24,6
Bleioxyd	53,49	54,57	= Pb	50,66	24,5
Zinkoxyd	12,50	12,75	= Zn	11,67	18,0
Kupferoxyd . . .	8,00	8,26	= Cu	6,60	10,4
Wasser	2,52	2,52	=		13,5
		101,02			

Atomverhältnis $V(P, As) : R : H_2O$
= 24,6 : 52,9 : 13,5
= 1 : 2,1 : 0,5
= 2 : 4 : 1.

Das neue Erz ist mithin, ganz analog dem Descloizit, *wasserhaltiges Viertelvanadat,* $R_4V_2O_9 + aq = \begin{cases} R_3V_2O_9 \\ RH_2O_3 \end{cases}$, und unterscheidet sich von demselben nur dadurch, dafs drei Achtel des Zinks durch Kupfer ersetzt sind. Unter der Annahme 8 Pb : 5 Zn : 3 Cu giebt die Rechnung: 22,63 Vanadinsäure, 55,22 Bleioxyd, 12,54 Zinkoxyd, 7,38 Kupferoxyd, 2,23 Wasser. Man könnte das Mineral als *Cuprodescloizit* bezeichnen. Die drei Metalle sind auch in dem Tritochorit von FRENZEL enthalten, der indessen wasserfrei und nach der Analyse ein Drittelvanadat $R_3V_2O_8$ ist. Sein Fundort ist nicht bekannt. Blei und Kupfervanadate sind der Mottramit, der Psittacinit und ein Erz von Laurium, von denen der erste unsicher ist, während die beiden letzten Drittelvanadate zu sein scheinen. (Sitz.-Ber. d. K. Pr. Akad. d. Wissensch. 1883. [29.*] Nov. Berlin.)

Walter Hoffmann, *Die neueren Ansichten über die Feldspatgruppe.* (Humboldt, 2. 451—54. Dezember, Leipzig.) P.

Alex. Gorgeu, Über *die künstliche Darstellung des Spessartins oder Mangangranats.* Wenn man ein Gemenge von Manganchlorür und Thon in einem Platintiegel auf Kirschrotglut erhitzt und darauf einen mit Wasserdampf gesättigten Wasserstoffstrom einwirken läfst, so erhält man nach einer halben Stunde eine geschmolzene rosarote Masse, welche anfser überschüssigem Chlorid ein krystallisiertes Aluminiummangansilikat und Mangansilikate enthält. Das Doppelsilikat scheint mit dem Spessartin identisch zu sein. Die Krystalle wurden in Längen von $^1/_2 - ^3/_{100}$ mm erhalten. Sie sind hellgelb, in Salzsäure unlöslich, schmelzen zu einem braunen bis lebhaft roten Email und besitzen überhaupt die Eigenschaften des Mangangranats; spez. Gew. 4,05 bei 11°; die natürlichen Krystalle variieren zwischen 3,80 und 4,30, Härte 6—7, die des natürlichen 7. (C. r. 97. 1303—5.)

F. Witting, *Das Borkalklager von Maricunga und Pedernal (Chile).* Vf. fand in Proben des Boronatrocalcit von Maricunga aus den südlichen Lagern im Durchschnitt 30 p. c. Feuchtigkeit und 24—25 p. c. anhydrische Borsäure (an der Sonne getrocknetes Mineral), aus dem Norden aus einer Tiefe:

von 1 m 24,54 B_4O_3 17 NaCl und 43,2 H_2O
  „ 2 „ 18,93 „ 24,2 „ 49,6 „
  „ 3 „ Salzwasser.

Frei am Rande der Lagune von Maricunga finden sich bis zu 5 kg schwere Stücke Borkalk, welche durchschnittlich 22 p. c. B_4O_3 halten; drei Schritt vom Rande derselben steht ein mächtiges Borkalklager unter einer vierzölligen Erdschicht. Der Gehalt hier genommener Muster war:

4 Zoll tief 22,31 B_4O_3, 14,2 NaCl
1 „ „ 19,90 „ 20,6 „ (mit Erde verunreinigt).

Das Borkalklager von Pedernal ist noch gröfser als das von Maricunga, der Borkalk aber einige Prozent ärmer, als der Maricungas.

Aufser dem Boronatrocalcit gewinnt man in Maricunga noch Schwefel, der sich in reicher Menge im Cerro del azufre befindet. Der Rohstoff ist in schwefelsauren Kalk eingesprengt und hat durchschnittlich 55—58 p. c. Schwefel am Schwefel. Auf dem Cerro de Torre, 15 000 Fufs hoch, wird dann noch Salpeter gewonnen, das Lager ist nicht grofs, ca. 3—4000 tons, der Salpeter aber von einer ganz vorzüglichen Reinheit. Vf. liefert noch nachfolgende Analysen:

1. Analysen von Boronatrocalciten von Maricunga:

Wasser	24,06 p. c.	25,20 p. c.	30,63 p. c.
Unlöslicher Rückstand	2,96 „	2,39 „	3,10 „
Kieselsäure	0,15 „	—	— „
Lösliche Kieselsäure	—	—	0,32 „
Eisenoxyd und Thonerde	0,26 „	0,19 „	0,21 „
Chlornatrium	2,88 „	2,92 „	16,34 „
Kalk	20,57 „	21,78 „	14,32 „
Magnesia	0,03 „	0,05 „	—
Schwefelsäure	17,67 „	19,73 „	9,65 „
Natron	4,78 „	3,57 „	3,93 „
Borsäure	26,04 „	24,17 „	21,5 „
	Ausgewaschen und stark getrocknet.		Nicht ausgewaschen, an der Luft getrocknet.

2. Analyse des Wassers vom Flüfschen Rio ensalado in Pedernal 32,8 p. c. Chlornatrium, 7,92 p. c. Natriumsulfat und 0,21 p. c. Calciumsulfat. Auf Vf's Vorschlag ist eine Schwefelsäurefabrik von der in Valparaiso gegründeten Compania esplodatora del Borato de cal gebaut worden, in der die Pyrite aus der Mine Alpacarosa (mit 35 p. c. Schwefel, ca. 5 p. c. Kupfer) und der in Maricunga gefundene Schwefel und sehr reine Salpeter verarbeitet werden. In Caldera werden täglich 2000 kg Schwefelsäure (66° B.) fabriziert, die dann direkt in dem Borsäureetablissement zum Aufschliefsen des Boronatrocalcits verbraucht werden. Der Borkalk wird in Rollergängen gemahlen, auf seinen Gehalt an Borsäure untersucht und in grofsen Kochkesseln, die mit Rührwerken versehen sind, mit der nötigen Menge Schwefelsäure und Wasser mit direktem Dampf gekocht. Mittels Deckzentrifugen wird die aus den Laugen auskrystallisierende Borsäure

dann zur Trockne gebracht. Bei glattem Betriebe werden pro Tag 5—6 tons 90—92 prozentige Borsäure zum Versand gebracht. Die Caldera-Borsäure besteht aus 4,12 p. c. Chlornatrium, 2,05 p. c. Natriumsulfat, 0,64 p. c. Unlösl. Rückst. 2,76 p. c. Feuchtigkeit und 90,43 p. c. kryst. Borsäure.

Die Compania wird bald eine reinere und bessere Borsäure, als die toskanische ist, auf den Markt gelangen lassen, da es nicht schwierig ist, der aus Borkalk gewonnenen Säure bei Anwendung einiger Vorsicht einen hohen Grad von Reinheit zu verschaffen. (Chem. Ind. 333—35. November 1883.) P.

A. Theegarten, *Untersuchung des Wassers der Schwefelquelle der Stadtbäder zu Saphia und Bemerkungen über einige Mineralquellen Bulgariens.* Die Quelle liegt im Zentrum der Stadt Saphia, ihre Temperatur ist im Sommer nicht über 40° und im Winter nicht unter 39° C. Spez. Gewicht 1,00022 bei 26° C. Das Wasser ist vollkommen durchsichtig und farblos, von schwach alkalischer Reaktion und schwachen Schwefelwasserstoffgeruch. Geschmack etwas alkalisch, nicht unangenehm. Die Analyse ergab in 1000 g folgende Zusammensetzung:

Chlorkalium	0,00324	Kohlensaurer Kalk	0,00536
Chlornatrium	0,0118	Kieselsäure	0,042
Chlormagnesium	0,00161	Kohlensaures Natron	0,12579
Brommagnesium	0,00103	Gebundene Kohlensäure	0,05457
Schwefelsaures Natron	0,06722	Freie Kohlensäure	0,066
Schwefelsaurer Kalk	0,00513	Schwefelwasserstoff	0,0289

(Pharm. Ztschr. f. Rufsl. **22.** 818—822. Ende Dez. 1883).

E. A. Van der Burg, *Untersuchung der Asche vom Ausbruch des Krakatoa, gefallen bei Batavia während der Katastrophe.* Der Vf. erhielt von G. VAN DEN BERG, Pharmazeut zu Batavia, 15 g Asche, welche dieser am 27. August zwischen 12 und 2 Uhr mittags bei Molenvliet gesammelt hatte. Die Einsendung war von der Bemerkung begleitet, dafs die Dunkelheit an dem Mittag des betreffenden Tages so stark war, dafs Lampen angebrannt werden mufsten. Die Temperatur sank auf 23° C., was in Batavia aufserordentlich selten vorkommt, indem sie dort zu dieser Stunde in der Regel 30° und mehr beträgt. Die Asche war grau, äufserst fein, geruchlos, knirschte zwischen den Zähnen und wurde von dem Magnet nicht merklich angezogen. In Wasser angerührt, senkte sie sich rasch, und ihre wässerige Lösung zeigte eine neutrale Reaktion. Unter der Lupe konnte man leicht farblose und schwarze Krystallfragmente unterscheiden. Durch ein Metallsieb mit 1200 Öffnungen auf den Quadratzentimeter wurden 30 p. c. zurückgehalten. Der Rückstand bestand aus gröfseren grauen Körnern, welche man soviel als möglich durch vorsichtiges Schlemmen mit Wasser trennte, welches ungefähr noch 7 p. c. davon entfernte. Im ganzen erhielt man 77 p. c. feines Pulver und 23 p. c. gröbere Körner. Mit Hilfe der Lupe und einer feinen Pinzette konnte man abscheiden:

1. Kleine, helle, durchsichtige, farblose, nichtmagnetische Krystalle. Sie wurden sowohl mikroskopisch, als auch durch ihr Verhalten im polarisierten Licht und endlich auch chemisch für reiner Quarz erkannt.

2. Kleine, helle, durchsichtige, farblose Krystalle mit dunklem Kern; sie wurden vom Magnet angezogen und enthielten Eisen.

3. Farblose, opake, rauh anzufühlende und gleichfalls magnetische Körner, welche ein feines Pulver gaben, in dem man gleichfalls die Gegenwart von Eisen nachweisen konnte.

4. Graue Partikel, leichter als Wasser, nicht magnetisch. Sie gleichen sehr dem Bimsstein.

5. Graue Partikel, schwerer als Wasser, ähnlich dem Feldspat, und zwar dem Sanidin.

6. Schwarze, sehr magnetische Krystallfragmente, welche sehr viel Eisen enthielten (Magneteisenoxyd?).

7. Fragmente von einer weniger dunklen Farbe, als die vorhergehenden, mehr braun und nicht magnetisch (Augit?).

Das spez. Gewicht der Asche im ganzen betrug 2,356 bei 14°.

Die Asche bestand aus Kieselsäure, Thonerde, Eisenoxyd, Kalk, Magnesia, Kali und Natron, Chlor, Schwefelsäure, Phosphorsäure und Wasser. Es konnte darin auch Mangan nachgewiesen werden, denn nach dem Schmelzen mit Kalium- und Natriumcarbonat zeigte die erkaltete Masse nach der Abkühlung eine blaugrüne Färbung, und nach dem Kochen mit Salpetersäure unter Zusatz von Bleisuperoxyd färbte sich die Flüssigkeit violett. Der Vf. kann nicht mit Bestimmtheit die Gegenwart von Titansäure behaupten. Die Prüfung auf Ammoniak, Fluor, Borsäure, Schwefel und Schwefelmetalle, Salpetersäure, salpetrige Säure, Kupfer und andere schwere Metalle als die bereits genannten (von einigen Chemikern in den vulkanischen Aschen aufgefunden, von anderen angenommen) ergab nur negative

Resultate. Mit Hilfe des Spektroskopes konnte mit Sicherheit nur Natrium und Calcium nachgewiesen werden. Wurde die Asche in einer trockenen Röhre erhitzt, so bildete sich ein blaues, sehr schwaches Sublimat, während sich die Asche selbst dunkel färbte. Dabei entwickelten sich sauer reagierende Dämpfe von stark reizendem Geruch, welche mit Ammoniak Nebel bildeten. Durch heifses Wasser wurden 2 p. c., durch heifse Salzsäure von 1,19 spez. Gewicht 8,42 p. c. gelöst. Die neutrale, wässerige Lösung enthielt in 100 Tln.: 0,586 Chlor, 0,118 Schwefelsäure, 0,299 Kalk. Die gelbe salzsaure Lösung enthielt in 100 Tln.: 3,456 Eisenoxyd (manganhaltig), 1,832 Thonerde, 0,821 Kalk, 0,289 Magnesia, 0,155 Kali, 0,208 Natron, 0,489 Schwefelsäureanhydrid, 0,434 Kieselsäure, 0,150 Phosphorsäureanhydrid.

Bei der quantitativen Analyse wurde folgender Gang eingeschlagen. Die Phosphorsäure wurde durch Fällen mit Ammoniummolybdat und Umwandlung des Niederschlages in Magnesiumpyrophosphat bestimmt. Zu diesem Zweck wurde ein besonderer Versuch gemacht, indem man zuerst mit Natrium- und Kaliumcarbonat schmolz, die Schmelze mit Salpetersäure ansäuerte, zur Trockne verdampfte und wieder in salpetersäurehaltigem Wasser löste. Die in Salzsäure unlöslichen Anteile der Asche wurden mit Kalium- und Natriumcarbonat geschmolzen, um vollständig analysiert werden zu können. Das Natron wurde nicht bestimmt, sondern aus dem Verlust berechnet. Es ergab sich hierbei folgende Zusammensetzung: 68,180 Kieselsäure, 12,200 Thonerde, 8,260 Eisenoxyd, 1,504 Kalk, 0,483 Magnesia, Summe der in Salzsäure unlöslichen Bestandteile 90,627.

Unter Hinzufügung der oben angegebenen Mengen erhält man für die Zusammensetzung der ganzen Asche:

Kieselsäureanhydrid	68,614	Kali	0,155
Thonerde	14,032	Chlor	0,586
Eisenoxyd (manganhaltig)	11,716	Schwefelsäureanhydrid	0,489
Kalk	2,325	Phosphorsäureanhydrid	0,150
Magnesia	0,772	Wasser	0,930
Natron	0,208	Verlust	0,023

Eine besondere Prüfung ergab, dafs das Chlor durch Auswaschen mit Wasser vollständig entfernt werden kann, nicht aber die Schwefelsäure und der Kalk, wie sich aus den quantitativen Analysen der in Wasser und Salzsäure löslichen Anteile ergeben hat.

Um besser die Übereinstimmung und die Verschiedenheit mit anderen vulkanischen Aschen beurteilen zu können, hat der Vf. in der Tabelle auf S. 150—51 die Zusammensetzung einiger solcher Aschen zusammengestellt, welche ebenfalls dem indischen Archipel angehören.

Aus dieser Vergleichung folgt zuerst, dafs trotz vollkommener Übereinstimmung in der qualitativen Zusammensetzung der verschiedenen Aschen die quantitative Zusammensetzung doch sehr beträchtlich differiert. Die beiden Analysen der Aschen des Berges Goentoer aus den Jahren 1843 und 1844 zeigen deutlich, dafs derselbe Fall sich bei den Eruptionsprodukten desselben Vulkans zu verschiedenen Zeiten wiederholen kann. In dem einen Falle besafs die Asche das spez. Gewicht 1,7, in dem anderen 2,857.

Wenn man erwägt, dafs die Asche des Krakatoa, wie die physikalische Untersuchung gezeigt hat, aus Partikeln von sehr verschiedenem spez. Gewicht und in sehr verschiedenen Mengen besteht, so kann man wohl annehmen, dafs die Asche derselben Eruption in verschiedenen Distanzen gesammelt, ebenfalls mehr oder weniger grofse Verschiedenheiten in ihrer Zusammensetzung zeigen wird. Je gröfser die Entfernung von dem Eruptionsorte ist, desto geringer wird der Gehalt an schwereren und gröfseren Körnern sein. Was die von dem Vf. analysierte Asche betrifft, so giebt dieselbe noch Veranlassung zu folgenden Bemerkungen.

1. Die Asche ist sehr reich an Kieselsäureanhydrid und enthält relativ wenig Thonerde und Kalk.

2. Sie enthält eine beträchtliche Menge in Wasser löslicher Salze, unter welchen die Chloride den ersten Platz einnehmen. Dieser Umstand, sowie der Gehalt an Kali und Phosphorsäure rechtfertigen die Annahme, dafs die Asche recht wohl als Düngemittel benutzt werden könnte, wenn sie mit Erde gemischt wird.

3. Die Menge der in Salzsäure löslichen Bestandteile ist verhältnismäfsig gering, wenigstens wenn man dieselbe mit anderen vulkanischen Aschen vergleicht. Die in Salzsäure löslichen Bestandteile sind für das Wachstum der Pflanzen erst in späterer Zeit von Bedeutung, wenn nämlich durch den Einflufs der Atmosphärilien die nötige Zersetzung und Umwandlung vor sich gegangen sein wird.

4. Die Asche enthält Mangan und Magneteisenoxyd, welches man vergeblich unter den übrigen in der Tabelle angeführten Aschen sucht.

Bestandteile	Asche des Krakatoa, gesamm. b. Batavia, analysiert von E. A. VAN DER BURG	Asche des Vulkans Kloet oder Kelvet analysiert von VAN DER BOON MESCH (a)	Asche des Vulkans Kelvet, analysiert von BLEEKRODE (b)	Asche des Berges Raoe, analysiert von BLEEKRODE (c)	Asche des Ternate, analysiert von BLEEKRODE (d)
Kieselsäure	68,614	59,682	51,545	51,453	33,270
Thonerde	14,032		23,415	22,705	43,924
Eisenoxyd	11,716 [1]		13,755	14,205	12,710
Kalk	2,325		5,625	7,641	5,966
Magnesia	0,772		1,613	1,126	0,802
Natron	0,208		2,029 [2]	1,020	0,900
Kali	0,155		0,859	0,469	0,106
Chlor	0,586				0,158
Schwefelsäureanhydrid	0,489				0,745
Phosphorsäureanhydrid	0,150				
Wasser	0,930		0,927	0,520	0,934
Verlust	0,023			0,095	0,485
	100,000				100,000
Löslich in Wasser	2,000		0,232	0,766	1,682
			100,000	100,000	
Löslich in Salzsäure	8,42			20,407	14,548
Spezifisches Gewicht	2,356 bei 14°	2,4477	nicht	3,291 bei 27°	2,815 bei 27°
Datum der Eruption	27. Aug. 1883	4. Jan. 1864?	angegeben	2. Juli 1864	Febr. 1864

5. Als mineralogische Bestandteile enthält sie höchst wahrscheinlich Quartz, Feldspat (Sanidin), Bimsstein, Magneteisenoxyd und Augit.

[1] Manganhaltig.
[2] Diese Zahlen sind durch Differenz bestimmt, bezeichnen also Natron und Verlust.
a Verslagen en Mededeelingen der Koninklijke Academie van Wetenschappen 1866. p. 317.
b Natuurkundig Tijdschrift voor Nederlandsch Indië 1865 p. 159.
c ” ” ” ” 1865 „ 154.
d ” ” ” ” 1865 „ 290.

7. Analytische Chemie.

H. **Schällibaum**, Über *ein Verfahren mikroskopischer Schnitte auf dem Objektträger zu fixieren und daselbst zu färben.* Ein Teil Collodium wird je nach seiner Konsistenz mit 3—4 Raumteilen Nelken- oder Lavendelöl gut durchgeschüttelt. Die klare Lösung wird beim Gebrauch mit einem dünnen Schicht auf den Objektträger gestrichen. Auf dieser Schicht, die bei gewöhnlicher Temperatur lange flüssig bleibt und gut klebt, werden nun die Schnitte glatt ausgebreitet. Der Objektträger kommt nun auf ein Wasserbad, und das Öl wird bei gelinder Wärme abgedunstet. Nach 5—10 Minuten sind die Schnitte derart fixiert, daß man sie tagelang mit Terpentinöl, Chloroform, Alkohol oder Wasser behandeln kann, ohne daß sie sich ablösen, dann wird gefärbt, wozu am besten dünne Färbemittel nur für kurze Zeit in Anwendung kommen. Auf diese Weise lassen sich Schnitte aus den verschiedenen Einbettungsmassen fixieren und dann beliebig in Harz oder Glycerin einschliefsen. Um die zu starke Diffusion beim Übertragen von Alkohol in Wasser zu mildern, empfiehlt Vf. die feuchte Kammer. — Zeigen sich etwa nach dem Färben zwischen den Schnitten Trübungen, so führe man, um dieselben zu beseitigen, nach Entwässerung einen mit Nelkenöl befeuchteten Pinsel mehrmals zwischen den Schnitten durch. Auch ein mehrmaliges abwechselndes Übergiefsen mit absolutem Alkohol und Terpentinöl bei schwacher Erwärmung führt zum Ziel. (Arch. f. mikrosk. Anat. **2**. 4. Heft; Fortschr. d. Med. **2**. 49. Strafsburg.)   P.

Asche des Ternate, analysiert von ROBT V. TONNINGEN (e)	Asche d. Lamongan, analysiert von VAN GORKOM (f)	Asche, gesamm. bei Aroebaja (Insel Madoera), analys. von VAN GORKOM (g)	Asche d.Taboeknu (Insel Sangi), analys. von ROBT VON TONNINGEN (h)	Asche des Berges Merapi, analys. von ROBT V. TONNINGEN (i)	Asche des Berges Goentoer, analysiert von MAIER (k)	Asche des Berges Goentoer, analysiert von MAIER (l)
31,6655	44,373	49,348	50,398	43,125	51,7667	34,2293
46,4760	15,584	17,625	27,490	32,900	25,7667	37,4961
14,6800	29,940	22,607	12,948	10,738	13,6667	18,1779
4,7743	8,400	7,803	5,349	7,392	7,4369	6,7157
0,5305	0,666	0,385	0,875	2,230	0,9424	0,6830
0,3800 ?	0,853 ?	0,569 ?	0,124 ?	1,137 ?	0,0611 ?	0,7330 ?
0,2060			0,556	0,089	0,0203	0,0494
0,2955	Spuren	Spuren	0,662	1,097	0,0172	0,1715
0,9925	0,154	0,339	1,598	1,292	0,3220	0,2570
100,000			100,000	100,000	100,000	
1,602	0,184	0,063	3,215	1,421	0,3	1,743
2,753 bei 29°	1,6394	1,5722	2,834 b. 28,5°	2,801 bei 30°	2,857	1,7
30. Apr. 1850	28.Febr.1859	1859	März 1856	6. Sept. 1846	25. Nov. 1844	4. Jan. 1843

(Recueil des Trav. Chim. des Pays-Bas 2. 296—303. Dez. [Nov.] 1883. Leiden.)

e Natuurkundig Tijdschrift voor Nederlandsch Indië 1851 p. 275.
f „   „   „   „   1859—60 p. 252.
g „   „   „   „   1859—60 „ 252.
h „   „   „   „   1856—57 „ 471.
i „   „   „   „   1851   „ 464.
k „   „   „   „   1851   „ 466.
l „   „   „   „   1859—60 „ 252.

Robert Otto und **Wilhelm Reuss**, *Darstellung von arsenfreiem Schwefelwasserstoff für gerichtlich-chemische Untersuchungen.* (Arch. Pharm. [3] **21.** 919—32. Ende Dez. 1883.)

J. Skalweit, *Indigotin zur Salpetersäurebestimmung im Wasser und sein Verhalten zu Oxydationsmitteln.* Aus den Versuchen geht hervor, daß Indigotin bei großer Verdünnung und genauer Einhaltung derselben Verhältnisse auf Wasserstoffsuperoxyd, salpetrige Säure und Salpetersäure im Verhältnis des in den Verbindungen vorhandenen disponiblen Sauerstoffs wirkt. (Rep. anal. Chem. **3.** 1—5. 1. Jan. Hannover.)

A. Levin, *Anwendung der Borsäure in der Alkalimetrie mit Hämatoxylin als Indikator.* Der Vf. verwirft die von GUYARD (S. 14) empfohlene Anwendung der Borsäure zu alkalimetrischen Bestimmungen und weist bezüglich des Hämatoxylins als Indikator darauf hin, daß dieses allerdings, wie längst bekannt ist, dazu sehr geeignet ist, nur nicht für Borsäure. (Rep. anal. Chem. **4.** 5—6.)

J. W. Gunning, *'Beiträge zur hygieinischen Untersuchung des Wassers.* Die chemische Untersuchungsmethode, welche Vf. anwendet, beruht darauf, daß möglichst säurefreies Eisenchlorid in einer Menge dem Wasser zugesetzt, daß auf das Liter Wasser ungefähr 5 mg Eisen kommen, nach einiger Zeit als Eisenoxydhydrat abscheidet, wobei Ammoniak, salpetrige und Salpetersäure in Lösung verbleiben, wohingegen andere stickstoffhaltige Bestandteile mit niedergerissen werden. Beim Erhitzen des Eisenhydrat-Niederschlages mit Natronkalk (oder für sich) entwickelt sich alsdann aus den organischen stickstoffhaltigen Stoffen Ammoniak. Trübes Wasser wird durch diese Behandlung mit Eisenchlorid zugleich vollkommen geklärt, gelbes Moorwasser entfärbt.

Man kann sich mittels des angegebenen Verfahrens leicht überzeugen, daſs die Quell-
und die Grundwässer — wenn sie vollkommen klar sind — keinen anderen Stickstoff, als
in der Form von NH_3, N_2O_3 und N_2O_5 enthalten, während Fluſswässer und die öffentlichen Wasser, die von suspendierten Überresten von Abfallstoffen trübe sind, durch
Eisenoxydhydrat fällbare Stickstoffsubstanzen enthalten. Letzteres ist auch der Fall,
wenn die Wässer durch Sand filtriert sind.

Die Klärung des Wassers mit Eisenchlorid wird sehr oft in den Niederlanden zur Verbesserung von Trinkwässern benutzt. Auch hat die auf die obige Art gewonnene Unterscheidung zwischen Wässern, welche ein stickstoffhaltiges und solche, welche ein stickstofffreies
Eisenoxydhydrat bei der Behandlung mit Eisenchlorid liefern, eine nicht unwichtige
hygieinische Bedeutung. Bekanntlich hat das Wasser bedeutender Flüsse in deren Mündungen oft einen schädlichen Einfluſs auf die Gesundheit einzelner Personen, die es als
Trinkwasser gebrauchen. Es ist z. B. in Holland allgemein bekannt, daſs in Rotterdam
und Dordrecht nach dem Genusse von Maaswasser Personen, die daran nicht gewöhnt
sind, sehr leicht Durchfall bekommen, und es giebt selbst Leute, die sich daran gar nicht
gewöhnen können. Diese Eigenschaft wird dem Maaswasser durch die Klärung mit Eisenchlorid genommen. Im Jahre 1873 bei Gelegenheit der Cholera-Epidemie hat Dr. Th. v.
Doesburg in Rotterdam eine Anstalt errichtet, in welcher das Maaswasser in gröſserem
Maſstabe mit Eisenchlorid geklärt und dem Publikum zur Verfügung gestellt wurde.
Der sich aufhäufende Eisenoxydhydratrückstand geriet bald in heftig stinkende Gährung; er enthielt 32,7 p. c. organische Stoffe mit 1,2 p. c. Stickstoff. So vollständig
werden die gährungsfähigen Bestandteile aus dem Maaswasser abgeschieden, daſs es im
geklärten Zustande bei Bruttemperatur längere Zeit aufbewahrt werden kann, ohne die
Klarheit im geringsten einzubüſsen oder sich sonst irgendwie zu ändern.

Für die *bakteriologische* Untersuchung des Wassers bleibt die Hauptsache die Züchtung oder Wiederbelebung der vorhandenen Keime oder Dauerformen mittels der Reinkulturen. Vf. bedient sich eines festen Nährbodens, wie ihn Rob. Koch anwendet, sondern eines flüssigen Nährmediums. Er füllt eigens für die Züchtungen konstruierte Glasapparate mit sterilisierter, klar filtrierter Hefeabkochung und mischt diese mit
dem zu untersuchenden Wasser. Um die Reinkulturen zu erhalten, resp. die zur Entwicklung
gelangten Keime voneinander zu trennen, verfährt er so, daſs die mit dem Untersuchungsmaterial infizierte Nährflüssigkeit durch Erwärmung auf eine bestimmte Temperatur partiell sterilisiert wird. Dadurch werden gewisse Bakterienarten entweder getötet oder bis
zur Unwirksamkeit abgeschwächt, während andere von ihrer Lebensfähigkeit nichts ein-
gebüſst haben und daher zur Entwicklung gelangen. Selbstverständlich muſs man bei
einer methodischen Untersuchung mit niedrigeren Temperaturen beginnen und mit höheren
endigen. Man kann auch mit Beibehaltung des Prinzips der partiellen Sterilisierung die
Verhältnisse modifizieren, sowohl was die Nährflüssigkeiten, als auch die zu wählenden
Temperaturen anbetrifft.

Vf. liefert in seiner Abhandlung Abbildungen einzelner, bei seinen Versuchen nach
der eben beschriebenen Methode erhaltenen Mikroorganismen. (Arch. f. Hygieine I. 335
—351. Juli. Amsterdam.)　　　　　　　　　　　　　　　　　　　　　P.

E. Schulze, *Einige Bemerkungen über die Anwendbarkeit der Schlösing'schen Ammoniakbestimmungsmethode auf Pflanzenextrakte.* E. Bosshard hat (**83.** 627) gezeigt, daſs
die Schlösing'sche Ammoniakbestimmungsmethode im Gegenwart von Glutamin und
Asparagin ungenaue Resultate giebt. In bezug auf letzteren Fall macht der Vf. noch
einige Bemerkungen. Das Asparagin widersteht allerdings der Einwirkung kalter Kalkmilch nicht völlig, allein die Zersetzung verläuft in der Kälte sehr langsam und beginnt,
erst nach etwa 48 Stunden bemerklich zu werden. Wenn man deshalb in einem aspargin-
haltigen Pflanzenextrakt eine Ammoniakbestimmung nach Schlösing's Methode ausführt
und die über das Extrakt gestellte Säure schon nach 48 Stunden zurücktitriert, so wird
der Fehler nur ein sehr kleiner sein. Dazu kommt allerdings noch eine andere Fehlerquelle, welche darin besteht, daſs in Extrakten wahrscheinlich nach 48 Stunden noch
nicht alles Ammoniak durch Kalkmilch völlig ausgetrieben ist. (Ztschr. anal. Chem. **23.**
13—16.)

Max Gruber, *Zur Titrierung der Chloride im Hundeharn nach Volhard.* Da es
mitunter bei dem Verfahren nach E. Salkowsky (Chem. Centrbl. 1881. 203) vorkommt,
daſs den Harn durch Kochen mit Salpetersäure, behufs Zerstörung des darin befindlichen
schwefelhaltigen Körpers, sich so dunkelrotbraun färbt, daſs der Eintritt der Endreaktion
nur undeutlich zu erkennen ist, verfährt Vf. folgendermaſsen: zu 10 ccm Harn (bei sehr
chlorarmem Harn mehr), der aufs Dreifache mit Wasser verdünnt wird, setzt
man 5 ccm verdünnte Schwefelsäure (1 : 20), einige Stückchen granuliertes Zink und
erwärmt die Mischung auf 40—50 °C. eine Viertel- bis eine halbe Stunde lang unter
öfterem Umschütteln. Nunmehr ist der schwefelhaltige Körper zerstört. Man gieſst die

vom ausgeschiedenen Schwefel getrübte Flüssigkeit, ohne zu filtrieren, von überschüssigem Zink ab ins Meßkölbchen, spült mit Wasser nach und verfährt nach den Angaben SALKOWSKY's für Menschenharn. (Ztschr. f. Biol. **19.** 569—70. München.)   P.

Paul Julius, Über *das Verhalten von Chlor-, Brom- und Jodsilber gegen Brom und Jod.* 1. Einwirkung von Brom auf Jodsilber. Durch den in Fig. 1 veranschaulichten

Apparat wurde von *b* her ein Strom trockner Bromdämpfe geleitet. Die Luft passierte zuerst das Brom enthaltende HOFMANN'sche Kölbchen *a* und dann die Röhre *c*, welche am anderen Ende verjüngt und nach unten umgebogen ist. Dieses Ende taucht in Kali- oder Natronlauge, welche in

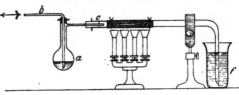

Fig. 1.

dem Glas *f* enthalten ist. In das Rohr *c* wurde Jodsilber und ein Gemenge von Jod- und Bromsilber gebracht und der bromhaltige Luftstrom zehn Minuten lang darüber geleitet. Es zeigte sich, daß das Jod durch das Brom vollständig ausgetrieben war.

Einwirkung von Brom auf Chlorsilber. Bei 120° im Luftbad getrocknetes Chlorsilber wurde in derselben Weise mit Bromdämpfen behandelt, wobei es sich zeigte, daß nach ein- bis zweistündiger Behandlung alles Chlorsilber in Bromsilber umgewandelt worden war.

Einwirkung von Jod auf Chlor- und Bromsilber. Zu diesen Versuchen diente eine Kugelröhre (Fig. 2.) In der Kugel *b* befindet sich das durch einen Gasbrenner erwärmte Jod, in einem Porzellan-schiffchen *c* ist die Substanz enthalten; von *a* her tritt ein mit Joddämpfen gesättigter Luftstrom, wirkt auf das Chlorsilber ein und sublimiert in *d*. Ist alles Jod aus *b* vertrieben, so

Fig. 2.

dreht man die Röhre um, verschließt das Ende *e* mit einem durchbohrten Kork, leitet unter gleichzeitigem Erhitzen von *d* einen Luftstrom von dieser Seite her ein, und nachdem alles Jod zurücksublimiert ist, wird das Schiffchen aus der Röhre herausgenommen. Vier Versuche ergaben das unerwartete Resultat, daß auch durch Jod unter denselben Umständen alles Chlor und Brom aus ihren Silberverbindungen ausgetrieben werden; freilich ist dazu eine etwas längere Zeit nötig, nämlich im ersten sechs bis zehn, im zweiten Fall drei bis vier Stunden. (Zeitschr. analyt. Chemie. **22.** 523—525.)

F. Maxwell Lyte, *Bestimmung von Chlor, Brom und Jod nebeneinander.* Die Halogene werden zusammen durch Silber gefällt und der Niederschlag getrocknet und gewogen. Hierauf wird derselbe in seiner 30—40fachen Menge Wasser unter Zusatz von so wenig als möglich Cyankalium gelöst und die Lösung mit nicht mehr Bromkalium, als das Gewicht des Niederschlags betrug, versetzt. Hierauf zersetzt man durch Zusatz von Schwefelsäure das Cyanid und erhält einen Niederschlag, in welchem alles Chlorsilber in Bromsilber umgewandelt ist. Dieser wird abermals abfiltriert, getrocknet und gewogen. Endlich löst man denselben abermals in so wenig als möglich Cyankalium unter Zusatz derselben Menge Wasser wie vorher, fügt ein Viertel des ursprünglichen Gewichts Jodkalium hinzu und zersetzt die Lösung wieder durch Schwefelsäure. In dem hierdurch entstandenen Niederschlag ist alles Silber in Jodsilber übergeführt, mit Ausnahme von demjenigen, welches bereits vorhanden war. Hierdurch erhält man drei Zahlen, aus denen man den Gehalt des Niederschlages an Chlor, Brom und Jod berechnen kann. (Chem. N. **49.** 3. Cotford 4. Jan.)

Rube, *Zur Bestimmung des Stickstoffs.* Der Vf. bestätigt auf Grund von mehr als 3000 Analysen, daß die RUFFLE'sche Methode der Stickstoffbestimmung, wenn man sich genau an die von diesem gegebene Vorschrift hält, genaue Resultate giebt. Die Bestimmung nach KJELDAHL gelingt ebenfalls recht gut. Nur kann Vf. eine Zeitersparnis nach dieser Methode nicht erkennen, wohl aber wird sich dieselbe empfehlen durch die geringen Kosten, welche sie verursacht. (Ztschr. anal. Chem. **23.** 43—44. Ende Dez. [12. Okt.] 1883. Hamburg.)

Karl Mohr, *Beiträge zur Azotometrie.* Um nach der von SCHLÖSING, GRANDEAU

u. a. empfohlenen Reduktionsmethode der Salpetersäure zu Stickoxyd und Messung durch das Zurücksteigen des Gases in den Zersetzungskolben nicht gestört zu werden, hat MÜNTZ empfohlen, einen Strom Kohlensäure durch die Lösung zu leiten und in der Bürette, welche zur Aufsaugung des Gases dient, die Kohlensäure durch ein kleines Volumen einer konzentrierten Ätznatronlösung absorbieren zu lassen. Der Vf. fand, dafs in diesem Falle sich leicht an der Bürettenwand Krystalle von Natriumcarbonat ansetzen, welche das Ablesen erschweren, ja unmöglich machen. Er empfiehlt, das Gas weder über Quecksilber, noch über Wasser, sondern über mittelstarke Ätznatronlauge von 1,2—1,25 spezifischem Gewicht aufzufangen, wodurch jener Übelstand vermieden wird.

Als Azotometer für Ammonsalze und Düngermischungen sind verschiedene von mehr oder minder komplizierter Konstruktion zur Anwendung gekommen, worunter namentlich der von KNOP mit Wasserkühlung in gröfseren Laboratorien Verbreitung gefunden hat. Für kleinere und besonders für Privatlaboratorien wäre es wünschenswert, ein einfacheres Instrument zu besitzen, welches jeder sich leicht herstellen kann. Ein solches hat Vf. konstruiert, und glaubt mit der Veröffentlichung anderen Chemikern nützlich zu sein. Von dem zu untersuchenden Ammonsalz wird, wenn es annähernd rein ist, eine zweiprozentige Lösung hergestellt; von Düngermischungen werden 5 oder 10 g auf 100 ccm genommen. Mit dieser Lösung wird eine graduierte Pipette von 10 ccm Inhalt, an deren unterem Teil sich ein kleiner Glashahn mit Ausflufsspitze befindet, angefüllt. Eine 150 ccm haltende Zersetzungsflasche erhält 50 ccm einer Lösung von Brom in Ätznatron; die Flasche wird mit einem doppelt durchbohrten Kautschukstopfen verschlossen und durch die eine Öffnung die eben benannte Pipette eingefügt, durch die andere eine als Abzugsröhre dienende Glasröhre gesteckt. Letztere wird durch eine Hand lange Kautschukröhre mit der oben beschriebenen Glasbürette mit Hahn und Wasserfüllung in Verbindung gesetzt. Das Einfügen eines Kautschukrohres ist aus dem Grunde nötig, weil man nach der Zersetzung die Flasche schütteln mufs, um das absorbierte Stickstoffgas zu entwickeln. Nach Montierung der Gasbürette und Einstellen der Pipette öffnet man vorsichtig den Hahn und läfst tropfenweise bis auf 10 ccm auslaufen. Die Gasentwicklung erfolgt ganz ruhig und auch ohne merkliche Erwärmung. Nach Ablauf der 10 ccm Ammonlösung schüttelt man reichlich. Alles andere ist bekannt. (Zeitschr. analyt. Chem. **23**. 26—28. Ende Dez. 1883.)

G. **Lunge**, Über die *Einwirkung von Natron, Kalk und Magnesia auf die Salze des Ammoniaks und organischer Amine, sowie über die Titrierung von Anilin*. Diese Reaktion hat ein doppeltes Interesse, nämlich in analytischer und in technischer Beziehung — in ersterer, weil es noch immer nicht entschieden ist, welche jener drei Basen sich am besten zum Freimachen des Ammoniaks bei der Analyse eignet. Der Vf. hat zur Entscheidung der Frage Versuche angestellt und ist dabei zu·folgenden Resultaten gekommen.

1. Kalk, Magnesia und Natronlauge im Überschusse treiben alles Ammoniak aus Salmiak gut gleich aus. Jedoch darf der Zeitraum der Destillation nicht erheblich unter drei Stunden bleiben, sonst treibt auch Kalk oder Natron nicht die entsprechende Menge Ammoniak aus. Es ist also bei reinem Salmiak für die Analyse ganz gleichgültig, welche der drei fixen Basen man anwendet; am einfachsten und reinlichsten ist die Arbeit mit Natron.

2. Bei Gegenwart von fetten Aminen (Äthylamin) oder aromatischen Aminen (Anilin) werden diese unter genau den gleichen Umständen wie Ammoniak in Freiheit gesetzt, d. h. bei Überschufs der fixen Base und dreistündiger Destillation werden alle flüchtigen Basen übergetrieben, gleichviel ob man Natron, Kalk oder Magnesia angewendet hat. Die Anwendung von Magnesia gewährt also nicht den mindesten Vorteil in der Beziehung, dafs dabei etwa nur das Ammoniak allein bestimmt würde. Es ist kaum anzunehmen, dafs anders verhalten sollten (für Chinolin zeigten Nebenversuche ein mit dem Anilin übereinkommendes Resultat), und liegt also gar kein Grund dafür vor, die Natronlauge oder den Kalk in der Analyse durch Magnesia zu ersetzen.

3. Kalk und Natron treiben bei dreistündiger Destillation mit überschüssigem Salmiak ihr volles Äquivalent an Ammoniak aus, Magnesia dagegen bei drei- bis fünfstündiger Destillation nur etwa 85 p. c. der theoretischen Menge von Ammoniak (vielleicht infolge der Bildung eines nicht leicht durch Salmiak zerlegbaren basischen Chlormagnesiums). Man mufs also von Magnesia stets einen Überschufs anwenden, während bei Natron oder Kalk dies nicht nötig ist. Dieses Verhalten kommt natürlich nur für technische Zwecke in Betracht.

Titrierung von aromatischen Aminen. Bekanntlich wird Lackmustinktur von Anilin und seinen Homologen nicht verändert, durch Anilinsalze aber gerötet, und es sind Vf. keine Versuche bekannt, diese Basen mit anderen Indikatoren zu titrieren. Im geraden Gegenteile hat MENTSCHUTKIN (Ber. Chem. Ges. **16**. 315) gezeigt, dafs in den *Salzen* des

Anilins, sowohl in wässeriger, als in alkoholischer Lösung, die Säure durch Kali, Natron, Baryt und Ammoniak bei Anwendung von Phenolphtalein als Indikator genau titriert werden kann, als ob gar kein Anilin vorhanden wäre. Ganz anders aber verhält es sich, wie Vf. gefunden hat, wenn man Methylorange als Indikator anwendet. Für dieses sind Anilinsalze neutral, und das Anilin selbst zeigt die Reaktion der Basen. Ganz ebenso verhalten sich Ortho- und Paratoluidin, Xylidin, Meta- und Paraphenylendiamin und gewiſs viele andere aromatische Amine.

Vf. hat viele Versuche mit diesen Körpern angestellt, in der Hoffnung, durch Titrieren von wasserfreien Anilinölen des Handels in diesen den relativen Gehalt von Anilin und Toluidinen nachweisen zu können, unter Benutzung der Verschiedenheiten in den Molekulargewichten. Dies wäre eine höchst willkommene Ergänzung zu der gewöhnlichen Prüfung durch fraktionierte Destillation und, wenn die Endreaktion scharf genug ist, entschieden der letzteren weit vorzuziehen. Freilich muſs man bedenken, daſs eine geringe Differenz in der verbrauchten Normalsäure (1 ccm = 0,093 g Anilin oder = 0,107 g Toluidin) schon auf grofse Differenzen im Verhältnisse der Amine führen muſs. Mithin ist hier nur eine Titrierung brauchbar, welche ganz scharfe Resultate liefert, und solche erlangt man leider mit Methylorange nicht. Reines Anilin zeigt z. B. in wässeriger Lösung den Farbenübergang in Orange mit ganz schwach rötlichem Stiche bei 90 bis 92 p. c., denjenigen in entschiedenes Rosa bei 92 bis 94 p. c. der der Theorie nach nötigen Säuremenge. Dasselbe Resultat wird erhalten, wenn man zur Lösung ein wenig (etwa 25 p. c.) Alkohol dem Wasser beimengt; bei mehr Alkohol werden die Übergänge ganz unsicher, und bei Anwendung von lauter Alkohol zur Lösung tritt gar keine Veränderung des Orange in Rot selbst bei grofsem Säureüberschusse ein.

Ganz ähnliche Resultate, wie Anilin, gab Orthotoluidin. doch war der Farbenübergang hier noch allmählicher; bei Paratoluidin dagegen (aufgelöst in 25 p. c. Alkohol) war der Farbenübergang sehr scharf, und das Resultat zeigte 97 bis 99 p. c. der Theorie an. Diese Versuche zeigen, daſs man wohl sehr kleine Mengen von Anilin neben Ammoniak noch genügend genau mittels Methylorange wird titrieren können, wie es in obigen Versuchen Nr. 25 bis 31 geschah, daſs aber an eine quantitative Unterscheidung von Anilin und Toluidin u. dgl. auf diesem Wege nicht zu denken ist. Chinolin zeigt ziemlich scharfen Übergang und die genauesten Resultate. Vf. behält sich vor, weitere Versuche mit anderen Indikatoren in dieser Richtung anzustellen. (Pol. Journ. 251. 36—41.)

H. Beckurts, Zur Prüfung des Ferrum reductum und Ferrum pulveratum auf Arsen und Schwefel nach Vorschrift der Pharmakopöe. Das beim Auflösen von Ferrum reductum und Ferrum pulveratum in verdünnter Salzsäure sich entwickelnde Gas soll nach Vorschrift der Pharmacopoea Germanica Ed. altera ein mit konzentrierter Silbernitratlösung (1 = 2) befeuchtetes Papier weder gelb noch braun färben, wodurch, wie bislang allgemein angenommen, die Abwesenheit von Arsenwasserstoff und Schwefelwasserstoff bewiesen werden soll.

Seitdem POLECK und THÜMMEL (Ber. Chem. Ges. 16. 2435) die Tatsache festgestellt haben, daſs Schwefelwasserstoff auf das Silberpapier ganz ähnlich einwirkt, wie Arsenwasserstoff, d. h. auf demselben einen gelben, schwarz geränderten Fleck hervorbringt, bedarf die Bedeutung der Prüfungsweise der Pharmakopöe einer Berichtigung. Zunächst ist hervorzuheben, daſs, sobald wir uns an den Text der Pharmakopöe halten, kleine Mengen von Schwefel übersehen werden, da mehr Schwefel als mit der 50 prozentigen Silbernitratlösung befeuchteten Papieres nur durch gröfsere Mengen Schwefelwasserstoff hervorgerufen wird, und geringere Mengen nur eine gelbe Färbung bewirken.

Ferner darf ein bei Ausführung der Prüfungsmethode auf dem Silberpapier entstehender gelber Fleck nur dann als von Arsenwasserstoff herrührend angesehen werden, wenn derselbe beim Benetzen mit Wasser sofort schwarz wird, die da durch Schwefelwasserstoff bewirkte gelbe Färbung beim Benetzen mit Wasser erst nach längerer Zeit in Schwarz übergeht. Bleibt die gelbe Färbung auf Zusatz von Wasser bestehen, dann liegt jedenfalls ein Schwefeleisen enthaltendes Präparat vor, das vielleicht auch Arsen enthält; geht die gelbe Farbe momentan in Schwarz über, dann ist das Präparat arsenhaltig, aber die Anwesenheit von Schwefeleisen auch nicht ausgeschlossen.

Im ersten Falle prüft man ein Schwefeleisen enthaltendes Präparat zweckmäſsig in der Weise auf Arsen, daſs man das Wasserstoffgas durch einen in den oberen leeren Teil des Entwicklungsgefäſses geschobenen, mit einer Lösung von essigsaurem Blei getränkten Baumwollenknäuel vom Schwefelwasserstoff befreit, ehe es auf das Silberpapier einwirkt. Ein auf demselben jetzt entstehender gelber, schwarz geränderter Fleck ist zweifelsohne auf die Anwesenheit von Arsenwasserstoff zurückzuführen.

Im zweiten Falle würde sich das beim Auflösen der Präparate entwickelnde, Arsenwasserstoff enthaltende Wasserstoffgas dann als schwefelwasserstoffhaltig erweisen, wenn der mit Bleiessig getränkte Baumwollenknäuel geschwärzt würde. Auch könnte man in diesem Falle das beim Auflösen sich entwickelnde Gas mittels eines mit Bleiessig getränkten Papierstreifens auf einen Gehalt an Schwefelwasserstoff prüfen. Vf. dieser Mitteilung hat neuerdings mehrfach Ferrum reductum und Ferrum pulveratum nach Vorschrift der Pharmakopöe geprüft, dabei eine sofort eintretende Gelbfärbung des Silberpapiers beobachtet, welche auf Zusatz von Wasser nicht sofort schwarz wurde. (Anwesenheit von H_2S). Als das mit Silberlösung befeuchtete Papier nach einiger Zeit erneut wurde, entstand wiederum ein gelber, schwarz geränderter Fleck, der diesmal aber beim Benetzen mit Wasser sich sofort schwärzte. (Anwesenheit von Arsenwasserstoff.) (Pharm. C.-H. **24**, 570.)

Nik. Wolff, Über *die Anwendung eines mit Bromdämpfen geschwängerten Luftstromes zur Fällung des Mangans.* Hierzu dient der in der beistehenden Figur abgebildete Apparat. Die Trennung des Mangans von Eisen wird in den Laboratorien der Eisenhütten in der Regel durch wiederholtes Fällen des Eisens mit essigsaurem Natron nach bekannter Methode ausgeführt. Der aus den vereinigten Filtraten mit Brom ausgefällte Niederschlag ist aber alkalihaltig und kann deshalb nicht ohne weiteres zur Gewichtsbestimmung des Mangans verwendet werden. Ersetzt man jedoch bei der Trennung des Mangans von Eisen die Natronsalze durch die entsprechenden Ammonsalze, so kann man den aus den ammoniakalischen Filtraten mit Brom gefällten Manganniederschlag direkt zur Gewichtsbestimmung des Mangans benutzen. *W* ist ein Durchschnitt der Windleitung, *R* ein Hahn zur Regulierung des Luftstromes. Dieser strömt durch die Waschflasche *B*, welche Bromwasser und darunter eine Schicht von Brom enthält. Der mit Brom geschwängerte Luftstrom geht durch *G* und *H* in den ERLENMEIER'schen Kolben *E*, welcher die sehr stark ammoniakalisch gemachte Manganlösung enthält;

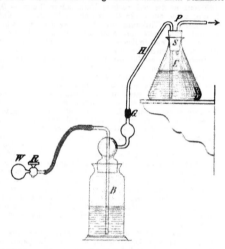

durch *P* gelangen die abströmenden Dämpfe ins Freie. Selbstverständlich kann man auch die Luft, anstatt sie von *R* her durchzublasen, aus *P* mittels eines Aspirators oder einer Wasserluftpumpe hindurchsaugen. Wenn die schwarzbraunen Flocken des Manganniederschlages sich scharf abgeschieden in der Flüssigkeit zeigen und letztere bei durchfallendem Lichte nur noch bräunlich bis gelblich (je nach der Menge des Mangans) erscheint, so ist die Fällung beendigt. Die Flüssigkeit muß nach der Fällung noch ammoniakalisch sein. Man setzt deshalb vorher einen ziemlichen Überschuß von Ammoniak hinzu, dann hat man weder die Bildung von Bromstickstoff, noch eine unvollständige Fällung des Mangans zu befürchten. Nach Beendigung der Fällung wird noch ein Luftstrom durch die Flüssigkeit geleitet. Der Niederschlag wird gut mit kaltem Wasser ausgewaschen, getrocknet, geglüht und dann das Mangan als Mn_3O_4 gewogen. (Ztschr. anal. Chem. **22**. 520—22. Dez. 1883. Dortmund.)

E. B. Schmidt, Über *die Bestimmung des Eisens durch Kaliumdichromat.* Der Vf. empfiehlt diese Methode, doch verwirft er die Reduktion des Eisens durch Zink, da dieses bei der Endreaktion auf Ferricyankalium störend wirkt. Er zieht das KESSLER'sche Reduktionsverfahren durch Zinnchlorür vor. Die Reduktion mit Natriumsulfit ist sehr langwierig. (Chem. N. **48**. 245.)

E. Raimond, *Maßanalytische Bestimmung des Mangans in Eisen. Stahl und Ferromangan.* Von der zu untersuchenden Substanz werden 3 g in 40 ccm Salpetersäure von 1,20 spez. Gewicht unter Erwärmen gelöst, die noch warme Lösung mit 15 g chlorsaurem Kalium und 20 ccm Salpetersäure von 1,40 spez. Gewicht versetzt und eine Viertelstunde lang zur Vertreibung des Chlors gekocht. Das gefällte Mangandioxyd wird auf einem Filter mit heißem Wasser ausgewaschen. Man giebt nun in denselben Fällungskolben, an dessen Wandungen noch etwas Mangandioxyd haftet, 50 ccm einer Lösung von 45 g Eisensulfat in 750 ccm Wasser und 250 ccm Schwefelsäure, setzt den Niederschlag hinzu, worauf sich nach der Gleichung $MnO_2 + 2FeO = MnO + Fe_2O_3$ die entsprechende Menge Ferrisulfat bildet. Die Menge des überschüssigen Eisenoxydules wird durch Titrieren mit übermangansaurem Kalium festgestellt und aus der Differenz das vorhandene Mangan berechnet. Die von dem Mangandioxyd abfiltrierte Flüssigkeit wird zur Bestimmung der Phosphorsäure mit Molybdänsäure gefällt. (Revue universelle **13**. 460.)

George C. Stone, Über *die maßanalytische Bestimmung des Mangans.* (Chem. N. **48**. 273—74. 14. Dez. 1883.)

Gustav Kroupa, *Beitrag zur maßanalytischen Bestimmung des Quecksilbers.* Wenn man das frisch gefällte Quecksilberchlorür mit Schwefelwasserstoffwasser begießt, so findet sogleich eine Wechselzersetzung statt, und es bildet sich Chlorwasserstoffsäure und Quecksilbersulfür. Diese Umsetzung ist aus folgender Gleichung ersichtlich:

$$Hg_2Cl_2 + H_2S = 2HCl + Hg_2S.$$

Nachdem man auf geeignete Art den überschüssigen Schwefelwasserstoff entfernt hat, ermittelt man den Chlorgehalt durch Titrieren mit Silbernitrat nach dem MOHR'schen Verfahren und ermittelt daraus den Quecksilbergehalt der Lösung. (Österr. Ztschr. **31**. 604 bis 605. Ende Nov. 1883.)

Das Quecksilberchlorür kann aber auch durch Alkalien leicht zersetzt werden.

Setzt man (am besten auf einmal) zu dem frisch gefällten Quecksilberchlorür Kalilauge bis zur alkalischen Reaktion, so bildet sich Quecksilberoxydul (Hg_2O) und Chlorkalium. Die Wechselzersetzung geschieht bekanntlich nach folgender Gleichung:

$$Hg_2Cl_2 + K_2O = Hg_2O + 2KCl.$$

Diese Umsetzung dürfte sich auch zur Quecksilberbestimmung gut eignen, worüber sich Vf. weitere Mitteilungen vorbehält. Das hierbei gebildete Quecksilberoxydul muß dann abfiltriert und gut ausgesüßt werden. Im Filtrate wird nach Ansäuern mit verdünnter Schwefelsäure das Chlor mit überschüssiger Silberlösung (von bekanntem Wirkungswerte) ausgefällt und der Überschuß derselben mittels der VOLHARD'schen Methode bestimmt.

Man kann aber, da das Rhodanammonium sich mit dem Chlorsilber teilweise zu Rhodansilber und Chlorammonium umsetzt, die in Lösung gebliebene Silbermenge nicht direkt titrieren, sondern muß nach dem Vorschlage von C. DRECHSLER (Ztschr. analyt. Chem. **17**. 351) die Flüssigkeit, in welcher das Chlorsilber suspendiert ist, auf ein bestimmtes Volum verdünnen, durch ein trocknes Filter gießen und ein gemessenes Volum zur Titrierung benutzen. Die auf diese Art gefundene Silbermenge wird von der zur Ausfällung des Chlors im Überschusse angewandten in Abzug gebracht und aus der Differenz dann der Quecksilbergehalt berechnet.

Ist z. B. die Silbernitratlösung $^1/_{10}$ normal (bis zu 1 l verdünnt), so entspricht 1 ccm derselben 0,0108 g Ag und 0,0200 g Hg.

Multipliziert man die zur Ausfällung des Chlors wirklich verbrauchten Kubikzentimeter der Silberlösung mit 0,02, so bekommt man den Quecksilbergehalt der Einwage, welchen man dann auf Prozente umrechnet. (Österr. Ztschr. **31**. 670—71. Dez. 1883.)

Julius Löwe, Über *die qualitative und quantitative Trennung des Wismutes von Kupfer.* Kupfer und Wismut, wenn sie als Oxyde in einer Lösung vorhanden sind, werden wie der Vf. bereits früher mitgeteilt hat, bei Gegenwart von Glycerin durch Kali- oder Natronlauge gefällt, von einem Überschuß des alkalischen Fällungsmittels aber vollständig wieder gelöst. Diese Lösungen verhalten sich zu einer Lösung von Traubenzucker insofern beide gleich, als die Oxyde durch dieselbe reduziert werden, und zwar das Kupfer unter Ausscheidung von rotem Oxydul, das Wismut hingegen unter Fällung von feinverteiltem, grauem Metallschlamm. Beide Lösungen unterscheiden sich jedoch andererseits von einer Lösung von Traubenzucker dadurch, daß in der Kälte oder bei mittlerer Temperatur das Kupfer in mehreren Stunden in Form von rotem Oxydul vollständig ausgeschieden wird, während die alkalische Wismutlösung in gleicher Zeit gar keine Veränderung erleidet. Dieses Verhalten benutzt der Vf. zur Trennung der beiden Metalle. (Ztschr. anal. Chem. **22**. 495—498. Ende Dez. [Mai] 1883. Frankfurt am Main.)

O. Nasse, *Reaktion auf Pyrogallol.* Versetzt man eine wässerige oder alkoholische Lösung von Gallussäure oder Digallussäure (Tannin) oder Pyrogallol (Pyrogallussäure) mit Jodlösung, so tritt eine schön purpurrote Färbung ein, die jedoch schnell vorübergeht und einem schmutzigen Braun Platz macht. Bedingung für den Eintritt der Reaktion ist die Gegenwart von Salzen, deren Menge jedoch nur sehr gering zu sein braucht: schon der Salzgehalt des Brunnenwassers genügt. Man kann daher auch die Reaktion zum Nachweis von Salz im Wasser benutzen. (Sitz.-Ber. d. Rostocker naturf. Ges.; Med. C.-Bl. **21.** 924.)

Oechsner de Koninck, Über *die Bildung des Doppelsalzes bei der Anderson'schen Reaktion.* Im vorigen Jahre (S. 723) hat der Vf. einige Beobachtungen über die Bildung des Doppelsalzes bei der ANDERSON'schen Reaktion mitgeteilt. Er ergänzt dieselben jetzt durch folgendes.

Im allgemeinen sind die Bedingungen für die Bildung dieses Doppelsalzes schwer zu realisieren. Entweder dauert das Sieden zu lange oder zu kurze Zeit, und man erhält fast immer das Doppelsalz gemischt mit einer gewissen Menge von modifiziertem Salz oder von nicht verändertem Chloroplatinat. Da das Doppelsalz eine wahre Molekularverbindung zwischen diesen beiden Salzen ist, so kann es sich nur dann in reinem Zustand bilden, wenn die Zersetzung des Chlorplatinates eine gewisse Grenze nicht überschritten hat. Aber eben diese Grenze ist sehr schwer einzuhalten.

Wenn man die Geschwindigkeiten vergleicht, mit denen die Chlorplatinate der Pyridinbasen von verschiedener Abstammung durch siedendes Wasser in Doppelsalze verwandelt werden, so zeigen sich dieselben Verschiedenheiten, wie die früher beobachteten (a. a. O.). Dieses Resultat, welches die ersten Beobachtungen des Vf. bestätigt, konnte vorausgesehen werden, denn es besteht eine innige Beziehung zwischen der Bildung des Doppelsalzes und der des völlig veränderten Chloroplatinates. (Bull. Par. **40.** 465—66. 5. Dez. 1883. Paris, Soc. Chim.).

Kleine Mitteilungen.

Verfälschung von Brechweinstein. Die chemische Fabrik auf Aktien (vorm. E. SCHERING) in Berlin macht in einem Zirkular auf die Verfälschungen des Brechweinsteins aufmerksam, dem wir folgendes entnehmen. Die Firma untersuchte vier Proben technischer Antimonpräparate, von einer deutschen Firma stammend, und gelangte zu nachstehenden Resultaten.

Bezeichnung	Gehalt an krystall. Brechweinstein in Proz.	Gehalt an Antimonoxyd in Proz.	Gehalt an Beimischungen in Proz.	Letztere bestehen aus:
1. Brechweinstein in Pulver Nr. 82	75,8	32,3	23,2	23,2 Zinkvitriol
2. Brechweinsteinersatz	33,7	14,3	64,5	59,3 Zinkvitriol, der Rest ist Kaliumsulfat
3. Antimonbeize, normal	57,8	24,6	41,5	41,5 Chlorkalium 33,5 Zinkvitriol, der Rest ist Kaliumsulfat
4. Antimonbeize X	45,7	19,4	53,5	und Chlorkalium
5. Techn. Brechweinstein obiger Fabrik	99—100	43	Keine	

Bekanntlich wird Brechweinstein in der Färberei allen übrigen Antimonsalzen vorgezogen, weil sich seine Lösung unzersetzt verdünnen läfst, ohne dafs ein unlösliches basisches Salz abgeschieden wird. Es kommt also sämtliches im Brechweinstein enthaltene Antimonoxyd — auf welchem allein die Wirksamkeit beruht — zur Ausnutzung. Wertbestimmend im Brechweinstein ist also allein sein Gehalt an Antimonoxyd. Um ein klares Bild davon zu geben, wie ungewöhnlich billig angebotener, d. h. verfälschter Brechweinstein, sowie dessen sogenannter Ersatz — auch Antimonbeize genannt — sich dem wahren Werte nach zu dem eines reellen Brechweinsteines verhält, mit anderen Worten: um zu beweisen, um wieviel „Brechweinsteinersatz", „Antimonbeize" und „gefälschter Brechweinstein" teurer sind als „reeller Brechweinstein", läfst sich folgende kalkulatorische Tabelle aufstellen.

Bezeichnung	Gehalt an krystall. Brechweinstein	Preis pro 100 kg		Das Prozent Brechweinstein kostet demnach		Gehalt an Sb_2O_3	Das Prozent Sb_2O_3 kostet demnach	
		M.	Pf.	M.	Pf.		M.	Pf.
Brechweinstein von **SCHERING**	99—100 p. c.	300		3		43	7	
1. Brechweinstein in Pulver Nr. 82	75,8 p. c.	270		3	56	32,3	8	36
2. Brechweinsteinersatz	33,7 ,,	175		5	19	14,3	12	24
3. Antimonbeize, normal	57,8 ,,	230		4		24,6	9	35
4. Antimonbeize X	45,7 ,,	220		4	80	19,4	11	20

Untersuchte Proben technischer Antimonpräparate aus einer deutschen Fabrik stammend:

Die Unterzeichneten des Zirkulars, Direktoren HOLTZ und FINZELBERG, sprechen mit lebhaftem Bedauern die Befürchtung aus, daß der durch die Prinzipien reeller Fabrikanten höchst mühsam errungene Ruf deutscher Chemikalien durch Lieferung geringwertiger Qualitäten im Auslande stark gefährdet ist. Zu welcher absprechenden Beurteilung der deutschen Gesamtindustrie die Lieferung schlechtere Qualitäten — wenn auch zu billigen Preisen — bereits im Jahre 1876 überall geführt hat, haben wohl die meisten deutschen Industriellen aller Branchen noch in schmerzlicher Erinnerung. Als Beweis dafür, daß gerade die getälschte Qualität des oben besprochenen Präparates das seinige zur ungünstigen Beurteilung der deutschen chemischen Industrie beiträgt, mag der Artikel „Les produits allemands" gelten, welchen der Pariser Moniteur des produits chimiques unterm 10. Dez. v. J. brachte, gelten. In diesem wird bekannt gemacht, daß Herr SULLIOT auf dem Bureau der Syndikatskammer für chemische Produkte Muster in gehöriger Form aus Sendungen deutschen Ursprungs niedergelegt hat, und zwar stammten die letzteren von Etablissements ersten Ranges, welche nicht nur Paris, sondern auch ganz Frankreich mit Prospekten überfluten, in denen sie nahezu 7—800 Artikel zu erstaunlichen Preisen anbieten.

Die analysierten Muster deutschen Ursprunges sind:

1. Ein Muster Brechweinstein, welches an fremden Stoffen 46,7 p. c. enthält.
2. ,, ,, ,, ,, ,, ,, ,, ,, 41,4 ,, ,, .

3. Ein Muster borsaures Manganoxydul, einem Mitglied der Syndikatskammer als chemisch rein fakturiert, 64,8 p. c. fremde Stoffe (Gips) enthaltend.

Dieses sogenannte chemisch reine borsaure Manganoxydul wird zu 170 Fr. pro 100 kg angeboten, obwohl zu 100 kg des Salzes schon für 170 Fr. Borsäure gebraucht werden.

Bestimmungswert des Weizenmehles.

Der Wert des Weizenmehles als Nahrungsmittel hängt von dem Gehalte an Kleber, Zucker, Stärke und phosphorsaurem Kalk ab; der Vorzug dieser Brotfrucht vor allen anderen besteht in der größeren Menge Kleber und phosphorsaurem Kalk, den der Weizen im Vergleiche mit anderen Getreidearten enthält. Die nachstehenden Vorschriften dienen zur annäherungsweisen Bestimmung der genannten Bestandteile des Weizenmehles.

a. Man mache aus 100 g Mehl durch Zugabe von Wasser einen Teig, lasse diesen eine Stunde liegen und knete ihn dann leicht bei fortwährender Erneuerung des Wassers so lange, bis die Stärke ausgewaschen ist. Der zurückgebliebene Teil, der Kleber, wird getrocknet und auf einer dicken Lage Löschpapier bei Seite gelegt.

b. Das hierbei zum Auswaschen der Stärke gebrauchte und jedesmal erneuerte Wasser wird zusammengemischt und bei Seite gestellt, damit sich die Stärke niederschlägt. Ist dies geschehen, so wird das Wasser abgegossen und der Niederschlag auf ein gewogenes Filter gebracht.

c. Man erhitze das von der Stärke abgegossene Wasser zum Sieden und Filtrieren auf einem gewogenen Filter, der feste Teil ist das Eiweiß des Mehles. Das durchfiltrierte Wasser wird bis zur Sirupdicke verdampft, mit dem zehnfachen Gewichte Alkohol versetzt und filtriert, indem das Filter mit etwas Alkohol ausgewaschen werden muß, nachdem die Lösung durchpassiert ist. Die auf dem Filter zurückgebliebene Substanz ist phosphorsaurer Kalk und Gummi. Durch Auflösung in Wasser, Filtration und Verdampfung können beide voneinander getrennt werden, da ersterer unlöslich, letzterer im Wasser löslich ist.

d. Man verdampfe oder destilliere den Alkohol von der Lösung ab; der Rückstand ist Zucker. Der Vorgang ist genau so, wie oben angegeben wurde.

160

e. Die oben erhaltenen Substanzen werden in mäßiger Wärme getrocknet und gewogen. Das Gewicht des Eiweiß kann mit demjenigen des Klebers zusammengefaßt werden, da beide nahezu den gleichen Nährwert besitzen und das Eiweiß eine Art Kleber ist. Da man 100 Gewtle. Mehl genommen hat, sind die erhaltenen Gewichte der einzelnen Bestandteile zugleich auch die Prozentsätze des Gehaltes.

Die Kleberbestimmungen fallen verschieden aus, je nachdem das Mehl frisch oder alt ist, denn die vom Kleber zurückgehaltene Wassermenge ist bei altem Mehle geringer, sie ist ferner geringer bei Mehl aus hartem Korne, bei frisch bereitetem Teige geringer, als bei einige Stunden gestandenem, und geringer nach langem Waschen mit großen Wassermengen, welche einen Kleber überhaupt um 10—20 p. c. leichter machen. Um gröbere Irrtümer bei der Kleberbestimmung zu vermeiden, bereitet man sich einen Teig aus 50 g Mehl mit 20—25 g Wasser und teilt denselben nach 25 Minuten in zwei Hälften, um aus der einen sofort, aus der anderen nach einer Stunde den Kleber auszuscheiden. Derselbe wird einmal stark mit der Hand ausgepreßt, gewogen, sobald das Waschwasser klar abläuft, dann nochmals fünf Minuten mit Wasser gewaschen und wieder gewogen. Man hat so von ein und demselben Mehle vier verschiedene Bestimmungen zu machen, von denen man das Mittel als richtig annimmt. (Österr. Müller-Ztg. 1883 Nr. 37; Pol. Notizbl. **38**. 360.)

Beiträge für das Centralblatt bittet man an die Redaktion (Leipzig, Lessingstr. 5) zu richten. **Originalarbeiten** von nicht zu großem Umfange werden entsprechend honoriert und gelangen stets sofort nach der Einsendung, und zwar in kürzester Frist, zum Abdruck.

Redaktion: Prof. Dr. **Rud. Arendt** in Leipzig.

Verlag von **Leopold Voss** in Hamburg und Leipzig. — Druck von **Metzger & Wittig** in Leipzig.

Chemisches

Wöchentlich eine Nummer von
1–2 Bogen. Der Jahrgang mit
Sach- und Namen-Register,
nebst system. Übersicht.

Central-Blatt.

Der Preis des Jahrgangs
ist 30 Mark. Durch alle
Buchhandlungen und Post-
anstalten zu beziehen.

REPERTORIUM

für reine, pharmazeutische, physiologische und technische Chemie.

Dritte Folge. XV. Jahrgang.

Wochenbericht.

2. Allgemeine Chemie.

E. Pauchon, Über *das Maximum der Löslichkeit des Natriumsulfates.* Die Lösungswärme eines Salzes in Wasser kann nach einer von KIRCHHOFF gegebenen Gleichung berechnet werden. Dieselbe ist von MOUTIER in folgende Form gebracht worden.
Es seien:
Q die Lösungswärme des Salzes, d. h. die Wärmemenge, welche frei wird, wenn man
die Lösung der Gewichtseinheit des Salzes in der geringsten, zur Lösung nötigen Menge
Wasser bewirkt;
L die Verdampfungswärme des Wassers;
Φ das Spannungsmaximum des Wasserdampfes in Millimetern Quecksilber bei der
Temperatur t im Beginn des Versuches;
$\dfrac{d\Phi}{dt}$ der Differentialquotient dieser beiden Elemente;
g die Zahl der Gewichtsteile Salz, welche in 100 Tln. Wasser gelöst sind;
$\dfrac{dg}{dt}$ der Differentialquotient der Löslichkeit;
a und b zwei empirische Koeffizienten, welche von der Spannung des Wasserdampfes
der betreffenden Lösung abhängen.
Bei der Temperatur t ist die Spannung des Dampfes der Lösung, welche n Teile
Salz in 100 Tln. Wasser enthält:

$$\varphi = \Phi\,[1 - n\,(a + b\,\Phi)].$$

Nach KIRCHHOFF besteht zwischen diesen verschiedenen Elementen die Relation:

$$Q = -\frac{100\,L}{1 - g\,(a + b\,\Phi)}\;\frac{\Phi}{\dfrac{d\Phi}{dt}}\left[(a + b\,\Phi)\,\frac{1}{g}\,\frac{dg}{dt} + b\,\frac{d\Phi}{dt}\right].$$

Die positiven Werte von Q entsprechen konsumierten, und die negativen restituierten
Wärmemengen.
Wenden wir nun diese Formel auf Lösungen von Natriumsulfat an.
Ohne uns bei den absoluten Werten von Q aufzuhalten, Werte, welche die Formel
für die zu betrachtenden Temperaturen nicht liefern kann, möge das Zeichen der Wärme-
änderung aufgesucht werden. Giebt man L, Φ und $\dfrac{d\Phi}{dt}$ die durch REGNAULT gefun-
denen, g und $\dfrac{dg}{dt}$ die durch GAY-LUSSAC festgestellten, und endlich a und b diejenigen
Werte, welche Vf. aus seinen eigenen Untersuchungen ableitet, so sieht man, daß bei 33°

XV. 11

der Wert von Q, welcher zuerst positiv ist, mit $\frac{dg}{dt}$ das Zeichen ändert. Hiernach muſs eine Lösung, welche Salz abscheidet, bei Temperaturen unter 33° ($Q > 0$) eine Erwärmung, und bei höheren Temperaturen eine Abkühlung erleiden. Diese theoretische Schluſsfolgerung wird durch den Versuch bestätigt. In der That ist es bekannt, daſs das Salz, welches bei Temperaturen unter 33° auskrystallisiert, wasserhaltig ist, das bei höheren Temperaturen abgeschiedene dagegen wasserfrei. In diesem Falle ist die Lösungswärme negativ bei niederen Temperaturen: die Versuche von BERTHELOT bestätigen dies. Der Vf. hat durch direkte Versuche gezeigt, daſs diese Lösungswärme noch bei 50° negativ ist. Die KIRCHHOFF'sche Formel gestattet also, unter Herbeiziehung anderer thermischer Elemente die Existenz und die Position des Löslichkeitsmaximums für das Natriumsulfat zu bestimmen. (C. r. **97.** 1555—56. [31.*] Dez. 1883.)

A. P. Laurie und **C. J. Burton,** *Die Verbindungswärme der Metalle mit den Halogenen.* Nach W. THOMSON ist in einer Voltazelle die elektromotorische Kraft $E = Je\vartheta$, wo J das mechanische Wärmeäquivalent, e die durch die Stromeinheit in der Zeiteinheit gelöste Zinkmenge, ϑ die Verbindungswärme von einem Gramm des Metalles bezeichnet. Die Vff. haben zur Verifikation dieser Formel ihre Jodidkupfer- und Jodzelle benutzt, und zwar so, daſs sie nach derselben die Bildungswärme der Haloide bestimmten. Die Jodzelle besteht aus einem Kohlen- und Zinkstabe in einer Lösung von Jod in Zinkjodid, die Kupferjodidzelle besteht aus einer Zinkplatte und einer Kupferplatte, eingetaucht in eine Lösung von Zinkjodid. Bei der letzteren ist die Kupferplatte mit einer Schicht von Kupferjodid bedeckt und dann mit Pergamentpapier umhüllt. Die hiernach für die Reaktionen Zn $+$ J$_2$, Cu$_2$ $+$ J$_2$, Ag$_2$ $+$ J$_2$, Pb $+$ J$_2$ und Fe $+$ J$_2$ gefundenen Bildungswärmen stimmen ziemlich mit den anderweitig bestimmten überein. (Proc. Roy. Soc. Edinburgh; Beibl. **7.** 31.)

Luginin, *Bestimmung der Verbrennungswärme einiger Ketone und zweier Äther der Kohlensäure.* Die zu den Untersuchungen benutzten Ketone hat der Vf. selbst dargestellt, gereinigt und analysiert.

a. *Verbrennungswärme des Diäthylketons*, $(C_2H_5)_2$CO. Gefunden im Mittel von drei Versuchen 8569 cal für 1 g verbrannter Substanz, und für 1 Mol. in Grammen 736 934 cal, entsprechend der Gleichung:

$$(C_2H_5)_2CO \text{ flüssig} + 14\,O \text{ Gas} = 5\,CO_2 \text{ Gas} + 5\,H_2O \text{ flüssig.}$$

b. *Dipropylketon*, $(C_3H_7)_2$CO. Gefunden im Mittel von fünf Versuchen 9244,5 cal für 1 g Substanz, also für 1 Mol. in Grammen 1053 873 cal, entsprechend der Gleichung:

$$(C_3H_7)_2CO \text{ flüssig} + 20\,O \text{ Gas} = 7\,CO_2 \text{ Gas} + 7\,H_2O \text{ flüssig.}$$

c. *Diisopropylketon*, $[CH(CH_3)_2]_2$CO. Gefunden im Mittel von vier Versuchen 9172,4 cal für 1 g Substanz, also für 1 Mol. 1 045 654 cal, entsprechend der Gleichung:

$$[CH(CH_3)_2]_2CO \text{ flüssig} + 20\,O \text{ Gas} = 7\,CO_2 \text{ Gas} + 7\,H_2O \text{ flüssig.}$$

d. *Methylhexylketon*, $CH_3.C_6H_{13}.$CO. Gefunden im Mittel von drei Versuchen 9467,1 cal für 1 g Substanz, also für 1 Mol. in Grammen 1 211 789 cal:

$$C_8H_{16}O \text{ flüssig} + 23\,O \text{ Gas} = 8\,CO_2 \text{ Gas} + 8\,H_2O \text{ flüssig.}$$

Es folgt aus diesen Versuchen folgendes: a. die Differenz zwischen der Verbrennungswärme der Isomeren des Dipropylketons und Diisopropylketons 1 053 873 cal — 1 045 654 cal = 8219 cal beträgt ungefähr 0,8 p. c. und überschreitet die Fehlergrenze nicht, wodurch die allgemeine Regel, daſs isomere Körper von gleicher chemischer Funktion die gleiche Verbrennungswärme besitzen, bestätigt wird.

b. Die Differenz zwischen der Verbrennungswärme homologer Dipropylketone und Diäthylketone beträgt 1 053 873—736 954 cal = 316 969 cal für 2 CH$_2$, also für CH$_2$ 158 460 cal; diejenige zwischen dem Methylhexylketon und dem Dipropylketon 1 211 789— 1 053 873 cal = 157 916 cal. Diese Zahlen gleichen den für andere homologe Reihen gefundenen sehr. Der Vf. hat ferner die Verbrennungswärmen von zwei Äthern der Kohlensäure bestimmt.

a. *Methylkohlensäureäther*, $(CH_3O)_2$CO. Gefunden im Mittel 3774,34 cal für 1 g Substanz, also für 1 Mol. in Grammen 339 691 cal, nach der Gleichung:

$$C_3H_6O_3 \text{ flüssig} + 6\,O \text{ Gas} = 3\,CO_2 \text{ Gas} + 3\,H_2O.$$

b. *Äthylkohlensäureäther*, $(C_2H_5O)_2$CO. Gefunden im Mittel von vier Versuchen 5442,8 cal für 1 g Substanz, also für 1 Mol. in Grammen 642 250 cal:

$$C_5H_{10}O_3 \text{ flüssig} + 12\,O \text{ Gas} = 5\,CO_2 \text{ Gas} + 5\,H_2O \text{ flüssig.}$$

Die Differenz zwischen diesen beiden Verbrennungswärmen der homologen Äther beträgt 302 559 cal für 2 CH_2, also 151 280 cal für CH_2. Sie ist also etwas geringer, als bei anderen homologen Reihen.

Vergleicht man die Verbrennungswärme dieser Kohlensäureäther mit denen des Dimethyl-, resp. Diäthylketons, von denen sie sich in ihrer Zusammensetzung nur dadurch unterscheiden, dafs sie zwei Sauerstoffatome mit den betreffenden Alkoholradikalen verbunden haben, so ergiebt sich, dafs durch den Eintritt dieser Sauerstoffatome eine Verminderung der Verbrennungswärme von 424 000 cal (Aceton) auf 339 691 cal (Methylkohlensäureäther) = 84 310 cal für 2 O, also für ein Atom Sauerstoff 42 155 cal stattgefunden hat.

Vergleicht man in derselben Weise die Verbrennungswärmen des Äthylkohlensäureäthers und des Diäthylketons, so findet man eine Verminderung von 736 934 cal (Diäthylketon) auf 642 250 cal (Athylkohlensäureäther) = 94 684 cal für 2 O, also 47 342 cal für 1 O. Diese Zahl ist etwas höher, als die vorhergehende, doch überschreitet die Abweichung auch hier die Fehlergrenze nicht. (C. r. **98**. 94—97. [14.*] Jan.)

Guntz, Über die *Fluoride des Natriums.* Der Vf. hat die Bildungswärme des Fluornatriums und seines Fluorhydrates bestimmt, um dieselbe mit denjenigen der früher studierten Kaliumsalze zu vergleichen. Sie leitet sich aus der Lösungs- und der Neutralisationswärme ab. Die Lösungswärme des Fluornatriums wurde gefunden:

NaFl fest + 200 H_2O_2 = NaFl gelöst . . . — 0,6 cal bei 12°.

Für das Fluorhydrat des Fluorids wurde gefunden:

NaFlHFl + 200 H_2O_2 = NaFlHFl gelöst . . — 6,2 cal bei 12°.

Mit Hilfe dieser Zahlen und der folgenden, von THOMSEN entlehnten Bestimmungen:

NaO (1 Äq. = 2 l) + HFl (1 Äq. = 2 l) = NaFl gelöst . . . +16,3 cal
NaFl (1 Äq. = 2 l) + HFl (1 Äq. = 2 l) = NaFlHFl gelöst . . — 0,3 cal,

kann man die Bildungswärme dieser Verbindungen berechnen:

NaHO₂ fest + HFl Gas = NaFl fest + H_2O_2 fest . . . . . +39,9 cal
NaFl fest + HFl Gas = NaFlHFl fest . . . . +17,1 cal.

Der Vf. erinnert an folgende, durch frühere Messungen bekannte Zahlen:

Für KFl . . . . +38,0 cal
Für KFl,HFl . . . . +21,0 cal.

Vergleicht man die Bildungswärme des Natriumfluorides mit der des Chlorides aus gasförmiger Chlorwasserstoffsäure, so ergiebt sich für letzteres:

NaHO₂ fest + HCl Gas = NaCl fest + H_2O_2 fest . . . . . +43,4 cal.

Wie für die Kalisalze entwickelt die Bildung des Chlorides mehr Wärme, als die des entsprechenden Fluorides, aber das Zeichen der Erscheinung ist bei Gegenwart von überschüssiger Fluorwasserstoffsäure umgekehrt wegen der Bildung von fluorwasserstoffsaurem Fluorid. Vergleicht man ebenso das Natriumfluorid mit dem Sulfat, indem man von flüssiger Fluorwasserstoffsäure ausgeht, so hat man:

NaHO₂ fest + HFl flüssig = NaFl fest + H_2O_2 fest . . . . +32,7 cal
NaHO₂ fest + HSO₄ flüss. = NaSO₄ fest + H_2O_2 fest . . . +35,2 cal.

Ebenso für die Kalisalze:

KHO₂ fest + HFl flüssig = KFl fest + H_2O_2 fest . . . . . +31,0 cal
KHO₂ fest + HSO₄ flüssig = KSO₄ fest + H_2O_2 fest . . . +41,2 cal.

Die Bildungswärme des Fluorids ist immer geringer: die Differenz beträgt 10,2 cal für das Kaliumsalz und nur +2,5 cal für das Natriumsalz.

Man kann in derselben Weise die Fluorhydrate mit den Disulfaten vergleichen, indem die Fluorwasserstoffsäure die Rolle einer zweibasischen Säure spielt, wie die Schwefelsäure. Der Versuch zeigt, dafs die Bildungswärme dieser sauren Natriumsalze fast dieselbe ist, wenn man beide Säuren in flüssigem, also in einem vergleichbaren Zustande anwendet:

NaFl fest + HFl flüssig = NaFlHFl fest . . . . + 9,9 cal
NaSO₄ fest + HSO₄ flüssig = NaHS₂O₈ fest . . . . + 8,5 cal.

Für die entsprechenden Kalisalze erhält man etwas abweichende Werte, welche indessen immer von derselben Größenordnung bleiben:

$$\begin{cases} \text{KFl fest} + \text{HFl flüssig} = \text{KFlHFl fest} & \dots \dots +13{,}8\,\text{cal} \\ \text{KSO}_4 \text{ fest} + \text{HSO}_4 \text{ flüssig} = \text{KHS}_2\text{O}_8 \text{ fest} & \dots \dots + 7{,}9\,\text{cal}. \end{cases}$$

(C. r. **97**. 1588—60. [31.*] Dez. 1883.)

D. Tommasi, Über *die Verbindungswärme der löslichen Fluoride und das Gesetz der thermischen Substitutionskonstanten.* GUNTZ hat neulich (**83**. 583; s. vorstehende Mitt.) die Verbindungswärme einiger Fluoride bestimmt. Die Werte, die er erhielt, sind identisch mit denjenigen, welche man nach den vom Vf. aufgestellten Gesetze der thermischen Substitutionskonstanten berechnen kann, denn für das Fluorkalium wurde gefunden 98,4 cal, es berechnet sich 98,5 cal. Für Fluorammonium 36,2, ber. 35,9 cal; oder wenn man der Bildungswärme des Wassers Rechnung trägt: 70,7, ber. 70,4 cal.

Was die Verbindungswärme der Fluoride des Bariums, Strontiums und Calciums betrifft, so ergiebt sich keine Übereinstimmung der von GUNTZ gefundenen Zahlen mit den berechneten, weil diese Körper unlöslich sind, das von dem Vf. aufgestellte Gesetz aber nur für lösliche Verbindungen gilt. (C. r. **98**. 44—45. [7.*] Jan.)

Berthelot, Über *die Bildungswärme der Fluoride*. Der Vf. spricht sich dahin aus, dafs TOMMASI in der vorstehenden Notiz sich über die Tragweite seiner Gedanken täuscht. Er hat in keiner Beziehung ein Recht zur Reklamation, weil er weder über die Fluoride, noch über die Frage der thermischen Konstanten irgend etwas neues gebracht hat, denn er hat weder Versuche darüber angestellt, noch ist das Gesetz, auf welches er sich bezieht, von ihm aufgestellt worden, sondern seit mehr als 30 Jahren als das Gesetz von ANDREWS und das Gesetz von FAVRE und SILBERMANN bekannt.

Der Vf. führt weiter aus, weshalb das Gesetz gegenwärtig nicht mehr als genau betrachtet werden kann. (C. r. **98**. 61—63. [14.*] Jan.)

3. Anorganische Chemie.

Menges, Über *die Dichte des flüssigen Sauerstoffes.* Um diese zu bestimmen, schlägt der Vf. folgendes Verfahren vor. Die Röhre eines CAILLETET'schen Apparates taucht zum Teil in eine kalte Flüssigkeit; der Rest derselben ist von einer Flüssigkeit von gewöhnlicher Temperatur umgeben. Es sei v das Volum des kondensierten Gases und V das des gasförmigen Teiles, ferner d die Dichte des flüssigen, Q das Gewicht des ganzen Gases, so hat man:

$$Q = vd + Vx \quad \dots \quad \dots \quad \text{(a)}$$

Mit derselben Röhre macht man einen zweiten Versuch, wobei das abgekühlte Stück geringer genommen wird. Durch Senken des Quecksilbers vermindert man die Menge des kondensierten Gases, bis das Volum des gasförmigen Teiles, welches von der kalten Flüssigkeit umgeben ist, die gleiche ist, wie beim ersten Versuche. Beträgt das Gesamtvolum des gasförmigen Teiles jetzt $V + V_1$, und ist v_1 das Volum des flüssigen Teiles, so hat man:

$$Q = v_1 d + Vx + V_1 d_1 \quad \dots \quad \dots \quad \text{(b)}$$

wo d die Dichte des Gases innerhalb der Röhre nahe beim Quecksilber ist. Diese Dichte ist bekannt, weil man den Druck kennt, und die Temperatur ist die der Flüssigkeit, welche diesen Teil der Röhre umgiebt. Diese beiden Gleichungen geben:

$$d = \frac{V_1 d_1}{v - v_1}.$$

(C. r. **98**. 103—4. [14.*] Jan.)

H. Schwarz, Über *die Phosphoreszenz des Schwefels.* Eine Bestätigung der HEUMANN'schen Phosphoreszenz des Schwefels (Ber. Chem. Ges. **16**. 139) erhielt der Vf. neuerdings von einem Pulverfabrikant. Das Trocknen des Schiefspulvers geschieht in der betreffenden Fabrik in Kammern, die durch einen Kachelmassenofen von aufsen ziemlich stark erhitzt werden. Der Vf. beobachtete in diesen Trockenstuben häufig einen eigentümlichen Geruch, der verdampfendem Schwefel herrührend, und erfuhr, dafs man oft am Abend durch die nach aufsen gehenden Fenster beobachtet habe, dafs sich oberhalb des Heizofens gänzlich ungefährliche Flämmchen von bleicher Farbe gezeigt hätten, augenscheinlich von der Phosphoreszenz des Schwefels herrührend. (Ztschr. analyt. Chem. **22**. 531.)

Berthelot, *Beiträge zur Geschichte der Reaktionen zwischen Schwefel und Kohlenstoff, deren Oxyden und Salzen.* (Ann. Chim. Phys. [5.] **30**. 547—63. Dez. 1883; C.-Bl. 1883. 168.)

R. Copwer und **V. P. Lewes**, Über die *vermeintliche Zersetzung des Phosphorig-*

säureanhydrids durch Sonnenlicht. (Journ. Chem. Soc. **45**. 10. — 13. Januar; C.-Bl. 1884. 22.)

Berthelot, Über *die Zersetzung des Cyans.* (Ann. Chim. Phys. [5.] **30**. 541—43. Dez. 1883; C.-Bl. 1883. 21.)

G. Lemoine, *Neue Schwefelsalze, dargestellt durch Phosphortrisulfid.* Vor einiger Zeit hat der Vf. einige neue Schwefelverbindungen des Phosphors, die *Sulphoxyphosphate*, beschrieben, welche als Derivate der sulphophosphorigen Säure, POS_3, nHO, betrachtet werden können (**81.** 675). Ähnliche Verbindungen können mittels des Phosphortrisulfids, PS_3, erhalten werden, welches bei Gegenwart von Wasser phosphorige Säure und Schwefelwasserstoff giebt.

Das Phosphortrisulfid wurde erhalten, indem man roten Phosphor in einer Kohlensäureatmosphäre auf Schwefel (96 g gepulverter Schwefel auf 62 g roten Phosphor in einer 500 ccm fassenden Retorte, welche im Sandbade erhitzt wurde) einwirken ließ. Das Produkt wurde mit Schwefelkohlenstoff erschöpft, in dem das Trisulfid unlöslich ist, dann bei 200° in einem Kohlensäurestrome getrocknet.

Einwirkung von Natron auf überschüssiges Phosphortrisulfid. Läßt man bei 0° einen Überschuß von Phosphortrisulfid auf eine verdünnte (1 : 50) Lösung von kaustischem Natron einwirken und verdampft die Flüssigkeit im Vakuum, so findet man in dem Rückstande keinen Schwefel mehr. Der Schwefelwasserstoff ist gänzlich verjagt, und man erhält nur saures Natriumphosphit.

Einwirkung von Phosphortrisulfid auf überschüssiges Natron. Der Vf. suchte die Reaktion dadurch zu mäßigen, daß er das Natron im Überschusse anwendete. Der Schwefelwasserstoff wird dann in dem Maße, wie er sich bildet, absorbiert und bleibt in der Flüssigkeit neben phosphoriger Säure. Man begreift, daß unter diesen Bedingungen die Bildung der Sulfophosphite leichter von statten geht. Es wurden 50 g Phosphortrisulfid in 933 ccm einer Natronlösung (1 : 6) gebracht und auf 0° abgekühlt. Nach Verlauf von 23 Tagen wurde filtriert, dann im Vakuum über Schwefelsäure und Phosphorsäureanhydrid zur Trockne gedampft. Das überschüssige Natron wurde durch fraktioniertes Eindampfen beseitigt.

1. Nach fünf Monaten erhielt man Krystalle, welche quadratische Prismen bildeten und die Zusammensetzung NaS,$5HO$ besaßen; abweichend von den bis jetzt bekannten Verbindungen NaS,$9HO$ und NaS,$3HO$.

2. Nach einem Monate gab die Mutterlauge von diesen Krystallen einen neuen Absatz, welchen man von der Lösung trennte und im Vakuum über Phosphorsäureanhydrid trocknete. Dieses Salz gab mit Bleiacetat einen orangegelben Niederschlag; es scheint der Formel:

$$PO_3,2NaS,5HO \text{ oder } POS_2,2NaO,5HO$$

zu entsprechen.

3. Nach vier Monate langem Verdunsten der Mutterlauge von diesem Salze erhielt man ein drittes, das man mit kaltem Wasser wusch und drei Monate über Phosphorsäureanhydrid trocknete; es gab mit Bleiacetat einen weißen, schwach gelblichen Niederschlag; es entspricht der Formel:

$$PO_2,3NaO,2HS,2HO \text{ oder } POS_2,3NaO,4HO.$$

Bei einer anderen Darstellung, von der der Vf. die Details nicht mehr anzugeben vermag, erhielt er das Salz $PO_3,3NaO,3HS,3HO$.

4. Endlich wurde die letzte Mutterlauge im Vakuum verdunstet und gab nach sechs Monaten eine feste Masse, in der sich das überschüssige Natron, gemischt mit einer gewissen Menge von Schwefelverbindungen, vorfand.

Der Körper $POS_2,3NaO,4HO$ ist insofern interessant, als er ein Sulfoderivat der phosphorigen Säure $PO_3,3HO$ darstellt, in welcher die drei Äquivalente Wasser durch drei Äquivalente Base ersetzt sind: bis jetzt sind nur Phosphite mit zwei Äquivalenten Base beschrieben worden. ZIMMERMANN erhielt allerdings ein dreibasisches Natriumphosphit durch Einwirkung von phosphoriger Säure auf überschüssiges Natron bei Gegenwart von Alkohol. (LIEB. Ann. **180**. 21).

Einwirkung von Phosphortrisulfid auf das Ammoniumsulfhydrat. I. Man goß portionenweise überschüssiges Phosphortrisulfid in Ammoniumsulfhydrat, während man die Mischung auf 0° abkühlte (50 g PS_3 und 230 g einer Lösung von NH_4S enthielten ungefähr 34 g NH_3). Nach fünf Tagen bemerkte man die Bildung weißer Krystalle, welche nach dem Umkrystallisieren aus Wasser Ammoniumphosphit, $PO_3,2NH_4O,2HO$, gemischt mit etwas schwefelhaltiger Substanz, gaben. Die Mutterlauge von dieser Reaktion wurde im Vakuum verdampft und entwickelte große Mengen Schwefelwasserstoff. Nach Ver-

166

lauf von $6^1/_2$ Monaten erhielt man ein Salz, welches mit Bleiacetat einen orangegelben Niederschlag gab. Dieser scheint der Formel:

$$PO_3, 2NH_4S, 3HO \text{ oder } POS_3, 2NH_4O, 3HO$$

zu entsprechen.
II. Das Salz wurde zum zweiten Male gelöst und die Lösung im Vakuum verdampft. Nachdem man einen ersten Absatz beseitigt hatte, erhielt man ein neues Salz, das mit Bleiacetat einen gelblichweißen Niederschlag gab; Zusammensetzung:

$$PO_3, 2NH_4O, HS, 5HO \text{ oder } PO_3S, 2NH_4O, 6HO.$$

Man sieht, mit welcher Leichtigkeit diese Salze den Schwefelwasserstoff abgeben, weil sie sich nicht ein zweites Mal aus Wasser unzersetzt umkrystallisieren lassen.
Der soeben beschriebene Körper leitet sich von einer Säure ab, welche man *monosulfoxyphosphorige Säure*. PO_3S, nHO, nennen kann, während die vorhergehenden Salze von einer *disulfoxyphosphorigen Säure*, POS_3, nHO, derivieren. In diesen Verbindungen sind 1, resp. 2 Äq. Sauerstoff der phosphorigen Säure durch Schwefel ersetzt. (C. r. 96. 45—48. [7.*] Jan.)

L. F. **Nilson**, *Bestimmung des Äquivalentes des Thoriums.* (Ann. Chim. Phys. [5.] 30. 563—68. Dez. 1883; C.-Bl. 1882. 772.)

L. F. **Nilson**, *Über das metallische Thorium.* (Ann. Chim. Phys. [5.] 30. 568. Dez. 1883; C.-Bl. 1882. 772.)

H. **Baubigny**, *Über die Darstellung des reinen Chromisulfates.* Geglühtes Chromoxyd kann leicht in reinem Zustand gewonnen werden, allein siedende konzentrierte Schwefelsäure, die einzige Säure, in welcher es sich in wahrnehmbarer Menge löst, wirkt doch viel zu langsam darauf ein, als daß sich das Sulfat auf diese Weise mit Vorteil darstellen ließe. Man muß deshalb das Hydrat anwenden, welches man am besten aus dem Dichromat darstellt. Letzteres wird nach mehrmaligem Umkrystallisieren in Wasser gelöst und die Lösung mit Schwefelwasserstoff behandelt. Nach hinreichend langer Einwirkung ist das Chrom in das Hydrat des Sesquioxydes verwandelt, welches mit Schwefel gemischt in der Lösung suspendiert ist. Diese enthält das Kali des Dichromates als Sulfat, Hyposulfit und Sulfhydrat, mit etwas überschüssigem Schwefel.· Durch das letztere Salz besitzt sie eine alkalische Reaktion und eine gelbe Farbe, welche, wenn man mit verdünnten Lösungen arbeitet, an die Gegenwart von neutralem Dichromat glauben machen könnte. Das Aussehen der Flüssigkeit und die Gewichtsverhältnisse der verschiedenen sauerstoffhaltigen Verbindungen des Schwefels wechseln übrigens mit den Versuchsbedingungen, besonders mit der Konzentration und der Temperatur. Im Anfang bildet sich nur Sulfat; das Hyposulfit erscheint erst zuletzt. Arbeitet man in der Kälte, so bleibt in der Flüssigkeit nur eine sehr geringe Menge Chrom gelöst, dagegen ist die Fällung des Chroms vollständig, wenn man erwärmt, oder auch die Flüssigkeit nach der Sättigung mit Schwefelwasserstoff zum Sieden erhitzt. Der Vf. führt dies ausdrücklich an, weil H. ROSE in seiner analytischen Chemie angiebt, daß man notwendig freie Säure zusetzen müsse, selbst bei einer Lösung von reiner Chromsäure in Wasser, wenn man diese durch Schwefelwasserstoff vollständig in Cr_2O_3 umwandeln will.
Das Hydrat wird darauf zuerst mit kaltem Wasser gewaschen und dann mit Wasser gekocht, welches man so lange erneuert, bis es sich auf Zusatz einiger Tropfen Silbernitrat nicht mehr schwärzt. Auf diese Weise erhält man das Hydrat des Chromsesquioxydes absolut frei von Kali; es enthält nur noch geringe Mengen von Sauerstoffverbindungen des Schwefels, welche bei der Darstellung von reinem Sulfat nicht hinderlich sind. Das Vorhandensein geringer Spuren von Alkali oder Alkalisulfat kann leicht in folgender Weise nachgewiesen werden. Man glüht das zu untersuchende Oxyd bei hoher Temperatur in einer oxydierenden Atmosphäre und befeuchtet dasselbe nach dem Erkalten mit verdünnter reiner Salpetersäure. Die Gegenwart von Alkali wird dadurch angezeigt, daß die Flüssigkeit durch gebildete Chromsäure sich gelb färbt. In Zweifelfällen läßt sich die Gegenwart dieser Säure noch deutlich nachweisen, indem man die filtrierte Flüssigkeit zur Trockne dampft und einige Tropfen Silbernitrat hinzusetzt. Durch Abdampfen der Salpetersäure, in welcher das Silberchromat löslich ist, erscheint letzteres mit seiner charakteristisch roten Farbe. War das Chromoxyd rein, so tritt keine Färbung auf, denn durch Einwirkung der Luft kann sich das Chromoxyd Cr_2O_3 nicht in Chromsäure umwandeln. Diese Kontrolle durch Salpetersäure ist eine Vorsicht, welche man niemals aus den Augen lassen darf, wenn man das Chrom bei Gegenwart von Alkalien bestimmt. Zeigt sich das Chromhydrat vollständig rein, so löst man es in der geringsten Menge Salpetersäure, welche durch Einwirkung von Wärme das violette Salz liefert. Zu der abgekühlten Flüssigkeit setzt man hierauf einen geringen Überschuß von verdünnter Schwefelsäure und fügt Alkohol hinzu, wodurch sich das violette Chromsulfat abscheidet,

während das grüne allein in Lösung bleibt. Man filtriert schnell, trocknet das Salz an der Luft, löst es in verdünnter Schwefelsäure, fällt ein zweites Mal durch Alkohol und vollendet die Reinigung durch zweimaliges Auflösen in reinem Wasser und Zusatz von Alkohol.

Eine andere Methode zur Darstellung des Sulfates besteht darin, ein gegebenes Gewicht Chlorochromsäure mit Wasser zu behandeln, sie dann allmählich unter Vermeidung jeder Erwärmung durch vorsichtigen Zusatz von Alkohol zu reduzieren und, um die violette Varietät des Salzes zu konservieren, in der Kälte verdünnte Schwefelsäure (1 : 3) zuzusetzen, und zwar in der berechneten Menge. (C. r. **98.** 100—103. [14.*] Januar.)

Ed. Grimaux, Über *das Ferriäthylat und das colloïdale Ferrihydrat.* Wenn man ein Molekül Eisenchlorid gelöst in absolutem Alkohol auf sechs Moleküle Natriumäthylat einwirken läßt, so bildet sich sofort ein Niederschlag von Chlornatrium und eine klare, tiefbraune Lösung, welche kein Chlor mehr enthält. Alles Eisen ist dann als Ferriäthylat gelöst. Eine solche Lösung, bereitet aus 3,25 g Eisenchlorid, 25 ccm absolutem Alkohol und 1,4 g Natrium, gelöst in derselben Menge Alkohol, wurde im Wasserbade abdestilliert. Sie hinterließ eine schwarze, teigartige Masse, welche in absolutem Alkohol, Benzol, Chloroform, Petroleumäther und Methylalkohol löslich ist. Erhitzt man diesen Niederschlag aber im Vakuum, um die letzten Spuren des Lösungsmittels zu entfernen, so sondert sich ein braunes Pulver ab, welches Ferrihydrat ist. Die geringe Menge Wasser, welche im absoluten Alkohol enthalten war oder während der Darstellung absorbiert wurde, reagiert auf das Ferriäthylat und zersetzt es fast vollständig.

Die alkoholische Lösung des Ferriäthylates wird durch einen Strom trockenes Ammoniakgas nicht zersetzt; mit trockener Kohlensäure giebt sie sofort einen ockerbraunen Niederschlag, mit trockenem Schwefelkohlenstoff Eisensulfür. Kaliumferrocyanür verhält sich zu ihr, wie Wasser und fällt das Eisenhydrat. Die Einwirkung des Wassers ist je nach der angewendeten Menge verschieden; wird die alkoholische Lösung an der Luft stehen gelassen, so absorbiert sie rasch Wasserdampf und giebt eine dicke Koagulation von Ferrihydrat. Durch Zusatz einer geringen Menge Wasser erhält man dasselbe Resultat. Gießt man die alkoholische Lösung des Ferriäthylates in überschüssiges Wasser, so erhält man eine klare Flüssigkeit, welche die Eigenschaften des von GRAHAM beschriebenen colloïdalen Eisenhydrates besitzt. Sie koaguliert nach längerer oder kürzerer Zeit freiwillig, rasch in der Wärme; wird durch verschiedene Körper gefällt, als Kohlensäure, Schwefelsäure, Weinsäure, Kaliumnitrat, Chlorkalium, Bromkalium, Ferrocyankalium, Chlornatrium, Chlorbarium, Barytwasser und Natriumcarbonat; Flußwasser bewirkt gleichfalls die Fällung. Dagegen wird durch Essigsäure, Salpetersäure, Salzsäure und Ammoniak keine Fällung bewirkt. Schwefelwasserstoff giebt einen schwarzen Niederschlag.

Hieran schließt der Vf. genauere Angaben über den Einfluß der Zeit und der Wärme auf die Koagulation des colloïdalen Eisenhydrates. (C. r. **98.** 105—107. [14.*] Januar.)

F. Abel und **W. H. Deering,** Über *den Zustand des Kohlenstoffes im Stahl.* (Ann. Chim. Phys. [5] **30.** 499—516. Dez. 1883; C.-Bl. 1883. 637.)

Al. Gorgeu, Über *ein chloriertes Mangansilikat.* Läßt man bei Rotglühhitze einen mit Wasserdampf beladenen Wasserstoffstrom ³/₄ Stunde lang auf ein Gemenge von 20 g reinem Manganchlorür und 1 g gefällte Kieselsäure einwirken, so erhält man als Resultat der Einwirkung eine rosa gefärbte Masse, welche in dem überschüssigen Chlorür Rhodanit (SiO₃MnO), Tephroït (SiO₄MnO) und ein chloriertes Silikat enthält. Dieser letztere Körper wird rasch durch Wasser zersetzt, widersteht aber 24—48 Stunden lang der Einwirkung von starkem Alkohol. Auf diese Weise gelang es, das überschüssige Chlorid zu beseitigen. Der unlösliche Rückstand wurde zuerst auf porösem Porzellan und dann im Vakuum getrocknet und bestand aus einem Gemenge einfacher, doppeltbrechender Silikate und großen Lamellen, welche auf das polarisierte Licht nicht einwirken und dem neuen Doppelsalze angehören. Man kann sich leicht überzeugen, daß diese Krystalle in der geschmolzenen Masse bereits vorhanden sind.

Um die Zusammensetzung des chlorierten Silikates ∙ zu bestimmen, behandelte man die in Alkohol unlösliche Masse rasch mit ihrem 50—100fachen Gewicht kaltem Wasser, welches mit 1—2 p. c. reiner Salpetersäure und einigen Tropfen Schwefelsäure angesäuert war. Diese saure Flüssigkeit greift die einfachen Silikate nicht an und enthält nur die Bestandteile des chlorierten Silikates, welche sich leicht nach bekannten Methoden bestimmen lassen. Die Resultate der Analyse stimmen mit der Formel SiO₂, 2MnO + MnCl überein, welche sich auch SiO₄Mn″(MnCl)₂ schreiben läßt. Die Synthese dieses Körpers gelingt auch rasch, wenn man neutrales Mangansilikat mit überschüssigem Chlorür in einem Strom von trockenem Wasserstoffgas schmilzt.

Die Krystallform des Chlorosilikates konnte bis jetzt noch nicht genau bestimmt werden. Es gehört dem tesseralen System an, ist wasserfrei, bleibt in trockener Luft unverändert, absorbiert aber aus feuchter Luft rasch Wasser und wird braun. Beim Glühen geben die Krystalle allmählich ihr Chlor ab. Luftfreies Wasser scheidet ein neutrales, wasserhaltiges Silikat ab, welches um so oxydabler ist, je länger das Waschen fortgesetzt wurde; wenn die Luft mitwirkt, so wird Kieselsäure und Mangansuperoxyd gebildet. Mit Kohlensäure oder Schwefelwasserstoff gesättigtes Wasser, welches eine Woche lang mit dem Salz unter öfterem Umschütteln in Berührung gelassen wird, zersetzt dasselbe vollständig, wobei sich Carbonat, resp. Sulfid und Kieselsäure bilden. Eine Lösung von Natriumdicarbonat in derselben Konzentration, wie das Wasser von VICHY, wirkt wie kohlensaures Wasser.

In den Zersetzungsprodukten dieser verschiedenen Behandlungen findet man ungefähr 1 p. c. Chlor. Dies rührt wahrscheinlich daher, daſs eine gewisse Menge des chlorierten Silikates durch die abgeschiedene Kieselsäure vor der Zersetzung geschützt ist.

Läſst man Manganbromür auf Kieselsäure unter denselben Bedingungen einwirken, so erhält man successive die beiden Silikate und zuletzt einfachbrechende Krystalle, welche unter dem Mikroskop dasselbe Aussehen zeigen, als die chlorhaltige Verbindung in sehr verdünnten Säuren löslich sind, und Brom, Mangan und Kieselsäure enthalten; Manganjodür endlich giebt ziemlich leicht die einfachen Silikate, aber schwierig Krystalle eines jodhaltigen Silikates. Der Vf. erhielt sie in geringer Menge, indem er künstlichen Tephroit mit einem Gemenge von Manganjodür und Jodkalium schmolz. Diese beiden Doppelsalze, besonders das letztere, werden durch Alkohol leichter zersetzt als das Chlorosilikat. Der Vf. wird dieselben noch genauer untersuchen. (C. r. **98.** 107—110. [14.*] Januar.)

Berthelot, Über *die Bildung von Mangansuperoxyd und über die Reaktionen der Superoxyde.* (Ann. Chim. Phys. [5] **30.** 543—547. Dez. 1883; C.-Bl. 1883. 131.)

4. Organische Chemie.

Berthelot, Über *die Verbindung des freien Wasserstoffes mit Äthylen.* (Ann. Chim. Phys. [5.] **30.** 539. Dez. 1883; C.-Bl. 1882. 330.)

E. Divers und **M. Kawakita,** Über *die Konstitution der Fulminate.* (Journ. Chem. Soc. **45.** 13.—25. Jan.; C.-Bl. 1884. 58.)

H. E. Armstrong, Über *die Konstitution der Fulminate.* (Journ. Chem. Soc. **45.** 25.—27. Jan.; C.-Bl. 1884. 58.)

.E. Divers und **M. Kawakita,** Über *Liebig's Darstellung von Knallsilber ohne Anwendung von Salpetersäure.* (Journ. Chem. Soc. **45.** 27.—30. Jan.; C.-Bl. 1884. 58.)

M. Pröpper, Über *die Einwirkung von rauchender Salpetersäure auf Acetessigäther und dessen Chlorsubstitutionsprodukte.* Bei der Einwirkung von rauchender Salpetersäure auf Acetessigäther entsteht ein gelblich gefärbtes Öl, das keinen konstanten Siedepunkt besitzt, und der Analyse zufolge als *Oximidoessigäther* ($C_4H_7NO_4$ = CH(NOH) — COOC$_2$H$_5$) anzusehen ist. — Monochloracetessigäther liefert unter gleichen Bedingungen: *Chloroximidoessigäther* CCl(NOH) — COOC$_2$H$_5$, einen in Säulchen krystallisierenden bei 80° C. schmelzenden Körper. Ammoniakgas entzieht dem Körper das Chlor. — Auf Dichloracetessigäther hat rauchende Salpetersäure keine Einwirkung.

Vf. beschreibt die Salze des Oximidoessigäthers, in denen das H der (NOH)-Gruppe durch Metall ersetzt zu sein scheint. Durch nascierenden Wasserstoff kann der Oximidoessigäther nicht in Amidoessigsäure übergeführt werden, wie dies bei dem isomeren Nitrosoessigäther gelingen muſste. Kaliumhydrat liefert mit dem ersteren Äther Kaliumcarbonat, Alkohol, Blausäure und Wasser. Salzsäure spaltet ihn in Chloräthyl, salzsaures Hydroxylamin und Oxalsäure. Beim Chloroximidoessigäther gelingt die analoge Zerlegung schon beim Kochen mit Wasser. Vf. glaubt annehmen zu müssen, daſs in den beschriebenen Verbindungen das zweiwertige „Oximid" (NOH) und nicht das Nitrosyl (NO) vorhanden ist. In einer Nachschrift zu obiger Abhandlung bemerkt A. HANTZSCH, daſs die Einwirkung der rauchenden Salpetersäure auf Acetessigäther unter anderen schon deshalb · Ihteresse verdiene, als sie eine Erklärung abgiebt für das häufig beobachtete Auftreten von Blausäure bei der Oxydation organischer Verbindungen durch Salpetersäure. (LIEB. Ann. **222.** 46—67. Leipzig.) P.

A. Hantzsch, *Die Kondensationsprodukte des Acetessigäthers.* Im Anschlusse an seine Arbeit über die Synthese pyridinartiger Verbindungen (**83.** 42) sucht Vf. in der vorliegenden Arbeit festzustellen, in welcher Weise 2 Mol. Acetessigäther sich etwa mit einander vereinigen, und sodann, ob hierdurch Produkte erhalten werden würden, die mit Aldehydammoniak pyridinartige Körper lieferten. Zugleich sollte das Studium der Kondensation des Acetessigäthers durch Vergleich mit der des Acetons zu Mesityloxyd und Phoron, resp. Mesitylen Beiträge zur genaueren Kenntnis auch dieses für die Theorie der aromatischen Verbindungen so wichtigen Prozesses liefern.

169

Durch Einwirkung von $2^1/_2$ Tln. konz. Schwefelsäure auf 1 Tl. Acetessigäther (zehn-bis vierzehntägiges Stehen bei gewöhnlicher Temperatur) erhält man ein Kondensations-produkt:

$$C_{18}H_{22}O_9 = C_6H_7(OH)(COOH)CO-O-C_6H_7(COOH)(COOC_2H_5),$$

das bei 61—62° schmilzt und sich schwer in kaltem, reichlicher in heißsem Wasser und in Äther, sehr leicht in Alkohol, Chloroform löst; beim Destillieren wird es zersetzt und verbreitet einen angenehm gewürzhaften Geruch. Obwohl das Kondensationsprodukt eine ausgesprochen saure Reaktion besitzt, sind Salze desselben ebenso wenig, wie irgend welche andere Derivate zu erhalten. Von alkalischen Flüssigkeiten wird es in der Kälte partiell, beim Kochen fast augenblicklich vollkommen unter Bildung von Carbonat und Acetat, sowie Aceton und Mesityloxyd zersetzt; letzteres entsteht ausschließlich beim Er-hitzen mit Kalk. Einen wichtigen Einblick in die Konstitution dieses Körpers erhält man durch die Spaltung, welche die 1 Mol. KOH entsprechende Menge Kalihydrat hervorruft:

$$C_{18}H_{22}O_9 + KOH = C_8H_7KO_4 + C_{10}H_{15}O_4 + 2H_2O,$$

und welche man derart ausführt, daſs man das Kondensationsprodukt in der genügenden Menge Alkohol bei gewöhnlicher Temperatur löst und dazu alkoholische Kalilösung bis zum Eintritte einer schwach alkalischen Reaktion hinzufügt. Es braucht hierbei 1 Mol. $C_{18}H_{22}O_9$ genau 1 Mol. KOH. Aus dem Salze $C_8H_7KO_4$ erhält man eine Säure vom Schmelzpunkte 155°, die mit Kalk erhitzt, ebenfalls Mesityloxyd liefert und welche Vf. Isodehydracetsäure oder Mesitenlactoncarbonsäure nennt. Mit Metallverbindungen ent-stehen zum Teil wohl charakterisierte Salze; mit Höllenstein entstehen mit Vorliebe saure Salze. Gegenüber starker Basen zeigt die Säure das Verhalten der Lactone: es bilden sich Salze von der allgemeinen Formel $C_8H_5Me_2O_5'$, die von einer zweibasischen Oxy-mesitendicarbonsäure; $C_8H_{10}O_5$, abzuleiten sind.

Die Alkalisalze sind leicht zersetzlich, zerfallen zunächst in Carbonat und in Salze der einbasischen Oxymesitencarbonsäure und hierauf in Mesityloxyd.

Durch Erhitzen der Isodehydracetsäure im Paraffinbade findet unter CO_2-Abspaltung die Bildung von Mesitenlacton, $C_7H_8O_2$, statt; dieselbe Zersetzung vollzieht sich schon bei 160—170° bei Gegenwart von konz. Schwefelsäure. Das Lacton, von bitterem Ge-schmacke und zugleich gewürzhaftem Geruche, schmilzt bei 51,5° und siedet bei 245°. Mit Brom bildet es ein Monobrommesitenlacton (Schmelzp. 105°); es geht unter Wasser-aufnahme in die Oxymesitencarbonsäure, $C_8H_8(OH)COOH$, über.

Neben der eben beschriebenen Säure entsteht durch die Einwirkung des Kaliumhy-drates die Verbindung $C_{10}H_{15}O_4$, welche als der Mesitenlactoncarbonsäureäther anzusehen ist, der sich synthetisch aus Isohydracetsäure und Jodäthyl gewinnen läſst; mit Brom liefert der Äther ein Monobromsubstitutionsprodukt, $C_{10}H_{14}BrO_4$, mit Ammoniak ein ba-sisches Ammonsalz; letzteres geht bei der Behandlung mit Salzsäure in Oxymesitendicar-bonäthersäure, $C_8H_7(OH)(COOH)(COOC_2H_5)$ (Schmelz. 76°), über, die beim Erwärmen unter Wasseraustritt sich in ihr Lacton zurückverwandelt.

Beim Verseifen von $C_{10}H_{15}O_4$ entsteht eine zweibasische Säure, die vom Vf. Homo-mesaconsäure, $(C_5H_6O_4)$, genannt wird und bei 147°C. schmilzt; vor dem Schmelzen sub-limiert die Säure (bei. 120°) unter Verbreitung stechend saurer Dämpfe. (LIEB. Ann. 222. 1—46. 15. Sept. 1883. Leipzig.)   P.

Berthelot, Über die Umwandlung des Kohlenstoffoxysulfides in Harnstoff und Schwefel-harnstoff. (Ann. Chim. Phys. [5.] 30. 539—41. Dez. 1883; C.-Bl. 1882. 333.)

E. Reboul, Über das Oxallyldiäthylamin. In einer früheren Mitteilung hat der Vf. gezeigt, daſs das Diäthylamin durch Einwirkung von Epichlorhydrin außer Hydroxallyl-tetraäthyldiamin noch andere sauerstoffhaltige Ammoniakbasen liefert. Das Oxallyldiäthylamin ist das flüchtigste von denjenigen, welche durch Zusatz von Kali zu dem Rohprodukte der Reaktion in Freiheit gesetzt werden.

Das Oxallyldiäthylamin, $N{<}^{(C_2H_5)}_{C_3H_5}{>}O$, ist eine farblose, dicke, in Wasser außerordent-lich lösliche Flüssigkeit; es wird im Lichte allmählich gelb, riecht stark nach Diäthyl-amin und siedet bei 160°. Mit überschüssiger verdünnter Salzsäure und dann mit Platin-chlorid behandelt, giebt es ein Chloroplatinat, welches leicht in schönen granatroten, pris-matischen Krystallen mit rhombischer Basis erhalten werden kann. Diese Krystalle sind, wie die Analyse ergeben hat, nicht das Chloroplatinat des Oxallyldiäthylamins, sondern der gechlorten Base, welche durch Fixation von HCl auf das ungesättigte Radikal, Ox-allyl, $(C_3H_5=O)$, entsteht, indem sich dieses dadurch in ein gesättigtes einwertiges Radi-kal, Chlorhydroxallyl, $C_3H_5{<}^{OH}_{Cl}$, verwandelt.

Das Chlorhydroxallyldiäthylamin, $N < {C_2H_5) \atop C_3H_5(OH)Cl}$, ist das erste Glied der Einwirkung von Epichlorhydrin auf Diäthylamin. Das Epichlorhydrin, $C_3H_5 {\diagup O \atop \diagdown Cl}$, verhält sich wie das Oxyd des Chlorpropylens und verbindet sich zuerst Molekül für Molekül mit Äthylamin nach Art der Glykolanhydride:

$$C_3H_5 {\diagup O \atop \diagdown Cl} + N < {(C_2H_5)_2 \atop H} = N < {(C_2H_5)_2 \atop C_3H_5(OH)Cl}.$$

Epichlorhydrin   Diäthylamin   Chlorhydroxallyldiäthylamin.

Der Beweis hierfür besteht darin, dafs, wenn man Wasser zum Rohprodukte der Reaktion des Epichlorhydrins auf das Diäthylamin hinzufügt, ein schweres Öl sich abscheidet, welches in Wasser unlöslich oder schwer löslich ist, sich aber vollständig in verdünnter Salzsäure löst. Dieses Öl besteht fast ganz aus der fraglichen Base. Bei der Behandlung mit Kalilauge verliert es ein Molekül Chlorwasserstoff und wird zu Oxallyldiäthylamin, $N < {(C_2H_5)_2 \atop C_3H_5} O$, welches seinerseits die gechlorte Base als Chlorhydrat regeneriert, sobald man es mit verdünnter überschüssiger Chlorwasserstoffsäure zusammenbringt. Diese Thatsachen erklären die Art der Entstehung des Hydroxallylteträthyldiamins, dessen Untersuchung der Gegenstand der früheren Mitteilung war. Zuerst vollzieht sich die durch die letzte Gleichung dargestellte Reaktion, dann wirkt das Diäthylamin auf die gechlorte Base nach der Gleichung:

$$N < {(C_2H_5)_2 \atop C_3H_5} < {OH \atop Cl} + N < {(C_2H_5)_2 \atop H} = HCl + N {\diagup (C_2H_5)_2 \atop \diagdown (C_3H_5-OH)'' \atop \diagdown (C_2H_5)_2}$$

Chlorhydroxallyl-   Diäthylamin   Hydroxallylteträthyl-
diäthylamin   diamin.

Man begreift, dafs letzteres seinerseits in analoger Weise auf das gechlorte Monamin einwirken kann. Hierdurch entstehen sauerstoffhaltige, mehr kondensierte Polyamine, welche der Gegenstand einer späteren Mitteilung sein sollen. (C. r. **97**. 1556 — 58. [31.*] Dez. 1883.)

Edward Divers, *Darstellung von Hydroxylamin aus Salpetersäure.* (Journ. Chem. Soc. **43**. 443—66. Dez. 1883; C.-Bl. 1884. 9.)

H. A. Landwehr, *Ein neues Kohlehydrat (tierisches Gummi) im menschlichen Körper.* Das vom Vf. aus Speicheldrüsen, Schleimgewebe oder Metalbuminlösung isolierte Kohlehydrat hat, bei 120° getrocknet, die Formel $C_{12}H_{20}O_{10}$, im Vakuum über Schwefelsäure die Formel $C_{12}H_{20}O_{10} + 2H_2O$. Es ist eine weifse, mehlartige Substanz, die leicht Wasser anzieht und dann gummiartig durchsichtig wird. Die wässerige Lösung schäumt sehr stark. Die nicht ganz reine Lösung färbt Methylviolett rot, ein Verhalten, welches zum mikrochemischen Nachweise des Kohlehydrates verwertet werden kann. Das polarisierte Licht wird nur wenig nach rechts gedreht. Kupferhydrat löst sich mit hellblauer Farbe in der Lösung auf, wird aber beim Kochen nicht reduziert, sondern es fällt dabei eine basische Kupferverbindung in bläulichweifsen Flocken aus, eine Eigenschaft, die das tierische Gummi von den bekannten Kohlehydraten mit dem Gärungsgummi gemeinsam hat. Das tierische Gummi ist nicht gärungsfähig; bei der Fäulnis bildet sich Milch und später Butter- und Essigsäure.

Verdünnte Säuren verwandeln es beim Kochen in einen CuO reduzierenden Zucker, konz. Salpetersäure in ein nicht explosibles Nitrat, $C_{12}H_{16}(NO_2)_4O_{10}$. Ammoniakalische Silberlösung setzt beim Kochen mit tierischem Gummi einen Silberspiegel ab.

Das von POUCHET aus phtysischen Lungen erhaltene Kohlehydrat ist wahrscheinlich ein mit Eiweifsstoffen verunreinigtes tierisches Gummi und kann auch aus jeder anderen Lunge erhalten werden. (Ztschr. physiol. Chem. **8**. 122—28.) P.

Gibson Dyson, *Über einige Verbindungen des Phenols mit den Amidobasen.* (Journ. Chem. Soc. **43**. 466—72. Dez. 1883; C.-Bl. 1884. 10.)

H. Hübner, *Über substituierte Benzoesäuren und über die Natur der Wasserstoffatome im Benzol. Erster Teil.* Im ersten Abschnitte dieser Untersuchung wird die Entstehung der *Dimetanitrobenzoesäure* aus Monometanitrobenzoesäure und aus Paratoluidin, ferner die Bildung der *Paraorthodinitrobenzoesäure* aus Paranitrobenzoesäure beschrieben. Man kann aus den beobachteten Thatsachen folgende Schlüsse ziehen: Nitrogruppen vertreten in mononitriertem Benzol hauptsächlich Wasserstoffatome, welche zur Nitrogruppe in Metabeziehung stehen, und zwar unbekümmert um vorhandene Carboxylamidomethyl-gruppen, wenn die Metawasserstoffatome noch nicht ersetzt sind:

1. $C_6H_4(CO_2H)^1(NO_2)^3$ giebt $C_6H_3(COOH)^1(NO_2)^3(NO_2)^5$
2. $C_6H_4(CH_3)^1(NO_2)^3(NHX)^4$ giebt $C_6H_3(CH_3)^1(NO_2)^3(NHX)^4(NO_2)^5$
3. $C_6H_4(COOH)^1(NO_2)^4$ giebt $C_6H_4(COOH)^1(NO_2)^2(NO_2)^4$.

Im zweiten Abschnitte wird die *Metanitrometamidobenzoesäure* genau gekennzeichnet, aus ihr die *Dimetamidobenzoesäure* gebildet und deren Überführung in Metadiamidobenzol beschrieben. Hauptsächlich ist hier aber die Metanitrobenzoesäure dazu benutzt worden, um sicher festzustellen, dafs in dieser Dinitrobenzoesäure wirklich die zwei Nitrogruppen zur Carboxylgruppe in Metabeziehung zu einander stehen. Ersetzt man nämlich die eine oder die andere Nitrogruppe durch Chlor, so erhält man in beiden Fällen ·Metachlorben-zoesäure. Damit ist erstens erwiesen, dafs die Nitrogruppen sich in Metabeziehung zur Carboxylgruppe in Metabeziehung zu einander stehen. Ersetzt man nämlich die eine zwei Metawasserstoffatomen im Benzol geliefert ist.

Im dritten Abschnitte wird das gleiche Verhalten der Metachlorbenzoesäure gegen Salpetersäure nachgewiesen.

Im vierten Abschnitte werden zunächst Versuche beschrieben, welche die Einheitlich-keit der *Metabrombenzoesäure* aufser Zweifel stellen. Diese Säure ist durch Nitrieren in α- und β-*Metabromorthonitrobenzoesäure* übergeführt worden, um noch einmal darzuthun, dafs diese theoretisch wichtigen Säuren aus einer und der nämlichen Monobrombenzoe-säure abstammen.

Die Natur der beiden isomeren Bromnitrobenzoesäuren ist bei dieser Gelegenheit be-stätigt (Orthoamidobenzoesäure aus ihnen gebildet) und besonders die Beziehung der Brom-atome zu den Nitrogruppen festgestellt worden. Bei Vertretung der Nitrogruppe durch Brom und Entfernung der Carboxylgruppe unter Hinterlassung von Wasserstoff wird näm-lich aus der einen Säure Para- und aus der isomeren Säure *Orthodibrombenzol* erhalten. Hier-nach ist durch lauter scharf verfolgbare Umwandlungen bewiesen, dafs der Unterschied der α- und β-Metabromorthonitrobenzoesäure auf der verschiedenen Beziehung des Brom-atoms zur Nitrogruppe in diesen Säuren beruht.

Da man die höher gebromten (oder gechlorten) Säuren nicht durch unmittelbare Ein-wirkung von Brom aur die nicht gebromten Säuren rein erhalten kann, wenn neben ver-schieden gebromten Säuren auch noch isomere Säuren entstehen können, so vermag man nur aus reinen, gut gekennzeichneten Säuren, wie aus den Bromnitrobenzoesäuren, durch Ersetzen der Nitrogruppen auf Wegen, die einen sehr glatten Austausch zulassen, die höher gebromten (gechlorten oder jodierten) Säuren rein zu erhalten. Deshalb sind die genau untersuchten Bromnitrosäuren stets zur Darstellung von Dibrombenzoesäuren be-nutzt worden. Die Ähnlichkeit der reinen Säuren zeigte sich in manchen Fällen so grofs, dafs die Unmöglichkeit der Trennung eines Gemisches derselben sofort einleuchtete, und ebenfalls die Unzulässigkeit den Beweis der Gleichheit von Verbindungen nur durch die Beobachtung gleicher Schmelzpunkte (gleicher Löslichkeit in einem Lösungsmittel) zu lie-fern klar wurde.

Bei Nitrierung von Mononitrobenzoesäuren einerseits und Mononitrobenzoesäuren an-dererseits zeigt sich eine ganz verschiedene Einwirkung der Salpetersäure, und zwar tritt derselbe Unterschied hervor, wie beim Nitrieren von Nitrobenzol und Brombenzol. Die Carboxylgruppe übt bei der Nitrierung dieser substituierten Benzoesäuren keinen bemer-kenswerten Einflufs aus. Ist in der Benzoesäure eine Nitrogruppe, so wirkt die Salpeter-säure wie auf Nitrobenzol, ist dagegen allein Brom vorhanden, wie auf Brombenzol oder auch Phenol, Toluol, Anilide und Sulfobenzole (nur scheinen in letztem Falle alle drei isomeren Verbindungen in erheblicher Menge entstehen zu können).

Im fünften Abschnitte werden verschiedene Abkömmlinge der Dimetanitrobenzoesäure beschrieben und wird gezeigt, dafs die Metadibrombenzoesäure beim Nitrieren eine Ortho-nitrosäure liefert, also auch hier sich das carboxylierte Dibrombenzol einfach wie Dibrom-benzol gegen Salpetersäure zu verhalten scheint, da die Nitrogruppe sich in Parabeziehung (weniger wahrscheinlich Orthobeziehung) zum Brom begiebt:

$$C_6H_2(CO_2H)^1Br^3Br^5 \text{ giebt } C_6H_2(CO_2H)^1(NO_2)^2Br^3Br^5.$$

Im sechsten Abschnitte wird die Entstehung der Metamidobenzoesäure aus nitrierter Parabrombenzoesäure nachgewiesen und das gleiche Verhalten für die Parachlorbenzoe-säure bestätigt. Auch hier ist durch den Einflufs des Broms, wie man annehmen kann, die Nitrogruppe in Orthobeziehung zu demselben getreten, damit tritt die Nitrogruppe in Metabeziehung zum Carboxyl, also werden beide Bestandteile, das Carboxyl und das Brom, in gleicher Weise unterstützend wirken. Ferner ist die Parametabrombenzoesäure dargestellt und durch Nitrieren in Orthonitroparametabrombenzoesäure übergeführt worden.

Man kann dies Verhalten so deuten, daſs das Brom und die Nitrogruppe zunächst wieder in Parabeziehung zu einander getreten sind.

Der letzte Abschnitt giebt Versuche, welche die Erklärung zulassen, daſs auch das Chlor der Orthonitrobenzoesäure die Vertretung vom Para- (weniger wahrscheinlich vom Ortho-)Wasserstoffatom beim Nitrieren herbeiführt. (Forts. folgt.) (LIEB. Ann. **222**. 67 bis 115. 27. Sept. 1883). P.

Robert Behrend, Über *die Einwirkung von Sulfurylchlorid auf sekundäre Aminbasen.* Bei der Einwirkung von Sulfurylchlorid auf Diphenylamin konnte nur die Bildung von Chlorsubstitutionsprodukten beobachtet werden, selbst Tetrachlordiphenylamin wurde noch weiter chloriert. Bei den sekundären Aminen der Fettreihe entstehen substituierte Sulfamine, analog der Bildung von Harnstoffen aus Carbonylchlorid und Aminen. Verwendet man statt der freien Amine deren salzsaure Salze, so wird nur ein Chloratom des Sulfurylchlorids durch den Amidrest ersetzt, und man erhält substituierte Amidosulfurylchloride: $SO_2^{II}ClNR_2$, analog den von MICHLER (**76**. 101. 405. 549; **79**. 531) hergestellten Harnstoffchloriden; jene gehen mit Aminen in die Sulfamide über.

Dargestellt wurden aus Dimethylamin und Sulfurylchlorid das Tetramethylsulfamid Schmelzpunkt 73°; $[SO_2^{II}N(CH_3)_2]_2$. Aus Diäthylamin und Sulfurylchlorid gelang es nicht, Teträthylsulfamid zu erhalten. Salzsaures Dimethylamin liefert mit Sulfurylchlorid ein goldgelbes, zwischen 182—187° C. siedendes Öl, das *Dimethylamidosulfurylchlorid*, $[SO_2N(CH_3)_2Cl]$, das mit Wasser sich zu Salzsäure, Schwefelsäure, Dimethylamin und Dimethylsulfaminsäure zersetzt. Denselben Körper erhält man auch mittels Trimethylamin. Die Verbindung liefert mit Dimethylamin das Tetramethylsulfamid. Letzteres wird mit gasförmiger Salzsäure in Dimethylamidosulfurylchlorid und salzsaures Dimethylamin gespalten. Aus Amidochlorid (1 Mol.) und Diäthylamin (2 Mol.) bildet sich das *Dimethyldiäthylsulfamid* als schweres, bei 229° unter teilweiser Zersetzung siedendes Öl. Das *unsymmetrische Dimethylsulfamid* stellt man aus dem Chlorid und Ammoniakgas her; es schmilzt bei 96° C. Anilin erzeugt mit Entstehung von Tetramethylsulfamid (Schmelzpunkt 84—85°), und Paratoluidin das *Dimethylparatolylsulfamid* (Schmelzpunkt 90—91°); beide liefern krystallisierbare Natriumsalze.

Kaltes Wasser zersetzt das Chlorid nur langsam, heiſses jedoch schnell zu *Dimethylsulfaminsäure* neben schwefelsaurem Dimethylamin. Die Dimethylsulfaminsäure schmilzt bei 165° unter Zersetzung. Ihren Äther erhält man aus dem Chlorid und Natriumäthylat. Bei der Behandlung des Dimethylamidosulfurylchlorids mit Zinn oder Zink und Salzsäure findet Bildung von Schwefelwasserstoff, Dimethylaminchlorid und Wasser statt; Zinkstaub zersetzt dasselbe beim Erwärmen unter Entstehung von Tetramethylsulfamid. Salzsaures Diäthylamin wird durch Sulfurylchlorid in *Diäthylamidosulfurylchlorid* (Siedepunkt 208°) übergeführt, welches sich als weniger reaktionsfähig als die Methylverbindung erweist. Erst bei 60° setzt es sich vollständig mit salzsaurem Diäthylamin in das bei 249—251° siedende Tetraäthylsulfamid um. Aus dem obigen Chlorid und Dimethylamin entsteht Diäthyldimethylsulfamid (Siedepunkt 229°), welches mit dem bereits beschriebenen identisch ist. (LIEB. Ann. **222**. 116—136. 15. September 1883. Leipzig.) P.

Emil Fischer und **Hans Kuzel**, Über *die Hydrazine der Zimmtsäure.* Als Ausgangspunkt für die im folgenden aufgeführten Verbindungen diente o-Amidozimmtsäure und deren Äthyl- und Nitrosoderivate. Erstere stellten die Vff. aus dem Äthyl- oder Methyläther der o-Nitrosozimmtsäure durch Verseifen derselben und Reduktion der dabei frei werdenden Nitrosäure mit Eisenvitriol und Ätzbaryt dar. Die Äthylierung der Säure wurde nach der von GRIESS (**73**. 151) bei den Amidobenzoesäuren angewandten Methode ausgeführt. Die *Äthylamidozimmtsäure* schmilzt bei 125°, die *Diäthyl-o-Amidozimmtsäure* bei 124° C., man trennt beide mittels salpetriger Säure, welche die Monäthylsäure als Nitrosoverbindung fällt, das Diäthylderivat aber nicht zersetzt. Die *Nitroso-o-Äthylamidozimmtsäure* stellt sich schwach gelbbraun als gelbe geförbte Blättchen vom Schmelzpunkt 150° vor. Die *Nitroso-o-Äthylamidohydroximmtsäure* läſst sich aus der o-Äthylamidozimmtsäure durch Natriumamalgam in der Kälte herstellen, und geht letztere durch salpetrige Säure in die Nitrosoverbindung über. Die Hydrosäure verwandelt sich beim Erwärmen in *Äthylhydrocarbostyril* (vgl. FRIEDLÄNDER und WEINBERG **82**. 802).

Zur Gewinnung der *o-Hydrazinzimmtsäure* benutzten Vff. die der Benzoesäure empfohlene Methode (**80**. 358). Man stellt zuerst die Diazozimmtsäure aus Amidozimmtsäure, sowie Salzsäure und Kaliumnitrit in der Kälte dar. Die salzsaure und salpetersaure Diazoverbindung liefert beim Kochen u. a. o-Cumarsäure; glatt erfolgt die Bildung dieser Oxysäure in schwefelsaurer Lösung. In schwefligsaurem Natron löst sich die Diazozimmtsäure, resp. ihre Salze, mit gelbroter Farbe, indem sie zunächst in das diazozimmtsulfonsaure Natron übergeht; dieses wird von Zinkstaub und Salzsäure in der Kälte zunächst in das neutrale Natronsalz der *Hydrazinzimmtsulfonsäure*, und letzteres dann mittels Eisessig in das *saure hydrazinsulfonsaure Natron* verwandelt. Die Verbindung reduziert alkalische Kupferlösung und Quecksilberoxyd schon in der Kälte; durch Salzsäure wird sie analog den einfachen Hydrazinsulfonsäuren unter Abspaltung von Schwefelsäure zerlegt. Hierbei entsteht fast ausschliefslich das *Hydrochlorat der Hydrazinzimmtsäure*, [C₆H₄·(CH — CH.COOH)(NH—NH₂HCl)], welches bei 146° sich in das später beschriebene *Indazol* verwandelt. Die *Hydrazinzimmtsäure* selbst läfst sich schwer umkrystallisieren und schmilzt bei 171° unter Zersetzung in Essigsäure und Indazol. Während die Hydrazinsäure, wie es scheint, wenig Neigung zeigt, Anhydrid zu bilden, entsteht eine solche Verbindung bei der Zersetzung des hydrazinzimmtsulfonsauren Natrons durch heifse verdünnte Salzsäure. Das *o-Hydrazinzimmtsäureanhydrid* schmilzt bei 127°, ist unzersetzt flüchtig und reduziert weder alkalische Kupferlösung, noch ammoniakalische Silberlösung. Natriumnitrit scheidet in schwach saurer Lösung Carbostyril aus. Das vorhin

erwähnte *Indazol*, (C₇H₆N₂ = C₆H₄$\diagup$CH$\diagdown$NH$\diagdown$N oder C₆H₄$\diagup$CH$\diagdown$N$\diagdown$NH, schmilzt bei 146,5°C.

und ist seinem Verhalten gegen salpetrige Säure gemäfs eine Imidbase, indem es damit eine Nitroverbindung liefert.

Die Hydrazinzimmtsäure wird durch Natriumamalgam leicht reduziert, wobei wahrscheinlich die *Hydrazinhydroximmtsäure* entsteht, noch leichter wird das hydrazinzimmtsulfonsaure Natrium in die entsprechende Hydroverbindung verwandelt; dieses *hydrazinhydroximmtsulfonsaure Natron* spaltet bei Behandlung mit Salzsäure das innere Anhydrid: C₉H₁₀N₂O, *Amidohydrocarbostyril* (Schmelzp. 143°) ab, welches letztere von Natriumnitrit in reines Hydrocarbostyril übergeführt wird.

Amidohydrocarbostyril und Jodäthyl liefern das ₄thylderivat (Schmelzp. 74°). Die Nitroso-o-Äthylamidozimmtsäure wird durch Zinkstaub und Essigsäure leicht reduziert und geht in eine Säure C₁₁H₁₂N₂O₂, *Äthylchinazolcarbonsäure*, und diese beim Erhitzen in *Äthylchinazol*, C₁₀H₁₂N₂, über. Die Säure existiert in zwei durch Schmelzpunkt und Krystallform verschiedenen Modifikationen: aus Wasser krystallisiert, schmilzt sie bei 131° und aus Chloroform unter Ligroinzusatz bei 126°; die letztere Modifikation verwandelt sich bei längerer Berührung mit der Flüssigkeit in die bei 131° schmelzenden Krystalle. Ihr Monobromderivat (aus Brom und der Säure erhalten) schmilzt bei 173°, die Dibromverbindung (in gleicher Weise hergestellt) bei 196°.

Das Äthylchinazol schmilzt bei 30°, ist mit Wasserdämpfen flüchtig, liefert mit Säuren durch viel Wasser leicht zersetzbare Salze und mit Platinchlorid eine in orangegelben Krystallen krystallisierende Verbindung. Auch Silbernitrat und Quecksilbernitrat vereinigen sich mit der Base zu Metallsalzen. Erhitzt man das Äthylchinazol mit Jodmethyl, so entsteht das bei 192° unter Zersetzung schmelzende quaternäre Ammoniumjodid, C₁₀H₁₂N₂.CH₃J.

Die Nitroso-o-Äthylamidohydrozimmtsäure liefert bei Reduktion mit Zinkstaub und Essigsäure die entsprechende Hydrazinsäure, [C₆H₄(CH₂.CH₂.COOH)(N.(C₂H₅)—NH₂)], und letztere geht unter gewissen Bedingungen glatt in den dem Hydrocarbostyril entsprechende Hydrazinanhydrid über. Vf. nennt diese Verbindung *Äthylhydrocarbazostyril*. Es bildet weifse, lange Nadeln, welche bei 165,5° schmelzen. Beim Stehen in der salzsauren Lösung oder beim Verdampfen auf dem Wasserbade erhält man das innere lösliche Hydrochlorat der *Äthylhydrazinhydrozimmtsäure*, das bei 146° schmilzt und zwischen 150 bis 160° in das Hydrocarbazostyril sich umwandelt. (LIEB. Ann. **221.** 261—97. Erlangen.) P.

Ludwig Knorr, *Über das Piperylhydrazin.* Nitropiperidin mit Zinkstaub und Essigsäure reduziert, liefert neben dem Tetrazon das *Piperylhydrazin*, C₅H₁₀N.NH₂, welches ein farbloses, stark lichtbrechendes, bei 146° (728 mm B.) siedendes Öl vom spec. Gew. 0,9283 bei 14,6° vorstellt. Es fällt die Metalloxyde aus ihren Lösungen und treibt, weil schwerer flüchtig, Ammoniak aus seinen Salzen aus. Rein salzsaures Salz schmilzt bei 162°. Das *Monobenzoylpiperylhydrazin* (aus dem Hydrazin und Benzoylchlorid in ätherischer Lösung) krystallisiert in perlmutterähnlich glänzenden Schuppen und schmilzt bei 195—195,5°; das *Benzylidenpiperylhydrazin*, C₅H₁₀N₂.CH.C₆H₅ (aus Hydrazin und Bittermandelöl) hat seinen Schmelzpunkt bei 62—63°C. *Piperylsemicarbazid*, C₅H₁₀N₂.HCONH₂, aus Kaliumcyanat und salzsaurem Piperylhydrazin, schmilzt bei 135—136,5° und zersetzt sich bei weiterem Erhitzen unter Ammoniakentwicklung.

Weiter hat Vf. dargestellt: *Piperylsulfosemicarbazid*, C₅H₁₀N₂.HCSNH₂, Schmelzp. 167°C.; *Piperylsulfocarbazid*, (C₅H₁₀N₂H)₂CS), (aus Piperylhydrazin in alkoholischer Lösung und CS₂), Schmelzp. 181°; *Dipiperylsulfosemicarbazid*, (C₅H₁₀N.CS.NH.N.C₅H₁₀), Schmelzp. 85,5°.

Piperylhydrazin und salpetrige Säure liefert Nitrosopiperidin. Das Hydrazin vereinigt sich als tertiäre Base, wie alle anderen bekannten sekundären Hydrazine, mit einem Molekül Halogenalkyl zu einer Ammoniumverbindung, *Methylpiperylazoniumjodid*, $C_5H_{10}N_2H_3$. CH_3J, liefert mit Silberoxyd das *Azoniumhydrat*, das sich wieder bei der Destillation in Piperidin, Wasser und Ammoniak, und eine Hydrazinbase zerlegt. Das Piperylhydrazin wird leicht von oxydierenden Mitteln angegriffen und geht bei gewöhnlicher Temperatur, oder in neutraler und alkalischer Lösung oxydiert (mittels Quecksilberoxyd am besten) immer in Tetrazon über:

$$2\,C_5H_{10}NNH_2 + 4\,HgO = C_5H_{10}-N.N \rightleftharpoons N-NC_5H_{10} + 2\,H_2O + 2\,Hg_2O.$$

Das Dipiperyltetrazon schmilzt konstant bei 45° C. und wird in saurer Lösung unter Stickstoffentwicklung zersetzt. Das Platindoppelsalz verpufft bei 70°. (LIEB. Ann. **221**. 297 bis 313. Erlangen.)

P.

Hermann Reisenegger, Über *die Hydrazinverbindungen des Phenols und Anisols*. Vf. stellte aus o-Amidophenol mittels Natriumnitrit und darauf Behandeln mit Kaliumsulfitlösung das von SCHMITT und GLUTZ beschriebene *diazophenolsulfosaure Kalium*. $C_6H_4(OH)N_2.SO_3K$, her und reduzierte dieses Salz mit Zink und Essigsäure zu *hydrazinphenolsulfosaurem Kalium*, $C_6H_4(OH).N_2H_2.SO_3K$. Dasselbe krystallisiert in Blättchen, welche FEHLING'sche Lösung reduzieren und sich in Salzsäure mit roter Farbe lösen; aus dieser Lösung werden sie mittels Kaliumcarbonat nicht wieder isoliert. Aus p-Amidophenol konnte in gleicher Weise das *p-diazophenolsulfosaure Kalium* und daraus das *p-hydrazinphenolsulfosaure Kalium* erhalten werden. *Amidoanisol* ging bei der nämlichen Behandlung in das *o-diazoanisolsulfosaure Natrium*, $(C_6H_4(OCH_3).N_2SO_3Na + 2\,H_2O)$ über, und dieses mit Zink und Essigsäure in das *o-hydrazinanisolsulfosaure Natrium*, $C_6H_4(OCH_3)N_2H_2.SO_3Na + H_2O$.
Starke Salzsäure verwandelt das Salz in das Chlorhydrat, $C_6H_4(OCH_3)N_2H_3HCl$, und aus diesem macht Kalilauge das Hydrazin frei, welches bei 43° schmilzt. Mit salpetriger Säure scheint es in *Diazoanisolimid*, $C_6H_4(OCH_3)N_3$, überzugehen. Vf. beschreibt das Sulfat, Oxalat, Pikrat und die Acetylverbindung des o-Hydrazinanisols. Hydrazinanisol vereinigt sich mit Äthylisocyanat zu *Hydrazinanisoläthylharnstoff*, $C_6H_4(CH_3O)N_2H_2$. $CONH.C_2H_5$, Schmelzp. 110°. (LIEB. Ann. **221**. 314—22. Erlangen.)

P.

Kleine Mitteilungen.

Veränderungen verschiedener Petroleumsorten beim Brennen, von JUNKER. Es ist vielfach behauptet worden, daß die Leuchtkraft einer brennenden Petroleumlampe dadurch beeinträchtigt werden könne, daß dem Petroleum durch den Lampendocht die leichter flüchtigen Teile früher entzogen werden, als die schwereren, während andererseits die Erklärung allein darin gesucht wurde, daß das Niveau des Öles mit dessen Verzehrung sinkt, und das Petroleum nicht genügend leicht in dem länger gewordenen Dochte aufsteigen könne, um der Flamme immer gleich viel Nahrung zu geben.

Zur Lösung dieser Streitfrage hat Vf. folgende Versuche angestellt: Ein Teil des Versuchsöles wurde auf gewöhnlichen Lampen bis auf einen gewissen Rest ($^1/_5$—$^1/_{10}$) verbrannt und dieser Rest in derselben Weise untersucht, wie ein anderer Teil des Öles, das noch nicht auf der Lampe gewesen war. Die Untersuchungen bestanden in der Feststellung des Entflammungspunktes, des spezifischen Gewichtes, der Leuchtkraft und der Zusammensetzung der Öle, letzteres mittels der fraktionierten Destillation.

Diese Untersuchungen ergaben folgende Resultate:

1. Der Entflammungspunkt des in den Lampen verbliebenen Ölrestes war in mehr als zwanzig Fällen dem des nicht auf Lampen gewesenen Öles gleich, oder doch nur um $^1/_2$° höher oder niedriger.

2. Das spez. Gewicht des Ölrestes zeigte nur in einzelnen Fällen eine Zunahme, die im Maximum 0,0025 betrug.

3. Nur ein sehr geringer Teil der leichteren Kohlenwasserstoffe wird auf gewöhnlichen Lampen früher verbrannt, als die schweren Kohlenwasserstoffe.

Es sind untersucht:

I. Amerikanisches Öl aus der Ocean-Raffinerie.

	a. vor dem Brennen:		b. nachdem ¹/₃ abgebrannt war:
			b. nachdem $^1/_3$ abgebrannt war:
Entflammungspunkt	23°C.		23°C.
Spez. Gewicht	0,803		0,803
Beginn der Destillation	135°C.		135°C.
Destilliert ist von	135—150°	6 p. c.	$5^1/_3$ p. c.
„	150—200°	$22^1/_3$ „	22 „
„	200—270°	$26^1/_3$ „	$24^2/_3$ „
	Summa	$54^2/_3$ p. c.	52 p. c.

Verlust $2^2/_3$ p. c. oder 4,8 p. c. der leichten Öle.

II. Amerikanisches Öl aus der Standard-Raffinerie.

	a. vor dem Brennen:		b. nachdem die Hälfte abgebrannt war:
Entflammungspunkt	23,5°C.		23°C.
Spez. Gewicht	0,807		0,805
Beginn der Destillation	135°C.		135°C.
Destilliert ist von	135—150°	$4^1/_2$ p. c.	$2^2/_3$ p. c.
„	150—200°	$21^1/_3$ „	$22^1/_3$ „
„	200—270°	$24^1/_2$ „	24 „
	Summa	$50^1/_3$ p. c.	49 p. c.

Verlust $1^1/_3$ p. c. oder 3 p. c. der leichten Öle.

III. Amerikanisches Öl aus der Imperator-Raffinerie.

	a. vor dem Brennen:		b. nachdem die Hälfte abgebrannt war:
Entflammungspunkt	24,2°C.		24,2°C.
Spez. Gewicht	0,799		0,8005
Beginn der Destillation	130°C.		130°C.
Destilliert ist von	130—150°	$4^1/_2$ p. c.	$3^2/_3$ p. c.
„	150—200°	29 „	$30^1/_3$ „
„	200—270°	$24^1/_8$ „	$23^1/_3$ „
	Summa	$57^5/_6$ p. c.	$57^1/_3$ p. c.

Verlust $^1/_2$ p. c. oder 1 p. c. der leichten Öle.

IV. Amerikanisches Öl aus der Radiant-Raffinerie.

	a. vor dem Brennen:		b. nachdem die Hälfte abgebr. war:	c. nachdem $^3/_4$ abgebr. war:
Entflammungspunkt	16,6°C.		16,6°C.	16,6°C.
Spez. Gewicht	0,8025		0,8025	0,8025
Beginn der Destillation	115°C.		115°C.	118°C.
Destilliert ist bei	115—150°	6 p. c.	$5^1/_2$ p. c.	6 p. c.
„	150—200°	22 „	$21^1/_2$ „	$21^1/_4$ „
„	200—270°	$30^1/_2$ „	$28^1/_2$ „	$28^1/_2$ „
	Summa	$58^1/_2$ p. c.	$55^1/_2$ p. c.	$55^3/_4$ p. c.

Verlust 3 p. c. oder $5^1/_7$ p. c. der leichten Öle.

V. Amerikanisches Öl aus der Standard-Raffinerie.

	a. vor dem Brennen:		b. nachdem $^9/_{10}$ abgebrannt war:
Entflammungspunkt	23°C.		23°C.
Spez. Gewicht	0,7925		0,795
Beginn der Destillation	135°C.		135°C.
Destilliert ist bei	135—150°	$7^1/_2$ p. c.	8 p. c.
„	150—200°	$34^3/_4$ „	$30^3/_4$ „
„	200—270°	$22^3/_4$ „	$23^3/_4$ „
	Summa	65 p. c	$62^1/_2$ p. c.

Verlust $2^1/_2$ p. c. oder 3,8 p. c. der leichten Öle.

VI. Amerikanisches Öl aus der Imperator-Raffinerie.

	a. vor dem Brennen:			b. nachdem $^6/_7$ abgebrannt war:	
Entflammungspunkt	23,25°C.			23,25°C.	
Spez. Gewicht	0,805			0,805	
Beginn der Destillation	140°C.	·		140°C.	
Destilliert ist bei	140—150°		$^3/_4$ p. c.	$3^3/_4$ p. c.	
„	150—200°	23	„	23	„
	200—270°	28	„	$23^3/_4$	„
	Summa	$51^3/_4$ p. c.		$50^1/_2$ p. c.	

Verlust $1^1/_2$ p. c. oder 3 p. c. der leichten Öle.

4. Die photometrischen Messungen wurden mit einem Photometer von BUNSEN ausgeführt. Als Resultat hat sich dabei ergeben, daß ein Öl, von dem $^3/_4$ abgebrannt war, unter denselben Verhältnissen nur um $^1/_{10}$-Kerze, d. h. um $^1/_{45}$ seiner Gesamtleuchtkraft, und ein Öl, von dem $^6/_7$ abgebrannt war, um $4^!/_{10}$-Kerzen, d. h. um $^1/_{11}$ seiner Gesamtleuchtkraft weniger hell brannte, als das Öl, von dem noch nichts verbrannt war.

Vergleicht man hiermit die Resultate, die BIEL gefunden hat, und die Vf. aus eigener Erfahrung bestätigen kann, daß nämlich amerikanische Öle bei der Vermehrung des Niveaoabstandes die Hälfte und mehr von ihrer Leuchtkraft einbüßen, so dürfte der Schluß berechtigt sein, daß das Zurückgehen der Leuchtkraft einer längere Zeit brennenden Petroleumlampe weit mehr der Senkung des Niveaus im Ölbassin, als dem Umstande zugeschrieben werden muß, daß ein Teil der leichteren Kohlenwasserstoffverbindungen früher vom Dochte aufgesogen wird, als die schwereren Verbindungen. (Rep. anal. Chem. 3. 129—31.)

Beiträge für das Centralblatt bittet man an die Redaktion (Leipzig, Lessingstr. 5) zu richten. Originalarbeiten von nicht zu großem Umfange werden entsprechend honoriert und gelangen stets sofort nach der Einsendung, und zwar in kürzester Frist, zum Abdruck.

· Redaktion: Prof. Dr. Rud. Arendt in Leipzig.

Verlag von Leopold Voss in Hamburg u. Leipzig. — Druck von Metzger & Wittig in Leipzig.

No. 10.

Chemisches
Central-Blatt.

5. März 1884.

Wöchentlich eine Nummer von
1-2 Bogen. Der Jahrgang mit
Sach- und Namen-Register,
nebst system. Übersicht.

Der Preis des Jahrgangs
ist 20 Mark. Durch alle
Buchhandlungen und Post-
anstalten zu beziehen.

REPERTORIUM
für reine, pharmazeutische, physiologische und technische Chemie.

Dritte Folge. XV. Jahrgang.

Wochenbericht.

1. Allgemeines und Physikalisches.

Berthelot, *Untersuchungen über die Absorption der Gase durch Platin.* (Ann. Chim. Phys. [5.] **30.** 516—39. Dez. 1883; C.-Bl. 1882. 457.)

Poleck, *Verdichtung von Gasen, mit besonderer Berücksichtigung der Arbeiten von Cailletet und Pictet und von Wroblewski.* (Vortrag, geh. in der Schles. Gesellsch. für vaterl. Kultur in Breslau am 13. Dez. 1883. Sitz.-Protok. 4—6.) **P.**

E. Bouty, Über die *Leitungsfähigkeit sehr verdünnter Salzlösungen.* Die elektrische Leitungsfähigkeit der in Wasser gelösten Salze variiert mit der Konzentration in einer äußerst verwickelten Weise, welche für jedes Salz eine verschiedene ist. Man besitzt bis jetzt dafür weder ein allgemeines Gesetz, noch eine empirische Formel von auch nur einiger Brauchbarkeit. Es läßt sich a priori annehmen, daß diese Leitungsfähigkeit zugleich von der chemischen Natur des Salzes, von den Hydraten, die es bilden kann, und von der Beständigkeit derselben abhängt. Der Versuch zeigt auch, daß sie nicht ohne Relation zu einigen physikalischen Eigenschaften der Lösung, besonders zu der Zähigkeit ist. Allein der Einfluß dieser verschiedenen Umstände hat bis jetzt noch nicht aufgeklärt werden können. Es erschien deshalb wichtig, das Problem zunächst dadurch zu vereinfachen, daß man nur Lösungen mit identischen physikalischen Eigenschaften der Untersuchung unterwarf. Der Vf. hat dem entsprechend so verdünnte Lösungen benutzt, daß die Dichte und Zähigkeit derselben der des reinen Wassers gleich kam: ihre Leitungsfähigkeit ist dann immer noch im Verhältnisse zu der des Wassers enorm und läßt sich leicht nach einer Methode bestimmen, welche der elektrometrischen Methode von LIPPMANN (C. r. **83.** 192) nachgebildet ist. Durch eine Reihe von Versuchen, welche in dieser Weise ausgeführt wurden, hat der Vf. alsbald erkannt, daß die Leitungsfähigkeit der Salze ihrer chemischen Zusammensetzung nach von einem sehr einfachen Gesetze abhängig ist. Es handelt sich dabei zunächst nur um neutrale Salze.

Es sei *p* das Gewicht des Salzes, welches in der Gewichtseinheit der Lösung enthalten ist, *e* das chemische Äquivalent desselben, *c* die Leitungsfähigkeit eines Flüssigkeitscylinders, dessen Länge und Querschnitt der Einheit gleich sind. Für jedes Salz giebt es einen Wert p_1, unter dem die Leitungsfähigkeit proportional dem Gewichte des aufgelösten Salzes ist. Vergleicht man dann die Leitungsfähigkeiten verschiedener Salze unter einander, so erkennt man, daß sie im umgekehrten Verhältnisse zum chemischen Äquivalente stehen, und man kann demnach die Formel:

$$c = k \frac{p}{e}$$

aufstellen. Der Koeffizient *k* ist für alle neutralen Salze, welche der Vf. untersucht hat, derselbe.

Setzt man in dieser Formel *p* = *e*, d. h. nimmt man nur solche Lösungen, welche in dem gleichen Volum 1 Äq. der verschiedenen Salze, also dieselbe Anzahl von Molekünen enthalten, so ist die Leitungsfähigkeit von e für alle Salze die gleiche. *Die molekulare Leitungsfähigkeit aller neutralen Salze ist gleich.*

Für diejenigen Salze, welche wasserfrei krystallisieren, ist es im allgemeinen leicht, einen solchen Verdünnungsgrad zu erreichen, dafs das Gesetz sich genau verifizieren läfst ($^1/_{1000}$—$^1/_{4000}$), für die wasserhaltigen Salze aber mufs man unterhalb dieser Grenze gehen, und die Zahlen, welche der Vf. veröffentlicht, beweisen nur, dafs ihre Leitungsfähigkeit sich mehr und mehr dem obigen Gesetze fügt, je gröfser die Verdünnung wird. Die Versuche wurden so ausgeführt, dafs man die Widerstände (r) von Lösungen, welche $^1/_{20}$, $^1/_{100}$, $^1/_{1000}$, $^1/_{4000}$ Salz enthielten, mit denjenigen einer Chlorkaliumlösung von gleicher Konzentration verglich. Das Verhältnis dieser Widerstände, welches mit der Verdünnung variiert, mufs an der Grenze mit dem Verhältnis ϱ der Äquivalente zusammenfallen. Die folgenden beiden Tabellen gestatten über die Genauigkeit dieses Gesetzes ein Urteil.

Wasserfreie Salze.

Formeln der Salze	Äquivalent	Werte von r für folgende Konzentrationen				
		$^1/_{20}$	$^1/_{200}$	$^1/_{1000}$	$^1/_{4000}$	ϱ
NH₄Cl	53,5	0,743	0,730	0,724	„	0,718
KCl	74,5	1,000	1,000	1,000	1,000	1,000
NH₄O,NO₅	80	1,203	1,134	1,156	1,133	1,074
KO,SO₃	87	1,507	1,338	1,257	1,182	1,169
KO,CrO₃	98	1,473	1,375	1,312	„	1,304
KO,NO₅	101	1,555	1,431	1,371	„	1,356
KBr	119	1,472	1,536	1,531	„	1,597
KO,ClO₅	122,5	„	1,717	1,649	„	1,649
KO,ClO₇	138,5	„	1,898	1,867	„	1,859
AgO,SO₃	156	„	„	2,131	1,981	2,094
PbO,NO₅	165,5	3,721	2,834	2,530	2,212	2,221
KJ	166	2,132	2,202	2,108	„	2,233
AgO,NO₅	170	2,865	2,480	2,480	2,149	2,281

Wasserhaltige Salze, oder solche, die mit dem Wasser bestimmte Verbindungen geben.

Formeln der Salze	Äquivalent	Werte von r für folgende Konzentrationen					
		$^1/_{20}$	$^1/_{200}$	$^1/_{1000}$	$^1/_{2000}$	$^1/_{4000}$	ϱ
CaCl	55,5	1,071	0,998	0,932	„	0,880	0,745
KFl	58	„	0,999	0,959	„	0,942	0,778
MnCl + 4HO	99	2,070	1,868	1,673	„	1,567	1,329
MgCl + 6HO	101,5	1,824	1,645	1,541	„	1,402	1,362
BaCl + 2HO	122	2,114	1,857	1,772	„	1,558	1,638
CuO,SO₃ + 5HO	124,75	5,241	3,703	2,664	„	2,194	1,674
NaO,CO₂ + 10HO	143	3,531	2,735	2,461	„	2,324	1,919
ZnO,SO₃ + 7HO	144	5,650	3,715	„	2,429	2,358	1,932
CuO,NO₅ + 6HO	147,75	2,924	2,541	2,486	„	2,251	1,983
ZnO,NO₅ + 6HO	149	2,842	2,569	2,533	„	2,345	2,000
CdO,NO₅ + 4HO	155	3,144	2,796	2,701	„	2,559	2,081
NaO,SO₃ + 10HO	161	3,556	2,876	„	2,578	„	2,161

Die wasserhaltigen Säuren und Basen, die sauren und mehrbasischen Salze verhalten sich in einer besonderen Weise. Hierüber wird der Vf. in einer folgenden Mitteilung berichten. Er wird die Arbeit fortsetzen und besonders den Einflufs des Lösungsmittels, der Temperatur etc. studieren.

Berthelot macht auf die Bedeutung dieser von BOUTY erhaltenen Resultate aufmerksam. Nach dem obigen Gesetze wird der elektrische Widerstand sehr verdünnter Salzlösungen durch das Äquivalent- und nicht durch das Atomgewicht der Körper bestimmt. Dies ergiebt sich aus den für das salpetersaure Blei erhaltenen Resultaten, wenn man dieselben mit den für die Nitrate des Kaliums und Silbers vergleicht. Diese Relation scheint in gewissem Zusammenhange mit dem FARADAY'schen Gesetze zu stehen, welches sich ebenfalls auf Äquivalent- und nicht auf Atomgewichte bezieht. Die Äquivalentgewichte sind demnach die Basis der elektrochemischen Gesetze, ebenso wie die der meisten physikalischen Gesetze, wo die relativen Mengen der Körper in betracht kommen. Alle diese Gesetze werden viel unklarer und verwickelter, wenn man sie mittels der Atomgewichte ausdrücken will. (C. r. **98.** 140—42. [21.*] Januar.)

A. Muencke, *Apparat zur Entwicklung reiner Kohlensäure**. Die Anordnung der Gefäße für den Vorrat an Säure und kohlensauren Kalk entspricht derjenigen von KIPP, nur mit dem Unterschiede, dafs die Röhre *a* nur bis in die halbe Höhe des unteren Gefäßes hinabreicht. Grund dieser Anordnung ist, zur Zersetzung des kohlensauren Kalkes nicht die untersten Säureschichten, welche nach längerem Gebrauche des Apparates sehr viel Chlorcalcium enthalten, heranzuziehen.

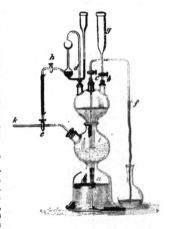

Das obere Gefäß besitzt drei Tuben mit eingeschliffenen Stopfen, welche erforderlichenfalles mit federnder Schlufsvorrichtung versehen werden können. In dem Tubulus *b* sitzt der Säurezuflufstrichter, in dem bei *c* das Säureabflufsrohr, welches bis auf den Boden des untersten Gefäßes hinabreicht; beide Vorrichtungen sind durch Hähne verschliefsbar. Der dritte Tubus *d* enthält das Manometer, dessen Form aus beistehender Figur ersichtlich ist: an die untere, zum Quecksilbervorrate dienende Kugel ist oben seitlich eine Ableitungsröhre angeblasen, welche durch den Hahn *h* verschliefsbar, mittels in heifsem Paraffin luftdicht gemachten Gummischlauches in den Dreiweghahn bei *e* führt. Der letztere ist in das Gasableitungsrohr des mittleren Gefäßes eingeschaltet.

Bei der Ingangsetzung des Apparates wird, wie folgt verfahren:

Zuerst wird der kohlensaure Kalk, welcher in Wasser ausgekocht ist, in das mittlere Gefäß gebracht und die Röhre *f* mit einem gewöhnlichen Kohlensäureentwicklungsapparate verbunden. Die Kohlensäure verdrängt allmählich, von unten ansteigend, durch *e*, *h* und *d* in das oberste Gefäß gelangend, die Luft, welche durch den Hahn *b* entweicht. Hierauf wird so lange lüftfreie Säure in den Trichter *g* gefüllt und in den Apparat eingelassen, bis sie in das mittlere Gefäß eindringt und Kohlensäure zu entwickeln beginnt. Nun wird der Hahn *k* geschlossen und dadurch das Emporsteigen der Säure in das obere Gefäß bewirkt. Der in dem letzteren herrschende Überdruck der Kohlensäure wird durch Öffnen des Hahnes *b* beseitigt, worauf das wünschenswerte Säurequantum eingelassen wird. Der Hahn *b* wird nunmehr wieder geschlossen und der bei *h* geöffnet; der Dreiweghahn bei *e* steht auf Verbindung von *i* nach *h*. Es fängt nunmehr die Entwicklung der Kohlensäure an, welche durch *e*, *h* und *d* in das obere Gefäß gelangt, aus welchem sie durch den Hahn *b* entlassen wird. Nachdem durch andauernde Auswaschung mit Kohlensäure jede Spur von Luft aus dem Apparate vertrieben ist, wird zuerst *b* dann *h* geschlossen. Der sich jetzt bildende Überdruck wird event. durch Öffnung des Hahnes *h* ermäfsigt. Nachdem der Apparat mehrere Stunden sich selbst überlassen ist, verschwindet durch Sättigung der Flüssigkeit der Überdruck und es mufs wiederholt durch Öffnung des Hahnes *h* von neuem Gas entwickelt werden. Bleibt der Druck konstant, so ist der Apparat zur Verwendung fertig.

Etwaige Nachfüllung frischer Säure erfolgt nach Ablassung eines Teiles der gebrauchten durch Öffnung von *c*, hierauf Schliefsen desselben und Beseitigung des Überdruckes durch Öffnung von *b*. Die Einfüllung geschieht unter Öffnung des Hahnes *h* und Stellung des Dreiweghahnes *e* auf die Verbindung von *h* nach *k*.

Vorzüge des Apparates: 1. Der Überdruck des im oberen Gefäße befindlichen Gases kann nie eine Gefahr herbeiführen, da das Manometer zugleich die Funktion des Sicherheitsventils versieht. 2. Die Füllung kann event. auch ohne jeden Nebenapparat erfolgen. 3. Der etwa verloren gegangene Überdruck des Gases läfst sich jederzeit wieder herstellen.

---

* Zu beziehen von Dr. R. MUENCKE, Berlin NW., Louisenstr. 58.

4. Das Ab- und Zufüllen der Säure geschieht, ohne den Apparat auf längere Zeit aufser Betrieb setzen zu müssen.

5. Physiologische, medizinische und pharmazeutische Chemie.

H. Tappeiner, *Untersuchungen über die Gärung der Cellulose, insbesondere über deren Lösung im Darmkanale.* Bis jetzt ist weder über die Orte, wo die Lösung der Cellulose vor sich geht, noch weniger über die Art und Weise, wie dies geschieht, Sicheres bekannt.

Aus der einen Versuchsreihe ist zu schliefsen, dafs im Pansen in der That eine Lösung der Cellulose stattfindet und dafs hierbei Gärungsvorgänge beteiligt sind, dagegen kann man eine wesentliche Beteiligung des Dünndarmes an der Lösung der Cellulose wohl als ausgeschlossen betrachten. Im Dickdarme zeigt sich ein verringerter Cellulosegehalt nur in jenen Versuchen, bei welchen Gärung statthatte. Eine Wirkung von Enzymen war nicht zu beobachten; hier ist also der zweite Ort, wo Lösung von Cellulose stattfindet.

Bei der Untersuchung der Frage, aus welchen Substanzen die Darmgase entwickelt werden, ergab es sich, dafs die Sumpfgasentwicklung im Darme der grofsen Pflanzenfresser von den festen Bestandteilen des Darminhaltes ausgeht, Eiweifskörper, Fette oder Stärke hieran nicht wesentlich beteiligt sind. Für die Cellulosegärung im allgemeinen ist der Befund interessant, dafs Cellulose unter Entwicklung von Wasserstoff und Kohlensäure vergärt werden kann.

Bei der Gärung (mittels Panseninhaltes in einer LIEBIG'schen Fleischextraktlösung als Nährlösung) entwickelte sich Kohlensäure, Schwefelwasserstoff, Wasserstoff, Grubengas und Stickstoff. Durch die Gärung wird der gröfste Teil der gelösten Cellulose in flüchtige Fettsäuren (hauptsächlich Essigsäure) verwandelt; der kleinere Teil entweicht gasförmig (hauptsächlich Kohlensäure und Sumpfgas), und aufser diesen Gasen und den flüchtigen Säuren können erhebliche Mengen anderer organischer Substanzen kaum gebildet werden.

Vergleicht man die aus Panseninhalt entwickelten Gase mit den bei der künstlichen Cellulosegärung entwickelten, so findet man eine bedeutungsvolle Übereinstimmung. Im Pansen des Rindes finden sich Spuren von Ameisensäure, kleine Mengen von Aldehyd und Propionsäure, grofse Mengen von Essigsäure, sodann Normalbuttersäure und eine Säure von der Zusammensetzung der Buttersäure, aber charakteristischen, sowohl von der Normal- wie der Isobuttersäure unterscheidenden Eigenschaften. Abgesehen von der normalen Buttersäure, der Propionsäure und Ameisensäure findet man somit im Pansen alle flüchtigen Produkte der Cellulosesumpfgasgärung wieder.

Es ist der Nachweis zu führen, dafs die genannten Stoffe wirklich erst im Pansen entstanden sind und nicht schon im gefütterten Heu enthalten waren. Eine Prüfung des Heues ergab, dafs die in ihm enthaltenen flüchtigen Säuren ein Gemenge von vorwiegend Essigsäure und einer höheren Fettsäure (Butter- oder Propionsäure) sind, daneben sind Spuren von Ameisensäure nachweisbar. Aus dem quantitativen Befunde der Pansenflüssigkeit läfst sich folgern, dafs daselbst die gröfste Menge der Säuren erst im Pansen selbst entstanden sein kann. Es ist ferner die Cellulose die Substanz, welche in grofsem Umfange im Pansen durch Spaltpilze zu Kohlensäure, Sumpfgas, Aldehyd, Essigsäure und eine Säure von der Zusammensetzung der Buttersäure zersetzt wird.

Die Gärungsprodukte des Blind- und Grimmdarmes der Pferde sind die nämlichen, wie diejenigen der Cellulosesumpfgasgärung. Bei der Gärung des Dickdarminhaltes vom Rinde findet regelmäfsig Säurebildung statt. Bei schwacher Gärung (nach Heufütterung) ist dieselbe nur gering und die Reaktion des Inhaltes bleibt neutral, die gebildete Säure ist Essigsäure. Bei starker (Körnerfütterung) ist die Säurebildung erheblich, der Inhalt nimmt saure Reaktion an und die gebildete Säure besteht aufser Essigsäure auch noch aus der höheren Säure (Buttersäure), die bei den künstlichen Cellulosegärungen und im Panseninhalte gefunden wurde. Die Gärung im Darme der Wiederkäuer ist eine Fortsetzung der durch den Labmagen unterbrochenen Cellulosegärung des Pansens und der Haube.

Die Cellulosesumpfgasgärung ist ferner mit der gröfsten Wahrscheinlichkeit der einzige Prozefs, durch welchen die Cellulose im Verdauungskanale der Wiederkäuer gelöst, oder richtiger gesagt, zersetzt wird. Unter keinen Umständen ist es ferner mehr erlaubt, die „verdaute" Cellulose einfach den assimilierten Kohlehydraten zuzuzählen und mit ihnen in Rechnung zu stellen.

Die Cellulosewasserstoffgärung tritt auf, wenn an den vom Vf. beschriebenen Versuchsbedingungen, unter denen die Sumpfgasgärung vor sich ging, folgende Veränderungen vorgenommen werden:

Die neutrale einprozentige Fleischextraktlösung wird ersetzt 1. durch eine solche von schwach alkalischer Reaktion, 2. durch eine einprozentige Fleischextraktlösung, die zu gleichen Teilen mit Wasser verdünnt war, das in 100 Tln. nach der Vorschrift von NÄGELI enthielt: 0,2 g Na₂HPO₄, 0,04 g MgSO₄, 0,02 g CaCl₂ (NÄGELI'sche Salzlösung), 3. durch wässerige Lösungen, die in 100 Tln. die genannten Salze und außerdem als stickstoffhaltigen Körper entweder 0,35 g Ammoniumacetat, 0,3 g Acetamid oder 0,6 g Asparagin enthielten.

Die Gärung beginnt durchschnittlich einige Tage nach der Infektion mit etwas Panseninhalt und nimmt im allgemeinen denselben Verlauf, wie die Cellulosesumpfgasgärung; die entwickelten Gase bestehen von Anfang bis zu Ende nur aus Kohlensäure und Wasserstoff neben Spuren von Schwefelwasserstoff. Vf. beobachtete auch, daß beide Cellulosegärungen in derselben Flasche neben und nach einander auftreten können, wobei immer die Sumpfgasgärung allmählich das Übergewicht erhält. Die Untersuchung der nicht gasförmigen, bei der Cellulosewasserstoffgärung entstehenden flüchtigen Produkte führte zu den fast gleichen Resultaten, wie bei der Sumpfgasgärung.

Die Beobachtungen, welche es sehr wahrscheinlich machen, daß die eben beschriebene Cellulosegärung im Magen der Pferde vorkommt, sind: 1. Die Zusammensetzung der in beiden Fällen entwickelten Gase ist dieselbe. 2. Die im Magen vorfindlichen flüchtigen Säuren sind dieselben, welche auch bei der künstlichen Cellulosewasserstoffgärung erzeugt werden. (Ztschr. f. Biol. 20. 52—134. München.)   P.

Ferd. Cohn, Über *einige durch Gärung der Milch erzeugte Genußmittel*. Über dieses Thema hielt Vf. in der Sitzung der Schles. Gesellsch. f. vaterl. Kultur in Breslau am 13. Dez. vor. J. einen Vortrag. Von den gärungserregenden Pilzen, welche an der Erzeugung technisch wertvoller Fermentationsprodukte beteiligt sind, sind bisher nur der Alkoholhefepilz (Saccharomyces) und der Essigpilz (Mycoderma) genauer studiert worden. Wir finden bei den verschiedenen Völkern Asiens eigentümliche, durch Gärung gewonnene Produkte, über deren Fermente fast noch gar nichts bekannt ist. Der Vortragende demonstrierte einige aus Milch gewonnene Produkte, welche er durch den Leibarzt des Schah von Persien, Dr. POLAK in Wien, erhalten hatte.

1. **Keschk**, welcher im ganzen Oriente, von Syrien bis Afghanistan und Turkestan, als Volksnahrung benutzt wird. Er wird aus mäßig abgedampfter saurer Buttermilch in Kugeln oder Stangen präzipitiert, giebt mit Umbelliferenwurzeln und Blättern aus der Steppe eine gute Suppe. 2. **Karagrut**, der eingedampfte, schwarze, sehr saure und salzige Rückstand bei der Keschkbereitung. 3. **Jaurt**, das beliebteste Getränk der Orientalen, das vom Schah bis zum Bettler täglich genossen wird, ist sauere Milch, durch Zusatz von Keschk gewonnen. Es verteilt sich leicht mit jeder Quantität Wasser und etwas Salz zu einer erfrischenden Emulsion (Dugh). Andere Gärungsprodukte sind Kumys, ursprünglich aus Stutenmilch als von den Nomaden in Süd- und Ostrußland gewonnen und wegen seiner außerordentlich nahrhaften Eigenschaft auch bei uns berühmt geworden, und der Kefir (84. 126), der von russischen Ärzten als ein ausgezeichnetes Nahrungs- und Heilmittel namentlich für Anämische und Phthysiker gerühmt wird. Kephir wird aus Kuhmilch durch Zusatz eines besonderen Fermentes bereitet, erbsen- bis bohnengroße harte Körner oder Klümpchen von gelblicher Farbe, die als Kephirkörner bezeichnet werden. Werden diese gequellt und dann mit Milch übergossen, so tritt schon nach einigen Stunden Gärung mit lebhafter Gasentwicklung ein, die sich bei in Flaschen fest verschlossenen Milch fortsetzt; nach ein bis drei Tagen ist der Kephir zum Genusse fertig. Häufig wiederholtes Umschütteln der Flaschen veranlaßt, daß die Milch nicht wie gewöhnlich beim Sauerwerden zu einer dicken Gallerte gerinnt, sondern sich in sehr feine Bröckchen oder Flöckchen abscheidet. Bei ruhigem Stehen sondert sich das Ganze in eine obere Flüssigkeit und in einen voluminösen, pulverig flockigen Absatz, der sich beim Schütteln wieder gleichmäßig verteilt. Die Menge der Milchsäure und der Kohlensäure, die sich bei der Gärung entwickelt, nimmt von Tag zu Tag zu, daher vom vierten Tage an beim Öffnen des Korkes der Kephir wie Champagner als schäumende, stark moussierende Flüssigkeit ausfließt. Die Kephirkörner sind, wie schon KERN fand, ein Gemenge von Bacillen und Alkoholhefe; die Bakterien scheinen den Milchzucker teils in Milchsäure, teils in Lactose umzuwandeln, letztere durch die Hefe in Alkoholgärung versetzt zu werden. (Sitz.-Protok. der Schles. Gesellsch. f. vaterl. Kultur 13. Dez. 1883. Breslau 1—2.)   P.

W. Kühne und **R. E. Chittenden**, Über *Albumosen*. Am Schlusse ihrer Mitteilung „über die nächsten Spaltungsprodukte der Albumine" (Ztschr. f. Biol. 19. 159) haben die Vff. die Frage aufgeworfen, ob die Hemialbumose ein Gemenge sei. Die Frage wurde veranlaßt in erster Linie durch den Umstand, daß alle Hemialbumose nach dem Digerieren mit peptonfreiem Trypsin neben Amidosäuren noch gewisse Mengen von Pepton lieferte; ferner durch einige Differenzen in der Löslichkeit der Albumose verschiedener

Darstellung. Konnte das erstere Bedenken einstweilen unterdrückt werden, so mußte man das zweite baldigst erledigen, wie schwierig dies auch scheinen mochte, wenn man sich der immer noch nicht genügend beantworteten Frage erinnerte, ob selbst die Albumine in Wasser lösliche Körper seien. Wie man bei den Eiweißstoffen so oft in Zweifel geriet, ob ihre Löslichkeit nicht auf der Gegenwart und Mitwirkung unentfernbarer Salze, oder von gebundener Säure oder Alkali beruhe, so konnte auch die Löslichkeit der Hemialbumose unter Umständen nur eine scheinbare sein. Vff. haben deshalb von diesem Punkte früher abgesehen und sich bei der Darstellung und Auswahl der zu den Analysen verwendeten Produkte an die der Hemialbumose beizulegenden Hauptcharaktere gehalten, welche in folgendem bestanden:

1.' Zum Unterschiede von den Albuminen: a. Löslichkeit in siedendem Wasser, in siedenden verdünnten Salzlösungen, selbst bei schwachem Ansäuern, resp. Wiederabscheidung in der Kälte; b. unveränderte Löslichkeit nach Ausfällung mit starkem Alkohol. 2. Zur Unterscheidung vom Pepton: a. sehr langsame oder mangelnde Dialyse; b. Ausscheidung durch NaCl oder durch NaCl und Essigsäure, oder Koagulation bei Temperaturen weit unter 70°C., mit oder ohne Salz und Säurezusatz, nebst Wiederlösung des Gerinnsels über 70°C., und beim Kochen. 3. Zum Unterschiede von den der Antigruppe der Albumine angehörenden Stoffen: Zersetzlichkeit durch Trypsin unter Bildung von Leucin, Tyrosin und eines durch Brom violett werdenden Körpers. Die Analysen fügten diesem hinzu: C-Gehalt nicht über 52,29 und nicht unter 49,82 p. c.; im Mittel für Hemialbumose aus Fibrin C = 50,32 p. c.

In dieser Weise charakterisierte Hemialbumose erhielten die Vff. aus koaguliertem Eiereiweiß, aus den Eiweißstoffen des Serums und aus Fibrin, teils durch Sieden mit verdünnter Schwefelsäure, teils durch Pepsinverdauung; außerdem war solche Albumose fertig gefunden im Harn eines Osteomalarischen. Bei der Darstellung gab es in der Regel einen Anteil „löslicher" Albumose, welcher aus der Alkoholfällung mit dem Pepton in kaltes Wasser überging, und einen „unlöslichen" Anteil, der durch Waschen mit kaltem Wasser vollständig vom Pepton befreit wurde; der lösliche Anteil war vom Pepton durch Sieden mit NaCl-Überschuß und Essigsäure getrennt, der unlösliche durch Auflösen in siedendem Wasser und Wiederabscheiden in der Kälte, resp. unter Mithilfe von Alkohol gereinigt worden.

Außer dem Unterschiede der Löslichkeit kamen auch Inkonstanzen der Reaktionen vor, namentlich der Fällbarkeit durch NaCl, und dies führte zu dem folgenden Trennungsverfahren, durch welches aus der vom Neutralisationsniederschlage getrennten Verdauungsflüssigkeit des Fibrins außer dem Pepton vier verschiedene Albumosen isoliert wurden:

Nr. 1. Durch festes NaCl im Überschusse fällbar, in kaltem und heißem Wasser löslich.

Nr. 2. Durch NaCl-Überschuß fällbar, in kaltem und siedendem Wasser unlöslich, dagegen sowohl in verdünntem als auch in konzentriertem Salzwasser löslich.

Nr. 3 wie 2, aber auch in Salzwasser unlöslich.

Nr. 4. Durch NaCl-Überschuß nicht, dagegen durch NaCl und Säuren fällbar, in reinem Wasser löslich.

Nr. 1 nennen die Vff. Protalbumose, Nr. 2 Heteroalbumose, Nr. 3 Dysalbumose, Nr. 4 Deuteroalbumose. Diese Körper wurden teils durch Verdauung aus Fibrin mit Pepsin-HCl oder aus käuflichem WITTE'schen, sogen. „Pepton" teils aus der konservierten Hemialbumose aus dem Harn eines Osteomalarischen gewonnen. Die Ergebnisse der Analysen der verschiedenen Albumosen finden sich in der folgenden Tabelle (s. n. Seite) zusammengestellt. Wie verschiedenartig das Verhalten derselben gefunden wurde, stehen sich dieselben doch bezüglich der prozentischen Zusammensetzung sehr nahe, und näher, als man dies z. B. von den im allgemeinen Verhalten untereinander nächst verwandten, ungespaltenen Eiweißstoffen nach Zusammenstellungen der zuverlässigsten Analysen haben kann. In der Albumose des Harns bei Osteomalacie wurde nin den Reaktionen mit der Protalbumose übereinstimmender Körper gefunden; auf einen sicheren Nachweis der wahrscheinlich auch vorhandenen Deuteroalbumose mußte wegen der Geringfügigkeit des Materiales verzichtet werden. Das letztere war der Fall mit der Heteroalbumose. Durch die Versuche gelang es: 1. zwischen Albuminen und Peptonen eine Reihe von Körpern nachzuweisen, deren Zusammensetzung auf einen stufenweisen Gang der hydrolytischen Spaltung deutet, und zwar so, daß Albumosen, sämtlich als erste Hydrate zu betrachten, entstehen; 2. durch den Nachweis, daß die Albumosen nicht nur in die Anti- und Hemigruppe zerfallen, sondern daß nun auch in der Hemigruppe für sich mehrere anzunehmen seien. Allem Anscheine nach gilt dies nicht nur für die Spaltungsprodukte des Fibrins, sondern auch des Eiweiß, des Myosins etc., da es nach der Verdauung solchen Materials ebenfalls glückte, durch das in der Abhandlung beschriebene Verfahren mehrere Produkte zu erzielen, die den beschriebenen sehr ähnlich sind.

Aufserdem sind die Vff. jetzt in der Lage, die früheren Befunde über lösliche und unlösliche Albumosen, sowie die Widersprüche hinsichtlich der Fällbarkeit der Albumose teils durch NaCl allein, teils erst unter Mitwirkung einer Säure aufzuklären.

Bezeichnung	Protalbumose			Protalbumose NaCl-Fäl-lung	Säure-Fäl-lung	Deutero-albumose		Hetero-albumose	Dys-albumose
	A	B	C	D	E	F	G	H	I
C	50,89	50,39	50,54	51,50	50,55	50,47	50,84	50,74	50,88
H	6,83	6,74	6,69	6,80	6,85	6,81	6,85	6,72	6,89
N	17,12	17,12	17,34	17,13	17,01	17,20	17,14	17,14	17,08
S	1,17	1,07	1,17	0,94	1,07	0,87	1,07	1,16	1,23
O	23,99	24,68	24,26	23,63	24,52	24,65	24,10	24,24	23,92
	100,00	100,00	100,00	100,00	100,00	100,00	100,00	100,00	100,00
Prozente Asche	0,90	0,22	2,58	1,60	1,32	1,77	0,68	0,90	1,27
Drehung [α]$_D$	-72,64°	-79,05°	-77,90°	-73,18°	-71,40°	-74,41°	-79,11°	-68,65°	—

(Die Zahlen sind auf aschefreie Substanz berechnet; die spez. Drehung in sehr schwacher [unter 0,1 p. c.] HCl aufgenommen.)

Was früher als „unlösliche Hemialbumose" bezeichnet wurde, besteht aus dem nur in siedender verdünnter Salzsäure aufzulösenden und, nachdem einmal gekocht worden, gröfstenteils beim Erkalten ausfallenden Anteile der Heteroalbumose, während die „lösliche Hemialbumose" sowohl der Protalbumose wie der Deuteroalbumose oder einer Mischung dieser beiden Körper entspricht.

Vergleicht man die von den getrennten Albumosen erhaltenen analytischen Ergebnisse mit den früheren, so ergeben dieselben die meiste Übereinstimmung mit der von den Vffn. (l. c. 193) verzeichneten Analyse „löslicher Hemialbumose (B)" aus Febrin = C — 50,40, H — 6,69, N 17,37, dagegen recht beachtenswerte Abweichung besonders mit der Zusammensetzung der Albumose des Harns = C — 52,13, H — 6,83, N 16,55, wie denn auch diese am wenigstens mit den der übrigen früheren Präparate aus Eiweifs und Fibrin erhaltenen Hemialbumosen stimmt. Die Differenzen haben wahrscheinlich ihren Grund darin, dafs uns der Ursprung der Hemialbumose, d. h. die Beschaffenheit des Eiweifsstoffes, aus welchem sie entsteht, zu wenig bekannt ist, weshalb es höchst wünschenswert ist, dafs die Albumosen sämtlicher Eiweifsstoffe, namentlich des Serumalbumins, der Globuline und des Myosins in ähnlicher Weise, wie die des Fibrins, untersucht werden.

Nach Versuchen mit der Heteroalbumose läfst sich schon mit Bestimmtheit sagen, dafs dieselbe auch Körper der Antigruppe berge, denn Vff. erhielten daraus durch Trypsin unzersetzliches, nur peptonisierbares Antialbumin. Stoffe der Hemigruppe, also eine Hemialbumose, sind in der Heteroalbumose enthalten, und da dieselbe weder nach ihrer prozentischen Zusammensetzung, noch nach ihrem allgemeinen Verhalten den ungespaltenen Albuminen zuzurechnen ist, so wäre sie jetzt als ein Gemisch erkannt, wahrscheinlich von Hemi- und Antiheteroalbumose.

Zur weiteren Feststellung der spezifischen Drehung der Albumosen haben die Vff. einige an schwach alkalischen oder in neutraler NaCl-Lösung vorgenommene Bestimmungen ausgeführt:

	Protalbumose			Protalbumose NaCl-Fäl-lung	Säure-Fäl-lung	Deutero-albumose		Hetero-albumose	
	A	B	C	D	E	F	G	H	
Saure Lösung	-72,64°	-79,05°	-77,90°	-73,18°	-71,40°	-74,41°	-79,11°	-68,65°	$\Big)$
Alkal. „	-81,22°	-70,55°	-79,64°		-75,82°	-75,93°	-75,28°	-60,65°	$\Big\}$ [α]$_D$
NaCl- „						-77,35°	-71,96°		$\Big)$

(Ztschr. f. Biol. **20**. 11—51. Oktober 1883. Heidelberg.)   P.

V. Jodin, Über *die Rolle der Kieselsäure bei der Vegetation des Mais.* (Ann. Chim. Phys. [5.] **30.** 485—94. Dez. 1883; C.-Bl. 1883. 619.)

Kratschmer, Über *Mengenverhältnisse der Kohlehydrate in der Menschenleber.* Die Hauptergebnisse, zu welchen Vf. kam, sind folgende: In der Leber des gesunden, mitunter auch des kranken Menschen ist eine postmortale Zuckerbildung bis zu einem gewissen Grade zu erkennen, und zwar unabhängig von dem jeweiligen Glykogengehalte. Da das Glykogen in der Leber zu einer Zeit unversehrt bleibt, in welcher gerade die Zuckerbildung am lebhaftesten vor sich geht, so kann dieser Zucker nicht aus Glykogen, er muß aus anderen Stoffen entstehen. Der Füllungsgrad des Verdauungskanales übt, wenn überhaupt, auf diese Vorgänge höchstens einen unwesentlichen Einfluß aus. Es finden sich Lebern, in denen neben verhältnismäßig ansehnlichen Mengen von Zucker keine Spur Glykogen enthalten ist, zu einer Zeit, in welcher sonst in diesem Organe sowohl bei Tieren als bei Menschen das Glykogen noch nicht angegriffen wird.

Bei Krankheiten kann aus der Leber sowohl Zucker als Glykogen vollständig verschwinden, ebenso gut werden jedoch bei geringerem Glykogenbestande oft noch bedeutende Zuckermengen beobachtet. Ein näherer Zusammenhang dieser Erscheinung ist bis jetzt nicht ermittelt. Untersuchungen in dieser Richtung vom klinischen Standpunkte erscheinen wünschenswert und können erfolgreich unternommen werden, da es auch zu einer späteren Zeit nach dem Tode noch möglich ist, die Gesamtsumme der Kohlehydrate in der Leber mit ziemlicher Sicherheit festzustellen.

Die Lebern von Menschen und Tieren enthalten eine bisher nicht beschriebene stickstoff- und schwefelhaltige Substanz. Wenn man eine zucker- und glykogenfreie Leber durch Salzsäure und Jodquecksilberkalium derart enteiweißt, daß das vollkommen klare Filtrat durch weiteren Zusatz dieser Reagenzien auch nach längerem Stehen nicht die geringste Trübung erfährt, so erhält man durch Vermischen mit der fünf- bis sechsfachen Menge 90 prozent. Alkohol eine geringe schneeweiße, flockige Ausscheidung, welche ganz wie Glykogen aussah. Diese auf dem Filter zu einer gummiartigen Masse zusammenschrumpfenden Flocken lösen sich im Wasser größtenteils wieder auf und lassen sich durch Alkohol wieder fällen. Die Substanz wird weder durch Speichel, noch durch Mineralsäuren in Zucker verwandelt, enthält Stickstoff und Schwefel, wird durch Phosphorwolframsäure, nicht aber durch Jodkaliumquecksilber gefällt und unterscheidet sich auch sonst von Eiweiß, Pepton, Mucin und Glutin. Sie kommt auch in Lebern vor, welche Zucker und Glykogen enthalten. (Wien. med. Wochenschr. **33.** Nr. 13 u. 14; SCHMIDT's Jahrbücher d. gesamt. Med. **200.** 113—15. Wien.)　　　　　　　　　　　　　P.

7. Analytische Chemie.

P. Ferrari, *Nachweis von Schwefelsäure im Weine.* Um freie Schwefelsäure neben sauren und neutralen Sulfaten im Wein nachzuweisen, schüttelt man 20 ccm des verdächtigen Weines mit 40 ccm einer Mischung aus gleichem Volumen Weingeist und Äther in einem ca. 80 ccm fassenden Stöpselglas, bringt nach 24 stündigem Stehen die Flüssigkeit auf ein mit der Ätherweingeistmischung befeuchtetes Filter und wäscht den Niederschlag im Glase mit der Mischung bis zu neutraler Reaktion nach. Der ausschließlich aus neutralen Sulfaten bestehende Niederschlag auf dem Filter und im Glase wird in heißem Wasser gelöst und die Schwefelsäure mit Baryt bestimmt. Die Ätherweingeistlösung wird destilliert und in dem mit Wasser aufgenommenen Rückstand die Schwefelsäure bestimmt; diese ist nur teilweise als freie Säure zu betrachten, stammt zum anderen Teil aus den Disulfaten, die durch die Ätherweingeistmischung eine Zersetzung in neutrale Sulfate und freie Schwefelsäure erfahren; da die Säure der Disulfate und der neutralen Sulfate in ihren Mengen einander gleich sind, ist die Differenz zwischen der in der Ätherweingeistmischung und der in den neutralen Sulfaten gefundenen Säuremenge als freie Schwefelsäure zu betrachten.

Mit Hilfe dieser Methode läßt sich ein Urteil darüber bilden, ob und in welcher Menge dem Weine Schwefelsäure zugesetzt wurde, wobei aber auch etwaige Schwefelsäure, die infolge des Schwefelns in den Wein gekommen, zu berücksichtigen ist, während man bei dem seitherigen Verfahren, den Gesamtgehalt eines Weines an Schwefelsäure zu bestimmen, zu Vergleichungen mit Analysen reiner Naturweine derselben Lage gezwungen war. (Agricult. Italiana; Pharm. Centralh. **24.** 584.)

C. le Nobel, Über *eine neue Terpenreaktion.* Vf. beobachtete, daß der Harn eines Patienten, dem Kopaivabalsam verabreicht war, nach dem Zusatz von Salzsäure sich schon rot färbte. Diese Reaktion kommt einem Terpen $C_{20}H_{32}$ zu, das man im großen und ganzen nach der von STRAUSS angegebenen Methode (HUSEMANN, die Pflanzenstoffe S. 646), kochen mit verdünnter Natronlauge darstellen kann. Das sich abscheidende Öl wird mit einer großen Menge Wasser geschüttelt, dann verdünnte Salzsäure zugesetzt, endlich die dabei entstandene weiße milchartige Trübung abfiltriert. Auf dem Filter blieb eine gelbe ölartige Substanz zurück, welche mit 95prozentigem Alkohol aufgenommen wurde; aus der alkoholischen Lösung schied sich nach einiger Zeit ein weißes amorphes Harz ab. Die von letzterem abfiltrierte Flüssigkeit wurde eingeengt und so ein bei 250—260° C. siedendes Öl erhalten, das in 95prozentigem Alkohol, Äther, Amylalkohol und fetten Ölen leicht in Chloroform schwer löslich ist. (Vgl. RICH. BRIX, C.-Bl. 1881. 695). Die alkoholische Lösung des Öles färbte sich beim Einleiten trockenen Chlorwasserstoffes schön violettblau und zeigte die charakteristischen Absorptionsstreifen, welche QUINCKE (Arch. f. exper. Pathol. und Pharmakol. **17.** 273) beschrieben hat. Außer diesem Öl fand Vf. noch fünf Harze, die gegen Lösungsmittel ein verschiedenes Verhalten darboten, keines von ihnen gab die oben beschriebene Reaktion. Dagegen gelang es NOBEL ebensowenig, wie BERGMANN, BUCHHEIM und BERNATZIK, eine krystallisierbare Säure aufzufinden (vgl. C.-Bl. l. c.). Auch die Metakopaivasäure, welche nach BRIX mit der Kopaivasäure von MERCK identisch ist, zeigt die Reaktion nicht.

Schüttelt man den Harn nach Kopaivabalsamgebrauch mit Äther, Amylalkohol oder Petroleumäther, so geht die die Reaktion gebende Substanz in diese Lösungsmittel über, dagegen nicht in Chloroform. Das stimmt offenbar mit den Lösungsverhältnissen des obigen Kohlenwasserstoffes überein.

Auch nach Einnehmen von Gurgunbalsam (Wood-oil, Balsamum Capivi), welcher dasselbe Terpen enthält, kann im Harn die Reaktion erhalten werden. Nach Vf. kann man das Terpen als den therapeutisch wirksamen Bestandteil der Balsame ansehen. (Centralbl. f. med. Wissensch. **22.** 17—19. 12. Januar. Leiden.) P.

Robert Otto, *Über den Nachweis von Kalk und Schwefelsäure in Citronensäure und Weinsäure bei Gegenwart von Ammonsalzen.* Die Versuche ergaben, daß der Nachweis von Kalk mittels Oxalsäure in der Citronensäure durch die Gegenwart von Ammonsalzen beeinträchtigt wird, während umgekehrt diese Salze die Erkennung von Kalk in der Weinsäure durch das genannte Reagens in geringem Grade befördern. Was den Nachweis von Schwefelsäure durch Bariumnitrat betrifft, so haben die Versuche den Beweis geliefert, daß derselbe viel schärfer in saurer, wie in annähernd mit Ammoniak neutralisierter Lösung bei beiden Säuren ausgeführt werden kann. (Arch. Pharm. [3.] **21.** 933 bis 934. Ende Dez. 1883.)

Campari Giacomo, *Nachweis von Zucker im Harn.* Bei der Untersuchung eines Harns auf Zucker macht man häufig die Beobachtung, daß die dem Harn durch wenig Kupferlösung erteilte geringe Blaufärbung verschwindet und in Gelb übergeht, selbst in Fällen, in denen man es mit zuckerhaltigem Harn zu thun hat, in dem dann auch ein absichtlich zur Kontrolle gemachter Zuckerzusatz keine Reduktion des Kupfersalzes bewirkt. Nach Beobachtungen des Vfs. liegt die Ursache des Ausbleibens der Reaktion weder im Farbstoff noch in Schleim, Eiweißkörpern oder Extraktivstoff, da selbst nach Entfernung dieser Körper durch Tierkohle und Fällung mit neutralem Bleiacetat die Zuckerreaktion ausbleibt; behandelt man dagegen den alkoholischen Auszug aus dem Harnextrakt mit einer konzentrierten, alkoholischen, neutralen Zinkchloridlösung, filtriert und verdampft nach 48 Stunden, so erhält man bei Gegenwart von Zucker die Kupferreduktion. Es ist demnach das durch Zinkchlorid ausgeschiedene Kreatinin, das die Reduktion des Kupfersulfates durch Zucker verhindert, indem es selbst das Kupfersalz reduziert und mit dem reduzierten Oxydul eine Verbindung eingeht, die nach einiger Zeit als weißes, körniges Pulver ausfällt, das sich in Ammoniak und Alkalien löst. Diese Reaktion ist so scharf, daß man noch ¹/₁₀₀₀₀ Kreatinin nachweisen kann. Erst wenn alles Kreatinin in die Kombination mit dem Kupferoxydul eingetreten ist, kommt die reduzierende Wirkung des Zuckers zur Geltung, und selbst ein Zuckerzusatz bewirkt keine Reduktion, so lange noch Kreatinin vorhanden ist. Man hat also bei Gegenwart von Kreatinin sofort eine größere Menge Kupfersulfat auf den Harn wirken zu lassen und die TROMMER'sche Probe so zu modifizieren, daß man dem Harn 10—12 Tropfen Weinsäurelösung, viel Kupfersulfatlösung und einen Überschuß von Kalilauge zusetzt. Fällt dann beim Erwärmen die Zuckerprobe negativ aus, so kann man auch sicher sein, daß kein Zucker vorhanden. (Annali di Chim. **77.** 158; Pharm. Centralh. **25.** 4—5.)

Fr. Betz, *Über den Nachweis des Santonins im gallehaltigen Urin.* Wenn ein Ikterischer von einer fieberhaften Krankheit, besonders Pneumonie, befallen wird und santoninhaltige Mittel einnimmt, so enthält sein Harn drei verschiedene Farbstoffe, nämlich Uroerythrin, Bilwerdin und Santonin. Jeder dieser Stoffe hat seine eigene Reaktion, so daß es möglich ist, daß man bei der chemischen Untersuchung eines solchen Harns in Irrtum verfällt oder kein sicheres Resultat bekommt.

Prüft man den Harn mit Säure, also Salpetersäure, so wird das Santonin versteckt bleiben, es sei denn, daß derselbe viel kohlensaures Ammon enthält, in welchem Falle das Santonin sich durch eine schwach rote Zone anzeigt. Gießt man Kalilauge dem

Harn zu, so färbt sich derselbe rötlich. Fügt man zum Harn Bleiessig, so schlägt dieser die Gallenfarbstoffe samt dem etwa vorhandenen Uroerythrin nieder, und darüber steht eine grünliche Flüssigkeitssäule, da das Santonin durch Bleiessig nicht fällbar ist. Kalilösung bringt nun die charakteristische rote Färbung des Santonins in dieser Flüssigkeit hervor. (BETZ' Memorabilien **23**. 531—32.)

B. Landmann, *Bestimmung der Essigsäure im Weine durch Destillation mit Wasserdämpfen.* Mit Hilfe des in der nebenstehenden Figur abgebildeten Apparates gelingt es, durch Einleiten von Wasserdämpfen in die etwas konzentrierte und auf Kochtemperatur erhaltene Flüssigkeit die flüchtige Säure rasch und vollständig in das Destillat überzuführen. *A* und *B* sind zwei durch Glasröhren verbundene Kochkolben, jener mit 500, dieser mit 300 ccm Wasser beschickt. Zu *B* giebt man die zu untersuchende Flüssigkeit (z. B. 50 ccm Wein), sowie zur Vermeidung des blasigen Aufschäumens eine Messerspitze Tanninpulver. *C* ist ein Kühlrohr, dessen unteres schräg abgeschliffenes Ende in den 200 ccm fassenden Kolben *D* taucht. Bei der Ausführung der Bestimmung wird die Flüssigkeit in den Kolben zum lebhaften Sieden erhitzt, und sobald dies erreicht ist, wird die Flamme kleiner gemacht. Die flüchtigen Bestandteile des Weines destillieren über, und das vollständige Übergehen der flüchtigen Säure wird durch die infolge der Verengung des Verbindungsrohres mit sehr großer Lebhaftigkeit den Wein durchströmenden Wasserdämpfe erreicht. Die Abschrägung des Destillationsrohres aus *B* und die Kugel in demselben bezwecken, die möglicherweise bis dahin mit fortgerissenen Weinteilchen wieder in den Destillationskolben zurückzuführen. Der Versuch wird beendigt, wenn 200 ccm übergegangen sind, was in ³/₄ Stunden erreicht ist. Dabei ist der Wein auf ¹/₄ seines ursprünglichen Volums konzentriert worden und eine mögliche Zersetzung seiner Extraktbestandteile so gut wie vollständig vermieden. Der Inhalt der Vorlage wird als Essigsäure titriert.

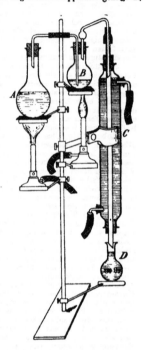

Der Vf. schließt hieran Analysen verschiedener Weinsorten, welche die Brauchbarkeit der Methode darthun. (Ztschr. anal. Chem. **22**. 516—19.)

E. Borgmann, *Bestimmung geringer Mengen Alkohol in Flüssigkeiten.* 100—200 g der zu untersuchenden Substanz (z. B. Malzextrakt) werden in einen Kolben gebracht, der mit einem Gaseinleitungs- und Gasableitungsrohre tragenden Korke verschlossen ist; jenes reicht fast bis auf den Boden des Kolbens und dient zur Einleitung von Wasserdampf. Letzteres ist außen mit einem Kühlrohre verbunden. Während der Kolben in einem Wasserbade erwärmt wird, leitet man Dampf durch und treibt allen Alkohol in verhältnismäßig kurzer Zeit in die Vorlage. Von dem Destillate, welches ungefähr 100 ccm beträgt, destilliert man nun auf gewöhnliche Weise ²/₃ ab und bestimmt das absolute Gewicht des zweiten Destillates, sowie das spez. Gewicht desselben (mit einem kleinen Piknometer von 30 ccm Inhalt). Hierdurch sind alle Daten zur Berechnung des Alkoholgehaltes gegeben. (Ztschr. anal. Chem. **22**. 534—35.)

E. Schulze und **E. Bosshard,** *Zur quantitativen Bestimmung des Asparagins, des Glutamins und des Ammoniaks in den Pflanzen.* Um Ammoniak neben Asparagin und Glutamin in Pflanzensäften zu bestimmen, verfährt man am besten so, daß man die Pflanzenextrakte mit überschüssiger Phosphorwolframsäure versetzt und die in den Niederschlag eingehende Ammoniakmenge bestimmt. Letzteres kann entweder in der Weise geschehen, daß man die Niederschläge nach dem Abfiltrieren und Auswaschen innig mit Kalkmilch vermischt und die aus dem Gemische abdunstende Ammoniakmenge nach SCHLÖSING's Methode bestimmt oder so, daß man die Niederschläge mit Wasser und Magnesia der Destillation unterwirft.

Die Filtration der durch Phosphorwolframsäure in den Extrakten hervorgebrachten Niederschläge ist nach ein- bis zweistündigem Stehen vorzunehmen; denn bei längerem Stehen kann in den sauren Flüssigkeiten die Zersetzung von Asparagin und Glutamin unter Ammoniakbildung beginnen.

Weitere Versuche, welche die Vff. anstellten, betrafen die quantitative Bestimmung des Asparagins und Glutamins.

Zur Ermittelung der Ammoniakmenge, welche durch Zersetzung des Asparagins entsteht, hat SACHSSE bekanntlich die azotometrische Methode vorgeschlagen. Man soll einen Teil des betreffenden Pflanzenextraktes direkt, einen zweiten nach dem Erhitzen mit Salzsäure mit bromierter Natronlauge zusammenbringen und den in letzterem Falle erhaltenen Stickstoffüberschuß dem aus dem Asparagin abgespaltenen Ammoniak zurechnen. Gegen diese Art der Bestimmung hat MORGEN (Ztschr. anal. Chem. 20. 37) schwere Bedenken erhoben. E. SCHULZE (das. 21. 1) hat diese Bedenken auf ihr richtiges Maß zurückzuführen gesucht und gezeigt, daß man bei Anwendung jener Methode auf asparaginhaltige Extrakte brauchbare Resultate erhalten kann, obwohl nicht nur das Asparagin, sondern auch die bei der Zersetzung desselben entstehende Asparaginsäure der Einwirkung bromierter Natronlauge nicht völlig widerstehen; denn die dadurch bedingten Fehler liegen in entgegengesetzter Richtung und kompensieren sich daher fast vollständig. Anders ist es beim Glutamin. Daß Glutaminsäure durch bromierte Natronlauge stärker angegriffen wird als Asparaginsäure, hat E. SCHULZE schon in einer früher zitierten Abhandlung mitgeteilt. Daß man infolge davon bei Anwendung des Azotometers zur Bestimmung des aus Glutamin abgespaltenen Ammoniaks zu hohe Resultate erhalten würde, mußte zwar für sehr wahrscheinlich erklärt werden; mit aller Gewißheit ließ sich dies aber deshalb nicht behaupten, weil es möglich erschien, daß auch das Glutamin mit bromierter Natronlauge etwas Stickstoff entwickelt, und daß dadurch der von der Angreifbarkeit der Glutaminsäure herrührende Fehler kompensiert wird. Nachdem das Glutamin von den Vffn. isoliert worden ist, haben sie sein Verhalten gegen das genannte Reagens geprüft und gefunden, daß es bei kurzem Durchschütteln mit demselben keine meßbare Stickstoffmenge ausgiebt. Eine Kompensation des oben erwähnten Fehlers findet also nicht statt. Man muß demnach, wie es SCHULZE schon früher empfohlen hat, bei Untersuchung glutaminhaltiger Extrakte die azotometrische Ammoniakbestimmungsmethode durch die SCHLÖSING'sche oder durch die Destillation mit Magnesia ersetzen.

Daß man den Glutamingehalt einer Flüssigkeit bestimmen kann, indem man dieselbe mit verdünnter Salzsäure oder verdünnter Schwefelsäure kocht und das dabei entstandene Ammoniak sodann nach einer der beiden zuletzt genannten Methoden bestimmt, zeigen die von den Vffn. mitgeteilten Versuche, in welchen abgewogene Glutaminquantitäten mit verdünnter Salzsäure (5 ccm konzent. HCl und 60—100 ccm Wasser auf 1 g Substr.) oder mit verdünnter Schwefelsäure drei Stunden lang am Rückflußkühler gekocht, die Flüssigkeiten sodann für die Ammoniakbestimmung nach SCHLÖSING's Methode oder für die Destillation mit Magnesia verwendet wurden. Versuche mit Asparagin, welche in der gleichen Weise angestellt wurden, bei denen jedoch die Dauer des Kochens variierte, ergaben, daß schon nach zweistündigem Erhitzen mit verdünnter Salzsäure das Asparagin zersetzt ist; längeres Erhitzen verändert das Resultat nicht (was mit den früher von SACHSSE gemachten Angaben übereinstimmt).

Nach den von SACHSSE gegebenen Vorschriften soll man die Pflanzenextrakte behufs der Asparaginbestimmung nur ca. eine Stunde lang mit Salzsäure erhitzen. Bei den von den Vffn. ausgeführten Bestimmungen wurde das Kochen $^1/_2$—2 Stunden fortgesetzt. Daß bei längerem Erhitzen die Resultate nicht beträchtlich höher ausfielen, wurde durch direkte Versuche dargethan.

In betreff der Frage, ob die neben Asparagin und Glutamin in den Extrakten vorhandenen stickstoffhaltigen Stoffe bei der Bestimmung jener Amide einen Fehler hervorbringen, ist dem in früheren Abhandlungen Mitgeteilten nur wenig hinzuzusetzen. Daß Allantoin schon beim Erhitzen mit verdünnter Salzsäure etwas Ammoniak liefert, und daß man daher in einer allantoinhaltigen Pflanzensubstanz gleichzeitig vorhandenes Asparagin oder Glutamin nicht nach SACHSSE's Methode genau bestimmen kann, ist schon gezeigt worden. Da jedoch dem Allantoin größere Verbreitung in den Pflanzen bis jetzt nicht zugeschrieben werden kann, so läßt sich daraus ein weitgehendes Bedenken gegen jene Methode wohl nicht ableiten. Die Amidosäuren, welche in großer Verbreitung in den Pflanzen vorzukommen scheinen und namentlich das Asparagin und Glutamin stets in geringer Menge begleiten, liefern auch bei anhaltendem Kochen mit verdünnten Mineralsäuren kein Ammoniak (zu den bezüglichen Versuchen haben die Vff. außer Leucin, Tyrosin, Asparaginsäure und Glutaminsäure auch die in den Lupinenkeimlingen vorkommende Phenylamidopropionsäure verwendet). Auch die Körper der Xanthingruppe (Hypoxanthin oder Sarkin, Xanthin, Guanin), welche nach neueren Versuchen ebenfalls in Pflanzenextrakten verbreitet sind, zeigen bedeutende Widerstandsfähigkeit gegen Säuren. Dafs sie durch anhaltendes Erhitzen mit verdünnter Schwefelsäure nicht zersetzt werden, ergiebt sich aus den Untersuchungen KOSSEL's. (Ztschr. f. physiol. Chem. **5**. 152 und 267; **6**. 422). Als die Vff. Hypoxanthin und Xanthin eine Stunde lang mit verdünnter Salzsäure (10 ccm konzent. HCl in 100 Flüssigkeit) erhitzten, die Lösung sodann neutralisierten und mit NESSLER'schem Reagens versetzten, trat keine Ammoniakreaktion ein. Nach den in den Handbüchern der Chemie sich findenden Angaben wird Hypoxanthin auch durch Erhitzen mit konzentrierter Salzsäure nicht verändert. Xanthin wird nach den vor kurzem von E. SCHMIDT (LIEB. Ann. **217**. 306) ausgeführten Versuchen beim Erhitzen mit konzent. Salzsäure im zugeschmolzenen Rohr erst angegriffen, wenn die Temperatur bis auf 180° gesteigert wird.

Ein Fällungsmittel, durch welches man das Allantoin aus den für die Asparaginbestimmung zu verwendenden Extrakten wegschaffen könnte, ist nicht bekannt; dagegen lassen sich peptonartige Stoffe, die Körper der Xanthingruppe, Alkaloide u. s. w. durch Ausfällung mittels Phosphorwolframsäure entfernen. Da jedoch diese Substanzen bei der Asparagin- und Glutaminbestimmung merkliche Fehler nicht hervorbringen, so kann man die Wegschaffung derselben nicht für durchaus erforderlich erklären, man wird sich in der Regel darauf beschränken können, die für die Bestimmung des Asparagins und Glutamins zu verwendenden Flüssigkeiten nur durch Ausfällung mittels Bleiessig oder Bleizucker zu reinigen (doch lassen sich darüber allgemein gültige Vorschriften kaum geben).

Da Asparagin und Glutamin durch salpetersaures Quecksilberoxyd fällbar sind, so liegt die Möglichkeit vor, die Bestimmung dieser Amide in der Weise auszuführen, dafs man dieselben aus den zuvor mittels Bleiessig gereinigten Extrakten durch das genannte Reagens ausfällt, den Niederschlag mit dem Abfiltrieren und Auswaschen durch Schwefelwasserstoff zersetzt, die vom Schwefelquecksilber ablaufende Flüssigkeit mit verdünnter Salzsäure kocht und die dabei gebildete Ammoniakmenge durch darauf folgende Destillation mit Magnesia bestimmt. Ein in solcher Weise mit einem Extrakt aus Lupinenkeimlingen ausgeführter Versuch lieferte ein günstiges Resultat. Indessen wird man doch in der Regel dem gewöhnlichen Verfahren, als dem einfacheren, den Vorzug geben müssen; denn es ist fraglich, ob von den stickstoffhaltigen Extraktbestandteilen, welche bei der Bestimmung des Asparagins und Glutamins möglicherweise einen Fehler hervorbringen können, irgend einer der Ausfällung durch das salpetersaure Quecksilberoxyd entgeht. In besonderen Fällen wird aber vielleicht die beschriebene Modifikation des Verfahrens Nutzen bringen können.

Enthält ein Pflanzenextrakt schon vor dem Erhitzen mit Salzsäure Ammoniak, so mufs dieses bekanntlich von der auf Asparagin, resp. Glutamin zu berechnenden Menge in Abzug gebracht und also besonders bestimmt werden. Wie man diese Bestimmung auszuführen hat, ergiebt sich aus dem früher Mitgeteilten. Dafs es jedoch bei der Analyse von Futtermitteln für die Zwecke, welche man bei solchen Untersuchungen verfolgt, häufig genügt, das schon abgespaltene Ammoniak zusammen mit dem ursprünglich vorhandenen zu bestimmen, hat E. SCHULZE in einer früheren Abhandlung (Landw.-Vers.-St. **26**. 246) hervorgehoben.

Man kann die Bestimmung des ursprünglich vorhandenen Ammoniaks umgehen, indem man die Extrakte mit überschüssiger Phosphorwolframsäure versetzt und die Filtrate, welche das Asparagin und Glutamin noch enthalten, während das Ammoniak ausgefällt ist, für die Ermittlung des aus den genannten Amiden abspaltbaren Ammoniaks verwendet. Die Ausführung dieser letzteren Bestimmung wird aber dadurch umständlicher; denn es ist nötig, die Phosphorwolframsäure, von welcher man behufs der Ausfällung des Ammoniaks einen Überschufs zusetzen mufs, aus den Filtraten zu entfernen.

Dafs in manchen Fällen das Ammoniak, welches in einem Pflanzenextrakt sich vorfindet, während der Darstellung des Extraktes oder während des Trocknens der betreffenden Pflanzensubstanz aus den Amiden entstanden sein kann, ist gleichfalls in früheren Abhandlungen schon genügend hervorgehoben worden. (Landw.-Ver. **29**. 399—410.)

C. O'Sullivan, Über *die Bestimmung der Stärke in Cerealien und Malz*. Das fein zerriebene Korn wird successive mit Äther, Alkohol (0,90 spez. Gewicht) und Wasser von 35—38° ausgewaschen, dann wird der Rückstand durch Kochen mit Wasser gelatiniert, auf 63° abgekühlt und durch Diastase in Dextrin und Maltose umgewandelt. Der Vf. giebt folgende Vorschrift für die Ausführung des Verfahrens.

Ungefähr 5 g der fein geriebenen Körner werden in eine weithalsige Flasche von 100 ccm Inhalt gebracht, mit Alkohol durchtränkt und 20—25 ccm Äther hinzugefügt. Nach mehrstündigem Stehen unter zeitweiligem Umschütteln wird die ätherische Lösung auf ein Filter dekantiert und der Rückstand in der Flasche mit Äther ausgewaschen. Zu diesem Rückstande setzt man dann 80—90 ccm Alkohol von 0,90 spez. Gewicht und erwärmt auf 35—80°.

Der Rückstand in der Flasche und auf dem Filter wird in ein Becherglas von 500 ccm Inhalt gebracht und dieses mit Wasser gefüllt; nach 24 Stunden dekantiert man die Lösung auf ein Filter und wäscht den Rückstand mit Wasser von 35—38° aus. Dann bringt man ihn samt dem Rückstande auf dem Filter in eine 100 ccm-Flasche und wäscht ihn nach und nach mit kleinen Mengen siedendem Wasser aus, so daß das Ganze auf 100 ccm gebracht und auf 15,5° abgekühlt wird.

Diese Lösung muß nun mit Diastase versetzt werden. Dieselbe wird folgendermaßen bereitet. 2—3 g fein zerriebenes Gerstenmalz werden mit soviel Wasser übergossen, daß es ganz davon überdeckt ist. Nach drei- bis vierstündigem Stehen wird die Masse auf der Filterpresse ausgepreßt. Ist die Lösung nicht klar, so muß sie filtriert werden. Der klaren Lösung setzt man dann Alkohol von 0,83 spez. Gewicht zu, solange noch ein flockiger Niederschlag entsteht; sobald die darüber stehende Flüssigkeit anfängt, milchig zu werden, hört man mit dem Alkoholzusatze auf. Der Niederschlag wird dann mit Alkohol von 0,46—0,88 spez. Gewicht ausgewaschen, mit absolutem Alkohol entwässert, gepreßt und im Vakuum über Schwefelsäure getrocknet bis zu einem konstanten Gewichte. Die auf diese Weise dargestellte Diastase bildet ein weißes, zerreibliches, leicht lösliches Pulver, welches seine Aktivität lange Zeit bewahrt. 5 g Gerstenmehl in der genannten Weise mit 0,03 g Diastase behandelt, gaben 100 ccm einer Lösung, welche bei 15,5° das spez. Gewicht 1,01003 besaß. Dieses entspricht 2,539 g fester Substanz (wenn man 1,00395 g als das spez. Gewicht einer einprozentigen Stärkelösung annimmt). 9,178 g dieser Lösung reduzieren 0,241 g Kupferoxyd, und 200 mm derselben geben in dem SOLEIL-WENTZKE-SCHEIBLER'schen Saccharimeter eine Ablenkung von 21,1 Teilstrichen. Demnach hat man 0,241 g × 0,7256 = 0,1748 g Maltose in 9,178 g; in den 100 ccm oder 101,003 g sind also 1,932 g Maltose enthalten. 1 g Maltose in 100 ccm gelöst, giebt eine Ablenkung in dem 200 mm-Rohre von 8,02 Teilstrichen, und 1 g Dextrin, in 100 ccm gelöst, lenkt 11,56 Teilstriche ab. Sonach ist 1,923 × 8,02 = 15,422 die optische Aktivität der Maltose und 21,1—15,422 = 5,678 die optische Aktivität des Dextrins. Demnach hat man in 100 ccm $\frac{5,678}{11,56}$ = 0,491 g Dextrin. In 100 ccm sind also 1,923 g Maltose, 0,491 g Dextrin und 0,03 g Diastase enthalten, gleich 2,444 g statt 2,53 g, wie oben aus dem spez. Gewichte berechnet wurde. 1 Tl. Stärke giebt nun 1 Tl. Dextrin, und andererseits giebt 1 Tl. Stärke 1,055 Tle. Maltose. Demnach berechnet sich aus den obigen Zahlen 0,491 + $\frac{1,928}{1,005}$ = 2,313 g Stärke aus 5 g Gerstenmehl, was einem Gehalte von 46,26 p. c. Stärke entspricht. Bei einem zweiten Versuche wurden 46,34 p. c. erhalten. Der Vf. führt noch mehrere Bestimmungen mit den analytischen Details an. Gerstenmalz enthielt 39,9 p. c.; Weizen 45,4; Weizenmalz 43,26 und 43,53; Roggen 44—46; Reis 75—77; Mais 54—58 und Hafer 35—38 p. c. Der Vf. bestimmte auch den Stärkegehalt von Stärkemehl, welches 89,36 p. c. trockne Stärke enthält und erhielt 87,2 bis 89,54 p. c. (Chem. N. 48. 244—45; Journ. Chem. Soc. 45. 1—10. Januar.)

Wydnam R. Dunshan und **F. W. Short**, *Die quantitative Trennung von Strychnin und Brucin.* (Weekly Drug N. and Amer. Pharm. 7. 489. 530.) P.

Max Gruber, *Über neuere Methoden der Milchuntersuchung.* (Vortrag, geh. in der Sektion f. öffentl. Gesundheitspfl. zu Wien am 7. Nov. 1883.) (Mitteil. d. Wien. Med. Dokt.-Koll. 9. 321—26. 332—35. Dez. 1883.) P.

R. Palm, *Quantitative Bestimmung des Digitalins, Digitaleïns und Digitins.* Das vom Vf. in Vorschlag gebrachte Verfahren zur Ausscheidung des Digitalins beruht auf der Fällbarkeit desselben durch Bleiessig und alkoholisches Ammon, welches Verhalten analog dem des Pikrotoxins ist. Das Verfahren zur Ausscheidung des Glykosides aus der Pflanze wird im Originale näher beschrieben und die Verwertung des genannten Verhaltens zur Analyse, sowie zur Unterscheidung von verwandten Glykosiden näher angegeben. (Ztschr. anal. Chem. 23. 22—25.)

Albert R. Leeds, *Über die Bestimmung der organischen Substanzen in Trinkwässern nach den Methoden, welche auf der Reduktion des Kaliumpermanganates beruhen.* (Ztschr. anal. Chem. 23. 17—21.)

C. H. Wolff, *Spektralanalytische Wertbestimmung verschiedener reiner Indigotinarten.* (Ztschr. anal. Chem. 23. 29—32.)

R. Kayser, *Zur Bestimmung der Weinsäure im Weine.* Die hierzu gebräuchlichen Methoden sind mehr oder weniger Modifikationen der Methode von BERTHELOT und FLEURIEU, wonach die Weinsäure durch Alkohol oder Ätheralkohol als Weinstein ausgeschieden, letzterer titrimetrisch bestimmt und aus der gebrauchten Anzahl Kubikzentimeter von $^1/_{10}$-Normalalkali die Weinsäure berechnet wird. Der Vf. zeigt, daß die Methode mit einem Fehler behaftet ist und zu geringe Resultate giebt. (Ztschr. anal. Chem. **23.** 28—29. Ende Dez. 1881.)

Goldenberg, *Quantitative Bestimmung der Weinsäure im rohen Weinsteine.* 3 g des rohen Weinsteines werden mit 30—40 ccm Wasser und 2—2,50 g Calciumcarbonat durch 20 Minuten unter häufigem Umschütteln gekocht. Dadurch wird Calciumditartrat in neutrales Calciumtartrat verwandelt. Man läfst das Gemenge erkalten, verdünnt auf ein Volum von 100 ccm, überläfst eine Zeit lang der Ruhe und filtriert durch ein trocknes Filter. 50 ccm der Flüssigkeit werden durch Eindampfen auf 10 ccm gebracht und derselben 2 ccm Essigsäure und 100—120 ccm Alkohol von mindestens 95 p. c. zugesetzt. Um die vollständige Abscheidung des entstandenen Ditartrates zu erzielen, schüttelt man die Flüssigkeit heftig und lange und filtriert dann nach kurzem Stehenlassen. Der Filterrückstand wird mit 95 prozent. Alkohol so lange gewaschen, bis der Alkohol mit Wasser verdünnt, nicht mehr sauer reagiert. Der noch feuchte Filterrückstand wird samt Filter mit Wasser zum Sieden erhitzt und auf gewöhnliche Weise mit normaler Natriumhydratlösung titriert. Die gebrauchten Kubikzentimeter multipliziert mit zehn, giebt den Prozentgehalt der in Arbeit genommenen Probe an Weinsteinsäure an. (Journ. de Pharm. d'Alsace-L.; Rundschau **10.** 92.)
P.

H. Beckurts, *Zur Prüfung der Butter auf fremde Fette, nach Reichert.* Der Vf. bemerkt zunächst in bezug auf das HEHNER'sche Verfahren, dafs bei zahlreichen, von ihm selbst und von seinen Schülern ausgeführten Untersuchungen nie mehr als 88,5 p. c. feste Fettsäuren gefunden werden konnten, während von mehreren Seiten behauptet worden ist, dafs dieser Gehalt bis 89,6 p. c. steigen könne.

Was die Methode von REICHERT (**79.** 149) betrifft, so isoliert dieselbe nicht die festen, sondern die flüchtigen Fettsäuren durch Destillation und bestimmt diese durch Titration im Destillate. Sie hat erhebliche Vorzüge vor der HEHNER'schen Methode, denn abgesehen von der kürzeren Zeit, in welcher sie ausführbar, werden auch die bei dieser sich infolge des unvollständigen Auswaschens und Trocknens der unlöslichen Fettsäuren leicht einschleichenden Fehlerquellen beseitigt. Bei Ausführung von Übungsanalysen nach der Methode von REICHERT wurden aber von dem Vf. wiederholt erhebliche Abweichungen in der Menge der Natronlauge, welche zur Sättigung des aus einer gleichen Menge Butter erhaltenen Destillates erforderlich war, beobachtet. Dies veranlafste ihn, in Gemeinschaft mit **Braun** eine gröfsere Anzahl Buttersorten nach der in Rede stehenden Methode zu untersuchen.

Je 2,5 g wasserfreies Butterfett wurden genau nach der Vorschrift von REICHERT in einem Kölbchen mit 1 g Kalihydrat und 20 g 80 prozent. Weingeiste verseift; zu der fertigen, durch Erwärmen von Weingeist befreiten Masse wurden 50 ccm Wasser gegeben und die in dem Wasser gelöste Seife mit 20 ccm verdünnter Schwefelsäure (1 ccm reine Schwefelsäure auf 10 ccm Wasser) zerlegt. Der Inhalt des Kölbchens wird dann unter Zufügen einer Platinspirale, um das starke Stofsen zu vermeiden, der Destillation unterworfen und dies so lange fortgesetzt, bis das Destillat, welches leicht etwas feste Fettsäuren enthält und deshalb unmittelbar durch ein Filter filtriert wird, 50 ccm betrug. Dieses wurde sofort mit $^{1}/_{10}$-Normalnatronlauge titriert.

Nach REICHERT ergeben nun 2,5 g Butterfett soviel der flüchtigen Fettsäuren, als 13,97 ccm $^{1}/_{10}$-Normalnatronlauge oder abgerundet 14,0 ccm mit einer wahrscheinlichen Abweichung von ±0,45 ccm äquivalent sind. Im Widerspruche damit haben des Vf's. Untersuchungen eine gröfsere Menge flüchtiger Fettsäuren ergeben. Es verbrauchten nämlich 2,5 Butterfett verschiedener Abstammung bei acht Proben zwischen 15,6 und 17,5 ccm $^{1}/_{2}$-Normalnatronlauge.

Wurde nach dem Abdestillieren der ersten 50 ccm der Rückstand nach dem Verdünnen mit 25 ccm Wasser abermals destilliert, so verbrauchten die hierbei sich zuerst ergebenden 25 ccm stets noch eine geringe Menge $^{1}/_{10}$-Normalnatronlauge zur Neutralisation. Die Menge derselben schwankte in den oben erwähnten acht Versuchen zwischen 1,4 und 2,7 ccm.

Hiernach scheinen die von REICHERT angenommenen Zahlen der Verbesserung bedürftig, denn, da er eine Butter erst dann glaubt beanstanden zu müssen, wenn die in 2,5 g Butterfett gefundenen Fettsäuren weniger als 12,5 ccm $^{1}/_{10}$-Normalnatronlauge äquivalent sind, so dürften, wenn die Ergebnisse der besprochenen Versuche als Mafsstab angenommen werden, grobe Verfälschungen der Butter mit Kunstbutter bei Einhaltung dieser Zahl sich der Beobachtung entziehen.

Zur Handhabung der Methode selbst erwähnt Vf. noch, dafs die genaue Einhaltung der oben angegebenen Zahlenverhältnisse erforderlich ist. Als bei einem Versuche die gebildete Seife statt nur mit 50, mit 150 ccm Wasser verdünnt war, wurden zur Neutralisation der ersten 50 ccm des Destillates nur 11,9 $^{1}/_{10}$-Normalnatronlauge verbraucht.

Die nach des Vf's. Untersuchung zur Neutralisation der flüchtigen Fettsäuren aus

Butterfett erforderliche Menge Alkali ist, beiläufig erwähnt, gleich derjenigen Menge, welche nach dem Verfahren von HEINTZ (Ztschr. anal. Chem. **17.** 160) jede reine Butter zur Bindung der flüchtigen Fettsäuren erfordert.

Nach HEINTZ ermittelt man nämlich gleichfalls die Menge der in der Butter vorhandenen flüchtigen Fettsäuren, trennt diese aber nicht durch Destillation, sondern bestimmt dieselben in der Flüssigkeit, die sich nach Verseifen des Butterfettes mit einer bestimmten Menge Normallauge und Zersetzen der in Wasser gelösten Seife durch eine gleichfalls bekannte Menge Säure ergiebt, neben den in der Flüssigkeit enthaltenen festen Fettsäuren, welche im erstarrten Zustande nicht die geringste Menge Alkali zu sättigen vermögen.

HEINTZ gebrauchte im Mittel auf 1 g Butterfett 3,34 ccm $^1/_5$-Normalnatronlauge; Vf. bei Prüfung verschiedener reiner Buttersorten:

	1.	2.	3.	4.
	3,3	3,6	3,06	3,3 ccm.

$^1/_5$-Normalnatronlauge auf 1 g Butterfett.

Diese Zahlen entsprechen einer 17,5 ccm $^1/_{10}$-Normalnatronlauge äquivalenter Menge flüchtiger Fettsäuren in 2,5 g Butterfett. (Pharm. Centralh. **24.** 557—59. Mitte Dez. [Nov.] 1883. Braunschweig.)

Kleine Mitteilungen.

Anwendung des Hydroxylamins in der Druckerei, von SCHAEFFER. Der Vf. hat die energisch reduzierenden Eigenschaften des Hydroxylamins, NH_2OH, benutzt, um *Bister* zu ätzen. Es muß salzsaures Salz, $NH_2OH.HCl$, angewendet werden; beim Aufdrucke dieser Verbindung auf Braunsteinboden tritt sofort Reduktion zu Manganchlorür ein; ein ganz dunkles, auf Braunstein gefärbtes Indigoblau wird durch Ausscheidung des MnO_2 auf ein helleres lebhafteres Blau herabgestimmt; ebenso können Nankin-, Chamois- u. dergl. Farben weiß geätzt werden. Vf. glaubt, daß wohlfeil erstelltes Hydroxylamin sich rasch Eingang in die Industrie verschaffen und bedeutende Dienste leisten würde. (Bull. de Mulhouse 1883; Pol. J. **250.** 380.)

Über die Anwendung der Salicylsäure in den Gärungsgewerben. In den Gewerben, welche die Durchführung von Gärungsvorgängen notwendig machen und eigentlich ganz auf diesen beruhen, hat man unausgesetzt gegen gewisse Vorgänge zu kämpfen, deren Eintreten nicht allein das Verderben des in Arbeit stehenden Materiales bewirkt, sondern sogar zu einer lang andauernden und tiefgreifenden Störung in dem Betriebe der Fabrik führen kann. Alle Brennereileiter, jeder Braumeister weiß nur zu gut, was der Ausdruck „schlechte Gärung" für sie bedeutet; der Essigfabrikant fürchtet die gleiche Kalamität. In der Spiritusfabrikation ist schlechte Gärung gleichbedeutend mit einer Ausbeute, welche weit hinter der bei gutem Verlaufe des Prozesses erzielbaren zurückbleibt, wenn sich diese Fabriken auch mit der Anfertigung von Preßhefe beschäftigen, so erleidet die Quantität der Hefe eine Einbuße, noch schlimmer ist es aber mit der Qualität solcher Hefe bestellt: Hefe aus schlechten Gärungen ist sehr wenig haltbar und von sehr geringer Gärungsenergie, so daß durch den Verkauf solch mangelhafter Hefe der Ruf einer Preßhefefabrik ungemein leiden kann.

Nachdem das Bier eine unmittelbar zum Genusse bestimmte Flüssigkeit ist, deren Geschmack in hohem Maße von dem Verlaufe des Gärungsvorganges abhängt, so ist das Eintreten schlechter Gärungen in einer Brauerei eine Sache, welche geradezu über das Schicksal der ganzen Brauerei entscheiden kann; Biere, welche aus schlechten Gärungen hervorgegangen sind, schmecken nicht angenehm, werden nie spiegelblank und neigen ungemein zum Verderben.

Die chemischen Vorgänge, welche bei der Bereitung des Malzes vor sich gehen, können ebenfalls, wenn auch nur im weiteren Sinne des Wortes, als Gärungen bezeichnet werden; wenn dieselben so verlaufen, wie sie verlaufen sollen, so kann in der Verwendung eines solchen mangelhaften Malzes in Brennereien und Brauereien die Ursache der sich später fühlbar machenden schlechten Gärungen liegen.

In den Essigfabriken äußert sich die schädliche Wirkung des unrichtig verlaufenden Gärungsvorganges dadurch, daß die Schnellessigapparate immer langsamer arbeiten, und schließlich die Umsetzung des Alkohols in Essigsäure ganz aufhören kann, die Fabrik von selbst zum Stillstand kommt.

Es ist begreiflicherweise eine der Hauptaufgaben der Wissenschaft von den Gärungsvorgängen gewesen, die geheimnisvollen Ursachen dieser so tief in den Betrieb wichtiger Gewerbe eingreifenden Störungen genau kennen zu lernen und nach Mitteln zu suchen, das Eintreten derselben zu verhindern oder doch rasch unterdrücken zu können.

Die Ergebnisse dieser ungemein mühevollen und zeitraubenden wissenschaftlichen Arbeiten lassen sich für die Bedürfnisse der Praktiker in ganz wenige Worte zusammenfassen: Die Ursachen der schlechten Gärungen liegen entweder in der Anwendung unrichtiger Temperaturen, in der unrichtigen Beschaffenheit der zu vergärenden Substanzen selbst oder aber in der Gegenwart „falscher Fermente".

Was die Temperaturverhältnisse betrifft, so läßt sich eine durch sie hervorgerufene Störung im Verlaufe der Gärungsvorgänge leicht durch Herstellung der richtigen Temperatur beseitigen; man kennt die Temperaturen, bei welchen gewisse Gährungsvorgänge am besten verlaufen, ganz genau, und ist das Bestreben jedes Brennereileiters und Gärführers in einer Brauerei, diese Temperaturen streng einzuhalten.

Bezüglich der unrichtigen Beschaffenheit der zu vergärenden Substanzen tritt eine Störung in Brennereien und Brauereien wohl nur höchst selten ein; man kennt ganz genau die Konzentrationen, welche Maischen und Würzen haben müssen, um noch richtig zu vergären (hat überdies in dieser Beziehung einen ziemlich weiten Spielraum), und sind die genannten Flüssigkeiten auch ausgezeichnete Nahrungsmittel für die Hefe. Am häufigsten kommen Störungen dieser Kategorie in Essigfabriken vor; hat das Essiggut nicht die richtige Zusammensetzung, so ist es nicht geeignet, das Essigferment kräftig zu ernähren, und wird infolgedessen auch der Prozeß der Essigbildung sehr verlangsamt.

Die am häufigsten vorkommenden und zugleich die gefährlichsten Störungen im Betriebe der Gärungsgewerbe sind jene, welche durch die „falschen Fermente" bedingt werden. Bekanntlich beruhen die gewöhnlichen Gärungsvorgänge auf der Entwicklung gewisser, höchst einfach gebauter Organismen, welche man Fermente nennt, jedem dieser Organismen kommt die Fähigkeit zu, gewisse Produkte zu bilden; gelingt es, die betreffenden Fermente in einer Flüssigkeit allein zu züchten, d. h., ohne daß neben ihnen andere zur Entwicklung gelangen, so hat man reine normale Gärungen vor sich. In sehr vielen Fällen stellen sich aber neben diesen Fermenten noch andere in der gärenden Flüssigkeit ein, welche entweder gar nicht oder nur in sehr geringer Menge vorhanden sein sollen, und bezeichnet man diese Fermente als „falsche Fermente", die betreffenden Gärungen sind unrein und nehmen einen schlechten Verlauf. (Schluß folgt.)

Beiträge für das Centralblatt bittet man an die Redaktion (Leipzig, Lessingstr. 5) zu richten. **Originalarbeiten** von nicht zu großem Umfange werden entsprechend honoriert und gelangen stets sofort nach der Einsendung, und zwar in kürzester Frist, zum Abdruck.

Redaktion: Prof. Dr. Rud. Arendt in Leipzig.

Verlag von Leopold Voss in Hamburg und Leipzig. — Druck von Metzger & Wittig in Leipzig.

Chemisches Centralblatt.

REPERTORIUM
für reine, pharmazeutische, physiologische u. technische Chemie.

1884.   **Beiblatt.**   **5. März.**

Alle auf das **Beiblatt** bezüglichen Mitteilungen, Anfragen und Zusendungen sind zu richten an die Buchhandlung LEOPOLD VOSS in Hamburg, Hohe Bleichen 18.
Inserate werden mit 20 Pf. für die gespaltene, mit 40 Pf. für die durchlaufende Petit-Zeile berechnet.
Bei größeren Inseraten und mehrmaligen Wiederholungen tritt entsprechende Ermäßigung des Preises ein.
Beilagen nach Übereinkunft.

Vermischte Notizen.

Die zur Errichtung des Hygieine-Museums in Berlin beantragten 8000 M. sind vom preußischen Landtage bewilligt worden. — Im Bundesrat ist ein Gesetz in Vorbereitung bezüglich der Präzisierung erlaubter und strafbarer Manipulationen bei der Weinverbesserung. — In der Sitzung des Abgeordnetenhauses vom 8. Februar d. J. plaidierte Abg. Goldschmidt für Errichtung von Lehrstühlen für eine systematische Unterweisung in Theorie und Praxis der Nahrungsmittelchemie. Der Regierungskommissar Wehrenpfennig versprach Gutachten von Lehrern an den Hochschulen einzuholen, nach welchen es sich entscheiden würde, ob man den Unterricht in der gewünschten Art ergänzen solle oder nicht. Abg. Thilenius verlangt die Einrichtung von mehr Untersuchungsanstalten im Lande und führt als Vorbild die Untersuchungsanstalt in Wiesbaden an, welche jetzt vollständig selbständig geworden ist und so vortrefflich arbeitet, daß ihre Ausgaben, die sich jährlich auf 61000 M. belaufen, durch ihre Einnahmen ganz deckt. Es dürfte sich empfehlen, wenn vielleicht in jeder Provinz eine gleiche Anstalt errichtet würde. — Abg. Virchow spricht sich gegen Errichtung der Lehrstühle für Nahrungsmittelchemie aus und verlangt eine energischere Handhabung des Lebensmittelgesetzes durch die Verwaltungsorgane. — Das Observatorium des „Pic du Midi de Bigorre", welchem durch den Etat die Einrichtung eines Laboratoriums für agrikulturchemische und meteorologische Untersuchungen bewilligt worden war, und welches unter der Leitung von Müntz und Aubin steht, hat in einem Bericht an den Ackerbau-Minister eine Reihe von interessanten Arbeiten mitgeteilt. — Versuchsweise ist die Einrichtung getroffen worden, daß die auf Grund des Reichs-Patentgesetzes zur Veröffentlichung gelangenden Beschreibungen und Zeichnungen, auf Grund deren die Erteilung der Patente erfolgt, die sogenannten Patentschriften, welche bisher ausschließlich durch die Reichsdruckerei vertrieben wurden, auch durch Vermittelung der Reichs-Postanstalten bezogen werden können. — Vom 1. März 1884 ab sind auch im Verkehr mit Brasilien Korrespondenzkarten mit bezahlter Antwort zulässig. — Es scheint im allgemeinen weniger bekannt zu sein, daß Pakete aus Deutschland nach Spanien und Portugal außer durch Frankreich, bez. Belgien auch über Hamburg befördert werden können. In letzterm Falle teils mittels direkten Hamburger Dampfern oder über England. Während bei Sendungen über Frankreich und Belgien die Kosten nicht vorher genau festgestellt werden können, bestehen für Sendungen über Hamburg bestimmte Tarife. — Von Hamburg geht vom Februar ab jeden 27. des Monats ein Dampfschiff nach Lissabon. — Die „Bibliothèque nationale" zu Paris hat ihr Inventarienverzeichnis herausgegeben. Die Zahl der Bände beträgt gegenwärtig ca. 2500000. Das Manuskripten-Kabinet enthält 92000 gebundene, broschierte oder in Kartons verwahrte Stücke, ebenso 144000 mit Preisen gekrönte Arbeiten aller Epochen, französischen und auswärtigen Ursprungs. Die Sammlungen der Abdrucke zählt mehr als 2 Millionen Piecen, aufbewahrt in 14500 Bänden und 4000 Portefeuilles. Das Lesezimmer war im Jahre 1868 von 24000, im Jahre 1883 von 70000 Personen benutzt worden. (*Rev. Scientif.*) — Unter dem Vorsitz des Gutsbesitzers Schulze (Schulzendorf) tagte am 21. Februar im Englischen Hause in Berlin die Generalversammlung des Vereins deutscher Stärkeinteressenten. Der Geschäftsführer des Vereins, Prof. Delbrück (Berlin), hatte bei Erstattung des Jahresberichtes zu konstatieren, daß der erst vor einem Jahre gegründete Verein bereits in jeder Beziehung recht erfreuliche Fortschritte gemacht hat. Der Verein zähle bereits mehr als 200 Mitglieder. Eine vom

Vorstande angestellte Ermittelung habe ergeben, dafs 1875 in Deutschland nur etwa 700 Stärkefabriken inkl. der nur wenigen Stärkezuckerfabriken existierten. Seit dem Jahre 1875 habe sich die Zahl dieser Fabriken mindestens verdoppelt. Der Ausschufs habe im weiteren eine Enquête über den Betriebsumfang der Stärkefabriken vorgenommen. Im chemischen Laboratorium des Vereins der Spiritusinteressenten wurden im Laufe des Jahres 1883 65 Stärkeanalysen vorgenommen. Es sei hierbei zu erwägen, dafs im Sommer das Laboratorium geschlossen sei. Der Verein der Spiritusinteressenten unterhalte bekanntlich eine Anzahl Schulen. Dieser Tage ist auch ein Cyklus von Vorlesungen über Stärkefabrikation von Dr. Saare eröffnet worden. — Der interessante Kampf um die Interessen der Berliner Wollenindustrie, welcher vor mehreren Monaten vor dem Berliner Schöffengericht inszeniert worden, fand dieser Tage vor der Berufungskammer dortigen Landgerichts I seine Fortsetzung und seinen Abschlufs. Es handelt sich um die Privatklage der Firma Jacoby & Wolff gegen die Inhaber der Firma Laer & Sohn, Kaufleute Abraham und Simson. Die Firma Jacoby & Wolff fabriziert seit einigen Jahren Zephyrwollengarn mit einer Beschwerung von ca. 10 p. z. Stärkesirup resp. Stärkezucker und erzielt wegen des guten Aussehens und des billigen Preises der Wolle einen bedeutenden Absatz. Die Firma Laer & Sohn liefs diese Beschwerung durch den Chemiker Dr. Bischoff feststellen und sandte alsdann an New-Yorker und Londoner Abnehmer von Berliner Zephyrwolle ein Zirkular, in welchem sie die durch Jacoby & Wolff beliebte Beschwerung als unredliche Manipulation kennzeichnete. Durch einen von Dr. Grothe im Verein für Gewerbefleifs in gleichem Sinne gehaltenen Vortrag sind die Kläger auf diese Zirkulare aufmerksam gemacht worden und strengten gegen die Inhaber der Firma Laer & Sohn die Privatklage wegen Beleidigung an. Die Verhandlung der ersten Instanz, bei welcher sich die zahlreichen Gutachten über die Zulässigkeit dieser Beschwerungsmethode diametral gegenüberstanden, die deshalb in den Kreisen der Industrie das allergröfste Aufsehen erregte, endete nur mit der Verurteilung des Abraham, als des Verfassers der Zirkulare, zu 100 Mark Geldbufse. Gegen das erste Urteil ist von beiden Parteien die Berufung eingelegt worden, welche Rechtsanwalt Munckel für die Kläger, Rechtsanwalt Kauffmann für die Angeklagten vertrat. — Auch in dieser Instanz standen sich die Gutachten der Sachverständigen Dr. Grothe, Dr. Reymann und Dr. Francke schnurstraks gegenüber,

und bei diesem Zwiespalt der Meinungen war es doppelt interessant, was Geh. Rat Reuleaux vom allgemeinen Standpunkte aus sagte. Derselbe liefs sich dahin aus: Die sogen. Berlin Wool hat auf dem ganzen Weltmarkte einen festbegründeten Ruf; dieses Fabrikat steht deshalb in so grofser Achtung, weil man annimmt, dafs es nirgends in der Welt so gut und so reell hergestellt werden kann. „Berliner Wolle" ist deshalb ein in aller Welt, selbst in Australien hochgepriesenes Produkt der Berliner Industrie, welches sich besonders durch seine Leichtigkeit und dadurch, dafs es beim Greifen duftig und luftig bleibt, auszeichnet. Die Verhandlung in erster Instanz habe ihn geradezu mit Schrecken erfüllt, denn er habe dadurch erst mit Bedauern erfahren, dafs nun auch die Berliner Wolle beschwert werde. Der Glaube an die Reinheit der Berliner Wolle sei dadurch aufs erheblichste erschüttert worden und durch jene Verhandlung sei der Industrie bereits grofser Schaden zugefügt worden. Die Beschwerung der Faserstoffe sei ja leider namentlich in England und Frankreich eine usuelle, man pflege es dort schon als eine grofse „Kunst" zu preisen, wenn man eine Methode gefunden hat, diese Beschwerungen von Seide und Baumwolle sogar bis zu 60 und 80 p. z. zu bewirken. Welcher Art eine solche Fabrikation ist, gehe aus der tragikomischen Thatsache hervor, dafs die Eisenbahnverwaltungen wegen der Beförderung dieser Waren besondere Vorkehrungen treffen müssen, weil dieselben infolge der Beschwerung besonders feuergefährlich werden. Jeden Freund der heimischen Industrie müsse es erschrecken und mit Betrübnis erfüllen, dafs nun auch ein so reines und edles Produkt, die Zephyrwolle, dieser Manipulation, durch welche das Auge zum Nachteile der Käufer getäuscht werde, unterworfen werden solle. — Soweit Geh. Rat Reuleaux. Der Gerichtshof schlofs sich den Ausführungen des Rechtsanwalts Kauffmann dahin an, dafs die Angeklagten berechtigte Interessen wahrgenommen und erkannte daher unter Verwerfung der klägerischen Berufung auch auf vollständige Freisprechung des Abraham. (B. Tgbl.)

Nach dem Petersburger Herold soll eine Aktiengesellschaft im Entstehen begriffen sein, welche ein gewaltiges Projekt zu realisieren gedenkt. Es handelt sich nämlich um nichts Geringeres, als um die Herstellung einer direkten Naphta-Röhrenleitung vom Kaspischen Meere zum Persischen Meerbusen!! —

. Zwischen den böhmischen Zucker-Exporteuren und den beiden grofsen Elbeschiffahrts-Gesellschaften ist eine Einigung betr. der Transport Tarife erzielt, welche den Zucker-Interessenten verschiedene Erleichterungen sichert. — Der Vertrag der Stadtgemeinde Berlin mit der Deutschen Edison-Gesellschaft ist kürzlich vollzogen worden. In das mit elektrischer Beleuchtung vorerst zu versorgende Gebiet fallen u. a.: das königl. Schlofs, d. königl. und kronprinzl. Palais, das Opernhaus, das Museum, die Post, das Polizei-Präsidium, die Universität etc. —

Die Stadt Steyr in Oberösterreich wird vom 2. August bis Ende September eine Elektrische Ausstellung, verbunden mit einer Landes-Industrie-, Forst- und kulturhistorischen Ausstellung, veranstalten. Die Elektrische Ausstellung hat den Zweck, den Industriellen und Privaten die praktische Verwertung der Elektrizität für Beleuchtung und Kraftübertragung bei Benutzung von Wasser-, Dampf- und Gaskraft in anschaulicher Weise vorzuführen. —

Wie die *Ph. Ztg.* mitteilt, geht man auch in Japan damit um, eine Pharmakopöe auszuarbeiten. In der hierfür eingesetzen Kommission befindet sich auch ein deutsches Mitglied —

Das Subkomité des Unterrichts-Ausschusses des ungarischen Abgeordnetenhauses hat über die Frage der Errichtung einer neuen Hochschule einen umfassenden Bericht verfafst. Derselbe kulminiert, mit Berufung auf die vernommenen Fachmänner, in dem Satze, dafs die Gründung einer neuen Universität sowohl mit Hinblick auf die Überfüllung der Budapester Universität, als auch kulturellen und scientifischen Gründen geboten erscheint. Nach dem Vorschlage des Subkomités würde die neue Universität (gleich der Klausenburger) aus vier weltlichen Fakultäten: aus der philosophischen, juridischen, medizinischen und naturwissenschaftlichen bestehen. (*Wien. Med. Bl.*) —

Auf den 10 preufsischen Universitäten in Berlin, Breslau, Bonn, Göttingen, Greifswald, Halle, Kiel, Königsberg, Marburg und Münster sind in diesem Wintersemester zusammen 12768 Studenten immatrikuliert worden.

In der letzten Sitzung des Wiener medizinischen Professoren-Kollegiums wurde Dr. Möller, früher Assistent Prof. Vogls, als Dozent für Hygieine der Nahrungs- und Genufsmittel mit Nachsicht der Probevorlesung zugelassen. —

Bei Gelegenheit der am 1. April eröffneten internat. elektrischen Ausstellung hat die italienische Regierung einen Preis von 10000 Fr. für den Erfinder des besten Beleuchtungsapparates gestiftet. —

In dem *Nürnberger Anzeiger* ist darauf hingewiesen, dafs ausgebrauter Hopfen nach Nürnberg zurückgelangt. Dafs ausge-kochter Hopfen bei den hohen Transportspesen, die darauf entfallen, als Dung viel zu teuer werden würde, liegt auf der Hand. Man kann daher nur annehmen, dafs derartiger Hopfen von unreellen Händlern mit gutem Hopfen gemischt wieder in den Handel gebracht wird. (*Nordd. Brauer-Ztg.*) —

Nach der *D. Amer. Apoth. Ztg.* kommt nach statitischen Zusammenstellungen in Grofsbritanien und Amerika bei der Darreichung von anästhetischen Mitteln bei Operationen ein Todesfall auf 2800 Patienten. —

Anläfslich der 50jährigen Jubelfeier der chemischen Fabrik von Gebr. Heyl & Co. in Charlottenburg hatte der Chef der Firma die Errichtung einer Schule beschlossen, welche die Knaben der zahlreichen Arbeiter der Fabrik aufnehmen sollte, denselben in den Nachmittagsstunden Unterricht in nützlichen Handarbeiten zu erteilen. Das zu diesem Behufe auf dem Fabrikgrundstück am Salzufer erbaute Schulhaus istam 2. Januar cr. seiner Bestimmung übergeben worden. Es befinden sich ca. 40 Knaben in der Anstalt. (*Färber Ztg.*) —

Die chemische Gesellschaft in Paris hat den Professor Willm in Lille zu ihrem Präsidenten, Ogier und Clermont zu Vicepräsidenten, Lauth, Berthelot, Silva, Hanriot und Carnot zu Mitgliedern des Vorstandes erwählt. —

Bei dem Ehrenpräsidenten des Elektrotechnischen Vereins, Herrn Staatssekretär Dr. Stephan, hat der Würzburger Physiker Prof. Kohlrausch die Errichtung einer Gedenktafel aus Marmor auf dem Turm der Jakobikirche in Göttingen, von welchem herab die ersten bahnbrechenden Versuche mit dem elektrischen Telegraphen gemacht worden waren, in Anregung gebracht. Der Staatssekretär hat das Schreiben dem Bürgermeister in Göttingen zu weiterer Veranlassung übermittelt, und, wie man meldet, hat die dortige Gemeindevertretung die Angelegenheit mit warmem Interesse aufgenommen, so dafs man die Ausführung dieses Planes in der nächsten Zeit wohl erwarten kann. —

Nach Mitteilung der in Newyork erscheinenden *Nation* ist dem Repräsentantenhaus ein Gesetzentwurf zugegangen behufs Regelung des Internationalen Schutzes gegen Nachdruck. Das Gesetz soll gleichermafsen fremde Autoren in Nordamerika, wie dortige Autoren im Auslande schützen. Nach englischem Muster schlägt der Entwurf vor, dafs wenn eine ausländische Regierung den amerikanischen Autoren denselben Schutz wie ihren Angehörigen gewährt, diese in Amerika dieselben Rechte geniefsen sollen wie die Amerikanischen. —

4

Die Verschiffung von Petroleum mit Dampfern, statt wie bisher ausschliefslich mit Segelschiffen, findet in immer weiterm Umfange statt. Eine besondere Feuersgefahr liegt auch nicht vor bei Dampfschiffen mit gut abgeteilten Räumen und guten Ventilationsvorrichtungen. Vorsichtsmafsregeln sind gleichermafsen wie auf Segelschiffen anzuwenden, so Gebrauch von Sicherheitslampen unter Deck u. dgl. —

Anzeigen.

№ 11. **Chemisches** . **12. März 1884.**

Wöchentlich eine Nummer von
1—2 Bogen. Der Jahrgang mit
Sach- und Namen-Register,
nebst system. Übersicht.

Central-Blatt.

Der Preis des Jahrgangs
ist 30 Mark. Durch alle
Buchhandlungen und Post-
anstalten zu beziehen.

REPERTORIUM

für reine, pharmazeutische, physiologische und technische Chemie.

Dritte Folge. XV. Jahrgang.

Wochenbericht.

4. Organische Chemie.

A. Henninger, Über *die Reduktionsprodukte des Erythrits durch Ameisensäure.* Schon vor längerer Zeit hat der Vf. in Gemeinschaft mit TOLLENS eine Darstellungsmethode des Allylalkohols, $C_3H_5(OH)$, veröffentlicht, welche sich auf die Reduktion des Glycerins, $C_3H_5(OH)_3$, durch Oxalsäure gründete. Bei dieser Reaktion entsteht als Mittelglied ein Formin des Glycerins, welches sich beim Erwärmen in Allylalkohol, Kohlensäure und Wasser spaltet. Die Regelmäßigkeit der Reaktion veranlaßte den Vf. dazu, dieselbe auch auf andere mehratomige Alkohole, Glykole, Erythrit und Mannit anzuwenden, woraus sich die allgemeine Anwendbarkeit derselben ergab.. Die im Jahre 1873 beschriebenen Versuche führten zu dem Schlusse, daß die Ameisensäure die mehratomigen Alkohole in minderatomige verwandelt, wobei ungesättigte Verbindungen entstehen. Die Ameisensäure ist bis jetzt der einzige Körper, welcher in dieser Weise wirkt. Der Vf. hat überdies erkannt, daß die Bildung des Formins notwendig der Reaktion vorausgeht. Wenn man auch solche Verbindungen in Bedingungen bringt, unter denen er sich nicht ätherifizieren kann, so beobachtet man keine Reduktion. Später verfolgte der Vf. die Reduktion des Erythrits genauer und teilt jetzt seine Resultate mit.

Wenn man Erythrit sechs Stunden lang mit seinem $2\frac{1}{2}$ fachen Gewichte Ameisensäure (1,185 spez. Gew.) erhitzt und darauf die überschüssige Säure abdestilliert, indem man die Temperatur zuletzt bis 190—200° steigert, so erstarrt der Rückstand beim Erkalten zu einer strahlenförmigen Masse. Diese enthält 40—50 p. c. Ameisensäure gebunden, was ungefähr der Zusammensetzung eines Diformins, $C_4H_6(OH)_2(CHO_2)_2$, entspricht. In Wirklichkeit ist es aber ein Gemenge von mehreren Forminen, welche man durch Krystallisation aus absolutem Alkohol und Äther trennen kann.

Unter diesen Verbindungen verdient das Tetraformin besondere Beachtung, obgleich es nur in geringer Menge in dem Gemenge vorkommt. Es bildet sich in der That sehr leicht, wenn man den Erythrit zweimal hintereinander mit 3—4 Tln. Ameisensäure destilliert; bei der zweiten Operation wendet man krystallisierbare Ameisensäure an.

Das Tetraformin des Erythrits, $C_4H_6(OCHO)_4$, bildet lange, seideglänzende Nadeln; wenig löslich in kaltem Alkohol, noch weniger in Wasser und in Äther; es schmilzt bei 150°, wird durch warmes Wasser leicht verseift und wieder in Erythrit umgewandelt.

Das Gemenge der Formine, deren mittlere Zusammensetzung dem Diformin entspricht, wurde durch Erwärmen auf 210—220° zersetzt; man beobachtet eine reichliche Gasentwicklung und zu gleicher Zeit destilliert eine schwach gefärbte Flüssigkeit von durchdringendem und charakteristischem Geruche über, welche man in einer stark gekühlten Vorlage kondensiert.

In dem Maße, wie die Zersetzung vorwärts schreitet, steigt die Temperatur bis auf 250—255°, und sobald dieser Grad erreicht ist, bleibt nur noch ein kleiner, höchstens $\frac{1}{10}$ von dem Gewichte des Erythrits betragender Rückstand. Keine Spur von kohliger Substanz bildet sich dabei. Die Gase bestehen aus Kohlensäure, Kohlenoxyd und Crotonylen, C_4H_6, welches leicht durch Brom absorbiert wird. Dieser Kohlenwasserstoff, C_4H_6, scheint

XV. 13

identisch mit dem Crotonylen von CAVENTOU zu sein; man muſs ihn als das Radikal des Erythrits betrachten, denn die Reduktion dieses Alkohols ist regelmäſsig und geschieht ohne molekulare Umlagerung, wie der Vf. in einer nächsten Mitteilung zu zeigen gedenkt.

Die in dem abgekühlten Rezipienten kondensierte Flüssigkeit ist ein Gemenge von Wasser, Ameisensäure·und dem Monoformin eines neuen, nicht gesättigten Glykols, des *Crotonylenglykols*, $C_4H_6(OH)_2$, ferner sind darin zwei Körper von der Formel C_4H_6O enthalten, von denen der eine identisch mit dem Crotonaldehyd ist, während der andere als ein neuer, bei 67° siedender Körper betrachtet werden muſs, für welchen der Vf. den Namen *Dihydrofurfuran* vorschlägt.

Endlich findet man in dem Destillate, sowie in dem Rückstande in der Retorte eine dickliche Substanz von der Zusammensetzung $C_4H_6O_3$, welche nichts anderes als das erste Anhydrid des Erythrits, das *Erythran* ist, welches man bis jetzt noch nicht kannte.

Die folgenden Gleichungen geben Aufschluſs über die Bildung dieser Verbindungen aus dem Diformin des Erythrits, resp. dem Erythrit:

$$C_4H_6(OH)_2(OCHO)_2 \begin{cases} = CO_2 + H_2O + C_4H_6(OH)(OCHO) \\ = 2\,CO_2 + 2H_2O + C_4H_6 \\ = CO_2 + CO + 2H_2O + C_4H_6O \end{cases}$$

$$C_4H_{10}O_4 = H_2O + C_4H_8O_3.$$

Da der Vf. bei diesen, in groſsem Maſsstabe ausgeführten Versuchen mehr als 2 kg Erythrit verarbeitet hat, so glaubt er annehmen zu dürfen, daſs ihm kein Zersetzungsprodukt entschlüpft ist. Er wird nächstdem auf diese Verbindungen, sowie auf zahlreiche Derivate derselben zurückkommen. (C. r. **98**. 149—51. [21.* Januar.)

H. Limpricht, Über *Amidothiosulfonsäuren*. 1. Über die *p-Amidotoluolorthothiosulfonsäure*, von Dr. A. HEFFTER. Paranitrotoluol-o-Sulfonsäurechlorid liefert bei Reduktion mit Schwefelammonium die Amidotoluolthiosulfonsäure, $C_7H_6(NH_2)SO_2SH$. Vf. beschreibt einige Salze. Die Verbindung wird von Natriumamalgam zu *Amidotoluolsulfinsäure*, $C_7H_6NH_2SO_2H$, reduziert; Bromwasser oxydiert letztere zu Sulfonsäure, salpetrige Säure führt sie in eine Diazoverbindung über, in bromwasserstoffsaurer Lösung aber in p-Bromtoluol-o-Sulfonsäure. Die Diazoverbindung wird von Alkohol zu *Oxäthyltoluolsulfonsäure* zersetzt. Vf. beschreibt das Barium- und Kaliumsalz und das Amid. Methylalkohol liefert mit der Diazoverbindung *Oxymethyltoluolsulfonsäure*.

Die Amidotoluolsulfinsäure verwandelt sich mit Säuren in eine isomere *basische* Verbindung, das *Toluolsulfamin*, $C_7H_6(SO_2H)NH_2$ (Schmelzp. 152°); Schwefelammonium führt letzteres in Amidotoluolthiosulfonsäure. Natriumamalgam in Amidotoluolsulfinsäure über; salpetrige Säure zersetzt es gleichfalls.

2. Über die *o-Amidotoluol-p-Thiosulfonsäure* von W. PAYSAN. Die Eigenschaften dieser Säure sind wesentlich dieselben, wie die der p-Amido-o-Thiosulfonsäure, auch hinsichtlich der Untersuchung kann auf den ersten Teil hingewiesen werden.

o-Amidotoluol-p-Thiosulfonsäure, $C_7H_6{<}^{NH_2}_{SO_2HS}$

o-Amidotoluol-p-Sulfinsäure, $C_7H_6(NH_2)(SO_2H)$

Oxäthyltoluolsulfonsäure, $C_7H_6(OC_2H_5)(SO_2H)$

Toluolsulfamin (Schmelzp. 175°), $C_7H_6SO_2H.NH_2$.

(LIEB. Ann. **221**. 344—64. 7. Aug. 1883. Greifswald.)   P.

E. Louise, Über *ein aromatisches Diketon*. Die Konstitution des Mesitylens (als symmetrisches Trimethylbenzol betrachtet), gestattet die Annahme, daſs durch successive Vertretung der Wasserstoffatome im Benzolkerne durch Benzoyl drei acetonartige Verbindungen entstehen müssen. In einer früheren Mitteilung berichtete der Vf. über die Darstellung eines *Benzoylmesitylens*. Dieses Keton krystallisiert in voluminösen Prismen und wurde nach der Methode von FRIEDEL und CRAFTS erhalten, indem sie Benzoylchlorid auf Mesitylen bei Gegenwart von Aluminiumchlorid einwirken lieſsen.

Dieses Produkt, welches man in theoretischer Menge erhält, diente als Ausgangspunkt für die Darstellung der substituierten Verbindung, das *Dibenzoylmesitylens*. Dasselbe wurde durch Einwirkung von Benzoylchlorid auf Benzoylmesitylen erhalten. Zu diesem Zwecke wurden 30 g Benzoylmesitylen in 80 g Benzoylchlorid gelöst und die Flüssigkeit auf 150° erhitzt. Auf Zusatz von Aluminiumchlorid beginnt die Reaktion, indem sich reichliche Mengen von Salzsäure entwickeln.

Nach wiederholtem Zusatze neuer Mengen von Chloraluminium war die Einwirkung nach 24 Stunden beendigt; 3—4 g Chloraluminium genügen zu diesem Zwecke. Die anfangs farblose Flüssigkeit verwandelte sich in eine dicke·schwarze Masse, in welcher das gesuchte Keton neben überschüssigem Benzoylchlorid und Zersetzungsprodukten, hauptsächlich Kohle, enthalten war. Das Auftreten der letzteren ist schwer zu vermeiden, doch bildet sie sich nur in geringer Menge, wenn man die angegebene Temperatur nicht übersteigt.

Um das überschüssige Benzoylchlorid zu zersetzen, wurde die Flüssigkeit mehrmals hintereinander mit warmem Wasser unter Zusatz von etwas Kali behandelt, bis sich keine Benzoesäure mehr nachweifsen läfst. Das schwarze feste Harz, welches zurückbleibt, wird in einem Gemenge von Äther und Alkohol aufgelöst und die pulverförmige Kohle durch Filtrieren getrennt. Aus dem Filtrate scheiden sich bald Krystalle aus, welche meistens schwarz sind und durch wiederholte Krystallisationen nicht genügend gereinigt werden können. Dies gelingt nur durch Destillation derselben im Vakuum. Bei ungefähr 300° geht hierbei eine farblose Flüssigkeit über, welche bald erstarrt. Durch Umkrystallisieren aus Alkohol erhält man den Körper rein. Die Zusammensetzung entspricht der Formel des Dibenzoylmesitylens, $(C_6H_5CO)_2C_6H(CH_3)_3$. Derselbe schmilzt bei 117°, ist farblos, löslich in Äther, Alkohol, Petroleum etc. und läfst sich daraus in guten Krystallen erhalten; löst man es in gewöhnlichem Aceton oder Chloroform, so erhält man sehr grofse Krystalle, deren Dimensionen mitunter mehrere Zentimeter betragen. (C. r. **96.** 151 bis 153. [21.°] Jan.)

Heinr. Gevekoht, *Darstellung der drei Nitroacetophenone.* Das *Orthonitroacetophenon* wird erhalten aus Natracetessigäther und reinem Orthonitrobenzoylchlorid, wobei zunächst der *Orthonitrobenzoylacetessigäther* sich abscheidet (das Kaliumsalz dieses Äthers erhält man durch Auflösen in konzentrierter Kalilauge). Verseift man den Äther mit mäfsig verdünnter Schwefelsäure, so entsteht *o-Nitroacetophenon*, $C_6H_4.NO_2.CO.CH_3$, als gelbes Öl, das bei der Reduktion mit Zinn und Salzsäure zunächst das Zinnchlorürdoppelsalz des Orthoamidoacetophenons liefert; aus diesem kann mittels H_2S und dann Alkali das o-Amidoacetophenon erhalten werden. Vf. beschreibt das Sulfat dieser Base, die Acetylverbindung (Schmelzp. 76—77°), welche A. BAEYER und BLÖM aus Amidophenylacetylen gewonnen hatte (**82.** 710). Das Monobrom-, das *Dibromdichlororthonitroacetophenon* erhält man direkt aus dem obigen Acetophenon. PCl_5 führt das o-Nitroacetophenon in *o-Nitrochlorstyrol*, $NO_2.C_6H_4CCl = CH_2$, über.

Vf. ist es nicht gelungen, aus dem reinen o-Nitroacetophenon durch reduzierende Agentien Indigo zu gewinnen; erfolgreicher war der Versuch, die Halogenderivate des Nitroacetophenons in Indigblau umzuwandeln. Kocht man eine alkoholische Lösung des Mono- oder Dibromacetophenons mit Schwefelammonium, so tritt sehr bald der Indolgeruch auf, und es scheiden sich dunkle, metallisch glänzende Flocken ab, die umkrystallisiert, die Eigenschaften des *Indigos* zeigen. Das Dibromid giebt mehr Indigo, wie das Monobromid. Orthonitrochlorstyrol liefert keinen Indigo bei gleicher Behandlung.

Das *o-Nitrobenzoylaceton* kann durch Behandeln des Nitrobenzoylacetessigäthers mit Schwefelsäure als gelbe, bei 55° schmelzende Krystalle erhalten werden; seine Zusammensetzung ist $NO_2.C_6H_4.CO.CH_2.COCH_3$. Durch Reduktionsmittel wird es leicht angegriffen. Beim Erwärmen des Orthonitrobenzoylacetons mit Phenylhydrazin vereinigen sich beide unter Austritt von Wasser zu $C_{19}H_{17}N_3O_2$ (Schmelzp. 120°).

Das *Metanitroacetophenon* kann genau so wie das Orthoderivat dargestellt werden; es besitzt den Schmelzpunkt 81°; ebenso das *Paranitroacetophenon*. (LIEB. Ann. **228.** 323—35. Erlangen.)　P.

Hugo Schiff und **G. Pellizzari**, Über *Methylarbutin, Benzylarbutin und Benzyldioxybenzole.* Das auf synthetischem Wege methylierte Arbutin ist nach den vorliegenden Untersuchungen identisch mit dem natürlich vorkommenden Arbutin. Das *Benzylarbutin*, $C_6H_4(OC_7H_7)(OC_6H_{11}O_5) + H_2O$, schmilzt im wasserfreien Zustande bei 161°. Verdünnte Säuren spalten letzteres in Zucker und *Benzylhydrochinon*, $C_6H_4(OH).(OC_7H_7)$, das in silberglänzenden, bei 122—122,5°C. schmelzenden Schuppen krystallisiert. Aus Hydrochinon und Benzylbromid kann man den Körper ebenfalls erhalten, dabei entsteht aber hauptsächlich *Dibenzylhydrochinon*, $C_6H_4(OC_7H_7)_2$, Schmelzp. 130°. Konzentrierte Salpetersäure nitriert das Benzylarbutin zu *Mononitrobenzylarbutin* (Schmelzp. 142—143°), welches verdünnte Säuren in *Benzylnitrohydrochinon* (Schmelzp. 156—158° unter völliger Zersetzung) umwandeln. Das Ammoniumsalz des letzteren krystallisiert in zinnoberroten Blättchen, das Kaliumsalz in scharlachroten Nadeln. Benzylhydrochinon giebt bei der Nitrierung unter gleichen Bedingungen das *Benzyldinitrohydrochinon* (Schmelzp. 137°C.), dessen Ammoniumsalze rot und nur in einer Ammoniakatmosphäre beständig sind. Das Dibenzylhydrochinon nitriert, giebt ein *Mononitrochinon* (Schmelzp. 83°), welches keine Salze bildet. Die Nitrogruppe befindet sich zum Oxybenzyl in der Metastellung, zum Hydroxyl in der Orthostellung.

Bei der Benzylierung des Resorcins erhält man das bei 76° schmelzende *Dibenzylresorcin*, $C_6H_4(OC_7H_7)_2$, das Monoderivat konnte krystallisiert nicht erhalten werden. Das *Dibenzylbrenzcatechin* schmilzt bei 61°, das Monobenzylbrenzcatechin bildet eine mit

13*

Wasserdampf flüchtige Flüssigkeit. (Lieb. Ann. **221**. 365—79. 20. September 1883. Florenz.)

Emil Fischer und **Ludwig Reese**, Über *Caffeïn, Xanthin und Guanin.* Die Versuche bezwecken, einige Lücken der ersten Abhandlung über denselben Gegenstand auszufüllen (**83**. 66). Als Ausgangspunkt für die Darstellung der meisten Caffeïnderivate benutzen die beiden Vff. das *Chlorcaffeïn,* welches man durch Einleiten von trocknem Chlorgas in eine Lösung von Caffeïn in Chloroform erhält. Das früher beschriebene, aus Chlorcaffeïn dargestellte Diäthoxyhydrocaffeïn wird durch Jodwasserstoffsäure zu Hydroxycaffeïn reduziert, durch Phosphoroxychlorid in eine Verbindung, welcher, wie es scheint, die·Formel $C_{10}H_{14}ClN_4O_4 = C_5H_9N_4O_2.OH.OC_2H_5Cl$ zukommt, übergeführt. In Alkohol löst sich die Verbindung leicht unter Rückbildung von Diäthoxyhydroxycaffeïn, in Wasser unter völliger Zersetzung zu Dimethylalloxan. Die *Amalinsäure* (l. c.) wird durch vorsichtige Oxydation mit Salpetersäure zu Dimethylalloxan oxydiert; viel leichter erfolgt diese Umwandlung durch Chlor bei Gegenwart von Wasser. Beim Erhitzen entsteht unter anderen Verbindungen eine Substanz, $C_{15}H_{14}N_4O_6$ (Schmelzp. 260°), die Vff. *Desoxyamalinsäure* nennen, und welche beim Abdampfen mit Salpetersäure Dimethylalloxan liefert.

Die Versuche, aus dem Blei- und Silbersalze des Guanins und Jodmethyl den Methyläther zu erhalten, sind ohne Resultat geblieben. Trocknes Brom giebt mit Guanin ein *Bromguanin,* welches mit Silber- und Bleisalzen sich verbindet; die Verbindungen setzen sich mit Jodmethyl anscheinend in geringer Menge zum Methyläther um, daneben entsteht aber *Bromcaffeïn.* Salpetrige Säure verwandelt Bromcaffeïn in *Bromxanthin.* (Lieb. Ann. **221**. 336—44. Erlangen.)

Jac. G. Otto, *Beiträge zur Kenntnis der Umwandlung von Eiweissstoffen durch Pankreasferment.* . Vf. stellte sich zunächst die Aufgabe, die verschiedenen, bei der Trypsinverdauung gebildeten eiweiß- und peptonartigen Körper in möglichst reinem Zustande zu isolieren. Die untersuchten Produkte waren Globulinsubstanz, Propepton, Pepton und Antipepton. Das ganze Verhalten des Verdauungsglobulins, sowohl in chemischer und physikalischer, wie in qualitativer und quantitativer Beziehung stellte sich bei der Untersuchung als derart ähnlich mit Serumglobulin heraus, daß man mit großer Wahrscheinlichkeit die beiden Stoffe als identisch ansehen darf.

Bei der Magenverdauung bilden sich bekanntlich als Zwischenprodukt ziemlich bedeutende Mengen sogen. Propeptons, teils in neutraler, teils in saurer Flüssigkeit, durch hineingestellte Steinsalzstücke fällbar. Durch die Trypsinverdauung wird kein aus neutraler Lösung durch Steinsalz fällbares Propepton gebildet. Durch Zusatz von Salzsäure zu der mit Kochsalz gesättigten Flüssigkeit entstand dagegen ein zäher weißer Niederschlag, der die bekannten Reaktionen des Propeptons zeigte.

Das Trypsinpepton hält Vf. für identisch mit dem Pepsinpepton. Bei der Trypsinverdauung des Peptons bildet sich noch das Antipepton (Kühne), welches Vf. durch zehntägige Trypsinverdauung von Fibrin behufs näherer Untersuchung sich herstellte. Das Antipepton ist ein schwach gelbliches Pulver, leicht in Wasser löslich, das aus seiner Lösung nicht durch konzentrierte Salpetersäure oder Essigsäure und Ferrocyankalium gefällt wird und die gewöhnlichen Peptonreaktionen liefert. Es besitzt auch die Zusammensetzung des Peptons. (Ztschr. physiol. Chem. **8**. 129—48. 2. Okt. 1883. Straßburg (Christiania). P.

A. Gabriel Pouchet, Über *die Ptomaïne und analoge Verbindungen.* Seit der Veröffentlichung seiner letzten Untersuchung über die Alkaloide, welche normal im Harn auftreten (1880), hat Vf. diesen Gegenstand unausgesetzt verfolgt. Beträchtliche Schwierigkeiten, welche aus der sehr geringen Menge und der großen Veränderlichkeit dieser Verbindungen erwachsen, haben die Publikation der Resultate bis jetzt verzögert. Außerdem hat der Vf. seine Untersuchungen auch noch auf die Alkaloide, welche bei der Fäulnis entstehen, ausgedehnt. Um sich das Recht der weiteren Verfolgung dieses Gegenstandes vorzubehalten, giebt er in dieser vorläufigen Mitteilung die ersten sicheren Resultate. Diese haben dazu geführt, die im Harn, in den Fäces und überhaupt in verschiedenen Exkrementen normal vorkommenden alkaloidartigen Substanzen, wenn nicht für identisch, so doch für sehr verwandt mit denen zu betrachten, welche bei der Fäulnis der Proteïnkörper (Albumin, Caseïn, Kleber, Fibrin) der Kadaver oder verschiedener tierischer Organe (Leber, Lunge, Gehirn etc.) *unter Abschluß von Luft* entstehen. Die verschiedenen alkaloidischen Verbindungen, welche man aus der genannten normalen Flüssigkeit, sowie aus faulenden Substanzen extrahieren kann, sind jedenfalls Gemenge, und so weit die Analysen bis jetzt ergeben, wahrscheinlich Gemenge von homologen Körpern, ein Umstand, welcher die Schwierigkeiten ihrer Untersuchung und Trennung noch vermehrt.

Das Extraktionsverfahren, dessen Einzelheiten zu beschreiben hier zu weit führen würde, besteht darin, die Tannate der Alkaloide darzustellen, welche dann zuerst unter Zusatz von Stärke und dann von schwachem Alkohol durch Bleihydrat zersetzt werden.

Durch Abdampfung der alkoholischen Lösung erhält man eine sirupartige Masse, welche in einen Dialysator gebracht wird. Nach Verlauf einer längeren oder kürzeren Zeit trennt sich das Gemenge in zwei Teile: einen flüssigen, schwer zu dialysierenden Teil und einen Teil, welcher krystallinische, leicht dialysierbare Substanzen enthält.

Für den aus Urin erhaltenen flüssigen Anteil schlägt der Vf. vor, den Namen *Extraktivstoff* des Harns beizubehalten. Derselbe ist sirupartig, unkrystallisierbar, selbst nachdem er längere Zeit im Vakuum verweilt hat. Er wird durch die allgemeinen Alkaloidreagenzien niedergeschlagen, ist gegen Reagenspapier neutral, an der Luft ziemlich veränderlich, wird durch Chlorwasserstoffsäure verharzt und durch Zusatz von Platinchlorid rasch oxydiert. Er giebt kein Chloroplatinat. Seine Analyse führte zu der Formel $C_2H_5NO_3$.

Aus dem dialysierbaren Anteile konnte man eine Substanz isolieren, welche spindelförmige, sphärisch gruppierte Nadeln bildet; diese sind löslich in verdünntem Alkohol, fast unlöslich in starkem, unlöslich in Äther, besitzen eine schwach alkalische Reaktion und geben mit Säuren krystallisierte Salze. Das Chloroplatinat erscheint in goldgelben, zerfliesslichen, orthorhombischen Prismen. Die Analyse führte zu der Formel $C_7H_{13}N_3O_2$ oder $C_7H_{14}N_4O_2$.

Bei den Fäulnisprodukten scheint der flüssige (wenig oder gar nicht dialysierbare) Anteil aus einem Gemenge flüchtiger Basen (wahrscheinlich die von GAUTHIER u. ÉTARD angegebene Hydropyridinbase) und variabler Substanzen zu bestehen, denn die Analyse führte weder zu konstanten, noch zu vergleichbaren Zahlen. Der dialysierbare Anteil giebt mit Platinchlorid in Wasser lösliche Doppelsalze, welche sich durch Alkohol und dann durch Äther trennen lassen. Das eine dieser Chloroplatinate krystallisiert in prismatischen Nadeln und ist in starkem Alkohol unlöslich, während das andere darin ziemlich leicht löslich ist und durch Äther als gelbes Pulver niedergeschlagen wird. Die Analysen ergaben für die in Alkohol unlösliche Verbindung $(C_7H_{18}N_2O_6—HCl)_4PtCl_4$, und für das in Äther unlösliche Produkt $(C_7H_{11}N_3O_4—HCl)_2PtCl_4$. Diese Basen stehen also dem *Oxybetaïnen* nahe. Die durch Schwefelwasserstoff aus den Chloroplatinaten abgeschiedenen Chlorhydrate bilden verfilzte, seidenartige, durch überschüssige Salzsäure und an der Luft veränderliche Krystalle. Die Base $C_7H_{18}N_2O_6$, welche den ersteren Salze entspricht, zeigt sich unter dem Mikroskope als dicke, kurze, im Lichte braun werdende Prismen. Die Base $C_7H_{11}N_3O_4$, die dem zweiten Chloroplatinat entspricht, bildet dünne, pinselförmig vereinigte Krystalle und scheint wenig veränderlich zu sein. Die wässerigen Lösungen werden durch die Alkaloidreagenzien gefällt: die durch Natriumphosphomolybdat erzeugten Niederschläge reduzieren sich leicht und sind in Ammoniak mit blauer Farbe löslich, wie der unter gleichen Bedingungen mit Aconitin erzeugte Niederschlag.

Alle diese Verbindungen sind äusserst giftig, wie sich durch Versuche an Fröschen ergeben hat. (C. r. **97**. 1560—62. [31.*] Dez. 1883.)

M. Rosanyay, Über die *mikroskopische und polarisatorische Prüfung der Chinalkaloïde.* Mittels der vom Vf. in sehr ausführlicher Weise beschriebenen Methoden läfst sich mikroskopisch die Reinheit, resp. die Verunreinigungen des Chinins, Cinchonins, Conchinins und Cinchonidins bestimmt und leicht nachweisen. Will man mit Sicherheit in kurzer Zeit auch quantitativ die einzelnen Chinaalkaloide in einem Gemenge bestimmen, so eignet sich dazu der Polarisator von STEEG und REUTER in Homburg v. d. Höhe.

Die Ablenkungsfaktoren dieser vier gebräuchlichen Chinaalkaloide in fünfprozentiger Sulfatlösung sind folgende: Chinin —22°, Conchinin +31°, Cinchonidin —14° und Cinchonin +25°. Aus der Ablenkung läfst sich bei Gemengen leicht berechnen, in welchen Quantitäten die Chinaalkaloide in der Lösung vorhanden sind. (Rundschau **10**. 2 bis 4. 22—25. 37—40.) P.

Herm. Ad. Landwehr, Über *Mucin, Metalbumin und Paralbumin.* Die Mucine sind nicht als chemische Individuen aufzufassen; außer Kohlenhydrat (resp. Gallensäuren) und Eiweifs findet sich in den Mucingerinnseln immer noch Nucleïn. Von HAMMARSTEN (**83.** 402) ist gezeigt worden, dafs man aus Paralbumin Metalbumin und Eiweifs isolieren und aus diesen Substanzen Paralbumin wieder gewinnen kann. Der Inhalt einer grofsen, aus vielen kleinen zusammengeflossenen Cyste, deren Wandungen carcinomatöse Degeneration zeigten, erwies sich als eine typische Metalbuminlösung, da sie alle Reaktionen dieser Substanz zeigten. Von dem Inhalte wurde der eine Teil mit 80 prozent., der andere Teil mit absolutem Alkohol gefällt. Letztere Fällung enthält 10,01 p. c. N, erstere 15,31 p. c. Nach dem Vf. scheint jenem das von ihm in derselben Zeitschrift beschriebene „tierische Gummi" beigemengt gewesen zu sein. (Ztschr. physiol. Chem. **8**. 114 bis 121. 9. Sept. 1883. Strafsburg.)

7. Analytische Chemie.

L. Bondonneau, *Bestimmung des Wassergehaltes der stärkeartigen Substanzen.* Die Bestimmung des Wassergehaltes von Stärke, Mehl etc. bietet einige Schwierigkeiten dar. Erhitzt man die Substanzen rasch über 60°, so bildet sich Kleister, welcher die Masse einhüllt und die vollständige Austrocknung verhindert; außerdem enthält die Substanz nicht selten flüchtige Beimengungen, z. B. saure Produkte, welche gewisse Fabrikanten anwenden, das Fabrikat weißer zu machen; diese bewirken beim Austrocknen einen Verlust, dessen Größe sehr verschieden ist.

Der Vf. hat früher bereits gezeigt, daß eine sehr geringe Menge Säure genügt, um beim langsamen Trocknen der Stärke in einem Strome trockner Luft eine ziemlich be trächtliche Menge Glykose zu bilden, welche $\frac{1}{10}$ ihres Gewichtes Wasser fixiert; die Menge der auf diese Weise entstandenen Glykose wird um so größer sein, je mehr man Sorge trägt, den größten Teil des Wassers bei niedriger Temperatur zu eliminieren. Wie bedeutend dieser Einfluß einer geringen Säuremenge sein kann, zeigt sich daraus, daß ein trocknes Stärkemehl mit 20 p. c. Wassergehalt, welches nur 0,0005 Säure enthält, sich nach fünfstündigem Erhitzen in einem geschlossenen Rohre vollständig in den Sirup verwandelt hatte.

Vf. wendet jetzt folgendes Verfahren an, welches ihm immer übereinstimmende Resultate gegeben hat. Zuerst wird die Substanz auf einen Gehalt an Säure geprüft. Zeigt sie sich davon frei, so werden 5—10 g in einer rechteckigen Glas-, Porzellan- oder Platinschale in dünner Schicht abgewogen und dann in der Weise langsam getrocknet, daß man die Temperatur erst nach etwa drei Stunden bis auf 60° steigert. Dann erhitzt man mindestens eine Stunde lang auf 100° und setzt dies so lange fort, bis keine Gewichtsverminderung mehr eintritt. Das Trocknen ist dann vollendet, und die Substanz kann bis auf 110° erhitzt werden, ohne daß eine Gewichtsverminderung eintritt, vorausgesetzt, daß in der That keine Spur von Säure vorhanden war. Ist letzteres der Fall, so kann noch ein Verlust von 0,002—0,003 eintreten, wobei die Substanz sich gelb färbt.

Ist die zu untersuchende stärkemehlhaltige Substanz sauer, so muß man sie zuvor neutralisieren. Man wägt 5—10 g in der Schale ab und rührt die gleiche Menge destilliertes Wasser, welches mit einigen Tropfen Ammoniak versetzt ist, unter, bringt dann die Schale in das kalte Trockenbad, dessen Temperatur noch niedriger gehalten wird und jedenfalls bis zur vollständigen Verjagung des Wassers nicht über 40° steigen darf; von diesem Augenblicke an verfährt man in der oben angegebenen Weise weiter. (C. r. **98.** 153—55. [2.*] Januar.)

Casali, *Nachweis von Chloral in Vergiftungsfällen.* Um die Unsicherheiten im Nachweis des Chlorals zu heben, hat der Vf. die bekannten Eigenschaften desselben, sowie auch sein eigenartiges Verhalten gegen Ätzalkalien studiert, in der Absicht, dieselben zum toxikologischen Nachweis zu verwerten. Er fand, daß Chloralhydrat in Wasser oder sehr verdünntem Weingeist gelöst sich gegen Ammoniak indifferent verhält, mit Ätzkali oder Ätznatron dagegen eine weiße Trübung hervorruft. Beim ruhigen Stehen sondert sich aus der Mischung am Boden des Gefäßes eine Art von Emulsion ab, welche sich jedoch später klärt und aufhellt. Alles spricht dafür, daß jene Trübung Folge einer Umsetzung des Chloralhydrates und des Ätzkali in Kaliumformiat und Chloroform sei. Wahrscheinlich gehen noch verschiedene andere Vorgänge nebenher, etwa ein Übergang des Chloralhydrates in Chloral und Aufnahme des letzteren durch das entstandene Chloroform oder auch Verlust der Vehikels durch die Anwesenheit von Chloroform. Letztere Hypothesen gewinnen an Wahrscheinlichkeit durch die gemachte Erfahrung, daß die durch erwähnte Behandlung trüb gewordene Chloralhydratlösung durch Einleiten eines Kohlensäurestromes nach vorausgegangener Neutralisation mit Essigsäure in dem Maße, als der Kohlensäurestrom, wie aus dem Geruche des entweichenden Gases zu erkennen, das Chloroform mit sich wegführt, sich wieder aufhellt. Jene trübe Emulsion für sich gesammelt verdunstet beim Erwärmen, ohne eine Spur von Rückstand zu hinterlassen. Die durch Alkalizusatz trüb gewordenen Chloralhydratlösungen geben beim Schütteln mit Äther oder Petroleumäther den trübmachenden Körper an jene ab, und es sind diese Lösungen des letzteren in den genannten Flüssigkeiten im Wasserbade vollkommen flüchtig.

Diese Erfahrungen verwertete Vf. bei Untersuchung einer ihm übergebenen Milch auf Chloralhydrat in der folgenden Weise. Die Milch wurde mit ihrem doppelten Volum Äther und einer konzentrierten wässerigen Lösung von Kalihydrat wiederholt tüchtig durchgeschüttelt und dann in einem geschlossenen Gefäße einige Zeit hindurch der Ruhe überlassen. Sie wurde schon beim Schütteln durchscheinend, und gelblich und es trennte sich die Mischung beim Stehen in eine untere wässerige Schicht, welche eine Lösung der wasserlöslichen Bestandteile der Milch darstellte, und in eine obere ätherische, welche hellgelblich und sehr wenig getrübt erschien. Letztere wurde getrennt, die wässerige Lösung abermals mit Äther ausgeschüttelt und die vereinigten ätherischen Auszüge, welche aufser Fett sämtliches in der Milch vorhanden gewesenes Chloralhydrat enthalten mufsten, durch mit Äther angefeuchtetes Papier filtriert und im Wasserbade bei 45° destilliert. In dem ätherischen Destillate wurde sodann das Chloralhydrat nachgewiesen und zu diesem Behufe ein Teil desselben, mit einem Drittel seines Volums destilliertem Wasser gemengt, der freiwilligen Verdunstung des Äthers überlassen. Die hinterbleibende wässerige Flüssigkeit roch scharf nach Chloralhydrat, daneben nach Chloroform und Äther. Einige Tropfen davon liefs man auf ammoniakalische, in einem Proberöhrchen befindliche und darin zuvor erwärmte Silberoxydlösung fallen, worauf sich alsbald an der Berührungsstelle beider Flüssigkeiten rings auf der Innenwand des Glases ein Spiegel von reduziertem Silber bildete, welcher sich späterhin weiter ausdehnte. Einige weitere Tropfen jener hinterbliebenen wässerigen Lösung wurden mit FEHLING'scher Lösung behandelt, auf welche sie gleichfalls reduzierend wirkten. Man führte aber noch einen weiteren Kontrollversuch aus, indem man jenes oben erwähnte Destillat, anstatt es mit Wasser zu mengen und zu verdunsten, mit einem doppelten Gewicht Weingeist gemischt in einer mit Amianthdocht versehenen, unter eine tubulierte Glasglocke gebrachten Spirituslampe verbrannte, wobei natürlich dafür gesorgt war, dafs durch einen Aspirator eine zum Unterhalten der Verbrennung hinreichende Luftmenge durch die Glocke gesaugt wurde. Dabei wurde letztere von aufsen so stark abgekühlt, dafs an ihrer Innenwand sich das bei der Verbrennung des Ätherweingeistes entstehende Wasser fortwährend kondensierte. Während nach dem Erlöschen der Flamme der Rückstand stechend schmeckte und gleichzeitig nach Chloralhydrat und Chloroform roch, bildeten sich um einen in die Atmosphäre der Glocke gebrachten, mit Ammoniaklösung befeuchteten Glasstab weifse Nebel, und das flüssige Kondensationsprodukt zeigte sowohl entschieden saure Reaktion, als auch gab es mit Silbernitratlösung einen Chlorsilberniederschlag. Die Ergebnisse waren nach jeder Richtung die nämlichen, wenn an Stelle des Äthers Petroleumäther benutzt wurde. Vf. glaubt, dafs es keine Schwierigkeit machen werde, mit Hilfe dieses Verfahrens Chloralhydrat sowohl in den verschiedensten Speisen, Getränken und Arzneimischungen, als auch im Inhalt von Magen und Darm selbst dann nachzuweisen, wenn seine Menge eine verhältnismäfsig geringe ist. Handelt es sich um alkoholische Chloralhydratlösungen, so soll man besser zum Ziele kommen, wenn man solche mit Wasser und Äther mischt, zwei Drittel abdestilliert und mit dem Destillate dann die eigentlichen Untersuchungsoperationen vornimmt. Bei wässerigen Flüssigkeiten hat man nur darauf zu achten, dafs durch den Alkalizusatz ihr spezifisches Gewicht nicht über dasjenige des Chloroforms und Chloralhydrates steigt und damit die Trennung der Flüssigkeitsschichten nicht erschwert wird. (Ann. di Chim. appl. alla Farm. ed alla Med. 77. Nr. 3; Arch. Pharm. [3.] 21. 960—62.)

Skrzeska, *Die Ausführung des Nahrungsmittelgesetzes.* Vortrag gehalten in der deutschen Gesellschaft für öffentliche Gesundheitspflege in Berlin. (D. Med. Wochenschr. 10. 28—30, 43—44, 61—63.) P.

R. Ludwig und **F. Mauthner,** *Vortäuschung einer Arsenvergiftung bedingt durch einen Kranz aus künstlichen arsenhaltigen Blumen.* (Wien. Med.-Bl. 7. 1—3, 34—36, 69—71.) P.

R. Valenta, *Untersuchung und Wertbestimmung billiger Toiletteseifen.* Bei Bestimmung des Handelswertes von Seifen wird in erster Linie der Wassergehalt bestimmt werden müssen. 4—5 g der vorher möglichst gut zerkleinerten Seife werden erst bei 60—90° C. (drei bis vier Stunden), dann einige Stunden bei 100° und zuletzt bei 120° C. getrocknet. Dadurch vermeidet man heftiges Aufblähen und Übersteigen der stark wasserhaltigen Seifen, und zeigen derart getrocknete Seifen, selbst bei einer Temperatur von 140° C. nur geringe Gewichtsabnahme. Diese rührt von einem bereits vor sich gehenden Zersetzungsprozesse her. Bei den transparenten, sogenannten Glycerinseifen bestimmt man den Alkohol in einer neuen Probe, indem 50—60 g der Seife in einer Retorte auf 110° C. längere Zeit erhitzt werden. Dabei mufs man die Seifenprobe mit grobem Bimssteinpulver innig mengen und dann erst destilliern. Schliefslich wird die Temperatur auf 120° erhöht. Der Gehalt an Alkohol, der mitunter bis zu 4 p. c. aufsteigt, ist vom Wassergehalte abzuziehen. Im Destillate kann man den Alkohol durch die Jodoformprobe nachweisen.

Zur quantitativen Bestimmung und Untersuchung der Aschenbestandteile, werden 5—10 g lufttrockene Seife im Platintiegel partienweise eingeäschert. Bei mit mineralischen Bestandteilen versetzten Seifen beträgt die Asche nicht selten 20—35 p. c. Die Asche wird auf Gegenwart von Wasserglas geprüft. Bei Abwesenheit von Wasserglas wird zur Ermittelung des an die Fettsäure gebundenen Alkalis eine Titrierung des wässerigen Auszuges einer gewogenen Menge Asche mit $\frac{1}{2}$ Normalsalzsäure zum Ziele führen;

andererseits jedoch eine Bestimmung von Gesamtalkali, Kieselsäure, Chlor, Schwefelsäure oder eine Kohlensäurebestimmung vorgenommen werden müssen.

Zur quantitativen Bestimmung der Gesamtfettsäuren werden 5—10 g Seife in einer geräumigen Porzellanschale mit verdünnter Schwefelsäure (1 : 15) so lange erhitzt, bis sich die abgeschiedenen Fettsäuren als klares Öl an der Oberfläche der Flüssigkeit gesammelt haben. Nun wird eine gewogene Menge (5—10 g) vorher umgeschmolzenes Stearin oder Wachs hinzugegeben, um nach dem Erkalten ein vollständiges Erstarren des Fettsäurekuchens zu bewirken. Der letztere wird mit heißem Wasser mehrmals umgeschmolzen, dadurch gewaschen, von der Flüssigkeit abgehoben, in eine Platinschale gebracht, auf dem Wasserbade geschmolzen und erstarren gelassen. Man kann das in der Schale enthaltene Wasser abgießen, den Kuchen unter der Luftpumpe bis zum konstanten Gewicht trocknen, und nach Abzug des zugesetzten Wachses oder Stearins die Fettsäure entweder als Fettsäurehydrate, oder nach weiterem Abzug von 3,25 p. c. ihres Gewichtes als wasserfreie Fettsäure berechnen. Zum Zwecke der Untersuchung der Fettsäure auf die Art des zur Bereitung der Seife verwendeten Fettes sind 20—30 g Seife in der oben angedeuteten Weise zu zersetzen, die Fettsäure durch ein feuchtes Filter zu filtrieren, gut auszuwaschen und zu trocknen (bei 100° C., dann im Vakuum). Darauf wird der Schmelzpunkt und Erstarrungspunkt bestimmt, und zwar nach der Methode von J. J. POHL. Für die weitere Untersuchung der Fettsäure ist auf die Abhandlung des Vf.'s in DINGL. Pol. Journ. **249.** 270 zu verweisen.

Zur Glycerinbestimmung werden 5—10 g lufttrockene Seife mit Schwefelsäure zersetzt, filtriert, mit wenig warmem Wasser gewaschen und das Filtrat nach dem Neutralisieren mit Natriumcarbonat eingedampft. Der trockne Rückstand wird mit Ätheralkohol (1 : 5) ausgezogen und der Auszug bei möglichst niedriger Temperatur verdampft, zuletzt über Schwefelsäure unter der Luftpumpe getrocknet und gewogen. Die Abhandlung enthält eine Tabelle über die Zusammensetzung von sechzehn Toilletteseifen. (Zeitschr. f. landw. Gewerbe, Beil. 1883. Nr. 6. 29—30. 15. Dez. DOBRUSKA [Wien].) P.

D. Kleinert, *Die Alkoholbestimmung bei Bieruntersuchungen nach der halymetrischen Methode.* Nach der halymetrischen Methode beruht die quantitative Bestimmung der wesentlichen Bestandteile des Bieres, Alkohol, Extrakt, Kohlensäure und Wasser, hauptsächlich auf der Eigenschaft des Kochsalzes, sich bei jeder Temperatur zwischen 0° und 100° in einer gleich großen Menge Wassers aufzulösen *. Zur Bestimmung der Kohlensäure soll eine abgewogene Quantität Bier mit dem hinzu geschütteten Kochsalze eine Viertelstunde lang geschwenkt werden; die bei nachheriger Wägung sich ergebende Gewichtsdifferenz zeigt den Kohlensäuregehalt des Bieres an **. Da die Berechnung des Alkohols wie der übrigen Bestandteile von dieser Kohlensäurebestimmung tangiert wird, so kommt es vor allem darauf an, festzustellen, ob dieselbe auch zuverlässig sei, oder in wieweit sie etwa Schwankungen in den Resultaten herbeiführe. Nach der gegebenen Vorschrift sollte man erwarten, daß nach einviertelstündigem Umschwenken in der That alle Kohlensäure ausgetrieben sei, und bei länger fortgesetztem Schütteln kein Gewichtsverlust mehr stattfinde; bisher ist, wie es scheint, weder praktisch noch theoretisch nachgewiesen, daß die Zeit von einer Viertelstunde zur Beseitigung der Kohlensäure notwendig sei und auch genüge.

Der Vf. hat, um hierüber sicheren Aufschluß zu erhalten, zuerst verschiedene Biersorten mit abgewogenen Kochsalzmengen längere Zeit geschüttelt und wiederholt gewogen; dabei hat sich ergeben, daß in keinem Falle die Gewichtsabnahme bereits nach viertelstündigem Schütteln vollendet war, sondern daß sie im Gegenteile sich bis 50, 60 und 70 Minuten, und in einigen Fällen auch noch länger fortsetzte. Andere Versuche wurden angestellt, um Auskunft darüber zu erhalten, ob ein und dieselbe Biersorte, mit Kochsalz geschüttelt, einen gleicher Lösung annähernd gleichen Gewichtsverlust erleidet. Auch hier zeigten sich ganz erhebliche Differenzen. Schon aus diesen Angaben läßt sich er-

---

* Nach POGGIALE lösen 100 Tle. Wasser von

0°	9°	14°	25°	40°	50°	60°	70°	80°	90°	100°
35,59	35,74	35,87	36,13	36,64	36,98	37,25	37,88	38,22	38,87	39,61 Tle.

Kochsalz, und nach MÖLLER lösen 100 Tle. Wasser von

0°	9°	12°	15°	20°	25°	30°
35,59	35,72	35,77	35,68	35,77	35,81	36,00 Tle.

Kochsalz.

** G. C. WITTSTEIN, Taschenbuch der Nahrungs- und Genußmittellehre, Nördlingen 1878. 17. 599.

sehen, welche Schwankungen die Resultate hinsichtlich der Alkoholberechnung zeigen müssen. Erwägt man nun noch, daß nach der halymetrischen Methode für die Bestimmung der Extraktmenge, welche ja die Berechnung des Alkoholgehaltes ebenfalls beeinflußt, in gleicher Weise wie für die Kohlensäurebestimmung ein viertelstündiges Schütteln des von Alkohol und Kohlensäure befreiten Bieres mit Salz verlangt wird, ohne Rücksicht darauf, ob diese Zeit zur Sättigung genügt oder nicht, so kommt man zu der Überzeugung, daß durch diesen Umstand die ohnehin schon vorhandene Unsicherheit der Resultate nur noch vermehrt wird.

Der Vf. hat zur Vergleichung zwei Analysen ausgeführt und bei der einen eine Viertelstunde lang, bei der zweiten zwei Stunden lang geschüttelt. Die sich ergebenden Differenzen waren sehr bedeutend, und es ergiebt sich, daß die halymetrische Methode, so sinnreich sie auch erscheint, dennoch derjenigen Zuverlässigkeit ermangelt, welche man von analytischen Methoden im allgemeinen fordert. (Ztschr. anal. Chem. **22**. 505—12.)

Hanausek, *Prüfung von Mandelöl.* Der Vf. wies nach, daß die Prüfungsmethode nach der Pharm. Germ. II. zu falschen Schlüssen führt. An demselben Tage wurden durch kaltes Pressen Öle dargestellt: 1. aus bitteren sicilianischen Mandeln vom J. 1881, 2. aus süßen sicilianischen Mandeln vom Jahre 1882, 3. aus kleinen, wilden, bitteren Kandiamandeln und 4. aus süßen Barimandeln. Die spez. Gewichte der Öle von 1. und 2. waren 0,9180, 3. 0,9185 und 4. 0,9182. Bei der Prüfung mit rauchender Salpetersäure von 1,4 spez. Gewicht war die Farbe des Gemenges, unmittelbar nach dem Schütteln: 1. gelblichweiß, mit einem Stich ins Rötliche, 2. weißlich, mit dunklerer Tönung, 3. gelblich, mit dunklerer Tönung als 1., weißlich, heller, als 2. Nach zwei Stunden: 1. und 2. Flüssigkeit klar und farblos, 3. und 4. salbige Masse, wie nach dem Schütteln gefärbt. Ein Teil eines Gemenges von gleichen Teilen rauchender Schwefelsäure, konz. Schwefelsäure und Wasser mit 5 Tln. Öl wurde bei 1. zuerst gelblich, dann rötlich, 2. anfänglich blaßgelb, dann rötlich, 3. zuerst gelblichrötlich, dann rasch rot, 4. anfangs gelblichrot, dann blaßrötlich. Eine Mischung von rauchender Salpetersäure mit jeder der vier Ölproben (1 : 5) gab in den Schichtungen keinen merklichen Unterschied. Drei Tropfen konzentrierter Schwefelsäure (v. spez. 1,8) mit 20 Tropfen Öl wurden bei 1. gelbgrün und schließlich bräunlich, 2. gelb, grüngelb, olivengrün, 3. gelb, grüngelb, dunkelbraun, 4. gelb, grüngelb, olivengrün (heller als 2.). Trotz wirklichen Mandelöles sämtlicher Proben sind die Prüfungsresultate (v. spez. 1.) weniger gut, bei 3. zweifelhaft. Namentlich gab die Prüfungsmethode der Pharmakopöe Resultate, welche auf Aprikosenkernöl hinwiesen. (Mitt. aus dem Labor. f. Warenk. an der Wien. Handelsakad. 1883. 46.)

Arthur Meyer, *Über die mikroskopische Untersuchung von Pflanzenpulvern, speziell über den Nachweis von Buchweizenmehl in Pfefferpulver und über die Unterscheidung des Maismehles von dem Buchweizenmehle.* Mit zahlreichen mikroskopischen Abbildungen. (Arch. Pharm. [3.] **21**. 911—18. Ende Dez. 1883.)

Kleinert, *Bestimmung des Phenols im Kreosotöle.* (Ztschr. anal. Chem. **23**. 1—13. Ende Dez. 1883.)

8. Technische Chemie.

E. Borgmann, *Verhältnis von Glycerin und Alkohol im Biere.* Der Vf. hat 22 verschiedene Biersorten untersucht und gefunden, daß das Verhältnis zwischen Glycerin und Alkohol in nicht sehr weiten Grenzen schwankt:

	Alkohol	Glycerin
Maximum	100	5,497
Minimum	100	4,140
Mittel aus 22 Biersorten	100	4,803.

Durch Bestimmung des Alkoholgehaltes und des Glyceringehaltes nach der vom Vf. in der Arbeit näher beschriebenen Methode ist demnach in den meisten Fällen die Möglichkeit gegeben, selbst einen nicht sehr bedeutenden Zusatz von Sprit oder Glycerin in damit versetzten Bieren zu erkennen. (Ztschr. anal. Chem. **22**. 532.)

E. Borgmann, *Gewürzuntersuchungen.* Der Vf. hat verschiedene Sorten von schwarzem Pfeffer, weißem Pfeffer, Zimmt, Muskatblüten, Nelken und Piment untersucht und darin das alkoholische Extrakt, das ätherische Öl, das Wasser und die Asche bestimmt. (Ztschr. anal. Chem. **22**. 535—37.)

F. X. Landerer, *Über Glutenbrot.* In Griechenland bereitet man dasselbe folgendermaßen. Das in Säcken eingebundene Weizen- oder Gerstenmehl wird durch starkes Kneten ausgewaschen, bis die Stärke vollkommen entfernt ist. Es bleibt eine klebrige und fermenterzeugende Substanz im Sacke zurück; zu diesem Gluten wird Butter und

Eierdotter zugesetzt und auch fein gehacktes gutes Rindfleisch, das von allen Fettsubstanzen und Muskeln befreit ist, dann wird es in Brote geformt, die mit Fenchel und Anissamen bestreut werden können, um jenen ein Aroma mitzuteilen. Dieses Glutenbrot empfiehlt Vf. als Nahrungsmittel für Diabetiker. (Rundschau 10. 12.)　　　　P.

Leopold Loewenherz, *Petroleum.* Seine Verfälschung mit leichtflüchtigen Ölen. Seine gesundheitspolizeiliche Untersuchung. Petroleumprobe. Beziehung ihrer Angaben zu Lampenexplosionen. Festsetzungen über den maßgebenden Entflammungspunkt. Erfolge der amtlichen Anordnungen über Petroleumuntersuchungen. Eigenschaften des russischen Petroleums. Sein Verhältnis zum amerikanischen. Verlauf der amerikanischen Ölproduktion. Ihre zeitige Lage und ihre Aussichten. Aussichten der russischen Produktion. Menge des im Kaukasus geforderten Öles. Art seines Transportes. Vorschläge zum Transport des Petroleums im festen Zustande. Aussichten der deutschen Ölproduktion. ˙ (Sep.-Abdr. aus Zeitschr. f. d. gebildete Welt. 1883.)　　　　P.

Finkener, *Untersuchungen von kaukasischem Petroleum* (ausgeführt von der königl. chemisch-technischen Versuchsanstalt). Die Untersuchung eines nach Deutschland importierten Petroleums kaukasischer Herkunft hat folgende Resultate ergeben:

Fraktionierte Destillation einiger Petroleumsorten. Das Volum der innerhalb eines bestimmten Temperaturintervalls überdestillierenden Kohlenwasserstoffe giebt bei gleichem Operieren einen brauchbaren Maßstab zur Vergleichung der Zusammensetzung verschiedener Petroleumsorten:

	Kaukasisches Petroleum	Gewöhnl. Petroleum	Kaiseröl	Astralöl
Beginn des deutlichen Siedens	150°	120°	150°	150° C.
Übergegangen bis 200°	. 40 p. c.	25 p. c.	36 p. c.	36 p. c.
„　von 200—250° C.	40 „	20 „	28 „	36 „
„　von 250—340° C.	16 „	20 „	28. „	20 „
Über 340° C. siedend	4 „	35 „	8 „	8 „
Spez. Gewicht bei 21,5° C.	0,8188	0,8029		
Entflammbarkeit	28,5°	25,5° C.		
Dünnflüssigk. (Ausflußgeschwindigkeit durch eine enge Röhre)	4　zu　3.			

Schmierfähigkeit. Der geringe Gehalt an hochsiedenden dickflüssigen Kohlenwasserstoffen bedingt die Dünnflüssigkeit des kaukasischen Petroleums und macht es als Schmiermittel ungeeignet.

Leuchtkraft. Der hoch liegende Entflammungspunkt macht das kaukasische Petroleum verhältnismäßig wenig gefährlich. Die geringe Menge hochsiedender Kohlenwasserstoffe, bei deren Verflüchtigung sich Kohle abscheidet, bringt ein nur geringes Verkohlen des Dochtes mit sich. Die Dünnflüssigkeit hat ein gutes Steigen im Dochte zur Folge. Hiernach ist zu erwarten, daß das kaukasische Petroleum bei richtig konstruiertem Brenner ein vorzügliches Leuchtmaterial abgiebt. Ein Versuch in einer gewöhnlichen Petroleumlampe zeigte es dem Astralöle etwa gleichwertig. (Sep.-Abdr. Mitt. aus der königl. mechan.-techn. Versuchsanst. zu Berlin 1883. Hft. 4.)　　　　P.

Hermann Reinhard, *Die Heiz- und Ventilationsanlagen in den Staatslehranstalten des Königreichs Sachsen.* Aus den Ermittelungen kann Vf. im allgemeinen sagen, daß jedes der drei in den untersuchten Staatslehranstalten vertretenen Heizsysteme den hygieinischen Anforderungen zu entsprechen vermag, denn unter allen drei Kategorien finden sich einzelne Anstalten, welche in jeder Beziehung den Anforderungen genügen, so bei der Luftheizung des Polytechnikums zu Dresden, bei der Heißwasserheizung des neuen Gebäudes des Schullehrerseminars zu Grimma und bei der Ofenheizung der Seminare zu Waldenburg und Callnberg. Die vorliegenden Angaben reichen allerdings nicht aus, zu ermitteln, warum in diesen Anstalten so befriedigende Resultate erzielt worden sind, in anderen aber nur teilweise. Es ist dies eine so überwiegend technische Frage, daß nur die Techniker für Heiz- und Ventilationsanlagen die Bedingungen für den günstigen Erfolg derartiger Anlagen werden ermitteln können.

Was die Erwärmung der Zimmer anlangt, so zeigt die Mehrzahl der mit Lokalofenheizung versehenen Anstalten eine etwas zu geringe Morgentemperatur, während die des Mittags allerdings genügt. In betreff der Reinheit der Luft war zu bemerken, daß in bei weitem den meisten Anstalten eine genügende Durchlüftung der Lehrzimmer vor Beginn des Unterrichtes stattgefunden und daß mit Ausnahme weniger, mit Lokalheizung versehener Anstalten der Kohlensäuregehalt der Zimmerluft am Morgen sich in mäßigen Grenzen hält, (in der Hälfte der Anstalten beträgt er weniger als 0,8 pro Mille) und da, wo dies nicht der Fall ist, ist es zweifelhaft, ob der höhere Kohlensäuregehalt auf einer mangelhaften Lüftung oder auf dem Umstande beruht, daß vor der Untersuchung eine Zeit lang Gasflammen gebrannt haben. Auch am Schlusse des Vormittagsunterrichtes hat der Kohlensäuregehalt fast nirgends ein unzulässiges Maß erreicht, und nur in zwei Anstalten mit Zimmeröfen ist er zu mehr als 4 pro Mille gefunden worden. Bezüglich des Feuchtigkeitsgehaltes endlich ist ein bemerklich geringes Maß nirgends beobachtet worden. Es hat sich auch hier wieder ergeben, daß bei der Heißwasserheizung der Feuchtigkeitsgehalt geringer (früh 43,0, mittags 49,3. p. c.) als bei der Luft- und Lokalheizung (früh 47,0, mittags 51,3 p. c., resp. früh 52,4, mittags 58,3 p. c.) (Arch. f. Hygieine 1. 305—334, Dresden.)   P.

Adolf Schmidt, Über *die Verwendung von Wasserdampf in Gasgeneratoren.* Bei der wachsenden Bedeutung der Heizung mit Generatorgasen für die Technik erscheint es von Interesse, die Vorteile, welche die Verwendung von Wasserdämpfen in Gasgeneratoren bietet, einer theoretischen Prüfung zu unterziehen. Da die Zusammensetzung der entstehenden Gase eine sehr verschiedene ist, je nach Beschaffenheit des im Generator verwendeten Brennstoffes, und da insbesondere manche Brennstoffe die Eigenschaft haben, bei Erhitzung Kohlenwasserstoffe zu entwickeln, welche bei wechselnden Temperaturen eine wechselnde Konstitution annehmen, erscheinen die Vorgänge im Generator als ziemlich verwickelte und nach den Umständen verschiedenartige. Die damit zusammenhängenden wissenschaftlichen Fragen sind deshalb in einer ganz allgemeinen Form nicht wohl zu lösen, und um die folgenden Betrachtungen möglichst zu vereinfachen, beschränkt sich der Vf. auf *die Gaserzeugung aus Koks,* welche in der Technik häufig Anwendung findet, und bei welcher die Kohlenwasserstoffe eine so geringe Rolle spielen, daß sie ganz außer Acht gelassen werden können.

Es ist zu untersuchen:

1. Welches günstigst zusammengesetzte Gasgemenge ohne Wasserdampf und 2. welches mit Wasserdampf aus Koks kann erhalten werden; 3. wie weit man mit der Zuführung von Wasserdampf höchstens gehen darf; endlich 4. welche materielle Ersparnis durch solche Zuführung zu erzielen ist.

1. *Koksgas ohne Wasserdampf.* Läßt man in den mit glühendem Koks angefüllten Generator nur Luft zutreten, so verbinden sich je 12 Gewichtseinheiten Kohlenstoff mit je 16 Gewichtseinheiten Sauerstoff zu 28 Gewichtseinheiten Kohlenoxyd, und man erhält außerdem $16 \times \dfrac{10}{3} = 53,3$ Gewichtseinheiten Stickstoff in dem erzeugten Gase, welches sonach, prozental berechnet, bestehen wird aus:

34,4 Gewichtsproz. Kohlenoxyd und
65,6   „   Stickstoff.

Der absolute Wärmeeffekt, d. i. die in Wärmeeinheiten ausgedrückte Wärmemenge, welche eine Gewichtseinheit des Gases bei vollständiger Verbrennung entwickelt, beträgt, da der absolute Wärmeeffekt des Kohlenoxydes = 2400:

$$0,344 \times 2400 = 826 \text{ Wärmeeinheiten.}$$

Durch die Verbrennung im Generator von einer Gewichtseinheit Kohlenstoff mit dem freien Sauerstoffe der Luft zu Kohlenoxydgas werden 2480 Wärmeeinheiten frei. Folglich wird stets ein bedeutender Überschuß an Wärme im Generator vorhanden sein, welcher die Verluste durch Ausstrahlung aus dem Apparate mehr als ausgleicht.

2. *Koksgas mit Wasserdampf.* Leitet man in den vorher nur mit Luft betriebenen Generator noch Wasserdampf, so wird das Wasser durch den glühenden Koks zersetzt, und zwar bei genügend hoher Temperatur nach der Formel:

$$H_2O + C = 2H + CO.$$

18 Gewichtseinheiten Wasser zersetzen sich demnach mit 12 Gewichtseinheiten Kohlenstoff und liefern 28 Gewichtseinheiten Kohlenoxyd und 2 Gewichtseinheiten Wasserstoff, also ausschließlich brennbare Gase.

Dieser Vorgang ist aber mit einem Latentwerden von Wärme verbunden, deren Menge sich folgendermaßen berechnen läßt: Eine Gewichtseinheit Wasserstoff erzeugt bei seiner Verbrennung zu Wasserdampf 29 000 Wärmeeinheiten, folglich die in 18 Gewichtseinheiten Wasserdampf enthaltenen 2 Gewichtseinheiten Wasserstoff:

$$2 \times 29\,000 = 58\,000 \text{ Wärmeeinheiten.}$$

Ebensoviel Wärme verschwindet, wenn sich im Generator 18 Gewichtseinheiten Wasser in 2 Gewichtseinheiten Wasserstoff und 16 Gewichtseinheiten Sauerstoff zersetzen. Gleichzeitig verbinden sich aber diese 16 Gewichtseinheiten Sauerstoff mit 12 Gewichtseinheiten

Kohlenstoff und erzeugen dadurch 12 × 2480 = 29 760 Wärmeeinheiten. Bei dem ganzen Vorgange kommt daher ein Wärmeverlust heraus von 58 000—29 760 = 28 240 Wärmeeinheiten.

Die so verlorene Menge muſs wieder ersetzt werden, wenn der Generator nicht sich abkühlen und zuletzt erlöschen soll. Sie kann nur ersetzt werden durch Verbrennung einer ferneren Menge Kohlenstoff mittels der zugeführten Luft zu Kohlenoxyd. Eine Gewichtseinheit Kohlenstoff, zu Kohlenoxyd verbrennend, erzeugt 2480 Wärmeeinheiten. Zu ersetzen sind 28 240 Wärmeeinheiten. Hierzu sind aber nötig $\frac{28\,240}{2480}$ = 11,38 Gewichtseinheiten Kohlenstoff. 11,38 Gewichtseinheiten Kohlenstoff erfordern $^4/_3$ × 11,38 = 15 Gewichtseinheiten Sauerstoff und geben 26,38 oder rund 26 Gewichtseinheiten Kohlenoxyd.

Mit den 15 Gewichtseinheiten Sauerstoff gelangen auſserdem ungefähr 50 Gewichtseinheiten Stickstoff in die Gase. Das günstigste Gasgemenge, welches bei dauerndem Betriebe durch Zersetzung von je 18 Gewichtseinheiten Wasserdampf erhalten werden kann, ergiebt sich sonach wie folgt:

Durch Zersetzung: 28 Kohlenoxyd + 2 Wasserstoff
Durch Verbrennung: 26   „   +50 Stickstoff
_____
      Zusammen: 54 Kohlenoxyd + 2 Wasserstoff +50 Stickstoff,

was, in Prozente umgerechnet, giebt:

50,9 Gewichtsproz. Kohlenoxyd = 42 Volumproz.
1,9   „   Wasserstoff = 20   „
47,2   „   Stickstoff   = 38   „

Aus dieser Zusammensetzung berechnet sich der absolute Wärmeeffekt zu:

0,509 × 2 400 = 1221
0,019 × 29 000 = 551
_____
          1772 Wärmeeinheiten.

Da, wie oben gezeigt wurde, das ohne Wasser dargestellte Gas nur 826 Wärmeeinh. zu erzeugen im stande ist, so ersieht man, daſs durch Anwendung von Wasserdampf ein Gas von mehr als doppelter Heizkraft, auf die Gewichtseinheit berechnet, sollte erhalten werden können. In der Praxis wird sich jedoch das Gasgemenge etwas ungünstiger gestalten, weil auch vom Apparate ausgestrahlte Wärme fortwährend ausgeglichen werden muſs durch Verbrennung von Kohlenstoff, dessen Menge von der gröſseren oder geringeren Vollkommenheit der technischen Einrichtungen abhängt.

3. *Theoretische Grenze der zuzulassenden Dampfmenge.* Bei Zersetzung von 18 kg Wasserdampf erfolgen nach obigem 54 kg Kohlenoxyd. Diese enthalten 23,14 kg Kohlenstoff. Auf je 23,14 kg Kohlenstoff können also höchstens 18 kg Dampf zugelassen werden, oder auf 100 kg Kohlenstoff 77,9 kg Dampf. Besteht der verwendete Koks aus 10 p. c. Asche, 5 p. c. hygr. Wasser und 85 p. c. Kohlenstoff, so wären auf 100 kg Koks zulässig $\frac{85}{100}$ × 77,9 = 66,2 kg Dampf. In den Koks sind aber schon 5 p. c. Wasser vorhanden. Folglich können auf das Gewicht der jeweils verbrannten Koks höchstens 60 p. c. Wasserdampf zugelassen werden. In der Praxis wird auch diese Ziffer niemals völlig erreicht werden können.

4. *Ersparnis an Brennstoff.* Daſs hierbei eine wirkliche Ersparnis an Brennstoff stattfinden kann, geht aus der Gleichung derjenigen Wärmemengen hervor, welche man erhält durch die Verbrennung der einerseits ohne, andererseits mit Wasserdampf aus einer gleichen Gewichtsmenge Kohlenstoff erzeugten Generatorgase. Bei dauernder Zersetzung von Dampf im Generator entstehen auf 18 kg Dampf 54 kg Kohlenoxyd mit 23,14 kg Kohlenstoff. Vergast man im Generator diese 23,14 kg Kohlenstoff ohne Wasserdampf, so erhält man ein Gasgemenge von 54 kg Kohlenoxyd und 103 kg Stickstoff, zusammen 157 kg Gas, von welchem je 1 kg 826 Wärmeeinheiten erzeugen kann, also im ganzen:

157 × 826 = 129 682 Wärmeeinheiten.

Vergast man dieselbe Gewichtsmenge Kohlenstoff mit Wasserdampf, so erhält man, wie oben angegeben, 54 kg Kohlenoxyd, 2 kg Wasserstoff und 50 kg Stickstoff, zusammen 106 kg Gas von einem absoluten Wärmeeffekte von 1770 Wärmeeinheiten, also im ganzen 106 × 1770 = 187 620 Wärmeeinheiten. Der Gewinn beträgt also 187 620 — 129 682 = 57 938 oder rund 58 000 Wärmeeinheiten.

Um diese sonst zu erzeugen, müßte man, da der absolute Wärmeeffekt des Kohlenstoffes 8080 ist, $\frac{58\,000}{8080}$ = 7,17 kg Kohlenstoff mehr verbrauchen, also 23,14 + 7,17 = 30,31 kg. Hierauf beträgt die Ersparnis 7,17 kg, d. i. 23 6 p. c.

Dieser Gewinn ist aber selbstverständlich kein absoluter, sondern er besteht nur in einem teilweisen Wiederersatze derjenigen Wärme, welche durch die Vergasung, d. h. durch die Verwandlung des Kohlenstoffes in Kohlenoxyd, für die Heizung verloren geht. Dieser Gewinn wird sich daher um so mehr geltend machen, je weniger es die benutzten Einrichtungen gestatten, die bei der Erzeugung des Kohlenoxydes frei werdende und von den Generatorgasen getragene Wärme für die nachherige Heizung mittels dieser Gase nutzbar zu machen, also hauptsächlich, je weiter die Heizöfen von den Generatoren entfernt sind, und je mehr sich infolge dieser Entfernung die Heizgase vor ihrer Verbrennung abkühlen.

Hieraus geht hervor, daß bei großem Betriebe und centralisierter Gaserzeugung der materielle Vorteil der Benutzung von Wasserdampf ein sehr bemerkbarer sein wird, wogegen die Brennstoffersparnis nur eine ganz unbedeutende da sein kann, wo man für jeden Ofen einen besonderen Generator und diesen Generator unmittelbar an den Ofen angebaut hat. Bei letzterer Einrichtung wird eben die bei der Vergasung frei werdende Wärme ohnehin schon benutzt.

Unabhängig davon bleibt aber für beide Fälle jener Vorteil der Dampfverwendung bestehen, daß, wenn auch im ersten Falle mit entsprechendem Mehraufwand an Brennstoff, stets ein heizkräftigeres Gas dargestellt wird, mit welchem sich eine höhere Temperatur erzielen läßt, ein Umstand, welcher für manche technische Zwecke von der größten Wichtigkeit ist. Die Verwendung von Dampf bringt aber noch einen anderen Nutzen, welcher selbst da zur Geltung kommt, wo weder der eine noch der andere der eben besprochenen Vorteile von Bedeutung ist. Die Wasserzersetzung entzieht nämlich dem Generator jeden Überschuß an Hitze, welcher sonst unvermeidlich ist, und welcher unter Umständen Sinterung und Schmelzung von Asche und Zerstörung von Mauerwerk sowohl an den Generatorwänden und Gewölben als in den Gasabzugsöffnungen zur Folge haben kann. Sie bewirkt diese erwünschte Milderung der Generatortemperatur unbeschadet der nachherigen Heizwirkung der Gase, weil der Überschuß an Wärme zur Darstellung von Wasserstoffgas verwendet wird, welches diese Wärme in gebundenem, fakultativem Zustand aus dem Generator nach dem Ofen führt und dieselbe erst dort durch eine Verbrennung wieder frei und wirksam macht. Da dieser Nutzen nicht allein überall hinreicht, um die Kosten einer künstlichen Wasserverdampfung zu decken, begnügt man sich häufig damit, einen Wasserbehälter unter dem Roste des Generators anzubringen. Hierbei verdampft die strahlende Wärme des glühenden Brennstoffes fortdauernd gewisse Mengen von Wasser in den Generator hinein, und die schadenfreie Abkühlung des Generators wird so auf eine zwar weniger vollkommene, aber sehr einfache und billige Weise erreicht. (Berg- u. H.-Z. **43**. 25—27.)

P. F. Frankland, Über *die Leuchtkraft des Äthylens, wenn es mit nichtleuchtenden brennbaren Gasen verbrannt wird.* (Journ. Chem. Soc. **45**. 30—36. Januar; Centralbl. 1884. 79.)

Max v. Pettenkofer, *Beleuchtung des königl. Residenztheaters in München mit Gas und elektrischem Lichte.* (Vergl. **83**. 813.) (Arch. f. Hygieine 1. 384—88.)

Kleine Mitteilungen.

Über die Anwendung der Salicylsäure in den Gärungsgewerben. (Schluß). In einer normal gärenden Branntweinmaische finden sich zwei Fermente vor: das alkoholbildende oder die Hefepflanze, und jenes, durch dessen Thätigkeit Milchsäure gebildet wird, das Milchsäureferment; letzteres darf aber nur in geringer Menge vorhanden sein; nimmt die Zahl der Organismen des Milchsäurefermentes im Verhältnisse zu jenen des Alkoholfermentes über ein gewisses Maß zu, so verläuft die (Alkohol-)Gärung nicht mehr normal — das Milchsäureferment ist in diesem Falle zu einem falschen Fermente geworden. Bei sehr hohen Temperaturen oder auch bei mangelhafter Aufmerksamkeit auf die Reinlichkeit der Fabrik kommt in gärenden Branntweinmaischen ein Ferment zur Entwicklung, welches Buttersäure bildet, und ist dieses

Ferment in den Alkoholgärungen in allen Fällen als ein „falsches" zu betrachten, ebenso wie das Essigferment.

In Bierwürzegärungen kommt je nach der Temperatur, bei welcher die Gärung geführt wird, ein Alkoholferment: Unter- oder Oberhefe, zur Entwicklung, neben welchem sich auch das Milchsäureferment — aber in sehr geringen Mengen — vorfindet; überschreitet die Menge des letzteren eine gewisse Grenze, so macht sich dieser Umstand sogleich und in hohem Maße durch den sauern Geschmack des betreffenden Bieres geltend — die Milchsäure ist dann auch hier ein „falsches" Ferment. In Essigfabriken strebt man die Reinkultur jenes Organismus an, welcher Alkohol in Essigsäure umzuwandeln im stande ist; das Auftreten eines anderen Fermentes ist in diesen Fabriken immer mit Nachteilen verknüpft; jedes Ferment, welches nicht Essiggärung hervorruft, ist daher dort als ein falsches anzusehen.

In den Malzfabriken ist man bestrebt, den Keimungsprozeß der Gerste so zu leiten, daß so viel nur möglich Diastase gebildet werde, welche Körper die Eigenschaft hat, Stärkemehl in lösliche Verbindungen — in Zucker und Dextrin — überzuführen. Siedeln sich auf der keimenden Gerste Schimmelpilze an, so schwächen dieselben den Keimungsvorgang oder unterbrechen ihn gänzlich; das Auftreten des Schimmels ist daher gleich mit dem Auftreten falscher Fermente in den Gärbottichen in eine Linie zu stellen.

Die Fermente, welche der Gärungstechniker absichtlich erzielt, oder welche ihm als „falsche" lästig fallen, gehören in drei verschiedene Pflanzengruppen; die erste derselben sind die „Schimmelpilze" — unter allen Umständen „falsche Fermente". Jene Fermente, welche Alkoholgärung bewirken, gehören in die Gruppe der „Sproßpilze"; nur ein Glied dieser Gruppe tritt als falsches Ferment auf, und dies ist der „Kahnpilz", welcher auf der Oberfläche alkoholhaltiger Flüssigkeiten zur Entwicklung gelangt und den Alkohol zerstört.

Das Ferment, durch dessen Wirksamkeit Essigsäure entsteht, das Milchsäureferment, das Buttersäureferment und endlich alle Fermente, welche Fäulnis bewirken, sind zu den „Spaltpilzen" zu rechnen. In Essigfabriken ist das Essigferment das normale, in Maische- und Würzegärungen spielt das Milchsäureferment eine gewisse, oben angedeutete Rolle; diese Ausnahmen abgerechnet, sind aber sämtliche Spaltpilze als „falsche" Fermente zu bezeichnen, und sind gerade sie es, welche die nachteiligsten Einflüsse auf die Beschaffenheit des Gärungsverlaufes in Brennereien und Brauereien nehmen.

Man kennt eine große Zahl von Körpern, welche sich den Gärungsorganismen gegenüber als Gifte verhalten und deren Entwicklung derselben unmöglich machen, und bezeichnet diese Körper als antizymotische (gärungsfeindliche), und als antiseptische (fäulnisfeindliche), und ist die Carbolsäure einer der bekanntesten derselben. Abgesehen von ihrem unangenehmen Geruche und Geschmacke ist die Carbolsäure auch für den menschlichen Organismus Gift und kann schon aus diesem Grunde nicht zur Konservierung gegorener Flüssigkeiten verwendet werden. Das Gleiche gilt von allen anderen, ähnlich wirkenden Körpern; sie sind zum Teil sehr giftig oder erteilen den Flüssigkeiten einen unangenehmen Geruch und Geschmack.

Erst in neuerer Zeit hat man einen Körper kennen gelernt, welcher mit den antizymotischen und antiseptischen Eigenschaften auch andere vereinigt, welche ihn geradezu als eine unschätzbare Errungenschaft für die Gärungsgewerbe erscheinen lassen; es ist dies die Salicylsäure.

Welche Bedeutung die Salicylsäure für jeden hat, welcher ein Gärungsgewerbe betreibt, kann aus den folgenden Thatsachen entnommen werden:

Die Salicylsäure ist, selbst wenn sie täglich und in sehr großen Mengen genossen wird, vollkommen unschädlich, sie besitzt keinen Geruch und ist in jenen Mengen, in welchen sie in gegorenen Flüssigkeiten (Bier, Wein etc.) enthalten sein muß, um selbe sicher zu konservieren, auch durch den feinsten Geschmackssinn nicht erkennbar. Neben diesen wertvollen Eigenschaften besitzt die Salicylsäure aber noch andere, welche ihr weiteres auszeichnen und ihr ihre Bedeutung für den Betrieb der Gärungsgewerbe verleihen; während nämlich alle anderen antizymotischen Körper sämtlichen Gärungsorganismen den Tod bringen, verhält sich die Salicylsäure gegen verschiedene Gruppen derselben auch in verschiedener Weise, und zwar so, daß sie die Angehörigen der einen tötet, während sie die einer anderen noch ganz unberührt läßt. Mit bezug auf die Giftigkeit der Salicylsäure läßt sich folgende Reihenfolge annehmen: 1. Spaltpilze, 2. Schimmelpilze, 3. Sproßpilze; d. h. fügt man einer Flüssigkeit eine sehr geringe Menge Salicylsäure zu, so werden die in ihr vorhandenen Spaltpilze getötet; eine etwas größere Menge bewirkt, daß kein Schimmelpilz zur Entwicklung kommen kann; eine verhältnismäßig sehr große Menge ist notwendig, um die Entwicklung der Sproßpilze unmöglich zu machen.

Es ist leicht einzusehen, welche außerordentliche Wichtigkeit diesem Verhalten der Salicylsäure in den Gärungsgewerben zukommt, und mögen einige Beispiele zur Erläuterung der betreffenden Verhältnisse dienen.

Fügt man dem Wasser, welches zum Quellen der zu mälzenden Gerste verwendet wird, etwas Salicylsäure zu, so werden alle Keime der Schimmelpflanzen, welche an den Gerstenkörnern haften, getötet, eine Schimmelwucherung auf den Malztennen ist hierdurch unmöglich gemacht;

fügt man beim Maischen der Würzen Salicylsäure zu, so kann während des Kühlens der ersteren die von den Brauern so gefürchtete Milchsäuregärung nicht eintreten und wird auch bei der nachfolgenden Gärung der Würzen durch die Salicylsäure, welche in den geringen Mengen, in welchen sie zur Hintanhaltung der Milchsäuregärung vorhanden sein muß, auf das Alkoholferment keinen Einfluß hat, die Bildung von Milchsäure unmöglich gemacht.

In den Brennereien läßt sich die Salicylsäure trefflich verwenden, um der übergroßen Vermehrung der Milchsäurefermente oder gar dem Auftreten des Buttersäurefermentes das sicherste Hemmnis entgegenzusetzen. Nachdem die Salicylsäure, wie erwähnt, in entsprechender Menge angewendet, nur die Spaltpilze in ihrer Entwicklung schädigt, ohne hierbei die Sproßpilze zu beeinträchtigen, ist in der Anwendung dieses Körpers ein Mittel gegeben, Alkoholferment in höchster Reinheit zu kultivieren; jeder Bierbrauer, jeder Fabrikant von Preßhefe weiß, wie ungemein wertvoll solche Hefe für ihn ist.

Das Bier, ein für die heißen Länder ungemein empfehlenswertes Getränk, ist ungemein schwierig nach solchen Ländern zu versenden, indem es in hoher Temperatur einerseits zu stark vergärt und andererseits durch die sich gleichzeitig massenhaft entwickelnden falschen Fermente verdorben wird; fügt man dem Biere eine entsprechende (in allen Fällen stets sehr kleine) Menge von Salicylsäure zu, so werden die falschen Fermente getötet und die Alkoholgärung gleichzeitig so verlangsamt, daß man das Bier nach den fernsten heißen Ländern versenden kann, ohne befürchten zu müssen, daß es zu stark vergäre; salicyliertes Flaschenbier kann durch viele Monate unverändert erhalten werden.

Die Essigfabrikanten haben häufig gegen Spaltpilze zu kämpfen, welche Fäulniserscheinungen bewirken; ein Zusatz sehr kleiner Mengen von Salicylsäure hemmt die Entwicklung der betreffenden Organismen, ohne jene des Essigfermentes zu beeinträchtigen. Frisch gepreßter Traubenmost kann durch Zusatz einer minimalen Quantität von Salicylsäure durch viele Wochen vollkommen süß und frei von Gärung erhalten und beliebig weit versendet werden; fügt man ihm dann etwas gärenden Most zu, so vergärt er normal, indem eine sehr kleine Menge von Salicylsäure zwar die Entwicklung des Alkoholfermentes im Moste, nicht aber die weitere Vermehrung des schon ausgebildeten Fermentes zu hemmen vermag. Schwache Weine sind bekanntlich wenig haltbar und noch weniger exportfähig, indem sich in ihnen sehr leicht Fermente entwickeln, welche sie „krank" machen. Die Weine werden sauer, bitter, sie brechen sich etc., durch minimalen Zusatz von Salicylsäure werden auch die schwächsten Weine haltbar und exportfähig.

Das Sauerwerden der Milch, das Ranzigwerden der Butter, das Verderben von eingelegtem Obst, etc. wird durch Gärungsorganismen bewirkt; versetzt man die genannten Körper mit etwas Salicylsäure, so sind sie gegen das Verderben gesichert und können weit verfrachtet und lange aufbewahrt werden.

Nachdem eine wahrscheinlich sehr große Reihe der Krankheiten unserer Haustiere durch Spaltpilze verursacht wird, kann die Salicylsäure als ein treffliches Vorbeugungs- und Heilmittel in diesen Krankheiten betrachtet werden; bezüglich des Milzbrandes, der Klauenseuche, Hühnercholera, Brutpest der Bienen und anderen seuchenartig auftretenden Tierkrankheiten liegen überraschende Resultate in dieser Richtung vor.

Für die Zwecke des Gärungstechnikers ist die Salicylsäure, wie schon oben ausgesprochen wurde, ein geradezu unschätzbarer Körper, denn durch die Anwendung desselben hat er es vollkommen in seiner Macht, der Entwicklung von Fermenten überhaupt und ganz besonders von „falschen" Fermenten eine unübersteigliche Grenze entgegenzusetzen, und in jenen Fällen, in welchen sich die betreffende Flüssigkeit in langsamer Nachgärung befinden muß, wie dies beim Biere der Fall ist, die Gärung ganz nach seinem Belieben zu regeln.

Nebst dieser ihr allein zukommenden Eigenschaft, auf die verschiedenen Fermentarten in verschiedener Weise zu wirken, zeichnet sich die Salicylsäure auch noch durch vollkommene Unschädlichkeit aus und bedingen diese Eigenschaften zusammengenommen mit Recht die fortwährend zunehmende ausgedehnte Anwendung der Salicylsäure in allen Zweigen der Gärungsgewerbe. (Ztschr. f. landw. Gewerbe 1883. 168; Ind.-Bl. 20. 369—71.)

Wasserlack, von R. Kayser. Einen Wasserlack, welcher billiger ist, als Spirituslack und nicht so leicht abspringt wie dieser, erhält man durch Erwärmen im Dampfbade von 10 Tln. Borax mit 30 Tln. grob gepulvertem, weißem Schellack und 200 Tln. Wasser. Ist nach einigen Stunden die Lösung erfolgt, so läßt man erkalten und filtriert. Durch Zusatz von einigen Tropfen Glycerin wird dieser Wasserlack noch biegsamer. Um den Wasserlack tief schwarz zu färben, versetzt man ihn mit wasserlöslichem Nigrosin, für Rot mit verschiedenen Eosinen und Fuchsinen, für Blau mit Methylenblau, Alkaliblau oder Marineblau, für Grün mit Malachitgrün oder Brillantgrün, für Violett mit Methylviolett. (Mitt. d. bayer. Gewerbemus. 1883 97; Pol. Journ. 249. 278.)

Eine neue Goldentdeckung im Ural. Die „Jekaterinoslav Nedelja" berichtet von einem neuen, sehr reichen Goldfunde in dem Uspenskischen Teile des Urals. Schon am ersten

Tage wurden 22 Goldklumpen, wovon vier zusammen mehr als 2 kg (5 russ. Pfd.) wogen, gewonnen. Doch das bemerkenswerteste an diesem Vorkommen liegt darin, daß hier das Gold in Krystallen auftritt; darunter z. B. ein Oktaeder von 7 mm Kantenlänge; dieser Krystall wurde dem Berginstitute übergeben. (Iron **22.** 161; Österr. Ztschr. **32.** 14.)

Kitt zur Verbindung von Glas mit Metall und von Glas mit Glas. Um Metallgarnituren auf Glasflacons zu befestigen und überhaupt Glas mit Metall zu verbinden, kann man sich einer Mischung von Bleiglätte mit so viel Glycerin bedienen, daß ein Teig von der Konsistenz der kondensierten Milch entsteht. Dieser Kitt ist für Wasser undurchdringlich, auch widersteht er hohen Temperaturen. Um Glas mit Glas zu verbinden, mischt man 3 Tle. Harz mit 1 Tl. Wachs; doch widersteht der so erhaltene Kitt der Hitze nicht. (Sanitary Engineer.; Deutsche Ind.-Ztg. **24.** 448.)

Verfahren zur Konservierung von Kaffeemehl, von F. SCHNITZER. Das Kaffeemehl wird mit passenden Mengen Zuckerkalk versetzt und mit oder ohne Zusatz von reinem gepulvertem, trocknem Zucker in Formen gepreßt. Der Zuckergehalt soll die Zersetzung verhindern, resp. die bei Beginn derselben auftretenden organischen Säuren binden. Um die auf diese Weise hergestellten Konservepatronen noch sicherer haltbar zu machen, und um den Flüssigkeitsgrad derselben zu erhöhen, können dieselben noch mit einer besonderen Zuckerschicht überzogen werden. (D. P.).

Verfahren zum Konservieren von Milch, von O. v. RODEN. Die mit frischer Milch oder Rahm gefüllten Gefäße werden fest verschlossen, worauf man ein Stück Gummischlauch oder eine Kapsel mit Gummidichtung so über den Kopf der Flasche steckt, daß ein Stück des Kapsel oder des Gummischlauches über den Kork hinwegragt. In die so gebildete becherartige Vertiefung gießt man Öl, Glycerin oder dergl. und erwärmt hierauf die Milch etwa eine Stunde lang auf 105°. Nachdem die Gefäße vollständig erkaltet sind, werden die Kapseln, resp. der Gummischlauch wieder entfernt. (D. P.).

Druckfehlerberichtigung: S. 43 Z. 20 v. o. statt GURKENS lies GEERKENS. — S. 116 Z. 2 v. o. statt Glykosearten lies Glykosereaktion.

Beiträge für das Centralblatt bittet man an die Redaktion (Leipzig, Lessingstr. 5) zu richten. **Originalarbeiten** von nicht zu großem Umfange werden entsprechend honoriert und gelangen stets sofort nach der Einsendung, und zwar in kürzester Frist, zum Abdruck.

Redaktion: Prof. Dr. **Rud. Arendt** in Leipzig.

Verlag von **Leopold Voss** in Hamburg u. Leipzig. — Druck von **Metzger & Wittig** in Leipzig.

No. 12.   **Chemisches**   19. März 1884.

Wöchentlich eine Nummer von
1-2 Bogen. Der Jahrgang mit
Sach- und Namen-Register,
nebst system. Übersicht.

Central-Blatt.

Der Preis des Jahrgangs
ist 30 Mark. Durch alle
Buchhandlungen und Post-
anstalten zu beziehen.

REPERTORIUM
für reine, pharmazeutische, physiologische und technische Chemie.

Dritte Folge. XV. Jahrgang.

Zur Zusammensetzung der Krakatoa-Asche vom 27. August 1883,

von

Dr. A. SAUER,

Geolog an der königl. sächs. geologischen Landesanstalt.

Nr. 8 dieser Zeitschrift enthält neben den von mir mitgeteilten Untersuchungen „Über die Krakatoa-Aschen des Jahres 1883" noch eine zweite Arbeit über denselben Gegenstand, nämlich: Untersuchung der zu Batavia gefallenen Asche während der Katastrophe des Krakatoa von E. A. VAN DER BURG (Recueil des Travaux Chimiq. des Pays-Bas. Leide 1883. Tome II. 7.)

Die Resultate, zu welchem VAN DER BURG hierin mit bezug auf die Zusammensetzung der Krakatoa-Asche gelangte, weichen so beträchtlich und auffällig von den meinigen sowohl hinsichtlich des petrographischen als auch chemischen Befundes ab, dafs ich mich veranlafst sehe, die augenscheinlichen Ursachen dieser Differenzen mit folgendem kurz zu erörtern.

Bekanntlich unterliegen die vulkanischen losen Auswurfsmassen bei ihrem Wege durch die Luft gewissermafsen einem natürlichen Aufbereitungsprozesse dergestalt, dafs in der Nähe des Vulkanherdes hauptsächlich die gröberen und schwereren Bestandteile niederfallen, während das feinere und leichtere Material vom Winde oft weit fortgeführt wird und erst in grofser Entfernung vom Eruptionspunkte zur Erde gelangt. Hieraus folgt, dafs die Zusammensetzung der Aschen und Sande einer Eruption nach Mafsgabe der Entfernung vom Vulkan innerhalb gewisser Grenzen variieren wird. Bei Untersuchungen über vulkanische Aschen werden demzufolge nur dann übereinstimmende Resultate zu erwarten sein, wenn das denselben zu grunde liegende Material in nahezu gleicher Entfernung vom Vulkane aufgenommen wurde.

Für das von VAN DER BURG und mir verwendete Material ist diese Bedingung erfüllt; denn in beiden Fällen wurde dasselbe an gleichem Orte, nämlich bei Batavia, gesammelt, also vom Eruptionspunkte schon ziemlich weit entfernt (etwa 20 Meilen westlich vom Krakatoa)*, so dafs der erwähnte Luftsonderungsprozefs sich an den ausgeschleuderten Massen sehr durchgreifend bethätigen und bei Batavia

---

* In meiner Untersuchung irrtümlich 30 Meilen angegeben.

XV.   14

ein Material von bereits sehr gleichmäfsiger Zusammensetzung zur Ablagerung bringen konnte.

Dies vorausgeschickt, war sonach eine nahe Übereinstimmung der beiden in Rede stehenden Untersuchungen zu erwarten. Eine solche ist jedoch nicht vorhanden. Die sehr bedeutenden Abweichungen beziehen sich, wie schon eingangs bemerkt wurde, auf die petrographische wie auch chemische Zusammensetzung. Als wesentlichste Bestandteile der Asche vom 27. August führt VAN DER BURG an: Quarz, Feldspat (Sanidin), Bimsstein, Magneteisen.

Meinen Bestimmungen zufolge besteht die Krakatoa-Asche aus Bimssteinfragmenten, untermischt mit Kryställchen und Krystallfragmenten von Plagioklas — nach der Sonderanalyse eine dem Labrador nahestehende Mischung darstellend — und etwas Sanidin, ferner von Augit, Hypersthen und Magneteisen. Quarz konnte ich, auch nach wiederholter Durchsicht meines Materiales in der Asche nicht entdecken.

Ganz in Übereinstimmung mit diesem meinem Resultate wurde von RICHARD, der auf DAUBRÉE's Veranlassung die Asche untersuchte (C. r. hebd. Dec.), von HANS H. REUSCH (Neues Jahrb. f. Mineralogie 1884. 78, briefl. Mitteil.), von J. H. KLOOS (Verhandl. des naturwissenschaftl. Vereins zu Karlsruhe, Hft. 10), welche sich fast gleichzeitig, also ganz unabhängig voneinander, mit der Untersuchung der Krakatoa-Asche befafsten, und endlich neuerdings von v. LASAULX (Humboldt, März 1884) *Quarz als Gemengteil der Asche nicht gefunden*. VAN DER BURG befindet sich sonach im Widerspruche mit fünf anderen, in ihren Angaben übereinstimmenden Autoren. Da es indes einerseits wohl nicht bezweifelt werden mag, dafs VAN DER BURG den Quarz als solchen richtig bestimmte — er giebt mit bezug hierauf an: Je reconnus les crystaux tant microscopiquement en les regardant à la lumière polarisée que chimiquement pour du quartz pur — aber auch andererseits es schlechterdings undenkbar ist, dafs aufser mir noch vier andere, in mineralischen Dingen erfahrene Forscher allesamt einen so wohl charakterisierten und, wie nach VAN DER BURG's Angaben, sogar wesentlichen Bestandteil der Asche übersehen haben sollten, so folgt notwendigerweise hieraus, dafs eben nur die VAN DER BURG'sche Probe sich durch beträchtlichen Quarzgehalt auszeichnete. Erwägt man nun, dafs das spez. Gewicht des Quarzes und der Feldspäte sehr nahe bei einander liegt, ja zum Teil sich fast deckt, dafs also eine Trennung solcher Aschenbestandteile nach dem spez. Gewichte durch den Luftsonderungsprozefs nicht stattfinden kann, so müfste doch, falls Quarz wirklich einen integrierenden ursprünglichen Bestandteil der Asche gebildet hätte, dieser sich notwendig in allen den hier untersuchten Proben der Asche ebenso wie der Feldspat vorfinden. Bedenkt man ferner, dafs das von KLOOS, LASAULX und mir untersuchte Material sogar von derselben Lokalität wie das von VAN DER BURG, nämlich von Batavia herstammt, so bleibt für den Quarzgehalt der VAN DER BURG'schen Probe keine andere Erklärung übrig, als die, der Quarz ist derselben zufällig beigemengt, bildet eine Verunreinigung derselben.

Eine weitere Bestätigung erfährt dieser Schlufs noch dadurch, dafs nach unserer gegenwärtigen Kenntnis von der Zusammensetzung der jüngeren Eruptivgesteine und jungvulkanischen Produkte, die sich auf die zuverlässigen Untersuchungen von VOGELSANG, ROSENBUSCH und VERBECK stützen, quarzführende, geschweige quarzreiche, jungvulkanische Eruptivmassen in dem dortigen Gebiete nicht vorkommen. Auch alle die von VAN DER BURG zum Vergleiche zusammengestellten Analysen von vulkanischen Aschen aus dem Sundagebiete beweisen durch ihren niedrigen, zwischen 31 und 52 p. c. schwankenden Kieselsäuregehalt, dafs dieselben kaum quarzhaltig sein können.

Es wäre somit jedenfalls eine vulkanische Asche von der VAN DER BURG'schen Zusammensetzung für dieses Gebiet ein Novum, das schon darum eine kritische Prüfung herausfordern würde.

Wenn nun, wie sich aus den vorherigen Betrachtungen sicher ergeben hat, der beträchtliche Quarzgehalt des VAN DER BURG'schen Materiales als fremde Beimengung gelten muſs, so ist natürlich nicht abzusehen, was und wieviel von anderen fremden Substanzen die Probe noch enthalten mag. Jedenfalls erklären sich aber nunmehr die sonst völlig rätselhaften bedeutenden Abweichungen der VAN DER BURG'schen analytischen Resultate von den meinigen:

	VAN DER BURG	SAUER	
Kieselsäure	68,614	63,30	
Thonerde	14,032	14,52	
Titansäure	—	1,08	
Eisenoxyd } Eisenoxydul }	11,716	5,82	
Kalk	2,325	4,00	
Magnesia	0,772	1,66	
Manganoxydul	—	0,23	
Natron	0,208	5,14	
Kali	0,155	1,43	
Wasser	0,930	2,17	
Chlor	0,586		
Schwefelsäure	0,489		} qualitativ nachgew.
Phosphorsäure	0,150		
Verlust	0,023	0,82	wässeriger Auszug, vorwie-
	100,000	100,17	gend aus Kalk, Schwefels.,
			Spuren von Kali u. Natron.*

Mit bezug auf die Analyse selbst ist noch folgendes zu bemerken. Titan wies VAN DER BURG nicht nach. Eine Prüfung des Kieselsäureniederschlages hätte ihn dieses sicher entdecken lassen, da nach meinen Resultaten selbst der reine Bimsstein der Asche noch 0,5 p. c. davon enthält. Kali wurde von ihm nur im salzsauren Auszuge bestimmt, während in den 90 p. c. der nicht zersetzbaren Hauptmasse auf die Alkalien nicht Rücksicht genommen wurde, obschon bekanntermaſsen die Bestimmung derselben in Gesteinsanalysen mit zur Hauptsache gehört. Gegenüber der VAN DER BURG'schen Angabe von 0,586 Chlor konnte ich in wässerigem Auszuge nur Spuren davon nachweisen, das ich darum als Bestandteil nicht anführte, weil bei der Allgegenwart von Chlornatrium, besonders in Oceangebieten, mir eine Spur desselben in losem vulkanischen Materiale als nicht charakteristisch erschien.

Daſs Hr. VAN DER BURG für die Beschaffenheit des von ihm untersuchten Materiales nicht verantwortlich gemacht werden kann, ist selbstverständlich, und daſs ihm das Auffällige in der Zusammensetzung seiner Probe entging, wohl damit zu entschuldigen, daſs er lediglich als Analytiker sich mit der Sache befaſste. Wie er mitteilt, wurde die Probe vom Pharmazeut v. D. BERG bei Molenvliet unweit Batavia zwischen 12 und 2 Uhr mittags am 27. August gesammelt, also zu einer Zeit, da dort, auch nach ausdrücklicher Bemerkung des Übersenders völlige Finsternis herrschte. Vielleicht erklärt sich aus diesem Umstande die merkwürdige Zusammensetzung der von VAN DER BURG untersuchten Aschenprobe.

---

* Über die näheren Angaben zu obigen beiden Analysen vgl. ds. Ztschr. Nr. 8 S. 132 f. u. 149 f.

Wochenbericht.

2. Allgemeine Chemie.

Güntz, Über die *Umwandlungswärme des prismatischen Antimonoxydes in oktaedrisches.* Die beiden krystallographischen Modifikationen des Antimonoxydes lösen sich in verdünnter Fluorwasserstoffsäure leicht auf, und deshalb konnte man die bei der Umwandlung der einen Modifikation in die andere freiwerdende Wärme bestimmen. Im Gegensatz zum Arsen ist die prismatische Form des Antimonoxydes die beständigere, und dieses Resultat wird durch die thermischen Untersuchungen bestätigt. Denn wenn man die Lösungswärmen der beiden Modifikationen in Fluorwasserstoffsäure mifst, so findet man, dafs dieselben ungleich sind. Man erhielt:

für das oktaedrische Oxyd $+$ 9,5 cal.

„ „ prismatische „ $+$ 10,1 „ .

Es läfst sich hieraus schliefsen, dafs sich bei der Umwandlung des oktaedrischen Oxydes in prismatisches $+$ 0,6 cal. entwickeln:

SbO₃ fest (prismatisch) $=$ SbO₃ fest (oktaedrisch) . . . $+$ 0,6 cal.

Das amorphe Antimonoxyd scheint sich wie das prismatische zu verhalten, denn beim Auflösen desselben in Fluorwasserstoffsäure entwickelt sich dieselbe Menge von Wärme. (C. r. **98**. 303. [4.*] Februar.)

H. Kolbe, *Kritisch-chemische Gänge.* IV. WISLICENUS, kurzes Lehrbuch der organischen Chemie. — V. Heuriger Notstand in der Chemie. (Journ. prakt. Chem. **28**. 356—82 und **29**. 22—38.)

W. Ostwald, *Studien zur chemischen Dynamik. II. Abhandlung. Die Einwirkung der Säuren auf Methylacetat.* (Journ. prakt. Chem. **28**. 449—95. Ende Nov. 1883. Riga.)

L. Pasteur, *Die molekulare Dissymmetrie.* Vortrag in der chemischen Ges. in Paris. (Rev. Scient. [3.] **33**. 2—6.)   P.

J. Thomsen, Über *die Lösungswärme der Salze.* In dem dritten Bande seiner „Thermochemischen Untersuchungen" behandelte der Vf. zunächst die wässerige Lösung und Hydratbildung und bespricht am Schlusse dieses Abschnittes die Gesetzmäfsigkeiten, welche die Lösungswärmen der Salze darbieten. Die sich hieraus ableitenden allgemeinen Resultate fafst der Vf. in folgende Sätze zusammen:

1. Diejenigen wasserfreien Chlor-, Brom- und Jodverbindungen und Salze, die sich in Wasser mit Wärmeentwicklung lösen, bilden krystallisierte Verbindungen mit Wasser (oder werden völlig zersetzt). Hierher gehören die Verbindungen von Li, Ba, Sr, Ca, Mg, Al, Zn u. a.

2. Diejenigen Chlor-, Brom- und Jodverbindungen und Salze, welche keine krystallisierten Verbindungen mit Wasser bilden (auch nicht von demselben völlig zersetzt werden), lösen sich mit Wärmeabsorption in Wasser. Hierher gehören die Haloidverbindungen des K, Pb, Th, Hg und Ag.

3. Die Lösungswärme der wasserhaltigen Haloid- und Amphoidsalze ist negativ, wenn sie mit Wasser völlig gesättigt sind.

4. Die Wärmetönung der Hydratbildung ist positiv.

5. Die Gröfse der Lösungswärme ist vom Atomgewichte der Bestandteile des Körpers abhängig, und zwar in folgender Art: a. Für analoge Haloidverbindungen mit gleichem elektronegativen Bestandteile ist die Lösungswärme um so gröfser (positiv höher oder negativ niedriger), je kleiner das Atomgewicht des Metalles ist; b. für analoge Verbindungen mit gleichem elektropositiven Bestandteile ist die Lösungswärme teils gröfser, je höher das Atomgewicht des elektronegativen Bestandteiles ist (gültig für Mg, Ca, Sr, Ba, Na), teils aber auch kleiner, je höher dasselbe ist (gültig für Zn, Cu, Cd, Au, Pb, Hg, Ag, Th). Anscheinend gruppieren sich die Metalle in dieser Beziehung als leichte und schwere Metalle.

Obgleich diese Sätze sich auf die Messung der Lösungswärme einer sehr grofsen Anzahl von Verbindungen stützen, hält es der Vf. doch für möglich, dafs fernere Untersuchungen diese Sätze modifizieren können; jedenfalls wird man aber bis dahin in diesen Sätzen einen leichten Überblick über die anscheinend sehr regellosen Werte für die Lösungswärme der Verbindungen gewinnen können. (Thermochem. Unters. **3**.)

Berthelot und **Ogier**, *Verdampfungswärme des Broms.* Die Vff. hatten eigentlich die Absicht, die Variationen der spezifischen Wärme des Chlors, Brom und Jods mit der

Temperatur zu bestimmen, Untersuchungen, welche im Zusammenhange mit MEYER's Beobachtungen über die Dichte dieser Körper besonders interessant wären; allein diese Variation tritt erst bei Rotglühhitze ein, und hier stellen sich so grofse Schwierigkeiten entgegen, dafs sie die Vff. noch nicht haben überwinden können. Bei vorläufigen Versuchen, ausgeführt in der Nähe von 250°, erhielten sie ähnliche Werte, wie REGNAULT, und Veränderungen, wie bei zusammengesetzten Gasen. Sie haben deshalb diese Versuche aufgegeben. Von den Beobachtungen teilen sie nur diejenigen über die Verdampfungswärme des Broms mit, welche bis jetzt noch nicht direkt bestimmt worden ist, die sich aber auf indirektem Wege aus REGNAULT's Bestimmungen der spez. Wärmen auf 7200 cal berechnen läfst. Sie fanden:

Gewicht	Totale Wärmemenge	Endtemperatur	Wärmemenge, bezogen auf 160 g
25,12 g	1156,30	18,3°	7360 cal
45,72 „	2161,10	18,2°	7552 „
44,09 „	2124,47	18,5°	7708 „
35,74 „	1712,43	18,7°	7664 „

Mittel 7571 cal.

Hieraus berechnet sich unter Zugrundelegung der spez. Wärme des flüssigen Broms = 0,84 für die Gewichtseinheit die Verdampfungswärme gleich 6991. (Ann. Chim. Phys. [5.] **30.** 710—11.)

3. Anorganische Chemie.

S. Wroblewski, Über *die Temperatur des siedenden Sauerstoffes und die Verflüssigung des Stickstoffes.* Von den früher als permanent bekannten Gasen ist der Wasserstoff das einzige, das bei der Temperatur von — 136° C. kein Anzeichen von Verflüssigung darbot. Selbst wenn man dieses Gas bei dieser Temperatur auf 150 Atmosphären komprimiert und dann plötzlich entspannt, entsteht kein Nebel in der Röhre, in welcher das Gas eingeschlossen ist. Offenbar mufs man, um den Wasserstoff zu verflüssigen, eine Temperatur anwenden, die niedriger ist, als das Minimum, das man mittels des flüssigen Äthylens erhält, das im Vakuum zum Sieden gebracht wird. Zu den Gasen, die schwieriger verflüssigt werden als das Äthylen, und die man benutzen könnte, um eine intensivere Kälte zu erzeugen, gehören, dem Vf. der Sauerstoff zu benutzt werden zu können.

Da die Bedingungen, unter denen der Sauerstoff verflüssigt wird, durch seine eigenen Untersuchungen genau festgestellt waren, war es ihm möglich, dieses Gas in beträchtlichen Mengen mit grofser Leichtigkeit zu verflüssigen. Man kann sich nun tausend Verfahren vorstellen und ebensoviele Apparate konstruieren, welche es gestatten, die Verflüssigung des Sauerstoffes in einer Weise auszuführen, dafs die industrielle Gewinnung von flüssigem Sauerstoff nur eine Frage der zur Disposition gestellten Mittel ist. Vf. selbst benutzt seit Anfang Oktober flüssigen Sauerstoff als Abkühlungsmittel und teilte seine Erfahrungen darüber der Pariser Akademie in folgendem mit:

In grofsen Mengen verflüssigt, und durch momentanes Aufheben des Druckes verdampft, wird der Sauerstoff nicht fest wie die Kohlensäure, sondern läfst einen krystallinischen Rückstand am Boden des Apparates, in dem er aufbewahrt worden, und auf dem abzukühlenden Gegenstand, der in den Sauerstoff getaucht worden. Es ist nicht ausgemacht, ob dieser Rückstand aus Sauerstoffkrystallen allein besteht, oder ob er von möglichen Unreinigkeiten herrührt, da der verwendete Sauerstoff aus einer Mischung von chlorsaurem Kali mit Mangansuperoxyd bereitet ist. Der Rückstand verschwindet, wenn die Temperatur zu steigen beginnt.

Aufser diesem Übelstande, der durch den Niederschlag entsteht, bietet einen anderen noch die Notwendigkeit, dafs der Sauerstoff als Abkühlungsmittel nur in geschlossenen, sehr resistenten Gefäfsen benutzt werden kann, weil man ihn noch nicht als Flüssigkeit unter Atmosphärendruck erhalten kann; man kann nur die Kälte verwerten, welche der siedende Sauerstoff im Moment, wo der Druck aufgehoben wird, giebt.

Die gröfste Schwierigkeit dieser Versuche liegt jedoch in der zu kurzen Dauer des Siedens und somit auch der Abkühlung. Vf. hat versucht, die Temperatur des siedenden Sauerstoffes zu messen. Er bediente sich hierzu der thermoelektrischen Messungen, welche aufser ihrer Empfindlichkeit noch den Vorteil gewähren, dafs alle plötzlichen Temperaturänderungen registriert werden. Die Angaben des Thermoelementes wurden mit denen eines Wasserstoffthermometers zwischen $+ 100^\circ$ und $- 130^\circ$ C. verglichen. Aus der Funktion dieses Verhältnisses wurde eine Extrapolation vorgenommen, deren Resultat als erste Annäherung *Einhundert sechs und achtzig Grad unter Null* ($- 186^\circ$ C.) als Temperatur giebt, welche bei der Entspannung des flüssigen Sauerstoffes entsteht.

Der Wirkung dieser Kälte hat Vf. den *Stickstoff* mit Erfolg ausgesetzt. Wurde dieses Gas komprimiert, im siedenden Sauerstoff abgekühlt und einer geringen Entspannung ausgesetzt, so wurde es fest und fiel als Schnee in Krystallen von merklicher Gröfse nieder. (C. r. **96**. 1553—55. [31.*] Dez. 1883.)

D. Gernez, Über *die Entwicklung perlmutterartiger Krystalle von Schwefel.* (C. r. **98**. 144. [21.*] Jan.)

Masachika Shimosé, *Trennung des Tellurs und Selens voneinander und Abscheidung derselben aus dem Bleikammerschlamme.* (Chem. N. **49**. 26—28. 18. Jan. Tokio.)

Berthelot und Ogier, Über *die spezifische Wärme der Untersalpetersäure.* (Ann. Chim. Phys. [5.] **30**. 382—400. Nov. 1883; C.-Bl. 1882. 321.)

E. Divers und Tamemasa Haga, Über *Hyponitrite.* In dieser Abhandlung geben die Vff. die Resultate einer Untersuchung, welche DIVERS im J. 1871 begonnen hat. Sie kritisieren hauptsächlich die Resultate und Schlufsfolgerungen von BERTHELOT und OGIER, welche dem Silberhyponitrit die Formel Ag₄N₄O₅ geben. Diese Chemiker scheinen nicht bedacht zu haben, dafs eine Säure von der ungewöhnlichen Zusammensetzung H₄N₄O₅ wohl nichts anderes als eine Mischung von Hyponitrit (HNO) mit Nitrit und Nitrat sein dürfte. Die Vff. haben zahlreiche Versuche zur Reinigung des Hyponitrites nach verschiedenen Methoden ausgeführt.

Der letzte bestand darin, das Hyponitrit in Salpetersäure zu lösen, die Lösung mit Natriumcarbonat zu fällen und den Niederschlag mit Wasser, Essigsäure und wiederum mit Wasser auszuwaschen; alle diese Operationen wurden in einer Kohlensäureatmosphäre vorgenommen. Das Produkt wurde schliefslich in einer Kohlensäureatmosphäre über Schwefelsäure getrocknet. Das Salz enthielt 77,69 p. c. Silber; die Formel AgNO verlangt 78,3 p. c. Die Konstitution des Salzes ist demnach AgNO. Die Darstellung der Hyponitrite sowohl nach MENKE'S Methode durch Erhitzen von Kaliumnitrat mit Eisenfeile, als auch nach ZORN'S Verfahren durch Anwendung von Eisenhydroxydul als Reduktionsmittel ist nicht gelungen. (Chem. N. **49**. 45. 25. [17.] Jan. London, Chem. Soc.)

F. W. Clarke und Charles Seth Evans, *Untersuchungen über die Tartrate des Antimons.* (Chem. N. **49**. 28—31. 18. Jan.)

S. Wroblewski, Über *die Verflüssigung des Wasserstoffes.* Der Vf. teilt in einer an DEBRAY in Paris gerichteten Depesche mit, dafs er Wasserstoff, der durch siedenden Sauerstoff abgekühlt war, durch Druckverminderung zur Kondensation brachte. (C. r. **98**. 149. [21.*] Jan.)

0. Lerch, Über *Brom- und Jodmagnesium.* Der Vf. hat folgende Verbindungen untersucht und beschrieben:

Brommagnesium, MgBr₂,
Jodmagnesium, MgJ₂,
Brommagnesiumhydrat, MgBr₂ + 6H₂O,
Jodmagnesiumhydrat, MgJ₂ + 8H₂O,
Brommagnesiumbromkalium, KBr + MgBr₂ + 6H₂O,
Magnesiumbromammonium, MgBr₂ + NH₄Br + 6H₂O,
Jodmagnesiumjodkalium, MgJ₂ + KJ + 6H₂O,
Jodmagnesiumjodammonium, MgJ₂ + NH₄J + 6H₂O.

(Journ. prakt. Chem. **28**. 338—56.)

H. Baubigny, *Bestimmung des Äquivalentgewichtes des Chroms.* Violettes schwefelsaures Chromsesquioxyd, von überschüssiger Säure vollkommen befreit (vergl. S. 166), wurde getrocknet und gepulvert. Das grüne Salz, welches hiervon resultiert, wurde hierauf in einem tarierten Tiegel auf 440° bis zu konstantem Gewichte geglüht. Als Mittel aus drei Versuchsreihen ergab sich für das Chrom das Äquivalent 26,081, wenn Schwefel gleich 16 oder 26,116, wenn Schwefel gleich 16,037 angenommen wird. (C. r. **98**. 146 bis 148. [21.*] Jan.)

G. Rousseau und B. Bruneau, Über *eine neue Methode zur Darstellung von Bariumpermanganat.* Dieses Salz wurde zuerst von MITSCHERLICH beschrieben, welcher es durch Zersetzung von Silberpermanganat mittels Chlorbarium erhielt; es gelang ihm nicht, es durch Wechselzersetzung von Kaliumpermanganat mit Bariumchlorat zu erhalten. Seitdem haben verschiedene Chemiker FROMHERZ, WÖHLER, BÖTTGER etc. versucht Bariummanganat, welches in siedendem Wasser suspendiert war, durch einen Kohlensäurestrom zu zersetzen. Die Operation geht aber viel zu langsam, und der gröfste Teil des Manganates bleibt unzersetzt. Ferner bewirkt die Kohlensäure eine teilweise Zersetzung des gebildeten Permanganates und scheidet freie Übermangansäure ab. (ASCHOF.)

Die Vff. haben die Darstellung des Salzes auf verschiedenen anderen Wegen versucht. Die einzige Methode, welche befriedigende Resultate gab, besteht in der Zersetzung des Kaliumpermanganates durch Kieselfluorwasserstoffsäure.

Man stellt eine in der Kälte gesättigte Lösung von Kaliumpermanganat her und versetzt dieselbe mit einem bekannten Gewicht von Kieselfluorwasserstoffsäure von 30° B. Man muß, um die Übermangansäure vollständig abzuscheiden, einen Überschuß anwenden, und zwar etwa 2 Äq. auf 1 Äq. des Kalisalzes. Man nimmt am besten auf 100 g Kaliumpermanganat 300—400 g konzentrierte Kieselfluorwasserstoffsäure. Man läßt das Ganze einige Stunden stehen; dekantiert die aufschwimmende Flüssigkeit, giebt den Niederschlag auf ein Asbestfilter und wäscht mit kaltem Wasser aus. Hierbei tritt eine teilweise Zersetzung ein, infolge deren das Kieselfluorkalium etwas braun gefärbt erscheint. Wenn man jede Temperaturerhöhung mit Sorgfalt vermeidet, so ist dieser Verlust unbedeutend. Die klare Flüssigkeit, welche ein Gemenge von Übermangansäure und Kieselfluorwasserstoffsäure ist, wird in der Kälte mit Barytmilch unter Umrühren versetzt. Der Baryt löst sich in der Übermangansäure und schlägt sich sofort wieder als Kieselfluorbarium nieder, solange noch freie Kieselfluorwasserstoffsäure vorhanden ist. Die Anwendung von kohlensaurem Baryt führte zu ungünstigen Resultaten, indem sich die Flüssigkeit rasch entfärbte, und alles Mangan sich als Superoxydhydrat niederschlug.

Nach ungefähr einer Viertelstunde hört man mit Schütteln auf, läßt ruhig absetzen, dekantiert die klare Flüssigkeit und wäscht den Niederschlag wiederholt mit Wasser aus. Die dekantierten Flüssigkeiten werden vereinigt und im Wasserbad eingedampft, bis ein herausgenommener Tropfen auf einer Glastafel rasch zu einer Krystallmasse erstarrt. Beim Abkühlen erhält man dann eine reichliche Krystallisation. Das Salz ist indes in der Regel durch etwas Mangansuperoxyd oder grünes Bariummanganat verunreinigt, je nachdem die Flüssigkeit einen geringen Überschuß von Säure oder Alkali zurückhält. Um ein vollkommen reines Präparat zu erhalten, ist es besser, zur Trockne zu verdampfen, den Rückstand durch möglichst wenig siedendes Wasser wieder aufzunehmen, die Lösung durch Asbest zu filtrieren und bis zum richtigen Punkt einzudampfen. Man erhält dann sehr schöne orthorhombische Oktaeder, welche fast schwarz sind und einen violetten Reflex zeigen. Durch freiwillige Verdunstung der Lösung erhält man die Krystalle in ganz beträchtlichen Dimensionen. Die Analyse ergab 36,52 Ba und 29,74 Mn (ber. 36,53 Ba und 29,33 Mn). Es ist wahrscheinlich, daß man auf ähnlichem Wege die meisten anderen Permanganate, besonders die der alkalischen Erden darstellen kann. (C. r. **98.** 229—31. [28.] Januar.)

4. Organische Chemie.

Berthelot und **Ogier,** Über *die spezifische Wärme des Essigsäuredampfes.* (Ann. Chim. Phys. [5.] **30.** 400—410. Nov. 1883; C.-Bl. 1882. 580.)

E. Divers und **Michitada Kawakita,** Über *die Zersetzung des Knallsilbers.* Dasselbe giebt beim Erhitzen mit Salzsäure Ameisensäure und Hydroxylaminchlorid, doch wurde bis jetzt von beiden Körpern immer nur ²/₃ der theoretischen Menge aufgefunden. Dabei treten Spuren von Ammoniak und Cyanwasserstoffsäure auf. (Chem. N. **49.** 45. 25. [17.] Jan. London, Chem. Soc.).

E. Divers und **Michitada Kawakita,** *Nachträgliche Bemerkung zur Darstellung des Knallsilbers.* (Siehe S. 58 und 168). Die Vff. bemerken, daß es ihnen allerdings gelungen ist, durch Einwirkung von salpetriger Säure eine kleine Menge Knallsilber zu erhalten, doch nur wenn die Temperatur auf 60° erhöht wurde, und die Flüssigkeit Salpetersäure enthielt. (Chem. N. **49.** 45. 25. [17.] Jan. London, Chem. Soc.).

Rudolf Hempel, *Derivate der Korksäure.* Die von GANTTER und HELL dargestellte Monobromkorksäure ist keine reine Substanz, sondern mit Dibromkorksäure und Korksäure verunreinigt. Eine weitere Reinigung erzielt man mit Chloroform. Monobromkorksäure wird durch alkoholisches Kali in Äthoxykorksäure und Oxykorksäure übergeführt. Äthoxykorksäure ist eine sirupöse, nicht krystallisierende Säure, deren Salze schlecht krystallisieren. Kalilauge verwandelt Monobromkorksäure in Oxykorksäure. Oxykorksäure ist eine gut krystallisierende Säure mit wohl charakterisierten Salzen. Beim Erhitzen auf 110° geht sie in ein Anhydrid über. Dibromkorksäure wird durch alkoholisches Kali in Diäthoxykorksäure, Dioxykorksäure und eine Säure $C_8H_{10}O_4$ verwandelt. Diäthoxykorksäure ist der Äthoxykorksäure ähnlich und krystallisiert schlecht. Die Säure $C_8H_{10}O_4$ ist sehr schwer löslich in Wasser und sublimiert bei 230°, ohne vorher vollkommen zu schmelzen. Sie bildet gut krystallisierende Salze. Wahrscheinlich ist sie eine Tetrahydroorthophtalsäure. Oxykorksäure giebt, mit Salpetersäure oxydiert, Adipin-

$$CH_2.CH_2.CH_2.COOH$$

säure. Die Struktur der Korksäure ist normal: | . und die Oxykork-

$$CH_2.CH_2.CH_2.COOH$$

$$CH_2.CH(OH).CH_2.COOH$$

säure ist eine β-Oxysäure: | . (Inaug.-Diss. 1883. Zürich.)

$$CH_2.CH_2.CH_2.COOH.$$

J. Dewar und **A. Scott**, Über *das Molekulargewicht der substituierten Ammoniake.*
I. Triäthylamin. Die substituierten Ammoniake sind besonders geeignet, die Wirkung
aufzudecken, welche kleine Abweichungen der Atomgewichte des Kohlenstoffes und Wasserstoffes vom Werte ganzer Zahlen hervorbringen. Wählt man tertiäre Amine mit hohem
Molekulargewicht, so ist es möglich, diese kleinen positiven oder negativen Änderungen
durch Erhöhung der Zahl der im substituierenden Radikal enthaltenden Kohlenstoff- und
Wasserstoffatome zu vergröfsern. Überdies hat man den besonderen Vorteil, zu den Versuchen vollständig gesättigte Ammoniumderivate anzuwenden. Theoretisch mufs es möglich
sein, durch diese Methode zu erkennen, ob das Atomgewicht des Wasserstoffes von der
Einheit abweicht, unter der Voraussetzung, dafs man das Atomgewicht des Kohlenstoffes
als hinreichend genau bestimmt annimmt. Die Schwierigkeit, für diese Untersuchung
vollkommen reine Substanzen zu finden, und zu gleicher Zeit der hygroskopische Charakter
der zusammengesetzten Ammoniake tragen wesentlich dazu bei, diese Untersuchungen zu
erschweren. Um daher die Genauigkeit der anzuwendenden Methode zu prüfen, haben
die Vff. zuerst einige Vorversuche mit Triäthylamin ausgeführt, über welche im folgenden
berichtet wird.

Das Triäthylamin wurde durch Einwirkung von Äthylchlorid auf Ammoniak dargestellt, dann in Teträthylammoniumbromid umgewandelt und dieses durch trockne
Destillation in Triäthylamin und Äthylbromid zersetzt. Ersteres wurde dann als Chlorid
von letzterem getrennt und das Chlorid wiederum durch Kali zersetzt, um nachher durch
wasserfreies Kali vollkommen getrocknet und durch nochmalige fraktionierte Destillation
gereinigt zu werden. Der zwischen 90 und 91⁰ übergehende Anteil wurde in das Bromid
umgewandelt und dieses analysiert, wobei man die Gewichte auf den leeren Raum berechnete. Ein anderer Teil derselben Fraktion wurde mit salpetriger Säure behandelt,
um jede Spur primärer und sekundärer Amine zu beseitigen, und das Produkt abermals
analysiert. Aus den in den Fällen erhaltenen Zahlen berechnete man das Molekulargewicht von $(C_2H_5)_3N,HBr$. Hierbei zeigte sich gegen die erste Analyse eine kleine
Verringerung des Molekulargewichtes, ein Zeichen, dafs noch kleine Mengen von Basen
mit höheren Radikalen vorhanden waren, vielleicht Propylamin.

Nach diesen vorläufigen Bestimmungen wurden mit grofser Sorgfalt verschiedene
Proben von Triäthylamin fraktioniert und die zwischen 90,2⁰ und 95⁰ siedenden Anteile
bei Seite gesetzt, um damit die Fraktionierung zu wiederholen. Die mittlere Portion der
letzteren, nämlich die zwischen 90⁰ und 90,4⁰ siedenden Anteile, wurden nochmals in drei
Fraktionen geteilt und diese erhaltenen Produkte wie oben beschrieben in das Bromid
umgewandelt und analysiert. Hierbei bestimmte man nach der Titriermethode von STAS
das Brom als Bromsilber und reduzierte alle Gewichte auf den leeren Raum:

	Gewicht des Salzes im Vakuum	Gewicht des Silbers im Vakuum	Molekulargewicht von $(C_2H_5)_3N,HBr$	Bemerkungen
I	7,06272	4,18778	182,025	Erste Proben, siedend zwischen 90 und 91⁰
II	6,4418	3,8199	182,011	Zweite Fraktion von I, siedend zwischen 90,2 und 90,4⁰
III	15,46765	9,18495	181,756	Erste Portion von II, nochmals fraktioniert
IV	11,95685	7,0902	182,012	Mittlere und Hauptfraktion von II, nochmals fraktioniert
V	13,9522	8,2664	182,166	Fraktion von II mit dem höchsten Siedepunkte, nochmals fraktioniert.

Die gefundenen Werte für die Molekulargewichte der verschiedenen Proben zeigen
klar, dafs die Base nicht homogen, sondern mit anderen von höherem und niederem Molekulargewicht gemischt ist. Ohne Zweifel sind diese nur in sehr kleiner Menge vorhanden,

aber die Verunreinigung ist doch grofs genug, um keine sicheren Schlüsse zu gestatten. Da die Titriermethode von STAS Resultate giebt, welche auf $^1/_{10000}$ des Molekulargewichtes übereinstimmen, so zeigt die grofse Differenz zwischen der ersten und dritten Probe der letzten Fraktion ($^1/_{440}$), dafs die Substanz bei weitem nicht rein genug ist, um die Lösung des oben aufgestellten Problemes zu gestatten. Die mittlere und gröfste Fraktion der letzten Destillation hat wahrscheinlich ein der reinen Base sehr nahestehendes Molekulargewicht, dieses kann vorläufig als richtig angenommen werden. Wenn das Molekulargewicht des Bromhydrates 182,012 ist, so berechnet sich das des Triäthylammoniums auf 102,061. Zieht man davon das nach derselben Titriermethode gefundene Molekulargewicht des Ammoniums 18,074 (STAS) ab, so bleibt 83,987 als das Molekulargewicht des Kohlenwasserstoffes C_6H_{12}. Dieser Wert ist wahrscheinlich ebenso genau, als das Molekulargewicht irgend eines Kohlenwasserstoffes, welches bis jetzt bestimmt ist, und es genügt, zu beweisen, dafs, wenn der Wasserstoff das Atomgewicht 1 hat, dann dem Kohlenstoff das Atomgewicht 12 zukommt. Denn durch Addition von 6 C und 12 H erhält man die ganze Zahl 84, in Anbetracht der Fehlergrenze des Versuches. Dieser Wert kann aber durch Summation positiver und negativer Abweichungen von 1, resp. 12 für H und C herrühren, und infolgedessen beweist er durch sich allein in bezug auf das Gesetz ganzer Zahlen nichts. Die Arbeiten von DUMAS und STAS haben bewiesen, dafs, wenn Sauerstoff 16 ist, der Kohlenstoff 12,005 sein mufs, so dafs die Zahl 83,987 für C_6H_{12} für den Wasserstoff einen Wert, welcher etwas kleiner als Eins ist, verlangt, während nach der gewöhnlichen Annahme das Atomgewicht des Wasserstoffes etwas gröfser als Eins ist (für O = 16). Welches aber auch die Schlufsfolgerungen sein mögen, die sich aus weitergehenden Untersuchungen ergeben, so kann es nicht zweifelhaft sein, dafs die vorliegende Methode eine sehr grofse Genauigkeit in der Bestimmung der Molekulargewichte der Kohlenwasserstoffe gestattet, und dafs ihre weitere Entwicklung zu wichtigen Resultaten führen wird. Die Vff. haben die Absicht, diese Untersuchungen unter Anwendung anderer Basen fortzusetzen, und sie hoffen, zu guten Resultaten zu gelangen, sobald es ihnen gelingen wird, mit reinen Substanzen zu arbeiten. (Ann. Chim. Phys. [5.] **30.** 494—99.)

Ludw. Schulze, *Die elementare Zusammensetzung der Weizenstärke und die Einwirkung von verdünnter Essigsäure auf Stärkemehl.* Die vom Vf. zu seinen Versuchen benutzte Weizenstärke, enthielt 20,143 Wasser, 0,061 Asche, 1,1 unlöslichen Rückstand und 78,696 reine Stärke. Letzterer entspricht die angenommene Formel $C_6H_{10}O_5$ zu, nicht die von NÄGELI aufgestellte $C_{12}H_{22}O_{11}$. Die Verzuckerung durch Salzsäure erfolgt nach der Gleichung: $C_6H_{10}O_5 + H_2O = C_6H_{12}O_6$.

Behandelt man Stärke mit Essigsäure von mittlerer Konzentration, und zwar zunächst vier Stunden lang unter Druck, so erhält man eine Lösung, welche mit Jod eine rote Färbung und mit Alkohol einen weifsen Niederschlag giebt; dieselbe reduziert FEHLING'sche Lösung nur in sehr geringem Mafse, besitzt aber ein ziemlich starkes Rotationsvermögen. Scheidet man nun den durch Alkohol fällbaren Körper ab, reinigt denselben und unterwirft ihn darauf einer genaueren Untersuchung, so findet man, dafs derselbe ein *Dextrin ist*, und zwar die von BONDONNEAU mit Dextrin α bezeichnete Modifikation. Nach des Vf.'s Beobachtungen besitzt das Dextrin α eine spez. Drehung von 207,149 αj und ein spez. Gew. von 1,0362 (10 g zu 100 ccm gelöst), reduziert aber FEHLING'sche Lösung nicht und giebt mit Jod eine rote Färbung. Durch vierstündige Einwirkung der Essigsäure auf Stärkemehl wird dasselbe demnach fast ausschliefslich in Dextrin α verwandelt, welchem Spuren von Traubenzucker beigemengt sind. Wird nun die Einwirkung der Essigsäure fortgesetzt und durch von Zeit zu Zeit genommene Proben der weitere Verlauf der Reaktion beobachtet, so zeigt sich, dafs das Rotationsvermögen der Lösung im Abnehmen, das Reduktionsvermögen dagegen im steten Zunehmen begriffen ist. Diese beiden Erscheinungen stehen im innigsten Zusammenhange mit der immer mehr und mehr fortschreitenden Umwandlung des Dextrins α in Traubenzucker. Aus diesen Untersuchungen ergiebt sich somit, dafs durch Behandeln der Stärke mit Essigsäure zunächst Dextrin und darauf Traubenzucker gebildet wird. (Journ. prakt. Chem. **28.** 331—338.)

F. Musculus, *Bemerkungen zu der Arbeit von F. Salomon: Die Stärke und ihre Verwandlungen unter dem Einflufs anorganischer und organischer Säuren.* Zu dieser Arbeit, deren Hauptresultate früher (**83.** 662) angegeben worden sind, und zwar insbesondere mit Bezugnahme auf Punkt 3, bemerkt der Vf. folgendes:

„PAYEN hat der Stärke die Formel $C_6H_{10}O_5$ zugeschrieben und betrachtete die lösliche Stärke als erstes Isomeres, das Dextrin als ein zweites Isomeres und den Zucker, $C_6H_{12}O_6$, als ein Hydratationsprodukt des Dextrins. Später hat BONDONNEAU, als er zwei verschiedene Dextrine bei der Verzuckerung des Amylums nachgewiesen, drei auf einander folgende isomere Umwandlungen des Amylums annehmen müssen, um mit der PAYEN'schen Theorie im Einklang bleiben zu können. Diese Theorie, obgleich sie wegen der vielen Isomerieen gezwungen erscheint, ist an und für sich verständlich; absolut unverständlich ist es aber, wie aus einem Körper, der aus mehreren Molekülen Dextrin zusammengesetzt ist, $n(C_6H_{10}O_5)$, ein Molekül Dextrin, $(C_nH_{10}O_5)$, entstehen kann, ohne dafs eine Spaltung auftritt. Aufklärung über diesen dunklen Punkt Seitens Hrn. SALOMON wäre sehr erwünscht." (Journ. prakt. Chem. **28**. 496—504.)

E. **Grimaux**, Über *ein stickstoffhaltiges Colloid, von der Amidobenzoesäure abstammend.*
Untersuchungen über das colloidale Eisenoxyd und die Bedingungen der Koagulation der Kieselsäure, welche bis jetzt noch nicht veröffentlicht sind, haben den Vf. dazu geführt, seine Arbeiten über die stickstoffhaltigen organischen Colloide wieder aufzunehmen (vgl. **82**. 40). Hierdurch gelangte er zur Darstellung eines derartigen Produktes, welches durch seine Reaktionen den Eiweifskörpern nahe steht, indem es eine Flüssigkeit giebt, welche durch Wärme koaguliert.

Um diese Substanz zu erhalten, löst man das weifse Pulver, welches sich bei der Einwirkung von Phosphorpentachlorid auf Amidobenzoesäure bildet, und welches ein durch Verbindung mehrerer Säuremoleküle und Deshydratation entstandenes Anhydrid zu sein scheint, in Ammoniak. Die ammoniakalische Lösung wird im Vakuum bei gewöhnlicher Temperatur eingedampft. Das Amidobenzoesäurecolloid bildet zuerst eine dicke gallertartige Masse, trocknet dann zu durchscheinenden, gelblichen, geruchlosen und geschmacklosen Blättern ein, welche ganz dem Serumalbumin gleichen. Es quillt in kaltem Wasser auf, worin es sich nach und nach löst; es ist leicht löslich in heifsem Wasser; man kann es auf 100° erhitzen, ohne dafs es seine Löslichkeit in Wasser verliert, wenn man aber die Lösung im Wasserbad eindampft, so ist der Rückstand, obwohl er sein Aussehen behalten hat, vollkommen unlöslich geworden.

In diesem Zustand löst es sich in Ammoniak, Natriumphosphat und in Alkalien. Versuche mit einer zweiprozentigen Lösung des Amidobenzoesäurecolloides zeigen, dafs es dieselben Reaktionen giebt, wie die stickstoffhaltigen Colloide der organischen Basen, und dafs es sich auch gegen andere Substanzen ähnlich verhält. Es wird durch Salzsäure, Salpetersäure, Essigsäure, Weinsäure und Oxalsäure gefällt; überschüssige Essigsäure löst den gebildeten Niederschlag langsam wieder auf, und die Lösung setzt auf Zusatz von Ferrocyankalium Flocken ab. In heifser Salpetersäure löst es sich, indem es sich gelb färbt. Alkalien ändern die Farbe in Orange. Überschüssiges Kalkwasser giebt einen Niederschlag, wenn man aber nur $^1/_{20}$ Kalkwasser zu der Lösung des Colloids setzt, so bleibt die Flüssigkeit klar, zeigt kaum eine schwache Opaleszenz und besitzt die Eigenschaft, beim Erhitzen zu koagulieren. Ähnlich wie Kalkwasser wirken eine gesättigte Kochsalzlösung, eine sehr verdünnte Lösung von Chlorammonium, Lösungen von Chlorcalcium, Magnesiumsulfat, Ammoniumsulfat, Calciumsulfat, Strontian, Kaliumchlorid und Bariumchlorid: werden diese in solchen Mengen der Lösung des Colloids zugesetzt, dafs dieselbe sich nicht trübt, so erteilt sie der letzteren die Eigenschaft, in der Wärme zu koagulieren. Diese Koagulation beginnt bei 50°. Die Flüssigkeit wird zuerst opaleszierend, dann milchig, und zwischen 70 und 80° tritt die Koagulation ein. Übrigens schwankt die Temperatur je nach der Menge des zugesetzten Salzes.

Geringe Mengen des Salzes genügen, um die Koagulation herbeizuführen. Verschiedene Ursachen können sie verzögern oder verhindern; eine der wichtigsten ist die Verdünnung. So bringt man z. B. durch eine zehnprozentige Kochsalzlösung, soviel man auch davon zusetzen möge, keine Koagulation hervor, obgleich geringere Mengen in konzentrierter Lösung ausreichend sind, dieselbe zu bewirken. Natriumsulfat, Kaliumnitrat, Natriumacetat verzögern die Wirkung des Koagulationsmittels, von dem man deshalb eine gröfsere Menge braucht. Setzt man von dem koagulierenden Salz eine zu geringe Menge hinzu, so kann doch durch eingeleitete Kohlensäure die Koagulation bewirkt werden; für sich ist die Kohlensäure ohne Wirkung. Diese Thatsache zeigt eine gewisse Analogie mit dem von MATTHIEU und URBAIN (**74**. 661) bei ihren Untersuchungen über die Rolle der Gase bei der Koagulation des Blutes erhaltenen Resultat. Indes ist die Kohlensäure nicht das einzige Agens dieser Koagulation. Man mufs auch die Gegenwart der Salze, welche die natürlichen Eiweifskörper enthalten, berücksichtigen. Die Kohlensäure bewirkt in der Kälte die Fällung des Amidobenzoesäurecolloides bei Gegenwart von Natriumsulfat, Kaliumnitrat und verdünntem Natriumchlorid, welche für sich allein unwirksam sind. Calciumphosphat und Kohlensäure koagulieren in der Wärme das Colloid ähnlich wie das Calciumsulfat. Alaun, Ätzsublimat, Mercuronitrat und Tannin geben in der Kälte voluminöse Niederschläge, Kupfersulfat bringt ein grünes Koagulum hervor, welches sich in überschüssigem Kali mit violettblauer Farbe löst, aber nicht die Rosafärbung zeigt, wie das der Eiweifskörper oder des Asparaginsäureanhydrids. Die Fällungen, welche durch Alkalisalze und Säuren bewirkt werden, sind in Ammoniak löslich, die durch Calcium-, Barium- und Magnesiumsalze hervorgebrachten sind unlöslich, endlich veranlafst auch Labflüssigkeit das Gerinnen des Amidobenzoesäurecolloides unter denselben Bedingungen wie das des Kaseïns.

Die Versuche zeigen, daſs die Löslichkeit der Eiweiſskörper durch die Gegenwart von Salzen und von Kohlensäure in den Flüssigkeiten des Organismus modifiziert wird; allein man muſs beachten, daſs der Eintritt der Koagulation nicht allein von dem Gewichtsverhältnis des koagulierenden Agens und des Colloids abhängt, sondern auch eine Funktion der Verdünnung ist. So wird z. B. die koagulierende Wirkung der Salze auf eine einprozentige Eiweiſslösung aufgehoben, aber durch Kohlensäure oder durch eines der Salze, welche die Lösung des Amidobenzoesäurecolloids modifizieren, wieder hervorgerufen; ein ähnliches Verhalten zeigt eine fünfprozentige Lösung von Kaseïn in Ammoniak. Dieser Einfluſs der Verdünnung steht mit dem, was oben über das Verhalten des Amidobenzoesäurecolloids gesagt wurde, ganz im Einklang, indem die Lösung desselben durch Zusatz einiger Tropfen konzentrierter Chlornatriumlösung zur Koagulation gebracht, dagegen durch eine zehnprozentige Kochsalzlösung nicht modifiziert wird. Bei allen Untersuchungen, welche über die natürlichen Eiweiſskörper, Acidalbumin, Paraglobuline, Syntonine etc. ausgeführt sind, hat man zu wenig Rücksicht auf den Gehalt der Lösungen an fester Substanz genommen, und hieraus erklären sich vielleicht die Widersprüche, welche sich in den darauf bezüglichen Angaben vorfinden, indem die bloſse Verdünnung genügt, um den Charakter ein und desselben Körpers zu ändern. (C. r. **98.** 231—234. [28.*] Jan.)

R. Richter, Über *Carbonyldiphenyloxyd und Oxydiphenylenketon, zwei aus Salicylsäure entstehende Ketone* ($C_{12}H_8O)CO$ *und deren Derivate.* (Journ. prakt. Chem. **28.** 273—309.)

C. T. Kingzett, Über *Campherperoxyd und Bariumcamphorat.* BRODIE (1863) hat gezeigt, daſs, wenn wasserfreie Camphersäure mit der äquivalenten Menge Bariumsuperoxydhydrat bei Gegenwart von eiskaltem Wasser verrieben und die Mischung filtriert wird, eine Lösung entsteht, welche schwach alkalisch ist und nach dem Ansäuern folgende Eigenschaften besitzt: sie bleicht Indigo, oxydiert Ferrocyankalium, zersetzt Jodwasserstoffsäure und entwickelt beim Erhitzen Sauerstoff, giebt aber mit Chromsäure keine Blaufärbung und reduziert Kaliumpermanganat nicht. BRODIE schlieſst aus seinen Analysen, daſs hierbei eine neue Substanz gebildet wird, welche ein Bariumsalz des Campherperoxydes, $C_{10}H_{14}O_5$, aber kein Bariumcamphorat ist. Der Vf. glaubt, daſs BRODIE'S Versuche auch noch eine andere Erklärung zulassen, nämlich, daſs beim Verreiben von Camphersäureanhydrid mit Wasser und Bariumsuperoxyd das Anhydrid zuerst durch Aufnahme von 1 Mol. Wasser in Camphersäure umgewandelt, und giebt sodann dann ihrerseits das Bariumperoxyd unter Bildung von Bariumcamphorat und Wasserstoffsuperoxyd zersetzt.

Der Vf. giebt eine genaue Beschreibung der Versuche und schlieſst daraus, daſs das Bariumsuperoxyd nur auf Camphersäureanhydrid bei Gegenwart von Wasser einwirkt. Er weist auch die Existenz des krystallisierten Hydrates des Bariumcamphorates nach, welches nur 1 Mol. Wasser enthält:

$$C_{10}H_{14}O_2 + H_2O = C_{10}H_{16}O_4$$
$$C_{10}H_{16}O_4 + BaO_2 = C_{10}H_{14}BaO_4 + H_2O_2.$$

(Chem. N. **49.** 44—45. 25. [17.] Jan. London, Chem. Soc.)

Soltsien, Über *Phaseolin.* Gelegentlich einer im Jahre 1879 gerichtlich verlangten Untersuchung von Leichenteilen einer Exhumierten, speziell auf Alkaloide, fand Vf., sowohl nach dem STAS-OTTO'schen Verfahren, wie auch nach dem Verfahren mit Amylalkohol, in dem Mageninhalte ein solches, welches jedoch in seinen besonderen Reaktionen keine Übereinstimmung mit einem der bekannten giftigen erwies. Es hätte dies Alkaloid nun wohl für ein Ptomain gehalten werden können, wenn nicht ein ganz bestimmtes Verhalten der Base zu einer anderen Vermutung geführt hätte. Auſser anderen Speiseresten (z. B. Beeren von Vaccinium Myrtillus, Resten von Cantharellus cibarus u. a.) fanden sich im Magen gröſsere Mengen von Hülsenteilen grüner Bohnen (Phaseolus vulgaris), und der Geruch war dem eigentümlichen gekochter grüner Bohnen ähnlich. Die Voraussetzung, daſs diese Hülsen ein Alkaloid enthalten dürften, hat sich zunächst als richtig bestätigt gefunden. Sowohl damals, als Vf. zum Vergleiche ein Gericht gekochter grüner Bohnen der Untersuchung auf Alkaloide unterwarf, als auch in diesem Jahre, als rohe Hülsen extrahierte, fand er in geringer Menge ein Alkaloid. Dasselbe krystallisiert nicht, wohl aber die Verbindung mit HCl. Die Lösung letzteren Salzes gab die charakteristischen Alkaloidreaktionen mit Phosphormolybdänsäure, Goldchlorid, Quecksilberchlorid, Platinchlorid, mit Jodjodkalium, Tanninlösung und mit Kaliumquecksilberjodid. Da dem Vf. nur immer ganz geringe Quantitäten des Alkaloids zur Verfügung standen, lieſsen sich die weiteren Eigenschaften dieser Substanz nicht eingehend genug studieren; er möchte nur noch darauf hinweisen, daſs es wieder eine Papilionacee ist, in welcher ein Alkaloid gefunden wurde (wie schon in Cytisus, Lupinus, Spartium, Vicia), und behält sich weitere Mitteilungen über obiges vor. (Arch. Pharm. [3.] **22.** 29—30.)

5. Physiologische, medizinische und pharmazeutische Chemie.

B. W. Damon, *Gehalt an freier und gebundener Oxalsäure in der „Pie-plant."* Es ist bekannt, daſs der Urin Calciumoxalatkrystalle enthält, wenn man von dieser Pflanze genossen hat. Vf. fand in den frischen Stengeln 0,11 p. c. freie Oxalsäure und 0,08 p. c. oxalsauren Kalk. (Weekly Drug. N. and Amer. Pharm. N. S. 8. 35.) P.

J. Reinke, *Das Chlorophyll lebender Pflanzenzellen und die Assimilation des Kohlenstoffes.* Die Reduktion der Kohlensäure ist eine Funktion des Lichtes und des Chlorophylls lebender Zellen: will man daher diesen Prozeſs vollkommen verstehen, so genügt die Untersuchung von Chlorophylllösungen nicht, vielmehr muſs man das Verhalten des Chlorophylls in den lebenden Zellen zum Licht, d. h. seine optischen Eigenschaften eingehend studieren. Die übrigen Bestandteile der lebenden Zellen sind hierbei nicht besonders störend, da sie z. B. in einem rein grünen Blatt aus farblos durchsichtigen Substanzen bestehen, deren Lichtabsorption im allgemeinen derjenigen des Chlorophylls ähnlich aber weit schwächer ist; sie wirken daher bei der Durchstrahlung gar nicht und kommen nur wegen ihrer Reflexion und Brechung des Lichtes als Trübungen in Betracht. Bei einer Untersuchung, die Vf. über die optischen Eigenschaften der grünen Gewebe angestellt hat, und über welche nachstehend Bericht erstattet werden soll, hat er die wegen ihres geringen Brechungsvermögens am meisten störende Luft aus den Blättern durch Wasser verdrängt und damit sehr gute Resultate für die Untersuchung erzielt. An Blättern zahlreicher Phanerogamen hat er mit einem Mikrospektralapparat Bestimmungen des Absorptionsspektrums des Chlorophylls lebender Zellen ausgeführt, und diese haben keine bemerkenswerten Verschiedenheiten unter sich gezeigt, sie lehrten vielmehr übereinstimmend, daſs das Absorptionsspektrum des in den lebenden Blättern enthaltenen Chlorophylls von demjenigen einer Chlorophylllösung stets verschieden ist, (mit den Angaben der früheren Beobachter steht dies im Widerspruch). Vf. giebt eine Zeichnung des Absorptionsspektrums des Lichtes, das durch lebende Blätter hindurchgegangen war; in diesem treten zwei Hauptabsorptionen hervor, welche durch ein auf die Wellenlänge 550 fallendes Minimum getrennt sind. In der Zeichnung sind die Absorptionsspektren verschiedener Schichtendicken über einander gezeichnet, so daſs sie sich zu einem Bilde der Zunahme der Absorption mit der Anzahl der Blattschichten vereinigen; zum Vergleich ist darüber das Absorptionsspektrum der alkoholischen Chlorophylllösung angegeben. Wenn nun von den Absorptionen in den stärker brechenden Teilen des Spektrums abgesehen wird, so findet man im Spektrum eines Blattes nur das Absorptionsband I von einer solchen Breite wie sie im Spektrum der Lösung bereits von den Bändern II, III und IV begleitet ist. Erst bei drei Blättern, wo I bereits bedeutend breiter als im Spektrum der Lösung ist, treten Band II und III als schwache Andeutungen hervor, während Band IV noch fehlt. Erst bei fünf Blättern, wo I die doppelte Breite wie bei der Lösung hat, erscheint Band IV als ganz schwacher Schatten, der bei sechs und sieben Blättern deutlicher wird, aber im Spektrum von acht und neun Blättern wieder fehlt. Die geringe Stärke von Band II und III sowie der gänzlich rudimentäre Charakter von Band IV unterscheiden somit das Spektrum lebender Blätter wesentlich von dem der Chlorophylllösungen und deuten darauf hin, daſs das Chlorophyll der Lösungen chemisch nicht identisch ist mit dem Chlorophyll lebender Blätter, d. h. daſs letzteres beim Übergang in irgend ein Lösungsmittel stets eine chemische Veränderung erfährt. Eine Vergleichung der Absorptionserscheinungen nach Behandlung des Chlorophylls mit einer schwachen Säure zeigt, daſs die dadurch gesetzten Änderungen vorzugsweise in der stärkeren Entwicklung von Band IV bestehen, was zu der Vorstellung führt, daſs das Chlorophyll der Lösungen chemisch dem durch Säuren veränderten Chlorophyll entspricht. Ähnliche Unterschiede zeigen dem Chlorophyll lebender Blätter und den Chlorophylllösungen, wie sie die Absorptionsmaxima ergeben haben, zeigen auch die Minima, welche zwischen den Wellenlängen 720—700 im äuſsersten Rot und zwischen 560—540 im Grün liegen. Bei den Absorptionsspektren der Blätter verschwand das Rot erst mit der Schicht von 16 Blättern, und das Grün schien sogar noch durch eine Schicht von 18 Blättern hindurch, während es von konzentrierten Lösungen stärker absorbiert wird. Wenn Vf. durch diese Ergebnisse mit den Resultaten der früheren Forscher in Widerspruch geraten, so stimmt er in betreff einer anderen optischen Eigenschaft des Chlorophylls lebender Zellen mit der Mehrzahl der Beobachter überein, nämlich in bezug auf die Fluoreszenz. Auch er fand das Chlorophyll der Blätter nicht fluoreszierend, während bekanntlich die Chlorophylllösungen eine sehr schöne, rote Fluoreszenz zeigen. Vf. führt dies darauf zurück, daſs das Chlorophyll in den Blättern nicht im Zustande der Lösung enthalten ist, und der Mangel der Fluoreszenz wäre danach durch den Aggregatzustand des Chlorophylls bedingt. Daſs letzterer in der That für die Fluoreszenz maſsgebend sei, lehrte folgender Versuch: Chlorophyll, das aus einer frischen, alkoholischen Lösung gewonnen war, wurde in geschmolzenem Paraffin gelöst, und zeigte ebenso intensive Fluoreszenz wie in der alkoholischen Lösung; liefs man das Paraffin erkalten, wobei es zu einem durchscheinenden gleichmäfsig grünen Cylinder erstarrte, so zeigte es nicht die geringste Fluoreszenz, die sofort beim Schmelzen wieder auftrat. Hieraus würde folgen, dafs das Chlorophyll in den Pflanzen im festen Aggregatzustande enthalten ist, jedenfalls nicht in dem leicht beweglichen Zustande der Lösungen.

Die Farbe, in der uns die Blätter erscheinen, ist die grüne. Das von den Blättern reflektierte Licht besteht, wie Vf. in Übereinstimmung mit Hrn. LOMMEL findet, aus denselben Strahlen wie das durch ein einzelnes Blatt gegangene Licht; nämlich dem äufsersten Rot bis nahe vor B und den Strahlen zwischen C und E ziemlich intensiv, Dunkelgrün und Blau nur schwach. Die spektroskopische Untersuchung des von beleuchteten Blättern zurückgeworfenen Sonnenlichtes läfst sehr schön das Absorptionsspektrum des Chlorophylls erkennen. Dafs das vorzugsweise aus Rot 720—700 und Grün 540—520 bestehende Licht uns grün erscheint, erklärt Vf. damit, dafs das Rot unsere Netzhaut viel weniger lebhaft affiziert als das Grün, und daher in der Gesamtempfindung wenig zur Geltung kommt.

Indem Vf. nun zu der wichtigen Frage nach der Beziehung der Assimilation zum lebenden Chlorophyll übergeht, hebt er als selbstverständlich hervor, dafs die Farbe, d. i. der Eindruck, den das Pflanzenblatt auf unser Auge macht, mit der Reduktion der Kohlensäure in keiner Beziehung stehen kann; vielmehr kann es sich hier nur handeln um diejenigen Lichtwellen, welche vom Blatte absorbiert werden, da ja nur absorbiertes Licht sich innerhalb eines Körpers in eine andere Energieform umzuwandeln vermag. Frühere Beobachter haben bereits eingehend diesen Punkt erörtert. So hat LOMMEL gefolgert, dafs das Maximum der Kohlenstoffreduktion mit dem Absorptionsmaximum I des Chlorophyllspektrums zusammenfallen müsse, indem er sich vorstellt, dafs jedes Körpermolekül auf eine gewisse Anzahl pendelartiger Schwingungen abgestimmt ist, und wenn es von unisono schwingenden Lichtwellen getroffen wird, geben diese ihre lebendige Kraft an das Molekül ab, das Licht wird absorbiert, und seine lebendige Kraft verrichtet chemische Arbeit. Weil aber bei der chemischen Wirkung auch die Schwingungszahl eine Rolle spielt, wie das Verhalten des Chlorsilbers gegen violette Strahlen beweist, so wäre es möglich, dafs auch bei der Assimilation die kurzwelligen Strahlen von Bedeutung sind, und die Schlufsfolgerung LOMMEL's, dafs das Maximum der Assimilation bei dem Absorptionsmaximum I liege, kann nur als eine durch die theoretische Anschauung gestützte Wahrscheinlichkeit betrachtet werden.

Weiter hat HOPPE-SEYLER hervorgehoben, dafs Lichtemissionen und Absorptionen nicht vom ganzen Molekül, sondern von den Atomen und Atomgruppen bewirkt werden. Da nun der gröfste Teil des auf Chlorophyllösung fallenden Sonnenlichtes sich in rotes Fluoreszenzlicht von der Wellenlänge der Spektralregion zwischen B und C verwandelt, so mufs die Atomgruppe, welche das fluoreszierende Licht aussendet, eine sehr grofse und freie Beweglichkeit besitzen, und die Vermutung liegt nahe, dafs diese Atomgruppe es ist, welche in der lebenden Pflanze den Sauerstoff abspaltet.

Das Experiment allein ist jedoch berufen, in dieser Frage endgültige Entscheidung zu treffen. Unter der Voraussetzung, dafs die Gasausscheidung von Elodea canadensis einen Ausdruck der Assimilationsintensität liefert, zeigt Vf., dafs das Maximum der Assimilation zwischen B und C liegt, um von dort sehr steil gegen die weniger brechbare Seite und etwas weniger steil nach der brechbareren Seite abzufallen. Die Assimilationskurve läuft der Absorptionskurve im weniger brechbaren Spektralteile fast vollständig parallel, wenn man von den beiden kleineren Absorptionsmaxima II und III absieht; diese letzteren scheinen demnach für die Zersetzung der Kohlensäure ebenso wenig in Betracht zu kommen, wie die Absorption im Violett. Vf. kommt also zu folgendem Schlufs: Die Assimilation stellt sich durch den übereinstimmenden Verlauf der Kurven dar als eine Funktion der Absorption in derjenigen Atomgruppe, welche im Chlorophyll, wie auch in allen näheren Zersetzungsprodukten desselben die Strahlen zwischen B und C lebhaft absorbiert und im gelösten Zustande Strahlen der gleichen Wellenlänge als Fluoreszenzlicht emittiert.

Vf. giebt für dieses experimentelle Ergebnis eine theoretische Erklärung, nach welcher die Atomgruppe (γ) des Chlorophylls, von deren Tätigkeit die Zersetzung der Kohlensäure abhängt, die Neigung hat, mit der Geschwindigkeit von 440—450 Billionen in der Sekunde zu oszillieren, und von Strahlen von dieser Schwingungszahl am leichtesten in Bewegung gesetzt wird, während sowohl Strahlen höherer wie niederer Brechbarkeit dies nicht zu leisten vermögen. Die Assimilation ist also eine Funktion des Schwingungsvermögens des Atomes in der Atomgruppe γ des Chlorophyllmoleküls, also ihrer chemischen Thätigkeit; und da sie eine Funktion der Lichtstrahlen von derjenigen Schwingungszahl ist, welche jene Atomgruppe in Bewegung zu setzen vermögen, so können wir sagen: das

Chlorophyll assimiliert die lebendige Kraft des Lichtes, indem es dieselbe umwandelt in Atomschwingungen, von deren Energie die Zerspaltung der Kohlensäure abhängt; die mechanische Arbeit des Reduktionsprozesses wird nur mittelbar durch das Licht geleistet.
Man kann sich vorstellen, daſs die Schwingungen der Atomgruppe γ nicht erst durch das Licht erzeugt werden, sondern daſs sie auch im Dunkeln existieren, aber von zu geringer Amplitude, um die Assimilationsarbeit zu leisten. Das Licht vergröſsert diese Amplitude, ist selbst für minimalste Kohlensäurezersetzung Bedingung; die Ausgiebigkeit des chemischen Prozesses wächst dann proportional der Steigerung der Lichtintensität bis zu einem Maximalwerte der Schwingungsamplitude, welcher durch noch stärkere Beleuchtung nicht weiter erhöht werden kann.
Ob die chemische Wirkung der Gruppe γ im Assimilationsprozeſs eine unmittelbare oder mittelbare ist, wird durch das vorstehende nicht entschieden, und daſs letzteres möglich ist, zeigen Versuche von Becquerel, welche eine höchst interessante mittelbare Wirkung des Chlorophylls kennen gelehrt haben. Während nämlich Chlorsilber nur durch die sogenannten photographischen Strahlen des Sonnenlichtes zersetzt wird, beobachtete Becquerel in einer Mischung von Chlorsilber mit Chlorophyll Metallabscheidung auch an den Stellen des Spektrums, welche den Absorptionsbändern des Chlorophylls entsprechen. Vf. bespricht dann noch das Verhältnis der Assimilation zur Fluoreszenz und entwickelt die Anschauung, daſs diese beiden reziproke Phänomene sind; es sei leicht möglich, daſs sogar beide einander ausschlieſsen, indem die grüne Zelle nicht assimilieren würde, wenn ihr Chlorophyll fluoreszierte. Die Fluoreszenz tritt ein bei groſser Beweglichkeit des Chlorophyllmoleküls in Lösung; im festen Chlorophyll erfolgt die Umsetzung nach anderer Richtung, nämlich in Kohlensäurereduktion, wenn das Chlorophyll in der lebenden Zelle vorhanden, und Kohlensäure zugegen ist, sonst erfolgt die Energieumwandlung in Wärmeschwingungen. (Ber. der D. botan. Ges. 1. 395.)

E. Kinch, Über *die Stickstoffverbindungen des frischen und in Silos aufbewahrten Grünfutters.* Zweck dieser Untersuchung war, zu bestimmen, ob die Stickstoffverbindungen des Grünfutters, infolge der Veränderungen, welche dasselbe beim Aufbewahren in Silos erleidet, in einer solchen Weise umgewandelt werden, daſs sie nicht mehr den Nährwert der Eiweiſskörper besitzen. Eine Probe Gras wurde an dem Tage, an welchem dasselbe in den Silo gebracht wurde, den 17. Juli 1883, genommen. Das Gras war grob und enthielt eine Menge Disteln und Ranunculus. Am 8. Dezember wurde der Silo entleert. Das Gras war braun, kaum sauer und schwach riechend. In beiden Proben wurden die Eiweiſskörper durch die Phenol-, Kupferhydrat-, Quecksilberhydrat- und Bleihydratmethode bestimmt. In dem frischen Gras betrugen die Nichteiweiſskörper ungefähr 9 p. c. der gesamten Stickstoffverbindungen, in dem aufbewahrten 55 p. c. Während der Gärung hatte sich also etwa die Häfte der Eiweiſskörper umgewandelt. (Chem. N. **49.** 78. 15. [7.] Febr. London Chem. Soc.)

O. Kellner, Über *die Verluste der Futtermittel infolge der Aufbewahrung in Mieten.* (Journ. f. Landw. 1883. 403; Scheibler's N. Ztschr. **12.** 95; Chem. C.-Bl. 1880. 694.) P.

N. A. Bubnow, *Beitrag zu der Untersuchung der chemischen Bestandteile der Schilddrüse des Menschen und des Rindes.* Aus der Schilddrüse des Menschens sowohl, als auch des Rindes, hat der Vf. dieselben drei Verbindungen isoliert, die er *Thyreoprotine* nennt. Die Drüsen wurden nach Entfernung des Fettes der Bindegewebe nach vier- bis sechsmaliger Extraktion mit Wasser mit zehnprozentiger Kochsalzlösung wiederholt ausgezogen. Essigsäure brachte in der Lösung einen Niederschlag hervor, der mit Wasser gewaschen und mehrere Male mit 80 p. c. Spiritus bei 60° und mit Äther extrahiert wurde; auf diese Weise wurde das erste *Thyreoprotin* erhalten. Der in Chlornatrium ungelöst gebliebene Rückstand wurde nach dem Auspressen mit einprozentiger Kalilauge 24 Stunden lang bei gewöhnlicher Temperatur stehen gelassen, die Lösung mit Essigsäure gefällt, die Fällung mit Alkohol und Äther gewaschen und so das zweite Thyreoprotin erhalten. Durch weitere Extraktion des Rückstandes mit einprozentiger Kalilauge erhielt Vf. das dritte Thyreoprotin. Der Gehalt an Wasserstoff und Schwefel ist durchaus der gleiche bei allen drei Thyreoprotinen, der Hauptunterschied besteht im Kohlenstoff- und Stickstoffgehalte. Das zweite Thyreoprotin hat einen höheren Kohlenstoffgehalt, als die beiden anderen, während das erste und dritte einander sehr nahe stehen und sich nur dadurch unterscheiden, daſs das dritte mehr N enthält; hier erreicht der N-Gehalt seinen höchsten Grad.
Die Thyreoprotine stehen den Eiweiſskörpern sehr nahe; sie scheinen aus einem der Eiweiſsstoffe und anderen organischen Stoffen zu bestehen. Beim Kochen mit einprozentiger Schwefelsäure geben die Thyreoprotine keine Substanz, die alkalische Kupferlösung reduziert. (Ztschr. physiol. Chem. **8.** 1—47. 21. Juli. Straſsburg [Petersburg].)

Bernhard Fischer und **Bernhard Proskauer,** Über *die Desinfection mit Chlor und Brom.* Nachdem durch die Untersuchungen von Wolffhügel und Koch (Mitteil. a. d.

Kais. Ges.-Amte 1. 188 und 252; C.-Bl. 1882. 334 und 509) dargethan war, daſs die in den letzten Jahren zur Desinfektion geschlossener Räume so vielfach empfohlene und zur Verwendung gelangende schweflige Säure auch nicht in dem bescheidensten Maſse den Anforderungen entspricht, die man nach dem heutigen Stande der Wissenschaft an ein Desinfektionsmittel zu stellen hat, war es notwendig, sich nach anderen Mitteln umzusehen.

Die günstigen Resultate, zu welchen Koch (l. c.) gelangte, als er Chlor, Brom und Jod auf Bacillensporen einwirken liefs, berechtigten zu der Hoffnung, daſs mit Hilfe derselben das erreicht werden könnte, was man von der schwefligen Säure vergeblich erwartet hatte. Es wurden daher im Kaiserl. Gesundheitsamte mit Chlor und Brom weitere Desinfektionsversuche ausgeführt.

Chlor. Es wurden zunächst Ermittelungen darüber angestellt, ob das Chlor imstande ist, *alle Mikroorganismen und deren Keime* zu vernichten, denn erst wenn dieser Nachweis geliefert war, durfte man daran denken ,dasselbe in die Reihe der „allgemeinen gegen Infektionskrankheiten zu verwendenden Zerstörungsmittel" aufzunehmen. Die bisher mit Chlor bekannt gewordenen Versuche hatten es zwar in hohem Grade wahrscheinlich gemacht, daſs mit Hilfe desselben eine Vernichtung aller Mikroorganismen in allen ihren Lebenszuständen möglich sei, denn den meisten Beobachtern war die Desinfektion ihres Versuchsmateriales, worunter Gebilde von anerkannt grofser Widerstandsfähigkeit (Bacillensporen), gelungen, indessen es fehlte noch der direkte Nachweis, daſs das Chlor allen Mikroorganismen gegenüber diese seine vernichtende Wirkung geltend mache. Als zweite Aufgabe betrachteten es die Vff., die Bedingungen festzustellen, unter denen das Chlor eine den obigen Anforderungen entsprechende Desinfektion zu vollbringen vermag, so z. B. die Konzentration und Zeitdauer der Einwirkung, und die Rolle, welche die Feuchtigkeit dabei spielt. Dieselben stellten zunächst eine Reihe von Versuchen in einer 21 l fassenden Glasflasche, welche dicht schliefsend gemacht wurde, und in der die zur Einwirkung gelangenden Chlormengen bestimmt werden konnten, an. Als Desinfektionsobjekte wurden bei diesen und auch bei den Desinfektionsversuchen in Räumen (Kellerräume) Bakterien, Hefen, Schimmelpilze und Sarcine (meistenteils nach der Methode von Koch hergestellte Reinkulturen) in den Kreis der Untersuchung gezogen.

In der That ist von den Vff. kein einziger Mikroorganismus gefunden worden, dessen Abtötung mit Chlor nicht gelungen ist. Da nicht nur eine gröfsere Anzahl, sondern auch verschiedenen Gruppen (Bakterien, Hefen, Schimmelpilzen und Sarcinen) entlehnte Mikroorganismen geprüft wurden, da sowohl nichtpathogenes als pathogenes, sporenfreies und sporenhaltiges Material zur Untersuchung kam und von jedem einzelnen Mikroorganismus konstatiert wurde, daſs dessen Vernichtung durch Chlor möglich ist, so ist es für hinreichend erwiesen, daſs mit Hilfe von Chlor alle Mikroorganismen, und zwar in allen ihren Lebenszuständen desinfiziert werden können.

Nach den Erfahrungen der Vff. spielt die Feuchtigkeit bei der Desinfektion mit Chlor eine hervorragende Rolle. Bei einer Feuchtigkeit, wie sie in geschlossenen Räumen vorkommt, kann mittels eines *hohen* Chlorgehaltes die in lufttrockenem Zustande befindlichen Mikroorganismen innerhalb weniger Stunden abgetötet werden, indes kann man unter diesen Bedingungen nicht mit Sicherheit auf eine genügende Desinfektion rechnen. Bei einer mittleren Feuchtigkeit kann mit einem Volumprozent Chlor innerhalb 24 Stunden eine Desinfektion aller in lufttrockenem Zustande befindlicher Mikroorganismen erreicht werden. In der künstlichen Steigerung der Luftfeuchtigkeit haben wir ein Mittel, die Desinfectionswirkung wesentlich günstiger zu gestalten, so daſs durch Chlormengen, die sich bei gewöhnlicher Luftfeuchtigkeit als unzureichend erweisen, noch eine zuverlässige Desinfektion möglich ist.

Baxter (Vierteljahrsschr. f. öffentl. Gesundheitspfl. 9. Heft 4) und Koch (l. c.) haben mit verhältnismäſsig geringen Chlormengen eine Desinfektion ihres in lufttrockenem Zustande befindlichen Versuchsmateriales erreicht, offenbar nur, weil die Versuchsanordnung so gewählt war, daſs das Chlor in einer feuchten Atmosphäre auf die Objekte einwirkte.

Die Desinfektion der in lufttrockenem Zustande befindlichen Mikroorganismen erfolgt bei dünneren Schichten weit schneller und gründlicher als bei dickeren. Auch bei dickeren Schichten gelingt aber die Desinfektion mit Chlor verhältnismäſsig leicht, sobald das Material einen hohen Grad von Feuchtigkeit besitzt. Bei der gewöhnlichen Luftfeuchtigkeit ist unter sonst gleichen Verhältnissen eine Desinfektion von feuchtem Material noch möglich, die bei trockenem nicht mehr zu erreichen ist. Ist die Luft mit Feuchtigkeit gesättigt, so läſst sich nach den von den Vff. bei den Versuchen in der Glasflasche gemachten Erfahrungen annehmen, daſs eine sichere Desinfektion aller in lufttrockenem Zustande befindlichen Mikroorganismen, vorausgesetzt, daſs sie nicht besonders umhüllt sind, erreicht wird, wenn ein Chlorgehalt von 0,3 Volumprozent drei Stunden lang, resp. ein solcher von 0,04 Volumprozent 24 Stunden lang einwirkt.

Des weiteren wurde untersucht, wie sich die Desinfektion mit Chlor gestaltet, wenn es unter Verhältnissen, die denen in der Desinfektionspraxis möglichst entsprechen, zur Verwendung gelangt. Zu diesem Zwecke wurden zwei Chlorversuche in einem 28 cem grofsen Kellerraume mit Chlor, das aus Chlorkalk und Salzsäure entwickelt·war, angestellt. Um während des Versuches jederzeit den Gehalt der Luft des Versuchsraumes an Chlor feststellen zu können, waren von einem benachbarten Kellerraume aus drei Glasröhrenleitungen durch die Wand hindurch bis in die Mitte des Raumes geführt, woselbst sie, in einer senkrechten Ebene übereinander liegend, die oberste 10 cm unterhalb der Decke, die mittlere in der Mitte der Höhe des Raumes, die unterste 10 cm oberhalb des Fufsbodens mündeten. Beim zweiten Versuche ·waren aufserdem noch drei ebensolche Rohrleitungen vom Hofe aus durch den Fensterrahmen hindurchgelegt, die in gleicher Höhe mit den beschriebenen und ebenfalls in einer senkrechten Ebene befindlich, 0,5 m vom Fenster entfernt endeten.

Im Folgenden sind die Hauptergebnisse der beiden Desinfektionsversuche mit Chlor im Kellerraume zusammengestellt. Während, wie dies aus den Flaschenversuchen unverkenntbar hervorging, mit Chlor unter gewissen Bedingungen der Konzentration und der Zeitdauer der Einwirkung in einer möglichst feuchten Atmosphäre eine sichere Vernichtung aller in lufttrockenem Zustande befindlichen, und in nicht zu dicker Schicht angeordneten Mikroorganismen erreicht werden kann, so ist bei den praktischen Versuchen die Desinfektion der im Raume ausgelegten Mikroorganismen mit derselben Sicherheit nicht gelungen. Bei dem ersten dieser Versuche mufs das nicht befriedigende Resultat hauptsächlich darauf zurückgeführt werden, dafs es nicht geglückt war, einen Chlorgehalt herzustellen, wie er sich nach den Flaschenversuchen als zur Herbeiführung einer sicheren Desinfektion erforderlich gezeigt hatte. Trotzdem erwiesen sich die leichter abzutötenden Mikroorganismen vollständig und die widerstandsfähigeren (z. B. Milzbrandsporen), soweit sie oberflächlich und unbedeckt dem Desinfektionsmittel ausgesetzt gewesen waren, zum gröfsten Teil vernichtet, und war auch an einigen in Filtrierpapier eingewickelten Objekten an manchen Stellen eine vollständige, resp. nahezu vollständige, an anderen aber, wofern die Objekte nicht mehr oder weniger versteckt waren, und dadurch dem Gase der Zutritt erschwert wurde, wenigstens eine teilweise Desinfektion erzielt worden.

Beim zweiten Versuche war dem Ergebnisse der Chlorbestimmungen zufolge nicht nur an einzelnen, sondern, wie man wohl annehmen darf, an allen Stellen des Raumes, an welchen sich der Verteilung des Chlors nicht ganz besondere Hindernisse entgegenstellten — z. B. an Spalten, Ritzen, Winkeln etc. — der nach den Flaschenversuchen zur Vernichtung aller Mikroorganismen ausreichende Chlorgehalt vorhanden, trotzdem aber eine absolut zuverlässige Desinfektion, wie sie hiernach wenigstens an den oberflächlich gelegenen und offen dem Desinfektionsmittel ausgesetzten Objekten zu erwarten war, nicht eingetreten, und ist es wahrscheinlich, dafs der Feuchtigkeitsgehalt der Luft des Raumes dem bei den Versuchen in der Gasflasche zur Verwendung gelangten nicht ganz entsprach. Immerhin aber war die Desinfektionsleistung, wenn man damit die bisher mit anderen gasförmigen Mitteln, speziell mit der schwefligen Säure erreichten Resultate vergleicht, eine recht erhebliche, denn überträgt man die erhaltenen Resultate des zweiten Chlorversuchs auf die Praxis, so kann man, wenn man in einem geschlossenen Raume dieselben Bedingungen der Konzentration, Zeitdauer der Einwirkung des Chlors, sowie dieselben Feuchtigkeitsverhältnisse herstellt, darauf rechnen, dafs von den oberflächlich gelegenen Infektionskeimen, und zwar selbst, wenn es sich um ganz besonders widerstandsfähige handelt, der weitaus gröfste Teil vernichtet, an vielen Stellen sogar eine vollständige Desinfektion erreicht wird, während allerdings die in Spalten und Ritzen, sowie überhaupt an für den Zutritt des Gases weniger geeigneten Stellen befindlichen in geringerem Mafse beeinflufst werden. Das aufserordentlich günstige Resultat, welches die 24 Stunden lang vor dem Versuch in einer feuchten Glocke gewesenen Objekte bei dem zweiten Versuch im Vergleich zu den lufttrocken der Desinfektion unterworfenen haben erkennen lassen, läfst vermuten, *dafs die Wirksamkeit des Chlors bei der Verwendung in der Praxis sich noch bedeutend steigern lassen wird, wenn die Entwicklung von Feuchtigkeit im Raume weiter getrieben wird, als es bei dem zweiten Versuche geschah, und wenn vielleicht schon längere Zeit vor der eigentlichen Desinfektion die Luft des Raumes auf einen möglichst hohen Grad von Feuchtigkeit und auf einen solchen erhalten wird, so dafs* die in demselben befindlichen Infektionskeime schon vor Beginn der Chlorentwicklung möglicherweise auf einen ausreichenden Feuchtigkeitsgrad gebracht werden. Es ist die Hoffnung nicht aufzugeben, dafs auf diese Weise sogar eine sichere Vernichtung aller oberflächlich gelegenen Infektionskeime ermöglicht, und dafs dadurch auch auf die weniger leicht zugänglichen ein bedeutend besserer Effekt ausgeübt wird, indes müssen hierüber erst weitere Untersuchungen Aufschlufs geben.

Wenn nun die Versuche darthun, dafs bei der Verwendung von Chlor in der Weise, wie es von den Vff. geschehen ist, eine zwar nicht ganz zuverlässige, aber doch schon recht bedeutende Desinfektionsleistung erzielt wird, insofern man auf die Vernichtung des gröfsten Teiles der oberflächlich gelegenen Infektionskeime — selbst der widerstandsfähigsten — rechnen darf, so ist damit allerdings schon gesagt, dafs von einer allgemeinen Verwendung des Chlors zur Desinfektion geschlossener Räume nicht die Rede sein kann, denn hierzu bedürfen wir eines Mittels, resp. Verfahrens, welches in erster Linie die Bedingung erfüllt, dafs es mit Sicherheit alle in einem Raume vorhandenen Infektionskeime zerstört. Auf der anderen Seite wird aber jedermann zugeben müssen, dafs unter bestimmten Verhältnissen — wir werden solche alsbald kennen lernen — doch die Desinfektion mit Chlor zulässig ist, ja in gewisser Beziehung nicht gut wird entbehrt werden können. Nach dem heutigen Stande der Wissenschaft ist eine Desinfektion von Räumen, die in ihrer Wirkung unseren Anforderungen entspricht, sobald man von der praktisch nicht verwertbaren Zerstörung, z. B. durch Feuer, absieht, nur erreichbar, wenn man die in einem Raume befindlichen Keime mechanisch beseitigt und unschädlich macht.

Unter besonders günstigen lokalen Verhältnissen — z. B. in Räumen, die, wie die Krankenzimmer der neueren Hospitäler, wie Eisenbahnwagen, Schiffsräume etc., glatte Begrenzungsflächen besitzen und ein Abwaschen derselben zulassen — gestaltet sich diese Art der Desinfektion zu einer verhältnismäfsig einfachen und somit praktisch leicht ausführbaren, insofern als man durch Verwendung geeigneter Desinfektionsflüssigkeiten, wie Sublimat- oder Karbolsäurelösungen zum Abwaschen der Begrenzungsflächen etc. mit der mechanischen Entfernung der Infektionskeime ihre Zerstörung durch das Desinfektionsmittel verbindet. Wo aber, wie wohl in der Mehrzahl der Fälle, unter denen die Desinfektion eines Raumes in Frage kommt, die Verhältnisse nicht so günstig liegen, bleibt, wenn die Unschädlichmachung aller im Raume vorhandenen Infektionskeime erreicht werden soll, nichts weiter übrig, als dieselben gleichzeitig mit der Abtragung der oberflächlichen Schichten der Begrenzungsflächen (Entfernen des Kalkverputzes, der Tapeten, Herausnahme des Fufsbodens und der Fufsbodenfüllung etc.) zu beseitigen.

Aus leicht zu erklärenden Gründen wird aber häufig die Zustimmung hierzu nicht erlangt, resp. ist dieses Verfahren aus sonstigen Gründen nicht zulässig. Soll nun im letzteren Falle auf eine Desinfektion vollständig verzichtet werden? Gewifs nicht, denn unter diesen Umständen wird man es doch auf alle Fälle vorziehen, die Desinfektion mit Chlor auszuführen und dadurch, wenn auch nicht alle, so doch wenigstens den gröfsten Teil der Infektionskeime zu zerstören.

Man kann sich auch sehr wohl vorstellen, dafs unter gewissen Verhältnissen die Desinfektion mit Chlor, als vorbereitendes Verfahren, wenn man dieser Ausdruck erlaubt ist, erfolgreiche Verwendung finden kann, indem sie der auf mechanischem Wege zu bewerkstelligenden vorausgeschickt wird, nämlich dann, wenn es sich um ganz besonders gefährliche Infektionskrankheiten handelt, und wenn infolge dessen die Befürchtung vorliegen mufs, dafs das Personal, welches die mechanische Entfernung ausführen soll, bei dieser Arbeit leicht infiziert wird. Offenbar wird eine solche Eventualität, wenn man die Desinfektion mit Chlor hat vorhergehen lassen, viel weniger zu befürchten sein, da ja durch dieselbe der gröfste Teil der Infektionskeime zerstört worden ist.

Die angeführten Beispiele mögen genügen, um zu zeigen, dafs die Verwendung des Chlors unter gewissen Verhältnissen nicht gut wird umgangen werden können.

Unter allen Umständen aber mufs man darauf dringen, dafs sobald sich jemand entschlossen hat, einen Raum mit Hilfe eines gasförmigen Mittels zu desinfizieren, er dem Chlor vor der schwefligen Säure den Vorzug giebt. Dieser Punkt verdient ganz besonders hervorgehoben zu werden, da die Erfahrung gelehrt hat, dafs von vielen Seiten, trotzdem die Erfolglosigkeit der Desinfektion mit schwefliger Säure seit längerer Zeit dargethan ist, noch an der Verwendung derselben zu Desinfektionszwecken festgehalten wird, wie man annehmen darf, vielleicht nur „in Ermangelung eines Besseren".

An einer anderen Stelle dieser Arbeit wird auseinandergesetzt, warum Vff. auch dem Brom gegenüber das Chlor bevorzugen. Soll nun das Chlor zur Desinfektion von Räumlichkeiten benutzt werden, so darf man, was zunächst die Konzentration des Chlors betrifft, auf keinen Fall unter die bei dem zweiten Versuch gewählten Verhältnisse (0,3 Volumprozent heruntergehen, weil erst unter diesen die Herstellung eines Chlorgehaltes gelang, wie er nach den Versuchen in der Glasflasche als ausreichend anzusehen ist, und weil beim ersten Versuch, bei welchem die zur Entwicklung gelangte Chlormenge geringer war, auch der Effekt gleich ein weit weniger günstiger war. Von solchen Chlormengen, wie sie die älteren Desinfektionsvorschriften verlangen, und die zum Teil so gering waren, dafs selbst der Aufenthalt von Menschen in den Räumen während der Desinfektion zulässig erscheinen kann, darf ein auch nur irgendwie nennenswerter Erfolg nicht erwartet werden.

Die Vff. geben zu, dafs die Herstellung eines so hohen Chlorgehaltes, wie sie ihn beim zweiten Versuch gehabt haben, und wie man ihn unter allen Umständen anstreben

XV.   15

mufs, in der Praxis nur schwer zu erreichen ist. Denn abgesehen davon, dafs die praktisch in Frage kommenden Räumlichkeiten in der Mehrzahl der Fälle sich nicht so leicht abdichten lassen, wie der Versuchsraum, so werden, wenn man eine vollständige Zersetzung des Chlorkalkes und eine möglichst gleichmäfsige Verteilung des Desinfektionsmittels zu erzielen, wenn man ferner die Gefahren für das Desinfektionspersonal zu vermeiden beabsichtigt, die an und für sich schon recht erheblichen Kosten noch gesteigert. Bei dem zweiten praktischen Versuche belaufen sich die Kosten allein für den verwandten Chlorkalk und die Salzsäure, Engrospreise zu Grunde gelegt, auf ungefähr 4,30 M.:

$$
\begin{array}{lll}
6 \text{ kg Chlorkalk à 0,30 M.} & . . . & = 1,80 \text{ M.} \\
12,5 \text{ „ Salzsäure à 0,20 „} & . . . & = 2,50 \text{ „} \\
& \text{Summa} & 4,30 \text{ M.}
\end{array}
$$

mithin ca. 15 Pfennige pro Kubikmeter.

Dabei verdient die Verwendung von Chlorkalk und Salzsäure zweifellos immer noch den Vorzug vor allen anderen Verfahren der Chlorentwicklung. Eine ganze Anzahl der letzteren, wie z. B. die Entwicklung aus Braunstein und Salzsäure, — Braunstein, Kochsalz und Schwefelsäure, — chlorsaurem Kalium und Salzsäure, — ferner aus Kaliumdichromat oder aus Salpetersäure und Salzsäure bleibt schon deshalb aufser Betracht, weil bei denselben entweder zur vollständigen Entwicklung des Chlors Erwärmen nötig ist, oder die Chlorentwicklung überhaupt nur unter Erwärmen von statten geht. Dieser Umstand erschwert aber, wie dies bereits von MEHLHAUSEN in der oben zitierten Arbeit hervorgehoben ist, das Desinfektionsverfahren ganz wesentlich. Aufserdem sind die genannten Materialien viel teurer.

Beim Chlorkalk hingegen ist eine vollkommene Zersetzung ohne Erwärmen und wie man den Ansichten früherer Beobachter entgegen hervorheben mufs, auch ohne Umrühren wohl möglich, sofern nur, wie dies bei dem zweiten Versuche geschah, eine zur vollkommenen Zersetzung des Salzsäure ausreichende Menge Salzsäure vorhanden ist, und ferner der Chlorkalk in nicht zu grofser Menge mit der Säure zusammengebracht wird. Für die Praxis dürfte es sich empfehlen, in einem Gefäfse nie gröfsere Mengen, als etwa 0,5 kg Chlorkalk zur Zersetzung zu bringen.

Bei dem zweiten Kellerversuch waren 6 kg Chlorkalk auf 28 cbm = ca. 210 g pro Kubikmeter verwandt. Zieht man in Betracht, dafs einerseits in der Praxis die Verluste an Chlor gröfser sein werden als bei den geschilderten, andererseits aber der Chlorkalk des Handels in seiner Zusammensetzung Schwankungen zeigt, so wird man wohl nicht zu hoch greifen, wenn man, falls die Desinfektion eines Raumes mit Chlor ausgeführt werden soll, die Verwendung von 0,25 kg Chlorkalk und 0,35 kg roher Salzsäure pro Kubikmeter in Vorschlag bringt.

Wie aus dem ersten Versuch im Kellerraum hervorgeht, ist bei der Entwicklung des Chlors in so grofsen Mengen die gröfste Vorsicht geboten, und um eine nachteilige Einwirkung des Gases auf das Desinfektionspersonal zu verhüten, eine Vorkehrung treffen müssen, welche es gestattet, dafs die Gasentwicklung erst beginnt, wenn der Raum von dem Desinfektionspersonal verlassen ist. Dafs man die Gefahren für das Desinfektionspersonal wohl vermeiden kann, hat die Anordnung beim zweiten Kellerversuche bewiesen, indes ist das befolgte Verfahren zu kompliziert und zu kostspielig, als dafs man es zur Verwendung in der Praxis empfehlen könnte. Vff. zweifeln aber nicht, dafs sich ein Verfahren ausfindig machen läfst, welches in einfacher Weise und ohne nennenswerte Erhöhung der Kosten die oben ausgesprochene Bedingung erfüllt. Vielleicht genügt es schon, den Chlorkalk in Filtrierpapier verpackt, in die Näpfe zu legen und die in gewöhnlichen Flaschen untergebrachte Salzsäure durch Umstülpen der Flaschen in die Näpfe allmählich zulaufen zu lassen.

Zur Herstellung einer möglichst gleichmäfsigen Verteilung des Gases ist es nach den Versuchen als unerläfslich zu bezeichnen, dafs die Näpfe mit dem Chlorkalk möglichst hoch und aufserdem in regelmäfsigen Abständen aufgestellt werden.

Was die Feuchtigkeit betrifft, so ist es vorteilhaft, die Luft des zu desinfizierenden Raumes schon längere Zeit vor Beginn der Chlorentwicklung in einen möglichst hohen Feuchtigkeitsgehalt zu bringen, weil sich annehmen läfst, dafs auf diese Weise die Infektionskeime in höherem Grade durchfeuchtet, und somit für die Desinfektion besser vorbereitet werden. Zu diesem Zwecke wird man gut thun, aufser der von Vff. verwandten Wasserverdampfung durch starkes Befeuchten der den Raum begrenzenden Flächen, soweit dieselben eine solche Behandlung vertragen (z. B. Fufsboden, Thüren, Fenster etc.), vielleicht auch einzelner Gegenstände, sowie eventuell durch Zerstäuben von Wasser die Feuchtigkeit noch zu erhöhen.

Betreffs der Dauer der Desinfektion wird vorgeschlagen, wo es angänglich ist, 24 Stunden beizubehalten, indes ist es möglich, daſs schon bei einer kürzeren Zeit, vielleicht acht Stunden, dasselbe Resultat erzielt wird, da die Abnahme des Chlorgehaltes bei den Versuchen eine sehr rapide war, und hiernach anzunehmen ist, daſs nach acht Stunden ein Chlorgehalt, der eine nennenswerte Desinfektionsleistung zu bewirken vermag, nicht mehr vorhanden sein wird.

Schlieſslich sei noch der schädlichen Einwirkung des Chlors auf die Begrenzungsflächen und Gegenstände des zu desinfizierenden Raumes gedacht.

Wie durch Beobachtungen konstatiert wurde, leiden die meisten Gegenstände unter der Einwirkung des Chlores namentlich, wenn es sich um eine solche bei Gegenwart starker Feuchtigkeit handelt, indem teils eine Farbenveränderung, teils eine Beeinträchtigung der Haltbarkeit etc. hervorgebracht wird. Wir erwähnen als hierher gehörig besonders Kleidungsstoffe, metallene Gegenstände, Tapeten und manche Farbanstriche. Man wird zwar einer Beschädigung dieser Gegenstände dadurch vorbeugen können, daſs man sie aus dem Raum entfernt und einer besonderen Desinfektion unterwirft, oder indem man, wie z. B. bei metallenen Gegenständen, ihre Oberfläche mit einer von Chlor nicht angreifbaren Masse, z. B. Vaseline, flüssiges Paraffinöl etc., überzieht, indessen wird sich eine Beschädung der letzteren nicht vollständig vermeiden lassen.

Die Kleidungsstücke gehören zu denjenigen Objekten, welche mit am meisten unter der Einwirkung des Chlors leiden, und verbietet sich schon aus diesem Grunde ihre Desinfektion mit Chlor. Auſserdem ist aber auch wiederholt beobachtet worden, daſs das Chlor nur sehr unvollkommen in die Objekte eindringt. So z. B. hatten die in den Taschen lose zusammengefalteter Röcke versteckten Mikroorganismenobjekte in einem Falle gar nicht, in dem anderen aber nur sehr wenig gelitten.

Es spricht somit nicht nur die hochgradige Beschädigung, sondern auch der mangelhafte Desinfektionserfolg gegen eine Desinfektion der Kleider mit Chlor. Glücklicherweise besitzen wir ja in der Desinfektion mit feuchter Hitze ein Verfahren, welches ohne nennenswerte Beschädigung eine zuverlässige Desinfektion dieser Objekte gestattet.

Brom. Das Brom gehört zu den erst in neuerer Zeit in Vorschlag gebrachten Desinfektionsmitteln. Nach ROTH und LEX (Handb. d. Militärgesundheitspflege, Berlin 1872. 1. 513) ist dasselbe zwar bereits im letzten nordamerikanischen Bürgerkriege in groſsem Maſsstabe als Luftreinigungsmittel verwendet worden, indes hat sich die allgemeine Aufmerksamkeit diesem Desinfektionsmittel erst zugewendet, nachdem der Chemiker Dr. FRANK (Vierteljahrsschr. f. öffentlich. Gesundheitspflege, 12. 324—26) aus Charlottenburg auf der Naturforscherversammlung zu Baden-Baden dasselbe zur Desinfektion geschlossener Räume sowohl, als auch poröser Stoffe wie Lumpen, Wolle, Haare, Polster etc. warm empfohlen hatte. Seitdem sind auch schon einige Untersuchungen über das Verhalten des Broms Mikroorganismen gegenüber bekannt geworden.

Was die Versuche mit Brom betrifft, so gingen die Vff. in ganz ähnlicher Weise wie beim Chlor vor. Durch Versuche in kleinen (Glas)flaschen suchten die Vff. sich darüber zu informieren, ob das Brom alle niederen Organismen und deren Keime zu vernichten imstande ist, und welches die Bedingungen sind, unter denen dasselbe eine sichere Desinfektion erwarten läſst.

Da Brom in seinem chemischen Verhalten die gröſste Übereinstimmung mit Chlor zeigt, so darf man annehmen, daſs die Desinfektion mit Brom auf ganz dieselbe Weise zu stande kommt, wie beim Chlor. Daſs es wesentlich ein Oxydationsvorgang ist, der bei der Einwirkung des Bromes auf Mikroorganismen zu einer Abtötung derselben führt, dafür sprechen die beiden ersten Versuche, aus welchen hervorgeht, daſs die Feuchtigkeit bei der Desinfektion mit Brom eine ebenso wichtige Rolle spielt, wie beim Chlor. Beim zweiten Versuch, bei welchem die Luft der Flasche mit Feuchtigkeit gesättigt war, ist trotz des weit niedrigeren Bromgehaltes in kürzerer Zeit eine bessere Desinfektionsleistung erzielt worden als beim ersten Versuch, bei welchem die Luft der Flasche einen geringeren Feuchtigkeitsgehalt besaſs.

Die Luft der Flasche hatte beim ersten Versuch eine relative Feuchtigkeit von 81 p. c., der Feuchtigkeitsgehalt war demnach höher, als er durchschnittlich in der Luft geschlossener Räume gefunden wird. Es folgt daraus, daſs bei der in geschlossenen Räumen gewöhnlich vorhandenen Luftfeuchtigkeit selbst mit Hilfe eines Bromgehaltes von drei Volumprozenten innerhalb drei Stunden eine zuverlässige Desinfektion mit Sicherheit nicht zu erreichen ist.

Beim zweiten Versuch ist durch künstliche Steigerung des Feuchtigkeitsgehaltes der Luft eine schnellere und gründlichere Desinfektion erzielt worden, es zeigte sich, daſs unter diesen Feuchtigkeitsverhältnissen schon 0,21 Volumprozente innerhalb drei Stunden alle zum Versuch verwandten Mikroorganismen abgetötet hatten.

Der dritte Versuch lehrte, daſs ein Bromgehalt von 0,03 Volumprozenten auch bei

. mit Feuchtigkeit gesättigter Luft innerhalb von drei Stunden eine Desinfektion aller Mikroorganismen nicht mehr zu stande bringt. Dagegen geht aus dem dritten Versuch hervor, daß ein Bromgehalt, der vier Stunden lang ungefähr 0,03 Volumprozente beträgt, nach dieser Zeit aber allmählich auf 0,01 Volumprozent herabsinkt, bei 24 stündiger Einwirkung noch sämtliche Mikroorganismen abzutöten vermag. Auch das Brom kann unter günstigen Bedingungen alle Mikroorganismen vernichten und scheint in betreff der Wirksamkeit des Chlores und Bromes ein bedeutender Unterschied nicht zu bestehen. Beim Chlor war mit Hilfe von 0,3 Volumprozente bei mit Feuchtigkeit gesättigter Luft innerhalb drei Stunden eine Desinfektion aller im lufttrocknen Zustande befindlichen Mikroorganismen erreicht, bei dem zweiten Bromversuch war der hierzu erforderliche Bromgehalt ungefähr derselbe, nämlich 0,21 Volumprozente. Beim Chlor hatte ein Gehalt von 0,04 Volumprozenten innerhalb drei Stunden eine genügende Desinfektion nicht zu stande gebracht, beim Brom erwies sich eine fast eben so hohe Konzentration, 0,03 Volumprozenten, in gleicher Weise ungenügend.

Ein Bromgehalt, der vier Stunden lang zwischen 0,033 und 0,029 Volumprozente schwankt, dann aber allmählich auf 0,012 Volumprozente herabfiel, hatte beim dritten Bromversuch innerhalb 24 Stunden alle Mikroorganismen abgetötet, bei dem elften Chlorversuch war mit einem annähernd eben so hohen Chlorgehalt in derselben Zeit dasselbe Resultat erzielt worden.

Der Bromgehalt beim letzten Bromversuch war ungefähr derselbe wie der Chlorgehalt beim letzten Chlorversuch, in beiden Fällen hatte das Desinfektionsmittel bei 24 stündiger Einwirkung eine genügende Desinfektion nicht mehr zu stande gebracht.

Vff. stellten nun zwei größere Versuche mit Brom in demselben Kellerraum an, in dem die Chlorversuche stattgefunden hatten, und zwar mit 0,2 Volumprozenten Brom bei mit Feuchtigkeit gesättigter Luft. Dieser Gehalt an Brom hatte sich zur Desinfektion als ausreichend erwiesen. In betreff dieser Versuche kommen die Vff. zu folgenden Schlußbetrachtungen.

Die Versuche in der Glasflasche haben den Beweis geliefert, daß ähnlich wie beim Chlor unter bestimmten Bedingungen der Konzentration und Zeitdauer der Einwirkung des Bromes in einer mit Feuchtigkeit gesättigten Atmosphäre die Desinfektion aller in dünner Schicht angeordneten und in lufttrockenem Zustande befindlichen Mikroorganismen mit Sicherheit zu erreichen ist. Bei den Versuchen im Kellerraum dagegen ist die Vernichtung selbst der oberflächlich ausgelegten Mikroorganismenobjekte, abgesehen von dem leicht zu desinfizierenden sporenfreien Bacillenmaterial, in einer einigermaßen befriedigenden Weise nicht gelungen, und muß der nicht genügende Erfolg hauptsächlich auf einen zu geringen Bromgehalt zurückgeführt werden. Statt des von den Vffn. angestrebten Bromgehaltes von 0,2 Volumprozente, wie er sich beim zweiten Flaschenversuch zur Abtötung aller Mikroorganismen bei dreistündiger Einwirkung als ausreichend erwies, hatten dieselben mit der zur Verwendung gelangten Brommenge nur einen solchen erhalten, der während der ersten Stunden eine ähnliche Höhe zeigte, wie bei dem dritten Flaschenversuch in diesem Zeitabschnitt vorhandene, im weiteren Verlauf aber infolge der weit rapideren Abnahme ganz bedeutend hinter dem in der Glasflasche zurückblieb. Das erzielte Resultat entsprach im großen und ganzen dem, welches beim dritten Flaschenversuch nach dreistündiger Einwirkung des Bromes beobachtet wurde; es stehen somit die Resultate der praktischen Versuche im Kellerraume mit denen in der Flasche im Einklang. Aus den beiden praktischen Versuchen geht hervor, daß unter Anwendung des FRANK'schen Verfahrens der Bromentwicklung und bei einem künstlich erzeugten hohen Feuchtigkeitsgehalt der Luft 35,7 g Brom, die pro Kubikmeter des Raumes zur Verdampfung gebracht waren, eine nur einigermaßen genügende Desinfektion der an den verschiedensten Stellen des Raumes an der Oberfläche der Wandungen und Gegenstände ausgelegten lufttrocknen und nicht bedeckten Objekte, sofern es sich um solche handelt, die den Desinfektionsmitteln gegenüber sich in höherem Grade widerstandsfähig zeigen, wie z. B. Milzbrandsporen, nicht zu stande gebracht haben. Es findet demnach die Behauptung von WERNICH, daß man den Luftkubus eines Raumes bis zur Unschädlichmachung darin befindlichen sporenhaltigen Materiales desinfizieren kann, wenn man auf jeden Kubikmeter 4 g brom nach dem beschriebenen Verfahren zur Verdampfung bringt", nicht bestätigt; denn bei beiden Versuchen hat sich die fast neunmal so große Menge Brom unzureichend erwiesen, obwohl Vff. dasselbe Verfahren der Bromentwicklung anwandten, wie WERNICH. Die Bromkieselguhrklötzchen befanden sich in nahezu gleicher Höhe (2,30 m), wie die von WERNICH (2,20 m) oberhalb des Fußbodens. Darin, daß die Klötzchen, um eine schnellere Verdampfung zu erzielen, bei Beginn des Versuches aus den Gläsern entfernt und in die flachen Schalen gestellt wurden, wird niemand etwa einen Grund für die abweichenden Resultate finden, noch weniger aber darin, daß der Feuchtigkeitsgehalt der Luft des Raumes erhöht worden war.

Die Versuchsreihen, auf Grund deren WERNICH das Brom empfohlen hat, stehen mit den Erfahrungen der Vff. insofern im Einklang, als auch bei letzteren einige Male an Objekten, die in großer Nähe der Bromquelle gelegen hatten, eine mehr oder weniger vollständige Desinfektion erzielt war, es kommt aber, wenn es sich darum handelt, zu erfahren, ob das Brom zur Desinfektion geschlossener Räume geeignet ist, nicht darauf an, ob einzelne etwa gerade in der Nähe der Bromklötzchen befindliche Keime unter besonders günstigen Umständen vielleicht einmal desinfiziert werden können, sondern ob durch Brom, bei bestimmt angegebenen Bedingungen an allen Stellen des Raumes eine Desinfektion nicht nur der oberflächlichen, sondern auch der mehr oder weniger versteckten Keime erreicht wird; dieses ist aber bei Verdampfung von 35,7 g Brom selbst bei hoher Feuchtigkeit der Luft nicht der Fall.

Es unterliegt keinem Zweifel, daß man durch Herstellung eines höheren Bromgehaltes auch eine bessere Wirkung erzielen wird, und muß man es nach den Erfahrungen bei den Flaschenversuchen als wahrscheinlich bezeichnen, daß eine vollständige Vernichtung aller oberflächlich gelegenen, sowie eine teilweise der einigermaßen versteckten Objekte, resp. Infektionskeime zu erreichen ist, sofern man im Raum einen Bromgehalt herstellt, der an allen Stellen drei Stunden hindurch mindestens 0,2 Volumprozente zeigt, und sofern man durch reichliche, schon längere Zeit vor Beginn der Bromentwicklung ausgeführte Wasserverdampfung nicht nur die Luft des Raumes mit Feuchtigkeit vollkommen sättigt, sondern auch die Objekte, resp. Infektionskeime durch den längeren Aufenthalt in der feuchten Atmosphäre für die Desinfektion genügend vorbereitet.

Wenn somit mit Brom aller Wahrscheinlichkeit nach derselbe Desinfektionseffekt erzielt werden kann, wie mit Chlor, so ist weiter zu untersuchen, welchem von den beiden Mitteln bei der Verwendung in der Praxis der Vorzug gegeben werden muß. Nach den Vff. verdient das Chlor vorgezogen zu werden, und zwar hauptsächlich deshalb, weil beim Chlor derselbe Desinfektionseffekt mit einem geringeren Kostenaufwand erreicht werden kann als beim Brom.

Beim Chlor gelang es, mit Chlorkalk und Salzsäure, im Preise von 4,30 M. (0,15 M. pro Kubikmeter), einen Gasgehalt im Kellerraum herzustellen, wie er nach den Flaschenversuchen sich zur Erreichung einer sicheren Desinfektion innerhalb weniger Stunden als ausreichend erwiesen hatte.

Beim Brom beträgt der Durchschnittsengrospreis pro kg = 5 M., es wurde aber mit 1 kg Brom der angestrebte Bromgehalt nicht erreicht. Statt des nach den Flaschenversuchen erforderlichen Bromgehaltes von 0,2 Volumprozenten hatten Vff. beim ersten Kellerversuch nur 0,026 Volumprozente und beim zweiten (bei geringerer Feuchtigkeit) 0,0706 Volumprozente erhalten. Es war demnach mit ca. 0,18 M. pro Kubikmeter des Raumes ein genügender Bromgehalt nicht, mit ca. 0,15 M. pro Kubikmeter, aber ein ausreichender Chlorgehalt erzielt worden. Es bleibt dahin gestellt, ob sich bei der Verwendung der zwei-, resp. dreifachen Menge Brom, d. h. mit 10, resp. 15 M. für Brom allein (0,36, resp. 0,54 M. pro Kubikmeter) ein durchschnittlicher Bromgehalt von 0,2 Volumprozenten in dem Kellerraum hätte erreichen lassen. Aber selbst zugegeben, daß schon mit 2 kg ein durchschnittlicher Bromgehalt von 0,2 Volumprozenten herzustellen ist, so ist damit noch nicht mit Sicherheit auf eine an allen Stellen eintretende Desinfektion der oberflächlich gelegenen Keime zu rechnen, weil infolge der sehr ungleichmäßigen Verteilung des Bromes trotz des im Durchschnitt genügend hohen Bromgehaltes nicht überall ein ausreichend hoher Gasgehalt zu erwarten ist. Soll aber an jeder einzelnen Stelle des zu desinfizierenden Raumes ein Bromgehalt von 0,2 Volumprozenten vorhanden sein, so wird man mit der Bromdosierung noch höher gehen müssen. Man sieht demnach, daß die Auslagen für das Brom selbst, sobald man einen gleichen Desinfektionseffekt herbeizuführen bestrebt ist, höher sind als die für Chlorkalk und Salzsäure. Was die sonstigen Auslagen bei der Desinfektion eines Raumes mit Chlor, resp. Brom betrifft, so kann man dieselben als nahezu gleich groß betrachten. Auf der einen Seite braucht man Gefäße für den Chlorkalk und Flaschen für die Salzsäure, auf der anderen die Kieselguhrklötzchen und die zu ihrer Aufnahme erforderlichen dicht schließenden Gefäße, und wird man außerdem eine Anzahl flacher Schalen, resp. Teller, auf welche, wenn die Bromverdampfung nicht allzu langsam vor sich gehen soll, die Bromkieselguhrklötzchen zu stellen sind, nicht gut entbehren können. Die Kosten für die Herstellung eines Brettergestelles oder einer ähnlichen Vorkehrung, welche es ermöglicht, daß die Entwicklung des Desinfektionsgases von den höchsten Stellen des Raumes aus vor sich geht, sowie die Arbeitslöhne werden bei der Desinfektion mit Chlor, resp. Brom als gleich hoch zu veranschlagen sein.

Die verhältnismäßig langsam von statten gehende Bromverdampfung bei den Versuchen der Vff. war daran schuld, daß der ermittelte Bromgehalt so erheblich hinter dem aus der angewandten Brommenge zu berechnenden zurück blieb. Gelänge es auf irgend eine Weise, eine möglichst rasche Bromverdampfung zu stande zu bringen, so würde man zweifellos mit dem Bromgehalt dem der Berechnung nach überhaupt möglichen Wert näher kommen als bei der Bromentwicklung nach der FRANKE'schen Methode, bei welcher die zu langsam vor sich gehende Abgabe des Bromes seitens der Klötzchen als Schattenseite des sonst so verlockenden Verfahrens anzusehen ist. Es würden alsdann möglicherweise die Kosten für das Brom selbst etwas geringer ausfallen, insofern als man mit derselben Brommenge einen höheren Bromgehalt herstellen könnte. An die Verwendung des flüssigen Bromes als solchen zu Desinfektionszwecken kann nicht gedacht werden, da es bei dem unangenehmen und sogar gefährlichen Charakter des flüssigen Bromes nicht zulässig erscheint, dasselbe dem Publikum in die Hand zu geben.

Abgesehen nun davon, daſs nach den obigen Erörterungen die Desinfektion mit Brom teurer ist, als die mit Chlor, so hat sich bei den Versuchen auch noch herausgestellt, daſs das Brom eine stärkere Beschädigung der Begrenzungsflächen und Gegenstände verursacht, als das Chlor. Hatten die Tapeten-, Stoff- und Lederproben bei den beiden Bromversuchen schon in höherem Grade gelitten, als bei den Chlorversuchen, so wird die Beschädigung zweifellos noch viel stärker ausfallen, wenn ein noch höherer Bromgehalt, wie man ihn doch als zur Erzielung einer möglichst ausgiebigen Desinfektion als unvermeidlich hinstellen muſs, zur Einwirkung gelangt. Die stärkere Beschädigung der Objekte beim Brom beruht höchst wahrscheinlich auf der Eigenschaft der Bromdämpfe, sich leicht an der Oberfläche der Gegenstände zu verdichten und so in konzentrierter Form auf diese einzuwirken, wie das in mehreren Fällen von den Vffn. direkt beobachtet worden ist. Daraus folgt aber noch keineswegs, daſs das Brom in die Objekte genügend tief eindringt.

Bei einem im zweiten Bromversuch gewesenen Rock waren nur die oberflächlich gelegenen Stellen vom Brom angegriffen worden, während die übrigen ziemlich unverändert erschienen, eine Einwirkung auf die in der Rocktasche versteckte Gartenerdebacillen war dabei absolut nicht nachzuweisen, man wird sich deshalb von einer Desinfektion von Kleidern mit Brom keinen Erfolg versprechen dürfen.

Ebensowenig wie eine Desinfektion der Kleider empfiehlt sich aber die von FRANK in Vorschlag brachte Desinfektion von Lumpen, Wolle, Haaren, Polstern etc. mit Brom, denn im günstigsten Falle war eine Vernichtung der oberflächlich gelegenen Keime erzielt, eine solche tritt aber erst bei der Verwendung so hoher Brommengen ein, daſs dabei eine hochgradige Zerstörung der Objekte gar nicht zu vermeiden ist. (Mitteil. a. d. kaiserl. Gesundheitsamt 2. 228—308. ·Berlin, Juni.)

7. Analytische Chemie.

Heinr. Beckurts, *Zur Anwendung des Phenolphtaleïns als Indikator.* (Pharm. Ztg. **29**. 94; C.-Bl. 1883. 625. Braunschweig.)   P.

Wiener Stadtphysikat, *Direktiven für die Beurteilung der chemisch mikroskopischen Untersuchungsbefunde des Wassers.* Infolge einer Anfrage der Stadtverwaltung in St. Petersburg über die Grenzen der Zulässigkeit des zum Trinken und Kochen verwendeten Brunnenwassers hat das Wiener Stadtphysikat die nachfolgende Äuſserung abgegeben.

Bezüglich der Anfrage „über die maximalen Quantitäten von fremden Stoffen, die die Brauchbarkeit des Lokalwassers zum Trinken und Kochen andeuten, wurde bemerkt, daſs fremde Stoffe in einem guten Trinkwasser überhaupt nicht vorkommen dürfen.

Da nun unter dem Ausdrucke „fremde Stoffe" wahrscheinlich jene Bestandteile gemeint sein dürfen, welche die verunreinigte Boden abgiebt, so muſs auf die bekannte Thatsache hingewiesen werden, daſs jedes Trinkwasser mehr oder weniger den Charakter der Bodenschichten an sich trägt, durch die es seinen Lauf nahm, und daſs daher das Wasser, welches von den Kronen der Gletscher durch die Bergschluchten zum Thale strömt, ganz andere Verhältnisse darbieten wird, als jenes, welches den Boden volks- und betriebsreicher Städte durchsetzend, zu tage befördert wird. Jenes wird frei von organischen Substanzen, von Ammonverbindungen, von salpetriger Säure sein, seine festen Bestandteile werden zum gröſsten Teile aus kohlensauren alkalischen Erden bestehen und überhaupt nur ein geringes Prozent betragen.

Dieses dagegen wird eine mehr oder weniger konzentrierte Lösung aller möglichen Abfallsprodukte des Lebens darstellen, es wird reich an Chloriden, an salpetrigsauren und salpetersauren Salzen, an Alkalien und organischen Substanzen sein, auch Ammonverbindungen werden darin häufig nicht fehlen, und die Gesamtsumme seiner festen Bestandteile überhaupt wird dem entsprechend eine hohe sein müssen.

Da nun ein vollkommen gutes, tadelloses Trinkwasser frei von salpetriger Säure und Salpetersäure sein oder von letzterer nur Spuren enthalten soll, so kann man füglich diese Substanzen als Verunreinigungen, als „fremde Stoffe" im Trinkwasser bezeichnen. Die

Maximalquantitäten dieser Stoffe, welche noch eine Brauchbarkeit des Wassers zu Trink- und Kochzwecken zulassen, gestalten sich folgendermafsen:

Wenn *organische Substanzen* in sonst ganz tadellosem Wasser, wie dies bei natürlich zu Tage tretenden Quellen nicht selten der Fall ist, in geringer Menge vorkommen, so ergiebt sich hieraus kein Grund, solches Wasser zu verbieten, erreicht jedoch ihre Summe 3—4 Tle. in 100000 (auf Oxalsäure bezogen) oder darüber, so sind solche Wässer zum Genusse nicht geeignet.

Ebenso sollen Trinkwässer, in denen deutliche Mengen von Ammon und salpetrigsauren Salzen enthalten sind, dem Genusse entzogen bleiben. Auch die Salpetersäure sollte vom streng *hygieinischen* Standpunkte in derselben Weise beurteilt werden; es sollen nämlich nur Spuren im Wasser unberücksichtigt bleiben.

An diesen Grundsätzen ist unter allen Umständen festzuhalten, wenn es sich um die dauernde Versorgung von Städten und Anstalten, wie Spitäler, Kasernen, Schulen, Strafhäuser etc. mit Trinkwasser handelt.

Aber selbst für eine vorübergehende Verwendung sollte ein Wasser, das bei sonst guter Qualität über 5 in 100000 Tln. an Salpetersäure enthält, nicht mehr zum Trinken zugelassen werden, denn salpetersaure Salze sind kein Nahrungsstoff für den Menschen, sondern Auswurfstoffe. Nach den, was man über die erwähnten Verunreinigungen des Wassers weifs, kommt selten eine allein vor, und gewöhnlich ist dies die Salpetersäure; man darf daher annehmen, dafs die vorhanden gewesenen anderen, hierher gehörigen Stoffe bereits der vollständigen Oxydation unterlegen sind, und daher ist auch die Grenze für die Menge dieser Verbindung etwas weiter gesteckt.

Sind aber neben Salpetersäure noch andere der erwähnten Verunreinigungen selbst in geringer Menge im Trinkwasser gefunden worden, dann ist dieses unbedingt zu verbieten, denn je vollständiger die Reihe dieser Substanzen ist, desto sicherer ist der Beweis, dafs die Oxydation derselben noch nicht beendet ist, und dafs die Gefahren für die Gesundheit noch in erhöhtem Mafse bestehen.

Im weitesten Sinne kann man übrigens unter Verunreinigung des Trinkwassers alles verstehen, was in gutem Trinkwasser nicht enthalten sein soll, also auch ein *Mehrgehalt an den gewöhnlichen Mineralbestandteilen*, durch welche der gröfsere Härtegrad bedingt wird.

Vom Sanitätskongresse in Brüssel wurde in dieser Beziehung die Ziffer 50 für 100000 Teile Wasser normiert. Man braucht sich jedoch, falls ein Genufswasser die oben erwähnten Stoffe nicht aufweist, nicht strenge an diese Grenze zu halten, da bekanntlich auch ein Mehrgehalt an festen Teilen bis zu 60—80 das Wasser noch nicht gesundheitsschädlich machen mufs, vorausgesetzt, dafs dieselben zum gröfsten Teile aus den kohlensauren Salzen von Kalk und Magnesia, und nur zum geringen Teile aus Alkalien bestehen. (Aus dem Jahresber. des Wiener Stadtphysikates für 1882. Wien 1883. Herausg. von DDr. KAMMERER, SCHMID und LÖFFLER.) P.

Th. Poleck und **K. Thümmel**, Über *die Arsenprobe der Pharmakopöe und einige neue Silberverbindungen.* (Arch. Pharm. [3.] **22.** 1—20.)

G. Heppe, *Kupferbutyrat zur Unterscheidung gewisser hochsiedender Kohlenwasserstoffe.* Vf. hat gefunden, dafs sich das buttersaure Kupferoxyd sehr gut eignet zum Nachweise von Verfälschungen von Petroleum mit Ölen aus Braunkohlenteer (Solaröl). Erwärmt man nämlich Petroleum, sei es amerikanisches oder kaukasisches, mit Kupferbutyrat bis auf 120°, so löst sich dasselbe ganz unverändert mit blaugrüner Farbe auf und scheidet sich beim Erkalten in kleinen Krystallen wieder ab; verfährt man auf gleiche Weise mit Solaröl oder einem mit Solaröl vermischten Petroleum, so färbt sich die Flüssigkeit gelb, und es scheiden sich gelbe Flocken von Kupferoxydul ab. Es geht daraus hervor, dafs im Solaröle Kohlenwasserstoffe aus einer Reihe vorhanden sind, die im Petroleum nicht vertreten ist; nach den auf andere Kohlenwasserstoffe ausgedehnten Untersuchungen scheint es, dafs es die höheren Glieder der aromatischen Kohlenwasserstoffreihe sind, die am leichtesten die Zersetzung des Kupfersalzes veranlassen. Voraussetzung bei dieser Methode ist, dafs nur solche Kohlenwasserstoffe zur Untersuchung gelangen, deren Siedepunkt nicht wesentlich unter 120° liegt, weil erst bei dieser Temperatur eine Einwirkung derselben auf das Kupferbutyrat erfolgt. (Chem.-techn. Centralanzeiger **2.** 78.)

Schneider, *Nachweis von Mutterkorn.* Die Methode von PALM (**83.** 632), deren sich der Vf. versuchsweise bediente, gab ihm keine befriedigende Resultate, dagegen fand er die von HOFFMANN bekannt gemachte Methode schneller ausführbar und sehr genau, so dafs selbst bis ein Zehntelprozent Mutterkorn im Mehle zweifellos nachgewiesen werden konnte. Nach der Methode von HOFFMANN werden 10 g Mehl, 15 g Äther und 20 Tropfen verdünnter Schwefelsäure (1 : 5) gut durchgeschüttelt und nach viertelstündiger Einwirkung filtriert. Das Filtrat wird durch Nachwaschen des Mehles mit Äther auf 10 g gebracht. Dasselbe wird mit fünf Tropfen einer gesättigten Natriumdicarbonatlösung geschüttelt, wodurch der Farbstoff des Mutterkornes in die wässerige Lösung gebracht wird, während Chlorophyllfarbstoffe im Äther verbleiben. Die Lösung erscheint je nach dem Grade der Verunreinigung deutlich violett gefärbt. (Pharm. Zeitung **28**. 630.)

Richard F. Obermann, *Quantitative Bestimmung von Dextrin und Stärke in der Gerste und von Dextrin, Maltose und Stärke im Malz*. Zur Bestimmung des Dextrines wird die Substanz auf einem Filter solange ausgewaschen, bis Alkohol im Filtrat keinen Niederschlag mehr hervorbringt. Das Filtrat wird zum Teil eingedampft und mit basischem Bleiacetat versetzt, wodurch das Dextrin, nach LIPPS (Journ. Am. Soc. 1882. 212) als PbO.$C_6H_{10}O_5$, gefällt wird. Die Fällung wäscht man mit kohlensäurefreiem Wasser gut aus und trocknet sie bis zum konstanten Gewichte. 35 p. c. dieses Gewichtes entsprechen dem Dextrin. Im obigen Filtrate wird der Zucker und die Stärke nach bekannten Methoden bestimmt. Diejenige Stärkemenge, welche sich durch verdünnte Säuren leicht in Glykose, resp. durch Diastase in Maltose überführen läfst, bezeichnet Vf. als „aktive Stärke." In Gerste fand er davon 65,16 p. c. und aufserdem 5,4 p. c. Dextrin; und 10,74 p. c. Maltose vorhanden. Die nicht invertierbare Stärke ist auf mechanischem Wege zu bestimmen. (Weekly Drug. N. and Amer. Pharm. N. S. **8**. 91—92.)   *P.*

8. Technische Chemie.

G. Lunge und **P. Naef,** Über *die Vorgänge in den Schwefelsäurekammern.* So viele Arbeiten auch über den Bleikammerprozefs ausgeführt worden sind, so sind doch noch nicht alle darauf bezüglichen Punkte erledigt, und man kann die Theorie dieses Prozesses noch nicht als endgültig festgestellt betrachten. Der Bleikammerprozefs gehört in den Händen eines routinierten Praktikers zu den am weitesten ausgebildeten der ganzen chemischen Technik, und er wäre gewifs weniger Sache persönlicher Routine, wenn er in seinen Bedingungen genauer wissenschaftlich erforscht wäre. Wenn trotz der vielen Arbeiten über diesen Prozefs recht wichtige Teile desselben noch unerledigt sind, so rührt dies gröfstenteils davon her, dafs jene Arbeiten entweder nur im allerkleinsten Laboratoriumsmafsstab ausgeführt waren oder auf Schlüsse aus dem regelmäfsigen Fabrikbetriebe oder zufälligen Störungen desselben basiert sind. Es fehlte an einem: an einer längere Zeit fortgesetzten Behandlung eines Bleikammersystemes als eines enormen Versuchsapparates, an dem man, ähnlich wie im Laboratorium, willkürlich eine oder die andere der Bedingungen einseitig wirken läfst, um ihren Einflufs studieren zu können, mit genauer analytischer Verfolgung aller Resultate. Derartige Versuche sind in der Fabrik von Gebrüder SCHNORF in Uetikon am Zürichsee und in den British Alkali Works zu Widnes von Naef ausgeführt worden, so dafs einige der schwebenden Fragen geklärt und in sicherer Weise, als bisher, beantwortet werden konnten.

I. Bei der Untersuchung über die An-, resp. Abwesenheit von Untersalpetersäure in einem normal arbeitendem Kammersystem ergab es sich, dafs sich keine Untersalpetersäure in der Kammer vorfindet, dafs vielmehr hier das vorwaltende Gas die salpetrige Säure ist, welche local durch Schwefeldioxyd zu Stickoxyd reduziert, aber stets augenblicklich durch zuströmenden Sauerstoff wieder regeneriert wird. Diese Ansicht ist bekanntlich schon von BERZELIUS und darauf von R. WEBER aufgestellt, aber allerdings der Ansicht gegenüber, dafs das vorwaltende Gas N_2O_3 sei, nicht mit direkten Beweisen belegt worden. Dagegen hat der eine der Vff. schon seit Jahren in einer ganzen Reihe von Mitteilungen solche Beweise für die Richtigkeit der N_2O_3-Theorie geliefert, und diese wird nunmehr durch die Versuche im grofsen bestätigt. Es könnte der Einwand erhoben werden, dafs NO von Salpetersäure unter Bildung von N_2O_3 absorbiert wird, und N_2O_5 bei der Absorption in N_2O_3 und N_2O_5 gespalten wird, letztere also von überschüssigem NO in N_2O_3 umgewandelt werden könnte, und dafs man auf diese Weise nur letzteres finden müfste, während ursprünglich doch N_2O_4 vorhanden gewesen wäre. Eine solche Erklärung der von den Vff. erlangten Resultate, würde zwei so gut wie unmögliche Bedingungen verlangen, nämlich 1. dafs in dem ganzen Bleikammersysteme, nicht nur zu Anfang, enorme Mengen von NO (nämlich die Hälfte aller Salpetergase) trotz des grofsen Überschusses von Sauerstoff unverändert vorhanden wären, und erst bei der Absaugung der Gasproben durch die aus der N_2O_4 gebildeten Salpetersäure zu N_2O_5 oxydiert würden; 2. die noch weniger denkbare Bedingung, dafs bei allen Analysen normaler Kammergase ganz genau immer 2 Mol. NO auf 1 Mol. N_2O_4 gekommen wären. Die Hauptresultate dieses ersten Teiles der Arbeit sind demnach die folgenden: 1. In einem normal arbeitenden Kammersystem ist das aktive Oxyd des Stickstoffes die salpetrige Säure. 2. Untersalpetersäure entsteht nur sekundär unter abnormen Umständen und nur im hinteren Teile des Systemes. Sie nimmt also keinen wesentlichen Anteil an dem Bildungsprozefs der Schwefelsäure in den Bleikammern. 3. die Bildung von Untersalpetersäure in der letzten Kammer erfolgt nur bei sehr grofsem Überschusse von Salpetergasen, und zwar einmal, weil dann daselbst nur äußerst wenig Schwefelsäure in der Kammeratmosphäre vorhanden ist, und weil die reduzierende Wirkung der SO_2 wegen deren fast völligem Zurücktreten nicht eintritt. 4. Der Sauerstoffgehalt der Gase hat keinen Einfluß auf die Bildung von N_2O_4 in den Bleikammern; bei starkem Überschusse von Salpetergasen erscheint N_2O_4, selbst wenn abnorm wenig Sauerstoff vorhanden ist, bei normaler Salpeterzufuhr aber nicht, selbst wenn abnorm viel Sauerstoff vorhanden ist. II. Was den Salpeterverlust im GAY-LUSSAC-Turm anbetrifft, so wird 1. bei gelbem Kammergange, also bei Überschuß an Salpetergasen, im GAY-LUSSAC-Turme auch unter den günstigsten bisher bekannten Umständen ein erheblicher Verlust an Salpeter stattfinden nämlich 2,0—1,5 Tle. auf 100 Schwefel, bei kleineren Türmen sicher mehr. 2. Bei hellen Kammern, also bei einen gewissen Überschusse an Schwefeldioxyd, verliert man ebenda weniger Teile Salpeter (ca. 0,5 p. c. des Schwefels); die Austrittsgase zeigen nur Spuren von Stickstoffsäuren, dagegen Stickoxyd und Schwefeldioxyd. 3. In der Nitrose findet sich nur N_2O_3, selbst wenn die Ein- und Austrittsgase N_2O_4 enthalten. 4. Ein Verlust durch Reduktion zu Stickoxydul tritt vermutlich unter normalen Verhältnissen entweder gar nicht oder doch nur in minimalem Betrage ein.

III. Die Verteilung der Gase und das Fortschreiten des Prozesses in den Bleikammern erhellt aus den folgenden Ergebnissen: 1. Die Umwandlung der SO_2 in Schwefelsäure erfolgt anfangs mit großer Schnelligkeit, von der Mitte der ersten Kammer ab sehr langsam, nimmt aber nach dem Durchgehen durch das Verbindungsrohr zur zweiten Kammer wieder plötzlich zu. Hiernach scheint die bessere Mischung und größere Annäherung der durch viel inerte Gase getrennten Moleküle von SO_2,O. und N_2O_3, bei der Passage durch die Verbindungsröhren für den Prozeß vorteilhaft zu sein. 2. Die Zusammensetzung der Gase in der ersten Kammer ist über den ganzen Vertikalquerschnitt eine zu gleichförmige, als daß man annehmen könnte, die Röstgase stiegen erst in die Höhe, um dann langsam herunter zu sinken.

Vielmehr mischt sich augenscheinlich das aus dem Gloverturme eintretende Röstgas schnell schon im vordersten Teile der ersten Kammer mit den in dieser befindlichen Gasen. Es wird deshalb auf die Stelle der Ein- und Ausmündung der Verbindungsrohre der Kammern nicht sehr viel ankommen. 3. Die Analysen gleichzeitig an verschiedenen Stellen desselben Vertikalschnittes der ersten Kammer entnommener Gasproben zeigen immerhin eine gewisse Verschiedenheit, und zwar in der Mitte, und innen einen etwas größeren Gehalt an Schwefeldioxid und an Sauerstoff als oben, unten und außen. Hier nach würde es scheinen, als ginge die Reaktion zwischen SO_2 und Sauerstoff in der Nähe der Wände der Kammer etwas schneller vor sich, als im Centrum derselben.

IV. Die Untersuchungsresultate beim Studium der Temperaturen in den Kammern lassen sich in den nachstehenden Sätzen zusammenfassen: 1. Die Temperatur der in das Kammersystem eintretenden Gase steigt anfangs noch ein wenig infolge der starken Reaktion, fängt aber bald an zu sinken, anfangs langsam, im hinteren Systeme aber stärker, weil dort nur sehr geringe chemische Reaktion stattfindet. 2. Bei stärkerer Beschickung der Öfen und entsprechender höherer Beanspruchung der Kammern erhöht sich deren Temperatur; im vorliegenden Falle bei Reduktion des Kammerraumes von 1,8 auf 1,3 cbm pro 1 kg Schwefel um 9—10° in der ersten und zweiten Kammer, um 5—6° in der dritten Kammer. 3. Die Temperatur nimmt bei äußerer Luftwärme von 19° innerhalb der Kammer bis 25 cm von der Kammerwand um 3°, bis zum Centrum im ganzen um 8° zu. An der Kammerdecke ist sie sowohl seitlich als auch im Centrum höher, als weiter unten (in der Mitte der einen Kammer etwa 4—5°). Diese Temperaturdifferenzen in demselben Vertikalquerschnitte entsprechen keineswegs irgend genau einer schwächeren oder stärkeren chemischen Reaktion, da angestellte Beobachtungen das Gegenteil erweisen, und müssen auf rein physikalische Ursachen, wie Ausstrahlung durch die Kammerwände, zurückgeführt werden. Sie sind aber vereinbar mit der Theorie, daß die Gase sich in Schraubenlinien den Wänden der Kammer entlang bewegen, während das Centrum eine langsamere Bewegung hat. 4. Die Anwendung von zerstäubtem Wasser statt Dampf hat auf die Kammertemperatur keinen erheblichen Einfluß. (Chem. Ind. 7. 5—19. Dez. 1883. Jan. Zürich und Widnes.) P.

J. van den Berghe, *Verfälschung von Soda.* Zwei Proben Soda enthielten:

	1		2	
Wasser	9,66	p. c.	7,97	p. c.
Natriumcarbonat	77,78	„	23,74	„
Kaliumcarbonat	0,92	„	1,48	„
Calciumcarbonat	0,85	„	4,32	„
Kochsalz	10,78	„	62,04	„
Kalk			0,46	„

Man kann Nr. 2 als mit 50 p. c. Kochsalz verfälscht betrachten. (Loc. de Méd. de Grand;
Rundschau 10. 28—29.)
Wilhelm Gerland, Der Anbau von Zuckerrüben in frischem Stallmiste. (Schles.
landw. Ztg. 1883. Nr. 95. 565; SCHEIBLER's Neue Ztschr. 12. 93—95. Halberstadt.)
Ch. Gallois, Der Kalkofen und die Kohlensäurepumpe der Zuckerfabriken. (La Suc.
Indigène I. 22. 159; SCHEIBLER's Neue Ztschr. 12. 86—90.)
L. Magnier de la Source, Über den Einfluss des Gipsens auf die Zusammensetzung
und chemische Beschaffenheit des Weines. Um diesen Einfluss genauer zu studieren, versetzte der Vf. Wein von bekannter Zusammensetzung mit chemisch reinem Calciumsulfat.
Zu diesem Zwecke verschaffte er sich ein größeres Gewicht (10 kg) schwarzer Trauben
von Sarragossa, teilte dieselben in zwei gleiche, möglichst homogene Teile und ließ diese
nach dem Auspressen gären, den einen Teil ohne Zusatz, den anderen mit Zusatz von
100 g Calciumsulfat. Nach ungefähr acht Tagen war die Gärung vollendet, der Wein
wurde filtriert und analysiert, sowie der Einwirkung verschiedener Reagenzien unterworfen.
Folgendes sind die Resultate:

	Nicht gegipst	Gegipst
Alkoholgehalt	12,0°	12,2°
Trockensubstanz bei 100°	23,30	27,30
Reduzierender Zucker per Liter	1,54	1,46
Weinstein per Liter	1,94	—
Säure per Liter (als H_2SO_4)	2,58	3,10
Asche {Lösliche Teile	2,060	5,380
Asche {Unlösliche Teile	0,662	0,612

Zusammensetzung der Asche.

a. Lösliche Teile.

	Nicht gegipst	Gegipst
Kohlensäure (CO_2)	0,5604	0,0765
Schwefelsäure (SO_4)	0,2275	2,7600
Chlor	0,1835	nicht bestimmt
Calcium	0,0000	0,0377
Kalium	1,1209	2,4608
Natrium	Spuren	Spuren

b. Unlösliche Teile.

	Nicht gegipst	Gegipst
Kohlensäure (CO_2)	0,2200	0,1450
Schwefelsäure (SO_4)	0,0000	0,0748
Phosphorsäure (PO_4)	0,2060	0,1945
Calcium	0,1741	0,1596
Magnesium	0,0616	0,0600

Verhalten gegen Reagenzien.

	Einwirkung der gewöhnlichen Reagenzien auf den Farbstoff	
	des nicht gegipsten Weines	des gegipsten Weines
Natriumdicarbonat	grünlichgelb	violett
Natriumcarbonat {in der Kälte	kastanienbraun	kastanienbraun
Natriumcarbonat {in der Wärme	„	„
Ammoniak	grünlichgelb	grünlichgelb
Barytwasser	„	„
Borax	grau	grau
Alaun und Natriumcarbonat	„	„
Bleisubacetat	grünlichgelber Niederschlag	blauer Niederschlag
Aluminiumacetat	lila	violett
Kaliumaluminat	rosa	rosa

Der Vf. fügt hinzu, dafs der nicht gegipste Wein eine gelbliche Farbe besafs, welche an die Färbung alter Weine erinnerte, während die Farbe des gegipsten Weines intensiv rot war, ohne jeden Stich ins Gelbe.

Als Resultat ergiebt sich, dafs einige Farbenreaktionen des Weines durch das Gipsen eine gewisse Veränderung erleiden, Was die chemische Einwirkung des Gipsens betrifft, so besteht dieselbe nicht, wie man bis jetzt allgemein anzunehmen pflegte, blofs darin, dafs der Weinstein nach der Gleichung:

$$2(C_4H_5KO_6) + CaSO_4 = C_4H_4CaO_6 + K_2SO_4 + C_4H_6O_6$$

zersetzt wird. Durch das Gipsen wird jeder Liter des analysierten Weines um 1,33 g Kalium bereichert. Wenn dieses Kalium von der Zersetzung des Traubenzucker enthaltenen Weinsteins herrührte, so müfste die Acidität nach der obigen Gleichung um 1,67 g per Liter (in H_2SO_4 ausgedrückt) zunehmen, während sie nur um 0,52 g zugenommen hat. Das Gipsen hat hiernach die Wirkung, nicht blofs den Weinstein, sondern auch neutrale organische Kaliumverbindungen zu zersetzen, welche in beträchtlicher Menge in dem Saft vollkommen reifer Trauben vorhanden sind. Endlich ergiebt sich aus der Analyse, dafs durch das Gipsen die Menge der im Wein enthaltenen Kalksalze nicht wesentlich vermehrt wird. (C. r. **98.** 110—113. [14.*] Januar.)

L. F. Wright, Über *den Einflufs der Destillationstemperatur auf die Zusammensetzung des Steinkohlengases*. Der Vf. destillierte eine Probe von Newcastlekohle in einer kleinen eisernen Retorte. Die Charge war 2,24 Pfund, und die Destillation dauerte 25 bis 45 Minuten. Es wurden vier Versuche bei verschiedenen Temperaturen ausgeführt. Bei der niedrigsten Temperatur erhielt man 8250 Kubikfufs Gas per Tonne Kohlen mit einer Leuchtkraft von 15,6 Kerzen. Das Gas enthielt im ersten Fall 38,09 p. c. H, 8,72 CO, 42,72 CH_4, 7,55 andere Kohlenwasserstoffe und 2,92 Stickstoff. Im zweiten Fall: 48,02 p. c. H, 13,96 CO, 30,7 CH_4, 4,51 Kohlenwasserstoffe und 2,81 N. Der Vf. diskutiert den Einflufs des Sumpfgases auf der Kohlensäure auf die Leuchtkraft des Gases und kritisiert die Versuche von FRANKLAND und THORNE. Im zweiten Teile teilt er einige Analysen von Gasproben mit, welche aus den Retorten zu verschiedenen Zeiten des Vergasungsprozesses entnommen waren. (Chem. N. **49.** 78. 15. [7.] Februar. London. Chem. Soc.)

Kleine Mitteilungen.

Kolonial- und Rübenzucker, von A. VOGEL. Nach den praktischen Erfahrungen der Fabrikanten soll zur Fabrikation von kondensierter Milch nur Kolonialzucker, nicht Rübenzucker brauchbar sein; da der aus Zuckerrohr dargestellte Zucker völlig identisch ist mit dem aus Rüben gewonnenen, so läfst die erwähnte Thatsache darauf schliefsen, dafs in dem Rübenzucker Spuren von Verunreinigungen enthalten sind, welche bei der Raffination nicht ganz entfernt werden konnten. Zur Unterscheidung beider Zuckerarten gewähren die physikalischen Eigenschaften keinen Anhalt; annähernd sicher läfst sich nach A. VOGEL Rübenzucker auf chemischem Wege erkennen, da er im Gegensatz zum Kolonialzucker gewöhnlich geringe Mengen von Ammoniak und Salpetersäure enthält. Der Nachweis des Ammoniaks geschieht am besten durch NESSLER's Reagens; um auf Salpetersäure zu prüfen, benetzt man ein Stück Zucker mit Diphenylaminlösung (ein Milligramm Diphenylamin auf 10 ccm konzentrierte Schwefelsäure), beobachtet, ob sich blaue Flecken bilden. Auf einen Gehalt an Salpetersäure läfst sich wahrscheinlich auch die von Konditoren häufig gemachte Beobachtung zurückführen, dafs eine mit Indigokarmin blau gefärbte Rübenzuckerlösung nicht bis zu der zum Erstarren nötigen Konsistenz eingedampft werden kann, ohne dafs die blaue Farbe in grün oder farblos umschlägt. Möglicherweise könnte diese Reaktion auch durch spurenweise beigemengten Traubenzucker bedingt sein, der wie, der MULDER nachwies, sich ganz analog verhält. (Chem.-Ztg.; Arch. Pharm. [3.] **21.** 848.)

Die Kohlenproduktion Frankreichs. Nach den neuesten statistischen Berichten wurden in Frankreich an Steinkohlen produziert: im Jahre 1882: 3 777 630 t, 1881: 3 671 702 t, 1880: 3 701 589 t, 1879: 3 273 513 t, 1878: 3 240 004 t, 1877: 3 286 658 t, 1876: 3 376 116 t, 1875: 356 695 t, 1874: 3 260 793 t, 1873: 3 437 241. Beschäftigt waren beim Kohlenbergbaue im Jahre 1882: 20 056 Personen, welche eine Entlohnung von Fr. 20 832 725 bezogen. (Österr. Ztschr. **31.** 666.)

Bergwerksproduktion und Gewinnung von Salzen aus wässeriger Lösung im preufsischen Staate im Jahre 1882 (s. nächste Seite).

| Produkte | Gesamtproduktion in den fünf Oberbergamtsbezirken Breslau, Halle, Dortmund, Bonn und Clausthal | | | | |
| | Menge | | Wert | Betriebene Werke | |
	Tonnen	kg	M.	hauptsächlich	nebensächlich
I. Bergwerksproduktion.					
1. Mineralkohlen u. Bitumen.					
a. Steinkohlen . .	47 097 376	—	232 724 491	399	1
b. Braunkohlen . .	10 798 091	—	29 570 722	430	1
c. Graphit . . .	38	—	815	1	—
d. Asphalt . . .	12 996	—	105 976	2	—
e. Erdöl . . .	5 989	—	591 505	8	—
Summe 1	57 914 490	—	262 993 509	840	2
2. Mineralsalze.					
a. Steinsalz . . .	210 129	808	1 296 692	6	2
b. Kainit . . .	141 272	450	2 032 038	1	1
c. Andere Kalisalze	553 029	53	4 941 827	3	1
d. Bittersalze . .	3 471	525	30 397	—	1
e. Boracit (reiner) . .	86	426	67 937	—	3
Summe 2	907 981	262	3 368 891	10	8
3. Erze.					
a. Eisenerze . . .	4 027 472	560	28 318 806	741	40
b. Zinkerze . . .	693 369	457	11 858 412	67	52
c. Bleierze . . .	157 235	896	19 469 870	117	55
d. Kupfererze . .	558 850	799	14 436 573	18	71
e. Silber- und Golderze .	114	992	78 271	1	1
f. Zinnerze . . .	—	—	—	—	—
g. Quecksilbererze .	—	—	—	1	—
h. Kobalterze . .	66	213	13 243	1	—
i. Nickelerze . .	14	765	6 871	—	7
k. Antimonerze . .	42	123	4 673	1	—
l. Arsenikerze . .	451	—	27 060	2	—
m. Manganerze . .	4 670	525	140 606	15	9
n. Wismuterze . .	—	—	—	—	—
o. Uranerze . . .	—	—	—	—	—
p. Wolframerze . .	—	—	—	—	—
q. Schwefelkies . .	157 960	930	1 800 189	13	14
r. Sonstige Vitriol- und Alaunerze . . .	22 283	7	26 440	4	1
Summe 3	5 622 532	267	76 181 014	981	250
Summe I.	64 445 011	529	347 543 414	1831	260
II. Salze aus wässeriger Lösung.					
1. Kochsalz (Chlornatrium)	251 679	346	6 171 162	31	3
2. Chlorkalium . . .	67 992	379	9 463 382	10	2
3. Chlormagnesium .	2 007	500	60 300	—	2
4. Schwefelsaure Alkalien:					
a. Glaubersalz . .	39 421	760	2 149 296	5	10
b. Schwefels. Kali .	15 562	485	3 361 762	4	4
c. „ Kalimagnesia	2 590	694	128 000	—	2
5. Schwefelsaure Magnesia	16 433	199	70 050	—	7
6. Schwefelsaure Erden:					
a. Schwefels. Thonerde	6 921	765	787 338	4	2
b. Alaun . .	2 386	915	335 792	4	1
Summe II.	404 996	43	22 527 082	58	33

(B.- und H.-Z. 43. 28.)

Verbrennungsprodukte verschiedener Lichter. Die „Zeitschrift für die elektrische Ausstellung in Wien" teilt folgende Daten über die bei verschiedenen Beleuchtungsarten resultierenden Verbrennungsprodukte für je hundert Kerzen und einstündige Brenndauer mit:

	Wasserdampf kg	Kohlensäure cbm	Wärme in Calorien
Elektrische Bogenlampe	0,00	0,00	57
Inkandessenzlampe	0,00	0,00	290
Petroleumlampe	0,60	0,95	7200
Gasargandbrenner	0,86	0,46	4860
Lampe mit Rüböl	0,85	1,00	6800
Paraffinkerze	0,99	1,22	9200
Unschlittkerze	1,05	1,45	9700

(Gesundheits-Ingen. 7. 51.)

Die in der Steinkohle aufgespeicherte latente Arbeitskraft hat ROGER eingehenden Untersuchungen unterzogen. Der dynamische Wert eines Pfundes guter Steinkohle ist danach äquivalent der Tagesarbeit eines Mannes; drei Tonnen demnach einer 20 jährigen harten Tagesarbeit, wobei das Jahr zu 300 Arbeitstagen angesetzt ist. Nach üblicher Schätzung liefert nun eine "vierfüßige" Kohlenader auf einen Morgen Landes ungefähr 5000 t guter Kohle. Eine Quadratmeile enthielte sonach 3 200 000 t, die in ihrer totalen Leistungsfähigkeit für die Produktion von Arbeitskraft einer 20 jährigen Tageskraft von einer Million kräftiger Arbeiter entsprechen würden. (Glückauf 1883. Nr. 63.)

Die Kohlenproduktion Grofsbritanniens. Die ungeheure Zunahme der Kohlenproduktion von Grofsbritannien ist aus nachstehender Darstellung zu entnehmen:

Jahr	Kohlenproduktion in Tonnen	Jahr	Kohlenproduktion in Tonnen
1800	10 000 000	1870	110 431 172
1845	33 000 000	1875	131 867 105
1855	64 453 070	1880	146 969 409
1860	80 942 698	1882	154 184 300
1865	98 159 587		

Die starke Zunahme begann im Anfange der vierziger Jahre und hängt mit dem Ausbau des Eisenbahnnetzes zusammen. Seitdem sind Eisenbahnen, Dampfer und Industriebetrieb, namentlich Eisen- und Gasindustrie, unaufhörlich der Kohlenproduktion förderlich gewesen. Die Ausfuhr der englischen Kohle nach Süd- und Westeuropa, sowie nach sehr vielen überseeischen Häfen, namentlich Südasien und Südamerika, sind sehr bedeutend. Dieselbe ist von 3 351 880 t im J. 1850 auf 19 591 589 t im J. 1882 gestiegen, nicht eingeschlossen die zum eigenen Gebrauche der Dampfer in See gehenden Kohlen, welche ca. 5 1/4 Millionen Tonnen betrugen. (Österr. Ztschr. 31. 666.)

Über Verwendung der Torfstreu zur Desinfektion, von MAX SONNEMANN. Der Torf, welcher in ungeheurer Menge in unseren deutschen Hochmooren aufgestapelt, und der bis vor kurzem ausschliefslich als Brennmaterial Verwendung gefunden hat, soll nun in Gestalt der Torfstreu ein Desinfektionsmittel ergeben, welches allen bisher existierenden vorzuziehen ist. Unterzieht man diese Behauptung einer eingehenden Prüfung, so gelangt man in bezug auf öffentliche Gesundheitspflege zu nachstehende Resultate: Vom Standpunkte der Hygiene aus betrachtet, bewährt sich die Absorptionskraft des Moostorfes ganz vorzüglich, indem sie Flüssigkeit und Gase vollständig bindet und die schädliche Wirkung derselben aufhebt. Der Gebrauch der Torfstreu macht die gewöhnlichen Abortgruppen vollständig geruchlos, selbst wenn sie undicht sind. Ein in sanitärer Hinsicht ganz besonders zu würdigender Vorzug der Torfstreuverwendung bei Latrinengruben ist ferner der, dafs durch Bindekraft des Materials jede Flüssigkeit festgehalten und so ein Versickern selber in den Boden, der häufig infolge der Durchlässigkeit vieler Abortgruben ein Herd schädlichster Miasmen ist, verhindert wird.

In Kasernen, Schulen, Hospitälern und Privathäusern angestellte Versuche hatten sämtlich, sofern in entsprechender Weise verfahren wurde, ein der Torfstreu günstiges Resultat. Dafür sprechen Vorträge und Mitteilungen von Mitgliedern medizinischer Fakultäten. LUDWIG HAPPE in Braunschweig sprach bereits im Dezember 1880 in einem Vortrag über Gesundheitspflege, gehalten im ärztlichen Verein daselbst, die Überzeugung mit warmen Worten aus, dafs Torfstreu das der öffentlichen Gesundheitspflege dienlichste Desinfektionsmittel städtischer Aborte sei.

In der Deutschen Vierteljahrsschrift für öffentliche Gesundheitspflege, Heft 2, teilt OSKAR

238

EYSELEIN in Blankenburg am Harz unter anderem Folgendes mit: „Ich besitze in meinem Hause einen leider innerhalb der Umfassungsmauern des Hauses liegenden Abort, unter welchem sich ein mit Zinkblech ausgeschlagener eichener Kasten befindet, also das sogenannte Abfuhr- system. Während bisher trotz der verschiedensten Verbesserungen an diesem Abort (Dunstrohr über dem Dach, festester Verschluß etc.) sowie Desinfektion mit roher Karbolsäure und Anderem, immer Abtrittsgase die Nähe dieses notwendigen Hausübels verrieten, ist von all dem seit konse- quenter Durchführung der Torfstreuzuschüttung absolut nichts mehr zu merken, und daß jedes- mal, wenn es der Fall, war bemerkt worden, daß die Torfstreu in nicht genügender Menge zu- gegeben war."

In der am 5. Februar 1883 vom Bürgerverein zu Hannover gehaltenen Sitzung versichert Ingenieur Hecht, bei Entleerung des mit Torfmull behandelten Grubeninhaltes der Bürgerschule nicht den geringsten Geruch verspürt zu haben, er müsse die Desinfektion als eine gelungene bezeichnen und im Hinblick auf den Nutzen für die Landwirtschaft für das beste System erklären, welches durchaus Empfehlung verdiene. Diesen sind inzwischen andere mit ähnlichen Gutachten nachgefolgt, und es mag an dieser Stelle an den Umstand erinnert werden, daß man in Schweden in einzelnen Städten schon seit lange mit Torf desinfiziert. Medizinalrat Dr. Staude, Direktor des Kreiskrankenstiftes in Zwickau, erklärt am 3. Juli v. J. in einer Sitzung des naturwissen- schaftlichen Vereins, daß Torfmull nach seiner Erfahrung sich sehr gut zur Geruchlosmachung der Aborte und Bindung der Exkremente eigne.

Sehr verdient ferner die Aufmerksamkeit der städtischen Behörden die Anwendung von Torfstreu in den öffentlichen Pissoirs und in den Schlachthäusern. Erstere sind an vielen be- nutzten Orten trotz Anwendung von Chlorkalk die Verpester der Luft, letztere werfen in Städten, wo noch nicht öffentliche Schlachthäuser bestehen, und die Schlächter ihr Gewerbe in der Mitte der bewohnten Stadtbezirke ausüben, eine Masse von rasch verwesenden Stoffen, besonders an Blut ab, die in den Sommermonaten ihre Dünste zum Unbehagen der ganzen Nachbarschaft und zur Gefährdung der öffentlichen Gesundheit weithin senden. Hier ist die Torfstreu dringend ge- raten und sollte durch polizeiliche Vorschrift angeordnet werden. Die Verwendung in Pissoirs ist in verschiedenen Städten und Bahnhöfen mit gutem Erfolg bereits versucht, und es dürfte von Interesse sein, zu erfahren, daß man auch in London gewillt ist, in der City statt des Schwemmsystems, das ziemlich kostspielig ist, sich der Torfstreu zu bedienen.

Vf. will sich nicht versagen, an dieser Stelle noch einer Reihe von Versuchen Erwähnung zu thun, welche die Herzogliche Polizeidirektion in Braunschweig veranlaßte. Eine chemische und mikroskopische Untersuchung wies nach, daß der Boden und die Wände eines dort befind- lichen Abortes, sowie das Wasser der dort befindlichen ca. 570 Brunnen ganz mit Spaltpilzen, Chrenothrix, Cladothrix, Leptothrix geschwängert waren. Nach dem Gebrauch von Torfpräpa- raten in der Abortgrube verschwanden in kurzer Zeit diese Pilze, und der Boden gewann auch seine reinigende Kraft wieder.

Auf Grund der gewonnenen Resultate erließ die Herzogliche Polizeidirektion zu Braun- schweig nachstehende Verordnung: „Auf Vorschlag des Gesundheitsrates wird die polizeiliche Besichtigung der sämtlichen Abortgruben hiesiger Stadt angeordnet und Folgendes verfügt: 1. Diejenigen Gruben, bei denen dies seitens des mit der Besichtigung beauftragten Polizeibeamten für erforderlich erklärt wird, sind binnen 14 Tagen auszuleeren. 2. Sofort nach dieser Aus- leerung sind die Gruben nach der Anweisung des Polizeibeamten etwa 6 Zoll hoch mit Torfstreu oder Torfmüll zu füllen. 3. In denjenigen Gruben, deren Ausleerung nicht für erforderlich er- achtet wird, ist der Grubeninhalt binnen gleicher Frist nach der Anweisung des Polizeibeamten mit Torfstreu oder Torfmull zu mischen."

Durch diese Verfügung wurde bezweckt, daß die gesundheitsgefährlichen Ausdünstungen der Abortgruben beseitigt wurden; ferner wird die Jauche, welche bisher den Erdboden durchzog und sich schließlich in den Brunnen ablagerte, von der Torfstreu aufgefangen und festgehalten und somit ein besseres Trinkwasser gewonnen. Daß bei dem drohenden Gespenst der Cholera- epidemie, sowie bei anderen sich durch Luft, Boden und Grundwasser fortpflanzenden Krank- heiten der Torf durch seine antiseptischen Eigenschaften, wegen deren er in der chirurgischen Klinik des Professor ESMARCH mit ausgezeichnetem Erfolge als Verbandmaterial verwendet wird, ein sehr wertvolles Mittel gegen die Bildung der Infektionsstoffe ist, ist in maßgebenden Kreisen vollständig erkannt.

Eine im März v. J. aus den Latrinen der landwirtschaftlichen Schule in Chemnitz ent- nommene Probe Torflatrinendünger wies einen Monate später keine Spur von Fäulnis auf, hält also die Gase gebunden. Daß diese Abwesenheit jeden Geruches wesentlich mit der regelmäßigen und genügenden Zuführung des Torfmulles zusammenhängt, bedarf keiner Erwähnung, und liegt, wie dies auch OSKAR EYSELEIN in Blankenburg am Harz mitteilt, hierin die Garantie für das Aufsaugen der flüchtigen Ammoniak- und kohlensauren Ammoniakgase, ebenso wird dadurch die Fäulnis der Stoffe gehindert und nur eine teilweise Milchsäuregärung zugelassen. (Landwirtsch. Post. 1883. 202.)

Zur Kaliindustrie in Deutschland. Die vier Kalisalzbergwerke Stafsfurt, Leopolds-
hall, Douglafshall, Neustafsfurt, letzteres seit 1874 sich an der Produktion beteiligend, förderten:

Kalisalze Ctr.	Daraus fabriziert Ctr. Chlorkalium		Kalisalze Ctr.	Daraus fabriziert Ctr. Chlorkalium
1874 = 8 371 000	1 196 000		1879 = 12 210 000	1 744 000
1875 = 9 759 000	1 394 000		1880 = 10 382 799	1 597 354
1876 = 11 740 000	1 677 000		1881 = 14 894 521	2 291 312
1877 = 15 228 000	2 175 000		1882 = 21 186 085	3 259 398
1878 = 14 443 000	2 063 000			

Die summarische Produktion an Rohsalzen betrug von allen vier Werken im Jahre 1882 an
Carnallit 21 186 085 Ctr., an Kaïnit 2 875 154 Ctr., an Kieserit 93 162 Ctr., an Hartsalz 805 Ctr.,
an Boracit 2 333 Ctr., an diversen Salzen 74 306 Ctr., an Steinsalz 2 826 774 Ctr., zusammen
27 058 619 Ctr. Während diese Gesamtrohsalzproduktion Stafsfurts und Umgegend einen annähernden Wert von 14 043 596,90 M repräsentiert, beträgt derjenige der Kalirohsalzproduktion (Carnallit)
allein einen solchen von 10 593 042,50 M, während durch die Verarbeitung derselben zu Ver-
kaufsware, deren Wert mit Zugrundelegung der 1882er Preise und Produktion sich auf
24 445 485 M steigerte. Der Umstand, dafs mehr als zwei Drittel der Chlorkaliumproduktion
(im Jahre 1882 1 925 700 Ctr., im Jahre 1881 1 501 778 Ctr.) zum Export in das Ausland gelangt, läfst die Wichtigkeit dieser, hinsichtlich der zu landwirtschaftlichen Zwecken im allgemeinen, speziell aber innerhalb des deutschen Reiches verwendeten Kaliquantitäten, noch im Em-
bryo des Verbrauches befindlichen Industrie sofort erkennen. Der landwirtschaftliche Bedarf an
konsentrierten Kalisalzen (Kaïnit etc. unberücksichtigt gelassen) beträgt in der Gegenwart nach
einer annähernden Schätzung 20 p. c. der gesamten Chlorkaliumproduktion, während 80 p. c.
als Rohmaterial für die Herstellung des Kalisalpeters, des chromsauren Kalis, des chlorsauren
Kalis, Kalialauns etc. und der Pottasche der Hauptsache nach zur Verwendung gelangen. (Berg-
geist 1883. Nr. 76; Österr. Ztschr. 31. 673.)

Petroleumheizung auf Schiffen der Flotte des schwarzen Meeres. Bereits
seit Jahren werden die Kessel der Dampfschiffe der russischen Flotille im kaspischen Meere mit
Naphthaabfällen geheizt. Nachdem nun, wie im 5. und 6. Bande der „Mitteilungen aus dem Gebiete des Seewesens", S. 356, berichtet wird, durch die in jüngster Zeit erfolgte Eröffnung der
Eisenbahnlinie Baku-Tiflis-Batum der Transport der Naphthaabfälle, welche bei der Petroleum-
bereitung in Baku gewonnen werden, bis an die Küste des schwarzen Meeres wesentlich erleichtert wurde, beabsichtigt man, diese Abfälle in ausgedehntem Mafse als Brennmaterial auf den
Schiffen der Flotte des schwarzen Meeres zu verwenden, da man sich hiervon sowohl in technischer als in ökonomischer Richtung sehr grofse Vorteile verspricht.

Die Naphthaabfälle kosten gegenwärtig 1000 Baku 2—2,5 Kopeken (3—4 kr.) pro Pud =
40 Pfd. russisch (16,38 kg), in Tiflis stellt sich der Preis auf 7—10 Kopeken (11—15 kr.), und
mittels Eisenbahn nach Batum gestellt auf 17 Kopeken (25 kr.). Da sich die Heizkraft der
Naphthaabfälle zu der Heizkraft guter Steinkohle wie 3 : 1 verhält, so ist der grofse ökonomische
Vorteil augenscheinlich. Vorläufig sollen die Versuche auf einigen Torpedobooten, für welche
Gattung von Fahrzeugen die Einführung dieses Brennmateriales besonders vorteilhaft düngte, in
ausgedehntem Mafse vorgenommen werden. Die Herstellung der betreffenden Einrichtungen auf
den Booten wurde der Firma NOBEL u. Co., welche in Baku grofse Petroleumraffinerien besitzt
und mehrere ihrer eigenen Petroleumtransportschiffe für Naphthabeheizung eingerichtet hat, übertragen. (Centralbl. für Eisenb. und Dampfschiff. 22. 1783; Österr. Ztschr. 31. 673.)

Herstellung künstlicher Guttapercha, von M. ZINGLER. 50 kg pulveriertes Kopal-
harz und 7 1/2—15 kg Schwefelblumen werden in einem mit Rührwerk versehenen Kessel unter
Zusatz von der doppelten Menge Terpentinöl oder Petroleum auf 125—150° erhitzt und
bis zur vollständigen Auflösung gerührt. Hierauf läfst man die Masse bis auf 80° abkühlen und
setzt zu derselben eine Caseïnlösung, die 3 kg Caseïn enthält und die durch Auflösen des Caseïns
in schwachem Ammoniakwasser unter Zusatz einer geringen Menge Alkohol erhalten wird. Die
Masse wird abermals auf etwa 150° erhitzt, bis sie eine dünnflüssige Konsistenz erhält, dann
kocht man dieselbe mit einer 25 prozentigen Gerbsäurelösung, die etwas Ammoniak enthält,
mehrere Stunden, läfst abkühlen, wäscht die Masse zuerst in kaltem Wasser aus, knetet sie
hierauf in heifsem Wasser, walzt und trocknet sie. (Deutsche Ind.-Ztg.; Pharm. Centralh. 24.
564—65.)

Über das Verhalten des Phosphors im Hohofen, von G. HILGENSTOCK. Vortrag,
gehalten im „Verein deutscher Eisenhüttenleute" zu Düsseldorf am 9. Dez. 1883. Der Vortragende weist im Eingange seines Vortrages darauf hin, dafs die Phosphormengen, welche sich im

Roheisen nicht wiederfinden, nur mit der Schlacke oder mit den Gichtgasen abgegangen sein können. Der Phosphorgehalt kann nun im Roheisen mehr schwanken, als man gewöhnlich anzunehmen geneigt ist, und es wäre deshalb von hohem Werte, eine schnelle und hinreichend genaue Phosphorbestimmung im Thomaseisen an der Hand zu haben, welche es ermöglicht, dem Thomasprozesse den Phosphorgehalt des Roheisens so anzugeben, wie dem sauren Verfahren den Siliciumgehalt.

Daß ein wenn auch kleiner Teil des Phosphorgehaltes einer Beschickung beim reduzierenden Schmelzen sich verflüchtigen könne, hat LEDEBUR in seiner Eisenhüttenkunde, S. 264, aufgenommen. Die anscheinend verloren gegangene Menge Phosphor ist nun eine solche, daß sie sich unbedingt in den Gasen müßte nachweisen lassen. Wenn man annimmt, daß von drei Prozent Phosphor im Eisen sich etwa ein Drittel nicht vorfindet, so würde ein Hofofen mit 72 t Tagesproduktion pro Minute $^1/_3$ kg Phosphor verflüchtigen:

Der Vf. hat nun die folgenden interessanten Untersuchungen von der Produktion hochphosphorhaltigen Eisens ausgeführt:

1. Dicht vor dem ersten Gaswaschapparate wurden zwei Tage lang Gase durch konsentrierte Salpetersäure gesaugt, um etwaige flüchtige Phosphorverbindungen oder Phosphordämpfe in Phosphorsäure überzuführen. Der Staub wurde durch Asbestfilter sorgfältig zurückgehalten, das Kondensationswasser in besonderen Flaschen aufgefangen. Sowohl das letztere mit Zusatz von Salpetersäure als auch den Inhalt der Salpetersäureflaschen ergaben, zum Trocknen eingedampft und mit Salpetersäure wieder aufgenommen, mit Molybdänlösung einen so geringen Niederschlag, daß er sehr wohl aus geringsten Mengen dennoch mit übergerissenen Gichtstaubes herrühren konnte. (Fortsetzung folgt.)

Beiträge für das Centralblatt bittet man an die Redaktion (Leipzig, Lessingstr. 5) zu richten. Originalarbeiten von nicht zu großem Umfange werden entsprechend honoriert und gelangen stets sofort nach der Einsendung, und zwar in kürzester Frist, zum Abdruck.

Redaktion: Prof. Dr. Rud. Arendt in Leipzig.

Verlag von Leopold Voss in Hamburg und Leipzig. — Druck von Metzger & Wittig in Leipzig.

Chemisches Centralblatt.

REPERTORIUM
für reine, pharmazeutische, physiologische u. technische Chemie.

| 1884. | **Beiblatt.** | 19. März. |

Alle auf das Beiblatt bezüglichen Mitteilungen, Anfragen und Zusendungen sind zu richten an die Buchhandlung LEOPOLD VOSS in Hamburg, Hohe Bleichen 18.

Inserate werden mit 20 Pf. für die gespaltene, mit 40 Pf. für die durchlaufende Petit-Zeile berechnet. Bei größeren Inseraten und mehrmaligen Wiederholungen tritt entsprechende Ermäßigung des Preises ein. Beilagen nach Übereinkunft.

Neu erschienene Bücher.

Alkohol. Handelsrevue f Nahrungs- und Genußmittel. Zeitung f. d. Spirituosen-Branche u. verwandte Geschäftszweige. Hrsg. J. Sandmann. Jahrgang 1884. (52 Nrn.) Nr. 1. 4. Leipzig. Viertelj. M. 2.—.

Anleitung zur mikroskopisch-chemischen Untersuchung d. Papiers und der zur Papierfabrikation verwandten Rohstoffe. 8. Berlin. M. —.50.

Beiblätter zu den Annalen der Physik u. Chemie. Begründet v. J. C. Poggendorf. Hrsg. v. G. u. E. Wiedemann. 8 Bd. (12 Hfte.) 1. Heft gr 8. Leipzig. p. kpl. M. 16.—.

Berichte d. deutschen chemischen Gesellschaft. 17. Jahrg. 1. u. 2 Heft. gr 8. Berlin. p. kpl. M. 32.—.

Bergholz, A., Ein Beitrag z. Kenntnis der Kinogerbsäure. 8. Dorpat. M. 1.20.

Beutell, E., Beiträge zur Kenntnis der schlesischen Kalinatronfeldspäthe. gr. 8. Breslau. Mit 1.—.

Boltzmann, L., Über das Arbeitsquantum, welches bei chemischen Verbindungen gewonnen werden kann. gr. 8. Wien. M. —.60.

— Zur Theorie der Gasdiffusion. 2. Thl. 7. Abschn. Entwickelung u. Eintheilg. der Gleichgew., welche für den Fall gelten, dafs die Moleküle der diffundir. Gase gleiche Masse besitzen. gr. 8. Wien. M. —.50.

Breyer, F., Der Mikromembran-Filter. Ein neues techn. Hilfsmittel zur Geniefsbarmachung von ungeniefsbarem Wasser im kleinen u. gröfsten Maaßstabe. gr. 8. Wien. M. 1.—.

Centralblatt, Technisches. Allgemeines Repertorium für mechan. und chem. Technik. Hrsg. v. G. Behrend u. Ch. Heinzerling. Jahrg. 1884. (12 Hfte.) 1. Hft. 4. Halle. à Hft. M. 1.50.

Eder, J. M., [The Chemical Effect of the Spectrum. Translated and edit. by Captain Abney. Reprint from the Photograph. Journal 1881 u. 82. 12. 96 S. London. 2 s.

Encyklopädie der Naturwissenschaften. 2. Abth. 20. Lfg. Handwörterbuch der Chemie. 8. Lfg. gr. 8 Breslau. M. 3.—.

E. Erlenmeyer's Lehrbuch der organischen Chemie. 2. Theil. Die aromatischen Verbindungen von Dr. R. Meyer in Chur. 3. Lief. gr. 8. Leipzig. M. 3.—.

Friedberg, Wilhelm, Die Verwerthung der Knochen auf chemischem Wege. Eine Darstellung b. Verarbeitung von Knochen auf alle aus denselben gewinnbaren Produkte, insbesondere Fett, Leim, Knochenkohle, Düngemittel, Phosphor und phosphorsaure Salze. Mit 68 Abbildungen. 23 Bogen. 8 Wien. M. 4.—. Chemisch-technische Bibliothek. Bd. X.

Gray, A., Absolute Measurements in Electricity and Magnetism. 18 204 S. London. 3 s. 6 d.

Hasselberg, B., Untersuchungen über das zweite Spectrum des Wasserstoffs. 2. Abhandl 4. St. Petersburg. M. 1.70.

Haupt, Arthur, Torfstreu als Desinfections- und Düngemittel. Mit 9 Abbildungen. gr. 8. Halle. M. 1.—.

Heinzerling, Ch., Die Conservirung der Nahrungs- u. Genußmittel. 3. (Schlufs-) Heft. Die Conservirung v. Milch, Eiern, Obst u. Gemüse, Getreide, Wein und Bier. gr. 8. Halle M. 3.—.

Jacobsen, E., Chemisch-technisches Repertorium. 1883. 1. Halbj. 1. Hlfte. gr. 8. Berlin. M. 3.20.

— dasselbe. General Register zu Jahrg. XVI.—XX. [1877—81] gr. 8. Berlin. M. 6.—.

Industrie, Die chemische. Monatsschrift. Red.: E. Jacobsen. 7. Jahrg. 1884. Berlin. p. kpl. M. 20.—.

Journal f. praktische Chemie. Gegründet v. O. B. Erdmann, Hrsg. v. H. Kolbe u. E. v. Meyer. Jahrg. 1884. Nr. 1. Leipzig. p. kpl. M. 22.—.

Kauer, Elemente d. Chemie. 7. Aufl. gr. 8. Wien. M. 2.88.

Kolbe, H., Kurzes Lehrbuch der Chemie. 1. Thl. Anorganische Chemie. 2. Aufl. 8. Braunschweig. M. 8.—.

2

Löwit, M., Über die Bildung rother und weiſser Blutkörperchen. gr. 8. Wien. M. 1.20.

Mayer, A., Handbuch d. qualitativen chemischen Analyse anorganischer u. organischer Substanzen, nebst Anleitung zur volumetrischen Analyse. 8. Berlin. M. 4.20. geb. M. 5.—.

Mittheilungen aus dem Kaiserl. Gesundheitsamte. Hrsg. v. Struck. 2. Bd. 4. Berlin. kart. M. 44.—.

Monatshefte f. Chemie u. verwandte Theile anderer Wissenschaften. 5. Bd. 1884. 1. Hft. gr. 8. Wien. p. kpl. M. 10.—.

Odling, W., Chemistry. 12. 126 S. London. 6 d.
Science Primers for the People.

Oehme, Julius, Die Fabrikation der wichtigſten Antimon-Präparate mit beſonderer Berückſichtigung des Brechweinſteins und Golbſchwefels. Mit 27 Abbildungen. 9 Bogen. 8. Wien. M. 2.—. Chem.-techn. Bibliothet. Bd. CXI.

Palmieri, Luigi, Die atmosphärische Elektricität. Mit Zustimmung des Verf. a. d. Italienischen übers. v. H. Discher. Mit 8 Abbildungen. 4 Bogen. 8. Wien. M. 1.—

Popper, Josef, Die physikalischen Grundsätze der elektrischen Kraftübertragung. Eine Einleitung in das Studium der Elektrotechnik. Mit einer Figurentafel. 4 Bogen. gr. 8. Wien. M. 1.50.

Rapp, M., Über d. Phenyl- u. Kresylester der Phosphorsäure mit ihrer Nitrirung. gr. 8. Tübingen. M. 1.60.

Raspe, F., Heilquellen-Analysen f. normale Verhältnisse und zur Mineralwasserfabrikation berechnet auf 10,000 Theile. 17. u. 18. Lfg. Lex. 8. Dresden. je M. 1.—.

Serpieri, A., Das elektrische Potential oder Grundzüge der Elektrostatik. Die neuere Theorie der elektrischen Erscheinungen in elementarer Darstellung. A. d. Italienischen ins Deutsche übertragen von D. R. v. Reichenbach. Autoris. Ausgabe. Mit 44 Abbildungen. 16 Bogen. 8. Wien. M. 3.—.

Strassburger, E., Die Controversen der indirecten Kerntheilung. gr. 8. Bonn. M. 2.40.

Transactions of the Chemical Society of London. Vol. 16. 8. London. 8 s. 6 d.

Tyndall, John, Elektrische Erscheinungen u. Theorien. Kurzer Abriſs eines Cursus von sieben Vorlesungen abgehalten in der Royal Institution of Great Britain. Mit des Autors Bewilligung ins Deutsche übertragen von Joseph v. Rosthorn. 7 Bogen. 8. Wien. eleg. geb. M. 1.80.

— Vorträge über Elektricität. Mit des Autors Erlaubniſs ins Deutsche übertragen von Joseph v. Rosthorn. Mit 58 Abbildungen. 10 Bogen. 8. Wien. eleg. geb. M. 2.25.

Watts, H., Physical and Inorganic Chemistry. Founded upon the wellknown Manual of Prof. Fownes. 8. London. 9 s.

Zeitschrift f. d. Berg- Hütten- u. Salinen-Wesen im preuss. Staate. 32. Bd. 1884. 1. Lfg. 4. Mit Atlas. Fol. Berlin. p. kpl. M. 20.—.

— pharmaceutische, f. Russland. Red. v. E. Johanson. 23. Jahrgang. 1884. (52 Nrn.) Nr. 1. gr. 8. St. Petersburg. p. kpl. M. 14.—.

Vermischte Notizen.

Den Steuerbehörden ist seitens des Finanzministers ein Beschluſs des Bundesrats mitgeteilt, demzufolge bei der **Einfuhr von Wein**, so wie von **Petroleum** in zum Transport dieser Flüssigkeiten eigens eingerichteten Fahrzeugen ohne anderweitige unmittelbare Umschlieſsung das zollpflichtige Gewicht in der Weise zu ermitteln ist, daſs zu dem Eigengewichte der Flüssigkeit bei Wein 17 p. z., und bei Petroleum 25 p. z. dieses Gewichts zugeschlagen werden. —

Bei dem in sogen. Cisternen-Waggons eingehenden **Petroleum** wird, nach Bestimmung des Bundesrats, bei der Verzollung des Eigengewichts ein Zuschlag von 25 p. z. des Gewichts gemacht. Das *Hamb. Handelsbl.* erklärt diese Bestimmung als durchaus korrekt. Denn nach dem deutschen Zolltarif wird Petroleum, das bisher ausschlieſslich in Fässern in den Handel kam, brutto verzollt, es besteht keine Tara für das Faſs. Der Zoll für Petroleum ist vielmehr unter Berücksichtigung des Gewichts des Fasses bemessen, denn man hat einen Stückzollsatz für Petroleum im Fasse, d. h. für jedes Faſs von einem angenommenen Normalgewichte, schaffen wollen. Wenn nun einer Zuschlag bei Ladungen in Cisternen-Waggons nicht erhoben würde, entstände eine ungerechtfertigte Bevorzugung dieser Art des Imports vor dem in Fässern. —

Nach der *Deutschen Wein-Zeitung* läſst der preuſsische Minister für Handel und Gewerbe gegenwärtig vermittelst Fragebogen bei namentlicher Anfrage darüber halten, inwieweit ein Bedürfnis zum **Aichen** auch von versiegelten und verkorkten **Flaschen** etc. vorliege, und hat auch bei Flaschen- und Krugfabrikanten bezüglich der technischen Schwierigkeiten zur Durchführung dieses Projektes angefragt. Wir vernehmen nun von mehreren Seiten, dafs sowohl Flaschen-Konsumenten, als Fabrikanten eine entschieden ablehnende Haltung diesen Fragen entgegenbringen, da es einmal den Fabrikanten von Flaschen und Krügen ganz unmöglich ist, absolut minimal gleichinhaltliche Flaschen herzustellen, und dann auch es den Konsumenten unendliche Scheerereien und Plackereien seitens der Aufsichtsbehörde und Kunden verursachen könnte, wenn eine Flasche ein Hunderstel Liter vom Normalmafs abweicht. Auch würde die Flasche selbst bei der Fabrikation wesentlich im Preise verteuert werden, was doch gleichfalls nicht zu wünschen ist. Die Handelskammer in Trier, von der Regierung um Angabe eines Gutachtens ersucht, ob das Gesetz, betreffend die Aichung der Schankgefäfse auch auf Flaschen, welche in verschlossenem, versiegeltem oder fest verkorktem Zustande in den Handel kommen, ausgedehnt werden soll, hat diese Frage mit „Nein" beantwortet. In den Motiven sagt dieselbe: „Der Verkauf zu kleiner Flaschen wird sich durch die öffentliche Meinung rächen; eine gute Füllung der Flaschen bis oben hin ist durch die Konservierung der Weine etc. geboten, weshalb man jetzt die sogenannte Nadelfüllung anwendet; die grofsen Vorräte an gefüllten Wein-, Liqueur- etc. Flaschen lassen die Aichung unmöglich erscheinen, ebenso die grofsen Vorräte an leeren Flaschen, deren Aichung 20 p. z. des Wertes kosten würde." —

In Sachsen hat die 2. Kammer die Mittel zu der Errichtung eines Gesundheits-Museums in Dresden bewilligt. — Da nach den Berichten der Eisenbahnverwaltungen Deutschlands wiederholt eine Selbstentzündung gebrauchter Putzwolle während des Transports vorgekommen ist, befürwortet das Reichs-Eisenbahnamt, dafs gebrauchte Putzwolle nur in festen, dichtverschlossenen Fässern, Kisten oder sonstigen Gefäfsen zum Transport zugelassen werde. —

Eine neue Art von mit Freimarke versehenen Briefbogen ist kürzlich in den Vereinigt. Staaten eingeführt worden. Der Briefbogen, welcher nach seinem Erfinder Ehrlichscher Briefbogen genannt wird, ist Bogen und Briefumschlag zugleich, indem er zum Zusammenlegen vorbereitet ist und die Seiten oder Flügel zum Zusammenkleben eingerichtet sind. (D. Ind.-Ztg.) —

Der in den letzten Tagen des Februars und Anfang März in Berlin zusammengetretene „Deutsche Landwirtschaftsrat" beschäftigte sich u. a. auch mit der Reform der Zuckersteuer.

Der Referent Reichsrat Graf von Lerchenfeld-Kofering schlug folgende Thesen vor:

1. ¡Es wäre vom landwirtschaftlichen Standpunkte zu bedauern, wenn das gegenwärtige System der Zuckerbesteuerung verlassen werden sollte und etwa auf die Fabrikatsteuer übergegangen würde.

2. Um bei dem bisherigen Steuersystem verbleiben zu können, empfiehlt sich: 1. Die Entzuckerung der Melasse in geeigneter Weise durch das Gesetz zur Steuer heranzuziehen. 2. Die Steuereinheitssätze pro Zentner Rüben alle drei Jahre jeweilig nach der Durchschnittsberechnung der letzten 10jährigen Ausbeute festzustellen. Für die nächsten drei Jahre eine Erhöhung bis zu vier Pfennigen höchstens in Vorschlag zu bringen. 3. Die Exportbonifikation der effektiven Nettosteuer entsprechend und in Anbetracht der auf der Steuer lastenden Verwaltungskosten noch um beiläufig zehn Pfennig herabzumindern.

Korreferent Gutsbesitzer Knauer-Gröbers schliefst sich im allgemeinen diesen Ausführungen an und stellt seinerseits eine Reihe von Thesen, des Inalts: das jetzige System der Besteuerung des Rohmaterials ist beizubehalten. Der gegenwärtige Zeitpunkt, in welchem die Zuckerindustrie in eine Krisis eingetreten ist, erscheint für eine Änderung des Steuersatzes sowie der Steuerrückvergütung für die Interessen der Landwirtschaft als besonders ungeeignet. Eine Kommission mit dem Rechte der Kooptation sei zu wählen, um zu geeigneter Zeit die landwirtschaftlichen Interereseen bei den gesetzgebenden Faktoren zu vertreten.

Nach längerer Debatte wird der vom Korreferenten empfohlene Antrag, der sich als gemeinsamer Antrag beider Referenten darstellt, mit einigen Amendements der Herren Dr. Frege-Abtnaundorf und Bemberg in folgender Form angenommen: „1. Das jetzige System der Besteuerung des Rohmaterials ist beizubehalten. - - 2. Der gegenwärtige Zeitpunkt, in welchem die Zuckerindustrie in eine Krisis eingetreten ist, erscheint für eine Änderung des Steuersatzes für die Interessen der Landwirtschaft als besonders ungeeignet. — 3. Eine Kommission von sieben Mitgliedern mit dem Rechte der Kooptation ist zu wählen, um zu geeigneter Zeit die landwirtschaftlichen Interessen bei den gesetzgebenden Faktoren nach der Richtung hin zu vertreten, dafs eine Erhöhung der Besteuerung thunlichst vermieden, dagegen die Herabsetzung der Exportbonifikation erforderlichen Falles herbeigeführt wird."

Weiterhin berichtet Ökonomierat von Langsdorf-Dresden namens der Kommission über die landwirtschaftliche Verwertung der städtischen Abfallstoffe. Als Grundsatz müsse Kanalisation und Abfuhr festgehalten werden. Die schablonisierende englische Gesetzgebung gegen Verunreinigung der öffentlichen Gewässer empfehle sich nicht zur Nachahmung. Die bisher gehegten Hoffnungen von der Schwemmkanalisation seien bis jetzt weder für die Grofsstädte, noch für die Landwirtschaft erfüllt worden. Die Gründung von Versuchsstationen für Spüljauchenrieselung sei dringendes Bedürfnis.

Es gelangte der Antrag zur Annahme: die von der Kommission festgestellten Grund- und Erfahrungssätze zur Kenntnis der Reichs- und Landesregierungen zu bringen; den frühern Beschlufs, die Prüfung des Systems der pneumatischen Kanalisation betreffend, für durch Reskript der preufsischen Staatsregierung vom 20. August 1882 erledigt zu erklären und in Ausführung des gleichfalls früher gefafsten Beschlusses, die Errichtung einer Versuchsstation für Spüljauchenrieselung betreffend, an geeigneter Stelle auf die von der Kommission ausgearbeitete Schrift Bezug zu nehmen. —

In Suffol soll die Rübenzuckerfabrikation unter günstigen Auspizien wieder begonnen werden. Die Herren Boulton and Partners (limited) gründen eine Faktorei in Lavenham für die Behandlung von 20000 Tonnen Runkelrüben, welche anzubauen die Landwirte in dem Bezirk übernommen haben. Die Fabrik in Lavenham wird jährlich ca. 2000 Tonnen Raffinade produzieren. —

In einer kürzlich in Prag stattgehabten Konferenz der Zuckerindustriellen wurden die Anträge der Pester Versicherungsgesellschaft „Foncière" bezüglich der Assekuranz für die Zuckertransporte auf der Elbe definitiv genehmigt. Die Anträge basieren auf einem Prämiensatz:

für Aussig Hamburg } 1/8 p. z. abzügl. 10 p. z.
„ Laube-Hamburg } Rabatt.

Andre Plätze ab Prag-Aussig. entsprechend höher. Vom 1. November erfolgt ein Zuschlag von 55 p. z. für Wintergefahr —

Zum Fischerei- und Jagdbetriebe an der Murmanküste, speziell zum Walfischfang ist in Petersburg mit einem Grundkapital von 500000 Rubeln eine Gesellschaft im Entstehen begriffen.

Vulkanische Auswürfe in der Gestalt von Bimstein hat der von Australien in Hamburg angekommene hiesige Dampfer „Etna", Molsen, in der Bucht von Diego Garcia, Chagos Archipel (7° 13′ SBr. 72° OLge.) angetroffen und einige Stücke davon mit hierher gebracht. Da die letzteren bereits mit Langhalsen bewachsen, aufserdem aber die Kanten, offenbar durch Reibung, überall abgerieben waren, so hatte der Bimstein ohne Zweifel bereits lange auf See getrieben und ist wohl anzunehmen, dafs derselbe von den gewaltigen vulkanischen Ausbrüchen in der Sundastrafse herrührt, von welcher die Fundstelle etwa 33 Grad westlich entfernt, jedoch auf ziemlich derselben Breite liegt. Die Bucht von Diego Garcia war mit ungeheuren Massen des schwimmenden Gesteins angefüllt. —

Die Dimensionen, welche die Schwedische Zündhozindustrie einnimmt, sind nach der Drog. Ztg. daraus ersichtlich, dafs im vorigen Sommer 20 Dampf- und 8 Segelschiffe ausschliefslich mit Espenholz zur Herstellung der Zündhölzer beladen nach Jönköping angekommen waren. Die Ladung betrug ca. 200000 Kubikfufs mit einem Werte von 120000 Kronen. Der gröfste Teil des Espenholzes kommt aus Livland und Finnland. Aufserdem waren noch 70—80000 Kubikfufs Holz aus verschiedenen Orten in Stockholm gelagert, die ebenfalls für Jönköping bestimmt waren. —

Einem dem Pest. Ll. zugehenden Bukarester Briefe zufolge sind die infolge der Petroleumfunde der beiden letzten Jahre ganz aufserordentlich gestiegenen Hoffnungen auf die Zukunft der rumänischen Petroleumindustrie in starkem Rückgang befindlich. Namentlich scheint die rasche Abnahme der Ausbeute selbst aus solchen Bohrlöchern, deren Massenergebnis·in den ersten Tagen nach der Erschliefsung zu den sanguinischesten Erwartungen berechtigte, eine Ansicht zu bestätigen, nach welcher Rumänien nicht über gleich ausgedehnte Petroleumsammelbecken, wie Pennsylvanien, verfügt. Aufserdem dürfte der Mifserfolg einer deutschen Unternehmung, welche bei ihren Bohrungen in der Walachei in etwas mehr als Jahresfrist ein Kapital von 200000 M. riskierte und verlor, schwerlich ermutigend auf die Teilnahme der fremden Spekulation an der rumänischen Petroleumindustrie zurückwirken.

(B. Tgbl.)

Demnächst werden nach dem D. Tgbl. die königl. Eisenbahndirektionen zu Bromberg, Berlin, Breslau, Magdeburg-Hannover und Frankfurt in eine gemeinsame Beratung über die Frage einer Ermäfsigung der Fracht für kaukasisches Petroleum eintreten. —

Mit einer epochemachenden Erfindung des Ingenieurs Hagemann-Berlin, welcher mit seiner Matrizen-Stanzmaschine unser Buchdruckereiwesen in eine ganz neue Bahn lenken will, beschäftigte sich kürzlich der Verein deutscher Ingenieure in Berlin. Herr Prof. Hörmann von der technischen Hochschule in Berlin widmete dieser Erfindung einen längeren, durch Experimente veranschaulichten Vortrag. Bei der bisher üblichen Methode, Stereotypien herzustellen, wird zuerst aus den gewöhnlichen Lettern ein

Schriftsatz gesetzt und aus diesem erst die Stereotypform, Matrize genannt, gebildet. Der in Rede stehenden Maschine liegt nun ein ganz neuer, von dem alten Verfahren abweichender Gedanke zu Grunde. Herr Hagemann hat die Lettern vollständig vermieden, er hat in seiner Maschine für jeden Buchstaben, jedes Zeichen etc. einen neuen Typenstempel angeordnet. Diese Stempel werden durch den Mechanismus, dem zu bildenden Schriftsatze entsprechend, nach einander in eine Papptafel gedrückt, wodurch eine Matrize entsteht. Diese Matrize dient als Mutterform für den Abguſs eines Stereotyps, mit welchem nun der Druck in der bekannten seitherigen Art mittels der Presse angefertigt wird. Gleichzeitig mit der Matrize fertigt aber auch die Maschine einen mit Farbe auf Papier gedruckten Korrekturbogen an, der mit der Matrize vollständig identisch ist. Die erforderlichen Korrekturen lassen sich in der Matrize überraschend leicht und schnell herstellen. Das Konstruktionsprinzip gestattet die Anwendung der verschiedensten Schriftarten, gleichzeitig kann mit der Maschine liniiert werden, so daſs auch Tabellendruck hergestellt werden kann. Was die quantitative Leistungsfähigkeit der Maschine betrifft, so hob der Redner hervor, daſs, während ein Durchschnittsetzer stündlich zwischen 1000 und 1200 Schriftzeichen absetzt, ein an der Maschine nur einigermaſsen eingeübter Arbeiter in jeder Minute 50—60 Schriftzeichen bewältigt, also durchschnittlich mindestens das Dreifache leisten kann. Der Redner schloſs seinen beifällig aufgenommenen Vortrag, indem er mit Genugthuung konstatierte, daſs auch diese sehr leistungsfähige Maschine, gleich der Buchdruckerkunst selbst, der Schnellpresse und den meisten Setzermaschinen, von einem Deutschen erfunden sei. Die Maschine erregte ein so lebhaftes Interesse der Vereinsmitglieder, daſs die Besprechung in der nächsten Sitzung fortgesetzt werden sollte. (B. Tgbl.) —

Der Erzherzog Johann von Österreich, der sich neuerdings durch die Entlarvung mehrerer Spiritisten - Schwindler verdient gemacht hat, arbeitet zur Zeit an einer Schrift über den Spiritismus.

Unter dem Protektorate des Königs Ludwig II. von Bayern findet in der Zeit vom 2.—12. Oktober d. J. in München eine deutsche Molkerei-Ausstellung statt. Dieselbe ist vom General-Komitee des landwirthschaftlichen Vereins in Bayern in Verbindung mit dem milchwirthschaftlichen Vereine in Bremen veranstaltet. Die Ausstellung soll umfassen: Milch und Milchprodukte, Betriebsmittel und Hilfsstoffe für die Milchwirthschaft, sowie auch wissenschaftliche Gegenstände des Molkereiwesens.

In Kiel findet im nächsten Monat eine Molkerei-Ausstellung statt.

Nach dem Scientific American sind bei den Versuchen, Schwefelkohlenstoff zur Vertilgung der Reblaus zu Los Angelos in Kalifornien anzuwenden, mehrere mit diesen Versuchen beschäftigte Arbeiter vom Wahnsinn befallen worden.

Der Zentralverein für Handelsgeographie eröffnete am 6. d. Mts. die von ihm ins Leben gerufene „Mexikanische Ausstellung" in den Räumen des Berliner Architektenhauses. Im groſsen Saale hatten sich die Mitglieder der Gesellschaft mit ihren Damen und zahlreiche Gäste, darunter den Staatsminister v. Bötticher, die Gesandten Japans, die Vertreter Mexikos und von Brasilien etc. versammelt. Der Vorsitzende des Vereins Herr Dr. Jannasch hielt die Eröffnungsrede.

In der letzten Sitzung hat die Royal Society von deutschen Gelehrten die Professoren Anton de Bary, Carl Gegenbaur, Leopold Kronecker, Rudolf Virchow und Gustav Wiedemann zu ihren auswärtigen Mitgliedern ernannt.

Der Prof. Sir William Thomson zu Glasgow ist zum auswärtigen Ritter des Ordens pour le Mérite für Wissenschaften und Künste ernannt worden. —

Der bekannte Chemiker und Direktor des Arsenals in Woolwich F. A. Abel, in Deutschland bekannt durch seinen Petroleumprober, hat vor einigen Tagen durch Explosion einer Tonne Schieſsbaumwolle, welche 30 Yards von ihm entfernt war, schwere Verletzungen davongetragen. Der Verletzte befindet sich bereits auf dem Wege der Besserung. Wie dieser in einem Briefe selbst berichtet, ist es nur einem glücklichen Zufall zuzuschreiben, daſs er bei der Explosion mit dem Leben davon gekommen sei.

Am 17. Februar feierte der Kopenhagener Chemische Verein das 25-jährige Jubiläum des Universitätslaboratoriums durch einen Festakt, bei dem Prof. Thomsen die Festrede über ein thermochemisches Thema hielt. Nach derselben schritt man zur Tafel, während welcher u. a. Prof. Joergensen in einer längeren Rede die Verdienste Thomsens um das Kopenhagener chemische Universitätslaboratorium hervorhob.

Dem berühmten Physiologen Dr. Carl v. Voit ist von dem König von Bayern der Maximilian - Orden für Kunst und Wissenschaft verliehen worden.

An Prof. A. W. Hofmann ist von seiten der chemischen Gesellschaft in New-York in Anerkennung seiner Verdienste um die Wissenschaft und als Erinnerungszeichen an seinen vorjährigen Aufenthalt in Amerika eine goldene Medaille mit seinem Portrait übersandt worden.

№ 13.

Chemisches Central-Blatt.

26. März 1884.

Wöchentlich eine Nummer von
1-1 Bogen. Der Jahrgang mit
Sach- und Namen - Register,
nebst system. Übersicht.

Der Preis des Jahrgangs
ist 30 Mark. Durch alle
Buchhandlungen und Post-
anstalten zu beziehen.

REPERTORIUM

für reine, pharmazeutische, physiologische und technische Chemie.

Dritte Folge. XV. Jahrgang

Wochenbericht.

1. Allgemeines und Physikalisches.

Ad. Wurtz, Über *das von Faraday und das von Bouty entdeckte Gesetz.* BERTHELOT bemerkt zu dem von BOUTY (S. 177) entdeckten Gesetze, daſs es einen Zusammenhang mit dem FARADAY'schen Gesetze aufdeckt, und fügt hinzu, daſs die Interpretation dieser Gesetze verdunkelt und verwickelt wird, wenn man zu ihrem Ausdrucke die Atomgewichte benutzt. Der Vf. knüpft hieran folgende Bemerkungen.

Die verschiedenen, der Einwirkung desselben Stromes unterworfenen Chloride scheiden am negativen Pol Metallmengen ab, welche einem Atom Chlor äquivalent sind. Hiernach muſs man an diesem Pol bei der Elektrolyse von NaCl, Cu_2Cl_2, $CuCl_2$, $BiCl_3$, $SnCl_4$, Fe_4Cl_6 Metallmengen erhalten, welche den Formeln:

$$Na, \quad \frac{Cu_2}{2}, \quad \frac{Cu}{2}, \quad \frac{Bi}{3}, \quad \frac{Sn}{4}, \quad \frac{Fe_2}{6}$$

entsprechen, und diese Mengen sind genau äquivalent, aber entsprechen keineswegs den „Äquivalenten" bei Anwendung von Kupferchlorür, Wismutchlorid, Zinnchlorid und Eisenchlorid. Ebenso wird bei der Elektrolyse von HCl, H_2O und H_3N für 1 Volum oder 1 Atom Wasserstoff, welches am positiven Pol auftritt, am negativen Pol 1 Volum Chlor, $\frac{1}{2}$ Volum Sauerstoff und $\frac{1}{3}$ Volum Stickstoff erhalten. Auch diese Mengen sind genau äquivalent. Und doch wird man nicht behaupten können, daſs $\frac{1}{3}$ Volum Stickstoff „ein Äquivalent" Stickstoff repräsentiert.

Es handelt sich also hierbei nicht um eine Frage der Atomgewichte oder der Äquivalente in dem Sinne, den man gewöhnlich diesen Worten beilegt, sondern um eine Frage der Valenz oder Atomigkeit der Elemente, wie sie SALET (Jahresber. 1867. 117) dargelegt hat. Seitdem ist der Begriff Valenz, wie er in der Atomtheorie präzisiert ist, für den früheren Begriff des Äquivalentes substituiert worden. Letzterer vereinfacht keineswegs den Ausdruck des FARADAY'schen Gesetzes, denn man wird sich erinnern, daſs bei der Elektrolyse des Ammoniaks, gewisser Chloride und aller entsprechenden Salze die Mengen des am negativen Pole abgeschiedenen Wasserstoffes oder der Metalle keineswegs den angenommenen Äquivalenten entsprechen. BOUTY'S Untersuchungen haben gezeigt, daſs der elektrische Widerstand der Salzlösungen der gleiche ist, wenn die Lösungen äquivalente Mengen Metall enthalten. Aber die genannten Chloride enthalten keine äquivalenten Mengen Metall, und man hat Ursache, zu glauben, daſs die Moleküle, so verschieden nach Form und Gröſse, dem Strome verschiedene *molekulare* Widerstände entgegensetzen. Man kann voraussehen, daſs das gleiche der Fall sein wird für die Leitungsfähigkeit der Natriumnitrates, -sulfates, -phosphates und -pyrophosphates: $NaNO_3$, Na_2SO_4, Na_3PO_4, $Na_4P_2O_7$. (C. r. **98.** 176—77. [28.*] Jan.)

Berthelot, Über *das Faraday'sche Gesetz.* Nach den Untersuchungen von FARADAY scheidet ein elektrischer Strom, welcher eine Reihe von elektrolisierbaren Salzen durchströmt, innerhalb derselben Zeit am negativen Pole Metallmengen ab, welche ihren Äquivalenten proportional sind, d. h. 107,9 g Silber, 103,5 g Blei, 39,1 g Kalium, 68,5 g Barium (letztere Metalle, welche das Wasser zersetzen, finden sich bekanntlich als freie Base am Pol). Alle diese Gewichte sind proportional den Äquivalenten, d. h. nach der klassischen Definition den relativen Gewichten, nach denen die Metalle sich gegenseitig substituieren. Sollen sie den Atomgewichten proportional werden, so müßte man zu gleicher Zeit 107,9 g Silber und 207 g Blei erhalten, d. h. doppelt soviel, als in der That geschieht, zu gleicher Zeit 39,1 g Kalium und 137 g Barium, was nicht der Fall ist. Was die elektronegativen Elemente betrifft, so erhält man für 35,5 g Chlor 8 g Sauerstoff, welche Mengen wiederum einander äquivalent sind; sollten sie den Atomgewichten proportional sein, so müßte man für 35,5 Chlor 16 g Sauerstoff erhalten, was nicht der Fall ist.

Ohne in eine Diskussion über die mehrwertigen Körper einzutreten, deren Begriff älter ist, als die neue atomistische Schreibweise, da er von der Entdeckung der mehrbasischen Säuren durch GRAHAM im Jahre 1835 herrührt, beschränkt sich der Vf. darauf, zu konstatieren, daß FARADAY'sche Gesetz im allgemeinen durch die Äquivalente einfacher auszudrücken ist, welche vor mehr als 40 Jahren festgestellt sind, in bezug auf die elektropositiven als elektronegativen Elemente. (C. r. **98**. 264. [4.*] Febr.)

Ad. Wurtz, Über *das Faraday'sche Gesetz*. Der Vf. bemerkt, daß er in seiner letzten Note sich dahin ausgesprochen habe, daß beim FARADAY'schen Gesetze nicht das Atomgewicht, sondern die Valenz in Frage kommt, und daß die Metallmengen, welche sich am negativen Pole abscheiden, bei mehrwertigen Metallen durchaus nicht den allgemein angenommenen Äquivalenten entsprechen. Bei der Elektrolyse von Kupferchlorür werden am positiven Pol 35,5 Chlor und am negativen 63,5 Kupfer abgeschieden, welches nicht das Äquivalent des Kupfers ist. Bei der Elektrolyse von Chlorwismut scheiden sich 70 Wismut ab, welches ebenfalls nicht dem Äquivalent des Wismuts entspricht. Dem widerspricht BERTHELOT nicht. Es scheint demnach überflüssig, diese Diskussion zu verlängern, und wenn BERTHELOT vorzieht, sich bei der Interpretation des FARADAY'schen Gesetzes der Äquivalente zu bedienen, welche vor mehr als 40 Jahren festgestellt sind, und welche bei den mehrwertigen Elementen nicht den wirklichen Äquivalenten entsprechen, so ist dies eine persönliche Liebhaberei, gegen welche Vf. nichts einwenden will. (C. r. **98**. 321. [11.*] Febr.)

Rud. Weber, Über *den Einfluß der Zusammensetzung des Glases auf die Depressionserscheinungen der Thermometer.* Die Zusammensetzung der Gläser übt einen maßgebenden Einfluß auf die Depressionserscheinungen aus. Als ungünstig sind die sehr leicht flüssigen Alkalikalkgläser zu bezeichnen, welche wegen ihrer bequemen Handhabung vielfach Anwendung finden. Ein günstiges Resultat ergaben reine Kaligläser mit reichlichem Gehalte an Kieselsäure und Kalk. (Math. Naturwiss. Mitt. aus den Sitz.-Ber. der kgl. preuß. Akad. d. Wiss. **10**. 615—20. Dez. 1883.)

J. H. Gladstone und **A. Tribe**, *Die Chemie der Akkumulatoren von Planté und Faure. (Einfluß der Stärke der Säure.)* Konzentriertere Schwefelsäure ($^1/_5$) ist nicht so günstig, als verdünntere ($^1/_{10}$ bis $^1/_{500}$) in bezug auf den fixierten Sauerstoff. Innerhalb der letzteren Grenzen ist die Wirkung ziemlich unverändert, es bildet sich nur Bleisuperoxyd. Bei Anwendung verdünnter Säure ($^1/_{1000}$) ist die Menge des fixierten Sauerstoffes und die Zerstörung der Bleiplatte mindestens die doppelte, an einzelnen Stellen der Elektrode bildet sich gelbes und braunes Oxyd, an anderen ein weißes Pulver von der Zusammensetzung $2 PbSO_4 + PbO$. Solche verdünnte Säure ist also unzweckmäßig.

Nach vollständiger Reduktion des Bleisuperoxydes erscheint Wasserstoff. Die Bleielektrode reduziert aber nicht chlorsaures Kali zu Chlorkalium, wie z. B. mit Wasserstoff beladenes Palladium, Kupfer, Kohle. Es wird also kaum Wasserstoff absorbiert; vielleicht bedingt die Menge desselben die sehr hohe elektromotorische Kraft in den allerersten Augenblicken. Nach PLANTÉ entwickelt sich an der negativen Elektrode infolge von Lokalströmen zwischen dem Superoxyd und der Bleiplatte eine kleine Menge Sauerstoff. Nach den Vffn. wird diese Entwicklung bei höheren Temperaturen stärker, wenn auch sehr klein im Verhältnisse zur Menge des Superoxydes. Das Gas riecht sehr schwach nach Ozon, die Flüssigkeit bleicht schwach. Dieser Sauerstoff ist entweder durch das Superoxyd absorbiert oder entsteht durch die Einwirkung des Bleisuperoxydes auf das etwa gebildete Wasserstoffsuperoxyd (Überschwefelsäure?).

Erhöhung der Temperatur erleichtert nach PLANTÉ die Bildung der sekundären Platte, was nach den Vffn. von einer Vermehrung der lokalen Wirkungen herrührt. In der That bildet sich das weiße Sulfat bei höheren Temperaturen in größerer Menge (bei 11 und 50° C., resp. 2,6 bis 7,4 p. c. u. dgl.) (Nat. **27**. 583—84; Beibl. **8**. 46—47.)

3. Anorganische Chemie.

H. Landolt, Über *die Existenzdauer der unterschwefligen Säure in wässerigen Lösungen.* Fügt man zu einer Lösung von Natriumhyposulfit eine Säure, so fängt bekanntlich die nach der Vermischung zuerst vollkommen klare Flüssigkeit nach kurzer Zeit, und zwar einigen Sekunden bis Minuten, an, sich zu trüben, indem die vorhandene freie unterschweflige Säure in schweflige Säure und Schwefel zerfällt ($H_2S_2O_3 = H_2SO_3 + S$). Wie ebenfalls bereits bekannt ist, beginnt die Abscheidung des Schwefels um so schneller, je konzentrierter die Lösungen sind, und ferner wird sie beschleunigt durch Temperaturerhöhung.

Der Vf. hat sich die Aufgabe gestellt, den Einfluſs der Wassermenge, sowie der Temperatur auf die Existenzdauer der unterschwefligen Säure zu ermitteln und ist zu folgenden Resultaten gelangt. Die Existenzdauer der unterschwefligen Säure in ihren wässerigen Lösungen ist bei konstanter Temperatur genau proportional der auf einen Gewichtsteil $H_2S_2O_3$ vorhandenen Anzahl Gewichtsteile Wasser. Was die Temperatur betrifft, so wirkt diese beschleunigend auf die Zersetzung ein. Dieser beschleunigende Einfluſs vermindert sich mit dem Steigen der Temperatur; es werden die einer Temperaturerhöhung von 10° entsprechenden Abnahmen in den Existenzzeiten fortwährend kleiner. Die Verminderung der Existenzdauer für die Temperaturdifferenz von 10° ist um so beträchtlicher, je mehr Wasser die Lösungen enthalten.

Der Vf. hat versucht, den Einfluſs der Temperatur, sowie der Wassermenge durch Kombination sämtlicher Beobachtungen in eine Formel zusammenzufassen, deren Konstanten nach der Methode der kleinsten Quadrate bestimmt wurden. Es ergab sich:

$$E_t = n \ (0,6428-0,02553 \ t + 0,000 \ 272 \ t^2),$$

wobei n eine zwischen 51 und 279 liegende Anzahl Gewichtsteile Wasser auf 1 Gewichtsteil $H_2S_2O_3$ und t eine zwischen 10 und 50° befindliche Temperatur bedeutet. (Math.-Naturwiss. Mitt. aus den Sitz.-Ber. der kgl. preuſs. Akad. d. Wiss. **10.** 605—14. Dez. [18. Okt. 1883] Berlin.)

Antony Guyard, *Untersuchungen über den Jodstickstoff.* (Bull. Par. **41.** 12—16. 5. Jan.; C.-Bl. 1883. 673.)

A. Verneuil, *Einwirkung von Jod auf Selenocyankalium.* Wird ein Chlorstrom in eine wässerige Lösung von Selenocyankalium geleitet, so färbt sich diese gelb, und es entstehen nach einigen Augenblicken eine Menge rote Krystalle. Brom oder Jod geben unter gleichen Umständen einen ähnlichen Niederschlag. Es ist aber schwer, ein Produkt von bestimmter chemischer Zusammensetzung zu erhalten, weil dasselbe sich bei überschüssigem Chlor, Brom oder Jod rasch verändert. Mit Jod läſst sich dies erreichen, wenn man folgendermaſsen verfährt.

Man setzt zu einer zehnprozentigen Lösung von Selenocyankalium tropfenweise eine Lösung von Jod in Jodkalium, welche aus 93 Tln. Jod, 120 Tln. Jodkalium und 100 Tln. Wasser besteht (diese Zahlen entsprechen einer fast gesättigten Lösung von Kaliumdijodid). Die Flüssigkeit trübt sich, färbt sich zugleich lebhaft rot, und bald wird durch Zusatz eines jeden einzelnen Tropfens die Bildung der oben erwähnten Krystalle bewirkt. 15 ccm der Jodlösung genügen, um 10 g Selenocyankalium umzuwandeln. Die Ausbeute beträgt ungefähr 50 p. c. Man filtriert den Niederschlag, saugt ihn auf der Filterpumpe ab und trocknet ihn durch Abpressen, bis er Papier nicht mehr befeuchtet. Die filtrierte Flüssigkeit setzt beim Stehen an der Luft in 24 Stunden gröſsere Krystalle ab, welche sich leichter von der Mutterlauge befreien lassen, als die vorher erhaltenen. Dieses Produkt enthält Cyan, Selen, Kalium, Jod und Wasser, selbst nachdem es lange Zeit über Schwefelsäure gestanden hat. Der Vf. glaubt, daſs Jod nur als eine Verunreinigung ansehen zu dürfen. Unter dieser Voraussetzung läſst sich für die Verbindung auf Grund der analytischen Daten die Formel $C_6N_4KSe_3,2HO$ aufstellen und für die Entstehung die Gleichung:

$$4C_2NKSe_2 + 4J + 2HO = C_6N_4KSe_3.2HO + 3KJ + C_2NJ.$$

Die von den Krystallen abgeschiedene Flüssigkeit enthält Jodkalium und giebt beim Schütteln mit Äther an diesen eine gewisse Menge Jodcyan ab.

Diese neue Verbindung des Selens ist ein sehr gut krystallisierter Körper von schön rubinroter Farbe, hohem Glanz und unangenehmem, zugleich an Cyanwasserstoff und Selenwasserstoff erinnerndem Geruch. Er wird durch Wasser sofort zersetzt, hauptsächlich in Selenocyankalium und Selen. An feuchter Luft wird er in einigen Stunden in derselben Weise zersetzt. Beim Erwärmen erleidet er bei 120° Zersetzung, wobei sich Selenocyankalium und Selen bildet, während sich Cyan entwickelt. Der Körper ist unlöslich in Äther, Chloroform und Schwefelkohlenstoff. Mit absolutem Alkohol behandelt, setzt er Selen ab, während eine neue cyanhaltige Verbindung gelöst bleibt, die man durch Abdampfen im Vakuum erhält. Dieselbe hat die Formel $C_6N_4KSe_2$ und entspricht dem Persulfocyan $C_6N_4HS_2$, in welchem der Wasserstoff durch Kalium vertreten ist. Man kann ihm den Namen *Perselenocyankalium* geben. Dasselbe krystallisiert in groſsen

16*

braunen Kryställen, hat einen stinkenden Geruch, welcher wahrscheinlich von einer kleinen Menge Selenwasserstoff oder Selenäthyl herrührt. Durch Wasser wird es augenblicklich zerstört und verhält sich in der Wärme ebenso wie die vorherbeschriebene Verbindung. Es ist löslich in absolutem Alkohol, unlöslich in anderen Lösungsmitteln. (Bull. Par. 41. 18—20.)

S. v. Wroblewski, Über *die Verflüssigung des Wasserstoffes*. In einem speziell zu diesem Zwecke konstruierten Apparate komprimierte der Vf. Wasserstoff in einer senkrechten Glasröhre von 2 mm äufserem und 0,2—0,4 mm innerem Durchmesser auf 100 Atmosphären. Der Apparat gestattete, mittels einer Schraube das komprimierte Gas augenblicklich entweichen zu lassen, d. h. eine Ausdehnung hervorzubringen, welche viel rascher ist, als diejenige, die man mit dem CAILLETET'schen Apparat erzeugen kann. Indem man die Röhre mit flüssigem Sauerstoff umgab und durch wiederholtes Sieden dieselbe abkühlte, konnte man im Augenblicke der Ausdehnung des Wasserstoffes beobachten, dafs in der Röhre ein Sieden eintrat, geradeso wie bei der Beobachtung CAILLETET's in Bezug auf den Sauerstoff im Jahre 1882. Die Erscheinung tritt in derselben Weise in einer gewissen Entfernung vom Boden der Röhre ein, doch dauert sie weniger lange, ist weniger auffallend und viel schwieriger zu beobachten. Die Ursache dieser letzteren Schwierigkeit läfst sich wohl durch die sehr geringe Dichte des flüssigen Wasserstoffes erklären. CAILLETET und HAUTEFEUILLE leiteten aus ihren Untersuchungen über die Dichte des flüssigen Wasserstoffes die Zahl + 0,033 ab. Da man nach derselben Methode unter denselben Bedingungen für den Sauerstoff die Zahl 0,8 berechnete, welche mit den direkten Messungen des Vf. vollständig übereinstimmte, so darf man schliefsen, dafs auch die für den Wasserstoff berechnete Zahl nicht weit von der Wirklichkeit abweicht. Andererseits erreicht der gasförmige Wasserstoff bei niedriger Temperatur und unter nicht sehr hohem Druck ebenfalls die Dichte 0,033, und hieraus erklärt sich die Schwierigkeit, die flüssigen Teile von den gasförmigen zu unterscheiden. Wahrscheinlich rührt es auch von diesem Umstande her, dafs es dem Vf. niemals gelungen ist, den Versuch von CAILLETET mit Wasserstoff zu wiederholen. Die Analogie der beschriebenen Erscheinungen mit denen, welche der Sauerstoff darbietet, gestattet die Annahme, dafs die zur vollständigen Verflüssigung des Wasserstoffes nötige Temperatur nicht weit von der entfernt ist, welche man durch siedenden Sauerstoff erzeugen kann. (C. r. **98.** 304—5. [4.*] Febr.).

Alfred Lacroix, *Darstellung von krystallisiertem Gips*. Gepulverter Flufsspat wird in einem Bleigefäfs, wie es zum Aufschliefsen der Silikate dient, mit Schwefelsäure behandelt, bis die Entwicklung von Fluorwasserstoffsäure aufgehört hat; man vermischt dann das Ganze mit Wasser und dekantiert. Am Boden des Gefäfses bleibt ein Brei von schwefelsaurem Kalk, welcher noch unzersetzten Flufsspat enthält. Das Gefäfs wird lose verschlossen und bei einer Temperatur, welche nicht über + 12° hinausgehen darf, stehen gelassen. Nach Verlauf von vier Monaten ist die geringe Menge Flüssigkeit vollständig verdampft und das Gefäfs mit schönen Gipskrystallen ausgekleidet, welche entweder auf dem Flufsspat oder an den Wänden des Gefäfses sitzen. Diese Krystalle sind meistens gruppenförmig vereinigt und gehen nach allen Richtungen, haben die Eigenschaften und Krystallform des natürlichen Gips, sind durchscheinend und glasglänzend; im geschlossenen Röhrchen erwärmt, geben sie Wasser ab und werden undurchsichtig. (Journ. Pharm. Chim. [5.] **9.** 111—113. Febr.).

Otto Freiherr von der Pfordten, *Beiträge zur Kenntnis des Molybdäns und Wolframs*. Durch die bisher vorliegenden Beobachtungen war weder für Molybdän- noch für Wolframverbindungen mit Sicherheit festgestellt, noch war entschieden, ob sich auf dieselbe gegründete titrimetrische Bestimmungsmethoden anwenden und empfehlen liefsen. Die in salzsaurer Lösung angestellten Versuche konnten leicht begreiflich zu keinem Ziele führen, da man bisher kein Mittel kannte, um dem schädlichen Einflufs der Salzsäure auf die Titration mit Kaliumpermanganat zu begegnen. Diesem Übelstand ist nunmehr durch den von ZIMMERMANN (**82.** 617) empfohlener Zusatz von Manganosulfat bei der Titration gänzlich abgeholfen, und es liefsen sich daher von einer erneuten Prüfung der Verhältnisse genauere und sichere Resultate erwarten.

Bevor Vf. die eigentlichen Reduktionsversuche beschreibt, erschien es ihm nötig, die zu denselben anzuwendenden Präparate auf ihre Zusammensetzung zu untersuchen und bei dieser Gelegenheit die wichtigsten gewichtsanalytischen Methoden einer vergleichenden Prüfung zu unterwerfen. Er wandte für diesen Zweck das gewöhnliche Ammoniummolybdat $(NH_4)_6Mo_7O_{24} + 4H_2O$ und das normale Natriumwolframat $Na_2WO_4 + 2H_2O$ an. Vf. führt zur gewichtsanalytischen Bestimmung des Molybdäns die Molybdänsäure in einem Tiegel mit durchbohrtem Deckel im Wasserstoffstrome unter bestimmten Temperaturbedingungen und näher mitgeteilten Kautelen in Molybdän über; diese Methode ist auf alle neutralen, Molybdänsäure enthaltenden Lösungen anwendbar, wenn man sie mit der Fällung durch Mercuronitrat verbindet. Die hierbei entstehende Fällung wird mit Wasserstoff zu Molybdän reduziert und letzteres gewogen.

Die Reduktion des Molybdäntrisulfids zu Disulfid empfiehlt sich vor allem zur Analyse saurer, Molybdänsäure enthaltenden Lösungen, wozu sich die von LIECHTI und KEMPE angegebene Vorschrift gut eignet (73. 642 u. 724). Das von ZENKER (Journ. f. pr. Chem. 58. 259) publizierte Verfahren ist nicht zu empfehlen, da das Trisulfid im Wasser etwas löslich ist.

Die gewichtsanalytische Bestimmung des Wolframs bietet weniger Schwierigkeiten, wie die des Molybdäns. Die von BERZELIUS [(Jahresb. 21. 143. (1842)] empfohlene ist bequem und giebt sehr gute Resultate. Desgleichen die von SCHEELE angewandte Methode, die auf Abscheidung der Wolframsäure durch Eindampfen der Lösung mit Salzsäure beruht.

Was nun die Reduktion der Molybdänsäure durch Zink anbetrifft, so wird diese durch Zink in salzsaurer und schwefelsaurer Lösung gleich weit reduziert, jedoch findet die Reduktion in schwefelsaurer Lösung langsamer statt, deshalb sind die Farbenübergänge am besten zu erkennen. Bringt man zu der farblosen Lösung eines Molybdats Schwefelsäure und Zink und erwärmt bis zur lebhaften Reaktion, so wird die Flüssigkeit gelb, grün, rot, wiederum — jedoch dunkler — grün und endlich rotbraun. Letztere Färbung wird nur bei Anwendung kleiner Mengen Substanz erreicht (ca. 0,05 Ammoniummolybdat). Bei gröfseren entsteht lediglich die grüne Lösung. Titriert man die so erhaltenen Lösungen in gewöhnlicher Weise mit Kaliumpermanganat, so ergeben die gelben wie die braunroten Endlösungen übereinstimmende, auf Reduktion zu Mo_4O_5 stimmende Zahlen. Bei Anwendung von Schwefelsäure zur Reduktion geht die Wiederoxydation langsam von statten, während sie bei Gegenwart von Salzsäure rasch und leicht stattfindet. Wendet man die von ZIMMERMANN (l. c.) bei Chrom und Uranverbindungen angewandte Methode auf die Molybdänverbindungen an, so zeigt sich, dafs die rotbraunen und gelben Lösungen, die bei Luftzutritt titriert, auf das Sesquioxyd stimmende Zahlen ergeben, noch weiter reduziert sind. Die übereinstimmenden, in salzsaurer und schwefelsaurer Lösung erhaltenen Resultate sprechen für diese Oxydationsstufe des Molybdäns die Formel $Mo_3O_4 = 2 Mo_2O_3 + MoO$. Das Endprodukt der Reduktion der Molybdänsäure auf nassem Wege ist daher nicht das Sesquioxyd Mo_2O_3, sondern ein Suboxyd, das zwischen jenem und dem Monoxyd MoO in der Mitte steht.

Die Reduktion der Wolframsäure findet im allgemeinen durch Zink in saurer Lösung weit schwieriger statt, als die der Molybdänsäure; man gelangt mit stärkerer Salzsäure (27 p. c.) zum Ziel. Nach den Bestimmungen ist das Endprodukt der Reduktion der Wolframsäure auf nassem Wege durch Zink das Dioxyd WO_2.

Zur mafsanalytischen Bestimmung des Molybdäns und Wolframs versetzt man die Lösung des betreffenden Satzes in wenig Wasser bei Mo 50—60, bei W mit 70—80 ccm 27 prozentiger Salzsäure und fügt dann bei Mo 8—10, bei W 14—15 g Zink in Stangenform und möglichst grofsen Stücken hinzu, dessen etwaiger Eisengehalt durch Titration festgestellt ist. Die Lösung des Salzes darf 0,3 g MoO_2, resp. 0,1 g WO_2 enthalten. Beim Wolfram erwärmt man sie zuvor auf dem Wasserbade und setzt dann sofort Salzsäure und Zink zu. Hat die Lösung beim Molybdän . die gelbe, bei Wolfram die rote Farbe angenommen, so kühlt man das Kölbchen ab und verfährt folgendermafsen. Die reduzierte Molybdänsäure spült man in eine Porzellanschale, in der 40 ccm verdünnte Schwefelsäure und 20 ccm einer eisenfreien Mangansulfatlösung (200 g im l.) sich befinden; man titriert dann mit Chamäleon und zieht von der verbrauchten Menge des letzteren die für das Zink befindliche Eisen und die Färbung der Wassermenge gebrauchten Teile ab. Der Titer der Permanganatlösung wird, wie VOLHARD (79. 812) empfohlen, auf Kaliumdichromat eingestellt. — Der weitere Verlauf der Wolframbestimmung ist bereits 83. 623 beschrieben. Die Mafsanalytische Bestimmung des Molybdäns läfst sich auch zu einer solchen der Phosphorsäure benutzen. (82. 823.); LIEB. Ann. 222. 137—65. München.)　　　　.　　　　·　　　　　　　　　　　　　　　　　　P.

4. Organische Chemie.

Faustin Rasinski, Über *fraktionierte Destillation im Wasserdampfstrome als eine neue Methode zur Untersuchung der Gemengteile des Erdöles.* (Journ. prakt. Chem. 29. 39—42. Mitte Jan. [Nov. 1883.] Petersburg, MENDELEJEFF's Laborat.)

De Forcrand, *Thermische Untersuchung über die Umwandlung des Glyoxals in Glykolsäure.* Die Darstellung von reinem Glyoxal nach der Methode von DEBUS (Oxydation von Alkohol durch Salpetersäure) bietet grofse Schwierigkeiten und giebt eine sehr schlechte Ausbeute. Der Vf. hat mit Vorteil statt des Alkohols Aldehyd angewendet.

Das Rohprodukt der Einwirkung wird eingedampft, mit Wasser aufgenommen und mit kohlensaurem Kalk gesättigt, der filtrierten Flüssigkeit wird zweibasisches essigsaures Blei zugesetzt, wodurch die Glykolsäure und die Glyoxylsäure gefällt werden. Man filtriert und fällt aus dem Filtrate den Kalk genau mit Oxalsäure. Die Flüssigkeit enthält jetzt nur noch Essigsäure und Glyoxal. Durch Verdampfen im Wasserbade erhält man eine amorphe, farblose Masse, welche noch Essigsäure und Wasser zurückhält. Beide lassen sich durch Erhitzen des pulverisierten Produktes in einem Wasserstoffstrome auf 160 bis 180° beseitigen. Die Analyse ergab die Formel des Glyoxals, $C_4H_2O_4$. Der Körper enthält aber noch etwas Glykolid und ist noch etwas gefärbt. Es ist gut, ihn im Vakuum unter 120° zu trocknen, in diesem Falle bleibt zwar etwas Wasser zurück (etwa $^1/_3$ Äq.), aber es sind dann nur Spuren von Glykolid vorhanden, und der Körper ist ganz farblos. Er löst sich langsam in kaltem Wasser, in warmem rascher, doch findet in letztem Falle eine partielle Umwandlung in Glykolsäure statt. Diese Fixation von Wasser erfolgt in der Kälte bei Gegenwart von Alkali sehr rasch. Der Vf. hat das Verhalten benutzt, um die Wärme zu bestimmen, welche beim Übergange des Glyoxals, $C_4H_2O_4$, in Glykolsäure, $C_4H_4O_6$, entwickelt wird. Es wurde stets ein Überschuß von Natron (1 Äq. = 2 l), näm- 2, 3 oder 4 Äq. für 1 Äq. Glyoxal angewendet.

Mit 2 Äq. Natron fand man: $+17{,}35$ cal, mit 3 Äq.: $+16{,}05$ cal, mit 4 Äq.: $+18{,}00$ cal bei $+10°$. Um den thermischen Wert der Reaktion:

$$C_4H_2O_4 \text{ (Glyoxal) fest} + NaO \text{ verdünnt} = C_4H_3NaO_6 \text{ verdünnt}$$

zu erhalten, muß man von der ersten Zahl $+0{,}71$ cal und von den zwei letzten $+1{,}01$ cal abziehen, welche Werte die Einwirkung des Natronüberschusses auf das gebildete Glykolat repräsentieren. Man findet also:

$$+16{,}64, \quad +17{,}04, \quad +16{,}99 \text{ cal, im Mittel } +16{,}89 \text{ cal.}$$

Da man die Lösungswärme der Glykolsäure ($-2{,}76$), und die Neutralisationswärme der Säure durch verdünntes Natron ($+13{,}60$) kennt, so hat man:

$$C_4H_2O_4 \text{ (Glyoxal) fest} + H_2O_2 \text{ flüssig} = C_4H_4O_6 \text{ fest} \dots \dots +6{,}05 \text{ cal}$$
$$C_4H_2O_4 \text{ (Glyoxal) fest} + H_2O_2 \text{ fest} = C_4H_4O_6 \text{ fest} \dots \dots +4{,}62 \text{ cal.}$$

Mit Glykolid erhielt Vf. früher folgende Zahlen:

$$C_4H_2O_4 \text{ (Glykolid) fest} + H_2O_2 \text{ flüss.} = C_4H_4O_6 \text{ fest} \dots \dots +1{,}12 \text{ cal}$$
$$C_4H_2O_4 \text{ (Glykolid) fest} + H_2O_2 \text{ fest} = C_4H_4O_6 \text{ fest} \dots \dots -0{,}29 \text{ cal.}$$

Diese Resultate stehen im Einklange mit den sehr verschiedenartigen Funktionen dieser beiden Isomeren, von denen das eine ein doppelter Aldehyd und das andere eine wasserfreie Säure ist.

Für die Umwandlung des Glyoxals in Glykolid berechnet sich:

$$+6{,}05 - 1{,}12 = +4{,}93 \text{ cal.}$$

Die vorstehenden Zahlen wurden durch eine Untersuchung der Flüssigkeit, welche durch die Auflösung des Glyoxals in der angewendeten Natronlösung entsteht, verifiziert. Diese Flüssigkeiten wurden successive mit mehreren Äquivalenten verdünnter Schwefelsäure versetzt, wobei man jedesmal die entwickelte Wärme maß.

Erste Flüssigkeit. 1 Äq. Glyoxal und 2 Äq. Natron. Auf Zusatz von 1 Äq. Schwefelsäure erhielt man:

$$+15{,}92 \text{ cal (statt } +15{,}90 - 0{,}71 = +15{,}19 \text{ cal).}$$

Nach diesem Zusatze nahm man den Alkalititer der Flüssigkeit, welche nur neutrales Glykolat und neutrales Sulfat enthalten konnte; es ergab sich ein Gehalt von $^1/_{10}$ Äq. freiem Natron, was einer unvollständigen Umwandlung oder der Gegenwart einer entsprechenden Menge Diglykolsäure entspricht. Ein zweites Äquivalent Säure ergab:

$$+2{,}18 \text{ cal (statt } +15{,}90 - 13{,}60 = +2{,}30 \text{ cal).}$$

Zweite Flüssigkeit. 1 Äq. Glyoxal und 3 Äq. Natron. Das erste Äquivalent Säure ergab:

$$+15{,}99 \text{ cal (statt } +15{,}90 - 0{,}30 = +15{,}60 \text{ cal),}$$

das zweite:

$$+15{,}58 \text{ (statt } +15{,}19 \text{ cal).}$$

In diesem Momente betrug der Alkalititer $^9/_{100}$ Äq. freies Natron. Endlich das dritte Äquivalent Säure gab:

$$+2{,}38 \text{ cal (statt } +2{,}30 \text{ cal).}$$

Dritte Flüssigkeit. 1 Äq. Glyoxal und 4 Äq. Natron. Die beiden ersten Äquivalente Schwefelsäure ergaben: +15,81 cal für jedes (statt +15,60 cal), das dritte: +15,39 cal (statt +15,19 cal). Die Alkalibestimmung ergab die Gegenwart von $^8/_{100}$ Äq. freiem Natron. Das letzte Äquivalent Säure gab: +2,59 cal (statt +2,30 cal).

Die konstante Gegenwart einer gewissen Menge freien Natrons vor dem Zusatze des dritten Äquivalentes Säure zeigt an, dafs das Glyoxal sich teilweise ($^1/_{10}$—$^1/_{12}$) in Diglykolsäure umwandelt, oder dafs ein Teil unangegriffen bleibt; indessen ist diese Fehlerquelle so gering, dafs sie den Sinn der Resultate nicht ändert.

Die vorstehenden Zahlen erklären, weshalb das Glyoxal sich in Berührung mit Wasser in Glykolsäure umwandelt; in der Kälte bilden sich nur Spuren, selbst nach sehr langer Zeit; in der Wärme geht die Umwandlung viel rascher; bei 150° kann die Umwandlung bei Gegenwart eines grofsen Überschusses von Wasser $^1/_3$ des Glyoxals betragen.

Die erhaltenen Resultate erklären ferner die Schwierigkeiten, denen man bei der Darstellung des Glyoxals begegnet. Dampft man seine Lösung im Wasserbade ein, so hält es immer viel Wasser zurück, und wenn man dasselbe durch Erhöhung der Temperatur auf 160—180° zu eliminieren sucht, so bildet sich zuerst Glykolsäure, welche +6,05 cal entwickelt, dann giebt diese Wasser ab, um nicht in Glyoxal, sondern in sein Isomeres, das Glykolid, überzugehen, dessen Bildung weniger Wärme absorbiert, so dafs das Endresultat die Umwandlung einer gewissen Menge Glyoxal in Glykolid ist, eine Reaktion, welche +4,93 cal entwickelt. Man kann so durch Erhitzen auf 180° ein Produkt erhalten, dessen Analyse zu der theoretischen Formel $C_4H_6O_4$ führt, welches aber doch viel Glykolid enthalten kann. Es ist vorzuziehen, nur bis 120° im Vakuum zu erhitzen; das Glyoxal hält dann noch etwas Wasser zurück, enthält aber nur Spuren von Glykolid und Glykolsäure. Überdies ist es vollkommen farblos. (C. r. 98. 295—97. [4.*] Febr.)

Oechsner de Koninck, *Über das Lutidin des Steinkohlenteers.* In der Sitzung der Société chimique zu Paris am 28. Dez. 1883 hat Vf. einige bemerkenswerte Eigenschaften des Lutidins aus Steinkohlenteer beschrieben, welches in der Fraktion 150—160° enthalten ist; er berichtete zu gleicher Zeit, dafs er die Base mittels einer verdünnten Kaliumpermanganatlösung oxydiert habe und damit beschäftigt sei, die dabei gebildete Carbopyridinsäure zu isolieren. Er wendete zu diesem Zwecke die Methode der Kupfersalze an, welche ihm stets gute Resultate gegeben hat.

Die freie Säure besitzt das Aussehen und die Zusammensetzung, sowie den Schmelzpunkt (308°), die Löslichkeitsverhältnisse in Wasser, verdünnten und absoluten Alkohol und alle Eigenschaften der *Isonicotinsäure.*

Diese Säure ist eine Monocarbopyridinsäure und isomer mit der Picolinsäure und der Nicotiansäure; ihre Zusammensetzung entspricht der Formel $C_5H_4N—CO_2H$. Sie ist von WEIDEL und HERZIG unter den Oxydationsprodukten der Lutidine des DIPPEL'schen Öles gefunden worden und entsteht gleichfalls bei der pyrogenen Zersetzung einer der Tricarbopyridinsäuren und der Lutidinsäure. Es befindet sich also im Steinkohlenteer ein Lutidin, welches identisch mit einem Lutidin des DIPPEL'schen Öles und mit demjenigen ist, welches LADENBURG neuerlich durch Synthese gewonnen hat und als ein *γ-Äthylpyridin*, $C_5H_4(N)'(C_2H_5)'$, betrachtet.

In der neueren Arbeit kündigen GOLDSCHMIDT und CONSTAM (Ber. Chem. Ges. **16.** 2979) an, dafs sie mittels Kaliumpermanganat die Fraktion 130—140° der Pyridinbasen des Steinkohlenteers oxydiert haben. Hierbei haben sie aufser Pikolinsäure eine sehr kleine Menge Isonicotinsäure erhalten. Sie schreiben die Bildung derselben der Gegenwart eines γ-Picolins oder eines Lutidins im Steinkohlenteer zu. Das vom Vf. mitgeteilte Resultat zeigt, dafs diese letztere Annahme richtig ist. (C. r. **98.** 235. [28.*] Jan.)

F. Salomon, *Zur Abwehr.* Bemerkungen gegen MUSCULUS: „Die Stärke und ihre Verwandlungen unter dem Einflusse anorganischer und organischer Säuren" (s. S. 217.) (Journ. prakt. Chem. **29.** 43—46.)

Bruno Brukner, *Beiträge zur genauen Kenntnis der chemischen Beschaffenheit der Stärkekörner.* Als Hauptergebnisse der Untersuchung werden von dem Vf. die folgenden aufgestellt:

1. NASSE'S Amidulin und NÄGELI'S Granulose sind identisch.

2. Imbibierte und verkleisterte Stärke unterscheiden sich nur in der Anordnung ihrer Mizellen (d. h. in ihrem mizellaren Aggregatzustande.) Kleisterfiltrat und Amidulin sind sonach identisch.

3. Die von BRÜCKE aufgefundene Stärkereaktion, die ihn zur Annahme der Erythrogranulose führte, läfst sich zwanglos durch beigemengtes Erythrodextrin erklären und besteht auf der leichteren Löslichkeit dieser Substanz im Wasser.

4. Der von W. NÄGELI mit 12 prozent. Salzsäure aus der Stärke ausgezogene, von ihm als krystallisationsfähig beschriebene und Amylodextrin genannte Körper scheint

248

nach den Untersuchungen des Verfassers sowohl als nach dessen Erwägungen nichts anderes zu sein, als Granulose.

5. Die Entfärbung der Jodstärke in der Hitze ist keine Dissociationserscheinung, da die Jodstärke bei Jodüberschufs auch in der Hitze bestehen kann. Die Entfärbung tritt vielmehr deshalb ein, weil Wasser das Jod stärker anzieht, als die Stärke, und weil heifses Wasser eine viel gröfsere Absorptionsfähigkeit für Jod besitzt, als kaltes Wasser. (Mon.-Hfte. f. Chem. **4.** 889—912. 12. Jan. (22. Nov. 1883. Wien.) P.

H. Hübner, Über *substituierte Benzoesäuren und über die Natur der Wasserstoffatome im Benzol.* Zweiter Teil (vergl. **84.** 170).

Metabrommetanitrobenzoesäure, $C_6H_2.mBr.mNO_2.1CO_2H$ (Schmelzp. 161°),
Metabromamidobenzoesäure (Schmelzp. 215°),
Dimetabrombenzoesäure, $C_6H_3mBr.mBr1COOH$ (Schmelzp. 213—214°),
Dimetabromorthonitrobenzoesäure, $C_6H_2mBr_2.ONO_21COOH$ (Schmelzp. 233°),
Dimetabromorthoamidobenzoesäure (Schmelzp. 225°),
Parabrommetanitrobenzoesäure (Schmelzp. 199°),
Parabrommetamidobenzoesäure (Schmelzp. 225°),
Metamidobenzoesäure (Schmelzp. 174°),
Parachlormetanitrobenzoesäure (Schmelzp. 179—180°),
Parachlormetanitrobenzanilid, $C_6H_3ClNO_2NH.C_6H_5$ (Schmelzp. 131°),
Parabrommetabrombenzoesäure (Schmelzp. 229—230°),
Parabrommetadibromorthonitrobenzoesäure (Schmelzp. 162°),
Parametadibromorthoamidobenzoesäure (Schmelzp. 225°),
Orthochlorbenzoesäure, $C_6H_4OCl1COOH$ (Schmelzp. 137°),

und Derivate:

Orthochlormetanitrobenzoesäure (Schmelzp. 164°),
Orthochlormetamidobenzoesäure, $C_6H_3OClmNH_21COOH$ (Schmelzp. 212°),
Metamidobenzoesäure (Schmelzp. 174°) aus nitrierter Orthochlorbenzoesäure,
Orthochlormetachlorbenzoesäure (Schmelzp. 150°),
Orthochlordinitrobenzoesäure (Schmelzp. 238°),
Orthometachlorbenzanilid, $C_6H_3ClCl(CONHC_6H_5)$ (Schmelzp. 240°).

(LIEB. Ann. **222.** 166—203. 27. Sept. 1883.) P.

P. Cazeneuve, Über *die Isomerie des Chlornitrocamphers.* Vor kurzem hat der Vf. die Darstellung des Chlornitrocamphers unter der Einwirkung von rauchender Salpetersäure auf normalen Monochlorcampher beschrieben. Es genügt zu diesem Zweck, letzteren Körper mit seinem vierfachen Gewicht rauchender Salpetersäure zu behandeln, das Produkt mit Wasser zu fällen, denn zuerst mit Wasser und später mit Ammoniak zu waschen und aus Alkohol umzukrystallisieren. Es wurde gesagt, dafs die alkoholische Mutterlauge von dieser Krystallisation durch Abkühlen zu einer unbestimmt krystallinischen Masse erstarrt, welche wahrscheinlich ein isomeres Chlornitroderivat sei. Der Vf. ist jetzt dazu gelangt, diesen Körper zu reinigen, indem er ihn nach dem Absaugen zu wiederholten Malen in alkoholischem Ammoniak erhitzte und aus kaltem Alkohol umkrystallisierte. Die Analyse ergab die Formel $C_{10}H_{14}Cl(NO_2)O$. Dieser Chlornitrocampher ist vollkommen weifs, besitzt einen campherartigen Geruch und einen aromatisch bitteren Geschmack, ist weich und ballt sich beim Reiben zusammen; der normale Körper ist hart und läfst sich pulverisieren. Im Wasser ist er unlöslich, sehr leicht löslich in kaltem Alkohol und Äther, seine ätherische Lösung giebt beim Abdampfen eine sirupartige Flüssigkeit, welche zuletzt zu einer unbestimmten Krystallmasse erstarrt. Der normale Nitrocampher löst sich im Gegenteil in kaltem Alkohol schlecht und krystallisiert aus Äther in voluminösen Prismen. Der neue Körper ist rechtsdrehend $[\alpha]_D = +17°$, der normale linksdrehend $[\alpha]_D = -6,2°$. Der isomere Körper schmilzt bei 83° zu einer farblosen Flüssigkeit. Unter 200° zersetzt er sich ziemlich lebhaft unter Entwicklung von sauren Dämpfen und hinterläfst einen kohligen Rückstand. Unter dem Einflufs hydrogenierender Substanzen giebt er Nitrocampher wie das normale Produkt. (C. r. **98.** 306—7. [4.*] Febr.).

Theodor Bellmann, *Produkte der Einwirkung von Fünffachchlorphosphor auf Komenaminsäure.* (Journ. pr. Chem. **29.** 1—22.)

O. Hesse, Über *Pseudomorphin.* Infolge der Angabe von BROOCKMANN und POLSTORFF (**80.** 134.), nach welcher das Oxymorphin SCHÜTZENBERGER's nach $C_{17}H_{19}NO_3$ zusammengesetzt sei (**65.** 1068 und NADLER, ebenda **73.** 675.), hat der Vf. veranlafst, jene Behauptung bezüglich ihrer Giltigkeit an einer noch von seinen früheren Untersuchungen herstammenden kleinen Menge Pseudomorphin (LIEB. Ann. **141.** 87) zu prüfen, welches er zur Zeit als identisch mit SCHÜTZENBERGER's Oxymorphin ermittelt und dessen Zusammensetzung er zu $C_{17}H_{19}NO_4$ gefunden hatte. Diese Formel fand er bestätigt, jedoch ergb die weitere Untersuchung derselben, daſs die Formel keineswegs der Ausdruck für die Zusammensetzung des Alkaloids selbst ist, sondern eines Hydrats desselben, nämlich $C_{17}H_{17}NO_2 + H_2O$. Vf. beschreibt eine Anzahl von Salzen und das Verhalten des Pseudomorphins zu Essigsäureanhydrid, durch das es in Diacetylpseudomorphin verwandelt wird. (LIEB. Ann. 222. 234—248.) P.

O. **Hesse**, *Studien über Morphin.* Bei der Einwirkung von Essigsäureanhydrid auf Morphin bei 85° entsteht Diacetylmorphin, welches mit demjenigen von BECKETT und WRIGHT (80. 570 u. 708) identisch ist. Propionsäureanhydrid liefert Dipropionylmorphin, ein amorphes Pulver. Wird ein Molekülgew. Morphin mit einem oder mehreren Molekül Jodmethyl erwärmt, so scheiden sich beim Erkalten der Lösung, falls auf 1 Tl. Morphin etwa 10 Tle. Holz- oder Weingeist genommen waren, reichliche Krystalle von *Morphinmethyljodid* $C_{17}H_{18}NO_3.CH_3J + H_2O$ aus. Mit Chlorsilber erhält man daraus das betreffende Chlorid, das zwei Moleküle Krystallwasser enthält.

Morphinmethyljodid wird von Essigsäureanhydrid bei 100—120° acetyliert; leichter findet die Acetylierung des Chlorids bei 85° statt. Die entstehende Verbindung $C_{17}H_{17}$ $(C_2H_3O)_2NO_3.CH_2Cl$ verbindet sich mit Platinchlorid zu einem blaſsgelben Doppelsalz.

Bei der Einwirkung von Methyljodür auf Morphin in Gegenwart von Basen (Kalium-. hydrat) entsteht Methylmorphin, dessen Chlorhydrat die Eigenschaften des salzsauren Codeïns besitzt mit der alleinigen Ausnahme, daſs es in wässeriger Lösung die Ebene des polarisierten Lichtes etwas weniger stark nach links dreht, als das Chlorhydrat des natürlichen Codeïns. Wird indessen die Base wiederholt umkrystallisiert (aus Äther), so zeigt sie in genannter Beziehung vollkommene Übereinstimmung mit dem natürlichen Codeïn. Um aus der Reaktionsmasse nur Codeïn zu erhalten, muſs vermieden werden, dieselbe mit Alkali vermischt zu erwärmen; nebenbei bildet sich anderenfalls Methylmorphimethin. Essigsäureanhydrid giebt mit Methylmorphin (Codeïn) Acetylcodeïn $(C_{17}H_{17}(CH_3)(C_2H_3O)$ NO_2, Propionsäureanhydrid das amorphe *Propionylmethylmorphin.* Mit Säuren liefert das letztere recht gut krystallisierende Salze, von denen einige beschrieben sind. Methyljodid verbindet sich in alkoholischer Lösung schon bei gewöhnlicher Temperatur zu *Methylmorphinmethyljodid* $C_{18}H_{18}(CH_3)NO_2CH_3J$, die aus Wasser mit zwei Molekülen Wasser krystallisieren; Kalilauge führt es in Methylmorphimethin über. Chlorsilber setzt sich mit dem Jodid zu *Methylmorphinmethylchlorid* um, das wiederum von Essigsäureanhydrid bei 85° in *Acetylmethylmorphinmethylchlorid* übergeführt wird, das man sowohl in rechtwinkligen wasserfreien Tafeln (I), als auch in zarten farblosen Nadeln mit $2H_2O$ (II) krystallisiert erhält. Die wässerige Lösung des Methylmorphinmethyljodids geht mit Kali- oder Natronlauge in *Methylmorphimethin* über (vgl. GRIMAUX, 81. 497. 760). Die gleiche Reaktion findet auch bei Anwendung von Ammoniak, Baryt oder Kalkwasser statt. Die Lösung des Methylmorphinmethylhydroxyds scheidet beim Verdunsten in gewöhnlicher Temperatur ebenfalls Methylmorphinmethin ab:

$$C_{17}H_{18}(CH_3)NO_2CH_3OH = C_{17}H_{18}(CH_3)_2NO_2 + H_2O.$$

Die Base kann, aus Äther umkrystallisiert, wasserfrei, aus Wasser umkrystallisiert, mit Krystallwasser erhalten werden; ihr Schmelzpunkt liegt bei 118,5°, in alkoholischer Lösung reagiert es basisch und zeigt bei Anwendung von 97 proz. Alkohol als Lösungsmittel $\alpha_{(D)} = -208,6°$, wenn $p = 4$ u. $t = 15°$ ist. Konzentrierte Schwefelsäure löst es mit violetter Farbe, die beim Erwärmen königsblau wird.

Das Chlorhydrat löst sich in konz. Schwefelsäure kaffebraun, wird dann violett und endlich an feuchter Luft oder beim Erwärmen intensiv blau. Essigsäureanhydrid löst die Base bei 85° leicht und führt sie in *Acetylmethylmorphimethin* über. Bei Gegenwart von Kochsalz scheidet sich das salzsaure Salz der letzteren Base ab. Die Acetylverbindung löst sich in konz. Schwefelsäure mit prächtig blauer Farbe. Jodmethyl vereinigt sich direkt mit Methylmorphimethin zu einem α-Jodid, das mit frisch gefälltem Chlorsilber sich in das Chlorid verwandelt. Dieses α-Chlorid wird durch Essigsäureanhydrid acetyliert zu α-Methylacetylmorphimethinmethylchlorid (mit $2\frac{1}{2}$ Mol. Krystallwasser). Die wässerige Lösung des α-Jodides trübt sich auf Zusatz von Kali- oder Natronlauge; beim Kochen der Lösung entsteht ein Krystallmagma, welches aus dem dem α-Jodid isomeren β-Methylmorphimethinmethyljodid besteht, und das in gleicher Weise wie die α-Verbindung in das Chlorid umgewandelt werden kann. Das β-Chlorid geht mit Essigsäureanhydrid auch in den betreffenden Ester über.

Aus den Untersuchungen ergiebt sich, daſs im Morphin nur zwei Atome Wasserstoff durch Radikale der Fettsäurereihe substituiert werden können, wodurch von neuem konstatiert wird, daſs dasselbe thatsächlich nur zwei Hydroxyle enthält, welche aber beide nicht von gleicher Bedeutung sind. Der Wasserstoff des einen Hydroxyls wird fort und fort durch Säureradikale substituiert, während der des anderen Hydroxyls sowohl durch Säureradikale wie durch Alkoholradikale ersetzt werden kann. Letzteres Hydroxyl bedingt den phenolartigen Charakter des Morphins. Das eine Hydroxyl im Morphin ist ferner widerstandsfähiger, als das andere. Es ist damit nicht ausgeschlossen, dafs eines oder das andere der zahlreichen Opiumalkaloide sich von einem Morphin ableite, dessen Hydroxyle in ihrer Widerstandsfähigkeit weniger oder gar nicht voneinander verschieden sind. Bei der Bildung von Morphin müfste selbstverständlich eine Umlagerung vorausgesetzt werden. So z. B. könnte ein Morphinderivat, welches aufser einem Phenolhydroxyl ein Propionoxyl enthielte, aus welchem aber das Propionyl nicht so leicht abscheidbar wäre, wie aus dem oben beschriebenen Dipropionylmorphin, möglicherweise mit dem Laudanin identisch sein. (LIEB. Ann. **222.** 203—34. 5. Okt. 1883.) P.

5. Physiologische, medizinische und pharmazeutische Chemie.

Ernst Schill und Bernh. Fischer, Über *die Desinfektion des Auswurfes der Phtisiker.* Eine der wichtigsten Aufgaben, welche die Gesundheitspflege zu lösen hat, wenn sie der Weiterverbreitung der Tuberkulose immer engere Grenzen zu setzen beabsichtigt, bildet nach den Resultaten, zu welchen die KOCH'schen Untersuchungen über die Ätiologie dieser Krankheit geführt haben, die Unschädlichmachung des Auswurfes der Phtisiker.

Bei ihren Versuchen mit frischem, nicht getrocknetem Sputum ergab es sich, dafs eine Vernichtung der Tuberkelbacillen, resp. deren Sporen nur durch sehr wenige Mittel erreicht wird. Die Vff. wandten 7 verschiedene Desinfektionsmittel an, nämlich: durch die zwanzigstündige Einwirkung von absolutem Alkohol, von gesättigter wässeriger Salicylsäurelösung, von dreiprozentiger wässeriger Carbolsäurelösung, von Essigsäure (32 p. c.), von Salmiakgeist (16,6 g in 100 ccm), von gesättigtem Anilinwasser, wie solches EHRLICH zur Färbung von Tuberkelbacillen angegeben hat, und endlich von bei Zimmertemperatur sich entwickelnden Dämpfen von Anilinöl. Bei nur zweistündiger Einwirkung wurde dagegen selbst eine fünfprozentige Carbolsäurelösung in ihrer Wirkung unsicher, und vermochte das gesättigte Anilinwasser eine Vernichtung der Virulenz des Sputums nicht mehr herbeizuführen. Die 24 stündige Einwirkung von Jodoformdämpfen auf frisches Sputum blieb ohne Erfolg, von der arsenigen Säure hatte eine Lösung von 1 : 1000, vom Jodkalium selbst eine einprozentige Lösung sich nicht als ausreichend erwiesen. Eine ein- und zweiprozentige Natronlauge hatten gleichfalls eine genügende Desinfektion nicht zu stande gebracht.

Aus Versuchen, mittels trockner Hitze zu desinfizieren, ergab sich, dafs, wenn man überhaupt zur Desinfektion von mit Sputum verunreinigten Gegenständen trockne Hitze zu verwenden beabsichtigt, was bei dem nachgewiesenermafsen nur langsam stattfindenden Eindringen der trocknen Hitze in die Objekte von vornherein nur für Gegenstände von geringer Dicke und auch dann nur bei möglichster Ausbreitung derselben zulässig erscheint, bei einer Temperatur von 100° die Gegenstände mehrere Stunden lang der Hitze ausgesetzt werden müssen, wenn eine genügende Desinfektion der daran haftenden Sputummassen erzielt werden soll.

Wasserdämpfe (von 100°) eignen sich zur Desinfektion von mit altem Sputum verunreinigten Gegenständen sehr wohl, sobald nur die Zeitdauer der Einwirkung eine genügend lange ist. Für praktische Verhältnisse dürfte es sich namentlich, wenn es sich um Gegenstände handelt, die, wie Betten, Matratzen etc. langsamer von der Hitze durchdrungen werden, empfehlen, den heifsen Wasserdampf mindestens eine Stunde lang ein wirken zu lassen.

Frisches, nicht getrocknetes Sputum machte bereits die 15 Minuten lange Einwirkung des Wasserdampfes von 100° unschädlich. Der Wasserdampf läfst sich zweifellos auch zur Desinfektion der den Auswurf der Phtisiker enthaltenden Spuckgefäfse praktisch zweckmäfsig verwenden, jedoch ist es im Objekte von vornherein gut thun, die Dämpfe länger als 15 Minuten einwirken zu lassen, weil es sich unter praktischen Verhältnissen wohl in der Regel um gröfsere Mengen handeln wird, und es bekannt ist, dafs die Sterilisierung von Flüssigkeiten, namentlich aber von eiweifsreichen, durch strömenden Wasserdampf um so längere Zeit beansprucht, in je gröfserer Masse sie dem Dampfe ausgesetzt werden.

Durch Kochen ist in verhältnismäfsig kurzer Zeit eine Vernichtung der Virulenz des tuberkulosen Sputums zu erreichen, und wird man demnach sehr wohl daran denken können, die Auswurfsmassen der Phtisiker in der Praxis durch Kochen unschädlich zu machen.

Um zu erfahren, ob die Mittel, die sich bei den bisherigen Versuchen bewährt hatten, auch wenn sie auf gröfsere Sputummengen einwirken, eine sichere Vernichtung der Tuberkelbacillen und Sporen herbeizuführen vermochten, und um aufserdem noch genau die Konzentration, resp. die Menge des Mittels kennen zu lernen, welche mit Sicherheit eine Unschädlichmachung des Sputums erwarten läfst, wurde eine Reihe weiterer Versuche angestellt. Es stellte sich heraus, dafs an eine Verwendung des *Sublimates* zur Desinfektion von Auswurfsmassen der Phtisiker man nicht füglich wird denken können, denn selbst Lösungen von 1 : 500 erwiesen sich bei Einwirkung auf gröfsere Sputummassen als erfolglos. Mit *absolutem Alkohol* läfst sich die Desinfektion wohl bewirken, und wird man dem Sputum auf alle Fälle mehr als die fünffache Menge Alkohol zusetzen müssen. Ebenso eignet sich die Carbolsäure recht gut zur Desinfektion des Auswurfes der Phtisiker; man braucht zu einem phtisischem Sputum nur von einer fünfprozentigen Lösung derselben ebensoviel zuzusetzen, als die Menge des Sputums beträgt, und kann man bei einer 24 stündigen Einwirkung der Carbolsäure alsdann mit Sicherheit auf die Vernichtung der Tuberkeln, Bacillen und Sporen des Sputums rechnen.

Will man *Anilinwasser* zur Desinfektion des Sputums anwenden, so mufs man demselben zehnmal soviel der Lösung zusetzen, als die Menge des Sputums beträgt. Für die Verhältnisse der Praxis dürfte sich jedoch die Verwendung des Anilinwassers kaum empfehlen, da eine Desinfektion des Sputums mit diesem Mittel viel teurer zu stehen kommt, als die mit Carbolsäure. Nicht aber allein die höheren Kosten, welche die Desinfektion verursacht, sondern auch der unangenehme Geruch, sowie die giftigen Eigenschaften des Anilins sprechen gegen die Verwendung desselben zur Desinfektion des Sputums. (Mitt. a. d. kaiserl. Gesundheitsamte **2**. 131—46. Berlin.)   P.

W. Hesse, Über *quantitative Bestimmung der in der Luft enthaltenen Mikroorganismen.* Die bisher verfolgten Methoden der Luftuntersuchung bezüglich des Gehaltes an Mikroorganismen sind in mehrfacher Beziehung unvollkommen; insbesondere geben sie keine Auskunft über die Entwicklungsfähigkeit, d. h. das Leben der Organismen, und erschweren sie die mikroskopische Untersuchung. Dagegen ist die von R. KOCH (Mittlgn. a. d. kais. Gesundheitsamte **1**. 32 ff) beschriebene Methode der Untersuchung der Luft mit Hilfe von Nährgelatine frei von allen diesen Mängeln, indem die aus der Luft niedergesunkenen lebensfähigen Keime auf dem festen durchsichtigen Nährboden voneinander gesondert zur Entwicklung gelangen, und zwar als Reinkulturen, welche in jeder Richtung der Beobachtung und Untersuchung, sowie der Fortzüchtung zugängig sind.

Nur die quantitative Bestimmung gestattet auch der von KOCH (l. c.) beschriebene Apparat nicht; diese durch ein möglichst genaues Verfahren zu erreichen, hatte sich der Vf. zur Aufgabe gestellt.

Das Prinzip der Methode basiert darauf, abgemessene Luftmengen so langsam über die Nährgelatinefläche zu leiten, dafs die Keime sämtlich an die Gelatine abgegeben werden. Der Vf. benutzte dazu lange Glasröhren, deren Wandungen mit erstarrter Nährgelatine ausgekleidet sind. Der Luftstrom wird mittels eines Aspirators geregelt und zugleich gemessen. Aus der Zahl der auf Gelatine auftretenden Mikroorganismen-Kolonieen und der Menge der angewandten Luft ergiebt sich ein genauer ziffermäfsiger Ausdruck für den Keimgehalt der Luft.

Die für die Versuche angewandte Glasröhre war 70 cm lang und 3,5 cm weit, demnach von ca. 670 ccm Inhalt. Über das eine Ende der Röhre bindet man zunächst eine mit zentralem runden Ausschnitte von etwa 1 cm Durchmesser versehene straff schliefsende Gummikappe und über diese eine zweite unversehrte, sonst aber solche, welche die Röhre an diesem Ende völlig abschliefst. In die soweit vorbereitete Röhre bringt man 50 ccm erwärmte Nährgelatine, und zwar benutzt Vf. die bereits von KOCH beschriebene Fleischinfus-Peptongelatine, welche man nach folgender Methode bereitet: 50 g Gelatine werden in 500 ccm Wasser eingeweicht und gekocht; ein Pfund gehacktes Fleisch läfst man in 500 ccm Wasser 24 Stunden kalt stehen; dann kocht man das durch Auspressen des Fleisches möglichst vollständig gewonnene Fleischwasser, filtriert es durch feine Gaze, mischt es mit der Gelatine, setzt 10 g Pepton und 1 g Kochsalz zu, neutralisiert das Ganze mit Natriumcarbonat und filtriert die heifse Flüssigkeit. Nach dieser Vorschrift erhält man ein Liter Nährgelatine. Spätere Fäulnis derselben wird durch Sterilisierung im Dampftopf oder wiederholtes Aufkochen verhütet. Das andere Ende der mit dieser Nährgelatine beschickten Glasröhre wird mit einem Kautschukpfropfen verschlossen, welcher in seiner Durchbohrung ein mit zwei Wattepfropfen versehenes ungefähr 10 cm langes und 1 cm weites Glasrohr trägt.

Die auf diese Weise vorbereitete Röhre wird in dem von KOCH angegebenen Dampfsterilisierungsapparat (die auf Mikroorganismen bezüglichen Apparate sind bei J. SCHOBER Berlin NW. Louisenstrafse 53 zu beziehen) durch Wasserdampf von 100° von allen Keimen befreit. Die Verteilung der Gelatine in der Röhre kann in der Weise vorgenommen werden, dafs man dieselbe gleich nach der Herausnahme aus dem Sterilisierungsapparate und nachdem sie etwas abgekühlt ist, während die Gelatine noch leichtflüssig ist, fortwährend hin und her zieht und gleichzeitig schnell um ihre Axe dreht, bis die Gelatine vollständig erstarrt ist.

Die Röhre, welche jetzt zum Versuche fertig ist, taucht man behufs Abtötung der neuerdings an ihre Aufsenfläche gelangten Mikroorganismen 1—2 Minuten lang in einprozentige Sublimatlösung und befestigt sie in horizontaler Lage auf einem geeigneten Stativ, welches ähnlich als von den Photographen benutzten konstruiert ist. Die Röhre bringt man mit dem Aspirator in Verbindung, entfernt von dem einen Ende der Röhre mittels der zuerst in Sublimatlösung getauchten Hände die Gummikappe und setzt den Aspirator in Gang.

Von den Ergebnissen der Vorversuche sind die folgenden anzuführen: Die ersten Kolonien von Mikroben waren drei Tage nach dem Versuche mit blofsem Auge erkennbar. Der durch die Röhre streichende Luftstrom wird um so ärmer an Keimen, je weiter er sich in der Röhre fortbewegt, bis er endlich gar keine Keime mehr enthält und zwar ist der Weg, den die Keime in der Röhre zurücklegen, um so kürzer, je schwächer der Luftstrom gewählt wird.

In der Röhre sind die äufsersten Kolonien Pilzkolonien; es sind mithin die in der Luft enthaltenen Pilzkeime durchschnittlich leichter, als die Bakterienkeime, und sind die Bakterien nicht als einzelne Individuen isoliert in der Luft enthalten, sondern als Häufchen von Individuen oder an Trägern haftend derart, dafs sie durchschnittlich etwas schwerer wiegen, als Pilzsporen. Das überraschendste Ergebnis der Versuche aber war, dafs sämtliche Kolonien ausschliefslich auf der unteren Hälfte der Röhre erschienen, als Beweis dafür, dafs sich auch sämtliche Keime, aus denen sie hervorgegangen, lediglich auf der unteren Hälfte der Gelatine abgelagert hatten. Die in der Luft enthaltenen Keime sind demnach nicht so leicht, als man bisher annahm, sondern folgen weit mehr, als man erwarten konnte, dem Gesetze der Schwere. Letztere Beobachtung konnte noch durch einen anderen Versuch von neuem vom Vf. bestätigt werden.

Bei gelungenen Versuchen werden sich die Keime so weit voneinander gelagert haben, dafs die aus ihnen hervorgehenden Kolonien sich gesondert zu entwickeln vermögen, ohne aber allzu grofse unbewachsene Flächen zwischen sich zu lassen. Läfst die Dichtigkeit der Kolonien von der Röhrenöffnung nach dem Wattepfropfen zu immer mehr und mehr nach und bleibt schliefslich das äufserste Drittel oder Viertel der Röhre ganz unbewachsen, so ist die Wahrscheinlichkeit, dafs alle Keime zur Ablagerung gelangt sind, schon sehr grofs. Man wird nur solche Versuche als gelungen betrachten dürfen, in denen das dem Wattepfropfen zu gelegene Drittel oder Viertel der Gelatinelänge unbewachsen bleibt, und auch bei Imprägnierung des Wattepfropfens mit der Gelatine in letzterer keinerlei Wachstum auftritt.

Das Ergebnis der auf die Wahl der Stromstärke gerichteten Versuche läfst sich demnach kurz dahin zusammenfassen, dafs unter gewöhnlichen Umständen alle Keime an die Gelatine abgegeben werden, wenn die Luft eine Röhre von 70 cm Länge mit einer Geschwindigkeit durchstreicht, dafs auf 1 l Luft im Freien zwei bis drei Minuten und in bewohnten Räumen drei bis vier Minuten gerechnet werden.

Ausnahmen von dieser Regel werden am ehesten bei ungewöhnlich reichlichem Keimgehalte der Luft auftreten und ist den sie bedingenden Umständen nötigenfalls in geeigneter Weise Rechnung zu tragen. Die Menge der anzuwendenden Luft richtet sich nach der Zahl der in ihr zu gewärtigenden Keime. Unter Umständen sind im Freien 100 l nicht zu viel, während in geschlossenen staubigen Räumen 0,5 l schon unzählige Keime enthalten kann. Den gewöhnlichen Vorkommnissen wird man aber in der Regel im Freien mit 10—20 l und in bewohnten Räumen mit 1—5 l genügen.

Vf. beschreibt nun die Ergebnisse der an verschiedenen Orten und unter verschiedenen Bedingungen angestellten Versuche.

Aus der Gesamtzahl der Versuche, welche vor dem nach dem Tierarzneischulgarten führenden Fenster des Gesundheitsamtes ausgeführt wurden, geht im grofsen ganzen hervor, dafs inmitten Berlins im Freien bei trockner Witterung in 20 l Luft höchstens 20, mindestens vier Keime enthalten waren; durchschnittlich ergaben sich in 20 l Luft etwa zehn Keime, von denen die Hälfte sich zu Pilzkolonien entwickelte. Fast ausnahmslos machte sich der Einflufs der feuchten Witterung in der Weise geltend, dafs 1. die Zahl der Keime ganz auffallend und 2. die zur Entwicklung gelangten Kolonien vorwiegend Pilze waren. Die Berlin verlassende Luft enthielt erheblich mehr Keime, als die in Berlin einziehende, auch wurden in höherer Luftschicht weniger Keime aufgefunden.

In Wohnräumen ist der Keimgehalt der Luft gröfser, als im Freien, und ist diese Vermehrung wesentlich durch Bakterienkeime bedingt. Dieser Unterschied tritt nur dann hervor, wenn die im Raume Anwesenden sich bewegen oder die Luft auf andere Weise in Bewegung gebracht wird. Unter entgegengesetzten Verhältnissen kann es sich ereignen, dafs die Luft bewohnter Räume sogar weniger Keime enthält, als die freie Atmosphäre.

In der folgenden Tabelle sind einige Versuchsergebnisse zusammengestellt:

Ort	Aspirierte Luft- menge in Litern	Kolonien			in zehn Litern Luft	Bemerkungen
		in der aspirierten Luftmenge				
		Bak- terien	Pilze	Zu- samm.		
Berlin im Freien	95	3	16	19	2	Sprühregen
„	73,75	10	9	19	2 bis 3	Schneeflocken
„	73,75	10	9	19	2 „ 3	desgl.
„	20	7	4	11	5 „ 6	desgl.'
Berlin, Wohnzimm.	6,5	41	1	42	64 „ 65	desgl.
Schwarzenberg, do.	10	15	11	26	26	desgl.
Berlin, Schulzimmer	2	3	1	4	20	Vor dem Unterrichte
desgl.	2	19	14	33	165	Während des Unterrichtes
desgl.	2	37	33	70	350	Während des Austrittes der Schüler

(Mitteil. aus d. kaiserl. Gesundh.-Amte 2. 182—207. Berlin. Schwarzenberg i. S.) P.

K. Thümmel, Über den Chlorkalk der Pharmakopöe. (Arch. Pharm. [3.] 22. 20—22.)

Jul. Denzel, Über das Mutterkorn und dessen wirksame Bestandteile. (Arch. Pharm. [3.] 22. 49—63.)

Kleine Mitteilungen.

Über das Verhalten des Phosphors im Hohofen, von G. HILGENSTOCK. (Schluß).
— 2. Derselbe Versuch wurde dicht vor der Gicht wiederholt, das Asbestfilter dabei auf 100° erwärmt. Die Waschflaschen ergaben dieselben geringen Spuren von Phosphorsäure, sowohl die mit Wasser als mit Salpetersäure gefüllten. 3. Die Gase wurden an Stelle von Waschflaschen durch WINKLER'sche Schlangenapparate geleitet, welche mit einem Gemisch von Alkohol und Äther gefüllt waren, in der Vermutung, daß etwaige Verbindungen vielleicht von Salpetersäure in der Kälte nicht oxydiert, von dem genannten Gemisch aber absorbiert werden möchten. Der Inhalt der Schlangenapparate wurde demnächst mit viel überschüssiger konzentrierter Salpetersäure eingedampft und ergab, mit Salpetersäure wieder aufgenommen, ebenso wenig Phosphorreaktion wie die vorigen Versuche. 4. Die Gase wurden mittels eines schmiedeeisernen Rohres 2,5 m unter der Gicht, daß heißt frei von Wasserdampf, entnommen. Der Strom des Gases war so langsam, daß fast aller Staub im Rohre blieb; die Gase passierten dann mehrere Asbestfilter und Waschflaschen mit Wasser, so daß sie vollständig frei von Staub wurden. Der Inhalt dieser Flaschen ergab, wie früher behandelt, keine befriedigende Phosphorreaktion.
Aus den Flaschen traten die Gase in ein T-Rohr, in welchem sie mit einem gleichen Volumen atmosphärischer Luft gemischt wurden und gelangten dann in ein mit Platinschwamm gefülltes und bis zur Rotglut erhitztes Porzellanrohr. Hierauf passierten sie noch mehrere mit Wasser gefüllte Schlangenapparate und gelangten demnächst in den Aspirationsgasometer. Etwa gebildete Phosphorsäure mußte sich also in dem Porzellanrohr oder in den hinterliegenden Leitungen und Schlangenapparaten finden. Es konnte aber weder in dem einen noch in dem anderen Phosphor nachgewiesen werden.
Der in dem schmiedeeisernen Rohre abgesetzte Staub wurde mit Schwefelkohlenstoff ausgezogen, letzterer dann filtriert, unter der Luftpumpe eingedampft und der Rückstand mit konzentrierter Salpetersäure behandelt; auch hierbei konnte keine Phosphorreaktion erzielt werden.
Es wurde endlich auch ein Versuch dahin ausgeführt, daß die Waschflaschen mit ammoniakalischer Silberlösung gefüllt wurden, aber auch hier ergab sich keine Phosphorreaktion.
Auch fernere Versuche, die der Vortragende eingehend mitteilte — unter anderem konnte er beim reduzierenden Schmelzen von Phosphaten im Tiegel in den durch Salpetersäure entweichenden Gasen keinen Phosphor finden — haben ihn in der Ansicht bestärkt, daß der Phosphor im Hohofen in nachweisbaren Mengen nicht verflüchtigt wird. Sämtliche reduzierte Phosphorsäure bildet mithin Phosphoreisen, und es wird keine Phosphorsäure reduziert, welche freien Phosphor bilden könnte.

Nun hat FINKENER zwar gezeigt, dafs dreibasisch phosphorsaures Eisenoxydul in einem Strome von Wasserstoffgas erst bei heller Rotglut Wasserdampf, bei Weifsglut auch Phosphorwasserstoff und Phosphor entwickelt, und man könnte meinen, dafs der mit dem Winde in den Hohofen tretende Wasserdampf, in Kohlenoxyd und Wasserstoff zerlegt, hier eine ähnliche Reaktion bewirken könnte. Indessen ist zunächst dagegen zu halten, dafs dieser so sehr verdünnte Wasserstoff auf verhältnismäfsig nur spärlich vorhandenes dreibasisch phosphorsaures Eisenoxydul schwerlich dieselbe Wirkung haben kann. Es spricht aber gegen die Verflüchtigung von Phosphor überhaupt die Thatsache, dafs Phosphordämpfe und wahrscheinlich auch Phosphorwasserstoff mit Kohlensäure schon in Rotglut nicht bestehen können.

Redner hat Kohlensäure über den in einer Glasröhre zu Dämpfen erhitzten Phosphor geleitet, nachdem alle Luft vorher durch Kohlensäure in der Kälte verdrängt war. In dem kälteren Teile der Röhre lagerte sich Phosphorsäureanhydrid ab. Im Hohofen gebildete Phosphordämpfe aber würden gewifs Kohlensäure genug antreffen, um nichtflüchtige Phosphorsäure, resp. von neuem Phosphate zu bilden, die demnächst wieder durch Kohlenstoff reduziert würden.

In gleich ausführlicher Weise behandelt nun der Vortragende die Erscheinung des Phosphors in der Schlacke und im Roheisen.

Beim Erblasen von hochphosphorhaltigem Roheisen ermittelte er für eine Serie von Abstichen folgende Resultate:

Nr.	Si	Roheisen			Schlacke
		P	Mn	C	P
1	Spur	5,96	0,92	0,88	2,57
2	Spur	7,20	0,36	1,11	2,39
3	0,02	6,24	0,51	0,95	1,74
4	0,06	6,07	0,75	1,19	1,22
5	0,09	4,57	1,98	0,90	0,38 } Übergang zur
6	0,28	3,61	1,69	1,19	0,18 } weniger P-halt.
7	0,28	3,79	1,13	1,12	0,19 } Beschickung

Aus diesen Resultaten erhellt ohne weiteres, dafs bei zunehmendem Phosphorgehalte der Beschickung der Phosphorgehalt der Schlacke zunimmt, und zwar bleibt der Phosphorgehalt als nicht reduzierte Phosphorsäure in der Schlacke, verhält sich somit anders als der Schwefel.

Die Lösung der Schlacke in Brom und Salzsäure ergab stets dieselben Phosphormengen, wie die mit Salzsäure allein.

Ferner ergaben zwei Schlacken durch Lösung in

	Salzsäure	Salpetersäure (rauchend)
1	1,765 p. c. P	1,768 p. c. P
2	0,098 „ P	0,096 „ P.

Betrachtet man die oben mitgeteilten Analysen über Phosphoreisen von sieben hintereinander liegenden Abstichen genauer auf den Si- und C-Gehalt, so mufs, wenn ausdrücklich bemerkt wird, dafs das Eisen mit einem verhältnismäfsig hohen Kokssatze erblasen wurde, der geringe Gehalt an Silicium und Kohlenstoff auffallen, und schon hieraus kann man die Thatsache entnehmen, dafs der Phosphor im Roheisen sowohl Silicium als Kohlenstoff verdrängt. Zum weiteren Beweise dieser Thatsache giebt Redner eine graphische Darstellung von Analysen über 23 zusammenhängende Abstiche von Phosphoreisen, deren Resultate sich zwischen den Grenzen

	3,26 p. c. P	1,03 p. c. Si	2,01 p. c. C
und			
	12,12 „ P	0,02 „ Si	0,87 „ C

bewegen. Dafs unter sonst gleichen Verhältnissen im Hohofen bei zunehmendem Phosphorgehalte der Siliciumgehalt und Kohlenstoffgehalt abnimmt, beruht auf der Thatsache, dafs Kohlenoxyd in hoher Temperatur eine beständigere Verbindung als Kieselsäure und Phosphorsäure, und Kieselsäure wiederum beständiger als Phosphorsäure ist. Übrigens ist es nicht der Phosphor als solcher, welcher das Silicium und den Kohlenstoff im Roheisen verdrängt, sondern die Phosphorsäure, auf deren Kosten die beiden Körper Silicium und Kohlenstoff sich oxydieren.

Redner entwickelt weiter, dafs bei steigendem Phosphorgehalte in der Beschickung auch der Phosphorsäuregehalt der Schlacke steigt, dafs mit der höheren oder niedrigeren Ofentemperatur der Kohlenstoffgehalt im Eisen steigt und fällt und umgekehrt der Phosphorsäuregehalt der Schlacke, endlich dafs bei steigendem Kieselsäuregehalt der Phosphorsäuregehalt der Schlacke sinkt. Der Phosphor macht das Roheisen dünnflüssig, das ist bekannt, und auch das phosphorhaltige Eisen mit nur 0,8 Kohlenstoff und ohne Silicium ist aufserordentlich dünnflüssig.

Die Legierungsfähigkeit des Phosphors mit dem Eisen scheint fast unbegrenzt zu sein, wie beim Mangan. Eine Probe mit 25,65 p. c. Phosphor zeigt Redner vor. Der steigende Phosphorgehalt macht das Eisen mehr und mehr mürber, den Bruch krystallinisch, ähnlich dem des Ferromangan, schöne Nadeln zeigend. Bemerkenswert ist auch, daß mit steigendem Phosphorgehalte das Eisen mehr und mehr aufhört, magnetisch zu sein. Bei 9,0 p. c. Phosphor war noch keine merkliche Abnahme der magnetischen Eigenschaften zu konstatieren. Ein Eisen mit 16 p. c. Phosphor wurde von einem kräftigen Magnet nur noch schwach und ein solches mit 25,6 p. c. fast gar nicht mehr angezogen.

Redner faßt schließlich seine Resultate in folgende wesentliche Punkte zusammen:

1. Von der in den Hohofen gebrachten Phosphorsäure werden bemerkenswerte Mengen nicht verflüchtigt.

2. Unter Umständen entzieht sich ein großer Teil der Phosphorsäure im Hohofen der Reduktion und findet sich als solche in der Schlacke, und zwar umsomehr:

a) je geringer das Reduktionsmittel, beziehungsweise die Brennmaterialmengen sind, je niedriger die Schmelztemperatur ist;

b) unter sonst gleichen Bedingungen, je mehr Phosphorsäure in der Beschickung vorhanden ist.

3. Je mehr Phosphor ins Roheisen geht, um so geringer zeigen sich unter sonst gleichen Bedingungen Silicium- und Kohlenstoffgehalt, ohne daß die Legierungsfähigkeit dieses Roheisens mit Silicium und Kohlenstoff entsprechend vermindert wird.

4. Die Hohofenschlacke enthält bei hochphosphorhaltiger Beschickung um so weniger Phosphorsäure, je mehr Kieselsäure sie enthält.

5. Als reduzierendes Agens für die in den Hohofen gebrachte Phosphorsäure ist im wesentlichen nur der Kohlenstoff wirksam, direkt oder indirekt.

Letzterer Punkt, so bemerkt Redner zum Schlusse, ist der Ausgangspunkt gewesen für jene zahlreichen Versuche, welche nicht nur dahin streben, den Phosphor vom Eisen fern zu halten, sondern auch den im Laufe der Jahre doch recht elegant ausgebauten Umweg der Roheisendarstellung zu vermeiden. Man nahm und nimmt Reduktionsmittel· in Anspruch, die vermeintlich Phosphorsäure nicht reduzieren: Wasserstoff und Kohlenoxyd. Es hat ja in der That etwas Verlockendes, durch geeignete Reduktionsmittel Eisenoxyde bis zu dem Punkte zu reduzieren, daß sie beim Einschmelzen Flußeisen oder Stahl ergeben würden. Redner will es dahin gestellt sein lassen, ob die praktische Durchführung mit unserer Fabrikationsmethode in ihrer heutigen Ausbildung · auch nur konkurrenzfähig gestaltet werden kann, insonderheit nach Einführung des Thomasprozesses.

Von den Reduktionsmitteln wird reines Wasserstoffgas wohl schwerlich in betracht kommen können. Wassergas, d. i. Wassergas und Kohlenoxyd, oder auch Kohlenoxyd allein, würden vielleicht die Möglichkeit gewähren, in vorgedachter Weise in Anwendung zu kommen bei reinen phosphorfreien Erzen. Dreibasisch phosphorsaures Eisenoxydul wird durch Wasserstoff schon bei heller Rotglut reduziert, und diese Temperatur muß zur vollständigen Reduktion der Erze doch wohl als notwendig vorausgesetzt werden. Mit Wasserstoff reduzierte Erze würden also kein phosphorfreies Eisen geben, auch wenn das Gas in reinem Zustande angewendet werden könnte.

Kohlenoxyd nun reduziert reines dreibasisch phosphorsaures Eisenoxydul selbst bei Weißglut nicht. Wohl aber, wie Prof. FINKENER gezeigt hat, wird diese Verbindung bei Gegenwart von erheblichen Mengen Eisenoxyd reduziert. Daher können phosphorhaltige Erze auch durch Kohlenoxyd nicht zu phosphorfreiem Eisen reduziert werden, denn die Reduktion von Eisenoxyden durch Kohlenoxyd ist stets mit einer Ablagerung mehr oder minder beträchtlicher Mengen Kohlenstoff verbunden, resp. mit einer Kohlung des Eisens, und dieser Kohlenstoff reduziert die Phosphorsäure. Redner ist deshalb der Meinung: Die. Bestrebungen, welche dahin gehen, auf dem angedeuteten Wege die direkte Eisen- und Stahlerzeugung zu ermöglichen, sind verlorene Liebesmühe, und man läßt alle Veranlassung, die gerühmtesten Verfahren dieser Art mindestens mit aller Vorsicht zu prüfen. (Österr. Ztschr. 31. 657—59.)

Die brasilianische Kaffeeausstellung in Wien i. J. 1883, von EDUARD HANAUSEK.

Die Gesellschaft „Centro da Lavoura e do Commercio" in Rio de Janeiro hat in den Hauptstädten Europas echte brasilianische Kaffeesorten ausgestellt.

Was die Gewinnung des Kaffees anbetrifft, so werden die eingesammelten Früchte in große Wasserbehälter geworfen, um die untersinkenden, d. h. reifen, von den oben schwimmenden (unreifen) zu trennen. Die ersteren gelangen dann in den Despolpator, wo sie von den Fruchthüllen befreit werden. Nach dem Trocknen werden die Steinschalen mit dem Descador und besonderen Ventilatoren entfernt. Den Bohnen wird durch Scheuern — mitunter mit Kohle und Graphit — ein höherer Glanz verliehen. Dann werden sie sortiert. Die auf diese Weise erhaltenen gewaschenen Kaffeesorten führen den Namen Caffe lavado (lavé) oder Caffe despolpado. Sie sind erbsengrün, von süßlichem Geruche und nicht scharfem Geschmacke. Der nicht gewaschene Caffe do terreiro riecht scharf und ist grünlich gefärbt. Man schüttet zu seiner Gewinnung die nicht reifen Früchte auf Haufen, läßt sie gären und entfernt die Fruchthüllen mit der Hand.

LUDWIG und CHURCH haben die Zusammensetzung des brasilianischen Kaffees wie folgt, gefunden:

Analyse von LUDWIG:

	Jüngere Sorten	Ältere Sorten
Feuchtigkeit	11,65 p. c.	12,07 p. c.
Asche mit Kohlensäure behandelt	3,55	3,75
Gerbsäure	5,84	7,01
Caffeïn	1,16	1,75
Fett	14,10	14,06
Zucker	5,96	6,36
Eiweiſs	13,92	12,19
Cellulose, Pectin, Extraktivstoffe .	43,82	42,82 .

Analyse von CHURCH:

	Ältere Sorten
Wässerige Teile	11,22 p. c.
Fette Substanzen	14,27
In Wasser lösliche Stoffe . .	24,87
Albuminoide	6,96
Caffeïn	1,18
Asche und mineral. Bestandteile	3,51
Cellulose etc.	37,99.

Nach Mitteilungen von SCHÄFFER u. CO. in Rotterdam (1882) betrug die Kaffeeausfuhr aus Rio de Janeiro 4 740 000, aus Santos 2 000 000, aus Bahia und Ceara 1 050 000 Ctr.

Vf. kömmt u. a. zu folgenden Schlüssen;

Der Brasilkaffee ist nach dem heutigen Stande der Kultur und der Zubereitungsweise geeignet, ostasiatische und zentralamerikanische Sorten zu ersetzen. Die Gewinnung von feineren Sorten soll bedeutend erhöht werden, weil Europa die milderen und aromareicheren Qualitäten verlangt. (Mitt. a. d. Lab. f. Warenk. a. d. Wien. Handelsakad. Herausg. v. ED. HANAUSEK und HERM. BRAUN. Jahresb. 11. 1883. 155—84.)

P.

Beiträge für das Centralblatt bittet man an die Redaktion (Leipzig, Lessingstr. 5) zu richten. Originalarbeiten von nicht zu groſsem Umfange werden entsprechend honoriert und gelangen stets sofort nach der Einsendung, und zwar in kürzester Frist, zum Abdruck.

Redaktion: Prof. Dr. **Rud. Arendt** in Leipzig.

Verlag von **Leopold Voss** in Hamburg u. Leipzig. — Druck von **Metzger & Wittig** in Leipzig.

No. 14.

Chemisches

2. April 1884.

Wöchentlich eine Nummer von
1-1 Bogen. Der Jahrgang mit
fach- und Namen-Register,
nebst system. Übersicht.

Central-Blatt.

Der Preis des Jahrgangs
ist 30 Mark. Durch alle
Buchhandlungen und Post-
anstalten zu beziehen.

REPERTORIUM

für reine, pharmazeutische, physiologische und technische Chemie.

Dritte Folge. XV. Jahrgang.

Über das vegetabilische Wachs

von

Dr. MAX BUCHNER.

Unter dieser sonst für Carnauba-, Palm-, Myrten- oder Japanwachs geltenden Bezeichnung kommt seit ungefähr zwei Jahren eine Fettart aus Ostindien nach Österreich, welche ohne Zweifel das Fett einer Bassiaart ist, welche Fette in Ostindien und Teilen Afrikas aus den Samen dieser Pflanzen in grofsen Mengen gewonnen werden, und je nach der Spezies, von welcher sie stammen, verschiedene Namen führen, wie: Galam-, Bambuc-, Bambara- oder Sheabutter aus Bassia Parkii, nach anderen von Bassia butyracea; Bassiaöl oder Illipeöl aus den Samen der ostindischen Mahwah- oder Butterbäume; auch Bassia latifolia und longifolia sollen ähnliche Fette liefern. Einige dieser Fette sind dem Palmöle sehr ähnlich und schmackhaft wie Butter, auch längere Zeit unverändert haltbar, während andere bald ranzig werden und sich verändern.

Das bei uns eingeführte Fett dürfte letzterer Art sein, denn es hat einen ganz unangenehmen, ranzigen Geruch. Es ist von grünlicher Färbung, welche unter Einflufs des Lichtes bald verschwindet, und ist etwas konsistenter als Butter. Das Fett ist nicht homogen, in der grünen amorphen Masse finden sich zahlreiche krystallinisch-körnige Ausscheidungen, welche auch im Polarisationsmikroskope ihre krystallinische Beschaffenheit erkennen liefsen; diese Ausscheidungen nehmen stellenweise grofse Ausdehnung an, so dafs dort der Fettcharakter gänzlich zurücktritt. Der Schmelzpunkt des grünlichen amorphen Fettes wurde zu 33,6°, der der krystallinischen Ausscheidungen bei 55,6° gefunden. Das spez. Gewicht beträgt 0,9474. In Weingeist ist es wenig löslich, kochender absoluter Alkohol nahm nur 1,68 p. c., kalter 0,83 p. c. Fett auf. Die chemische Zusammensetzung der Bassiafette ist sehr wechselnd gefunden worden; während O. HENRY vorwaltend Stearin, PELOUZE und BOURDET hauptsächlich Olein nachwiesen, fand BUFF keine Palmitinsäure, THOMSEN und WOOD nahmen darin eine neue Säure, Bassiasäure, von 70° Schmelzpunkt an, und wäre diese mit Stearinsäure identisch. Nach VALENTA giebt das Fett von Bassia longifolia ein Säuregemenge von 63,49 p. c. Ölsäure und 36,51 p. c. feste Fettsäure, deren Schmelzpunkt bei 62° liegt, also wesentlich Palmitinsäure ist.

Das bei uns eingeführte vegetabilische Wachs giebt nach einer mir kürzlich zugegangenen Mitteilung bei der Verseifung im Fabriksbetriebe 80 p. c. einer bei 60° schmelzenden Fettsäure, welche also hauptsächlich Palmitinsäure ist, es unterscheidet sich daher durchaus von dem Fette aus Bassia longifolia. Die hohe Ausbeute an fester Fettsäure macht daher dieses Material ganz besonders wertvoll und findet raschen Absatz.

Graz, 20. März 1884.

Wochenbericht.

4. Organische Chemie.

L. Henry, Über das *Monobrommethylchloroform*, $CCl_3—CH_2Br$. Monobrommethylchloroform eignet sich zur Lösung einer interessanten Frage über die verschiedene Reaktionsfähigkeit der Halogene in den Derivaten des Äthans. Diese Frage lautet: Wie verläuft die Einwirkung kaustischer Alkalien auf ein gemischtes Derivat, wenn das Halogen, welches 'der Regel nach als Wasserstoffsäure ausgeschieden werden müfste, in dem benachbarten Kerne nicht den nötigen Wasserstoff vorfindet, da derselbe vollständig durch ein Halogen, insbesondere durch ein solches von geringerer Reaktionsfähigkeit vertreten ist?

Die Darstellung des Monobrommethylchloroforms läfst sich durch direkte Einwirkung von Brom auf Methylchloroform, $CCl_3—CH_3$, in bequemer Weise nicht ausführen. Zwar erfolgt durch Erhitzen beider in einem geschlossenen Gefäfse bei 150—160° die Substitution, allein die Bromierung geht sogleich weiter. Leichter kommt man zum Ziele, wenn man Antimonpentachlorid, $SbCl_5$, auf $CCl_2Br—CH_2Br$, welches durch direkte Addition von Brom zu dissymmetrischem Dichloräthylen, $CH_2—CCl_2$, entsteht, oder auf $CClBr_2—CH_2Br$, Additionsprodukt von Brom und dissymmetrischem Chlorbromäthylen, $CH_2=CClBr$ (Siedep. 63°) einwirken läfst. Der Vf. hat vor kurzem (S. 86) gezeigt, dafs die chlorsubstituierende Wirkung von $SbCl_5$ sich ausschliefslich auf das Bromatom erstreckt, welches an den Kohlenstoffkern, der den wenigsten Wasserstoff enthält, fixiert ist. Wie alle Verbindungen dieser Art bildet das Monobrommethylchloroform eine farblose, vollkommen klare, im Lichte unveränderliche Flüssigkeit von eigentümlich ätherartigem Geruche und süfslichem, zugleich scharfem Geschmacke; spez. Gewicht bei 0°, bezogen auf Wasser von derselben Temperatur, 1,8839; siedet ohne Zersetzung unter gewöhnlichem Luftdrucke bei 151—152°; Dampfdichte 7,46 (ber. 7,34). Dieser Körper wurde der Einwirkung von alkoholischem Kali unterworfen, womit er sofort lebhaft reagiert. 38 g geben mit 12 g Kali 13 g Kaliniederschlag. Das Chlor würde 13,3 g Chlorkalium, das Brom 21,2 g Bromkalium entsprechen. Bei der Analyse erwies sich der Niederschlag als reines Chlorkalium. Die alkoholische Lösung schied auf Zusatz von Wasser ein unlösliches Öl ab, welches dichter als Wasser war. Dasselbe bestand ausschliefslich aus Dichlormonobromäthylen, $CCl_2:CHBr$, und bildete eine farblose Flüssigkeit von sehr starkem Geruche, welche rasch Sauerstoff absorbierte, bei 114—116° siedete und die Dampfdichte 6,062 besafs (ber. 6,081). Man sieht also, dafs das Monobrommethylchloroform, $CCl_3—CH_2Br$, bei 'der Einwirkung von kaustischem Kali 1 Mol. HCl abgiebt und in $CCl_2:CHBr$ übergeht. Es ist zu bemerken, dafs das Brom in dem Kerne —CH_2Br sich in dem Maximum seiner Reaktionsfähigkeit gegenüber positiven Reagenzien befindet. Die Abwesenheit von Wasserstoff in dem benachbarten Kerne —CCl_3 hat also eine Umkehrung des normalen Ganges der Reaktion bewirkt.

Das Monobrommethylchloroform vervollständigt die Reihe der β-Chlorsubstitutionsprodukte des Äthylbromides. Der Vf. hat bis jetzt (1870 und 1883) folgende Glieder dieser Reihe beschrieben:

	Siedep.	Diff.	Dichte bei 0°	Diff.
$CH_3—CH_2Br$	38°		1,4733	
		70°		0,2654
$CH_2Cl—CH_2Br$	108°		1,7388	
		30°		0,1200
$CHCl_2—CH_2Br$	138°		1,8587	
		13°		0,0252
$CCl_3—CH_2Br$	151°		1,8839	

Man sieht, daſs der Einfluſs einer progressiven Substitution von Chlor für Wasserstoff um so weniger die Flüchtigkeit verringert und die Dichte vermehrt, je höher die Substitution bereits fortgeschritten ist.

Diese Modifikationen der Eigenschaften des ursprünglichen Körpers CH_2—CH_2Br sind mit einer Erhöhung des Molekulargewichtes verbunden. Es ist interessant, zu konstatieren, daſs sie weniger mit der Vermehrung des gesamten Molekulargewichtes, als mit der des Kohlenstoffkernes, in welchem die Substitution erfolgt, in Relation stehen:

	Gesamt-molekulargew.	Prozentische Erhöhung des gesamten Molekulargew.	des Gewichtes von CH_2
CH_2CH_2—Br	109,0		
CH_2Cl—CH_2Br	143,5	131,65	330,00
$CHCl_2$—CH_2Br	178	124,04	169,71
CCl_3—CH_2Br	212,5	119,20	141,07

Hieraus erkennt man die Individualität jeder Kohlenwasserstoffgruppe · in den organischen Verbindungen. (C. r. **98.** 370—72. [11.*] Febr.)

A. **Villiers,** Über *die Nitroderivate des Äthylenwasserstoffes.* Der Vf. hat im vorig. Jahre (**83.** 593) ein erstes Reduktionsprodukt der Kaliumverbindung des Tetranitroäthylenbromides, $C_4Br_2(NO_4)_4 . 2KO$, beschrieben. Dieses Derivat wurde durch Einwirkung von Ammoniumsulfhydrat auf die letztgenannte Kaliumverbindung erhalten und hatte die Formel $C_4K_2(NO_4)_4$.

Der Vf. hat nun die reduzierende Wirkung des Schwefelwasserstoffes weiter verfolgt und eine Base gewonnen, welche Kalium und Schwefel enthält und mit Platinchlorid ein sehr schönes Doppelsalz bildet. Eine Analyse konnte indessen wegen der geringen Substanzmenge noch nicht ausgeführt werden.

Weiter wurde die Einwirkung der schwefligen Säure auf die Kaliumverbindung des Tetranitroäthylenbromides studiert. Die schweflige Säure kann nicht in freiem Zustande angewendet werden, denn sie bewirkt eine vollständige Reduktion unter Entwicklung von Ammoniak, Bromwasserstoff- und Cyanwasserstoffsäure. Es wurde deshalb Kaliumsulfit unter Zusatz von Kaliumcarbonat benutzt. Man braucht die obige Verbindung nur mit einer Lösung dieser beiden Salze in einem Mörser zusammenzureiben. Sie ändert sofort ihr Ansehen, nimmt eine gelbe Farbe an, und zu gleicher Zeit entwickelt sich Kohlensäure. Das Produkt wurde filtriert, abgesaugt und in siedendem Wasser wieder gelöst; beim Abkühlen bilden sich schöne Krystalle von schwach schwefelgelber Farbe und glänzendem weiſsem Reflex. Dieses Produkt ist nichts anderes, als eine Verbindung des Körpers $C_4K_2(NO_4)_4$ mit Kaliumsulfat, $2C_4K_2(NO_4)_4 + 3KOSO_4$. Dieselbe Verbindung wurde auch durch direkte Einwirkung von Kaliumsulfat auf $C_4K_2(NO_4)_4$ erhalten. Sie detoniert bei 210°, ohne daſs bei derselben Temperatur, wie der Körper $C_4K_2(NO_4)_4$. Durch Einwirkung von Chlorbarium in warmer konzentrierter Lösung erhält man wieder den Körper $C_4K_2(NO_4)_4$, welcher beim Erkalten in schönen, glänzenden, hellgelben Krystallen sich abscheidet.

Die Einwirkung des Kaliumsulfits erfolgt nach der Gleichung:

$$C_4Br_2(NO_4)_4 . 2KO + 4SO_3KO + 2HO = C_4K_2(NO_4)_4 + 4SO_3KO + 2HBr.$$

Wegen der dabei sich bildenden Bromwasserstoffsäure muſs dem Kaliumsulfit Carbonat hinzusetzen, wenn man die Flüssigkeit nicht sauer und die Reaktion total werden soll.

Die Bildung des Körpers $C_4K_2(NO_4)_4$ durch Einwirkung von schwefliger Säure giebt zu interessanten Bemerkung Veranlassung. Die Reaktion erfolgt in theoretischer Menge, und 1 Äq. der Verbindung $C_4Br_2(NO_4)_4 . 2KO$ verlangt 4 Äq. schweflige Säure. Der Vf. hat sich hiervon überzeugt, indem er auf die Verbindung $C_4Br_2(NO_4)_4 . 2KO$ eine verdünnte Lösung von Kaliumsulfit und Kaliumdicarbonat einwirken lieſs und die schweflige Säure durch Jod vor und nach der Reaktion bestimmte; andererseits hat er festgestellt, daſs die angewandte Jodtinktur unter den Bedingungen der Analyse ohne Einwirkung auf den durch Reduktion gebildeten Körper ist. (C. r. **98.** 431—33. [18.*] Febr.)

P. **Cazeneuve,** Über *die Bildung des Methyljodids und Methylenjodids aus Jodoform.* Vor einiger Zeit (**8.** 57) hat der Vf. gezeigt, daſs sich Acetylen bildet, wenn man Jodoform bei Gegenwart gewisser Metalle mit Wasser erhitzt. Hierzu eignen sich namentlich Kupfer, Silber, Zink und Eisen. Es wurde in dieser Mitteilung zugleich ein flüssiges Jodderivat von angenehmem, ätherartigem Geruche und ein gasförmiger jodierter Körper

17*

erwähnt. Die Untersuchung dieser Produkte hat erwiesen, dafs sich bei dieser Reaktion konstant Wasserstoff, Methyljodid oder Monojodmethan und Methylenjodid oder Dijodmethan bilden. Der Wasserstoff reifst Dämpfe von Methyljodid mit fort, wodurch seine Flamme die in der genannten Mitteilung erwähnte eigentümliche Färbung annimmt.

Die günstigsten Bedingungen zur gleichzeitigen Bildung von Methyljodid und Methylenjodid aus Jodoform sind folgende:

Statt des Zinks ist es vorteilhafter, durch Wasserstoff reduziertes Eisen anzuwenden. 500 g davon werden innig mit 500 g fein gepulvertem Jodoform gemischt und dann mit 200 g Wasser versetzt. Diese Menge Wasser ist nötig, wenn der Gang der Zersetzung ein regelmäfsiger sein soll. Man erhitzt allmählich, bis die Reaktion einen beständigen Charakter annimmt und unterhält sie durch gelindes Erhitzen. Auf diese Weise erhält man 120 g eines Gemenges von 40 g Methyljodid, CH_3J, und 80 g Methylenjodid, CH_2J_2, welche man leicht durch Erhitzen im Vakuum trennt. Hierdurch vermeidet man die Zersetzung des Methyljodides durch Wärme. Die beiden Körper wurden durch ihren Siedepunkt und ihre Dampfdichte charakterisiert. Sie bilden sich nach den folgenden Gleichungen:

$$CHJ_3 + 2\,Fe + H_2O = CH_3J + FeJ_2 + FeO$$
$$2(CHJ_3) + 2\,Fe + H_2O = 2(CH_2J_2) + FeJ_2 + FeO.$$

Das Eisenoxydul, jedenfalls als Hydrat, geht gegen das Ende der Operation unter Wasserstoffentwicklung in Eisenoxyduloxyd über. Eine methodische Analyse der Reaktion machte es möglich, festzustellen, dafs sich zuerst Acetylen und Methylenjodid, dann Methyljodid und Wasserstoff bilden. Gegen das Ende der Reaktion entwickelt sich nur Wasserstoff mit Dämpfen von Methyljodid gesättigt. Hierdurch ist erwiesen, dafs man durch die Einwirkung von Eisen und Wasser auf Jodoform leicht von dem Trijodid auf die niederen Substitutionsprodukte kommt. Das Methylenjodid ist schon aus Jodoform dargestellt worden, aber durch eine hydrogenierende Reaktion, welche mehr Sorgfalt verlangt, nämlich durch kombinierte Einwirkung von Phosphor und Jodwasserstoffsäure (BAEYER) oder durch Einwirkung von Jodwasserstoff bei 150° (BUTLEROW). Die gleichzeitige Bildung von Methyljodid ist bis jetzt noch nicht bekannt gewesen. Sie scheint um so interessanter, als man bisher dieses Monosubstitutionsprodukt des Methans nur durch Ätherifikation von Methylalkohol darstellen konnte. (C. r. **98**. 369—70. [11.*] Febr.)

5. Physiologische, medizinische und pharmazeutische Chemie.

Adolf Mayer, *Kleine Beiträge zur Frage der Sauerstoffausscheidung in den Crassulaceenblättern.* (Landw. Vers.-Stat. **30**. 217—26. Febr. [Okt. 1883.] Wageningen.)

C. Kreuzhage und **E. v. Wolff,** *Bedeutung der Kieselsäure für die Entwicklung der Haferpflanze nach Versuchen in Wasserkultur.* Diese Versuche wurden in den Jahren 1880—1882 ausgeführt. Sie haben bewiesen, dafs unter sonst geeigneten Verhältnissen bei den Halmfrüchten, zunächst bei der Haferpflanze, durch die Aufnahme von Kieselsäure oft eine bessere Ausnutzung der übrigen oder eigentlichen Nährstoffe bewirkt wird, ganz besonders aber eine vollkommene Ausbildung der Körner und somit der ganzen Pflanze mehr gesichert ist, als wenn eine solche Aufnahme in ausreichendem Mafse nicht stattfinden kann. Andererseits hat man aus früheren, in Hohenheim mit der Haferpflanze ausgeführten Wasserkulturen entnehmen können, dafs die einseitige Steigerung des Gehaltes der Nährstofflösung an Phosphorsäure ebenfalls günstig wirkt für Quantität und Qualität der produzierten Körner, namentlich dann, wenn die Vegetation eine relativ üppige ist.

Diese Thatsachen dürfen aber nicht ohne weiteres und direkt auf die landwirtschaftliche Praxis, wie dieselbe unter normalen Verhältnissen sich gestaltet, übertragen, und daraus vielleicht gefolgert werden, dafs die Kieselsäure im Dünger gleichsam die Phosphorsäure ersetzen kann, und dafs auch die erstere unter allen oder doch vorherrschend vorhandenen Umständen günstig wirken mufs für die Körnerproduktion der Halmfrüchte. Dies kann höchstens bei einem stark humosen oder überhaupt an Stickstoffnahrung übermäfsig reichen Boden der Fall sein, und auch dann ist die Notwendigkeit einer gleichzeitigen reichlichen Zufuhr von Phosphorsäure nicht vermindert, aufserdem aber noch völlig unbekannt, in welcher Form oder Verbindung etwa die Kieselsäure in praktisch lohnender Weise dem Acker zugeführt werden könnte.

Einige Versuche, welche strebsame Praktiker in der angedeuteten Richtung schon bald nach der ersten und vorläufigen Veröffentlichung eines Teiles der Hohenheimer Versuche (Landw. Vers.-Stat. **26**. 415) anstellten, haben in ihren Resultaten den gehegten Erwartungen nicht entsprochen. Noch unglücklicher ist das Unternehmen von Düngerfabri-

kanten und Spekulanten gewesen, ein Düngemittel unter dem Namen von Kieselsäure-
poudrette in den Handel zu bringen, abgesehen davon, dafs die Kieselsäure darin grofsenteils in einem für die Aufnahme durch die Pflanze sehr wenig geeigneten Zustande zugegen war.

Man mufs immer beachten, dafs die Verhältnisse bei der Wasserkultur doch wesentlich anderer Art sind, als bei dem Anbau der Pflanzen auf dem Felde, und dafs die Ergebnisse der nach ersterer Methode ausgeführten Versuche wohl zur Aufklärung vieler
wissenschaftlich und auch praktisch wichtigen Fragen dienen können, aber nicht immer
eine unmittelbare Anwendung auf die Praxis der Landwirtschaft gestatten.

Bei der Wasserkultur ist es schwierig, eine relativ vollständige Ausnutzung der sämtlichen, in der Lösung enthaltenen Nährstoffe durch die Pflanze zu bewirken, resp. eine
gröfsere oder geringere Luxuskonsumtion zu verhindern. Letztere ist sogar, um eine
reichliche Körnerbildung zu ermöglichen, bis zu einem gewissen Grade notwendig, und
auch die Gegenwart von löslicher Kieselsäure vermindert nicht die gleichzeitige Aufnahme
der übrigen oder eigentlichen Nährstoffe; im Gegenteil wird dieselbe dadurch manchmal
absolut erhöht und alsdann allerdings auch eine bessere Ausnutzung der gesamten, in
der Lösung enthaltenen Nährstoffe herbeigeführt, wenn nämlich infolge der Extrabeigabe
von Kieselsäure eine vollkommenere Ausbildung der ganzen Pflanze und zugleich eine
Zunahme in der Produktion von Trockensubstanz bewirkt wurde. Eine Verminderung
der Luxusconsumtion, d. h. einen niedrigeren prozentigen Gehalt der Trockensubstanz an
Reinasche beobachtet man nur, wenn die Konzentration der Nährstofflösung bis zu einem
gewissen Grade, jedoch nicht zu sehr, abnimmt; aber es ist dann auch die reichliche und
vollkommene Körnerbildung mehr gefährdet, freilich bei Gegenwart von rasch aufnehm-
barer Kieselsäure weit weniger, als ohne dieselbe. Auf diese Weise konnte bei den Versuchen im Jahre 1882 der Gehalt an Trockensubstanz (Körner und Stroh zusammengenommen) an Reinasche, nach Abzug der Kieselsäure durchschnittlich bis auf etwa 3,5 p. c.
vermindert werden. Die auf dem Felde ganz normal gewachsene reife Haferpflanze enthält im Mittel zahlreicher Untersuchungen 3,18 p. c., und oft ist der Gehalt noch bedeutend niedriger, ungeachtet das Verhältnis zwischen Körnern und Stroh günstiger, d. h.
ein engeres zu sein pflegt, als bei der Wasserkultur, wenigstens in den hier beschriebenen
Versuchen.

Im gewöhnlichen Ackerboden scheint schon eine geringere Konzentration der Nährstofflösung zur ganz normalen Ausbildung der Pflanze, namentlich bezüglich der Körner
zu genügen. Ähnliches ist vielleicht hinsichtlich einzelner Nährstoffe der Fall, namentlich
in betreff des Mengenverhältnisses von Phosphorsäure und Stickstoff.

In der eigentlichen „Normallösung" war bei den vorliegenden Versuchen überall, mit
und ohne Kieselsäure, das Verhältnis von Phosphorsäure und Stickstoff ziemlich genau
= 1 : 1. Durch einseitige Steigerung der Stickstoffzufuhr mittels einer Beigabe von salpetersaurem Kalk wurde das Verhältnis = 1 : 1,25 und 1 : 1,50, und dadurch die Pro-
duktionsfähigkeit der Pflanze entschieden erhöht, aber nur für die Stroh-, nicht für die
Körnerbildung, welche letztere sogar um etwa ¹/₇ sich verminderte. Auch bei früheren
Versuchen in Wasserkultur, bei stetig abnehmendem Gehalte der Lösung teils an Stickstoff (Landw. Vers.-Stat. 20. 395) und teils an Phosphorsäure zeigte sich fast immer bei
engem Verhältnisse dieser beiden Nährstoffe eine günstigere Körnerbildung, als wenn
jenes Verhältnis sich mehr erweiterte.

Im gewöhnlichen Ackerboden sind die Grenzen in dieser Hinsicht nicht so eng gezogen, vielmehr scheint schon bei Gegenwart einer relativ geringeren Menge von aufnehm-
barer Phosphorsäure eine gute Körnerbildung gesichert zu sein, wenn nur die Jahreswit-
terung nicht zu ungünstig ist. In der auf dem Felde gewachsenen reifen Haferpflanze,
überhaupt in den Halmfrüchten (Körner und Stroh = 1 : 1,5—2) verhalten sich die
Mengen von Phosphorsäure und Stickstoff durchschnittlich wie 1 : 2, während bei Wasserkulturen die Phosphorsäure meist verhältnismäfsig vermindert war, wenn eine gleich vollkommene Entwicklung der Pflanze in Körnern und Stroh erzielt wurde. Es äufsert darauf
auch die gleichzeitige Aufnahme von Kieselsäure einen bedingenden Einflufs, aber es wird
hierdurch der Bedarf an Phosphorsäure nicht wesentlich vermindert; wenn jedoch beide
Stoffe in völlig genügender Menge vorhanden sind und zur Aufnahme sich darbieten,
dann ist das Gedeihen der Haferpflanze in Wasserkultur am meisten gesichert.

Phosphorsäure und Kieselsäure fördern, jede für sich und beide zusammen, die
bessere Ausbildung der Körner bei den Halmfrüchten, die erstere Substanz direkt als
wesentlicher und allgemeiner Pflanzennährstoff, die letztere indirekt, weil sie, wie es
scheint, ein rechtzeitiges und gleichmäfsiges Ausreifen der Pflanze bewirkt, nach der
Blütezeit eine lebhaftere Strömung des Saftes nach den Fruchtteilen hin begünstigt. Der
eine Stoff ist gleich wichtig für alle Kulturpflanzen, der andere dagegen wird in gröfserer

Menge fast nur von den Halmfrüchten aufgenommen, und hat auch keinen bestimmenden
Einfluß auf die Bildung der organischen Substanz überhaupt; es kann daher von einer
gegenseitigen Vertretung beider Stoffe gar nicht die Rede sein und zwar bei der Kultur
auf dem Felde um so weniger, als sehr häufig im gewöhnlichen Ackerboden an Phosphorsäure nicht einmal das zur Erzielung einer guten Ernte erforderliche Minimum, an Kieselsäure dagegen, mit wenigen Ausnahmen, Überfluß vorhanden ist, und davon auch unter
den bei uns in der Landwirtschaft fast allgemein vorherrschenden Betriebsverhältnissen,
unter Mitwirkung der Wiesenerträge immer mehr sich ansammelt. Durch Anwendung
von Phosphaten, für sich allein oder neben und abwechselnd mit dem Stallmist, kann
man bekanntlich oftmals die Ernten der Kulturpflanzen beträchtlich und in lohnender
Weise steigern, während dies durch Düngung mit Silikaten nicht möglich ist. Selbst bei
stark humoser Beschaffenheit des Bodens wird eine Extrazufuhr von Kieselsäure für jetzt
kaum vorteilhaft sein; indes sollte man nicht aufhören, in dieser Richtung wenigstens
vorläufige Versuche anzustellen, da es doch vielleicht gelingt, eine Form oder Verbindung
zu ermitteln, in welcher die Kieselsäure unter gewissen Verhältnissen in der Praxis Anwendung finden und den Halmfrüchten neben der Phosphorsäure zur besseren und
trotz etwaiger Ungunst der Witterung mehr gesicherten Ausbildung der Körner beitragen kann. (Landw. Vers.-St. **30.** 161—197. Febr. Hohenheim.)

P. P. Dehérain, *Über die Fabrikation des Stalldüngers.* Die Untersuchungen des
Vf.'s führten denselben zu folgenden Ergebnissen: 1. Die hohe Temperatur, welche man
im Stalldünger beobachtet, rührt von einer Oxydation der organischen Substanz durch
freien Sauerstoff her. 2. Diese Oxydation wird nur teilweise durch ein geformtes Ferment
bewirkt. 3. Die Entwicklung von Methan aus dem Stalldünger bei Sauerstoffabschluß
ist ausschließlich dies Wirkung eines geformten Fermentes. (C. r. **98.** 377—80. [11.*] Febr.)

Aug. Morgen, *Ein Beitrag zu der Frage des Stickstoffverlustes, welchen organische,*
stickstoffhaltige Stoffe bei der Fäulnis erleiden. Diese Untersuchungen beziehen sich
namentlich auf die Veränderung der Düngemittel durch Fäulnis, ein Gegenstand, der
schon früher von anderen Beobachtern in Untersuchung genommen worden ist. Zuerst
hat JULES REISET gezeigt, daß bei der Fäulnis von Pferde- und Schafmist, oder auch
von Fleisch immer eine gewisse Menge von Stickstoff im gasförmigen Zustand abgeschieden
wird; hierauf folgten andere Untersuchungen von LAWES und GILBERT, KÖNIG und KIESOW,
GEORGES VILLE, ULBRICHT, ARMSBY, BRIMMER etc., deren hauptsächlichste Resultate
sich in die folgenden Sätze zusammenfassen lassen.

1. Die Ammoniaksalze, Nitrate und sonstige N-haltige Verbindungen, welche sich
während der Fäulnis N-haltiger Stoffe bilden, repräsentieren nicht die Gesamtmenge des
in der ursprünglichen Substanz vor der Fäulnis enthaltenen Stickstoffes. — 2. Ein Teil
des Stickstoffes der faulenden Substanz geht bei der Fäulnis vollständig aus dem gebundenen in den freien Zustand über und bewirkt durch Entweichen in Gasform einen
Verlust. — 3. Dieser Verlust an Stickstoff findet auch statt, wenn der faulenden Substanz
ausgeglühter Boden zugesetzt wurde (LAWES und GILBERT). — 4. Der Stickstoffverlust
wird beseitigt durch Zusatz von Gips zu der faulenden Masse (KÖNIG und KIESOW). —
5. Ebenfalls findet ein Verlust an Stickstoff nicht statt, wenn die faulende Substanz mit
nichtgeglühtem Boden, mit Gartenerde, zusammenfault (KÖNIG und KIESOW). — 6. LAWES
und GILBERT, ebenso KÖNIG und KIESOW und auch ARMSBY sprechen (letzterer auf
Grund seiner Versuche) die Vermutung aus, daß Oxydationsvorgänge als die Ursache des
Stickstoffverlustes anzusehen seien.

So stand die Frage bis zu den Untersuchungen von DIETZELL (**82.** 504). Dieselben
ergaben zunächst eine Bestätigung des allgemein beobachteten Verlustes an Stickstoff,
und zwar fand dieser Verlust auch statt, als der faulenden Substanz (Blut mit Kuhharn)
Gips oder Boden oder kohlensaurer Kalk zugesetzt wurde. Bei einem anderen Versuche
beobachtete DIETZELL nun aber das Auftreten von freier salpetriger Säure bei der Fäulnis, und zwar nimmt er an, daß die salpetrige Säure durch das bei der Fäulnis gleichzeitig entstehenden Fettsäuren in Freiheit gesetzt war. Ferner hat DIETZELL bei einem
anderen Versuche gefunden, daß die salpetrige Säure auch durch Kohlensäure in Freiheit gesetzt werden kann, jedoch soll diese Zersetzung der Nitrate durch Kohlensäure
nicht stattfinden, wenn gleichzeitig Calciumcarbonat sich in Lösung befindet.

Diese Resultate, welche bereits vor zwei Jahren veröffentlicht worden sind, konnten
von dem Vf. nicht berücksichtigt werden, da seine Versuche früher ausgeführt worden
sind. Er giebt in dem folgenden eine Mitteilung seiner Resultate, welche zum Teil mit
älteren Untersuchungen im Widerspruch stehen, zum anderen Teile als eine Bestätigung
der DIETZELLschen Beobachtungen angesehen werden dürfen. Die Versuche wurden mit
Blut, Knochenmehl, Ledermehl, Hornmehl ausgeführt; die Resultate sind folgende:

1. Der Verlust an Stickstoff bei der Fäulnis stickstoffhaltiger organischer Substanzen
ist, mit einziger Ausnahme des Ledermehles, bei welchem dieses jedoch aus der Wider-

standsfähigkeit dieser Substanz vorauszusehen war, durch die Versuche des Vf.'s durchweg bestätigt. — 2. Ein Zusatz von Gips hat in den meisten Fällen, jedoch nicht überall, vermindernd auf den Stickstoffverlust gewirkt. — 3. Ein Zusatz von Boden vermochte in keinem Falle den Stickstoffverlust zu beseitigen, im Gegenteil wurde der Verlust durch den Zusatz von Boden bis um das Vierfache vergröfsert. Nur bei dem Knochenmehl zeigte sich bei Zusatz von Ackererde eine Verminderung, jedoch nicht vollständige Aufhebung des Verlustes. — 4. Die Menge des bei der Fäulnis gebildeten Ammoniaks steht in gewisser Beziehung zu dem Stickstoffverlust. Je gröfser der Verlust, um so gröfser war auch die Menge des gebildeten Ammoniaks. Es hat sich dieses wenigstens im grofsen und ganzen gezeigt, wenn auch eine vollständige Proportionalität nicht stattfand, in einem Falle (beim Knochenmehl) sogar das Gegenteil beobachtet wurde. — 5. Ein Zusatz von Kainit vermochte beim Hornmehl den Stickstoffverlust zu vermindern, und zwar waren 10 p. c. Kainit zur vollständigen Beseitigung des Verlustes ausreichend. — 6. Überall, wo gröfsere Verluste an N stattgefunden hatten, zeigte die gefaulte Masse eine alkalische oder neutrale Reaktion, während in den Fällen, wo der Verlust nur gering war oder gar nicht beobachtet wurde, die Reaktion eine schwach sauere war.

Hieran knüpft der Vf. eine Diskussion seiner Resultate im Vergleich mit denjenigen, zu denen die Untersuchung anderer geführt haben. (Landw. Vers.-St. 30. 199—216. Febr.)

P. de Gasparin, Über *die Verteilung, Assimilation und Bestimmung der Phosphorsäure in den Ackererden.* Nichts ist wichtiger für die praktische Agrikulturchemie als die Kenntnis des Zustandes der Phosphorsäure im Boden. Über die Quelle derselben herrscht kein Zweifel: alle granitischen, metamorphischen, vulkanischen Schiefer- und Kalkgesteine aller Schichten enthalten Phosphorsäure, absteigend von 3 p. c. in den Laven bis zu einem Minimum von 2 p. m. in gewissen Graniten und Kalksteinen.

Die metamorphischen Gesteine sind im allgemeinen reicher, als die primären und tertiären. Es ist ganz natürlich, dafs die durch Verwitterung entstandenen Ackererden ebenfalls sehr verschiedene Mengen Phosphorsäure enthalten müssen, je nach der Natur der Gesteine, denen sie ihren Ursprung verdanken. Man mufs sich indes fragen, ob die im Ackerboden enthaltene Phosphorsäure in demselben Zustande ist, wie in den Gesteinen, oder ob sie nicht bereits eine Umwandlung erlitten hat, und ob es nicht vielleicht gerade die Umwandlung ist, welche sie für die Assimilation durch die Pflanzen geeignet macht. Hier kann man sich nur an die direkte Beobachtung halten. Nun wissen wir, dafs eines der wirksamsten Mittel für die Zersetzung der Gesteine und ihre Umwandlung in fruchtbaren Ackerboden der Angriff derselben durch die an der Oberfläche vegetierenden Moose und Flechten ist. Von den Moosen und Flechten, die auf einem Gestein mit 2 p. c. Phosphorsäure wachsen, enthält 1 kg Trockensubstanz 1,2 g Phosphorsäure, also sechsmal mehr, als das Gestein, welches sie trägt. Die Trümmer des angegriffenen Gesteines werden also ihres Phosphorsäuregehaltes gänzlich beraubt sein, und wenn sie sich mit Pflanzenresten mischen, um das kultivierbare Ackerland zu bilden, so wird die Phosphorsäure in diesen nicht in den mineralischen, sondern in den organischen Resten enthalten sein. Alle folgenden Vegetationen nach dieser ersten, welche das Gestein gewissermafsen urbar gemacht hat, bemächtigen sich ihrerseits wiederum der Phosphorsäure und geben sie mit ihren Verwesungsresten dem Ackerboden wieder.

Die in die Gewebe der Pflanzen aufgenommene Phosphorsäure wird mit grofser Kraft zurückgehalten. Ein gutes weifses Filtrierpapier, welches nur 8 p. m. Asche enthält, wurde eingeäschert und in der Asche die Phosphorsäure bestimmt. Es ergab sich, dafs 1 kg des Papieres noch 0,03 g Phosphorsäure enthielt, trotz der lange fortgesetzten Waschungen bei der Bereitung des Papierbreies.

Um über den Zustand eines Ackerbodens näheren Aufschlufs zu erhalten, betrachtete der Vf. einen kalkigen Thonboden aus der Ebene von Tarascon, welcher 12,5 kg organiche Substanz in 500 kg Boden enthielt. Diese organische Substanz enthält in jenen Gegenden etwa 1 p. m. Phosphorsäure, also 12,5 g, was einem Gehalt von 125 kg organische Phosphorsäure auf 1 Hektar Oberfläche entspricht. Dies ist äufsert wenig im Vergleich mit der Menge Phosphorsäure in diesem Terrain, welche etwa 2500 kg per Hektar beträgt. Man kann also sagen, dafs sich 5 p. c. der Phosphorsäure in organischer Verbindung und 95 p. c. in mineralischer Verbindung befinden. Ohne Zweifel sind diese 95 p. c. nicht zu vernachlässigen; allein in diesem kalkigen Thonboden, welcher 40 p. c. kohlensauren Kalk und 50 p. c. Thon und Sand enthält, der sehr reich an Eisenoxyd ist, ist die mineralische Phosphorsäure auf keinen Fall in einem leicht assimilierbaren Zustande vorhanden. Man kann demnach rechnen, dafs die 125 kg Phosphorsäure, welche in den organischen Resten enthalten, sich allein in dem für die Assimilation durch die Pflanzen geeigneten Zustand befinden, und dafs, wenn dieser kleine Vorrat erhalten, oder besser noch, durch den Dünger vermehrt wird, man für die Ernährung der Kulturpflanzen Sorge trägt.

Ohne Zweifel wird die Zufuhr löslicher, mit organischen Substanzen assoziirter Phosphate von grofsem Nutzen für die Pflanzenkultur sein, aber die Gegenwart organischer Substanzen ist immer der Hauptpunkt, und diejenigen, welche glauben, dafs sie entbehrlich seien, befinden sich in einem Irrtum.

Die Bestimmung der Phosphorsäure in den Ackererden ist von besonderer Wichtigkeit. Die Molybdänmethode von SONNENSCHEIN hat schon mehrfache Verbesserungen erfahren. Man wirft ihr mit Recht ihre Langsamkeit und den Umstand vor, dafs eine kleine Menge Eisen, welche sich nicht durch Ammoniak beseitigen läfst, hartnäckig der Phosphorsäure anhaftet; ebenso stört die Kieselsäure, welche beseitigt werden mufs. Am besten ist es, die Probe, in der man die Phosphorsäure bestimmen will, mit Königswasser oder überschüssiger Salzsäure im Wasserbade zu erhitzen, durch Eindampfen und Erhitzen die Kieselsäure unlöslich zu machen, die abfiltrierte Flüssigkeit vorsichtig mit Ammoniak zu versetzen, so dafs die Sesquioxyde abgeschieden werden, bevor die Flüssigkeit alkalisch ist. Hierauf übersättigt man mit Ammoniak und filtriert; die Sesquioxyde enthalten dann alle Phosphorsäure. Der Niederschlag wird in einer Platinschale mit dem Filter geglüht, der Rückstand zu feinstem Pulver zerrieben und zum zweiten Mal in einem kleinen Platintiegel zur Weifsglut erhitzt. Dieses geglühte Pulver wird dann mit Salpetersäure von 50 p. c. digeriert und das Filtrat auf dem Wasserbad mit nitromolybdänsaurem Ammoniak gefällt. Nach 24 stündiger Ruhe giefst man die klare Flüssigkeit ab, wäscht den Niederschlag mit dem Reagens aus und löst dann das absolut reine Phosphormolybdat in Ammoniak, worauf man schliefslich mit Magnesiamischung fällt. (C. r. **98**. 201—204. [28.*] Januar.)

Friedr. Nobbe, *Untersuchungen über die Anzucht des Weinstockes aus Samen.* (Landw. Vers.-Stat. **30**. 229—40 u. folg.)

E. Külz, *Zur Kenntnis des Cystins.* Zu seinen Elementaranalysen hat Vf. das Cystin von vier Darstellungsweisen verwandt. Die Bestimmungen ergaben, dafs für die Formel $C_3H_7NSO_2$ der Wasserstoff in sämtlichen Analysen zu niedrig ausgefallen war (die Formel verlangt 5,78 p. c., gefunden 5,13—5,49 p. c. H). Dagegen stimmen sämtliche Analysen (mit Ausnahme zweier Stickstoffbestimmungen) gut zur Formel $C_6H_{12}NSO_4$; ob sie die richtige ist oder gar verdoppelt werden mufs, wird wohl die Synthese des Cystins endgültig entscheiden können; bis dahin wird die analytisch besser gestützte Formel $C_6H_{12}NSO_2$ jedenfalls den Vorzug verdienen.

Das Drehungsvermögen des Cystins wurde nach neueren Untersuchungen $[\alpha]_j =$ —141,22° und —142,02° gefunden. Angewandt wurde eine ammoniakalische Cystinlösung und der JELETT-CORNU'sche Halbschattenapparat mit Keilkompensation. (Ztschr. für Biol. **20**. 1—10. Marburg.) P.

P. Plósz, Über *einige Chromogene des Harns und deren Derivate.* Erhitzt man menschlichen Harn mit Salzsäure bei Luftzutritt, so wird er mehr oder weniger dunkel gefärbt. Nach 10—20 Minuten langem Sieden mit 5—10 p. c. Salzsäure scheidet sich aus manchem Harn Indigo aus. Schüttelt man den braun gewordenen Harn mit Äther oder Chloroform, so nehmen diese den eventuell vorhandenen Indigo und sehr häufig einen anderen roten Farbstoff auf; letzterer ist identisch mit dem vom Vf. bereits beschriebenen (**82**. 597), den man als einen durchaus nicht seltenen Bestandteil des Harns betrachten mufs. Die ätherische Lösung enthält auch einen gelbfärbenden Körper, der zum Teil jedenfalls Urobilin ist. Der rote Farbstoff, den Vf. vorläufig *Urorubin* nennt, kann man aus dem nach Abdestillieren des Äthers verbleibenden Rückstand mittels heifsem Wasser isolieren, in dem er unlöslich ist. Der Rückstand wird wieder in Äther gelöst, wobei der gröfste Teil des Indigos ungelöst zurückbleibt, dann werden durch Natronlauge die letzten Reste von Urobilin entfernt, während das Urorubin in ätherischer Lösung durch die Lauge nicht angegriffen wird. Die prachtvoll granatrote ätherische Lösung des Farbstoffes zeigt starke Absorption des Lichtes von D bis F. Der Farbstoff ist leicht löslich in Alkohol, Chloroform und besonders in Äther. Unter den Zersetzungsprodukten des Urorubins Scatol nachzuweisen, ist nicht gelungen. Jenes ist nicht identisch mit dem violetten Farbstoffe, den BRIEGER nach dem Einführen von Scatol im Hundeharn fand (**81**. 6).

Der vom Urorubin und Indigo befreite Harn giebt an Amylalkohol einen anderen Farbstoff ab, den Vf. *Uromelanin* nennt. Die Substanz entsteht im Harne durch Oxydation, die, wie es scheint, bei stark saurer Reaktion eintritt. Auch das Chromogen des Farbstoffes ist in Amylalkohol löslich, ist farblos und geht in saurer Lösung durch Oxydation in den Farbstoff über. Der Farbstoff kann in dünnen, schwarzen, spröden Lamellen, aschefrei, erhalten werden. Konzentrierte Salpetersäure löst das Uromelanin beim Sieden zur hellkirschroten Flüssigkeit unter Zurücklassung eines gelblichen Harzes auf; beim Verdünnen der Lösung mit Wasser entsteht ein roter flockiger Niederschlag. Die

Lösung des Farbstoffes in Natronlauge wird durch Zinkstaub entfärbt. Bei der trocknen Destillation resultiert ein stark pyrolhaltiges Destillat.

Das Uromelanin bildet einen konstanten Harnbestandteil und beträgt seine Menge im täglichen Harn 5—6 g und darüber, so dafs dasselbe unter den organischen Stoffen an Menge nach dem Harnstoffe folgen würde. (Ztschr. physiol. Chem. **8.** 85—94. 6. Sept. 1883.)   P.

Emil Pfeiffer, *Beiträge zur Physiologie der Muttermilch und ihrer Beziehung zur Kinderernährung.* Nachdem Vf. die sichersten und besten Methoden behufs Analysierung der Frauenmilch beschrieben (D. med. Ztg. 1883. 397) hat er 109 eigene Analysen zusammengestellt und zwar aus allen Perioden der Laktation, aus allen Altersklassen und Berufsarten, von Erst- und Mehrgebärenden stammend.

Am ersten Tage nach der Geburt beträgt der Eiweifsgehalt der Milch 8,6 p. c., vom dritten bis siebenten Tage 3,4 p. c., in der zweiten Monate 2,28 p. c., im zweiten Monate 1,84 p. c., im siebenten Monate 1,52 p. c., also im Anfange sehr hoch und dann langsam sinkend. Der Fettgehalt der Milch während der Laktation schwankt aufserordentlich, meist ist er in der späteren Periode des Stillens vermehrt. Die Menge des Zuckers ist am ersten Tage niedrig, nimmt anfangs rapid, dann langsamer zu. Das spez. Gewicht und die Menge der festen Bestandteile hängen im wesentlichen von den irregulären Veränderungen des Fettgehaltes ab.

Hiernach bestehen die Merkmale einer „jungen Milch" in gröfserem Gehalte an Eiweifs und Salzen und geringerem Gehalte an Zucker, die der „älteren Milch" in geringerem Eiweifs- und Salzgehalte und höherem Zuckergehalte.

Die Menge der Milchabsonderung steigt vom ersten Tage an stetig bis zur 28. Woche, von da an sinkt sie. Die Milch älterer Frauen enthält weniger Fett und mehr Eiweifs, Zucker und Salze, als die jüngerer. Eiweifsreichere Nahrung vermehrt den Eiweifs- und Fettgehalt, vermindert den Zucker- und Salzgehalt, umgekehrt eine vegetabilische eiweifsarme Kost. (Jahrb. f. Kinderheilk. **20.** Hft. 4; D. med. Ztg. **5.** 81—82. Wiesbaden.) P.

R. Lépine, Eymonnet und **Aubert**, Über *das Vorkommen von unvollständig oxydiertem Phosphor im Harn, besonders bei nervösen Zuständen.* Obwohl einige Autoren, besonders ZÜLZER, das Vorkommen von unvollkommen oxydiertem Phosphor im Harn hingewiesen haben, so ist doch bis jetzt noch nicht mit genügender Genauigkeit das Verhältnis desselben zum Stickstoff und zur Phosphorsäure und die Variationen, welche dieses unter verschiedenen Bedingungen erleiden kann, festgestellt worden. Die Vff. haben vor achtzehn Monaten in der Société de Biologie die Methode angegeben, nach welcher dieser Phosphor bestimmt werden kann. Dieselbe besteht wesentlich darin, dafs man die Phosphorsäure durch Magnesiamischung vollständig fällt, die filtrierte Flüssigkeit eindampft, mit Kaliumnitrat glüht und die dadurch gebildete Phosphorsäure mit Molybdänsäure bestimmt. Sie haben ferner die normale Menge dieses unvollständig oxydierten Phosphors beim Menschen und beim Hunde festgestellt und endlich gezeigt, dafs sich dieselbe bei Phtysikern mit Fettleber bedeutend erhöht, was im Einklange steht mit der gröfseren Menge des in letzterer enthaltenen Lecithins (DASTRE und MORAT).

Ganz neuerlich hat ZÜLZER (Untersuchungen über die Semiologie des Harns 1884. 18 und 19) einige Bestimmungen veröffentlicht, aus denen hervorgeht, dafs der Gehalt des unvollkommen oxydierten Phosphors im Harn unter dem Einflusse der Chloroformanästhesie bedeutend zunimmt. Diese interessante Tatsache veranlafste die Vff., die Hauptresultate ihrer Bestimmungen bei nervösen Affektionen mitzuteilen. Bezüglich dieser Resultate sei hiermit auf das Original verwiesen. (C. r. **98.** 228—40. [28.*] Jan.)

Piero Giacosa, Über *die Umsetzung der Nitrile im Organismus.* Benzonitril wurde einem Hunde in den Magen gebracht; im Harn konnten weder Benzoesäure noch Hippursäure, noch Benzamid, noch Phenol aufgefunden werden. Die Verbindung wird sehr langsam in der Exspirationsluft, im Urin und Fäces aus dem Organismus abgeschieden. Während die geparten Schwefelsäuren sich vermehren, nimmt die Gesamtschwefelsäure ab. Wird Phenylacetonitril subcutan injiziert, so findet man im Harn eine Säure, die man als die Phenacetursäure ansehen mufs; letztere besitzt aber den Schmelzpunkt der Hippursäure; der Harn enthielt aufserdem viel Harnsäure und Kynurensäure. Aceto- und Propionitril vermehrten den Gehalt des Harns an Fettsäuren nicht. Sowohl die aromatischen Nitrile, als diejenigen der Fettreihe scheinen den Gehalt des Harns an Amoniummagnesiumphosphat in auffallender Weise zu steigern. (Ztschr. physiol. Chem. **8.** 95—113. 8. Sept. 1883. Turin.)   P.

Th. Pfeiffer, *Vergleichende Versuche über natürliche und künstliche Verdauung stickstoffhaltiger Futterbestandteile.* Versuche von A. STUTZER und W. KLINKENBERG (**82.** 236 und 519) haben ergeben, dafs ein bestimmter Teil der in Futterstoffen enthaltenen Proteïnstoffe der künstlichen Verdauung durch sauren Magensaft und Pankreasauszug widersteht. Dieser „unverdauliche" Teil der Stickstoffverbindungen wurde von Stutzer „Nucleïn" genannt und als für die Ernährung des tierischen Organismus vollständig wertlos bezeichnet. Obgleich a priori erhebliche Bedenken dagegen geltend zu machen sind, die durch die Verdauungsflüssigkeiten ungelösten N-Verbindungen der Pflanzen als Nucleïne zu bezeichnen, und die Resultate des künstlichen Verdauungsversuches als gleich mit denen der natürlichen Verdauung anzunehmen, stellte Vf. Fütterungsversuche mit Hammeln zum Entscheid der Frage an, ob die im Futter aufgenommenen Mengen sog. Nucleïnstickstoffes unter Berücksichtigung der Stoffwechselprodukte im Kote wieder erscheinen, und ob sämtliches aufgenommene sog. Nucleïn als solches, oder mehr oder weniger verändert wieder ausgeschieden wird.

Die sehr umfassenden Versuche zeigten, daſs in der That innerhalb gewisser Grenzen ein Parallelismus zwischen den Resultaten der Stutzer'schen Nucleïnbestimmung und dem wirklichen Verdaulichkeitsgrade der stickstoffhaltigen Stoffe von Nahrungs- und Futtermitteln besteht, so zwar, daſs erstere Bestimmung ein wertvolles Mittel zur Abschätzung des letzteren bietet. Allein es stellte sich ebenfalls heraus, daſs die von Stutzer unterschiedenen Gruppen „Eiweiſsstoffe" und „Nucleïn" nicht auch physiologisch so scharf als „verdaulich" und „unverdaulich" zu trennen sind, daſs vielmehr die tierische Organismus vom sogen. Nucleïn noch 20—30 p. c. verdaut; ferner, daſs die Stutzer'sche Untersuchungsmethode nur vergleichende, aber keine absoluten Anhaltspunkte zur Beurteilung des Wertes von Nahrungsmitteln giebt, und endlich, daſs die der künstlichen Verdauung widerstehenden N-Verbindungen überhaupt nicht zur Gruppe der Nucleïne gehören, wie sie von Miescher, Hoppe-Seyler u. a. in den Kerngebilden des Eiters, Dotters, Spermas etc. vorkommend charakterisiert wurden. (Journ. f. Landwirtsch. 31. 221; Fortschr. d. Med. 2. 93.)　　　　　　　　　　　　　　　　　　　P.

J. Guareschi und A. Mosso, Die Ptomaïne; chemische, physiologische und gerichtlich-medizinische Untersuchungen (Forts. von 83. 539 u. 84. 42). V. Untersuchung des Einflusses des salzsauren Ptomaïns auf Nerven und Muskeln mittels der graphischen Methode. VI. Untersuchung des Mechanismus der Wirkung des Curare, der Ptomaïne und derjenigen Gifte, welche auf das Nervensystem einwirken. VII. Die Wirkung des Curare reproduziert das natürliche Absterben selbst in dem Punkte, den man als für sie am meisten charakteristisch betrachtet, das Unversehrtlassen der sensiblen Nerven. VIII. Frische Gehirnsubstanz. IX. Frisches Ochsenfleisch. X. Extraktion der Ptomaïne ohne Säurezusatz. XI. Neue vergleichende Versuche mit den Methoden von Dragendorff und Stas-Otto. (Journ. pr. Chem. 28. 504—512. Ende Sept. 1883.)

Wildt, Entbitterung der Lupinen. Da giftig wirkende Lupinen, wenn dieselben längere Zeit den atmosphärischen Einflüssen ausgesetzt sind, ihre gesundheitsschädlichen verlieren, da aber ferner nach Versuchen von Kühn der giftige Stoff nicht flüchtig ist, weil Lupinen selbst nach längerem Rösten in einem Backofen ihre schädlichen Eigenschaften beibehalten, so läſst sich nach der Vf. diese letztere Erscheinung nur dadurch erklären, daſs die an der Luft vor sich gehenden Oxydationsprozesse die giftige Substanz in eine unschädliche überführen. Wenn dies der Fall sei, so müſste durch energischer als die Luft wirkende Oxydationsmittel, wie z. B. Chlor, die giftige Substanz unschädlich gemacht werden können.

Vf. behandelt daher die Lupinenkörner zunächst mit verdünnter Salzsäure und darauf mit Chlorkalklösung. Wenn man nach der Behandlung mit ¡Salzsäure und Chlorkalk zur Entfernung des gebildeten Chlorcalciums die Lupinen mit Wasser extrahiert, so wird dadurch eine vollständige Entbitterung erzielt, ohne daſs durch das Verfahren beträchtliche Nährstoffverluste verursacht werden.

Es lieſs sich im Laboratorium nicht feststellen, in wieweit durch das Verfahren die die Lupinose bewirkenden Substanzen zerstört würden. Die vollständige Entbitterung ist aber schon für die Praxis von groſsem Werte. Die Lupinen sollen im entbitterten Zustande sehr haltbar sein, da die vorhandenen und etwa hinzutretenden Pilzsporen immer wieder von dem sich bildenden Chlor zerstört werden.

Vf. hebt dann dann wieder den angeführten Nährwert der Lupinen hervor, die im entbitterten Zustande von allem Vieh gern genommen wurden. (Milchztg. 13. 71—72.)　　　　　　　　P.

Herm. Eulenberg, Gutachten der königlichen wissenschaftl. Deputation für das Medizinalwesen in Preuſsen, betr. das Liernur'sche Reinigungsverfahren in Städten. (Eulenberg's Vierteljahrschr. f. ger. Med. 40. Suppl.-Hft. 1—61.)　　　　　　　　　　　　　　P.

O. Kellner, Die Zusammensetzung einiger als menschliche Nahrungsmittel in Verwendung stehenden japanischen landwirtschaftlichen Produkte. In der Tabelle auf S. 267 sind die Resultate dieser Versuche, welche der Vf. in Gemeinschaft mit N. Oschikawa, Ibara, H. Imai, A. Sako, J. Sawano und Tanigutschi ausgeführt hat, zusammengestellt.

	Sumpfreie	Bergreis	Mais	Hirse	Borghum	Phaseolus radiatus	Canavalia incurva	Batate weiss fleischig	Batate gelbfleischig	Dioscorea japonica	Arctium lappa	Colocasia antiquorum	Conophallus Konjak	Brassica rapa rapifera	Raphanus sativus a	Raphanus sativus b
Wasser	14,20	12,77	19,27	12,04	12,37	12,20	15,28	64,27	65,56	80,74	73,93	80,65	91,76	93,08	94,36	93,45
In 100 Thn. Trockensubstanz																
Rohprotein	9,84	11,27	15,22	8,43	12,34	20,84	25,55	4,12	5,40	11,74	12,34	10,81	12,50	21,00	21,69	13,39
Fett	2,66	2,57	5,08	4,40	6,17	1,62	1,76	3,00	1,06	0,84	0,49	0,91	0,98	0,95	1,06	1,06
Rohfaser	1,45	1,62	2,50	1,54	5,32	6,99	13,54	2,74	3,51	4,36	7,47	3,63	3,67	13,47	13,63	11,78
Asche (C- und CO_2-frei)	1,02	1,29	1,07	1,26	5,26	2,96*	4,24*	1,75	2,30	3,60	3,16	4,41	4,42	9,41	9,18	6,62
Stärke	77,86	77,34	73,72	51,99	54,49	65,38	44,94	78,59	67,77	22,13	13,44	33,70	75,16	—	—	22,45
Rohzucker und Dextrin					2,47			5,07	14,99							
Glykose								1,14	Spur						22,42	22,28
Sonst. stickstofffr. Extraktist.	10,17	5,91	2,41	32,38	13,93	2,31	10,06	3,59	4,97	57,33	63,10	46,54	3,27	55,17	34,44	—
Gesamtstickstoff	1,571	1,80	2,435	1,35	1,975	3,325	4,09	0,660	0,865	1,879	1,974	1,729	2,00	3,361	3,471	2,142
Eiweissstickstoff	1,441	1,34	2,103	1,21	1,738	3,055	3,05	0,458	—	1,204	0,460	1,150	1,58	1,883	1,678	1,410
Nichteiw.-Stickst. durch CuOH	0,130	0,46	0,332	0,11	0,237	0,270	0,81	0,202	—	0,675	1,514	0,579	0,42	1,473	1,793	0,732
do. durch Phosphorwolframs.	0,047	—	—	—	—	—	—	—	—	—	1,007	—	—	—	—	—
Aschenanalysen. In 100 Thn. der Reinasche.																
K_2O	22,94	21,73	32,64	20,57	21,44	45,14	35,99	53,27	50,97	57,05	41,61	66,14	54,52	39,06	34,06	46,43
Na_2O	4,94	1,59	1,74	3,34	4,89	2,61	1,85	1,17	4,18	1,28	1,75	0,33	7,22	14,43	12,26	2,40
CaO	3,24	2,12	2,21	2,36	2,61	3,49	8,29	12,78	9,66	6,42	10,16	4,16	12,48	11,42	13,27	9,44
MgO	10,54	6,61	10,45	14,12	14,48	9,98	7,66	9,23	6,71	9,07	19,01	6,83	5,28	4,65	5,68	4,66
Fe_2O_3	1,03	1,66	1,28	0,44	1,80	1,09	0,78	0,68	1,29	2,40	8,43	1,18	0,87	1,69	1,30	0,59
P_2O_5	51,37	51,99	44,13	39,59	49,72	33,06	36,93	8,48	9,28	9,79	6,65	9,11	6,68	6,19	7,27	10,13
SO_3	1,85	2,08	3,48	3,32	2,49	0,91	5,17	4,84	4,94	7,89	0,63	4,55	4,80	13,68	15,07	13,09
SiO_2	3,14	9,63	1,97	11,59	0,22	0,55	0,63	0,64	0,67	1,14	10,69	4,79	0,19	1,97	2,46	2,57
Cl	1,05	4,49	1,75	3,73	1,35	2,36	2,15	11,89	12,40	7,99	—	3,14	5,70	5,50	6,62	11,94
Summa	100,10	101,90	99,65	99,07	99,00	99,18	99,45	102,98	100,00	102,03	101,35	100,23	97,71	98,54	97,99	101,25
O ab für Cl	0,24	1,01	0,39	0,84	0,30	0,53	0,49	2,70	2,79	1,80	2,41	0,70	1,29	1,01	1,49	2,69
	99,86	99,89	99,26	98,23	98,70	98,85	98,96	100,28	97,21	100,23	98,94	99,53	96,42	97,53	96,50	98,56

*Die Rohasche betrug 3,09 p. c., wovon 0,13 p. c. Kohlensäure.

(Landw. Vers.-St. 30. 42—51.)

G. H. Schlencker, Über *die Verwendbarkeit der Borsäure zur Konservierung von Nahrungsmitteln.* Vf. hat über die schädliche Wirkung der Borsäure an sich selbst Versuche angestellt und spricht sich schliefslich folgendermafsen aus. Man darf aus den vorliegenden Ergebnissen schliefsen, dafs die Borsäure als Zusatz zu den Speisen entweder die Ausnutzung der Fette und Eiweifsstoffe, die in den Speisen enthalten sind, in allerdings nur geringem Grade beeinträchtigt, oder dafs sie zu einer vermehrten Absonderung der Darmsäfte, sowie einer erhöhten Abstofsung zelliger, eiweifshaltiger Bestandteile von der Darmwand Veranlassung giebt, und zwar um so mehr, je gröfser die in den Darm eingeführte Borsäuremenge ist.

Ohne Zweifel folgt sonach, was die praktische Verwendung der Borsäure zum Konservieren von Speisen und Getränken anbetrifft, dafs bei dem Gebrauche derselben als Zusatz zu Nahrungsmitteln vorsichtig verfahren werden mufs. (Inaug.-Diss. München 1883. Druck von R. OLDENBOURG.)
P.

Kleine Mitteilungen.

Verfahren zur Herstellung von Schwefelsäure der chemischen Fabrik Griesheim in Frankfurt a. M. (D. P.). Die gewöhnliche Schwefelsäure des Handels enthält bekanntlich 93—96 p. c. sogen. Monohydrat, H_2SO_4. Ausnahmsweise wird durch weitere Verdampfung in Glas- oder Platingefäfsen hieraus stärkere Säure von 97 oder höchstens 98 p. c. dargestellt; noch stärkere Säure läfst sich auf diesem Wege nicht gewinnen, da das Monohydrat selbst schon bei mäfsiger Erwärmung sich teilweise dissociiert und Säure von 98—98,5 p. c. zurückläfst. Die genannte Fabrik GRIESHEIM hat nun gefunden, dafs man durch Abkühlung von 98 prozentiger Säure sehr leicht auf fabrikmäfsigem Wege bei wenig unter 0° Monohydrat auskrystallisieren lassen kann, dafs man dieses aber auch aus Säuren von 97 oder sogar 96 p. c. ebenfalls noch durch mäfsige Abkühlung (etwa auf —10°) erhalten kann, wenn man die Erscheinung der Überschmelzung durch einige eingeworfene Krystalle des Monohydrates mit oder ohne Umrühren aufhebt. Man stellt zunächst durch Gefrierenlassen bei etwa —10° einer 98 prozent. Säure, welche durch Mischen von gewöhnlicher mit rauchender Schwefelsäure gewonnen wurde, eine kleine Menge von Monohydratkrystallen her. Die 96- bis 97 prozent. Schwefelsäure wird nun auf mindestens 0° abgekühlt; dann wirft man einige Krystalle hinein und kühlt unter Umrühren weiter, bis die Krystallbildung beendigt ist. Hierauf trennt man die Mutterlauge von den Krystallen durch Abtropfen, Absaugen, Pressen, Ausschleudern u. dergl., wobei die Temperatur nicht über 0° steigen soll.

Die Krystalle werden kaum ganz reines Monohydrat sein, da ihnen etwas Mutterlauge anhängen wird. Will man ganz reines Monohydrat darstellen, so läfst man sie sich verflüssigen, wobei man die latente Schmelzwärme zur Abkühlung von weiterer Säure benutzen kann, kühlt wieder etwas unter 0° ab, trennt die entstehenden Krystalle von der Mutterlauge und wiederholt dies nach Bedarf. (Pol. J. **250.** 425—26.)

Matte Vergoldung auf Porzellangegenständen, von Gebr. SCHÖNAU. Die Gipsformen für diese Waren sind auf Modellen mit darauf befestigten erhabenen oder vertieften fein gekörnten Ornamenten hergestellt. Die geformten Gegenstände besitzen demnach teils eine gekörnte Oberfläche. Nach dem Verglühen werden die gekörnten Stellen mit Öl überstrichen. Die Gegenstände werden dann durch Eintauchen glasiert, wobei die mit Öl überstrichenen Stellen frei bleiben. Diese werden nun mit pulverisierter trockner Glasur überstäubt; durch leichtes Überreiben wird das Pulver in den tiefer liegenden Stellen befestigt. Nach dem Brennen werden die Gegenstände vergoldet, wobei die Abwechselung der Vergoldung auf den glatten und den vorbehandelten gekörnten Flächen den Eindruck von ziselierten goldenen Flächen giebt. (Deutsche Ind.-Ztg. 1883. 498.)

In der am 5. Dez. 1883 stattgehabten Sitzung der hygieinischen Sektion des Wiener medis. Doktorenkollegiums machte Dr. KAMMERER eine Reihe von Mitteilungen aus dem Gebiete der Nahrungsmittelhygieine. Zunächst schilderte der Vortragende das BECKER'sche Kochverfahren (D. P. 21270), welches darin besteht, die Speisen nicht auf offenem Feuer oder Herdplatten, sondern im Dampf- und Wasserbade zu kochen, und zwar in luftdicht geschlossenem, in einem Wasserbade befindlichen Gefäfse. Bei diesem Verfahren werden gröfsere Reinlichkeit, ein besserer Geschmack der Speisen, eine bessere Verdaulichkeit und Assimilierbarkeit erzielt; die

Kosten der Heizung sind außerordentlich gering, die Zeit zur Herstellung der Speisen eine sehr kurze und die Ausbeute der Fleischspeisen gegenüber der gewöhnlichen Kochmethode eine viel größere. Das Verfahren empfiehlt sich daher für Volksküchen, Spitäler und Militärmenagen. — Die Mehrzahl der durch Einwirkung hoher Temperaturen hergestellten Fleischwaren verlieren infolge ihrer Herstellung an Schmackhaftigkeit, da viele leicht flüchtige, das Geschmacksorgan angenehm affizierende Stoffe verloren gehen. Aber auch die Sicherheit gegen Zersetzungsprozesse im Inneren des konservierten Fleisches wird durch Anwendung hoher Temperaturen keineswegs gewährleistet; dazu kommt, daß die Provenienz des zu Konserven verwendeten Fleisches in den seltensten Fällen bekannt ist. Reis und Hülsenfrüchte, die man häufig konserviert, werden hierdurch aus ihrem von Natur aus haltbaren in einen weniger haltbaren und nun erst konservierungsbedürftigen Zustand übergeführt.

Andere zur Konservierung verwendete Mittel, wie Salicylsäure, Borsäure etc. erreichen ihren Zweck nicht. Über das getrocknete, zu Pulver verriebene Fleisch „Carne pura" sprechen sich in bezug auf Geschmack und Verdaulichkeit und dauernde Zuträglichkeit die Analysen sehr günstig aus, ebenso SALKOWSKY über die ROSENTHAL-LEUBE'sche Fleischsolution. (Wien. med. Wochenschr. **33.** 1510. 15. Dez. 1883.) P.

Lichtpausen. Von den verschiedenen Verfahren zur Herstellung von Lichtpausen nach Zeichnungen wird in neuerer Zeit dem Cyanotypverfahren der Vorzug gegeben, weil dies direkt positive Abdrücke in dunkelblauen Linien auf weißem Grund (ohne Anfertigung eines Negativs) selbst nach Bleistiftzeichnungen liefert, dann weil das präparierte Papier vor Licht und Feuchtigkeit geschützt, sich fast unbegrenzt lange hält, und weil dessen Lichtempfindlichkeit die des sogen. Blaudruckpapieres um das Fünfzehnfache übersteigt; zudem gestattet das Papier das Nachsehen des Bildes beim Kopieren. Da gegenwärtig Cyanotyppapier ein Handelsartikel geworden, dürfte eine Anleitung zur Benutzung desselben von Interesse sein.

1. Man legt die auf dickem Papier mit schwarzer Tusche gefertigte Zeichnung auf das Glas, hierauf das Cyanotyppapier, mit der rötlichen Seite nach unten, auf dieses den Filzlappen und den Deckel, wonach man den Rahmen schließt.

2. Das Licht soll möglichst rechtwinklig auf den Rahmen fallen. Die Belichtungszeit ist veränderlich nach der Lichtstärke, der Durchsichtigkeit des Zeichenpapieres und der Undurchsichtigkeit der Zeichnung. Im Sommer im Sonnenlicht 10—15 Sekunden, im zerstreuten Licht vier bis sechs Minuten; in der Wintersonne 40—50 Sekunden, bei Nebel oder Regenwetter 40 bis 50 Minuten. Man sieht beim Belichten das Papier sich rasch ändern, wo es über die Zeichnung übersteht. Bei rötlich wird es hellgelb. Beim Öffnen des Rahmens sieht man ein rotes Bild auf hellgelbem Grund, das Papier ist alsdann genügend belichtet. Man bringe das Papier nicht in zu helles Licht während dem Einlegen und Nachsehen. Die Hände halte man recht rein. Die Zeichnung darf nicht geknickt oder gefaltet sein, weil sich das durch dunkle Linien markieren würde. Wenn die Belichtung beendet ist, bringt man den Rahmen an einen nicht zu hellen Ort, nimmt das Papier heraus und biegt die vier Ränder nach hinten zu auf, damit das Blutlaugensalzbad nicht die Rückseite desselben befleckt. Man legt es dann, die präparierte Seite nach unten, auf dieses Bad, so daß keine Luftblasen dazwischen kommen, und streicht zu demselben Zweck mit der Hand darüber.

3. Man löst 80—100 g gelbes Blutlaugensalz in 1 l Wasser im Sommer, und in 1½ l Wasser im Winter. Dies hält sich viele Monate lang. Hierzu gießt man 20 g Gummi arabicum gelöst in 200 g Wasser. Dies bewirkt, daß der Grund recht rein bleibt. Nachdem man das Bild, wie unter 2. angegeben, hierauf gelegt hat, verwandeln sich die roten Linien sofort in dunkelgrün, 40—50 Sekunden reichen meist hierfür aus. Man hebt das Bild vom Bade ab, und hält es vor sich, um die Wirkung zu sehen; helles Licht schadet jetzt nicht mehr, wohl aber Sonnenlicht. Einmal vom Bade genommen, darf es nicht mehr darauf gelegt werden, es würden dadurch blaue Flecken entstehen. Wenn der Grund des Bildes blau bleibt, hat man zu kurz belichtet. Wenn die Linien angefressen scheinen, war die Belichtung zu lange. Wenn die Linien herunterfließen, ist das Bad zu stark und muß mit Wasser verdünnt werden.

4. Das fertig entwickelte Bild wird mit der Bildseite auf ein Wasserbad gelegt, das in einer Zinkschale ungefähr 2 cm tief steht. Das Papier darf den Boden der Schale nicht berühren, hierdurch entstehen blaue Flecken. Die Rückseite des Papieres bespült man durch einen Kautschukschlauch gut mit Wasser, dadurch hört die Entwicklung auf.

5. Das Säurebad ist eine Mischung von 30—40 g Schwefelsäure oder 80—90 g Salzsäure mit 1 l Wasser. Aus dem Wasserbade legt man das Bild, Bildseite nach oben, in dies Bad, und bringt die Flüssigkeit mit einem Holzspatel in Bewegung, damit sie über das Bild spült. Nach drei bis fünf Minuten wird der Grund rein sein. Inzwischen reinigt man die Wasserschale (4), damit sie kein Blutlaugensalz mehr enthält (dies macht blaue Flecken), füllt sie mit Wasser, legt das Bild hinein und wäscht es unter dem Kautschukschlauch gehörig aus, wonach man es zum Trocknen aufhängt.

Die Aufstellung der Schalen. 1. Das Entwicklungsbad kommt in eine mit Blei ausgelegte Holzschale; diese Schale stellt man links auf den Tisch. 2. Die Zinkschale für die Wasserbäder in die Mitte; und 3. eine zweite mit Blei ausgelegte Holzschale für das Säurebad rechts. Immer muß man in diese Schale erst das Wasser, dann die Säure gießen. Nach 80—100 Bildern erneut man dieses Bad. Wenn man für die Wasserbäder zwei besondere Schalen anwenden will, ist es nicht nötig die erste Wasserschale jedesmal zu reinigen. (Phot. Arch. **24.** 296—298.)

Gummi von Macrozamia Fraseri, von HUGO BURGER. Die Farbe des Gummis ist lichtweingelb bis licht rotbraun. Bei 100° getrocknet, verliert das Gummi 13,27 p. c. Wasser, sein Aschengehalt beträgt 3,47 p. c. (lufttrockene Substanz). Die Asche ist weiß, löst sich unter Aufbrausen in Salzsäure und besteht aus denselben Salzen, als die Asche des Akaziengummis. In Wasser quillt das Gummi auf, ohne sich zu lösen. Der trübe, von Klümpchen durchsetzte Schleim ist löslich in Alkalihydraten und wird aus dieser Lösung durch Säuren nicht gefällt. Große Mengen Wasser lösen sehr wenig des Gummis auf; die Lösung ist indifferent gegen Weingeist, Borax und Bleizucker; Eisenchlorid färbt sie dunkler, Bleiessig liefert eine flockige Fällung. (Mitteil. a. dem Labor. f. Warenkunde a. d. Wien. Handels-Akad.' Herausgeg. v. ED. HANAUSEK und HERM. BRAUN. Jahresb. **11.** 1883. 185—86.) P.

Fabrikation von Anstrichfarben und Alkalien, von C. F. CLAUS. (D. P.). Galmei oder Zinkcarbonat wird fein gepulvert und in Ammoniak gelöst. Aus der filtrierten Lösung wird das Zink durch ein lösliches Sulfid als Schwefelzink gefällt. Bei Anwendung des Sulfides einer alkalischen Erde erhält man in dem Niederschlage auch das Carbonat derselben. Der Niederschlag wird nach dem Trocknen bei Luftabschluß geglüht. Bei Anwendung von Schwefelammonium als Fällungsmittel erhält man reines Schwefelzink. Das freie und an Kohlensäure gebundene Ammoniak wird durch Destillation wieder gewonnen. Bei Fällung mit Schwefelalkali gewinnt man aus der Lösung Natrium-, resp. Calciumcarbonat. Das Schwefelnatrium (-Kalium) wird durch Zusetzung von Sulfat mit Schwefelbarium dargestellt. Das Bariumsulfat kann dem Schwefelzink dann zugemischt werden. Man kann das Alkalisulfat auch gleich der ammoniakalischen Zinkcarbonatlösung vor dem Fällen mit Schwefelbarium zusetzen. Statt Zinkcarbonat kann auch Zinkoxyd in Mischungen von Ammoniak und Ammoniumcarbonat gelöst werden. (Chem. Ind.; Ind.-Bl. **20.** 381.)

Aluminium als Dekorations- und Schutzmittel für Eisen und Stahl gegen Rost. Das Aluminium wird neuerdings an Stelle der Vernickelung, Verzinnung oder Verkupferung zur Ausführung empfohlen. Der Aluminiumüberzug soll dem damit belegten Eisengegenständen die Schärfe der Formen belassen, außerordentlich fest haften, auf Schmiede- und Gußarbeiten gleich gut anwendbar, schleifbar und polierfähig sein und auch eine weitere Bearbeitung mit dem Grabstichel zulassen. Endlich wird als ein großer Vorzug des Aluminiumüberzuges hingestellt, daß derselbe eine Dekoration mit Gold und mit Schmelzfarben ermögliche. Gegen verdünnte Säuren und Gase ist das Aluminium unempfindlich; angegriffen wird dasselbe jedoch von Salzsäuren und starken Laugen. Bekanntlich ist es bisher nicht gelungen, eine wohlfeile Fabrikationsmethode des Aluminiums aus dem fast überall auf der Erde vorkommenden Rohmateriale (Thon) aufzufinden, und es liegt eben in dem hohen Preise die geringe Aufmerksamkeit begründet, welche in der Metalltechnik dem sonst für viele Zwecke sehr schätzbaren Aluminium geschenkt ward. Vermutlich wird die Kostspieligkeit auch noch bei der oben besprochenen Verwendungsweise eine Rolle spielen, indessen der Natur der Sache nach wahrscheinlich nur eine untergeordnete. Die zur Ausführung der Prozesse erforderlichen Präparate etc. werden von der Deutschen Gold- und Silberscheideanstalt in Frankfurt a. M. abgegeben. (D. Bau-Ztg. 1883. 515; Ind.-Bl. **20.** 381.)

Über die Ursachen der mangelhaften Leuchtkraft vieler amerikanischer Petroleumsorten, von L. MARQUARDT. Die nicht selten gehörten Klagen, daß amerikanisches Petroleum geringe Leuchtkraft entwickle und oft sogar nur bis zur Hälfte sich aufbrennen lasse, ist auf die eine oder die andere der folgenden Ursachen zurückzuführen, deren Erörterung im Interesse der Sache von Wichtigkeit ist.

1. Das Petroleum kann durch Unsauberkeit der Fässer, überhaupt infolge von Unachtsamkeit, mit fremden Stoffen verunreinigt sein. Dieser Fall, obwohl der seltnere, ist gleichwohl mehrfach vorgekommen und hat zu berechtigten Klagen Veranlassung gegeben. 2. Die betrügerische Beimischung von Schieferölen oder Teerölen zur Torf- und Braunkohlendestillation (z. B. das Solaröl) ist mehrfach im Petroleum konstatiert worden. 3. In den meisten Fällen sind die Klagen über die mangelhafte Leuchtkraft des Petroleums auf eine zu starke Ausnutzung des Rohnaphtas bei der Rektifikation desselben zur Gewinnung des Leuchtöles zurückzuführen.

Während man vor Erlaß der Reichsverordnung, betreffend den Verkehr mit Petroleum, letzteres mit leichterem Öle in nachteiliger Weise bereicherte, thut man es jetzt oft mit den schweren

Ölen, indem man das Petroleum anstatt bis höchstens 300° Siedetemperatur, weit darüber hinaus dem Rohnaphta entzieht. Hiermit verbindet man einen zweifachen Vorteil.

Erstens wird weniger Schmieröl als Nebenprodukt gewonnen und dieses vorteilhafter verwertet, weil es um so konsistenter und darum wertvoller ist, je höher seine Siedetemperatur liegt. Zweitens steigt der Test des Petroleums bei Mehrgehalt im schweren Öle, die Explosionsgefahr wird dadurch um so mehr zur Unmöglichkeit, und dies als Reklame benutzt, bewirkt größeren Umsatz. Aber ein solches Petroleum zeigt ein träges Brennvermögen und auch mangelhafte Leuchtkraft.

Die russischen Erdöle zeigen bei höherer Dichte niedrigere Siedetemperatur; sie sind daher leichter brennbar und zugleich dünner von Konsistenz. Man kann aus diesem Grunde das russische Petroleum mit einem höheren Gehalte an schwererem Öle herstellen, ohne daß es die Fehler des mit schwererem Öle überladenen amerikanischen Petroleums teilt. Ein derartiges, nach Vf's. Angabe hergestelltes Petroleum ist z. B. aus 80 p. c. Leuchtöl und 20 p. c. schwerem Öle, also sogar gänzlich ohne leichtes Öl zusammengesetzt, zeigt das hohe spez. Gewicht 0,835 und den ungewöhnlich hohen Test 58°. Dem russischen Erdöle ähnlich ist das Hannoversche, und das daraus gewonnene Petroleum teilt demgemäß dieselben Vorzüge des ersteren.

Eine besondere sorgfältige Behandlung der Lampen ist bei Petroleum mit hohem Test angezeigt; unter anderen muß der Docht in längere Zeit nicht benutzten Lampen durch einen neuen ersetzt werden, da der alte sich durch Verflüchtigung der flüchtigeren Teile mit schwerem Öle vollgesogen hat, wodurch das Aufsteigen des frischen Petroleums verhindert wird. (Pharmazeut. Handelsbl. (Supplem. z. Pharm. Ztg.) 1884. Nr. 4. 7—8. Hamburg.)   P.

Fest anhaftender Glasüberzug auf Metallflächen. Man schmelze ein Gemenge von 20 Tln. wasserfreier Soda, 12 Tln. Borsäure und 125 Tln. Flintglasscheiben zusammen und gieße die geschmolzene Masse auf eine kalte Fläche von Stein aus. Nach dem Erkalten wird dieselbe gepulvert und mit Wasserglas von 50° B. gemischt. Mit dieser Mischung bestreicht man das zu glasierende Metall und erhitzt es in einem Muffel- oder anderen Ofen, bis jene geschmolzen ist. Dieser Überzug soll an Eisen und Stahl besonders fest haften bleiben. (LOEFF's Wochenschr.; D. Ind.-Ztg. 1884. 48.)

Der Bentheimer Asphalt unter Hinweisung auf analoge Vorkommen in Italien in geologisch-bergmännischer und chemisch-technischer Beziehung, von C. ENGLER und L. STRIPPELMANN. Nach eingehender Beschreibung der geologischen Verhältnisse des Bentheimer Asphaltvorkommens, auf welche hier nicht einzugehen ist, spricht L. STRIPPELMANN die Ansicht aus, daß die jetzt mit Asphalt angefüllten Gangspalten ihre Entstehung eruptiven Kräften verdanken und daß wahrscheinlich gleichzeitig mit deren Bildung massenhaft im Erdinnern angesammelte, dort gebildete flüchtige die gleichfalls daselbst vorhandenen Kohlenwasserstoffgase mit empor rissen. Bei der Abkühlung verdichteten sich diese Kohlenwasserstoffe und sammelten sich, da dem Gesteine seiner physikalischen Natur zufolge eine Aufsaugung dieser Öle nicht möglich war, in den Spalten an. Nach einer solchen Annahme ist zu vermuten, daß das bituminöse Material, welches man jetzt in den Gangspalten bis zu Tage auftretend findet, sehr wahrscheinlich dem Charakter eruptiver Gangspalten entsprechend, in größerer Tiefe sich auch in größerer Mächtigkeit finden wird, insofern in den bei der Bildung der Gangspalten entstandenen, durch hoch gespannte Kohlenwasserstoffgase und Wasserdämpfe erfüllten Hohlräumen nach allmählicher Abkühlung eine Ansammlung des Materiales erfolgte. Eine Bestätigung dieser Ansichten ist durch die mit Rücksicht auf den hohen technischen Wert des Bentheimer Asphaltes geplante, durchgreifende bergmännische Untersuchung mittels Schachteinbaues zu erwarten. Eine solche bergmännische Gewinnung wird ohne Berücksichtigung der an die Teufeverhältnisse zu knüpfenden Erwartungen mit Aussicht auf Erfolg unternommen werden können, da bereits 3—5 m unter Tage die Mächtigkeit einzelner Asphaltgänge 300, 900 bis 1000 mm beträgt, außerdem aber die horizontale wie senkrechte (bis 178 m Tiefe nachgewiesene) Erstreckung eine nachhaltige Gewinnung des Asphaltes garantiert.

An diese geologische Beschreibung des Bentheimer Asphaltvorkommens knüpft sich eine Mitteilung der Beobachtungen Vf's. über Naphtavorkommen in vulkanischen Laven und Tuffen, und einige dem Bentheimer analogen Asphaltvorkommen der Terra di Lavoro (Italien) im Bereiche der Litoral- und Apenninenkette, für deren Bildung der Vf. eine oben erwähnten ähnliche Erklärung giebt.

Die chemisch-technische Untersuchung des Bentheimer Asphaltes ist von C. ENGLER durchgeführt worden. Die Substanz ist unlöslich in Alkohol, Äther, Schwefelkohlenstoff, Terpentinöl etc., das spez. Gewicht beträgt 1,092. Bei stärkerem Erhitzen schmilzt der Asphalt und bläht sich unter Abgabe großer Mengen verbrennlicher Dämpfe stark auf. Die Aschebestimmung ergab 1,11 p. c., die Elementaranalyse 89,33 p. c. C, 9,88 p. c. H, 1,14 p. c. Ascherückstand. Der ausnehmend hohe Wasserstoffgehalt des Materiales giebt schon einen Fingerzeig für die Verwertbarkeit desselben zur Gewinnung von Leuchtölen, Paraffin etc. mittels der Schweelarbeit.

Die trockene Destillation in Glasretorten ohne Anwendung von Wasserdampf ergab bei Anwendung von 250 g 38 p. c. Teer, 48 p. c. Koks und 14 p. c. Verlust (Gas und Wasser). Das Destillat hat ein spez. Gewicht von 0,834 und läfst sich in drei Fraktionen zerlegen, deren erste (—150°) 10,3 p. c. Öl vom spez. Gew. 0,743, die zweite (150—310° Leuchtöl) 43,3 p. c. vom spez. Gew. 0,806 p. c. ergab, während der Rückstand 46,4 p. c. betrug. Die unter Anwendung von Wasserdampf durchgeführte Destillation zeigte sich als weniger vorteilhaft hinsichtlich der Ölausbeute, aber der Rückstand des mit Wasserdampf erhaltenen Teers erschien reicher an Paraffin.

Die nähere Untersuchung der durch Rektifikation des Teers erhaltenen drei Fraktionen gab folgende Resultate:

Die unter 150° siedenden Öle bestehen im wesentlichen aus Kohlenwasserstoffen der Fettreihe mit sehr geringem Gehalte an aromatischen Stoffen.

Die Fraktion 150—310°, das sog. Leuchtöl, besteht ebenfalls aus Kohlenwasserstoffen der Fettreihe mit wenig aromatischen Ölen. Es brennt mit schöner geruchloser Flamme. Sein Entflammungspunkt liegt sehr hoch, etwa bei 60°, so dafs es sich mit den beschriebenen leichten Ölen mischen läfst, ohne dafs das Gemisch beim Brennen in Lampen feuergefährlich wurde. Die photometrische Prüfung des Öles ergab im 10‴-Kosmosbrenner von WILD und WESSEL eine Lichtstärke von 9,8 Kerzen. Der Ölverbrauch für Stunde und Kerze berechnet sich hier nur auf 3,2 g, d. i. der geringste Ölverbrauch, den der Vf. bis jetzt beobachtet.

In dieser Beziehung und hinsichtlich des hohen Entflammungspunktes bei so geringem spez. Gewichte stehen diese Öle einzig da. Aus dem Rückstande läfst sich aufser dem Kokes noch Paraffin und Schmieröle gewinnen. Die Versuche sind in gröfserem Mafsstabe unter Anwendung gröfserer Schweelapparate in Blasen und Retorten wiederholt worden. Die Ausbeute an Teer ergab sich hierbei (wenn die Ausbeute unter Anwendung von Wasserdampf in Glasretorten (41,6 p. c. Teer) gleich 100 gesetzt wird) in der Blase zu 82,2 p. c., in den Retorten 68,9 p. c.

(Schlufs folgt.)

Beiträge für das Centralblatt bittet man an die Redaktion (Leipzig, Lessingstr. 5) zu richten. Originalarbeiten von nicht zu grofsem Umfange werden entsprechend honoriert und gelangen stets sofort nach der Einsendung, und zwar in kürzester Frist, zum Abdruck.

Redaktion: Prof. Dr. Rud. Arendt in Leipzig.

Verlag von Leopold Voss in Hamburg und Leipzig. — Druck von Metzger & Wittig in Leipzig.

No. 15.

Chemisches

Central-Blatt.

9. April 1884.

Wöchentlich eine Nummer von
1-2 Bogen. Der Jahrgang mit
Sach- und Namen - Register,
nebst system. Übersicht.

Der Preis des Jahrgangs
ist 30 Mark. Durch alle
Buchhandlungen und Post-
anstalten zu beziehen.

REPERTORIUM

für reine, pharmazeutische, physiologische und technische Chemie.

Dritte Folge. XV. Jahrgang.

Wochenbericht.

1. Allgemeines und Physikalisches.

E. Bouty, Über *die Leitungsfähigkeit sehr verdünnter Salzlösungen.* In seiner letzten Mitteilung (S. 177) hat der Vf. gezeigt, dafs das Äquivalent aller neutralen Salze in sehr verdünnter Lösung gleiche elektrische Leitungsfähigkeit besitzt. Die Versuche wurden bei mittlerer Temperatur ausgeführt. Es bleibt nun übrig, zu untersuchen, ob diese Relation auch bei anderen Versuchen fortbesteht. Der Vf. hat deshalb Temperaturen zwischen 2° und 44° angewendet und ist dabei zu folgenden Resultaten gekommen.

1. Die elektrische Leitungsfähigkeit eines neutralen Salzes in sehr verdünnter Lösung steigt proportional mit der Temperatur nach der Formel:

$$c_t = c_0 (1 + kt).$$

2. Der Koeffizient k ist für alle neutralen Salze derselbe[*]. Dies geht aus den in der folgenden Tabelle zusammengestellten Resultaten hervor:

	Menge des Salzes	k	Zahl der Versuche
KCl	$1/200$	0,0332	8
	$1/1000$	0,0340	1
	$1/4000$	0,0333	2
NH$_4$Cl .	$1/200$	0,0354	4
KO,SO$_3$	„	0,0319	3
KO,CrO$_3$	„	0,0326	4
KO,NO$_5$	„	0,0343	3
PbO,NO$_5$	„	0,0358	3
AgO,NO$_5$	„	0,0320	3
CuO,SO$_3$ + 5HO . . .	„	0,0338	4
	Mittel	0,033543	

Also ist die Leitungsfähigkeit aller untersuchten Lösungen dieselbe Funktion der Temperatur. Das Verhältnis dieser Leitungsfähigkeiten bleibt demnach unverändert, wenn die Temperatur wechselt, und das Gesetz der Äquivalente, welches für 15° festgestellt wurde, gilt also auch für alle übrigen Temperaturen.

Dieses Resultat war von vornherein sehr wahrscheinlich. Aber die Versuche bieten ein gewisses Interesse in bezug auf die numerischen Werte, welche für den Koeffizienten

---

[*] F. KOHLRAUSCH (WIED. Ann. 6. 191 u. folg.) hat bereits beobachtet, dafs die Variation der Leitungsfähigkeit mit der Temperatur für eine grofse Zahl neutraler Salze in verdünnter Lösung nahezu dieselbe ist. Die schwächste Konzentration, welche er anwendete, war $1/20$. Das Gesetz ist nur für weit gröfsere Verdünnungen rigorös genau.

k gefunden worden sind. GROSSMANN (WIED. Ann. **18.** 119) hat aus den Versuchen von KOHLRAUSCH und GROTRIAN über die Leitungsfähigkeit verschiedener Chloride und des Zinksulfates in wässeriger Lösung und aus den von GROTRIAN über die innere Reibung derselben Lösungen folgendes Gesetz abgeleitet: „Das Produkt innerer Reibung und galvanischer Leitung ist für dasselbe Salz und seinen Verdünnungszustand unabhängig von der Temperatur." Für so stark verdünnte Lösungen, wie sie Vf. anwendete, gilt das Gesetz in folgender Form: „Das Produkt aus der galvanischen Leitung einer Salzlösung und der inneren Reibung des Wassers ist unabhängig von der Temperatur", oder was dasselbe sagen will: „Die elektrische Leitungsfähigkeit variiert proportional mit der Wassermenge, welche in derselben Zeit durch dieselbe Kapillarröhre bei verschiedenen Temperaturen und unter demselben Drucke fließst".

Nach POISEUILLE (Mémoire des savants étrangers **11.** 433; Ann. de Chim. et de Phys. [3.] **7.** 50) variiert diese Wassermenge proportional mit dem Trinom:

$$1 + 0,033\ 679\ 3\ t + 0,000\ 209\ \overset{.}{9}36\ t^2 \quad . \quad . \quad . \quad (1),$$

während nach des Vf's. Versuchen die Leitungsfähigkeit verdünnter Salzlösungen proportional mit dem Binom:

$$1 + 0,033\ 543\ t \quad . \quad . \quad . \quad . \quad . \quad . \quad (2)$$

variiert. Die Temperaturgrenzen bei den Versuchen von POISEUILLE und denen des Vf's. sind nahezu dieselben.

Die fast absolute Übereinstimmung der beiden Koeffizienten für das Glied t (1 und 2) ist frappant, aber die Formel für die Leitungsfähigkeit ist einfacher: sie enthält kein drittes Glied mit t^2. Das Mittel der besten Versuche einerseits zwischen 2 und 24° und andererseits zwischen 2 und 44° ergiebt in der That:

$$\begin{array}{llll} \text{zwischen 2 und 24°} & . & . & . & k = 0,034\ 022 \\ \text{\textquotedbl\ \ 2\ \ \textquotedbl\ \ 44°} & . & . & . & k = 0,033\ 838, \end{array}$$

also Zahlen, welche ungefähr auf $^1/_{150}$ identisch sind. Die elektrolytische Reibung, welche man dem elektrischen Widerstande zuschreiben muß, ist also ein Phänomen derselben Natur, jedoch etwas einfacher, als die innere Reibung, wie sie mittels kapillarer Röhren untersucht worden ist. Die Einwirkung der Röhrenwände muß in der That die Erscheinung etwas komplizieren.

Man weiß, daß die Elektrolyse der Salzlösungen von einem Transport einer gewissen Menge Wasser im Sinne des Stromes begleitet·ist. Man kann sich denken, daß die elektrolytischen Moleküle eine kleine Menge Wasser mitführen, welche sich mit jenen inmitten der unbeweglichen flüssigen Masse deplazieren muß; ferner resultiert hieraus eine Reibung, welche, innerhalb der Grenzen, in denen die Versuche des Vf's. sich bewegten, die des Wassers gegen sich selbst ist. Dies würde in diesem Falle der sehr einfache Mechanismus des elektrischen Widerstandes verdünnter Salzlösungen sein. Derselbe hinge nur von dem Reibungskoeffizienten des Wassers und der Zahl der Wassermoleküle ab, welche durch die Elemente eines Salzmoleküls fortgeführt werden. Das oben ausgesprochene Gesetz der Äquivalente würde bedeuten, daß in sehr verdünnten Lösungen die Zahl der durch ein Molekül verschiedener neutraler Salze fortgeführten Wassermoleküle unveränderlich ist. (C. r. **98.** 362—65. [11.°] Febr.)

2. Allgemeine Chemie.

D. Tommasi, Über *das Gesetz der thermischen Substitutionskonstanten.* (C. r. **98.** 368—69. [11.°] Febr.)

Berthelot, Über *das Gesetz der thermischen Substitutionsmoduln oder -konstanten.* (C. r. **98.** 400. [18.°] Febr.)

Berthelot, *Bemerkungen über die thermochemischen Angaben mit besonderer Beziehung auf die Untersuchungen von Thomsen.* (Bull. Par. **41.** 4—12. 5. Jan.)

Guntz, Über *das Antimonfluorid.* Die Fluorwasserstoffsäure besitzt selbst in verdünntem Zustande die Eigenschaft, in der Kälte krystallisiertes oder amorphes Antimonoxyd zu lösen. Diese Lösungen werden durch Wasser nicht zersetzt, wie die meisten übrigen Antimonverbindungen; durch Eindampfen im Wasserbade erhält man das krystallisierte Fluorid. Der Vf. hat diese Eigenschaft benutzt, um das thermische Verhalten des krystallisierten Antimonfluorids zu bestimmen.

1. *Auflösung in Wasser.* Folgendes sind die Resultate, welche bei 13° erhalten wurden:

			Spez. Wärme	
$SbFl_3$ + 101 H_2O_2	= $SbFl_3$ gelöst	−1,42 cal	0,899	0,897
$SbFl_3$ + 229 H_2O_2	„	−1,61	0,945	0,943
$SbFl_3$ + 407 H_2O_2	„	−2,00	0,970	0,974
$SbFl_3$ + 89 H_2O_2	„	−1,26	0,890	0,895
$SbFl_3$ + 274 H_2O_2	„	−1,70	0,954	0,957
$SbFl_3$ + 58 H_2O_2	„	−1,16	0,805	0,807
$SbFl_3$ + 219 H_2O_2	„	−1,62	0,940	0,943
$SbFl_3$ + 344 H_2O_2	„	−1,88	0,963	−
$SbFl_3$ + 111 H_2O_2	„	−1,41	−	−
$SbFl_3$ + 221 H_2O_2	„	−1,68	−	−

Bei jeder Versuchsreihe wurde die erste Zahl durch direktes Auflösen des Fluorids in Wasser erhalten und die anderen aus der beim Verdünnen dieser Lösung absorbierten Wärme berechnet. Man sieht, daſs die Wärmeabsorption mit der Verdünnung zunimmt und für sehr verdünnte Lösungen gegen −2,0 cal strebt. Das Antimonfluorid verhält sich also wie ein Salz, welches in seiner Auflösung beständig ist.

2. *Auflösungswärme in Fluorwasserstoffsäure.* Die Versuche wurden ebenso ausgeführt, nur daſs man anstatt des Wassers verdünnte Fluorwasserstoffsäure anwendete. Folgendes sind die Resultate:

$$SbFl_3 + 1,358 \ (HF + 110\,H_2H_2) = SbFl_3 \text{ gelöst} \quad -0,03 \text{ cal}$$
$$SbFl_3 + 2,629 \quad „ \quad +0,09$$
$$SbFl_3 + 4,104 \quad „ \quad +0,24$$

$$SbFl_3 + 2,031 \quad +0,08$$
$$SbFl_3 + 4,310 \quad +0,29$$
$$SbFl_3 + 6,601 \quad „ \quad +0,29.$$

Hieraus ergiebt sich, daſs, wenn bereits 4 Äq. Fluorwasserstoffsäure vorhanden sind, weiterer Zusatz von solcher keine Wirkung mehr ausübt.

Diese Versuche führen zu einer wichtigen Schluſsfolgerung. Die bei der Reaktion entwickelte Wärme ist die algebraische Summe von zwei Effekten, die gleichzeitig eintreten: 1. Wärmeabsorption durch Verdünnung des Fluorids und 2. Einwirkung der Fluorwasserstoffsäure auf das Salz. Da bei dieser letzten Reaktion eine beträchtliche Wärmemenge entwickelt wird:

$$[(+ 2,00 + 0,24) \text{ für } SbFl_3 + 4,10 \ (HFl + 110\,H_2O_2)],$$

so läſst sich schlieſsen, daſs sich ein Fluorhydrat des Antimonfluorids bildet. Die Isolierung desselben in reinem Zustande ist nicht gelungen; wenn man aber eine konzentrierte Lösung des Fluorids mit konzentrierter reiner Fluorwasserstoffsäure behandelt, so erhält man ein krystallisiertes Fluorid, welches überschüssige Säure enthält. Es ist nötig, die Einwirkung successiver Zusätze von Fluorwasserstoffsäure zu Antimonfluorid zu kennen, um die Bildungswärme dieses Salzes zu bestimmen, da die vollständige Lösung des Oxydes in der äquivalenten Menge Säure viel zu langsam von statten stellt. Indem man die Wärme miſst, welche bei der Auflösung von prismatischem Antimonoxyd in einem groſsen Überschusse von Fluorwasserstoffsäure (1 Äq. in 2 kg) frei wird − 7 Äq. Säure auf 1 Äq. Oxyd −, und welche +10,1 cal für 1 Äq. Oxyd beträgt, so erhält man die nötigen Daten, um die Bildungswärme des krystallisierten Antimonfluorids aus gasförmiger Fluorwasserstoffsäure und prismatischem Antimonoxyd zu messen. Der Vf. fand:

$$SbO_3 \text{ fest (prismatisch)} + 3\,HJFl \text{ Gas} = SbFl_3 \text{ fest} + 3\,HO \text{ fest} \ldots +47,8 \text{ cal}.$$

Diese Bildungswärme erklärt es, warum das Antimonfluorid durch Wasser nicht zersetzt wird. In der That ist nach BERTHELOT (Mécanique chimique **2.** 568) folgende Bedingung für den Eintritt dieser Zersetzung nötig und hinreichend.

Bezeichnen wir mit $(Sb + Fl_3)$ die Bildungswärme des Antimonfluorids aus metallischem Antimon und gasförmigem Fluor, mit $(H + Fl)$ die der Fluorwasserstoffsäure, mit $(Sb + O_3)$ die des Oxydes, so muſs folgende Ungleichung bestehen:

$$(Sb + Fl_3) > (Sb + O_3) + 3[(H + Fl) + 11,8 - 34,5]$$

oder besser:

$$(Sb + Fl_3) - 3(H + Fl) > (Sb + O_3) + 3(11,8 - 34,5).$$

18*

Nimmt man als Bildungswärme des Oxydes die Zahl 84,0 (nach BERTHELOT) oder 83,7 (nach THOMSEN), so findet man:

$$(Sb + Fl_3) - 3(H + Fl) = +25,9 \text{ cal}$$
$$(Sb + O_3) + 3(11,8 - 34,5) = +15,6 \text{ cal.}$$

Folglich kann das Antimonfluorid durch Wasser nicht zersetzt werden, was durch den Versuch bestätigt wird. Dagegen wird das Antimonchlorid durch Wasser zersetzt, weil seine Bildungswärme die des Oxydes nicht um mehr als +4,8 cal für jedes Äquivalent Chlor übertrifft. Die relative Bestimmung des Antimonfluorids, bei Gegenwart von Wasser im Vergleiche mit der Zersetzbarkeit des Chlorids liefert also eine neue Bestätigung der thermischen Theorien. (C. r. **98.** 300—3. [4.°] Febr.)

Guntz, *Untersuchungen über das Kaliumfluoridfluorhydrat und über seine Gleichgewichtszustände in Lösungen.* Vf. hat gezeigt, daß die Bildungswärme des Kaliumfluoridfluorhydrates aus festem Fluorkalium und gasförmiger Fluorwasserstoffsäure beträchtlich ist und zwar:

$$KF \text{ fest} + HF \text{ Gas} = KFHF \text{ fest} \quad \dots \quad +21,04 \text{ cal.}$$

Dagegen hat man in Lösung bei 10°:

$$KF \text{ gelöst } (1 \text{ Äq.} - 1 \text{ kg}) + HF \text{ gelöst } (1 \text{ Äq.} - 1 \text{ kg}) = KF, HF \text{ gelöst}: -0,35 \text{ cal}$$
$$\text{,,} \quad (1 \text{ Äq.} - 2 \text{ kg}) \quad \text{,,} \quad (1 \text{ Äq.} - 2 \text{ kg}) \quad \text{,,} \quad -0,33 \text{ ,,}$$
$$\text{,,} \quad (1 \text{ Äq.} - 4 \text{ kg}) \quad \text{,,} \quad (1 \text{ Äq.} - 4 \text{ kg}) \quad \text{,,} \quad -0,33 \text{ ,,.}$$

Diese negative Zahl resultiert aus der Kompensation zwischen den Lösungswärmen der Komposanten und denen der Verbindungen: die Reaktion tritt deshalb nur dann in ihrem wahren Charakter hervor, wenn man sie ohne das Intervention eines fremden Körpers, d. h. ohne Lösungsmittel berechnet.

Zu diesem Zwecke hat der Vf. Lösungen von Fluorkalium auf solche von Fluorwasserstoffsäure einwirken lassen und dabei die relativen Mengen von Salz, Säure und Wasser variiert nach einer Methode, welche BERTHELOT (Méc. chim. **2.** 319) angewendet hat, um die Konstitution des gelösten Kaliumdisulfates zu bestimmen und daraus die Teilung des Kalis zwischen Schwefelsäure und anderen Säuren zu berechnen.

Die Lösungen, welche der Vf. anwendete, waren titriert und enthielten ¹/₂ Äq. Substanz in 2 kg der Lösung. Teils wie bei diesen Versuchen alles Glas vermieden; die eine Lösung wurde direkt in dem Kalorimeter, die andere in einer Guttaperchaflasche gewogen. Die beiden Thermometer waren mit einer mit Quecksilber gefüllten Hülle von Platinblech umgeben.

Zuerst wurde das Wasser, welches zur Lösung des Fluorhydrates diente, variiert, indem man eine konzentrierte Lösung des Wassers verdünnte. Der Vf. wendete eine Lösung an, welche 2 Äq. = 156 g im Liter enthielt und welche nahezu gesättigt war; er bestimmte die spezifische Wärme von Lösungen, welche enthielten:

$$1 \text{ Äq. im Liter} \quad \dots \quad c = 0,949$$
$$^1/_2 \text{ ,,} \quad \quad \dots \quad c' = 0,976.$$

Hierbei fand man, daß:

$$1 \text{ Äq. KFHF } (2 \text{ Äq. im Liter}) \text{ verdünnt auf } 1 \text{ Äq.} = 1 \text{ l entw.} \quad -0,225$$
$$\text{,,} \quad (1 \text{ Äq.} = 1 \text{ l}) \quad \text{,,} \quad 1 \text{ Äq.} = 2 \text{ l} \quad -0,080$$
$$\text{,,} \quad (1 \text{ Äq.} = 2 \text{ l}) \quad \text{,,} \quad 1 \text{ Äq.} = 4 \text{ l} \quad +0.$$

Diese Zahlen zeigen, daß durch Verdünnung die Menge des in der Lösung wirklich vorhandenen Kaliumfluoridfluorhydrates abgeändert wird. Wenn man annimmt, daß die Bildung dieses gelösten Salzes von einer Wärmeabsorption begleitet ist, so sieht man aus obigen Zahlen, daß die Menge des Salzes innerhalb der Lösung durch die Verdünnung geringer wird, was auch zu erwarten ist.

Bei einer anderen Versuchsreihe wurde Fluorkalium in Wasser gelöst (1 Äq. = 2 kg) und die Lösung mit steigenden Mengen Fluorwasserstoff versetzt. Dabei erhielt man:

$$KF \text{ } (1 \text{ Äq.} = 2 \text{ kg}) \text{ bei der Einwirkung von } HF \text{ } (1 \text{ Äq.} = 2 \text{ kg}) \text{ absorbiert bei } 10° \quad -0,33$$
$$KF \quad \text{,,} \quad \quad \text{,,} \quad ^3/_2 HF \quad \quad -0,51$$
$$KF \quad \text{,,} \quad \quad \text{,,} \quad 5 HF \quad \quad -0,78.$$

Die Wärmeabsorption nimmt mit der Säuremenge zu, woraus sich auf eine Zunahme des Fluoridfluorhydrates schließen läßt. Man kann annehmen, daß die Zahl —0,78, welche bei Gegenwart eines großen Überschusses von Säure erhalten wurde, einer möglichst fortgeschrittenen Umwandlung des neutralen Fluorids innerhalb der Lösung entspricht, und hieraus liefse sich dann das Verhältnis zwischen der wirklich umgewandelten Menge innerhalb irgend einer Lösung zu der gröfsten Menge berechnen. Dieses Verhältnis würde z. B. in einer Lösung, welche gleiche Äquivalente neutrales Salz und Säure enthält, ²/₅ betragen.

Prüfen wir nun den Einfluss des anderen Komponenten. Zu der wässerigen Fluorwasserstoffsäure wurden successive steigende Mengen von neutralem Fluorid gesetzt und hierbei folgende Resultate erhalten:

HF (1 Äq. — 2 kg) bei der Einwirkung auf KF (1 Äq. — 2 l) entw. bei -10°. . —0,33
HF „ „ ᴏ ⁵/₄ KF   —0,36
HF „ „ 5 KF   —0,54.

Man sieht, dafs auch hier eine Wärmeabsorption eintritt, welche mit der Menge des neutralen Salzes zunimmt. Dies mufs in der That so sein, da ein Überschufs von neutralem Salz die Menge der verbundenen Säure zu vermehren und die Bildung des sauren Salzes zu bewirken strebt, ähnlich wie bei einem Überschusse von Säure, jedoch in etwas geringerem Grade, als bei vorhergehendem Versuche.

In der That steigt das Verhältnis bei 5 Äq. neutralem Fluorid noch nicht auf das Doppelte. Die Gegenwart eines Überschusses eines der Komponenten modifiziert das Gleichgewicht und vermehrt die Menge der verbundenen Säure, ganz so wie BERTHELOT und PÉAN DE SAINT-GILLES bereits vor 20 Jahren für die Bildung der Äther nachgewiesen hat. Der Einfluſs der Säure aber ist in beiden Fällen gröfser, als der des anderen Komponenten, neutrales Salz oder Alkohol. (C. r. 98. 428−31. [18.*] Febr.)

4. Organische Chemie.

Rudolf Andreasch, *Zur Kenntnis des Allylharnstoffes.* 1. Abhandlung. Den Allylharnstoff erhielt Vf. durch Einwirkung von Allylsulfat auf Kaliumpseudocyanat. Erstere Verbindung stellte er durch Erhitzen von Allylsenföl mit konzentrierter Schwefelsäure her. Das *Allylaminsulfat* hinterbleibt beim Eindampfen seiner Lösung als ein Sirup, der beim Erkalten zu einer fettig anzufühlenden Masse erstarrt, die erst nach längerem Verweilen über Schwefelsäure krystallinisch erhärtet. Der Schmelzpunkt des Allylharnstoffes liegt bei 85° C. Trägt man ihn in starke ausgekochte Salpetersäure ein und läfst die Lösung in einem Ätzkalkexsiccator stehen, so krystallisiert das Nitrat aus, welches leicht zersetzlich ist.

Da die Darstellung des Harnstoffes auf diesem Wege umständlich und zeitraubend ist, so wandte Vf. das Thiosinamin (1 TL) an, welches er mit Silbernitrat (3 Tle.) entschwefelte, wobei zur Abstumpfung der freiwerdenden Salpetersäure von Zeit zu Zeit Barytwasser zugesetzt werden mufs. Jedoch soll die Reaktion der Flüssigkeit sauer bleiben. Man erhält nach dem vom Vf. angegebenen Verfahren 80 p. c. vom angewandten Thiosinamin als Allylharnstoff (Theorie 86,22 p. c.). Brom führt den Harnstoff in *Dibrompropylharnstoff* über; die Addition erfolgt glatt und rasch, so dafs man eine wässerige Allylharnstofflösung mit Bromwasser titrieren kann. Die neue Verbindung stellt ein weifses krystallinisches Pulver dar oder nach dem Umkrystallisieren aus warmem (nicht kochendem Wasser) aus Drusen vereinigte dünne Blättchen oder flache Nadeln, deren Schmelzpunkt bei 109° liegt.

Beim längeren Frhitzen des Dibrompropylharnstoffes in wässeriger Lösung erleidet derselbe eine Zersetzung. Die Flüssigkeit erstarrt bei genügender Konzentration zu einer Krystallmasse, die von einer dicken sirupösen Mutterlauge durchsetzt ist. Die Krystalle, die mitunter 1—2 cm lang erhalten werden, schmelzen bei 158° C., lösen sich in Wasser und Alkohol leicht auf; in Äther und Chloroform sind sie unlöslich. Die Analyse führte zur Formel $C_4H_8Br_2N_2O$, demnach ist der Körper isomer dem Dibrompropylharnstoff, und kann bei seiner Bildung nur eine intramolekulare Umlagerung stattgefunden haben. Die Substanz charakterisierte sich als das bromwasserstoffsaure Salz einer bromhaltigen Base (Bromallylharnstoffbromhydrat oder Brompropylharnstoffbromhydrat?). Digeriert man die Lösung dieses bromwasserstoffsauren Salzes mit frisch gefälltem Chlorsilber, so scheidet sich Bromsilber ab, und man erhält das salzsaure Salz der Base, deren Kryställchen bei 143° schmelzen. Mit Platinchlorid liefert sowohl Chlor- als auch Bromhydrat krystallisierte Doppelsalze.

Behandelt man das Bromhydrat mit der berechneten Menge Silberoxyd, so resultiert die freie Base. Da sie in kaltem Wasser ziemlich schwer löslich ist, so kann man sie auch aus einer konzentrierten warmen Lösung des bromwasserstoffsauren Salzes und der berechneten Menge Ätzkali darstellen. Die Base, *Brompropylenharnstoff* genannt, krystallisiert in langen seidenglänzenden Nadeln; sie besitzt die erwartete Formel $C_4H_7BrN_2O$. Mit Säuren bildet sie neutral reagierende Salze. Der Brompropylenharnstoff schmilzt bei

120°; mit Höllenstein liefert er einen dem Chlorsilber ähnlichen Niederschlag, der in Ammoniak und Salpetersäure löslich ist. Versuche, dem Körper das gebundene Brom zu entziehen, bleiben erfolglos. Die endgültige Entscheidung über die Konstitution der Verbindung bleibt weiteren Versuchen vorbehalten. (Monatsh. f. Chem. 5. 33—46. 12. Febr. [3. Jan.] Graz.) P.

J. Meunier, Über *eine neue Verbindung, welche bei der Darstellung des Benzolhexachlorids entsteht.* Der Vf. erhielt einen Körper von der prozentischen Zusammensetzung des Benzolhexachlorides, indem er diesen auf folgende Weise bereitete.

Ein Chlorstrom wurde in krystallisierbares Benzol geleitet, welches nach der Methode von V. MEYER durch sechsstündiges Kochen mit konzentrierter Schwefelsäure und Destillieren gereinigt war. Dieses Benzol befand sich in einer Retorte dem Lichte ausgesetzt und wurde im Sieden erhalten. Die Retorte stand mit einem tubulierten Rezipienten in Verbindung, welcher vertikal und in der Weise aufgestellt wurde, daß das Benzol zurückfloß und die festen Kondensationsprodukte abgeführt wurden. Die Umwandlung des Benzols ist niemals eine vollständige, und die Operation kann fortgesetzt werden, bis das in die Retorte eingeführte Thermometer 135—140° zeigt. Man unterbricht dann den Versuch und gießt die Flüssigkeit in eine Schale, wo sie beim Abkühlen zu einer weißen Krystallmasse erstarrt, welche man abpreßt. Durch Sublimation dieses Produktes und besonders desjenigen, welches sich im Rezipienten kondensiert hat, erhält man zuerst breite oder spitze Krystallblätter und dann gegen das Ende hin kleine oktaedrische Krystalle, welche die neue Substanz sind. Die Krystallblätter besitzen alle Eigenschaften des Hexachlorides von MITSCHERLICH, Schmelzpunkt 157° und krystallisieren aus Lösungsmitteln in klinorhombischen, von BODEWIG beschriebenen Tafeln.

Die oktaedrischen Krystalle schmelzen im Gegenteil erst bei 300° und verflüchtigen sich dann rasch; erniedrigt man den Druck auf 0,10 m, so treten dieselben Erscheinungen bei 280° ein. Die Krystalle sind sehr löslich in Benzol, weniger löslich in Alkohol und scheiden sich daraus in kleinen, isolierten durchsichtigen Krystallen ab. Sie sind ohne Einwirkung auf das polarisierte Licht und gehören dem tesseralen System an.

Die chemischen Eigenschaften der beiden Körper sind ebenfalls verschieden. Das gewöhnliche Hexachlorid zersetzt sich bei Temperaturen über 300° in Chlorwasserstoff und Trichlorbenzol; sein Homologes zersetzt sich gleichfalls und giebt Chlorwasserstoff und ein gechlortes Benzol, welches sich als ein Additionsprodukt des Benzols erweist. Dieselbe Zersetzung erfolgt durch alkoholisches Kali, aber während eine Stunde hinreicht, um das erste zu spalten, sind vier bis fünf Stunden nötig für das zweite. Der Vf. hatte nur eine geringe Menge des gechlorten Benzols, welches durch die Spaltung der zweiten Verbindung entsteht, so daß er jenes weder der Destillation noch der Analyse unterwerfen konnte. Indem er es aber zugleich mit dem Trichlorbenzol, welches aus dem gewöhnlichen Hexachlorid entsteht, in eine Kältemischung brachte, beobachtete er, daß beide Produkte zu gleicher Zeit erstarrten, sich wieder verflüchtigten und im überschmolzenen Zustande blieben. Er hofft, bald im stande zu sein, hierüber nähere Angaben machen zu können. Beide Körper unterscheiden sich indes in chemischer Hinsicht auf ganz bestimmte Weise, insofern das gewöhnliche Hexachlorid in alkoholischer Lösung durch Cyankalium gespalten wird, während das Homologe davon unberührt bleibt. Dieses Verhalten gestattet auch eine Trennung der beiden Körper.

Man nimmt 3 Tle. Cyankalium auf 4 Tle. Hexachlorid, bringt das gepulverte Gemenge mit der sechs- oder siebenfachen Menge Alkohol in einen mit Rückflußkühler versehenen Ballon und erhitzt 25—30 Stunden im Wasserbade. Nach Ablauf dieser Zeit ist das gewöhnliche Hexachlorid zerstört. Man destilliert im Wasserbade bis zur vollkommenen Beseitigung des Alkoholes. Das Trichlorbenzol bleibt mit den kohligen Rückständen im Ballon. Die schwarze Masse, in welcher man kleine oktaedrische Krystalle unterscheidet, wird mit Wasser gewaschen, getrocknet und mit siedendem Alkohol aufgenommen. Die alkoholische Lösung scheidet beim Abkühlen dieselben Krystalle ab, welche man zwei- oder dreimal sublimiert, um sie von dem kohligen Staub zu befreien. Die Analyse ergab die Formel $C_6H_6Cl_6$ oder $(C_6H_6Cl_6)_n$.

Verschiedene Beobachtungen, welche der Vf. aber erst vervollständigen möchte, bevor er sie veröffentlicht, veranlassen ihn zu der Annahme, daß die neue Verbindung nichts anderes, als ein Polymeres des Benzolhexachlorids ist. (C. r. 98. 436—438. [18.] Febr.]

A. Rosenstiehl und **M. Gerber,** Über *die wahrscheinliche Zahl der homologen und isomeren Rosaniline.* Bekanntlich erhält man, wenn man ein Gemenge von Anilin und p-Toluidin oxydiert, ein Rosanilin, welches nach EMIL und OTTO FISCHER nur 19 Atome Kohlenstoff enthält; es entsteht durch Einwirkung von 2 Mol. Anilin auf 1 Mol. p-Toluidin. Bekannt ist ferner, daß, wenn 1 Mol. Anilin durch 1 Mol. o-Toluidin ersetzt wird, ein Rosanilin entsteht, welches 20 Atome Kohlenstoff enthält. Vf. hat überdies gezeigt, daſs man 2 Mol. Anilin durch 2 Mol. o-Toluidin und das p-Toluidin durch α-m-Xylidin ersetzen kann und auf diese Weise ein Rosanilin mit 22 Atomen Kohlenstoff erhält:

$$2\,C_7H_9N + C_8H_{11}N + 3\,O = C_{22}H_{25}N_3O + 2\,H_2O.$$

Die Zusammensetzung dieses Rosanilins wurde durch die Umwandlung desselben in einen Kohlenwasserstoff $C_{22}H_{22}$ (m-Tritolylmethan) auſser Zweifel gesetzt.

Die Existenz einer Reihe homologer Rosaniline ist deshalb nicht mehr zweifelhaft, weil die vier ersten Glieder wohlbekannt sind. Auf Grund der experimentellen Thatsachen, welche man in den Arbeiten von A. W. HOFMANN und denen der Vff. findet, kommt man zu dem Schluſs, daſs die Zahl der Rosaniline, welche überhaupt dargestellt werden können, neun beträgt, von denen sechs homolog und drei isomer sind. Wie groſs diese Zahl auch scheinen möge, so wird sich doch zeigen, daſs sie nur ein kleiner Bruchteil derjenigen ist, welche die Gesamtmenge des Rosaniline, deren Existenz sich voraus sehen läſst, ausdrückt. Um diese Zahl zu bestimmen, nehmen wir an, daſs die höheren Homologen des p-Toluidins und Anilins bei der Oxydation nicht CH_2 verlieren, sondern daſs alle Kohlenstoffatome sich in dem entsprechenden Rosanilin wiederfinden. Es sind keine Thatsachen bekannt, welche dieser Annahme widersprechen, wohl aber solche, die ihr als Stütze dienen. Es sollen nur solche Rosaniline betrachtet werden, welche aus zwei Basen entstehen, da die Vff. gezeigt haben, daſs das gewöhnliche Rosanilin, welches auf industriellem Wege aus einer Mischung von drei Basen hergestellt wird, auch auf zwei, nämlich aus Anilin und α-m-Xylidin, beschränkt werden kann. Die Vff. beschränken deshalb die Diskussion auf die Amidomethylbenzole, da keine Thatsache vorliegt, welche erlaubt, sich von der Rolle der Aethylbenzole und deren Homologen Rechenschaft zu geben.

Es wurde ferner gezeigt, daſs man unter den Aminen, deren Fähigkeit der Rosanilinbildung untersucht wurde, drei Kategorien unterscheiden kann, welche den drei isomeren Amidotoluolen entsprechen. Zur ersten Kategorie gehört das p-Toluidin, α-m-Xylidin, das Mesidin und das Amidopentamethylbenzol. Ihre Rolle besteht nach E. und O. FISCHER darin, den Kohlenstoff des Methans zu liefern. Ihr unterscheidender Charakter in bezug auf ihre Konstitution ist folgender:

1. Die eine Gruppe CH_3 befindet sich in bezug auf NH_2 in der Parastellung. 2. Die Stellung der übrigen CH_3 Gruppen ist indifferent. Von den 20 Amidomethylbenzolen, deren Existenz angenommen wird, entsprechen zehn diesen Bedingungen. Zur zweiten Kategorie gehören Anilin, o-Toluidin und γ-m-Xylidin:

$$C_6H_a(NH_2)^1(CH_3)^2(CH_3)^6.$$

Ihre Konstitution zeigt folgende Eigentümlichkeiten. In der Phenylgruppe ist das Wasserstoffatom, welches sich in bezug auf die NH_2-Gruppe in der Parastellung (4) befindet, nicht durch CH_3 vertreten; aber diese Bedingung, welche notwendig ist, reicht doch nicht aus; es ist überdies nötig, daſs bei den Homologen des Anilins die CH_3-Gruppe sich zur NH_2-Gruppe in der Orthostellung befindet, wie dies beim o-Toluidin und γ-m-Xylidin der Fall ist.

Wenn keines der beiden Wasserstoffatome 2 und 6 durch CH_3 vertreten ist, wie beim m-Toluidin und dem Xylidin, $C_6H_3(NH_2)^1(CH_3)^3(CH_3)^5$, so ist die Base zur Rosanilinbildung ungeeignet und gehört zu einer dritten Kategorie.

Hier liegt noch eine Unbestimmtheit vor, welche besprochen werden muſs. Zu welcher Kategorie würde eine Base von der Zusammensetzung $C_6H_3(NH_2)^1(CH_3)^2(CH_3)^4$ gehören, welche ein CH_3 an der Stelle des zweiten Wasserstoffatomes und ein CH_3 an der des dritten enthält, welche also zugleich ein Ortho- und ein Metaderivat wäre? Es ist bis jetzt keine experimentelle Thatsache bekannt, die zur Entscheidung dieser Frage ausreicht, und deshalb müssen die beiden Fälle successive betrachtet werden.

Wenn CH_3, in der Stellung 3, kein Hindernis für die Bildung der Rosaniline ist, so würde das am meisten komplexe Alkaloid dieser Kategorie Amidotetramethylbenzol:

$$C_6(NH_2)^1(CH_3)^2(CH_3)^3H^4(CH_3)^5(CH_3)^6$$

sein. Das höchste Rosanilin der Reihe würde dann aus der Einwirkung von 1 Mol. Amidopentamethylbenzol und 2 Mol. Amidotetramethylbenzol entstehen:

$$C_{11}H_{17}N + 2\,C_{10}H_{15}N + 3\,O = 2\,H_2O + C_{31}H_{43}N_3O;$$

es müſste 31 Atome Kohlenstoff enthalten und wäre das letzte Glied einer Reihe von 13 Homologen, aber durch Isomerie würde diese Zahl noch um ein beträchtliches erhöht werden. Diskutiert man nach einander die zwanzig Amidomethylbenzole, deren Existenz angenommen wird, so findet man, daſs es darunter acht Orthoderivate giebt, welche mit den zehn Paraderivaten achtzig Rosaniline bilden können.

Zieht man den zweiten Fall in betracht, so kommt man zu einem Minimum. Wenn in der That in zwei CH_s-Gruppen des Rosanilins die Atome 3 und 5 nicht durch CH_s ersetzt sind, so ist es nicht wohl möglich, daſs ein Trimethylbenzol ein Alkaloid der zweiten Kategorie bilden könne, weil eine der zwei CH_s-Gruppen sich notwendig an dem Platze 3 oder 5 befinden muſs. Es würde sich demnach unter den Amidodimethylbenzolen das höchste Glied dieser homologen Reihe finden, welche nur drei Amine umfaſst: das Anilin, das o-Toluidin und das γ-m-Xylidin. Das höchste Rosanilin würde dann nach der Gleichung:

$$C_{11}H_{17}N + 2C_9H_{11}N + 3O = C_{77}H_{88}N_3O + 2H_2O$$

entstehen, und die Reihe der homologen Rosaniline enthielte nur neun Glieder: mit den möglichen Isomeren könnte ihre Zahl demnach auf dreiſsig steigen, was immerhin beträchtlich genug wäre.

Wenn man erwägt, mit welchen Schwierigkeiten man zu kämpfen hatte, um nur die vier ersten Glieder der Rosanilinreihe genau zu erforschen, so lassen sich die weit gröſseren Schwierigkeiten voraussehen, welche die Unterscheidung der höheren Glieder bereiten wird, und es wird zahlreiche Fälle geben, in denen man die Isomerie mit der Identität verwechselt. (C. r. **98**. 433—36. [18.*] Febr.)

J. Kachler und **F. V. Spitzer**, Über *Jackson und Menke's Methode der Bereitung des Borneols aus Campher.* Vff. haben diese Methode (vergl. **84.** 36) geprüft und gefunden, daſs die Überführung des Camphers durch mittels Natrium entwickelten Wasserstoff in Borneol keine vollständige ist. Die Trennung des Borneols von dem unzersetzten Campher ist nicht leicht durchführbar. Um die Quantität des bei einem solchen Versuche entstandenen Borneols zu bestimmen, wurde das Rohprodukt (Gemenge von Borneol und Campher) durch Behandlung mit Phosphorpentachlorid in die entsprechenden Chloride übergeführt. (Borneol liefert $C_{10}H_{17}Cl$, Schmelzp. 157°; Campher $C_{10}H_{16}Cl_2$, Schmelzp. 155—152°).

Aus dem alsdann gefundenen Chlorgehalte berechnet sich, daſs das Gemenge der Chloride aus 18,96 p. c. Borneolchlorid und 81,04 p. c. Campherdichlorid besteht, woraus sich weiterhin ergiebt, daſs das ursprüngliche Produkt 22,8 p. c. Borneol und 77,2 p. c. unveränderten Campher enthält.

Es wird mithin bei der Einwirkung von Natrium auf eine alkoholische Campherlösung nur ein Teil des letzteren in Borneol verwandelt, und erweist sich die JACKSON-MENKE'sche Methode zur Darstellung von Borneol aus Campher nicht geeignet. Den Vffn. erscheint es überhaupt fraglich, ob der Wasserstoff den Campher in Borneol umwandelt; sie glauben vielmehr, daſs ein Teil des Natriums den Wasserstoff des Camphers ersetzt und zugleich Borneolnatrium bildet. (Monatsh. f. Chem. **5**. 50—54. 12. Februar. [17. Jan.] Wien.)   P.

M. Kretschy, *Untersuchungen über Kynurensäure.* II. Abhandl. (vgl. **83**. 308). Bei der Oxydation der Kynurensäure oder des Kynurins in alkalischer Lösung mit Kaliumpermanganat erhielt Vf. die *Kynursäure*, $C_9H_7NO_2 + H_2O$, welche als *Oxalylorthoamidobenzoesäure* anzusehen ist und trotz mehrerer entgegenstehender Angaben über das Verhalten der Carbostyrilsäure mit derselben identisch sein muſste. Diesem Endergebnisse zu folge führte Vf. weitere Oxydationsversuche aus, um die Bedingungen zu ermitteln, unter welchen die Oxydation am günstigsten verlaufe, vornehmlich aber um den Oxydationsvorgang selbst näher zu bestimmen.

Für die Oxydation wurde diesmal bloſs Kynurensäure verwendet, und zwar jedesmal mehrfach gereinigte, speziell aus dem Kalk- oder Barytsalze abgeschiedene Säure, welche wiederholt unter Behandlung mit Blutkohle in das Ammonsalz übergeführt und aus diesem durch Fällen mit Essigsäure endlich in guter, nunmehr schwach gefärbter Krystallisation erhalten worden war.

Es wurden je 10 g Säure in $1^1/_2$ l Wasser unter Zusatz von 5 g Ätzkali gelöst; die benutzte Chamäleonlösung enthielt 3,5—3,6 g $KMnO_4$ auf 100 ccm Wasser. Die Säure wurde durch verdünnte Salzsäure oder Salpetersäure aus der Oxydationsflüssigkeit abgeschieden; die Fällung enthält fast die gesamte anwesende Kynursäure und jene Reste von Kynurensäure, welche der Oxydation entgangen sind.

Beide Säuren trennt man mittels siedendem Äther, in dem die Kynurensäure so gut wie gar nicht löslich ist, während sich die Kynursäure löst.

Angewendete Kynurensäure auf wasserfr. Säure berechnet	Angewendet KMnO₄	Entsprechend Sauerstoff für ein Mischungsgewicht Kynurensäure	Bei der Oxydation eingehaltene Temperatur	Rohausbeute (Gemisch von Kynur- und Kynurensäure) lufttrocken	Als nicht oxydierte Kynurensäure zurückgewonnen (wasserfrei)	Als Sauerstofferfordernis für ein Mischungsgewicht Kynurensäure berechnet sich	(Korrigierte) Ausbeute an Kynursäure bezogen auf Prozente der theoretischen
g	KMnO₄		Zimmertemperat.	g	g	p. c.	
I 6,41	14,56	O 4,0	Zimmertemperat.	5,3	2,24	34,9	O 6,27	49,9
II 6,39	14,6	O 4,09	30—40° C.	5,6	2,46	38,4	O 6,5	57,7
III 11,10	24,65	O 4,0	70—90	9,0	3,01	27,3	O 5,54	59,4
IV 15,0	48.27	O 5,7	80—85	12,0	0,64	4,26	O 6,0	65,5
V 20,0	64,30	O 5,68	60—70	16,8	0,73	3,6	O 5,9	69,4

Bei den Versuchen I—III, bei denen die zur Oxydation von einem Mischungsgewicht Kynurensäure erforderliche Sauerstoffmenge ermittelt werden, und die bezüglich der einzuhaltenden Temperatur im allgemeinen orientieren sollten, wurden nur zwischen 61,6 bis 72,7 p. c. der Kynurensäure oxydiert. Es ergaben sich für ein Mischungsgewicht der Säure 6 Atome Sauerstoff. Dieses Sauerstoffverhältnis wurde den Versuchen IV und V zu Grunde gelegt und ist durch sie mit relativ grofser Genauigkeit bestätigt worden. Da die Mutterlauge, aus der die Kynursäure abgeschieden worden ist, aufser geringen Anteilen keine Amidobenzoesäure in irgend erheblicher Menge isolieren liefs, so folgt aber nur, dafs neben der Oxydation der Kynurensäure zu Kynursäure eine mehr oder weniger vollständige Verbrennung innerhalb bestimmter Grenzen vorgehe. Versuch V. giebt die für die Oxydation günstigsten Umstände an.

Aus der Mutterlauge, besonders des Versuches V, wurde in geeigneter Weise zuerst unreine Kynursäure isoliert; im Filtrat der Krystallisation derselben fanden sich nur Spuren eines gefärbten organischen Rückstandes, so dafs erheblichere Mengen der daselbst erwarteten Amidobenzoesäure nicht anwesend waren. Bei der Oxydation geht ein Teil des Stickstoffes in Form von Ammoniak fort.

Zur Reinigung der Kynursäure löst man sie in Äther, behandelt die gelbrote Lösung mit Blutkohle und giefst, nachdem der Äther abdestilliert ist, den Rückstand in wenig laues Wasser. Die ersten ausfallenden Anteile sind weifs; die sehr wasserhaltige Krystallmasse wird drei- oder viermal wie oben (Lösen in Äther etc.) behandelt. Die Säure schmilzt dann zwischen 189—192° C., ist zweibasisch; ihr Charakter als Amidosäure ist nur schwach ausgeprägt. Vf. beschreibt das neutrale Ammonsalz, saure Kaliumsalz, die Barytsalze, das neutrale Kalksalz und das basische Kupfersalz.

Bei einer Temperatur von 189° schäumt die Kynursäure auf, wobei man neben einer Schmelze ein Sublimat erhält. Die erstere schmeckt intensiv bitter. Die Analysen ergaben Zahlen, welche dafür sprachen, dafs keine einheitliche Verbindung vorliege. Heifses Wasser (auch verdünnte Salzsäure) zersetzt die Kynursäure, und zwar in gleichem Sinne wie die Carbostyrilsäure mittels verdünnter Salzsäure (FRIEDLÄNDER und OSTERMAIER **83**. 361) gespalten wird. Es entsteht Oxalsäure neben Orthoamidobenzoesäure. Demnach ist die Kynursäure: Oxalylorthoamidobenzoesäure von der Konstitution:

$$C_6H_4\underset{(2)NH.CO.COOH}{\overset{(1)COOH}{<}} + H_2O.$$

Die aus Kynurin durch Oxydation erhaltene Säure gab dieselben Zersetzungsprodukte. Die Kynursäure kann aus der Oxalsäure und o-Amidobenzoesäure (gleiche Teile bei 115—135°) wieder synthetisch gewonnen werden. Jenes Merkmal, durch welches die Carbostyrilsäure am meisten von der Kynursäure unterscheidet, nämlich die Neigung der ersteren, beim Trocknen auf 100° unter Kohlensäureabgabe sich zu zersetzen, kommt der Oxalyl-Amidobenzoesäure nicht zu. Die Oxalylorthoamidobenzoesäure wurde aus einigen Chinolinderivaten bisher erhalten. Es scheint der Übergang in anilidartige Verbindungen der Typus zu sein, nach dem Chinolinderivate zerfallen, wenn der Pyridinkern oxydiert wird. Aus den Oxydationsergebnissen folgt zunächst, dafs die Carboxyl- und Hydroxylgruppe der Kynurensäure in dem Pyridinkern enthalten sind. (Monatsh. f. Chem. **5**. 16—32. 12. Febr. [3. Jan.]) P.

7. Analytische Chemie.

A. Petermann, *Bemerkungen zu Sestinis Notiz: Über die Anwendung der Dialyse in den Bodenanalysen* (S. 91). Nachdem· Vf. bemerkt, daſs ihm SESTINI's Arbeit vom Februar 1881 unbekannt geblieben war, berührt er namentlich folgende beide Punkte.

1. SESTINI hat, um die Vorgänge beim Übergange der Mineralsubstanzen aus dem Boden in die Pflanze zu studieren, mit Pergamentpapier verschlossene Dialysatoren in den Boden versenkt und die im Innern des Dialysators befindliche Flüssigkeit untersucht. Von der Verwendung dieser Vorgänge zur Ausbildung einer Methode der Bodenanalyse sagt SESTINI nichts, und dies ist gerade der originelle Teil von P.'s Arbeit. 2. Als wichtigste Thatsache, welche aus P.'s ersten und zweiten Veröffentlichung hervorgeht, hat er den Nachweis der Diffusionsfähigkeit der organischen Substanz des Bodens hingestellt. Dieser seitdem von GRANDEAU und DÉHÉRAIN bestätigte Nachweis ist SESTINI entgangen und von demselben nicht einmal angestrebt worden, denn von dem Verhalten der organischen Substanz sagt SESTINI ebenfalls nichts.

Wenn der Vf. demnach anerkennt, daſs SESTINI den Durchgang der mineralischen Pflanzennährstoffe des Bodens durch Membranen durch ein direktes Experiment vor ihm nachgewiesen hat, so müſste er jede etwaige Ausdehnung dieser Reklamation auf den Vorschlag, dasselbe zur Bodenanalyse zu verwenden, oder auf den vom Vf. geführten Nachweis der Diffusionsfähigkeit der organischen Substanz des Bodens auf das Bestimmteste zurückweisen. (Landw. Vers.-Stt. **30.** 227—228. Febr. [6. Dez. 1883] Gembloux.)

H. Struve, *Dialyse unter Anwendung von Chloroformwasser oder Äther.* Als Ursachen der oft unbefriedigenden Resultate bei der Dialyse organischer Substanzen betrachtet Vf.: 1. die leichte Zersetzbarkeit der zu untersuchenden Substanzen, 2. die Benutzung des Pergamentpapieres, 3. die schwierige Untersuchung der durch den Dialysator angetretenen Stoffe. Zur Vermeidung dieser Übelstände empfiehlt Vf.: 1. die Benutzung von Chloroformwasser (durch Schütteln von Wasser mit überschüssigem Chloroform zu erhalten) oder Äther, 2. die Benutzung tierischer Blase, welche mit Äther extrahiert ist. (Bull. de l'acad. d. sciences, St. Pétersbourg; Ind.-Bl. **21.** 30.)

Agema, *Prüfung von Jodoform.* Bei der groſsen Ausdehnung, welche der Gebrauch des Jodoforms in neuester Zeit angenommen hat, ist es wichtig, zu konstatieren, ob die so oft beobachteten giftigen Wirkungen desselben, dem Jodoform als solchem, oder etwaigen Verunreinigungen desselben zuzuschreiben sind. An der Hand der in der Klinik von ITERSON in Leyden gemachten Erfahrungen suchte BOULA in Leyden nachzuweisen, daſs reines Jodoform niemals Intoxikationen hervorruft. Um nun Jodoform schnell auf seine Reinheit zu prüfen, empfiehlt Vf. folgendes Verfahren: Man schüttelt Jodoform mit Wasser, filtriert und läſst das Filtrat nach Zusatz von Höllensteinlösung 24 Stunden stehen. Sind in Wasser lösliche Verunreinigungen vorhanden, so bildet sich ein schwarzer Niederschlag von reduziertem Silber, während reines Jodoform nur eine schwache Trübung hervorruft. Es scheint, als ob Jodoform nach längerer Zeit durch den Einfluſs von Licht und Luft giftige Eigenschaften annimmt, wenigstens gab ein längere Zeit aufbewahrtes, reines Jodoform, welches bei der Verwendung Intoxikationserscheinungen hervorgerufen hatte, mit Höllenstein einen schwarzen Niederschlag. (Pharm. Post; Jnd.-Bl. **21.** 28.)

Bechi, *Nachweis von Baumwollsamenöl in Olivenöl.* In einem kleinen Kolben werden 5 ccm des zu untersuchenden Öles mit 5 ccm einer Lösung, welche 1 g Silbernitrat in 100 ccm Alkohol von 98 p. c. enthält, gemischt. Dann erhitzt man die Mischung auf 84°. Enthält das Öl Baumwollsamenöl auch nur in geringer Menge, so färbt sich die Mischung mehr oder weniger dunkel je nach der Menge der Verunreinigung. Diese Methode beruht also, wie man sieht, darauf, daſs das Baumwollsamenöl die Fähigkeit besitzt, das Silbernitrat zu reduzieren. Der Vf. bemerkt, daſs man das Gemenge nicht direkt erhitzen darf, weil man sonst auch mit anderen Ölen schon dadurch allein eine mehr oder weniger dunkle Färbung erhält. (Journ. Pharm. Chim. [5] **9.** 35—36.)

Yvon, *Nachweis von Brechweinstein im Ipecacuanhasirup.* Man bringt 5—6 ccm des 'Sirups in ein Probierröhrchen, versetzt sie mit 5—6 Tropfen Salz- oder Salpetersäure und verdünnt das Ganze mit dem gleichen Volum Wasser. Hierauf setzt man einige Tropfen einer gesättigten Lösung von Jodkalium hinzu. Wenn Brechweinstein vorhanden war, so bildet sich sofort ein gelber Niederschlag von Antimonjodid. Es ist besser, die Röhre nicht zu schütteln; man sieht dann, sobald man die Lösung des Jodides tropfenweise hinzusetzt, bei jedem Tropfen schön gelbe Streifen sich bilden.

Ein anderes Verfahren ist folgendes.

Man stellt sich eine Lösung von. 1 g löslicher Jodstärke in 100 g Wasser dar und versetzt damit zu gleichen Volumen in einem Probiergläschen 5—6 ccm des zu untersuchenden Sirups. Enthält dieser Spuren von Brechweinstein, so tritt sofort die Entfärbung der Jodstärke ein; war der Sirup rein, so dauert es zwei bis drei Minuten, ehe sich die Jodstärke entfärbt.

Diese beiden Methoden sollen nur zu Vorversuchen dienen. Man wird dann, um sicher zu gehen, das Antimon durch Schwefelwasserstoff abscheiden. (Journ. Pharm. Chim. [5.] **9.** 101.)

L. Richard, *Bestimmung der Stärke im Kleberbrote.* Versucht man, in solchem Brote die Stärke durch direkte Saccharifikation zu bestimmen, so erhält man zu hohe Resultate wegen der unvermeidlichen Saccharifikation auch anderer Substanzen, z. B. Cellulose, welche sich in dem Kleberbrote in ziemlich reichlicher Menge findet. Besser ist es, man verfährt folgendermafsen. Das zu untersuchende Brot wird getrocknet und fein gepulvert in ein Säckchen von feiner Leinwand gebunden und so lange mit Wasser ausgewaschen, bis letztere keine Stärke mehr enthält. Alle Waschwässer werden hierauf vereinigt, auf ein kleines Volum abgedampft und der Rückstand mit etwas Schwefelsäure in eine Glasröhre eingeschmolzen. Diese erhitzt man zehn Stunden lang auf 105° und bestimmt dann in der neutralisierten Flüssigkeit die Glykose. Auf diese Weise erhielt der Vf. bei einem Versuche 8,9 p. c. Glykose, entsprechend 8,07 p. c. Stärke, während dasselbe Brot bei direkter Saccharifikation 19 p. c. Stärke gab. (Journ. Pharm. Chim. [5.] **9.** 27.)

Perret, *Bestimmung des Gerbstoffes in Pflanzensubstanzen, besonders in der Eichen-, Birken- und Tannenrinde. dem Quebracho, der Chinarinde, dem Dividivi etc.* Von den Rinden nimmt man 20 g, von den übrigen Substanzen etwa 100 g, bestimmt darin zuerst die Feuchtigkeit, dann kocht man die Substanzen zweimal hintereinander 15 Minuten lang in destilliertem Wasser aus, vereinigt die Auszüge in einer Porzellanschale und verdampft sie bis auf 100 ccm. Dann läfst man bis auf 70° erkalten, setzt in kleinen Mengen und unter fortwährendem Umrühren eine titrierte Lösung von 1 Tl. getrocknetem Hühnereiweifs und 5 Tln. Wasser zu, so lange sich noch ein Niederschlag bildet und erhitzt zum Sieden. Hierauf läfst man aus einer Bürette eine Zehntelnormallösung von Aluminiumsulfat hinzufliefsen, bis der Niederschlag oder vielmehr das Magma, so schwammig und voluminös es auch sei, körnig und kompakt geworden und sich von der Mutterlauge getrennt hat. Nach dem Erkalten filtriert man durch ein gewogenes Filter, wäscht mit heifsem Wasser aus, trocknet und wägt. Von diesem Gewichte zieht man dann das Gewicht des Filters, des Albumins und des Aluminiumsulfates ab. Die Differenz entspricht dann dem Gewichte des in der untersuchten Substanz enthaltenen Gerbstoffes.

Die titrierte Aluminiumlösung stellt man her, indem man 10 g trockenes Aluminiumsulfat löst und die nicht filtrierte Lösung auf 100 ccm bringt. Die Eiweifslösung wird aus käuflichem Albumin bereitet, indem man 20 g ebenfalls auf 100 ccm Lösung bringt. (Bull. Par. **41.** 22—24.)

Kleine Mitteilungen.

Der **Bentheimer Asphalt** unter Hinweisung auf analoge Vorkommen in Italien in geologisch-bergmännischer und chemisch-technischer Beziehung, von C. ENGLER und L. STRIPPELMANN. (Schlufs). Der so im grofsen gewonnene Teer bedarf keiner Reinigung mit Ätznatron, sondern nur einer Behandlung mit Schwefelsäure, wobei etwa 6 p. c. als sog. Brandharze gelöst werden. Die Rektifikation des Teers ergab dann:

25,5	p. c.	leichte Öle
21,8	„	mittlere Öle
44,8	„	Paraffinmasse
2,4	„	Paraffinschmiere
3,2	„	Koks
2,3	„	Gasverluste.

Aus der Paraffinmasse wurden durch Abkühlung und Abpressen 12,5 p. c. Paraffin gewonnen. Die neben Paraffin aus dieser Masse erhaltenen Prefsöle finden zweckmäfsig als Schmieröle Verwendung. Ebenso die oben erwähnte Paraffinschmiere, während die Koks ein gutes Feuerungsmaterial für die Heizung von Füllöfen, für Metallgiefser etc. geben, und die Brandharze auf Goudron, resp. Asphalt verarbeitet werden können.

Bei Verarbeitung der Asphaltkohle durch Schweelarbeit im großen lassen sich also erhalten:

Leuchtöle	12,72
Gasöle und Maschinenschmieröle . .	9,78
Paraffin.	1,50
Paraffinschmiere	0,65
Retortenkoks	46,09
Teerkoks	0,86
Brandharze	1,52
Verlust (Gas und Wasser) . . .	26,88
	100,00.

Vergasungsversuche der Asphaltkohle ergaben 50—56° C. eines mit hell leuchtender Flamme brennenden Gases, während westphälische Gaskohlen etwa 28, Bogheadkohlen höchstens 43 ccm geben. Hiernach ist der Asphalt auch ein vorzügliches Material für die Gewinnung von Leuchtgas.

Aus dem allen geht hervor, daß die Bentheimer Asphaltkohle ein Bitumenmaterial von hoher technischer Bedeutung und vorzüglicher praktischer Verwertbarkeit ist, sei es zur Verarbeitung auf Leuchtgas, oder zur Darstellung von Leuchtöl, Paraffin, Schmierölen etc. Die erstere Art der Verwendung würde wohl zunächst die einfachste und nichts destoweniger eine sehr einträgliche sein.

Im Anschlusse an diese Mitteilungen giebt ENGLER noch eine Untersuchung des Petroleums der Terra di Lavoro, das sich als ein unreines Rohpetroleum erweist, vorwiegend aus gesättigten Kohlenwasserstoffen, nur teilweise aus Kohlenwasserstoffen der Äthylenreihe bestehend, in dem sich aber kein Paraffin nachweisen läßt. Auch kein Carbolsäure, resp. kreosotartige Körper sind nicht vorhanden. Das Öl läßt sich mit Rücksicht auf das hohe spez. Gewicht und den Umstand, daß die Menge der unter 250° siedenden, für Leuchtöl besonders geeigneten Teile sehr gering ist, nicht als Brennöl verwerten, dagegen läßt es sich vorteilhaft zur Gewinnung von Schmierölen verwerten. Der Vf. hat die Öle direkt auf ihre Schmierfähigkeit geprüft, wobei sich zeigte, daß die niederen Fraktionen ausgezeichnet für leichte Maschinen, die höheren ebenso für schwere Maschinen zu verwenden sind, und bezeichnet sie mit Rücksicht auf ihre dicke Konsistenz, ihr hohes spezifisches Gewicht und ihren niedrigen Erstarrungspunkt als Maschinenöle der besten Qualität.

Vergasungsversuche sind schon früher mit demselben Öle vielfach ausgeführt, und giebt der Vf. nur eine Zusammenstellung der früher erhaltenen Resultate. Nur um festzustellen, inwieweit sich wohl die Gewinnung von Maschinenölen mit der Vergasung des italienischen Öles zum Vorteil vereinigen lasse, wurden Vergasungsversuche mit dem nach Abtreibung der Schweröle hinterbleibenden Rückstande ausgeführt. Es ergaben 55 g Rückstand gegen 20 l eines hell leuchtenden Gases. Dabei wird noch ein gut zu verwertender Koks erhalten. Nach diesem allen empfiehlt sich nach des Vf's. Ansicht in erster Linie eine Destillation des Öles unter Gewinnung der Schweröle als Hauptprodukt und einer geringen Menge Leuchtöl und Putzöl als Nebenprodukt. Der asphaltartige Rückstand kann dann als Vergasungsmaterial, zumal als Zusatz zu minderwertigen Materialien oder auch als Asphalt verwendet werden.

100 g Rohöl würden liefern:

Leuchtöl (7 kg) und Putzöl (16 kg)	= 23,0 kg
Schweröl	= 47,6 „
Rückstand (= 9,7 cbm Gas) . .	= 27,0 „
Verluste	= 2,4 „
	100,00 kg.

Auffallend ist bei einem Vergleiche der Kohlenwasserstoffe des Petroleums der Terra di Lavoro mit den durch Destillation des Bentheimer Asphaltes entstehenden, daß die beiderseitigen Fraktionen gleichen Siedepunktes ungemein verschiedene spezifische Gewichte haben. Während der bis 290° siedende Teil des italienischen Öles = 0,882 spez. Gewicht zeigt, liegt das spez. Gewicht der gleichen Fraktion der Öle des Bentheimer Asphalts unter 0,800. Eine solche Differenz der spezifischen gleichen Fraktionen verschiedener Mineralöle, auf welche bis dahin noch nicht aufmerksam gemacht worden war, weist darauf hin, daß die innere Konstitution dieser Kohlenwasserstoffe, selbst wenn sie der Äthan- und Äthylenreihe angehören, eine sehr verschiedene sein kann. (Pol. J. 250. 216. 265 u. 316; Chem. Ind.)

Wolframsaures Natron als Beschwerungsmittel für Seide, von PAUL LOHMANN. Vor einiger Zeit erhielt Vf. ein Mittel zur chemischen Untersuchung, welches angeblich in Frankreich zum Beschweren von Seide benutzt werden sollte. Das Mittel bestand aus einer farblosen Flüssigkeit von beträchtlicher Dichtigkeit und neutraler Reaktion. Leider erschien eine

Dichtigkeitsbestimmung nicht zulässig, da am Boden und an den Wänden des eingesandten Gefäßes erhebliche Krystallablagerungen vorhanden waren. Die ausgeschiedenen Krystalle lösten
sich auf Zusatz von Wasser und durch mäßiges Erwärmen vollständig auf. Die Untersuchung
ergab, daß die Flüssigkeit lediglich aus einer Lösung von wolframsaurem Natron, welches durch
eine Spur von zinnsaurem Salze verunreinigt war, bestand. In welchem Maßstabe das wolfram-
saure Natron als Beschwerungsmittel benutzt wird, konnte nicht ermittelt werden. Das hohe
spez. Gewicht des Salzes aber (das der reinen geschmolzenenen Säure ist 6,3) läßt es als Beschwerungsmittel recht geeignet erscheinen. Wahrscheinlich haben die Versuche, das Salz als
Flammenschutzmittel für Gewebe zu benutzen, zu dieser bisher wohl weniger bekannten Verwendung als Beschwerungsmittel geführt. (Ind.-Bl. 21. 4—5.)

Über die chemische Kontrolle bei der Anwendung des Osmoseverfahrens,
von HIPPOLYTE LEPLAY. Die industrielle Anwendung der Osmose auf die zuckerhaltigen Substanzen liefert zwei Produkte von verschiedener Zusammensetzung, die osmosierte Flüssigkeit,
welche aus den Melassekammern fließt, und das exosmose Wasser, welches aus den Wasser-
kammern austritt. Die osmosierte Melasse liefert beim Eindampfen eine Füllmasse, die je nach
der Krystallisationszeit eine größere oder geringere Quantität krystallisierten Zucker liefert. Aus
den Exosmosewässern erhält man die sogen. Exosmosemelasse, welche, bis zu einem gewissen
Grade verkocht, eine Füllmasse liefert, aus welcher sehr oft erhebliche Mengen Kaliumnitrat
und Chlorkalium herauskrystallisieren.
In Hinsicht auf die Leitung des Osmosebetriebes ist es von großer Wichtigkeit, die chemischen Veränderungen zu kennen, welche die osmosierte Flüssigkeit erlitten; die wirtschaftliche
Frage ist wesentlich an die Kenntnis der chemischen Zusammensetzung der Osmoseprodukte geknüpft, und diese Kenntnis kann man wiederum nur durch vergleichende Analyse 1. der zu os-
mosierenden Melasse, 2. der osmosierten Melasse und 3. der Exosmosewässer erlangen.
Kennt man die Zusammensetzung dieser drei Flüssigkeiten aus Analysen von Proben aus
dem Osmoseapparat, so kann man sich von der Arbeit des letzteren und dem Werte der Osmose
in dem Zeitmoment, in welchem die Proben entnommen wurden, Rechenschaft geben; aber da
die Umstände sich je nach der Überwachung oder Vernachlässigung des Osmosebetriebes ändern
können, so ist es erforderlich, auch die osmosierte Füllmasse bei ihrem Austritt aus dem Ver-
dampfapparat, bevor sie zur Krystallisation übergeht, und ebenso die Exosmosefüllmasse, bevor
die Salze aus derselben herauskrystallisieren, der Analyse zu unterwerfen. Diese letzteren Analysen werden in ihren Ergebnissen die mittlere Arbeitsleistung der Osmoseapparate und den
mittleren Wert der Osmose für eine längere Zeit, z. B. für 12, 24 oder 36 Stunden, je nachdem
man eine Verkochung von osmosiertem Sirup oder von exosmose Melasse aller 12, 24 oder 36
Stunden vornimmt, darstellen.
Die chemische Analyse dieser verschiedenen Produkte hat zu bestimmen: 1. das spez. Gew.
mittels des Densimeters oder des BAUMÉ'schen Aräometers; 2. den Zuckergehalt mittels des
Saccharimeters; 3. den Aschengehalt mittels Veraschung mit Schwefelsäure, korrigiert durch den
Koeffizienten 0,9 oder 0,8, je nachdem man den einen oder den anderen wählt; 4. den Gehalt
an Glykosezucker und an Glykosederivaten; 5. den Gehalt an freiem Alkali; 6. den Wassergehalt
durch Austrocknung in dünnen Schichten und Aufzeichnung der Merkmale, welche die ausgetrocknete Substanz zeigt; 7. den Kalkgehalt mittels Seifenlösung; 8. den Chlorgehalt maßanalytisch durch Silberlösung.
Vf. geht nun des Näheren darauf ein, welche Schlüsse man aus den erhaltenen Zahlen über
die Zusammensetzung der verschiedenen Produkte zu ziehen im stande ist, und welche Verwer-
tungen die oben angeführten chemischen Analysen für die Praxis des Osmosebetriebes liefern
können. (Bull. de l'Associat. d. Chim. de Sucrerie 1883. 164; SCHEIBLER'S N. Z. 12. 65—68.)

Firnis für Signaturen, von S. A. DONNELL. Weißer Schellack 31,0, Bleiweiß 15,5,
Äther 190,0. Der Schellack wird in einem Mörser zu ziemlich feinem Pulver verrieben, worauf
man ihn in ein Gefäß giebt, welches den Äther enthält. Man läßt nun so lange stehen, bis
das Pulver gelöst ist, worauf das Bleiweiß in feinem Pulver zugefügt wird; man schüttelt gut
um und filtriert durch Papier, wobei die ersten Teile des Filtrates zwei- bis dreimal zurückgegossen werden, bis das Filtrat klar abfließt. Dieser Firnis eignet sich für Papiersignaturen bei
solchen Gefäßen, die nicht stark alkoholische Flüssigkeiten enthalten; besonders bei Anwendung
von zwei bis drei Übersügen wird es hart und glatt und erleidet durch die Handwärme keine
Veränderung, wie die meisten der in Gebrauch stehenden Firnisse. (Ind.-Bl. 21. 78—79.)

Galizischer Ozokerit und Ceresin, von GRABOWSKI. Ozokerit kommt in Galizien
hauptsächlich in Boryslaw bei Drohobyca und in der Gegend von Stanislawów, beide Ortschaften
an den nördlichen Abhängen der Karpathen gelegen, vor. Die hier auftretende Miocenformation
ist wichtig in bezug auf die zahlreichen Naphtaquellen. Das im Jahre 1875 ausgehobene Erd-
wachsozokerit betrug 20 Millionen Kilogramm, und 18 Millionen entfallen auf Boryslaw. Fr.

HAUER bemerkt, daß die großen Salzkrystalle, womit der Ozokerit vermengt ist, als auch die Bergöl enthaltenden Salzquellen darauf hindeuten, daß diese letzteren zu einer an Kalkstein reichen Kette der Neogenformation gehören. Sie enthalten sowohl flüssiges als festes Öl (Erdwachs) in mehr oder minder regelrechten Lagen, Spalten und Klüften. Mittels Geschiebe und Stollen wird es zu Tage gefördert; die Geschiebe sind 40—80 m tief und 1 m im Gevierte, die Stollen hingegen sind kurz wegen der mangelhaften Ventilation und der Menge an Gasen; die Geschiebe gehen durch 8—10 m tiefe Sandlager hindurch, in denen sich große Steine vorfinden, später durch blauen Lehm und durch plastischen Letten, welcher wieder Schichten von Mergel, Schiefer und Sandstein enthält. Aus diesem Lehmboden quillt gewöhnlich die Naphta aus einer Tiefe von 40—50 m hervor, und dort findet man den Ozokerit. Dieser bildet ein bis drei Fuß dicke Klumpen und Schichten, so daß oft Klumpen von einigen hundert Kilo gefunden werden. Der natürliche Ozokerit ist durchsichtig, von lichtgelber Farbe des Honigs und von der Härte des gewöhnlichen Bienenhonigs. Am häufigsten wird der Ozokerit in dünnen Schichten und kleinen Stücken vorgefunden, welche von mineralischen Beimengungen befreit werden, die kleinsten Stücke hingegen müssen erst ausgewaschen werden. Außer gutem, reinem Erdwachs findet man auch Gattungen, welche sich durch besondere Härte und Farbe auszeichnen. Das beste Erdwachs soll von gelber oder grünlicher Farbe sein und leicht zwischen den Fingern sich drücken lassen, dieses wird aber nicht viel zur Ceresinbereitung verwendet. Schlechtere Gattungen sind dunkel von Farbe und entweder zu weich, wenn selbe noch viel Naphta enthalten, oder zu hart, falls sie bei zu hoher Temperatur geschmolzen wurden. Diese letzteren sehen dem Asphalt ähnlich aus. Gereinigt liefern alle diese schlechteren Gattungen ein Wachs, aus dem Paraffin gewonnen werden kann. Man findet auch solche Stückchen Ozokerit, die so hart wie Gips sind, in einer 100° C. übersteigenden Temperatur schmelzen und dunkelgrün im reflektierten, reingelb hingegen im durchfallenden Lichte sind. Die Zusammensetzung des Ozokerits läßt sich am besten durch die Formel C_nH_{2n} ausdrücken. Es scheint, er entstehe durch Oxydation und Verdichtung von Kohlenwasserstoffen der Naphta, da, wie wir später sehen werden, Kohlenwasserstoffe, z. B. Naphtalin, durch Oxydation gar kein Sauerstoffprodukt erzeugen, sondern Naphtyl. $2C_{10}H_8 + O = C_{20}H_{14}H_2O$. Durch weitere Oxydation erhält man Verbindungen von der Formel C_nH_{2n}, die mit den Kohlenwasserstoffen des Sumpfgases sich verdichten, um Ursache zur Bildung sehr komplizierter Kohlenwasserstoffe zu werden, z. B. 1. $2C_8H_{18} + O_2 = C_{16}H_{32} + 2H_2O$, 2. $C_{16}H_{32} + C_8H_{18} + O = C_{24}H_{48} + H_2O$. Nach dieser Hypothese kann man die Bildung von Naphta mit der Oxydation von Sumpfgas in Verbindung bringen und auf die einfachste Weise das Verhältnis von Ozokerit, Naphta und Kohle zu einander erklären. Es wurde schon oben erwähnt, daß der rohe Ozokerit durch Umschmelzen gereinigt, zu Paraffin oder Ceresin verarbeitet werden kann. Das Umschmelzen geschieht entweder auf offenem Feuer oder mittels Dampf. Im ersteren Falle wird der Ozokerit in einen eisernen Kessel von 1½ m Umfang und 1 m Höhe gethan, nach dem Schmelzen abgelassen und der Rest mit Wasser gekocht, so daß der Ozokerit sich an der Oberfläche sammelt. Im letzteren Falle geschieht das Schmelzen mittels Dampf auf dieselbe Weise als bei der Paraffin- oder Stearinbereitung. Der geschmolzene Ozokerit wird durch mehrstündiges Beiseitestellen geklärt, in eiserne Formen gegossen und unverpackt in 50—60 kg wiegenden Klumpen in den Handel gebracht. In dem Handel unterscheidet man zwei Gattungen von Ozokerit. Die erstere, von Erdstücken möglichst gereinigt, ist grünlich-bräunlich und zeigt gelb in kleinen durchsichtigen Stückchen. Von je hellerer Farbe der Ozokerit ist, um so besser ist er. Die zweite dunkelbraune Gattung, nahezu undurchsichtig, enthält noch viele erdige Beimengungen und ist im allgemeinen weicher als die erstere. Diese beiden Gattungen werden zur Fabrikation des Paraffins, Brennöls und Ceresins verwendet. Um aus Ozokerit Paraffin darzustellen, wird derselbe auf offenem Feuer in eisernen Kesseln von 700—1000 kg Rauminhalt destilliert. Die Destillationsprodukte sind: Benzin 2—8, Naphta 15—20, Paraffin 36—50, schwere Öle 15—20, Koks 10 bis 20 p. c. Das Paraffin wird gepreßt, mit SO_4K_2O behandelt, durch Löschpapier und Tierkohle filtriert und zu Kerzen verarbeitet. Die Naphta wird auf gewöhnliche Weise gereinigt, und die schweren Öle unterwirft man einer teilweisen Destillation oder versendet sie direkt nach Wien. Zur Ceresinbereitung kommen nur die besten Ozokeritgattungen in Verwendung, indem man aus denselben alle Verunreinigungen mittels SO_3 und Tierkohle entfernt. Verschiedene Verfahren werden geheim gehalten und durch Patente geschützt. In Galizien wird verhältnismäßig eine geringe Menge Ozokerit verarbeitet, der größte Teil wird nach England, Mähren und Wien versendet. Ceresin wird in großen Mengen nach Rußland versendet. Gutes Ceresin ist nicht leicht von Bienenwachs zu unterscheiden; die besten Methoden sind folgende: 1. Ceresin läßt sich nicht so leicht zwischen den Fingern kneten wie Bienenwachs — es ist brüchiger. Eine Mischung dieser beiden Körper kann aber auf diese Weise nicht erkannt werden. 2. Ceresin verhält sich gegen warme konzentrierte SO_3 beinahe intakt, während Bienenwachs einer völligen Zersetzung unterliegt. In vielen Fällen kann Ceresin an Stelle des Bienenwachses verwendet werden; 100 kg kosten in Wien 32—40 Dollar, während der Preis von Erdwachs bloß 10 bis 12 Dollar beträgt. (Rundschau; Ind.-Bl. 21. 54.)

Über Paraldehyd als Schlafmittel. Die Zahl der Hypnotica ist in jüngster Zeit durch ein neues Mittel bereichert worden, welches allem Anscheine nach bestimmt ist, einen hervorragenden Platz im Arzneischatze einzunehmen. Mehrere bedeutende Ärzte haben mit dem Paraldehyd Versuche an Menschen und Tieren gemacht, welche denselben als ein wirkungsvolles und dabei völlig unschädliches Schlafmittel erscheinen lassen. Der Paraldehyd hat vor den bisherigen Schlafmitteln, besonders dem Chloralhydrat, den Vorzug, in keiner Weise auf die Frequenz und Energie der Herzschläge herabstimmend zu wirken. Dem Einschlafen geht kein Aufregungsstadium voraus, alle Erscheinungen gleichen vollständig denen des natürlichen Schlafes. Nie klagten die Patienten beim Erwachen über Kopfschmerz, Kongestionen, Übelkeit u. dergl. Hervorzuheben ist ferner der vollständige Mangel jeder Beeinträchtigung der Verdauungsorgane, wie sie namentlich von Morphium ausgeübt wird. Die mittlere Dosis ist 3—6 g, doch genügt namentlich bei zarteren weiblichen Individuen oft schon eine geringere Menge.

Die geeignetste Form ist die einer drei- bis vierprozentigen wässerigen Lösung, mit Zucker oder einem Sirup (z. B. Srp. cort. aurant.) versüßt. Der Geschmack erinnert in dieser Form an Pfefferminze. Aus den Beobachtungen von GUGL ist hervorzuheben, daß die Wirkung des Paraldehyds sich in hohem Grade bei der Kombination mit Morphium (in ganz kleiner Menge) oder Bromkalium äußerte, wo jedes Hypnoticum für sich ohne Wirkung geblieben war. Wenn trotz der erzielten günstigen Resultate die Anwendung des Paraldehyds bisher eine ziemlich beschränkte geblieben ist, so liegt der Grund wohl darin, daß von gewissenlosen Fabrikanten Paraldehyd mit der Bezeichnung „purum" in den Handel gebracht wird, welcher erhebliche Quantitäten des aufregend und berauschend wirkenden Acetaldehyds, ja sogar den giftigen Valeraldehyd enthält. Der reine Paraldehyd der Chem. Fabrik auf Aktien, welcher in plombierten Originalflaschen verkauft wird, siedet bei 124⁰, erstarrt bei 10⁰, hat bei 15⁰ die Dichte 0,998, mischt sich in jedem Verhältnisse mit Alkohol und Äther und löst sich bei gewöhnlicher Temperatur in 10 Tln. Wasser zu einer vollkommenen klaren Flüssigkeit. (Nach Untersuchungen von CERVELLO, MORSELLI, GUGL und PERETTI im Circular der chemischen Fabrik auf Aktien in Berlin.)

Einfluß der Traubenkerne auf das Bouquet der Rotweine, von E. MACH. Vf. teilt mit, daß Traubenkerne, die behufs Extraktion der Gerbsäure in unzerstoßenem Zustande mit Wasser ausgekocht worden sind, nach dem Abgießen des Extraktes einen intensiven Vanillegeruch zeigen. Auch das Extrakt selbst besitzt in den meisten Fällen einen ausgesprochenen Geruch und Geschmack nach Vanille, der durch die Gerbsäure nicht ganz verdeckt wird. Wurden die mit Wasser ausgekochten Kerne mit Wein übergossen, so nahm auch letzterer einen mehr oder weniger starken Vanillegeschmack an, was jedoch nicht der Fall war, wenn die Kerne vor dem Auslaugen mit Wasser zerquetscht waren. In letzterem Falle wurde der Geschmack wahrscheinlich durch die sonst aufgenommenen, unangenehm schmeckenden Stoffe verdeckt. Vf. glaubt, aus diesen Beobachtungen auf das Vorkommen von Vanillin in den Traubenkernen schließen zu sollen, obwohl der exakte Nachweis desselben noch nicht gelungen ist. Es erklärt sich dadurch auch das schon wiederholt, namentlich bei Rotweinen wahrgenommene Vanillebouquet. Vielleicht werden die Traubenkerne durch ihre aromatischen Bestandteile auch eine praktische Bedeutung in der Weinfabrikation gewinnen. (Weinlaube 1883. 565.)

Butterkonservierung, von HAGEMANN. Der Vf. weist nach, daß das Ranzigwerden der Butter in erster Linie durch den Gehalt derselben an Milchzucker bedingt werde. Dieser zerfalle unter günstigen Umständen, wie sie ihm in der Butter geboten würden, in Milchsäure, diese aber zersetze die Glyceride der niederen Fettsäuren, welche in der Butter sich befinden. Die Milchsäuregärung und nicht die Buttersäuregärung ist also die Ursache des Ranzigwerdens der Butter. Für die Konservierung ergiebt sich hiernach als Regel, diese Glyceride nicht mit Milchsäure in Berührung kommen zu lassen. Die Beseitigung der genannten Glyceride, wie des Milchzuckers, läßt sich nur zum Teil durch Auswaschen durchführen, wenn das Aroma der Butter nicht leiden soll. Es muß also womöglich die Milchsäurebildung verhindert werden. Da es ziemlich festgestellt erscheint, daß es Milchsäurebakterien sind, welche den Zerfall des Milchzuckers bewirken, so muß die Entwicklung dieser unmöglich gemacht oder mindestens erschwert werden. Mit Versuchen hierüber ist Vf. beschäftigt, betont aber bereits, daß Säuren (Borsäure, Salicylsäure) diesem Zwecke keinesfalls dienen können. (Pharm. Centralh.; Deutsche Ind.-Ztg. 1884. 8.)

Über die Brauchbarkeit des Wasserstoffsuperoxydes als Konservierungsmittel für Bier, von WEINGÄRTNER. Da bekanntlich Wasserstoffsuperoxyd sich sehr gut zur Konservierung von Fleisch, Milch u. dgl. eignen soll, so hat Vf. eine Reihe von Versuchen angestellt, um die Verwendbarkeit jenes Mittels zum Haltbarmachen von Bier zu prüfen. Das Ergebnis der ersten Versuchsreihen ist einstweilen ein ziemlich ungünstiges. Ein Zusatz von 0,3 bis 2 ccm Wasserstoffsuperoxyd auf 400 cbm (1 Flasche) Bier hatte überhaupt keinen Einfluß, da in den betr. Flaschen die Hefe ebenso weiter wuchs wie im reinen Bier, während pasteurisiertes Bier klar blieb. Nach 14 tägigem Stehen bei einer Temperatur von 27—30° C. konnte in keiner Probe mehr Wasserstoffsuperoxyd nachgewiesen werden. Bei Zusatz einer gröfseren Menge des letzteren (3 bis 10 ccm pro Flasche) wurde ebenso wenig die Entwicklung der Hefe gehindert, dagegen war das Bier überhaupt vollständig zersetzt: es moussierte lebhaft und schmeckte und roch stark nach Rum. Es konnte noch nach 4 Wochen Wasserstoffsuperoxyd in den betr. Bierflaschen nachgewiesen werden. (Amerikanischer Bierbrauer; Ind.-Bl. **21.** 61.)

Amerikanische Patente: THOS. FOGARTY in Brooklyn, N.-Y. *Darstellung von Ammoniak.* (Amerik. Pat. Nr. 288 323 u. 24.) 1. In Kohle im Zustande der Weifsglühhitze wird zuerst Luft u. Dampf injiziert, so dafs Kohlenoxyd und Kohlensäure entsteht. Wasserstoff und Stickstoff werden frei. 2. Das produzierte Rohgas wird überhitzt und der in demselben unzersetzte Dampf durch die gewonnene Kohlensäure zersetzt. 3. Der entwickelte Stickstoff wird wiederum erhitzt mit dem niederfallenden Kohlenstoffe und Alkali gemischt, hierbei entsteht zuerst Cyan, das durch den Dampf in Ammoniak umgewandelt wird. — H. D. VAN CAMPEN in Olean, N.-Y. *Explosivmittel.* (Am. Pat. Nr. 288 516.) Die Komposition besteht aus Lohrinde, Dextrin, Salpeter und Nitroglycerin. — J. B. EDSON in Adams, Mass. *Behandlung von Materialien mit Zylonit zur Imitierung von Leder- etc. Waren.* Die Oberfläche einer Zylonitplatte oder ähnlicher Pyroxylinsubstanzen wird einem Lösungsmittel exponiert und dann mit dem die Aufsenseite bildenden Materiale in Verbindung gebracht und geprefst. — CHAS. O. THOMPSON in Terehaute, Ind. *Darstellung von Milchsäure.* (Am. Pat. Nr. 290 284.) Stärkehaltiges Material wird in Glykose übergeführt. Zu der Lösung, die noch alle stickstoffhaltigen Substanzen enthält, setzt man eine wässerige Lösung reiner Glykose. Dann läfst man mit Milchsäureferment vergären und neutralisiert mit Calciumcarbonat. Das Calciumlactat wird mit Schwefelsäure zersetzt. — JUSTUS WOLFF, Albany, N.-Y. *Darstellung roter Farbstoffe (Kardinalrot.)* (Am. Pat. Nr. 285 335.) Der Farbstoff besteht aus Diazonaphtolinamidobenzolammoniumsulfat in Verbindung mit Natrium-β-Naphtoldisulfonat. — ROB. P. SHEPARD, Pittsb. *Fabrikation von Glas.* (Am. Pat. Nr. 285 436.) Die Glasmasse besteht aus Kiesel, Soda, Kalk, Kochsalz und Arsenik. — A. BERNTHSEN, Mannheim. *Fabrikation von Farbstoffen.* (Am. Pat. Nr. 286 526 und 286 527.) 1. Eine neue Schwefelverbindung des Diphenylamins, Thiodiphenylamin, wird aus Diphenylamin und Schwefel dargestellt. 2. Thiodiphenylamin wird mit Salpetersäure gekocht, die entstandene Nitroverbindung reduziert und die dadurch erhaltene farblose Substanz oxydiert. — W. E. DOUD, Eureka, Kansas. *Cement.* (Am. Pat. Nr. 285 980.) Besteht aus Gummi elast., Schwefelkohlenstoff und Ultramarin. (Aus der Amerik. Apoth.-Ztg. Nr. 20 u. 21.) **P.**

Beiträge für das Centralblatt bittet man an die Redaktion (Leipzig, Lessingstr. 5) zu richten. Originalarbeiten von nicht zu grofsem Umfange werden entsprechend honoriert und gelangen stets sofort nach der Einsendung, und zwar in kürzester Frist, zum Abdruck.

Redaktion: Prof. Dr. **Rud. Arendt** in Leipzig.

Verlag von **Leopold Voss** in Hamburg u. Leipzig. — Druck von **Metzger & Wittig** in Leipzig.

Chemisches

16. April 1884.

Wöchentlich eine Nummer von
1-2 Bogen. Der Jahrgang mit
Sach- und Namen-Register,
nebst system. Übersicht.

Central-Blatt.

Der Preis des Jahrgangs
ist 30 Mark. Durch alle
Buchhandlungen und Post-
anstalten zu beziehen.

REPERTORIUM

für reine, pharmazeutische, physiologische und technische Chemie.

Dritte Folge. XV. Jahrgang.

Über einige physikalische Eigenschaften chemischer Verbindungen.

III.

Seitdem in der Chemie sich das Streben geltend gemacht hat, physikalische Methoden zu gewinnen, welche sowohl die quantitative Analyse vereinfachen, als über die Molekularkonstitution Aufschluß geben sollen, ist wohl keine physikalische Eigenschaft chemischer Verbindungen so oft untersucht worden, als die Dichte, resp. das Molekularvolum. Seit Einführung des Begriffes des Molekularvolums durch KOPP hat sich eine ganze Reihe von Chemikern, worunter wir außer KOPP noch THORPE, LOSSEN, BUFF, RAMSAY, SCHIFF, BRÜHL, KRAFFT, STAEDEL, L. MEYER, SCHROEDER, ZANDER, WEGER erwähnen, mit der Untersuchung der Dichte chemischer Verbindungen befaßt.

Obschon der Begriff des Atom- und Molekularvolums schon seit langer Zeit in die Lehrbücher übergegangen ist, soll doch eine kurze Besprechung dieses Begriffes vorangeschickt werden. Das Molekularvolum V einer Substanz wird bekanntlich durch $\frac{M}{d}$ definiert, wo M das in Grammen ausgedrückte Molekulargewicht, und d die auf Wasser von 4° bezogene Dichte bezeichnet. Dieser Quotient giebt an, wieviel Kubikzentimeter von M Gramm der Substanz ausgefüllt werden. Die *wahren* Räume, welche ein Atom, resp. Molekül in den verschiedenen Verbindungen einnimmt, sind natürlich den so berechneten Zahlen proportional, so daß, wenn ein Atom Wasserstoff $\frac{1}{n}$ g wiegt, die wahren Atom- und Molekularvolume durch Division der berechneten Volume mit n erhalten werden. Nach KOPP darf man aber das Atomvolum nicht als den wirklich von dem Atom ausgefüllten Raume ansehen, es bezeichnet derselbe vielmehr das Volum des Atoms nebst dem dazu gehörigen Zwischenraum. Das Atomvolum ist also auch von der Distanz, welches es von anderen Atomen trennt, abhängig. — Statt der Bezeichnung Atom- oder Molekularvolum schlägt deshalb SCHIFF (LIEB. Ann. **220.** 325) das Wort *Atomsphäre* oder *Molekularsphäre* vor.

Da die Distanz der Atome und Moleküle nach äußeren Umständen, wie Druck und Temperatur, wechselt, muß natürlich das Atomvolum von diesen beiden Größen abhängig sein. Bei welchem Druck, und bei welcher Temperatur soll nun in der Formel $\frac{M}{d}$ die Dichte d gemessen werden? Namentlich von Wichtigkeit ist die Wahl der Temperatur, indem die Dichte von 0° bis zur Siedetemperatur oft über 20 p. c. abnimmt, wie z. B. beim Dipropylanilin $C_6H_5N(C_3H_7)_2$, dessen Dichte von ZANDER (LIEB. Ann. **214.** 181) bei 0° zu 0,9240 und bei dem Siedepunkt 245,4° zu 0,7267 beobachtet wurde.

Es sind bis jetzt nach dieser Richtung vier Vorschläge gemacht worden. KOPP bestimmt die Dichte der Flüssigkeiten bei der Temperatur, wo ihr Dampfdruck eine bestimmte Spannung erreichte, meist wurde für die Siedetemperatur bei 760 mm Druck beobachtet. Als Grund führt er an, dafs bei den Temperaturen gleicher Dampfspannung die Wärme in gleicher Weise auf die Flüssigkeit einwirke. In der That ergaben sich für die Molekularvolume bei der Siedetemperatur mehr Regelmäfsigkeiten, als wenn die Volume bei gleicher Temperatur (0°) verglichen wurden. So fand KOPP für mehrere isomere Körper nahe gleiches Volum bei der Siedetemperatur oder Temperaturen, welche gleichweit vom Siedepunkt entfernt lagen. Beispielsweise seien die Volume von zwei Isomeren für verschiedene Temperaturen angeführt.

	Vol. bei 0°	100° unter d. Siedep.	Vol. beim Siedep.
Essigsaures Äthyl	96,7	93,6 (bei 25,7°)	107,4 (bei 74,3°)
Buttersäure . .	89,0	94,6 (bei 57°)	106,7 (bei 157,0°)

Bei Temperaturen, die gleichweit vom Siedepunkt abstehen, sind die Dampfspannungen nach DALTON's Gesetz nicht sehr verschieden.

KRAFFT (Ber. Chem. Ges. 15. 1687) bestimmt die Dichte beim Schmelzpunkt der Flüssigkeit. Er zieht diese Bestimmungsweise vor, weil die Schmelztemperatur viel unabhängiger von äufseren Umständen als die Siedetemperatur sei und auch bei der Mehrzahl der Verbindungen leichter zu erreichen sei. Da beim Schmelzpunkt der Dampfdruck aller Flüssigkeiten nahezu gleich, nicht viel von Null verschieden ist, so ist dieser Vorschlag implizite in dem von KOPP schon enthalten.

SCHRÖDER (Wied. Ann. 14. 666) hat die Vergleichung der Volume mehrerer Gruppen von Verbindungen auch bei *gleichen* Temperaturen durchgeführt und mehrere Regelmäfsigkeiten gefunden.

SALFEJEFF (82. 740) endlich vergleicht die Molekularvolume bei Temperaturen, bei welchen nach seiner Theorie die Atomvolume in einfachen Zahlenverhältnissen stehen. Diese Temperatur ist für Wasser = 4°, bei diesem Wärmegrad nämlich sollen die Volume der zwei Wasserstoffatome zu dem des Sauerstoffatoms in dem Verhältnis 14 : 4 stehen. Was diese Arbeit anbetrifft, so sei auf das angeführte Referat verwiesen.

Bis jetzt sind namentlich die *organischen flüssigen Verbindungen* untersucht (die Untersuchungen über die Volume fester Körper werden übergangen), da man wegen der vielen Isomeriefälle und wegen der genaueren Kenntnis der Konstitution bei diesen Substanzen leicht Gesetzmäfsigkeiten aufzufinden hoffte.

Die ältere diatometrische Untersuchungsmethode ist in jüngster Zeit von WEGER (LIEB. ANN. 221.) verbessert. Nach diesem Verfahren werden die Volume für verschiedene unter dem Siedepunkt liegende Temperaturen im Dilatometer beobachtet, daraus wird für $\frac{d_0}{d}$ eine Formel $\frac{d_0}{d} = 1 + at + bt^2 + ct^3$ (t = Temperatur) berechnet und durch Extrapolation die Dichte beim Siedepunkt selbst ermittelt. Die Methode ist sehr genau, wenn die Beobachtungen nahe zum Siedepunkt fortgesetzt sind. Auch lassen sich die Beobachtungen anderer für einzelne Temperaturen bei der Aufstellung der Formel verwerten. Weil dieses Verfahren zeitraubend ist, hat SCHIFF (a. a. O.) ein neues benutzt. Die Flüssigkeit befindet sich in einem offenen bei Nullgrad genau kalibrierten Fläschchen mit engem Halse, welches in einem Kolben hängt, auf dessen Boden eine kleine Menge derselben Substanz siedet. Die Siedetemperatur wird natürlich beobachtet, ebenfalls das scheinbare Volum V der im Fläschchen bis zur Siedehitze erwärmten Flüssigkeit, wenn der Meniskus sich ruhig eingestellt hat. Darauf wird das Fläschchen verschlossen, abgetrocknet und gewogen. Das Gewicht sei P. Ist k der Ausdehnungskoeffizient des Glases und t die Siedetemperatur, so findet sich $d = \dfrac{P}{V(1 + k[t-4])}$ als Dichte der Flüssigkeit bezogen auf Wasser von 4°.

Die nach beiden Methoden gewonnenen Zahlen verschiedener Beobachter stimmen meistens so genau überein, dafs sie kaum um $\frac{1}{2}$ p. c. vom Mittel abweichen. Z. B. finden KOPP, PIERRE und SCHIFF für Ameisensäureäthylester $C_3H_6O_2$ die Werte 84,7; 85,15; 84,57. Vom Mittel 84,81 weicht die Zahl von PIERRE um etwa 0,4 p. c. ab. Meistens ist die Übereinstimmung zwischen verschiedenen Beobachtungen besser, nur in einigen Fällen beträgt der Unterschied bis 1 p. c.

Die Anzahl der untersuchten Substanzen ist schon eine recht grofse; SCHIFF hat die Volume von 89 Substanzen publiziert, LOSSEN (LIEB. Ann. 214.) untersuchte 28 Körper, ZANDER und WEGER je 29. Einige Substanzen sind von fünf, ja sechs verschiedenen Forschern studiert worden.

Daß das Interesse für die Volumstudien von KOPP gleich anfangs ein so lebhaftes war, beruht auf dem Umstande, daß KOPP schon in seinen ersten Abhandlungen einige Gesetze aufstellte, nach denen man die Dichte jeder flüssigen Verbindung beim Siedepunkte aus der prozentischen Zusammensetzung a priori berechnen konnte. Diese Gesetze sind bekanntlich folgende:

I. Die Molekularvolume homologer Substanzen vermehren sich bei jedem Zuwachse von CH_2 durchschnittlich um 22 Einheiten.

II. Die Ersetzung von C durch H_2 in einer Verbindung ändert deren Molekularvolum nicht.

III. Auch die Ersetzung von O durch H_2 scheint das Molekularvolum nicht viel zu ändern.

IV. Die Molekularvolume der Isomeren sind identisch.

Die ersten Beobachtungen KOPP's und das vorliegende (ungenügende) Material schienen diese Gesetze zu bestätigen, und KOPP war anfangs geneigt, die Abweichungen den Fehlern in der Beobachtung zuzuschreiben. Auf obige vier Sätze gestützt, stellte KOPP noch die beiden Hauptsätze auf:

V. Das Molekularvolum ist unabhängig von der Molekularstruktur und nur abhängig von der prozentischen Zusammensetzung.

VI. Das Molekularvolum ist die Summe der Atomvolume der das Molekül konstituierenden Atome, und zwar hat jedes Atom ein konstantes, in jeder Substanz sich gleichbleibendes Atomvolum.

KOPP nahm folgende Atomvolume an: C = 11; H = 5,5; Cl = 22,8; Br = 27,8, und das Volum von O nahezu doppelt so groß als das von H.

Zwölf Jahre später (1854) (LIEB. Ann. 92.), nachdem inzwischen die beträchtliche Zahl von 45 nur Kohlenstoff, Wasserstoff und Sauerstoff enthaltende Verbindungen untersucht waren, hob KOPP selbst einige von den sechs angeführten Regeln auf, besonders Regel V, daß das Molekularvolum von der Molekularstruktur unabhängig sei. Er verglich nämlich Substanzen von der Formel $C_x H_y O_z$ und $C_{2x} H_{2y} O_{2z}$. Nach Regel V sollte letztere Substanz ein doppelt so großes Molekularvolum haben, als die erste; die Beobachtung ergab aber:

Aldehyd $C_2 H_4 O_2$ $V = 56,9 \times 2 = 113,8$
Buttersäure $C_4 H_8 O$ $V = \qquad = 106,7$
Aceton $C_3 H_6 O$ $V = 77,4 \times 2 = 154,8$
Butters. Äthyl $C_6 H_{12} O_2$ $V = \qquad 149,6.$

Diese großen Differenzen, welche stets in demselben Sinne wiederkehren (z. B. Aldehyd, $C_2 H_4 O = 56,9 \times 3 = 170,7$, Paraldehyd, $C_6 H_{12} O_3 = 150,7$) zeigten, daß bei der Berechnung der Molekularvolume unbedingt auf die Molekularstruktur Rücksicht genommen werden müsse.

Eine Vervollständigung seiner Theorie in diesem Sinne unternahm KOPP im Jahre 1855 (LIEB. Ann. 96.). Er ließ nur die Regeln I, II und IV bestehen, ferner nimmt er für die Atomvolume von C und H die Zahlen 11 und 5,5 an, dagegen legt er dem Atom O zwei verschiedene Atomvolume bei. Der alkoholische Sauerstoff, welcher mit beiden Valenzen an zwei andere Atome gebunden ist, hat das Atomvolum 7,8, der aldehydische Sauerstoff, welcher doppelt an dasselbe Atom gebunden ist, hat das Volum 12,2. Den ersten Wert leitet er aus dem Volum des Wassers H_2O ab, welches bei $100^0 = 18,8$ ist $(7,8 = 18,8-11)$.

Die Regel VI hat dann KOPP durch die folgende ersetzt:

Das Volum der Verbindung $C_a H_b O_c O_d$ ist $= 11a + 5,5b + 7,8c + 12,2d$. In dieser Formel ist c die Anzahl der einfach und d die Anzahl der doppelt an dasselbe Atom gebundenen Sauerstoffatome.

Nach dieser Formel hat Kopp die Molekularvolume von 45 Substanzen berechnet und überall Resultate erhalten, welche höchstens um 4 p. c. von den Beobachtungen abweichen.

In einer in demselben Jahre erschienenen Arbeit giebt Kopp noch die Atomvolume für einige andere Elemente, z. B. $Br = 27,8$, $J = 37,5$, für S die beiden Werte 23 und 28,6 je nach der Stellung innerhalb oder aufserhalb des Radikals. Weiter ist die Theorie von Kopp selbst nicht ausgebildet worden.

Ehe wir zu einer Besprechung der Versuche der neueren Zeit übergehen, sei eine kurze Übersicht über die seit dem Jahre 1841 von Schroeder in einer Reihe von Aufsätzen entwickelte *Sterentheorie* gegeben, welche mit etwa derselben Annäherung das Molekularvolum aus der Zusammensetzung vorausberechnen lehrt, wie die Theorie von Kopp.

Der Hauptsatz der Sterentheorie ist folgender (Wied. Ann. **11**. u. **14**.):

Die Atomvolume der Elemente C, H und des einfach verketteten Atomes O sind in derselben Verbindung einander gleich. Die *Gröfse* des Atomvolums eines dieser Elemente heifst *Stere*. Die *Anzahl* der Steren ist bei vollständig *gesättigten* Verbindungen (wie bei den Alkoholen der Fettreihe, Paraffinen) gleich der Anzahl der Atome im Molekül.

Methylalkohol, CH_4O, hat das Volum $V = 42,3$. Da die Anzahl der Atome gleich 6 ist, so ist die Gröfse der Stere $= 42,3 : 6 = 7,05$, d. h. jedes Atom im Methylalkohol nimmt das Volum 7,05 ein.

Die Gröfse der Stere schwankt bei allen bis jetzt untersuchten Verbindungen zwischen 6,7 und 7,4 und beträgt im Mittel etwa 7. (Nur beim Wasser ist die Stere $= 18,8 : 3$ $= 6,27$ abnorm niedrig.) Es mufs also der Quotient: $\dfrac{V(C_aH_bO_c)}{a+b+c}$ zwischen 6,7 und 7,4 liegen, wenn $C_aH_bO_c$ eine *gesättigte* Substanz bezeichnet. Wäre der Quotient genau $= 7$, so wäre $V(C_aH_bO_c) = 7(a+b+c)$, und aus der Definition des Molekularvolums folgt, dafs die Dichte d bei der Siedetemperatur $= \dfrac{12a+b+16c}{7(a+b+c)}$ ist. (Der Zähler ist das Molekulargewicht der Substanz.) Im Maximum kann die Dichte von der so berechneten Gröfse um 5 p. c. abweichen, in der Regel aber beträgt die Abweichung viel weniger.

Die Sterengröfse nimmt meistens zu mit zunehmendem Molekulargewichte.

Dieses geht z. B. aus folgender Tabelle der *Kohlenwasserstoffe* hervor:

	V	Anzahl d. Steren	Gröfse d. Stere
Sek. Pentan . . . . C_5H_{12}	117,17	: (5 + 12)	= 6,89
Norm. Hexan . . . . C_6H_{14}	139,7	: (6 + 14)	= 6,98
Sek. Heptan . . . . C_7H_{16}	161,9	: (7 + 16)	= 7,04
Norm. Heptan . . . . C_7H_{16}	162,5	: (7 + 16)	= 7,06
Norm. Octan . . . . C_8H_{18}	186,2	: (8 + 18)	= 7,16
Sek. Decan . . . . . $C_{10}H_{22}$	221,31	: (10 + 22)	= 7,23 .

Bei den *Alkoholen* aber nimmt die Sterengröfse mit wachsendem Molekulargewichte ab. (Von 7,05 beim Methylalkohol bis 6,79 beim Propylalkohol).

Die Sterenzahl ist aber *gröfser* als die Anzahl der Atome bei den *ungesättigten* Substanzen der *Fettreihe* und bei allen *aromatischen* Stoffen. *Enthält ein Stoff die Gruppe* $C\!=\!O$, *so hat diese Gruppe den Raum von drei Steren.* Nach neuen Vorstellungen ist die Verbindung zwischen den doppelt verknüpften Atomen C und O eine weniger feste, als bei einfacher Verbindung. Die Lücke zwischen C und O hat also den Raum einer Stere.

Ameisensäure CH_2O_2 hat das Volum 41,8; die Zahl der Steren ist um eins gröfser als die Zahl der Atome wegen der Gruppe $C\!=\!O$, also gleich sechs, folglich die Stere gleich $41,8 : 6 = 6,97$. Bei der Isovaleriansäure $C_5H_{10}O_2$ ist sie gleich $130,6 : 18 = 7,26$.

Bei den *Säuren* wächst die Gröfse der Stere mit dem Atomgewichte.

Bei den bis jetzt untersuchten *Estern* liegt die Stere zwischen 6,99 und 7,41, so dafs die Stere verhältnismäfsig grofs ist.

Die Stere der bis jetzt untersuchten *Aldehyde* und *Ketone* liegt zwischen 6,82 und 7,10.

Ungesättigte Körper der Fettreihe, welche *doppelt verkettete Kohlenstoffatome* enthalten, sind bis jetzt wenig untersucht. *Jede Doppelbindung zwischen zwei Kohlenstoffatomen erhöht die Anzahl der Steren um 1.*

Deshalb hat Isoamylen $C_5H_{10} = CH_3 - CH_2 - CH_2 - CH \! = \! CH - CH_3$ nicht 15, sondern 16 Steren. Die Sterengröfse ist $V = 111,4 : 16 = 6,96$. — Diallyl C_6H_{10} hat zwei doppelte Bindungen zwischen je 2 Atomen C, deshalb ist die Sterenzahl $= 16 + 2 = 18$. Die Gröfse der Stere $= 126,9 : 18 = 7,05$. Da Valerylen C_5H_8 auch zwei Doppelbindungen enthält, so ist die Sterenzahl $= 13 + 2$ und die Sterengröfse $= 103,9 : 15 = 6,93$.

Interessant ist das Diamylen, $C_{10}H_{20}$, welches das Volum 211,31 hat und durch Polymerisation aus dem Amylen entsteht. Man nimmt an, dafs bei der Polymerisation des Amylens sich zwei Moleküle unter Lösung der Doppelbindungen miteinander verbinden und einen geschlossenen Kern bilden, etwa nach dem Schema:

$$X - CH \atop Y - CH \quad + \quad {CH - X \atop CH - Y} \quad = \quad {X - CH - CH - X \atop Y - CH - CH - Y.}$$

Demnach mufs Diamylen ein gesättigter Körper sein, und seine Sterenzahl mufs $= 30$ betragen. In der That giebt $\dfrac{211,31}{30} = 7,04$ eine gute Gröfse für die Stere. Eine Sterenzahl 31 hätte die für einen Kohlenwasserstoff abnorm kleine Stere 6,82 ergeben.

Die Sterenzahl der *aromatischen* Verbindungen ergiebt sich aus dem Volumgesetze:

Im Benzolkerne der aromatischen Verbindungen erfüllen sechs Kohlenstoffatome den Raum von acht Steren. Beim Benzol C_6H_6 ist die Sterenzahl $= 14$ und die Sterengröfse $= 96,0 : 14 = 6,86$. Die Sterengröfse wächst im allgemeinen mit dem Molekulargewichte, beim benzoesauren Isoamyl, $C_6H_5.CO.O.C_5H_{11}$, hat die Sterengröfse den hohen Wert $246,4 : 33 = 7,47$.

Von aromatischen Substanzen mit *doppeltem Benzolkerne* ist nur Naphtalin, $C_{10}H_8$, von SCHROEDER aufgeführt worden. Die Sterenzahl der zehn Kohlenstoffatome beträgt 13 und die Gröfse der Stere $= 149,0 : 21 = 7,10$.

Im Propargyl, C_3H_8, und seinen Verbindungen müssen die drei Kohlenstoffatome den Raum von vier Steren einnehmen.

Die Mehrzahl der Volumgesetze SCHROEDER's läfst sich folgendermafsen zusammenfassen: In einer Verbindung $C_aH_bO_c$ sei x mal die Gruppe $C\!\!=\!\!O$, ferner seien y Doppelbindungen zweier Atome C vorhanden, z sei die Anzahl der vorkommenden Benzolkerne (wo $z = 0$ oder $= 1$ ist), *so ist die Anzahl der Steren dieser Verbindung* $= a + b + c + x + y + 2z$, *und der Quotient des Molekularvolums durch diese Anzahl liegt zwischen 6,7—7,4.* Die Gröfse dieses Quotienten oder der Volumstere steigt im allgemeinen mit wachsendem Molekulargewichte der Verbindung, nur bei Alkoholen nimmt derselbe mit wachsendem Molekulargewichte ab.

Der Zusammenhang zwischen den Volumgesetzen SCHROEDER's und seinen Refraktionsgesetzen ist evident. Viele Sätze lassen sich wörtlich aus einem Gebiet in das andere übertragen, wenn man statt des Molekularvolums den Begriff Molekularrefraktion setzt und statt des Begriffes der Volumstere den der Refraktionsstere. Nur ist die Anzahl der Refraktionssteren nach obiger Bezeichnung gleich $a + b + c + x + y + 3z$, während die Anzahl der Volumsteren gleich $a + b + c + x + y + 2z$ ist.

Der praktische Nutzen der Sterentheorie ist nicht zu unterschätzen. Wie man am obigen Beispiel des Diamylens sieht, läfst sich aus der Dichte beim Sieden mit ziemlicher Sicherheit die Volumkonstitution berechnen. Über die Konstitution der Terpene wird die Theorie noch wichtige Aufschlüsse liefern. Die Kenntnis der Sterengröfse für die einzelnen Gruppen ist freilich unerläfslich. Kohlensaures Äthyl $(C_2H_6O)_2CO$ mufs theoretisch die Steren $18 + 1 = 19$ haben, da einmal die Gruppe CO vorkommt. Die Gröfse der Stere ist dann $138,8 : 19 = 7,31$. Die Sterengröfse ist normal, da die Ester grofse Steren besitzen. Kein bis jetzt beobachteter Ester hat eine Stere unter 6,99.

Die Theorien von SCHROEDER und von KOPP haben einige Ähnlichkeit in der Lehre von den doppelten Bindungen. Zwei doppelt gebundene Atome haben nach beiden Theorien ein gröfseres Volum, als wenn sie einfach verknüpft sind. Die Gruppe C═O hat nach KOPP das Volum $11 + 12,2 = 23,2$, C─O─ dagegen $11 + 7,8 = 18,8$. Nach der Sterentheorie ist das Volum der ersten Gruppe etwa gleich 21, das der zweiten gleich 14. In der Gruppe C═C berechnet SCHIFF (siehe weiter unten) im Sinne der KOPP'schen Theorie das Volum der „Lücke" zwischen beiden Atomen C etwa zu 4,0, dagegen SCHROEDER legt der Lücke den Wert einer Stere bei, also den Wert 6,7—7,4.

Während die Sterentheorie trotz ihrer Einfachheit und praktischen Anwendbarkeit noch nicht das allgemeine Interesse auf sich gezogen hat, sind dagegen die KOPP'schen Sätze in der neueren Zeit sehr oft zum Gegenstande der Diskussion und der Versuche gemacht worden. Um die Theorie zu halten, ergänzte man sie noch durch den Satz:

VII. *Die einwertigen Elemente haben ein konstantes Atomvolum, den mehrwertigen kommen zwei (oder auch mehr) konstante Atomvolume zu.*

Für die Richtigkeit der Theorie von KOPP ist u. a. RAMSAY (Ber. Chem. Ges. **13.** 2145) eingetreten. Er beobachtete das Volum von siedendem Jod im freien Zustande $= 36,7$; da nun in den Verbindungen diesem Elemente der Wert 36,6 zugelegt wird, so sieht er in der Übereinstimmung beider Zahlen einen Beweis für die Richtigkeit der Theorie, besonders des Satzes VII von der Konstanz der Atomvolume. Ferner wurden folgende Atomvolume beobachtet:

	Frei	Gebunden
$Br =$	27,1	28,1
$P =$	20,9	20,7 (in den dreiwertigen Verbindungen)
$S =$	21,6	22,6 (einfach gebunden).

Besondere Aufmerksamkeit hat man auf das Volum von CH_2 in den homologen Reihen gerichtet, welches von KOPP als konstant (zu 22) angegeben wurde. Für die Konstanz sprechen nur die Versuche von KRAFFT (a. a. O. und Ber. Chem. Ges. **14.** 3018 und **16.** 1714). Er beobachtete die Volume höherer Paraffine, Olefine, Alkohole und Säuren bei der Schmelztemperatur. Für die Paraffine C_nH_{2n+2} fand er die folgenden Molekularvolume:

$n =$	11	12	13	14	15	16	17	18	19	20
$v =$	201,4	219,9	237,3	255,4	273,2	291,4	309,0	326,9	344,7	362,5
Vol $(CH_2) =$	18,5	17,4	18,1	17,8	18,2	17,6	17,9	17,8	17,8	

Die Reihe ist fortgesetzt mit einigen Unterbrechungen bis $n = 35$. Als Mittel für das Volum von CH_2 ergiebt sich 17,83, wovon die einzelnen Zahlen wenig abweichen.

Für die höheren Fettsäuren ist das Mittel für $CH_2 = 17,9$ [o]

„	Ketone	„	$= 17,79$
„	Alkohole		$= 18,01$
..	Olefine		$= 17,90$.

Man könnte versuchen, mit dem Mittel für CH_2, welches etwa 17,9 beträgt, Werte für C und H und O zu berechnen, welche der Schmelztemperatur entsprechen würden und mit denen man nach den Regeln von KOPP das Molekularvolum berechnen könnte. Daß eine *genaue* Vorausberechnung in dieser Weise nicht möglich ist, zeigt sich bald. Als Mittel für CH_2 haben wir 17,9 angenommen. Danach müßte der Kohlenwasserstoff $C_{17}H_{24}$ (als gesättigt angenommen) das Atomvolum 214,9 haben. Statt dessen hat KRAFFT die Zahl 211,2 beobachtet. Diese Zahl hätte man nur gefunden, wenn für CH_2 das Volum $211,2 : 12 = 17,6$ angenommen wird. Ein so kleines Volum für CH_2 ist nicht gut anzunehmen.

Alle übrigen Beobachter haben bedeutende Abweichungen für die Volume von CH_2 gefunden, so daß der Satz I von KOPP unhaltbar ist. WEGER u. SCHIFF finden für CH_2 Volumzunahmen, welche zwischen 19,09 und 26,29 liegen. Erstere Differenz findet sich bei den Volumen von Äthyl- und Propylalkohol, welche von SCHIFF gleich 62,18 und 81,27 beobachtet wurden, die letzte Differenz zeigen die Molekularvolume von Phenylpropionsäuremethylester und Phenylpropionsäureäthylester, welche von WEGER zu 195,19 und 221,48 gefunden wurden.

Auch der Satz IV, nach welchem gesättigte isomere Substanzen gleiches Molekularvolum haben, widerspricht den neueren Beobachtungen. Die größte, bis jetzt beobachtete Abweichung führt ZANDER an; er fand das Volum vom Dipropylanilin $= 243,1$ und vom Diisopropylanilin $= 235,4$. Die Abweichung beträgt hier über 3 p. c., Differenzen von 2 p. c. kommen oft vor.

Über isomere Körper handeln folgende Sätze: Für isomere Kohlenwasserstoffe findet SCHIFF, daß die Verbindung mit dem höchsten Siedepunkt auch das größte Molekularvolum hat. Dieser Satz ist bis jetzt durch Beobachtungen nicht widerlegt. STAEDEL (Ber. Chem. Ges. 15. 2559) kommt für andere Verbindungen zu dem entgegengesetzten Resultat, welches er auch theoretisch begründet.

Für isomere Ester hat SCHIFF den Satz aufgestellt: Das Molekularvolum der isomeren und analog konstituierten Ester ist um so größer, je kleiner die Anzahl der Kohlenstoffatome im Säureradikal, und je größer sie im Alkoholradikal ist. Z. B. seien folgende vier Ester angeführt:

$$C_6H_{10}O_2 \begin{cases} CHO_2 & -C_5H_9 & \text{Vol} = 130,74 \\ C_2H_3O_2 & -C_4H_7 & " & = 128,56 \\ C_3H_5O_2 & -C_3H_5 & " & = 127,83 \\ C_4H_7O_2 & -CH_3 & " & = 126,00 \end{cases}$$

An dieser Stelle möge noch ein älterer Satz von BRÜHL stehen, welcher sich *auf gleiche Temperaturen* (von 20°) bezieht. Er lautet: Bei isomeren Substanzen ändern sich Siedepunkt und Dichte in gleicher Weise. Die Dichte wird um so kleiner, je mehr der Aufbau der Moleküle von der normalen Richtung abweicht und sich verzweigt. Die Dichte erhält den größten Wert bei Isomeren, welche von einer ununterbrochenen Kette von Kohlenstoffatomen gebildet werden.

Diese Regel wird durch die Beobachtungen sehr gut bestätigt. Bei gleicher Temperatur haben die Normalverbindungen größere Dichte als die Isoverbindungen.

Unter den neueren Autoren hält namentlich SCHIFF (a. a. O.) den Satz VII von der Konstanz der Atomvolume einwertiger Elemente fest und benutzt ihn zu weiteren Schlüssen. Dem Wasserstoffe legt er das Volum 5,6 bei (die Ziffer 6 soll noch genau sein), dagegen können mehrwertige Elemente, besonders Sauerstoff, ein innerhalb gewissen Grenzen variables Atomvolum besitzen. Der Inhalt der reichhaltigen Schrift von SCHIFF soll in folgendem kurz mitgeteilt werden.

Aus dem oben für isomere Ester aufgestellten Satz schließt SCHIFF, daß das Kohlenstoffatom ein nicht konstantes Atomvolum besitze, da dieses allein bei den angeführten Substanzen in der Verkettungsweise variiert. Angenähert freilich ist das Volum des gesättigten Kohlenstoffatoms konstant, und zwar ist Vol $C_2 = $ Vol H_4, wie aus der Zusammenstellung von:

Normalem Hexan . . $C_6H_{14} = 139,72$
und Metaxylol . . . . . $C_8H_{10} = 139,69$

folgt. (Ebenso aus der Vergleichung vieler anderer Kohlenwasserstoffe.) Die Volumverminderung, welche durch den Verlust von vier Atomen H eintritt, wird ersetzt durch die Volumzunahme, welche durch Eintritt von zwei Atomen C erfolgt.

Mit Hülfe der beiden Annahmen, nämlich, daſs das Atomvolum von H konstant = 5,6, und daſs das Atomvolum von C angenähert konstant sei (C = 2H = 2.5,6 = 11,2), beweist SCHIFF nach drei verschiedenen Methoden folgenden wichtigen Satz, welcher auch schon von BUFF und ZANDER ausgesprochen wurde: *Jede doppelte Bindung zwischen zwei Kohlenstoffatomen vermehrt das Molekularvolum, und zwar um etwa 4,0 Einheiten.*

SCHIFF vergleicht zum Beweise die Substanzen Benzol, Diallyl und normales Hexan, deren Volume gefunden sind:

$$1. \text{ Benzol} \quad\quad C_6H_6 \quad V = 95,94$$
$$2. \text{ Diallyl} \quad\quad C_6H_{10} \quad V = 125,82$$
$$3. \text{ Norm. Hexan} \quad C_6H_{12} \quad V = 139,72.$$

Nimmt man an, daſs das Volum von C_6 in den drei Verbindungen konstant sei und ebenso das H, so müſste, falls Diallyl keine doppelten Bindungen zwischen zwei Atomen C enthielte, sein Volum genau das arithmetische Mittel von 95,94 und 139,72, also 117,83 sein. Das wirkliche Volum beträgt 7,99 Einheiten mehr, welche Vermehrung von den zwei doppelten Bindungen herrührt. Jede Doppelbindung vergröſsert also das Volum um 4,00 Einheiten.

Zu demselben Wert führt die Vergleichung zweier Kohlenwasserstoffe von der Formel C_nH_a und C_nH_{a-2}, der erstere ist gesättigt, der letztere enthalte eine Doppelbindung. Es seien z. B. folgende Körper gegeben:

$$\text{Sekundäres Pentan} \quad C_5H_{12} \quad V = 117,17$$
$$\text{Sekundäres Amylen} \quad C_5H_{10} \quad V = 109,95.$$

Da das Amylen zwei Atome H weniger als Pentan enthält, so müſste sein Volum um 2.5,6 = 11,2 kleiner sein, als das des Pentans, es müſste also 117,17 − 11,2 = 105,97 sein. Das Amylen hat 3,98 Einheiten mehr, welche von der im Amylen enthaltenen doppelten Bindung herrühren. Drittens vergleicht SCHIFF Phenol und Allylalkohol, ersteres ist gesättigt, letzterer enthält eine Doppelbindung zweier Kohlenstoffatome. Man hat:

$$1. \text{ Phenol} \quad C_6H_5OH \quad V = 103,6$$
$$2. \text{ Allylalkohol} \quad C_3H_5OH \quad V = 74,1.$$

Da das Volum von 3C nahezu 3.11,2 = 33,6 ist, so müſste demnach der Allylalkohol, da er drei Atome C weniger hat als Phenol, das Volum 103,6 − 33,6 = 70,0 besitzen. Die 4,1 Einheiten, welche dieser Alkohol mehr hat, sind auf Rechnung der doppelten Bindung zu setzen.

Am veränderlichsten ist nach SCHIFF das Volum des Sauerstoffes. KOPP nimmt für den alkoholischen Sauerstoff, welcher mit beiden Valenzen an zwei verschiedene Atome verbunden ist, das Volum 7,8 an, für den doppelt an dasselbe Atom gebundenen aldehydischen Sauerstoff das Volum 12,2. SCHIFF zeigt, daſs sich für den *alkoholischen* Sauerstoff gar kein fester Wert feststellen läſst, indem das Volum zwischen den Grenzen 5,6 bis 12,6 schwankt. Der Wert 5,6 ergiebt sich aus:

$$\text{Amylalkohol, } C_5H_{12}O \quad V = 122,7$$
$$\text{Pentan, } \quad\quad C_5H_{12} \quad V = 117,1$$
$$\left.\right\} \text{Diff. für O} = 5,6.$$

Der Wert 12,6 aus:

$$\text{Buttersäure } C_3H_7\text{—COOH} \quad V = 108,6$$
$$\text{Butyraldehyd } C_3H_7\text{—COH} \quad V = 96,0$$
$$\left.\right\} \text{Diff. für O} = 12,6.$$

Für den *aldehydischen* Sauerstoff berechnen sich durchgehends gröſsere Volume als für den alkoholischen. Doch zeigt sich auch hier keine Konstanz. Das Volum des *aldehydischen* Sauerstoffes in der homologen Reihe der Fettsäuren vermehrt sich mit dem Aufsteigen der Reihe. In der Ameisensäure ist das Volum des aldehydischen Sauerstoffes = 9,5; in der Essigsäure schon 12,2 und in der Valeriansäure gar 18,7.

Die Berechnungsweise des Volums des aldehydischen Sauerstoffes in den Säuren bei Schiff ist folgende: Ameisensäure CH_2O_2 hat das Volum 41,0, Methylalkohol CH_4O hat das Volum 42,70. Da zwei Atome H im Methylalkohol das Volum 11,2 entspricht, so bleibt für den Atomkomplex CH_2O das Volum 42,7—11,2 = 31,5. Da Ameisensäure das Volum 41,0 hat, so muſs demnach das aldehydische Atom O das Volum 41,0—31,5 = 9,5 besitzen.

Wichtig ist noch die Beziehung, welche zwischen dem Volum einer Säure, eines Alkohols und dem des entsprechenden Esters stattfindet. Bekanntlich bildet sich ein Ester durch Verbindung einer Säure mit einem Alkohol unter Austritt eines Moleküls Wasser. Demnach müſste das Volum einer Säure $C_nH_{2n}O_2$ und das Volum eines Alkohols $C_mH_{2m+2}O$, vermindert um das eines Esters $C_{n+m}H_{2(n+m)}O_2$ = dem Volum eines Moleküls Wasser = 18,7 sein.

Das Experiment widerspricht diesen Folgerungen.

Man hat für Ameisensäure und Methylalkohol die Gleichung:

$$\begin{array}{ccccccc} V(CH_2O_2) & + & V(CH_4O) & - & V(C_2H_4O_2) & & \\ 41 & + & 42,7 & - & 62,57 & = & 21,13 \end{array}$$

Nach Kopp's Theorie müſste die Differenz = 18,7 sein. Ähnlich ist

$$V(C_2H_4O_2) + V(C_5H_{12}O) - V(C_7H_{14}O_2) = 11,34.$$

Geben wir der Differenz, welche für das austretende Wassermolekül gefunden wird, wenn eine Säure $C_nH_{2n}O_2$ sich mit dem Alkohol $C_mH_{2m+2}O$ zu dem Ester $C_{n+m}H_{2(n+m)}O_2$ verbindet, die Bezeichnung V_{nm}, so ist gefunden:

V_{11} = 21,13	V_{21} = 22,24	V_{31} = 24,26	V_{41} = 24,56	V_{51} = 23,33
V_{12} = 18,61	V_{22} = 19,70	V_{32} = 20,15	V_{42} = 19,78	V_{52} = 19,20
V_{13} = 15,59	V_{23} = 15,91	V_{33} = 16,37	V_{43} = 15,32	V_{53} = 13,24
V_{14} = 11,89	V_{24} = 12,32	V_{34} = 12,81	V_{44} = 9,93	V_{54} = 12,83
V_{15} = 10,5	V_{25} = 11,34	V_{35} = 11,54	V_{45} = 9,52	V_{55} = 8,85

Schiff hält die Zahlen, welche in derselben Horizontalreihe stehen, für konstant, die Schwankungen sollen von ungenauen Beobachtungen einiger Ester herrühren. Daraus ergiebt sich der Satz:

Die Volumverkleinerung, welche bei der Esterifikation eines gegebenen Alkohols mit irgend einer Säure aus der Reihe $C_nH_{2n}O_2$ eintritt, ist beinahe konstant.

Schiff vermutet deshalb, „daſs es bei der Esterifikation der Alkohol ist, welcher das Hydroxyl verliert, und nicht die Säure“.

Gegen die Ansicht, daſs das Volum der einwertigen Elemente konstant sei, hat u. a. Staedel (a. a. O.), gestützt auf seine Beobachtungen an gechlorten Äthanen, Bedenken erhoben.

Seine Beobachtungen sind bei Drucken von 400 und 760 mm angestellt; wegen ihrer Wichtigkeit führen wir folgende an:

			Druck 400 mm	Druck 760 mm
$C_2H_4Cl_2$	I.	CH_3—$CHCl_2$	V = 86,09	88,18
	II.	CH_2Cl—CH_2Cl	V = 83,17	85,24
$C_2H_3Cl_3$	III.	CH_3—CCl_3	V = 105,45	107,98
	IV.	CH_2Cl—$CHCl_2$	V = 100,19	102,76

		Druck 400 mm	Druck 760 mm

$$
\begin{array}{l}
\text{V.} \quad \left\{ \begin{array}{l} CH_2Cl \\ | \\ CCl_3 \end{array} \right. \\
C_2H_2Cl_4 \\
\text{VI.} \quad \left\{ \begin{array}{l} CHCl_2 \\ | \\ CHCl_2 \end{array} \right. \\
\text{VII.} \quad \left\{ \begin{array}{l} CHCl_2 \\ | \\ CCl_3 \end{array} \right.
\end{array}
$$

V. $V = 118,39$ · 121,51

VI. $V = 116,20$ 119,23

VII. $V = 134,58$ 138,25 .

	bei 400 mm	bei 760 mm
Man findet aus IV— I	14,10	14,58
„ „ „ V—III	12,92	13,54
Mittel	13,57	14,06 .

Dieses Mittel giebt die bei Einführung des ersten Chloratoms (statt H) in den Kohlenwasserstoffrest sich ergebende Volumzunahme. Aus IV—II oder VI—IV oder VII—V ergeben sich die Mittel 16,41, resp. 16,87 als Differenz der Volume, welche auftritt, wenn das zweite Atom H durch Cl ersetzt wird. Aus III—I, V—IV oder VII—VI ergiebt sich die mittlere Differenz 18,65, resp. 19,16 für die Volumzunahme, welche eintritt, wenn auch das dritte Atom H durch Cl ersetzt wird. Wenn die Atome Chlor und Wasserstoff konstantes Volum hätten, so hätten die drei Differenzen 14,06, 16,87 und 19,16 gleich sein müssen. Setzt man das Volum von H = 5,6, so hat das erste eingeführte Atom Cl das Volum 14,06 + 5,6 = 19,66, das zweite 22,47, das dritte 24,76. Freilich kann man den Satz von der Konstanz der Atomvolume einwertiger Elemente noch retten, wenn man annimmt, dafs nur das Kohlenstoffatom veränderliches Volum habe. Setzt man H = 5,6 und Cl = 22,3, so müfste in der Verbindung I das Volum den Wert 11,59, in VII den Wert 8,82 haben.

Etwas genauer ergeben sich die Zahlen von STAEDEL, wenn man die Volume der Gruppen CH_3, CH_2Cl, $CHCl_2$ und CCl_3, aus welchen die untersuchten Körper bestehen, als konstant voraussetzt und ihre Volume berechnet. Referent hat nach der Methode der kleinsten Quadrate die Werte gefunden (bei 760 mm):

Differenz

$$
\begin{array}{ll}
\text{Vol } (CH_3) & = 28,81 \\[-2pt]
& \quad\quad\quad\quad \Big\} 13,92 \\[-2pt]
\text{Vol } (CH_2Cl_2) & = 42,73 \\[-2pt]
& \quad\quad\quad\quad \Big\} 16,86 \\[-2pt]
\text{Vol } (CHCl_2) & = 59,59 \\[-2pt]
& \quad\quad\quad\quad \Big\} 18,63 \\[-2pt]
\text{Vol } (CCl_3) & = 78,82
\end{array}
$$

Durch diese Zahlen werden die STAEDEL'schen Beobachtungen so genau wiedergegeben, dafs die Abweichungen durch Beobachtungsfehler erklärt werden können. Die gröfste Differenz kommt bei Trichloräthan $CH_2Cl — CHCl_2$ vor, wo die obigen Zahlen 102,32 ergaben, während beobachtet wurde 102,76. Die Differenzen obiger Volume sind die etwas berichtigten Zahlen von STAEDEL.

Zu ähnlichen Betrachtungen über das Volum des Chlors gelangt LOSSEN (LIEB. Ann. 214. 134) durch die Beobachtungen von THORPE an gechlorten Methanen. Er fand:

Methylenchlorid	CH_2Cl_2	= 65,12
Chloroform	$CHCl_3$	= 84,53
Kohlenstofftetrachlorid . . .	CCl_4	= 103,68 .

Setzt man C = 11,2 und H = 5,6, so berechnet sich:

Cl = 21,4 aus Methylenchlorid,
Cl = 22,6 aus Chloroform,
Cl = 23,1 aus Kohlenstofftetrachlorid.

Streng bewiesen ist die Veränderlichkeit des Volums von Cl auch durch die Beobachtungen von THORPE nicht, da man annehmen kann, dafs das Volum von C in weiteren Grenzen veränderlich sei.

Allgemeine Schlufsfolgerungen. Ein merkwürdiger Parallelismus besteht zwischen den drei physikalischen Eigenschaften, dem Lichtbrechungsvermögen, der Verbrennungswärme und dem Molekularvolum. Die Beziehungen zwischen Lichtbrechungsvermögen und Verbrennungswärme sind im Referate II ausführlich dargelegt worden; besonders unerwartet war das Resultat, dafs doppelte Bindung zwischen zwei Kohlenstoffatomen unter sich oder 1 Atom C und 1 Atom O das Lichtbrechungsvermögen und die Verbrennungswärme erhöhe. Genau dasselbe Verhalten zeigt das Molekularvolum.

Ein weiterer Zusammenhang ist kürzlich von MÜLLER-ERZBACH (Ber. Chem. Ges. **16.**) aufgedeckt worden. Er findet, *dafs unter mehreren isomeren Körpern immer derjenige die gröfste Verbrennungswärme habe, dessen Molekularvolum das gröfste sei, oder dafs der gröfseren Verbrennungswärme die kleinere Dichte entspricht.* Die Dichte sollte eigentlich bei der Verbrennungstemperatur gemessen werden. Die Beziehungen treten aber schon hervor, wenn die Dichte bei 0^0 gemessen wird. MÜLLER-ERZBACH führt u. a. die Zahlen an:

		Verbrennungswärme	Dichte
C_3H_6O	Aceton	424 000 cal	0,814 bei 0^0
	Propylaldehyd	240 000 „	0,832 bei 0^0
C_4H_6O	Äther	668 000 „	0,736 bei 0^0
	Butylalkohol	617 000 „	0,826 bei 0^0.

Früher ist wohl die Ansicht verbreitet gewesen, dafs die doppelte Bindung eine wiederholte einfache sei. Dieser Anschauung ist zuerst BRÜHL entgegengetreten, welcher gezeigt hat, dafs die Verbindung zwischen doppelt gebundenen Atomen eine weniger feste sein müsse, als zwischen einfachen. Der Beweis ist folgender: Die Energie einer Verbindung wird gebildet: 1. Aus der Wärme, welche nötig ist, um die Temperatur zu erhöhen oder die lebendige Kraft der bewegten Partikel zu vermehren; 2. aus der Wärme, welche nötig ist, um die gegenseitige Anziehung der einzelnen Partikel zu überwinden, also die Disgregation herbeizuführen.

Nach CLAUSIUS (Abh. 6 S. 270) hängt die lebendige Kraft der Atome nur von der Temperatur und nicht von der Anordnung der Teilchen im Molekül ab; also mufs bei isomeren Substanzen von gleicher Temperatur die lebendige Kraft die gleiche sein. Hieraus folgt, dafs man die Ursache des veränderlichen Wertes der Energie isomerer Substanzen, wie er sich in der Verbrennungswärme zeigt, nur in der den Molekülen innewohnenden verschiedenen Disgregation suchen kann. Der gröfsten Verbrennungswärme mufs also die gröfste Lockerung der Bindungen zwischen Atom und Atom entsprechen. (Dieses steht vollständig im Einklang mit dem Satz von MÜLLER-ERZBACH.)

Diese allgemeine Betrachtung, auf Körper mit doppelten Bindungen angewandt, zeigt also, *dafs zwischen doppelt gebundenen Atomen eine geringere Anziehung besteht, als zwischen einfach gebundenen.*

Mit dieser von BRÜHL entwickelten Anschauung über das Wesen der doppelten Bindung stimmen die Resultate von KOPP, dafs der Gruppe C⚌O ein gröfseres Volum entspreche, als der Gruppe C—O—, gut überein, ebenso der Satz von SCHIFF, dafs sich das Volum zweier einfach gebundenen Atome C um 4,0 erhöhe, wenn die Bindung aus der einfachen in die doppelte übergehe. Deshalb schlägt SCHIFF vor, die Substanzen mit doppelter Bindung statt *ungesättigt* lieber *lückenhaft* zu nennen, da die doppelt gebundenen Atome eine Lücke zwischen sich haben. SCHIFF führt noch an, dafs die Reaktionen solcher Verbindungen in Übereinstimmung mit dieser Anschauung verlaufen. Lückenhafte Moleküle absorbieren begierig gewisse freie Elemente, wie Chlor und Brom. Substanzen mit einer Kette von Kohlenstoffatomen, welche durch eine Lücke unterbrochen ist, zerfallen bei der Oxydation gerade an dem Punkte, wo die Lücke sich befindet. Also muſs hier der geringste Widerstand geleistet sein.

Brühl hat vorgeschlagen, in den Formeln auch das Zeichen für doppelte Bindung zu ändern, da der Begriff sich geändert habe. Man soll die Atomzeichen, wenn, doppelte Bindung stattfindet, in gröſserem relativen Abstande schreiben, als bei einfacher Bindung. Demnach müſste Ameisensäure geschrieben werden:

$$\begin{array}{ccc} H & & CH_3 \\ | & \text{und Essigsäure:} & | \quad\quad \text{Dabei soll der verlängerte} \\ HO—C—————O & HO—C \;——\; O. \end{array}$$

Strich andeuten, daſs die Attraktion geringer ist, als die zwischen zwei Atomen H in dem Molekül H_2, welche bisher als Einheit des Maſses der Valenz betrachtet wurde.

Schiff hält diese Schreibweise nicht in allen Fällen für ausreichend. Oben ist angeführt, daſs das Volum des aldehydischen Sauerstoffes in den homologen Säuren der Fettreihe mit dem Aufsteigen der Säure rasch zunimmt. In der Ameisensäure ist das Volum von O gleich 9,5, in der Essigsäure schon 12,2 etc. Folglich muſs das Sauerstoffatom sich immer weiter vom Atom C entfernen, je mehr das Molekulargewicht zunimmt. Also muſs die Attraktionskraft auch allmählich abnehmen.

Schiff beweist seinen Satz, daſs das doppeltgebundene Atom O in den Säuren mit dem Aufsteigen der Reihe gröſseren Abstand bekomme, auch noch auf andere Weise. — Aus den Neutralisationswärmen der Säuren mittels wässeriger Kalilauge hat Luginin gefunden, daſs die Ameisensäure die stärkste Säure ist, und daſs die Stärke der Säuren mit dem Aufsteigen der Reihe regelmäſsig abnimmt. Andererseits weiſs man, daſs der saure Charakter des Hydroxyls der Säuren von der Nähe des aldehydischen Atoms O herrührt. Je näher dieses heim Hydroxyl ist, desto stärker wird die Säure sein. Schreibt man also das Carboxyl in der Form C—OH—O, so wird der Strich zwischen C und O verschieden lang sein müssen, am kürzesten bei der Ameisensäure.

Über die Konstitution des Benzols. Wie (Referat I S. 5) mitgeteilt wurde, ist Brühl zu dem Resultate gelangt, daſs der Benzolkern drei doppelte Bindungen enthalte, da seine Molekularrefraktion sechs Einheiten gröſser ist, als die normale. Diese Annahme läſst sich schwer mit dem Volum des Benzols in Einklang bringen. Lossen stellt zusammen:

$$\begin{array}{lll} \text{Dipropyl,} & C_6H_{14} & = 140,0 \\ \text{Diallyl,} & C_6H_{10} & = 125,7 \\ \text{Benzol,} & C_6H_6 & = \;\;95,9. \end{array}$$

Nimmt man das Volum des Dipropyls als normal an, so hat Diallyl wegen der zwei Lücken ein abnorm hohes, Benzol aber ein normales Volum. Zieht man acht Einheiten vom Volum des Diallyls ab, so hat man die Zahlen:

$$\begin{array}{ll} & \text{Differenz} \\ & \text{für 4 H} \\ C_6H_{14} = 140,0 \\ C_6H_{10} = 117,4 \end{array}\Big\} 22,6 \\ \;\; C_6H_6 \;\; = \;\; 95,9 \Big\} 21,5.$$

Die Differenzen für 4 H sind hinreichend gleich. Nimmt man also im Diallyl zwei doppelte Bindungen an, so darf man sie im Benzol nicht annehmen. Das Molekularvolum zwingt zu der Hypothese, daſs im Benzolkerne nur einfache Bindungen existieren. Auch die Sterentheorie muſs die Existenz von drei doppelten

Bindungen verwerfen. Die bekannte, von LADENBURG verteidigte Prismenformel wird deshalb von SCHIFF bevorzugt.

Zu derselben Annahme, daſs der Benzolkern nur neun einfache Bindungen enthalte, ist J. THOMSEN gelangt durch seine Theorie der Verbrennungswärme von Kohlenwasserstoffen. Nach THOMSEN kann man die Verbrennungswärme eines Kohlenwasserstoffes $C_m H_n$ aus der experimentell verifizierten Formel berechnen:

$$W = Am + Bn - v_1 x - v_2 y - v_3 z,$$

wo A, B, v_1, v_2, v_3 konstante Wärmemengen sind, x, y und z aber die Anzahl der einfachen, doppelten und dreifachen Bindungen zwischen den Kohlenstoffatomen des Körpers bezeichnen. Nun hat THOMSEN (Ber. Chem. Ges. **15.** 330) die Wärmemengen bei der Verbrennung beobachtet:

Dipropargyl (drei einfache und zwei doppelte Bind.) $C_6 H_6$ — 883 230 cal.
Benzol (neun einfache Bindungen) $C_6 H_6$ — 787 950 „
—————————————————————————————————
Differenz = 95 280 cal.

Aus obiger Formel folgt $6 v_1 - 2 v_3 = 95\,280$ oder:

1. $3 v_1 - v_3 = 47\,640$ cal.

Für Acetylen, $C_2 H_2$, mit einer dreifachen Bindung fand THOMSEN die Verbrennungswärme 310 450 cal,

also ist für 3 Mol. Acetylen, $(C_2 H_2)_3$ (drei einfache Bindungen) 931 350 cal
1 Mol. Benzol, $C_6 H_6$ (neun einfache Bindungen) 787 950 „
—————————————————————————————————
Differenz = 143 400 cal.

Daraus ergiebt sich $9 v_1 - 3 v_3 = 143\,400$ cal
und 2. $3 v_1 - v_3 = 47\,800$ „ .

In der guten Übereinstimmung der beiden Werte für $3 v_1 - v_3$ erblickt THOMSEN ein stark wiegendes Argument für die Annahme, daſs die Kohlenstoffatome im Benzol durch neun einfache Bindungen verknüpft sind und nicht durch drei einfache und drei doppelte.

Wir stehen so vor der eigentümlichen Thatsache, daſs die drei physikalischen Versuche, welche zum Zweck der Aufsuchung der Konstitution des Benzols gemacht sind, zu verschiedenen Resultaten führen. BRÜHL schlieſst aus dem Lichtbrechungsvermögen, daſs die Konstitutionsformel von KEKULÉ die richtige sei, während die Verbrennungswärme und das Molekularvolum die Prismenformel von LADENBURG fordern. Jedenfalls liegt die Ursache, daſs BRÜHL zum abweichenden Ergebnisse kommt, nicht in einer unrichtigen Definition der Molekularrefraktion, denn, wenn man die Molekularrefraktion durch den theoretischen Wert $\dfrac{M(n^2-1)}{d(n^2+2)}$ definiert, bleiben sämtliche Sätze von BRÜHL bestehen, wie LANDOLT (LIEB. Ann. **213.** 75) in einer längeren Abhandlung gezeigt hat. Nur weitere experimentelle Forschungen werden über die Konstitution der aromatischen Körper Aufschluſs geben.

Anhang. In folgendem sollen noch die Hauptsätze mitgeteilt werden, welche GROSHANS (WIED. Ann. **20.** 510) über wässerige Lösungen aufgestellt hat nach Beobachtungen von KREMERS, GERLACH und THOMSEN. Weder die Sterentheorie noch die KOPP'schen Zahlen lassen das Volum von Lösungen angenähert berechnen.

GROSHANS geht deshalb von der empirischen Formel aus: $d = 1 + \dfrac{a}{A+b}$; mit dieser Formel kann man die Dichte d (bezogen auf Wasser von der Beobachtungs-temperatur) ziemlich genau berechnen, wenn 1 Mol. des löslichen Körpers mit A Molekülen Wasser gemischt sind. a und b sind Konstanten. Für $CaCl_2$ lautet die Formel: $d = 1 + \dfrac{5,15}{A + 3,75}$, woraus sich für $A = 18,5$ berechnet, $d = 1,231$, während beobachtet wurde $d = 1,234$.

Ist die Lösung sehr verdünnt, so ist die Dichte in erster Linie nur von a abhängig, und deshalb muſs a von der chemischen Natur des löslichen Körpers abhängen.

GROSHANS hat nun gefunden, daſs man a stets nach der Formel $a = 0,41$ $B—M$ berechnen kann, wo M und B ganze Zahlen sind. M ist gleich 1 für alle Körper von der Zusammensetzung R_1X_1 oder R_2X_2 (unter X_1, X_2 hat man einmal, resp. zweimal Cl, Br, J oder NO_3 zu verstehen, R_1 ist H, Si, Na oder K, R_2 ist ein Metall wie Mg, Ca, Zn etc.). Für NH_3O ist $M = 4$, für Rohrzucker, $C_{12}(H_2O)_{11}$, ist $M = 11$. Eine allgemeine Regel für die Berechnung von M ist noch nicht gefunden. Die Zahl B ist die Summe der *Densitätszahlen* der das Molekül bildenden Atome. Die Densitätszahlen einiger Elemente sind folgende:

Element	C	H	O	Li	N	Na	Cl	K	Mg	Ca	Br	Zn	Sr	J	Cd	Ba	Pb
Densitäts-zahl	1	1	1	2	3	4	4	5	5	7	9	11	13	14	15	19	29.

Demnach ist B für Calciumchlorid, $CaCl_2$, gleich $7 + 2.4 = 15$, und die Konstante $a = 0,41.15 — 1 = 5,15$, welcher Wert in der oben angegebenen Formel angenommen ist. Die mit den Densitätszahlen gefundenen theoretischen Werte von a weichen selten um 1 p. c. von den empirischen ab, wie GROSHANS an 38 Körpern von der Formel R_1X_1 oder R_2X_2 geprüft hat. Für stark verdünnte Lösungen dieser 38 Körper kann man die Dichte aus der Formel berechnen:

$$d = 1 + \frac{0,41B—1}{A}.$$

F. NIEMÖLLER.

Wochenbericht.

2. Allgemeine Chemie.

G. André, Über *die Bildungswärme der Quecksilberoxychloride*. 1. $\dot{H}gO, HgCl$. Dieses konnte bis jetzt noch nicht auf nassem Wege hergestellt werden. Es bildet sich aber, wenn man ein fein gepulvertes Gemenge von $^1/_{10}$ Aq. rotem Quecksilberoxyd und etwas mehr als $^1/_{10}$ Aq. Quecksilberchlorid in einer geschlossenen Röhre sechs Stunden lang auf 300^0 erhitzt. Es sublimiert dann in kleiner Menge am oberen Teil der Röhre als ein anscheinend homogenes, braun gefärbtes Gemenge, welches durch Wasser, selbst durch kaltes, leicht zersetzt wird und mit Kalilauge gelbes Quecksilberoxyd giebt. Beim Auflösen in Salzsäure erhielt man bei 9^0 folgendes Resultat:

Da nun: $HgO, HgCl + HCl$ verdünnt, entw. . . . . . . $+ 7,0$ cal.

$HgO + HCl$ verdünnt $= HgCl$ gelöst . . . . $+ 10,2$ cal
$HgCl + Wasser = HgCl$ gelöst . . . . . . $— 1,55$ „

entwickelt, so berechnet sich für die Verbindung von HgO mit HgCl:

$HgO + HgCl$ entw. . . . . $+ 1,65$ cal.

2. $2\,\mathrm{HgO}, \mathrm{HgCl}$. Dieses Oxydchlorid wurde nach MILLON's Angaben erhalten, indem man ein Volum einer gesättigten Lösung von Kaliumdicarbonat in drei Volume einer gesättigten Lösung von Quecksilberchlorid gofs und umschüttelte. Der purpurrote Niederschlag wurde mit sehr wenig kaltem Wasser gewaschen und bei 100° zwei Tage lang getrocknet. Bei 9° erhielt man:

$$2\,\mathrm{HgO}, \mathrm{HgCl} + 2\,\mathrm{HCl} \text{ verdünnt, entw.} \quad \ldots \ldots + 15{,}7 \text{ cal,}$$

woraus sich berechnet:

$$2\,\mathrm{HgO} + \mathrm{HgCl} \ldots \ldots \ldots \ldots + 3{,}15 \text{ cal.}$$

Ein innig gemischtes Pulver von $^3/_{10}$ Äq. rotem Quecksilberoxyd und etwas mehr als $^1/_{10}$ Äq. Dichlorid wurde in einer geschlossenen Röhre sechs Stunden lang auf 300° erhitzt und bildete nach dieser Zeit eine dunkelbraune, durch Wasser leicht zersetzbare Masse, welche mit Kali gelbes Quecksilberoxyd gab. Die Lösungswärme in Salzsäure betrug $+15{,}8$ und die Bildungswärme aus HgO und HgCl $+3{,}05$ cal.

Durch Vermischen von einem Volum einer gesättigten Sublimatlösung mit einem Volum gesättigter Natriumcarbonatlösung erhielt man einen ziegelroten Körper, welcher ebenfalls die Zusammensetzung $2\,\mathrm{HgO}, \mathrm{HgCl}$ besafs, und aus dessen Mutterlaugen sich durch Erhitzen bis zum Siedepunkt ein krystallinischer, grauer Körper von der Formel $4\,\mathrm{HgO}$, HgCl abschied.

3. $3\,\mathrm{HgO}, \mathrm{HgCl}$. Ein braunroter Körper von dieser Zusammensetzung entsteht, wenn man $^3/_{10}$ Äq. rotes Quecksilberoxyd mit $^1/_{10}$ Äq. Dichlorid in einer geschlossenen Röhre erhitzt. Derselbe gab:

$$3\,\mathrm{HgO}, \mathrm{HgCl} + 3\,\mathrm{HCl} \text{ verdünnt, entw.} \quad \ldots \ldots + 25{,}1 \text{ cal,}$$

woraus sich berechnet:

$$3\,\mathrm{HgO} + \mathrm{HgCl} \ldots \ldots \ldots \ldots + 3{,}95 \text{ cal.}$$

4. $4\,\mathrm{HgO}, \mathrm{HgCl}$. Verbindungen von dieser Formel sind sehr zahlreich. Der Vf. hat drei davon thermisch untersucht.

a. Man erhitzt die Mutterlauge der Verbindung $2\,\mathrm{HgO}, \mathrm{HgCl}$, dargestellt aus Quecksilberchlorid und Kaliumdicarbonat (MILLON). Der Vf. beobachtete, dafs es notwendig ist, beim Erhitzen ein wenig vor dem Siedepunkte anzuhalten, denn wenn man die Einwirkung der Wärme länger fortsetzt, so zersetzt sich der graue krystallinische Körper, welcher allmählich verschwindet, ziemlich rasch, so dafs nach zehn Minuten in der Flüssigkeit nur noch rotes Quecksilberoxyd vorhanden ist. Der Körper, welcher zu den thermischen Bestimmungen benutzt wurde, entsprach der obigen Formel. Man erhielt bei 9°:

$$4\,\mathrm{HgO}, \mathrm{HgCl} + 4\,\mathrm{HCl} \text{ verdünnt, entw.} \quad \ldots \ldots + 34{,}32 \text{ cal,}$$

woraus folgt:

$$4\,\mathrm{HgO} + \mathrm{HgCl}, \text{ entw.} \ldots \ldots \ldots \ldots + 4{,}93 \text{ cal.}$$

b. Ein Körper von derselben Zusammensetzung, auf trocknem Wege durch Erhitzen in einer geschlossenen Röhre dargestellt, besafs eine rötlichgraue Farbe und ergab beim Auflösen in verdünnter Salzsäure $+34{,}55$ cal, woraus sich berechnet:

$$4\,\mathrm{HgO} + \mathrm{HgCl}, \text{ enwt.} \ldots \ldots \ldots \ldots + 4{,}70 \text{ cal.}$$

c. Eine dritte amorphe braune Verbindung von derselben Formel wurde nach MILLON's Angaben durch Vermischen von einem Volum einer gesättigten Sublimatlösung mit drei Volumen einer gesättigten Kaliumdicarbonatlösung erhalten.

Alle drei Verbindungen werden durch kaltes Wasser sehr wenig verändert. Die Bildungswärme dieser verschiedenen Oxychloride nimmt ungefähr um 1 cal zu, wenn sich die Basicität um 1 Äq. HgO vermehrt. Der Vf. hat neuerlich gezeigt, dafs die Bildungswärme der Oxychloride des Bleies ebenfalls eine Zunahme von 1 cal erfährt, wenn 1 PbO in die betreffende Verbindung eintritt; indessen ist die Bildungswärme der letzteren im ganzen etwas gröfser als die der entsprechenden Quecksilberverbindung. (C. r. 98. 298—300. [4*.] Februar.)

Berthelot und **Guntz,** Über *die gegenseitige Verdrängung von Fluorwasserstoffsäure und anderer Säuren.* Die gegenseitige Verdrängung der Säuren in ihren Salzen hängt von der relativen Bildungswärme ab. Diese von BERTHELOT aufgestellte Regel kann in aller Schärfe verifiziert werden, vorausgesetzt, dafs man allen Verbindungen, welche bei dieser Reaktion entstehen können, wie Hydrate, neutrale Salze, saure Salze und Doppelsalze, Rechnung trägt und jede derselben in dem Zustand der aktuellen Beständigkeit, in der sie sich befindet, und der Dissociation, welche sie unter dem Einflufs der Wärme oder des Lösungsmittels erleiden kann, berücksichtigt. Insbesondere sind es die sauren Salze, welche gewöhnlich die Teilung bestimmen, und zwar durch den thermischen Überschuß, welcher bei ihrer Bildung auftritt. Das Gleichgewicht ist in der Lösung durch die partielle Dissociation durch das Wasser und im trocknen Zustand durch die Wärme bedingt.

Das thermische Übergewicht eines neutralen Salzes kann auf diese Weise durch den Überschuß an Energie kompensiert werden, welcher durch die Bildung des entsprechenden sauren Salzes (Disulfat, Dioxalat etc.) oder des antagonistischen sauren Salzes (Dichromat) oder auch durch beide zugleich auftritt. Wenn dieser Überschuß nicht ausreichend ist, so bedingen die stärksten Säuren allein das Gleichgewicht (Sulfate und Chlorwasserstoffsäure) während die schwachen Säuren (Sulfate und Essigsäure) daran keinen Teil haben. Ist der Überschuß dagegen hinreichend groß, so tritt Teilung und Gleichgewicht selbst zwischen den schwächsten Säuren und einer starken Säure ein. Hiervon werden die Versuche mit Fluorwasserstoffsäure den Beweis liefern.

1. Es seien Fluorwasserstoffsäure und Salzsäure in ihren Kaliumsalzen einander gegenüber. Um das thermische Maximum zu finden, muß man die Wärmemengen bestimmen, welche bei den vier möglichen Reaktionen auftreten und die antagonistischen Körper unter vergleichbare Bedingungen bringen:

$$
\begin{cases}
2\,\mathrm{HF\ Gas} + 2\,\mathrm{KCl\ fest} = 2\,\mathrm{KF\ fest} + 2\,\mathrm{HCl\ Gas} & \dots\dots - 22{,}0\ \mathrm{cal} \\
\qquad\quad\text{''} \qquad\qquad = \mathrm{KF,HF\ fest} + \mathrm{KCl\ fest} + \mathrm{HCl\ Gas} & +10{,}0\ \text{''} \\
2\,\mathrm{HCl\ Gas} + 2\,\mathrm{KF\ fest} = 2\,\mathrm{KCl\ fest} + 2\,\mathrm{HF\ Gas} & \dots\dots + 22{,}0\ \text{''} \\
\qquad\quad\text{''} \qquad\qquad = \mathrm{KF,HF\ fest} + \mathrm{KCl\ fest} + \mathrm{HCl\ Gas} & +32{,}0\ \text{''}
\end{cases}
$$

In allen Fällen entspricht das thermische Maximum der Bildung des Fluoridfluorhydrates. Der Versuch bestätigt dies. Wenn man in der Kälte einen Strom von trocknem Salzsäuregas über trocknes Fluorkalium leitet, welches in einem Platinschiffchen enthalten ist, so wird die Salzsäure absorbirt, ohne daß sich Fluorwasserstoffsäure entwickelt. Es bilden sich Kaliumchlorid und Kaliumfluoridfluorhydrat. Leitet man Fluorwasserstoffgas über Chlorkalium, so verwandelt sich dasselbe ebenfalls in Kaliumfluoridfluorhydrat, und freie Salzsäure entwickelt sich. Erhöht man die Temperatur, so wirkt die Dissociation mit, das Fluorhydrat zersetzt sich in neutrales Salz, welches in dem Schiffchen bleibt, und in Fluorwasserstoffsäure, die sich entwickelt. Hierauf wird, wenn die Einwirkung der Salzsäure fortgesetzt wird, eine neue Menge Fluorid unter Bildung von Chlorkalium und Kaliumfluorid Fluorhydrat angegriffen, welches sich seinerseits wiederum durch die Wärme dissociiert. Dies wiederholt sich, bis zuletzt alles Fluorid in Chlorid umgewandelt ist. Läßt man umgekehrt einen Strom Fluorwasserstoffgas auf Chlorid einwirken, so erfolgt allmählich die Umwandlung des Chlorids in Fluorid.

Dieselben Reaktionen treten auch in Lösungen ein, nur sind die thermischen Werte nicht immer notwendig positiv, wegen der Ungleichheit der Lösungswärmen der betreffenden Körper. Der Versuch ergiebt folgendes:

$$
\begin{cases}
\mathrm{HF\ (1\ \bar{A}q.} = 2\,\mathrm{l)} + \mathrm{KCl\ (1\ \bar{A}q.} = 2\,\mathrm{l)}\ \text{bei}\ 8^{\circ} & \ .\ \ +0{,}18\ \mathrm{cal} \\
\mathrm{HCl\ (1\ \bar{A}q.} = 2\,\mathrm{l)} + \mathrm{KF\ (1\ \bar{A}q.} = 2\,\mathrm{l)} & \dots\ -2{,}18\ \text{''}
\end{cases}
$$

In beiden Fällen findet eine ungleiche Teilung des Metalles zwischen den beiden Säuren statt, welches Resultat in Übereinstimmung der Beobachtungen THOMSEN's über die Natriumsalze ist. Allein die Erklärung ist doch ganz verschieden von der, welche THOMSEN gegeben hat, indem er einen neuen Affinitätskoeffizienten für jede Säure einführt. Die Vff. führen die Reaktion und die Teilung ausschließlich auf bekannte thermische Phänomene, nämlich auf die Bildung des Fluoridfluorhydrats und die teilweise Dissociation bei Gegenwart von Wasser zurück. Dies soll weiter unten noch dadurch weiter erörtert werden, daß man die relativen Mengen der verschiedenen Komposanten des Systems variiert.

Das Endresultat ist bei der gelösten Körper dasselbe, wie für die festen. Man kann dasselbe nach den oben gegebenen thermischen Daten für die festen Körper oder auch nach dem Zustand der beiden Wasserstoffsäuren in der Lösung voraussehen, indem man dabei soweit als möglich die Bildung ihrer beständigen Hydrate berücksichtigt, aber doch die Salze selbst einander in festem Zustande gegenüberstellt, was wegen der Abwesenheit beständiger Hydrate der betrachteten Salze erlaubt ist. Die antagonistischen Körper werden auch hier im vergleichbaren Zustand betrachtet. Durch eine solche Rechnung ergiebt sich:

$$
\begin{cases}
2\,\mathrm{HF\ gelöst} + 2\,\mathrm{KCl\ fest} = 2\,\mathrm{HCl\ gelöst} + 2\,\mathrm{KF\ fest} & \dots\dots - 10{,}4\ \mathrm{cal} \\
\qquad\quad\text{''} \qquad\qquad = \mathrm{HCl\ gelöst} + \mathrm{KCl\ fest} + \mathrm{KF,HF\ fest} & +4{,}0\ \text{''} \\
2\,\mathrm{HCl\ gelöst} + 2\,\mathrm{KF\ fest} = 2\,\mathrm{HF\ gelöst} + 2\,\mathrm{KCl\ fest} & \dots\dots + 10{,}4\ \text{''} \\
\qquad\quad\text{''} \qquad\qquad = \mathrm{HCl\ gelöst} + \mathrm{KCl\ fest} + \mathrm{KF,HF\ fest} & +14{,}8\ \text{''}
\end{cases}
$$

Das thermische Maximum entspricht immer dem Fluorhydrat, sowohl bei Gegenwart als auch bei Abwesenheit von Wasser.

2. Ganz dasselbe gilt auch für die reziproke Wirkung von Salpetersäure und Fluorwasserstoffsäure, indem auch hier das Fluorhydrat stets dem thermischen Maximum entspricht.

3. Mit Schwefelsäure bildet sich zuerst ein Disulfalt und ein Fluorhydrat, welches in höherer Temperatur zersetzt wird.

4. Die Versuche mit Fluorwasserstoffsäure und Essigsäure bieten ein gröfseres Interesse dar.

Folgende Rechnung, welche für den Gaszustand der beiden Säuren gilt, zeigt die Notwendigkeit der Teilung:

$$\begin{cases} 2\,\text{HF Gas} + 2\,C_4H_3KO_4 \text{ fest} = 2\,C_4H_3O_4 \text{ Gas} + 2\,K \text{ fest} \dots \dots + 19,4 \text{ cal} \\ \quad\text{,,} \qquad \text{,,} \qquad = C_4H_3O_4 \text{ Gas} + C_4H_3KO_4 \text{ fest} + KF,HF \text{ fest} + 30,8 \text{ ,,} \\ 2\,C_4H_3O_4 \text{ Gas} + 2\,KF \text{ fest} = 2\,HF \text{ Gas} + 2\,C_4H_3KO_4 \text{ fest} \dots \dots - 19,4 \text{ ,,} \\ \quad\text{,,} \qquad \text{,,} \qquad = C_4H_3O_4 \text{ Gas} + C_4H_3KO_4 + KF,HF \text{ fest} + 11,4 \text{ ,,} \end{cases}$$

und folgende für die beständigen und gelösten Hydrate der beiden Säuren gegenüber den festen Salzen:

$$\begin{cases} 2\,\text{HF gelöst} + 2\,C_4H_3KO_4 \text{ fest} = 2\,C_4H_3O_4 \text{ verd.} + 2\,KF \text{ fest} \dots \dots + 4,8 \text{ cal} \\ \quad\text{,,} \qquad \text{,,} \qquad = C_4H_3O_4 \text{ Säure} + C_4H_3KO_4 \text{ fest} + KF,HF \text{ fest} + 11,8 \text{ ,,} \\ 2\,C_4H_3O_4 \text{ gelöst} + 2\,KF \text{ fest} = 2\,HF \text{ verd.} + 2\,C_4H_3KO_4 \text{ fest} \dots \dots + 4,8 \text{ ,,} \\ \quad\text{,,} \qquad \text{,,} \qquad = C_4H_3O_4 \text{ verd.} + C_4H_3KO_4 \text{ fest} + KF,HF \text{ fest} + 10,0 \text{ ,,} \end{cases}$$

Es findet also Verdrängung und Teilung sowohl im wasserfreien, als im gelösten Zustand statt. Dies wird durch den Versuch bestätigt. Die Vff. fanden z. B. bei 10°:

$$\begin{cases} C_4H_3O_4\,(1\ \text{Äq.} = 2\,l) + KF\,(1\ \text{Äq.} = 2\,l) \dots - 0,43 \text{ cal} \\ KF\,(1\ \text{Äq.} = 2\,l) + C_4H_3KO_4\,(1\ \text{Äq.} = 2\,l) \dots + 2,8 \text{ ,,} \end{cases}$$

Die partielle Verdrängung der Fluorwasserstoffsäure durch Essigsäure, welche eine Folge der Bildung des Kaliumfluoridfluorhydrates ist, verdient Beachtung und steht mit dem Widerstand des Sulfates gegen Essigsäure in Widerspruch: dieses verschiedene Verhalten ist eine neue Bestätigung der thermischen Theorie.

5. und 6. Oxalsäure und Weinsäure veranlassen ähnliche Teilungen, sowohl im wasserfreien, als auch im wasserhaltigen Zustand; diese Teilungen resultieren stets aus der Bildung des Fluorhydrats, mit welcher in diesen Fällen die Bildung von saurem Oxalat und saurem Tartrat konkurriert. Die Vff. lassen der Kürze halber die Rechnung weg und geben nur die Versuche, welche sich auf den gelösten Zustand beziehen:

Oxalate:

$$\begin{cases} \tfrac{1}{2}\,C_2H_2O_3 \text{ gelöst} + KF\,(1\ \text{Äq.} = 2\,l) \text{ bei } 9° \dots - 1,22 \text{ cal} \\ \tfrac{1}{2}\,C_2K_2O_3 \text{ gelöst} + HF\,(1\ \text{Äq.} = 2\,l) \dots \dots + 0,82 \text{ ,,} \end{cases}$$

Tartrate:

$$\begin{cases} \tfrac{1}{2}\,C_4H_4O_{12} \text{ gelöst} + KF\,(1\ \text{Äq.} = 2\,l) \text{ bei } 9° \dots - 1,28 \text{ cal} \\ \tfrac{1}{2}\,C_4K_2O_{12} \text{ gelöst} + HF\,(1\ \text{Äq.} = 2\,l) \dots \dots + 1,43 \text{ ,,} \end{cases}$$

Die gemischten Lösungen bleiben zwei bis drei Minuten lang durchsichtig, wodurch die kalorimetrische Beobachtung vor der Füllung des sauren Tartrates ermöglicht wird.

7. Eine der beachtenswertesten Konsequenzen bezieht sich auf die relative Verdrängung von Cyanwasserstoffsäure und Fluorwasserstoffsäure. Aus der Theorie ergiebt sich:

$$\begin{cases} 2\,\text{HF Gas} + 2\,KCy \text{ fest} = 2\,HCy \text{ Gas} + 2\,KF \text{ fest} \dots \dots + 27,6 \text{ cal} \\ \quad\text{,,} \qquad \text{,,} \qquad = HCy \text{ Gas} + KCy \text{ fest} + KF,HF \text{ fest} + 28,7 \text{ ,,} \\ 2\,\text{HCy Gas} + 2\,KF \text{ fest} = 2\,HF \text{ Gas} + 2\,KCy \text{ fest} \dots \dots - 27,6 \text{ ,,} \\ \quad\text{,,} \qquad \text{,,} \qquad = HCy \text{ Gas} + KCy \text{ fest} + KF,HF \text{ fest} + 1,1 \text{ ,,} \end{cases}$$

Die Verdrängung der Cyanwasserstoffsäure durch Fluorwasserstoffsäure steht im Einklang mit den Analogien, aber die umgekehrte Verdrängung ist ein eigentümlicher Fall, welcher indes durch den Versuch bestätigt wird. In dunkler Rotglühhitze wird die Fluorwasserstoffsäure in nachweisbarer Menge durch Blausäure verdrängt, wenn man diese auf Fluorkalium einwirken läfst, wobei sich Cyankalium bildet. Auch in der Kälte geht die Einwirkung von statten, aber sehr langsam. Umgekehrt wirkt die Fluorwasserstoffsäure auf das Cyankalium und verdrängt die Cyanwasserstoffsäure unter Bildung von Kaliumfluoridfluorhydrat. (C. r. **98**. 395—99 [18*] Februar.)

G. **André**, Über *die Bildungswärme der Quecksilberoxybromide.* Um diese Bildungswärme zu bestimmen, wurden verschiedene Mengen: $^1/_{10}$, $^2/_{10}$, $^3/_{10}$ oder $^4/_{10}$ Äquivalent rotes Quecksilberoxyd mit $^1/_{10}$ Äq. Quecksilberbromid innig zusammen gerieben und in geschlossenen Röhren sechs Stunden lang auf 300° erhitzt. Die erhaltenen Produkte besafsen ein homogenes Aussehen, waren grau und krystallinisch und gaben mit Kali gelbes Quecksilberoxyd. Die Zusammensetzung wurde durch die Analyse bestimmt. Der Vf. hat diese Verbindungen in überschüssiger Bromwasserstoffsäure gelöst, da das Quecksilberbromid in Wasser allein bei gewöhnlicher Temperatur zu schwer löslich ist.

Bei 9° wurde erhalten:

1. HgO, HgBr + 5 HBr gelöst = 2(HgBr, 2 HBr gelöst) + HO, entw. . . + 17,74 cal.

Nun hat man bei 9°:

HgO fest + 3 HBr gelöst = HgBr, 2 HBr gelöst + HO entw.   . . . . + 17,6 cal.
HgBr fest + 2 HBr gelöst = HgBr, 2 HBr gelöst entw. . . . . . . + 1,8 cal.

Hieraus berechnet sich für die Verbindungswärme:

HgO + HgBr, entw. +1,66 cal.

2. 2 HgO, HgBr + 8 HBr gelöst = 3(HgBr, 2 HBr gelöst) + 2 HO entw.. . . . +34,8 cal.

Daraus folgt:

2 HgO + HgBr entw. . . . . +2,20 cal.

3. 3 HgO, HgBr + 11 HBr gelöst = 4(HgBr, 2 HBr gelöst) + 3 HO entw. +51,44 cal.

Daraus folgt:

3 HgO + HgBr entw. . . . . + 3,16 cal.

4. 4 HgO, HgBr + 14 HBr gelöst = 5(HgBr, 2 HBr gelöst) + 4 HO entw. +68,3 cal.

Daraus folgt:

4 HgO + HgBr entw. . . . . + 3,90 cal.

Die Verbindung 3 HgO, HgBr auf nassem Wege darzustellen, wie LÖWIG und RAMMELSBERG angeben, ist dem Vf. nicht gelungen; es wurde stets ein weit basischerer Körper erhalten. So entstand, indem man eine Lösung von Natriumcarbonat tropfenweise zu einer überschüssigen siedenden Lösung von Quecksilberbromid setzte eine brauner Niederschlag, welcher nach dem Waschen und Trocknen bei 100° ein feines ziemlich leichtes Pulver bildet, mit Kali gelbliches Quecksilberoxyd giebt und die Zusammensetzung 4 HgO, HgBr hat. Seine Bildungswärme ist genau dieselbe wie die des auf trocknem Wege dargestellten Körpers von der gleichen Zusammensetzung.

Dieselbe Verbindung 4 HgO, HgBr wurde auch erhalten, indem man überschüssiges Natriumcarbonat zu einer Lösung von Quecksilberbromid setzte oder gleiche Gewichte rotes Quecksilberoxyd und Quecksilberbromid in Wasser zwölf Stunden lang bis zum Siedepunkt erhitzte. Im letzteren Falle bildet sich ein brauner krystallinischer Körper. Beide Verbindungen geben mit Kali gelbes Oxyd.

Man sieht aus dem obigen, dafs die Bildungswärmen der Quecksilberoxybromide ein wenig geringer als die der entsprechenden Bleiverbindungen und der Quecksilberoxychloride von gleicher Zusammensetzung sind, mit Ausnahme der ersten Glieder in jeder Reihe HgO, HgCl und HgO, HgBr deren Bildungswärmen gleich sind. (C. r. **98.** 515 bis 516. [25.*] Febr.)

Rob. Muencke, *Ein Hochdruckdigestor für chemische Laboratorien.* Die Mehrzahl der in chemischen Laboratorien vorhandenen Hochdruckdigestoren mit weiter Öffnung besitzen den gewöhnlichen Flanschverschlufs, der, je nach dem Durchmesser des Digestors, das Aus- und Anziehen von vier oder mehr Schrauben beansprucht. Dies ist umständlich und zeitraubend, erfordert auch besondere Aufmerksamkeit, da durch ein unregelmäfsiges und einseitiges Anziehen der Schrauben die Flanschringe leicht undicht werden.

In Figur 1 (s. nächste Seite) ist ein Digestor abgebildet, dessen Handhabung eine viel einfachere und ebenso sichere ist; eine einfache Bügelschraube reicht hin, um bei zweckmäfsiger Konstruktion den Digestor bis 50 Atmosphären zu dichten.

Der kupferne Cylinder *A* (Fig. 2) besitzt bei 200 mm Höhe 90 mm lichten Durchmesser; seine Wandstärke differiert, je nach dem Maximum des anzuwendenden Druckes, von 6—8 mm. Auf dem konisch abgedrehten und geschliffenen verdickten Rande ist der 12—15 mm dicke Deckel von Rotguß aufgepaßt, in dessen peripherischer Nut ein Bleiring eingepreßt ist. Unter-

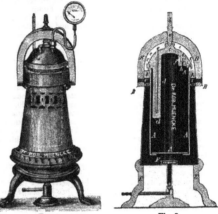

halb des konischen Schlußrandes von *A* liegt der starke Ring *k* von Rotguß, an welchem durch die Lager *m* die Zapfen *l* des grofsen stählernen Bügels *B* befestigt sind. Dieser in den Lagern *m* bewegliche Bügel führt die zentrale Druckschraube *a b*, die mit ihrem Schraubenende gegen den Kopf des Deckels *c* geführt werden kann und so den Deckel gegen den Rand von *A* preßt und dichtet. Das Vierkant *c* der Bügelschraube *a b* entspricht der Öffnung des langen Schraubenschlüssels. An dem Deckel *C* ist das Thermometerrohr *d* angegossen, dessen eingesetzte Stahlröhre Quecksilber enthält, in welches die Thermometerkugel eintaucht. Aufserdem befindet sich an dem Deckel noch ein Gußstück *f*, in welches das Manometer geschraubt und durch Bleiplatte gedichtet werden kann. Ein seitlich von dem Manometer in den Deckel *b* eingeschraubtes Vierkant verschließt die Abblaseöffnung. Der auf dem Dreifuß *E* ruhende Ofen dient dem Digester als Träger, und eine zweckmäßig konstruierte Gaslampe *F* zur Erwärmung desselben. Diese Digestoren werden zu 12, 25 und 50 Atmosphären Maximaldruck angefertigt*. Berlin, März 1884.

Fig. 1.   Fig. 2.

3. Anorganische Chemie.

A. Müntz und E. Aubin, *Bestimmung der Kohlensäure der Luft, ausgeführt am Kap Horn von Hyades*. Gelegentlich der französischen Expedition nach Kap Horn sind dort von HYADES vom 31. Okt. 1882 bis 1. Juli 1883 39 Kohlensäurebestimmungen ausgeführt worden, und zwar zu verschiedenen Zeiten des Tages und der Nacht und unter den verschiedensten Witterungsverhältnissen, die in der Originalarbeit genau angegeben sind. Die Resultate auf 0^0 und 760 mm berechnet, schwankten innerhalb der Grenzen 2,31 und 2,85 Zehntausendteilen und als Mittel aus allen Versuchen ergab sich 2,56 also beträchtlich weniger, als bei den Beobachtungen in Europa. HYADES hat ferner auf der Rückreise vom Kap Horn an sechs verschiedenen Stellen des atlantischen Ozeans bis zu den Inseln des grünen Vorgebirges hin ebenfalls Kohlensäurebestimmungen ausgeführt, deren Resultate zwischen 2,49 und 2,77 schwankten und im Mittel 2,68 ergaben. (C. r. 98. 487—495 [25.*] Februar.)

K. Olszewski, *Versuche zur Verflüssigung des Wasserstoffs*. Die Versuche des Vf. haben zwar bis jetzt zu keinem bestimmten Resultate geführt, er sieht sich jedoch durch die Mitteilungen WROBLEWSKI's veranlaßt, schon jetzt darüber zu berichten. Wasserstoff wurde mittels einer CAILLETET'schen Pumpe auf 100 Atmosphären verdichtet und durch flüssigen Sauerstoff (ungefähr 6 ccm) abgekühlt, worauf aller Druck aufgehoben wurde. Der Apparat war so konstruiert, daß die Erwärmung des flüssigen Sauerstoffes durch umgebendes Äthylen verhütet werden konnte. Die hierdurch bewirkte Temperaturerniedrigung war noch nicht ausreichend, um den Wasserstoff zu verflüssigen, weder

---

*Zu beziehen durch Dr. ROB. MUENCKE, Berlin, NW., Fabrik und Lager chemischer Apparate und Utensilien.

im statischen Zustande noch durch Abspannung. Der Vf. ließ deshalb den Sauerstoff im Vakuum sieden, kam indes auch hier noch nicht zu dem gewünschten Resultat, und aus diesem Grunde suchte er die Temperaturerniedrigung durch kondensierte Luft zu bewirken. Um davon 6 ccm unter einem Druck von 50 Atmosphären zu erhalten, mußte die Temperatur des Äthylens bis — 142° erniedrigt werden, indem er das Vakuum mittels einer durch einen Gasmotor getriebenen Pumpe erzeugte. Diese flüssige Luft wurde zuerst bei gewöhnlichem Druck und dann im Vakuum zum Sieden gebracht. Sie verdampfte viel rascher als der Sauerstoff und gestattete nur wenig Zeit für die Beobachtung der Erscheinung. Der Wasserstoff konnte auch in diesem Falle nicht kondensiert werden, und zwar weder bei 100 Atmosphären Druck noch im Momente der Abspannung. Luft und Sauerstoff blieben immer durchsichtig und erstarrten selbst im Vakuum nicht. Bei seinen ersten Versuchen sah der Vf. auf der Glaswand eine dünne weiße Schicht sich bilden, welche eine Beobachtung dessen, was in der Röhre vorging, nicht zuließ. Es ergab sich, daß dieser Anflug von Kohlensäure und Wasser bewirkt wurde, welche sich durch Einwirkung des komprimierten Sauerstoffes auf den mit Leder gedichteten Kolben der Kompressionspumpe gebildet hatte; indem man beide vor der Verflüssigung des Sauerstoffes beseitigte, hörte die Bildung jener Anflüge auf.

Diese Resultate hat der Vf. bereits am 21. Januar in der Sitzung der Akademie zu Krakau mitgeteilt. Seitdem wurden noch zwei Versuche ausgeführt, welche etwas erfolgreicher waren. Diese zeigten, daß Wasserstoff bei einem Druck von 190 Atmosphären und durch im Vakuum siedenden Sauerstoff abgekühlt, keinen Meniskus erkennen läßt; unterwirft man ihn aber einer raschen Abspannung, so beobachtet man ein momentanes Sieden, welches kaum eine Sekunde dauert und kleine, farblose, durchsichtige Tröpfchen in den oberen Teil der Röhre schleudert. Diese Erscheinung ist also ganz analog derjenigen, welche CAILLETET bei durch Äthylen abgekühltem Sauerstoff beobachtet hat. Der Vf. schließt daraus, daß die Temperatur des im Vakuum siedenden Sauerstoffes zur Verflüssigung des Wasserstoffes selbst bei beträchtlichem Druck ebenso ungenügend ist, wie die Temperatur des bei gewöhnlichem Druck siedenden Äthylens zur Kondensation von Sauerstoff im statischen Zustand. (C. r. **98.** 365—366. [11.*] Febr.)

4. Organische Chemie.

M. Conrad und **H. Guthzeit**, *Synthesen mittels Malonsäureester* (IV. Abhandlung.) 23. *Dicarboxylglutaconsäureester* (vgl. **82.** 759). Den *Natriumdicarboxylglutaconsäureester* erhielten die Vff. aus Malonsäureester, Natrium und Chloroform; diese Verbindung $C_{16}H_{21}O_8Na$ bildet hellgelbe glänzende Prismen, welche bei 260° schmelzen. Verdünnte Essigsäure oder Salzsäure machen den *Dicarboxylglutaconsäureester* frei, ein Öl, das zwischen 270—280° unter teilweiser Zersetzung siedet. Das spez. Gewicht ist bei 15° C. 1,131. — Beim Verseifen des Äthers mit konzentrierter Salzsäure entsteht unter Kohlensäureentwicklung die Glutaconsäure $C_5H_6O_4$, welche isomer der Ita-, Citra- und Mesaconsäure, mit der von CLAUS dargestellten Crotaconsäure (**74.** 420), sowie mit der von FITTIG und BOLDES aus Äthylenbromid und Natriummalonsäureester erhaltenen Säure $CH_2 = CH - CH(COOH)_2$ (Ber. Chem. Ges. **16.** 372) ist. Die Glutaconsäure schmilzt bei 132° C. Vff. beschreiben das Zink- und Silbersalz. Neben dieser Glutaconsäure fanden die Vff. unter den Verseifungsprodukten des obigen Äthers den Körper $C_{11}H_{18}O_6$, ein bei 248° siedendes Öl, welches sie *Monocarboxylglutaconsäureester* oder wegen seiner Isomerie mit Aconitsäureester Isaconitsäureester nennen.

Bei der Verseifung des Natriumdicarboxylglutaconsäureesters mit Natronlauge bildet sich gleichfalls die Glutaconsäure. Die Glutaconsäure, einige Tage mit nascierendem Wasserstoff (Natriumamalgam) behandelt, geht in *Glutarsäure* über. Bei Reduktion des Natriumdicarboxylglutaconsäureester selbst mit Natriumamalgam resultiert die mit der Isallylentetracarbonsäure (**82.** 760) isomere *Dicarboxylglutarsäure* $(COOH)_2CH - CH_2 - CH(COOH)_2$ (Schmelzpunkt 167° unter CO_2-Entwicklung). Dieselbe geht beim fortgesetzten Erhitzen in Glutarsäure über.

Aus Natriumdicarboxylglutaconsäureester und Jodmethyl entsteht der *Methyldicarboxylglutaconsäureester*, aus dem durch Verseifung mit Kalilauge die *Methylglutaconsäure*, welche isomer mit Hydromuconsäure, Allylmelonsäure etc. ist, gebildet wird; sie schmilzt bei 137° C. Der durch Behandeln der Natriumverbindung mit Benzylchlorür erhaltene *Benzyldicarboxylglutaconsäureester* schmilzt bei 78° und liefert beim Verseifen die *Benzylglutaconsäure* (Schmelzpunkt 145°). (LIEB. Ann. **222.** 249—262. 2. Jan. [28. Okt. 1883.] Aschaffenburg.)

Icilius Guareschi, Über *die Konstitution des Thialdehyds und des Carbovaleraldins* (**78.** 644; **79.** 338 u. 691). Oxydiert man *Thialdehyd* mit Kaliumpermanganat, so entsteht *äthylidendisulfonsaures Kalium* $C_2H_4(SO_3K)_2 + 2H_2O$ neben einem Oxysulfür

$C_5H_{11}S_2O_2$, welches bei 216—217° schmilzt; die einfache Formel des letzteren deutet das Äthylenoxysulfür $C_2H_4SO(CH_2 - CH = SO)$ an. Außerdem bilden sich bei der Oxydation mit Kaliumpermanganat: Schwefelsäure, Essigsäure und eine zweite Sulfosäure, deren Kaliumsalz sirupartig ist. Bei der Oxydation des Thialdehyds mit Zinkpermanganat entstand: 1. ein Oxysulfür $C_6H_{12}S_2O_5$; 2. ein Oxysulfür $C_6H_{12}S_2O_4$ (?).

Vf. stellte das *Carbovaleraldin* aus dem gewöhnlichen Valeraldehyd, Ammoniak und Schwefelkohlenstoff her (Schmelzpunkt 109—109,5°). Die weingeistige Lösung der Verbindung färbt sich mit Eisenchlorid braun und giebt nachher mit überschüssigem Eisenchlorid die Reaktion der thiocyansauren Salze.

Bei Oxydation des Carbovaleraldins mit Kaliumpermanganat erhält man Blausäure, Schwefelsäure und Baldriansäure. Die kalte alkoholische Carbovaleraldinlösung, mit Eisenchlorid und überschüssiger Salzsäure behandelt, setzt ein gelbes Pulver ab, welches die Eigenschaften des *Sulfocarbamindisulfürs* (Thiuramdisulfür) $C_6H_{12}N_2S_4$ besitzt. Das Carbovaleraldin verhält sich also wie das Carbothialdin, zeigt aber die für das letztere angegebenen Reaktionen unvollkommen und minder scharf, was hauptsächlich an seiner geringen Löslichkeit in Wasser liegt. Das Carbovaleraldin ist daher als ein *dithiocarbaminsaures Divalerylidenammonium* aufzufassen: $CS{NH \atop SN}{}_2[CH.CH_2.CH.(CH_4)]_4$. Die Untersuchungen bestätigen die von MULDER für die Carboaldine vorgeschlagene allgemeine Formel: $CS(NH_2)[SN(C_nH_m)_2]$. (LIEB. Ann. **222**. 301—13. 22. Jan. [Mai 1883] Turin.)

Carl Pape, Über *Siliciumpropylverbindungen*. Die Einwirkung von Zinkpropyl auf Siliciumchloroform verläuft nach der Gleichung:

$$2SiHCl_3 + 4Zn(C_3H_7)_2 = SiH(C_3H_7)_3 + Si(C_3H_7)_4 + 3ZnCl_2 + Zn + C_3H_6.$$

Der *Siliciumtripropylwasserstoff* $SiH(C_3H_7)_3$ ist eine farblose, fast geruchlose und luftbeständige Flüssigkeit. Dieses Silicodecan wird von rauchender Schwefelsäure in Siliciumtripropyloxyd, $Si_2O(C_3H_7)_6$, übergeführt; es siedet bei 170—171°.

Siliciumtripropylbromür $SiBr(C_3H_7)_3$ erhält man aus Silicodecan und Brom; es ist eine bei 213° siedende, an der Luft sich unter BrH-Entwicklung zersetzende Flüssigkeit. Wasser zersetzt das Bromür hauptsächlich zu *Tripropylsilicol* (Siedepunkt 205 und 208°) und Siliciumtripropyloxyd. Das Bromür und Silberacetat setzen sich zu *Siliciumtripropylessigäther*, $SiC_2H_3O_2(C_3H_7)_3$, um.

Das *Tripropylsilicol*, $Si(OH)(C_3H_7)_3$, entsteht aus dem letzteren Äther mit einer 30prozentigen Natriumcarbonatlösung oder mit Ammoniak. Der Siedepunkt dieses als einen Alkohol anzusehenden Körpers, welcher einen durchdringenden, sehr charakteristischen Geruch besitzt, liegt zwischen 206 und 208°. Das Silicol bildet mit Natrium ein Alkoholat; es ist als tertiärer Alkohol aufzufassen, d. h. die OH-Gruppe an das Silicium gebunden ist. Der Äther zu diesem Alkohol: *Siliciumtripropyloxyd* $Si(C_3H_7)_3—O—Si(C_3H_7)_3$, entsteht bei der Darstellung des Silicols als Nebenprodukt.

Das zweite Produkt der Einwirkung des Zinkpropyls auf Siliciumchloroform ist das *Siliciumtetrapropyl* $Si(C_3H_7)_4$; man erhält es auch aus Zinkpropyl und Siliciumtetrachlorid. Das Tetrapropyl ist eine bei 213° siedende Flüssigkeit. Es verhält sich gegen die meisten Reagenzien wie ein Kohlenwasserstoff der Methanreihe. Brom liefert mit erwärmtem Siliciumtetrapropyl unter Entwicklung von Bromwasserstoff ein klares, nach Campher riechendes Öl, das sich sehr leicht unter Bromwasserstoffentwicklung zersetzt. Alkoholische Kalilauge spaltet das Bromür in Bromkalium und ein bei 206—210° siedendes Öl, welches aus Mangel an Material nicht genau studiert werden konnte. Vf. vermutet in ihm die Verbindung $SiC_{12}H_{24}$. (LIEB. Ann. **222**. 354—374. Kiel. Inaug.-Diss. 1882.)

C. Scheibler, Über *die Einwirkung des Natriumamalgams auf die Glykosen und Saccharine*. In Übereinstimmung mit KRUSEMANN (**76**. 804) hat Vf. beobachtet, daß der Mannit sich sowohl aus der Lävulose, als aus der Dextrose durch Wasserstoffaddition bildet. Die Mannitbildung erfolgt aus der Lävulose leichter als aus der Dextrose. Bei der ersten Einwirkung von vierprozentigem Natriumamalgam auf 1 l Dextroselösung, worin 100 g wasserfreier Traubenzucker enthalten waren, fand eine lebhafte Wasserstoffentwicklung statt, dieselbe verringerte sich aber nach einiger Zeit und wurde zuletzt immer langsamer, ohne jedoch gänzlich aufzuhören. Dies brachte den Vf. auf die Vermutung, daß nicht die Glukosen als solche durch Wasserstoff in Mannit übergeführt werden, sondern daß die letztere aus einem Zersetzungsprodukt der Glykosen gebildet wird. Sobald man Natriumamalgam auf Dextrose- und Lävuloselösung einwirken läßt, beginnt alsbald unter dem Einfluß des entstehenden Natronhydrats der Zerfall dieser Zucker, und die Annahme, daß nur eines dieser Zerfallprodukte durch Hydrogenation Mannit liefert, wird schon dadurch sehr wahrscheinlich, daß die Ausbeute an Mannit stets nur eine geringe ist. Vf. ist mit der weiteren Untersuchung beschäftigt. (Scheib-ler's N. Ztschr. **12.** 180.)

P. **Ebell,** Über *das Rotwerden der krystallisierten weißsen Carbolsäure.* Obgleich die Versuche des Vf.'s nicht als abgeschlossen angesehen werden können und insofern an Einseitigkeit leiden, als nur ein ganz bestimmtes Rohmaterial .in Untersuchung genommen wurde, so will Vf. dennoch nicht unterlassen, kurz die erhaltenen Resultate zusammenzufassen und die für diesen speziellen Fall sich ergebenden Schlußfolgerungen ziehen: 1. Die englische krystallisierte rohe Karbolsäure enthält Substanzen, die, an sich flüchtig und farblos, unter der Einwirkung von Licht, weniger von Wärme und Luft, in rote und gelbbraune nicht flüchtige Verbindungen übergehen. 2. Die rotfärbende Verbindung geht vorwiegend mit den ersten Anteilen an Karbolsäure bei der Destillation, die gelbfärbende mit den letzten Destillationsprodukten über. 3. Die Farbstoff liefernden Verbindungen gehen bei teilweiser Krystallisation nicht in die Karbolsäurekrystalle hinein, abgesehen von einigen mechanisch umschlossenen Partien, sondern konzentrieren sich in den Mutterlaugen. 4. Sie sind wenig löslich in kaltem Wasser, werden dagegen von angesäuertem Wasser, speziell mit Schwefelsäure oder Phosphorsäure versetztem, ausgezogen. 5. .Die Verbindungen sind unlöslich in Benzin. 6. Oxydationsmittel bei direkter Einwirkung während der Destillation verändern die den roten Farbstoff liefernde Verbindung, die den gelben liefernde scheint dagegen weniger beeinflußt zu werden. 7. Oxydationsmittel in wässeriger Lösung bei Gegenwart freier Schwefelsäure verändern die Farbstoff liefernden Verbindungen. Die Oxydationsprodukte sind scheinbar leichter löslich in Wasser, als die ursprünglichen Substanzen, während sie ihre Flüchtigkeit einbüßen oder aber erst mit den schwerer siedenden Teilen der Karbolsäure in geringen Mengen übergehen. 8. Ein Metallgehalt konnte in allen aus Glas destillierten Proben, die zum Teil sich recht stark färbten, nicht konstatiert werden.

Obgleich die wahre Natur der Farbstoffe oder Farbstoff liefernden Verbindungen nicht zu erkennen ist, so ergeben sich für die Ausnützung zur Darstellung haltbarer weißser krystallisierter Karbolsäure einige Anhaltspunkte, deren Zweckmäßigkeit aber nur durch systematisch durchgeführte Versuche in größerem Maßstab festgestellt werden kann. Abgesehen von der Qualität der zunächst durch Destillation aus einem passenden Kolonnenapparat gereinigten Rohsäure wird eine wiederholte Scheidung durch Krystallisation und nachfolgende Destillation der Krystalle zu empfehlen sein. Kann man die farbstoffhaltigen Mutterlaugen nicht wieder in den Betrieb zurückgelangen lassen, oder lassen sich dieselben nicht preiswert als sogenannte 100prozentige flüssige Karbolsäure verwerten, so wird es sich empfehlen, eine Nachbehandlung mit Oxydationsmitteln und Schwefelsäure bei Gegenwart von Wasser und wiederholtes Nachwaschen eintreten zu lassen. Will man sich mit geringerem Erfolge begnügen, und liegt eine starke Verunreinigung der Rohsäure vor, so genügt es, dem Retorteninhalte direkt etwas Mennige mit geringen Mengen von Natriumdicarbonicum oder aber etwas Bariumsuperoxyd in feinem Pulver vor der Destillation zuzusetzen.' (Rep. anal. Chem. **4.** 17—23. Ende Jan. Hannover.)

Icilius Guareschi, Über *die Derivate des Naphtalins.*

Dibromnaphtaline (neu dargestellt), das bei 130,5—131,5° schmelzende Dibromnaphtalin. Dibromphtalsäure (Schmelzp. 135°), $(C_9H_4Br_2(COOH)_2)$, dargestellt aus Dibromnaphtalin (Schmelzp. 81—82°), und Salpetersäure.
Dibromphtalsäureanhydrid (Schmelzp. 207—208°).
Monobromnitrophtalsäuren.
Dibromnaphtochinon, $C_{10}H_4Br_2O_2$ (Schmelzp. 171—173°), erhalten aus Dibromnaphtalin (Schmelzp. 81—82°) und Chromsäure.
Dibromphtalid, $C_8H_4Br_2O_2$ (Schmelzp. 188—189°), findet sich unter den Oxydationsprodukten neben dem vorhergehenden Chinon.
Dibromnitronaphtalin (Schmelzp. 96,5—98°).
α-Nitronaphtalintetrabromid $(C_{10}H_5NO_2.Br_4)$, (Schmelzp. 130,5—131°).
β-Nitronaphtalintetrabromid (Schmelzp. 142—143,5°).
γ- „ „ („ 172—173°).
Monobromphtalsäure, $C_6H_4Br(COOH)_2$, (Schmelzp. 174—176°).
Amidobromnaphtalin. 1. Aus dem bei 122,5° schmelzenden Nitrobromnaphtalin (Schmelzp. 63—64°), und 2. aus dem bei 85° schmelzenden Mononitronaphtalin.
(Lieb. Ann. **222.** 262—300. 22. Jan. [5. Nov. 1883.] Turin; vergl. Chem. Centralbl. **77.** 279.)

W. Ost, *Die stickstoffhaltigen Derivate der Mekonsäure.* In seiner letzten Abhandlung (**83.** 265 und 347) hat der Vf. die Komenaminsäure und das Pyromekazonsäure als Substitutionsprodukte eines hypothetischen Körpers von der Zusammensetzung C_6H_4NO, des *Pyridons* beschrieben. Über die Konstitution dieses letzteren konnte zunächst nichts bestimmtes ausgesagt werden. Bei den nahen Beziehungen des Pyridons zum Pyridin drängte sich aber alsbald die Ansicht in den Vordergrund, daß jenes ein *Oxypyridin*, die Pyromekazonsäure ein *Trioxypyridin* und die Komenaminsäure eine *Dioxypyridin-carbonsäure* sei. Diese Ansicht ist durch neuere Untersuchungen bestätigt worden.

$$CH_4N.OH \qquad C_5H_3N(OH)_3 \qquad C_5H_2N \left\{ {(OH)_2 \atop COOH} \right.$$

Oxypyridin.   Pyromekazonsäure.   Komenaminsäure.

Zunächst gelang es, den Äther der Komenaminsäure in eine Monacetyl- und Diacetylverbindung überzuführen. Beide spalten mit Wasser oder Alkohol schon in der Kälte Essigsäure ab. Beständiger ist das Dibenzoylderivat, welches in Prismen krystallisiert. Es gelang ferner, das Pyridon selbst zu isolieren, und zwar mittels einer Säure, welche Komensäure durch Erhitzen mit Fünffachchlorphosphor entsteht. Dieselbe ist aus der Komensäure durch Entziehung des Hydroxylsauerstoffes und Substitution zweier Wasserstoffatome durch Chlor hervorgegangen. Der Vf. nennt sie Dichlorkomansäure $C_5HCl_2O_2.COOH$. Sie krystallisiert in voluminösen Nadeln von 217° Schmelzpunkt. Daneben findet sich noch eine kleine Menge Monochlorkomansäure $C_5H_2ClO_2.COOH$ in Nadeln krystallisierend vom Schmelzpunkt 247°. Aus der ersteren läßt sich durch Kochen mit wässeriger Jodwasserstoffsäure am Rückflußkühler Komansäure $C_5H_3O_3.COOH$ gewinnen, welche kleine schiefwinklige wasserfreie Prismen bildet, die bei 250° unter Schwärzung und stürmischer Gasentwicklung schmelzen. Von dieser Säure wurde das Barium- und Silbersalz und das Äthylderivat dargestellt. Daß die Komansäure außer dem Carboxyl kein Hydroxyl enthält, geht aus dem Verhalten ihres Äthers gegen Essigsäureanhydrid, resp. Acetylchlorid hervor, welche auf den Äther auch bei höherer Temperatur ohne Einwirkung sind. Für sich erhitzt, zerfällt sie in Kohlensäure und Pyrokoman $C_5H_4O_2$, einen neutralen, in Wasser leicht löslichen Körper von 32° Schmelzpunkt und 210—215° Siedepunkt, mit dessen Untersuchung Vf. beschäftigt ist. Die Komansäure wird analog der Komensäure durch Ammoniak mit der größten Leichtigkeit in eine stickstoffhaltige Säure von der Zusammensetzung $C_5H_5NO_3$ umgewandelt:

$$C_5H_4O_4 + NH_3 = C_6H_5NO_3 + H_2O.$$

Bei der Komensäure bedarf es längeren Kochens mit Ammoniak, die Oxykomensäure muß damit auf 150° erhitzt werden, die Komansäure dagegen ist schon nach gelindem Erwärmen mit konzentriertem Ammoniak auf dem Wasserbade vollständig in die stickstoffhaltige Säure übergegangen. Dieselbe ist identisch mit der früher beschriebenen β-Oxypicolinsäure $C_5H_3N \left\{ {OH \atop COOH} \right.$. Sie krystallisiert mit 1 Mol. Wasser in farblosen rechtwinkligen Blättchen, welche nicht scharf bei etwa 250° unter Zersetzung schmelzen. Eine genaue Vergleichung mit der vom Vf. aus Pentachlorpicolin dargestellten Säure ergab die vollkommene Identität beider. Hiernach muß diese Säure als *Oxypyridin-carbonsäure* betrachtet werden, welche nach der Gleichung:

$$C_5H_3O_3.COOH + NH_3 = C_5H_3N \left\{ {OH \atop COOH} \right. + H_2O$$

entsteht. Diese einfache Bildung eines Pyridinderivates aus einem stickstofffreien Körper ist um so interessanter, als sie ganz glatt verläuft; aus 10 g Komansäure erhielt Vf. 9,2 g chemisch reine Oxypicolinsäure (ber. 9,9 g), welche aus der angesäuerten Lösung direkt farblos auskrystallisiert. Die Einwirkung von Ammoniak auf Komensäure und Oxykomensäure verläuft etwas weniger glatt auf analoge Weise:

$$C_5H_3O_3 \left\{ {OH \atop COOH} \right. + NH_3 = C_5H_3N \left\{ {(OH)_2 \atop COOH} \right. + H_2O$$

Komensäure.   Komenaminsäure.

$$C_5HO_3 \left\{ {(OH)_2 \atop COOH} \right. + NH_3 = C_5HN \left\{ {(OH)_2 \atop COOH} \right. + H_2O$$

Oxykomensäure.   Oxykomenaminsäure.

Dadurch ist bewiesen, daß Komenaminsäure, Dioxy- und Oxykomenaminsäure eine Trioxypyridincarbonsäure ist, und zwar gehören sie der Reihe der α-Pyridincarbonsäure, der Picolinsäure an.

Aus der β-Oxypicolinsäure hat nun der Vf. durch Erhitzen über ihren Schmelzpunkt, wobei Kohlensäure entweicht, das Oxypyridin $C_5H_4N.OH$, d. h. das hypothetische Pyridon, dargestellt. Dieses krystallisiert in wasserhaltigen, an der Luft verwitternden, kleinen Körnern von 148° Schmelzpunkt, reagiert neutral, ist geruchlos, nicht flüchtig bei 100°, giebt mit Eisenchlorid eine schwache Gelbfärbung, verbindet sich mit Säuren und bildet ein in grofsen, rechtwinkligen Prismen krystallisierendes Platindoppelsalz. Dieses Oxypyridin ist identisch mit dem von LIEBEN und HAITINGER aus der Chelidonsäure gewonnenen, demnach mufs letztere als *carboxylierte Komansäure* betrachtet werden.

Im folgenden sind die stickstoffhaltigen Derivate der Mekonsäure mit ihren alten empirischen und den neuen rationellen Namen zusammengestellt:

Oxypyridine.

$C_5H_4N.OH$, *Oxypyridin*,

$C_5H_3N(OH)_2$, *Dioxypyridin*, Pyrokomenaminsäure,

$C_5H_2N(OH)_3$, *Trioxypyridin*, Pyromekazons.

$C_5H_2N\begin{Bmatrix}O \\ OH\end{Bmatrix}$, *Trioxypyridinchinon*, Pyromekazon,

$C_5HN(OH)_4$, *Tetraoxypyridin* (?), Oxypyromekazonsäure,

$C_5H_2N(CH_3)(OH)_2$, *Dioxypycolin*, Methyldioxypyridon,

Oxypyridincarbonsäuren.

$C_5H_3N\begin{Bmatrix}OH \\ COOH\end{Bmatrix}$, *β-Oxypicolinsäure* (und die isomeren α- u. γ-Säuren),

$C_5H_2N\begin{Bmatrix}(OH)_2 \\ COOH\end{Bmatrix}$, *Dioxypicolinsäure*, Komenaminsäure,

$C_5HN\begin{Bmatrix}(OH)_3 \\ COOH\end{Bmatrix}$, *Trioxypicolinsäure*, Oxykomenaminsäure,

$C_5HN\begin{Bmatrix}O_2 \\ OH \\ COOH\end{Bmatrix}$, *Trioxypicolinsäurechinon*, Azoncarbonsäure.

Theoretisches. LIEBEN und HAITINGER stellen in ihrer vorläufigen Mitteilung über die Chelidonsäure bereits eine rationelle (Struktur-)Formel für diese Verbindung auf, nämlich:
$$CO\begin{matrix}CH=COOH \\ \diagdown \quad \diagup O \\ CH=COOH\end{matrix}.$$

Da durch vorliegende Untersuchung die nahen Beziehungen zwischen Chelidonsäure und Mekonsäure nachgewiesen sind, und deshalb jene Formel auch auf die Verbindungen dieses Untersuchungsgebietes anzuwenden sein würde, so sieht sich Vf. genötigt, seine Ansicht über dieselbe zu äufsern.

LIEBEN und HAITINGER wollen mit ihrer Formel zunächst die Spaltung der Chelidonsäure in Aceton und Oxalsäure erklären, was allerdings möglich erscheint, insofern diese Formel die Chelidonsäure als ein Substitutionsprodukt des Acetons, resp. einer Dioxalsäure, $O\begin{matrix}CO-COOH \\ \diagdown \\ CO-COOH\end{matrix}$, darstellt, etwa analog der Parabansäure und anderen Verbindungen mehrwertiger Radikale. Freilich würde noch zu prüfen sein, ob eine Dioxalsäure, deren Carbonylsauerstoffatome ersetzt sind, so leicht in die Komponenten zerfallen könnte, wie das bei der Chelidonsäure der Fall ist (man denke an die Phtaleïne); doch hiervon abgesehen.

Weiter soll durch jene Formel auch der Übergang der Chelidonsäure in Oxypyridindicarbonsäure, oder des Pyrokomans in Oxypyridin erklärt werden, was nach LIEBEN und HAITINGER durch folgende Formeln auszudrücken sein würde:

$$CO\begin{matrix}CH=CH \\ \diagdown \quad \diagup O \\ CH=CH\end{matrix} + NH_3 = OH.C\begin{matrix}CH=CH \\ \diagdown \quad \diagup N \\ CH=CH\end{matrix} + H_2O.$$

Ist nun durch diese Formel der Vorgang wirklich erklärt? Derjenige, welcher die Konstitution einer Verbindung für gefunden hält, sobald die Atome derselben in einer bestimmten Reihenfolge nach ihren Valenzen miteinander verbunden sind, wird diese Frage bejahen, nicht aber derjenige, dem die Erklärung einer Verbindung oder eines Vorganges mit der Auffindung von Analogien beginnt. Die Erklärung der Konstitution des Alkohols begann mit der Auffindung seiner Analogie mit den Metalloxydhydraten, diejenige des Kakodyls mit der Entdeckung seiner dem „Acetyl" $(CH_3)_2C$ analogen Zusammensetzung; ebenso wird, auch noch nach der Erkenntnis der Valenz der Atome, für das Phtalid der Anfang einer Interpretation gemacht durch die Erkenntnis seiner Analogie mit den übrigen Anhydriden aromatischer Orthophenylenverbindungen und mit den Lactonen, und über die Chinone wird vielleicht das chemisch analoge Pyromekazon Aufschlüsse liefern.

Wer diesen Gang der chemischen Forschung anerkennt, wird zugeben müssen, dafs von einer Erklärung der Umwandlung der Chelidonsäure, resp. Komansäure in Pyridinderivate nicht die Rede sein kann, solange man noch keine Reaktion aufser dieser kennt, mittels Ammoniak zwei Sauerstoffatome (oder wenn man will, vier Hydroxyle) glatt durch ein Atom Stickstoff und ein Hydroxyl zu ersetzen.

Wer dagegen der anderen Ansicht huldigt, dafs das Ziel der Forschung nur in der Auffindung der Verbindungsweise der Atome bestehe, der scheint in doppelter Beziehung zu irren. Einmal verkennt derselbe, daſs man noch lange nicht im stande ist, aus der Anordnung der Atome den chemischen Charakter der Verbindung vorher zu sagen; sodann täuscht er sich noch in anderem Sinne über den Wert unserer Valenzlehre. Man wird doch nicht behaupten wollen, daſs wir heute bereits im Besitz der richtigen Vorstellungen über die Verbindungsgesetze des Kohlenstoffes, geschweige der übrigen Elemente sind, denn wie viele Verbindungen sind nach der Valenzlehre möglich, aber existieren nicht! Es wird eine spätere vollkommenere Lehre unserer heutigen engere Grenzen ziehen, gerade wie die Valenzlehre gezeigt hat, daſs eine Menge der von der Typenlehre für möglich gehaltenen Verbindungen nicht existieren können. (Vergl. die Formel ODLING's für

Metaphosphorsäure, $\left.{PO''' \atop H'}\right\}O,''$ neben $\left.{PO' \atop H'}\right\}O'').$

Es scheinen dem Vf. demnach alle diejenigen Strukturformeln ohne Wert zu sein, welche die Reaktionen ausschlieſslich auf Grund der Sättigungskapazität der Atome zu deuten versuchen, ohne über das Wesen des Vorganges einen Gedanken zu enthalten, welche, wie die Formel der Chelidonsäure von LIEBEN und HAITINGER, den Übergang dieser Säure in eine Oxypyridindicarbonsäure lediglich durch Platzwechsel von Atomen nach Äquivalenten interpretieren zu können glauben, ohne irgend einen ähnlichen Vorgang an die Seite zu setzen.

LIEBEN und HAITINGER bezeichnen in den Wiener Monatsheften 4. 275, nicht auch in den Ber. Chem. Ges. 16. 1261, ihre Formel als eine vorläufige rationelle, welche nur die Spaltung der Chelidonsäure in Aceton und Oxalsäure ausdrücken solle. Vf. hält das nicht für zulässig; denn entweder drückt eine Formel alle bekannten Umsetzungen der Verbindung aus, und dann ist sie die rationelle, oder sie interpretiert nur einen Teil derselben, dann ist sie eben keine rationelle. (Journ. pr. Chem. 29. 57—69. Ende Februar. Leipzig. KOLBE's Labor.)

A. Ladenburg, *Synthese der Pyridinbasen und Piperidinbasen.* Die Basen der Pyridinreihe sind tertiär, sie verbinden sich mit Alkyljodiden und geben quaternäre Jodide; wenn man diese auf 290° erhitzt, so verwandeln sie sich teilweise in Jodhydrate tertiärer Basen um, welche homolog mit dem angewendeten Pyridin sind. Durch diese Reaktion erhält man immer zwei isomere Basen, von denen die eine, welche sich in vorwiegender Menge bildet, der γ-Reihe angehört, während die andere, in kleinerer Menge entstehende, von niedrigerem Siedepunkt, zur α-Reihe gehört. Auf diese Weise konnte der Vf. das Pyridin, indem er es mit Jodäthyl verband und das Produkt in geschlossenen Röhren auf 290° erhitzte, in zwei Basen von der Formel des Lutidins C_7H_9N umwandeln, von denen die eine bei 153—154° siedet und bei der Oxydation Isonicotinsäure giebt, während die andere bei 166° siedet und nur Spuren einer Säure bildet, welche noch nicht im reinen Zustande isoliert werden konnte. Ein Gemenge von Pyridin mit Propyljodid giebt beim Erhitzen zwei Basen von der Formel $C_8H_{11}N$. Die eine, welche bei 163° siedet, ist das γ-Propylpyridin, welches durch Oxydation in Isonicotinsäure übergeht. Die zweite isomere siedet bei 174° und ist durch ein Platinsalz charakterisiert, welches ziemlich löslich ist und gut krystallisiert.

Mit Methyljodid scheint die Reaktion ganz analog zu sein, allein die Produkte konnten bis jetzt noch nicht isoliert werden. Wenn man diese quaternären Jodide auf eine noch höhere Temperatur erhitzt, so bildet sich Ammoniak in beträchtlicher Menge und aromatische Kohlenwasserstoffe. Bei der Reaktion mit Äthyljodid wurde Äthylbenzol isoliert, welches durch Oxydation in Benzoesäure umgewandelt werden konnte. Die Umwandlung der Pyridinbasen in Piperidinbasen wird durch die Einwirkung von Natrium in alkoholischer Lösung in der Wärme realisiert. Auf diese Weise erhielt man eine fast theoretische Ausbeute, und es bleiben kaum wahrnehmbare Spuren der angewandten Base zurück. Auf diesem Wege konnte Vf. die ganze Reihe der Piperidinbasen darstellen, von der man bis jetzt nur das Anfangsglied, nämlich das Piperidin, $C_5H_{11}N$, kennt. Das Pyridin verwandelt sich so in Piperidin, dessen Vergleichung mit der von dem Piperin derivierenden Base den Vf. augenblicklich beschäftigt. Beide scheinen, wenigstens was den Geruch, die Platinsalze und Zusammensetzung betrifft, identisch zu sein.

Vf. hat auch das Methylpiperidin, $C_6H_{13}N$, dargestellt, welches von dem Methylpiperidin von HOFMANN gänzlich verschieden ist und aus einem Methylpyridin, das in dem DIPPEL'schen Öle enthalten ist, entsteht. Die angewendete Base hatte keinen sehr konstanten Siedepunkt und enthielt β-Methylpyridin, während das Hauptprodukt α-Picolin war. Das Reaktionsprodukt wurde vollständig in Nitrosamin umgewandelt und dieses durch Salzsäure zersetzt. Die aus dem Chlorhydrat dargestellte Base bildet eine klare, stark alkalische, bei 122° siedende Flüssigkeit, welche nach Piperidin riecht. Sie löst sich leicht unter Erhitzung in Wasser, scheidet sich aber aus einer sehr verdünnten Lösung durch Temperaturerhöhung ab. Sie giebt ein krystallisierbares, nicht zerflieſsliches Chlorhydrat, ein krystallisiertes, sehr leicht lösliches Platinsalz und ein weniger

314

leicht lösliches Goldsalz, welches in lauwarmem Wasser schmilzt. Das γ-*Äthylpiperidin*, $C_7H_{15}N$, wurde auf dieselbe Weise dargestellt, indem man von dem oben erwähnten synthetischen γ-Äthylpyridin ausging. Der Geruch erinnert an den des Coniins, und es verhält sich gegen Wasser ebenso wie dieses. Es siedet bei 143° und giebt ein sehr schönes krystallisiertes Chlorhydrat.

Der Vf. wird diese Untersuchungen fortsetzen, was jedenfalls deshalb interessant ist, weil die in Frage stehenden Körper sicher in einer sehr nahen Beziehung zum Coniin und Tropidin stehen. (C. r. **98.** 516—518. [25.°] Februar.)

Emil Löwenhardt, Über *das Cocculin.* Neben Pikrotoxin erhielt Vf. bei der Darstellung desselben aus Kokkelskörnern feine weiße Nadeln, die schwer löslich in heißem Wasser, nahezu unlöslich in kaltem Wasser, Alkohol und Äther sind. Die Analyse führte zu einer Formel $C_{18}H_{18}O_{10}$, die nur als vorläufige zu betrachten ist. Ob dieser vom Vf. *Cocculin* genannte Körper identisch ist mit der von BARTH in den Kokkelskörnern aufgefundenen säureartigen Verbindung $C_9H_{12}O_5$ (Journ. pr. Chem. **91.** 155) oder mit dem Anamirtin von BARTH und KRETSCHY (**80.** 134), muß man vorläufig dahingestellt sein lassen. Konzentrierte Schwefelsäure färbt das Cocculin nur schwach gelb. Die LANGLEY'sche Salpeterreaktion, welche das Pikrotoxin und besonders das Pikrotoxinin scharf kennzeichnet, liefert das Cocculin nicht. (LIEB. Ann. **222.** 353—54. Dez. 1883. Halle.)

Ernst Schmidt, Über *das Pikrotoxin.* Nach den Beobachtungen von BARTH und KRETSCHY (**80.** 134; **82.** 180) ist das Pikrotoxin kein einheitlicher Körper, sondern besteht aus drei, resp. aus vier Verbindungen. Die Erfahrungen, welche Vf. im Verein mit LÖWENHARDT gesammelt hat (**81.** 371), stehen durchaus nicht im Einklange mit den Angaben der obigen Chemiker, wohl aber mit den Untersuchungsresultaten von PATERNÓ und OGLIALORO (**72.** 167. 508; **79.** 311). Zur Entscheidung obigen Streites hat Vf. weitere Versuche angestellt.

Er beschreibt die Darstellung seines für die Versuche benutzten Pikrotoxins aus Kokkelskörnern; das erhaltene Präparat, bestehend aus meist sternförmig gruppierten Nadeln, schmolz bei 199—200°. Die mittlere prozentische Zusammensetzung des Pikrotoxins aus einer großen Anzahl von Analysen ergiebt sich zu C = 59,69, H = 5,62, O = 34,39 p. c., und nimmt Vf., ebenso wie PATERNÓ und OGLIALORO die Formel $C_{30}H_{34}O_{13}$ für das Pikrotoxin an.

Für die chemische Individualität des Pikrotoxins scheinen besonders folgende Umstände zu sprechen:

1. Die konstante, der obigen Formel entsprechende Zusammensetzung, welche das vorsichtig dargestellte und sorgfältig gereinigte Pikrotoxin besitzt.

2. Der konstante, bei 199—200° C. liegende Schmelzpunkt; ein Gemisch aus Pikrotoxinin und Pikrotin fängt bei 200° C. zu schmelzen an, verflüssigt sich jedoch, je nach den Mengenverhältnissen, erst vollständig bei 210—230° C.

3. Der mangelnde Krystallwassergehalt des Pikrotoxins (Pikrotoxinin krystallisiert mit 1 Mol. Krystallwasser). Zahlreiche Wasserbestimmungen, welche von den verschiedenen Krystallisationen selbst dargestellter und in verschiedener Weise gereinigter käuflichen Pikrotoxine ausgeführt wurden, zeigten bei 100° C. nie eine Gewichtsabnahme, die auf eine Beimengung eines krystallwasserhaltigen Körpers hätte schließen lassen. Gemische aus Pikrotin und Pikrotoxinin (zuvor aus Wasser umkrystallisiert), verloren bei 100° meist wechselnde Mengen von Krystallwasser; nur in einigen wenigen Fällen konnte auch hier eine Gewichtsabnahme nicht konstatiert werden.

4. Das Verhalten des Pikrotoxins gegen Benzol und Chloroform, das Vf. eingehend in dieser Abhandlung beschreibt.

Das *Pikrotoxinin*, $(C_{15}H_{16}O_6 + H_2O)$, tritt als Zersetzungsprodukt des Pikrotoxins auf, wenn letzteres anhaltend mit Benzol gekocht war und mit Chloroform behandelt wird. Bei 100° giebt es sein Krystallwasser ab und schmilzt bei 200—201°. Brom liefert damit Monobrompikrotoxinin (bei 250—255° C. schmelzend), das mit dem aus Pikrotoxin und Brom entstehenden Brompikrotoxinin identisch ist. Kocht man Benzoylchlorid mit Pikrotoxinin, so erhält man bei 237—238° schmelzende Nadeln von der Zusammensetzung $2C_{15}H_{16}O_6.C_7H_6O + H_2O$ (Pikrotoxininbenzoesäureanhydrid) und nicht das erwartete Benzoylpikrotoxinin.

Das *Pikrotin*, $(C_{15}H_{18}O_7)$, dargestellt durch Kochen von Pikrotoxin mit Benzol und Behandeln des ungelösten mit siedendem Chloroform, besteht aus weißen glänzenden Nadeln von bitterem Geschmacke, aber ohne giftige Eigenschaften, wogegen das Pikrotoxinin giftig wirkt. Kocht man das Pikrotin mit Benzoylchlorid, so bildet sich die bei 245° schmelzende Verbindung $C_{15}H_{17}O_6.C_7H_6O$ nach der Gleichung:

$$C_{15}H_{18}O_7 + C_7H_6COCl = C_{15}H_{17}O_6.C_7H_6O + HCl + H_2O.$$

Diese Verbindung dürfte als ein Isomeres des Benzoylpikrotoxinins, also als *Benzoylanhydropikrotin* anzusprechen sein.

Das Pikrotoxin zersetzt sich demnach durch das anhaltende Kochen mit gröfseren Mengen Benzol nach der Gleichung:

$$C_{30}H_{34}O_{13} = C_{15}H_{16}O_6 + C_{15}H_{18}O_7$$
$$\text{Pikrotoxin} \qquad \text{Pikrotoxinin} \qquad \text{Pikrotin.}$$

(Lieb. Ann. **222**. 313—52. 22. Jan. (Dez. 1883.) Halle a. S.)

5. Physiologische, medizinische und pharmazeutische Chemie.

Ferd. Hueppe, *Untersuchungen über die Zersetzungen der Milch durch Mikroorganismen.* Nach einer eingehenden Besprechung der bis jetzt vorhandenen Litteratur über die Milchsäuregärung wendet sich Vf. zu den von ihm angestellten Versuchen und beschreibt vorerst die Methode, welche im wesentlichen auf der Herstellung von Reinkulturen auf festem Nährboden nach dem Vorgange von R. Koch beruht. Um das Verhalten der Mikroorganismen in der Milch zu erfahren, war es nötig, letztere so zu sterilisieren, dafs dieselbe so wenig als möglich in ihrer chemischen Beschaffenheit verändert wurde. Die richtige Lösung dieser Frage ist zugleich von Einflufs für die praktische *Milchkonservierung*, worunter man selbstverständlich nicht das Konservieren für wenige Tage zu verstehen hat.

Aus Geschmacksrücksichten verbieten sich konservierende Zusätze, besonders wegen der grofsen Menge dieser Substanzen (cfr. H. Meyer, Über das Milchsäureferment und sein Verhalten gegen Antiseptica. Dissert. Dorpat 1880), und es bleiben nur die hohen Temperaturen als sicheres und den Geschmack nicht wesentlich alterierendes Mittel zum Konservieren der Milch. Eine Voraussetzung zur Beurteilung der Frage ist die Kenntnis der chemischen Veränderungen, welche die Milch beim Erwärmen erleidet. Die nachweisbaren Veränderungen beginnen bei etwa 75° C. Es tritt beim Erhitzen der Milch über 75° eine Verzögerung der Labwirkung ein und ergiebt sich, dafs sich dieselbe nicht in einer vollständigen Aufhebung, sondern teils in verspätetem, teils in unvollständigem Eintritte der Gerinnung ausspricht; durch Steigerung der Labmenge kann man den hemmenden Einflufs der hohen Temperaturen bis zu einem gewissen Grade paralysieren. Das eine ergiebt sich schon jetzt sicher, dafs die durch die Säuren hervorgebrachte feinere Gerinnung der gekochtenn Kuhmilch nur scheinbar eine Annäherung derselben an die Frauenmilch ist.

In Wirklichkeit machen die hohen Temperaturen die Kuhmilch der Frauenmilch noch unähnlicher, als sie schon an und für sich ist, und auch schwerer verdaulich, da die Labwirkung auf das Casein erheblich beeinträchtigt, bisweilen geradezu aufgehoben wird, so dafs bei gekochter Milch im Magen fast ausschliefslich die Säurewirkung in Frage kommt. Die Milch erfährt nach den Angaben des Vf's. zwischen 75 und 100° eine gradatim zunehmende Änderung des chemischen Verhaltens; dieselbe ist aber noch derart, dafs die Verdaulichkeit der Milch dadurch kaum verringert wird, und sind diese Veränderungen für das Auge und den Geschmack nicht störend.

Ganz anders gestaltet sich die Sache bei Steigerung der Temperatur über 100°, und ist daher vom chemischen und physiologischen Standpunkte eine Sterilisierung der Milch die richtigste, welche unter 75° ausgeführt wird: man kann aber Temperaturen bis zu 100° als zulässig erklären, mufs jedoch eine noch höhere Steigerung der Temperatur vermeiden.

Was nun die Sterilisierung selbst anbetrifft, so läfst sich dieselbe durch diskontinuierliches Erwärmen bei etwa 75° sehr gut ausführen; man erwärmt die Milch fünf Tage hintereinander jeden Tag eine ganze Stunde bei 65—70° C. Bei längerem Stehen tritt in solcher Milch, deren Geschmack sich von dem der frischen Milch kaum unterscheidet, ein beim Schütteln wieder verschwindender Bodensatz auf, welcher aus Casein besteht, so dafs der überstehende Teil der Milch wie gewässerte Milch aussieht. Auch nach einem Jahre tritt keine vollständige Ausscheidung des Caseïns derart ein, dafs sich zwischen Bodensatz und Rahmschicht eine klare Flüssigkeit befindet.

Wünschenswert bleibt es, zu versuchen, ob sich diese Methode, welche längere Zeit zur Ausführung bedarf, auch für die Milchkonservierung im grofsen eignet.

Es läfst sich nach den Versuchen des Vf's. die Milch durch strömenden Wasserdampf von 100° C. in erheblich kürzerer Zeit sterilisieren, als durch das kontinuierliche Erwärmen, und viel sicherer, als bei 100° im Wasserbade. Wie weit sich das Verfahren der Anwendung des strömenden Wasserdampfes von 100° für die praktische Milchkonservierung eignet, das müssen gleichfalls im grofsen angestellte Versuche erweisen.

Vf. wendet sich nun zu den *Organismen der Milchsäuregärung*, welche mittels Reinkulturen auf Fleischwasserpeptongelatine oder Milchserumgelatine von den anderen in der Milch befindlichen Mikroben zu trennen vermochte. Die Organismen wurden in 78 Umzüchtungen kultiviert, ohne dafs sich eine Änderung in ihrer Form und Wirkung bemerkbar machte. Dieselben brachten, auf sterilisierte Milch geimpft, stets eine Milchsäuregärung zu stande. Auch das makroskopische Verhalten der mit diesen Organismen geimpften steril gemachten Milch ist für diese Gärung charakteristisch. Die Form der Organismen mufs man als Bakterien (nach COHN) ansprechen. Unter 10° hört ihre Entwicklungsfähigkeit auf, desgleichen zwischen 45,5 und 44,8° C. Die Milchsäurebakterien bilden aus Milchzucker, Rohrzucker, Mannit, Dextrose, Milchsäure. Waren die ersteren Lösungen bei niederer Temperatur sterilisiert, so stellt sich mit Auftreten der Trübung durch Wachstum der Bakterien eine nicht genauer verfolgte Änderung im Drehungsvermögen dieser Substanzen ein, welche es wahrscheinlich macht, dafs die Bakterien die Fähigkeit besitzen, Disaccharate, zu hydratisieren und nicht den Milchzucker direkt in Milchsäure und Kohlensäure umzusetzen. Die Isolierung eines hydratisierenden Enzyms, die Trennung desselben von den Bakterien, wie wir es bei der Hefe im Invertin kennen, gelang nicht. Peptonisierende Eigenschaften entfalten die Bakterien nicht, dagegen sind sie fähig, diastatisch zu wirken.

Die längst bekannten *Buttersäurebacillen*, welche Vf. gleichfalls näher studierte, bringen nach den Versuchen desselben das Caseïn der Milch erst labähnlich zur Gerinnung, und zwar bei der vorhandenen Anfangsreaktion (amphoter oder schwachsauer), lösen das zerronnene Albuminat und verwandeln es in Pepton und einige weitere Spaltungsprodukte. Unter den Zersetzungsprodukten befindet sich, trotzdem die Bacillen nicht die Fähigkeit besitzen, die ammoniakalische Gärung des Harnstoffes herbeizuführen, Ammoniak. Es tritt endlich allmählich ein mehr oder weniger ausgesprochener bitterer Geschmack auf. Temperaturen, welche die Milchsäurebacillen vernichten alterieren die Sporen der Buttersäurebacillen nicht wesentlich, so dafs die Wirkung derselben sich später auch in scheinbar konservierter Milch bemerkbar macht.

Hierin liegt die Erklärung für die bei der Milchkonservierung gemachte Erfahrung, dafs die Konservierung der Milch nicht dadurch schwierig ist, dafs die Milchsäurebacillen sicher zu vernichten sind, sondern dafs es schwer ist, in die Milch überhaupt jedes Leben zu vernichten.

Darauf bespricht Vf. die Litteratur über die *Organismen der blauen Milch* und stellte auch von letzteren Reinkulturen her (133 Umzüchtungen). Die rein kultivierten, blaues Pigment bildenden Bakterien in der Milch pflanzen sich fort, resp. erhalten sich durch Teilung und Sporenbildung, sie machen die Milch nicht sauer, sondern allmählich alkalisch und bringen sie nie zur Gerinnung. *Der Farbstoff wird in der Milch auf Kosten des Caseïns gebildet;* derselbe ist, wenn keine Säure anwesend ist, nicht so intensiv himmelblau, sondern schiefergrau bis mattblau, kann aber durch Säure in intensives Blau übergeführt werden. Die Zeit des Kochens ist auf den Verlauf der Bläuung nur insofern von Bedeutung, als bei einem bis zum sicheren Sterilisieren fortgesetzten Kochen die unterstützende Säurewirkung in Wegfall kommt; aber auch in gekochter Milch tritt durch Reinkulturen unter allen Umständen eine Farbenveränderung ein. Aus weinsaurem Ammoniak wird durch die Thätigkeit der Bacillen in der Regel ein dem Farbstoff der blauen Milch überaus nahestehender grüner Farbstoff gebildet, welcher nur eine niedrigere Oxydationsstufe des blauen darstellt, indem sich die grüne Farbe durch oxydierende Mittel in Blau überführen läfst. Das allgemein biologische Resultat ist, dafs die Bacillen nicht nur die konstanten Begleiter, sondern auch die Ursache der blauen Milch sind.

Vf. bespricht des weiteren andere *pigmentbildende Bakterien*, macht einige Bemerkungen über die *schleimige Milch* und wendet sich schliefslich zu *Oidium lactis*. Letzterer Pilz ist sehr leicht auf Nährgelatine zu kultivieren; die geeignetsten Temperaturen dazu liegen zwischen 15—25°. Impft man Reinkulturen von Oidium lactis auf sterilisierte Milch, so bildet sich auf der Oberfläche ein dichter weifser Pilzrasen. Die Milch bleibt flüssig, wird nicht sauer, sondern im Gegenteil *schwach alkalisch*. Von einer Auffassung der Oïdium lactis als Milchsäureferment, wie dies geschehen ist, kann demnach keine Rede sein, und höchstens eine indirekte Beteiligung bei der spontanen Milchsäurebildung insofern in Frage kommen, als dieser Pilz einen Teil der von den Milchsäureorganismen gebildeten Säure aufbraucht und dadurch die Säurebakterien in den Stand setzt, etwas mehr Zucker in Milchsäure überzuführen. (Mitteilg. a. d. kais. Ges.-Amte 2. 309—371. März. Berlin.)

P.

A. **Nowoczek**, *Kultur- und Düngungsversuche mit verschiedenen Rübenvarietäten.* (BIEDERMANN's C.-Bl. f. Agrik.-Chem. 1884. 34; SCHEIBLER's N. Ztsch. 12. 173—74.)

E. **Salkowsky**, Über *die Bildung von Harnstoff aus Sarkosin.* Vf. sucht die von SCHIFFER (81. 487; 83. 566) gegen seine Abhandlungen, betreffend das Verhalten des

Sarkosins im tierischen Organismus, geäufserten Bedenken zu widerlegen (**80**. 86; **83**. 66) und findet nach wie vor keine ·bessere Form, das Resultat seiner Versuche über das Verhalten des Sarkosins auszudrücken, so weit sie die Bildung des Harnstoffes aus diesem betreffen, als folgende: Im Organismus des Kaninchens geht das Sarkosin zum grofsen, vielleicht gröfsten Teile in Harnstoff über; beim Hunde ist die Bildung von Harnstoff viel geringer, aber nachweisbar. Ein Teil des Harnstoffes mag Methylharnstoff sein, bestimmt erwiesen ist dieses nicht. Über das Verhalten des Sarkosins beim Menschen stehen dem Vf. eigene Erfahrungen nicht zu Gebote. (Ztschr. physiol. Chem. **8**. 149 bis 157. Berlin.)

Franz Hulwa, *Zur Abwässerfrage; Behandlung und Unschädlichmachung der Abfallwässer der Zuckerfabriken.* (Ztschr. d. Ver. f. Rübenz.-Ind. **21**. 176—187. Sep.-Abd.)

E. Duclaux, Über *die Eiweifskörper der Milch.* Ungeachtet· zahlreicher Untersuchungen sind die Eiweifskörper der Milch doch immer noch wenig bekannt. Selbst das Caseïn ist noch eine schlecht definierte Substanz. Bezeichnet man mit diesem Namen alles das, was sich durch verdünnte Säuren, Alkohol oder Lab, aus der Milch abscheidet, so übersieht man dabei, dafs in einer und derselben Milch diese verschiedenen Reagenzien sehr ungleiche Mengen Substanz koagulieren, und ferner, dafs sogar dasselbe Reagens verschiedene Mengen abscheidet, je nach der Temperatur, der Verdünnung, der Natur und der Menge der gelösten Salze etc.

Wenn man durch eines der gewöhnlichsten Mittel das Caseïn abscheidet, so bleibt eine Flüssigkeit übrig, welche in der Wärme koaguliert und welche man aus diesem Grunde als albuminhaltig ansieht. Ist dieses Eiweifs durch Kochen abgeschieden, so wird noch durch Bleisubacetat, sowie durch das MILLON'sche Reagens ein Niederschlag erzeugt, welcher auf die Gegenwart einer dritten Eiweifssubstanz, des Laktoproteïns von MILLON und COMMAILLE, hinweist. Aufser diesen hauptsächlichsten und am besten charakterisierten Substanzen hat man noch die Albumose, das Galaktin, die Peptone etc. Der Vf. beabsichtigt, zu zeigen, dafs alle diese Körper nichts anderes als Formen des Caseïns sind.

Das Caseïn in der Milch ist keine einheitliche Substanz. Es giebt zuvörderst festes Caseïn, welches sich in der Ruhe am Boden des Gefäfses absetzt und dessen Menge, wie Vf. in einem Falle gefunden hat, etwa 0,4 des ganzen Caseïns beträgt. Ferner existiert das Caseïn in colloidalem Zustande, welches, durch Papier filtriert, aber nicht durch Porzellan geht, das, wenn es in passender Weise getrocknet ist, ein Filtrat so klar wie Wasser liefert. In diesem Filtrate, welches kein Caseïn mehr enthält, kann man durch Erhitzen des Albumins mittels des MILLON'schen Reagens das Laktoproteïn nachweisen. Man kann hiernach, indem man die gegenwärtig gebräuchliche Unterscheidung annimmt, sagen, dafs die Wände des Porzellans das Albumin und das Laktoproteïn von dem Caseïn trennen. Wenn man aber das auf dem Porzellan zurückgebliebene Caseïn in Wasser suspendiert und dann nach einigen Stunden von neuem filtriert, vorausgesetzt, dafs die Substanz vollkommen neutral geblieben ist, so erhält man in dem Filtrate wiederum Albumin und Laktoproteïn annähernd in derselben Menge, wie früher, und zwar um so mehr, je längere Zeit man das suspendierte Caseïn mit dem Wasser in Berührung gelassen hat. Setzt man dies lange genug fort, indem man den Zutritt von Mikroorganismen sorgfältig verhütet, so kann man auf diese Weise allmählich beinahe das ganze Caseïn wieder auflösen. Bei einem Versuche, welcher drei Jahre lang fortgeführt wurde, hatten sich drei Viertel des Caseïns gelöst. Es tritt ·hierbei eine Art Gleichgewichtszustand ein, auf welchen Vf. noch zu sprechen kommen wird. Der aufgelöste Anteil, welcher durch Porzellan filtriert, zeigt alle Eigenschaften des Laktoproteïns. Durch die blofse Einwirkung von Wasser erhält man also aus dem Caseïn alle die Eiweifskörper, welche man in der Milch aufgefunden und durch ihre Reaktion zu charakterisieren versucht hat.

Dieses Löslichwerden des Caseïns unter dem Einflusse der Zeit bietet ein besonderes Interesse dar in dem Falle, wenn das Wasser schwach sauer oder alkalisch ist. In saurer Flüssigkeit ist das gelöste Caseïn durch Alkalien fällbar; umgekehrt wird es in alkalischer Flüssigkeit durch Säuren nicht gefällt. Diese beiden Reaktionen sind nun aber die hauptsächlichsten Unterscheidungsmittel für das Synthonin einerseits und die Natronalbuminate andererseits. Es soll nicht geleugnet werden, dafs durch die Einwirkung von Säuren oder Alkalien auf Eiweifskörper zuletzt neue Substanzen entstehen, allein der Einflufs der Zeit ist dabei doch nicht zu übersehen. Nach hinreichend langer Einwirkung gelingt es, das Synthonin und die Albuminate mit so geringen Mengen von Säuren und Alkalien darzustellen, dafs man dabei nicht an eine chemische Verbindung denken kann. Das Caseïn erweist sich hierbei als eine eminent plastische Substanz, welche sich den Bedingungen des neutralen, sauren oder alkalischen Mediums, in dem es suspendiert ist, anfügt und sich darin allmählich löst, jedoch in Mengen, welche mit der Zeit· und mit der Zusammensetzung der Flüssigkeit variieren, so dafs man, wenn man in einem gegebenen Momente diese Zusammensetzung oder auch die Temperatur ändert, den

Gleichgewichtszustand des Caseïns innerhalb weiter Grenzen ändern und neue Lösungen oder neue Fällungen bewirken kann. Wenn man den auf diese Weise entstehenden Körpern neue Namen erteilt, so scheint dies der wahren Natur der Sache wenig zu entsprechen. (C. r. **98.** 373—74. [11.*] Febr.)

E. Duclaux, Über *die Konstitution der Milch.* Die in seiner letzten Arbeit (S. 317) entwickelten Ideen haben den Vf. zu einer neuen Art der Milchanalyse geführt, bei welcher er die wie ihm scheint illusorische Bestimmung des Albumins und Laktoproteïns durch die Bestimmung des durch Porzellan filtrierten Caseïns ersetzt. Letzteres unterscheidet er als *gelöstes Caseïn* von dem *suspendierten Caseïn* und dem *colloïdalen Caseïn,* welche ebenfalls in der Milch enthalten sind. Diese drei Formen des Caseïns verdienen für sich studiert zu werden. Wenn sich der Vf. auf die Bestimmung des gelösten Caseïns beschränkt, so geschieht dies, weil die beiden anderen Formen sich schliefslich in diese verwandeln. Dasselbe wird von dem suspendierten und dem colloïdalen Caseïn getrennt, indem man die Milch mittels einer Vakuumpumpe durch poröses Porzellan saugt, hierzu kann man sich der kleinsten und homogensten Thonzellen bedienen, welche frei von Rissen sein müssen. Auf diese Weise erhält man eine vollkommen klare Flüssigkeit, welche bei Anwendung dieser Milch immer von gleicher Zusammensetzung ist. Diese enthält nur wirklich gelöste Körper, nämlich den Milchzucker, das gelöste Caseïn und einen Teil des phosphorsauren Kalkes, sowie die übrigen Mineralsalze, während die davon abgeschiedenen, in der Milch suspendierten Stoffe aus Fett, Milchzucker, Caseïn, festen Salzen und einem anderen Teile des Calciumphosphates bestehen:

	Körper	
	in Suspension	in Lösung
Butterfett	3,32	—
Milchzucker	—	4,98
Caseïn	3,31 .	0,84
Calciumphosphat	0,22	0,14
Lösliche Salze	—	0,39
	6,75	6,35 .

Wie man sieht, beträgt das gelöste Caseïn ungefähr den fünften Teil des gesamten Caseïns; doch wird diese Ziffer selten erreicht. Für gewöhnlich variiert der Gehalt der Milch zwischen 4 und 5 g im Liter. Dieser Gehalt fand sich auch bei Milchsorten verschiedenen Ursprungs, z. B. in Kuhmilch, Ziegenmilch, Eselsmilch und Frauenmilch, welche sehr nahestehende Zahlen gaben. Es existieren indes zwei Einflüsse, welche die Quantität des gelösten Caseïns vermehren: der eine von geringerer Bedeutung besteht in dem Zusatz von Wasser, der andere, bedeutendere, in der Intervention des Fermentes, welches der Vf. in seinen früheren Arbeiten Casease genannt hat. Unter dem Einflusse dieser Casease stieg der Gehalt des gelösten Caseïns, welcher anfänglich nur 0,61 per Liter betrug, nach acht Stunden auf 1,80 und nach 24 Stunden auf 2,20. Von diesem Moment an blieb noch ein Drittel des gesamten Caseïns im colloïdalen Zustande. Schneller gelangt man zur Lösung des ganzen Caseïns durch Mitwirkung von Mikroorganismen, welche Casease erzeugen. (Hierüber hat der Vf. in seiner. ersten Arbeit in den Ann. de l'Inst. agron. **4.** 1879—80 nähere Angaben gemacht.) (C. r. **98.** 438—41. [18.*] Febr.)

Heinrich Struve, *Studien über Milch.* (Journ. pr. Chem. **27.** 249—56 und **29.** 70 bis 95. Jan. 1883 und Jan. 1884. Tiflis.)

v. Mering, Über *die Wirkung des Ferricyankalium auf Blut.* Als Vf. zu frischem Blute eine konzentrierte Ferricyankaliumlösung fügte, wurde diese Mischung nicht braunrot, sondern zeigte dauernd eine hellrote Farbe und unverändert Oxyhämoglobinstreifen. Verdünnte er eine Portion dieser Blutmischung mit Wasser, so nahm dieselbe sofort eine braunschwarze Farbe an und liefs spektroskopisch ein breites Absorptionsband im Rot erkennen. Verdünnte Vf. dagegen eine Portion des mit konzentrierter Ferricyankaliumlösung versetzten Blutes mit einer Lösung von Natriumsulfat und Kochsalz, so blieb die Mischung hellrot und zeigte nur die beiden Oxyhämoglobinstreifen.

Eine Anzahl von nach dieser Richtung hin angestellten Versuchen ergab, dafs Ferricyankalium bei seiner Einwirkung auf Blut nur dann Methämoglobin bildet, wenn die roten Blutkörperchen durch Zusatz von Wasser, durch Äther oder Chloroform, durch Gefrieren oder Wiederaufthauenlassen etc. zerstört worden sind und ihren Farbstoff an die umgebende Flüssigkeit abgegeben haben; dafs dagegen eine konzentrierte Lösung von Ferricyankalium (ähnlich wie Kochsalz, Glaubersalz etc.) nur konservierend auf die Blutkörperchen wirkt und infolge dessen den in den Körperchen nicht in einfacher Lösung, sondern wohl in engerer chemischen Verbindung enthaltenen Blutfarbstoff nicht anzugreifen vermag. Selbst Kaliumchlorat vermag eine Zeit lang konservierend für die Blutkörperchen zu wirken, da es wie eine indifferente Salzlösung die Einwirkung des roten Blutlaugensalzes verhinderte. Das bei einem Versuche mit Kaliumchlorat und Ferricyankalium erst nach zwei Stunden erfolgte Auftreten des Methämoglobins kann wohl nur der Wirkung des ersten Salzes zugeschrieben werden. (Ztschr. f. physiol. Chem. **8.** 186 bis 189. Straßburg.)

R. Blasius, *Verwendung der Torfstreu.* (Vortrag, gehalten in der Vers. des internation. Vereins gegen Verunreinigung der Flüsse, des Bodens und der Luft zu Braunschweig.). (Monatsbl. f. öffentl. Gesundheitspfl. **7.** 1—30).   P.

Ernst Hankel, *Laboratoriumsversuche über die Klärung der Abfallwässer der Färbereien.* 1. Die Sedimentierung durch Ruhe führte zu keinem Resultate; die Abfallwässer wurden dadurch nicht hinreichend geklärt, wenigstens nicht so schnell, daß man sie in Klärbassins auffangen und dort ihre Klärung erwarten könnte, wenn sich auch ein Teil der Farbstoffe in den Bassins absetzen würde. 2. Dagegen liefert die Klärung mit Kalk sowohl bei den Abfallwässern der Wollfärbereien, als auch der Baumwollfärbereien insofern befriedigende Resultate, als vollständige und genügende Klärung nach kurzer Zeit, meist schon nach 24 Stunden erreicht wurde. Allein die Abfallwässer sind 1. sehr kalkhaltig (bis 0,5 g im Liter), und dann dürfte die Beseitigung der Kalkrückstände Schwierigkeiten bereiten, da dieselben wertlos sind; 2. bei einer dritten Versuchsreihe wurde Torf als Klärungsmittel benutzt. Hierbei ergab sich, daß unter Einhaltung geeigneter Vorsichtsmaßregeln eine sehr gute Klärung zu erreichen ist. Die einzige Schwierigkeit, welche sich hier bei der Ausführung im großen darbieten würde, besteht darin, daß die Abfallwässer sehr langsam durch die Torffilter hindurchgehen.

Es läßt sich demnach aus diesen Versuchen nicht mit Bestimmtheit voraussagen, ob diese Methode in der Praxis ohne weiteres Anwendung finden könne. Jedenfalls besitzt sie aber den Vorzug, daß der benutzte Torf nach dem Trocknen ohne weiteres als Brennmaterial verwendet werden kann. (Glauchau 1884.)

6. Mineralogische und geologische Chemie.

O. Meyer, *Ätzversuche an Kalkspat.* Ätzt man eine Spaltungsfläche von Kalkspat mit Salzsäure, so entstehen rundliche dreieckige Vertiefungen, mit Essigsäure ätzend, erhält man fünfeckige Vertiefungen, so daß die beiden Säuren in verschiedener Art wirken. Der Vf. hat nun eine Kugel aus Kalkspat mit Essigsäure geätzt. Dabei traten auf, entsprechend: 1. den Endflächen, zwei große Dreiecke, 2. dem Rhomboëder, Fünfecke, 3. dem Gegenrhomboëder, Rechtecke, 4. einem spitzen Rhomboëder, kleinere Dreiecke, 5. den Säulen, spitze Parallelogramme. Die Endform bei sehr langer Behandlung läßt sich als eine Kombination einer Endfläche mit spitzem Rhomboëder auffassen. Die Gestalt weicht also wesentlich von derjenigen einer hexagonalen Pyramide ab, wie sie LAVIZZARI beim Ätzen mit Salzsäure erhielt. Behandelt man gleichzeitig Spaltungsflächen mit Essig- und Salzsäure, so erhält man Gebilde, deren Form zwischen den mit jeder einzelnen erhaltenen steht. (N. Jahrb. f. Mineral. **1.** 74—78; Beibl. **8.** 24.)

L. F. Nilson, *Untersuchungen über den Thorit von Arendal.* (Ann. Chim. et Phys. [5.] **30.** 429—432. Nov. 1883; C.-Bl. 1882. 819.)

Niederstadt, *Die artesischen Fluß-, Quell- und Pumpwässer von Hamburg und Umgegend.* (EULENBERG's Vierteljahrsschr. f. ger. Med. **40.** 122—136. Hamburg.)

A. Arche, *Über den Cerit und dessen Aufarbeitung auf Cer, Lanthan und Didymverbindungen.* Vf. hatte einen Cerit in Händen welcher aus der Zusammensetzung (Ce,La, Dy)$_2$Si$_2$O$_... \cdot 2H_2O$, wobei Ce, La, Dy = 142,4 angenommen ist und schloß denselben auf folgende Weise auf. Der Cerit wurde durch Stoßen und Schlämmen verkleinert und das so erhaltene vom Schlämmwasser gut getrocknete Material mit Vitriolöl behandelt. 500 g des Cerites werden mit 200—220 ccm Vitriolöl zu einem steifen Brei angerührt und durch fortwährendes Rühren mit einem Spatel noch 50 ccm Vitriolöl zugesetzt. Die Masse wird schließlich licht und trocken, so daß sie bei weiterer Behandlung mit dem Spatel zu stauben beginnt. Den Inhalt der Schale trägt man nach und nach in ein mit 6—8 l Brunnenwasser gefülltes Gefäß, wobei man Sorge trägt, daß die Temperatur auf 0—2° C. erniedrigt bleibt. Es lösen sich die Sulfate, während der unaufgeschlossene Cerit, sowie die Kieselsäure sich absetzen. Das Auswaschen des Rückstandes nach dekantieren der Lösung setzt man zwei Mal fort. Der Rückstand kann einer zweiten und dritten Operation des Aufschließens unterworfen werden, während man die Lösungen der Sulfate nach BUNSEN weiter verarbeitet, indem man zuerst durch Einleiten von H$_2$S alle

Metalle der zwei ersten Gruppen entfernt. Nach Filtration der Sulfide wird die Flüssigkeit mit Cl oxydiert und mit Oxalsäure Cer, Lanthan und Didym als Oxalate gefällt, sie werden in Form eines rosenroten ·Niederschlages erhalten.

Die Verluste bei dieser Art des Aufschließens berechneten sich bei der ersten Partie auf 3,9 p. c. Rückstand und 9,2 p. c. durch Schlämmen; bei einer zweiten Partie auf 3,5 p. c. Rückstand und 10,3 p. c. durch Schlämmen (bezogen auf in Verwendung gezogene Ceritmenge).

Um die Menge der in den Oxalaten enthaltenen Oxyde zu bestimmen, wurden 0,735 g bei 110° getrocknet und bis zum konstanten Gewichte geglüht. Diese 0,735 g Oxalate ergaben 0,3618 g Oxyde, d. i., auf die ursprüngliche Ceritmenge berechnet, 61,3 p. c.

Das Glühen der Oxalate nimmt man vorteilhaft in einem größeren Porzellantiegel vor, mit je 20—30 g auf einmal, da einerseits größere Mengen der Oxyde, in hessischen Tiegeln geglüht, zu festen Klumpen zusammenbacken und durch die rauhen Wände der Tiegel Verluste bedingt werden, und andererseits ein Glühen von größeren Mengen Oxalaten in Platingefäßen dieselben ein brüchiges Gefüge erhalten, der Boden des Tiegels aufgebläht wird und schließlich in großen Rissen auseinander klafft.

Die so dargestellten Oxyde sind stets eisen- und calciumhaltig und mußten, bevor an eine Trennung der Ceritoxyde geschritten werden konnte, von diesen beiden Metallen befreit werden.

Über die bei diesen Trennungsversuchen angestellten Beobachtungen, sowie über die Trennungsmethode wird Vf. demnächst berichten. (Monatsh. f. Chem. 4. 913—25. 12. Jan. 20. Dez. 1883. Wien.)   P.

Rud. Emmerich, *Das Brunnenwasser von Lissabon.* (Arch. f. Hygieine 1. 389—96. München.)   P.

Beiträge für das Centralblatt bittet man an die Redaktion (Leipzig, Lessingstr. 5) zu richten. **Originalarbeiten** von nicht zu großem Umfange werden entsprechend honoriert und gelangen stets sofort nach der Einsendung, und zwar in kürzester Frist, zum Abdruck.

Redaktion: Prof. Dr. **Rud. Arendt** in Leipzig.

Verlag von Leopold Voss in Hamburg und Leipzig. — Druck von **Metzger & Wittig** in Leipzig.

Chemisches Centralblatt.

REPERTORIUM
für reine, pharmazeutische, physiologische u. technische Chemie.

| 1884. | **Beiblatt.** | 16. April. |

Alle auf das **Beiblatt** bezüglichen Mitteilungen, Anfragen und Zusendungen sind zu richten an die Buch-
handlung LEOPOLD VOSS in Hamburg, Hohe Bleichen 18.
Inserate werden mit 20 Pf. für die gespaltene, mit 40 Pf. für die durchlaufende Petit-Zeile berechnet.
Bei größeren Inseraten und mehrmaligen Wiederholungen tritt entsprechende Ermäßigung des Preises ein.
Beilagen nach Übereinkunft.

Vermischte Notizen.

Wie von verschiedenen Seiten gemeldet
wird, ist ein Gesetzentwurf betreffend die
Verwendung von Blei, Zink und deren Legierungen im Bundesrat in Vorbereitung.
Anfangs war beabsichtigt, die bezüglichen
Bestimmungen in Ausführung des § 5 des
Gesetzes vom 14. Mai 1879 betr. den Verkehr mit Nahrungsmitteln etc. in Form
einer kaiserl. Verordnung zu erlassen. Man
hat diese Absicht aufgegeben und es wird
jetzt ein Gesetzentwurf ausgearbeitet, der
diese Angelegenheit regeln wird. --
Auf Anordnung des Reichskanzlers werden im Lanfe des Monats April kommissa-
rische Berathungen behufs Herbeiführung
einer Vereinbarung über die bei der Untersuchung von Wein auf Grund des Gesetzes
vom 14. Mai 1870 anzuwendenden Methoden
stattfinden. —
Der französischen Kammer ist von der
Regierung ein Gesetzentwurf betr. die Apo-
thekenrevisionen vorgelegt worden. Derselbe schreibt den Inspektoren, welche vom
Handelsminister zu den Revisionen ernannt
worden, zugleich die Nahrungsmittelkontrolle
zu, letztere besonders in Kommunen, die
hierzu keine geeigneten Organe besitzen.
Die Revisionen haben sich auch auf den
Gifthandel außerhalb der Metallen sowie
auf den Verkehr mit Petroleum und andern
Leuchtstoffen zu erstrecken. —
Unter dem Protektorate des Königs
Ludwig II. von Bayern veranstaltet das
bayrische Gewerbemuseum in Nürnberg in
der Zeit vom 15. Juni bis 30. September
1885 eine internationale Ausstellung von
Arbeiten aus edlen Metallen und Legierungen. Der *Reichsanzeiger* No. 68 publiziert
bereits das Programm dazu. — Anmeldun-
gen, welche die Art der Gegenstände und
das Raumbedürfnis hierfür betreffen, sind
bis spätestens den 1. Juni d. J. an das
Bayr. Gewerbemuseum in Nürnberg ein-
zusenden. —
Vom 10—12. März t. c. tagte der Vorstand des D. Apotheker-Vereins in Berlin,
wobei es sich um die Ausführung der Beschlüsse der Wiesbadener Generalversamm-

lung handelte. Zunächst wurden die Sta-
tuten der den Beschlüssen der Generalversammlung gemäß zu bildenden Ehrenräte
festgestellt und dann über die Gehülfen-
Kranken- und Pensionskassen beraten. Der
Vorstand beschloß, sich vorläufig noch ab-
wartend zu verhalten. Sodann wurde eine
Kommission gewählt, die die Pharmacopoea
Germ. Ed. II. einer gründlichen Prüfung unterwerfen soll. Eine zweite Kommission soll
die Feststellung einer einheitlichen Reichs-
taxe vorbereiten, eine dritte eine Denk-
schrift ausarbeiten, mittels der D. Apoth.
Ver. dahin wirken will, daß den Homöo-
pathen das Dispensierrecht genommen
werde. Endlich kam noch der Kontrakt
an die Reihe, den der D. A.-V. mit dem
Direktorium des germanischen National-
museums wegen Errichtung einer historisch-
pharmazeutischen Sammlung abzuschließen
beabsichtigt. —
Nach der *D. Amer. Apoth.-Ztg.* sind
folgende Daten bezeichnend für die Zunahme der Geheimmittelindustrie in England während der verflossenen 20 Jahre.
Während sich seit 1863 die Zahl der Händler von 10193 auf 19404 erhöhte, wurden
im letzten Jahre 18457990 Steuermarken
für Geheimmittelverkauf gegen 666'657
im Jahre 1863 ausgegeben. —
Der Gesamtwert der Einfuhr von
Fabrikaten in Frankreich betrug 1883:
663202000 Fr. gegen 647237000 Fr. in
1882. Darunter waren 1883: Salpetersaure
Salze 42540000Fr., Chemikalien 33474000Fr.
— Die Ausfuhr von Nahrungsgegen-
ständen bezifferte sich in 1883 auf
844710000Fr., darunter: Weine240854000Fr.,
Branntwein und Liköre 72633000 Fr., In-
ländisch. Zucker 30035000 Fr., Raffinierter
Zucker 86840000 Fr. —
Vom 14—16. März tagte in Berlin der
sechste Balneologen-Kongreß (balneo-
logische Sektion der Gesellschaft für Heilkunde) unter dem Voreitz des Sanitätsrats,
Dr. G. Thilenius. Die Reihe der wissen-
schaftlichen Vorträge eröffnete Dr. Jakob
Cudowa über das kranke Herz und die
Regulierung desselben durch gewöhnliche

Bäder, kohlensaure Stahlbäder und Muskelthätigkeit.

Dr. Schott-Nauheim sprach über den Kohlensäuregehalt der Nauheimer Sprudelbäder. Betreffs der Soolbäder wurde auf Antrag von Prof. Liebreich die Resolution angenommen: „die 6. Versammlung der Balneologen erklärt einstimmig, daſs nach den klinischen Erfahrungen das Soolbad ein ungemein wichtiges therapeutisches Hilfsmittel ist, welches heutzutage nicht mehr entbehrt werden kann, wenn auch zur Zeit, wie bei andern Heilmethoden, die physiologische Wirkung noch nicht ganz klar gestellt ist." —

Am 3. März ist die Zinnwarenfabrik der United States Stamping Company in Portland (Konnektikut) niedergebrannt; der Schaden beläuft sich auf 400000 Dollars. —

Bei Vienenburg am Harz hat man ein mächtiges Kalisalzlager erbohrt. Es hat sich bereits ein Konsortium zur Förderung der Kalisalze zusammengethan. —

In Leipzig starb am 7. März der Geheimrat Prof. Dr. Radius, der 124 Semester der Universität als Professor der Hygieine und Pharmakologie aktiv angehörte und 86 Jahre alt wurde. Es war ihm vergönnt sowohl das goldene, als das diamantene Doktorjubiläum zu feiern und sich dabei der ehrendsten Kundgebungen von allen Seiten zu erfreuen. —

In Stockholm starb am 27. Februar die Wittwe des am 7. August 1848 verstorbenen Prof. J. Berzelius, Freifrau Elisabeth v. Berzelius, geb. Poppius im 71. Lebensjahre. —

Die Akademie der Wissenschaften in Paris hat dem Chemiker Cailletet ihren Preis von 10000 fr. für die Flüssigmachung des Sauerstoffs verliehen. —

Prof. Dr. Fittbogen, Direktor der Landwirtschaftsschule und Vorsteher der agrikulturchemischen Versuchsstation in Dahme ist zum Professor ernannt worden. —

Prof. v. Vossler ist zum Direktor der landwirtschaftlichen Akademie zu Hohenheim ernannt, dem Dr. Emil v. Wolff, ebenda, das Komthurkreuz des Kgl. Württembergischen Friedrichs-Orden verliehen worden. —

Am 1. März hielt das Berliner chemische Universitätslaboratorium in den Räumen des Stadtparkes seinen diesjährigen Semesterkommers ab. Aufser den Praktikanten sah man in der Corona die Dozenten der Chemie der Universität Berlin und zahlreiche alte Schüler Hofmanns. Um 11 Uhr erschien der Direktor des Laboratoriums, Prof. A. W. Hofmann, welcher an diesem Abende einer Soirée beim Kaiser beigewohnt hatte Die Heiterkeit erreichte den höchsten Grad. als von einigen Jüngern der Chemie ein selbstverfafstes humorvolles Theaterstück „C₆H₄(OH)· COOH" aufgeführt wurde, welches die Darstellung der Salicylsäure zum Thema hatte. Prof. Hofmann erzählte in seinem Trinkspruche von seinen amerikanischen Erlebnissen und kommandierte einen Salamander auf die deutsche Studentenschaft. Erst am frühen Morgen trennte man sich schweren Herzens und mit schweren Köpfen, um schon wenige Stunden darauf beim Katerfrühstück die heilsamen Wirkungen des Äthylalkohols wieder zu probieren.

Anzeigen.

Verlag von Leopold Voss in Hamburg und Leipzig. — Druck von J. F. Richter in Hamburg.

№ 17. **Chemisches** **23. April 1884.**

Wöchentlich eine Nummer von
1–3 Bogen. Der Jahrgang mit
Sach- und Namen-Register,
nebst system. Übersicht.

Central-Blatt.

Der Preis des Jahrgangs
ist 30 Mark. Durch alle
Buchhandlungen und Post-
anstalten zu beziehen.

REPERTORIUM

für reine, pharmazeutische, physiologische und technische Chemie.

Dritte Folge. XV. Jahrgang.

Wochenbericht.

2. Allgemeine Chemie.

F. M. Raoult, Über *die Erniedrigung des Erstarrungspunktes der Alkalisalzlösungen* (Forts. von **83.** 785). Als Fortsetzung seiner früheren Arbeiten hat der Vf. eine neue Versuchsreihe ausgeführt und dabei die Salze in fünf Gruppen unterschieden, und zwar nach der Zahl der Metallatome, welche dieselben enthalten. Die erste Gruppe umfaßt alle neutralen oder sauren Alkalisalze mit 1 Atom Metall; die molekulare Erniedrigung beträgt hier im Mittel 32. Die zweite Gruppe mit 2 Atomen Metall ergab die Zahl 40, die dritte Gruppe mit 3 Atomen Metall: 48, die vierte Gruppe mit 4 Atomen Metall: 47 und die fünfte Gruppe mit 6 Atomen Metall: 96. Auf die Einzelheiten der Versuche sei hiermit verwiesen. (C. r. **98.** 509—512. [25.*] Febr.)

Berthelot und **Guntz,** Über *die Gleichgewichte zwischen Chlorwasserstoffsäure und Fluorwasserstoffsäure.* Die Fluorwasserstoffsäure und Chlorwasserstoffsäure können sich gegenseitig verdrängen nach Mafsgabe der Bildung von Hydrofluoriden, sei es in wasserfreiem, sei es in wasserhaltigem Zustande. Dies ist das Ergebnis der letzten Untersuchungen der Vff. (8. 303). Es wurde gleichzeitig nachgewiesen, dafs diese Salze durch Wasser teilweise dissociiert werden, indem die wahren Mengen von Säure und verbundenem Fluorid durch den relativen Überschufs dieser beiden Komponenten wechseln. Durch die vorliegende Arbeit beabsichtigen die Vf., zu zeigen, dafs die verschiedenen Dissociationsgrade des Hydrofluorids den Gleichgewichtszustand zwischen den beiden Hydrosäuren selbst bestimmt. Dieser Beweis ist derselbe, wie der, welchen BERTHELOT für die relativen Verdrängungen und das Gleichgewicht zwischen der Schwefelsäure und der Salzsäure gegeben hat (Essai de Mécanique Chimique 2. 638). In beiden Fällen stützt er sich auf die Existenz eines sauren Salzes (Disulfat, Hydrofluorid), auf das thermische Übergewicht und endlich auf die partielle Dissociation durch das Lösungsmittel. Hierbei intervenieren vier Komposanten, welche bei den Versuchen variiert worden sind. Die Vff. geben zuerst die erhaltenen Resultate.

1. *Überschufs des alkalischen Fluorids:*

$$HCl\ (1\ \ddot{A}q. = 2\ l) + KF\ (1\ \ddot{A}q. = 2\ l)\ \text{bei}\ 8^\circ\ -\ 2,18\ \text{cal}$$
$$„ \qquad\qquad\qquad + 2\,KF\ \cdots\cdots\ -\ 2,65\ „$$
$$„ \qquad\qquad\qquad + 4\,KF\ \cdots\cdots\ -\ 2,60\ „.$$

2. *Überschufs des alkalischen Chlorids:*

$$HF\ (1\ \ddot{A}q. = 2\ l) + KCl\ (1\ \ddot{A}q. = 2\ l)\ \cdots\ +\ 0,17\ \text{cal}$$
$$„ \qquad\qquad\qquad + 2\,KCl\ \cdots\cdots\ +\ 0,25\ „$$
$$„ \qquad\qquad\qquad + 4\,KCl\ \cdots\cdots\ +\ 0,34\ „.$$

3. *Überschufs der Fluorwasserstoffsäure:*

$$KCl\ (1\ \ddot{A}q. = 2\ l) + HF\ (1\ \ddot{A}q. = 2\ l)\ \cdots\ +\ 0,17\ \text{cal}$$
$$„ \qquad\qquad\qquad + 2\,HF\ \cdots\cdots\ +\ 0,21\ „.$$

4. *Überschuſs des Salzsäure:*

$$\text{KF (1 Äq.} = 2 \text{ l)} + \text{HCl (1 Äq.} = 2 \text{ l)} \ldots - 2{,}18 \text{ cal}$$
$$\text{"} \qquad\qquad\qquad + 2\,\text{HCl} \ldots\ldots\ldots - 2{,}32 \text{ "}$$
$$\text{"} \qquad\qquad\qquad + 4\,\text{HCl} \ldots\ldots\ldots - 2{,}30 \text{ "} .$$

Die Differenz der Neutralisationswärmen zwischen Chlorwasserstoff und Fluorwasserstoff gegenüber von Kali ist gleich — 2,35 cal unter den Versuchsbedingungen.

Prüfen wir nun das, was die Theorie voraussehen läſst, mit den experimentellen Daten und beginnen dabei mit den Grenzfällen bei denen ein Überschuſs des einen der Komponenten die Sättigung des Antagonisten bewirkt, d. h. so vollständig, als es bei der Gegenwart des Lösungsmittels möglich ist.

Durch überschüssiges Fluorkalium wird die Salzsäure vollständig in Kaliumchlorid umgewandelt, da letzteres durch Wasser nicht zersetzt wird, während die Fluorwasserstoffsäure zur Bildung von Hydrofluorid Veranlassung giebt, soweit dasselbe neben Chlorkalium unter den Versuchsbedingungen existieren kann. Dieses Ergebnis der Theorie wird durch die obigen Zahlen bestätigt, denn die vollständige Umwandlung des neutralen Fluorids in eine äquivalente Menge Chlorid würde — 2,35 cal absorbieren. Die Umwandlung der freigewordenen Fluorwasserstoffsäure in Fluorhydrat absorbiert überdies — 0,36 cal, also im ganzen — 2,71 cal. Diese Zahl entfernt sich aber nicht sehr von der oben gefundenen — 2,60 cal. Bei weniger als 2 Äq. Fluorid enthält die Flüssigkeit übrigens von diesem nicht mehr genug, damit es ganz in Hydrofluorid umgewandelt werden kann; hiervon wird weiter unten die Rede sein.

Bei überschüssigem, alkalischem Chlorid wird die Fluorwasserstoffsäure umgekehrt in Hydrofluorid umgewandelt, eine Grenze, welche die Reaktion nicht überschreiten kann, in Gemäſsheit der Berechnung über die Bildung dieses Salzes bei Abwesenheit von Wasser. Wenn diese Bildung so vollkommen erfolgte, als sie bei der Gegenwart des Lösungsmittels und bei einem groſsen Überschuſs von Fluorwasserstoffsäure möglich ist, so würde sie + 2,35—0,78 = + 1,57 cal entwickeln. Allein sie wird durch die Reaktion der Chlorwasserstoffsäure auf das neutrale Fluorid gehindert, welches sich immer bildet, weil es durch Dissociation des sauren Salzes durch Wasser entsteht. Hierdurch stellt sich ein Gleichgewichtszustand zwischen diesen verschiedenen gleichzeitigen Reaktionen her. Die höchste beobachtete Zahl, + 0,34 cal entspricht der Zersetzung von ¹/₆ Äq. Kaliumchlorid unter Bildung des Fluorhydrats. Dieses entsteht aber, wie sogleich gezeigt werden soll, genau im Einklang mit der Theorie. Man sieht hieraus, wie weit in der wässerigen Lösung die Dissociation des Fluorhydrats fortgeschritten ist.

Bei Gegenwart von überschüssiger Fluorwasserstoffsäure variiren die erhaltenen Zahlen wenig (von + 0,17—0,21 cal) wahrscheinlich weil ein groſser Überschuſs der Säure nötig ist, damit eine gewisse Menge des Fluorhydrats bei Gegenwart von Wasser bestehen kann. Die obigen Zahlen deuten auf eine Zersetzung von ¹/₈ bis ¹/₁₀ Chlorid, was ebenfalls der theoretischen Berechnung entspricht.

Bei überschüssiger Salzsäure endlich wird eine totale Zersetzung des Fluorids bewirkt, ein Resultat, welches sich nach der Theorie voraussehen läſst, und zwar wegen der Beständigkeit des Chlorids und der Dissociation des Fluorhydrates. Nachdem hierdurch die Grenzfälle festgestellt sind, gehen wir zur Prüfung der mittleren Resultate über. Wenn man von dem neutralen Fluorid weniger als 2 Äq. für 1 Äq. Salzsäure nimmt, so kann letztere nicht mehr vollständig in das Chlorid umgewandelt werden, weil sie nur das neutrale Fluorid und nicht das Fluorhydrat zersetzt; ein Teil der Salzsäure bleibt also frei. Bei gleichen Äquivalenten scheint es, daſs nur die Hälfte des Fluors durch Chlor ersetzt wird, und zwar unter Bildung von Fluorhydrat nach der Gleichung:

$$2\,\text{HCl} + 2\,\text{KF} = \text{KCl} + \text{KF,HF} + \text{HCl.}$$

Aber das so gebildete Fluorhydrat kann bei Gegenwart von Wasser nicht seiner ganzen Menge nach bestehen bleiben: es dissociiert sich teilweise und sogar bis zu einem ansehnlichen Bruchteil; deshalb enthält die Lösung eine beträchtliche Menge von neutralem Fluorid, welches durch freie Salzsäure angegriffen wird und eine neue Menge Chlorid und Fluorwasserstoffsäure giebt; letztere dient dazu, die Stabilität des noch vorhandenen Hydrofluorids zu erhöhen und dadurch die Mengen desselben zu vermehren. Diese Reaktion würde einer Wärmeabsorption von — 2,72 cal für 2 KF und von — 1,34 cal für 1 KF entsprechen, wenn das ganze Fluorhydrat bestehen bliebe. Allein letzteres wird durch das Wasser teilweise in Fluorwasserstoffsäure und neutrales Fluorid zersetzt, welche beide mit dem unzersetzten Fluorhydrat ein Gleichgewichtssystem bilden. Durch überschüssige Salzsäure wird dieses Gleichgewicht modifiziert und das neutrale Fluorid, welches durch die Dissociation entstanden ist, angegriffen, so daſs sich wieder Hydrofluorid, freie Fluorwasserstoffsäure und eine entsprechende Menge Chlorkalium bilden. Die

Menge des in der Flüssigkeit vorhandenen Hydrofluorids nimmt also zu, und zwar um so mehr, je mehr die Beständigkeit dieses Salzes durch die Gegenwart einer gewissen Menge freier Fluorwasserstoffsäure erhöht wird.

Auch diese Reaktion absorbiert Wärme. Diese läfst sich bis zu einem gewissen Punkte aus den Versuchen mit reinem Fluorhydrat und überschüssiger Fluorwasserstoffsäure berechnen. In der That geht aus den Versuchen der Vff. hervor, dafs die verhältnismäfsige Menge des sauren Salzes in der Lösung 2—5 Tle. beträgt, wenn ein grofser Überschufs vorhanden ist. Nimmt man an, dafs die letztere Zahl der obersten Grenze der Zersetzung des Fluorhydrats durch Wasser entspricht, so mufs man umgekehrt annehmen, dafs $^4/_5$ des ursprünglichen Fluorids durch Salzsäure zersetzt werden, wenn diese in gleichen Äquivalenten auf das Fluorid einwirkt. Die Wärmeabsorption würde dann $-2,75 \times ^4/_5 = -2,18$ cal betragen; dies entspricht genau dem obigen Versuchsresultat.

Umgekehrt mufs durch die Einwirkung von 1 Äq. Fluorwasserstoffsäure auf 1 Äq. Chlorkalium $^1/_5$ Äq. Fluorhydrat entstehen, was einer Wärmemenge von $^1/_5 (+ 2,35 - 0,78)$ $= + 0,16$ cal entsprechen würde. Auch diese Zahl stimmt mit den obigen Versuchen überein. Wenn man aber die Menge des alkalischen Chlorids oder der Fluorwasserstoffsäure vermehrt, so nimmt die Menge des Hydrofluorids allmählich zu, wenngleich langsamer, als der einfachen Proportionalität entspricht, und zwar wegen der Zunahme der Dissociation infolge der gleichzeitig vermehrten Wassermenge. Auch diese theoretische Konsequenz wird durch den Versuch bestätigt.

Es bildet sich also in allen Fällen ein Gleichgewicht zwischen der Salzsäure und der Fluorwasserstoffsäure gegenüber den entsprechenden Kaliumsalzen, und dieses Gleichgewicht wird durch die Bildung des Hydrofluorids und die Dissociation desselben durch Wasser geregelt. Die Beständigkeit des Kaliumchlorids vereinfacht übrigens die Erscheinung. Wenn eine antagonistische Säure vorhanden ist, welche ebenfalls mit den betreffenden Basen mehrere Salze bilden kann, unter denen sich saure, dissociierbare befinden (z. B. Dioxalate, Ditartrate oder selbst Diacetate), so mufs man diesen Umständen zugleich mit Rechnung tragen, ebenso der partiellen Zersetzung der neutralen Salze schwacher Säuren (Cyanide, Acetate) durch Wasser. (C. r. **98.** 463—67. [25.*] Febr.)

Guntz, Bildungswärme des Chlorids und der Oxychloride des Antimons. Antimonchlorid wird bekanntlich durch Wasser zersetzt und giebt dabei die Oxychloride SbO_2Cl, Sb_2O_3Cl oder Antimonoxyd. Der Vf. hat diese Reaktion thermisch untersucht, indem er die Bildungswärme dieser Verbindungen aus krystallisiertem Antimonoxyd und gasförmiger Chlorwasserstoffsäure bestimmte.

I. *Bildungswärme des Antimonchlorides.* Hierzu wurden zwei Methoden angewendet, welche dasselbe Resultat ergaben.

1. Man löste ein bestimmtes Gewicht Antimonchlorid in einer konzentrierten Lösung von Chlorwasserstoff (110 g im Liter), andererseits das entsprechende Gewicht Antimonoxyd in soviel Salzsäure, dafs der Endzustand beider Lösungen derselbe war. Aus den bei 9° erhaltenen Zahlen, der Lösungswärme und der Verdünnungswärme der Salzsäure berechnet man das Resultat. Es wurde gefunden für:

$$SbO_3 \text{ wasserfrei prismatisch} + 3\,HCl \text{ Gas} = SbO_2Cl_3 \text{ fest} + 3\,HO \text{ fest} \quad . \quad . \quad +47{,}24 \text{ cal}$$

die Zahlen $+47,37$, $+46,92$, $+46,42$ cal.

2. Man löste Antimonchlorid in einer sehr verdünnten Lösung von Fluorwasserstoffsäure (10 g in 1 kg Lösung) und dann die entsprechende Menge Oxyd in einer solchen Lösung, dafs der Endzustand in beiden Fällen derselbe war. Diese Methode ist vorteilhaft wegen der Löslichkeit des Antimonfluorids. Bei 9° ausgeführte Versuche ergaben für die Bildungswärme des Chlorides aus prismatischem Antimonoxyd und gasförmiger Chlorwasserstoffsäure: $+47,26$, $+47,51$, im Mittel $+47,38$ cal. Der Vf. nimmt die Zahl $+47,4$ cal an.

3. *Bildungswärme des Antimonoxychlorides,* SbO_2Cl. Das Oxychlorid, SbO_2Cl, wurde dargestellt, indem man 10 Tle. Antimonchlorid durch 7 Tle. kaltes Wasser zersetzte. Die Zersetzung wurde durch eine genaue Analyse bestimmt. Man mafs die Bildungswärme, indem man das Salz bei 9° in verdünnter Fluorwasserstoffsäure löste und wie vorher verfuhr. Es wurde gefunden $+19,33$ cal, $+19,53$ cal für:

$$SbO_3 \text{ krystall. prismatisch} + HCl \text{ Gas} = Sb_2Cl \text{ fest} + HO \text{ fest} \quad . \quad . \quad . \quad +19{,}4 \text{ cal}.$$

4. *Bildungswärme des Antimonoxychlorides,* Sb_2O_3Cl. Das Oxychlorid, dessen sich der Vf. bediente, war gut krystallisiert in Prismen des triklinen Systemes. Es war im reinen und wasserfreien Zustande dargestellt worden durch Zersetzung von Antimonchlorid durch das gleiche Gewicht Wasser bei 250°. Die thermischen Methoden waren dieselben wie vorher. Man fand bei 9°: $+2 \times 10,44$ cal $+2 \times 10,51$ cal für:

21 *

2 SbO$_3$ fest prismatisch + HCl Gas = Sb$_2$O$_4$Cl fest + HO fest . . . +2 × 10,3 cal.

Man kann aus diesen Zahlen die Einwirkung des Wassers auf das Antimonchlorid ableiten, wenn man die Identität der gebildeten Produkte (Oxyd oder Oxychlorid) annimmt:

SbCl$_3$ fest + n HO = SbO$_2$Cl fest + (n−2) HO + 2 HCl . . . . . +8,36 cal−2 A$_1$
SbCl$_3$ fest + n HO = $^1/_5$ Sb$_5$O$_6$Cl fest + (n−$^6/_5$) HO + $^6/_5$ HCl . . +8,46 „ −$^6/_5$ A$_2$
SbCl$_3$ fest + n HO = SbO$_3$ fest + (n−3) HO + 3 HCl . . . . . +7,1 „ −3 A$_3$

Sei A die Wärme, welche bei der Auflösung von 1 Äq. Salzsäure, deren Konzentration einer der obigen Formeln entspricht, in einer großen Menge Wasser frei wird. Man sieht, daß sich zuerst die Oxychloride des Antimons bilden müssen, da ihre Bildung dem thermischen Maximum entspricht, und ferner, daß, wenn A relativ groß und:

$$8,36 - 2A_1 > 8,46 - 2,5A_2$$

ist, das Oxychlorid SbO$_2$Cl dem Maximum entspricht und sich in diesem Falle hauptsächlich bildet. Da man aber nicht genau den Dissociationszustand der Salzsäurehydrate in der Flüssigkeit kennt, so läßt sich A nicht genau berechnen und daraus n ableiten, d. h. diejenige Menge Wasser, welche, indem man sie dem Antimonchlorid zusetzt, das Oxychlorid SbO$_2$Cl bildet.

Wir können nur den Sinn der Erscheinung feststellen, d. h. die vorausgehende Bildung des Oxychlorides SbO$_2$Cl und die darauf folgende der Verbindung Sb$_2$O$_4$Cl. Dies steht im Einklange mit den Beobachtungen von SABANEJEFF über die Einwirkung von Wasser auf Antimonchlorid.

Der Vf. ist zur Anstellung dieser Versuche veranlaßt worden, da er das von THOMSEN angenommene Hydrat, SbO$_3$,3 HO, auf welches dieser seine Zahlen bezieht, nicht hat erhalten können; bei der von diesem angewendeten Methode bestehen in den Zahlen, welche er in seinem Werke über Thermochemie angiebt, zahlreiche Ungenauigkeiten. In der That giebt die Zersetzung des Antimonchlorides durch Wasser nicht genau das Oxychlorid Sb$_2$O$_4$Cl, und überdies verliert dasselbe beim Waschen mit Wasser eine beträchtliche Menge Chlor. Ferner hält das Oxychlorid bei der Behandlung mit verdünnter Natronlösung immer eine gewisse Menge Alkali zurück, und man kann deshalb aus der Titerabnahme der Flüssigkeit nicht, wie es THOMSEN gethan hat, die wahre Menge Natron berechnen, welche zur Umwandlung des Oxychlorides in Oxydhydrat gebraucht wurde.

Aus diesem Grunde läßt sich die Übereinstimmung der Zahlenresultate nur auf zufällige Kompensationen zurückführen, indem z. B. der beim Auswaschen bewirkte Chlorverlust durch eine entsprechende Abnahme des alkalimetrischen Titers infolge der Fixation von Natron kompensiert wird. (C. r. 98. 512—14. [25.*] Febr.)

4. Organische Chemie.

L. Henry, Über *die Addition von Chlorjod JCl zu Monochloräthylen,* CH$_2$—CHCl. Der Vf. beabsichtigte, auf die drei monosubstituierten Halogenderivaten C$_2$H$_3$X des Äthylens: CHCl—CH$_2$, CHBr—CH$_2$ und CHJ—CH$_2$ Chlorjod einwirken zu lassen, um zu sehen, wie die Elemente des letzteren, welche in ihrer Energie verschieden sind, sich gegenüber den Kohlenstoffkernen —C$\lesseqgtr^X_H$ und —C$\lesseqgtr^H_H$ verhalten, und welchen Einfluß auf ihre Lokalisation die Natur des vorhandenen Halogens X ausübt.

In der vorliegenden Arbeit beschäftigt sich Vf. zunächst mit der Einwirkung des Chlorjods auf das Monochloräthylen. Wie sich erwarten ließ, wird letzteres noch langsamer als das Äthylen durch eine wässerige Lösung von Chlorjod absorbiert; das entstehende Produkt sinkt zu Boden, wo es ein schwach bräunlich gefärbtes Öl bildet. Dasselbe ist von bemerkenswerter Reinheit und hat die Zusammensetzung C$_2$H$_3$Cl$_2$J, im Lichte färbt es sich rasch purpurrot; es besitzt einen schwachen ätherartigen Geruch und einen süßlichen und zugleich stechenden Geschmack; spez. Gewicht 2,2187 bei 0° bezogen auf Wasser von derselben Temperatur; es siedet bei 171—172° (774 mm Druck), indem es sich schwach violett färbt. Durch einen Tropfen Quecksilber wird es leicht entfärbt. Dieser Siedepunkt ist derjenige, welcher dem Körper nach Maßgabe seiner Zusammensetzung im Vergleich mit anderen Derivaten des Äthans zukommt. Die Frage, welches die Struktur dieses Derivates ist, und welche Stellung dem JCl gegenüber den beiden Kernen CH$_2$ und CHCl zukommt, läßt sich durch Einwirkung starker Basen entscheiden. Alkoholisches Kali wirkt auf die Verbindung augenblicklich ein. Bei Anwendung molekularer Mengen wurde ein gemischter Niederschlag von Kaliumjodid und Kaliumchlorid in dem Verhältnis 4 KJ + KCl erhalten: $^4/_5$ des Dichloräthyljodids C$_2$H$_3$Cl$_2$J, haben also ein Molekül HJ und das fünfte 1 Mol. HCl in Form von Alkalisalzen verloren. Alkoholisches Natron wirkt ebenfalls ein, doch mit dem Unterschied, daſs nur das Chlornatrium sich niederschlägt, während das Jodnatrium in Alkohol gelöst bleibt. Diese beiden Reaktionen stimmen also sehr gut überein.

Aus der filtrierten alkoholischen Lösung wird durch Wasser ein unlösliches, zu Boden sinkendes, durch Jod braun gefärbtes Öl abgeschieden; dasselbe trennt sich bei der Destillation leicht in zwei ungleiche Teile. Der gröſsere von beiden besteht aus dissymetrischem Dichloräthylen $H_2C=CCl_2$ (Siedepunkt 35—37°), der kleinere ist dissymetrisches Chlorjodäthylen $H_2Cl=CClJ$, welches bei 101—102° bei gewöhnlichem Luftdruck siedet. Welche Bedeutung ist nun diesen Thatsachen bezüglich der Addition von JCl zu geben? Aus Gründen, deren Angabe zu weit führen würde, ist der Vf. zuerst zu der Annahme gelangt, daſs das Jod sich ganz mit dem Kern — CH_2 verbindet, und daſs das Additionsprodukt $C_2H_3Cl + JCl$ nur aus dissymetrischem Dichloräthyljodid $CHCl_2—CH_2J$ besteht. Er glaubte, die Bildung des Chlorjodäthylens $CH_2=CClJ$ durch die Einwirkung von $CH_2=CCl_2$, welches aus $CHCl_2=CH_2J$ durch kaustische Alkalien entsteht, auf das gleichzeitig gebildete Alkalijodid erklären zu können. Diese Annahme hat sich aber nicht bestätigt, denn es wurde konstatiert, daſs $CH_2=CCl_2$ ebenso wie $CH_2=ClBr$ unter den Versuchsbedingungen mit alkalischen Jodiden und namentlich mit NaJ in alkoholischer Lösung beim Siedepunkt keine Wechselzersetzung eingeht. Das Chlorjodäthylen $CH_2=CClJ$ ist demnach nicht als das Produkt einer sekundären Reaktion anzusehen. Wenn dem so ist, so muſs man annehmen, daſs die ursprüngliche Verbindung $C_2H_3Cl_2J$ nicht homogen ist, sondern aus zwei Isomeren $CHCl_2—CH_2J$ und $CHClJ—CH_2Cl$ besteht, welche sich in ungleichen Mengen vorfinden, und zwar im Verhältnis von 4 Molekülen des ersteren zu 1 Molekül des letzteren. Der Vf. bemerkt, daſs nach den Analogien mit anderen Äthanverbindungen zwei Isomere von dieser Natur denselben oder nahezu denselben Siedepunkt haben müssen; es ist also nicht möglich, beide durch Destillation zu trennen. Es folgt hieraus, daſs die beiden Radikale J und Cl sich gleichzeitig auf jedem der beiden Kerne CHCl und CH_2 im Monochloräthylen C_2H_3Cl fixieren, aber in ungleichen Mengen: das Chlor verbindet sich hauptsächlich mit dem wasserstoffärmeren Kohlenstoffkern, tritt also in die Nähe des bereits vorhandenen Chlors; das Joden als weniger negatives Radikal, verbindet sich mit dem anderen Kern im Verhältnis von 4 : 1.

In einer späteren Mitteilung wird der Vf. darüber berichten, wie sich Chlorjod zu Monobromäthylen verhält. Er kann jetzt schon sagen, daſs die Teilung der Radikale J und Cl in bezug auf die beiden Kohlenstoffatome in anderer Weise erfolgt. (C. R. **98.** 518—521. [25°.] Febr.).

E. Divers und **Michitada Kawakita.** Über *die Zersetzung des Knallsilbers.* (Journ. Chem. Soc. **45.** 75—76. März; Centralbl. 1884. 215.)

E. Divers und **Michitada Kawakita**, *Nachträgliche Bemerkung zur Darstellung des Knallsilbers.* (Journ. Chem. Soc. **45.** 76—78. März; Centralb. 1884. 215).

G. Arth, *Neue Spaltung des Äthylcarbamats.* Die Verbindung $C_{11}H_{19}NO_2$, welche durch Einwirkung von Cyan auf Jodborneol entsteht, spaltet sich, wie HALLER (**81.** 552, **82.** 362) gefunden hat, durch alkoholisches Kali in Kaliumcyanat, Wasser und Borneol; deshalb betrachtete HALLER den neuen Körper als *Borneolcyanat.* Später fand er, daſs sich dasselbe gegen Benzoylwasserstoff und Chlorwasserstoff nach der Methode von BISCHOFF wie ein Carbaminsäureäther des Borneols verhält, dessen Zusammensetzung er überdies besitzt. Diese Ansicht wurde auch noch durch andere Reaktionen unterstützt.

Der Vf. hat (**82.** 363) seinerseits ein ganz ähnliches Verhalten bei einem Körper $C_{11}H_{21}NO_3$ beobachtet, welchen er durch Einwirkung von Cyan auf Natriummenthol erhielt. Da diese Bildung von Kaliumcyanat unter den Eigenschaften der Urethane der Äthylreihe bisher nicht angegeben worden ist, so erschien es von Interesse, zu untersuchen, ob diese Spaltung allen Carbaminsäureäthern im allgemeinen zukommt, oder ob sie als ein besonderes Verhalten der beiden genannten Körper zu betrachten ist. Der Carbaminsäureäthyläther, dessen sich der Vf. bediente, war aus salpetersaurem Harnstoff und absolutem Alkohol dargestellt worden. Die gut krystallisierte Substanz wurde in einem Ballon mit starkem Alkohol übergossen, mit der theoretischen Menge Kali versetzt und das Gemenge eine halbe Stunde im Wasserbad am Rückfluſskühler erhitzt. Nach dem Abkühlen findet sich in dem Apparat eine in glänzenden, harten Blättchen krystallisierte Masse, welche das Aussehen von Kaliumchlorat besaſs, und von der man durch Eindampfen der alkoholischen Flüssigkeit noch weitere Mengen erhielt. Die Krystalle erwiesen sich als Kaliumchlorat, indem sie durch Eindampfen ihrer wässerigen Lösung mit Ammoniumsulfat Harnstoff lieferten und beim Sieden mit Kalilauge Ammoniak entwickelten. Die Ausbeute betrug ungefähr 65 p. c. der theoretischen Menge; zugleich entwickelt sich während der ganzen Dauer der Reaktion und besonders gegen das Ende Ammoniak, welches durch Einwirkung des Kalis auf bereits gebildetes Kaliumcyanat entstand. Es erscheint hiernach die Annahme gerechtfertigt, daſs die zum ersten Male von HALLER beobachtete Reaktion eine allgemeine ist, und daſs alle Carbaminsäure-äther sich nach der Gleichung:

$$CO{<}^{NH_2}_{OR'} + KOH = CNOK + R'.OH + H_2O$$

spalten, wo R' irgend ein einwertiges Alkoholradikal bedeutet; der Vf. beabsichtigt übrigens auch noch andere Urethane auf ihr Verhalten gegen alkoholisches Kali zu untersuchen. Schon jetzt ist man indes berechtigt, die obengenannten Derivate des Borneols und des Menthols zu den Carbaminsäureäthern zu rechnen. (C. r. **98.** 521—22. [25.*] Febr.)

A. **Held,** Über *den Äthyl- und den Methylacetylcyanessigäther.* In einer früheren Arbeit (**82.** 586) haben HALLER und HELD den Acetylcyanessigäther beschrieben und mitgeteilt, daſs derselbe mit Metalloxyden salzartige, meist gut krystallisierte Verbindungen giebt. Der Vf. hat diese Versuche fortgesetzt, um einige höhere Homologe des Körpers darzustellen. Zu diesem Zweck ließ er Äthyljodid und Methyljodid auf Natriumacet-essigäther einwirken, indem er die Mischung sowohl am Rückflußkühler wie in geschlossenen Röhren unter höherem Drucke erhitzte. Da eine Substitution unter dieser Bedingung nicht erfolgte, so ließ er nach dem Verfahren von CONRAD und LIMPACH die genannten Alkyljodide auf Natriumacetessigäther einwirken. Der entstandene Äthyl- und Methyl-acetessigäther wurde dann nach der Rektifikation mit Natriumäthylat behandelt und die Lösung mit trocknem Chlorcyan gesättigt, wobei man eine gelbliche opake dicke Masse erhielt, welche sich auf Zusatz von Wasser in zwei Schichten trennte: die obere Schicht wurde dekantiert, mit Wasser gewaschen und im Vakuum der fraktionierten Destillation unterworfen. Hierbei ging das Äthylderivat vollständig zwischen 105° und 110° bei 15 bis 20 mm Quecksilberdruck über.

Das Destillat bildete eine farblose Flüssigkeit von angenehmem ätherischen Geruche und dem spezifischen Gewichte 0,976 bei +20°; sie färbte sich nach einigen Tagen gelb-lich, ließ sich in allen Verhältnissen mit Alkohol und Äther mischen, war aber unlöslich in Wasser und alkalischen Salzlösungen. Hierdurch unterscheidet sie sich bestimmt von dem Acetylcyanessigäther, was nach der Konstitution des letzteren vorauszusehen war. Die Bildung des Körpers erfolgt nach der Gleichung:

$$CH_3{-}CO{-}CNa{<}^{C_2H_5}_{COOC_2H_5} + CNCl = NaCl + CH_3{-}CO{-}C{<}^{C_2H_5}_{COOC_2H_5}$$
$$\hspace{8cm}\diagdown CN$$

Wenn dieser Äther die hier angegebene Konstitution, welche man nach seiner Bildungs-weise annehmen darf, besitzt, so muſs er durch überschüssiges alkoholisches Kali, welches den Acetessigäther in Kohlensäure, Alkohol, Ammoniak und Essigsäure nach der Formel:

$$CH_3{-}CO{-}CH{<}^{CN}_{COO\,C_2H_5} + 4KHO + H_2O = K_2CO_3 + NH_3 + C_2H_6O + 2CH_3{-}COOK$$

spaltet, der Analogie gemäſs nach der Gleichung:

$$CH_3{-}C{-}{<}^{/CN}_{\backslash C_2H_5}{-}COOC + C_2H_5 + 4KHO + H_2O = K_2CO_3 + NH_3 + C_2H_6O +$$
$$CH_3{-}COOK + CH_3(C_2H_5){-}COOK$$

zersetzt werden; d. h. auſser den oben erwähnten Zersetzungsprodukten muſs sich noch Buttersäure bilden. Der Versuch hat dies vollkommen bestätigt, denn nach mehrstün-digem Sieden mit Kalilauge wurde die Entwicklung von Ammoniak, die Bildung von Kohlensäure, Alkohol, Buttersäure und Essigsäure beobachtet. Die letzteren beiden wurden durch fraktionierte Destillation getrennt und die Buttersäure durch die Analyse des Silber-salzes nachgewiesen.

Der *Methylacetylcyanessigäther* läſst sich auf dieselbe Weise darstellen, indem man von dem Methylacetessigäther ausgeht und sonst wie angegeben verfährt. Er ist eine farblose Flüssigkeit von ätherartigem Geruche, unlöslich in Wasser und Alkalien, spez. Gewicht 0,99 bei 20° und siedet bei 90—95° unter einem Drucke von 15—20 mm. Mit Kali spaltet er sich wie der vorhergehende, giebt aber dabei Propionsäure statt Butter-säure, wonach ihm die Formel:

$$CH_3{-}CO{-}C(CN)(CH_3){-}COO.C_2H_5$$

zukommt. (C. r. **98.** 522—25. [25.*] Febr.)

Hanriot und **Guilbert**, *Einwirkung von Bromäthylen auf Benzol bei Gegenwart von Chloraluminium.* Über diese Reaktion haben ANGELBIS und ANSCHÜTZ (Ber. Chem. Ges. **17.** 167) eine Mitteilung gemacht; sie erhielten dabei Äthylbenzol, Diphenyläthan und Anthracenwasserstoff nebst einer geringen Menge Kondensationsprodukte. Die Vff. haben dieselbe Reaktion unter etwas abweichenden Bedingungen studiert, indem sie abkühlten und wenig Chloraluminium anwendeten, um die gebildeten Produkte nicht wieder zu zersetzen. Auf diese Weise sind sie zu ganz verschiedenen Resultaten gelangt.

500 g Äthylenbromid wurden mit 230 g Benzol gemischt und dazu nach und nach 20 g Chloraluminium gesetzt. Es trat eine sehr lebhafte Reaktion ein, und das Gefäls, innerhalb dessen sich diese vollzog, mußte mit einem von einer Kältemischung umgebenen Schlangenrohre versehen werden, um das Bromäthylen zu kondensieren. In dieser Weise entwickeln sich keine gasförmigen Produkte. Das Auftreten von Bromwasserstoffdämpfen würde das Zeichen einer Zersetzung sein. Das Reaktionsprodukt wurde dann in Eiswasser gegossen und im Vakuum über Kali destilliert. Auf diese Weise konnte man bei einem Drucke von 30 mm zwei Fraktionen trennen, die eine bei 145—150°, die andere bei 200—230°.

Die erste besteht aus vollkommen reinem Bromäthylbenzol (bromure de styrolyle). Die Reaktion scheint in zwei Phasen zu verlaufen:

$$C_6H_6 + CHBr\!=\!CH_2 = C_6H_5\!-\!CH\!=\!CH_2 + HBr,$$

und das hierbei gebildete Styrol fixiert dann Bromwasserstoffsäure:

$$C_6H_5\!-\!CH\!=\!CH_2 + HBr = C_6H_4\!-\!C_2H_4Br.$$

Die zweite Fraktion läßt sich nicht unzersetzt destillieren, selbst nicht im Vakuum, und ist Dibromdiäthylbenzol, welches nach der Gleichung;

$$C_6H_6 + 2C_2H_4Br = C_6H_4\!\!<\!\!{}^{C_2H_4Br}_{C_2H_4Br}$$

entsteht. Über 230° steigt das Thermometer ohne Unterlaß und bleibt an keinem Punkte stationär. Zuletzt hinterbleibt eine schwarze teerige Masse, welche das Zersetzungsprodukt von Körpern ist, die an Brom reicher sind, als die obigen. (C. r. **98.** 525—26. [25.*] Februar.)

Raphael Meldola, Über *sekundäre und tertiäre Azoverbindungen.* II. Mitteilung. (I. Mitteil. s. Journ. Chem. Soc. **43.** 425—42.) Vf. beschreibt in dieser Abhandlung die Einwirkung von Diazo-p-Nitranilin auf tertiäre Monamine. Bei Anwendung von Dimethylanilin entsteht *p-Nitrobenzolazodimethylanilin* $NO_2C_6H_4N_2C_6H_4N(CH_3)_2$. Dieses giebt durch Reduktion mittels Schwefelammonium den entsprechenden Amidokörper. Die Amidogruppe des letzteren wird leicht diazotiert und kann mit Phenolen verbunden werden, so daß eine neue Reihe sekundäre Azoverbindungen entsteht. Das p-Amidobenzolazodimethylanilin ist ein sehr empfindliches Reagens für Salpetersäure: wird es diazotiert, so entsteht eine Blaufärbung. Auf diese Weise läßt sich noch 1 Tl. Natriumnitrit in 64000 Tln. Wasser nachweisen. — Ferner wird die Einwirkung von Diazo-m-Nitranilin auf primäre, sekundäre und tertiäre Monamine beschrieben. Die Nitroazoverbindungen der Metareihen konnten durch Schwefelammonium ohne vollständige Zersetzung nicht reduziert werden, so daß sich diese Methode nicht zur Darstellung von sekundären und tertiären Azoverbindungen wie in der Pararehe anwenden läßt. Die β-Naphtylaminverbindungen, sowohl des p- als auch des m-Nitrodiazobenzols ließen sich durch Einwirkung von salpetriger Säure nicht weiter diazotieren, sondern gaben Nitrosoderivate. Hieraus schließt der Vf., daß in diesen Verbindungen keine Amidogruppe mehr enthalten war, und giebt dafür die Konstitutionsformel:

$$C_6H_4\!\!<\!\!{}^{NO_2H}_{N-NC_{10}H_6NH(\beta)}$$

Eine Vergleichung der Schmelzpunkte der β-Verbindungen der Para- und Metareihen spricht ebenfalls für die Ansicht, daß dieselben anders konstituiert sind, als die wahren Nitroazoverbindungen, welche vom α-Naphtylamin derivieren. (Chem. N. **49.** 77—78. 15. Febr.; Journ. Chem. Soc. **45.** 106—122.)

Charles T. Kingzett, Über *Campherperoxyd und Bariumcamphorat.* (Journ. Chem. Soc. **45.** 93—99. März; C.-Bl. 1884. 219.)

Ernst Schmidt, *Zur Kenntnis des Caffeïns und Theobromins.* Das Caffeïn läßt sich, obgleich es seiner chemischen Natur nach als Methyltheobromin, $C_7H_7.CH_3.N_4O_2$, resp. als Trimethylxanthin, $C_5H.(CH_3)_3.N_4O_2$, aufzufassen ist, durch Einwirkung von Salzsäure keine Methylgruppe entziehen, um es auf diese Weise in Theobromin, resp. in Xanthin überzuführen, vielmehr erfolgt die Zersetzung nach der Gleichung:

$$C_8H_{10}N_4O_2 + 6H_2O = 2CO_2 + 2NCH_3 + NH_3 + CH_2O_2 + C_3H_5NO_3.$$

Durch Methylierung des Theobromins in alkoholischer Lösung hergestelltes künstliches Caffeïn verhält sich genau so wie das aus Thee gewonnene natürliche Alkaloid; beide haben die Formel $C_8H_{10}.N_4O_2.H_2O$.

Zur Herstellung von Theobromin wurde käufliche entölte Kakaomasse mit der Hälfte ihres Gewichtes frisch bereiteten Calciumhydrates gemengt und die Masse alsdann am Rückflufskühler wiederholt mit Alkohol von 80 p. c. ausgekocht. Nach dem Erkalten der nahezu farblosen Filtrate scheidet sich bereits ein Teil des Theobromins in Gestalt eines rein weifsen, krystallinischen Pulvers ab, während der Rest desselben nach dem Abdestillieren des Alkohols und Eindampfen der Lösung als eine schwach gefärbte, jedoch durch Umkrystallisation leicht zu reinigende Masse gewonnen wird. Das so erhaltene Theobromin bildet ein weifses krystallinisches Pulver, welches nur unter dem Mikroskope die anscheinend rhombische Form der Einzelteile erkennen liefs. Die Base enthält kein Krystallwasser; sie sublimiert gegen 290°, ohne zuvor zu schmelzen, und ohne dabei eine merkliche Zersetzung zu erleiden. Die Analysen der bei 100—110° getrockneten Substanz führten zu der Formel $C_7H_8N_4O_2$.

Vf. fand ferner, dafs bei der Darstellung von Theobromin aus entöltem Kakao die letzten Mutterlaugen auch etwas Caffeïn abscheiden.

Zur Umwandlung von Theobromin in Caffeïn wird die alkoholische Lösung äquivalenter Mengen von Theobromin, Kalihydrat und Jodmethyl im zugeschmolzenen Rohre einige Zeit lang auf 100° erhitzt. Die hierbei stattfindende Umwandlung des Theobromins in Caffeïn:

$$C_7H_8N_4O_2 + KOH + CH_3J = C_7H_7.CH_3.N_4O_2 + KJ + H_2O$$

ist keine quantitative, da sich ein Teil des Theobromins der Umsetzung entzieht. Das hierbei gebildete Caffeïn kann der bei mäfsiger Wärme eingetrockneten Masse durch Behandlung mit kaltem Benzol oder Chloroform leicht entzogen werden. Die aus Wasser umkrystallisierte Base stimmt in ihren physikalischen und chemischen Eigenschaften mit dem aus Thee, resp. aus Theobrominsilber und Jodmethyl dargestellten Caffeïn vollständig überein. (Arch. Pharm. [3.] **21.** 656—74; Pol. Journ. **251.** 144.)

7. Analytische Chemie.

Petri und **Th. Lehmann,** *Die Bestimmung des Gesamtstickstoffes im Harn.* Die Vff. wenden die von KJELDAHL (**83.** 626) veröffentlichte Methode der Stickstoffbestimmung in organischen Substanzen für die Bestimmung des Gesamtstickstoffes im Harn an. Absolute Genauigkeit, Handlichkeit und geringer Zeitaufwand, sowie der Umstand, dafs ein Arbeiter gleichzeitig mehrere Analysen ansetzen und verfolgen kann, sind Vorzüge, welche keine der bisher angewandten Methoden in gleichem Mafse vereint. Besonders für Stoffwechseluntersuchungen dürfte diese Methode mit Freuden zu begrüfsen sein; sie gestattet, den Stickstoff der Einfuhr, wie der Ausfuhr in Nahrungsmitteln und Ausscheidungen ohne vorherige Präparation der Untersuchungsobjekte ebenso genau, jedoch viel weniger umständlich zu bestimmen, als nach DUMAS oder WILL-WARRENTRAPP möglich ist.

Vff. teilen die bei der Untersuchung von Harnen innezuhaltenden Bedingungen mit. Zur Zersetzung derselben (5 ccm bei konzentrierteren, 10 ccm von dünneren) wenden sie 10 ccm einer Schwefelsäure an, die zur Hälfte aus dem Hydrat Nr. I und aus starker rauchender Schwefelsäure besteht. Nach zweistündigem Kochen waren die meisten Substanzen in farblose Lösung übergegangen. Es erfolgt nun Oxydation durch feinen Staubregen von Kaliumpermanganat, und sobald starke Grünfärbung die Beendigung des Prozesses anzeigt, wird der Kolben mit Kautschukkappen verschlossen zum Abkühlen bei Seite gesetzt. Der Kolbeninhalt wird darauf mit Wasser verdünnt und aufs sorgfältigste in einen ERLENMEYER'schen Kolben von ca. $^3/_4$l Gehalt gespült. Zum Alkalisieren nehmen die Vff. 60 ccm Natronlauge vom spez. Gewicht 1,3. Nach Zusatz der Lauge erfolgt sofort die Destillation, wobei zur Vermeidung des Stofsens, und um die letzten Spuren Ammoniak mit gröfster Leichtigkeit gewissermafsen auswaschen zu können, ein schwacher Wasserdampfstrom in das Destillationsgefäfs eingeleitet wird. Im Destillat kann man das Ammoniak nach allen dafür angegebenen Methoden bestimmen. Die von KJEDAHL empfohlene Titration hat bei ihrer grofsen Schärfe doch den Nachteil, dafs man den Titer der Hyposulfitlösung jedesmal neu bestimmen mufs. Bei der Stickstoffbestimmung im Harn mufs man der relativ grofsen in Betracht kommenden Ammoniakmengen wegen Normalsäure vorlegen. Man titriert alsdann den Säureüberschuß mit Normallauge (Lakmustinktur als Indikator) zurück.

Die erhaltenen Resultate stimmen mit den nach DUMAS ausgeführten Verbrennungen im Schiffchen sehr gut überein. (Ztschr. physiol. Chem. **8**. 200—213. 10. Jan. Görbersdorf.)

A. Stutzer, *Bodenlösliche Phosphorsäure.* Während das citronensaure Ammonium für die Bestimmung der zurückgegangenen Phosphorsäure ein sehr brauchbares Reagens ist, ist es zur Bestimmung der „bodenlöslichen" Phosphorsäure nicht zu benutzen. Man hat unter letzterer alle diejenigen Formen von an Kalk, Eisen, Thonerde etc. gebundener Phosphorsäure zu verstehen, welche infolge ihrer physikalischen oder chemischen Beschaffenheit fähig sind, der Pflanzenwurzel als Nahrung zu dienen.

Vor einiger Zeit machte TOLLENS darauf aufmerksam, daß die Citronensäure ein besseres Lösungsmittel für die Wertbestimmung gewisser Phosphate sei, wie das citronensaure Ammoniak, und zwar arbeitete TOLLENS mit einer Lösung von $2^1/_2$, resp. $12^1/_2$ g Citronensäure pro 1 l Wasser, und glaubte er, der stärkeren Lösung den Vorzug geben zu müssen (Journ. f. Landw. **30**.). Vf. hat in letzter Zeit ebenfalls mit Citronensäure gearbeitet und macht über seine Untersuchungen, betreffend das Verhalten einer einprozentigen Citronensäurelösung gegen verschiedene Handelsdünger und Rohphosphate Mitteilungen. Die angewandte Methode war folgende:

5 g des durch ein 1 mm-Sieb getriebenen Düngers werden in einen Literkolben gebracht, mit einem halben Liter einprozent. Citronensäurelösung eine Stunde, ohne zu erwärmen, unter bisweiligem Umschütteln stehen gelassen. Feuchte Dünger werden selbstverständlich angerieben. Dann wird mit Wasser bis zur Litermarke aufgefüllt, filtriert und in 50, resp. 100 ccm der Gehalt der Phosphorsäure nach der Molybdänmethode bestimmt. Eine Zerstörung der Citronensäure ist nicht nötig. (Bei Präzipitat aus Eisenschlacke hergestellt, muß die Kieselsäure abgeschieden werden, indem man 200 ccm der citronensauren Lösung unter Zusatz von chlorsaurem Kali und Salzsäure zur Trockne verdunstet, auf 110° erwärmt, den Rückstand mit einer Lösung von Salpetersäure aufnimmt, auf 200 ccm verdünnt und nun die Phosphorsäure in 50 ccm bestimmt.)

Vf. teilt eine Anzahl von Versuchsergebnissen mit; vergleicht man diese analytischen Ergebnisse mit den in der Praxis bei Düngerversuchen gemachten Erfahrungen, so dürfte, wie STUTZER annimmt, eine diesbezügliche relative Übereinstimmung hieraus hervorgehen, und haben sich diejenigen der untersuchten Phosphatdünger, deren Phosphorsäure leicht in einprozentiger Citronensäure löslich ist, längst als vortreffliche Düngemittel bewährt, trotzdem ihre Phosphorsäure in Wasser nur wenig oder gar nicht gelöst werden kann.

Durch eine Konvention der diese Frage interessierenden Chemiker würde festzustellen sein: 1. welchen Feinheitsgrad die Untersuchungsprobe, und 2. welche Konzentration die Citronensäurelösung haben muß, wieviel Substanz zur Analyse zu nehmen und wie die Dauer der Extraktion zu bemessen sein wird. Vf. macht für diese Fragen bereits einige Vorschläge. (Chem. Ind. **7**. 37—42. Bonn.) P.

Emil Nylander, *Über alkalische Wismutlösung als Reagens auf Traubenzucker im Harn.* Nach den Versuchen des Vf's. muß man die alkalische Wismutlösung als ein sehr brauchbares Reagens auf Zucker im Harn betrachten, unter der Voraussetzung jedoch, daß der Gehalt der Lösung an Alkali nur etwa 8 p. c. Na_2O beträgt, und die Mengen der Reagenslösung und des Harns wie 1 : 10 sich verhalten. Die Empfindlichkeit geht unter diesen Verhältnissen mindestens zu 0,05 p. c. Zucker, und es wird die Probe in dieser Beziehung nur von der WORM-MÜLLER'schen Modifikation, welche die Erkennung von 0,025 p. c. Zucker gestattet, übertroffen (**83**. 7). Gegenüber der letzteren hat doch die Wismutprobe den Vorzug, daß sie einerseits weit leichter und schneller auszuführen ist und andererseits ein mehr entscheidendes Resultat giebt. Es ist vor allem für den weniger Geübten recht schwierig, in allen Fällen zu sagen, ob eine Ausscheidung von Kupferoxydul, resp. Oxydulhydrat, in der Flüssigkeit stattgefunden hat. Diese Schwierigkeit macht sich sogar bei einem Gehalte von 0,05 p. c. Zucker geltend, während die Wismutprobe bei demselben Zuckergehalte eine auch für den Ungeübten ganz unzweifelhafte Reaktion giebt.

Vf. hat unter hundert untersuchten Harnen keinen einzigen gesehen, in welchem, wenn er mit der Wismutlösung einen positiven Ausschlag gab, nicht mit der WORM-MÜLLER'schen Modifikation oder mit der Gärungsprobe das Vorhandensein von Zucker demonstriert werden konnte. (Ztschr. physiol. Chem. **8**. 175—85. 17. Dez. 1883.)

Petrie, *Diazobenzolsulfonsäure als Reagens in der klinischen Chemie.* Die Resultate vorstehender Arbeit faßt der Vf. folgendermaßen zusammen: 1. Die Diazobenzolsulfonsäure giebt in alkalischer Lösung intensive Farbenreaktion mit *mehreren* in normalen wie pathologischen Urinen bisher nachgewiesenen Substanzen. 2. Die von EHRLICH entdeckte rote Reaktion, insoweit sie die Fälle mit intensiver Rotfärbung und nachheriger Ausscheidung eines grünen Bodensatzes umfaßt, ist bisher noch auf keinen Körper mit

Sicherheit zurückzuführen. Es ist daher vor der Hand auch noch das Verhältnis zwischen Rotfärbung und grünem Niederschlag unaufgeklärt. 3. Die von PENZOLDT und dem Vf. entdeckte Zuckerreaktion ist *spektroskopisch* sowohl, als in ihrem allein zu stande kommen durch *fixe Alkalien* von der sub 2. erwähnten Reaktion verschieden. Der Zuckerfarbstoff hat *bläulichen* Schimmer und zeigt bei entsprechender Verdünnung im Grünen ein charakteristisches Band. Beides scheint der in 2. besprochene Farbstoff nicht zu thun. 4. Bei geringem Zuckergehalt, weniger als 0,1 p. c., sowie bei Anwendung fixer Alkalien kann eine Verwechselung beider Reaktionen eintreten. 5. Die vom Vf. entdeckte Reaktion der Diazobenzolsulfonsäure auf die Peptone ist eine rotgelbe zu nennen. Der gebildete Farbstoff zeigt spektroskopisch ein ganz anderes Verhalten, als der Zuckerfarbstoff (s. u.). 6. Bei der EHRLICH'schen Harnprobe kann ein Gehalt an Peptonen die Beurteilung der Probe beeinflussen. 7. Es ist unzweckmäßig, sich auf die Anwendung einer einzigen nur 0,03 prozentigen Diazolösung zu beschränken. Man gebrauche lieber stärkere Lösungen, deren Gehalt man kennt, und finde durch Probieren die Maximalreaktion. 8. Prüfungen mit mangelhaften oder in ihrer Konzentration unbekannten Reagenzien geben zu unsicheren Resultaten Veranlassung. 9. Die EHRLICH'sche Reaktion ist auch in Harnen von Gesunden beobachtet worden, jedoch nie in der Intensität, wie sie bei Kranken relativ häufig auftritt. Bei letzteren scheint sie mit verminderter Urinsekretion einherzugehen. Über die Reaktion der Diazobenzolsulfonsäure auf Peptone sagt Vf. u. a. folgendes: Vermischt man eine wässerige Lösung von Pepton mit einer mineralsauren Lösung der Diazosäure, so tritt zunächst keine Färbung ein. Sobald man nun die Mischung alkalisiert, tritt je nach der Konzentration der angewandten Lösungen eine gelbe bis dunkelbraunrote Färbung auf. Dieselbe erscheint am schönsten, wenn man eine frische Lösung der reinen Säure in schwacher, etwa fünfprozentiger Natronlauge zur Peptonlösung giebt. Beim Alkalisieren einer vorher sauren Lösung scheint Ammoniak das Zustandekommen der Farbe mehr zu fördern, als ein fixes Alkali. Der Schüttelschaum, sowie die am Glase herablaufende Schicht ist im auffallenden Licht intensiv gelb bis tief blutrot gefärbt. Säuren zerstören die Färbung. Der entstandene Farbstoff hat eine ungemein tinktorielle Kraft. Die Diazosäure weist in reinen Lösungen einen Gehalt von 0,1 p. c. Pepton; noch mit großer Sicherheit durch starke Gelbfärbung der Lösung nach, selbst wenn die Diazosäure nur 0,03 p. c. stark ist. In 0,01 prozentigen Peptonlösungen ist die Reaktion unsicher. Spektroskopisch zeigt der neue Farbstoff in zehnprozentige Lösung in 15 mm weiten Rohr von B ab scharfe Absorption des rechten Spektralrandes (rot nach links).

Die Einwirkung der Diazosäure auf Traubenzucker unter Bildung der tief kirschroten Färbung tritt nur beim Alkalisieren mit fixem Alkali, nicht aber bei Ammoniakzusatz auf, und zwar sofort beim Erhitzen, nach verschieden langer Zeit ohne dieses, je nach der Konzentration. (Sep.-Abd. a. Ztschr. f. klin. Med. 7. Hft. 5.)

Julius Schaarschmidt, Über *die mikrochemische Reaktion des Solanins.* Um letzteres auf mikrochemischem Wege nachzuweisen, benutzt Vf. nicht zu konzentrierte Schwefelsäure oder Salpetersäure. Die Schnitte werden in einen Tropfen dieser Säure gelegt und unter das Mikroskop gebracht. Die schön rosenrote Färbung tritt in einigen Sekunden auf und wird durch Salpetersäure schneller hervorgerufen, als durch Schwefelsäure. Bei Solanum tuberosum bildet der Stengel und hauptsächlich die Knolle den Hauptsitz des Solanins. Das Alkaloid wurde vom Vf. außerdem bei folgenden Solanaceen gefunden: Solanum nigrum; Dulcamara, Capsicum annuum; Lycopersicum esculentum; Mandragora officinalis. (Ztschr. f. wissensch. Mikrosk. 1. 61—62. Klausenburg.)

Arnold Brass, *Die Methoden bei der Untersuchung tierischer Zellen.* (Zeitschr. f. wissensch. Mikrosk. 1. 39—51. Leipzig.)

Max Flesch, Über *einen heizbaren, zu schnellem Wechsel der Temperatur geeigneten Objekttisch.* (Ztschr. f. wissensch. Mikrosk. 1. 33—38. Bern.) P.

E. Giltay, Über *die Art der Veröffentlichung neuer Reaktions- und Tinktionsmethoden.* (Ztschr. f. wissensch. Mikrosk. 1. 101—102. Leiden.) P.

E. Reichardt, *Gehalt der Butter an Fettsäuren.* Der Vf. giebt zunächst einen ausführlichen Überblick über alle Untersuchungen, welche seit HEHNER zur Bestimmung des normalen Gehaltes der Butter an flüchtigen und freien Fettsäuren gemacht worden sind, und berichtet dann über eigene Versuche, die er durch KÖNIG zu dem gleichen Zwecke ausführen ließ. Dabei wurden sowohl die in Wasser unlöslichen Fettsäuren nach HEHNER, wie auch die flüchtigen nach REICHERT (**79.** 149) bestimmt. Nach der letzteren Methode wird bekanntlich der Gehalt an flüchtigen Fettsäuren durch Kubikzentimeter Normalalkali ausgedrückt. Es ergab sich als Mittel aus 43 Versuchen vom 5. Dez. 1882 bis zum 26. Okt. 1882 ein Durchschnittsgehalt von 87,62 p. c. in Wasser unlöslicher Fettsäuren, und für die flüchtigen Fettsäuren wurde als Mittel aus 35 Versuchen 14,16 ccm

$^1/_9$ Normalalkali gefunden. Die Fütterung war während dieser elf Monate eine sehr verschiedene, doch übten weder Jahreszeit noch Futterwechsel einen wesentlichen Einfluß auf die durch die obigen Zahlen ausgedrückte Zusammensetzung. HEHNER's erster Ausspruch, daß eine Butter, welche mehr als 88 p. c. im Wasser unlöslicher Fettsäure enthält, zu beanstanden sei und zu anderweitigen Versuchen Anlaß gebe, bestätigt sich hier völlig, und ebenso der von MEISSL gezogene Satz für die flüchtigen Fettsäuren, daß eine Butter zu beargwohnen sei, welche weniger als 13 ccm $^1/_{10}$ Normalalkali zur Neutralisation der flüchtigen Fettsäuren bedürfe. (Arch. Pharm. [3.] **22.** 93—102.)

v. Mering, *Die Bestimmung der Chloride im Hundeharn.* Durch Versuche hat Vf. nachgewiesen, daß es Hundeharn giebt, in dem die Chloride sich nicht nach der von SALKOWSKI angegebenen Modifikation der VOLHARD'schen Methode bestimmen lassen, da der beim Titrieren erhaltene Silberniederschlag auch nach dem Kochen mit Salpetersäure unlösliche Silberverbindungen in erheblicher Menge enthalten kann, wodurch der Chlorgehalt viel (mehr wie 50 p. c.) zu hoch ausfällt. Es giebt aber dagegen auch Hundeharne, in welchen sich vermittels der von SALKOWSKI vorgeschlagenen Modifikation die Chloride hinreichend genau bestimmen lassen.

Vf. bestimmt daher die Chloride in der Weise, daß er 20 ccm Harn mit 60 ccm Wasser verdünnt und auf Zusatz von 5—8 g chlorfreiem Zinkstaub und 10—15 ccm Schwefelsäure (1 : 5) auf dem Wasserbade ca. eine Stunde lang erwärmt. Man filtriert heiß, wäscht den Niederschlag wiederholt mit kochendem Wasser, säuert das Filtrat mit Salpetersäure an und bestimmt in demselben die Chloride entweder nach VOLHARD oder gewichtsanalytisch als Chlorsilber. Durch Kochen mit Zinkstaub und verdünnter Schwefelsäure werden die schwefelhaltigen Körper unter Abgabe von Schwefelwasserstoff zersetzt.

Will man im Hundeharn Chlorate neben Chloriden mittels Zinkstaub bestimmen, so wird eine Portion Harn mit Silberlösung im Überschuß und dann mit ein wenig Salpetersäure versetzt und der Niederschlag mit Soda und Salpeter geschmolzen. In der wässerigen Lösung der Schmelze wird das Chlor bestimmt. Oder man erwärmt den Niederschlag mit Zinkstaub und verdünnter Essigsäure und ermittelt den Chlorgehalt des Filtrates. Eine andere Portion Harn kocht man zur Reduktion der Chlorate mit Zinkstaub und verdünnter Schwefelsäure; das Filtrat dient zur Chlorermittelung. Aus der Differenz der Mengen des in beiden Portionen gefundenen Chlors läßt sich die Menge des Kaliumchlorats berechnen. Man kann übrigens im Menschen- wie im Hundeharn die Chlorate auch mit schwefliger Säure reduzieren. (Ztschr. physiol. Chem. **8.** 229—34. 21. Januar. Straßburg.)

Worm Müller, *Roberts's Methode und die quantitative Bestimmung von kleinen Mengen Traubenzucker im Harne.* Wo es darauf ankommt, kleinere Zuckermengen als 0,5 p. c. im Harne zu bestimmen, sind die gewöhnlichen Methoden unzureichend. Es kann dies nach den vom Vf. gesammelten Erfahrungen am sichersten durch Titrieren des Harnes mit KNAPP'scher Flüssigkeit vor und nach Behandlung mit Hefe geschehen. Der Unterschied der gefundenen Werten (nach dem Reduktionsvermögen des Traubenzuckers berechnet) entspricht im ganzen so genau der wirklichen Zuckermenge, daß man auf diesem Wege noch 0,05 p. c. Traubenzucker im Harne bestimmen kann. Es handelt sich nur bei den erhaltenen Resultaten um Differenzen von 0,01—0,02 p. c. Traubenzucker. Dagegen versagt die zuerst von ROBERTS und anderen angewandte Traubenzuckerbestimmung aus der Differenz zwischen den spez. Gewichten vor und nach der Gärung in den Fällen, wo der Zuckergehalt geringer als ca. 0,4 p. c. ist. Die Methode von ROBERTS ist zwar ein exaktes wissenschaftliches Verfahren zur quantitativen Bestimmung von Zucker im Harne und wird kaum von einer anderen mit Sicherheit übertroffen, aber nur dann, wenn der Gehalt an Zucker nicht weniger als ca. 0,4 p. c. beträgt, und wenn man das spez. Gewicht mittels eines mit Steigerohr und Thermometer versehenen Pyknometers bestimmt, während die gewöhnlichen Urometer und selbst feine Aräometer weniger gute Resultate ergeben.

Die erörterten Methoden, welche auf Gärung beruhen, können bei der Bestimmung von Milchzucker im Harne nicht angewendet werden. (PFLÜGER's Archiv **33.** 211—220. Christiania.) P.

Herm. Ad. Landwehr, *Eine neue Methode zur Darstellung und quantitativen Bestimmung des Glykogens im tierischen Organismus.* Die Methode beruht darauf, daß Glykogen (in gleicher Weise, wie tierisches Gummi, Achrooglykogen und Arabinsäure) mit Eisenoxyd eine in Wasser vollständig unlösliche Verbindung liefert, die zwar insofern nicht von konstanter Zusammensetzung ist, da sich ein Ausfällen von freiem, später nicht abtrennbarem, Eisenoxydhydrat nicht vermeiden läßt. Diese Verbindung ist aber trotzdem zur genauen Bestimmung des Glykogens geeignet. Mit Hilfe der Eisenoxydverbindung kann man aber auch besser, als durch die bisher bekannten Methoden den gesamten Glykogengehalt in reiner Form aus Organen und Flüssigkeiten gewinnen,

Zur Darstellung des Glykogens werden die Organe in gewöhnlicher Weise mit bekannten Kautelen gekocht. Die colierten Extrakte werden in einer Schale mit Zinkacetat erhitzt und bis zur vollständigen Koagulation des Eiweißes im Sieden erhalten. Das Filtrat wird auf dem Wasserbade erhitzt, mit der genügenden Menge einer konzentrierten Eisenchloridlösung und dann unter Umrühren tropfenweise mit konzentrierter Sodalösung versetzt, bis alles Eisen ausgefällt ist. Der Niederschlag wird rasch aufs Filter gebracht und mit heißem Wasser ausgewaschen, solange dieses noch etwas aufnimmt. Den ausgewaschenen Rückstand bringt man in eine geräumige Schale, setzt unter Zerreiben mit einem Pistill konzentrierte Salzsäure nach und nach in kleinen Portionen zu, bis alles gelöst ist, und gießt dann rasch die Flüssigkeit in etwa die dreifache Menge 96 prozentigen Alkohols. Das Glykogen fällt jetzt in schönen Flocken aus und kann durch Waschen mit Alkohol ganz von Säure und Eisenchlorid befreit werden. — Man kann auch die obige Glykogeneisenoxydverbindung anstatt mit Salzsäure mit Weinsäure oder Essigsäure zersetzen. Das so gewonnene Glykogen ist schon nach der ersten Fällung stickstoff- und aschefrei. Das so dargestellte Glykogen zeigt eine viel geringere Opaleszenz, als das nach BRÜCKE's Methode dargestellte; die optische Drehung einer Lösung von 4,23 p. c. im 200 mm langen Rohr beträgt: $\alpha_{[D]} = + 213,3^\circ$ (bei 18° C.).

Die Glykogeneisenverbindung kann in dreierlei Weise zur quantitativen Bestimmung benutzt werden: 1. durch Wägung des rein dargestellten Glykogens, 2. durch polarimetrische Bestimmung des wieder aufgelösten Glykogens und 3. durch Verwendung der Eisenoxydverbindung selbst.

1. Die erste Methode giebt vorzügliche Resultate. Das mit Alkohol ausgefällte Glykogen muß nach sorgfältigem Auswaschen mit absolutem Alkohol erst im Vakuum über Schwefelsäure getrocknet, dann bei 100° und schließlich bei 120° bis zum konstanten Gewichte erhalten werden.

2. Polarimetrische Bestimmungen hat Vf. nicht ausgeführt.

3. Die Bestimmung in Form der Eisenoxydverbindung bleibt in betreff der Genauigkeit der Resultate hinter der ersten zurück; ihre leichtere und bedeutend schnellere Ausführung wird sie aber wahrscheinlich für viele Bestimmungen, zumal für solche, wo es besonders auf gute relative Werte ankommt, beliebt machen.

Das Glykogen fällt wahrscheinlich als $C_6H_{10}O_5.Fe_2O_3$ aus. Man trocknet den Rückstand bei 120° und wägt ihn; darauf verascht man und wägt wieder. Die Differenz beider Wägungen ist das Glykogen.

Zu bemerken ist, daß das Eisenoxydhydrat, nach mehreren Bestimmungen, nach anhaltendem Auswaschen mit heißem Wasser und ein- bis zweistündigem Trocknen bei 110—120° noch 8 ·p. c. Wasser gebunden enthält. Vf. suchte sich durch einige Versuche über das Verhalten des Hydratwassers in Eisenoxydhydrat zu informieren und teilt seine Resultate mit.

Es ist nötig, für die letzte Methode der quantitativen Bestimmung außer dem Zinksalze gleich anfangs auch etwas Chlorbarium dem siedenden Organauszuge zuzusetzen, um die Phosphorsäure zu entfernen, die sonst den Eisenniederschlag verunreinigen würde. Alles für die Bestimmung des Glykogens Gesagte gilt auch für die Bestimmung des tierischen Gummis und der Arabinsäure. (Ztschr. physiol. Chem. 8. 165—74. 15. Dez. 1883. Straßburg.)

Erich Harnack, Über *die Methoden der quantitativen Jodbestimmung im menschlichen Harne*. Die quantitative Bestimmung des Jodes im Harn läßt sich auf folgende Weisen ausführen. 1. In der Harnasche. Eine abgemessene Menge Harn wird durch überschüssige Soda stark alkalisch gemacht und in einer Platinschale zur Trockne verdampft, verbrannt und geglüht. Die kohlehaltige Asche wird mit heißem Wasser ausgelaugt und filtriert; den Rückstand verbrennt man mit dem Filter unter Sodazusatz nochmals, extrahiert, filtriert und wiederholt die Prozedur noch ein- oder zweimal. Die gemischten Filtrate werden unter den nötigen Kautelen mit Salzsäure angesäuert und reichlich mit Palladiumchlorürlösung versetzt. Das Gemisch bleibt am besten 24 Stunden stehen, bis der Niederschlag sich vollständig abgesetzt hat. Der letztere wird dann auf gewogenem Filter gesammelt, mit heißem Wasser völlig ausgewaschen, getrocknet und gewogen.

2. Größere Schwierigkeiten verursacht dagegen die quantitative Bestimmung des Jodalkalis im Harne selbst. Man verfährt am zweckmäßigsten folgendermaßen: Der leicht mit Salzsäure angesäuerte Harn wird reichlich mit Palladiumchlorürlösung (dieses ist für diesen Zweck geeigneter als das salpetersaure Palladiumoxydul) versetzt und das Gemisch längere Zeit (1—2 Tage) stehen gelassen. Der Niederschlag wird nach dem Abfiltrieren leicht ausgewaschen, noch im feuchten Zustande auf dem Filter mit wasserfreier gepulverter Soda bestreut, das zusammengefaltete Filter in einem Tiegel unter weiterem Sodazusatz getrocknet und geglüht. Der Rückstand wird mit heißem Wasser gehörig ausgelaugt, gründlich nachgewaschen und das Filtrat unter den nötigen

Kauteleu mit Salzsäure übersättigt. Man fällt dann die Lösung wieder mit Palladium-chlorür, sammelt das Palladiumjodür auf einem gewogenen Filter und wägt es nach dem Auswaschen und Trocknen. Die Resultate fallen nach dem zweiten Verfahren ungünstiger aus als nach dem ersten, und zwar etwas zu niedrig. Längeres Stehenlassen des Harnes nach dem Versetzen mit der Palladiumchlorürlösung scheint die Genauigkeit des Ergebnisses zu begünstigen. (Ztschr. physiol. Chem. 8. 158—63. November 1883; Halle.)

L. Dyson, Über *die Untersuchung von Gaswasser.* Bei der Untersuchung von Gaswasser ist Rücksicht zu nehmen auf Schwefelammonium, Ammoniumcarbonat, Chlor, Rhodan, Ammoniumthiosulfat, Sulfit, resp. Thiocarbonat, Schwefelsäure, Ferrocyan, Cyan und Essigsäure.

Zum Nachweise von *Ammoniumthiocarbonat* versetzt man mit Zinksulfat, bringt den mit kaltem Wasser gewaschenen Niederschlag in eine mit Kühler verbundene Flasche und erwärmt. Zinkthiocarbonat zerfällt, den entweichenden Schwefelkohlenstoff erkennt man am Geruche, erforderlichenfalls bestimmt man die Menge desselben mit Triäthylphosphin als $P(C_2H_5)_3CS_2$. Zur Prüfung auf *Ammoniumthiocyanat (Rhodanammonium)* versetzt man das Gaswasser mit schwefelsaurem Zink, filtriert und prüft das Filtrat mit Eisenchlorid. Um *Thiosulfat* nachzuweisen, versetzt man das Gaswasser mit schwefelsaurem Zink, das Filtrat mit Chlorbarium, filtriert nochmals, säuert das Filtrat mit Salzsäure an und erhitzt zum Sieden, worauf unter Entwicklung von Schwefligsäure Schwefel ausgeschieden wird. Fällt man die Sulfide mit schwefelsaurem Zink, säuert das Filtrat mit Essigsäure an und versetzt mit Nitroprussidnatrium, so giebt Ferrocyankalium bei Gegenwart von *Sulfiten* einen purpurfarbenen Niederschlag.

Eine Probe Gaswasser versetzt man mit Zinksulfat, filtriert, dann mit Ferrisulfat und Kupfersulfat, das Filtrat säuert man mit Salpetersäure an und prüft mit salpetersaurem Silber auf *Chlor.*

Eine andere Probe wird zur Trockne verdunstet, der Rückstand mit Wasser aufgenommen, mit einer heiß gesättigten Lösung von schwefelsaurem Silber versetzt, der Niederschlag abfiltriert, mit heißem Wasser gewaschen und das Filtrat mit verdünnter Schwefelsäure destilliert, um die *Essigsäure* zu bekommen.

Gaswasser von Leeds hatte z. B. 4,15° Tw., d. h. 1,0207 Eigengewicht bei 22°. Die qualitative Untersuchung ergab die Gegenwart von Sulfid, Kohlensäure, Chlor, Rhodan, Thiosulfat, Schwefelsäure und Ferrocyan.

Zur quantitativen Bestimmung des *Ammoniaks* wurden 25 ccm Gaswasser mit Magnesia destilliert (LUNGE). Zur Bestimmung der *Kohlensäure* wurden 50 ccm Gaswasser mit Chlorcalcium gefällt, der Niederschlag von Calciumcarbonat mit Normalsalzsäure gelöst und mit Natron zurücktitriert. Ferner wurden 50 ccm Gaswasser zur Trockne verdampft, der Rückstand in Wasser aufgenommen, das Filtrat mit Ferrisulfat und Kupfersulfat versetzt, filtriert, dann mit Silbernitrat und Salpetersäure kochend das *Chlor* gefällt.

Zur Bestimmung des *Gesamtschwefels* wurden 25 ccm Gaswasser mit salzsäurehaltiger wässeriger Bromlösung allmählich versetzt, das überschüssige Brom verdampft, die Lösung filtriert und mit Chlorbarium gefällt. Ferner wurden 25 ccm mit schwefelsaurem Zink und Salmiak versetzt, das gefällte Schwefelzink in salzsäurehaltige wässerige Bromlösung gebracht, erhitzt und das gefällte Bariumsulfat auf *Ammoniumsulfid* berechnet. Zur Bestimmung des *Rhodans* wurden 50 ccm Gaswasser zur Trockne verdampft, der Rückstand wurde vier Stunden lang auf 100° erwärmt, dann mit Alkohol ausgezogen, dieser zur Trockne verdunstet, mit Wasser aufgenommen, filtriert und mit Schwefligsäure und Kupfersulfat gefällt:

$$2NH_4CNS + 2CuSO_4 + H_2SO_3 + H_2O = Cu_2(CNS)_2 + (NH_4)_2SO_4 + 2H_2SO_4.$$

Das gefällte Kupferrhodanat wurde in Salpetersäure gelöst und mit Natronlauge gefällt; das erhaltene Kupferoxyd, mit 0,96 multipliziert, giebt die äquivalente Menge von Thiocyanat, NH_4CNS. Ferner wurden 250 ccm Gaswasser zur Trockne verdunstet, mit Wasser aufgenommen, mit Zinkoxyd das Schwefelammonium entfernt und die *Schwefelsäure* in bekannter Weise mit Chlorbarium gefällt. Der Unterschied zwischen dem Gesamtschwefel und der Summe desjenigen vom Sulfid, Thiocyanat und Sulfat wurde auf *Thiosulfat* berechnet.

Schließlich wurden zur Bestimmung des *Ferrocyans* 250 ccm verdunstet, in Wasser gelöst, mit Eisenchlorid versetzt, der Niederschlag von Berlinerblau mit Natron zersetzt und das Eisenoxyd mit Permanganat titriert.

Danach enthielt 1 l Gaswasser:

Gesamtammoniak . . .	20,45 g
Gesamtschwefel	3,92
Schwefelammonium, NH_4HS .	3,03
Kohlens. Ammonium, $(NH_4)_2CO_3$	39,16
Chlorammonium, NH_4Cl . .	14,23
Rhodanammonium, NH_4CNS .	1,80
Schwefels. Ammonium $(NH_4)_2SO_4$	0,19
Ammoniumthiosulfat $(NH_4)_2S_2O_3$	2,80
Ferrocyanammon., $(NH_4)_4FeCy_6$	0,41.

(Journ. Soc. Chem. Ind. 1883. 229; Pol. J. 251. 457—59.)

Kleine Mitteilungen.

Deutsches Natron-Kaffeesurrogat und Wiener Kaffeesurrogat. Nach einer Analyse von NIEDERSTADT enthalten diese beiden, von THILO und v. DÖHREN in Wandsbeck bei Hamburg angefertigten Präparate folgende Bestandteile:

	Deutsches Natron-Kaffeesurrogat	Wiener Kaffeesurrogat
In Wasser lösliche Stoffe (Bitterstoffe etc.) . .	17,73 p. c.	26,16 p. c.
Zucker (Karamel)	12,50 „	19,92 „
Stickstoffsubstanz = $2^1/_2$ p. c. Stickstoff (Eiweißstoffe)	13,25 „	4,50 „
Mineralische Teile (Aschenrückstand) . . .	5,57 „	8,33 „
Wasser	11,43 „	9,72 „
In Wasser unlösliche Stoffe (Cellulose, Pflanzenfaser)	39,52 „	31,37 „
	100,00 p. c.	100,00 p. c.

P.

Über Zuckerkalk, von EDM. O. v. LIPPMANN. Die Bestrebungen, den in den Rückständen der Zuckerfabrikation (den Melassen) enthaltenen Zucker, der sich auf physikalischem Wege, d. h. durch Eindampfen und Krystallisieren, aus diesen nicht mehr gewinnen läßt, mittels chemischer Methoden abzuscheiden, haben in den letzten Jahren zu einer Reihe von Verfahren geführt, die, mit Ausnahme von DUBRUNFAUT's Osmoseverfahren, sämtlich darauf hinauslaufen, den Zucker in Form eines unlöslichen Saccharates niederzuschlagen, und das letztere nach erfolgter Trennung vom Nichtzucker wieder zu zerlegen, um so eine reine krystallisationsfähige Zuckerlösung zu erzielen. Technisch benutzt sind ausschließlich die Verbindungen des Zuckers mit Strontian und Kalk; über die Prinzipien und den Betrieb des Strontianverfahrens, sowie der mit Hilfe von Kalk und Alkohol arbeitenden sogen. Elutionsverfahren, sind so ausreichende Beschreibungen bekannt geworden, und die mittels derselben gewonnenen Produkte sind Gegenstand so ausführlicher und umfangreicher chemischer Arbeiten gewesen, daß ein näheres Eingehen in dieser Richtung nicht mehr erforderlich erscheint. Anders steht es mit den von C. STEFFEN erfundenen Methoden der Melassentzuckerung mittels Kalk und Wasser, dem sogen. Substitutions- und dem Ausscheidungsverfahren; die bei diesen stattfindenden höchst interessanten chemischen Reaktionen sind nur wenig, und in den Kreisen der dem Zuckerfache Fernerstehenden fast gar nicht bekannt geworden, über die Technik dieser Verfahren einzugehen, über welche in den Fachzeitschriften der Zuckerindustrie genügende Auskunft zu finden ist, will sich Vf. im folgenden auf die Beschreibung der zu grunde liegenden chemischen Vorgänge beschränken.

Das ältere, sogen. Substitutionsverfahren basierte darauf, aus der Melasse durch Zusatz von Wasser und Kalk eine Lösung des einbasischen Saccharates herzustellen, aus dieser durch Kochen dreibasisches Zuckerkalk abzuscheiden und die von letzterem abgetrennte, noch zwei Drittel des Zuckers und fast allen Nichtzucker enthaltende Lösung durch Zusatz von Zucker (in. Form von Melasse) wieder auf.den ursprünglichen Zuckergehalt zu bringen, worauf man die Fällung des Trisaccharates wiederholte.

Diese Operation wurde so lange fortgeführt, bis die Anhäufung des aus der Melasse stammenden Nichtzuckers einen gewissen Grad erreicht hatte; alsdann wurde ein Teil der Laugen abgetrennt, durch Zusatz von Kalk allein, nochmals entzuckert und hierauf aus dem Betriebe ausgeschieden, dem so täglich dieselbe Menge Nichtzucker entzogen werden konnte, welche ihm durch die zu verarbeitende Melasse wieder zugeführt wurde.

Die Darstellung der einbasischen Saccharatlösung geschah ursprünglich nach der alten, damals einzig bekannten Vorschrift, d. h. es wurde verdünnte, fünf- bis sechsprozentige Zuckerlösung mit Kalkmilch versetzt und bei tiefer Temperatur (10 bis 15, höchstens 18°), 14—16 Stdn. lang aufs innigste verrührt. Es geht dabei der Kalk langsam in Lösung und die davon gelösten Mengen sind den in PELIGOT's und BERTHELOT's Tabellen angegebenen ziemlich entsprechend; die gelöste Kalkmenge wird desto größer, je niedriger die Temperatur ist, ein Umstand, auf den LAMY wohl zuerst aufmerksam gemacht hat:

bei Temperaturen in Graden CELS.	0	15	30	50	70	100
lösen sich Gramme Kalk in 1000 g Wasser	1,40	1,30	1,17	0,96	0,79	0,60
„ „ zehnproz. Zuckerlös.	25,0	21,5	12,0	5,3	2,3	1,55.

Wendet man, wie dies der technische Betrieb alsbald nahelegte, statt des Kalkhydrates Ätzkalk in groben Stücken an, so löscht sich dieser unter starker Temperaturerhöhung, ohne die Saccharatbildung weiter zu beeinflussen; ganz anders gestaltet sich jedoch die Reaktion, wenn der Ätzkalk in Pulverform zur Wirkung gebracht wird.

Trägt man reinen Ätzkalk (1 Mol.) als feinstes, von allen gröberen Stücken durchaus freies Pulver in eine Zuckerlösung (1 Mol.) mittlerer Konzentration (6—12 p. c.) und Temperatur ein und sorgt durch fortwährendes Umrühren für eine rasche gleichförmige Verteilung desselben, so geht der Kalk unmittelbar in Lösung und bildet momentan das einbasische Saccharat. Die Reaktion erfolgt bei mittlerer Konzentration desto rascher und vollständiger, je tiefer die Temperatur und je reiner, frischer und schärfer gebrannt der Ätzkalk ist; aber selbst in ganz verdünnten Lösungen wird der Kalk, trotz der großen vorhandenen Wassermenge, vollständig an den Zucker gebunden, zu dem er also unter diesen Umständen eine größere Verwandtschaft zeigt, als zum Wasser; ein direktes Löschen des Kalkes findet nicht statt, und der Vorgang ist mit einer geringen äußerlich kaum wahrnehmbaren Wärmeentwicklung (4—5°) verknüpft. Enthält jedoch der Kalkstaub noch gröbere Teilchen, oder ist ein Überschuß an Kalk vorhanden, was sich bei Verwendung gewöhnlichen Ätzkalkes kaum vermeiden läßt, so lösen sich diese nicht, sondern löschen sich unter Temperaturerhöhung zu Kalkhydrat, welches teilweise in der Zuckerkalklösung gelöst bleibt, zum größten Teile sich jedoch unlöslich zu Boden setzt. Die Saccharatlösung enthält, wie vielfache Versuche mit absolut reinen Materialien, bei Anwendung molekularer Mengen gezeigt haben, ausschließlich einbasisches Saccharat, und läßt sich dieses aus der Lösung, wenn jeder Überschuß von Zucker und Kalk vermieden wurde, durch starken Alkohol vollständig ausfällen; es besitzt die Zusammensetzung $C_{12}H_{22}O_{11}.CaO + 2H_2O$, verliert das Krystallwasser bei 100° und bildet eine weiße, amorphe, in kaltem Wasser leicht lösliche Masse; die wässerige Lösung gerinnt beim Erwärmen, wird beim Abkühlen wieder klar und zerfällt beim Kochen in bekannter Weise in dreibasisches Saccharat und freien Zucker. Die Analyse ergab:

	Gefunden:			Berechnet für $C_{12}H_{22}O_{11}CaO$
C	35,97	35,89	·	36,18
H	5,61	5,63	—	5,52
O	48,32	48,36	—	48,25
Ca	10,10	10,12	10,10	10,08	10,05.

Nach BENEDIKT (Ber. Chem. Ges. 6. 413) soll das einbasische Saccharat die Zusammensetzung $C_{12}H_{20}CaO_{11}$ haben, und fand dieser Forscher:

	Gefunden: '			Berechnet für $C_{12}H_{20}CaO_{11}$
C	37,44	—		37,89
H	5,57	—	—	5,27
O	46,19	—	—	46,32
Ca	10,80	10,67	10,78	10,52.

Ob diese Verschiedenheit durch eine Verunreinigung der Substanz infolge der von BENEDIKT benutzten Darstellungsmethode (mittels Chlormagnesium und Kalkhydrat) bedingt ist, oder ob vielleicht bei Anwendung derselben wirklich ein anderes Saccharat erhalten wird, läßt sich ohne Anstellung neuer spezieller Versuche nicht entscheiden; jedenfalls aber glaubt Vf. nach allem eine einheitliche Substanz in Händen gehabt zu haben[*].

Setzt man einer Lösung von Zucker oder einbasischem Zuckerkalk unter den oben beschrie-

---

[*] Einbasischer Zuckerbaryt und -strontian haben gleichfalls die Formel $C_{12}H_{22}O_{11}.BaO$ und $C_{12}H_{22}O_{11}.SrO$; dagegen bildet die Maltose, nach HERZFELD eine Verbindung $C_{12}H_{20}CaO_{11}$.

benen Umständen eine Menge reinen Ätzkalkstaub zu, die 2 Mol. CaO (resp. noch 1 Mol. CaO) auf 1 Mol. Zucker entspricht, und rührt diese ganze Quantität unter den erwähnten Vorsichtsmaßregeln rasch in die Lösung ein, so wird auch diese unter geringer Temperaturerhöhung (6—8°C.) vollständig an den Zucker gebunden und es entsteht zweibasisches Saccharat. Ist die Kalkmenge zur Bildung desselben nicht hinreichend, also weniger als 2 Mol. CaO auf 1 Mol. Zucker, so wird neben diesem auch einbasisches gebildet; ist sie mehr als genügend, so entsteht gleichzeitig Kalkhydrat.

Der zweibasische Zuckerkalk kann aus der Lösung leicht isoliert werden, am besten, indem man dieselbe rasch mit Eis abkühlt; man erhält so schöne weiße Krystalle von oft bedeutender Größe, welche der Formel $C_{12}H_{22}O_{11}.2CaO$ entsprechen, wasserfrei sind, sich in 32,6 Tln. kaltem Wasser auflösen und beim Kochen der Lösung in dreibasisches Saccharat und freien Zucker zerfallen.

	Gefunden:			Berechnet für $C_{12}H_{22}O_{11}.2CaO$
C	31,66	—		31,73
H	5,01	4,89	—	4,84
O	38,61	—	—	38,76
CaO	24,72	24,69	24,73	24,67.

Beim Auskrystallisieren des Saccharates bei etwas höherer Temperatur, soweit dies überhaupt gelingt, entstehen wasserhaltige Krystalle, doch war es dem Vf. nicht möglich, konstante Zahlen zu erhalten; die Analysen lassen auf 2—3 Mol. Krystallwasser schließen:

	Gefunden:			Berechnet für	
				$C_{12}H_{22}O_{11}.2CaO+2H_2O$	$C_{12}H_{22}O_{11}.2CaO+3H_2O$
C	28,80	28,86	—	29,38	28,34
H	5,42	5,43	—	5,31	5,52
O	49,70	49,79	—	48,98	50,39
Ca	16,08	15,92	16,02	16,33	15,75.

(Fortsetzung folgt.)

Beiträge für das Centralblatt bittet man an die Redaktion (Leipzig, Lessingstr. 5) zu richten. **Originalarbeiten** von nicht zu großem Umfange werden entsprechend honoriert und gelangen stets sofort nach der Einsendung, und zwar in kürzester Frist, zum Abdruck.

Redaktion: Prof. Dr. Rud. Arendt in Leipzig.

Verlag von Leopold Voss in Hamburg u. Leipzig. — Druck von Metzger & Wittig in Leipzig.

No 18.   **Chemisches**   30. April 1884.

Wöchentlich eine Nummer von
1-2 Bogen. Der Jahrgang mit
Sach- und Namen-Register,
nebst system. Übersicht.

Central-Blatt.

Der Preis des Jahrgangs
ist 30 Mark. Durch alle
Buchhandlungen und Post-
anstalten zu beziehen.

REPERTORIUM

für reine, pharmazeutische, physiologische und technische Chemie.

Dritte Folge. XV. Jahrgang.

Wochenbericht.

1. Allgemeines und Physikalisches.

P. Hautefeuille und **J. Chappuis**, *Einwirkung der elektrischen Effluvien auf Sauerstoff und Stickstoff bei Gegenwart von Chlor.* Im Jahre 1881 haben die Vff. mitgeteilt, dass die elektrischen Effluvien zerstörend auf Ozon wirken, dem eine kleine Menge Chlor beigemengt ist, und dass es demnach unmöglich ist, Ozon bei Gegenwart von Chlor darzustellen. Indem sie versuchten, die Natur der unbeständigen Chlorverbindungen, welche diese Umwandlung bewirken, festzustellen, sind sie zu Thatsachen gelangt, welche sich innig an die Geschichte der Übersalpetersäure anschließen.

Ein Gemenge von Sauerstoff und Chlor kann durch eine Ozonisationsröhre geleitet werden, ohne dass es sich anscheinend verändert, während dasselbe Gemenge, wenn man ihm etwas Stickstoff beimischt, auf den Wänden der Röhre einen geringen weißlichen Anflug abscheidet. Die Menge desselben nimmt allmählich an Dicke zu, und wenn man den Versuch länger als zehn Stunden fortsetzt, so bilden sich Arboreszenzen, ähnlich den Eisblumen, oder durchscheinende Krystalldrusen, welche schwach grünlichgelb gefärbt erscheinen. Diese Modifikationen des Anfluges zeigen, dass die Verbindung in einem Gasstrome bei der Temperatur, auf welche die Glaswände durch das Effluvium gebracht werden, flüchtig ist. Die Dampfspannung derselben ist indes bei 15° fast Null, so dass man in der Röhre ein Vakuum erzeugen kann, ohne dass sich der Anflug anscheinend vermindert. Stellt man aber eine große Temperaturdifferenz zwischen den beiden konzentrischen Glasröhren her, so kann man den krystallinischen Anflug abwechselnd von der inneren Röhre zur äußeren überführen, und umgekehrt. Hierdurch ist es möglich, die Krystalle von den beigemengten, noch unbestimmten Substanzen zu befreien. Das zur Analyse bestimmte Produkt wurde auf diese Weise bei einer Temperatur von 80° behandelt.

Die so gereinigte und krystallisierte Verbindung bleibt bei 100° unverändert, zersetzt sich aber schnell bei 105°, ohne zu schmelzen, und giebt dabei Dämpfe von Untersalpetersäure. Die Bildung dieser Säure zeigt, dass die neue Verbindung stickstoffhaltig ist und dass der im Versuche benutzte Stickstoff nicht bloß dazu gedient hat, die direkte Verbindung des stickstoffhaltigen Chlors zu stande zu bringen, sondern selbst mit in die Verbindung eingetreten ist. Die Krystalle ziehen rasch Feuchtigkeit an und bilden flüssige, sehr saure Tröpfchen. Die Salze, welche man erhält, wenn man diese Säure durch Kali oder Baryt sättigt, verhalten sich Reagenzien gegenüber wie ein Gemenge von Nitrat und Perchlorat. Die Analyse über rotglühendem Kupfer ergab, dass die Krystalle auf 1 Äq. Stickstoff 1 Äq. Chlor enthalten, was aus folgenden Zahlen hervorgeht:

Stickstoff	.	.	.	.	9,01	N	.	.	.	.	9,12
Chlor	.	.	.	.	22,71	Cl	.	.	.	.	22,80
Sauerstoff (durch Differenz)	.	.	68,28	O_{13}	.	.	.	.	68,08
					100,00						100,00.

Es wurde versucht, den Sauerstoff direkt zu bestimmen, indem man das Gasgemenge, welches durch Erhitzen der Krystalle im Vakuum entsteht, NO_3ClO, analysierte. Durch Kali wird dasselbe in der Art zersetzt, dafs etwas mehr als $^7/_{12}$ des gesamten Sauerstoffes zurückbleibt. Dies entspricht der obigen Zersetzung durch glühendes Kupfer, wenn man annimmt, dafs sich unter den Versuchsbedingungen kein Kaliumnitrit bilden kann.

Diese Verbindung, $NClO_{12}(NO_6,ClO_7)$, ist nicht die einzige, die sich durch das elektrische Effluvium aus den Elementen darstellen läfst, indes ist sie am leichtesten zu isolieren und am beständigsten.

Man kann annehmen, dafs sich auch das Brom und das Jod mit Stickstoff und Sauerstoff verbinden können, und dafs die beträchtliche Menge Sauerstoff, welches dieses Halogen zu fixieren scheint, zugleich mit dem Stickstoff gebunden wird, dessen Gegenwart bei der Darstellung der Überbrom- und Überjodsäure schwer zu vermeiden ist. (C. r. **98**. 626 bis 627. [10.*] März.)

4. Organische Chemie.

Fr. Hundeshagen, *Zur Synthese des Lecithins.* Den Lecithinen liegt die Distearylphosphorsäure (resp. Dipalmitin- oder Oleïnphosphorsäure) zu grunde, und zwar betrachtet DIACONOW sie als saure Neurinsalze dieser Säure, STRECKER als ätherartige Verbindung. Vf. erhielt die genannte Säure synthetisch durch Erhitzen von Distearin und Phosphorsäureanhydrid, das saure Neurinsalz durch Digestion der Säure mit der berechneten Menge kohlensauren Neurins. Die nähere Untersuchung zeigte, dafs die so dargestellte Verbindung nicht Lecithin, die Anschauung von DIACONOW also wahrscheinlich nicht richtig ist. Die Synthese des Lecithins selbst gelang einstweilen nicht. (Dissert. Leipzig 1883; Med. Centralbl. **22**. 222.)

R. Engel, *Beobachtungen über die Formel einiger Ammoniaksalze.* Die Aldehyde besitzen die Tendenz, mit Wasser Hydrate zu bilden, welche sich wie zweiwertige Alkohole verhalten, von denen die Acetale die Äther sind. BERTHELOT hat gezeigt, dafs gewöhnlicher Aldehyd beim Auflösen in Wasser eine grofse Menge Wärme entwickelt: 3,62 cal für 44 g Aldehyd und 50 g Wasser. Die Hydrate einiger Aldehyde (Chloral, Butylchloral, Bromal) sind krystallisierte, wohl charakterisierte Verbindungen. Der Analogie nach kann man die Existenz eines Hydrates der Glyoxylsäure, $COH,COOH$, voraussehen. welches der Dioxyessigsäure, $CH(OH)_2,COOH = C_2O_4H_4$, entsprechen würde. In der That hat DEBUS der Glyoxylsäure auf grund der Analyse ihrer Salze diese letztere Formel gegeben. Später betrachtete er in Berücksichtigung der Relation zwischen der Glyoxylsäure, der Glykolsäure und dem Aldehyd die Glyoxylsäure als einen sauren Aldehyd von der Formel $COH,COOH$, und diese Formel wurde von allen Chemikern, mit Ausnahme von PERKIN und DUPPA und von SCHREIBER angenommen. Die neuesten Werke (Handwörterbuch der Chemie von FEHLING, Dictionaire von WURTZ, Lehrbuch von BERTHELOT und JUNGFLEISCH, von BEILSTEIN u. E. v. MEYER) geben der Glyoxylsäure ohne weitere Diskussion ebenfalls die Formel $C_2H_2O_3$.

Man kann gegen diese Formel die wichtige Thatsache anführen, dafs alle Glyoxylate 1 Mol. Wasser enthalten, welches sie nicht abgeben, ohne sich zu zersetzen. Ein einziges Salz, das Ammoniaksalz, hat die Formel $C_2O_4HNH_4$; aber diese Ausnahme erklärt sich mit anderen Thatsachen, auf welche Vf. zurückkommen wird.

Was die übrigen Argumente, die zu Gunsten der Formel $C_2H_2O_3$ angegeben werden, betrifft, so ist darunter keines, welches entscheidend wäre.

1. Glyoxylsäure verbindet sich mit alkalischen Disulfiten wie die Aldehyde und giebt Verbindungen von der Formel C_2O_4HNa,SO_3HNa (STRECKER), aber das Chloralhydrat verbindet sich ebenfalls mit den alkalischen Disulfiten unter Austritt von Wasser.

2. Zwei Hydroxyle können nicht an demselben Kohlenstoffkern gebunden sein (FRANKLAND). Dies ist ein Argument, welches der Frage präjudiziert. Wenn es wahr ist, dafs das Hydrat des Aldehyds unbekannt ist, so kennt man andererseits das Hydrat des Chlorals, in welchem elektronegative Elemente in derselben Weise verbunden sind, wie in der Glyoxylsäure.

3. Wenn man Glyoxylsäure mit Alkohol erhitzt, so erhält man den Diäthoxyläther (PERKIN), während ein Säurealkohol, z. B. Glykolsäure, von dem gleichen Weise verhält (E. v. MEYER). Allein es ist nicht erlaubt, von dem Verhalten eines einwertigen Alkohols auf das eines zweiwertigen zu schliefsen, daraus beide Hydroxyle mit demselben Kohlenstoffkerne verbunden sind, und welcher aus diesem Grunde leicht Wasser verlieren kann.

OTTO und BECKURTS haben das Kaliumglyoxylat mit Dichloracetylchlorid behandelt und ein Gemenge von Dichloressigsäure und Glyoxylsäure erhalten. Nach diesen Vffn. hätte man, wenn die letztere Säure Dioxyessigsäure wäre, ein gemischtes Anhydrid von

Dioxyessigsäure und Dichloressigsäure erhalten müssen. Allein es muß bemerkt werden, daß das Dichloracetylchlorid ein wasserentziehendes Agens ist. Das Acetylchlorid z. B. entzieht dem Chloralhydrat Wasser und verwandelt sich in Essigsäure, und wenn man beachtet, daß OTTO und BECKURTS bei gewöhnlicher Temperatur 1 Mol. Dichloracetylchlorid auf 1 Mol. Kaliumglyoxylat einwirken ließen, so erscheint es nicht überraschend, daß man bei dem schließlichen Aufnehmen der Reaktionsprodukte mit Wasser Dichloressigsäure und Glyoxylsäure erhielt. Ein Argument bleibt indes bestehen. Das Ammoniumglyoxylat hat die Formel $C_2HO_3NH_4$, und dies würde ein wirkliches Ammoniaksalz sein, denn es verliert in der Kälte durch Einwirkung von Kali sein Ammoniak und geht mit anderen Salzen Wechselzersetzung ein, gerade so wie die Ammoniaksalze.

Nun hat der Vf. in einer früheren Mitteilung ausgeführt, daß man beim Erhitzen von Ammoniumlactat neben Lactamid einen anderen Körper erhält, welcher sich von dem Ammoniumlactat durch Verlust von Wasser ableitet, und daß dieser Körper, dem der Vf. den Namen *Lactamin* gegeben hat, sich bei Gegenwart von Wasser wie Ammoniumlactat verhält: er fällt in der Kälte und sofort Platinchlorid, was das Lactamid nicht thut. Da die Glyoxylsäure und alle Glyoxylate 1 Mol. Wasser enthalten, so steht es mit den Thatsachen in Einklang, wenn man den Glyoxylaten die Formel $CH(OH)_2COOH'$ giebt. Das Ammoniumglyoxylat würde dann ein dem Lactamin analoger Körper sein, dem der nebenstehende Formel zukommt.

$$\begin{matrix} C-OH \\ \diagup^H \end{matrix}$$

$$\begin{matrix} | \\ COO \end{matrix} \Big\rangle -NH_2$$

Diese Schlußfolgerung erscheint noch mehr gerechtfertigt, wenn man erwägt, daß eine andere Säure, die Mesoxalsäure, und ihre Salze, ebenso wie die Glyoxylsäure, 1 Mol. Wasser enthält, welches sie nur unter Zersetzung abgiebt. Die Mesoxalsäure darf demnach nicht $COOH,CO,COOH$, sondern $COOH,C(OH)_2COOH$ geschrieben werden; sie ist demnach Dioxymalonsäure. Auch bei ihr bildet das Ammoniaksalz die einzige Ausnahme. Dasselbe enthält 1 Mol. Wasser weniger, als die übrigen Mesoxalate, und muß deshalb mit dem Lactamin und dem Glyoxylamin verglichen werden.

Endlich enthalten gewisse schwefligsaure Aldehydammoniake 1 Mol. Wasser weniger, als die entsprechenden Aldehydsulfite. Das Natriumglyoxalsulfit z. B. hat die Formel $C_2H_2O_2(SO_3HNa) + H_2O$, während das Ammoniumglyoxalsulfit nach den Analysen von DEBUS die Formel $C_2(NH_4)_2O_2,2SO_3 + H_2O$ hat.

Die Formel $C_2H_2O_2 + 2(SO_3HNH_4)$, welche in manchen Lehrbüchern dem Ammoniumglyoxalsulfit gegeben wird, steht offenbar mit den Thatsachen in Widerspruch. Nun sind die Aldehydsulfite mit den Lactaten und den Salzen der α-Oxysäuren zu vergleichen. In der That können das Ammoniumaldehydsulfit und das Ammoniumlactat durch die Formeln:

$$CH_3-CHOH-SO_3NH_4 \quad \text{und} \quad CH_3-CHOH-CO_2NH_4$$

ausgedrückt werden und demnach ähnliche Reaktionen geben.

Die Gesamtheit dieser Thatsachen scheint nachstehende Schlußfolgerungen zu rechtfertigen.

1. Die Metallglyoxylate haben die allgemeine Formel $CH(OH)_2COOM$, und nicht diejenige, welche man ihnen gewöhnlich giebt, CHOCOOM.

2. Den Alkoholsäuren von der Formel $\left(\begin{matrix}CHOH \\ COOH\end{matrix}\right)$ entspricht eine eigentümliche Gruppe von Stickstoffverbindungen. Dieselben sind weder Ammoniaksalze, weil ihnen 1 Molekül Wasser fehlt, noch Amide, weil sie sich bei Gegenwart von Wasser wie Ammoniaksalze verhalten. (C. r. **98**. 628—30. [10.*] März.)

R. **Engel**, *Über die Acidamine, eine neue Gruppe von Stickstoffverbindungen*. Der Äthylidenmilchsäure entsprechen zwei Amidoderivate: das Lactamid und eine Amidosäure, das Alanin. In der vorliegenden Mitteilung zeigt der Vf., daß es noch eine dritte, mit beiden isomere Verbindung giebt, welche ebenfalls ein Amidderivat der Äthylidenmilchsäure ist. Die beiden anderen Isomeren des Lactamids, das Sarkosin und die β-Amidopropionsäure, welche nicht von der Äthylidenmilchsäure derivieren, bleiben hier außer betracht.

Um jenes dritte Isomere darzustellen, hat der Vf. die Einwirkung der Wärme auf das Ammoniumlactat studiert.

Dieses unkrystallisierbare Salz verliert Ammoniak, wenn man seine Lösung in der Kälte oder in der Wärme abdampfen läßt. Um ein vollkommen neutrales Salz zu erhalten, hat der Vf. das Ammoniumlactat in einem langsamen und regelmäßigen Strome von absolut trocknem Ammoniak erhitzt. Hierbei zeigt sich folgendes:

1. Steigert man die Erhitzung bis über 160°, so tritt eine verwickelte Zersetzung ein.
2. Durch Erhitzen auf 125—135° verliert das Salz Wasser und verwandelt sich zum

22*

größten Teile in Lactamid. 3. Erwärmt man bis auf 95—105°, so giebt das Salz ebenfalls Wasser ab, aber es entsteht kein Lactamid. Die abgekühlte Flüssigkeit erstarrt nicht mehr zu einer Krystallmasse, sondern sie bleibt flüssig, sirupartig, farblos oder schwach gelblich gefärbt. Die Abgabe des Wassers erfolgt mit großer Langsamkeit, gerade so, als verwandelte sich die Milchsäure in Dimilchsäure.

Die folgenden Ammoniakbestimmungen geben eine Vorstellung von dem Verlaufe dieser Wasserabgabe. Dabei bemerkt der Vf., daß das Ammoniak nach der Methode von SCHLÖSING (Austreiben durch Kali in der Kälte) bestimmt wurde, daß das Ammoniumlactat 15,8 p. c. und das isomere Lactamid 19 p. c. NH$_3$ enthält.

	Gewicht der Substanz	NH$_3$ gefund.	Auf .100 Tle. Substanz berechnet
Nach fünftägigem Erhitzen	1,542	0,2669	17,3 p. c.
„ „	1,01	0,178	17,6
Nach siebentägig. Erhitzen	1,07	0,1887	17,6
„ „	1,327	0,243	18,3
Nach elftägigem Erhitzen	0,925	0,169	18,2
„ „	1,059	0,197	18,6
Nach funfzehntäg. Erhitzen	1,235	0,229	18,5
Nach neunzehntäg. Erhitzen	1,125	0,213	18,9.

Das nach neunzehntägigem Erhitzen erhaltene Produkt enthält also fast genau die Ammoniakmenge des Lactamides; übrigens wurde die Zusammensetzung dadurch kontrolliert, daß man das Produkt durch Kalk in Calciumlactat verwandelte.

Man erhält also auf diese Weise einen Körper, welcher die Zusammensetzung des Lactamides hat, aber durch folgende Eigenschaften sich davon unterscheidet: er ist unkrystallisierbar, beim Erhitzen auf 200° destilliert er nicht wie das Lactamid, sondern zersetzt sich; bei Gegenwart von Wasser giebt er sofort Ammoniumlactat; endlich kann man daraus in der Kälte das Ammoniak durch Platinchlorid vollständig fällen, was beim Lactamid nicht der Fall ist.

Da alle drei Isomere die Formel C$_3$H$_7$O$_3$N haben, so lassen sie sich durch folgende Strukturformeln darstellen:

CH$_3$	CH$_2$	CH$_3$
CHNH$_2$	CHOH	CH
COOH	CONH$_2$	OOO>NH$_2$
Alanin	Lactamid	Neue Verbindung.

Die dritte von diesen Formeln würde andeuten, daß bei der Bildung des neuen Körpers das Ammoniumlactat 1 Mol. Wasser auf Kosten des alkoholischen Hydroxyls und eines Ammoniumwasserstoffes abgiebt. Diese Formel giebt Rechenschaft von der Leichtigkeit, mit welcher der Körper sich in Ammoniumlactat umwändelt; sie zeigt, daß er zugleich ein Ammoniaksalz und ein Amin ist. Um diese doppelte Funktion dieses Namens auszudrücken, schlägt der Vf. die Bezeichnung *Lactamin* vor, und für Verbindungen dieser Ordnung überhaupt den Namen *Acidamin*. In einer folgenden Mitteilung wird er zeigen, daß es noch andere Körper giebt, die dem Lactamin analog sind. (C. r. **98.** 574 bis 576. [3.*] März.)

Justus Andeer, Über das *Phloroglucin.* Wie die Monoxybenzole: Phenol, Naphthol, Thymol einer-, die Dioxybenzole: Brenzcatechin, Resorcin und Hydrochinon andererseits ungeachtet ihrer Isomerie voneinander sehr abweichende Eigenschaften in ihrem chemischen, physiologischen und therapeutischen Verhalten offenbaren, ebenso verschieden wirken auch die Trioxybenzole: die giftige Pyrogallussäure und das ungiftige Phloroglucin.

In anbetracht der chemischen Verwandtschaft des Phloroglucins auch zum Resorcin, wurde ersteres seiner Zeit gleichen physiologischen wie therapeutischen Untersuchungen unterworfen, wie letzteres. Dabei ergab sich das merkwürdige, daß das Phloroglucin, wie seiner isomeren Pyrogallussäure, so auch dem Resorcin gegenüber, im wesentlichen die gerade entgegengesetzten Eigenschaften zeigte. Während nämlich Resorcin bekanntermaßen lösliches Eiweiß jeden Herkommens,·tierischen wie pflanzlichen Ursprunges, aus seinen Lösungen gerinnend niederschlägt, besitzt das Phloroglucin nicht die geringste eiweißgerinnende Eigenschaft. Daher erklärt sich leicht die Thatsache, daß das Phloroglucin, im Gegensatze zum adstringierenden, kaustischen und hämostatischen Resorcin,

Blut und andere leicht gerinnbare Gewebssäfte vor Gerinnung geradezu schützt und dieselben relativ lange in ihrem natürlichen flüssigen Zustande unzersetzt erhält. Schon diese erste Eigenschaft des Phloroglucins ist ein hinreichend wichtiges Moment, besonders für Laboratorien, wo man aufser Blut noch andere tierische Säfte, sei es im lebenden Organismus selbst, beispielsweise bei kymographischen Versuchen, sei es aufserhalb desselben, in warmer oder kalter Lösung zu verschiedenen Zwecken vor Gerinnung schützen will. Eine graue Verfärbung des Blutes, nach Art des ungiftigen Resorcins, oder eine Umwandlung desselben in Methämoglobin, wie nach Zusatz der übrigen giftigen, ein-, zwei- und dreiatomigen Phenole, findet durch Phloroglucin nicht statt. Es verändert demnach nicht die Blutmischung, zerstört nicht die roten und weifsen Blutkörperchen und löst noch viel weniger ihr Stroma auf. Das im Blutserum gelöste Hämoglobin verliert nicht die Fähigkeit, sich zu oxydieren oder sich zu reduzieren, wiewohl das dem Einflusse des Phloroglucins ausgesetzte dunkle venöse Blut granat-, ja hell kirschrot wird.

Wenn das Phloroglucin auch nach Art aller bisher untersuchten chemischen Stoffe der aromatischen Reihe im stande ist, den Eintritt von Fäulnisvorgängen mehr oder weniger hinauszuschieben, ein bakterientötendes Mittel nach Art des Resorcins ist es doch nicht. Es vermag noch viel weniger als jenes die Schimmelbildung zu verhindern; im Gegenteil, jede bisher vom Vf. beobachtete wässerige, saure, neutrale, alkalische, alkoholische etc. Phloroglucinlösung schimmelte nach einer gewissen Zeit so reichlich und üppig, wie er diese Erscheinung noch bei keinem anderen chemischen Präparate gefunden habe. Es übertrifft hierin sogar die Gallussäure, mit der es als glykosidartiger Körper zugleich verwandt ist.

Diese wenigen Thatsachen erklären es zur Genüge, warum das Phloroglucin als Antisepticum, besonders aber als Antimycoticum im Gegensatze zum Resorcin, als ein völlig unbrauchbares Mittel sich erweist. Als ungiftiges gärnungshemmendes Mittel mag das Phloroglucin allerdings vor allen ein-, zwei- und dreiatomigen Phenolen den Vorzug verdienen, und wie schon oben bereits bemerkt, gerade wegen dieser Eigenschaft passende Verwendung finden, besonders auch als desodorierendes Mittel bei gewissen Gärungen.

Wenn also nach bisherigen Untersuchungen das Phloroglucin allein, in seiner isolierten Wirkung, im Vergleiche zur vielseitigen Wirksamkeit des Resorcins, physiologisch aufgefafst, eine relativ einseitige Verwendbarkeit verrät, so entwickelt es besonders in Verbindung mit Salzsäure nicht blofs die von WIESNER nachgewiesene *Rotfärbung des Lignins* im Pflanzenreiche, sondern auch eine ganz neue Eigenschaft im Tierreiche. Es vermag nämlich in richtiger proportionaler Mischung mit Salzsäure nicht blofs die kohlensäurehaltigen organischen Kalkgebilde der niedrigsten Wirbeltierklassen aus ihrer Molekularstruktur bis zur schnittfähigen Weichheit und Konsistenz umzuändern, sondern auch die härtesten phosphorhaltigen Knochen der obersten Säugetiere binnen weniger Stunden in eine weiche plastische (Chlorcalciummasse) Masse umzuwandeln, bei völliger Erhaltung ihrer ursprünglichen Form und Struktur. Diese dem zarten und zartesten Knorpel ähnliche Masse zeigt, richtig zubereitet, unter dem Mikroskop die schönsten Zellenanordnungen und -formationen.

Für andere Zwecke genügt es, den mit Phloroglucin-Salzsäure behandelten Knochen eine tuch- oder lederartige Konsistenz zu verleihen, um dieselben beliebig mit der Scheere oder mit dem Messer bearbeiten zu können. Fürs erste gewährt die knochenerweichende Methode bei Anwendung des grofsen GUDDEN-KATSCH'schen Mikrotomes den Vorteil, ganze Skelette oder Skeletteile mit Überzug und Inhalt schichtweise abzutragen. Zweitens gestattet die schnelle Wirkung der Phloroglucin-Salzsäure unmittelbar nach Operationen pathologisch-anatomische Präparate anzufertigen.

Die Phloroglucin-Salzsäurelösung vermag nicht das Elastin und Keratin nach Art der Knochen schnittfähig zu machen. (Med. C.-Bl. **22.** 193.)

Haller, *Über zwei Campholurethane von einer analogen Isomerie wie bei der Rechts- und Linksweinsäure.* Durch seine früheren Untersuchungen hat der Vf. gezeigt, dafs wenn man Rechtsnatriumcampher in Toluol löst und die Lösung mit Cyan oder mit Chlorcyan behandelt, ein Gemenge von Campholurethan und Campholcarbonat entsteht. Die Krystalle der ersteren sind hemiëdrisch, und ihre alkoholische Lösung lenkt die Ebene des polarisierten Lichtes nach rechts ab. Diese Eigentümlichkeit veranlafste den Vf., auch das Verhalten von Linkscampher gegen die genannten Reagenzien zu untersuchen.

Von den Linkscamphern kennt man nur den Krappcampher, welcher von JEANJEAN (**56.** 557. 672) beschrieben war, und den von Ngaï. Den ersteren konnte Vf. nicht erhalten, da der Krappbau fast gänzlich aufgehört hat. Von dem zweiten erhielt er eine Probe durch BARTHOLDI Der Ngaïcampher kommt über Schangai zu uns. Er hat denselben Schmelzpunkt wie das gewöhnliche Borneol (198°). Sein Rotationsvermögen $[\alpha]_D = -32°30'$. Es ist also kleiner als das des Krappcamphers, welches $[\alpha]_D = -37°$ ist.

Das Linksurethan wurde hieraus ebenso wie das Rechtsurethan dargestellt; 50 g

Linkscampher wurden in 150 g Toluol gelöst und mit 6 g Natrium erhitzt. Sobald fast das ganze Natrium verschwunden ist, leitet man einen Strom trockenes Cyangas darüber, bis die Flüssigkeit sich zu färben beginnt. Dann schüttelt man das Produkt mit Wasser, dekantiert und destilliert. Die feste Masse, welche zurückbleibt, wird in einem Ballon auf 100° erhitzt. Hierbei sublimiert der der Reaktion entgangene Anteil des Camphers, und am Boden des Gefäßes bleibt eine gelbliche Masse zurück, welche mitunter klebrig ist. Diese Masse wird mit siedendem Wasser erschöpft, welches das Urethan löst und ein Produkt zurückläßt, aus welchem man mittels Alkohol das Carbonat des Linkscamphers extrahiert. Die Reaktion scheint sich hiernach ebenso zu vollziehen, wie bei dem Rechtscampher, allein in Wahrheit ist sie doch weniger regelmäßig. Es ist dem Vf. oft begegnet, daß er aus dem Produkt nur das Carbonat und noch einen anderen Körper extrahieren konnte, auf welchen er später zurückkommen wird.

Das Linksurethan scheidet sich aus der wässerigen Lösung in Form feiner glänzender Nadeln ab, welche denen des Rechtsurethans ähneln. Die Analyse ergab die Zusammensetzung $C_{11}H_{19}NO_2$; Schmelzpunkt 126—127°; seine Lösungen lenken das polarisierte Licht nach links $[\alpha]_D = -29,9°$. Die Krystalle sind gleichfalls hemiëdrisch, doch im umgekehrten Sinn. Sie gehören wie die des Rechtsurethans zum 4. System, und die herrschende Form ist ein rhomboidales Prisma von 82°32′, dessen Winkel genau mit denen des Rechtsurethans genau übereinstimmen.

Die Krystalle, welche der Rechtscampher liefert, sind also rechtshemiëdrisch und ihre Lösung lenkt die Ebene des polarisierten Lichtes nach rechts, während die aus dem Linkscampher entstehenden linkshemiëdrisch sind und eine Lösung geben, die das polarisierte Licht nach links ablenken. Diese Dissymetrie ist also durchaus derjenigen analog, welche Pasteur für die Natron- und Ammoniaksalze der Rechts- und Linksweinsäure fand.

Bei der Darstellung des Campholurethans erhält man, wie erwähnt, noch das Carbonat des Linkscamphers, und zwar bildet sich dasselbe hier in größerer Menge als das entsprechende des Rechtscamphers, ja es kommt sogar vor, daß fast die ganze Menge des Ngaïcampher sich in Kohlensäureäther umwandelt. Die Isomerie dieses Camphers mit dem gewöhnlichen Campher ist vielleicht nicht bloß eine physikalische, sondern hat tiefer liegende Ursachen, da bei der Reaktion ein in Alkohol und Äther wenig löslicher Körper erhalten wurde, der sich beim Rechtscampher nicht bildete. (C. r. **98.** 578—580 [3.*] März.)

G. Arth. *Über die Oxydation des Menthols durch übermangansaures Kalium.* Alle Chemiker, welche das Menthol untersucht haben, haben auch die Einwirkung oxydierender Körper auf dasselbe studiert. Oppenheim that dies hauptsächlich in der Hoffnung, ein höheres Homologes der Akoylsäure zu erhalten, allein seine Versuche waren erfolglos. In der letzten Zeit hat Moriga durch Kaliumdichromat und Schwefelsäure eine Flüssigkeit erhalten, welche nach seinen Analysen der Formel $C_{10}H_{18}O$ entspricht und eine Acetylenfunktion besitzt, weshalb er ihr den Namen Menthon gegeben hat.

Der Vf. hat schon seit längerer Zeit sich mit demselben Gegenstand beschäftigt. Nach zahlreichen Versuchen ist er endlich zu einem Verfahren gelangt, welches eine ziemlich befriedigende Ausbeute gab. In mehrere winthalsige Ballons brachte er 8 g krystallisiertes Kaliumpermanganat, 500 ccm Wasser und 5 ccm verdünnte Schwefelsäure (1 : 4 Vol.). Hierauf setzte er 4 g höchst fein gepulvertes Menthol zu, schüttelte tüchtig um und ließ die Ballons an einem Orte stehen, wo die Temperatur etwa 25—30° betrug. Nach 24 Stunden brachte er in jeden Ballon abermals 2 g Menthol und wiederholte dies nach 48 Stunden noch einmal. Sobald die Flüssigkeiten vollständig entfärbt waren, wurden sie mit Natriumcarbonat neutralisiert und dann im Wasserbad zu einem kleinen Volum konzentriert. Die Lösung des Natriumsalzes wurde hierauf durch verdünnte Schwefelsäure zersetzt und mit Äther geschüttelt, welcher nach dem Verdampfen eine braune, siruppartige Substanz hinterließ, die keinen festen Siedepunkt hatte, in Wasser wenig löslich war, demselben eine stark saure Reaktion erteilte und besonders in der Wärme einen stark an Valeriansäure erinnernden Geruch besaß.

Diese Substanz löst sich vollständig in einer Lösung von Natriumcarbonat unter lebhaftem Aufbrausen. Sie besteht indes nicht aus einer einzigen Säure, denn wenn man die Lösung mit Silbernitrat fällt, so erhält man einen Niederschlag von verschiedener Zusammensetzung. Nach den bis jetzt erhaltenen Resultaten scheint das Rohprodukt der Oxydation zwei verschiedene Säuren zu enthalten. Die Niederschläge, welche sich zuerst bilden, lösen sich in einer ziemlich großen Menge siedenden Wassers auf; beim Abkühlen scheidet sich daraus das Salz in schönen perlmutterglänzenden Blättern ab, deren Analyse die Formel $C_{10}H_{18}O_3$ ergab. Von der anderen Säure konnte der Vf. bis jetzt noch kein krystallisiertes Salz erhalten. Der Silberniederschlag löst sich nicht in siedendem Wasser, sondern verändert sich allmählich bei längerem Sieden. Deshalb ließ sich auch seine Zusammensetzung nicht mit Sicherheit feststellen. Es erscheint indes möglich, dafs hier das Produkt einer weit fortgeschrittenen Oxydation, bei welcher ein Teil des Kohlenstoffes ausgetreten ist, vorliegt. Die Säure würde dann · ein Zwischenprodukt zwischen der ersten $C_{10}H_{18}O_9$ und der Kohlensäure und Oxalsäure sein, welches stets die letzten Produkte von der Oxydation des Menthols sind. (C. r. **98.** 576—78 [3.*] März.)

5. Physiologische, medizinische und pharmazeutische Chemie.

E. Duclaux, *Einwirkung von Lab auf Milch.* Es sind verschiedene Theorien zur Erklärung der koagulierenden Wirkung des Labs auf die Milch aufgestellt worden. Zur Zeit findet die von HAMMARSTEN am meisten Anklang. Nach dieser spaltet sich das Caseïn der Milch in zwei neue Eiweifskörper. Der eine, welcher sich in reichlicherer Menge bildet, ist bei Gegenwart des in der Milch gelösten Calciumphosphates unlöslich, er gerinnt und reifst dabei einen Teil dieses Salzes nieder; der andere, welcher dem Lactoproteïn entspricht, tritt in Lösung und, um anzudeuten, dafs er in der Milch nicht präexistiert, wandelt HAMMARSTEN jenen Namen in Molkenproteïn um.

Die vom Vf. in seiner letzten Mitteilung angegebene analytische Methode gestattet, diese Theorie einer Prüfung zu unterziehen. Filtriert man eine Mischung und die Molken, welche sie durch Einwirkung von Lab liefert, durch verglühtes Porzellan, so mufs, wenn bei einer Koagulation eine gewisse Menge gelöstes Caseïn entsteht, mehr davon in den Molken als in der Milch enthalten sein. Man mufs hierbei zwei Vorsichtsmafsregeln anwenden: zuerst mufs man ziemlich schnell arbeiten, um die Einwirkung von Mikrobien zu verhüten, welche stark lösend auf das Caseïn einwirken; und dann mufs man Lab anwenden, welches keine Casease enthält.

In dieser Weise wurden mehrere Versuche ausgeführt. Bei einem derselben ergab sich:

	Suspendierte Substanzen		Gelöste Substanzen	
	Milch	Molken	Milch	Molken
Fett	4,30	0,85	—	—
Milchzucker . . .	—	—	5,37	5,73
Caseïn	3,53	0,46	· 0,37	0,36
Calciumphosphat .	0,23	—	0,17	0,17
Gelöste Salze . .	—	—	0,40	0,43
	8,06	1,31	6,31	6,69

Man ersieht hieraus, dafs die Menge des gelösten Caseïns in der Milch und in den Molken dieselbe ist. Durch die Koagulation wird also die Menge dieses Caseïns nicht vermehrt. Ferner enthalten die Molken ebensoviel Calciumphosphat gelöst, als die Milch. Es fehlt hieran nur derjenige Teil, welcher in der Milch suspendiert ist, und dessen Existenz HAMMARSTEN übersehen hat. Dieser wird im Koagulum zugleich mit dem Fette zurückgehalten. Durch das Gerinnen wird also an dem Verhältnisse des suspendierten und gelösten Calciumphosphates nichts geändert. Dieses Salz spielt bei dem Vorgange eine passive Rolle, und demnach befindet sich die Theorie von HAMMARSTEN in zwei wesentlichen Punkten im Widerspruche mit den Thatsachen.

Andererseits läfst die obige Tabelle erkennen, dafs trotz des Zusatzes von Lab ein Teil des kolloidalen Caseïns der Milch, nämlich 0,46 p. c., seinen Zustand nicht geändert hat, also nicht wie der Rest in festes Caseïn übergegangen ist. Dies ist stets der Fall. Es kommt niemals vor, dafs alles koagulierbare Caseïn der Milch wirklich gerinnt. Dieser Rest wird kleiner, wenn man die Menge des Labs vermehrt, aber in keinem Falle wird er Null. Es liegt hier wieder ein Fall von Gleichgewicht vor, welchen man folgendermafsen präzisieren kann.

Die Milch ist ein System, in welchem die drei Formen des Caseïns unter einander in einem stabilen Gleichgewichte sich befinden. Dieser Gleichgewichtszustand kann durch Zusatz sehr kleiner Mengen verschiedener Substanzen, z. B. gewisse Mineralsalze, gestört werden. Er ist auch sehr empfindlich gegen die Einwirkung diastatischer Fermente. Das Lab modifiziert ihn zu gunsten des festen Caseïns, die Casease zu gunsten des gelösten Caseïns; immer aber bildet sich ein neuer Gleichgewichtszustand. Die Koagulation entspricht der langsamen und regelmäfsigen Bildung eines dieser Gleichgewichtszustände, welcher das Festwerden einer gelösten Substanz innerhalb einer Flüssigkeit zur Folge hat.

Die Ursache aber, warum aus der Milch ein Teil des Caseïns sich bei Gegenwart von Lab ausscheidet, ist bis jetzt durch keine Theorie erklärt. Die Wissenschaft ist noch nicht reif für Untersuchungen dieser Art über die Ursachen der Löslichkeit und Unlöslichkeit. Alles, was sich bis jetzt sagen läfst ist, dafs die Koagulation der Milch nicht auf gewisse spezifische Eigenschaften des Labs zurückgeführt werden darf, weil andere Körper dieselbe Wirkung hervorbringen; ebensowenig aber kann sie in spezifischen Eigenschaften des Caseïns liegen, weil auch andere Körper in drei Zuständen: fest, colloïdal und gelöst auftreten und durch die unbedeutendsten Einflüsse aus dem einen in den anderen übergehen können. Solche Körper sind z. B. die Oxyde des Eisens; kurz, dem Vf. erscheint das Problem der Koagulation ein Problem der Molekularmechanik zu sein, dessen Lösung bei dem aktuellen Zustande der Wissenschaft ebenso weit gediehen ist, wie andere Probleme gleicher Art, die auch noch auf die ihrige warten. (C. r. **98.** 526—28. [25.°] Febr.)

F. Hoppe-Seyler, Über *die Einwirkung von Sauerstoff auf die Lebensthätigkeiten niederer Organismen.* Die in der Abhandlung beschriebenen Versuche ergaben das Resultat: *dafs bei steter Gegenwart von freiem indifferenten Sauerstoffe die einzigen, bestimmt nachweisbaren Produkte der Fäulnis eiweifshaltiger Flüssigkeiten sind: Kohlensäure, Ammoniak, Wasser. von denen das zuletzt genannte nur aus dem Verhältnisse des aufgenommenen Sauerstoffes und der gebildeten Kohlensäure zu erschliefsen ist.* Selbst bei mehrere Wochen lang fortgesetzter Fäulnis mit oder ohne Pankreasinfus zur faulenden Lösung bilden sich weder Wasserstoff noch Sumpfgas, wenn Sauerstoff die Flüssigkeit stets durchdringt; es werden auch die gewöhnlichen Fäulnisprodukte wie Indol, Skatol gar nicht, Leucin und Tyrosin, wenn überhaupt, nur vorübergehend gebildet.

Die Niederschläge, welche beim Kochen der gefaulten Flüssigkeiten erhalten werden, enthalten einen wahrscheinlich nicht geringen Teil der Spaltpilze, während die bei der Tötung der letzteren löslich werdenden Bestandteile die Summe der Extraktstoffe vermehren. Da nun die mikroskopische Untersuchung ergiebt, dafs bei der Fäulnis bei Gegenwart von Sauerstoff eine grofse Zahl von Spaltpilzen entsteht, eine viel gröfsere, als bei geringerem Sauerstoffzutritte, so ist die Substanz der gebildeten Spaltpilze von besonders hohem Einflusse in der in Sauerstoff bewegten Portion.

Die Spaltpilze verhalten sich hinsichtlich der Vermehrung offenbar ebenso, wie die Bierhefe, von welcher BREFELD bewiesen hat, dafs sie nur bei Anwesenheit von Sauerstoff sich vermehrt. In guter Übereinstimmung mit BREFELD's Angabe stehen die Resultate, welche Vf. in einem Versuche erhielt, in welchem Hefe in einer Mischung von Nährflüssigkeit und Zuckerlösung in mehreren Portionen ebenso behandelt wurden, wie die faulenden Eiweifslösungen.

Spaltpilze und Hefearten verhalten sich, solange sie bei gutem Sauerstoffzutritte leben, im wesentlichen hinsichtlich ihres Lebens nicht anders, als alle übrigen Organismen; sie nehmen Sauerstoff auf und scheiden CO_2, H_2O und NH_3, oder dem Ammoniak nahe stehende stickstoffreiche Stoffe aus.

, Bei Abwesenheit von Sauerstoff veranlassen sämtliche Organismen Gärungserscheinungen, während aber Spaltpilze und Hefearten zum Teil wenigstens lange Zeit in diesem Zustande fortbestehen können, gehen die übrigen Organismen bei Sauerstoffmangel bald zu grunde, und ihr Leib verfällt den Fermentationen der Spalt- und Hefepilze. Dafs auch gewisse Spaltpilzarten die Abwesenheit von Sauerstoff nicht lange ertragen, ist erwiesen, andere Spezies derselben, besonders der Spaltpilz oder die Spaltpilze, welche bei Abwesenheit von Sauerstoff Cellulose zu CO_2, CH und H_2 zerlegen, vertragen den Sauerstoffmangel sehr lange.

Man hat seit PASTEUR's hierauf bezüglichen Publikationen ziemlich allgemein unterschieden zwischen Spaltpilzen, die in Sauerstoff leben, und solchen, die ohne freien Sauerstoff leben, sogen. Anärobien. Die Annahme, dafs es Spaltpilze gebe, die nur bei Abwesenheit von Sauerstoff ihr Leben führen, ist eine Hypothese, die an sich höchst unwahrscheinlich und durchaus nicht begründet ist. Dafs sie ohne Sauerstoff lange leben können, auch ohne sich zu vermehren, zeigt ein vom Vf. angestellter Versuch. (Ztschr. physiol. Chem. **8.** 214—28.)   P.

A. Tschirch, *Die Reindarstellung des Chlorophyllfarbstoffes.* (Journ. Chem. Soc. **45.** 57—62. Febr.; C.-Bl. 1884. 11.)

A. B. Griffiths, *Experimentelle Untersuchungen über den Wert des Ferrosulfates als Dünger.* (Journ. Soc. Chem. **45.** 71—75. Febr.; C.-Bl. 1884. 106.)

Edward Kinch, Über *die Stickstoffverbindungen des frischen und in Silos aufbewahrten Grünfutters.* (Journ. Chem. Soc. **45.** 122. März; C.-Bl. 1884. 222.)

Richard Külz, *Zur Darstellung und Kenntnis der Urochloralsäure, sowie der chlor-*

haltigen *Spaltungsprodukte der Urochloralsäure und Urobutylchloralsäure. Urochloralsäure.*
Der zum dicken Sirup eingedampfte Chloralharn wurde ganz in der von E. KÜLZ (81.
486) beschriebenen Weise mit Ätheralkohol und Schwefelsäure so lange ausgeschüttelt,
bis der Rückstand keine Linksdrehung mehr zeigte. Von den vereinigten Ausschüttelungen
wurde der Ätheralkohol abdestilliert, der Rückstand zunächst mit Bleizucker, dann mit
Bleiessig ausgefällt, der Bleiessigniederschlag mit Schwefelwasserstoff zerlegt und das Filtrat
von der Bleisulfidfällung nach dem Vertreiben des Schwefelwasserstoffes und nach Neutralisation mit Barythydrat auf ein kleines Volum eingeengt. Das so erhaltene Bariumsalz wurde mit verdünnter Schwefelsäure zerlegt, vom Bariumsulfat abfiltriert, das Filtrat
bis zum Sirup bei gelinder Temperatur eingedampft und dieser endlich unter dem Exsiccator zur Krystallisation und möglichst vollständiger Trockne gebracht; die trockne
Krystallmasse wurde nunmehr mit heissem Äther ausgekocht, bis der schliesslich bleibende
Rückstand keine Linksdrehung mehr zeigte.

Aus den bis auf 200—300 ccm eingeengten Ätherauskochungen schied sich nach einigem Stehen in der Kälte die Säure in feinen, schneeweifsen, locker aneinander gelagerten
Krystallen aus, die auf dem Filter mit etwas Äther gewaschen wurden. Zur Darstellung
des Natriumsalzes der Urochloralsäure entwässert man die durch Eindampfen des Bariumsalzes mit Natriumsulfat erhaltene Krystallmasse zunächst mit absolutem Alkohol und
kocht sie dann mit 90 prozentigem Alkohol am Rückflußskühler aus. Aus dem Alkohol
scheidet sich das urochloralsaure Natrium in grofsen glänzenden Blättchen aus. Beim Erhitzen einer Urochloralsäurelösung mit siebenprozentiger Schwefelsäure entstand Trichloräthylalkohol.

Urobutylchloralsäure. Das Resultat dieser Säure, ebenso wie die Urochloralsäure herzustellen, war kein günstiges. Es resultierte ein farbloser Sirup, der erst nach langem
Stehen krystallinisch erstarrte. Beim Erhitzen einer zehnprozentigen Lösung von Urobutylchloralsäure mit siebenprozentiger Schwefelsäure wurden harte prismatische, in Äther
und Alkohol leicht lösliche Krystalle vom Schmelzp. 60° erhalten, die alkalische Kupferlösung reduzierten. Der Körper erwies sich als Trichlorbutylalkohol. Empfehlen würde
es sich, die Urochloralsäure mit Trichloräthylglykuronsäure, die Urobutylchloralsäure mit
Trichlorbutylglykuronsäure zu bezeichnen. (PFLÜG. Arch. **33.** 221—27. Marburg.) P.

M. Rubner, *Die Vertretungswerte der hauptsächlichsten organischen Nahrungsstoffe
im Tierkörper.* Im lebenden Organismus findet ein beständiger Zerfall von Körpereiweifs
und Körperfett statt. Abgesehen von der Menge Nahrungseiweifs, welches als solches
nötig ist, um den Eiweifsverlust zu decken, kann, wie dies von PETTENKOFER und VOIT
für den Hund festgestellt ist, statt des Körperfettes Nahrungsfett, Stärkemehl, Traubenzucker oder Eiweifs zersetzt werden. Vf. hat sich nun mit der Frage beschäftigt, in
welchen Gewichtsmengen sich bei diesem gegenseitigen Ersatz die einzelnen Nahrungsstoffe
vertreten. Ihre Leistungsfähigkeit in dieser Beziehung ist nach Vf. zu bemessen nach
dem Grade, in welchem sie den Stoffverlust eines vorher hungernden Organismus aufzuheben vermögen. Zur Feststellung der Eiweifszersetzung wurde N im Harn und im Kot
durch Verbrennung mit Natronkalk nach SEEGEN, resp. WILL-VARRENTRAPP, zur Untersuchung der Fettzersetzung die mittels des kleinen von VOIT modifizierten PETTENKOFER'-
schen Respirationsapparates aufgefangene CO, der Atemluft, sowie der C-Gehalt des
Kotes bestimmt und dazu der C-Gehalt des Harns gerechnet, wobei die Bestimmungen
von VOIT zu grunde gelegt wurden, nach denen auf 1 g N im Harn 0,7462 g C trifft.
Bei den Hungerversuchen wurde der N- und C-Gehalt des Kotes, als für das Ergebnis
irrelevant, nicht berücksichtigt. Für das Kaninchen, das Huhn und den Hund wird zunächst die Gleichmäfsigkeit der Stoffzersetzung bei Hunger, wofern die äufseren Bedingungen gleichmäfsig erhalten werden, dargetan. Gegen die Berechtigung der Vergleichung
der Zersetzungen im Hungerzustande mit denjenigen, welche nach Einführung des auf
seinen Vertretungswert zu prüfenden Stoffes sich einstellen, kann indes der Einwand erhoben werden, dafs nach den Erfahrungen von ZUNTZ und v. MERING zur Aufnahme der
Nahrungsmittel aus dem Darm eine recht ansehnliche Arbeitsleistung des Darms nötig ist,
die sich durch eine Zunahme des O-Verbrauches zu erkennen giebt. Vf. zeigt, dafs wenn
man einem hungernden Hunde nur soviel Fett reicht, wie zur Deckung seines Fett-
bedarfs erforderlich, die Gesamtzersetzung sich nicht ändert. So betrug z. B. bei demselben Hunde in einer fortlaufenden Reihe die Zersetzung bei Inanition 2,14 N und 33,78
Fett; bei Fütterung mit 40 g Fett: 2,43 N und 32,98 Fett; ebenso wenig sieht man bei
Fütterung mit Knochen, die doch ebenfalls einen starken Darmreiz abgeben, eine Steigerung
der Gesamtzersetzung. Vf. meint, dafs möglicherweise jede Nahrungszufuhr eine mit erhöhtem O-Verbrauch einhergehende Thätigkeit der Drüsen zur Folge hat, die indes nur
so vorübergehend ist, dafs sie wohl in einem ganz kurze Zeit umfalsenden Versuch, wie
bei ZUNTZ und v. MERING nachgewiesen werden kann, für die in 24 Stunden zerstörte

Stoffmenge jedoch nicht in betracht kommt. Bezüglich der Versuche über die Gleichwertigkeit („isodynamen Werte") der einzelnen Nährstoffe und der hierfür angewandten Berechnungen muſs, da sie in kürze nicht wiederzugeben sind. auf das Orig. verwiesen werden. Für den Ersatz des Fettes durch Eiweiſs ergab sich, daſs ein Hund im Hunger 3,15 N und 78,31 Fett zersetzte, bei Eiweiſszufuhr 20,63 N und 33,76 Fett. Es sind also für das Plus von 17,48 N, welche bei Eiweiſszufuhr ausgeschieden wurden, 44,55 Fett weniger zerstört worden. 17,48 N entsprechen 93,01 trockenen Eiweiſses, somit sind 100 Fett isodynam mit 208,7 trockenen Eiweiſses; in einem anderen Versuch fand sich 100 Fett = 213,9 Eiweiſs, also im Mittel 100 Fett = 211 Eiweiſs. Berechnet man aus der fraglichen Zersetzung die Gröſse der Wärmeproduktion, so ergiebt sich ein kalorisches Äquivalent von 201 Eiweiſs mit 100 Fett; somit findet die Vertretung fast genau nach Maſsgabe des Inhaltes an potentieller Energie statt. Weiter ergab der Tierversuch 100 Fett isodynam mit 234 Rohrzucker (im Mittel von vier Versuchen), während nach dem kalorischen Wert 100 Fett isodynam sind 231 Rohrzucker. Als Mittel aus drei Versuchen am Hunde fand sich 100 Fett = 256 Traubenzucker (während als kalorisches Äquivalent 100 : 243 gefordert wird) also ferner 100 Fett = 232 lufttrockenes Stärkemehl (der Verbrennungswärme nach sind 100 Fett = 221 Stärke). Es vertreten sich also die Nahrungsstoffe nach den Wärmemengen, welche sie bei ihrer Verbrennung im Tierkörper zu bilden im stande sind. Daſs PETTENKOFER und VOIT früher 100 Fett gleichwertig mit 175 Stärke gefunden, hat wohl darin seinen Grund, daſs zeitlich sehr weit auseinanderliegende Versuchstage gewählt wurden, zwischen denen sich der Körperzustand der resp. Tiere und somit auch die Zersetzungsgröſse höchst wahrscheinlich geändert hatte. Die Grenzen, innerhalb deren eine Vertretung der Nahrungsstoffe stattfinden kann, sind sehr weite. Während bei Fütterung mit Eiweiſs nur 64 p. c. der gesamten Zersetzung teils durch Eiweiſs, teils durch Fett oder Kohlehydrat bestritten werden kann, sind im Vergleich mit dem Hungerzustande 90 p. c. derjenigen Eiweiſsmenge, welche bei mäſsiger Eiweiſszufuhr zersetzt wurde, durch andere Stoffe ersetzbar. Daſs nicht etwa die Stoffvertretungen nach Maſsgabe der O-Mengen, welche die einzelnen Nahrungsstoffe zu binden vermögen, stattfinden, ergiebt sich daraus, daſs, vom Eiweiſs abgesehen, alle Nährstoffe niedrigere Werte als die mit Hilfe der O-Äquivalente berechneten zeigen. Durch die Kenntnis der isodynamen Werte läſst sich nun für jede Stoffzersetzung ein Maſs finden; die Summierung der kalorischen Werte der zersetzten Stoffe giebt einen numerischen Ausdruck für den Gesamtstoffwechsel. Der Wärmeverlust bestimmt in erster Linie die Gröſse der Umsetzungen, daher so sehr auch die pro Kilo Tier produzierte Wärmemenge schwankt, doch bei Reduktion auf die gleiche (1000 qcm) Oberfläche bei groſsen und kleinen Tieren die gebildete Wärmemenge fast die gleiche ist. (Ztschr. f. Biol. **19.** 312; Med. Centralbl. **22.** 150.)

N. Simanowsky und **C. Schoumoff,** Über *den Einfluſs des Alkohols und des Morphiums auf die physiologische Oxydation.* (PFLÜG. Arch. **33.** 251—64. Petersburg.)

Belohoubek, *Das Verhalten des Wassers zu dem inneren Überzuge verzinnter oder geschwefelter Bleiröhren.* Eine Untersuchung der innen verzinnten Röhren ergab, daſs der Zinnüberzug stellenweise 1 mm, an anderen Stellen kaum $^1/_{10}$ mm dick war und teils makroskopisch, teils mit Hilfe der Lupe Längenrisse erkennen lieſs, von denen einige bis an die Bleiwand reichten. Dieser auch schon von anderer Seite beobachtete Übelstand hat keinen geringen Einfluſs auf die Haltbarkeit der Röhren, weil das Wasser an diesen Stellen mit dem Blei in Berührung tritt, was gerade der Zinnüberzug verhüten soll. Wenn Wasser gleichzeitig mit Zinn und Blei in Kontakt tritt, so entsteht ein galvanischer Strom, unter dessen Einfluſs sich beide Metalle, insbesondere aber das Blei, rasch oxydieren, worauf die Oxyde, namentlich im Fluſswasser, gelöst werden. Es hat sich übrigens herausgestellt, daſs die mit Rissen versehenen verzinnten Bleiröhren schneller durch das Wasser zerstört worden sind, als Röhren aus bloſsem Blei ohne Zinnmantel.

Die Untersuchung des Zinnüberzuges, der so weit vorsichtig abgerieben wurde, daſs die Bleiwände noch mit einer dünnen Zinnschicht bedeckt blieben, ergab in demselben bloſs 51 p. c. Zinn, der Rest war hauptsächlich Blei, und hatte der Überzug eine ähnliche chemische Zusammensetzung, wie das gewöhnliche Spenglerlot.

Die nach der Methode von SCHWARZ in Graz mittels Behandlung mit Schwefelleber, innen mit Schwefelblei überzogenen Röhren zeigten, daſs der Überzug zwar vollständig, aber kaum $^1/_{10}$ mm dick und stellenweise blasig war.

. Versuche mit destilliertem Wasser ergaben, daſs geschwefelte und verzinnte Bleiröhren bei gehindertem Luftzutritte jenem zu widerstehen scheinen, während im umgekehrten Falle und bei längerem Gebrauche sich nicht geringe Mengen von Blei im Wasser zeigen. (1 l destilliertes Wasser nahm bei Gegenwart von Luft (in offenem Rohre) in 24 Stunden bei 18—21° aus dem geschwefelten Bleirohre 1,839 mg Blei, aus der Zinnbleiröhre nur Spuren von Blei und Zinn auf; Wasser und Luft in den verschlossenen Röhren 48 Stdn. lang bei derselben Temperatur gehalten, bewirkten beim geschwefelten Rohre eine Bleiaufnahme, auf 1 l Wasser berechnet, von 3,967 mg Blei, beim Zinnbleirohre 4,684 mg Blei). Wenn das Wasser die Röhren durchfloß, war das Resultat ein günstigeres; aber selbst in diesem Falle war die Anwesenheit von Blei und Zinn zu konstatieren, wenn 10 bis 12 l des betreffenden Wassers eingedampft und untersucht wurden.

Versuche mit dem sehr weichen Moldauwasser ergaben, daß das geschwefelte Bleirohr, zum Teil mit dem Wasser angefüllt, nach 24 Stunden bei 19° C. an 1 l Wasser 7,274 mg, das Rohr mit Zinnbeleg 5,144 mg Blei abgegeben hatte. Bei Luftabschluß nahm 1 l Moldauwasser 15,203 mg Blei aus der geschwefelten Röhre und 7,831 mg Blei aus der verzinnten Röhre auf. (Ber. über die Thätigk. des Prager städt. Gesundheitsrates im J. 1882. 22—27. Prag 1883.)
P.

A. Gautier, *Über die fortwährende Absorption von Blei durch unsere tägliche Nahrung.* In die Conserven vegetabilischer Nahrungsmittel, als Gemüse etc. gelangt das Blei meist durch die bleireiche Verlötung, während die Verzinnung des Weißbleches nie mehr als 1°/₀ Blei enthält. Aus in Blechbüchsen aufbewahrten Gemüsen, welche GAUTIER dem Pariser Verkehr entnahm, fand er durchschnittlich einen Bleigehalt von 2,5 mg. im kg. Dieser Bleigehalt wächst mit der Zeit der Aufbewahrung. GAUTIER fand nach einem Jahre durchschnittlich im kg 1,2 mg, nach zwei Jahren 2,1 mg und nach drei Jahren 4,2 mg Blei. In den Büchsen mit Sardinen fand der Vf. 20—50 mg Blei im kg dieser Fische; das in den Büchsen außerdem enthaltene Olivenöl zeigte eine noch größere Bleimenge. Im Kilogramm Gänseleber-Pastete waren 11,8 mg Blei = 43 mg Oleat vorhanden; Hummern in Büchsen enthielten im Mittel 27 mg Blei. GAUTIER konnte, im Gegensatz zu SCHÜTZENBERGER und BOUTMY, welche 80 mg bis 1,48 g Blei im Kilogramm für die Marine in Büchsen gelieferten Rindfleisch fanden, in schwach gesalzenem amerikanischem Ochsenfleisch (Corned beef), das in gut verzinnten und außen verlöteten Blechbüchsen conservirt war, keine Spur von Blei entdecken.

Trinkwasser entnimmt Bleiröhren, in denen es verweilt, selbst wenn die Röhren mit Kalkwasser überzogen sind, eine sehr geringe Menge Blei. Diese Menge wächst mit der Reinheit und dem Luftgehalt des Wassers und kann bei destilliertem und Regenwasser gefährlich werden. In künstlichen kohlensäurehaltigem Wasser wies Vf. in einigen Fällen 0,436 mg Blei im Liter nach, es schien das Blei von dem Lote der Siphons herzurühren. Wasser, Wein, Essig, Bier, die sich längere Zeit in Krystallglasgefäßen befunden hatten, enthielten nach GAUTIER's Untersuchung nur sehr wenig Blei. Gefährlicher erwiesen sich die Zinngefäße, von denen die in den Civilspitälern von Paris verwandten 10 °/₀ Blei enthalten dürfen, während in den Militärlazareten der Bleigehalt solcher Gefäße höchstens 5°/₀ betragen darf.

GAUTIER zieht aus seinen Untersuchungen und denen seiner Vorgänger den Schluß, daß, wenn auch der anhaltende Verbrauch von Wasser und Getränken, welche durch Bleirohre gelaufen sind, und jener von konservierten Gemüsen etc. keine gefährlichen Wirkungen erzeugt, dies doch nicht der Fall ist bei in Büchsen aufbewahrtem Fleisch oder fetten Speisen, welche bedeutende Mengen des giftigen Metalles enthalten können. LEROY DE MÉRICOURT erwähnt dagegen, daß auf der Marine, wo doch sehr oft konservierte Nahrungsmittel und besonders Sardinen genossen werden, Bleivergiftungen äußerst selten vorkommen. Vf. betont, daß es sehr zu empfehlen sei, mit größter Sorgfalt darauf zu achten, daß bei dem Zubereiten und Aufbewahren von Nahrungsmitteln die Möglichkeit eines Eindringens des uns auf allen Seiten umgebenden Bleies in dieselben auf jede Weise vermieden wird. Die kleinen Mengen Blei, welche wir täglich konsumieren, sind wohl zu beachten, und wenn sie auch für sich keine ernstliche Gefahr ausmachen, sind sie doch in ihrer Gesamtheit der Gesundheit nachteilig und vermögen mit der Zeit eine krankhafte Verhärtung der Gewebe zu bewirken. (Bericht an die Académie de Médicine; Rundschau 10. 178—79.)

Georg Salomon, *Über die chemische Zusammensetzung des Schweineharns.* Die bisherigen Angaben über den Harn des Schweines lassen in mancher Beziehung eine Verwandtschaft zwischen dem Stoffwechsel des Schweines und dem des Menschen erkennen, wie dies auch bei der gemischten Ernährungsweise der Schweine von vornherein zu erwarten war. Ein wesentlicher Bestandteil des menschlichen Harns wurde indessen von allen Untersuchern vermißt, nämlich die Harnsäure. Vf. hat die Untersuchungen wieder aufgenommen und mittels der von SALKOWSKI angegebenen Methode der Silberfällung (SALKOWSKI und LEUBE, die Lehre vom Harn §. 96) aus 5½ l Schweineurin 0,65 g Harnsäure erhalten. Die Menge der Harnsäure würde hiernach allerdings hinter der des menschlichen Harns beträchtlich zurückbleiben, immerhin aber die in anderen Tierklassen, z. B. bei den Raubtieren und Pflanzenfressern vorkommende noch übertreffen. Das Verhältnis der Harnsäure zum Harnstoff beträgt nach einer Bestimmung des Verfassers 1 : 150; es läßt sich natürlich nicht entscheiden, ob dasselbe als Durchschnittsmaß betrachtet werden darf. Außerdem fand SALOMON zwei Körper

348

der Xanthingruppe, von denen der eine Guanin (vgl. Domenico Pecile **76**. 789), der andere Xanthin zu sein scheint. Neben diesen befindet sich auch Kreatin und eine in Äther lösliche Säure im Schweineharn. (Virchow's Arch. f. pathol. Anat. u. Physiol. **95**. 527—534).

P.

Kleine Mitteilungen.

Über Zuckerkalk, von Edm. O. v. Lippmann. (Schluß). Zur Darstellung des krystallisierten zweibasischen Saccharates ist es unbedingt nötig, ganz frischen hydratfreien Ätzkalk im Zustande feinster Verteilung anzuwenden und möglichst rasch und gleichmäßig zu rühren, widrigenfalls sich das teilweise Löschen des Kalkes nicht vermeiden läßt. Man erhält Lösungen, die, neben einbasischem und zweibasischem Saccharate, auch wechselnde Mengen Kalkhydrat gelöst enthalten; solche Lösungen ergeben aber weder ganz konstante Produkte, noch ganz gleichmäßige Reaktionen.

Trachtet man, wie dies die in vor. Nr. beschriebenen Versuchen nahelegen, eine vollständige Fällung des in einer wässerigen Lösung enthaltenen Zuckers dadurch herbeizuführen, daß man derselben direkt noch größere Mengen Ätzkalk (3 Mol. auf 1 Mol. Zucker) einverleibt, so überzeugt man sich leicht, daß eine solche nicht gelingt. Es bilden sich vielmehr, je nach den eingehaltenen Bedingungen, unter teilweiser Hydratisierung und erheblicher Temperatursteigerung amorphe zähe Massen und wässerige Lösungen, die Zucker und Kalk in sehr wechselnden Mengen enthalten, und aus denen auf keine Weise ein Produkt von regelmäßiger Zusammensetzung isoliert werden kann.

Trotzdem ist eine sofortige vollkommene Fällung des Zuckers möglich, wenn eine merkwürdige, a priori kaum voraussehende Bedingung eingehalten wird: der Zusatz des Ätzkalkes darf nämlich nicht auf einmal erfolgen, sondern es ist nötig, eine bereits vorher mit Kalk gesättigte, also zweibasische Zuckerkalklösung anzuwenden. Bringt man in eine solche Lösung, unter Einhaltung gewisser, sogleich zu besprechender Bedingungen neue Mengen Ätzkalkpulver ein, so beginnt eine sofortige Abscheidung des Zuckers in Form von Zuckerkalk, und zwar erhält man nicht nur einen Teil desselben, sondern die Fällung ist eine vollständige. Zum Beweise dessen sei vorerst nur angeführt, daß bei Anwendung dieses Verfahrens auf Melassen, die linksdrehende Bestandteile enthalten, nach der Abscheidung des Saccharates Laugen resultieren, die Linkspolarisation zeigen, die also zum mindesten von Zucker vollständig frei sein müssen.

Die wichtigsten Bedingungen, deren Erfüllung nötig ist, um eine solche vollständige Fällung zu erhalten, sind:

1. Feinste Verteilung des Kalkes, der frisch, scharf gebrannt und möglichst hydratfrei sein muß und am besten als unfühlbares Pulver angewandt wird; 2. Einhaltung einer mittleren Konzentration der Zuckerlösung, die zwischen 6—12 p. c. schwanken kann, sich aber vorteilhafter Weise ersterer Ziffer möglichst nähert; 3. Einhaltung einer mittleren Temperatur, die 35° C. keinesfalls überschreiten darf und desto günstiger einwirkt, je tiefer dieselbe liegt. Es ist deshalb notwendig, bei Anwendung einer frisch mit Kalk gesättigten Zuckerlösung, diese entsprechend abzukühlen, da, wie oben erwähnt, deren Temperatur während der Sättigung um 6—8° steigt. Wird diesen drei Bedingungen Genüge geleistet, so gelingt es, beim Einrühren neuer Kalkmengen in die bereits mit Kalk gesättigte Zuckerlösung auf kaltem Wege, ohne jede Anwendung von Dampf und ohne Zusatz von Alkohol, durch eine fast augenblickliche vollständige Ausscheidung den Zucker in Form eines unlöslichen Saccharates zu fällen.

Da es, falls das Ätzkalkpulver der wässerigen zweibasischen Zuckerkalklösung auf einmal zugesetzt wird, zur Erzielung einer vollständigen Fällung unbedingt notwendig ist, einen wenn auch nur geringen Überschuß an Kalk anzuwenden, so besitzt der erhaltene Niederschlag keine ganz konstante Zusammensetzung; es läßt sich jedoch leicht beweisen [*], daß derselbe aus dreibasischem, nur mit etwas überschüssigem Kalk vermischten Saccharate besteht, und nicht, wie behauptet worden ist, ein höheres (vierbasisches) Saccharat enthält. Der Niederschlag ist nämlich in kaltem Wasser nicht ganz unlöslich, sondern nur sehr schwer löslich, nämlich in etwa 200 Tln.; ganz unlöslich ist derselbe dagegen in einer gesättigten wässerigen Lösung des dreiba-

---

[*] Der Beweis dieses und vieler folgender Punkte ist gleichzeitig und ganz unabhängig vom Vf. auch von L. Harperath in Elsdorf geführt worden, der zur vorliegenden Publikation seine Zustimmung gegeben hat.

sischen Saccharates, die also in 100 Tln. annähernd 0,5 Tle. Trisaccharat enthält. Wird deshalb das dreibasische Saccharat mit reinem Wasser in Berührung gebracht, so löst dieses augenblicklich 0,5 p. c. auf, und die so entstandene Zuckerkalklösung beginnt alsdann einen Teil des vorhandenen Kalküberschusses aufzulösen. Hindert man dies jedoch durch rasche Trennung der frisch entstandenen Lösung vom Niederschlage, so läßt sich aus letzterem, durch öftere Wiederholung der Operation, allmählich alles Trisaccharat auslaugen, und während schließlich der Kalküberschuß zuckerfrei zurückbleibt, enthält die klare Lösung reinen dreibasischen Zuckerkalk, welcher sich, beim Verdunsten derselben im Vakuum unter 35°, zum Teil unlöslich ausscheidet:

	Gefunden:	Berechnet:
C	25,30	25,53
H	5,14	4,96
O	48,12	48,23
Ca	21,44	21,28.

Auch durch Fällung des Kalkes aus der Lösung und Polarisation des Filtrates läßt sich leicht nachweisen, daß Zucker und Kalk im Verhältnisse 1 : 3 stehen; einige Versuche ergaben die Zahlen:

$$1 : 2,98$$
$$1 : 3,08$$
$$1 : 3,10$$
$$1 : 3,07$$
$$1 : 3,12 \quad \text{im Durchschnitte } 1 : 3,07.$$

Umgekehrt läßt sich aber auch aus dem oben erwähnten Niederschlage der überschüssige Kalk auslaugen, indem man denselben wiederholt mit sehr verdünnten Zuckerlösungen von bekanntem Zuckergehalte in Berührung bringt und einesteils das Verhältnis von Zucker und Kalk im Rückstande, anderenteils die Zunahme des Zucker- und Kalkgehaltes der abfiltrierten Lösung nach jeder Operation bestimmt. Verfährt man mit genügender Raschheit und Vorsicht, die sich allerdings nur durch einige Übung erwerben läßt, so gelingt es schließlich, reines dreibasisches Saccharat zurückzubehalten, das genau das Verhältnis zeigt von Zucker und Kalk wie 1 : 3 zeigt und sich in Zuckerlösung mittlerer Konzentration sogleich und vollständig auflöst, zum Beweise, daß nicht ein bloßes Gemisch von Zucker oder einem niedrigeren Saccharat mit Kalk vorliegt. Die Analyse ergab:

	Gefunden:	Berechnet:
C	25,29	25,53
H	5,18	4,96
O	48,12	48,23
Ca	21,41	21,28.

Das durch Ausscheidung aus kalter Lösung erhaltene dreibasische Saccharat unterscheidet sich von dem bisher bekannten in technischer Beziehung äußerst vorteilhaft. Das durch Kochen einbasischer Zuckerkalklösungen dargestellte Saccharat hat die Eigenschaft, mehr oder weniger schmierig zu sein; es scheidet sich in Flocken ab, die zwar, besonders wenn unter Druck gekocht wird, eine krystallinische Struktur erkennen lassen, sich aber doch zu amorphen konsistenten, für Flüssigkeiten undurchdringlichen Massen zusammenlegen, welche nicht direkt ausgelaugt werden können.

Das nach der neuen Methode gewonnene Trisaccharat besitzt hingegen eine körnige Struktur, die sich der des Strontiandisaccharates nähert, und ist ein Material, das sich mit Leichtigkeit durch Absaugen, Filtrieren oder Zentrifugieren von der Mutterlauge trennen und im großen wie im kleinen leicht und vollkommen auswaschen läßt; für die Zuckergewinnung aus Sirupen und Melassen, also aus unreinen Zuckerlösungen, ist dieser Punkt von höchster Wichtigkeit.

Das reine dreibasische Saccharat besitzt die Formel $C_{12}H_{22}O_{11} \cdot 3 CaO + 3 H_2O$, und enthält, in der Luftleere getrocknet, 3 Mol. Krystallwasser; die Verbrennung von 1 g Substanz ergab:

$$0,9284 \text{ g } CO_2 = 0,2532 \text{ g } C = 25,32 \text{ p. c. } C$$
$$0,4599 \text{ g } H_2O = 0,0511 \text{ g } H = 5,11 \text{ p. c. } H,$$

während die obige Formel verlangt:

25,5319 p. c. C, 4,9616 p. c. H, 48,2269 p. c. O, 21,2766 p. c. Ca.

In kaltem Wasser ist das Saccharat, wie bereits oben erwähnt, in etwa 200 Tln. löslich. Wird der Lösung Zucker zugesetzt und dadurch das Verhältnis von 1 Tl. Zucker auf 3 Tle. Kalk verändert, so beginnt sofort ein Zerfall des dreibasischen Saccharates in einbasisches Saccharat und

Kalkhydrat, welcher zwar nur allmählich fortschreitet, zuletzt jedoch, dem zugesetzten Zucker entsprechend, ein vollständiger wird; durch Zusatz gröfserer Mengen freien Zuckers wird diese Reaktion beschleunigt.

In ganz gleichem Sinne wie eine Erhöhung des Zuckergehaltes der Lösung wirkt auch eine Steigerung der Temperatur; sobald dieselbe 30—35° erreicht, tritt Zerlegung in einbasisches Sac. charat und Kalkhydrat ein, und zwar desto rascher und vollständiger, je schneller und höher die Temperatur steigt.

Bis zu einem gewissen Grade findet hierbei eine Kompensation der Wirkungen von Konzentration und Temperatur statt, d. h. sehr verdünnte Lösungen werden bei mittlerer Temperatur langsamer und vollständig erst bei höherer Temperatur zersetzt, als konzentrierte. Enthält das Saccharat noch Spuren von Ätzkalk mechanisch eingeschlossen, von dem überschüssig zugesetzten Kalkmehle herrührend, so genügen auch diese schon, um eine allmähliche Zersetzung herbeizuführen, indem, vermutlich durch Ablöschen derselben, eine teilweise Temperaturerhöhung erfolgt und den Zerfall einleitet.

Die erwähnten Beziehungen zwischen Temperatur und Konzentration machen sich jedoch nicht nur hinsichtlich der Eigenschaften des fertig gebildeten Trisaccharates bemerkbar, sondern sind auch überhaupt für die Reaktion zwischen Zucker und Kalk von hervorragender Bedeutung. Es ist sowohl für die Herstellung mit Kalk gesättigter Zuckerlösungen, als auch für die Ausscheidung unlöslicher Saccharate aus diesen wesentlich, dafs jede Temperaturerhöhung vermieden werde. Eine solche aber kann erfolgen: 1. wenn die ursprüngliche Temperatur der Lösung eine zu hohe war, 2. wenn die Menge der bei der Reaktion freiwerdenden Wärme einen gewissen Grad überschritt, — was wieder von der Anfangstemperatur und von der Konzentration der Lösung abhängig ist. Da es, besonders im grofsen, fast unmöglich ist, jeden Zusatz von überschüssigem Kalk zu vermeiden, so läfst sich, ohne ganz spezielle Untersuchungen, schwer angeben, ob und zu welchem Teile die Reaktionswärme vom Löschen des Kalküberschusses, oder von der Zucker kalkbildung, oder von der Hydratisierung anfangs wasserfreien Zuckerkalkes herrührt etc. Die grofse Beständigkeit der Saccharate läfst das Stattfinden der bedeutenden Wärmeentwickelung bei deren Bildung vermuten, und es wäre gewifs nicht uninteressant, die oben beschriebenen Reaktionen zwischen Zucker und Kalk vom thermo-chemischen Standpunkte aus zu studieren.

Was nun die Anfangstemperatur betrifft, so mufs dieselbe, behufs Herstellung einer mit Kalk gesättigten Zuckerlösung, mindestens unter 30—35° C. liegen, und diese Temperatur darf auch während der Bildung der Zuckerkalkverbindung nicht überschritten werden. Je tiefer die Temperatur von Anfang an liegt, und je weniger sie während der Reaktion steigt, desto rascher und vollständiger gelingt diese letztere. Man verfährt daher am besten so, dafs man bei stetem Kühlen der bereits anfangs möglichst tief temperierten Flüssigkeit den Kalk langsam, durch allmählichen Zusatz kleiner Portionen so einführt, dafs jede Temperaturerhöhung während der Sättigungsperiode vermieden wird. Auf dieselbe Weise nimmt man auch die Ausscheidung des unlöslichen Saccharates vor, indem man, bei gleichzeitiger Kühlung der Flüssigkeit, die zur Fällung nötige Kalkmenge so einführt, dafs die Temperatur nicht steigt.

Wenn man nun bei richtiger Temperatur kalkgesättigte Zuckerlösungen herstellt und unter Einhaltung der vorerwähnten Bedingungen die Ausscheidung des Saccharates aus diesen vornimmt, so kann man die Bildung und Ausfüllung des Zuckerkalkes, in einer einzigen Operation fortschreitend, in ein und demselben Gefäße durchführen; man hat hierbei nur die gesamte, zur Sättigung und Fällung der Lösung nötige Kalkmenge in so kleinen Portionen und in solchen Zeiträumen einzutragen, dafs man die freiwerdende Wärme mittels der vorhandenen Kühlung vollständig zu absorbieren vermag. Die Kühlung wird desto kräftiger sein müssen, je höher die Anfangstemperatur der Lösung war und je höher deren Konzentration, d. h. deren Zuckergehalt ist. Umgekehrt wird man den Kalk desto rascher und in desto gröfseren Portionen eintragen können, je geringer die Konzentration und je tiefer die Anfangstemperatur gewählt wird. Liegt diese Temperatur so tief, und ist der Zuckergehalt der Lösung so beschränkt, dafs die Wärme, welche durch Zusatz des gesamten, zur Sättigung der Fällung nötigen Kalkquantums frei wird, keine zu hohe Steigerung der Temperatur bewirkt, so wird man diese beiden Operationen, durch Eintragung der gesamten Kalkmenge, sehr rasch, ja fast unmittelbar hintereinander vornehmen können; dasselbe wird der Fall sein, wenn man, bei etwas höherer Anfangstemperatur, eine entsprechend kräftige Kühlung zur Anwendung bringt.

Es gelingt hierbei, wenn alle chemischen und mechanischen Bedingungen aufs genaueste befolgt werden, eine vollständige Ausscheidung mit einer Kalkmenge zu erzielen, die das Verhältnis 3 CaO : 1 $C_{12}H_{22}O_{11}$ kaum überschreitet; dies beweist gleichfalls, dafs die entstehende Verbindung das dreibasische und kein höheres Saccharat darstellt.

Der gefällte dreibasische Zuckerkalk läfst sich, selbst wenn er chemisch rein ist, in fester Form nicht unbeschränkt aufbewahren; schon nach zwei bis drei Wochen sinkt der Zuckergehalt ganz beträchtlich, und in demselben Verhältnisse nimmt die Menge des durch Kohlensäure fällbaren Kalkes ab. Dies beweist, dafs ein Teil des Zuckers, der an Kalk gebunden war, einer langsamen Zersetzung unterliegt; BODENBENDER hat schon vor Jahren bei seinen Untersuchungen über die Verbindungen des Zuckers mit Basen ähnliche Beobachtungen gemacht. In einem Saccharate, daß aus chemisch reinem Zucker und Kalk dargestellt war und vom Vf. fünf Jahre lang aufbewahrt wurde, ließ sich schließlich keine Spur Zucker mehr auffinden, sondern der gesamte Kalk war an Kohlensäure, Essigsäure, Ameisensäure und Oxalsäure gebunden. Dies sind aber offenbar nur die Endprodukte der Zersetzung; die proportionale Abnahme des durch Kohlensäure fällbaren Kalkes und des Zuckers zeigt jedoch deutlich, daß der Zerfall nur allmählich, obwohl stetig, vor sich geht, und behält sich Vf. vor, über die Zwischenprodukte weiter zu berichten. Übrigens erweist sich die Haltbarkeit desto größer, je trockner das Saccharat ist; aber schon der Krystallwassergehalt desselben scheint zur Einleitung der Zersetzung zu genügen.

Erwähnenswert ist, daß der aus Zuckerkalk im großen dargestellte Zucker ebenso, obwohl nicht in ganz so hohem Grade wie der dem Strontianverfahren entstammende eine von der des gewöhnlichen Zuckers ganz abweichende Krystallform zeigt, indem er entweder feine Nadeln und Säulen bildet, die zu stengligen und strahligen Gruppen zusammengewachsen sind, oder flache, sehr dünne Tafeln darstellt.

Nach Untersuchungen von SCHAAF sind die Krystalle stets in der Richtung der Symmetrieaxe in die Länge gezogen, und das so entstehende vierseitige Prisma wird durch das Orthopinakoid $\infty P \overline{\infty}$, und das positive Hemidoma $+ P \infty$ gebildet, welche Flächen zwar auch am gewöhnlichen Rohrzucker, aber dort nie vorherrschend, auftreten. Sämtliche Krystalle sind, soweit dies überhaupt der Fall, am rechten Pole der Symmetrieaxe aufgewachsen.

Beim Umkrystallisieren aus Wasser geben solche Zucker, wie Vf. auch durch Versuche im großen nachgewiesen hat, wieder Krystalle der normalen Form, doch geht deren Bildung langsamer und mit viel größerer Trägheit vor sich, als die des gewöhnlichen Kandis. Krystallisiert man dagegen derartige spitzige Krystalle nicht aus Wasser, sondern aus anderen Lösungsmitteln, z. B. aus Alkohol oder Aceton um, so können die abnormen Formen zuweilen erhalten bleiben: des Vf's. diesbezügliche Versuche geben jedoch noch keinen Anhalt, zu sagen, unter welchen Bedingungen dies regelmäßig geschieht.

Ebensowenig ist bisher die Ursache dieser abnormen Krystallisation aufgeklärt. Die Vermutung, daß das ofte Umkrystallisieren des Zuckers aus schwach alkalischen, kalk- oder strontianhaltigen Lösungen das Auftreten solcher Formen begünstige oder sogar hervorrufe, scheint wenig stichhaltig, seit Vf. derartige Krystalle auch aus Zuckerfabriken erhalten hat, die überhaupt kein Melassenentzuckerungsverfahren betreiben. (Sep.-Abdr. aus Chem.-Ztg. **7.** 1377—79: vom Vf. eingesandt.)

Gefährdung der Dampfkessel durch Eisensulfat, von K. LIST. Es wird häufig beobachtet, daß sich an die äußere Fläche der Dampfkessel ein gelber Anflug ansetzt, welcher hauptsächlich aus schwefelsaurem Eisenoxyd besteht. Der Vf. macht auf die Gefährlichkeit solcher Ansätze aufmerksam. Er hat anläßlich einer Kesselexplosion darüber Untersuchungen angestellt. Solche Ansätze bestanden aus einer basischen Verbindung von der beiläufigen Zusammensetzung $5 Fe_2O_3.SO_3$; in wenig Wasser lösen sie sich langsam auf, beim Erhitzen mit viel Wasser entsteht aber ein rötlichgelber eisenoxydreicher Niederschlag, während freie Schwefelsäure oder ein saures Salz in Lösung geht, welche jetzt metallisches Eisen unter Wasserstoffentwicklung auflöst und zur Bildung neuen basischen Eisensalzes Veranlassung giebt. Wiederholt sich dieser Prozeß, so wird offenbar der Dampfkessel mehr und mehr angegriffen. Solches schwefelsaures Eisenoxyd kann sich durch die Einwirkung der Verbrennungsprodukte schwefelhaltiger Kohlen an der Außenseite des Kessels, namentlich bei Einwirkung von Wasserdämpfen, bilden; aber auch im Innern des Dampfkessels muß freie Schwefelsäure oder schwefelsaures Eisenoxyd aus dem oben angeführten Grunde schon in geringer Menge schädlich wirken, wie dies an einem noch ganz neuen Kessel wirklich konstatiert wurde. Es ist deshalb Sorge zu tragen, daß das eine oder andere möglichst vermieden wird, und Dampfkesselbesitzer haben darauf bedacht zu nehmen, weder Wasser mit ihren Kesseln in Berührung zu bringen, welches, wenn auch nur wenig, freie Schwefelsäure enthält, noch die Bildung von schwefelsaurem Eisenoxyd an dem Kessel eintreten zu lassen. Sollte ein Kesselwasser saure Reaktion zeigen, so wird solche am einfachsten mit einer geringen Menge von Soda neutralisiert. (Ztschr. d. Ver. deutsch. Ingenieure; D. Ind.-Ztg. 1884. 98.)

Darstellung von leuchtendem Papier, von P. WILLIAM TROTTER. Die Leuchtmasse besteht aus 4 Tln. Kaliumdichromat, 45 Tln. Gelatine und 50 Tln. Schwefelcalcium. Diese Bestandteile werden in völlig trocknem Zustande zusammen vermahlen, bis eine innige Mengung erzielt ist. Ein Teil dieses gemengten Pulvers, mit 2 Tln. heißen Wassers angesetzt und verrührt, bildet eine fertige dickflüssige Anstrichmasse. Der Anstrich selbst wird nach dem Trocknen wasserfest. Von dieser Masse erhält das leuchtend zu machende Papier, Karton u. dgl. einen oder mehrere Anstriche in der üblichen Weise mittels Pinsels oder Bürste. Würde nun nichts weiter geschehen, so wäre es fast unvermeidlich, daß die Dicke des Anstriches, und damit die

Leuchtkraft, nicht an allen Stellen gleichmäßig ausfiele. Zur Beseitigung dieses Übelstandes läßt der Erfinder die Bogen nach jedem Austriche durch eine Art Kalander oder Satinierwerk gehen, dessen Walzen auf solchen Abstand eingestellt sind, daß beim Durchgange des Bogens die aufgetragene Leuchtmasse zu einer überall gleich starken Schicht ausgequetscht wird. Die Walzen etc. mögen geheizt werden. An Stelle obigen Streichverfahrens mit der angegebnen Mischung kann auch ein Bestreichen, Einwalzen oder Bedrucken des Papieres oder Kartons lediglich mit Leimlösung oder sonstigem Klebstoffe und ein darauffolgendes Bestreuen (Bronzieren) mit Schwefelcalciumpulver treten. Hiernach wird ebenfalls behufs Ausgleichung der Leuchtschichtdicke das Papier einer Walzung oder Pressung ausgesetzt. Wenn in diesem Falle die Klebstofflösung in Gestalt von Figuren, Buchstaben etc., wie auch immer aufgetragen wurde, so wird natürlich das hiernach aufgestreute Leuchtpulver nur an den bedruckten oder bemalten Stellen haften und demzufolge eine leuchtende Zeichnung oder Schrift erzeugen. (N. Erfind. u. Erfahr.; D. Ind.-Ztg. 1884. 27—28.)

Sorghum als Konkurrent der Zuckerrübe. (Schles. Landw.-Ztg. 1883. Nr. 82 u. 85; SCHREIBL. N. Z. 12. 53—58.) P.

Schwarzer Lack für Holztafeln, auf die man entweder mit Griffeln oder Kreide schreiben will, besteht aus einer Lösung von 20 Kopal, 40 Äther, 100 Schellack, 50 Sandarak, 400 starkem Alkohol, 3 venetianischem Terpentin, welchem 15 Kienruß, 5 Ultramarin und 100 Naxosschmirgel beigemischt sind. Die Mischung wird aufgetragen und der noch nasse Überzug angezündet, dann nochmals überstrichen und dieser Überzug trocknen gelassen, geschliffen und abgewaschen. (Fundgrube; Ind.-Bl. 21. 54.)

Verfahren zur Herstellung von Kaliumdichromat, von P. RÖMER. (D. P.). Vf. verwendet zum Aufschließen von 100 Tln. Chromerzen 150 Tle. Kalk, 40 Tle. Potasche und 30 Tle. Soda. Die Schmelze wird ausgelaugt und der Kalium- und Natriumchromat enthaltenden Lauge die nach der Formel $K_2Na_2Cr_2O_8 + H_2SO_4 = K_2Cr_2O_7 + Na_2SO_4 + H_2O$ erforderliche Menge Schwefelsäure oder Salzsäure zugesetzt, worauf sich das Kaliumdichromat ausscheidet, während das Natriumsulfat in Lösung bleibt und aus derselben durch Eindampfen gewonnen wird. (Pol. J. 251. 192.)

Beiträge für das Centralblatt bittet man an die Redaktion (Leipzig, Lessingstr. 5) zu richten. **Originalarbeiten** von nicht zu großem Umfange werden entsprechend honoriert und gelangen stets sofort nach der Einsendung, und zwar in kürzester Frist, zum Abdruck.

Redaktion: Prof. Dr. **Rud. Arendt** in Leipzig.

Verlag von **Leopold Voss** in Hamburg und Leipzig. — Druck von **Metzger & Wittig** in Leipzig.

No. 19.

Chemisches
Central-Blatt.

7. Mai 1884.

Wöchentlich eine Nummer von
1-2 Bogen. Der Jahrgang mit
Sach- und Namen-Register,
nebst system. Übersicht.

Der Preis des Jahrgangs
ist 20 Mark. Durch alle
Buchhandlungen und Post-
anstalten zu beziehen.

REPERTORIUM
für reine, pharmazeutische, physiologische und technische Chemie.

Dritte Folge. XV. Jahrgang.

Wochenbericht.

1. Allgemeines und Physikalisches.

T. E. Thorpe und **A. W. Rücker,** *Über eine Relation zwischen den kritischen Temperaturen der Körper und deren thermischer Ausdehnung in flüssigem Zustande.* Nach den Untersuchungen VAN DER WAALS'S scheint der Mangel an Übereinstimmung der Ausdehnungsformeln für Flüssigkeiten daher zu rühren, dafs man im allgemeinen als den Ausgangspunkt die Temperatur des schmelzenden Eises annimmt. Eine Übereinstimmung der mathematischen Ausdrücke läfst sich nur erreichen, wenn man in jedem Falle die Temperatur nicht in gewöhnlichen Thermometergraden, sondern als einen Bruchteil des absoluten Siedepunktes der betreffenden Substanz ausdrückt. Es ist dann möglich, das Gesetz der thermischen Ausdehnung irgend einer Flüssigkeit aus dem irgend einer anderen abzuleiten, sobald man deren kritische Temperatur kennt. (MENDELEJEFF hat vor kurzem der chemischen Gesellschaft in London eine Abhandlung gegeben, in der er für die Ausdehnung der Flüssigkeiten eine sehr einfache empirische Formel giebt). Eine der Schlufsfolgerungen, zu denen VAN DER WAALS gelangt, ist die, dafs das Produkt des Ausdehnungskoeffizienten bei konstantem Druck in die absolute kritische Temperatur bei entsprechenden Temperaturen für alle Körper das gleiche ist.

Durch Verbindung dieser beiden Formeln gelangen die Vff. zu einer Formel, welche sich in Worten folgendermafsen aussprechen läfst: Die Dichte einer Flüssigkeit ist proportional zu der Zahl, welche man durch Subtraktion ihrer absoluten Temperatur von ihrer absoluten kritischen Temperatur und Multiplikation mit einer Konstanten erhält, welche für alle Substanzen dieselbe ist. Die Werte dieser Konstanten sind für alle Körper, welche bis jetzt experimentell untersucht sind, fast identisch und nähern sich der Zahl 2. Die Dichte einer Flüssigkeit ist sehr nahe proportional mit der Zahl, welche man durch Subtraktion ihrer absoluten Temperatur von der absoluten kritischen Temperatur erhält. Wenn weitere Untersuchungen zeigen, dafs die Variationen jener Konstanten in der That ebenso gering sind, so liefert der gegebene Ausdruck ein Mittel zur Berechnung der kritischen Temperaturen der Körper aus den Beobachtungen über ihre Ausdehnung in flüssigem Zustande. (Chem. N. **49.** 122; Journ. Chem. Soc. **45.** 135—44. April.)

2. Allgemeine Chemie.

Berthelot und **Vieille,** *Untersuchungen über die explosiven Gasgemenge.* Die Vff. haben für verschiedene explosive Gasgemenge den Druck bestimmt, welcher im Augenblicke der Explosion eintritt. Dies geschah, indem man das Gesetz der Vorwärtsbewegung eines Kolbens von bekanntem Querschnitte und bekannter Masse registrierte. Die Rechnungen sind dieselben, welche BERTHELOT bereits im J. 1877 (Ann. Chim. Phys. [5.] **12.** 302) zur genauen Bestimmung der Temperaturgrenzen bei der Verbrennung eines Gasgemenges und später (C. r. **96.** 1186) für die Bestimmung der wahren und scheinbaren spezifischen Wärmen und der Dissociation etc. angewendet hat.

Zu den Versuchen dienten Gefäße von verschiedenem Rauminhalte: 300 ccm, 1,5 l und 4 l. Die größten lieferten die stärksten Drucke, was sich wegen des abkühlenden Einflusses der Wände, der bei den kleinen Gefäßen mehr hervortritt, voraussehen ließ. Die Vff. haben diesen Einfluß bestimmt, indem sie mit denselben Gasgemengen Versuche in Gefäßen von verschiedenem Rauminhalte ausführten und hieraus die Korrektion bestimmten. Alle unten folgenden Ziffern beziehen sich auf das größte Gefäß.

Im ganzen wurden 250 Versuche mit 42 verschiedenen explosiven Gemengen ausgeführt, und zwar nicht nur mit solchen aus Sauerstoff und Wasserstoff, Kohlenoxyd oder Methan, welche bereits von BUNSEN, MALLARD und LE CHATELIER u. a. untersucht worden sind, sondern auch mit Gemengen aus Cyan, Acetylen, Äthylen, Methyl, Methyläther und Ätherdämpfen, welche zur Anstellung weitgehender Vergleiche geeignet sind, ferner mit Gemengen aus Sauerstoff und zwei explosiven Gasen zugleich, z. B. Kohlenoxyd und Wasserstoff, sowie mit solchen, bei denen an Stelle des Sauerstoffes Stickoxydul angewendet wurde etc. Endlich wurden auch mit besonderer Sorgfalt isomere Gemenge untersucht, welche in ihrer ursprünglichen Mischung verschieden waren, aber dieselben Elemente in demselben Verhältnisse enthielten und schließlich auch dieselben Explosionsprodukte gaben. Hierher gehören besonders die Kohlenwasserstoffe, verglichen mit Gemengen von Kohlenoxyd und Wasserstoff, z. B.:

$$C_4H_6 + O_{14} \text{ verglichen mit } 2C_2O_2 + 3H_2 + O_{10}; \text{ oder mit } C_4H_4 + H_2 + O_{14};$$
$$\text{oder mit } C_4H_6O_2 + O_{12}.$$

Ferner Cyan, verglichen mit Gemengen aus Kohlenoxyd und Stickstoff: $C_2N_2 + O_2$ und $2C_2O_2 + N_2 + O_4$. Endlich auch Gemenge, bei denen die Oxyde des Stickstoffes das Verbrennungsmittel spielen, z. B.:

$$H_2 + N_2O_2 \text{ verglichen mit } H_2 + N_2O_2 \text{ oder } C_4N_2 + 4NO_2; 2C_2O_2 + 3N_2 + O_4;$$
$$C_4N_2 + 2N_2 + O_2.$$

In der folgenden Tabelle sind die Anfangsprodukte auf 0° und 760 mm reduziert und die Explosion auf den größten Rezipienten berechnet, d. h. unter der Annahme, daß der Wärmeverlust unwahrnehmbar ist.

Erste Gruppe. — Wasserstoffgemenge.

I. *Wasserstoff und Sauerstoff.*

		Atm.
1.	$H_2 + O_2$	9,80
2.	$H_2 + O_2 + H_2$	8,82
3.	$H_2 + O_2 + 2H_2$	8,02
4.	$H_2 + O_2 + 3H_2$	7,06
5.	$H_2 + O_2 + O_2$	8,69
6.	$H_2 + O_2 + 3O_2$	6,78.

Die Versuche (2) und (6) sind schon von VIEILLE publiziert worden, um die Identität der spezifischen Wärmen von Sauerstoff, Wasserstoff und Stickstoff zu zeigen.

II. *Wasserstoff, Stickstoff und Sauerstoff.*

		Atm.
7.	$H_2 + O_2 + \frac{1}{2}N$	9,16
8.	$H_2 + O_2 + N_2$	8,75
9.	$H_2 + O_2 + 2N_2$	7,94
10.	$H_2 + O_2 + 3N_2$	6,89.

III. *Wasserstoff und Stickoxydul.*

		Atm.
11.	$H_2 + N_2O_2$	13,60
12.	$H_2 + N_2O_2 + N_2$	11,08.

Nach diesen Versuchen läßt sich der Druck durch folgende Interpolationsformeln ausdrücken, welche für Gasgemenge anwendbar sind, bei denen das unwirksame Gas das doppelte Volum der explosiven Mischung beträgt; nämlich:

für $n\,H_2$: 9,80—0,91 n; für $n\,O_2$: 9,80—1,04 n; für $n\,N_2$: 9,80—0,97 n; im Mittel: 9,80—0,97 n.

Man wird bemerken, daß die Resultate dieselben sind, mag das unwirksame Gas eine der Komposanten des explosiven Gemenges sein oder nicht, woraus sich der geringe

Einfluſs dieses Umstandes auf die Dissociation oder vielmehr auf die Schwäche der Dissociation ergiebt.

Zweite Gruppe. — Kohlenoxydgemenge.

I. Kohlenoxyd und Sauerstoff.

		Atm.
13.	$C_2O_2 + O_2$	10,12

II. Kohlenoxyd, Stickstoff und Sauerstoff.

		Atm.
14.	$C_2O_2 + N + O_2$	9,33
15.	$C_2O_2 + N_2 + O_2$	8,77
16.	$C_2O_2 + 5N + O_2$	7,05.

Hieraus ergiebt sich für $n N_2$ im Überschusse $10,12-1,14 n$. Diese Abnahme ist wahrscheinlich etwas zu stark wegen der Langsamkeit der Verbrennung.

III. Kohlenoxyd und Stickoxydul.

		Atm.
17.	$C_2O_2 + N_2O_2$	11,41.

Das Resultat müſste gleich 13,6 sein, welches bei Wasserstoff erhalten wurde; allein es ist ebenfalls wegen der Langsamkeit der Verbrennung kleiner:

IV. Gemischte Gemenge.

		Atm.
18.	$C_2O_2 + H + O_2$	9,81
19.	$C_2O_2 + H_2 + O_4$	8,79
20.	$C_2O_2 + H_2 + O_4$	9,44
21.	$C_2O_2 + H_4 + O_6$	9,61.

Die Zahlen sollten dieselben sein, wie die Mittelzahlen bei den einfachen Gemengen; sie sind aber kleiner, insbesondere bei dem 19. Versuche, weil der Wasserstoff schneller verbrennt, als das Kohlenoxyd und der höchste Druck demnach nicht der gleichzeitigen Verbrennung beider Gase entspricht.

Dritte Gruppe. — Cyan.

I. Cyan und Sauerstoff: vollkommene Verbrennung.

		Atm.
29.	$C_4N_2 + O_8$	20,96.

II. Cyan, Stickstoff und Sauerstoff: vollkommene Verbrennung.

		Atm.
30.	$C_4N_2 + N_2 + O_8$	17,70
31.	$C_4N_2 + 2N_2 + O_8$	14,74
32.	$C_4N_2 + 4N_2 + O_8$	12,33.

III. Cyan, Sauerstoff und Stickstoff: unvollkommene Verbrennung.

		Atm.
33.	$C_4N_2 + O_4$	25,11
34.	$C_4N_2 + 1\frac{1}{2}N + O_4$	20,67
35.	$C_4H_2 + 2N_2 + O_4$	15,26
36.	$C_4N_2 + {}^{79}/_{21}N_2 + O_4$	11,78.

Die Versuche 33 und 38 sind bereits von VIEILLE veröffentlicht worden, welcher aus ihnen die spezifischen Wärmen des Stickstoffes und Kohlenoxydes abgeleitet hat.

IV. Cyan, Kohlenoxyd und Sauerstoff: unvollkommene Verbrennung.

		Atm.
37.	$C_4N_2 + 1\frac{1}{2}CO + O_4$	21,24
38.	$C_4N_2 + 2C_2O_2 + O_4$	15,46.

28*

V. Cyan und Stickoxyd: vollkommene Verbrennung.

Atm.

39. $C_2N_2 + 4NO_2$ 16,92
40. $C_4N_2 + 4N_2O_2$ . . . . 22,66.

VI. Cyan und Stickoxyd. resp. Stickoxydul: unvollkommene Verbrennung.

Atm.

41. $C_2N_2 + 2NO_2$ 23,34
42. $C_4N_2 + 2N_2O_2$ . . . . 26,02.

Der letzte Druck ist der gröfste, welcher mit gasförmigen Gemengen unter normalem Druck erhalten worden ist.

Vierte Gruppe. — Kohlenwasserstoffe.

I. Reine Gase.

Atm.

22. Acetylen, $C_4H_4 + O_{10}$ 15,29
23. Äthylen, $C_4H_4 + O_{12}$ 16,13
24. Methyl, $C_4H_4 + O_4$ 16,18
25. Methan, $2C_2H_4 + O_{16}$ . . . . . . 16,34.

Man bemerkt, dafs alle diese Kohlenwasserstoffe denselben Druck entwickeln.

II. Gemischte Gemenge.

Atm.

26. Äthylen und Wasserstoff $C_4H_4 + H_2 + O_{14}$. 14,27.

III. Sauerstoffhaltige Gemenge.

Atm.

27. Methyläther, $C_4H_6O_2 + O_{12}$ 19,91
28. Äther, $C_8H_{10}O_2 + 2O_{12}$ . . . . . 16,33.

Nachdem durch diese Versuche der Druck, welcher sich im Augenblicke der Explosion von Gasgemengen entwickelt, bekannt ist, so läfst sich daraus die Temperatur ableiten (bestimmt durch ein Luftthermometer), ebenso die entsprechende spezifische Wärme der Produkte, oder genauer gesagt, zwei Grenzen, innerhalb deren diese enthalten sind. Die beiden Temperaturgrenzen t_1 und t_2 berechnen sich nach einer von BERTHELOT (Ann. Chim. Phys. [5.] 12. 302) gegebenen Formel. Zieht man hierzu die Wärmemenge Q in betracht, welche durch die vollkommene Verbrennung frei wird, so läfst sich eine andere Grenze t_4 berechnen, welche im allgemeinen zwischen jenen liegt[*].

---

[*] Die im Augenblicke der Explosion wirklich verbundene Menge mufs so grofs sein, dafs die durch die Verbindung entwickelte Wärme das System mindestens auf die Temperatur t_2 bringt. Wenn die mittlere spezifische Wärme des Systems zwischen 0 und t_2 bekannt wäre, so würde man daraus eine Grenze für die fragliche Menge ableiten können, denn es würde genügen, diese spezifische Wärme mit der Temperatur t_2 zu multiplizieren und das Verhältnis zwischen diesem Produkte und der totalen Wärme zu berechnen. Dieses Verhältnis $\frac{c t_2}{Q}$ würde niedriger, als die wirklich verbundene Menge sein und daraus würde man eine Vorstellung von der Dissociation erhalten. Bei den obigen Versuchen sind nun die einzigen gasförmigen Produkte, welche entstehen, Kohlensäure und Wasserdampf, Gase, deren spezifische Wärme mit der Temperatur zunimmt. Der mittlere Wert ihrer spezifischen Wärmen zwischen 0 und 200° übersteigt bei der Kohlensäure bereits die Summe derjenigen der Elemente, und nach den Beobachtungen von MALLARD und LE CHATELIER ist dies auch beim Wasserdampf bei höherer Temperatur der Fall, welche indes niemals die der Verbrennung erreicht.

Man erhält demnach im allgemeinen für Wasserdampf und Kohlensäure einen kleineren

Das Mittel der beiden Werte $\frac{t_1 + t_4}{2} = T$ liefert für die Verbrennungstemperatur einen wahrscheinlichen Wert, welcher um so angenäherter ist, je näher die Grenzen t_1 und t_4 einander liegen. Endlich giebt die totale Wärmemenge Q, dividiert durch die Werte t_1, t_4, t_4, T, Grenzwerte, c_1, c_3, c_4, C für die scheinbaren spezifischen Wärmen (bei konstantem Volum) der Explosionsprodukte zwischen 0° und T°. Die Vff. nennen diese spezifischen Wärmen scheinbare, weil sie zugleich die eigentliche spezifische Wärme und die durch die Wiederverbindung der dissociierten Komposanten restituierte Wärme einschliefsen.

Der Wert von C stellt eine gröfsere Annäherung dar, als alle übrigen; er gilt für die gasförmige Verbindung selbst, z. B. Wasserdampf oder Kohlensäure, und ebenso auch für den Fall, dafs diese Verbindung mit Stickstoff oder einem anderen unwirksamen Gase gemischt ist (Verbrennung von Cyan, von Wasserstoff mit Stickstoff gemengt, von einem brennbaren Gase durch Stickoxydul oder Stickoxyd), endlich auch für gewisse Gemenge von Kohlensäure und Wasserdampf bei den Versuchen mit Kohlenwasserstoffen. Man erhält auf diese Weise Zahlen für die totalen spezifischen Wärmen der Systeme, welche sich auf sehr verschiedene Temperaturen des Luftthermometers zwischen 1700 und 5000° beziehen. Berechnet man nun für diese Temperaturen die spezifische Wärme des Stickstoffes nach den Versuchen von VIEILLE, so kann man dieselbe abziehen, und es bleibt dann die der Kohlensäure und des Wasserdampfes innerhalb derselben Temperaturen zurück.

Auch die Dissociation kann für dieselben Intervalle mit Hilfe verschiedener Formeln berechnet werden, welche mehr oder weniger angenäherte Grenzwerte geben. Hierauf wollen die Vff. noch zurückkommen.

In den folgenden Tabellen sind die Werte von t_1, t_4, c_1, c_3, Q, c_0, g, g_1, l, t_4, c_4, T, C zusammengestellt. Diese Werte sind nach den oben gegebenen Definitionen bekannt, mit Ausnahme von g, wodurch die Kontraktion der verbrannten Produkte, verglichen mit ihren Komposanten, unter konstantem Drucke bezeichnet wird; g_1 ist das Verhältnis zwischen dem Volum der verbrannten Produkte (bei konstantem Druck) und demjenigen, der durch Dissociation regenerierbaren Körper, ein Verhältnis, welches in nicht umkehrbaren Systemen von g verschieden ist. Die Vff. geben zunächst eine Zusammenstellung aller dieser Berechnungen, und behalten sich vor, dieselben später einer Diskussion zu unterziehen.

Wert von $c\,t_1$, wenn man c durch die Summe der spezifischen Wärmen der Komposanten (Wasserstoff und Sauerstoff oder Kohlenoxyd und Sauerstoff) für gewöhnliche Temperatur, nämlich 7,2 (bei konstantem Volum) ersetzt. Diese Zahl bezieht sich übrigens zugleich auf den verbundenen und auf den dissociierten Anteil. Die spezifische Wärme c_0 des Systemes, berechnet mit dieser Zahl, giebt das Verhältnis $\frac{c_0 t_1}{Q}$, welches eine Grenze l_0 repräsentiert, welche niedriger als die wirklich verbundene Menge ist.

Allein man kann noch weiter gehen und aus der obigen Zahl eine andere untere Grenze der Temperatur und der Dissociation ziehen, welche im allgemeinen höher ist, als die vorhergehende. Denn die Rechnung stützt sich auf zwei Grenztemperaturen, von denen die eine für eine Dissociation gleich Null, die andere für eine totale Dissociation gilt, wo also der Dissociationskoeffizient $k = 0$, resp. $k = 1$ in der Formel zu setzen ist. Giebt man ihm den Wert $\frac{c_1 t_1}{Q}$, so berechnet sich daraus eine Temperatur t_2, welche zwischen t_1 und t_4 liegt, wenigstens für umkehrbare Systeme, d. h. solche, bei denen durch die Dissociation wieder die Anfangsprodukte entstehen, z. B. Kohlenoxyd oder Wasserstoff mit reinem Sauerstoff, oder besser noch mit einem unwirksamen Gas gemischt.

Dieser Wert liefert eine neue Grenze l_1 für die Dissociation $\frac{c_0 t_1}{Q}$, welche höher als die vorhergehende liegt. Man berechnet daraus eine weitere Temperatur t_2 u. s. f. Für umkehrbare Systeme streben die Werte t_1, t_2, t_4 . . . . gegen eine Grenze, aber ihre Konvergenz ist ziemlich rasch.

Für nicht umkehrbare Systeme, z. B. solche, welche Cyan oder Kohlenwasserstoffe enthalten, kann es eintreten, dafs der Wert t_1 unter t_1 liegt, in welchem Falle die Rechnung keine brauchbaren Resultate ergiebt; T ist dann das Mittel zwischen t_1 und t_4.

Erste Gruppe. — Sauerstoff-Wasserstoffgemenge.

Tabelle 1.

Natur der Gemenge	Q Wasser dampfförmig	t_1	c_1	t_2	c_2
1. $H_2 + O_2$ . . .	58 700 cal	3742°	15,69	2406°	24,40
7. $H_2 + O_2 + \frac{1}{2}N$.	„	3219	18,24	2220	26,32
8. $H_2 + O_2 + N_2$.	„	2712	20,67	2115	27,75
9. $H_2 + O_2 + 2N_2$.	„	2258	26,00	1897	30,94
10. $H_2 + O_2 + 3N_2$.	„	1844	31,83	1609	36,48
11. $H_2 + N_2O_2$.	79 600	3466	23,17	2694	29,55
12. $H_2 + N_2O_2 + N_2$.	„	2751	28,94	2319	34,33.

Tabelle 2.

Natur der Gemenge	c_0	g	$\frac{g}{g_1}$	l_4	t_4	c_4	T	C
1. $H_2 + O_2$ . . .	7,2	$^2/_3$	„	0,336	2739	21,43	3240°	18,12
7. $H_2 + O_2 + \frac{1}{2}N$.	8,4	$^5/_7$	„	0,358	2501	23,47	2860	20,52
8. $H_2 + O_2 + N_2$.	12,0	$^4/_5$	„	0,485	2375	24,72	2543	23,08
9. $H_2 + O_2 + 2N_2$.	16,8	$^6/_7$	„	0,600	2101	27,82	2180	26,93
10. $H_2 + O_2 + 3N_2$.	21,6	$^8/_9$	„	0,627	1753	33,49	1798	32,65
11. $H_2 + N_2O_2$.	12,0	1	$^5/_4$	0,228	2831	28,12	3133	25,09
12. $H_2 + N_2O_2 + N_2$.	16,8	1	$^7/_6$	0,350	2461	32,48	2601	30,60.

Zweite Gruppe. — Sauerstoff-Kohlenoxydgemenge.

Tabelle 1.

Natur der Gemenge . .	Q	t_1	c_1	t_2	c_2
13. $C_2O_2 + O_2$ . . .	68 000 cal	3872	17,56	2490°	27,31
14. $C_2O_2 + O_2 + N$.	„	3127	21,75	2277	29,86
15. $C_2O_2 + O_2 + N_2$.	„	2741	24,81	2138	31,81
16. $C_2O_2 + O_2 + N_3$.	„ .	1876	36,25	1607	42,32
17. $C_2O_2 + N_2O_2$ . .	88 800	2839	31,28	2217	40,01
18. $C_2O_2 + H + O_3$.	97 300	3745	26,00	2406	40,46
19. $C_2O_2 + H_2 + O_4$.	126 700	3328	38,07	2128	59,74
20. $C_2O_2 + H_3 + O_5$.	156 000	3597	43,38	2307	67,64
21. $C_2O_2 + H_4 + O_6$.	185 400	3663	50,61	2351	78,88.

Tabelle 2.

Natur der Gemenge	c_0	g	$\frac{g}{g_1}$	l_4	t_4	c_4	T	C
13. $C_2O_2 + O_2$ . . .	7,2	$^2/_3$	„	0,296	2797	24,31	3334°	20,40
14. $C_2O_2 + O_2 + N$.	9,6	$^6/_7$	„	0,360	2551	26,66	2840	24,02
15. $C_2O_2 + O_2 + N_2$.	12,0	$^4/_5$	„	0,416	2355	28,88	2548	26,69
16. $C_2O_2 + O_2 + N_3$.	19,2	$^7/_8$	„	0,491	1739	39,33	1807	37,47
17. $C_2O_2 + N_2O_2$.	12,0	1	$^5/_4$	0,093	2264	39,22	2550	34,83
18. $C_2O_2 + H + O_3$.	10,8	$^2/_3$	„ .	0,311	„	„	3271	29,76
19. $C_2O_2 + H_2 + O_4$.	14,4	„	„	0,317	„	„	3287	38,55
20. $C_2O_2 + H_3 + O_5$.	18,0	„	„	0,320	„	„	3296	47,35
21. $C_2O_2 + H_4 + O_6$.	21,6	„	„	0,323	„	„	3303	56,13.

Dritte Gruppe. — Cyan.

Tabelle 1.

Natur der Gemenge	Q'	t_1	c_1	t_2	c_2
29. $C_4N_2 + O_8$	262 500 cal	5453°	48,14	4272°	61,45
30. $C_4N_2 + O_8 + N_2$	„	4566	57,49	3598	72,96
31. $C_4N_2 + O_8 + 2N_2$	„	3755	69,91	3084	85,12
32. $C_4N_2 + O_8 + 4N_2$	„	3097	84,76	2676	98,14
33. $C_2N_2 + O_4$	126 500	4394	28,81	„	„
34. $C_2N_2 + O_4 + 1^1/_2N$	„	4024	31,46	„	
35. $C_2N_2 + O_4 + 2N_2$	„	3191	39,67	„	„
36. $C_2N_2 + O_4 + {}^n/_{21}N_2$	„	2810	45,05	„	„
39. $C_2N_2 + 4NO_2$	349 000	4350	80,27	3580	97,52
40. $C_4N_2 + 4N_2O_2$	346 000	4149	79,70	3596	95,3
41. $C_2N_2 + 2NO_2$	169 800	4509	39,39	„	„
42. $C_4N_2 + 2N_2O_2$	168 400	3993	42,17	„	

Tabelle 2.

Natur der Gemenge	c_0	g	$\dfrac{g}{g_1}$	t	t_4	c_4	T	C
29. $C_4N_2 + O_8$	19,2	1	$^4/_3$	„	„	„	4862°	54,00
30. $C_2N_2 + O_8 + N_2$	24,0	1	$^5/_4$	„	„	„	4082	64,31
31. $C_2N_2 + O_8 + 2N_2$	28,8	1	$^6/_5$	„	„	„	3420	76,76
32. $C_4N_2 + O_8 + 4N_2$	38,4	1	$^8/_7$	„	„	„	2886	90,96
39. $C_2N_2 + 4NO_2$	28,6	1	$^6/_5$	„	„	„	3965	88,02
40. $C_4N_2 + 4N_2O_2$	33,4	$^1/_5$	$^6/_5$	„	„	„	3972	86,71

Vierte Gruppe. — Kohlenwasserstoffe.

Tabelle 1.

Natur der Gemenge	Q Wasser dampfförmig	t_1	c_1	t_2	c_2
22. $C_6H_2 + O_{10}$	307 900 cal	4951°	62,20	3210°	95,92
23. $C_6H_4 + O_{12}$	321 400	4121	77,84	2662	120,72
24. $C_6H_6 + O_{14}$	359 600	3707°	97,00	2380	151,10
25. $2C_3H_4 + O_{16}$	387 000	3861	100,24	2483	155,84
26. $C_6H_4 + H_2 + O_{14}$	380 100	4016	84,64	2587	145,91
27. $C_6H_6O_2 + O_{12}$	314 700	4078	77,16	2628	119,54
28. $C_8H_{10}O_2 + O_{24}$	616 800	3239	190,42	2068	248,20.

Tabelle 2.

Natur der Gemenge	c_0	g	$\dfrac{g}{g_1}$	t_4	t_4	c_4	T	C
22. $C_6H_2 + O_{10}$	21,6	$^6/_7$	$^9/_7$	„	„	„	4080°	75,47
23. $C_6H_4 + O_{12}$	28,8	1	$^9/_8$	3,76	2702	118,8	3415	94,11
24. $C_6H_6 + O_{14}$	36,0	$^{10}/_9$	$^{15}/_9$	13,51	2510	143,2	3108	115,70
25. $2C_3H_4 + O_{16}$	43,2	1	$^8/_9$	27,47	2756	140,4	3303	117,20
26. $C_6H_4 + H_2 + O_{14}$	36,0	$^4/_5$	$^6/_5$	8,95	2676	142,0	3346	113,60
27. $C_6H_6O_2 + O_{12}$	36,0	$^5/_4$	$^{15}/_8$	33,20	2987	105,4	3532	89,10
28. $C_8H_{10}O_2 + O_{24}$	64,8	$1^1/_2$	$^{21}/_{18}$	16,04	2200	280,3	2720	227,50.

(C. r. 98. 545—50 und 601—6. [3.*] und [10.*] März.)

· **H. Le Chatelier,** Über *das Gesetz der Zersetzung der Salze durch Wasser.* Die Zersetzung der Salze durch Wasser für den Fall, daſs eines der Reaktionsprodukte unlöslich ist, ist mit vieler Sorgfalt in den letzten zehn Jahren studiert worden. Diese Untersuchungen haben zur Feststellung eines sehr einfachen Gesetzes geführt, welches ohne Diskussion angenommen worden ist.

„Bei der Zersetzung eines Salzes durch eine Flüssigkeit existiert für jede Temperatur eine Lösung von der Zusammensetzung, daſs bei einer jeden Veränderung ihrer Konzentration in dem einen oder anderen Sinne Zersetzung oder Wiederbildung des betreffenden Salzes eintritt. — Die Konzentrationsgrenze scheint unabhängig von der Menge des in der Flüssigkeit enthaltenen unzersetzten Salzes und von dem Verhältnis der nicht gelösten Elemente desselben zu sein. Diese Zersetzung gehört demnach in die Kategorie der Dissociationserscheinungen und ist den Gesetzen derselben untergeordnet."

Die Richtigkeit dieses Gesetzes ist dem Vf. indes immer zweifelhaft erschienen. Es steht im Widerspruch mit den genauen Versuchen, von SCHLÖSING über die Zersetzung der Dicarbonate des Kalks und Baryts; es sucht eine a priori sehr wenig wahrscheinliche Analogie zwischen den Reaktionen auf trockenem und auf nassem Wege herzustellen. Durch die vorliegende Arbeit will der Vf. nicht die Aufstellung jenes Gesetzes geführt haben, in Frage stellen, sondern nur eine davon abweichende Interpretation geben; er beabsichtigt zu zeigen, daſs man allen beobachteten Thatsachen durch die gewöhnlichen Gesetze des chemischen Gleichgewichtes in homogenen flüssigen Systemen Rechnung tragen kann, indem man die Unlöslichkeit der entstandenen Produkte nach den Gesetzen von BERTHOLLET in Rücksicht zieht, d. h. indem man annimmt, daſs die aus dem Wirkungsfelde der Reaktion ausgeschiedenen unlöslichen Verbindungen nicht mehr an dem definitiven Gleichgewichtszustand teilnemen, welcher sich ausschlieſslich zwischen den gelösten Körpern herstellt. Das obige Gesetz führt im Gegenteil zu der Annahme, daſs sich das Gleichgewicht direkt zwischen den gelösten und ausgeschiedenen Körpern herstellt.

Als Beispiel soll das neutrale Quecksilbersulfat HgO, SO₃ genommen werden, dessen Zersetzung von DITTE studiert worden ist. Dieses Salz giebt in Berührung mit Wasser einen Niederschlag von dreibasischem Sulfat 3 HgO, SO₃; zugleich löst sich · eine gewisse Menge eines Quecksilbersalzes und alle durch die Zersetzung des neutralen Salzes freigewordene Schwefelsäure. Die folgende Tabelle enthält in ihren ersten beiden Kolumnen die Versuchsresultate von DITTE; in den beiden letzten Kolumnen sind die Mengen von neutralem Sulfat und freier Schwefelsäure verzeichnet, welche der Vf. unter der Annahme berechnet hat, daſs sich sämtliches Quecksilber in der Lösung als neutrales Salz befindet.

Gesamtmenge v. SO₃ im Liter	Gesamtmenge · von Hg	HgO, SO₃	SO₃ frei
g	g	g	g
6	1,5	2,2	5,4
19	7	10,3	16,2
34	15	22	28
48	22	33	39,3
71	33	49	57,8
87	77	114	56,2
98	108	160	55,2
114	144	212	59
130	190	280	55.

Um diese Resultate mit den oben aufgestellten Gesetz in Einklang zu bringen, nimmt man an, ohne es zu beweisen, daſs, da die Menge der freien Schwefelsäure nicht konstant ist, das Quecksilber sich nicht als neutrales Salz, wie es in der obigen Tabelle angenommen worden ist, sondern als dreibasisches Sulfat löst; dieses setzt wiederum die Annahme voraus, daſs die Löslichkeit dieses basischen Salzes innerhalb sehr weiter Grenzen mit der Menge der freien Schwefelsäure, welche um mehr als das Hundertfache schwankt, variiert. Man kann dagegen die von vornherein um vieles wahrscheinlichere Hypothese machen, daſs die Löslichkeit des basischen Salzes stets so gering ist, daſs sie vernachlässigt werden kann, und daſs das Quecksilber sich als neutrales Salz löst, was dann allerdings dem aufgestellten Gesetz formell entsprechen würde. Man erkennt daraus, daſs die Verifikation des Gesetzes sich nicht auf Thatsachen, sondern auf beliebige Annahmen stützt, welche man zur Erklärung der Thatsachen gemacht hat.

Der Vf. ist der Ansicht, daſs sich die Richtigkeit der einen oder anderen Hypothese durch den Versuch beweisen läſst, indem man sich auf die charakteristischen Eigenschaften der chemischen Verbindung und der Lösung stützt. Diese beiden Erscheinungen unterscheiden sich durch die dabei auftretenden Wärmemengen; die erstere ist nach dem Prinzip des Maximums der Arbeit, immer von einer Wärmeentwicklung, die zweite immer von einer Wärmeabsorption begleitet.*

Der Vf. hat erkannt, daß die Auflösung des dreibasischen Quecksilbersulfates in verdünnter Schwefelsäure stets unter Wärmeentwicklung erfolgt, und ferner, daß die hierbei freiwerdende Wärme wenig mit der Konzentration der Säure schwankt. Es folgt daraus, daß bei dieser Auflösung eine chemische Verbindung stattfindet, und daß die Natur dieser Verbindung mit der Konzentration der Säure nicht variiert: es bildet sich also in allen Fällen neutrales Sulfat, wie oben angenommen wurde.

Aus den DITTE'schen Versuchen würde hiernach folgender Schluß zu ziehen sein: Die Menge Säure, welche nötig ist, um die Zersetzung eines Salzes zu verhindern, wächst mit der Menge des gelösten Salzes, in Übereinstimmung mit den Gesetzen des chemischen Gleichgewichts in homogenen Systemen, aber sie wächst nicht unbegrenzt, sondern strebt einer festen Grenze zu. Die Existenz einer solchen Grenze beim Auflösen des Quecksilbersulfates und in ähnlichen Fällen ist eine Konsequenz der partiellen Dissociation der sauren Hydrate in ihrer Lösung. Die wichtige Rolle, welche diese Erscheinung bei dem chemischen Gleichgewicht spielt, ist bereits durch BERTHELOT eingehend nachgewiesen worden. In gewissen anderen Fällen, z. B. beim Kalium-Kalciumsulfat ist die Grenze durch die schwache Löslichkeit des Salzes bedingt. Es ist sicher, daß, wenn zwei Körper nebeneinander bis zur Sättigung, d. h. in einer konstanten Flüssigkeitsmenge gelöst sind, die gelöste Menge des dritten auch konstant sein muß, damit Gleichgewicht stattfindet. (C. r. 98. 675—678. [17.] März.)

Wilh. Ostwald, *Chemische Affinitätsbestimmungen.* VI. *Die Löslichkeit des Weinsteins in verdünnten Säuren,* nach Versuchen von **Oskar Knecke.** VIII. Die Löslichkeit der Sulfate von Barium, Strontium und Calcium in Säuren, nach Versuchen von **Wassily Banthisch.** (J. prakt. Chem. 29. 49—57).

4. Organische Cheme.

Hugo Müller, *Bemerkungen über die Dichte der Glieder homologer Reihen.* Bei einer Untersuchung, mit der der Vf. gegenwärtig beschäftigt ist, war er genötigt, die Dichten zahlreicher Körper verschiedener homologer Reihen, namentlich der Fettsäuren und der Äther derselben zu bestimmen. Bei einer Prüfung dieser Resultate ergab sich eine gewisse Relation unter denselben. Er konstruierte deshalb Kurven, deren Abscissen die Zahl der Kohlenstoffatome, und deren Ordinaten die Dichten waren. Diese Kurven waren sämtlich regelmäßig und ließen erkennen, daß die Dichten der homologen Säuren und Äther einem einfachen Gesetz folgen. (Chem. N. 49. 122).

G. Lemoine, *Kohlenwasserstoffe und höhere Alkohole aus dem amerikanischen Petroleum.* Als Material für diese Untersuchungen diente ein Petroleum, welches durch fraktionierte Destillation im großen gewonnen worden war und die mittlere Dichte des Nonans (0,74 bei 15°) besaß. Dieses Öl wurde abermals einer Reihe fraktionierter Destillationen von 5° zu 5° unterworfen, wobei man sich des Kugelapparates von LEBEL und HENNINGER (mit vier Kugeln) bediente. Nach sieben Destillationen war bereits eine gewisse Menge Nonan isoliert. Die intermediären Produkte wurden von neuem fraktioniert, um daraus die betreffenden Kohlenwasserstoffe zu extrahieren. In dieser Weise gab eine Flüssigkeit, welche zuerst über 145° überging, nach 15 Destillationen neue Mengen Oktan, Nonan und Dekan. Die Natur der verschiedenen Destillate wurde durch die Elementaranalyse und durch die Dampfdichtebestimmungen festgestellt. Die Kohlenwasserstoffe wurden dann weiter durch Brom gereinigt, um sie von nicht gesättigten Kohlenwasserstoffen zu befreien; die Menge der letzteren betrug nur etwa 3 p. c. Nach jeder Behandlung mit Brom erfolgte eine Destillation im Vakuum, welche so geleitet wurde, daß die bromierten Produkte im Rückstand blieben. Zuletzt wurden die gesättigten Kohlenwasserstoffe nochmals durch eine oder mehrere Rektifikationen im Vakuum gereinigt.

In dieser Weise erhielt der Vf. als Hauptprodukte Oktan, Nonan und Dekan. Diese wurden dann unter einer Temperatur von 65° mit Chlor behandelt und so das Monochlorderivat gewonnen. Dasselbe erhitzte man, nachdem es durch mehrere Rektifikationen genügend gereinigt war, mit einer alkoholischen Lösung von Kaliumacetat in geschlossenen Röhren auf 150° 24 Stunden lang und erhielt so den Essigäther. Derselbe wurde durch

---

*Bei der Lösung gewisser Körper findet Wärmeentwicklung statt, aber es läßt sich in diesem Falle das gleichzeitige Auftreten einer chemischen Verbindung beweisen, sei es durch Isolierung der gebildeten Körper (Auflösung wasserfreier Salze), sei es, indem man sich auf Analogiegründe stützt (Auflösung von Kalkhydrat).

Kali verseift und gab den Alkohol gemischt mit nicht gesättigten Kohlenwasserstoffen Nonylen und Decylen). Die Eigenschaften dieser Verbindungen sind nachstehend zusammengestellt.

Oktan Dampfdichte 4,03 (ber. 3,95) spez. Gewicht 0,332 bei 12°; Siedep. 121° bei 779 mm; 82° bei 212 mm; 63° bei 110 mm; 31° bei 27 mm.

Nonan. Der Vf. erhielt mehrere Verbindungen von der Zusammensetzung des Nonans, welche dieselbe Dampfdichte und verschiedenen Siedepunkt besaßen; a) Siedepunkt 135—137°, erhalten nach sieben Destillationen des Petroleums und gereinigt durch Behandlung mit Brom und nachfolgenden drei Rektifikationen im Vakuum. Dampfdichte 4,59 (ber. 4,44); spez. Gewicht 0,742 bei 12,4°. — b) Siedepunkt 129,5—131,5°; erhalten durch sechs Destillationen und gereinigt durch zweimalige Behandlung mit Brom und fünf Destillationen im Vakuum; Dampfdichte 4,47; spez. Gewicht 0,743 bei 0°; 0,734 bei 12,7°; 0,731 bei 16°, 0,725 bei 24,7°.

Monochlornonan. Als Ausgangspunkt für die Bereitung desselben diente das unter b beschriebene. Dampfdichte 5,94 (ber. 5,62) spez. Gewicht 0,911 bei 23,3° und 0,908 bei 25,8°; Siedep. 180—184°.

Nonylalkohol. Aus einem bei 130—135° siedenden Nonan bereitet; spez. Gewicht 0,855 bei 18,5°; Siedep. 186—189°.

Nonylen. Dieses wurde als Nebenprodukt bei der Bereitung des Nonylalkoholes erhalten; spez. Gewicht 0,853 bei 18,4°; Siedep. 133—136°.

Dekan. Dasselbe wurde durch 15 Destillationen des Petroleums erhalten und nach der Behandlung mit Brom durch zwei Destillationen im Vakuum gereinigt; Dampfdichte 4,95 (ber. 4,91) spez. Gewicht 0,764 bei 0°; 0,753 bei 15,6°; 0,751 bei 17,0°; 0,739 bei 33,5°; Siedep. 151—160° bei 757 mm.

Monochlordekan. Aus einem Dekan vom Siedep. 155° dargestellt; spez. Gewicht 0,908 bei 19°; Siedep. 201—203°.

Decylen. Dargestellt aus einem durch drei Rektifikationen gereinigten Monochlordekan, durch 17 stündiges Erhitzen mit alkoholischer Kalilösung auf 110°; spez. Gewicht 0,855 bei 14°; Siedep. zwischen 159—174°, meist bei 165°.

Decylalkohol. Spez. Gewicht 0,858 bei 18,5°; Siedep. 200°.

Gelegentlich dieser Arbeit erinnert HENNINGER an die Untersuchung von CRAFFT über die aus den Fettsäuren erhaltenen Kohlenwasserstoffe (Ber. Chem. Ges. 15. 1687). Diese gesättigten Kohlenwasserstoffe sind die Isomeren von denen des Petroleums: ihr Siedepunkt ist höher und ihr spezifisches Gewicht niedriger. (Bull. Par. 41. 161—166. 20. Febr. [28. Dez. 1883]. Paris, Soc. Chim.)

Louis Henry. Über die Addition von Chlorjod zu Monobromäthylen. Es ist nahezu 20 Jahre her, seit MAXWELL SIMPSON (66. 238) die Addition von Chlorjod JCl zu Monobromäthylen C_2H_3Br beschrieben hat. Seitdem ist hierüber etwas weiteres nicht bekannt geworden. Um das Additionsprodukt C_2H_3ClBrJ zu erhalten, erhitzte SIMPSON Vinylbromid mit einer wässerigen Lösung von Chlorjod im geschlossenen Gefäß auf 100°. In der Absicht, diese Verbindung vollständig mit dem Dichlorjodäthan $C_2H_3Cl+JCl$, mit welchem sich Vf. in einer früheren Mitteilung beschäftigt hat, vergleichbar zu machen, hat er es vorgezogen, bei gewöhnlicher Temperatur zu arbeiten. Die Verbindung des Monobromäthylens mit in Wasser gelöstem Chlorjod erfolgt nicht augenblicklich, wie die anderer nicht gesättigter Verbindungen, besonders der Allylverbindungen und des Diallyls selbst, auch ist die Addition des angewandten C_2H_3Br erst nach häufigem Ausschütteln und einer Einwirkung von mehreren Tagen vollständig. Daß die Reaktion ihren Endpunkt erreicht hat, erkennt man an der beträchtlichen Erhöhung der Dichte, indem das vollständig in C_2H_3ClBrJ umgewandelte Vinylbromid sich rasch am Boden des Gefäßes als eine flüssige Masse wieder abscheidet, wenn man umschüttelt. Das Rohprodukt ist ein sehr schweres Öl von bräunlicher Farbe, welches sich gegenüber wässeriger Kalilösung sofort entfärbt. Wird es nach dem Trocknen über Chlorcalcium destilliert, so geht der größte Teil zwischen 185° und 195° über und färbt sich dabei violett infolge der Abscheidung von Jod, was auf eine partielle Zersetzung hindeutet. Nach der Reinigung bildet das Chlorbromjodäthan C_2H_3ClBrJ eine farblose Flüssigkeit, welche sich rasch im Lichte färbt, einen angenehmen etwas stechenden Geruch und einen süßlichen brennenden Geschmack besitzt. Seine Dichte bei 0° ist 2,53 verglichen mit Wasser von gleicher Temperatur. Es siedet bei gewöhnlichem Druck unter partieller Zersetzung bei 193—195°, Dampfdichte gefunden 9,10, (ber. 9,31).

Es fragt sich nun, welches die Natur dieser Verbindung ist, und in welcher Weise die Addition von JCl zu den Kohlenstoffkernen — CHBr und — CH, des Bromvinyls stattgefunden hat. Diese Frage läßt sich durch die Einwirkung stärkerer Basen entscheiden. Der Vf. ließ etwas mehr als ein Mol. alkoholisches Kali auf 200 g Chlorbromjodäthan einwirken; die Reaktion ist lebhaft und augenblicklich. Es bildet sich ein Niederschlag von Chlor- und Jodkalium in dem Verhältnisse 3KCl + KJ. Aus der alkoholischen abfiltrierten Flüssigkeit schlägt Wasser ein bräunliches Öl nieder, welches durch kaustisches Kali sofort entfärbt wird. Nach dem Trocknen destilliert dasselbe vollständig unter 145° über. Durch successive Destillationen kann man es leicht in zwei Teile teilen, von denen der eine bei 60—65° siedet und sich rasch polymerisiert. Dieses ist das dissymmetrische Chlorbromäthylen $CH_2 = CClBr$ (Siedep. 63°). Der andere, weit beträchtlichere Anteil ist das Hauptprodukt der Destillation, siedet unter Violettfärbung bei 128—130° und ist das dissymmetrische Bromjodäthylen $CH_2 \cdot CBrJ$, welches der Vf. zugleich mit dem entsprechenden Chlorderivat $CH_2 \cdot CClJ$ in einer späteren Mitteilung beschreiben wird.

Durch diese Thatsachen sieht sich der Vf. zu dem Schluß berechtigt, daß das Additionsprodukt von JCl zu Vinylbromid keine einheitliche Verbindung ist; die Addition des Chlorjodes erfolgt in doppeltem Sinne und liefert zwei verschiedene isomere Verbindungen:

a) $\begin{cases} CHBrCl \\ CH_2 J \end{cases}$ b) $\begin{cases} CHBrJ \\ CH_2 Cl \end{cases}$

Das Chlor und das Jod sind an die beiden Kohlenstoffkerne $\_\cdot CHBr$ und $\cdot CH_2$ getreten, aber in ungleicher Menge, nämlich das Chlor vorwiegend zu den wasserstoffreicheren Kern $= CH_2$ und das Jod in die Nähe des Broms an den Kern $= CHBr$; beide Additionen sind in dem Verhältnis von 3 : 1 erfolgt, so daß im Endprodukt die beiden Isomeren in dem Verhältnis:

$$3 \left(\begin{matrix} CHBrJ \\ CH_2 Cl \end{matrix} \right) + 1 \left(\begin{matrix} CHBrCl \\ CH_2 J \end{matrix} \right)$$

vorhanden sind. Der Vf. erinnert daran, daß bei der Addition von JCl zu Vinylchlorid ebenfalls zwei Isomere entstehen, und zwar in dem Verhältnis:

$$4 \left(\begin{matrix} C_2 H Cl_2 \\ CH_2 J \end{matrix} \right) + 1 \left(\begin{matrix} CH Cl J \\ CH_2 Br_2 \end{matrix} \right).$$

Die beiden Reaktionen sind also insofern gleich, als sich das Chlor und das Jod zwischen den beiden Kernen $= CH_2$ und $\_\cdot CHX$ teilen, aber ihre quantitative Verteilung ist verschieden. Das Brom verdrängt das Jod des Chlorbromjodäthans leicht; es entsteht daraus Chlordibromäthan $C_2H_3Cl Br$, dies ist ebenfalls ein Gemenge von zwei Isomeren, welches unter dem Einfluß kaustischer Alkalien zwei disubstituierte dissymmetrische Äthylenderivate liefert:

$CH_2 \cdot CBrCl$ (Siedep. 63°) und $CH_2 = CBr_2$ (Siedep. 88—90°)

letzteres in größerer Menge als ersteres, wie vorauszusehen war. (C. r. **98**. 680—682 [17.] März).

F. Strohmer, *Gehaltsbestimmung reiner wässeriger Glycerinlösungen mittels ihres Brechungsexponenten.* (Monh. f. Chem. **5**. 55—62. Anf. April [20. Dez. 1883] Wien, landw. Versuchstation.

Oechsner de Koninck und **J. Ch. Essner**, *Theoretische Betrachtungen über die Isomerie in der Pyridinreihe.* Nach DEWAR und KÖRNER besitzt das Pyridin eine ähnliche Konstitution wie das Benzol, und zwar hat man es als ein Monoderivat des letzteren betrachtet. Die Vf. sind dagegen der Ansicht, daß das Pyridin einen eigentümlichen Kern besitzt. Im ersteren Falle müssen die monosubstituierte Derivate des Pyridins den Diderivaten des Benzols mit zwei verschiedenen Radikalen zugerechnet werden; die disubstituierten Pyridinderivate müssen analog den trisubstituierten Benzolderivaten mit zwei gleichen und einem verschiedenen oder drei verschiedenen Radikalen sein, etc. Wenn diese Interpretation richtig ist, so muß für die Pyridinderivate dasselbe gelten, wie für die Benzolderivate, und die Zahl beider muß gleich sein. Im zweiten Falle dagegen wird die Isomerie in der Pyridinreihe verwickelter, wie man sogleich sehen wird.

Vergleicht man das Benzolschema mit dem des Pyridins, so fallen sofort folgende Unterschiede ins Auge. Beim Benzol sind sechs Wasserstoffatome substituierbar, und es existieren zwei Systeme mit drei Symmetrieaxen. Beim Pyridin dagegen sind fünf Wasserstoffatome substituierbar und nur eine Symmetrieaxe vom Stickstoff zu einer CH-Gruppe ist vorhanden. Hieraus folgt, daß die Zahl der Isomeren in der Pyridinreihe nicht dieselbe wie in der Benzolreihe ist. Nimmt man die Stellung des Stickstoffes in der Pyridinformel als 1 an, so muß es 3 Monosubstitutionsderivate geben, während vom Benzol nur ein derartiges existiert. Die Diderivate des Pyridins mit zwei gleichen Radikalen werden der Zahl nach 6 und mit verschiedenen Radikalen 10 sein; in der Benzolreihe dagegen giebt es für zwei gleiche oder verschiedene Radikale nur drei Diderivate. Die Triderivate des Pyridins mit gleichen Radikalen betragen 10, mit zwei gleichen und einem verschiedenen Radikal 16, mit drei verschiedenen endlich 30; während die entsprechenden Benzolderivate der Zahl nach 3, bez. 6 und 10 sind. Die Tetraderivate mit verschiedenen Radikalen würden beim Pyridin 60 und die Pentaderivate 120 sein, während die entsprechenden Zahlen beim Benzol nur 30, bez. 60 sind.

Zieht man endlich zugleich die Isomerie der Position und die durch Kompensation in betracht, so gelangt man zu folgenden Resultaten: Es existieren drei Pikoline und neun Lutidine, und zwar sechs Dimethylpyridine und drei Äthylpyridine. Endlich läfst sich die Existenz von 22 Collidinen, nämlich sechs Trimethylpyridinen, drei Propylpyridinen, drei Isopropylpyridinen, zehn Methyläthylpyridinen, etc. voraussehen.

Beim gegenwärtigen Stande der Wissenschaft kennt man drei Pikoline und drei Pyridinmonocarbonsäuren. Die sechs Dimethylpyridine sind noch nicht isoliert, aber man kennt sechs Dicarbopyridinsäuren.

Die Untersuchungen über die Diderivate des Pyridins mit zwei verschiedenen Radikalen und die Triderivate desselben sind noch nicht weit genug fortgeschritten, um die Richtigkeit der oben ausgesprochenen Ansichten danach zu prüfen. (Bull. Par. **41**. 175—176. Ende Febr. Paris, Soc. Chim.)

C. O'Sullivan, *Zusammensetzung und Zersetzungsprodukte der Arabinsäure.* Arabisches Gummi wurde in möglichst wenig Wasser gelöst, die Lösung von dem Niederschlage dekantiert, mit Salzsäure versetzt und die Arabinsäure durch überschüssigen Alkohol ausgeschieden. Der gelatinöse Niederschlag wurde mit Alkohol gewaschen, ausgepreíst, in siedendem Wasser gelöst und die Lösung nach dem Abkühlen unter fortwährendem Umrühren mit Alkohol versetzt. Hierdurch wurde sie milchig, aber es entstand kein Niederschlag; auf Zusatz von einigen Tropfen Salzsäure bildete sich eine gelatinöse Abscheidung. Verfährt man mit diesem Zusatze vorsichtig, so kann man den Niederschlag successive in verschiedenen Portionen erzeugen. Der Vf. stellte vier solche Fällungen her, löste jede derselben wieder auf, fällte sie wieder, entwässerte mit Alkohol, prefste und trocknete über Schwefelsäure. Die so gewonnenen Produkte waren weiís, zerreiblich, löslich in Wasser und frei von Asche. Durch optische Prüfung und Analyse der Bariumsalze zeigte sich, daís man es mit einem homogenen Körper zu thun hatte. Jene ergab eine Ablenkung $[\alpha]_j = -25,7$ bis $-27,0^\circ$, und das Bariumsalz enthielt 5,90 bis 6,07 BaO.

Zu weiterer Untersuchung wurden 500 g Arabinsäure, $[\alpha]_j = -27^\circ$, welche frei von Asche war, in 1500 ccm Wasser gelöst und 40 g Schwefelsäure, welche mit 150 ccm Wasser verdünnt war, hinzugesetzt. Diese Mischung kochte man drei Stunden lang, liefs sie abkühlen, neutralisierte mit einer heifsen Lösung von Bariumhydrat genau. Das Bariumsulfat wurde abfiltriert, das Filtrat auf 1000 ccm eingedampft und mit Alkohol von 0,83 spez. Gewicht so lange versetzt, als noch ein Niederschlag entstand. Dieser wurde wiederholt in Wasser gelöst, durch Alkohol gefällt, um ihn von etwa gebildetem Zucker zu befreien und zuletzt über Schwefelsäure getrocknet. Der so erhaltene zerreibliche weifse Körper enthielt, bei 100° getrocknet, 14,57 BaO. Das Arabinsäuremolekül ist also durch die Schwefelsäure zersetzt worden, und es blieb nachzuweisen übrig, ob die Substanz homogen war oder nicht. Zu diesem Zwecke wurde sie in Wasser gelöst und durch successive Zusätze von Schwefelsäure in drei Fraktionen A, B und C gefällt. A enthielt 14,27 p. c. BaO, B 14,34 und C 15,46 p. c. Die letzte Fraktion wurde abermals in drei geteilt. Die erste derselben enthielt 15,27 BaO, die zweite 15,36 und die dritte 15,54 p. c. Sie war also homogen. A und B wurden gemischt und eine abermalige Fraktion zeigte, daís sie aus zwei Salzen bestand, von denen das eine 13,3 bis 13,4 und das andere 15,5 p. c. BaO ergab. Der Vf. untersuchte hierauf die weitere Einwirkung von Schwefelsäure auf dieses 15,5-prozentige Bariumsalz. 20 g davon wurden in Wasser gelöst und mit 2,5 ccm Schwefelsäure, die vorher mit Wasser verdünnt war, versetzt. Die Mischung wurde drei Stunden lang bei 100° digeriert. Durch Neutralisation und eine gleiche Behandlung wie oben, erhielt man ein Bariumsalz von 18,5 BaO. Dieses wurde analysiert und ergab die Formel $C_{22}H_{38}O_{27}$ BaO, d. i. also kein Kohlehydrat, sondern differiert von dem Kohlehydrat $C_{24}H_{40}O_{30}$ durch ein Minus von CH_2 und ein Plus von O_3. Die alkoholische Lösung aus der dieses Salz abgeschieden worden war, wurde vom Alkohol befreit, der Rückstand zur Sirupedicke eingedampft, gereinigt und zur Krystallisation gebracht, wobei sich ein Zucker aus der Klasse $C_6H_{12}O_6$ abschied. Sein Drehungsvermögen betrug $[\alpha]_j = 79^\circ$ bis 81° und das Reduktionsvermögen auf Kupfer K = 81° bis 82°. Das Salz, welches 15,5 BaO enthielt, wurde getrocknet und analysiert; es ergab die Formel $C_{22}H_{40}O_{27}$BaO.

Das 18,5-prozentige Bariumsalz hat sich demnach offenbar nach der folgenden Gleichung gebildet:

$$C_{22}H_{40}O_{27} \text{BaO} + H_2O = C_{22}H_{38}O_{27} \text{BaO} + C_6H_{12}O_6$$
$$\text{d-Arabinose.}$$

Das 13,3-prozentige Salz entspricht der Formel $C_{85}H_{48}O_{83}BaO$, so dafs wir folgende Reihen haben:

$$C_{79}H_{46}O_{78}BaO + C_6H_{10}O_5 = C_{79}H_{48}O_{77}BaO$$
$$C_{79}H_{48}O_{77}BaO + C_6H_{10}O_5 = C_{85}H_{58}O_{82}BaO.$$

Da das höhere Molekül unter Elimination von $C_6H_{10}O_5$, welches durch Wasseraufnahme zu dem Zucker $C_6H_{12}O_6$ wird, zersetzt wird, so ist es wahrscheinlich, dafs das Arabinsäuremolekül in derselben Weise gespalten wurde. Um hierüber näheren Aufschlufs zu erhalten, wurden 200 g reine Arabinsäure, $[\alpha]_j = -27°$, in 300 ccm Wasser gelöst, mit 10 g Schwefelsäure versetzt und eine Stunde lang bei 100° digeriert. Das Produkt wurde wie vorher durch fraktionierte Fällung geschieden und dabei zwei Salze erhalten, welche 11,35 und 13,38 BaO enthielten. Das letzte ist das bereits erwähnte $C_{85}H_{58}O_{82}BaO$. Das 11,35-prozentige wurde analysiert und ergab $C_{41}H_{88}O_{87}BaO$:

$$C_{41}H_{88}O_{87}BaO + H_2O = C_{85}H_{58}O_{82}BaO + C_6H_{12}O_6.$$

Die freie Säure dieses Salzes wurde ebenfalls dargestellt. Ihre Analyse bestätigte die obige Formel.

Der Vf. versuchte nun die verschiedenen Zuckerarten zu isolieren, welche sich bei dieser Zersetzung des Arabinsäuremoleküls bilden müssen.

Indem er von der alkoholischen Lösung, aus welcher das Salz $C_{41}H_{48}O_{87}BaO$ abgeschieden war, ausging, gelang es ihm, drei Zucker aus der Klasse $C_6H_{12}O_6$ zu erhalten, welche er:

β-Arabinose, $[\alpha]_j = 111,1°$, K — 110,
γ-Arabinose, $[\alpha]_j = 91°$, K — 99,4 bis 100, und
δ-Arabinose, $[\alpha]_j = 79$ bis 81°, K — 81—82

nennt. Der Vf. giebt die Resultate von sechs Analysen der Arabinsäure, welche zu der empirischen Formel $C_6H_{10}O_5$ führten. Da nun das Bariumsalz C, H und O in diesem Verhältnisse und zugleich 6 p. c. BaO enthielt, so müfste die Formel $C_{36}H_{160}O_5BaO$ sein. Allein diese pafst nicht zu der Zusammensetzung der höchsten Säure $C_{41}H_{88}O_{87}$, welche daraus durch Zersetzung erhalten wurde. Diese $C_{41}H_{88}O_{87} + 8C_6H_{10}O_5$ ist gleich $C_{89}H_{148}O_{77}$. Stellt man aber die Gleichung:

$$C_{41}H_{88}O_{87} + 8C_6H_{10}O_5 = C_{89}H_{148}O_{74} + 3H_2O$$

auf, so erhält man für die Arabinsäure $C_{89}H_{142}O_{74}$, welche genau mit den analytischen Resultaten stimmt und 6 p. c. BaO verlangt, während 6,10, 5,90, 6,00 und 6,06 gefunden wurde. Auch das Calciumsalz wurde dargestellt und gab ähnliche Resultate. Die Arabinsäure mufs demnach in der That durch $C_{89}H_{142}O_{74}$ ausgedrückt werden.

Schliefslich beschreibt der Vf. noch Versuche zur Trennung der intermediären Säuren zwischen der Arabinsäure und $C_{41}H_{88}O_{87}$. 60 g reine Arabinsäure wurden in 200 ccm Wasser, welches 4 g Schwefelsäure enthielt, gelöst und 15 Minuten lang auf 100° digeriert. Hierdurch wurden zwei Bariumsalze, welche 6,45 und 7,36 BaO enthielten, entsprechend der Formel $C_{85}H_{122}O_{68}BaO$ und $C_{71}H_{113}O_{58}BaO$ erhalten. Auch die β-Arabinose $[\alpha]_j = 111,5°$ und K — 110 wurde isoliert und nachgewiesen, dafs auch α-Arabinose, $[\alpha]_j = 140°$ anwesend war. Dagegen konnte γ- und δ-Arabinose nicht entdeckt werden.

Der Vf. giebt dann eine summarische Übersicht über die Zersetzung der Arabinsäure durch Schwefelsäure:

I.

$$\underset{\text{Arabinsäure}}{C_{89}H_{142}O_{74}} + H_2O = \underset{\text{α-Arabinosesäure}}{C_{83}H_{132}O_{69}} + \underset{\text{α-Arabinose.}}{C_6H_{12}O_6}$$

II.

$$\underset{}{C_{83}H_{132}O_{69}} + H_2O = \underset{\text{β-Arabinosesäure}}{C_{77}H_{122}O_{64}} = \underset{\text{α+β-Arabinose.}}{C_6H_{12}O_6}$$

III.

$$\underset{}{C_{77}H_{122}O_{64}} + H_2O = \underset{\text{γ-Arabinosesäure}}{C_{71}H_{112}O_{59}} + \underset{\text{β-Arabinose.}}{C_6H_{12}O_6}$$

Die nächsten fünf Zersetzungsprodukte konnten noch nicht getrennt werden, und demnach sind vereinigt:

III. bis VIII.

$$C_{97}H_{122}O_{64} + 9H_2O = C_{41}H_{68}O_{97} + 6C_6H_{12}O_6$$

o-Arabinosesäure β-, γ-, δ- u. andere
Arabinosen.

IX.

$$C_{41}H_{68}O_{97} + H_2O = C_{86}H_{56}O_{92} + C_6H_{12}O_6$$

ι-Arabinosesäure δ-Arabinose (?)

X.

$$C_{86}H_{56}O_{92} + H_2O = C_{79}H_{46}O_{97} + C_6H_{12}O_6$$

ϰ-Arabinosesäure δ-Arabinose.(?)

XI.

$$C_{79}H_{46}O_{97} + H_2O = C_{73}H_{36}O_{92} + C_6H_{12}O_6$$

λ-Arabinosesäure δ-Arabinose.

Diese letzte Arabinosesäure, $C_{73}H_{36}O_{92}$, ist ein sehr beständiger Körper, welcher der Einwirkung einer drei- bis vierprozentigen Schwefelsäure mehrere Stunden lang widersteht. Sie spaltet sich wahrscheinlich in einer komplizierteren Weise wie die übrigen. Arabinsäure, $[\alpha]_j = -27°$ bis 28° ist der Hauptbestandteil aller linksdrehenden Gummiarten. (Chem. News **48**. 301—2. Dezember 1883. London, Chem. Soc.; Journ. Chem. Soc. **45**. 41—57.)

Kleine Mitteilungen.

Über die stickstoffhaltigen Bestandteile von Gerste und Malz, von C. LINTNER. Der Vf. hat zur Lösung der Frage, ob der Stickstoffgehalt der Gerste und des Malzes einen Anhalt zur Bemessung der zu erwartenden diastatischen Wirkung des Malzes giebt, fünfzehn Gerstenproben und die daraus erhaltenen Malze untersucht. 200 g der sorgfältig von Verunreinigungen befreiten Gerstenproben wurden, nachdem sie wiederholt auf einem Haarsiebe gewaschen, bei etwa 15° eingeweicht. Die Weichdauer betrug in der Regel 48 Stunden; das Weichwasser wurde zweimal des Tages erneuert, wobei die Gersten stets etwa zwei Stunden ohne Wasser der Luft ausgesetzt blieben. Die quellreife Gerste wurde, zwischen zwei Teller ausgebreitet, bei 15° zum Keimen angestellt. Die Keimung dauerte in der Regel sieben Tage und wurde als beendet angesehen, wenn der Graskeim ³/₄ der Kornlänge erreicht hatte. Die ausgekeimte Gerste wurde sechs Stunden bei 40° getrocknet. Manche Gerstenproben der 1882er Ernte zeigten eine ungleiche Keimung. Diesem Übelstande konnte meistens durch Austrocknen der Gerste bei etwa 40° vor dem Einquellen abgeholfen werden. Proben, bei denen dieses Mittel nichts verschlug, wurden verworfen und zur nachfolgenden Analyse nur gleichmäßig gewachsenes Malz verwendet. Das getrocknete Salz wurde dann fein gemahlen und gelangte als unfühlbares Mehl zur Analyse.

25 g des Mahlmehles wurden mit 1 l destilliertem Wasser übergossen und wohl verschlossen sechs Stunden bei Zimmertemperatur unter wiederholtem Umschütteln digeriert. Von dem klar filtrierten Auszuge dienten 5 ccm zur Bestimmung der diastatischen Kraft und 100 ccm zur Bestimmung des gelösten Proteïns, was in der Weise geschah, daß die 100 ccm der Lösung einmal aufgekocht und nach dem Aufkochen 10 ccm des STUTZER'schen Reagens H_2CuO_3 zugesetzt wurden; nach dem Erkalten wurde filtriert und ausgewaschen und der Niederschlag nach dem Trocknen bei 110° mit Natronkalk verbrannt.

Die Bestimmung der diastatischen Wirkung des Malzes geschah nach KJELDAHL. Dieser wies nach, daß bei der Einwirkung von Diastase auf Stärkekleister die durch Diastase erzeugten Maltosemengen proportional den angewendeten Diastasemengen sind, solange bei der Einwirkung ein großer Überschuß von Stärkemehl oder von invertierungsfähigen Dextrinen vorhanden ist. Bezeichnet man mit $R = 100$ dasjenige Reduktionsvermögen, welches sämtliche Kohlehydrate der Versuchsflüssigkeit (hier Stärkekleister) nach ihrer Invertierung in Dextrose zeigen würden, so erlischt die Proportionalität von Diastase und Zuckerzuwachs, wenn R_i auf 25 bis 30 (auf Dextrose berechnet) gestiegen ist. Durch wiederholte Versuche ergab sich, daß man bei Anwendung von 5 ccm obigen Malzextraktes (1 : 40) auf 100 ccm Versuchsflüssigkeit selbst bei bestem, an Diastase reichstem Malze innerhalb der Grenzen der Gültigkeit des Proportionalitätsgesetzes bleiben wird.

Die Bereitung des Stärkekleisters, welcher als Versuchsflüssigkeit diente, geschah in der Weise, daß 50 g Kartoffelstärke mit 500 ccm Wasser verkleistert wurden. Zu diesem behufe wurde die Stärke, mit etwa 200 ccm lauwarmem Wasser angerührt, in das in einem Glaskolben kochende Wasser in dünnem Strahle unter beständigem Umschütteln eingegossen. Unter fortwährendem Schütteln läßt man den Kleister auf 80° erkalten und setzt nun 100 ccm obigen Malzextraktes zu. Um ein möglichst inniges Vermischen mit dem Kleister zu veranlassen, hat man bis zur erfolgten Auflösung heftig zu schütteln. Die Auflösung geht schnell vor sich und, nachdem die Flüssigkeit während 20 Minuten auf annähernd 80° erhalten wurde, gießt man sie zur Entfernung etwa ungelöster Stärke durch ein Seihtuch, kocht nun auf, wobei man den Kolben stets bewegen muß, um ein Springen desselben zu verhindern, filtriert nach dem Aufkochen heiß durch ein Faltenfilter oder Tuch und füllt das Filtrat zu 1 l auf. Man hat nun eine gleichartige klare Versuchsflüssigkeit, welche als Versuchsflüssigkeit dient.

Von dieser Versuchsflüssigkeit werden nun 100 ccm auf 59 bis 60° gebracht; sobald diese Temperatur erreicht ist, läßt man 5 ccm des zu prüfenden Malzextraktes zufließen und nun genau 20 Minuten bei obiger Temperatur die Diastase wirken. Nach Ablauf dieser Zeit kocht man zur Zerstörung der Diastase, füllt zu 250 ccm auf und bestimmt nun die Zuckermenge, welche durch die Wirkung der Diastase entstand, mittels FEHLING'scher Lösung. Der durch die Einwirkung der Diastase entstandene Zucker wird als Zuckerzuwachs bezeichnet und dient als Maß für die diastatische Wirkung.

In der folgenden Tabelle, welche die auf vorbeschriebenem Wege erhaltenen Zahlen enthält, sind die Gersten mit den Malzproben nach der diastatischen Wirkung der letzteren geordnet, so daß unter 1 die mit der niedrigsten diastatischen Wirkung ausgestattete Probe aufgeführt ist:

Nr.	Maltosezuwachs in 100 ccm Versuchsflüssigkeit	Gerste Stickstoffprozente der Trockensubstanz	Malz Stickstoffprozente der Trockensubstanz	Lösliches Eiweiß Stickstoffprozente der Trockensubstanz
1	0,609	1,926	1,756	0,203
2	0,665	1,438	1,516	0,224
3	0,758	1,977	1,880	0,245
4	0,802	1,432	1,718	0,258
5	0,810	1,168	1,381	0,258
6	0,819	1,760	1,754	0,259
7	0,906	1,591	1,414	0,282
8	0,910	1,459	1,785	0,271
9	0,977	1,696	1,598	0,290
10	1,088	1,537	1,477	0,349
11	1,106	1,424	1,646	0,314
12	1,203	1,150	2,170	0,312
13	1,318	1,357	1,394	0,367
14	1,420	1,424	1,800	0,381
15	1,616	1,795	1,760	0,428

Die vorstehenden Zahlen beweisen nun, daß weder der Gesamtstickstoffgehalt der Gerste noch des Malzes einen Anhalt zur Bemessung der zu erwartenden diastatischen Wirkung geben. Es zeigt sich, daß nicht der mindeste Zusammenhang zwischen Stickstoffgehalt und diastatischer Wirkung besteht.

Wir sehen in Nr. 1 eine an Stickstoff sehr reiche Gerste, in der vorstehenden Reihe die drittreichste, ein Malz liefern mit der schwächsten diastatischen Wirkung, während Gersten mit verhältnismäßig niedrigem Stickstoffgehalte, wie Nr. 11 und 13, ein Malz von beträchtlicher diastatischer Wirkung ergeben. Ebensowenig läßt sich eine Beziehung zwischen dem Gehalte an Gesamtstickstoff im Malze zu dessen diastatischer Wirkung erkennen. Dagegen ergiebt sich mit Zunahme des löslichen Eiweiß im Malze auch eine Zunahme der diastatischen Wirkung. Man kann also durch Bestimmung des löslichen Eiweiß im Malze nach Extraktion desselben bei gewöhnlicher Temperatur eine Zahl erhalten, welche einen Schluß auf die zu erwartende diastatische Wirkung gestattet.

Hierbei ist aber fest zu halten, daß die ermittelten Beziehungen zwischen löslichem Eiweiß und diastatischer Wirkung vorläufig nur für bei 40° getrocknetes Luftmalz und allenfalls für Grünmalz Geltung haben, für Grünmalz insofern man wohl annehmen darf, daß bei der Temperatur von 40° noch keine Schädigung der Diastase stattgefunden hat. Ob beim Darren des

Malzes die Abnahme der diastatischen Kraft mit einer Abnahme an bei gewöhnlicher Temperatur löslichem Eiweiß Hand in Hand geht, muß eine neue Untersuchung lehren:

Machen wir nun die als Hypothese immerhin berechtigte Annahme, daß der lösliche Eiweißstickstoff wirklich der Diastase angehöre, ferner, daß die Diastase den Eiweißstoffen nahesteht und wir somit durch Multiplikation mit 6,25 die dem Stickstoffgehalte entsprechende Diastasemenge erfahren, so stellt sich im Mittel der Gehalt an Diastase im Malze auf rund 2 p. c. der Malztrockensubstanz. Ferner ergiebt sich aus vorliegenden Versuchen, daß im Mittel 1 Tl. Diastase 400 Tle. Stärke in 20 Minuten in Zucker zu verwandeln im stande ist.

Auf die Praxis des Maischens berechnet sich folgendes Verhältnis: 100 Tle. Malztrockensubstanz, entsprechend 166 Tln. Grünmalz mit 40 p. c. Wasser, enthalten 2 Tle. Diastase, welche im stande sind, in 20 Minuten 800 Tle. Stärke zu versuckern. Wir vermögen demnach mit 166 Tln. Grünmalz 800 Tle. Stärke, daher 1 Tl. Stärke mit 0,2075 Tln. Grünmalz zu versuckern. Setzen wir nun als Maischmaterial Kartoffeln mit dem mittleren Stärkegehalte von 18 p. c., so würden wir zur Versuckerung der 18 kg Stärke von 100 kg Kartoffeln 18 × 0,2075 = 3,735 kg Malz benötigen (ohne den Malzbedarf zur Hefebereitung), welche Menge, wie man sieht, mit der Praxis übereinstimmt. (Ztschr. f. Spiritusind. 1883. 997; Pol. J. **251**. 225—28.)

Über den Farbstoff Roccellin, von EMIL ROUSSEL. Dieser durch Diazotierung von Naphtylaminsulfosäure und Parung mit β-Naphtol hergestellte Farbstoff ist bekanntlich einer der echtesten der Azoreihe. Vor allem, wie aus seiner Benennung hervorgeht, dazu bestimmt, die Orseille (Roccella tinctoria) zu ersetzen, läßt er sich auch in gewissen Fällen für rote und karmoisinrote Töne an Stelle für Kochenille und Krapp verwenden. Auf der vegetabilischen Faser konnte das Roccellin bis zur Stunde noch nicht fixiert werden.

Das Färben der Seide, wofür es in großen Mengen verwendet wird, geschieht wie gewöhnlich unter Zuzug von Seife und Säure, und Schönen in Schwefelsäure.

Die Anwendung in der Wollfärberei stieß im Anfange auf Schwierigkeiten: infolge der außerordentlichen Verwandtschaft des Roccellins zur Wolle stießt diese Faser den Farbstoff mit derartiger Begierde an, daß man, wenn man nicht besondere Vorsichtsmaßregeln trifft, ungleichmäßige Färbungen bekommt. Vf. verfährt folgendermaßen:

Man säuert das Bad leicht mit Salzsäure an, erwärmt es auf 50° und läßt die Wolle 15 bis 30 Minuten darin verweilen; dann erst giebt man das Roccellin nach und nach zu und steigert die Temperatur allmählich in einer halben Stunde bis auf 90°; hierbei beläßt man sie eine weitere halbe Stunde. Unter diesen Bedingungen fallen die Färbungen ganz gleichmäßig aus.

Durch Zugabe von Chrysoin erhält man eine Farbe, welche vorteilhaft das Krapprot ersetzen kann, und glaubt Vf., daß dieser Ersatz zum Färben der roten Militärhosen vorgenommen zu werden verdiente, wobei eine Ersparnis von 50 p. c. zu erzielen wäre. Tintenflecken wären auf dem so gefärbten Tuche leicht durch Oxalsäure zu entfernen, denn die Eisensalze sind ohne Einfluß auf das Roccellin, während Alizarinrot bekanntlich ihnen gegenüber ungemein empfindlich ist. (Schluß folgt.)

Beiträge für das Centralblatt bittet man an die Redaktion (Leipzig, Lessingstr. 5) zu richten. **Originalarbeiten** von nicht zu großem Umfange werden entsprechend honoriert und gelangen stets sofort nach der Einsendung, und zwar in kürzester Frist, zum Abdruck.

Redaktion: Prof. Dr. **Rud. Arendt** in Leipzig.

Verlag von **Leopold Voss** in Hamburg u. Leipzig. — Druck von **Metzger & Wittig** in Leipzig.

N͞o 20.

Chemisches ·
Central-Blatt.

14. Mai 1884.

Wöchentlich eine Nummer von
1-2 Bogen. Der Jahrgang mit
Sach- und Namen-Register,
nebst system. Übersicht.

Der Preis des Jahrgangs
ist 20 Mark. Durch alle
Buchhandlungen und Post-
anstalten zu beziehen.

REPERTORIUM

für reine, pharmazeutische, physiologische und technische Chemie.

Dritte Folge. XV. Jahrgang.

Wochenbericht.

1. Allgemeines und Physikalisches.

Joh. Walter, *Gastrocknungs- und Waschapparat.* Derselbe besteht aus einer zwei-halsigen WOULF'schen Flasche (Fig. 1). Durch den einen Stöpsel derselben tritt das Gas-einleitungsrohr C ein, durch den anderen ist das nach unten verjüngte Rohr Aa gesteckt, welches oben verschlossen werden kann und in der Nähe der oberen Öffnung mit einem seitlich angelöteten Rohre D versehen ist. Außerdem ist noch ein Trichterrohr B nötig, welches in das Innere der Röhre eingeführt wird. Um die Röhre A mit Glasperlen zu füllen, wird das Trichterrohr B zuerst so weit einge-schoben, daß der Trichter noch ein Stück über der oberen Mündung von A heraus-ragt, während das untere Ende schon durch die untere Öffnung von a vorsteht. In dieser Lage werden die beiden Röhren gehalten und der Zwischenraum mit Glas-perlen bis zur Höhe h angefüllt, hierauf B heruntergezogen, bis der Trichter auf der Füllung aufsitzt und dann noch mehr Glasperlen aufgeschüttet.

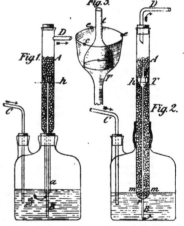

Fig. 3.
Fig. 1.
Fig. 2.

Beim Gebrauche, streicht das zu waschende, resp. trocknende Gas durch die Flüssigkeit, reißt zwischen a und B etwas davon mit in die Höhe bis in die Perlen, im oberen Teile trennt sich das Gas von der Lösung, ersteres geht bei D ab, letzteres fällt in das Trichterrohr und durch dieses auf den Boden der Flasche.

Noch wirksamer ist der in Fig. 2 ab-gebildete Apparat, bei welchem die weite Glasröhre A bis in die Flüssigkeit hinein reicht. Das Gas tritt durch vier Öffnungen in die Röhre ein und steigt durch die Glasperlen auf. Die Öffnung r gestattet den Durch-tritt des Trichterrohres B. Der Trichter T hat an seinem oberen Rande drei bis vier an-geschmolzene Glaströpfchen e (Fig. 3), durch welche er axial gehalten wird; ferner ist es empfehlenswert, in diesen Trichter noch einen kleinen Trichter verkehrt einzusetzen, welcher unten am Rande ebenfalls drei angeschmolzene Glaströpfchen hat.

Die Apparate eignen sich für gleichförmige Gasströme, nicht aber für unregelmäßige

Entwicklungen, weil das Rohr A im Verhältnisse zum Druck dem Flüssigkeitsspiegel angenähert oder entfernt werden muſs. (Pol. J. **251**. 368.)

Joh. Walter, *Kühlröhren.* Die einfachste Form einer der Vorrichtungen, welche als Rückfluſskühler wirken und die besonders bei Substanzen mit Vorteil angewendet werden kann, welche Kork oder Kautschuk angreifen, ist in Fig. 4 dargestellt. Sie besteht aus einem mit doppelt durchbohrten Kautschukschlauche verschlossenen Probierröhrchen, durch dessen Bohrung zwei anſsen rechtwinklig umgebogene Röhren gehen, die eine bis auf den Boden, die andere bis unter den Kork. Der Apparat wird, indem man ihn verkehrt hält, zuerst ganz mit Wasser gefüllt und dann in den Hals des Kolbens eingehängt. Das Kühlwasser leitet man durch das kürzere Rohr ein und durch das längere aus. Der Apparat bietet überdies die Bequemlichkeit, daſs man ihn leicht herausnehmen kann, um neue Mengen von Substanz in den Kolben hinein zu bringen. Wenn die Kühlung besonders wirksam sein soll, so ist es zu empfehlen, einen Kolben mit (bis 1 m) langem Halse anzuwenden, in welchen man dann einen Kühler von der Form Fig. 5 einhängt. Die passendste Halsweite für Kolben von 2 bis 3 l Inhalt ist 45—50 mm, und der äuſsere Durchmesser der Kühlröhren 15—25 mm.

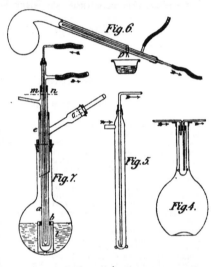

Das Rohr Fig. 5 läſst sich auch als Kühlrohr für die Destillation von Substanzen benutzen, welche die zur Verbindung mit dem gewöhnlichen Kühler nötigen Materialien, wie Kautschuk und Kork, leicht zerstören. Der Apparat wird dann in der durch Fig. 6 abgebildeten Weise zusammengestellt. Diese Art der Destillation ist jedoch nur für den speziellen Zweck praktisch, wenn die destillierende Substanz nicht zu leicht flüchtig ist, um sie in offenen Schalen oder besser Gläsern auffangen zu können. Das Kühlrohr ist dicht unter der Öffnung des Retortenhalses mit einem dicken Platindrahte oder auch mit einer Glasschlinge p umwickelt, um das Abtropfen der kondensierten Flüssigkeit an dieser Stelle zu bewirken.

Um eine Digestion in der Retorte unter Rückfluſs vorzunehmen, dreht man das Ganze um, so daſs der Hals nach oben gerichtet ist, und senkt die Kühlröhre in entsprechender Weise ein.

Filtrieren von Flüssigkeiten unter Benutzung des Kühlrohres Fig. 5. Kalte Flüssigkeiten, selbst wenn sie sehr feine Niederschläge, wie schwefelsauren Baryt, enthalten, lassen sich mit dem ZULKOWSKY'schen Apparate (77. 641) ganz ausgezeichnet filtrieren, ebenso auch heiſse Lösungen, wenn die Temperatur noch 20—30° unter dem Siedepunkte derselben liegt; will man aber kochend heiſse Flüssigkeiten filtrieren, so versagt dieser Apparat gänzlich, weil die durch die Filtrierleinwand gesaugte Flüssigkeit sich unter dem verminderten Drucke sofort in Dampf verwandelt. Würde das Filtrat sogleich nach abwärts in das Auffangegefäſs, wie bei gewöhnlichen Filtration mit Trichtern, laufen, so hätte dieses Verdampfen weniger zu sagen; doch hier, wo die Lösung nach dem Durchdringen des Filtriermateriales erst steigen muſs, verhindert dieser Umstand die ganze Filtration. Man muſs also die ganze Lösung so weit abkühlen lassen, bis das Sieden unter dem verminderten Drucke nicht mehr stattfindet, was 20—30° ausmacht, welche Temperaturerniedrigung bei vielen Substanzen die Löslichkeit in sehr unangenehmer Weise beeinträchtigt. Zur Behebung dieses Übelstandes setzt Vf. den Filtrierapparat in der aus Fig. 7 ersichtlichen Weise zusammen; man hat sofort die gewöhnliche Einrichtung vor sich, wenn man sich den Apparat bei mn einfach mit einem Stöpsel abgeschlossen denkt.

Über den mit einer Lage Leinwand *l* überzogenen Filtrierapparate *b*, durch dessen Öffnung, mit Kork gedichtet, das Steigrohr *a* geht, ist noch ein etwas weiterer Glasmantel *e* mit Kautschukschlauch befestigt, in welchem sich der Niederschlag ansammelt. Man schiebt nun bei *mn* eine enge Kühlröhre, wie die in Fig. 5 gezeichnete, ein, welche hinunter bis auf den Boden von *b* reicht; oben wird dieselbe gegen *a* mit einem überzogenen Stück Kautschukschlauch abgedichtet.

Durch die auf diese Weise erzielte Kühlung ist es nun möglich, aus kochender Flüssigkeit zu filtrieren; denn das Filtrat wird sofort beim Eintritte abgekühlt und kocht daher nicht mehr. Die Abkühlung des Filtrates bewirkt oft aber auch zugleich eine Ausfällung von gelöster Substanz; ist diese Ausscheidung feinpulverig, und hängt sie an den Glasteilen nicht an, sondern bleibt in der Flüssigkeit suspendiert, so schadet dies der Brauchbarkeit des Apparates nichts. Unbrauchbar hingegen ist die ganze Einrichtung, wenn die Substanz die Eigenschaft besitzt, mit ihrer Ausscheidung die ganzen Röhren zu inkrustieren. Sehr viel hängt hierbei nicht nur von dem Präparate selbst, sondern besonders von der richtigen Regulierung des Wasserstromes im Kühlrohre ab.

Bei der Anfertigung der Kühlröhren hat man besonders darauf zu achten, daß die unteren zugeschmolzenen Enden sehr gleichmäßig aufgeblasen und langsam gekühlt werden, um sie dauerhaft zu machen und nicht das Einfließen von Wasser in die kochenden Flüssigkeiten befürchten zu müssen. Zweckmäßig bringt man an diesem unteren Ende drei oder mehrere kleine Glaströpfchen an, wie es überall in den bezüglichen Figuren angedeutet ist, um die direkte Berührung der kalten Glasröhre mit dem heißen Kolbenhalse zu verhüten; wo es angeht, kann man ein Stückchen Asbestpapier umschlingen und mit Platindraht befestigen. (Pol. J. **251**. 369—71.)

M. Przyborski, *Sicherheitslampe zum Gebrauche für Markscheider eingerichtet.* Be-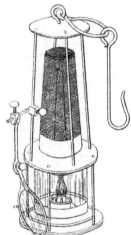kanntlich geben die Sicherheitslampen, welchem Systeme sie auch angehören mögen, ein schwächeres Licht als die gewöhnlichen offenen Grubenlampen; jeder Kohlenbergmann weiß ferner, daß die Flamme der Sicherheitslampe in solchen Räumen, wo schlagende Wetter intensiver oder in größeren Mengen auftreten, so klein als möglich gehalten werden muß, um einer zu starken Erhitzung der Lampe und der daraus resultierenden Gefahr vorzubeugen. Diese Vorsichtsmaßregel ist in Steinkohlengruben oft geboten und zwingt die Arbeiter — besonders bei forciert betriebenen Arbeiten, wie Wetterdurchschlägen etc. — sich zu gewöhnen, auch bei schwachem Lichtschimmer noch weiter arbeiten zu können. Damit der Markscheider auch unter solchen Umständen seine Beobachtungen noch ausführen kann, hat der Vf. den Lichteffekt der Sicherheitslampe durch Konzentrierung der Lichtstrahlen zu einem Bündel mittels einer passend angebrachten Glaslinse *a* zu erhöhen gesucht und zwar in der aus der Zeichnung ersichtlichen Weise, so daß sich die Linse in jede beliebige Lage bringen läßt und ein auch bei kleiner Flamme noch intensives Lichtstrahlenbündel nach jeder Richtung geleitet werden kann. Bei den Resiczaer Steinkohlengruben sind derartig eingerichtete Sicherheitslampen schon seit längerer Zeit für Markscheiderzwecke mit bestem Erfolge in Gebrauch und die Aufnahmsarbeiten gehen noch einmal so rasch und sicher von statten, als bei Anwendung gewöhnlicher Sicherheitslampen. (B.- und Hüttenm. Ztg. **43**. 49.)

3. Anorganische Chemie.

W. Hesse, Über den *Kohlensäuregehalt der Gräberluft.* Im Jahre 1879 sah sich das kgl. sächsische Landesmedizinalkollegium veranlaßt, die Frage wegen einer etwaigen Revision der das Begräbniswesen betreffenden gesetzlichen Bestimmungen in Erwägung zu ziehen. Unter anderen wendete es sich deshalb mit einer Anzahl bestimmter Fragen an die Bezirksärzte und ersuchte dieselben um Mitteilung der von ihnen in der hier einschlagenden Richtung gemachten Erfahrungen. Bei dieser Gelegenheit hat Vf. auch Bestimmungen der Gräberluft ausgeführt und sich dabei der in der Vierteljahrschr. für ger.

24 *

Med. und öffentl. Sanitätswes. N. F. **30.** beschriebenen Methode bedient. Trotz ihrer Unzulänglichkeit sind übrigens, wie Vf. meint, die Untersuchungen nicht ohne positive Ergebnisse geblieben, und faſst Vf. dieselben in folgenden Sätzen zusammen, die sich selbstverständlich nur auf die Lokalität und Zeit, in welcher jene stattfanden, beziehen:

1. Die Grundluft innerhalb der belegten Kirchhöfe ist fast ausnahmslos kohlensäurereicher als auſserhalb derselben.

2. Dieser Kohlensäurereichtum stammt vorzugsweise von der Zersetzung der Leichen; sein Nachweis ist an die Durchlässigkeit des Sarges und die lockere Beschaffenheit des Kirchhofsbodens geknüpft.

3. Vom Tage der Beerdigung an nimmt der Kohlensäuregehalt in dem Grabe zu; er erreicht gewöhnlich nach einem halben bis drei Monaten sein höchstes Maſs. Nach dieser Zeit nimmt der Kohlensäureabfluſs in das dem Sarge anliegende Erdreich gewöhnlich wieder ab. Die Abnahme erfolgt erheblich langsamer, als die Zunahme.

4. Nach einiger Zeit, spätestens 10—20 Jahre nach der Belegung des Grabes ist die unterste Grenze des Kohlensäuregehaltes der Gräberluft erreicht, welche in dem in fortdauerndem Gebrauche befindlichen Kirchhofe überhaupt vorkommt (zwischen 20 und 40 p. m.)

5. Wenn diese unterste Grenze erreicht und der Grabhügel infolge Einbruches des Sarges eingesunken ist, erscheint die Kohlensäure in der Grundluft des Grabes weit gleichmäſsiger verteilt, als früher.

6. Bei noch erhaltenem Sarge ist der Kohlensäuregehalt der Luft innerhalb des Sarges wesentlich höher, als auſserhalb desselben.

7. Jungfräuliche Partien eines Kirchhofes können einen ebenso groſsen oder einen niedrigeren Kohlensäuregehalt ihrer Grundluft aufweisen, als die belegten Kirchhofsabteilungen, in deren Gräbern die Luft auf ihren niedrigsten Kohlensäuregehalt gesunken ist. Hierbei dürfte ausschlaggebend sein, ob der Boden so beschaffen ist, daſs die Luft aus den Gräbern leicht nach den jungfräulichen Teilen abströmen kann oder nicht. (Arch. f. Hygieine 1. 401—17. Schwarzenberg.) P.

F. P. Evans und **W. Ramsay,** Über die *Halogenverbindungen des Selens.* (Journ. Chem. Soc. **45.** 62—71. Febr.)

E. Divers und **Tamemasa Haga,** Über *Hyponitrite.* (Journ. Chem. Soc. **45.** 78 bis 88. März; C.-Bl. 1884. 214.)

C. P. Worcester, Über *die Dampfdichte des Antimonchlorids, -bromids und -jodids.* Nach der wenig modifizierten V. MEYER'schen Methode bestimmte der Vf. die Dampfdichte von SbBr₃ zu 12,57 (ber. 12,48), von SbCl₃ zu 7,96 (ber. 7,85), von SbJ₃ zu 17,80 (ber. 17,33.) (Proc. of the Am. Acad. of Arts and Sc. 1883; Beibl. **8.** 91.)

J. H. Gladstone und **A. Tribe,** *Darstellung von Sumpfgas.* Vor längerer Zeit **(73.** 243) haben die Vff. die Reaktionen beschrieben, bei denen Sumpfgas frei von anderen Kohlenwasserstoffen durch die Einwirkung des Kupferzinkpaares auf Methyljodid bei Gegenwart von Wasser oder Alkohol gebildet wird. Dabei ist indes der Verlust an Methyljodid ziemlich beträchtlich und schwankt zwischen 23 und 50 p. c. Dieser Verlust wird durch eine Modifikation des zur Darstellung dienenden Apparates beseitigt. Ungefähr 600 g fein gepulvertes Zink werden in eine zweiprozentige Lösung von Kupfersulfat gebracht, bis letztere entfärbt ist. Das Kupferzinkpaar wird dann mit Wasser und zuletzt mit Alkohol gewaschen. Man bringt es in eine Flasche mit doppelt durchbohrtem Kork, durch dessen eine Öffnung ein mit Hahn versehenes Trichterrohr geht, welches das Methyljodid enthält, während durch die andere Durchbohrung eine 12 Zoll lange und 1 Zoll weite Glasröhre geführt ist, welche man mit dem Kupferzinkpaar füllt. Das obere Ende der letzteren ist wiederum mit einem doppelt durchbohrten Korke verschlossen, welcher mit einer Gasableitungsröhre und mit einem mit Alkohol gefüllten Hahntrichter versehen ist. Diese senkrechte Röhre dient zugleich als Kupferzinkscrubber und als Kondensator. Man läſst nun eine Mischung von 20 ccm Alkohol und 20 ccm Methyljodid in die Flasche flieſsen. worauf sofort eine Entwicklung von Sumpfgas eintritt. Der erste Liter wird in acht Minuten entwickelt, im ganzen erhält man 7053 ccm, während die Rechnung 7100 ccm verlangt. Die Reaktion läſst sich durch gelindes Erwärmen der Flasche noch beschleunigen. (Chem. N. **49.** 146. 28. [20.] März. London, Chem. Soc.)

C. Friedel, *Versuche über die Verbrennung des Diamanten.* (Bull. Par. **41.** 100—4. Febr. Paris, Soc. Chim.)

G. Gore, *Reduktion von Metalllösungen durch Gase.* 1. Eine Mischung von trocknem und reinem Kohlenoxyd und trockner Kohlensäure bringt, wenn sie langsam durch Metallsalzlösungen geleitet wird, folgende Wirkungen hervor.

Palladiumchlorid wird rasch entfärbt und alles Metall als schwarzes Pulver niedergeschlagen; Platinchlorid wird langsam zersetzt und scheidet nach drei bis vier Tagen eine kleine Menge eines gelben Niederschlages ab; Kaliumiridiumchlorid giebt nach längerer Zeit einen Niederschlag, welcher alles Iridium in metallischem Zustande enthält. Lösungen von Silbernitrat, Quecksilberchlorid, Bleinitrat, Eisenchlorid, Manganchlorür, Kaliumpermanganat, Chromsäure und eine grüne Lösung von Vanadium zeigen keine Spur von Reduktion.

2. Dieselbe Lösung wurde durch Kalkmilch, welche in einem Bleigefäfse enthalten war, geleitet; an der Metallfläche scheidet sich ein Überzug von rotem Bleioxyd ab, wahrscheinlich durch Reduktion von Bleicarbonat mittels Kohlenoxyd.

3. Kohlenoxyd wurde zwei Tage lang durch eine Lösung von Cyankalium geleitet, in welches ein blankes Magnesiumband eingetaucht war. Die Flüssigkeit wurde braun und das Metall überzog sich innerhalb der Flüssigkeit mit einem schwarzen Überzuge. Magnesium allein änderte die Farbe einer gleichen Lösung nach drei Tagen nicht.

4. Eine verdünnte Lösung von Palladiumchlorid mit einer Mischung von Wasserstoff und Kohlensäure (oder auch mit reinem Wasserstoff allein) scheidet das ganze Palladium nach 24 Stunden in metallischem Zustande aus.

5. Eine Atmosphäre von Kohlengas wurde mit den unten angegebenen verdünnten Lösungen, in welche ein Platindraht eintauchte, in Berührung gelassen. Die Flüssigkeiten befanden sich in offenen Flaschen an einem dunklen Orte. Palladiumchlorid: Reduktion zu Metallschwamm an der Oberfläche der Flüssigkeit nach vier Stunden; die Lösung wurde nach einigen Tagen farblos: etwas von dem Metall war als schwarzes Pulver niedergeschlagen und eine andere Menge am Metalldrahte abgeschieden. Goldchloridlösung: nach wenigen Tagen eine schöne glänzende Metallausscheidung von aufserordentlicher Dünne an der Oberfläche der Flüssigkeit; reichliche Mengen von Gold waren am Boden und am Platindrahte abgeschieden; die Flüssigkeit war nach drei Wochen noch nicht vollständig zersetzt. Feste Krystalle von Goldchlorid wurden allmählich zu Metall reduziert. Eine Lösung von Platinchlorid wurde in zehn Wochen nur teilweise zersetzt. Eine Lösung von Silbernitrat zeigte nach wenig Stunden Anfänge von Zersetzung; in vierzehn Stunden hatte sich ein Niederschlag von Metall an den Seiten des Glasgefäfses abgeschieden, allein auch nach sechs Wochen war noch nicht alles Silber zersetzt. Kupfersulfat zeigte keine Reduktion, ebensowenig Eisensulfat.

6. Die (acetylenhaltigen) Verbrennungsprodukte eines herunter geschlagenen BUNSEN'-schen Brenners wurden über Wasser gesammelt und durch verschiedene Lösungen geleitet. Palladiumchlorid wurde dadurch rasch zersetzt und ebenso Goldchlorid. Eine Lösung von Platinchlorid wurde nur schwach angegriffen und eine solche von Kaliumiridiumchlorid blieb unverändert.

7. Eine Lösung von Palladiumchlorid mit Amylen behandelt, zeigte schon nach wenigen Minuten beginnende Zersetzung und war nach zwei Tagen sehr bedeutend reduziert, sie wurde gleichfalls reduziert durch amerikanisches Petroleum, Benzol und kaukasisches Erdöl, schwach durch Toluol, Xylol, Petroleumäther und Mesitylen.

8. Eine Lösung von Goldchlorid wurde durch Carbolsäure unter Abscheidung von Metall rasch reduziert; ebenso durch Erdöl, Benzol, C_2Cl_2 und Petroleumäther, sehr langsam durch Toluol, Xylol und Mesitylen.

9. Aus einer Lösung von Platinchlorid wurde durch Benzol und Petroleum Platin abgeschieden.

10. Eine wässerige Lösung von Kaliumiridiumchlorid wurde in zwei Tagen durch Benzol entfärbt, aber durch Amylen in derselben Zeit nicht verändert.

11. Amylen schied aus einer wässerigen Lösung von Quecksilberchlorid nach einer Woche eine geringe Menge eines weifsen Niederschlages ab und entfärbte eine Permanganatlösung sofort.

12. Durch Benzol wurde die Permanganatlösung ebenfalls rasch entfärbt, Eisenchlorid blieb aber damit unverändert.

13. In Lösungen von Tellurchlorid oder Antimontrichlorid brachte Amylen, Benzol und Petroleum in vierzehn Tagen nur eine geringe Wirkung hervor. (Chem. N. **48.** 295. 28. Dez. 1883.)

G. André, Über *das Bariumoxychlorid.* Vor einigen Jahren (**81.** 600) hat der Vf. ein Oxychlorid des Bariums beschrieben, dem er auf grund der Analyse die Formel $BaCl,BaO,8HO + {}^1/_{10}(BaO,10HO)$ gab; auch hat er die Verbindungswärme des Körpers bestimmt. Einige Monate später veröffentlichte BECKMANN eine vorläufige Mitteilung, in welcher er unter anderem auch die Beschreibung verschiedener Gemenge von Bariumoxychlorid mit Baryt oder mit Chlorbarium gab. Eine zweite Arbeit (**83.** 130. 329) enthielt über diesen Gegenstand keine neuen Angaben. In keinem Fall konnte BECKMANN das Oxychlorid, $BaCl,BaO,5HO$, dessen Existenz er in dem Gemenge angiebt, darstellen, was dem Vf. bei seinen früheren Untersuchungen ebenfalls nicht gelungen ist.

Bei einer Wiederaufnahme derselben aber erhielt Vf. in folgender Weise eine Verbindung von dieser Formel. 200 g Chlorbarium wurden in 500 g siedendem Wasser gelöst, dann das Gefäß vom Feuer genommen und 30 g fein gepulvertes Bariumhydrat in die Lösung gebracht; hierauf wurde noch fünf Minuten lang bis nahe zum Sieden erhitzt und dann filtriert. Es setzten sich nach mehreren Stunden perlmutterglänzende, warzenförmig gruppierte Blättchen ab. Dies geschah indes erst, als die Flüssigkeit sich etwa auf 25° abgekühlt hatte. Die Analyse ergab BaCl,BaO,5HO. Ein Salz, wahrscheinlich von der gleichen Zusammensetzung, doch mit etwas mehr Wassergehalt, wurde erhalten, indem man 60 g statt 30 g Bariumhydrat anwendete. (C. r. **98.** 572—74. [3.] März.)

Carl Auer v. Welsbach, Über *die Erden des Gadolinits von Ytterby.* Das Spektralverfahren. (Monatsh. f. Chem. **5.** 1—15. 12. Febr. 20. Dez. 1883.)

Ed. Schaer, Über *einige chemische Eigenschaften des Cyanquecksilbers.* (Vortrag.) (Schweiz. W. f. Pharm. **22.** 51—57.)

4. Organische Chemie.

G. St. Johnson, Über *eine Modifikation von McLeod's Verfahren zur Darstellung*

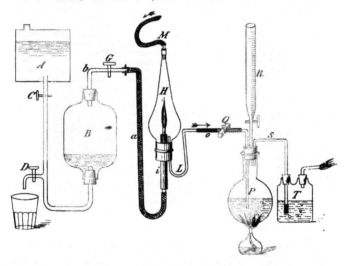

von Acetylenkupfer. Der Vf. leitet die acetylenhaltigen Produkte der Verbrennung von Luft in Leuchtgas durch eine ammoniakalische Lösung von Kupferoxydul, welche durch Reduktion einer ammoniakalischen Lösung von Kupfersulfat mittels Traubenzucker dargestellt wird. Der dazu dienende Apparat ist in obenstehender Figur abgebildet. *A* ist ein Wasserreservoir und *B* ein etwa 12 l fassendes Glasgefäß, welches als Luftreservoir dient. Dasselbe kann auch als Gasometer für jedes andere Gas benutzt werden und läßt sich dann leicht in der folgenden Weise füllen. Der Kautschukschlauch *o* wird von *B* gelöst, der Hahn *D* geschlossen und die Hähne *C* und *G* geöffnet, bis *B* vollständig mit Wasser gefüllt ist. Dann schließt man *G* und *C*, verbindet *b* mit einem Schlauche, welcher das betreffende Gas zuführt, öffnet *G* und *D*, bis *B* gefüllt ist.

In vorliegendem Falle wird *B* nur mit Luft gefüllt. *H* ist ein bauchiges Glasgefäß, welches durch seine obere enge Öffnung *M* mit dem Leuchtgashahne verbunden werden kann. Die weitere Öffnung ist mit einem Kork verschlossen, durch dessen weite Durchbohrung ein Messingrohr *i* geht, während eine engere Durchbohrung das gebogene Glasrohr *L* aufnimmt; *i* ist unten mit einem Kork verschlossen, durch den ein Glasrohr geht, welches durch den Kautschukschlauch *a* mit dem Luftreservoir verbunden werden kann.

Der Kolben P dient zur Aufnahme der Kupferlösung. Seine Einrichtung ist aus der Figur zu ersehen. Die Flasche D ist mit Wasser gefüllt und das Rohr S an seinem unteren Ende mit einem BUNSEN'schen Kautschukventil versehen. Soll der Versuch beginnen, so bringt man in P eine Lösung von Kupfervitriol und übersättigt diese mit Ammoniak, schließt den Quetschhahn Q, zieht den Schlauch o von L ab, erhitzt P bis nahe zum Sieden und läßt aus der Bürette R Traubenzuckerlösung einfließen, bis die Kupferlösung vollständig entfärbt ist. Das Ammoniak geht durch das Rohr S und tritt durch das Kautschukventil in die Flasche T, wo es absorbiert wird. Durch das Ventil wird ein Zurücksteigen der Flüssigkeit nach P verhindert; während dessen hat man das Verbrennungsgefäß H mit Leuchtgas gefüllt und nach Öffnung der Hähne C und G die aus dem Rohre i austretende Luft entzündet. Nun schiebt man den Kautschukschlauch o über L, öffnet schnell den Quetschhahn Q und reguliert den Luftstrom durch Drehen des Hahnes C. Auf diese Weise wird alles Acetylen von der Kupferlösung absorbiert und alles in der Lösung vorhandene Kupfer in Acetylenkupfer umgewandelt. Sollte etwas unverbrannter Sauerstoff mit den Verbrennungsprodukten nach P übertreten und zur Wiederbildung von Kupferoxyd Veranlassung geben, so schließt man Q, zieht o von l ab und erhitzt die Lösung bis zur Reduktion, wenn nötig, unter Zusatz einer neuen Menge von Traubenzucker. Wenn das durch M eintretende Leuchtgas nicht genügend Druck hat, um das Kautschukventil zu öffnen, so entfernt man dasselbe ganz und zieht die Röhre S so weit empor, daß sie nur die Oberfläche der Flüssigkeit berührt. (Chem. N. **49.** 127—28. 21. März.)

John Casthelaz, Über eine *Verfälschung des Brechweinsteines.* Der Vf. berichtet über einen Brechweinstein, welcher 41—46 p. c. Oxalsäure enthält. (Bull. Par. **41.** 105 bis 106. 5. Febr. Paris, Soc. Chim.)

Alph. Combes, *Einwirkung der gechlorten Aldehyde auf Benzol bei Gegenwart von Chloraluminium.* Der Vf. hat die Reaktion von FRIEDEL und CRAFTS benutzt, um mittels gechlorter Aldehyde verschiedene aromatische Aldehyde darzustellen. Er hat seine Untersuchungen mit dem Chloral begonnen. Hierbei ist die Entstehung dreier verschiedener Aldehyde möglich, welche entweder eine Gruppe Phenyl und zwei Atome Chlor, oder zwei Gruppen Phenyl und ein Atom Chlor, oder endlich drei Gruppen Phenyl enthalten.

Setzt man zu einer Lösung von 200 g Chloral in einem großen Überschusse von Benzol Chloraluminium in kleiner Menge hinzu, so tritt selbst in der Kälte eine lebhafte Reaktion ein. Man erwärmt dann auf 70° und beendigt die Einwirkung nach $1^1/_2$ Stunden. Die mit Wasser aufgenommene Flüssigkeit läßt bei der Destillation zwischen 165 und 185° ein Destillat übergehen, welches nach der Rektifikation bei 180° unter einem Drucke von 5 mm siedet. Diese klebrige Flüssigkeit, welche unmittelbar nach ihrer Darstellung vollkommen farblos erscheint, ist der Aldehyd, C_6H_5—CCl_2—CHO, oder vielmehr die Verbindung dieses Aldehyds mit einem Molekül Chlorwasserstoff, C_6H_5—CCl_2—COH,HCl. Diese Verbindung ist sehr beständig; sie destilliert im Vakuum ohne Zersetzung, siedet unter gewöhnlichem Drucke bei 265°, zersetzt sich aber dabei und giebt Chlorwasserstoffsäure ab. Der Siedepunkt steigt bis 295° und man muß die Destillation sehr oft wiederholen, um allen Chlorwasserstoff vollständig auszutreiben. Durch Kali wird der Aldehyd in der Kälte leicht und unverändert gelöst; in der Wärme entsteht Benzaldehyd und chlorfreie Produkte, auf welche der Vf. bei einer späteren Gelegenheit zurückkommen wird. Der neue Körper besitzt die Eigenschaften der Aldehyde und reduziert energisch die FEHLING'sche Lösung, sowie Silbernitrat. Er verbindet sich, obgleich schwierig, mit Natriumdisulfit. Durch Oxydation giebt er die Säure C_6H_5—CCl_2—CO_2H.

Läßt man auf die Lösung dieses Aldehyds in Benzol Chloraluminium weiter einwirken, so findet ebenfalls eine sehr lebhafte Reaktion statt, allein die beiden anderen, der Theorie nach möglichen Aldehyde konnten nicht erhalten werden; es scheidet sich Kohle ab und ein fester krystallinischer Körper bildet sich, welcher gelblichweiß ist, eine grüne Fluoreszenz zeigt und bei 205° schmilzt: Triphenyläthan, $(C_6H_5)_3$—C—CH_3. (C. r. **96.** 678—79. [17.*] März.)

H. E. Armstrong und **A. K. Miller,** *Untersuchungen über die Sulfonsäuren.* 1. Über die Hydrolyse der Sulfonsäuren und über den Nachweis von Kohlenwasserstoffen durch ihre Sulfonsäuren. Das Tetramethylbenzol (1.2.3.5) scheint eine sehr unbeständige Sulfonsäure zu bilden. Die Vff. fanden, daß durch Leiten eines Dampfstromes in die Schwefelsäurelösung eines Gemenges von Kohlenwasserstoffen aus Campher letztere sämtlich auf diesem Wege aufgefunden werden konnten. Das Verfahren besteht darin, daß man den Dampfstrom in die Schwefelsäurelösung der Sulfonsäuren oder Sulfonate einleitet und die Temperatur möglichst konstant auf dem Punkte erhält, auf welchem die Hydrolyse am besten erfolgt. Man wendete hierbei das gleiche Gewicht Schwefelsäure von dem benutzten Sulfonat an. Anscheinend trat keine Zersetzung der Kohlenwasserstoffe ein, und die Ausbeute derselben kam fast der theoretischen gleich. Die Vff. geben folgende Zusammenstellung der untersuchten Sulfonsäuren, sowie der Anfangstemperaturen der Hydrolyse:

Benzolsulfonsäure 175°, Toluolparasulfonsäure 150°, m-Xylolsulfonsäure 120°, o-Xylolsulfonsäure 120°, p-Xylolsulfonsäure. 120°, Pseudocumolsulfonsäure 115°, Mesitylensulfonsäure 100°, Cymolsulfonsäure 130°, (1.2.3.5) Tetramethylbenzolsulfonsäure 120°, m-Methylisopropylbenzolsulfonsäure 120°, (1.2.4) Dimethyläthylbenzolsulfonsäure 120°. Nach ihren Resultaten halten es die Vff. für möglich, viele Kohlenwasserstoffe aus dem Gemenge ihrer Sulfonsäuren in dieser Weise zu trennen. Sie teilen einige Beobachtungen über den Verlauf der Hydrolyse bei verschiedenen Temperaturen mit und sind gegenwärtig beschäftigt, auch den Einfluß des Druckes zu studieren. (Chem. N. 49. 121—22. 14. [6.] Mai. London, Chem. Soc.; Journ. Chem. Soc. 45. 148. April.)

L. Barth und **M. Kretschy**, *Bemerkungen über das Pikrotoxin.* (Monatsh. f. Chem. **5.** 65—71. Anf. April. [6. März.])

A. Rosenberg, *Vergleichende Untersuchungen, betreffend das Alkalialbuminat, Acidalbumin und Albumin.* Zur Darstellung des Albuminates wurde Hühnereiweiß durch zweitägige Dialyse von Salzen möglichst befreit, dann verdünnt, koliert und nach Zusatz von Natron einige Stunden erwärmt (auf 100 ccm ursprünglicher Eiweißlösung 14 ccm normale Natronlauge); bei genauem Neutralisieren mit Salzsäure fiel das Albuminat aus, das sich nach hinreichendem Auswaschen als fast völlig aschefrei ergab.

1. Lösungen von *Alkalialbuminat*, die durch Verreiben des Albuminates mit einer möglichst kleinen Menge Natronhydrat hergestellt waren, so daß die Lösung neutral reagierte, gerannen entsprechend den Angaben KIESERITZKY's und ebenso wie die Kieselsäurelösungen bei Zusatz von zehnprozentiger Kochsalzlösung um so schneller, je höher der Gehalt an Albuminat und je größer der Zusatz von Kochsalz. Namentlich der erste Moment ist von großem Einfluß, so daß Lösungen von 5 p. c. Albuminat mit $^1/_{10}$ Volum zehnprozentiger Kochsalzlösung erst nach einigen Tagen gerannen.

2. Dieselbe Koagulierbarkeit durch Neutralsalze zeigten auch die Lösungen des Acidalbumins, die entweder durch Übersättigen der Alkalialbuminatlösung mit Säuren (Essigsäure oder Salzsäure) oder durch direkte Auflösung des Albuminates in Säuren hergestellt waren.

3. In einer durch Dialyse von Salzen befreiten, vor der Dialyse mit Salzsäure angesäuerten Lösung von *Serumalbumin* fand Vf. nur Spuren von Chloriden, sowenig, daß sie beim einfachen Veraschen überhaupt nicht, sondern nur dann nachgewiesen werden konnten, wenn vor der Veraschung Baryt hinzugefügt war. Da auch nichtangesäuerte Lösungen von Eiweiß beim Dialysieren hartnäckig Spuren von Chloriden zurückhalten, so hält Vf. es für wahrscheinlich, daß diese schwache Chlorreaktion der Asche auf Chloride, nicht aber auf im Albumin zurückgebliebene Salzsäure bezogen werden müsse. Nimmt man aber auch letzteres an, so ist der Salzsäuregehalt doch viel zu gering, um die mangelnde Koagulationsfähigkeit der Albuminlösung auf Albuminat oder auf Paraglobulin beziehen zu können; denn ersteres braucht, wie Vf. vorher festgestellt hat, etwa 100—50 mal soviel Salzsäure zur Lösung, letzteres 45 mal soviel, als (bezogen auf den Eiweißgehalt) in der durch Dialyse gereinigten Eiweißlösung höchstens angenommen werden könnte.

Weiterhin hat Vf. die Gerinnungsfähigkeit von dialysiertem Rinderblutserum und Hühnereiweiß genauer untersucht, sowohl bei der natürlichen alkalischen, als auch bei saurer Reaktion. Dialysiert man bei alkalischer Reaktion, so verschwindet zuerst die Gerinnungsfähigkeit (nach 48 Stunden) unter Bildung von Alkalialbuminat beim Erhitzen; dialysiert man weiter, so kehrt die Gerinnungsfähigkeit wieder, weil das Alkali mehr und mehr entfernt wird, Salze aber immer noch vorhanden sind; bei weiterer Fortsetzung der Dialyse nimmt die Gerinnungsfähigkeit zum zweiten Male ab, und am siebenten bis achten Tage stellt sich beim Kochen nur ein mehr oder weniger hoher Grad von Opaleszenz ein. Die Reaktion der Flüssigkeit ist jetzt neutral und bleibt es auch beim Kochen. Wird nun die gekochte Lösung im Vakuum zur Trockne gebracht, so erhält man einen in Wasser völlig unlöslichen Rückstand. — Ebenso läßt sich aus Blutserum und Eiereiweiß, das mit 0,25 p. c. Salzsäure versetzt war, durch tagelang fortgesetzte Dialyse die Salzsäure vollständig entfernen; die Lösungen werden alsdann beim Kochen opalisierend, gerinnen jedoch durchaus nicht. Der Aschengehalt solcher reinen Lösungen ist ein außerordentlich geringer. — In nicht dialysiertem Rinderblutserum fand Vf. in Prozenten des Eiweißgehaltes 9,61—9,82 p. c. lösliche Salze, 1,26—0,81 p. c. unlösliche Salze. Der Salzgehalt erschöpfend dialysierter Lösungen beträgt bezüglich der löslichen Salze nur $\frac{1}{468}$ bis $\frac{1}{300}$

des angegebenen und $\frac{1}{140}$ bis $\frac{1}{58}$ bezüglich der unlöslichen Salze. Dieselben bestehen fast nur aus Ferriphosphat mit anhängenden Spuren von Erdphosphaten.

4. Das durch Siedehitze beim Mangel an Salzen modifizierte *Albumin*. — Dieser Abschnitt enthält im wesentlichen eine Bestätigung der Anschauungen von ALEX. SCHMIDT. Vf. betont nochmals, dafs nicht davon die Rede sein könne, die Nichtgerinnbarkeit salzfreier Eiweifslösungen auf den Gehalt von Alkali oder Säuren zurückzuführen. — Neu ist. dafs es dem Vf. gelang, indem er während des Dialysierens interkurrent die Eiweifslösung im Vakuum konzentrierte, salzfreie Lösungen herzustellen, die 2—2,5 p. c. Eiweifs enthielten. Dieselben werden beim Kochen stark opalisierend. Bezüglich der Opaleszenz bemerkt Vf. noch, dafs weder Filtrieren noch Zentrifugieren klärend wirkt, ebensowenig mikroskopisch auch bei starker Vergröfserung etwas von suspendierten Partikelchen wahrnehmbar ist. Die Untersuchung mit dem NICOL'schen Prisma zeigt trotzdem, dafs das von der Flüssigkeit reflektierte Licht polarisiert ist, dieselbe somit feinste, nicht unmittelbar wahrnehmbare Partikelchen enthält. Vf. betrachtet diese Opaleszenz als das erste Zeichen der Gerinnung, abhängig davon, dafs es nicht gelingt, diese letzten Spuren von Salzen aus der Eiweifslösung zu entfernen. Sehr konzentrierte Lösungen des salzfreien Albumins, welche zuerst durch Eindampfen, dann noch im Vakuum konzentriert waren und das Aussehen von Milch hatten, gerannen bei Zusatz von einer kleinen Menge Kochsalz in 24 Stunden zu einer undurchsichtigen festen Masse. (Dissertation Dorpat. 1883; Med. C.-Bl. **22**. 85—86.)

Ad. Renard, Über *die Bestandteile des Harzöls*. Der Vf. giebt eine zusammenhängende Darstellung seiner Untersuchungen, über welche zu verschiedenen Zeiten (**80.** 706; **81**. 371; **82**. 301. 502. 725 und **83**. 72. 615) berichtet worden ist. (Ann. Chim. Phys. [6] 1. 223—255.)

R. Benedikt und **K. Hazura**, Über *das Morin*. Behandelt man in Eisessig suspendiertes Morin unter gewissen Vorsichtsmafsregeln, über welche die Vff. seinerzeit ausführlich berichten werden, mit Salpetersäure, so löst es sich ohne Gasentwicklung auf. Nach dem Verdünnen mit Wasser fällt überschüssiges Barythydrat Oxalsäure, amorphe Nebenprodukte und ein krystallisierbares Nitroderivat aus, von welchem aber eine zu geringe Menge erhalten wurde, um es analysieren zu können. Aus dem Filtrate wird der Baryt mit Schwefelsäure ausgefällt, dann wird filtriert und mit Äther ausgeschüttelt. Nach dem Abdestillieren des Äthers und Vertreiben der Essigsäure auf dem Wasserbade hinterblieb ein Rückstand, welcher aus Wasser umkrystallisiert, leicht als assymmetrische *Resorcylsäure* erkannt werden konnte. Analyse, Krystallwassergehalt, Schmelzpunkt und Eisenchloridreaktion waren mit den in der Litteratur enthaltenen Angaben übereinstimmend, bei der Destillation wurde Resorcin erhalten. Aus 45 g Morin wurden 8 g Resorcylsäure, somit nahezu 18 p. c. gewonnen.

Nach HLASIWETZ und PFAUNDLER zerfällt Morin bei der Reduktion mit Natriumamalgam glatt in zwei Moleküle Phloroglucin, weshalb sie ihm die Formel $C_{12}H_{10}O_6$ geben und die eben genannte Reaktion durch die Gleichung:

$$C_{12}H_{10}O_6 + H_2 = 2 C_6H_6O_3$$

ausdrücken. Da nun derjenige Teil des Morinmoleküles, welcher bei der Oxydation Resorcylsäure giebt, unmöglich bei der Reduktion Phloroglucin geben kann, so müssen die genannten ausgezeichneten Forscher ein Reduktionsprodukt des Morins übersehen haben.

Die Vff. sind damit beschäftigt, alle einschlägigen Versuche sorgfältig zu wiederholen, und haben sich zu dieser vorläufigen Mitteilung nur entschlossen, weil die Beschaffung des Materials eine so langwierige ist, dafs es voraussichtlich lange Zeit bis zum völligen Abschlusse der Versuche benötigen werden. (Monh. d. Chem. **5**. 63—64. Anf. April [7. Febr.] Wien, Labor. d. techn. Hochschule.)

T. J. Savery, Über *einen neuen Bestandteil des Tabaks*. Bei einer Prüfung des Tabaks auf Zucker wurde der Vf. auf einen Körper aufmerksam, welcher in der wässerigen Lösung enthalten war, der die FEHLING'sche Lösung reduzierte. Dieser Körper wurde fast vollständig durch Zusatz von basisch essigsaurem Blei ausgeschieden, und die Flüssigkeit war frei von Zucker. Es gelang dem Vf., denselben durch Behandeln des Bleiniederschlages mit Schwefelwasserstoff so zu isolieren. Der Körper giebt mit Eisenchlorid eine Grünfärbung, welche sich auf Zusatz von Kali in Rot umwandelt; mit Eisensulfat allein wird diese Umwandlung nicht hervorgebracht, auf Zusatz von Ammoniak aber entsteht eine Dunkelbraunfärbung. Ein reineres Produkt aus rohem Tabak gab dieselben Reaktionen und färbte sich mit konzentrierter Schwefelsäure rot, nach Zusatz von etwas Salpetersäure blafsrot, mit Kali oder Ammoniak grün. Endlich fällte der Körper die salzsauren Lösungen des Chinins und Cinchonins. Der Vf. schliefst aus diesem Verhalten, dafs die

Substanz der Kaffeegerbsäure nahesteht, und nennt sie Tabakgerbsäure. Eine Analyse ist nicht ausgeführt worden. (Chem. N. **49.** 123.)

5. Physiologische, medizinische und pharmazeutische Chemie.

Oskar Brefeld, *Die Brandpilze und deren Formen.* Der Vf. giebt zunächst einen Rückblick auf die Geschichte der Pilzforschung und bezeichnet den Standpunkt, welchen die Wissenschaft einnahm, als er selbst an das Thema heranging. Man hielt die Brandpilze für spezifische Schmarotzer, für Lebewesen also, welche darauf angewiesen sind, auf gewissen Wirten — in diesem Falle den verschiedenen Getreidearten — zu schmarotzen. Man kannte die Art, wie die Sporen der Brandpilze in Wasser auskeimen, und nahm an, daſs die bei der Keimung entstandenen Sporidien (Konidien) wieder desselben Wirts bedürften, um sich weiter entwickeln zu können. Die Versuche des Vfs., Brandpilzsporen statt in Wasser in einer Nährlösung keimen zu lassen, führten nun alsbald zum Sturze dieser Ansicht. Die gröſsere Mehrzahl der Brandpilzarten (Flugbrand, Maisbrand, Hirsebrand u. a.) ergaben nämlich beim Keimen ihrer Sporen in Nährlösung eine ungemein üppige Vegetation von durchaus hefeähnlicher Beschaffenheit, eine Sprossenbildung also, die sich beliebig lange fortführen lieſs, sobald nur immer für Ersatz der verbrauchten Nährstoffe in irgend welcher Weise gesorgt werden konnte. So viele Generationen hindurch die Züchtung aber auch fortgesetzt wurde, es erwiesen sich die neugebildeten Konidien stets unverändert ansteckungsfähig, wenn sie mit Keimlingen der ursprünglichen Nährpflanze (Hafer, resp. Gerste, Mais, Hirse) in Berührung gebracht wurden. Es entstand unfehlbar wieder Flugbrand, Maisbrand u. s. w. Diese Thatsachen erklären die ungemein groſse Vermehrungsfähigkeit der Brandpilze ungleich überzeugender, als die ältere Ansicht; in Verbindung mit der Beobachtung, daſs auch das Dekokt von Stalldünger eine vortreffliche Nährflüssigkeit in obigem Sinne bildet, erklären sie aber ferner die Erfahrung der Landwirte, daſs nämlich Getreide, in frischem Dünger gebaut, sehr viel mehr vom Brande heimgesucht wird, als wenn es in stark verrottetem Dünger, resp. in zweiter oder dritter Tracht gebaut wird. Denn die sehr widerstandsfähigen Sporen der Brandpilze, welche sich in trockenem Zustand viele Jahre keimfähig erhalten, gelangen, wenn das Vieh sie mit dem Futter aufnimmt, unzerstört durch den Verdauungskanal der Tiere, kommen so in den Dünger, keimen hier aus und gehen in die Sprossenform über. Haben sie das Nährsubstrat erschöpft, so sterben sie allmählich ab; kommen sie aber noch lebend wieder mit dem Dünger auf das Feld und dort mit keimender Saat in Berührung, so erzeugen sie natürlich wiederum den Brand. Die Sprossen der verschiedenen Brandpilze sind untereinander nicht völlig gleich; manche sind mehr kuglig, andere, wie z. B. Maisbrand, länglicher. Der Schmierbrand des Weizens macht insofern eine Ausnahme, als seine Sporidien immer erst Mycel und erst an diesem wieder Sprossen bilden. Dagegen ist hefeartige Sprossung noch weiter nachgewiesen bei anderen Pilzen, z. B. Gallert- und Schlauchpilzen. Die bekannte Morchel liefert ganz entsprechende Erscheinungen. Viele solcher Pilzsprossenformen sind untereinander, bezüglich von Bier- oder Weinhefe, mittels des Mikroskopes durchaus nicht zu unterscheiden. Angesichts aller dieser Ermittelungen scheint nun klar, daſs unsere Hefearten keineswegs spezifische Pilze (Sproſspilze), sondern daſs sie auch nur die Sprossenformen gewisser Pilze darstellen, die zwar für den Augenblick noch nicht ermittelt, aber bereits Gegenstand der weiteren Thätigkeit des Vfs. geworden sind. Jene Ergebnisse lassen aber auch die Frage aufwerfen, ob nicht vielleicht für die Spaltpilze (Bakterien) ähnliche Abänderungen der Vegetationsformen bestehen — eine Frage, deren Beantwortung unter Umständen höchst bedeutsam für die Lehre von den Ursachen und Verhütungen der bakteriellen Krankheiten werden könnte. Bezüglich der Temperatur, bei welcher die Entwicklung jener Pilzsprossen vor sich geht, hat Vf. bislang nur festgestellt, daſs die untere Temperaturgrenze des Wachstumes bei 3 — 4° C. liegt. Am Schlusse erwähnte der Verfasser noch des Kartoffelpilzes. Auch dieser lasse sich in Nährlösungen leicht ziehen, gedeihe deshalb möglicherweise im Humus und bewirke von dort aus die Ansteckung der Kartoffelpflanze. Wenigstens stehe die Thatsache, daſs das Kartoffelkraut stets von unten her abstirbt, mit dieser Anschauung im Einklang. (Vortrag, gehalten im Klub der Landwirte zu Berlin 1884.)

A. B. Griffiths und **E. C. Conrad,** *Über das Vorkommen von Salicylsäure in den kultivierten Varietäten von Viola tricolor und in dem Vjolaceen überhaupt.* Die Vff. haben aus den Blättern etc. der genannten Pflanzen eine in Äther, Alkohol und heiſsem Wasser lösliche Substanz in farblosen Krystallen extrahiert, welche mit Eisenchlorid eine violette Färbung giebt. Die Elementaranalyse ergab Zahlen, welche mit der Zusammensetzung der Salicylsäure übereinstimmten. Die Blätter lieferten 0,13, die Stengel 0,08, die Wurzeln 0,05 p. c., während die Blumen nur Spuren davon enthielten. Eine mikroskopische

Untersuchung der Blätter etc. liefs keine Krystalle von Salicylsäure in den Zellen erkennen. (Chem. N. **49**. 146.)

U. Gayon, *Untersuchungen über den Stallmist.* Die Untersuchungen von DEHÉRAIN (S. 261) veranlassen den Vf., die wichtigsten Resultate einer Untersuchung über denselben Gegenstand mitzuteilen.

Der frische Stallmist erleidet zwei völlig verschiedene Gärungen, je nachdem er der Luft ausgesetzt ist oder in geschlossenen Räumen aufbewahrt wird. In ersterem Falle ist er der Sitz energischer Oxydationen, welche seine Temperatur erhöhen und Kohlensäure bilden; im zweiten Falle bewahrt er seine Anfangstemperatur nahezu und entwickelt ein Gemenge von Kohlensäure und Methan. Um die Temperaturerhöhung in beiden Fällen besser verfolgen zu können, hat der Vf. 250 kg frischen Pferdemist in zwei kubischen Kästen von 1 m Seitenlänge untergebracht. Die Wände des einen Kastens bestanden aus Drahtgewebe, welches die Luft frei zirkulieren liefs, die des anderen waren völlig geschlossen. Die Temperatur der verschiedenen Schichten wurde mittels langer Thermometer gemessen, die verschieden tief in den Mist eintauchten. Die folgene Tabelle giebt die Resultate:

Datum	Stunde	In offenem Kasten				In geschlossenem Kasten			
		0,10 m	0,25 m	0,50 m	0,75 m	0,10 m	0,25 m	0,50 m	0,75 m
10	11 Std. 00 Min. Morg.	12°	12°	12°	13°	15°	15°	15°	17°
„	4 „ 30 „ Abds.	16,5	21	25	27	20	19	18	20
11	10 „ 00 „ Morg.	59	68	64	52	15	22	18	18
„	4 „ 00 „ Abds.	72	72	67	59	17	18	18	18
12	10 „ 00 „ Morg.	72	70	66	60	12	16	17	16
„	4 „ 00 „ Abds.	72	69,5	66	59	12	15	16	15
13	10 „ 00 „ Morg.	68	66	62	55	12	14	15	14
„	4 „ 00 „ Abds.	67,5	64,5	60	53	12	14	15	14
14	10 „ 00 „ Morg.	63,5	60	56	51,5	11,5	13	14	13
„	4 „ 00 „ Abds.	62	58	55	50	11,5	13	13	13
15	10 „ 00 „ Morg.	58	53	47	44	11,5	12	13	12

Die äufsere Temperatur schwankte während des Versuches zwischen 8 und 10°. Die geringe Temperaturerhöhung, welche man anfänglich in dem geschlossenen Kasten beobachtete, ist offenbar die Folge einer Sauerstoffabsorption aus der eingeschlossenen Luft.

Bei anderen Versuchen an freier Luft stieg die Temperatur bis 74°, blieb also wenig unter der bei der Fermentation des Tabaks beobachteten Temperatur von 80°. Die starke Wärmeentwicklung bei dem der Luft ausgesetzten Dünger ist von einer Entwicklung von Wasserdämpfen begleitet, welche reichliche Mengen von Ammoniak mit fortführen. Der hierdurch trockner gewordene Dünger hört allmählich auf, sich zu oxydieren, während das Thermometer langsam fällt. Befeuchtet man ihn dann an seiner Oberfläche, so beginnt die Verbrennung von neuem und die Temperatur steigt wieder. Dies kann man sehr oft wiederholen, bis endlich die Masse sich mehr und mehr verdichtet und dadurch den Zutritt der Luft verhindert.

Die mikroskopische Untersuchung zeigt selbst in den heifsesten Teilen der Masse eine grofse Menge niederer Organismen. Das Gleiche hat der Vf. auch bei Tabak beobachtet, wo selbst durch die Temperatur von 80° die lebenden Mikroben noch nicht getötet wurden.

Der in dem geschlossenen Kasten aufbewahrte Dünger ist gleichfalls reich an niederen Organismen, welche zu den Anaerobien gehören. Von diesen konnte man durch Reinkultur diejenigen isolieren, welche die Entwicklung von Kohlensäure und Methan bewirken, denn sie gaben mit reiner Cellulose dieselben chemischen Erscheinungen. Die wichtigsten Charaktere und Eigenschaften dieses Methanfermentes sind vom Vf. bereits im vorigen Jahre in zwei Sitzungen der Société des Sciences physique et naturelles de Bordeaux (8. März und 5. April 1883) beschrieben worden. Vf. fügt als Beleg hierfür eine Abschrift der betreffenden Stelle der beiden Protokolle seiner Arbeit bei. (C. r. **98**. 528—31. [25.*] Febr.)

H. Bode, Über *die Beziehungen zwischen Düngung und Zusammensetzung der Zuckerrüben.* (Ztschr. d. Ver. f. R.-Z.-Ind. **21**. 59—68.)

J. P. Lawes und **J. H. Gilbert,** Über die *Zusammensetzung der Asche von Weizen-*

samen und Weizenstroh, geerntet bei Rothamsted zu verschiedenen Zeiten und bei verschiedener Düngung. (Chem. N. **49**. 101—2. 29. [21.*] Febr. London, Chem. Soc.)

Boehnke-Reich, Über *die physikalische Prüfung des Harns*. (Pharm. Record.; Rundschau **10**. 85—90. 105—10.)

Imanuel Munk, *Zur Lehre von der Resorption, Bildung und Ablagerung der Fette im Tierkörper*. (VIRCH. Arch. f. pathol. Anat. und Physiol. **95**. 401—67.)

F. W. Pavy, Über *die Physiologie der Kohlehydrate im tierischen Organismus*. (Chem. N. **49**. 128--31. 140—41 und 155—56.)

7. Analytische Chemie.

Herbert Jackson, *Einige Bemerkungen über die Bestimmung der Härte des Wassers*. Der Vf. schloß aus mehreren Versuchen, daß die Bestimmung der Härte des Wassers mittels Seife in vielen Fällen ein von der quantitativen Bestimmung des Calciums und Magnesiums abweichendes Resultat ergab. Er beobachtete z. B. einen vollkommen normalen Schaum, als die Seife 14⁰ Härte ergab, während das Wasser soviel Calcium und Magnesium enthielt, als einer Härte von 27⁰ nach CLARK's Skala entsprach. Eine näherere Untersuchung ergab folgendes. Ist Kalk oder Magnesia allein im Wasser in einer solchen Menge enthalten, welche 23⁰ der CLARK'schen Härteskala entspricht, so sind die Resultate unzuverlässig. Enthält das Wasser Kalk und Magnesia zugleich, und zwar die Magnesiasalze in einer Menge von mehr als 10⁰ Härte, so läßt sich ihre Gegenwart nicht nachweisen, solange die Kalksalze mehr als 6⁰ betragen, in einem solchen Falle wird ein dauernder Schaum erzeugt, sobald die Seifenprobe 7⁰ Härte anzeigt. War dagegen das Wasser so verdünnt, daß der Salzgehalt unter diese Grenze herabsinkt, so erhält man vollkommen sichere Resultate. Anstatt zu verdünnen, kann man das Wasser auch auf 70⁰ erhitzen, um eine vollkommene Zersetzung der Kalk- oder Magnesiasalze durch die Seife zu bewirken, selbst wenn die Menge jener die oben angegebene Grenze überschreitet. Die Versuche wurden mit kastilianischer Seife ausgeführt; der Vf. sah sich dadurch veranlaßt, die Bestandteile derselben einzeln zu verwenden. Zunächst nahm er Natriumoleat und fand, daß damit vollkommen zuverlässige Resultate selbst mit sehr harten Wassern auch ohne Verdünnung oder Erhitzung erhalten werden können. Mit Natriumstearat konnten wegen der geringen Löslichkeit desselben in kaltem Wasser oder verdünntem Alkohol keine direkten Versuche ausgeführt werden; dagegen wurde gefunden, daß eine Mischung von Natriumoleat und -stearat sich genau wie kastilianische Seife verhält. (Chem. N. **49**. 149. 4. April.)

C. Arnold, *Bestimmung des Stickstoffs im Harn nach Kjeldahl*. Diese Methode (**83**. 626) kann der Vf. nach den Resultaten seiner Versuche empfehlen; wenn sie auch hier und da soviel Zeit in Anspruch nimmt wie die DUMAS'sche, so ist doch das ganze Verfahren ein viel bequemeres, wenig Übung und Beaufsichtigung erforderndes, abgesehen von der Gasersparnis und der Annehmlichkeit, eine große Anzahl von Bestimmungen nebeneinander vornehmen zu können. (Rep. anal. Chem. **4**. 97—99.)

M. Märcker, Über *eine Ursache von Differenzen bei der Untersuchung von Superphosphaten*. Diese liegt, wie der Vf. gefunden hat, darin, daß die an die analytischen Laboratorien versendeten Proben zum großen Teil in Blechbüchsen verpackt werden, wodurch ein ganz unerwartet starkes Zurückgehen der löslichen Phosphorsäure bewirkt wird, nämlich nach 5 Tagen um 0,38 p. c., nach 10 Tagen um 0,41 p. c., nach 15 Tagen um 1,48 p. c., nach 20 Tagen um 1,17 p. c., nach 25 Tagen um 1,43 p. c. der löslichen Phosphorsäure. (D. Landw. Presse; Zschr. d. Ver. f. R.-Z.-Ind. **20**. 905—7. Dez. 1883.)

Carl Arnold, *Das Verhalten von Kalium carbonicum gegen Silbernitrat*. (Pharm. Ztg. **29**. 189.)

A. P. Fokker, Über *die hygieinische Bedeutung und die Erkennung des Kohlenoxydes*. Vf. bespricht die Arbeit von GRUBER (**81**. 709, **82**. 809), kritisiert die FODOR'sche Methode des Nachweises von Kohlenoxydes (**80**. 669) und hebt die Gründe hervor, weshalb dieselbe zur genauen Erkennung kleiner Kohlenoxydmengen unzuverlässig ist.

1. Man ist nicht sicher, daß die durch die Palladiumchlorürlösung streichende Luft sämtliches Kohlenoxyd in derselben zurückläßt. Nimmt man statt einen zwei mit PdCl₂-Lösung gefüllte Absorptionsapparate, so wird, bevor noch die erstere Lösung gänzlich reduziert wird, schon in der zweiten Reduktion stattfinden. Es liegt also die Möglichkeit vor, daß Spuren des Gases mit der Luft durchgehen und sich der Beobachtung entziehen. Vf. hat öfter geringe Kohlenoxydmengen auf diese Weise nicht zurückfinden können. 2. Man muß, um die Luft durchsaugen zu können, das Blut stark verdünnen und die auf Kohlenoxyd zu prüfende Luft mit schon verdünntem Blute ausschütteln. Dies muß die Genauigkeit des Verfahrens beeinträchtigen. 3. Hat die FODOR'sche Me-

thode den Nachteil, dafs das verdünnte Blut beim Durchsaugen von Luft stark schäumt, wobei die Palladiumchlorürlösung leicht durch Schaum verunreinigt wird[*], zumal da nach GRUBER, um bei geringen Mengen des Gases die Reaktion zu erhalten, das Durchsaugen von Luft drei bis vier Stunden dauern mufs.

Vf. giebt nun folgende Abänderung des Verfahrens an. 1—2 ccm des Blutes, das auf Kohlenoxyd geprüft werden soll, wird in ein kleines, wenig tiefes Becherglas gethan, das zwischen drei gebogene Messingdrähte geklemmt ist. Die oberen Enden der letzteren tragen ein mit wenig Palladiumchlorürlösung versehenes Uhrglas, während die unteren Enden in eine runde Messingplatte gelötet sind. Das so eingerichtete Becherglas wird in eine mit Wasser gefüllte Porzellanschüssel gestellt und mit einer engen Glasglocke bedeckt. Jetzt wird durch einen steifen Gummischlauch, neben dem Becherglase eingeführt, ', der Luft aus der Glasglocke ausgesaugt. Das Wasser steigt in dieser in die Höhe und das Becherglas, das nur wenig gefüllt ist und durch die Messingplatte senkrecht gehalten wird, schwimmt auf der Oberfläche des Wassers. Sodann wird durch eine untergestellte Lampe das Wasser zum Kochen erhitzt, das Blut koaguliert, und das frei werdende Kohlenoxyd reduziert die Palladiumchlorürlösung auf dem Uhrglase. Enthält das Blut nur Spuren des Gases, so findet die Reduktion nicht gleich statt, und mufs man den Apparat 24 Stunden lang stehen lassen. Das Wasser, welches nach dem Erkalten die unteren zwei Drittel der Glasglocke wieder ausfüllt, wird dann die Luft in dem oberen Drittel etwas verdünnen, was die Trennung des Kohlenoxydes vom Blute noch begünstigt. Eine Reduktion des Palladiumchlorürs beweist die Anwesenheit von Kohlenoxyd. Etwa frei werdendes Ammoniak giebt mit Palladiumchlorür eine gelbe amorphe Verbindung, die dem durch Kohlenoxyd reduzierten schwarzen glänzenden Metallspiegel gar nicht ähnlich ist, mithin keine Täuschung verursachen kann. Dasselbe gilt vom Schwefelwasserstoff, der wohl nur selten in frischem Blut vorkommen dürfte. Die Empfindlichkeit dieses Verfahrens ist fast unbegrenzt und ermöglicht es auch, einen einzelnen Blutstropfen auf Kohlenoxyd zu prüfen, was bei keiner anderen Methode möglich ist. (Arch. f. Hygieine 1. 503—10. Gröningen.) P.

Chlopinsky, *Der forensisch-chemische Nachweis des Pikrotoxins in tierischen Flüssigkeiten und Geweben.* Die von LANGLEY empfohlene, von DRAGENDORFF modifizierte Reaktion erlaubt noch 0,1 mg nachzuweisen. Man durchfeuchtet das Pikrotoxin mit wenig konzentrierter Salpetersäure, vertreibt rasch die Säure auf dem Dampfbade, tränkt den Rückstand mit recht wenig konzentrierter Schwefelsäure und setzt Natriumhydrat im Überschusse zu. Es soll eine lebhaft ziegelrote Farbe auftreten. Zur Unterstützung soll die Reduktionsprobe mit FEHLING'scher Lösung dienen, die selbst noch kleinste Spuren Pikrotoxin, freilich nicht eindeutig, anzeigt. Zur Kontrolle der chemischen Untersuchung sind aber Tierversuche warm zu empfehlen. Vf. wählte kleine Fische von ca. 0,5 g Gewicht und setzte dem Wasser ihres Bassins abwechselnde Mengen von Pikrotoxin zu. Tiere, die sich in Wasser von 0,04 p. c. Pikrotoxin befanden, starben schon nach zwei Stunden unter den so charakteristischen Erscheinungen, andere in Wasser von 0,0004 p. c. nach 48 Stunden, während Kontroltiere am Leben blieben.

Für den gerichtlich-chemischen Nachweis sind zu empfehlen: Erbrochenes, Magen, Dünndarm, Leber, Blut und Harn. Das Pikrotoxin wird ziemlich rasch resorbiert und teilweise unverändert durch die Nieren ausgeschieden. Fäulnisprozesse von ca. 8 Tagen zerstören das Alkaloid nicht. (Inaug.-Diss. Dorpat 1883; Fortschr. der Mediz. **2.** 243 bis 244.) P.

Wilh. Thörner, *Beiträge zur Milchanalyse.* (Rep. anal. Chem. **4.** 100—3.)

Kleine Mitteilungen.

Über den Farbstoff Roccellin, von EMIL ROUSSEL. (Schlufs). Vf. rät um so mehr zu diesem Schritte (s. vor. Nr.), da der Krappbau fast ganz verlassen worden und das künstliche Alizarin kein nationales Produkt Frankreichs sei. Industrie und Staatsbudget würden also

---

[*] Nach den Erfahrungen des Referenten ist eine Verunreinigung der PdCl$_2$-Lösung durch Übertreten des Blutschaumes nicht zu fürchten, da zwischen der Kohlenoxydblutlösung sich nach FODOR's Vorschrift Bleilösung und Schwefelsäure befindet.

aus dieser Änderung Nutzen ziehen. (Im Interesse der Echtheit der Farbe, welche nun ein für allemal nicht mit derjenigen des Alizarins verglichen werden kann, wären hiergegen auf der anderen Seite gewichtige Bedenken zu erheben.)

Andere Töne werden aufgefärbt durch Mischungen von Roccellin mit Indigkarmin, Chrysoin, Orange, Naphtolgelb u. dgl. Den Indigkarmin setzt man erst gegen das Ende der Operation zu, unter gleichzeitiger Beigabe von Schwefelsäure und Glaubersalz. Diese Färbungen sind an der Luft fast ebenso beständig wie Kochenille und ungleich beständiger wie Orseille. Kochenille und Orseille ändern ihre Farbe ins Gelbe durch Säuren und ins Violettrote durch Alkalien, während das Roccellin unter dem Einflusse dieser Reagenzien nichts von der Frische seiner Tönung einbüßt. Der Herstellungspreis der Roccellinfärbungen steht 80 p. c. niedriger, als derjenige der mit Hilfe der Kochenille erzeugten, resp. 40 p. c. niedriger, als derjenige der von der Orseille sich ableitenden Töne. Seit dem Erscheinen des Roccellins hat sich der Verbrauch der Orseille bedeutend vermindert. Hierzu hat übrigens auch die Einführung des Säurefuchsins das ihrige beigetragen.

Im Jahre 1877 hat Frankreich 2 324 254 kg Orseilleflechten eingeführt und 510 742 kg verarbeitete Orseille ausgeführt. Im Jahre 1881 fiel die Einfuhr auf 1 486 670 kg, während die Ausfuhr auf 929 899 kg stieg. Der Verbrauch der Orseille in Frankreich ist heutzutage von geringer Bedeutung, und die Fabrikation dieses Produktes ist dem Untergange geweiht. Letztere betrug im Jahre 1877 ungefähr 1700 t, im Jahre 1866 600 t. Die Orseille wird kaum noch zur Erzeugung von verschiedenen Tönen von Grau angewendet. Die roten und granatroten Töne spielen auf den für Möbelartikel bestimmten Wollstoffen eine hervorragende Rolle. Roccellin gestattet solide und billige Herstellung derselben, und dank der rationellen Anwendung dieses Farbstoffes ist Vf. dazu gekommen, ungefähr $^3/_4$ der gesamten französischen Produktion der Möbelwollstoffe zu färben. Vorher wurden letztere während 50 Jahren von einem Pariser Färber gefärbt; die bloße Anwendung des Roccellins hat also genügt, um eine Industrie, welche während eines halben Jahrhunderts an einem Orte blühte, von diesem an einen anderen zu verpflanzen. (Monit. de la Teinture; Pol. J. **251.** 321.)

Verfahren zur Herstellung von Ätzstrontian, von H. NIEWERTH.

Cölestin wird mit äquivalenten Mengen Kohle und Brauneisenstein gemischt und geglüht, und es entstehen beim Auslaugen mit Wasser Strontianhydrat und Schwefeleisen. Cölestin und Kohle können zunächst allein geglüht, das Glühprodukt kann dann ausgelaugt und die Lauge mit Eisenoxyd behandelt werden. Oder man glüht zunächst Strontianit mit Kohle, dann das gebildete Schwefelstrontium nochmals mit Eisenoxyd und laugt dann aus. Endprodukte sind in allen drei Fällen Strontianhydrat und Schwefeleisen. An Stelle von Eisenoxyd soll auch Bleioxyd oder ein anderes Metalloxyd verwendbar sein. (Pol. J. **251.** 191.)

Verarbeitung phosphorhaltiger Schlacken, von C. SCHEIBLER. (D. P.).

Um zur Verarbeitung der beim basischen Prozesse erhaltenen Schlacken die Oxydule von Eisen und Mangan in Oxyde und Oxydoxydule überzuführen und die Zerstörung der Sulfide zu bewirken, werden nach dem Vf. die nur zu gröberen Stücken von etwa Faustgröße zerschlagenen Schlacken einem sorgfältigen Glühprozesse unter reichlichem Luftzutritte ausgesetzt. Wenn man die so in Stücken geglühte Schlacke alsdann der Einwirkung von Wasser oder Wasserdampf aussetzt, so zerfällt dieselbe zu einem äußerst feinen Pulver, indem der in der Schlacke enthaltene Ätzkalk sich in Kalkhydrat verwandelt. Durch diese Umwandlung erleidet die Schlacke eine viel feinere Zerkleinerung, als dies auf mechanischem Wege, d. h. Pulverisierung in Kollergängen oder Schleudermühlen, bewirkt werden kann. (Pol. J. **251.** 191.)

Verfahren zur Gewinnung von Kohlenwasserstoffen, von F. HEUSSER.

Zur Gewinnung niedrig siedender Kohlenwasserstoffe werden Steinkohlen der trocknen Destillation unter gleichzeitiger Einwirkung von Chlorgas und Salzsäuredampf unterworfen, indem man die Steinkohlen in Retorten, ähnlich den Gasretorten, erhitzt und von Beginn des Heizens an so lange Chlorgas und Salzsäuredampf in die Retorte leitet, bis sich keine kondensierbaren Gase mehr entwickeln.

Zur Gewinnung hochsiedender Kohlenwasserstoffe unterwirft man ein Gemenge von Steinkohlen und Chlorzink, oder von Steinkohlen und Steinkohlenteer und Chlorzink, oder von Steinkohlen mit Steinkohlenteeröl und Chlorzink unter gleichzeitiger Einwirkung von Salzsäuredämpfen der trocknen Destillation. (Pol. J. **251.** 192.)

Cuivre poli, von H. MEIDINGER.

Mit dem Namen Cuivre poli, was soviel als Glanzmessing bedeutet, bezeichnet man die gelben, schwach grün schimmernden Kunstgegenstände, welche seit beiläufig zehn Jahren auf den Markt gekommen und gegenwärtig zu einem bedeutenden Handelsartikel geworden sind. Dieses Glanzmessing ist an die Stelle der Bronze getreten, allerdings mehr äußerlich als innerlich, während auch die eigentliche Bronze im Laufe der Zeit mancherlei Stadien durchlaufen hat, so zwar, daß an Stelle der Zinn-Kupferlegierung mehr und mehr die zinkhaltige Legierung getreten ist, welche sich besser gießen und nachträglich bearbeiten (ciselieren) läßt. Die Erfindung der Galvanoplastik gab der Bronzewarenfabrikation einen besonderen Impuls, indem sie die Herstellung sehr billiger und schöner Waren mit und ohne Überzüge von edlen Metallen ermöglichte.

Seit etwa zwanzig Jahren begann sich nun von Paris aus eine Veränderung des Geschmackes zu entwickeln. Man hatte gelernt, die Bronze, resp. das Messing schön zu patinieren, d. h. mit einem den Charakter des metallischen wahrenden gleichförmigen Farbentone zu überziehen. Die echte Bronze trat nun in einem anderen Gewande auf, in allen Nuancen zwischen gelb, grün, braun und schwarz. Die Zinkgußwaren wurden nach vorausgegangener galvanischer Vermessingung ebenso behandelt. Auch wurde Versilberung beliebt, besonders als Altsilber, mit dunkleren Vertiefungen und schwachem Grau über dem glänzenden Relief. Als Konkurrent trat auch der Feineisenguß auf, der sich nicht bloß in seinem natürlichen, mehr oder weniger modifizierten Farbentone hielt, sondern durch galvanischen Überzug auch andere Metalle imitierte, besonders durch Versilberung und Verkupferung.

In den siebziger Jahren kamen, zuerst von Antwerpen, große Platten, Teller, Schilder mit Ornamenten und Köpfen aus gepreßtem Messingblech in nicht sehr scharfem Relief auf den Markt, Nachahmungen alter handgetriebener Arbeiten, teils ganz blank, teils in den Vertiefungen geschwärzt; sie wurden als Cuivre repoussé bezeichnet. Die Gegenstände, die sich zu Wanddekorationsstücken vorzüglich eigneten, wurden beifällig aufgenommen und erlangten, da auch ihr Preis kein sehr hoher war, große Verbreitung; gegenwärtig werden sie an verschiedenen Orten und auch in neueren Kompositionen fabriziert. Fast gleichzeitig gelangten von Paris als Neuheit unter dem Namen Cuivre poli kleinere Kunstgegenstände in Messingguß und glänzend poliert in den Handel, anfangs in der natürlichen Messingfarbe, später auch in den Vertiefungen geschwärzt, um durch den Farbenkontrast das Relief besser zu heben. Die Artikel fanden Anklang, und bald bemächtigte sich die Berliner Industrie der Fabrikation derselben; sie verstand durch stylvolle Formen und billigen Preis sich so beliebt zu machen, daß sie bald die Pariser Ware bei uns fast verdrängte.

Die Gründe für den billigen Preis dieser Bronzen sind teils in der Technik, teils in lokalen Bedingungen zu suchen. In bezug auf das erstere ist zu bemerken, daß bei dem Berliner Cuivre poli nicht die sorgfältige Nachbehandlung des Rohgußstückes, die lange Zeit erfordernde und große Kosten verursachende Ciselierung der Oberfläche zur Anwendung kommt, wie bei der alten Bronze. Abgesehen von Entfernung der Gußnähte, behandelt man die Oberfläche rein mechanisch mit auf der Drehbank laufenden Kratzbürsten, Schmirgelscheiben und Polierlappen und erzeugt damit den eigentümlichen Glanz, der Unsauberkeiten des Gusses nicht zur Geltung kommen läßt.

Es läßt eine ähnliche Behandlung, wie sie den Eisengußartikeln zu teil wird, welche man vernickelt; solche sind auch vermessingt und dadurch dem Cuivre poli ähnlich gemacht worden. Die Tiefen, in welche man hierbei nicht gelangen kann, läßt man im Gusse absichtlich körnig und bringt damit die aufgetragene Schwärze um so mehr zur Haftung und Wirkung. Solche Gegenstände, halbmatt patiniert, würden unschön aussehen, da dann die Mängel des Gusses sich deutlich zu erkennen gäben. Figurales insbesondere läßt sich in dieser Weise nicht behandeln, die Handciselierung bleibt hier immer Bedingung.

Als weiterer Grund, warum gerade in Berlin diese Artikel so billig gemacht werden können, kommt noch in betracht, daß der Rohguß von einer Anzahl selbständiger kleiner Meister besorgt wird, die von den eigentlichen Fabriken beschäftigt werden. Erstere haben sich eine große Geschicklichkeit in Herstellung des Feinmessinggusses angeeignet, welche sie befähigt, mit geringstem Materialaufwande und rasch zu produzieren; außerdem ist Leben und Arbeitslohn in Berlin billiger als in Paris. Als die Pariser anfingen, Cuivre poli zu fabrizieren, wandten sie darauf ganz ihre alte Bronzetechnik an; in der That blieb auch alles beim alten, bis auf die letzte Behandlung der Oberfläche, die nicht mehr chemisch war, sondern mechanische Politur; so konnten denn auch die Preise sich nicht ändern. Der Nichtkenner wird kaum einen Unterschied wahrnehmen zwischen Pariser und Berliner Cuivre poli.

In Deutschland werden ferner technisch vollendete handciselierte Messingbronzen von den Herren PAUL STOTZ u. CO. in Stuttgart gefertigt, deren Erzeugnisse auch im Preise mit den Berlinern auf dem Weltmarkte konkurrieren können. Die Liebhaberei für die Messingfarbe hat sich übrigens nicht auf die kleinen Gebrauchs- und Dekorationsstücke des Zimmers beschränkt, auch größere Sachen hat man in diesem Tone gehalten, wie Standuhren, Lampen, Kandelaber, Kronleuchter etc.

Die imitierte Bronze aus Zinkguß, womit seit etwa zehn Jahren Berlin den Markt auch hauptsächlich versorgt hat, ist durch das für gewöhnlich mehr teurere Cuivre poli etwas in Rückgang geraten; neuerdings kommt solche von Berlin auch mit Glanzmessingfarbe auf den Markt, doch hat man noch nicht allgemein gelernt, den beliebten Ton genau herzustellen. Voraussichtlich dürfte sich diese Fabrikation in der Hauptsache auf Figurales, auf Gegenstände mit gröfseren glatten Flächen beschränken, deren Zubereitung durch Handciselierung beim Messing eben sehr kostspielig ist. Die Sachen zeichnen sich gegen das echte Pariser Cuivre poli bei gleich vollendeter Arbeit durch sehr niedrigen Preis aus, ähnlich den patinierten Waren, die unter Umständen blofs $1/6$—$1/10$ so hoch stehen. Das Glanzmessing läuft, wie alle reinen, nicht mit Firnis oder Patina überzogenen Kupferlegierungen an der Luft allmählich an, wird matter und verändert seinen Farbenton; es mufs deshalb, wie andere, seit lange in Gebrauch befindliche Messinggeräte von Zeit zu Zeit abgerieben werden. (Badische Gewerbeztg.; Polyt. Notizbl. **39.** 67—68.)

Gewinnung von Paraffin und schweren Ölen aus Petroleumrückständen, nach DURIN. Aus Petroleumrückständen kann man durch Destillation im Vakuum mit Hilfe von überhitztem Wasserdampfe 96—98 p. c. Paraffinöl gewinnen, während man bei einfacher Destillation nur ca. 50 p. c. erhält. Diese bei gewöhnlicher Temperatur gelatinösen Öle enthalten ca. 50 p. c. Paraffin, wovon ca. 20 p. c. gewonnen werden können. Man reinigt die Öle mittels Filtration durch ein Gewebe bei 35—40°C. und darauf folgende Behandlung mit 4 bis 5 p. c. 66grädiger Schwefelsäure. Man läfst noch warm absetzen, trennt das Öl durch Dekantieren von teerigen Teilen und behandelt zur Entfernung der anhängenden Säure mit 1—2 p. c. Ätzkalk. Darauf läfst man langsam auf 5° abkühlen und erhält nun blätterige Krystalle, von denen man das Öl abprefst; die durch rasche Abkühlung erhaltene Krystallisation läfst sich schwieriger abpressen. Zur Paraffingewinnung kann man das Öl auch mit Amylalkohol mischen, auf —5° abkühlen und die abgeschiedene Masse mit Filterpressen behandeln. Durch weiteres Abpressen bei gleichzeitiger Behandlung mit Benzin oder Amylalkohol und schliefsliches Filtrieren durch Kohle wird das Paraffin gereinigt. (Mon. prod. chim. 1883. 250; Pol. Notizbl. **39.** 35.)

Beiträge für das Centralblatt bittet man an die Redaktion (Leipzig, Lessingstr. 5) zu richten. **Originalarbeiten** von nicht zu grofsem Umfange werden entsprechend honoriert und gelangen stets sofort nach der Einsendung, und zwar in kürzester Frist, zum Abdruck.

Redaktion: Prof. Dr. **Rud. Arendt** in Leipzig.

Verlag von **Leopold Voss** in Hamburg und Leipzig. — Druck von **Metzger & Wittig** in Leipzig.

No 21.

Chemisches

21. Mai 1884.

Wöchentlich eine Nummer von 1-2 Bogen. Der Jahrgang mit Sach- und Namen-Register, nebst system. Übersicht.

Central-Blatt.

Der Preis des Jahrgangs ist 20 Mark. Durch alle Buchhandlungen und Postanstalten zu beziehen.

REPERTORIUM

für reine, pharmazeutische, physiologische und technische Chemie.

Dritte Folge. XV. Jahrgang.

Ist die Cellulose ein Nahrungsstoff?

von

H. WEISKE.

Seitdem HAUBNER, HENNEBERG und STOHMANN den Nachweis geführt hatten, daß beim Rind von der im Futter aufgenommenen Cellulose ein beträchtlicher Teil in den Fäces nicht wieder erscheint, und seitdem das gleiche Ergebnis von verschiedenen anderen Seiten auch für andere Herbivoren, sowie für das Schwein konstatiert worden war, nahm man allgemein an, daß die Cellulose, soweit sie im Verdauungsapparate der Tiere verschwindet, resp. verdaut wird, ein Nahrungsstoff sei, dem etwa derselbe Nahrungswert zukommt, wie der Stärke.

Infolge der Untersuchungen von HOPPE-SEYLER, POPOFF und TAPPEINER, nach denen Cellulose durch geformte Fermente leicht in gasförmige Produkte überzugehen vermag, unter denen sich reichliche Mengen von CH_4 vorfinden, ferner infolge eigener Beobachtungen, nach denen in Gruben eingesäuerte pflanzliche Futtermittel durch eintretende Gärungsprozesse einen beträchtlichen Teil ihrer Cellulose verlieren, sowie endlich infolge der Arbeiten von ELLENBERGER und V. HOFMEISTER, und derjenigen von TAPPEINER, bei denen nach künstlicher Celluloseverdauung sich kein Zucker oder doch nur Spuren von Zucker vorfanden, mußte es überhaupt fraglich erscheinen, ob die im Tierkörper „verdaute" Cellulose als ein Nahrungsstoff von der ihr bisher untergelegten Bedeutung ist.

In Gemeinschaft mit Herrn Assistent Dr. B. SCHULZE unternahm ich es daher, nachstehende Fütterungsversuche anzustellen, deren Hauptresultate hier als vorläufige Mitteilung folgen sollen: An einen Hammel verfütterte man zunächst zwei Wochen lang pro Tag ausschließlich 500 g Bohnenschrot, also ein Futter, bei dem infolge des sehr engen Nährstoffverhältnisses ein sehr starker Stickstoffumsatz im Körper des Versuchstieres stattfand; im Durchschnitt schied der Hammel pro Tag 20,93 g N im Harn ab. In einer folgenden Fütterungsperiode erhielt das Versuchstier täglich 490 g Bohnenschrot und 515 g Haferstroh, dessen Verdauungskoeffizienten bekannt waren. Der Stickstoffumsatz sank infolgedessen, so daß im Harn jetzt nur noch durchschnittlich 16,82 g N pro Tag zur Ausscheidung gelangten. Hierauf reichte man dem Hammel längere Zeit hindurch täglich 500 g Bohnenschrot und 200 g Stärke, ein Futterquantum, welches derjenigen Menge von verdaulichen N-haltigen und N-freien Närstoffen (incl. verdauliche Cellulose) entsprach, welches in der vorhergehenden Futtermischung aufgenommen worden war. Der Stickstoffumsatz sank jetzt noch weiter, so daß durchschnittlich pro Tag nur 14,94 g N im Harn entleert wurden. Als nun von neuem wieder 490 g Bohnenschrot und 515 g Haferstroh verfüttert wurden, stieg der Stickstoffumsatz wieder auf 17,26 g N im Mittel, trotzdem sowohl in der Stärkemehl- wie in der Haferstrohfütterungsperiode gleiche Mengen verdaulicher Nährstoffe konsumiert worden waren.

Es mußte demnach angenommen werden, daß die aus verdaulicher Cellulose und verdaulichen N-freien Extraktstoffen bestehenden stickstofffreien Nährstoffe des Haferstrohes nicht den gleichen Nährwert besitzen, wie das Stärkemehl; insbesondere lag jetzt nahe, anzunehmen, daſs die „verdauliche" Cellulose vielleicht überhaupt wirkungslos gewesen war.

Aus diesem Grunde wurden in einer letzten Fütterungsperiode dem Hammel pro Tag 500 g Bohnenschrot und nur 100 g Stärke verabreicht, d. h. nur soviel Stärke verfüttert, als etwa in den 515 g Haferstroh verdauliche N-fr. Extraktstoffe vorhanden waren. Als Resultat ergab sich jetzt, daſs der Stickstoffumsatz im Körper des Versuchstieres wieder erheblich stieg, und zwar wurden durchschnittlich pro Tag 17,75 g N im Harn ausgeschieden, also ungefähr dieselbe Menge, welche das Versuchstier bei Fütterung von 490 g Bohnenschrot und 515 g Haferstroh umgesetzt und entleert hatte.

In voller Übereinstimmung mit diesen den Stickstoffumsatz betreffenden Resultaten ergab sich aus dem Vergleiche der Gesamtstickstoffaufnahme und Ausgabe (Harn + Faeces), daſs das Versuchstier bei ausschlieſslicher Bohnenschrotfütterung durchschnittlich pro Tag 0,34 g N vom Körper abgab, dagegen in allen folgenden Perioden Stickstoff ansetzte, und zwar in nachstehenden Mengen: bei Fütterung mit Bohnenschrot und Haferstroh = 2,94 g N, bei Fütterung von Bohnenschrot und 200 g Stärke = 5,06 g N, bei Fütterung von Bohnenschrot und 100 g Stärke = 2,96 g N.

Aus vorstehenden Versuchsergebnissen dürfte demnach deutlich hervorgehen, daſs allen bisherigen Annahmen entgegen die Cellulose keine dem Stärkemehle und anderen verdaulichen Kohlenhydraten, sowie dem Fette analoge eiweiſssersparende Wirkung besitzt.

Weitere ausführliche Mitteilungen über diesen Gegenstand sollen später an einem anderen Orte erfolgen.

Tierchemisches Institut der Universität Breslau im Mai 1884.

Wochenbericht.

1. Allgemeines und Physikalisches.

Ed. Jannettaz, *Bemerkungen zu den Beobachtungen von Spring: „Über die Einwirkung von Druck etc."* S. 117. (Bull. Par. **41**. 114—17. 5. Febr. Paris, Soc. Chim.)

L. Godefroy, Über *einen Regulator für fraktionierte Destillation im Vakuum.* Der Apparat besteht der Hauptsache nach aus zwei weiten vertikalen Röhren *A* und *B* (Fig. 1 [s. n. Seite]), welche an ihren unteren Enden durch ein enges Rohr verbunden sind. Die Röhre *A* hat oben einen Hahn *R* und darüber einen Trichter. Die Röhre *B* endigt oben in eine engere Röhre *N*, über welche eine Kautschukröhre geschoben werden kann; unten ist sie mit einem Dreiweghahn *R'* versehen, und an der Seite sind in einer Entfernung von 10—12 mm zwei Röhren angeschmolzen, welche sich bald nach oben biegen. Diese Röhren haben einen Durchmesser von etwa 2 mm. Die eine derselben endigt in eine Kugel *G* und diese wieder in ein Rohr *M*, über welches ein Kautschukrohr geschoben werden kann. Die andere Röhre tritt in die Kugel *G* ein und biegt sich darin nach unten um.

Die Röhre *A* ist im Ruhezustande vollständig mit Quecksilber gefüllt, die andere Röhre *B* enthält je nach dem zu erzielenden Vakuum eine gröſsere oder geringere Menge Quecksilber.

Um den Apparat zu benutzen, wird er zwischen Wasserluftpumpe und Destillationsapparat eingeschaltet, und zwar so, daſs jene mit *M* und diese mit *N* in Verbindung gesetzt wird. Hierauf setzt man die Pumpe in Thätigkeit, wobei das Quecksilber in *A* sinkt und in *B* steigt. Das Niveau desselben erreicht zuerst die Öffnung der Röhre *C* und dann die von *E*. Von diesem Augenblicke an bleibt es stationär, denn die Luft, welche durch *N* eintritt, verhindert ein Steigen des Quecksilbers, höher als *E* zu steigen, sondern strebt auch, seine Oberfläche niederzudrücken. Hierdurch wird die Öffnung *E* wieder frei und eine Luftblase steigt in *EF* in die Höhe; das dadurch mit übergerissene Quecksilber flieſst durch *D C* zurück. Auf diese Weise erhält man einen konstanten Druck, dessen Höhe durch die Niveaudifferenz zwischen *A* und *B* bestimmt wird. Bei dem in der Fig. 1 abgebildeten Apparate kommt es indessen mitunter vor, daſs der Schenkel *EF* sich etwas verstopft. Hierdurch steigt der Druck im Apparate um eine Kleinigkeit, jedoch ohne die Regelmäfsigkeit des Siedens zu stören. Übrigens hat der Vf. die Öffnung E, wie aus der Abbildung zu ersehen ist, etwas abgeändert, wodurch dieser kleine Übelstand vollständig vermieden ist.

Der Apparat kann für sehr verschiedenen Druck eingestellt werden. Um denselben zu regulieren, entleert man zuerst den Schenkel B fast vollständig von Quecksilber und verbindet den Apparat dann in der angegebenen Weise mit der Pumpe und dem Destillationsapparate.

Sobald dann das Niveau in B stationär geworden ist, braucht man nur durch den Hahn R in A so viel Quecksilber nachfließen zu lassen, als nötig ist, um den gewünschten Druck zu erreichen.

In Fig. 2 ist eine Zusammenstellung des ganzen Destillationsapparates abgebildet. Die beiden weithalsigen Flaschen A und B sind mit Kautschukstöpseln verschlossen, durch deren dreifache Durchbohrung drei Glasröhren gehen.

Die Röhren t_1 und t'_1 kommunizieren mit dem Kühlrohre durch einen Dreiweghahn G. Die Röhren t_2 und t'_2 stehen in Verbindung mit dem Vakuumregulator durch die beiden Hähne R und R'. Endlich sind die Röhren t_3 und t'_3 mit zwei Hähnen r und r' versehen, durch die man eine Kommunikation mit der Luft bewirken kann. Sind R und R' geöffnet und r und r' geschlossen, so erzeugt sich im Apparate das Vakuum.

Wenn G dann so gestellt ist, dafs der Kühler nur mit der Flasche A in Verbindung steht, so sammelt sich das Destillat in letzterer an. Durch Umdrehen von G kann man dann das Destillat nach B leiten. Zugleich schliefst man den Hahn R und öffnet r', wodurch sich die Flasche A mit Luft füllt und entfernt werden kann.

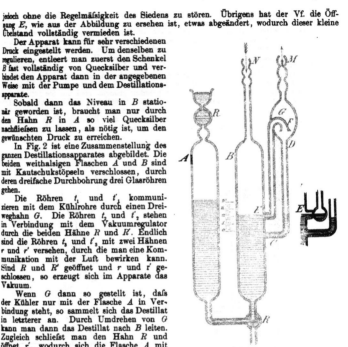

Fig. 1.

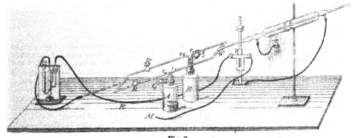

Fig. 2.

(Ann. Chim. Phys. 1. [6.] 138. Januar.)

Fr. Gottschalk, *Pneumatische Wanne ohne Brücke mit freibeweglich hängendem Cylinder*. Eine flache Glasglocke, ab, Fig. 1, etwa 12 cm hoch und 22 cm im Durchmesser. dient als Behälter der Sperrflüssigkeit und ruht auf einem Dreistütz, cde, dessen schwach nach oben gebogene, 120° voneinander abstehende und oberseits mit Tuch bedeckte Lamellen, cf, dh, eg, je nach Bdarf auch ein gröfseres oder kleineres Gefäfs, z. B. eine

25 ·

gewöhnliche Krystallisierschale, zu tragen vermögen. Das gleichseitig dreikantige Prisma, *fgh*, hält die mit ihm verschraubten Stützlamellen und bildet den oberen Teil eines Schiebers, *s*, mittels welches, gewissermaßen zur Vergröfserung des Wannenspiegels, eine horizontale Bewegung des Dreistützes auf einer genügenden Strecke innerhalb der Grenzen *i'* und *k* nach links oder rechts bewerkstelligt werden kann. Der im Querschnitt trapezförmige, sogenannte Schwalbenschwanzform zeigende Horizontalstab *ik* mit dem Stützschieber *s* endigt auf der einen Seite in einem Ringe *i*, der, aufliegend auf dem Fufse *l*, über den Halterstab *lm* geschoben und an dessen unterem Ende mittels der Schraube *n* festzustellen ist. Auf der anderen Seite bei *k* ruht er auf der Mitte eines Querstückes, dessen Enden rechtwinklig nach unten gebogen sind um die zwei anderen Fufspunkte *z* und *z'* der somit die Form eines entspitzten gleichschenkligen Dreieckes zeigenden idealen Standfläche *lzz'* der Wanne zu bilden. Die letztere kann demnach, wenn die Schraube *n* gelockert ist und der also T-förmige Fufs bei *k* etwas gehoben wird, 360° um den Halterstab nach jeder passenden Stelle herumgetragen werden.

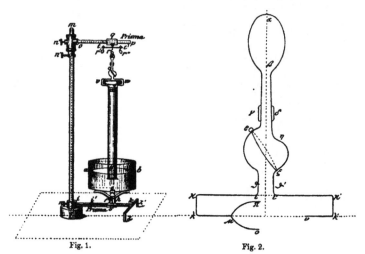

Fig. 1.   Fig. 2.

In beliebiger Höhe *o* läfst sich nun am senkrechten Halterstabe *lm* der zum Tragen der Cylinder *xy* dienende Querbalken *op* mit Stellschraube *n'* befestigen, während er selbst vermöge eines auf der Schraubennufs schleifenden, ebenfalls durch Schraube *n'* festzustellenden Ringes um die Axe *lm* in horizontaler Ebene durch 360° beliebig und frei drehbar bleibt, um dem Wannenspiegel überallhin folgen zu können. Auf dem Tragbalken *op* läuft ein Schieber *q*. Dieser trägt in der Mitte seiner Unterwand den um seine Vertikalaxe drehbaren und durch ein kurzes Röhrchen gehörig gerade geführten Haken *r*, dessen Biegung fast gerade so gestaltet ist wie die der Ziffer 6. Dreht man *r* um seine vertikale Axe, so dreht sich auch der mit ihm fest verbundene Stab *tt'*, an dessen beiden Enden ebensolche 6-förmigen Haken, *r'* und *r''*, um ihre Vertikalaxe drehbar angebracht sind. Je nach Bedarf hängt nun das für diesen ganzen Apparat charakteristischste Glied, *uvw*, der „federnde Cylindergriff" oder kürzer der „Federgriff" entweder einfach, wie in Fig. 1, am Mittelhaken *r*, oder doppelt an den Seitenhaken *r'* und *r''*.

Sind bei einem Versuche zwei Cylinder erforderlich oder erwünscht, so läfst sich auf diese Weise nach erfolgter Gasfüllung des einen Cylinders der andere, schon die Sperrflüssigkeit enthaltende durch blofse Drehung des Hakenstäbchens *tt'* um 180° schnell und genau in die Lage des ersteren bringen, ohne irgend nennenswerten Gasverlust. Nach

Verbrauch des Gases in dem zuerst aus dem Federgriff entfernten Cylinder wird letzterer wieder mit Sperrflüssigkeit versehen in den „Griff" zurückversetzt und nach Füllung des zweiten Cylinders mit Gas durch Drehung des Hakenstäbchens ebenso augenblicklich über die Mündung des Gasleitungsrohrs geführt u. s. w.

An dem „Federgriffe" Fig. 2, läfst sich, was seine Art und seinen praktischen Gebrauch betrifft, wie leicht ersichtlich, der obere, mittlere und untere Teil unterscheiden. Der obere Teil, das elastische Stück, besteht aus einem von aufsen nach innen gehörig platt geschmiedeten elliptischen Ringe, $\alpha\beta$, aus Messingdraht. Unterhalb des Ringes läuft der Draht im gesperrten Zustande des Federgriffs bis etwas über die beiden Druckknöpfe, $\gamma\delta$, hinaus nahezu parallel, um dann links etwas früher in den mittleren Teil übergehen.

Dieser Teil, das „Spangenstück", ist links fast kreisförmig gebogen und trägt oben das Ringelchen ϵ, um welches sich die Spange $\epsilon\zeta$, in der Ebene des Mittelstücks drehen läfst. Die rechte Seite des letzteren hat etwa in gleicher Höhe mit dem Drittelhalbmesser des linken Kreisbogens eine Einbiegung μ, krümmt sich bald darauf stärker abwärts und geht dann in einen Bogen über, dessen Radius augenscheinlich der Spangenlänge $\epsilon\zeta$ entspricht. Der untere Teil, das eigentliche „Griffstück", ist bis auf Eines links und rechts symmetrisch und erstreckt sich zunächst bei $\vartheta\vartheta'$ parallel, erscheint in gleichen Längen bei $\iota\iota'$, $\varkappa\varkappa'$, $\lambda\lambda'$, dreimal rechtwinklig gebogen, um rechts in dem sogenannten „Griffdaumen" ν zu endigen, während links an der Stelle μ zwei nahe halbkreisförmig gebogene „Tragfinger", o und π, zur Umfassung des Cylinderfufses in horizontaler Ebene angelötet sind.

Will man den „Federgriff" öffnen, so legt sich der Zeigefinger der rechten Hand an die Einbiegung μ und der Daumen an die Spange $\epsilon\zeta$. Es genügt dann ein schwacher Druck mit dem Daumen nach rechts, und „Finger" und „Daumen" des Griffes gehen eine gewisse Strecke aus einander, lassen den Cylinder sozusagen los, und das Spangenende ζ ruht in der Einbiegung μ. Das Schliefsen aber vollzieht sich so: Daumen und Zeigefinger der Rechten fassen auf die beiden Druckknöpfe $\gamma\vartheta$, üben daselbst einen geringen Druck aus, „Finger" und „Daumen" des Griffes gehen zusammen, und die Spange fällt von selbst in die Sperrlage ζ zurück. Ein Aushaken des Federgriffs aus den Haken, r, r' r'', Fig. 1, ist hierbei durchaus nicht zu befürchten; denn die 6-förmige Hakenbiegung gestattet zwar, den Griff bei geeigneter Haltung desselben sehr schnell hinein-, aber keinesweges durch zufällige Bewegungen oder Schwankungen herauszuführen.

Die praktische Handhabung des ganzen Apparates Fig. 1 würde sich demnach in folgender Weise gestalten.

Wanne ab, Tragbalken op und Schieber q sind in einander entsprechende Lage gebracht. Der Federgriff ist eingehakt und wird geöffnet. Die Linke ergreift den mit Sperrflüssigkeit versehenen Cylinder nahe über seinem Fufs. Die Rechte schiebt die Deckplatte auf. Man dreht um, taucht ein und läfst die Deckplatte fallen, schiebt sodann den Cylinderfufs über die Grifffinger on, Fig. 2, und drückt, während die Linke den Cylinder noch hält, mit der Rechten die Druckknöpfe $\gamma\delta$ zusammen, bis die Spange sperrt. Der Cylinder schwebt nun vollkommen sicher und auf seiner ganzen Erstreckung von oben bis unten in freier Sichtbarkeit. Soll der Cylinder xy vom Griffe gelöst werden, so fafst die Linke wieder nahe an den Cylinderfufs. Der Daumen der Rechten drückt, während der Zeigefinger bei η anliegt, nach rechts. Der Griff springt auf. Die Linke schiebt den Cylinder aus den Grifffingern on, die Rechte deckt ihn unter der Sperrflüssigkeit. Man dreht um und stellt auf.

Der Apparat wird in verschiedenen Gröfsen von G. SCHMAGER in Leipzig je nach der Gröfse und Ausführung zum Preise von 15—32 M. ausgeführt. Der Cylindergriff allein kostet 1,50 M. (Journ. pr. Chem. **29.** 124—28. Mitte April. [3. Febr.] Leipzig; Sep.-Abdr. vom Verf. eingesandt).

R. Richter, Über *einen mit Wasserdampf heizbaren Saugtrichter und einer Vorrichtung zum Kühlen von Sublimationsflächen.* 1. Zum schnellen Filtrieren diente der in Fig. 1 veranschaulichte „Saugtrichter", welcher gestattet, auch in sehr enge Cylinder abzusaugen, weil der verlängerte Trichterhals in ein wenig weiteres Glasrohr eingeschmolzen ist, woran seitlich das mit einer Saugpumpe zu verbindende Rohr sitzt, so dafs einfach durchbohrte Korke zum Einsetzen des Trichters in die Gefäfse genügen. Andererseits aber kann man durch Kombination mit der in Fig. 2 dargestellten Flasche ohne Boden, die mittels Fett luftdicht auf eine Glasplatte pafst, in sehr weite Bechergläser oder Krystallisierschalen direkt filtrieren, ohne durch Spritzen irgend welchen Verlust zu haben, da die Gefäße dem Trichterhalse mittels Unterlagen so genähert werden können, daß das Filtrat unmittelbar an den Wandungen hinabfließt. Einen Vorteil gewährt dieser Saugtrichter, wenn er mit dünnem Bleirohr [im Handel unter dem Namen

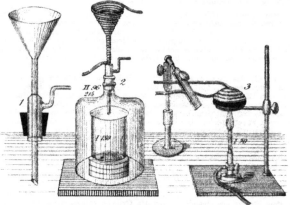

Fig. 1.

Klingelrohr (es wird zu pneumatischen Klingeln verwendet) verzinnt zu haben] umwickelt und durch Wasserdampf geheizt wird, worauf es Vf. besonders ankam, weil dadurch leicht selbst in siedendem Alkohol schwer lösliche Substanzen filtriert werden können, ohne daß sich der Trichterhals von ausgeschiedener Substanz verstopft, da derselbe nicht direkt mit dem kühlenden Kork- oder Gummistopfen in Berührung, sondern von warmer Luft umgeben ist.

2. Zur Sublimation wird die in Fig. 3 abgebildete Vorrichtung verwendet, in welcher zwei gut auf einander passende Uhrgläser auf einem geheizten Sandbade stehen; das obere, zur Sublimationsfläche dienende Uhrglas wird mit einer „Kühlschlange", dargestellt aus spiralig aufgewickeltem Bleirohr, so kräftig durch Wasser gekühlt, daß es dem Vf. gelang, Diphenylketon, welches schon bei 26°, resp. 49° schmilzt, in Nadeln sublimiert zu erhalten. (Journ. prakt. Chem. **23**. 309—11.)

W. A. Shenstone, *Ein modifizierter Kühler*. Von diesem bereits im vor. Jahre (**83**. 181) erwähnten Apparate geben wir in der nebenstehenden Figur eine Abbildung. Derselbe stellt den wesentlichen unteren Teil des Kühlers dar. Die Röhre *A* ist mit Hilfe eines breiten Korkes *G* in das weitere Rohr eingesetzt, welches, wie gewöhnlich, von dem Kühlwasser durchflossen ist. Bei *E* wird das Rohr *A* entweder durch Glasschliffverbindung oder mittels eines Korkes auf den Destillations-, resp. Digestionskolben aufgesetzt. Möglichst nahe unter *G* an der Stelle *B* ist in das Rohr *A* ein kleines Röhrchen *F* eingeschmolzen, welches sich im Inneren von *A* eine kleine, etwa 1 cm hohe Rinne bildet. In diese mündet das seitliche Rohr *C*, das bei *c* eine kleine Biegung hat und bei *D* mit einem eingeschliffenen Stopfen *D'* verschlossen werden kann. Man ersieht leicht, daß, so lange der Stopfen *D'* eingesetzt ist, der Apparat als Rückflußkühler wirkt, denn die verdichtete Flüssigkeit füllt anfangs die Rinne bei *F* und fließt dann über den Rand derselben wieder in die Röhre *A* und in den Kolben zurück. Öffnet man aber *D'*, so füllt sich die Rinne *F* gar nicht ganz, sondern die Flüssigkeit fließt durch *C* nach einer bei *D* angebrachten Vorlage. Will man bei einer bestimmten Temperatur destillieren, so kann man ein Thermometer in *A* einhängen, indem man es mit Hilfe eines Platindrahthäkchens an F aufhängt. Für sehr leicht flüchtige, brennbare Substanzen, wie Äther, Benzin etc. eignet sich der Kühler nicht ganz so gut, da die Vorlage sich verhältnismäfsig nahe an der Flamme befindet. (Ztschr. anal. Chem. **23**. 52—53.)

Auswaschapparat. Mit Bezug auf den Auswaschapparat von Robinson (S. 97) wird an einen Apparat erinnert, der schon vor mehr als 30 Jahren, aber, wie es scheint, weniger als er es verdient, beachtet oder vielfach wieder vergessen worden ist. Derselbe wirkt mindestens ebenso gut, hat aber vor dem auf S. 97 beschriebenen den Vorzug, dafs er auf dem Filter über dem zu waschenden Niederschlage nicht soviel freie Flüssigkeit verlangt, als jener für den Schwimmer. Das Filter kann, soweit es überhaupt lege artis

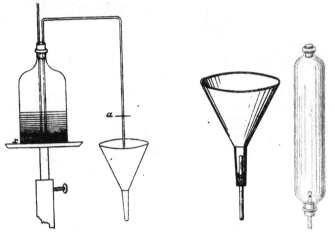

Fig. 1.   Fig. 2.

zulässig ist, mit Niederschlag gefüllt werden. Durch den doppelt durchbohrten Kork (s. Fig. 1) einer beliebig grofsen Flasche geht ein gerades, oben und unten offenes Rohr welches den Luftzutritt vermittelt, und ein Heberohr, beide möglichst weit bis auf den Boden der Flasche. Der äufsere Schenkel des Hebers ist ein wenig länger als der innere, oder man kann durch Unterschieben eines Brettchens bei x die Flasche schief stellen. Durch Einblasen von Luft in das offene Rohr, oder Neigen der Flasche gegen den Heber, wird letzterer zum Laufen gebracht. Das untere Ende des offenen Rohrs und die Flüssigkeit auf dem Trichter werden in gleiche Horizontale gebracht, was mittels des Stativs leicht geht. Schneidet man bei a ein Stück ab und ersetzt dasselbe durch Verbindung mit einem Gummiröhrchen, so ist die Reinigung sehr leicht. (Pharm. Centralh. **25**. 148—49.)

Currier, *Scheidetrichter.* Eine Glasröhre (Fig. 2) wird rund abgeschmolzen, etwas unterhalb dieses geschlossenen Endes seitwärts ein Loch eingefeilt, der Trichter oder ein cylindrisches Glasgefäfs unten mit einem durchbohrten Kork verschlossen und die Glasröhre mit dem zugeschmolzenen Ende durch den Kork geschoben, so dafs sich das Loch im Kork befindet. Emporschieben der Röhre, so dafs das Loch über dem Kork herauskommt, öffnet den Trichter. (American Druggist 1884; Pharm. Centralh. **25**. 161.)

Luftzugmesser. Zur Beurteilung der Stärke des Luftzuges über der Feuerung der Dampfkessel bedient man sich vielfach des durch Fig. 1 auf folgender Seite skizzierten Apparates. Derselbe besteht aus einer luftdicht verschlossenen, mit gefärbtem Alkohol ungefähr bis zur Hälfte gefüllten Flasche c, in welche ein U- und Z-förmig gebogenes Glasrohr $b\,b$ mit dem einen Ende fast bis zum Boden hineinragt; beide Enden sind zunächst offen. Das Ganze ist auf einem Brette . befestigt. Das Glasrohr b wird bei a durch einen Gummischlauch mit einem Gasrohre von 10 mm lichter Weite verbunden,

welches auf 1,5 m Länge in den oberen Teil des Flammrohres über der Feuerung hineinreicht. Nachdem der Flüssigkeitsspiegel in der Flasche und dem Glasrohre gleich hoch
gebracht ist, wird der Apparat mit dem Innern des Flammrohres in Verbindung gebracht;
die Flüssigkeit steigt als-
dann entsprechend der
Größe der Depression
der Luft über dem Roste
in dem zur bessern Beob-
achtung der geringe-
ren Höhenunterschiede
schräg gelegten Teile des
Glasrohres in die Höhe.
Der Stand der Flüssig-
keit wird durch eine
auf Millimeter reduzierte
Scala *d* angegeben. We-
gen Verdunstung des
Alkohols muß der Nullpunkt der Skala von Zeit zu Zeit reguliert werden. (B.- und
Hüttenm. Ztg. **43**. 57.)

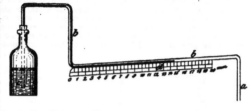

2. Allgemeine Chemie.

L. C. de Coppet, *Untersuchung über die Löslichkeit der Chloride, Bromide und
Jodide des Kaliums und Natriums.* Der Vf. hat die Löslichkeitsverhältnisse der unten-
genannten Salze bei Temperaturen zwischen —22° und +120° bestimmt und seine Bestimmungen mit den Resultaten anderer Beobachtungen zusammengestellt und daraus für
jedes eine Löslichkeitsformel berechnet, in welcher S die Menge wasserfreies Salz bezeichnet, welche sich bei der Temperatur $t°$ C. in 100 Tln. Wasser löst. Endlich sind
die sämtlichen Resultate graphisch in den hier gegebenen Kurven dargestellt.

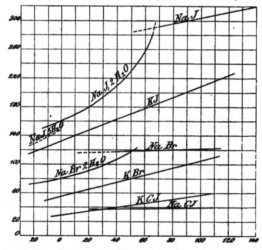

Chlorkalium KCl. $S = 28,51 + 0,2837\ t$, Bromkalium KBr. $S = 54,43 + 0,5128\ t$,
Jodkalium KJ. $S = 1,2623 + 0,8088\ t$, Bromnatrium NaBr. $S = 110,34 + 0,1075\ t$, Brom-
natriumhydrat NaBr, 2H₂O (die Berechnung der Formel mußte unterbleiben); Jodnatrium
NaJ. $S = 264,19 + 0,3978\ t$, Jodnatriumhydrat NaJ, 2H₂O (auch hier ist keine Formel
berechnet worden), Chlornatrium NaCl. $S = 34,359 + 0,0527\ t$.
Die obige graphische Darstellung zeigt, daß die Löslichkeit der wasserfreien Chloride,
Bromide und Jodide des Kaliums und Natriums durch gerade Linien; die des wasser-

haltigen Brom- und Jodnatriums durch Kurven aus gedrückt werden. Die Abscissen des Koordinatensystems entsprechen den Temperaturen in Celsiusgraden, die Ordinaten geben das Gewicht des wasserfreien Salzes für 100 Tle. Wasser an (statt KCJ und NaCJ in der Figur lies: KCl und NaCl.) (Ann. Chim. Phys. [5] **30**. 411—29.)

Berthelot und **Vieille**, *Relative Geschwindigkeit der Verbrennung detonirender Gasgemenge.* Die Vff. haben bei ihren Versuchen (S. 353) auch darauf bedacht genommen, jedesmal die Zeit zu notieren, welche nötig ist, damit der Druck während der Explosion bei konstantem Volum sein Maximum erreicht. Die Ungleichheit dieser Zeiten ist von großer Wichtigkeit, denn der in einem gegebenen Raume beobachtete Maximaldruck ist stets niedriger, als derjenige, welcher sich entwickeln würde, wenn das System die ganze bei der Reaktion freigewordene Wärme behielte; in der That tritt stets ein Wärmeverlust durch Abgabe an das Gefäß und durch Strahlung ein. Der Unterschied ist um so größer, je kleiner die Kapazität des Gefäßes ist. Je langsamer nun die Verbrennung von statten geht, um so größer wird diese Fehlerquelle. Die Dauer der Verbrennung hängt von dem Anfangszustande der Erscheinung ab und liegt zwischen der der Detonation (Geschwindigkeit der Explosionswelle 2810 m für Wasserstoff, 1089 m für Kohlenoxyd) und der der gewöhnlichen Verbrennung 34 m für das erste und 1 m für das zweite Gas nach BUNSEN. Die Verzögerung wächst mit der Dauer der Verbrennung.

Der Versuch wurde in drei verschiedenen Rezipienten von 300 ccm, resp. 1500 ccm und 4 l ausgeführt. Die Vierliterbombe war cylindrisch und in ihrer Axe von zwei Löchern durchbohrt. Das eine trug eine 63 mm lange und 5 mm weite Röhre, an deren Ende der zur Einleitung der Explosion nötige elektrische Funke erzeugt wurde; in der anderen Öffnung war die Röhre befestigt, in der sich der Kolben vorwärts bewegte. Die Länge der inneren Axe der Bombe betrug 217 mm; sie ragte in das Innere der Bombe hinein. Demnach war die Entfernung des Entzündungspunktes von der Basis des Kolbens 217 + 63—32 = 248 mm, von welcher Länge 185 mm in die Bombe selbst fielen. Dies ist die Maximaldistanz, welche die Flamme zu durchlaufen hatte, bevor sie bis zum Kolben kam, wenigstens solange dieser noch nicht von seinem Platze bewegt war.

Die 1,5 Literbombe war kugelförmig und ähnlich wie die vorige durchbohrt; die Länge der Inflammationsröhre betrug 53 mm, der Durchmesser der Bombe 142 mm, und die Kolbenröhre trat 32 mm in das Innere ein. Die Distanz des Entflammungspunktes von der Basis des Kolbens war 142 + 53—32 = 163 mm, wovon 110 mm in das Innere der Bombe selbst.

Die 300 Kubikcentimeterbombe war wiederum cylindrisch und die eine ihrer Grundflächen eben. In dieser war die Kolbenröhre befestigt, welche 32 mm in das Innere eintrat. Die andere Grundfläche war halbkugelig, nach außen convex, die 60 mm lange Entflammungsröhre war an der Vereinigungsstelle des Cylinders und der Halbkugel eingesetzt. Die Anfangsdistanz des Entflammungspunktes von der Basis des Kolbens betrug, in einer zur Axe schiefen Linie gemessen, 128 mm, wovon 68 mm auf das Innere der Bombe fielen. In allen Fällen war das Maximum des Druckes erreicht, sobald der Kolben ungefähr 20 mm vorwärts bewegt war.

Bei den Versuchen mit Stickoxyd und Cyan wurde die Entzündung im Innern bewirkt, da die Flamme innerhalb der Röhre verlosch. In diesem Falle verminderte sich die Anfangsdistanz des Entflammungspunktes von der Basis des Kolbens auf etwa 21 mm.

In der folgenden Tabelle sind die Zeiten in Tausendstelsekunden zwischen dem Augenblicke der Entzündung und dem des größten Druckes verzeichnet.

I. *Einfluß der Größe des Rezipienten.*

Natur des Gemenges	Bombe von		
	300 ccm	1500 ccm	4000 ccm
$H_2 + O_2$	1,04	—	2,14
$H_2 + O_2 + H_2$	1,67	—	4,22
$H_2 + O_2 + N_2$	2,67	—	6,87
$C_2O_2 + O_2$	12,86	—	15,51
$C_2H_4 + O_{12}$	2,86	—	2,23
$C_2N_2 + O_2$	1,55	4,50	—
$C_4N_2 + O_4 + {}^3/{}_1N_2$	3,20	2,74	—
$C_4N_2 + O_4 + 2N_2$	10,35	15,12	—.

Man sieht, daß im allgemeinen der Eintritt des Maximums eine um so größere Zeit verlangt, je größer die Kapazität der Bombe und die Entfernung zwischen dem Entflammungspunkte und der Basis des Kolbens ist. Indessen giebt es hierbei einige Unregelmäßigkeiten, die auf Störungen in der Nähe des Entflammungspunktes zurückzuführen wären.

II. *Einfluß des Gasgemenges. Einfache Gemenge mit totaler Verbrennung.*

Bombe zu 300 ccm.

$H_2 + O_2$ . . . 1,04 $H_2 + N_2O_2$ . . . 2,06 $C_2H_4 + O_{10}$ . . . 1,94
$C_2O_2 + O_2$ . . 12,86 $C_2O_2 + N_2O_2$ . . . 15,39 $C_2H_4 + O_{12}$ . . . 2,86
$C_4N_2 + O_8$ . . . 1,55 $C_4N_2 + 4N_2O_2$ . . . 4,53 $C_2H_4 + O_{14}$ . . . 0,83
                                                                 $2C_2H_4 + O_{16}$ . . . 1,24.

Das Kohlenoxydgemenge detoniert langsamer, als das des Wasserstoffs, übereinstimmend mit dem, was man darüber bereits weiß. Das Zeitverhältnis (12,3) hält die Mitte zwischen dem bei der Detonation (2,6) und dem der gewöhnlichen Verbrennung (34). Für das Cyan und die an Wasserstoff reichen Kohlenwasserstoffe differiert die Geschwindigkeit wenig von der des Wasserstoffs, übereinstimmend mit den Geschwindigkeitsverhältnissen, welche sich aus der Explosionswelle ableiten. (Cyan, nach der Welle berechnet 1,3 statt 1,5; Methan ebenso 1,23 statt 1,2; Methyl 1,2 statt 0,8 etc.) Es ist demnach stets die fortschreitende Bewegung der Gasmoleküle, durch welche die Erscheinung geregelt wird. Wird Stickoxydul statt Sauerstoff angewendet, so verzögert sich die Wirkung. Die absolute Geschwindigkeit ist schwer zu bestimmen. Wenn man, um sich eine Vorstellung von der relativen Geschwindigkeit zu machen, annimmt, daß die Flamme den Kolben im Augenblick des größten Drucks erreicht, so würde die Geschwindigkeit für Wasserstoff etwa 100 m in der Sekunde betragen, für Kohlenoxyd 8 m, für Cyan 70 m; sie sinkt auf die Hälfte beim Wasserstoff-Stickoxydulgemenge und auf ¹/₇ beim Cyan-Stickoxydulgemenge.

III. *Einfluß einer mehr oder weniger vollkommenen Verbrennung.*

Bombe von 300 cm.

$C_4N_2 + O_8$ . . . 1,55 $C_4N_2 + O_4$ . . . 1,06
$C_4N_2 + O_8 + 2N_2$. 15,4 $C_4N_2 + O_4 + 2N_2$. 10,35

Es scheint nicht, daß die vollständige Verbrennung des Cyans in zwei Phasen erfolgt, derart daß zuerst nur Kohlenoxyd gebildet und dieses dann zu Kohlensäure verbrannt würde, denn die vollkommene Verbrennung erfolgt rascher, als die Summe der beiden getrennten Effekte. Gleichwohl ist die unvollkommene Verbrennung die raschere, vielleicht wegen des Eintritts einer partiellen Dissociation, welche die vollkommene Verbrennung verlangsamt.

IV. *Einfluß des Überschusses des einen der Komposanten.*

4 Liter.

$H_2 +$ . . . 2,14
$H_2 + O_2 + {}^1/_{39}H_2$. 2,27
$H_2 + O_2 + {}^1/_{19}H_2$. 2,53
$H_2 + O_2 + {}^1/_9H_2$. 2,41
$H_2 + O_2 + {}^1/_2H_2$. 2,82
$H_2 + O_2 + H_2$. 4,22 $H_2 + O_2 + O_4$ . . . 8,16
$H_2 + O_2 + 2H_2$. 5,95
$H_2 + O_2 + 3H_2$. 9,67 $H_2 + O_2 + 3O_4$ . . 16,04.

Die Verbrennung wird in dem Maße verlangsamt, als die Menge des überschüssigen Gases zunimmt; der verzögernde Einfluß des Sauerstoffes ist etwa doppelt so groß, als der des Wasserstoffes für gleiche Volume: dies entspricht der größeren fortschreitenden Geschwindigkeit der Moleküle des ersteren Gases.

V. *Einfluß der Verbrennungsprodukte (300 ccm).*

$C_2O_2 + O_2$ . . . 12,86 $C_4N_2 + O_4$ . . . 1,06
$C_2O_2 + O_2 + {}^1/_2C_2O_4$ 27,18 $C_4N_2 + O_4 + {}^3/_4C_2O_2$. 3,64
$C_2O_2 + O_2 + C_2O_4$. 35,8 $C_4N_2 + O_4 + 2C_2O_2$. 6,44.

Die Verzögerung beträgt für ein gleiches Volum Kohlensäure das Dreifache, für ein gleiches Volum Kohlenoxyd das Sechsfache; hieraus erklärt sich, weshalb bei der gewöhnlichen Verbrennung die Fortpflanzung der Verbrennung durch die bereits verbrannten Gase verlangsamt wird.

395

VI. *Einfluſs des Überschusses eines unwirksamen Gases.*

Bombe zu 4 l.

$$H_2 + O_2 \quad . \quad . \quad . \quad . \quad 2{,}14$$
$$H_2 + O_2 + \tfrac{1}{2}N_2 \quad . \quad . \quad 2{,}86$$
$$H_2 + O_2 + \tfrac{1}{4}N_2 \quad . \quad . \quad 3{,}55$$
$$H_2 + O_2 + N_2 \quad . \quad . \quad . \quad 6{,}87$$
$$H_2 + O_2 + 2N_2 \quad . \quad . \quad 11{,}98$$
$$H_2 + O_2 + 3N_2 \quad . \quad . \quad 24{,}45$$
$$H_2 + O_2 + 4N_2 \quad . \quad . \quad 36{,}35$$

Bombe von 300 ccm.

$C_2O_2 + O_2$ . . . 12,86	$C_2N_2 + O_6$ . . . 1,55	$C_4N_2 + O_4$ . . . 1,05
$C_2O_2 + O_2 + \tfrac{1}{2}N_2$. 17,78	$C_2N_2 + O_6 + N_2$. 6,09	$C_4N_2 + O_4 + \tfrac{1}{2}N_2$ 3,20
$C_2O_2 + O_2 + N_2$. 26,49	$C_4N_2 + O_6 + 2N_2$. 15,4	$C_4N_2 + O_4 + 2N_2$ 10,35
		$C_4N_2 + O_4 + 3N_2$ 23,63
		$C_4N_2 + O_4 + 4N_2$ 29,78

Der Stickstoff verlangsamt die Verbrennung des Wasserstoffes und des Kohlenoxydes, und zwar jene stärker.

Hieraus ersieht man, daſs die Erscheinung nicht allein durch die Temperaturerniedrigung, welche in beiden Fällen nahezu die gleiche ist, sondern auch durch die gröſsere Ungleichheit der fortschreitenden Geschwindigkeiten der Gasmoleküle bedingt wird. Der Einfluſs des unwirksamen Gases bewirkt erstens eine Erniedrigung der Verbrennungstemperatur, wodurch die Geschwindigkeit der fortschreitenden Bewegung der Gasmoleküle verringert wird, und vermindert zweitens die Zahl der Stöſse zwischen den Molekülen, welche aufeinander chemisch einwirken können. Hiernach muſs überschüssiger Stickstoff eine gröſsere Verzögerung hervorbringen, als die beiden Komposanten. Bei dreifachem Volum ergeben sich die relativen Verzögerungen für das Wasserstoff-Sauerstoffgemenge durch Wasserstoff gleich 10, durch Sauerstoff gleich 16 und durch Stickstoff gleich 24. Ein Überschuſs eines der Verbrennungsprodukte bewirkt eine noch gröſsere Verzögerung: so wird durch Kohlensäure die Verbrennung des Kohlenoxydes mehr verzögert als durch Stickstoff. Bei allen diesen Wirkungen intervenieren auch die Ungleichheit der spezifischen Wärme (für C_2O_4) und die Änderungen der Dissociation.

VII. *Isomere Systeme* (300 ccm).

$H_2 + N_2 + O_2$ 2,67	$C_2O_2 + N_2 + O_9$ . . . 26,5
$H_2 + N_2O_2$ 2,06	$C_2O_2 + N_2O_9$ 15,4
$C_2N_2 + O_8$ 1,55	$C_4H_6 + O_{14}$ 0,83
$2C_2O_2 + N_2 + O_4$ . . 1,78	$C_4H_6 + H_2 + O_{14}$ . . 1,37

Die Verbrennung ist in den weniger kondensierten Systemen, welche zugleich auch die wenigste Wärme entwickeln, langsamer, ein Umstand, welcher zugleich die Translationsgeschwindigkeit und die Wahrscheinlichkeit der wirksamen Stöſse vermindert.

VIII. *Zusammengesetzte Gemenge.*

$H_2 + O_2$ . . . 1,04	$C_4H_4 + O_{12}$ . . 2,86
$C_2O_2 + O_2$ . . . 1,29	
$H_2 + \tfrac{1}{2}C_2O_2 + O_9$ 2,57	$C_4H_4 + H_2 + O_{14}$ 1,37
$H_2 + \tfrac{2}{3}C_2O_2 + O_{8\frac{1}{3}}$ 1,39	
$H_2 + C_2O_2 + O_4$ 3,88	
$H_2 + 2C_2O_2 + O_6$ 4,14	

Die Geschwindigkeit der Verbrennung ist in keinem Falle die mittlere; die beiden Gase scheinen das Bestreben zu haben, einzeln zu verbrennen, jedes mit seiner eigenen Geschwindigkeit. Es folgt daraus, daſs das Maximum des beobachteten Druckes nicht von einem gleichmäſsigen Verbindungszustande des Systemes abhängt. Demnach tritt er unter gewissen Unregelmäſsigkeiten ein und ist geringer, als er sein sollte. So geben Kohlenoxyd und Wasserstoff für sich durch Sauerstoff verbrannt nahezu denselben Druck, nämlich 10,1, resp. 9,9 Atmosphären. Bei den Gemengen müſste man einen mittleren Druck haben, während der Versuch ein geringeres Resultat ergab, nämlich 8,7 für gleiche Volume. Dasselbe läſst sich für Äthylen, gemischt mit Wasserstoff, verglichen mit Äthylen, sagen: die Verbrennungsgeschwindigkeit scheint anzudeuten, daſs der Wasserstoff zuerst verbrennt.

IX. *Kohlenwasserstoffe* (300 ccm).

$C_7H_8 + O_{10}$ . . . 1,94
$C_4H_4 + O_{12}$ . . . 2,86
$C_3H_8 + O_{14}$ . . . 0,83
$C_2H_4 + O_8$ . . . 1,24.

$C_7H_6O_2 + O_{17}$ . . . 1,42
$C_8H_{10}O_2 + O_{24}$ . . . 2,89

Die Verbrennungsgeschwindigkeit der sehr wasserstoffreichen Gase steht der des Wasserstoffes nahe; dies scheint anzudeuten, daß der Wasserstoff vor dem Kohlenstoffe verbrennt, selbst bei den vollkommenen Verbrennungen.

Diese Wirkung interveniert bei den momentanen Gleichgewichtszuständen, welche aus einer unvollkommenen Verbindung resultieren. So bei einer Verteilung des Sauerstoffes zwischen zwei brennbaren Gasen, z. B. Kohlenoxyd und Wasserstoff oder zwischen Kohlenstoff und Wasserstoff in einem Kohlenwasserstoff, oder auch die Verteilung des Wasserstoffes zwischen zwei Verbrennungsmitteln, z. B. Chlor und Sauerstoff. Diese Verteilung hängt in den ersten Momenten von der relativen Geschwindigkeit der Verbindungen ab und kann sehr verschieden von dem schließlichen Gleichgewichte sein, welches sich in demselben System bei konstanter Temperatur nach einer gewissen Zeit herstellen würde. Ein rasch abgekühltes System, wie dasjenige, welches man nach einer Detonation erhält, ist ungeeignet für die Messung der Affinitäten, weil es eine vollständig andere Verteilung der Elemente darbieten kann, ein Umstand, auf den nicht immer genügend Rücksicht genommen worden ist. (C. r. **98**. 641—51. [17.*] März.)

4. Organische Chemie.

L. Henry, Über *das dissymmetrische Chlorjodäthylen und Bromjodäthylen*. Dem Äthylen, $CH_2=CH_2$, entsprechen zwei Reihen von isomeren Halogenderivaten:

a. *Symmetrische Derivate*, und zwar einfache, $CHX=CHX$, oder gemischte, $CHX=CHX'$: dies sind die Acetylenderivate.

b. *Dissymmetrische Derivate*, welche ebenfalls einfache, $CX_2=CH_2$, oder gemischte, $CXX'=CH_2$, sein können.

Die einfachen Derivate beider Gruppen sind alle bekannt; ebenso die gemischten symmetrischen Derivaten. Was die gemischten dissymmetrischen betrifft, so ist deren Reihe noch sehr unvollständig; ein einziges Glied derselben, das Chlorobromäthylen, $CH_2=CClBr$ (Siedep. 63º), ist bis jetzt beschrieben worden.

Die gegenwärtige Mitteilung beschäftigt sich mit den beiden Jodderivaten $CH_2=CClJ$ und $CH_2=CBrJ$.

Diese beiden Körper entstehen, wie Vf. vor kurzem gezeigt hat, durch Einwirkung kaustischer Alkalien auf die Additionsprodukte des Chlorjods JCl zu Monochloräthylen und Monobromäthylen. Letztere: $C_2H_3Cl_2J$ und C_2H_3ClBrJ geben unter diesen Bedingungen zwei disubstituierte dissymmetrische Äthylenderivate, $CX_2=CH_2$, aber in sehr ungleichen Mengen. Da die Siedepunkte dieser Verbindungen sehr verschieden sind, so lassen sie sich durch fraktionierte Destillation leicht trennen.

1. *Chlorjodäthylen*, $CClJ=CH_2$. Es bildet sich zugleich mit dem dissymmetrischen Dichloräthylen, $CCl_2=CH_2$, (Siedep. 35º) bei der Einwirkung von alkoholischem Kali in geringem Überschuß auf $C_2H_3Cl + JCl$. Es ist seiner Menge nach nur das Nebenprodukt der Reaktion, es ist eine farblose Flüssigkeit, welche sich rasch im Lichte zersetzt und zuletzt dunkelpurpurviolett gefärbt wird; frisch destilliert, hat es einen schwachen Äthergeruch, welcher aber nach einiger Zeit dem durchdringenden Geruche der Säurechloride Platz macht. Es ist unlöslich in Wasser, in welchem es zu Boden sinkt; spez. Gewicht 2,1431 bei 0º bezogen auf Wasser von gleicher Temperatur. Unter einem Druck von 759 mm siedet es bei 100—101º und färbt sich dabei violett. Dampfdichte 6,54 gefunden (berechnet 6,51).

Im Gegensatz zu dem sehr leicht polymerisierbaren Chlorobromid, $CH_2=CClBr$, läßt es sich aufbewahren, zieht aber langsam Sauerstoff an, dabei wird zugleich der Säurechloridgeruch immer stärker.

B. *Bromjodäthylen*, $CBrJ=CH_2$. Es entsteht durch Einwirkung von alkoholischem Kali auf $C_2H_3Br + JCl$ zugleich mit dem entsprechenden Chlorbromderivat $CH_2=CClBr$ (Siedep. 63º); es bildet der Menge nach das Hauptprodukt der Reaktion.

Es ist dem vorher beschriebenen absolut analog, doch weniger stark riechend und noch veränderlicher im Licht. Frisch bereitet bildet es eine farblose Flüssigkeit, welche bald violett wird, in Wasser unlöslich ist und das spez. Gewicht 2,5651 besitzt. Es siedet bei 128—130º (764 mm Druck), indem es sich dabei violett färbt. Die Dampfdichte wurde gleich 7,92 (ber. 8,05) gefunden. Auch diese Verbindung läßt sich auf-

bewahren, ohne daß sie sich polymerisiert. Sie scheint weniger lebhaft Sauerstoff anzuziehen als die vorige, und bewahrt auch längere Zeit ihren schwachen Geruch.

Mit alkoholischem Kali erhitzt, verwandeln sich diese Körper in monosubstituierte
Acetylenderivate, $CCl\equiv CH$ und $CBr\equiv CH$, um, welche bekanntlich an der Luft sich
freiwillig entzündende Gase sind.

Die beiden Reihen der disubstituierten Äthylenderivate, die symmetrischen und die
unsymmetrischen entwickeln sich parallel und in übereinstimmender Weise. Die dissymmetrischen, $CX_2\equiv CH_2$, sind flüchtiger als die symmetrischen, $CHX\equiv CHX$; die
Differenz der Siedepunkte ist konstant 19—20°. Auch unter den verschiedenen Gliedern
einer jeden Reihe beobachtet man dieselbe Differenz der Flüchtigkeit und der Siedepunkte; die Zersetzung des einen Halogens durch ein anderes bewirkt also ähnliche
Modifikationen in der Flüchtigkeit der Äthylenderivate, mögen diese der einen oder
anderen Reihe angehören. Aus der folgenden Tabelle ergeben sich diese Beziehungen in
übersichtlicher Weise.

Symmetrische Derivate $CHX\equiv CHX$			Differ.	Dissymmetrische Derivate $CX_2\equiv CH_2$.		
Differenz	Formel	Siedepkt.		Formel	Siedepkt.	Differenz
55° {	$CHCl\equiv CHCl$	55°	20°	$CCl_2\equiv CH_2$	35°	} 55°
	$CHBr\equiv CHBr$	110°	20°	$CHBr_2\equiv CH_2$	90—91°	
	$CHJ\equiv CHJ$	190°	—	—	—	
37° {	$CHCl\equiv CHBr$	81—82°	19°	$CClBr\equiv CH_2$	63°	} 37—38°
	$CHCl\equiv CHJ$	119°	19°	$CClJ\equiv CH_2$	100—101°	} 29°
31° {	$CHBr\equiv CHJ$	150°	20°	$CBrJ\equiv CH_2$	128—130°	
27° {	$CHCl\equiv CHCl$	55°	20°	$CCl_2\equiv CH_2$	35°	} 28°
68° {	$CHCl\equiv CHBr$	81—82°	19°	$CClBr\equiv CH_2$	63°	} 67°
	$CHBr\equiv CHJ$	150°	20°	$CBrJ\equiv CH_2$	128—130°	
40° {	$CHBr\equiv CHBr$	110°	20°	$CBr_2\equiv CH_2$	90—91°	} 40°
64° {	$CHCl\equiv CHCl$	55°	20°	$CCl_2\equiv CH_2$	35°	} 65°
	$CHCl\equiv CHJ$	119°	19°	$CClJ\equiv CH_2$	100—101°	

Die Dichte der disubstituierten symmetrischen Derivate im flüssigen Zustande ist im
allgemeinen größer, als die der dissymmetrischen Isomeren.

		Dichte
$CHCl\equiv CHJ$	. . . .	2,23 bei 0°
$CClJ\equiv CH_2$	. . . .	2,14 ,,
$CHBr\equiv CHJ$	. . . .	2,75 ,,
$CBrJ\equiv CH_2$	. . . .	2,56 ,,
$CHJ\equiv CHJ$	. . . .	3,03 bei 21°
$CJ_2\equiv CH_2$	. . . .	2,942 ,,

Ähnliche Beziehungen in bezug auf die Flüchtigkeit und Dichte ergeben sich auch
zwischen den beiden Reihen der disubstituierten Äthanderivate; die symmetrischen Derivate CH_2X—CH_2X oder Äthylenderivate sind weniger flüchtig und dichter als ihre
Isomeren, die dissymmetrischen CH_3—CHX_2 oder Äthylidenderivate. (C. r. **98**. 741—45.
[24.°] März.)

F. Strohmer, *Gehaltsbestimmung reiner wässeriger Glycerinlösungen mittels ihres
Brechungsexponenten.* Der Verfasser liefert den Nachweis, daß man sich zur Gehaltsbestimmung wässeriger Glycerinlösungen der Erscheinung bedienen kann, daß der
Brechungsexponent einer solchen Lösung mit der vorhandenen Menge des Glycerins
wächst; da man mit Hilfe der ABBE'schen Apparate, welche auf dem Prinzipe der Totalreflexion beruhen, sehr schnell und genau den Brechungsexponenten einer Flüssigkeit
bestimmen kann, so ist dadurch die Gehaltsermittlung reiner wässeriger Glycerinlösungen
zu einer leicht lösbaren Aufgabe gemacht.

Es wurden zu diesem Zwecke von ganz reinen Lösungen, und zwar zumeist aus
krystallisiertem Glycerin dargestellt, der Brechungsexponent sowie das spezifische Gewicht bei 17,5° C. auf das genaueste bestimmt. Aus den Versuchen ergiebt sich nach
der Methode der kleinsten Quadrate:

und da:

$$n_{(D)} = 75{,}875 + 0{,}56569\, d,$$

$$d = \frac{(K+100)\, D}{D\,(100-C)+C}$$

$$n_{(D)} = 0{,}75875 + \frac{(K+56{,}^-69)\, D}{D\,(100-^D C) + C}$$

wobei d das spezifische Gewicht der Lösung, D jenes des wasserfreien Glycerins, was für 17,5° C. 1,262 beträgt, und C die Gewichtsprozente Glycerin bedeuten. Da die von verschiedenen Forschern vorliegenden Zahlen über den Zusammenhang von Dichte und Gehalt wässeriger Glycerinlösungen sehr bedeutend unter einander differieren, wurden die betreffenden Fundamentalbestimmungen auf das' genaueste wiederholt und eine Tabelle berechnet, welche für wässerige Glycerinlösungen von 50—100 p. c. Glycerin, Brechungsexponent und spezifisches Gewicht bei 17,5° C. angiebt. Verfasser hat sich für seine Untersuchungen in der Sitzung vom 11. Juli 1878 die Priorität gewahrt und ersucht zum Beweise dessen um Eröffnung des in jener Sitzung vorgelegten Schreibens:

Der Inhalt dieses Schreibens lautet:

„Dr. E. ABBE in Jena hat mehrere sogenannte Refraktometer zur Bestimmung der dioptrischen Konstanten von flüssigen Körpern mittels der Totalreflexion konstruiert.

Diese Instrumente kann man aber auch zur Gehaltsprüfung verschiedener Flüssigkeiten benutzen, indem mit der Zunahme des Prozentgehaltes einer Flüssigkeit auch der Brechungsexponent, wenn auch nicht proportional, wächst. Ich habe dieses Prinzip angewendet zur Prüfung des Gehaltes von reinem Rohrzucker und reinen Glycerinlösungen in Wasser.

Bei Rohrzucker bin ich von 1—40 p. c. Lösung gegangen, die betreffenden Versuche wurden bereits im August 1877 ausgeführt. Mit den Versuchen über Glycerin bin ich soeben beschäftigt. Ich verwende dazu Glycerin von WÜRTH u. Co. in Wien, welches nach einer genauen Untersuchung als chemisch rein zu bezeichnen ist. Dasselbe hat ein spezifisches Gewicht von 1,2383 bei 17,5° C. und einen Brechungsexponent $N_{(D)} = 1{,}4580$ für dieselbe Temperatur. Ferner sogenanntes chemisch reines Glycerin von SARG Sohn u. Co. in Wien, dasselbe zeigte sich ebenfalls vollkommen rein und hatte bei einem spezifischen Gewicht von 1,2652 bei 17,5° C. einen Brechungsexponent $M_{(D)} = 1{,}4675$.

Ferner verwende ich SARG's krystallisiertes Glycerin, von demselben wird die Mutterlauge vollkommen abgetropft, dann unter einer Glocke neben Schwefelsäure zerfliefsen gelassen, wieder von dem flüssigen Anteil getrennt und diese Operation dreimal wiederholt. Die restierenden Krystalle im Rezipienten der Luftpumpe über Schwefelsäure vollständig in Flüssigkeit verwandelt und dieses flüssige Glycerin nun zu den weiteren Bestimmungen verwendet. Die Flüssigkeit giebt $N_{(D)} = 1{,}4712$ bei 17,5° C. Von diesen Präparaten werden nun Glycerinlösungen von verschiedenem spezifischen Gewicht dargestellt und die Brechungsexponenten bestimmt, für jetzt führe ich nur an:

Für das spez. Gew. bei 17,5° C.	$N_{(D)}$ bei 17,5° C.	Für das spez. Gew. bei 17,5° C.	$N_{(D)}$ bei 17,5° C.
1,156	1,4130	1,170	1,4215
1,160	1,4145	1,190	1,4310
1,162	1,4155	1,210	1,4430
1,165	1,4180	1,234	1,4560
1,167	1,4195		

Aus den spezifischen Gewichten läfst sich nun nach METZ, FABIAN und SCHWEIKERT, sowie anderen auf den Gehalt der Glycerinlösung an reinem Glycerin schliefsen, und man kann so eine Tabelle berechnen, welche angiebt, wieviel Prozente Glycerin einem bestimmten Brechungsexponenten entsprechen. Die Dispersion kann als Kriterium für die Reinheit der Glycerinlösung gelten, indem sich diese durch Zusatz ändert. Welche Abweichung die Dispersion durch Zusatz von Zucker, Schwefelsäure, Kalk erfährt, wird, wie auch der Einflufs der Temperatur auf die Brechungsexponenten studiert werden. Der Differenzwinkel der beiden Amicischen Prismen beträgt für reine Glycerinlösungen 17,5°. Die Dispersion selbst konnte noch nicht berechnet werden, da mir von Seite der Verfertiger des Instrumentes die Mechaniker SCHMIDT & HAENSCH in Berlin trotz wiederholter Anfrage die betreffenden Winkelgröfsen der Prismen nicht mitgeteilt worden sind. Durch diese Untersuchungen soll ein Weg gefunden werden, das Glycerin, das in der Medizin und den Nahrungsgewerben eine so grofse Rolle spielt, rasch und sicher auf seinen Gehalt und seine Reinheit prüfen zu können, was bis jetzt noch mit Schwierigkeit verbunden ist." (Sitz.-Ber. d. Wien. Akad. 2. Abt. **89**; Wien. Anz. 1883. 237—40.)

W. Spring und **C. Winssinger.** *Über die Einwirkung des Chlors auf die Sulfonverbindungen und die Oxysulfide der Amylreihe.* Nach der Theorie von Kekulé sind die Kohlenstoffatome eines organischen Körpers zu einem Ring oder einer Kette vereinigt, in welcher keinem derselben eine besondere oder vorwiegende Rolle zukommt. Nach Kolbe dagegen müssen die Eigenschaften eines zusammengesetzten Körpers auf die Gegenwart einer charakteristischen Atomgruppe innerhalb des Moleküls zurückgeführt werden, welche ihren Einfluß auf alle übrigen ausübt. So sind z. B. die Alkohole durch die Gegenwart einer eigentümlichen Gruppe $\equiv$C—OH bestimmt, welcher Kolbe den Namen Carbinol giebt; die anderen Kohlenstoff- oder Wasserstoffatome, welche das Molekül des Alkohols bilden, stehen unter dem Einfluß dieser Gruppe.

Diese Atome würden sozusagen den Charakter, den sie in einer Verbindung anderer Art besitzen, verlieren, um in dem neuen Molekül unter dem Einfluß der Carbinolgruppe eine neue Rolle zu spielen. Nach dieser Auffassung könnte man mit einem Worte sagen, daß in einem Alkoholmolekül alles Alkohol ist; wenn dagegen, der anderen Auffassung gemäß, die Atome untereinander wie die Ringe einer Kette vereinigt sind, so müßte es immer möglich sein, ein Molekül, welches einem Körper von gewisser Art angehört, in Gedanken wenigstens, in bestimmte Bruchstücke zu zerlegen, welche zur Bildung von Körpern ganz anderer Art dienen könnten. Die Vff. haben schon früher diesen Gedanken entwickelt, und sie beschränken sich jetzt darauf, anzugeben, auf welche Weise man auf experimentellem Wege die Konsequenzen dieser beiden Auffassungen verifizieren könnte.

In ihrer ersten Arbeit haben sie gezeigt, daß, wenn man in der Äthangruppe C_2H_6 eines der sechs Wasserstoffatome durch die Sulfongruppe SO_3H ersetzt, die fünf übrigbleibenden Wasserstoffatome die Eigenschaft verlieren, durch Chlor vertreten zu werden. Die Gegenwart einer Sulfongruppe zieht die Verbindung des Kohlenstoffs mit dem Wasserstoff so fest zusammen, daß das Chlor dieselbe unter gewöhnlichen Bedingungen nicht zerreißen kann; die Sulfongruppe übt nach also ihren Einfluß auf die ganze Gruppe C_2H_5, mit der sie verbunden ist, aus.

Wenn die Ansicht von Kekulé die richtige ist, so müßten die höheren Homologen der Aethylsulfonsäure in ihrem Molekül Kohlenstoffatome enthalten, welche weiter und weiter von der Sulfongruppe entfernt sind, wie die folgenden Formeln zeigen:

$$-\overset{|}{\underset{|}{C}}-\overset{|}{\underset{|}{C}}-SO_3H, \qquad -\overset{|}{\underset{|}{C}}-\overset{|}{\underset{|}{C}}-\overset{|}{\underset{|}{C}}-SO_3H, \qquad -\overset{|}{\underset{|}{C}}-\overset{|}{\underset{|}{C}}-\overset{|}{\underset{|}{C}}-\overset{|}{\underset{|}{C}}-SO_3H \text{ etc.,}$$

und demnach müßten diese entfernteren Atome mehr und mehr die Eigenschaft zeigen, welche sie in den eigentlichen Kohlenwasserstoffen besitzen. Mit einem Worte: die zugehörigen Wasserstoffatome müßten sich mehr oder weniger leicht direkt durch Chlor ersetzen lassen. Die Kekulé'sche Ansicht führt demnach zu der durch den Versuch leicht zu prüfenden Konsequenz, daß die höheren Homologen der Äthylsulfonsäure Chlorsubstitutionsprodukte geben müßten. Eine weitere Konsequenz wäre, daß die Chlorierung sich in dem Molekül notwendig an denjenigen Stellen vollziehen müßte, welche außerhalb des direkten Einflusses der Sulfongruppe stehen, oder die Chloratome müßten in dasjenige Ende der Kette eintreten, welches der Sulfongruppe entgegengesetzt ist.

Nach der Kolbe'schen Auffassung dagegen sind die höheren Homologen der Äthylsulfonsäure vor allen Dingen Sulfonsäuren, und dieser Charakter kann ihnen nie durch den Kohlenwasserstoff genommen werden, welcher einen Teil ihres Moleküls bildet. Sind die Sulfonsäuren also dadurch charakterisiert, daß sie dem Chlor widerstehen, so ist nicht einzusehen, warum dies nicht auch für die höheren Homologen ebensogut gelten müßte, wie für die niedrigeren Glieder der Reihe.

Kurz, je nachdem der Versuch ergiebt, daß sich die höheren Homologen der Äthylsulfonsäure direkt chlorieren lassen oder nicht, muß man sich auf die Seite von Kekulé oder Kolbe stellen.

In ihrer zweiten Mitteilung haben die Vff. die Einwirkung des Chlors auf die Sulfonderivate der o-Propylgruppe $\overset{\cdot}{C}H_3$—CH_2—CH_2— studiert. Der Versuch hat gezeigt, daß die o-Propylsulfonsäure der Einwirkung des Chlors ebenso widersteht, wie die Äthylsulfonsäure, und daß demnach die Ansicht Kolbe's mehr im Einklang mit den Thatsachen steht, als die von Kekulé. In der vorliegenden Arbeit beschreiben sie ihre Untersuchung über die Einwirkung des Chlors auf die Sulfonderivate des Amyls:

$$\begin{array}{c} \text{H} \quad \text{H} \\ | \quad | \\ \overset{\text{H}_3\text{C}}{\underset{\text{H}_3\text{C}}{>}}\text{C}-\overset{|}{\text{C}}-\overset{|}{\text{C}}-. \\ | \quad | \\ \text{H} \quad \text{H} \end{array}$$

Sie sind hierbei ebenso vorgegangen wie früher, das heißt sie haben sich nicht darauf beschränkt, zu untersuchen, ob das Chlor eine direkte Einwirkung auf die Amylsulfonsäure ausübt oder nicht, sondern sie haben auch zugleich konstatiert, ob in dieser Substanz das Chlor und die Sulfongruppe gleichfalls miteinander unverträglich sind. Endlich haben sie sich auch von der Entwicklung (évolution) versichert, welche die Verbindung des Wasserstoffs mit dem Kohlenstoff erfährt, wenn man von dem primitiven Kohlenwasserstoff bis zu dem Sulfon, und zwar unter Passierung des Mittelgliedes, Oxysulfid, aufsteigt. Die früheren Untersuchungen haben nämlich gezeigt, daß die Ursache der größeren Stabilität eines Sulfonmoleküls nicht in der Gegenwart des Schwefels, sondern vielmehr der Gruppe SO_2 zu suchen ist, indem die Chlorierung um so schwieriger wird, je mehr sich die Gruppe SO_2 kompletiert. So ist $C_5H_7-C_5H_7$ sehr leicht zu chlorieren; $C_5H_7-S-C_5H_7$ kann ebenfalls noch chloriert werden; $C_5H_7-SO-C_5H_7$ gestattet immer noch eine Chlorierung, jedoch nur schwach; $C_5H_7-SO_2-C_5H_7$ widersteht dagegen der Einwirkung des Chlors.

1. *Einwirkung von Chlor auf Amylsulfonsäure.* Die Amylsulfonsäure $C_5H_{11}SO_2H$ reagiert mit Chlor, aber nur unter dem Einfluß sehr intensiven Lichtes; man erhält eine gewisse Menge Monochloramylsulfonsäure $C_5H_{10}ClSO_2H$, aber zu gleicher Zeit entsteht ein Chlorderivat des Amyls und der Chlorschwefelsäure. Das Chlor bewirkt also, indem es mehr als 1 Atom Wasserstoff in der Amylsulfonsäure ersetzt, die Austreibung einer Sulfongruppe. Dieses Faktum wurde bereits bei den früheren Untersuchungen beobachtet; neuerdings ist es auch für die aromatischen Verbindungen durch WERNER (Ber. Chem. Ges. **16.** 617) verifiziert worden.

2. *Einwirkung von Jodtrichlorid auf Amylsulfonsäure.* Man ließ beide Körper bei 130° in geschlossenen Röhren aufeinander wirken. Wenn sie in solcher Menge miteinander gemischt werden, daß nur 1 Atom Wasserstoff in der Sulfonsäure vertreten werden kann, nämlich: $3\,C_5H_{11}SO_2H$ und $2\,JCl_3$, so bildet sich viel Salzsäure, Monochloramylsulfonsäure, Trichlorpentan, Tetrachlorpentan und Chlorschwefelsäure. Die Reaktion ist also nicht einfach und kann nicht durch die Gleichung:

$$3\,C_5H_{11}SO_2H + 2\,JCl_3 = 3\,C_5H_{10}ClSO_2H + J_2 + 3\,HCl.$$

ausgedrückt werden. Die Monochloramylsulfonsäure, welche sich zuerst bildet, reagiert auf das Jodtrichlorid, und der Eintritt neuer Chloratome bewirkt die vollständige Austreibung der Sulfongruppe. Die Reaktion des Jodtrichlorids auf die Amylsulfonsäure ist also mit derjenigen zu vergleichen, welche das Chlor für sich bewirkt, sie ist aber lebhafter. Die Vff. haben das Bariumsalz der Monochloramylsulfonsäure dargestellt. Dasselbe ist sehr löslich in Wasser und in Alkohol, krystallisiert ziemlich schwer und bildet mit Chlorbarium und mit Bariumamylsulfonat Verbindungen. Es wurden im reinen Zustande folgende Salze erhalten:

$$(C_5H_{10}ClSO_2)_2Ba(C_5H_{11}SO_2)_2Ba, \ 2\,H_2O$$
$$(C_5H_{10}ClSO_2)_2Ba, \ (C_5H_{11}SO_2)_2Ba, \ BaCl_2. \ 2\,H_2O.$$

Wenn das Jodtrichlorid in einer größeren Menge angewendet wird, z. B. in dem Verhältnis $3\,C_5H_{11}SO_2H : 22\,JCl_3$, so entsteht Dichloramylsulfonsäure $C_5H_9Cl_2SO_2H$ Monochloramylsulfonsäure und reichliche Mengen gechlorte Derivate des Amyls, ferner Kohlenstofftetrachlorid und Chlorschwefelsäure. Die Gegenwart der Dichlorsäure und die Abwesenheit einer Trichlorsäure führen zu dem Schluß, daß die Austreibung der Sulfongruppe durch das Chlor hauptsächlich durch den Eintritt eines dritten Atoms Chlor in das Molekül bewirkt worden ist.

Die Amylsulfonsäure reagiert also mit Chlor anders, als ihre niedrigeren Homologen; denn diese geben unter denselben Bedingungen nur eine sehr kleine Menge Monochlorsäure neben großen Mengen von gechlorten Kohlenwasserstoffen und keine Dichlorsäure.

3. *Einwirkung von Chlor auf das Diamylsulfon* $(C_5H_{11})_2SO_2$. Diese Einwirkung findet nicht direkt statt; unter dem Einfluß sehr hellen Lichtes bildet sich eine kleine Menge Chlorwasserstoff, allein die Wirkung hört bald auf, und die gebildeten Produkte lassen sich nicht isolieren.

Das Jodtrichlorid giebt bessere Resultate. Bei 120—130° bildet sich in geschlossenen Röhren Monochlordiamylsulfon $(C_5H_{10}Cl)SO_2(C_5H_{11})$; dieses ist eine dicke, bei 330° siedende Flüssigkeit; ferner Dichlordiamylsulfon $(C_5H_{10}Cl)SO_2(C_5H_{10}Cl)$, welches sich nicht unzersetzt destillieren läfst, und eine grofse Menge Tri- und Tetrapentan, endlich Sulfurylchlorid. Diese gechlorten Sulfone sollen noch den Gegenstand einer weitergehenden Untersuchung bilden. Man sieht also, dafs das Diamylsulfon sich gegen Jodtrichlorid ebenso wie Amylsulfonsäure verhält: die Existenz von $C_5H_{10}Cl.SO_2C_5H_{11}$ und $(C_5H_{10}Cl)_2SO_2$ zeigt, dafs die Gruppe SO_2 mit ein oder zwei Atomen Chlor im Molekül verträglich ist, nicht aber mit drei Atomen.

4. *Einwirkung von Chlor auf Amyloxysulfid* $(C_5H_{11})_2SO$. Die Vff. haben Chlor auf Amyloxysulfid bei Gegenwart von Wasser einwirken lassen, um analoge Bedingungen herzustellen wie bei der Reaktion von Chlor auf Äthyl- und Propyloxysulfid. Hierbei bildet sich: 1. Das Chloranhydrid der Amylsulfonsäure, 2. Amylsulfonsäure, 3. Monochloramylsulfonsäure, 4. eine grofse Menge Diamylsulfon, 5. Valeriansäureanhydrid, 6. Valeriansäure, 7. Monochlorvaleriansäure, 8. das Chloranhydrid der Valeriansäure, 9. ein Gemenge von Tri- und Tetrachlorpentan, 10. Chlorwasserstoff etc. Die Gegenwart aller dieser Körper wurde durch die Analyse nachgewiesen.

Die Entstehung des Valeriansäureanhydrids, der Valeriansäure, der Chlorvaleriansäure und des Chloranhydrids dieser Säure erklärt sich durch die Gegenwart von $C_5H_9Cl_3$ und $C_5H_8Cl_4$. In der That haben sich die Vff. überzeugt, dafs das erstere sich mit Wasser nach den Gleichungen:

$$C_5H_9Cl_3 + H_2O = C_5H_9OCl + 2HCl, \text{ dann}$$
$$2C_5H_9OCl + H_2O = (C_5H_9O)_2O + 2HCl$$

umsetzt, und dafs $C_5H_8Cl_4$ ähnliche Reaktionen giebt. Für die Einwirkungen von Chlor auf Amyloxysulfid bei Gegenwart von Wasser lassen sich also folgende Gleichungen aufstellen:

1. $C_5H_{11}SO.C_5H_{11} + 4Cl_2 + H_2O = C_5H_{11}SO_2Cl + C_5H_9Cl_3 + 4HCl$;
2. $C_5H_{11}SO.C_5H_{11} + H_2O + Cl_2 = (C_5H_{11})SO_2 + 2HCl$; endlich
$C_5H_{11}SO_2Cl + H_2O = C_5H_{11}SO_3H + HCl$, und $C_5H_9Cl_3 + H_2O =$ (siehe oben).

Allgemeine Resultate. Aus diesen Untersuchungen ergiebt sich, dafs die Sulfonderivate eine gröfsere Neigung besitzen, mit Chlor gechlorte Derivate zu bilden, als ihre niedrigeren Homologen. Man kann hierin eine Bestätigung der theoretischen Ansichten KEKULÉ's erblicken, jedoch darf man darin nicht zu weit gehen. Allerdings widersetzt sich die Sulfongruppe bis zu einem gewissen Grade dem Eintritt des Chlors in ein Sulfonderivat, aber wenn dieser Eintritt erzwungen wird, so flieht das Chlor nicht etwa die Nachbarschaft der Sulfongruppe, sondern scheint sie im Gegenteil zu suchen und fixiert sich an dasselbe Kohlenstoffatom, welches die Sulfongruppe trägt, bis die letztere ihrer Antipathie gegen die Chlorderivate des Kohlenstoffs weicht und ihren Platz ihrem Feinde überläfst. Diese Schlufsfolgerung stützt sich zuerst darauf, dafs die Monochloräthylsulfonsäure $C_2H_4ClSO_3H$ nicht zum Taurin, sondern zu einem Isomeren desselben führt, und weiter darauf, dafs die Chlorderivate der Kohlenwasserstoffe, welche man durch Austreibung der Sulfongruppen erhält, höhere Homologe des Chloroforms sind:

$$H{-}CCl_3,$$
$$H_3C_2{-}CCl_3,$$
$$H_5C_4{-}CCl_3.$$

Man weifs, dafs die Darstellung der gechlorten Kohlenwasserstoffe, welche diesen Formeln entsprechen, grofse Schwierigkeiten bietet. FRIEDEL, welcher sich besonders mit ihrem Studium beschäftigt hat, hat vergebens versucht, das nächsthöhere Homologe des Chloroform $H_3C{-}CCl_3$ darzustellen. Die bequemste Bereitung dieser Substanzen würde nach den vorstehenden Untersuchungen die Einwirkung von Chlor auf die Sulfonverbindungen sein.

Es scheint also, dafs ein Kohlenstoffatom eines bestimmten Moleküls, um welches eine Substitution stattgefunden hat, gewissermafsen der Sitz weitergehender Substitutionen ist. Allgemeiner würde sich dies ausdrücken lassen, dafs der Ort, wo eine Substitution in einem Molekül stattgefunden hat, eine gewisse Neigung für ähnliche Vorgänge bewahrt.

Die Vff. werden ihre Untersuchungen fortsetzen und insbesondere die relative Reaktionsfähigkeit der Kohlenwasserstoffe einer und derselben homologen Reihe studieren; sie haben übrigens bereits in ihrer zweiten Mitteilung hervorgehoben, dafs es notwendig ist, in dieser Weise vorzugehen, um zu einer allgemeinen Schlufsfolgerung zu gelangen. (Bull. Par. **41.** 301—9. 20. März.)

De Fororand. *Über das Natriumglyoxaldisulfit.* Das Glyoxal verbindet sich mit den Disulfiten der Alkalien und alkalischen Erden zu krystallisierten schon seit langer Zeit bekannten Körpern, deren Formeln:

$$C_4H_2O_4, 2(NaO, S_2O_4) + 4HO,$$
$$C_4H_2O_4, 2(NH_4O, S_2O_4),$$
$$C_4H_2O_4, 2(BaO, S_2O_4) + 6HO$$

sind. In jeder derselben sind 2 Äq. Disulfit mit 1 Äq. Glyoxal verbunden, infolge der doppelten Aldehydfunktion dieses Körpers. Der Vf. hat die Bildungswärme der Natriumverbindung bestimmt, und zwar nach drei verschiedenen Methoden:

1. Durch Zerzetzen des Salzes mittels 4 Äq. Natron. Nach diesem Verfahren berechnet sich für 1 Äq. gelöstes Glyoxal und 2 Äq. Natriummetasulfit: + 11,12 cal. bei + 11,5°.

2. Durch Mischen von gelöstem Glyoxal mit 2 Äq. gelöstem Metasulfit. Es ergab sich + 10,93 cal. bei + 12°.

3. Durch Einwirkung von 4 Äq. gelöster schwefliger Säure auf Glyoxal und nachherigem Zusatz von 2 Äq. Natron. Aus dem Versuchsergebnis berechnet sich für die Gleichung:

$$C_4H_2O_4 \text{ gelöst} + 2(NaO, S_2O_4) \text{ gelöst} = C_4H_2O_4, 2(NaO, S_2O_4) \, 4HO \text{ gelöst}$$

im Mittel: + 11,03 cal. und auf den festen Zustand bezogen für die Gleichung:

$$C_4H_2O_4 \text{ fest} + 2(NaO, S_2O_4) \text{ fest} = C_4H_2O_4, 2(NaO, S_2O_4), 4HO \text{ fest:}$$

+ 11,33 cal.; endlich unter der Annahme von flüssigem Wasser: + 14,2 cal. (C. r. **96**. 824—27. [31.*] März.)

A. Levallois. *Einwirkung des polarisierten Lichtes auf die Lösung der Cellulose in Schweizer'scher Flüssigkeit.* (C. r. **98**. 732—35. [24.*] März.)

C. S. S. Webster, *Über das Trichlorpyrogallol.* Cross und Bevan haben gefunden. dafs durch Einwirkung von Chlor auf Lignose und Bastose gechlorte Derivate entstehen. welche nach Eigenschaften und Zusammensetzung den Körpern ähnlich sind, welche man durch Einwirkung von Chlor auf verschiedene adstringierende Substanzen erhält. Da letztere den aromatischen Reihe angehören, so ist anzunehmen, dafs die ersteren durch die Einwirkung des Chlors ebenfalls in Körper dieser Reihe übergehen. Die genannten Chemiker fanden ferner, dafs das amorphe Chlorderivat der Bastose gewisse Ähnlichkeit mit dem Mairogallol von Stenhouse besitzt. Der Vf. hat sich hierdurch veranlafst gesehen, die Bildung des Mairogallols näher zu untersuchen. Er fand, dafs die Reaktion, durch welche es entsteht, in zwei Stadien verläuft, die voneinander getrennt werden können. Im ersten Stadium wird Trichlorpyrogallol gebildet, welches sich dann im zweiten Stadium kondensiert und den fraglichen Körper mit C_{18} giebt. Jenes Chlorderivat hat die Formel $C_6Cl_3(HO)_3 3H_2O$ und wird folgendermafsen dargestellt: Zu 5 g Pyrogallol setzt man 12 ccm starker Essigsäure und leitet, während man die Mischung abkühlt, einen raschen Strom von trocknem Chlorgas hindurch; in einer halben Stunde scheidet sich die neue Verbindung als eine halbfeste Masse in feinen Nadeln ab. Die Reaktionen dieses Körpers sind fast identisch mit denen des Tribrompyrogallols, welches mit Barytwasser eine tiefblaue Färbung etc. giebt. Der Vf. hat ferner das Mairogallol. Leucogallol, Xanthogallol und Tribrompyrogallol dargestellt und bestätigt die Angaben von Stenhouse und Groves durchaus. (Chem. N. **49**. 189).

R. Meldola, *Über die Einwirkung von α-Dibromnaphtol auf Amine.* In einer vorläufigen Mitteilung (**83**. 148) hat der Vf. die Aufmerksamkeit auf die aufserordentliche Leichtigkeit gelenkt, mit welcher das α-Dibromnaphtol auf gewisse Amine reagiert und mit Anilin, p-Toluidin und β-Naphtylamin gut charakterisierte krystallinische Basen bildet. Die Einwirkung desselben Körpers auf Diamine ist der Gegenstand eines Patentes für L. Casella und Co. geworden. Die Reaktion selbst wurde genauer von R. Möhlau (Ber. Chem. Ges. **16**. 2853) untersucht. Der Vf. beschränkt sich deshalb auf die Beschreibung einiger Resultate, welche er bei der Einwirkung von α-Dibromnaphtol auf Monamine erhalten hat.

Mischt man α-Dibromnaphtol mit etwa der dreifachen Menge Anilin, so entsteht eine weifse krystallinische Masse von Anilindibromnaphtola. Durch Erhitzen bis nahe zum Siedepunkt des Anilins wird der Inhalt der Flasche dunkelrotbraun, und die Reaktion ist in zehn Minuten vollendet; beim Abkühlen erstarrt die Masse zu einem festen Krystallkuchen. Die Substanz wurde durch Waschen und Umkrystallisieren aus siedendem Alkohol gereinigt und bildet orangerote, bei 179° schmelzende Nadeln, welche basische Eigenschaften besitzen und mit dem *Diphenyldiimidonaphtol* von Goes und Zincke übereinstimmen. Das Zink- und Platinsalz wurde dargestellt und durch die

Analyse die Identität der Substanz mit dem β-Naphtochinondianilid nachgewiesen. Mit o-Toluidin verläuft die Reaktion ähnlich, doch scheidet sich dabei nichts aus, wenn man den Inhalt der Flasche mit Alkohol verdünnt. Mit p-Toluidin wurden analoge Resultate erhalten, und das Produkt krystallisierte in seideglänzenden, orangegelben, bei ungefähr 175° schmelzenden Nadeln aus. Unter Anwendung von Naphtylamin wurde ebenfalls ein krystallinischer Körper erhalten. Die Einwirkung von Dibrom-α-Naphtol auf Amine bildet also eine sehr einfache Methode zur Darstellung dieser Chinonimidderivate. Der Vf. bespricht sodann die Bedeutung dieser Reaktion für die Feststellung der Konstitution dieser Körper und kommt zu dem Resultat, daſs dem β-Naphtochinondianilid die nebenste hende Formel zukommt. (Chem. N. **49.** 146.)

H. Hager, *Strychnin besteht aus drei Alkaloiden.* Wie wir wissen, behauptet SCHÜTZENBERGER, daſs das Strychnin keinen unitären Körper, sondern einen Komplex von drei Alkaloïden bilde. Diese letzteren sollen sich durch einen verschiedenen Kohlenstoffgehalt, verschiedene Löslichkeit und Krystallform unterscheiden. Daſs die Angaben SCHÜTZENBERGER's einen richtigen Untergrund haben, steht auſser allem Zweifel. Man löse z. B. Strychninnitrat in warmem Wasser, gieſse von der Lösung einige Tropfen auf ein Objektglas und trockne es an einem lauwarmen Orte ein. Bei 100-facher Vergröſserung beobachtet man dann ein mit Krystallen bedecktes Feld, aus welchem man drei bis vier verschiedene Krystallformen herauserkennen kann. Oktaeder, Kombinationen von Oktaedern mit Würfel, ferner Säulen und Dreiecke respräsentieren sich dem Auge (Pharm. Centralh. **25.** 181.)

Samuel P. Sadtler, *Die neueren Studien über die Konstitution der Alkaloide.* (Amer. Journ. of Pharm. Nov. 1883; Schweiz. W. f. Pharm. **22.** 59—63. 67—72.)

J. R. Tarchanoff, *Über die Verschiedenheiten des Eiereiweiſs bei befiedert geborenen (Nestflüchter) und bei nacktgeborenen (Nesthocker) Vögeln, und über die Verhältnisse zwischen dem Dotter und dem Eierweiſs.* (Biologisch-chemische Untersuchung.) (PFLÜGER's Archiv **33.** 303—78. Petersburg.)

5. Physiologische, medizinische und pharmazeutische Chemie.

A. G. Salamon und **W. de Vere Mathew**, *Über den Einfluſs gewisser Phosphate auf die Alkoholgärung.* In der Bierbrauerei kommt es nicht selten vor, daſs man bei der Obergärung nur eine genügende Vergärung der Würze erreicht. In solchen Fällen wird der Zusatz von phosphorsauren Salzen empfohlen, welche auf die Entwicklung des Hefepilzes einen günstigen Einfluſs ausüben und dadurch die Gärung beschleunigen sollen. Die Vff. haben eine Reihe von Versuchen angestellt, um zu bestimmen, ob ein begünstigender Einfluſs in der That stattfindet. Es wurden Zuckerlösungen mit verschiedenen Phosphaten und Preſshefe versetzt und eine bestimmte Zeit lang (in der Regel 60 Stunden) bei einer Temperatur von 15—16° der Gärung überlassen. Aus der Menge des unvergorenen Zuckers bestimmte man sodann die Lebhaftigkeit der Gärung. Es hat sich hierbei b erausgestellt, daſs geringe Mengen Phosphate bis zu einer gewissen Grenze (z. B. für Kaliumphosphat bis zu 0,23 g entsprechend 0,077 P_2O_5 in 100 ccm Lösung). die Gärung beschleunigen, darüber hinaus aber dieselbe wieder verlangsamen. Da der Gehalt der Bierwürze (in England) an P_2O_5 ungefähr 0,116 beträgt, so folgt daraus, daſs bereits genügende Mengen von Phosphorsäure darin vorhanden sind, und daſs ein weiterer Zusatz nicht förderlich wirken kann. (Chem. N. **49.** 166—67. 10. [3]. April. London, Chem. Soc.)

P. P. Dehérain, *Über die Buttersäuregärung in den Diffussionsgefäſsen der Zuckerfabriken.* Schon vor einigen Jahren haben MILLOT und MAQUENNE bei Beobachtung der Zuckerfabrikation in der Fabrik Chavenay (nahe bei Grignon) bemerkt, daſs man während der Diffussion etwa 1 p. c. Zucker aus den Schnitzeln verlor, und daſs beim Entleeren der Gefäſse sich im Innern ein Gasgemisch vorfand, welches ziemlich starke Explosionen veranlassen konnte, ganz ähnlich wie dies ein Gemisch von Luft und Wasserstoff thut. Der Saft reagierte stark sauer, enthielt Essigsäure und Buttersäure, und die Genannten haben nicht angestanden, diese Säuren Gärungen zuzuschreiben, ohne daſs ihnen jedoch die Veranlassung für die Zuführung eines Fermentes erklärlich geworden wäre.

Nach der von dem Vf. und MAQUENNE inzwischen veröffentlichten Arbeit über die Buttersäuregärung in der Ackererde ist aber jetzt leicht die Grundursache jener Erscheinung zu erkennen und daraus ein für die Diffussionsarbeit höchst wichtiger Schluſs abzuleiten. Die Genannten haben nämlich bei dem Studium der die Reduction der Nitrate in der Ackererde veranlassenden Umstände gefunden, daſs in der letzteren sich ein

Ferment vorfindet, welches die Buttersäuregärung des Zuckers mit Wasserstoffentwickelung bewirken kann. Dieses Ferment wirkt auf die organischen Bestandteile der Erde, zersetzt sie, und der entwickelte Wasserstoff reduziert die Nitrate unter Freiwerden von Stickstoff oder Stickoxyd.

Wenn man kohlensauren Kalk und Erde mit einer Zuckerlösung mischt und das Gemisch einer Temperatur von 35 oder 40° aussetzt, so tritt eine heftige Gärung unter Überschäumen ein; es entwickelt sich viel Kohlensäure und Wasserstoff, die Flüssigkeit enthält Essigsäure, Buttersäure und wenig Propionsäure, sowie geringe Mengen verschiedener Alkohole. Im ganzen entspricht die gebildete Säuremenge etwa der Hälfte des Zuckers. Die Ähnlichkeit zwischen den Reaktionen der Erde auf den Zucker mit denen im Diffusionskörper zu Chavenay sind schlagend; die Produkte sind genau dieselben: Essigsäure, Buttersäure und etwas Butteräther, wahrscheinlich aus der Ätherifikation der geringen von uns beobachteten Alkoholmenge, und es ist daher wahrscheinlich der angeführte Unfall in Chavenay der zufälligen Beimischung einer gewissen Menge Erde in den Diffusionscylindern zuzuschreiben.

MILLOT und MAQUENNE bemerken zum Schlusse folgendes: „Wir müssen allerdings hervorheben, daſs man die explodierenden Gasgemenge erst seit der Zeit der Verarbeitung gefrorener Rüben wahrgenommen hat." Es ist aber wahrscheinlich, daſs diese verdorbenen Rüben nicht so vollkommen rein haben gewaschen werden können, wie andere, und der Zuführung einer gewissen Menge Erde in die Diffusionskörper ist die Anwesenheit des derselben gewöhnlich beigemischten Fermentes zuzuschreiben, denn es haben bisher alle untersuchten Ackererden die Buttersäuregärung hervorgerufen. Demnach scheint es empfehlenswert, die für die Diffusion bestimmten Rüben sorgfältig zu waschen, und keine Erde in die Behälter zu bringen, welche reine Zuckerlösung enthalten, da sonst leicht Buttersäuregärung entstehen und Zucker verloren gehen kann. (Bull. de l'ass. des chim. 2. Nr. 2; Ztschr. d. Ver. f. Rüb.-Zuck.-Ind. 21. 269—70.)

E. Heckel und Schlagdenhauffen, Über *die Kolanuſs (Sterculia acuminata) von Zentralafrika.* Ann. Chim. Phys. [6] 1. 129—38; Januar; Centralbl. 1882. 381.)

J. Reinke, *Wirkung der einzelnen Strahlengattungen des Lichts auf die Sauerstoffausscheidung der Pflanzen.* Nach einer kritischen Besprechung der wichtigsten Arbeiten über die Wirkung der einzelnen Lichtstrahlen auf die Assimilation der Pflanzen kommt Vf. zu nachstehendem Urteil über die zu den bisherigen Untersuchungen benutzten Methoden: 1. Die Methode der elektiven Absorption durch transparente, farbige Schirme ist zu verwerfen, weil die Auswahl der Farben eine durch die Natur der Substanz beschränkte ist, und quantitative Schwächungen des Lichtes dabei sehr wahrscheinlich sind. 2. Die Exposition der Pflanzenteile in den einzelnen Zonen eines in einer Ebene projizierten, objektiven, prismatischen Spektrums hat den Nachteil, daſs in demselben die mit der Brechbarkeit zunehmende Dispersion der Strahlen nicht berücksichtigt wird. 3. Die Exposition in einem Gitterspektrum endlich ist für makroskopische Analysen nicht anwendbar wegen der zu geringen Lichtstärke desselben.

Um diese Schwierigkeiten zu vermeiden, hat Vf. für seine Untersuchung dieser Frage einen besonderen Apparat konstruiert, den er „Spektrophor" nennt, und dessen einfachste Form die folgende ist: Durch einen vertikalen Spalt dringt vom Heliostaten ein horizontales Strahlenbündel in das Dunkelzimmer, gelangt durch ein Fernrohrobjektiv in passender Entfernung auf ein hinreichend groſses, in der Stellung minimalster Ablenkung befindliches Prisma von 60° brechenden Winkel, das auf einem Schirm ein scharfes, objektives Spektrum erzeugt. Dieser Schirm besteht aus zwei vertikal stehenden, ebenen Brettern, die auf einem Schlitten derart verschiebbar sind, daſs ihre Bänder einander vollständig genähert oder in beliebigem Abstand voneinander gebracht werden können, durch welchen dann ein beliebiger Teil der Strahlen des Spektrums hindurch fällt.

Unmittelbar hinter dem Schirm befindet sich eine groſse Konvexlinse, auf welche die hindurchgegangenen Strahlen auffallen, um im Fokus einem kleinen Lichtbilde von 1 bis 2 qcm Gröſse gesammelt zu werden. Hierdurch ist es möglich, beliebige Bezirke des Spektrums abzublenden. Ist der Schirm ganz geöffnet, so erhält man im Fokus ein weiſses Sonnenbild; ist der brechbarere Teil bis zum Grün abgeblendet, so man ein rotes Bild; und so kann man je nach der Einstellung des Schirms ein grünes, blaues u. s. w. Sonnenbild erzeugen. Um nun genau gleiche, bezw. vergleichbare Spektralbezirke zur Anwendung zu bringen, befindet sich dicht vor dem Schirm eine der Dispersion des Prisma angepaſste, und daher für jedes einzelne Prisma besonders zu entwerfende Skala, nach welcher die Einstellung des Schirms erfolgt. In den Versuchen des Vf. wurde teils ein Flintglas-, teils ein Schwefelkohlenstoffprisma benutzt; und die Art der Wirkung der betreffenden Lichtstrahlen wurde an der Anzahl der Gasblasen, welche ein Elodeasproſs in Kohlensäurehaltigem Wasser in der Zeiteinheit entwickelte, gemessen.

Das Resultat der Versuche, welche Vf. ausführlich mitteilt und in Kurven darstellt, ist, daß das absolute Maximum der Gasausscheidung zweifellos zwischen den FRAUNHOFER'schen Linien B und C, aber näher an ersterer, liegt, ungefähr den Wellenlängen λ 690 bis 680 entsprechend; von diesem Maximum fällt dann die Kurve steil und rasch gegen die Linie A, etwas weniger steil senkt sich die Kurve gegen E und von da langsamer gegen H hin. Vergleicht man mit dieser Kurve das Absorptionsspektrum lebender Blätter (Naturf. 17, 54), so überzeugt man sich, daß das Maximum der Gasausscheidung mit dem Absorptionsmaximum im Rot, dem Absorptionsbande I, zusammenfällt, während den sekundären Absorptionsmaximis II und III keine sekundären Maxima der Ausscheidung entsprechen. Danach fällt also das Maximum der Sauerstoffausscheidung, und wahrscheinlich auch der Kohlensäurezersetzung auf die Strahlen der weniger brechbaren Hälfte des Spektrums, welche vom Chlorophyll am stärksten absorbiert werden, eine Thatsache, welche zuerst von N. J. C. MÜLLER gefunden und später von TIMIRIAZEFF und ENGELMANN bestätigt wurde.

Hieraus folgert Vf., daß die Wirkung des Chlorophylls auf die Sauerstoffausscheidung der Pflanzen eine chemische ist. Gleichwohl hält er die von PRINGSHEIM urgierte, physikalische Wirkung des Chlorophylls nicht für ausgeschlossen, da die starke Absorption des brechbareren Teiles des Spektrums durch das Chlorophyll wohl mit dieser physikalischen Funktion in Verbindung gebracht werden könnte. Weitere Experimente können allein hierüber Aufschluß geben. (Botan. Ztg. 42. 1—4. Naturf. 17. 98—99.)

G. Calmels, das Gift der Batrachier. Das Gift der Kröte enthält eine kleine Menge Methylcarbylamin von GAUTIER $C≡N—CH_3$, dem es zum Teil seinen Geruch und seine toxischen Eigenschaften verdankt, besonders aber enthält es Methylcarbylaminsäure, Kohlensäure und *Isocyanessigsäure*, $C≡N.CH_2—CO.OH$, deren Gegenwart die Bildung von Methylcarbylamin erklärt. Diese Säure wurde auf synthetischem Wege sowol aus Monobromessigsäure und Cyansilber (Methode von A. GAUTIER) als auch aus Glykokoll, Chloroform und Kali (Methode von HOFMANN) dargestellt. Wie in der Giftdrüse bildet sie sich aus dem Glykokoll durch Fixation der Elemente der Ameisensäure. 1 Mol. fein gepulvertes Glykokoll wurde mit 1 Mol. Chloroform und 4 Mol. alkoholischem Kali gemischt. Die Masse wird gelb, und sobald das Aufbrausen vorüber ist, unterbricht man die Reaktion. Man läßt erkalten, dekantiert den Alkohol und behandelt den Rückstand mit einer kleinen Menge Wasser, welches außer dem Formiat das Isocyanat des Kaliums löst. Man fällt sofort durch Bleiacetat, wäscht mit absolutem Äther, suspendiert dann in letzterem und behandelt mit Schwefelwasserstoff. Die ätherische abfiltrierte Lösung giebt beim Verdampfen in einem Uhrglas Krystalle von Isocyanessigsäure. Dieselbe krystallisiert aus ihrer ätherischen und alkoholischen Lösung in rechtwinkligen Doppelpyramiden. Der Geruch ist eigentümlich und giftig, ihr Geschmack scharf und ekelerregend. Im trocknen Vakuum verflüchtigt sie sich langsam, sonst schmilzt sie zu einer dicken Masse, aus der sich rasch ölige Tropfen und später Krystalle von Glykokoll abscheiden. Die wässerige Lösung, welche anschwimmt, besitzt einen Teil die Eigenschaften der Ameisensäure. Durch dieses Verhalten wurde unter dem Mikroskop die Natur der aus dem Gift extrahierten Säure festgestellt. Beim Erhitzen verharzt sie sich; ihre Salze sind sehr löslich, die Lösungen scheiden langsam, rascher beim Erhitzen Glykokoll ab, während zugleich ameisensaures Salz entsteht. Sie sind im reinen Zustand farblos, gewöhnlich aber von einer gelben Substanz begleitet, welche ein Zersetzungsprodukt zu sein scheint. Das Kaliumsalz gab beim Erhitzen eine lebhafte Entwicklung von Methylcarbylamin.

Bei dem Kammolche existiert die entsprechende Säure unter einer äußerst merkwürdigen Form, welche der Vf. vor einem Jahre unter dem unpassenden Namen Giftkorn (*grain du venin*) beschrieben hat. Diese Form wurde zum ersten Mal von Zalewsky bei dem Erdsalamander und dann von JOYEUX-LAFFUIE bei dem Skorpion beobachtet. Unter dem Mikroskop zeigt sich das Gift in der Form einer Menge von Kügelchen, ähnlich den Butterkügelchen der Milch; dieselben besitzen eine an ihrer Oberfläche befindliche Albuminosehülle, unterscheiden sich aber von den Butterkügelchen dadurch, daß sie durch Wasser sofort zersprengt werden.

Diese Verbindung besitzt die Konstitution eines gemischten Glycerids, welches bei Gegenwart von Wasser außerordentlich unbeständig ist und sich dadurch in Dioleïn und eine neue Säure spaltet. Der Vf. nennt diese Art von Verbindungen *Pseudolecithine*, deren Bedeutung sich daraus ergiebt, daß das Gift der Batrachier reich an dem von CHARCOT und VULPIAN beschriebenen Krystallen ist, welche, wie man nach den Untersuchungen von SCHREINER weiß, das Phosphat der Base $C_7—H_5—N$ sind. Diese letzteren scheinen also das komplementäre Zersetzungsprodukt eines in der Drüse ursprünglich existierenden Lecithins zu sein.

Bei den Molchen existiert das Pseudolecithin nur wegen der außerordentlichen Konzentration der Flüssigkeit, welche nicht mehr als 5 p. c. Wasser enthält und in der freien Luft sofort erstarrt. Bei der Kröte ist das entsprechende Pseudolecithin fast vollständig gespalten; ihr weit verdünnteres Gift enthält hauptsächlich die Produkte dieser Spaltung. Man findet darin die Reste der Kügelchen in Form leerer Hüllen und Hüllenfragmente, welche in der Flüssigkeit schwimmen, während der Inhalt derselben in Lösung ist. Das Pseudolecithin des Molches gab beim Erhitzen eine lebhafte Entwicklung von Äthylcarbylamin; sich selbst überlassen, zog es an feuchter Luft langsam Wasser an und gab nach etwa vierzehn Tagen eine prächtige Krystallisation von Alanin neben Ameisensäure. Das Gift des Molches entspricht also der Äthylcarbylaminkohlensäure oder der α-Isocyanpropionsäure $C_2H_5-CH<^{N=C}_{COOH}$.

Die physiologischen Eigenschaften, welche VULPIAN dem Gift des Erdsalalamanders und PAUL BERT dem Gift des Skorpions zuschreiben, sind identisch und stimmen mit denen überein, welche Vf. für das Amylcarbylamin beobachtet hat. Da die histologische Konstitution des giftführenden Elementes der Drüsen der Batrachier und des Skorpions übrigens identisch sind, so hält sich Vf. zu dem Schluß berechtigt, daß sich das Gift dieser Tiere derselben chemischen Reihe anschließt, und daß es dem Leucin oder einer anderen höheren Amidosäure entspricht, von der es durch denselben Mechanismus deriviert. Die niederen Carbylamine der Fettreihe und deren Kohlensäurederivate wirken namentlich auf das Herz mit außerordentlicher Energie. GAUTIER hat bereits die toxische Wirkung der Carbylamine erwähnt. Der Vf. hat sie von neuem studiert und sich überzeugt, daß sie stärker ist, als die der wasserfreien Blausäure. Ein Kaninchen, welches einige Sekunden lang Dämpfe von Methylcarbylamin einatmete, starb so zu sagen wie vom Blitz getroffen, stieß einen Schrei aus und fiel mit einigen Konvulsionen tot nieder.

Was das Gift der Schlangen und die Ptomaine betrifft, so glaubt Vf., daß unter ihnen Körper von ähnlicher Konstitution sich befinden. Im allgemeinen stellt er den Satz auf: jede amidierte Verbindung, sei es ein Pepton oder eine einfache Amidoverbindung kann die Elemente der Ameisensäure in nascierendem Zustand fixieren und giebt damit eine giftige, außerordentlich unbeständige, reduzierende Carbylverbindung. Andererseits scheidet sich jede unvollkommen zerstörte Methylgruppe durch Oxydation nicht in Form von Kohlensäure, sondern von Ameisensäure aus und liefert so die Elemente der Carbylation.

Die HOFMANN'sche Reaktion scheint demnach in der biologischen Chemie eine sehr große Bedeutung zu besitzen. (C. r. 98. 536—39. [25.*] Febr.)

A. Gautier und Étard, *Beobachtungen in bezug auf die Mitteilung von Calmels: über das Gift der Batrachier.* Die Vff. verweisen in bezug auf die in der vorstehenden Arbeit von CALMELS ausgesprochene Vermutung, daß die Carbylamine auch in den Fäulnisprodukten finden können, auf ihre Untersuchung über den Mechanismus der Fäulnis (82. 505), in welcher sie bereits gezeigt haben, daß die Carbylamine in der That unter den von den Fäulnisbakterien befreiten Derivaten der Fäulnis auftreten, und daß sie besonders dann erscheinen, wenn man das Chloroformextrakt mit Kali behandelt, in der Absicht, die Ptomaine zu isolieren. (C. r. 98. 631. [10.*] März.)

Benno Köhnlein, *Über den Inhalt eines Lymphangioma cavernosum.* Das Lymphangioma (befindlich in der linken fossa supraclavicularis eines 22 jährigen Mädchens) enthielt 90 ccm einer klaren Flüssigkeit von alkalischer Reaktion, welche das spez. Gewicht 1,015 zeigte. Bald nach der Entleerung schied sich aus der Flüssigkeit ein Fibrinkuchen ab, der bei 110° getrocknet, 0,050 g (= 0,054 p. c.) wog. Die Flüssigkeit hinterließ 4,698 p. c. Trockenrückstand (bei 110° C.) und enthielt:

Eiweiß	3,67	p. c.
Cholesterin	0,68	„
Lecithin	0,01	„
Fette und Seifen	0,30	„
Wasserextraktstoffe	0,02	„
Asche	0,62	„
Von den anorganischen Salzen waren löslich	94,07	„
Unlöslich	5,93	„

(Ztschr. physiol. Chem. 8. 198—99. 5. Jan. Innsbruck.)

O. Minkowski, *Über das Vorkommen von Oxybuttersäure im Harn bei Diabetes mellitus.* Die von HALLERVORDEN (Arch. f. experiment. Pathol. u. Pharmakol. 12. 237) in manchen Fällen von Diabetes mellitus beobachtete Steigerung der Ammoniakausfuhr hat STADELMANN (Arch. f. experiment. Pathol. u. Pharmakol. 16. 419) vor kurzem auf das Auftreten einer Säure zurückgeführt, welche er nach Maßgabe ihrer Eigenschaften und der Elementaranalyse für Crotonsäure angesehen hat. Gewisse Erwägungen führten den Vf. zu dem Schlusse, daſs die von ST. dargestellte Substanz nicht in dem Harne präformiert, sondern erst im Laufe der Verarbeitung aus der ursprünglich vorhandenen Säure entstanden war. Es gelang alsdann in einem Falle von Diabetes mellitus mit gesteigerter Ammoniakausscheidung die fragliche Säure aus dem Harn rein darzustellen und zu analysieren. Hierbei ergab es sich, daſs dieselbe Oxybuttersäure, $C_2H_6(OH)COOH$, war. Es wurde das Zink-, Silber- und Natriumsalz krystallinisch dargestellt und zu den Elementaranalysen verwendet, welche gut übereinstimmende Resultate lieferten. (Mediz. Centralbl. **22**. 242—43. Ende März. Königsberg.)

Friedr. Hammerbacher, Über *den Einfluſs des Pilocarpins und Atropins auf die Milchbildung*. (PFLÜG. Arch. **33**. 228—39. Rostock.)

C. Schneider, *Abgabe von Blei durch Bleiröhren an das Leitungswasser*. (Arch. Pharm. [3.] **22**. 185—92. Anf. März.)

Th. Husemann, *Aconitin und Aconitpräparate*. (Pharmaz. Zeitg. **29**. 185—86. Göttingen.)

8. Technische Chemie.

Rob. Hasenclever, Über *die deutsche Sodafabrikation und die damit in Zusammenhang stehenden Industriezweige*. Schwefelsäure. Sodafabrikation. (Chem. Ind. **7**. 78—86. Aachen.)

C. Reidemeister, *Zwei Kalknatroncarbonate in der Sodafabrikation*. (Chem. Ind. **7**. 42—44. Jan. Schoenbeck.)

Ferd. Fischer, Über *die Anwendung der Elektrixität in der chemischen Industrie*. (Pol. J. **251**. 28—32 und 418—24.)

Albano Brand, *Einige Beiträge zur Kenntnis der Vorgänge bei Stahlschmelzprozessen in sauern und basischen Tiegeln*. Die Resultate der umfangreichen Versuche sind die folgenden:

A. *Schmelzung in sauren Tiegeln.*

1. Im Koksthontiegel und im Graphittiegel findet beim Schmelzprozesse eine beträchtliche Aufnahme von Kohlenstoff und Silicium seitens des Stahles statt.

2. Im reinen Thontiegel findet eine mäſsige Siliciumaufnahme statt, entsprechend einer Kohlenstoffabnahme des Stahles.

3. In allen drei Tiegeln nimmt das geschmolzene Produkt Schwefel aus der Tiegelwandung auf.

4. Das Mangan befördert die Kohärenz des Stahles durch Oxydation der in demselben enthaltenen Sauerstoffverbindungen.

5. Nachweis auf experimenteller Grundlage, wie die schädlichen Einflüsse der Tiegelwandung auf das Schmelzprodukt durch geeignete Wahl und Behandlung der Tiegelmasse, sowie durch zweckmäſsige Leitung der Schmelzoperation zu vermeiden oder herabzumindern sind.

B. *Schmelzung mit basischen Tiegeln.*

6. Vf. giebt die Herstellungsweise von Magnesiatiegeln an, um gröſsere Massen in sehr hoher Hitze zu schmelzen.

7. Vf. beschreibt Experimente zur Auffindung eines Weges, mittels Schmelzung gröſsere Mengen chemisch reinen Eisens für wissenschaftliche Zwecke herzustellen. Hierdurch kann man Eisen und Stahlsorten erzeugen und studieren, die nur einen oder zwei der schädlichen (wie P, Si, S etc.) oder der vorteilhaften (wie W, Cr, Mn etc.) Beimengungen enthalten, ohne daſs die Eigenschaften durch die Gegenwart anderer verdunkelt würden. (Inaug.-Dissert. 13. März 1884. Berlin.)   P.

Märcker, *Die Resultate der in der Provinz Sachsen im Jahre 1883 ausgeführten Anbauversuche mit verschiedenen Rübenvarietäten*. (SCHEIBLER'S Neue Ztschrft. **12**. 142 bis 151.)

E. Reboux, *Zuckergewinnung ohne Nebenprodukte*. Der Zweck des Verfahrens ist die ununterbrochene Zurückleitung der Sirupe des ersten Wurfes in den laufenden Fabrikbetrieb in der Weise, daſs nur eine Zuckersorte, und zwar das erste Produkt, gewonnen wird. Man erhält eine prozentische Ausbeute der Rübe, welche zum mindesten gleich ist jener, die man auf sechs Würfe gewinnt, wovon vier auf die übliche Osmosearbeit entfallen.

Die Sirupe der geschleuderten Füllmasse werden in einen gewöhnlichen Läuterkessel gebracht und auf 100 kg etwa 1—1,3 kg käufliches Chlorammonium hinzugegeben. Man erwärmt dann unter Aufrühren bis zum Aufkochen an. Die Sirupe kommen dann in die Osmosereservoirs und werden bei einer Temperatur von 100°C. erhalten. Das zur Osmose zu verwendende Wasser muſs auf 75° angewärmt werden. Unter diesen Umständen wird eine kräftige Osmose unter Anwendung der zehn- bis zwölffachen Wassermenge vom Volum des Sirups, den man, mit einer Dichte von 11°B. gemessen, bei der Austrittstemperatur aus dem Osmogen ausflieſsen läſst, ausgeführt. Der osmosierte Sirup wird darauf auf etwa 20° abgekühlt und zu dem zur ersten Saturation abgehenden Rübensafte in dem Verhältnisse von 10—20 p. c. vom Volum des letzteren je nach der Produktionsmenge beigegeben.

Die Theorie des Verfahrens ist folgende: Die Sirupe vom ersten Produkte enthalten organisch saure Kali- und Natronsalze, die Melassebildner sind. Diese Salze werden durch die Osmose schwerer ausgeschieden, als die Mineralsalze: die Chloride, Sulfate und Nitrate des Kalis und Natrons. Um die organischsauren Salze in Mineralsalze umzuwandeln, fügt man Salmiak hinzu. Während der Osmose entstehen Kalium- und Natriumchlorid, die sehr rasch diffundieren, und Ammoniaksalze der organischen Säuren. Letztere werden bei der Scheidung mit Kalk zersetzt unter Entwicklung von Ammoniak, das entweicht. Die gebildeten organischen Kalksalze werden hierauf durch die Kohlensäure zerlegt und derart die ursprünglich in den Sirupen enthalten gewesenen melassebildenden organischsauren Kali- und Natronsalze eliminiert. Die chemische Kontrolle ist die gleiche, wie bei der gewöhnlichen Osmose. (Zuckerindustrie in Böhmen 1884. 152; SCHEIBLER's Neue Ztschr. 12. 161—62.)
P.

P. Horsin-Déon, Über *Brennmaterialersparnis in den Zuckerfabriken*. (Bull. de l'Associat. des Chim. 1884. 11; SCHEIBLER's N. Ztschr. 12. 204—8.)

Soxhlet, *Reform und Zukunft der Stärkezuckerfabrikation*. Von den drei bekannten Zuckerarten sind drei Gegenstand des Massenverbrauches und der Massenerzeugung: der Rohrzucker, Traubenzucker und die Maltose. Letztere wird als solche bisher im groſsen nicht hergestellt, doch spielt sie als wesentlichster Bestandteil der Bierwürze und Branntweinmaische eine Hauptrolle als Alkohol lieferndes Material.

Als Grundlage für die Untersuchung des Verhältnisses des Stärkezuckers zu seinen beiden Konkurrenten (dem Rohrzucker und der Maltose) ist folgendes in betracht zu ziehen: 1. daſs der Rohrzucker in der Form von Konsumzucker als fast chemisch rein betrachtet werden darf; 2. daſs der Stärkezucker des Handels seit etwa 20 Jahren fast unverändert besteht, mit Auſserachtlassung geringer Aschenmengen aus 66 p. c. Traubenzucker, 14 p. c. Wasser und 20 p. c. dextrinartigen Substanzen. 100 Tle. wasserfrei gedachten Substanzen enthalten sonach 77 Tle. Zucker, oder der Reinheitsquotient ist = 77. Die im Stärkezucker enthaltenen dextrinartigen Stoffe können als unvergärbar gelten, obwohl sie in Wirklichkeit nicht unvergärbar, sondern nur schwer vergärbar sind; sie vergären bei Gegenwart von viel Hefe langsam und liefern hierbei nahezu soviel Alkohol als der Traubenzucker; diese durch Einwirkung von Säuren auf Stärke gebildeten Dextrinkörper unterscheiden sich sonach durch ihr Gärungsvermögen von jenen Dextrinen, welche bei Einwirkung von Diastase auf Stärke entstehen, und die bekanntlich nicht gärungsfähig sind. Für die praktischen Fälle der Gärung können die erstgenannten Dextrine jedoch als unvergärbar betrachtet werden.

Ein zweiter Unterschied zwischen den durch Säurewirkung einerseits und den durch Diastasewirkung andererseits aus Stärke gebildeten Gärungsgruppen ist der, daſs die Säuredextrine durch Diastase nicht verändert werden. Ebenso wie Malzdiastase verhalten sich auch die stärkebildenden Fermente des Verdauungsapparates zu diesen Gruppen: das Ferment der Pankreasdrüse vom Rind und Schweine verwandelt Diastasedextrin in Maltose, läſst aber Säuredextrin, resp. den unvergärbaren Rückstand aus Stärkezucker, unverändert. Diese zuletzt genannten Thatsachen als dritter Punkt für die vergleichende Untersuchung ins Auge gefaſst, werden kurz auszudrücken sein als 3. die bei der Maltoseerzeugung gleichzeitig auftretenden dextrinartigen Stoffe sind wesentlich anderer Natur, als die im käuflichen Stärkezucker enthaltenen Säuredextrine.

Es sei hier auch der für die Spiritusfabrikanten bemerkenswerten Thatsache gedacht, daſs beim Dämpfen von Maischmaterialien, die freie Säure enthalten, unter Hochdruck, oder aber wenn behufs besserer Aufschlieſsung unter Hochdruck ein Säurezusatz stattfindet, die Bildung von Säuredextrinen aus Stärke erfolgen kann, welche durch Diastase nicht in vergärbaren Zucker übergeführt werden, also für die Alkoholbildung verloren gehen.

Was das Verhältnis anbetrifft, in welchem käuflicher Stärkezucker und Rohrzucker hinsichtlich ihres Versüſsungsvermögens nach ihrem Verkaufpreis stehen, so kann man berechnen, daſs 100 kg Stärkezucker mit 66 p. c. Traubenzucker entsprechen 33 kg Rohrzucker. Mithin kann der gegenwärtig erzeugte Stärkezucker als Versüſsungsmittel nicht mit dem Rohrzucker konkurrieren, da der Stärkezucker teurer ist, als eine gleichsüſse Menge Rohrzucker. Wenn es bei gleichen Erzeugungskosten gelänge, den Stärkezucker frei von den genannten 20 p. c. Zwischenprodukten, also rein zu produzieren, dann würde bei gleichem Wassergehalt der Stärkezucker anstatt 66, 86 p. c. Traubenzucker enthalten, und pro 100 kg nach seinem Versüßungsvermögen gleichkommen 43 kg Rohrzucker, welche kosteten:

1881—82 35,07 M.⎫ also mehr als 100 kg Stärkezucker um ⎧7,47 M. — 27,0 p. c.
1882—83 33,03 M.⎭   ⎩2,63 M. — 8,7 p. c.

Mithin hätte der Stärkezucker in reinem Zustande bei gleichem Wassergehalte um 27,0, resp. 8,7 p. c. teurer sein können, um als Versüßungsmittel mit gleichen Kosten wie der Rohrzucker verwendet werden zu können. Es müßte, wenn der Stärkezucker als Konsumzucker eingeführt werden sollte, derselbe 1) vollkommen frei von fremden Bestandteilen sein und 2.) als körnig krystallinische Masse, dem Rohrzucker ähnlich, hergestellt werden können.

Was nun weiter den Gebrauchswert der Zuckerarten, insofern sie als Alkohol lieferndes Material Anwendung finden, angeht, so liefern 100 kg gewöhnlichen Stärkezuckers mit 66 p. c. Traubenzucker soviel als 52,8 kg Rohrzucker, und 100 kg reinen Stärkezuckers mit 14 p. c. Wassergehalt soviel als 81,7 kg Rohrzucker. Es ist der gewöhnliche Stärkezucker hinsichtlich des Verhältnisses von Preis zu Alkoholbildungsvermögen dem Rohrzucker überlegen, und es könnte sonach leicht scheinen, daß nach dieser Richtung der gewöhnliche Stärkezucker ein sehr preiswertes Ersatzmittel für den Rohrzucker abgeben könne, was aber nicht zutrifft. Die 20 p. c. dextrinartigen Stoffe im gewöhnlichen Stärkezucker sind hier nicht nur unnützer Ballast, sondern sie drücken auch den eigentlichen Gebrauchswert der 66 p. c. Traubenzucker im Stärkezucker sehr wesentlich herab. Während der Stärkezucker infolge seines Gehaltes an Dextrinen durch den Rohrzucker aus der Kellerwirtschaft bei der Weinverbesserung verdrängt worden ist, dominiert jener für die Zwecke der Brauerei. Durch den Zusatz des Stärkezuckers zur Bierwürze erfolgt keine Vermehrung der normalen Würzebestandteile, sondern es werden ganz andere Stoffe mit ihm zugesetzt, als in der Würze schon vorhanden sind. Während man aber von gewissen Gesichtspunkten aus einen teilweisen Ersatz der Maltose durch Traubenzucker unbeanstandet lassen kann, muß man aus anderen Gründen die Anwendung des gewöhnlichen Stärkezuckers als Malzsurrogat in das Kapitel der Bierfälschung einreihen.

Ist es möglich, die Stärke mittels Säuren so zu verzuckern, daß dieselbe gerade auf, ohne Zwischenprodukte, in Traubenzucker übergeht? Als Antwort kann die Thatsache gelten, daß es nicht einmal bei der analytischen Bestimmung der Stärke gelingt, diese gerade auf in Traubenzucker zu verwandeln, obgleich dies die eigentliche Voraussetzung der Methode wäre. Unter den technisch möglichen Konzentrationsverhältnissen wird eine vollständige Verzuckerung der Stärke nie möglich sein. Der überhaupt mögliche Verzuckerungsgrad hängt nicht nur von dem Verhältnisse ab, in dem Stärkemenge, Säuregehalt. Erhitzungstemperatur und Erhitzungsdauer zu einander stehen, sondern wesentlich auch von der Menge Flüssigkeit, welche auf 1 Tl. Stärke trifft; oder es ist nicht nur der Gehalt der Flüssigkeit an Säure, sondern auch, und zwar wesentlich bestimmend für den Reinheitsquotient: der Gehalt der Lösung an Stärkeumwandlungsprodukten; je geringer der letztere, um so höher der Reinheitsquotient, der in maximo zu erzielen ist. Das Arbeiten in mäßiger konzentrierter Lösung wird nicht umgangen werden können, wenn man reinere Produkte erzielen will und eine jener Reformen sein, die man nicht wird von der Hand weisen können. Es wird die Einführung geschlossener Verzuckerungsgefäße, welche unter Druck zu arbeiten gestatten, als eine weitere wichtige Reform für den Betrieb der Stärkezuckerfabrikation zu fordern sein.

Da es nun nicht möglich ist, die Stärke geradeauf in Zucker zu verwandeln, also reinen Stärkezucker direkt herzustellen, so wird es sich darum handeln, die dextrinartigen Stoffe oder den Nichtzucker vom Zucker zu trennen und so reinen Traubenzucker einerseits zu gewinnen und andererseits die dextrinartigen Stoffe; diese würden auf andere Weise verwertet (vielleicht zu Kouleur verarbeitet) oder aber zum größten Teile in Zucker wieder verwandelt werden können (durch nochmaliges Erhitzen mit Säure). Im gewöhnlichen Stärkezucker findet sich der Traubenzucker staubfein krystallisiert. Die Nichtzuckerstoffe sind in Form eines dicken Sirups vorhanden, welcher die staubförmigen Traubenzuckerkrystalle umschließt. An eine Trennung auf rein mechanischem Wege ist nicht zu denken. Wie Versuche erwiesen, läßt sich aber der Traubenzucker ebenso gut krystallisiert erhalten, als der Rohrzucker. Die nicht für möglich gehaltene, aber thatsächlich vorhandene Krystallisationsfähigkeit des Trauben- oder Stärkezuckers ermöglicht zweierlei: einmal die Herstellung eines vollkommen reinen Traubenzuckers auf dem Wege der Sirup- oder Melasseabscheidung, und weiter die Herstellung eines Produktes, welches das krystallinische Gefüge und Ansehen des Rohrzuckers besitzt. Die Herstellung eines vollkommen reinen Produktes ist die Hauptsache, nur dieses kann sich dauernd ein großes Absatzgebiet sichern; dadurch, daß man dem reinen Produkte krystallinisches Gefüge, also das Ansehen des jetzigen Konsumzuckers verleiht, wird es aber erst zu dem, was man unter Zucker als Gebrauchsartikel versteht.

Betreffs „der Reform und Zukunft der Stärkezuckerfabrikation" kann man also sagen: Die Stärkezuckerfabrikation hat seit ihrem Bestehen nur sehr geringe Fortschritte gemacht; sie steht in ihrer technischen Ausbildung weit hinter der Rübenzuckerfabrikation und gleichfalls weit hinter einer anderen Industrie der Stärkeverarbeitung: der Spiritusfabrikation zurück. Das Produkt, welches die Stärkezuckerfabriken erzeugen, ist fast genau so unrein wie das, welches vor 25 Jahren produziert wurde. Der mangelhaften Beschaffenheit des Stärkezuckers ist der geringe Verbrauch an diesem Produkte zuzuschreiben. Die Würdigung dieser Beschaffenheit hat schon jetzt zu einer Einschränkung des Abnehmerkreises geführt (Weinbereitung); sie wird noch weitere Abzugsquellen für dieses Produkt verstopfen (Brauerei). Die Beschränkung des Absatzgebietes wird zu Reformen in der Fabrikation drängen, welche auf die Erzeugung eines reineren Produktes hinzielen. Man wird durch ein genaues Studium der Verzuckerungsarbeit, im Fabrikbetriebe selbst, mit Hilfe der chemischen Methoden — durch genaue Erforschung der Eigenschaften des Traubenzuckers, sowie durch Benutzung der Erfahrungen, welche in der Rohrzuckerfabrikation gemacht wurden — dazu kommen müssen, vollkommen reinen krystallisierten Traubenzucker zu erzeugen, für dessen vielseitige Verwendbarkeit alle Bedingungen in den Eigenschaften dieses Zuckers vorhanden sind. Darin, dafs man ein anderes, ein besseres Produkt erzeugen wird, also in der Reform der Stärkezuckerfabrikation liegt die Zukunft derselben. (Vortrag auf der Generalversammlung „des Vereins der Stärkeinteressenten in Deutschland" zu Berlin am 21. Febr. 1884.) (Sep.-Abd. a. d. Zeitschr. f. Spirit.-Ind. 1884. Nr. 11.)

Durieu, *Bestimmung des sauren Titers der Weine.* Die Methode beruht auf Messung der mittels der Säure des Weines aus Natriumcarbonat entwickelten Kohlensäuremenge. Eine in $^{1}/_{20}$ ccm geteilte, an einem Ende geschlossene Röhre wird mit Quecksilber und mit 5 ccm Weinsäurelösung, welche 1 Tl. Weinsäure in 100 Tln. Wasser enthält, angefüllt und über Quecksilber umgestülpt. Man bringt in die Weinsäurelösung überschüssiges Natriumcarbonat, das man in ein Stückchen Filtrierpapier eingewickelt hat, schüttelt langsam, um den Inhalt zu mischen, und liest das Volum der entwickelten Kohlensäure ab. Dieselbe Manipulation beginnt man alsdann mit 5 ccm des zu prüfenden Weines, notiert das erhaltene Volum und berechnet daraus eine Proportion den Säuregehalt. Die erhaltenen Resultate genügen in der Praxis bei der Analyse eines Weines. (L'Union Pharm.; Rundschau **10**. 160.) P.

R. Kayser, Über die *Beurteilung von Wein auf Grund analytischer Daten.* Erwiderung des Vfs. auf die Entgegnung J. NESSLER's (S. 81), auf deren Einzelheiten hierdurch verwiesen sei. (Rep. anal. Chem. **4**. 67—71.)

L. Rousseau, Über *die Fleischpulver.* Nach einer historischen Notiz über das Fleischpulver, das man zuerst zur Zeit des Krimkrieges im Jahre 1855 darzustellen sich bestrebt hat, teilt Vf. eine Anzahl von Versuchen mit, welche die Behauptung von HUSSON widerlegen sollen, dafs die bisher dargestellten Fleischpulver in nur geringem Grade verdauungsfähig seien. HUSSON hat bei seinen Versuchen viel zu saure Lösungen benutzt, dann auch die betreffenden Flüssigkeiten nach der Digestion weder durch Alkohol noch durch Salpetersäure oder Blutlaugensalz auf Pepton geprüft, sondern bei seinen Schlußfolgerungen lediglich die Gewichtsmenge des gebliebenen Rückstandes in betracht gezogen. Vf. stellte deshalb vergleichende Versuche mit je 1 g von sechs verschiedenen Proben Fleischpulvern an, deren letzte er nach einer besonderen sofort zu erwähnenden Methode selbst bereitet hatte, indem er diese Proben unter gleichen Verhältnissen mit 10, resp. 20 cg Pepsin und durch Salzsäure schwach angesäuertem Wasser längere Zeit digerierte. Am Ende des Versuches zeigte es sich, dafs weder durch Salpetersäure, noch durch Kaliumeisencyanür, noch durch Erhitzen der Flüssigkeiten ein Niederschlag in denselben entstand, sowie dafs eine durch Zusatz von Alkohol entstandene Fällung sich im Wasser wieder löste. Die Peptonisierung war also vollständig beendet gewesen. Die Rückstände der Proben betrugen 22, 23, 17, 19, 48 und (von Vfs.-Probe) 0.9 cg. Wenn daher die Fleischpulver den von ihnen mit Recht geforderten Nährwert nicht besitzen, so mufs dies in etwas anderem liegen, als in einer angeblich von Anfang an bestehenden Mangelhaftigkeit der Peptonisierung.

Nach Vf. liegt der Grund dieses dem Fleischpulver gemachten Vorwurfs in der mehr oder weniger schnell eintretenden Zersetzung, resp. Putreszenz der Eiweisskörper, welche durch das schnelle Ranzigwerden des im Fleischpulver enthaltenen Fettes eingeleitet werde. Auf der Verhütung einer solchen Zersetzung durch vorherige Entfettung ist daher Vfs. Methode der Bereitung von Fleischpulver gegründet.

Es wird nach derselben das Fleisch zunächst mechanisch von Fett, Nerven, Aponeurosen möglichst befreit und zerkleinert, bei 45° vollständig getrocknet und, je nachdem man es mit einem mehr fettarmen oder fettreichen zu thun hat, mit 95 grädigem Alkohol und Äther bis zum Farbloswerden der Flüssigkeit ausgelaugt, das ausgelaugte Fleisch wird dann gepreßt und behufs Vertreibung des Alkohols einer Erhitzung bis zu 110° unterworfen, zuletzt aber zu einem feinen Pulver zerrieben.

Die Haltbarkeit dieses völlig geruchlosen Pulvers ist nach Proben, welche achtzehn Monate an der Luft gestanden hatten, zu urteilen, eine absolute; seine bei 45° vorgenommene Peptonisierung wurde unter Belassen von nur 9 p. c. Rückstand bereits nach fünf Stunden beendigt, während dies bei den anderen Proben erst nach zehn bis zwölf Stunden der Fall war. Der Nährwert dieses Pulvers wird nach Vf. durch das Auslaugen mit Alkohol nicht beeinträchtigt, weil derselbe keine stickstoffhaltigen, sondern „nur unnütze Stoffe, darunter Fette, Seifen, Farbstoffe" auszieht; das höchst widerlich riechende, tief rot gefärbte alkoholische Extrakt ist in Äther vollkommen löslich. Das so dargestellte Fleischpulver giebt bei der Behandlung mit Essigsäure 57 p. c. trockenes, reines MULDER'sches Protëin, während die übrigen Proben nur 47¹/₂ p. c. geben. Mit Wasser behandelt, giebt es Albumin; es ist frei von jeder Spur Alkohol oder Äther. (Bull. de Thérap. **105**. 209; SCHMIDT's Jahrb. **201**. 122—23.)

Kormann, *Mitteilungen über einige Erfahrungen mit neueren Nahrungsmitteln für gesunde und kranke Kinder, resp. Erwachsene.* 1. Beobachtungen über Dr. F. FREBICHS' Milch- oder Kindermehl. — Baron LIEBIG's Maltoleguminose.

2. Beobachtungen über SCHERFF'sche Milch. — Die Carne-Purapräparate. — Aufgeschlossenes Weizen- und Hafermehl der Karlsmühle bei Weimar. — Künstliche Muttermilch von OTTO LAHRMANN in Altona. (Memorabilien, Ztschr. f. prakt. Ärzte **29**. 67 bis 81. Schluſs folgt.) P.

P. Vieth, *Über die Herkunft und Bereitungsweise von Annatto.* Dieser vielfach zum Färben, auch von Butter und Käse verwendete Farbstoff kommt im Annatto-Baum oder -Strauch (Bixa Orellana) vor. Die Kapselfrüchte dieses Baumes enthalten eine groſse Anzahl Samen, eingebettet in breiiges, rötlich gefärbtes Fruchtfleisch, ähnlich dem, welches die Samen von reifen Liebesäpfeln umgiebt. Annattoin erhielt man durch Einweichen des Fruchtfleisches oder Farbstoffes in kaltes Wasser. Es findet heutzutage ausgedehnte Anwendung beim Färben und Drucken von wollenen und baumwollenen Stoffen, da die Farbe echt und schön ist.

Korb- oder Teig-Annatto wird in den Tropen derart hergestellt, daſs man die Samen in groſse, Wasser enthaltende Gefäſse bringt und durch andauerndes Erhitzen die ganze Masse in einen dicken Brei verwandelt. Durch diesen Prozeſs wird die Lebhaftigkeit der Farbe in hohem Grade beeinträchtigt, so daſs Korb-Annatto nicht vorteilhaft zum Färben von Geweben benutzt werden kann und auch damit gefärbter Käse allmählich abbleicht. Das Fruchtfleisch oder der Farbstoff der Annatto-Früchte wird von den Eingeborenen Brasiliens zum Würzen ihrer Speisen benutzt, und soll Annattoin zugleich ein Präservierungsmittel für Butter und Käse sein. Milchztg. **13**, 134. P.

Fr. Goppelsröder, *Anwendung der Elektrolyse zur Darstellung der Indigoküpe.* (Pol. Journ. **251**. 465—67.)

de Pitteurs, *Die molekularen Modifikationen des Bromsilbers.* Man weiſs, daſs das Bromsilber verschiedene molekulare Modifikationen eingeht, die sich im Aussehen, mehr aber noch durch den Grad ihrer Lichtempfindlichkeit erkennen lassen. STAS hat über diesen Gegenstand eine sehr wichtige Arbeit veröffentlicht (Ann. de Chim. et de Phys. [4.] **25**, 22 [5.] **3**, 145.) die aber, da sie hauptsächlich vom chemischen Standpunkte aus unternommen wurde, durch neue speziell der Photographie gewidmete Untersuchungen vervollständigt werden müſste. Dem Verfahren mit Bromsilbergelatine verdanken wir die Kenntnis verschiedener molekularer Veränderungen, welche das Bromsilber durch den Einfluſs gewisser Agenzien oder unter gewissen Bedingungen erleidet, so daſs man nach dem Aussehen der Emulsionsplatten bei Tageslicht schon den Grad ihrer Empfindlichkeit bestimmen kann.

Eine nasse Collodionplatte ist in der Durchsicht orangegelb, in der Aufsicht bläulich weiſs; eine nicht zu dick gegossene Bromsilbergelatineschicht ist bei auffallendem Licht grün, in der Durchsicht violettblau; je dunkler grün sie in der Aufsicht erscheint, um so lichtempfindlicher wird sie. Frisch bereitetes, also wenig lichtempfindliches Bromsilbercollodion ist in der Durchsicht orange, in der Aufsicht schieferblau, mit dem Alter wird es empfindlicher und zugleich in der Durchsicht mehr rotorange, in der Aufsicht bläulich weiſs bis gelblich weiſs.

Bei der Bereitung gewisser Collodionemulsionen von der Empfindlichkeit nasser Platten, gelingt es zuweilen, das Bromsilber in seiner sehr empfindlichen Form zu bilden; Die Schicht solcher Emulsion hat in der Durchsicht die so charakteristisch violettblaue Farbe, in der Aufsicht ist sie nicht grün, sondern gelblich weiſs. Ebenso verhalten sich Gelatineemulsionen von mittlerer Empfindlichkeit: zuweilen sind die Schichten in der

Aufsicht grünlich gelb, sowie auch die Schichten, die etwas Jodsilber enthalten. Die wenig empfindlichen Bromsilberemulsionen sind halbdurchsichtig, die sehr empfindlichen hingegen fast undurchsichtig. Nachstehend eine Zusammenstellung der verschiedenen Modifikationen der Bromsilberschichten nach ihrem Aussehen und Verhalten.

	In der Durchsicht	In der Aufsicht	
Halbdurchsichtige Schicht	Orange	Schieferblau . . .	Die meisten frisch bereiteten Collodionemulsionen.
			Älteres Bromsilbercollodion. Nasse Platten.
		Bläulichweifs . .	
	Rötlichorang.	Bläulichweifs . .	Sehr empfindliches nasses Collodion.
		Gelblichweifs . .	Sehr altes Bromsilbercollodion.
Fast undurchsichtige Schicht		Gelblichweifs . .	Sehr empfindliches Bromsilbercollodion.
	Violettblau	Grünlichgelb . . .	Bromsilbergelatine mittlerer Empfindlichkeit.
		Grün oder violettgrün	Sehr empfindliche Bromsilbergelatine.
	Blau	(Unbestimmt). . .	Gewisse, sehr wenig empfindliche Bromsilbercollodien, die verschleierte Bilder geben, und solche, womit man den roten Teil des Spektrums aufnehmen kann.

Man möchte aus dieser Tabelle entnehmen, dafs die in der Aufsicht blaue, weifse, gelbe und grüne Färbung der Schichten molekulare Abarten der in der Durchsicht orange oder violettblauen Modifikationen des Bromsilbers seien. Doch scheint sich hierauf die Zahl der Varietäten nicht zu beschränken; namentlich verdienen die blauen Emulsionen besonderer Erwähnung. Gewisse blaue Collodionemulsionen sind sehr wenig empfindlich und schleiern; andere wieder gestatten die roten, und selbst ultraroten Spektralteile zu photographieren, wie Hauptmann ABNEY in seiner wichtigen Arbeit über das Spektrum vom photographischen Gesichtspunkte nachgewiesen hat. Die reinblaue Farbe dieser Emulsionen, wie deren Lichtempfindlichkeit, deuten auf weitere Varietäten hin.

Das Mikroskop gestattet ebenfalls, das orangefarbene vom violettblauen Bromsilber zu unterscheiden. Die Gröfse der feinen Partikeln ist wesentlich die gleiche und bewegt sich zwischen 0,0021 mm und 0,0014 mm, bei äufserster Feinheit messen sie nur 0,0007 mm. Aber während das orangefarbene Bromsilber nur unbestimmte Umrisse besitzt, hat das violettblaue scharf begrenzte Formen und nimmt auch gröfsere Dimensionen an, wie Dr. EDER in seinem trefflichen Werke über Bromsilbergelatine bemerkt, dafs dieselben beim fünftägigen Digerieren von 0,0008 mm auf 0,003 mm steigen. Da die Lichtempfindlichkeit der Bromsilbergelatine mit der Dauer des Kochens oder Digerierens (bis zur Schleierbildung) wächst, so findet man darin die Erklärung, dafs höchst empfindliche, also grobkörnige Emulsionen weniger feine Negative liefern, als langsamere und feinkörnige Emulsionen.

Von allen bisher bekannten Varietäten des Bromsilbers ist diejenige am lichtempfindlichsten, welche aus gröfseren und dichteren Partikeln besteht, und die, mit Gelatine gemischt, eine in der Durchsicht violettblaue, in der Aufsicht grüne Schicht liefert. (Bull. Assoc. Belge de Photogr.; Phot. Arch. **25**. 31—33.)

Watson Smith, Über *das Verhalten des Stickstoffs der Kohle bei der Destillation und den Stickstoffgehalt von Koks zerschiedenen Ursprunges.* Mit bezug auf die Mitteilungen von FOSTER (**83**. 198) teilt der Vf. mit, dafs er bereits im Jahre 1868 über denselben Gegenstand Versuche angestellt und dabei gefunden habe, dafs bei der Destillation von Steinkohlenteer häufig Ammoniak gebildet wird. Er giebt folgende Zahlen an: Stickstoff im Teer: 1,667, im rohen Benzol aus Teer: 2,327, im leichten Öl: 2,186, im Kreosotöl: 2,005, im roten Öl: 2,194, im Pech: 1,595 p. c. Der Vf. hat ferner den Stickstoffgehalt von drei Kokssorten bestimmt und den Stickstoffgehalt darin 1,375, resp. 0,511 und 0,384 p. c. gefunden. (Chem. N. **49**. 122—23; Journ. Chem. Soc. **49**. 144—48. April.)

R. Finkener, *Untersuchung von kaukasischem Petroleum.* Die Untersuchung eines nach Deutschland importierten Petroleums kaukasischer Herkunft hat folgende Resultate ergeben:

	Kaukasisches Petroleum	Gewöhnl. Petroleum	Kaiseröl	Astralöl
Beginn des deutlichen Siedens	150°C.	120°C.	150°C.	150°C.
Übergegangen bis 200°C.	40 p. c.	25 p. c.	36 p. c.	36 p. c.
von 200—250°C.	40 „	20 „	28 „	36 „
von 250—340°O.	16 „	20 „	28 „	20 „
über 340°C. siedend	4 „	35 „	8 „	8 „

	Kaukasisches Petroleum	Gewöhnliches Petroleum
Spez. Gewicht bei 21,5°	0,8188	0,8029
Entflammbarkeit	28,5°	25,5°
Dünnflüssigkeit (Ausflufsgeschwindigkeit durch eine enge Röhre)	4 :	3

Schmierfähigkeit: Der geringe Gehalt an hochsiedenden, dickflüssigen Kohlenwasserstoffen bedingt die Dünnflüssigkeit des kaukasischen Petroleums und macht es als Schmiermittel ungeeignet.

Leuchtkraft: Der hochliegende Entflammungspunkt macht das kaukasische Petroleum verhältnismäfsig wenig gefährlich. Die geringe Menge hochsiedender Kohlenwasserstoffe, bei deren Verflüchtigung sich Kohle abscheidet, bringt ein nur geringes Verkohlen des Dochtes mit sich. Die Dünnflüssigkeit hat ein gutes Steigen im Dochte zur Folge. Hiernach ist zu erwarten, dafs das kaukasische Petroleum bei richtig konstruiertem Brenner ein vorzügliches Leuchtmaterial abgiebt. Ein Versuch in einer gewöhnlichen Petroleumlampe zeigte es dem Astralöl etwa gleichwertig. (Mitt. d. Kgl. mechan.-techn. Versuchsanst. Berlin 1883; Pharm. Centralh. **25.** 106—7.)

Lewis T. Wright, Über *den Einflufs der Destillationstemperatur auf die Zusammensetzung des Steinkohlengases.* (Journ. Chem. Soc. **45.** 99—106. März; Centralbl. 1884. 235.)

Percy F. Frankland, Über *den Einflufs nichtbrennbarer Verdünnungsmittel auf die Leuchtkraft des Äthylens.* Äthylen wurde in verschiedenen Verhältnissen mit Kohlensäure, Stickstoff, Sauerstoff, Wasserdampf und atmosphärischer Luft gemischt und die Leuchtkraft der Flamme desselben bestimmt. (Chem. N. 188—89. 25. [17.] April. London, Chem. Soc.)

W. Thörner, Über *Entzündungstemperatur einiger bengalischer Buntfeuergemische.* (Rep. anal. Chem. **4.** 81—85. März.)

Weigandt, Über *Gummiwarenfabrikation.* Vortrag, gehalten im Dresdener Gewerbeverein. (Sächs. Gew.-V.-Ztg; D. Ind.-Ztg. 1884. 92—93 u. 104—5.)

Kleine Mitteilungen.

Darstellung von Maltose, von L. CUISINIER. Der Vf. beschreibt die Methode DU-BRUNFAUT's zur Gewinnung von Maltose mit den für die Darstellung im grofsen nötig gewordenen Modifikationen. Nach derselben gewinnt man den Malzzucker (Maltose), der bekanntlich nicht, wie man früher annahm, identisch mit Glykose ist, sondern verschiedene Eigenschaften hat, entweder, wie diese im festen Zustande, oder als Sirup, wonach sich die Fabrikation von vornherein zu richten hat. Wir lassen die Beschreibung der einzelnen Operationen kurz hier folgen:

1. *Beschaffung des Wassers.* Dasselbe mufs von suspendierten Verunreinigungen befreit werden, darf keine organischen Stoffe enthalten, weil diese Veranlassung zur Bildung parasitischer Fermente geben, und ist von gelöstem doppeltkohlensauren Kalk und Gips zu befreien, da ersterer durch alkalische Reaktion die Buttersäuregärung befördert, letzterer beim Verdampfen störend wirkt. Es empfiehlt sich daher, destilliertes Wasser anzuwenden.

2. *Rohmaterial.* Für Krystallzucker: Stärke im reinsten Zustande — für Sirupe: Mehl, Kartoffeln, Getreidekörner; letztere werden vorher in gewöhnlicher Weise gröblich zerkleinert.

3. *Beschaffung des Malzes.* Bei Darstellung von krystallisierter Maltose verwendet man nicht dieses selbst, weil die neben der Diastase darin enthaltenen, noch wenig bekannten Stoffe einen schädlichen Einflufs auf die Krystallisation ausüben. Man bereitet sich in diesem Falle ein wässeriges Malzextrakt. Das vorher zerstückelte Malz (mufs bei sehr niedriger Temperatur ge-

trocknet worden sein, am besten Grünmalz) läßt man bei 30°C. in der vierfachen Gewichtsmenge Wasser aufweichen und gewinnt das nach Verlauf einiger Stunden gebildete Extrakt durch
Auspressen und Filtrieren. Man kann sich auch eines methodischen Auslaugens in den gebräuchlichsten Apparaten bedienen. Die Rückstände finden Verwendung zur Bereitung besonderer Bier-
würzen. Statt der Gerste können auch andere Körnerfrüchte benutzt werden, welche die Fähigkeit besitzen, beim Keimen verzuckernde Eigenschaften zu erlangen, und wird deren Anwendung
unter bestimmten Umständen ökonomisch sein.

4. *Auflösung der Stärke.* Man verwandelt dieselbe in Kleister, welcher bei 75—80°C. durch
Diastase leicht gelöst wird. Die Stärke wird mit dem Doppelten ihres Gewichtes Wasser emul-
sioniert und nach Zusatz von 5 p. c. Malz (resp. entsprechend Extrakt) energisch durchgerührt.
Anderseits wird die zehnfache Menge Wasser vom Gewichte der Stärke auf 90° erhitzt und
beide Flüssigkeiten im Strome gleichzeitig durch ein besonders eingerichtetes Sieb geschlagen.
Die Lösung wird durch bloße gegenseitige Berührung der Flüssigkeiten bewirkt, aber durch Einblasen von Dampf beendet. Temperatur des Gemisches beim Eingeben in den Kessel 75°C.;
bei 90° ist die Masse dünnflüssig wie Wasser und die Operation als beendet zu betrachten.

5. *Verzuckerung.* Die Flüssigkeit wird nach beliebiger Methode auf 40°C. abgekühlt, dazu
Malzextrakt gesetzt (entsprechend 10—15 p. c. der angewandten Stärke an Malz). Die Verzuckerung beginnt; während derselben ist die Temperatur zwischen 40 und 50 p. c. zu halten.
Der Gang der Verzuckerung wird kontrolliert durch Jodlösung (Nüancen von blau in blaßgelb
übergehend), bei Darstellung von Krystallzucker auch durch alkalische Kupferlösung. Nach Verlauf von 2—3 Stunden giebt die Flüssigkeit mit Jod keine Färbung mehr, und bei der Fabrikation von Sirup kann man in diesem Moment anhalten, bei Darstellung fester Maltose hat man
dagegen den Verzuckerungsprozeß 12—15 Stunden dauern zu lassen. Bei der Verzuckerung soll
nicht die geringste Spur von Säure auftreten, deren Bildung veranlaßt wird durch Ansetzen mit
unreinem Wasser und durch Überschreiten der Temperatur von 50°C.

6. *Filtration und Konzentration des Saftes.* Zur Trennung der Flüssigkeit von dem Ungelösten
dient bei Anwendung reiner Stärke bloßes Filtrieren, bei Verzuckerung von Reis, Mais etc.
vorheriges Auspressen der Rückstände. Die gebildeten Kuchen halten sich im getrockneten Zustande unbestimmt lange, ohne Fäulnis und Verderben ausgesetzt zu sein, und geben ein gutes
Viehfutter.

Die Flüssigkeit, durch Oldham-Farquhar-Filter geklärt, zeigt 4°B., wird auf 20°B. eingedampft und der nun gelbliche Saft zum Erkalten und Klären bestimmte Zeit hingestellt. Die
nun folgende Filtration wird in der Kälte vorgenommen, weil im Safte vorhandene stickstoffhaltige Körper von flockiger verfilzter Konsistenz in der Wärme gelöst bleiben würden. Nachdem
der Saft nochmals Farquhar-Filter passiert, gelangt er auf mit geglühter und sorgfältig gewaschener Kohle beschickte Filter und fließt hier vollkommen klar und blank ab. Es folgt die
Verdampfung auf 40°B., ausgeführt in kupfernen und verkupferten oder auch verzinnten Apparaten. Bei Berührung mit Eisen färbt sich der Saft tiefschwarz. Der Sirup von 40°B. ist absolut farblos und klar. Feste Maltose (enthält 80 p. c. Zucker) zeigt den Glykose
dadurch aus, daß sie nicht hygroskopisch ist, sehr angenehmen süßen Geschmack besitzt und
aromatisch riecht. Die Sirupe mischen sich in jedem Verhältnisse mit Wasser ohne Trübung.
Die Zeit zeigt keinerlei Einfluß auf ihre Durchsichtigkeit. Durch diese Eigenschaften eignet sich
der Malzzucker zur Darstellung von Liqueurs, zum Gebrauche als Zucker im Haushalte, besonders
aber zur Bierbrauerei. Wird der entsprechend verdünnte Sirup mit Hopfen versetzt und der
Gärung überlassen, so erfolgt letztere leicht und verläuft in erwünschtester Weise. Da im Wesen
des Brauverfahrens ein viel größerer Verbrauch an Malz begründet ist, als zur angestrebten Verzuckerung der vorhandenen Stärke erforderlich ist, so wird die Anwendung des neuen Produktes
infolge seiner rationellen Fabrikation mit Nutzen verknüpft sein. (Chemisch-technischer Central-
Anz. 1884. 65.)

Verwendung von Wasserdampf in Generatoren, von R. SCHÖFFEL. Der Vf.,
welcher sich seit Jahren mit diesem Gegenstande beschäftigt, war durch das von SCHMIDT (S. 203)
gefundene, bezüglich der Wasserdampfmenge enorm hohe Resultat so überrascht, daß er sich veranlaßt fand, die betreffende Rechnung zu kontrollieren. SCHMIDT rechnet die bei der Vergasung
durch 18 Gewtle. Wasserdampf verloren gehende Wärmemenge gemäß:

nämlich: $$H_2O + C = H_2 + CO,$$

$$2 \times 29000 - 12 \times 2480 = 28240 \text{ cal},$$

diese ersetzt er durch Vergasung einer ferneren Menge von Kohlenstoff mittels Luft, berechnet
somit diese zur Deckung jener 28240 cal notwendige Menge Kohlenstoff mit $\dfrac{28240}{2480} = 11,38$

und gelangt zu dem Schlusse, daß also durch Vergasung von 12 kg Kohlenstoff mittels 18 kg

Wasserdampf und 11,38 kg Kohlenstoff mittels Luft für die Vergasung von 12 + 11,38 = 23,38 kg Kohlenstoff 18 kg Wasserdampf, d. i. für 100 kg Kohlenstoff 77,9 kg Dampf verwendet werden können.

Es ist jedoch auf den ersten Blick zu ersehen, daß lediglich jene Wärmemenge ersetzt erscheint, welche bei der Vergasung durch Wasserdampf gebunden wird, somit würde unter dieser Annahme im Generator gar keine Wärmemenge produziert werden, daher die Temperatur 0^0 herrschen. Denn gebunden werden durch Zerlegung des Wasserdampfes 2 × 29000 = 58000 cal, produziert werden durch Verbrennung von 12 + 11,38 = 23,38 Kohlenstoff zu Kohlenoxydgas ebenfalls 23,38 × 2480 = 58000 cal, somit ist die Wärmeproduktion = 0.

Soll daher der Betrieb des Generators bei Einführung von Wasserdämpfen möglich sein, so muß eine weitere Menge Kohlenstoff mittels Luft vergast werden. Um diese Kohlenstoffmenge zu berechnen, müßte bekannt sein, welche Minimaltemperatur zum Betriebe des Generators notwendig ist. Bei einem lediglich durch Luft betriebenen Generator berechnet sich die Temperatur für reinen Kohlenstoff mit:

$$T = \frac{2480}{2,333 \times 0,24 + 4,463 \times 0,24} = 1520^0.$$

Es ist anzunehmen, daß eine so hohe mittlere Temperatur im Generator nicht notwendig ist, sonst wäre die Einführung von Wasserdämpfen theoretisch auch in den kleinsten Mengen von vornherein nicht möglich. Nachdem die Reduktion der Kohlensäure durch Kohlenstoff noch bei 1000^0 nicht erfolgt (UNGER, LIEBIG's Annal. **68**. 240), indessen bei 1300^0 die Kohlensäure zu dissociieren beginnt, so kann man die Minimaltemperatur, bei welcher der Generator noch betrieben werden kann, mit 1200^0 annehmen. Bei dieser Annahme läßt sich die Kohlenstoffmenge leicht berechnen, welche außer jener durch Wasserdampf noch überhaupt auf Kosten der Luft vergast werden muß, um die angegebene Temperatur zu erhalten:

$$1200 = \frac{12 \times 2480 - 2 \times 29000 + 2480 x}{2,333 (12 + x) 0,24 + 2 \times 3,4 + 4,463 x \times 0,24},$$

wobei x die gesuchte Kohlenstoffmenge ist.

$$1200 (1,631 x + 13519) = 2480 x - 28240$$
$$x = \frac{44463}{523} = 85.$$

Es müssen somit durch Luft vergast werden 85 kg, wenn durch Wasserdampf 12 kg Kohlenstoff vergast werden, und können somit auf 100 kg Kohlenstoff nicht 77,9 kg, wie SCHMIDT findet, sondern höchstens 18,5 kg Wasserdampf zugelassen werden.

Die produzierten Generatorgase sind dann zusammengesetzt aus:

Kohlenoxyd 85 + 12 2,333	= 226,3	37,25	p. c.
Wasserstoff	= 2	0,33	„
Stickstoff 85 × 4,463	= 379,3	62,42	,
	607,6,		

während jene aus der gleichen Kohlenstoffmenge lediglich durch Luft erzeugten Gase zusammengesetzt sind aus:

Kohlenoxyd (85 + 12) 2,333	= 226,3	34,33	p. c.
Stickstoff (85 + 12) 4,463	= 432,9	65,67	„
	659,2.		

Berechnet man die Wärmemenge, welche die aus gleichen Gewichtsmengen Kohlenstoff in beiden Fällen resultierenden Gasmengen bei ihrer Verbrennung ergeben, so erhält man:

im 1. Falle 226,3 × 2400 + 2 × 29000	= 601 120 cal	
im 2. Falle 226,3 × 2400	= 543 120 „	
	Differenz = 58 000 cal.	

Diese Differenz, um welche die mit Wasserdampf erzeugten Generatorgase mehr geben, in Kohlenstoff umgesetzt:

$$\frac{58000}{8080} = 7,17.$$

(Schluß folgt.)

Künstliches Heliotropin (Piperonal). Als Ausgangspunkt zur Darstellung dieses bekanntlich als Parfüm sehr geschätzten Stoffes dient der Pfeffer, und zwar am besten der weiße Pfeffer. Durch Auskochen mit Alkohol etc. wird zunächst in der bekannten Weise das im Pfeffer bis zu 7 und 9 p. c. enthaltene Piperin gewonnen; zur Überführung in piperinsaures Kali wird dasselbe 24 Stunden lang mit dem gleichen Gewichte Kalihydrat und 5 bis 6 Tln. Alkohol in der Siedehitze behandelt. Beim Erkalten scheidet sich das piperinsaure Kali krystallinisch aus und wird durch Umkrystallisieren und Behandeln mit Tierkohle möglichst entfärbt. Um nun aus dem piperinsauren Kali das Piperonal zu gewinnen, löst man 1 Tl. des ersteren in 50 Tln. heißen Wassers und läßt unter fortwährendem Umrühren eine Lösung von 2 Tln. Kaliumpermanganat in 50 Tln. Wasser ganz langsam zufließen; die hierbei erhaltene breiartige Masse wird noch heiß durch ein Seihtuch koliert und der Rückstand wiederholt mit heißem Wasser gewaschen, bis dasselbe den charakteristischen Geruch nach Heliotrop nicht mehr zeigt. Nunmehr werden die gesammelten Waschwässer der Destillation über freiem Feuer unterworfen; aus dem Destillate, das fraktioniert aufgefangen wird, weil die zuerst übergehenden Teile am reichsten an Piperonal sind, scheidet sich das Piperonal beim Stehen in der Kälte krystallinisch oder in feinen Blättchen zum größeren Teile aus, der Rest kann der Flüssigkeit durch Ausschütteln mit Äther entzogen werden. (Chem.-Ztg. Nr. 11; Arch. Pharm. [3.] **22**, 197.)

Beiträge für das Centralblatt bittet man an die Redaktion (Leipzig, Lessingstr. 5) zu richten. **Originalarbeiten** von nicht zu großem Umfange werden entsprechend honoriert und gelangen stets sofort nach der Einsendung, und zwar in kürzester Frist, zum Abdruck.

Redaktion: Prof. Dr. **Rud. Arendt** in Leipzig.

Verlag von **Leopold Voss** in Hamburg und Leipzig. — Druck von **Metzger & Wittig** in Leipzig.

No. 22.

Chemisches Central-Blatt.

28. Mai 1884.

Wöchentlich eine Nummer von
1-2 Bogen. Der Jahrgang mit
Sach- und Namen - Register,
nebst system. Übersicht.

Der Preis des Jahrgangs
ist 20 Mark. Durch alle
Buchhandlungen und Post-
anstalten zu beziehen.

REPERTORIUM
für reine, pharmazeutische, physiologische und technische Chemie.

Dritte Folge. XV. Jahrgang.

Wochenbericht.

3. Anorganische Chemie.

D. Gernez, *Untersuchungen über die krystallinische Überhitzung des Schwefels.* (C. r. **98.** 810—12. [31.*] März.)

D. Gernez, Über *die Dauer der Umwandlung des überhitzten oktaedrischen Schwefels in prismatischen.* (C. r. **98.** 915—17. [7.*] April.)

Maquenne, Über *die Krystallisation des Schwefels.* Wenn Schwefel bei Temperaturen unter 100°, sei es aus dem überschmolzenen, sei es aus dem gelösten Zustande krystallisiert, so nimmt er gewöhnlich die Form orthorhombischer Oktaeder von 101° 50′ an; gleichwohl beobachtet man auch mitunter unter den aus Schwefelkohlenstoff abgeschiedenen oktaedrischen Krystallen solche in Prismenform. Aus Benzol krystallisiert der Schwefel ebenfalls in Oktaedern, welche sich oft zu Fäden gruppieren, die wie opake Nadeln erscheinen; ebenso geschieht es, wenn man zu einer schwachen Lösung von Schwefel in Schwefelkohlenstoff Äther setzt, endlich wenn man Wasserstoffsupersulfid für sich oder in Schwefelkohlenstoff gelöst der freiwilligen Zersetzung überläfst, so erhält man gleichfalls Oktaeder; ersetzt man aber das Lösungsmittel durch Äther, so scheidet sich der Schwefel in Form vollkommen durchsichtiger, äußerst dünner Blätter ab, welche sehr rasch opak werden und sich in ein Aggregat von Oktaedern umwandeln, die man unter dem Mikroskope sehr gut erkennen kann. Ist die Zersetzung langsam, so wachsen diese Blätter, ohne sich umzuwandeln, und geben zuletzt orthorhombische Prismen, deren Länge 8—10 mm erreichen kann: die Ausbeute ist gering, indem 500 g Wasserstoffsupersulfid etwa 4 g Krystalle geben. Dieses Produkt ist reiner Schwefel und entwickelt, wenn man es im Vakuum mit Zinn oder Kupferspänen erhitzt, keine Spur von Gas. Die Form ist ein orthorhombisches Prisma von 106° 20′, welches in eine Zuspitzung endigt, deren Winkel mit denen des oktaedrischen Oktaeders identisch ist. Da der Winkel 106° 20′ überdies genau der der Flächen *b* des normalen Oktaeders ist, so ist man berechtigt, jenes Prisma als eine Deformation des Oktaeders anzusehen, bei dem nur die Hälfte der Flächen sich auf Kosten der anderen entwickelt hat.

Diese Krystalle schmelzen bei ungefähr 117°, ihr spez. Gewicht beträgt 2,041 bis 2,049. Der oktaedrische Schwefel hat bekanntlich das spez. Gewicht 2,071 und den Schmelzpunkt 114°. Es scheint demnach, dafs die physikalischen Konstanten dieser Varietät nicht identisch mit denen des oktaedrischen Schwefels sind, sondern zwischen denen des *α*- und *β*-Schwefels stehen. Hieraus erklärt es sich auch wohl, weshalb diese prismatischen Krystalle sich so leicht in ein Aggregat von mikroskopischen Oktaedern umwandeln, solange sie noch klein sind. Die Krystalle sind in Schwefelkohlenstoff und siedendem Benzol vollkommen löslich und geben bei langsamem Verdampfen dieser Lösungsmittel Oktaeder; wirft man sie in überschmolzenen Schwefel oder in eine gesättigte Lösung, so bewirken sie die Bildung von Oktaedern, welche mitunter fadenförmig gruppiert sind. (Bull. Par. **41.** 238—39. 5. März. Paris, Soc. Chim.)

Toussaint, *Reinigung der Salzsäure.* Beim Auflösen von Eisenfeile oder Draht in Salzsäure zur Herstellung von Chloreisenpräparaten wird man, wenn rohe Salzsäure benutzt wurde, oft durch einen ungewöhnlich starken Schwefelwasserstoffgeruch belästigt. Derselbe hat seine Quelle durchaus nicht allein in einem Gehalte des Eisens an Schwefeleisen, sondern sehr häufig in einer starken Verunreinigung der Salzsäure mit schwefliger Säure. Nach dem Vf. kann diese schweflige Säure leicht dadurch beseitigt werden, dafs man der Salzsäure $^1/_2$—1 p. c. konzentrierter Salpetersäure zusetzt und entweder gelinde erwärmt oder kalt so lange stehen läfst, bis eine Probe der Säure Manganchlorid nicht mehr entfärbt, worauf man die Säure mit der Hälfte ihres Gewichtes Wasser verdünnt und die entstandene Schwefelsäure mit verdünnter Chlorbariumlösung ausfällt. Nach dem Absetzen des Bariumsulfates wird die klare Säure abgezogen und ist nun zur Herstellung von Eisenchlorid besser geeignet. (Pharm. Ztg. 1884. 86.)

Berthelot und **Vieille,** Über *den Selenstickstoff.* (Ann. Chim. Phys. [6.] I. 91. Jan.; C.-Bl. 1883. 171.)

Antony Guyard, *Untersuchungen über den Jodstickstoff.* (Ann. Chim. Phys. [6.] I. 358—412. März; C.-Bl. 1884. 243 und 1883. 673.)

D. Tommasi, Über *die Nichtexistenz des Ammoniumhydrates.* Viele Chemiker nehmen an, dafs in einer wässerigen Ammoniaklösung das Ammoniumhydrat, NH_4,OH, existiert, weil eine kalt gesättigte Lösung von der Dichte 0,912:23,226 p. c. Ammoniak enthält und einer dem Kalihydrat, KOH, analogen Formel entspricht. Dieses Hydrat aber, wenn es überhaupt existiert, ist sehr unbeständig, da schon im Vakuum oder durch einen Gasstrom freies Ammoniak daraus abgeschieden wird. Andererseits hat J. Thomsen auf Grund physikalischer und thermochemischer Erwägungen geschlossen, dafs das Ammoniumhydrat in der wässerigen Ammoniaklösung nicht existiert. Der Vf. ist auf ganz verschiedenem Wege zu derselben Schlufsfolgerung gekommen, denn wenn man die Bildungswärme aller löslichen Hydrate nach dem Gesetze der thermischen Konstanten berechnet und mit der beobachteten Bildungswärme dieser Hydrate vergleicht, so findet man für alle eine grofse Übereinstimmung, nur nicht für das Ammoniak, wie sich aus der folgenden Tabelle ergiebt:

	Verbindungswärme	
	berechnet	gefunden
Natriumhydrat . . .	77,7	77,6
Lithiumhydrat . . .	83,4	83,3
Thalliumhydrat . .	20,4	20,0
Calciumhydrat . . .	150,6	150,1
Bariumhydrat . . .	28,4 $+$ x	28,0 $+$ x
Strontiumhydrat . :	158,6	158,2
Ammoniumhydrat .	54,2	21'.

Es folgt hieraus, dafs die Konstitution der Ammoniaklösung verschieden von der der alkalischen Hydrate ist und dafs man jene demnach mit Unrecht mit einer Kali- oder Natronlösung vergleicht. (C. r. **98.** 812—13. [31.*] März.)

C. Mönch, *Anwendung flüssiger Kohlensäure zur Bereitung künstlicher Mineralwässer.* (Ztschr. f. Mineralw.-Fabrik. **1.** 9—11.)

Berthelot, *Pyrogene Zersetzung des Kaliumsulfites.* (Ann. Chim. Phys. [6.] I. 78. Jan.; C.-Bl. 1883. 147.)

F. Parmentier und **L. Amat,** Über *einen Fall von Dimorphismus bei dem Natriumhyposulfit,* $NaO,S_2O_2,5HO.$ (C. r. **98.** 735—38. [24.*] März.)

Thomas Maben, *Löslichkeit des Calciumhydrates in Wasser bei verschiedenen Temperaturen.* Der Vf. giebt in der folgenden Tabelle die Wassermengen, welche zur Auflösung von 1 Tl. CaO bei den betreffenden Temperaturen nötig sind:

bei	0°	. . . . .	763 Tle. Wasser	bei 40°	. . . . .	934 Tle. Wasser
„	5°	. . . . .	769 „	„ 50°	. . . .	1020 „
„	10°	. . . . .	781 „	„ 60°	. . . .	1136 „
„	15°	. . . . .	787 „	„ 70°	. . . .	1250 „
„	20°	. . . . .	794 „	„ 80°	. . . .	1370 „
„	25°	. . . . .	833 „	„ 90°	. . . .	1587 „
„	30°	. . . . .	862 „	„ 99°	. . . .	1667 „

(The Pharm. Journ. and Transact. 1883. 505.)

P. Marguerite-Delacharlonny, Über *das typische Hydrat des neutralen Aluminium-sulfates.* (Ann. Chim. Phys. [6.] **1.** 425—32. März; C.-Bl. 1883. 380.)

H. Baubigny, Über *die Oxydation und Bestimmung des Chromoxydes.* (Bull. Par. **41.** 291—301.)

Fr. Stolba, *Zur Darstellung arsenfreien Zinks.* Arsen- und nahezu eisenfreies Zink erhält man leicht aus dem käuflichen Metalle, wenn man es gleichzeitig der Einwirkung von Schwefel- und Wasserdampf aussetzt, so zwar, daſs das geschmolzene Metall ·vom Boden des Schmelztiegels aus mit den Dämpfen der genannten Stoffe in Berührung kommt. Man verfährt folgendermaſsen:

Gebrannter Gips wird mit etwa $^1/_4$ seines Gewichtes groben Schwefelpulvers gemengt und aus dem Gemenge mittels der hinreichenden Menge Wassers Kugeln ·von etwa 5 cm Durchmesser angefertigt. Diese Kugeln senkt man durch geeignete Belastung bis auf den Boden des Schmelztiegels in das geschmolzene Metall hinein, wobei sich sofort reichlich Schwefelwasserstoff und Schwefeldämpfe entwickeln, welche das geschmolzene Metall in lebhafte Bewegung bringen. Hört die Bewegung auf, so nimmt man die Kugel heraus, beseitigt die obere Kruste und wiederholt die Operation nach bedarf und je nach der Menge des zu reinigenden Metalles. Die Behandlung des Zinks beim Schmelzen mit den Wasserdämpfen allein, oder auch mit Schwefel allein führt bereits zur Beseitigung des Arsens, bezüglich der Abscheidung des Eisens erhält man kein so gutes Resultat, als wenn man beide Stoffe zugleich in Anwendung bringt. (Sitzungsber. d. kgl. böhm. Ges. d. Wissensch.; Pharm. Ztg. **29.** 203.)

Lecoq de Boisbaudran, *Abscheidung des Galliums.* Trennung von Borsäure und von den organischen Substanzen. (C. r. **98.** 711—12 und 781—82. [24.*] u. [31.*] März.)

Alfred Ditte, *Untersuchungen über das Uran. Darstellung einiger krystallisierter Uranate auf trocknem Wege.* (Ann. Chim. Phys. [6.] **1.** 338—58. März; C.-Bl. 1883. 22.)

J. Emerson Reynolds, Über *die Synthese von Bleiglanz mittels Thiocarbamid.* Vor einiger Zeit teilte Vf. mit, daſs, wenn man Schwefelharnstoff mit einer alkalischen Lösung von Bleihydrat erhitzt, Schwefelblei als ein glänzender Niederschlag abgeschieden wird. Er giebt jetzt die näheren Bedingungen an, unter den man spiegelnde Überzüge von Schwefelblei auf Glas und Porzellangefäſsen erzeugen kann. Zwei Lösungen werden gebraucht; die eine enthält 90 g Natronhydrat und 75 g Bleitartrat in 1 l Wasser; die andere 17 g Schwefelharnstoff ebenfalls in 1 l Wasser. Gleiche Volume beider Lösungen werden gemischt und in einem Becherglase auf etwa 50° erwärmt. Die Glaswand überzieht sich alsbald mit einem glänzenden Überzuge, welcher zuerst silberweiſs und durchscheinend ist; bei stärkerem Erwärmen wird er dicker und undurchsichtig und zeigt dasselbe glänzende Aussehen wie der natürliche Bleiglanz. Das überschüssige Sulfid läſst sich leicht vom Glase trennen, wenn man eine kurze Zeit kocht und erscheint nach dem Auswaschen wie fein gepulverter Bleiglanz. Der Vf. hofft, diese Reaktion für analytische Zwecke verwerten zu können. Der am Glase haftende Metallspiegel adhäriert mit einer ganz besonderen Festigkeit, und wenn die Patentrechte für Darstellung von Ammoniumsulfocyanid erloschen sind, so läſst sich diese Darstellung von Schwefelbleiüberzügen jedenfalls industriell verwerten. (Chem. N. **49.** 189.)

H. Le Chatelier, Über *die Zersetzung der Verbindungen des Kupferchlorids mit Kaliumchlorid und Salzsäure durch Wasser.* (C. r. **98.** 813—16. [31.*] März.)

Max Grossmann, *Ausmittelung des besten Verfahrens, um aus dem im Handel vorkommenden Wismut ein reines, namentlich arsen- und selenfreies Bismutum subnitricum darzustellen.* (Arch. Pharm. [3.] **22.** 297—307.)

6. Mineralogische und geologische Chemie.

H. N. Morse und **W. S. Bayley,** *Haydenit.* Die Vff. fanden im Haydenit Barium auf. Die Ergebnisse ihrer Analysen sind die folgenden:

	I.	II.		I.	II.
Kieselsäure	49,29	49,19	Baryt	1,46	1,48
Thonerde	18,06	18,07	Manganoxydul	Spur	Spur
Eisenoxyd	0,79	0,88	Kali	3,16	2,84
Kalk	5,13	5,19	Wasser	21,31	21,31
Magnesia	0,86	0,86.			

Nimmt man an, daſs die geringen Eisenmengen in der Form von Ferroverbindung vorhanden sind, das Magnesium und Barium einen Teil des Calciums vertreten, und der

Alkaligehalt im Chabazit sich verändert, so stimmen die obigen Zahlen mit der von RAMMELSBERG dem Chabazit gegebenen Formel überein. Vff. sind daher der Meinung, daſs der Haydenit sowohl seiner chemischen Zusammensetzung, als auch seiner Krystallform und seinen physikalischen Eigenschaften nach identisch mit Chabazit ist. (Amer. Chem. J. **6**. 24—25.)

Nettekoven, Über *das Vorkommen von Kalisalzen in Mecklenburg*. (B. und H.-Z. **43**. 113—15.)

Alex. Gorgeu, Über *den Friedelit und Pyrosmalith*. Die Schwierigkeit, chlorfreie Produkte zu erhalten, wenn man das Chlorsilikat des Mangans, $(SiO_2, 2MnO . MnCl)$, durch Wasser, Kohlensäure etc. zersetzt, veranlaſste den Vf., dieses Element in den manganhaltigen Mineralien aufzusuchen, welche man als durch Veränderung der Silikate entstanden annehmen kann. Er analysierte deshalb den Friedelit von Adervielle (Hautes-Pyrénées) und den Pyrosmalith von Dannemora (Schweden), von ersterem Minerale sind 14 p. c. Diallogit, welche darin enthalten sind, abgezogen.

Das Chlor wurde als mit dem herrschenden Minerale verbunden angenommen.

	Friedelit	Sauerstoff	Pyrosmalith	Sauerstoff
Kieselsäure . .	34,45	18,37	34,20	18,24
Manganoxydul .	48,25	10,87 ⎫	24,65	5,55 ⎫
Eisenoxydul . .	Spuren	— ⎪ 11,42	23,50	5,22 ⎪ 11,55
Magnesia . . .	1,20	0,45 ⎪	1,70	0,68 ⎪
Kalk	0,40	0,10 ⎭	0,40	0,11 ⎭
Chlor	3,40 ⎫		3,70 ⎫	
Mangan . . .	2,60 ⎭ 0,80		2,90 ⎭ 0,84	
Wasser . . .	9,60	8,53	8,55	7,60
	99,90		99,60.	

Diese beiden Substanzen zeigen, wie man sieht, eine groſse Ähnlichkeit in ihrer Zusammensetzung. Bezieht man diese auf 1 Äq. Manganchlorür, so erhält man:

In dem Friedelit $MnCl : 15RO : 12SiO_2 : 11HO.$
In dem Pyrosmalith $MnCl : 14RO : 11SiO_2 : 9HO.$

Es ist nicht möglich, diese Zusammensetzung durch eine einzige und einfache Formel auszudrücken. (C. r. **98**. 586—87. [3.*] März.)

Alex. Gorgeu, Über *die künstliche Darstellung des Fayalits*. Durch Schmelzen von Eisenchlorür mit Kieselsäure in einem Strome von mit Wasserdampf beladenem Wasserstoffe bildet sich Fayalit, während unter gleichen Bedingungen mit Manganchlorür Tephroit entsteht. Ein dem Rhodonit entsprechendes Disilikat scheint nicht zu entstehen; ebenso bildet sich schwer Eisenchlorosilikat. Werden die genannten beiden Chlorüre mit Thon geschmolzen, so bildet sich die Kieselsäure zur Bildung neutraler Silikate und die Thonerde giebt Spessartin oder Eisenspinell. Auch der Magnetit und der Hausmannit in gut krystallisiertem Zustande können unter analogen Bedingungen durch Schmelzen ihrer entsprechenden Chloride in Berührung mit Luft dargestellt werden. (C. r. **98**. 920—22. [7.*] April.)

Blomstrand, Über *die Zusammensetzung der Pechblende*. (C. r. **98**. 816—17. [31.*] März.)

C. Zincken, *Bernstein in Österreichisch-Ungarn und Rumänien*. (Österr. Ztschr. **32**. 171—72 u. folg.)

J. B. Mackintosh, Über *den Herderit, ein Calciumberylliumphosphatfluorid*. Der Vf. erhielt von W. E. HIDDEN in Newark N. J. eine Probe eines Minerales aus den Topasgruben von Stoneham, Maine, welches dieser nach seiner Beschaffenheit und physikalischen Eigenschaften als das sehr seltene Mineral Herderit bestimmt hatte. Das spez. Gewicht und die qualitative Prüfung unterstützten diese Ansicht, und deshalb führte der Vf. eine Analyse davon aus. Nach den Angaben der mineralogischen Lehrbücher soll der Herderit Thonerde, Kalk, Phosphorsäure und Fluor enthalten. Die Analyse des Vf's. zeigte die vollständige Abwesenheit von Thonerde, dagegen einen entsprechenden Gehalt von Beryllerde, und zwar entsprach die Analyse der Formel:

$$3CaO,P_2O_5 + 3BeO,P_2O_5 + CaF_2 + BeF_2.$$

Diese Resultate sind insofern von Interesse, als die Beryllerde hier zum ersten Male in einem Minerale in einer anderen Verbindung als mit Kieselsäure und Thonerde gefunden wurde. (Chem. N. **49**. 149; Sillim. Amer. J. [3.] **27**. 135.)

R. Sachsse, Über *den Feldspat-Gemengteil des Flasergabbros von Rosswein i. S.* Wie die Untersuchungen der kgl. sächs. geologischen Landesanstalt gelehrt haben, bildet der Flasergabbro lentikulare Einlagerungen an der oberen Grenze der Granulitformation und ist hier mit Augengranulit, Bronzitserpentin und Biotitgneißen vergesellschaftet, in deren Gemeinschaft er einen höchst charakteristischen und konstanten Horizont bildet.

Nach Credner's zusammenfassender Darstellung in seinem geologischen Führer durch das sächsische Granulitgebirge, S. 20 u. a. O. hat es sich ergeben, „daß der dortige, früher als Hypersthenit bezeichnete und auch später noch für ein Eruptivgestein gehaltene Gabbro gar kein selbständiges Gebirgsglied, sondern gewissermaßen nur accessorische Bestandmassen innerhalb der Amphibolschiefer repräsentiert und mit diesen vergesellschaftet integrierende Teile der granulitischen Schichtenreihe bildet und demnach gleichen Ursprungs ist, wie diese." Ferner ebendort S. 70: „Meist ist diese Gesteinsgruppe wesentlich durch schieferige oder flaserige Amphibolschiefer vertreten, in welchen linsenförmige Partien von Flasergabbro eingelagert sind. Da sich erstere an letztere anschmiegen, so entsteht die Riesenflaserstruktur, welche, im Vereine mit der oft flaserigen Textur des Gabbros selbst, die Veranlassung gewesen ist, diese Gesteinsassociation als Flasergabbro zu bezeichnen."

Sowohl in den flaserigen Amphibolschiefern, wie in den mehr körnigen Gabbros spielt ein feldspatiger Gemengteil eine hervorragende Rolle. Ist auch derselbe bisher auf Grund seiner physikalischen Eigenschaften für Labrador oder einen diesem nahe stehenden Plagioklas erklärt worden, so entbehrt dies doch noch der Bestätigung durch chemische Analysen. Dieselbe ergab 49,26 Kieselsäure, 32,63 Thonerde, 12,14 Kalk, 4,36 Natron, 1,80 Kali, 0,38 Wasser, 100,57 Summa.

Der zu vorstehender Analyse verwandte Feldspat bildet in Form mehrere Zentimeter großer, violett-grauer, nur ganz selten zwillingsgestreifter Körner in Gemeinschaft mit gleich großen Diallagen den überaus grobkörnigen Flasergrabbo von den „Vier Linden" bei Rosswein (l. c. S. 101). Der Analyse und dem spec. Gewicht von 2,704 zufolge ist der Feldspat ein echter Labrador, welcher indeß, wie 0,38 %, Wasser anzeigen, bereits etwas der Verwitterung anheimgefallen ist. Bei der Berechnung der Analysenresultate auf eine Formel stellt sich der gefundene Kalkgehalt als zu niedrig, der der Alkalien als etwas zu hoch heraus. Diese Differenz hat ihren Grund in der sich sowohl durch den Wassergehalt der Analyse als auch mikroskopisch durch Trübung der Mineralsubstanz äußernden Verwitterung, bei welcher in Übereinstimmung mit ihrem gewöhnlichen Verlaufe an Kalknatronfeldspäten, zunächst Kalk weggeführt wurde, und eine entsprechende Anreicherung von Alkalien stattfand.

Eine zweite Analyse giebt die Zusammensetzung des Feldspatbestandteiles aus dem grobflaserigen Amphibolschiefer, ebenfalls von den „Vier Linden" bei Rosswein: 50,18 Kieselsäure, 32,78 Thonerde, 11,80 Kalk, 3,82 Natron, 1,04 Kali, 99,62 Summa. Das Material stellt eine sehr feinkörnige bis fast dichte weiße Masse dar, welche sich nach Sauer unter dem Mikroskop als ein kleinkörniges Aggregat von sehr frischem, farblosem Feldspat mit vereinzelt eingesprengten größeren, meist zwillingsgestreiften, unregelmäßig begrenzten Individuen desselben Minerales ergiebt. Die Zusammensetzung dieses bisweilen für Saussurit gehaltenen Feldspataggregates kommt, wie die Analyse beweist, ebenfalls derjenigen eines echten Labradors nahe. Daß ein saussuritartiges Mineralaggregat hier nicht vorliegen kann, wird ferner durch den mitgetheilten mikroskopischen Befund, besonders aber auch durch das niedrige spec. Gewicht von 2,708 bewiesen, während dasjenige des Saussurits zwischen 3,16 und 3,407 liegt. (Sitz.-Ber. d. naturf. Ges. Leipzig. 10. 101.)

Emil Pfeiffer, *Die Bildung der Salzlager mit besonderer Berücksichtigung des Staßfurter Salzlagers.* (Arch. Pharm. [3] 22. 81—93.)

A. B. Griffiths, *Chemischer Beitrag zur Theorie der Petroleumbildung.* Eine chemische Untersuchung über die organischen Verbindungen, welche in den Stämmen, Nadeln und Zapfen von Pinus sylvestris enthalten sind, führte den Vf. zur Auffindung eines Körpers, dessen Vorkommen in einer Conifere wichtige Schlüsse auf die geologische Frage nach dem Ursprung des Petroleums gestattet. Zunächst mögen die chemischen Thatsachen angeführt werden:

Vf. schnitt eine Anzahl von Zapfen in kleine Stücke, legte dieselben in große Glasbecher, die er fast gänzlich mit destilliertem Wasser füllte, und erwärmte auf etwa 80° C. ungefähr eine halbe Stunde lang, wobei er hin und wieder mit einem Glasstabe umrührte; dann ließ er die Masse abkühlen und filtrierte. Das Filtrat wurde fast zur Trockne abgedampft, und dabei krystallisierte eine kleine Menge sechsseitiger Prismen heraus, welche als Phenolhydrat $(C_6H_5HO)_2H_2O$ erwiesen. Der Schmelzpunkt derselben war 17,2° C. Die Krystalle wurden in Äther gelöst, und beim Verdampfen erhielt man lange farblose Nadeln, welche in trockenen Reagensgläsern im Wasserbade bei 42° C., schmolzen. Eine sorgfältige Verbrennungsanalyse dieser Krystalle ergab: Kohlenstoff 76,6, Wasserstoff 6,4, Sauerstoff 17,0. Dies giebt C_6H_6O, was die Formel des Phenols ist.

Wurden einige von diesen Krystallen im überschüssigen Wasser gelöst und Eisenchlorid zugesetzt, so wurde die Lösung schön violett gefärbt. Zu einer anderen wässerigen Lösung wurde Bromwasser zugesetzt und ein weifser Niederschlag von Tribromphenol erhalten. Eine wässerige Lösung der Krystalle brachte Eiweifs zur Gerinnung.

Alle diese Reaktionen beweisen, dafs Phenol im freien Zustande in den Zapfen dieser Pflanze vorkommt. In derselben Weise wurden die Nadeln und Teile des Stammes gesondert behandelt, nachdem sie beide in kleine Stücke zerschnitten worden, und beide lieferten Phenol.

Vf. hat die relative Menge des Phenols in jedem Teile der untersuchten Pflanze bestimmt, indem er den Stamm mit Wasser auf 80° erwärmte und filtrierte und diese Operation so lange wiederholte, bis das wässerige Filtrat keine violette Färbung mit Eisenchlorid und keinen weifsen Niederschlag mit Bromwasser gab. Er fand so wechselnde Mengen von Phenol, je nach dem Alter des Stammes. Die älteren Teile gaben bis 0,1021 p. c., während die jungen Teile nur 0,0654 p. c. lieferten. Die Nadeln gaben, je nach ihrem Alter, 0,0936 und 0,0315 p. c., und auch die Zapfen lieferten wechselnde Mengen, je nach ihrem Reifestadium; die Mengen schwankten von 0,774 bis 0,0293 p. c. Die quantitative Bestimmung des Phenols geschah nach zwei verschiedenen Methoden, welche Vf. in der Mitteilung beschreibt, die hier übergangen werden können.

Aus dieser Untersuchung folgt, dafs Phenol in verschiedenen Mengenverhältnissen im freien Zustande in den Nadeln, Stämmen und Zapfen von Pinus sylvestris vorhanden ist, und da diese Verbindung ein Produkt der Destillation der Steinkohlen ist, da ferner die Geologen in gewissem Sinne den direkten Beweis dafür geführt haben, dafs die Flora der Steinkohlenzeit im wesentlichen aus Kryptogamen bestand, während die einzigen phanerogamen Pflanzen, die an dem Bilde der Steinkohlen-Wälder teilgenommen haben, die Coniferen gewesen sind, die endlich die Steinkohle des fossilen Überreste jener gigantischen Flora ist, welche Phenol enthielt, so scheint die Entdeckung des Phenols in den Coniferen der ·Jetztzeit vom chemischen Standpunkte aus die Ansichten der Geologen zu stützen, dafs die Coniferen soweit zurück in der Erdgeschichte gelebt haben, als die Steinkohlenzeit reicht.

Diese Entdeckung stützt aber ferner die Theorie, dafs die Entstehung des Petroleums in der Natur veranlafst wurde durch die Einwirkung mäfsiger Wärme auf Steinkohlen oder ähnliche Substanzen vegetabilischen Ursprunges. Denn aus den Untersuchungen von FREUND und PEBAL wissen wir, dafs das Petroleum Phenol und seine Homologen enthält, und da hier gefunden worden, dafs diese organische Verbindung in den Coniferen der Gegenwart vorkommt, ist es wahrscheinlich, dafs das Petroleum in bestimmten Gebieten erzeugt worden ist aus den Coniferen und überhaupt aus der Flora einiger vorweltlicher Wälder. Zahlreiche Chemiker haben bewiesen, dafs das Petroleum fast immer festes Paraffin und ähnliche Kohlenwasserstoffe enthält. SCHORLEMMER und THORPE haben in Pinus Heptane gefunden, welche primären Heptylalkohol und Methylpentylcarbinol gaben, gerade so, wie das Heptan aus dem Petroleum. Ferner enthält das Petroleum eine grofse Anzahl von Kohlenwasserstoffen, welche in der Steinkohle gefunden werden. Endlich haben MENDELEJEFF, BEILSTEIN u. a. in dem Petroleum von Baku Kohlenwasserstoffe der C_nH_{2n+2}, C_nH_{2n-6}-Reihe und auch Kohlenwasserstoffe der C_nH_{2n}-Reihe gefunden; das amerikanische Petroleum enthält ähnliche Kohlenwasserstoffe.

Alle diese Thatsachen stützen in hohem Grade die Theorie, dafs Petroleum organischen Ursprunges ist.

Was die andere Theorie von der Entstehung des Petroleums betrifft, so glaubt BERTHELOT, dafs das Innere der Erde freie Alkalimetalle enthält, welche bei Gegenwart von Kohlensäureanhydrid Acetylidene liefern, die in Acetylen und Wasserdampf zerfallen. Da nun weiter gezeigt worden, dafs Acetylen sich polymerisiert, so werden aromatische Carbide oder die Derivate des Sumpfgases durch die Absorption von Wasserstoff entstehen. BERTHELOT's Anschauung ist deshalb zu wenig begründet, weil das Vorkommen freier Alkalimetalle im Erdinnern eine unbewiesene und unwahrscheinliche Hypothese ist. BYASSON meinte, dafs das Petroleum gebildet werde durch die Einwirkung von Wasser, Kohlensäureanhydrid und Schwefelwasserstoff auf glühendes Eisen, und MENDELEJEFF ist der Ansicht, dafs es gebildet werde · durch die Wirkung von Wasserdampf auf Kohleneisen.

Berücksichtigt man aber die Thatsachen, dafs festes Paraffin im Petroleum und ebenso in der Steinkohle gefunden wird, dafs nach ·der vorstehenden Untersuchung Phenol in Pinus sylvestris vorkommt und andererseits in den Steinkohlen gefunden wurde, die entstanden sind aus der Zersetzung einer Flora, welche zahlreiche riesige, der Pinus verwandte Coniferen enthielt, während auch das Petroleum Phenol enthält, und dafs beide (das Petroleum wie die Steinkohle) eine Anzahl beiden gemeinsamer Kohlenwasserstoffe enthalten, so ist die Ansicht begründet, daß die Wage der Beweismittel zu gunsten der Hypothese neigt, daß das Petroleum in der Natur erzeugt worden ist aus einer vegetabilischen Quelle im Erdinnern. Freilich kann kein wirklicher oder direkter Beweis über die Petroleumbildung beigebracht werden, deshalb sind „die Theorien die einzigen Lichter, mit denen wir in das Dunkel des Unbekannten dringen können, und sie haben einen Wert gerade so weit, als sie unseren Weg erleuchten."

Kurz, Vf. ist der Ansicht, daß ein Zusammenhang existiert zwischen den alten Fichten- und Föhrenwäldern der vergangenen Zeitalter und der Entstehung des Petroleums in der Natur. (Chem. News **49**. 95; Naturf. **17**. 151—153.)

Alex. Kalecsinszky, *Analyse der Moorerde von Alsó-Tátrafüred (Schmeks) im Zipser Komitate.* (Ztschr. der ungar. geolog. Ges. **13**. 357—65.)

W. T. Wright, *Analyse der Mineralquelle von Woodall Spa.* Woodall liegt ungefähr in der Mitte zwischen Lincoln und Boston. Im J. 1811 wurde ein Bohrversuch auf Kohlen gemacht, das Bohren mußte aber bei einer Tiefe von 277 Yards eingestellt werden, weil man eine Quelle angebohrt hatte. Diese ist seitdem zu großem Ruhme als heilkräftiges Mittel gegen Gicht, Rheumatismus etc. gelangt. Sie verdankt ihre Wirkung wahrscheinlich ihrem Brom- und Jodgehalte. FRANKLAND hat das Wasser im Jahre 1875 analysiert. Die Vff. geben wiederum eine Analyse. Nach denselben sind in Millionen Teilen Wasser enthalten: 11 113,73 Chlor, 49,7 Brom und 5,21 Jod. (Chem. N. **49**. 189.)

Paul Jeserich, *Über das Vorkommen von Nitraten etc. in den gewöhnlichen Handelsmineralwässern und die daraus zu ziehenden Consequenzen.* Vf. hat nachgewiesen, daß der Gehalt der Handelsmineralwässer an Salpetersäure, welcher öfters der Grund war, daß das Wasser beanstandet wurde, in den meisten Fällen nicht von der Anwendung verunreinigten Brunnenwassers, sondern von derjenigen einer Salpetersäure enthaltenden Salzlösung (Kochsalz und kohlensaures Natrium) herstammte. Vf. konnte in mehreren Proben Kochsalz aus verschiedenen Bezugsquellen (Ausschütteln des Salzes mit 90 proz. Alkohol und Prüfung des Extraktes mit Diphenylamin) Salpetersäure nachweisen. (Ztschr. f. Mineralw.-Fabr. **1**. 2—4.)

R. Fresenius, *Analyse der Stettiner Stahlquelle.* In 1000 g Wasser sind enthalten:

Calciumcarbonat	0,2007 g
Magnesiumcarbonat	0,0166 „
Ferrocarbonat	0,0798 „
Kaliumsulfat	0,0037 „
Natriumsulfat	0,0066 „
Chlornatrium	0,0252 „
Kieselsäure	0,0487 „
Halb gebund. Kohlens.	0,1273 „
Freie Kohlensäure	geringe Mengen
Organische Substanzen	relativ bedeut. Mengen
Gesamtsumme	0,5086 g.

Das Wasser übertrifft in seinem Gehalte an kohlensaurem Eisenoxydul fast alle sogen. Stahlquellen, wie sich aus folgender Zusammenstellung ergiebt: 1000 g Wasser enthalten kohlensaures Eisenoxydul:

Wasser von Stettin	0,0798 g
Stahlbrunnen in Schwalbach	0,0607 „
Pyrmonter Stahlbrunnen	0,0559 „
Driburger Trinkquelle	0,0539 „

(Ztschr. f. Mineralw.-Fabrik. **1**. 20—22.)

Arthur Plumert, *Die Schwefelthermen in Brussa.* In 10 000 g sind enthalten:

	I	II	III	IV
Natriumsulfat	0,020		0,453	2,395
Aluminium-	0,206			0,918
Calcium-	0,001	1,833	2,375	
Magnesium-	1,022	0,481	2,350	1,494
Calciumdicarbonat	12,890	2,621	1,880	3,352
Natrium-	0,512			0,721
Natriumchlorid	0,016	0,166		9,945

	I	II	III	IV
Freie Kohlensäure	0,821	0,132	1,520	1,521
Schwefelwasserstoff			3,321	0,552
Eisenoxyd	Spuren	Lithium u.		Silicium in
		Silicium in Sp.		Spuren.

I Quelle von Tschéhirghé, Temperatur 34—36°R., spez. Gew. 1,0—1,0123 (bei 12°R.)
II Quelle des Bades Kara Mustapha, Temp. 18°R., spez. Gew. 1,0049.
III Quelle des grofsen Schwefelbades, Temp. 65—67°R., spez. Gew. 1,0111.
IV Quelle des Bades Jeni-Kaplidja, Temp. 66°R., spez. Gew. 1,0121.

(Allgem. Wien. med. Ztg. **29**. 125—27.)   P.

7. Analytische Chemie.

Kupfferschläger, *Vorkommen von Phosphorsäure in molybdänsaurem Ammoniak.* Das molybdänsaure Ammoniak, welches zum Nachweis der geringsten Spuren o-Phosphorsäure dient, mufs selbstverständlich frei von dieser sein. Ob dies aber stets der Fall ist, darüber geben zunächst die Aussprüche verschiedener Chemiker Aufschlufs.

ROSE und CHANCEL empfehlen in ihren Lehrbüchern, die wässerige Lösung des molybdänsauren Ammoniaks mit überschüssiger Salpetersäure oder Salzsäure zu versetzen und zu erhitzen, um sich zu überzeugen, ob das Reagens nicht vielleicht Phosphorsäure enthält, in welchem Falle es sich gelblich färbt oder wohl auch einen Niederschlag absetzt. CHAMPION und PELLET geben die gleiche Vorschrift.

Nach FRESENIUS und PELIGOT soll man die Molybdänsäure mehrere Stunden im Wasserbade mit verdünnter Salpetersäure digerieren, um die Phosphorsäure, welche sie zuweilen enthält, in dreibasische Phosphorsäure zu verwandeln. Hierauf soll man, nachdem man die Molybdänsäure in nitromolybdänsaures Ammoniak umgewandelt hat, die Lösung mehrere Tage lang ruhig stehen lassen, damit sich das Ammoniumphosphomolybdat, welches sie enthält, absetzen kann.

Endlich kommt nach FRESENIUS und PELIGOT die Phosphorsäure ziemlich häufig in dem molybdänsauren Ammoniak vor, während die anderen oben erwähnten Chemiker angeben, dafs sie sich darin finden kann, ohne dafs sie jedoch deren Anwesenheit konstatiert haben. Die Sache ist also zweifelhaft. Auch erwähnen die übrigen Lehrbücher, welche der Vf. zu Rate gezogen hat, die Gegenwart der Phosphorsäure in dem molybdänsauren Ammoniak nicht. Auf welche Weise könnte sie wohl hineinkommen?

Die drei bis jetzt bekannten Molybdänminerale sind der Molybdänglanz oder das Zweifachschwefelmolybdän, der Molybdänocker, welcher Molybdänsäure ist, und der Wulfenit oder molybdänsaures Blei. Unter den Bestandteilen dieser Mineralien findet sich in den betreffenden Analysen die Phosphorsäure nicht, und deshalb kann auch das daraus dargestellte krystallisierte molybdänsaure Ammoniak keine Phosphorsäure enthalten. Zu der gegenteiligen Annahme ist man wahrscheinlich nur durch eine fehlerhafte Darstellung der Lösung des nitromolybdänsauren Ammoniaks gelangt. In der That, wenn man eine gesättigte Lösung von molybdänsaurem Ammoniak mit zuviel Salpetersäure versetzt, so entsteht nach einiger Zeit, besonders wenn die Lösung dem Lichte ausgesetzt ist, ein gelber Niederschlag, welchen man für phosphomolybdänsaures Ammoniak halten kann; allein dies ist ein Irrtum, denn die Chemiker, welche denselben analysiert haben, konnten ebensowenig wie der Vf. Phosphorsäure darin nachweisen.

In einer ersten Arbeit über diesen Gegenstand (**82.** 138) hat Vf. angegeben, dafs die Molybdänlösung nicht konzentriert zu sein braucht, und jetzt fügt er hinzu, dafs es besser ist, wenn sie es nicht ist, und zwar aus folgenden Gründen. Wenn die Molybdänlösung konzentriert und stark sauer ist, und ebenso auch die Lösung des Phosphates, welche man hinzusetzt, so enthält der gelbe Niederschlag immer überschüssige Molybdänsäure, gestattet also keine unmittelbare Berechnung der Phosphorsäure aus dem Gewicht; da er sich andererseits bei dem Wiederaufnehmen mit Ammoniak nicht vollständig darin löst, so bleibt der Analytiker im Zweifel.

Nun giebt RICHTERS an, dafs das molybdänsaure Ammoniak Flüssigkeiten, welche nur $^{1}/_{30000}$ Phosphorsäure enthalten, sofort fällt, und LAUDON-BLOXAM empfiehlt 1 g molybdänsaures Ammoniak in 30 g Wasser zu lösen, um daraus das empfindlichste Reagens auf Phosphorsäure herzustellen. Demnach ist es nicht nötig, dafs die Lösung so konzentriert sei, wie GUYARD verlangt. Die Vorschrift, welche FRESENIUS zur Darstellung der Lösung giebt, scheint mit der Abänderung, dafs man etwas weniger Salpetersäure nehmen kann, dem Vf. die beste. Um gut zu arbeiten, mufs man die angesäuerte Lösung der phosphorsäurehaltigen Substanz konzentrieren, mit ihrem zwanzigfachen Volum ammoniakalischer Molybdänlösung vermischen und das Gefäfs einige Stunden lang bei einer Temperatur, die 45° nicht übersteigt, stehen lassen. Es ist gleichgültig, ob man die Phosphatlösung zu dem Reagens setzt, oder umgekehrt. Durch ein zu konzentriertes Reagens und eine Temperatur, die dem Siedepunkt nahe kommt, nimmt der Niederschlag überschüssige Molybdänsäure auf und eventuell auch Spuren von Arsensäure, welche in der Flüssigkeit enthalten sein kann, und die man dann als Phosphorsäure berechnen würde. Sobald sich die Flüssigkeit geklärt hat, setzt man noch etwas Molybdänlösung hinzu und überläßt das Ganze bei gelinder Wärme der Ruhe, wobei man mit dem Reagens zeitweise prüft, bis sich kein Niederschlag mehr bildet. Nach dem Abfiltrieren des Niederschlages dampft man die Lösung im Wasserbade zur Trockne, glüht den Rückstand gelinde und erschöpft ihn mit Ammoniak, um sogleich wieder molybdänsaures Ammoniak zu erhalten. (Bull. Par. **41.** 172—175. 20. Febr.)

E. Leybold's Nachfolger. *Petroleumprüfungsapparat.* (D. P.), Die große Verbreitung, welche die Prüfung des Petroleums auf seine Entflammbarkeit erfahren, giebt fortwährend zu Neuerungen an den dabei benutzten Apparaten Veranlassung. Der vorliegende sucht das Abdunsten der Öldämpfe besser wie seither zu regulieren.

Die nachteilige Wirkung der allmählichen Diffusion der Petroleumdämpfe von unten nach oben wird dadurch aufgehoben, daß die ganze Menge der über dem Ölspiegel in dem Gefäße *a* vorhandenen Luft, deren Menge zum Volum des Öles in bestimmtem Verhältnisse, z. B. 1 : 1 steht, mit den sich bildenden Öldämpfen durch eine kräftig wirkende Rührvorrichtung *c* bis zum Momente der Explosion stetig gemischt wird. Durch dieses Verfahren wird noch erreicht, daß die Stellung der Zündflamme ganz gleichgültig ist und daß die Größe der Heizflamme, sowie Größe- und Anfangstemperatur des Wasserbades *h* und die Temperatur des Öles in weiten Grenzen auf das Resultat ohne Einfluß sind. Die Zündflamme *d* wird nicht mit ihrer Spitze in das Dampfgemisch gebracht, sondern mit der Hand, indem man unter Ueberwindung der Feder *i* auf den Knopf *k* drückt, durch den Deckel des Ölgefäßes *a* hindurch von oben herabsenkt. Die von der Zündflamme nach unten ausgestrahlte Wärme wird durch die Platte *m* aufgefangen, welche mit der Flamme *d* herabsinkt, während die heißen Verbrennungsgase durch die frei gewordene Öffnung des Deckels entweichen. (Pol. Notizbl. **39.** 70.)

D. Sidersky, *Apparat zur Bestimmung der Kohlensäure im Saturationsgase.* Der zu beschreibende Apparat unterscheidet sich von den bisher gebräuchlichen Apparaten zur Bestimmung der Kohlensäure im Saturationsgase dadurch, daß die zur Absorption der Kohlensäure dienende Alkaliflüssigkeit ruhig im Behälter steht und nicht auf- und niedergedrückt wird, während das absorbierte Gasvolum durch eine Wassersäule gemessen wird. Dadurch wird das etwaige Übertreten der ätzenden Flüssigkeit vollkommen vermieden, sowie die Anbringung von Dreiweghähnen vollständig ausgeschlossen.

Der Apparat besteht aus drei kalibrierten Glasröhren *A*, *B* und *C*, welche miteinander in geeigneter Weise verbunden, auf einem Holzgestelle befestigt sind. Die Röhre *A* stellt eine Vollpipette dar, die das abzumessende Gasvolum von 100 ccm zwischen zwei Marken (0 und 100) einschließt.

Die untere verjüngte Mündung der betreffenden Röhre ist mittels eines mit Quetschhahn *m* versehenen Gummischlauches und einem Glasrohre mit dem Inhalte der unten stehenden dreihalsigen WULF'schen Flasche *E* verbunden. In der oberen weiten Mündung der Röhre *A* sitzt ein luftdicht schließender, doppelt durchbohrter Gummipfropfen, in welchem eine mit dem Glashahne *p* versehene gebogene Glasröhre mündet, welche durch den Gummischlauch *g* mit der Gasleitung in Verbindung gesetzt werden kann. In der zweiten Öffnung des betreffenden Pfropfens sitzt eine ähnliche, mit dem Glashahne *r* versehene gebogene Röhre, welche in dem Kaligefäße *D* mündet. Die Gefäße *D* und *D′* haben die Form eines weiten Reagierglases, sind beide durch doppelt durchbohrte Gummipfropfen luftdicht verschlossen und miteinander verbunden.

Ferner is *D* mit *A* und *D′* mit *B* verbunden. Beide Gefäße *D* und *D′* sind zur Hälfte mit konzentrierter Kalilauge gefüllt und dienen als Waschgefäße für das zu untersuchende Gas. In der oberen Mündung der Maßröhre *B* sitzt ebenfalls ein doppelt durchbohrter Pfropfen, in welchem die Verbindungsröhre mit *D′*, sowie ein gerades, mit dem Glashahne *s* versehenes Röhrchen, welches in die freie Atmosphäre mündet, luftdicht sitzen und kurz unter dem Pfropfen münden. Der Glashahn *s* verbindet den Inhalt der Röhre *B* mit der atmosphärischen Luft und wird daher „Lufthahn" genannt.

Die untere Mündung der Röhre B ist mit der unteren Mündung von C verbunden, wodurch B und C kommunizierend sind. Eine zweite, von der Mündung der Röhre C ausgehende enge Röhre ist mittels Gummischlauch und Quetschhahn n mit der dreihalsigen Wasserflasche E verbunden. Die dreihalsige WULF'sche Flasche E, welche mit A und C in Verbindung steht, ist mit Wasser gefüllt. Auf dem mittleren Halse derselben ist ein Gummischlauch befestigt, der in einem Druckballon F mündet. Schließt man die kleine Öffnung des Gummiballes F mit dem Daumen zu und drückt darauf, während gleichzeitig einer der Quetschhähne geöffnet wird, so steigt das Wasser in A oder C ein, je nachdem m oder n geöffnet wird.

Zur Ausführung der Kohlensäurebestimmung verfährt man folgendermaßen: Die Röhren B und C werden mit Wasser bis zum 100-Punkte in B gefüllt, was durch Öffnen des Quetschhahnes n und Drücken auf den Gummiball F hergestellt wird, während der Lufthahn s geöffnet sein muß. Ist dieses geschehen, 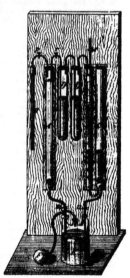 so schließt man den Hahn r, öffnet dagegen den Hahn p und verbindet den Gummischlauch g mit der Gasleitung, während der Quetschhahn m gleichzeitig geöffnet wird. Das Gas gelangt durch g, p und A in E und strömt von da in lebhaften Blasen aus. Man läßt das Gas einige Zeit durchströmen, bis man sicher ist, daß das in der Leitung befindliche Gas bereits ausgetreten und durch frisches ersetzt ist. Alsdann werden p und m gleichzeitig geschlossen, wodurch der Strom unterbrochen wird. Nun drückt man vorsichtig etwas Wasser in A, bis zur unteren Marke (Nullpunkt) und läßt den dadurch entstandenen Druck, durch momentanes Öffnen des Hahnes r, austreten, wodurch die übrigen Teile des Apparates gleichzeitig mit Gas gefüllt werden.

Man schließt alsdann den Lufthahn s, öffnet r (wobei jedoch Wasserhöhen in B und C in einer Linie sein müssen, was im entgegengesetzten Falle durch vorsichtiges Lüften von s hergestellt wird), läßt das Wasser von C teilweise nach E ab, öffnet den Quetschhahn m und drückt das Wasser langsam in A bis zum 100-Punkte, wodurch das Gas verdrängt wird. Letzteres nimmt seinen Weg durch die mit Kalilauge gefüllten Wassergefäße D und D', wodurch es seine Kohlensäure vollständig verliert, und gelangt, kohlensäurefrei, in B, wodurch die Wassersäule in C steigt. Nun öffnet man den Quetschhahn n und läßt das Wasserniveau in C sinken, bis es mit dem in B in einer Linie steht. Die an letzterem B befindliche Gradbezeichnung giebt den gesuchten Kohlensäuregehalt in Prozenten an, da die Kohlensäure von der Kalilauge in D und D' vollkommen absorbiert wurde und daher von dem in B befindlichen Wasser verdrängt ist. Die Verdoppelung des Kaligefäßes dient zur vollständigen und sicheren Absorption der Kohlensäure. Es ist leicht einzusehen, daß die Marken in A und B einander entsprechen müssen, aber ganz beliebig graduiert sein können. Von 30 an kann die Graduierung in B weggelassen werden. (Ztschr. d. Ver. f. Rüb.-Z.-Ind. **20**. 919—21.)

J. Uffelmann, *Spektroskopisch-hygienische Studien.* 1. *Die Untersuchung der Alkoholica auf Fuselöl.* Setzt man zu einem Tropfen eines wasserklaren ungefärbten Amylalkohols 1,5—2,0 reine konzentrierte Schwefelsäure, so entsteht mattgelbe Färbung; diese letztere geht aber beim Erwärmen rasch in ein gesättigtes Gelb, Goldgelb, weiterhin in Gelbrot und Rotbraun über. Das rasche Hervortreten der goldgelben Farbe sieht man besonders schön, wenn man den Tropfen Amylalkohol in einer weißen Porzellanschale mit 1,5 ccm Schwefelsäure übergoß und nun über einer Spiritusflamme erwärmte. Man sieht dann das intensive Gelb an der Stelle erscheinen, an welcher vorhin der Tropfen Amylalkohol sich befand. Erwärmt man in einem Reagierglase, und sieht man die goldgelbe Farbe zum Vorschein kommen, so ist es Zeit, mit der Erwärmung aufzuhören und rasch abzukühlen. Untersucht man dann mit dem Spektroskope, so findet man ein sehr deutliches Absorptionsband zwischen G und F. Dasselbe ist dem Bande sehr ähnlich, das Safran in amylalkoholischer Lösung erzeugt, ist ziemlich breit und geht nach G in eine matte Verdunkelung über. Sollte man in der Erwärmung zu weit gegangen sein und bereits rötlichgelbe Färbung erzielt haben, so findet man eine starke einseitige Absorption vom blauen Ende bis *b* und noch weiter; wenn man aber vorsichtig, 'nach erfolgter Abkühlung soviel destilliertes Wasser zusetzt, bis wieder eine schwachgelbe Farbe entsteht, und nunmehr spektroskopiert, so tritt das Band zwischen *G* und *F* sehr deutlich hervor, obschon die Flüssigkeit sich trübt.

Wer diese Vorprobe angestellt hat, wird mit Leichtigkeit das Fuselöl, welches ja zum größten Teil Amylalkohol ist, in spirituösen Flüssigkeiten aufzufinden im stande sein. Das beste Verfahren ist folgendes:

Man schüttele die zu untersuchende Flüssigkeit stark mit Äther, setze dann soviel Wasser zu, bis der Äther sich absondert, hebe die Ätherschicht ab und lasse verdunsten; den etwaigen Rückstand übergieße man, nachdem man den Geruch feststellte, mit reiner konzentrierter Schwefelsäure, erwärme und nehme bei eintretender Gelbfärbung die spektroskopische Prüfung vor. War im Rückstande auch nur eine geringfügige Menge Fuselöl (Amylalkohol), so wird man dasselbe auf diese Weise konstatieren können; es genügt vollständig der 25. Teil eines Tropfens, ja noch weniger. Man vermag ganz sicher einen Fuselölgehalt von 0,03% in einer spirituösen Flüssigkeit zu bestimmen. Vf. kennt keine andere im Branntwein vorkommende Substanz, welche gleiche spektroskopische Eigenschaften nach Behandlung mit SO_3 darbietet. Ob aber dieselben dem Amylalkohol oder einer etwa in demselben gelösten Substanz zukommen, kann Vf. vorläufig nicht sagen, bemerkt aber, daß er sehr häufig aus unzweifelhaft echtem Bordeaux-Rotwein ein Extrakt mittels Äther gewonnen habe, das beim Verdunsten einen eigentümlichen penetranten Weingeruch darbot, bei Behandlung mit Schwefelsäure und Erwärmung aber dasselbe spektroskopische Verhalten zeigte, wie das oben geschilderte.

Leicht kann man übrigens noch einen Kontrollversuch anstellen. Man behandelt zunächst die auf Fuselöl zu untersuchende Flüssigkeit in der oben angegebenen Weise mit Äther. Zu dem Rückstande gießt man in einer Porzellanschale zwei Tropfen einer durch angemessenen Zusatz von 1%/₀ Salzsäure grün gefärbten Methylviolettlösung (frisch bereitet); war der Rückstand Amylalkohol, so zeigen sich schön blaugefärbte ölige Tropfen, die auf der grünlichen Flüssigkeit schwimmen. Amylalkohol entzieht nämlich aus sauren grünen Methylviolettlösungen veilchenblauen Farbstoff, den man spektroskopisch identifizieren kann. In gleicher Weise kann man Fuchsin anwenden, dessen Lösung man mit etwas verdünnter (1%/₀) Salzsäure bis auf einen Schimmer von lila entfärbt hatte. Der fragliche Ätherrückstand färbt sich, falls er Amylalkohol war, schön rot.

Man kann auch den Versuch mit Branntwein (2 ccm) und konzentrierter Schwefelsäure (4 ccm) direkt anstellen.

Ist neben Amylalkohol Furfurol im Branntwein, so ändert sich das spektroskopische Verhalten in etwas. Bei größerem Furfurolgehalt beobachtet man an der Lösung des Rückstandes von der Ätherausschüttelung in konzentrierter Schwefelsäure ein mehr oder weniger dunkles Absorptionsband auf *b* ¹/₂ *F* bis *F*. Beim Erhitzen und darauf erfolgter Verdünnung bis zur mattgelben Farbe bemerkt man zwei Absorptionsbänder, deren eines von dem Gehalte an Amylalkohol herrührt, während das andere zwischen *b* und *F* das Furfurolband ist. Auch die Furfurol-Anilin-Reaktion (**82**, 380, 234) zeigt ein charakteristisches spektroskopisches Verhalten.

2. *Nachweis von Farbstoffen in Spirituosen*. Vf. beschreibt den Nachweis für Fuchsin. Orseille, Indigocarmin, Safrantinktur zugleich mit Indigo (Grün), für Indigo zugleich mit Curcumafarbstoff (Grün) und für Pikrinsäure.

3. *Untersuchung von Branntwein auf Schwefelsäure und Salzsäure*. Der Nachweis geschieht mittels Methylviolettlösung, wie bei der Prüfung des Essigs später auseinandergesetzt werden wird. Nur ist hier vor dem Zusatze der Farbstofflösung der Alkohol des Branntweins durch Erwärmen des letzteren im Wasserbade zu verjagen. Man nimmt 150,0 Branntwein, verjagt den Alkohol, setzt 12 ccm einer 0,005 proz. Lösung von Methylviolett hinzu und prüft mit dem Spektroskope, ob sich auf *d* der Absorptionsstreifen zeigt, welcher eintritt, wenn eine anorganische Säure auf jenen Farbstoff einwirkt. Über die Natur der Säure vermag diese Probe allerdings nichts anzugeben.

4. *Untersuchung von Wein, speziell von Rotwein*. Vf. schildert das spektroskopische Verhalten des echten Rotweinfarbstoffes nach der Behandlung des Rotweines mit einer Anzahl von chemischen Reagenzien, dasjenige von Weißweinen und geht schließlich zu dem Nachweise künstlicher Färbemittel über, von denen er Fuchsin, Methylviolett in Verbindung mit Karamel, Malvenblätterfarbstoff, Heidelbeersaft, Saft von Rainweidebeeren, Lackmus, den Farbstoff roter Rüben, der Klatschrosen, Blau- und Rotholz, ferner Carmin und Orseille berücksichtigt. *Alaun im Weine* kann man mittels einer sehr gesättigten Lösung von Blauholz an dem spektroskopischen Verhalten der auftretenden violetten und später violettblau werdenden Färbung erkennen. Es gelang noch, 0,06 p. c. Alaun auf diese Weise zu ermitteln. Das von VOGEL zum Alaunnachweise vorgeschlagene Purpurin

ist nicht so empfindlich, dagegen kann man den Rotholzfarbstoff in ganz ähnlicher Weise wie den Blauholzfarbstoff benutzen; ersterer steht an Empfindlichkeit gegen Alaun dem letzteren wenig nach. (Schluſs folgt.) (Arch. f. Hygieine 1. 443—99. Rostock.)   P.

E. Meyer-Mülsen, *H. Grouven's Ofen zur Darstellung von reiner Kohlensäure aus Kalkstein, Dolomit oder Strontianit mittels glühenden Wasserdampfes.* Leitet man durch ein glühendes, mit Stücken von Kalkstein, Dolomit oder Witherit gefülltes Rohr gewisse Mengen heiſsen Wasserdampfes, so stellt sich schon bei mäſsiger Rotglut eine Entbindung von Kohlensäure und nach gewisser Zeit eine vollständige Kaustizität jener Mineralien ein. Diese Beobachtung ist schon von verschiedenen Chemikern gemacht, also nicht neu.

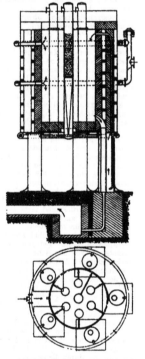

Ihre Anwendung auf die Industrie der Kohlensäuregewinnung sowohl, als auf die des Kalkbrennens hat aber noch nicht stattgefunden; überall brennt man noch Kalkstein oder Strontianit, Dolomit und dergl. in Schachtöfen bei angehender Weiſsglut entweder mittels eingeschichteter Kohle und Luft, oder mittels Gas und Luft; auch überall, wo man viel Kohlensäure braucht, in Zuckerfabriken, Ammoniaksodafabriken und so manchen anderen chemischen Industrien, da wird dieselbe in ähnlichen, überdies mit teuren Pumpwerken und Waschapparaten versehenen Schachtöfen erzeugt. Die dabei erzielte Kohlensäure ist eigentlich nur ein an Kohlensäure reiches Rauchgas, welches bloſs 20—30 p. c. Kohlensäure enthält und trotz groſser Waschvorrichtungen manchmal, namentlich bei Anwendung böhmischer Kohle, viele Teergase führt. Auch durch seine oft groſsen Sauerstoffanteile schädigt es manche Saturation.

Eine so verdünnte Kohlensäure muſs in vierfach gröſserem Volum durch die zu saturierenden Flüssigkeiten getrieben werden, und darin liegt die Schuld ihrer oft unvollständigen Ausnutzung. Vf. beobachtete bei 30° warmen Ammoniaklösungen 30—50 p. c. Verlust an nicht absorbierter Kohlensäure und zwar unter Umständen, wo $^1/_4$ Volum reiner Kohlensäure fast gänzlich absorbiert wurde. Bei heiſsen Ätzkalklösungen war jener Verlust nicht so groſs.

Kohlensäuregewinnung mittels Wasserdampf hat nicht bloſs die Zulässigkeit einer niedrigeren Temperatur, sondern gewährt auch, da keinerlei Gas sich mit der entwickelten Kohlensäure vermengt, auſser dem leicht zu kondensierenden überschüssigen Wasserdampfe eine Kohlensäure von 99 p. c., d. h. eine ebenso reine, wie sie in Mineralwasserfabriken aus Magnesit und Schwefelsäure dargestellt wird. Solche Kohlensäure bedarf keiner Waschapparate; sie läſst die Möglichkeit zu, den Saturationsbatterien die kleinste, also billigste Gröſse zu geben. Die Vorzüge der Wasserdampfmethode erscheinen also so groſs, daſs man den Grund ihrer bisherigen Nichteinführung nur suchen kann in den vielerlei abschreckend wirkenden Schwierigkeiten, welche in der Konstruktion einer entsprechenden Ofenanlage liegen.

Die in der chemischen Fabrik zu Bürgerhof bei Lauenburg auszuführenden Prozesse führten nun Dr. H. GROUVEN in Leipzig (D. P.) nach mehrjährigen groſsen Vorversuchen zur Konstruktion des in obenstehender Figur dargestellten Ofens, welcher sich gut bewährt hat. Die Zeichnung zeigt den Ofen mit sieben Retorten, wobei derselbe einer Leistungsfähigkeit von täglich 7,5 t Kalkstein entspricht; er kann aber ebenso gut auf 12 oder 16 Retorten erweitert werden; auch können letztere, je nach Leistungsforderung, ebenso gut 4 wie 3 m Länge im Feuer haben. In allen Fällen ist aber erfahrungsgemäſs eine lichte Weite der Retorten von 0,25 m die zweckmäſsigste. Je weiter, desto schwieriger ist die Durchheizung derselben und desto gröſsere Glut muſs das ringsum brennende Gasfeuer bieten. Man wünscht aber zur Konservierung der Retorten diese Glut nicht unnötig hoch. Luft und Gas, welche der Ofen zur Heizung bedarf, wird in denselben mittels eines ROOTS-Gebläses hineingedrückt. Angenommen, der Ofen brauche minutlich 1 kg Koks, so hat dieses Gebläse die Hälfte (4,5 cbm) der nötigen Luft in den Gasgenerator, die andere Hälfte (4,5 cbm) in den eigentlichen Ofen zu treiben. Direkt aus dem Generator kommend, strömt das Koksgas mittels zweier Gasringe aus zehn Öffnungen in den Ofen mit einer Temperatur von 600—800°. Die zu dessen Verbrennung nötige Luft wird oben unter der Decke des Ofens durch fünf Düsen eingepreßt, auf keinen Gasstrahl stoßend und daher nirgendwo Stichflammen erzeugend, welche einer Retorte gefährlich wären. Auch die Luft tritt 300—400° vorgewärmt in den Ofen; ihre Vorerwärmung findet innerhalb der fünf Säulen, auf welchen der Ofen steht, statt, und zwar durch die Wärme der nach unten hin abziehenden Rauchgase. Obgleich damit die Bedingungen einer hohen Verbrennungstemperatur gegeben sind, so bleibt doch die Mischung von Luft und Gas eine allmähliche und sich auf die ganze Höhe des Ofens erstreckende.

Die Retorten werden nur zur Hälfte mit dem zu brennenden Kalksteine gefüllt, auch in keinen größeren Stücken als 20—40 mm. Auf je 1 t Füllung läßt man minutlich 1 kg Dampf durchstreichen. Indem der Dampf zunächst unten in die leere Hälfte der hochglühenden Retorten einströmt, bekommt er bis zum Eintritte in die Füllmasse eine solche Überhitzung, daß ihm die Aufgabe leicht wird, das auf dem Roste lagernde glühende Gestein zu decarbonisieren. Von unten frisch und stetig nachströmend, entführt er rasch die frei werdende Kohlensäure nach oben hin bis zum Ausgange der Retorten und bis zur Kondensation.

Solche Retorten brauchen erfahrungsgemäß zur vollständigen Entkohlensäuerung ihres Inhaltes etwa vier Stunden. Die kaustisch gebrannte Masse läßt man dann, nachdem oben die Retorte durch Zudrehung des Hahnes isoliert worden, mit dem beweglichen Roste herabfallen. Nach Wiedereinsetzung des Rostes bekommt sie sofort wieder neue Füllung von oben durch die leicht zu handhabende und gasdicht schließende MORTON'sche Thür. Zum Brennen von je 100 kg Rüdesheimer Muschelkalk mußten in Bürgerhof ungefähr 12 kg Koks und 24 kg Dampf aufgewendet werden. Hieraus geht hervor, wie wenig Brennmaterial ein solcher Ofen bedarf.

Giebt man in die Retorten anstatt Kalkstein gewöhnlichen Pyrit in Nußdicke, so findet unter teilweiser Spaltung des Dampfes allmählich eine vollständige Entschwefelung des Pyrites statt; der Schwefel entweicht in Form von Schwefelwasserstoffgas, und in den Retorten bleibt Eisenoxydoxydul mit den sonstigen Nebenbestandteilen der Pyrite zurück. Somit ist jener Ofen gleichzeitig zur Herstellung von Schwefelwasserstoffgas geeignet. (Pol. Journ. 252. 68 u. fgde.; Sep.-Abdr. vom Vf. eingesandt.)

Eugen Borgmann, *Ein Beitrag zur Frage über die Verwendbarkeit des neutralen weinsauren Kalis zum Entsäuern der Weine.* In Nr. 9 der deutschen Weinzeitung wird von FRIEDR. HOLL zu Worms eine Anfrage über die Anwendung des neutralen weinsauren Kalis zum Entsäuern des Weines aufgeworfen, welche Veranlassung giebt, aus einer größeren Arbeit nachstehend einige auf diese Anfrage bezüglichen Versuche hier schon mitzuteilen.

Ein 1881 er Wein, welcher einen Gehalt an freier Säure, auf Weinsäure berechnet, von 1,192 g und einen solchen an Mineralstoffen (Asche) von 0,24 g in 100 ccm besaß, wurde einerseits mit wechselnden Mengen von neutralem weinsauren Kali und andererseits mit reinem kohlensauren Kalk versetzt.

Zu 50 ccm Wein wurden gegeben:

	I	II	III	IV
an neutralem weinsauren Kali:	0,80 g	0,75 g	0,65 g	0,60 g

Der Säuregehalt wurde hierdurch herabgedrückt auf:

0,76	0,77	0,89	0,90 g.

Der Gehalt an Mineralstoffen dagegen erhöht auf:

0,922	0,874	0,808	0,67? g in 100 ccm.

Bei Verwendung von kohlensaurem Kalk stellten sich die Verhältnisse wie folgt.

Zu 50 ccm Wein wurden gegeben:

	I	II	III	IV
an kohlensaurem Kalk:	0,180 g	0,164 g	0,147 g	0,127 g.

Der Säuregehalt wurde hierdurch herabgedrückt auf:

0,63	0,71	0,73	0,79 g.

Der Gehalt an Mineralstoffen dagegen erhöht auf:

0,477   0,372   0,365   0,342 g in 100 ccm.

Die Schlußfolgerungen sind aus vorstehenden Zahlen leicht zu ziehen. Der Säuregehalt konnte durch Anwendung von neutralem weinsauren Kali oder durch kohlensauren Kalk „reguliert" werden, doch wurde durch diese Entsäurungsmittel, ganz besonders bei Anwendung von neutralem weinsauren Kali der Gehalt an Mineralstoffen (Asche) sehr bedeutend erhöht.

In dem letzteren Falle konnte nur das Kali des neutralen weinsauren Kalis diese Erhöhung veranlaßt haben und wurde demzufolge der Wein durch die angegebene Manipulation sehr an Kalisalzen bereichert, eine Thatsache, die zu bedenken giebt, da nach den Erfahrungen der Ärzte Kalisalze dem menschlichen Organismus keineswegs zuträglich sind. (Sep.-Abdr. aus D. Wein-Ztg. 1884. Nr. 11.)

E. List, *Der sogen. „Hamburger Sherry".* Der gesteigerte Verbrauch an Sherry, dessen relativ hohe Herstellungskosten, haben in Hamburg eine Industrie hervorgebracht, auf die aufmerksam zu machen, der Zweck dieser Abhandlung ist. Es ist dies die Fabrikation von Sherry, der insbesondere England und die unteren Rheinlande als Absatzgebiet hat. Die nach England ausgeführten Fabrikate sollen in neuerer Zeit wieder als englische Weine eingeführt und als chemisch reine Sherrys angeboten und verkauft worden sein.

Für den Arzt kann es nicht gleichgültig sein, ob der von ihm gegebene Sherry konzentrierter Wein ist oder kaum Spuren von demselben enthält und lediglich im Alkoholgehalte mit demselben übereinstimmt. Von den nachstehend analysierten Weinen ist I ein Sherry, dessen Zusammensetzung keinen Grund zu irgend einem Zweifel giebt. II ist ein Hamburger Sherry, der sehr wenig Wein enthält, und der aus Zucker, Wasser, Weingeist, Kochsalz hergestellt wurde. Die Rechtsdrehung des Weines beweist, daß der Zuckerzusatz bei Abwesenheit von Hefe stattgefunden hat und erst vor dem Versande geschehen ist. Es wird dies dadurch unterstützt, daß gelindes Erwärmen des Weines die Rechtsdrehung aufhebt und die Flüssigkeit linksdrehend macht. Der geringe Gehalt an Glycerin steht in gar keinem Verhältnisse zum Extrakte und Alkohol und beträgt weniger, als die geringsten Hefeweine haben. Entscheidend für das Kunstprodukt ist das ganz enorme Zurücktreten der Mineralstoffe, das durch einen Zusatz von Kochsalz, welches dem Weine einen ganz spezifischen Geschmack verleiht, verdeckt werden soll. Wein III ist als ein Verschnitt von Hamburger Kunstsherry zu erklären. Der Zuckerzusatz hat hier schon früher stattgefunden, so daß die Inversion desselben durch die vorhandene Säure vollständig bewirkt worden ist. Die Mineralbestandteile treten auch hier noch stark zurück und sind durch Kochsalz ersetzt worden. Die Phosphate sind, wie im vorigen, in so geringer Menge vorhanden, wie sie selbst ein sehr geringer Wein nie zeigt.

	I	II	III
Spez. Gewicht (15°C.)	0,9875	0,9934	0,9940
Alkohol in Gewichtsproz.	17,21	14,41	16,65
Extrakt, berechnet	3,64	4,11	4,05
Extrakt, gewogen	3,75	4,05	3,89
Asche	0,2320	0,16	0,21
Alkalität ders. in ccm N-Säure	1,6	0,2	0,4
Phosphorsäure	0,0319	0,008	0,011
Schwefelsäure	0,0219	0,0219	0,0227
Kaliumsulfat	0,0476	0,0475	0,0494
Azidität in ccm N-Lauge	0,85	0,4	0,50
„ leicht flüchtig	0,15	0	0,15
„ als Weinsäure	0,6375	0,3	0,375
Glycerin	0,9140	0,3349	0,484
Polarisation (Wald)	—1,66	0,80	—0,4
„ nach Inversion	—1,66	—0,6	—0,4
Chlor	kaum Spuren	0,049	0,042

(Arch. f. Hygieine 1. 500—2. Würzburg.)   P.

Vogel, *Süßholz im Biere.* (Rep. anal. Chem. 4. 49—54. Memmingen.)

F. Strohmer, *Über die verbesserte Leube-Rosenthal'sche Fleischsolution.* Die Herstellung des Präparates geschieht nach LEUBE durch anhaltendes Kochen von fett- und knochenfreiem Fleische mit salzsäurehaltigem Wasser im PAPIN'schen Topfe, Zerreiben der Masse, Abstumpfen der Säure mit reiner Soda und Eindampfen bis zur Sirupkonsistenz. Zwei vom Vf. untersuchte Proben stellten einen siruppartigen, bräunlichen Brei von angenehm fleischigem Geruche und etwas salzigem Geschmacke dar. Unter dem Mikroskope liefsen sich nur äufserst fein zerteilte Muskelfasern erkennen. In Wasser löst sich der Brei zu einer stark trüben Flüssigkeit von schwach saurer Reaktion. Die Proben enthielten:

	I.		II.	
	I.		II.	
Wasser	80,36	p. c.	67,21	p. c.
Fett	2,00	„	5,93	„
Stickstoffsubstanz	16,34	„	25,06	„
Kochsalz	0,49	„	0,46	„
Asche	0,81	„	1,34	„
	100,00	p. c.	100,00	p. c.
Stickstoff	2,30	p. c.	3,42	p. c.
Phosphorsäure	0,33	„	0,58	„

Die LEUBE-ROSENTHAL'sche Fleischsolution steht an Zusammensetzung dem mittelfetten Ochsenfleische am nächsten, und unterscheidet sich dieselbe vom Fluid meat und JOHNSTON'S Fluid beef wesentlich durch ihren niederen Kochsalz- und namentlich niederen Trockensubstanzgehalt.
Von 100 Teilen Stickstoff sind vorhanden in:

	Probe I.	II.
als Albumin	62,60	51,46
„ Pepton	12,17	29,82
„ Amidokörper, Amidosäuren etc.	25,23	18,72.

Auf frische Substanz wäre demnach enthalten in Probe I: Albumin 9 p. c., Pepton 1,79 p. c., in Probe II: Albumin 11,0 p. c. und Pepton 6,51 p. c.
Das Albumin ist in einer Form vorhanden, in der es leicht verdaut werden kann, denn bei einem Verdauungsversuche mit künstlichem Magensafte, dargestellt durch Extraktion der Schleimhaut des Magens vom Schweine mit 0,2 p. c. Salzsäure, waren von 100 Gesamtstickstoff bei Bluttemperatur in sechs Stunden verdaut: 99,86 bei Solution I und 99,78 bei Solution II. (Wien. med. Wochensch. **34.** 259—261.)   P.

Kleine Mitteilungen.

Verwendung von Wasserdampf in Generatoren, von R. SCHÖFFEL. (Schlufs). Da die angewendete Kohlenstoffmenge 97 beträgt, so ergiebt sich eine scheinbare Ersparung von 6,9 p. c. Vf. sagt absichtlich scheinbare Ersparung, denn es ist ersichtlich, dafs die Differenz in den beiden Wärmemengen lediglich in den zwei Gewichtseinheiten Wasserstoff gelegen ist, deren Wärmeeffekt im Generator verbraucht worden ist und sich in den Gasen wiederfindet. Man hat also durch die ziffermäfsig ersichtliche Herabsetzung der Temperatur im Generator von 1520 auf 1200° jene Wärmemenge von 58000 c in die Generatorgase in Form von brennbarem Wasserstoffe übertragen, folgerichtig mufs genau die nämliche Wärmemenge in jenen Gasen enthalten sein, welche aus der gleichen Gewichtsmenge Kohlenstoff lediglich durch Luft erzeugt worden sind. In der That, bedenkt man, dafs diese Gase im Entstehungsmomente eine Temperatur von 1520°, jene unter Mithilfe von Wasserdampf nur 1200° besitzen, so ersieht man, dafs die scheinbar in letzterem gewonnene Wärmemenge in den heifseren Gasen der ersteren Art ausgeglichen wird, nämlich: die unter Mithilfe von Wasserdampf erzeugten Gase enthalten eine Wärmemenge von:

$$605,6 \times 1200 \times 0,24 + 2 \times 1200 \times 3,4 = 182\,573,$$

jene blofs mit Luft erzeugten Gase:

$$659,2 \times 1520 \times 0,24 = 240\,476,$$
$$\text{Differenz} \quad 57\,903.$$

Wäre es somit möglich, die Gase mit ihrer vollen Bildungstemperatur zu benutzen, so würden beide uns den gleichen Effekt geben.
Berechnet man den Temperatureffekt der beiden Gase, so erhält man: Bei jenen unter Mithilfe von Wasserdampf:

$$T = \frac{226,3 \times 2400 + 2 \times 29000 + 605,6 \times 1200 \times}{226,3 \times 1,57 \times 0,24 + 226,3 \times 1,9 \times 0,24 +}$$

$$\frac{\times 0,24 + 2 \times 1200 \times 3,4}{+ 9 \times 2 \times 0,48 + 2 \times 26,78 \times 0,24 + 379,3 \times 0,24}$$

$$T = \frac{783\,693}{0,24 \times 1218,12 + 9 \times 2 \times 0,48} = 2603^0,$$

bei jeneh bloſs mit Luft erzeugten:

$$T = \frac{226,3 \times 2400 + 659,2 \times 1520 \times 0,24}{226,3 \times 1,58 \times 0,24 + 226,3 \times 1,9 \times 0,24 + 432,9 \times 0,24}$$

$$T = \frac{783\,596}{0,24 \times 1218,16} = 2680^0.$$

Zähler und Nenner sind in beiden Fällen in den vereinfachten Ausdrücken absichtlich so gruppiert, um zu ersehen, daſs die Differenz lediglich in dem in den Generator eingeführten, jetzt wieder gebildeten Wasserdampfe liegt, welcher im ersten Falle, indem er auf die Verbrennungstemperatur gebracht werden muſs, den Temperatureffekt etwas herabsetzt.

Könnten somit die Generatorgase mit ihrer Entstehungstemperatur benutzt werden, so wäre eine Einführung von Wasserdämpfen zwecklos, ja sogar, wie aus vorstehender Rechnung zu ersehen, nachteilig. Wenn jedoch die Gase wegen längerer Fortleitung vor ihrer Verwendung abgekühlt werden, so wird die Einführung von Wasserdämpfen in den Generator, jedoch nur in der berechneten Maximalgrenze, einigen Nutzen zur Folge haben. Diesen Umstand hat auch SCHMIDT in seiner Schluſsbemerkung angedeutet. Der Temperatureffekt in beiden Fällen ist dann:

$$T = \frac{226,3 \times 2400 + 2 \times 29\,000}{0,24 \times 1218,12 + 9 \times 2 \times 0,48} = 1997^b \quad \text{und}$$

$$T = \frac{226,3 \times 2400}{0,24 \times 1218,16} = 1859^0.$$

Der Gewinn ist 138° oder 6,9 p. c., somit der gleiche, wie früher der in Kohlenstoff umgesetzte Wärmegewinn. (Österr. Ztschr. 42. 169—70.)

Berichtigung: S. 386 Z. 19 v. o. hinter Cellulose schalte ein:
kein Nahrungsstoff ist oder zum mindesten, daſs die Cellulose etc.

Redaktion: Prof. Dr. Rud. Arendt in Leipzig.

Verlag von Leopold Voss in Hamburg u. Leipzig. — Druck von Metzger & Wittig in Leipzig.

No. 23.

Chemisches
Central-Blatt.

4. Juni 1884.

Wöchentlich eine Nummer von
1-3 Bogen. Der Jahrgang mit
Sach- und Namen-Register,
nebst system. Übersicht.

Der Preis des Jahrgangs
ist 30 Mark. Durch alle
Buchhandlungen und Post-
anstalten zu beziehen.

REPERTORIUM
für reine, pharmazeutische, physiologische und technische Chemie.

Dritte Folge. XV. Jahrgang.

Wochenbericht.

1. Allgemeines und Physikalisches.

Berthelot und **Vieille**, Über *die spezifische Wärme der gasförmigen Elemente bei sehr hohen Temperaturen*. Die gasförmigen Elemente: Stickstoff, Sauerstoff und Wasserstoff besitzen zwischen 0 und 200° gleiche Ausdehnung, gleiche Zusammendrückbarkeit und gleiche spezifischen Wärmen, und dasselbe gilt für die zusammengesetzten Gase, welche sich ohne Kondensation bilden, z. B. Kohlenoxyd und Chlorwasserstoff. Diese Relationen haben zur Aufstellung der kinetischen Gastheorie geführt. Sie bilden die einzige sichere Base für die Hypothese von AVOGADRO, welche jenes Verhalten dadurch erklärt, daß alle Gase in gleichem Volum eine gleiche Anzahl Moleküle enthalten. Allein diese Beziehungen sind bis jetzt nur für verhältnismäßig niedrige Temperaturen festgestellt, und es ist gänzlich unbekannt, wie sie sich z. B. für Temperaturen von 3000 oder 4000° gestalten werden, bei denen die Energie der Wärme so tiefgreifende Veränderungen der molekularen Vorgänge in physikalischer und chemischer Hinsicht bewirkt. Solche Temperaturen sind indes auf experimentellem Wege herzustellen, und das Studium der detonierenden Gasgemenge liefert die einzige praktische Methode, welche gestattet, an die Lösung derartiger Probleme heranzutreten.

Die Vff. beabsichtigen, aus ihren neueren Versuchen die spezifischen Wärmen der wichtigsten einfachen Gase, sowie des Wasserdampfes bei sehr hohen Temperaturen zu berechnen. Die experimentellen Daten, welche hierzu benutzt werden sollen, sind diejenigen, welche durch die Verbrennung des Cyans mit einer zur Bildung von Kohlenoxyd und Stickstoff nötigen Menge Sauerstoff erhalten wurden. Die letzten beiden Gase haben nach den Versuchen von MALLARD und LE CHATELIER und von VIEILLE bei jeder Temperatur nahezu die gleiche spezifische Wärme, in Berücksichtigung, daß der Einfluß eines gleichen Volums von gleichem Druck eines detonierenden Gemenges nahezu derselbe ist. Ein Gleiches gilt auch von Wasserstoff und Sauerstoff. Aus dem beobachteten Drucke berechnet man also die Temperatur und die spezifische Wärme (bei konstantem Volum) für ein Gemenge von Kohlenoxyd und Stickstoff, und daraus die spezifische Wärme eines jeden Gases, welche übrigens gleich der der anderen Elemente, berechnet auf normales Volum, 22,32 l bei 0° und 760 mm Druck ist. In der folgenden Tabelle (s. n. Seite) finden sich sechs Berechnungen dieser Art festgestellt.

Die Temperaturen variieren zwischen 4400 und 2800°; die entsprechende spezifische Wärme bezieht sich auf einen Druck von zwölf Atmosphären bis 26 Atmosphären, aber auf Dichten, welche höchstens 1½ mal so groß sind, als die unter gewöhnlichem Luftdrucke; unter dieser Bedingung sind die spezifischen Wärmen unabhängig von der Dichte der Gasgemenge, wie die Vff. gezeigt haben. Man bemerkt zuerst eine große Annäherung der für reinen Sauerstoff, für Stickoxyd und Stickoxydul erhaltenen Resultate, denn in der Nähe von 4400° berechnet sich die spezifische Wärme bei der Verbrennung mit reinem Sauerstoffe gleich 9,60 und mit Stickoxyd gleich 9,85; das Verhältnis zwischen Stickstoff und Kohlenoxyd betrug 1 : 1 Vol.

XV.

Bei 4000° wurde für reinen Sauerstoff 8,39 und für Stickoxydul 8,43 gefunden; das Verhältnis zwischen Stickstoff und Kohlenoxyd betrug 3 : 2. Man sieht ferner, daß die spez. Wärmen rasch mit der Temperatur zunehmen.

Gemenge	Entwickelter Druck (reduziert) Atm.	Entwickelte Wärme cal	Temperatur	Spezifische Wärme	
				total	für N₂ u. C₂O₂
$C_4N_2 + O_4$	25,11	126,500	4394	28,81	9,60
$C_4N_2 + O_4 + 1^1/_2 N_2$	20,67	126,500	4024	31,46	8,39
$C_4N_2 + O_4 + 2N_4$	15,26	126,500	3191	39,67	7,93
$C_4H_2 + C_4 + {}^{79}/_{21}N_2$	11,78	126,500	2810	45,05	6,67
$C_4H_2 + 2NO_2$	23,34	169,800	4309	39,39	9,85
$C_4N_2 + 2N_2O_2$	26,02	168,400	3993	42,17	8,43

Versucht man, diese Zahlen durch eine empirische Formel als Funktionen der Temperatur auszudrücken, so erhält man für die spezifischen Wärmen bei konstantem Volum folgenden Ausdruck:

$$6,7 + 0,0016 \ (t-2800)$$

	berechnet	gefunden
2800°	6,7	6,7
3200°	7,3	7,9
4000°	8,6	8,4
4400°	9,3	9,6.

Diese Zahlen drücken die spezifische Molekularwärme der einfachen Gase Stickstoff N_2, Wasserstoff H_2, Sauerstoff O_4 und des Kohlenoxydes C_2O_2 für hohe Temperaturen bei konstantem Volum aus. Aus den Druckmessungen ergiebt sich, daß der Sauerstoff eine etwas (ungefähr um 1,5 p. c.) höhere spez. Wärme als der Wasserstoff hat. Die Vff. würden auf diese geringe Abweichung gar nicht hinweisen, wenn nicht REGNAULT zwischen 0' und 200° eine ähnliche beobachtet hätte, nämlich $H_2 = 6,82$ und $O_4 = 6,95$ bei konstantem Drucke. Der Stickstoff und das Kohlenoxyd stehen in der Mitte und zwar sowohl nach REGNAULT'S Versuchen, als auch nach den obigen Resultaten.

MALLARD und LE CHATELIER haben nach einem ganz verschiedenen Verfahren die spezifische Wärme derselben Elemente zwischen 0 und 2000° = 7,5 gefunden, welche Zahl wenig von den obigen abweicht. Alle diese Beobachtungen ergeben eine gleiche Veränderung der spezifischen Wärmen bei hohen Temperaturen, denn alle Zahlen sind höher, als die für die spezifischen Wärmen derselben Gase bei 0° gefundenen 4,8.

Die spezifische Wärme der einfachen Gase steigt also von 0—4500° um etwa das Doppelte.

Die Vff. haben hier der Einfachheit wegen und um eine allzu komplizierte Formel zu vermeiden, die Zunahme der spezifischen Wärmen zwischen 2800 und 4400° als proportional mit der Temperatur angenommen. Aus der Formel berechnet sich für 1600° die Zahl 4,8. Dieses Resultat läßt sich auf zweierlei Weise erklären: entweder durch die Annahme, daß die spezifische Wärme der Elemente bis 1600° konstant bleibt und von hier ab proportional mit der Temperatur steigt infolge einer ganz eigentümlichen molekularen Arbeit, auf welche die Vff. noch zurückkommen werden; oder man kann annehmen, daß sie bei jeder Temperatur veränderlich ist, aber daß die Zunahme von 0 bis 200° zu langsam erfolgt, um direkt beobachtet werden zu können. In diesem Falle wird es besser sein, die Formel durch eine andere zu ersetzen, welche nach den niedrigeren Temperaturen hier asymptotisch verläuft. Die Vff. ziehen es indessen vor, eine Zunahme von 1600° anzunehmen und dafür die empirische Formel:

$$4,75 + 0,0016 \ (t-1600)$$

aufzustellen.

Die Vff. wenden sich nun zu den Halogenen. REGNAULT hat erkannt, daß das Chlor, Brom und Jod bei gewöhnlicher Temperatur spezifische Molekularwärmen besitzen, welche beträchtlich höher sind, als die der anderen Elemente, nämlich Chlor 8,6 bei konstantem Drucke an Stelle von 6,8, und 6,6 statt 4,8 bei konstantem Volum. Diese Werte sind für alle drei Halogene nahezu gleich.

Aufserdem differieren sie nicht sehr von den spezifischen Molekularwärmen der zusammengesetzten Gase, welche sich unter Kontraktion auf $^3/_5$ bilden, wie z. B. der Wasserdampf, das Stickoxydul, die Kohlensäure. Um die spezifische Wärme des Chlors bei hoher Temperatur zu berechnen, kann man sich der explosiven Gemenge bedienen. MALLARD und LE CHATELIER haben verschiedene Bestimmungen über die Bildung von Chlorwasserstoff bei Gegenwart eines Überschusses der Komposanten gegeben. Sie haben z. B. mit folgenden Komposanten gearbeitet:

$$\text{Druck}$$
$$\text{H} + \text{Cl} + 2\text{H} \quad \ldots \ldots \quad 7{,}0 \text{ Atm.}$$
$$\text{H} + \text{Cl} + {}^1/_2\text{Cl} \quad \ldots \ldots \quad 7{,}1 \text{ „.}$$

Diese Drucke sind nahezu die gleichen, woraus folgt, dafs der Einflufs eines Gewichtes von $^1/_2$ Cl fast ebenso grofs ist, wie der eines Gewichtes von 2 H. Hieraus wiederum ergiebt sich, dafs die mittlere spezifische Wärme des Chlors bei konstantem Volum fast dreimal so grofs, als die des Wasserstoffes bei 1800° ist; da letztere 5,1 beträgt, so erhält man für das Chlor ungefähr 15,3. Sie nimmt also beträchtlich rascher zu, als die der anderen Elemente, und wächst ungefähr in dem Verhältnisse, wie die der Kohlensäure und des Stickoxyduls, denen sie nach den Messungen von REGNAULT und E. WIEDEMANN schon bei 0 und 200° gleichkommt.

Die Vff. gedenken, bald zu zeigen, dafs die spezifische Wärme der Kohlensäure bei 1800° etwa 18 beträgt, also auch bis dahin noch der des Chlors ziemlich nahe bleibt. Die Analogie des Chlors und der aus der Kondensation gebildeten zusammengesetzten Gase zeigt sich also ebenso gut in den Variationen der spezifischen Wärmen, als in denen der Dichten. Das Chlor verhält sich gegenüber dem Sauerstoffe, wie sich das Ozon verhalten würde, wenn letzteres beständig wäre und sich unter Wärmeentwicklung bildete. (C. r. 98. 770—75. [31.*] März.)

Berthelot und **Vieille**, Über *die spezifische Wärme des Wassers und der Kohlensäure bei sehr hohen Temperaturen.* (C. r. 98. 852—53. [7.*] April.)

E. Bouty, Über *den Transport der Ionen und dessen Beziehung zur Leitungsfähigkeit der Salzlösungen.* (C. r. 98. 797—800. [31*.] März.)

E. Bouty, *Anwendung des Faraday'schen Gesetzes bei der Untersuchung der Leitungsfähigkeit der Salzlösungen.* (C. r. 98. 908—13. [7.*] April.)

2. Allgemeine Chemie.

Berthelot und **Vieille**, *Einflufs der Dichte detonierender Gasgemenge auf den Druck.* Die Versuche wurden ausgeführt:

1. Mit isomeren Gemengen von ungleicher Dichte, welche dieselbe Wärmemenge entwickeln:

$$2C_2O_2 + 3H_2 + O_{10} \text{ und } C_4H_6O_2 + O_{12},$$

ferner:

$$C_2O_2 + 2H_2 + O_6 \text{ und } C_2H_4 + O_6,$$

ferner:

$$C_4H_4 + H_2 + O_{14} \text{ und } C_4H_6 + O_{14}.$$

2. Mit isomeren Gemengen von gleicher Dichte, welche ungleiche Wärmemengen entwickeln:

$$C_4N_2 + O_6 + 2N_2 \text{ und } C_4N_2 + 4NO_2,$$

ferner:

$$2C_2O_2 + 2N_2O_2 \text{ und } C_4N_2 + N_2 + O_8.$$

3. Mit isomeren Gemengen von verschiedener Dichte, welche verschiedene Wärmemengen entwickeln:

$$H_2 + N_2 + O_2 \text{ und } H_2 + N_2O_2, \text{ ferner:}$$
$$H_2 + O_2 + 2N_2 \text{ und } H_2 + N_2 + N_2O_2, \text{ ferner:}$$
$$2C_2O_2 + N_2 + O_4 \text{ und } C_4N_2 + O_8, \text{ ferner:}$$
$$2C_2O_2 + 5N_2 + O_4 \text{ und } C_4N_2 + O_8 + 4N_2, \text{ und:}$$
$$C_4N_2 + 4N_2O_2, \text{ ferner:}$$
$$2C_2O_2 + 3N_2 + O_4 \text{ und } C_4N_2 + N_2 + 2N_2, \text{ ferner:}$$
$$2C_2O_2 + H_2 + O_5 \text{ und } C_2H_2 + O_{10}, \text{ ferner:}$$
$$2C_2O_2 + 2H_2 + O_6 \text{ und } C_2H_4 + O_{12}, \text{ ferner:}$$
$$2C_2O_2 + 3H_2 + O_{10} \text{ und } C_4H_6 + O_{14}.$$

28*

Die bei 3—4000° erhaltenen Resultate fassen die Vff. in folgende Sätze zusammen:

1. Ist die entwickelte Wärme zweier Systeme gleich, so variiert der Druck proportional mit der Dichte.

2. Die spezifische Wärme der Gase ist nahezu unabhängig von der Dichte, und zwar ebenso bei sehr hohen Temperaturen, als in der Nähe von 0°. Dies gilt für Dichten, die denen nahestehen, welche die Gase bei normalem Drucke und gewöhnlicher Temperatur besitzen, und welche bei den Versuchen vom einfachen zum doppelten variierten.

3. Der Druck wächst mit der von dem Systeme gelieferten Wärmemenge.

4. Die scheinbare spezifische Wärme wächst ebenfalls mit dieser Wärmemenge. (C. r. **98**. 705—11. [24*.] März.)

Isambert, Über *die Dissociationserscheinungen.* (C. r. **98**. 97—100. [14*.] Jan.)

Isambert, *Allgemeine Theorie der Dissociation.* (C. r. **98**. 805—7. [31*.] März.)

Paul Sabatier, Über *die numerischen Gesetze des festen Zustandes.* Bei der Aufstellung der numerischen Gesetze, welche als Grundlagen für die Chemie dienen, verwechselt man häufig Gesetze von sehr verschiedenem Charakter miteinander. Das Gesetz der chemischen Proportionen, das der multiplen Verhältnisse und der Äquivalente und das GAY-LUSSAC'sche über die Gase sind aus rigorösen Versuchen abgeleitet, sie leiden keine Ausnahme und können nicht in Zweifel gezogen werden.

Weit weniger bestimmt sind die Gesetze des Isomorphismus, der spezifischen Volume fester und flüssiger Körper und der molekularen Wärmen für den festen Zustand; diese besitzen einen ziemlich unbestimmten Charakter. Es erscheint dem Vf. von Nutzen, hiervon den Sinn zu bestimmen, damit man daraus nicht mehr ableite, als zulässig ist. Wenn man durch eine etwas kühne, aber nichtsdestoweniger berechtigte Induktion für alle Körper den gasförmigen Zustand voraussetzt, so lassen sich alle darauf bezüglichen Gesetze auf ein einziges reduzieren, welches streng und unabhängig von jeder Hypothese ist: im gasförmigen Zustand bilden sich die chemischen Verbindungen immer zwischen einfachen Volumen und nehmen einfache Volume ein. Diesem könnte man noch das andere Gesetz hinzufügen, welches für einfache Gase vollkommen exakt ist: zur Erhitzung eines gleichen Volums aller Gase unter denselben Bedingungen ist die gleiche Wärmemenge nötig.

Für den festen Zustand bleibt von dem ersten Gesetz das der multiplen Verhältnisse und der Äquivalente, sowie die weniger genauen Gesetze der spezifischen Volume und des Isomorphismus, von dem zweiten Gesetz das der spezifischen Wärme fester Körper übrig. Die drei letzteren Gesetze sind nur approximativ. In einigen Fällen haben sie nur eine ungenügende Geltung, gleichwohl treffen sie in anderen Fällen mit großer Schärfe zu. Welche Deutung kann man nun diesen anscheinend so verschiedenen Resultaten geben?

Nehmen wir zwei analoge Körper von irgend welcher chemischen Konstitution an. Die Äquivalente derselben nehmen im Gaszustand dieselben Volume ein. Die Molekularwärmen sind ebenfalls die gleichen. Da die Körper analog sind und aus analogen Elementen bestehen, so kann es sein, daß der Übergang aus dem gasförmigen in den festen Zustand in identischer oder wenig verschiedener Weise für zwei ähnliche Cyklen von Transformationen erfolgt. Wenn die Analogie eine enge ist, so wird die schließliche Kontraktion geometrisch und numerisch identisch sein. Die Krystallform ist dann dieselbe und ebenso das spezifische Volum. Die Kontraktion wird auch in mechanischer Hinsicht ähnlich sein, und die Arbeit der Erwärmung, welche für beide gasförmigen Systeme gleich ist, wird auch in den verschiedenen Stadien der Umwandlung und schließlich im festen Zustand dieselbe sein: deshalb werden die spezifischen Molekularwärmen gleich oder nahezu gleich sein müssen. Hierfür liefern die Alaune ein passendes Beispiel.

Bei einer weniger strengen Analogie kann eine ähnliche, aber keine vollkommene Kontraktion erfolgen: in diesem Falle wird Isomorphismus, aber keine Identität der spezifischen Volume die Folge sein. Dies ist der Fall bei Kalium und Natrium, wo das Verhältnis nahezu gleich zwei ist.

Diese Ideen ließen sich noch viel weiter entwickeln. Der Vf. unterläßt es aber, indem er nur zeigen wollte, daß die Gesetze des festen Zustandes: Isomorphismus, spezifisches Volum und spezifische Molekularwärme nichts anderes als nach einem von BERTHELOT glücklich gewählten Ausdruck der Rückstand der Gesetze des Gaszustandes sind. Alle drei haben einen ähnlichen Charakter: sie zeigen nur für diejenigen Körper, durch welche sie verifiziert werden, eine Gleichheit des Überganges aus dem gasförmigen Zustand und infolgedessen eine mehr oder weniger enge chemische Analogie dieser Körper und ihrer Komposanten. (Bull. Par. **41**. 166—68. 20. Febr. Paris, Soc. Chim.)

E. Jungfleisch, Über *die Spaltung optisch-inaktiver Körper.* (Bull. Par. **41**. 222—26. 5. März. Paris, Soc. Chim.)

E. Jungfleisch, Über *die Synthese von Körpern, die mit einem Molekularrotations-vermögen begabt sind.* (Bull. Par. **41**. 226—33. 5. März. Paris, Soc. Chim.)

L. Troost, Über *die Bestimmung der Dissociationsspannung des Quecksilberjodids.* Nach der im Original ausführlich beschriebenen Methode hat der Vf. bestimmt, daſs bei 750 mm Druck und der Temperatur des siedenden Selens 660° die Dissociationsspannung des Quecksilberjodiddampfes, d. h. der Druck der freien Gase Jod- und Quecksilberdampf ungefähr 150 mm beträgt. Diese Spannung entspricht dem bei der genannten Temperatur zersetzten Teil der Verbindung, welcher ungefähr $^1/_6$ des Ganzen beträgt. (C. r. **93**. 807—10. [31°.] März.

Ch. Truchot, *Thermochemische Studien über die Kieselfluorwasserstoffsäure. 1. Darstellung von reinem Fluorsilicium.* Die Fluosilikate des Kaliums, Natriums und Bariums zersetzen sich bekanntlich beim Erhitzen in Fluorsilicium und in Fluorid, das Bariumfluosilikat spaltet sich bei beginnender Rotglühhitze, und das zurückbleibende Bariumfluorid schmilzt bei dieser Temperatur nicht; diese beiden Umstände machen dieses Salz zur Darstellung von reinem Fluorsilicium geeignet. Ein kleiner Kupferballon, welcher 30—40 g dieses Salzes enthält, liefert beim Erhitzen über einem Gasbrenner 2 l reines Fluorsilicium in weniger als einer halben Stunde. Die Dichte des Gases wurde gleich 3,6 gefunden.

2. Einwirkung von Fluorsilicium auf Wasser. Das in einer Glocke über Quecksilber aufgefangene Fluorsilicium kann in das Wasser des BERTHELOT'schen Platinkalorimeters eingeführt werden, nachdem es zuvor eine Schicht Quecksilber, welches in einem kleinen Platintiegel enthalten ist, passiert hat. Es bildet sich Kieselfluorwasserstoffsäure und Kieselsäure. Nach Beendigung der kalorimetrischen Beobachtung wird die Kieselfluor-wasserstoffsäure in folgender Weise bestimmt. Man versetzt sie mit titrierter Kali- oder Natronlauge, wobei sich zuerst Kalium- oder Natriumfluosilikat bildet; erhitzt man dann die Flüssigkeit nahe bis zum Siedepunkt, so giebt das Fluosilikat mit einer hinreichenden Menge Alkali ein Fluorid und Kieselsäure. Das Ende der Reaktion wird durch die Rotfärbung von Phenolphtaleïn, welches vorher zugesetzt war, erkannt. Lackmus läſst sich dazu nicht anwenden, weil es von dem alkalischen Fluorid gebläut wird, während das Phenolphtaleïn unverändert bleibt. Man kann übrigens auch einen Überschuſs von Alkali zusetzen und mit einer titrierten, durch Phenolphtaleïn gefärbten Säure zurück-titrieren. Diese Methode gestattet eine groſse Genauigkeit. Zahlreiche sehr gut über-einstimmende Versuche haben für SiFl, (52 g): + 11,1 cal ergeben. 1 Äq. Kieselfluor-wasserstoffsäure war bei diesem Versuche mit etwa 800 Äq. Wasser verdünnt. Dieses Resultat stimmt mit dem von HAMMERL auf anderem Wege erhaltenen überein.

3. Einwirkung von Fluorsilicium auf Fluorwasserstoffsäure. Wird Fluorsilicium in verdünnte Fluorwasserstoffsäure geleitet, so verbindet es sich damit und giebt, wie KESSLER konstatiert hat, direkt Kieselfluorwasserstoffsäure. Dabei entwickeln sich nach den Versuchen des Vf. + 16,95 cal für 1 Äq. (SiFl,HFl = 72 g) wasserfrei gedachter Säure, welche beim Versuch in etwa 700 Äq. Wasser gelöst war.

Leitet man das Fluorsilicium in sehr verdünnte Fluorwasserstoffsäure, so veranlaſst jede Blase bei ihrem Eintritt die Bildung eines Flockens von Kieselsäure; wenn die Lösung aber mindestens 15 g wasserfreier Säure in 600 g Wasser enthält, so löst sich diese Kieselsäure sofort. Da das Endresultat die Bildung von Kieselfluor-wasserstoffsäure ist, so braucht man dieser vorübergehenden Bildung von Kieselsäure keine Rechnung zu tragen.

4. Hydrate der Kieselfluorwasserstoffsäure. Leitet man Fluorsilicium in konzentrierte und abgekühlte Fluorwasserstoffsäure, so kann man zwei krystallisierte Hydrate erhalten. Enthält die Fluorwasserstoffsäure 1 Äq. Wasser, und ist die Temperatur unter — 20°, so bilden sich Krystalle, welche bei — 20° schmelzen und an der Luft unter Zersetzung stark rauchen. Sie lassen sich deshalb bei gewöhnlicher Temperatur nicht aufbewahren. Die Analyse ergab die Formel SiFl,,HFl,HO.

Enthält die Fluorwasserstoffsäure 4—6 Äq. Wasser, so kann man bei Temperaturen unter 0° noch ein anderes krystallisiertes Hydrat erhalten, welches erst über 0° schmilzt. Die dadurch entstehende Flüssigkeit ist sirupartig, hat das spez. Gew. 1,7 und raucht an der Luft, indem sie sich langsam zersetzt. In einem geschlossenen Platingefäſs läſst sie sich dagegen bei gewöhnlicher Temperatur aufbewahren. Das Glas wird stark von ihr angegriffen. Die Analyse ergab die Formel SiFl,HFl,4HO. Das von KESSLER an-gegebene Hydrat mit 2 Äq. Wasser konnte Vf. nicht erhalten.

5. Lösungswärme des Kieselfluorwasserstofftetrahydrates. Durch Auflösen von 1 Äq. desselben in 500 Äq. Wasser wurden + 4,0 cal erhalten. Dieses Resultat ist indes nur annähernd, weil es schwierig ist, ein genaues Gewicht der rauchenden Flüssigkeit zu nehmen. Die Bildungswärme des Tetrahydrates ist demnach ungefähr 17,0—4,0 = + 13,0 cal.

6. *Einwirkung von Fluorsilicium auf wasserfreie Fluorwasserstoffsäure.* Es war von Interesse, zu versuchen, ob hierbei sich wasserfreie Kieselfluorwasserstoffsäure bilden würde. Der Versuch hat ein negatives Resultat ergeben, denn selbst bei — 30° verbinden sich beide Körper nicht. Auch durch Abdampfen des vorher beschriebenen Hydrates im Vakuum bei niedriger Temperatur gelang die Bildung des Anhydrids nicht, indem sich jenes unter Entwickelung von Fluorsilicium und Fluorwasserstoff zersetzt. (C. r. **98.** 821—24. [31*.] März.

Theodor Salzer, Über *den Krystallwassergehalt der Salze.* (Pharm. Ztg. **29.** 189; vgl. Lieb. Ann. **223.** 1—40.)

Berthelot, Über *die alkalischen Sulfite.* (Ann. Chim. Phys. [6.] **1.** 73—78. Jan.; C.-Bl. 1883. 145.)

Berthelot, Über *die alkalischen Hyposulfite.* (Ann. Chim. Phys. [6.] **1.** 79—81. Jan.; C.-Bl. 1883. 147.)

Berthelot, Über *die Metasulfite.* (Ann. Chim. Phys. [6.] **1.** 81—90. Jan.; C.-Bl. 1883. 162.)

Berthelot, *Untersuchungen über die Chromate.* (Ann. Chim. Phys. [6.] **1.** 92. Jan.; C.-Bl. 1883. 225.)

Berthelot, *Bildungswärme der Chromsäure.* (Ann. Chim. Phys. [6.] **1.** 101. Jan.; C.-Bl. 1883. 241.)

Guntz, *Bildungswärme der Fluoride des Silbers, Magnesiums und Bleies.* Der Vf. fand für die Einwirkung von Fluorwasserstoffgas auf Silberoxyd:

$$AgO \text{ fest} + HFl \text{ Gas} = AgFl \text{ fest} + HO \text{ fest, entw. . . . } 16,4 \text{ cal.}$$

Aufserdem existiert eine Verbindung $AgFl, 4HO$, welche beim Auflösen in Wasser eine Wärmemenge von —1,5 cal absorbiert. Aus dieser Zahl, verglichen mit der Lösungswärme des wasserfreien Fluorides ergiebt sich, dafs durch die Fixation der vier Wasseräquivalente +4,9 cal entwickelt wird. Für die Hydratation des Fluorkaliums wurden +4,6 cal gefunden; beide Zahlen stehen einander sehr nahe.

Die Neutralisationswärme der Magnesia durch Fluorwasserstoffsäure wurde durch Zersetzung einer Lösung von Magnesiumsulfat durch eine äquivalente Menge Fluorkalium bei 10° bestimmt:

$$MgOHO \text{ gefällt} + HF \text{ gelöst } (1 \text{ Äq.} = 2 \text{ kg}) = MgF \text{ gefällt, entw. . . . } +15,2 \text{ cal.}$$

Hieraus berechnet sich die Bildungswärme des Fluormagnesiums:

$$MgOHO \text{ fest} + HF \text{ Gas} = MgF \text{ fest} + 2HO \text{ fest . . . . } +28,4 \text{ cal.}$$

Für Fluorblei wurde gefunden:

$$PbOHO \text{ fest} + HF \text{ gelöst } (1 \text{ Äq.} = 2 \text{ kg}) = PbF \text{ gefällt . . . . } +11,1 \text{ cal.}$$

hieraus berechnet sich die Bildungswärme des Fluorbleies:

$$PbOHO \text{ fest} + HF \text{ Gas} = PbF \text{ fest} + H_2O_2 \text{ fest . . . } +24,3 \text{ cal.}$$

(C. r. **98.** 820—21. [31*.] März.)

De Forcrand, *Thermische Untersuchungen über die Sulfite und Disulfite des Natriums.* Diese Untersuchungen entsprechen den von Berthelot über die Sulfite des Kaliums. Sie führen ebenfalls zu dem Resultate, dafs nur das Natriummetasulfit in seinen Lösungen beständig ist. (C. r. **98.** 738—41. [24*.] März.)

R. de Forcrand, *Untersuchungen über die Umwandlung von Glyoxal in Glykolsäure.* (Bull. Par. **41.** 244—46; C.-Bl. 1884. 245.)

4. Organische Chemie.

T. E. Thorpe und **A. W. Rücker,** Über *die kritische Temperatur des Heptans.* In einer früheren Untersuchung hat der eine der genannten Autoren die Oberflächenspannung des Heptans bestimmt, welche in C. G. S.-Einheiten bei 0° 22,19 beträgt. Aus dieser Zahl berechnet sich der kritische Punkt des Heptans auf 281°. Pawlevski hat gezeigt, dafs eine konstante Differenz zwischen der kritischen Temperatur und den Siedepunkten homologer Körper besteht. Diese Differenz beträgt bezüglich des Hexans 182,3°. Normales Heptan siedet bei 98,4°, rechnet man dazu die konstante Differenz 182,3°, so erhält man 280,7° als den kritischen Punkt des Heptans. (Chem. N. **49.** 189. 25. [17*.] April. London, Chem. Soc.)

Antony Guyard, Über *das Weinsäureglykosid*. Der Vf. hat eine Beobachtung gemacht, welche, wenn sie sich verallgemeinern läßt, vielleicht einen interessanten Beitrag zur organischen Chemie liefert. Es ist ihm gelungen, einen Körper darzustellen, welcher die allgemeinen Eigenschaften der Glykoside besitzt und zwar durch ein sehr einfaches Verfahren auf synthetischem Wege. Dieser Körper ist das Weinsäureglykosid. Dasselbe ist mittels des Weinsäureanhydrids von FREMY erhalten worden. Trägt man dasselbe in pulvérisiertem Zustande in geschmolzenen Traubenzucker ein, so beobachtet man eine reichliche Entwicklung von Wasserdampf und erhält eine fast weiße Substanz, welche in Wasser vollkommen löslich ist und sich dadurch selbst bei lange fortgesetztem Sieden nicht verändert.

Mittels der bekannten Reagenzien kann man darin weder die Gegenwart von Zucker noch von Weinsäure nachweisen. Kocht man die Substanz dagegen nur einige Minuten mit einer verdünnten Mineralsäure, so spaltet sie sich sofort unter Wasseraufnahme in Weinsäure und Glykose, welche sehr leicht zu charakterisieren sind. Das Verfahren zur Darstellung derartiger Glykoside würde demnach einfach darin bestehen, daß man die Glykosen mit Anhydrid bis zur Elimination von Wasser kocht. Bis jetzt ist es dem Vf. noch nicht gelungen, den neuen Körper krystallisiert zu erhalten, so daß er auch noch keine Analyse davon ausführen konnte. (Bull. Par. **41**. 291.)

R. de Forcrand, *Darstellung von Glyoxal*. (Bull. Par. **41**. 240 — 44; C.-Bl. 1884. 245.)

Antony Guyard, Über *das Furfurol*, Das Furfurol entsteht immer, wenn man auf eine hauptsächlich aus einem Kohlehydrat bestehende Substanz ein Gemenge von gleichen Teilen Schwefelsäuremonohydrat und Wasser gießt, solange dasselbe noch warm ist. Auf diese Weise erhält man aus Stärke, Glykose, Zucker, Sägespänen, Filtrierpapier, arabischem Gummi Dämpfe, welche mehr oder weniger reich an Furfurol sind. Führt man die Reaktion in einem Becherglase aus und bedeckt dasselbe mit einem Stücke Filtrierpapier, welches mit essigsaurem Anilin getränkt ist, so kann man die Gegenwart des Furfurols sofort an der prächtig roten Färbung erkennen, welche das Papier infolge der Bildung von Furfurolanilinrot annimmt. Die Farbe vergeht bald wieder wegen der Flüchtigkeit des Produktes, dessen Fixierung bis jetzt noch nicht gelungen ist. Aus der Intensität der Rotfärbung kann man leicht auf die Menge des entwickelten Furfurols schließen. Reine Cellulose, z. B. schwedisches Filtrierpapier, giebt äußerst wenig Furfurol. Zur Bildung desselben mit verdünnter Schwefelsäure allein scheint außer der Cellulose noch ein anderer Körper, dessen Natur noch ziemlich unbestimmt ist, nötig zu sein, und bis jetzt scheint die Kleie diese beiden Körper in dem angemessensten Verhältnisse zu enthalten.

Das Furfurol findet sich in ziemlich beträchtlichen Mengen im Holzessig und bildet ein lästiges Hindernis bei der Darstellung von reinem und wohlschmeckendem Tafelessig aus Holzessig. Der Vf. hat ein sehr einfaches Verfahren gefunden, um das Furfurol hieraus abzuscheiden. Der vom Holzteer so gut als möglich getrennte Holzessig wird einige Minuten lang mit Benzol (20—25 ccm auf 1 l) geschüttelt. Es bilden sich zwei Schichten. Die Benzolschicht enthält das Furfurol, welches durch Abdestillieren des Benzols daraus gewonnen werden kann, und die wässerige Schicht liefert schon bei einmaliger Destillation einen wohlschmeckenden Essig. (Bull. Par. **41**. 289—91.)

P. Adam, Über *das Bromxylenol*. Ebenso wie das Xylol nach GRIMAUX ein Dibromsubstitutionsprodukt giebt, welches beim Verseifen in Tolylenglykol übergeht, so muß auch das Xylenol dieselben Reaktionen geben. GRIMAUX hat sich darauf beschränkt, die Substitution des Broms im Xylenol und die Verseifung des gebildeten Produktes zu verifizieren. Der Vf. hat diese Untersuchung wieder aufgenommen, indem er von dem p-Xylenol ausging, um sicher zu sein, nur ein Isomeres zu haben. Bekanntlich erhält man das p-Xylenol, wenn man rohes Xylol zuerst mit Schwefelsäure, welche sich mit dem o- und m-Xylol verbindet und dann mit rauchender Schwefelsäure behandelt, welche das p-Xylol löst. Das Natriumxylolsulfonat giebt dann, mit Kali geschmolzen, das p-Xylenol. Wird letzteres bei 200° in gewöhnlicher Weise bromiert, so erhält man Kondensationsprodukte, deren Reinigung sehr schwer ist. Dagegen ist die Ausbeute sehr befriedigend, wenn man wie folgt, verfährt:

Das Xylenol wird auf 160° erhitzt, dann aus dem Bade genommen und rasch mit Brom versetzt (eine Minute für 30 g); die Reaktion erfolgt unter starker Wärmeentwicklung, und mit den entweichenden HBr-Dämpfen geht Bromxylenol fort. Man kann es durch Destillation mit Wasser oder einfacher noch dadurch reinigen, daß man das feste Produkt zuerst mit etwas Ligroin abwäscht, zwischen Fließpapier abpreßt und dann im Vakuum stehen läßt. Auf diese Weise erhält man weiße Nadeln, welche in Wasser unlöslich sind, sich aber in der Hälfte ihres Gewichtes siedenden Alkohols lösen. Die Analyse ergab $C_6H_3(OH)(CH_2Br)_3$. Wird es mit einem grofsen Überschusse von Wasser gekocht, so giebt es sein Brom als Bromwasserstoff ab, und das Wasser enthält dann einen Körper gelöst, welcher sich beim Abdampfen im Vakuum absetzt. Vf. ist mit der Untersuchung desselben beschäftigt. (Bull. Par. 41. 288.)

C. Friedel und **J. M. Crafts**, Über *die Einwirkung von Methylenchlorid auf Toluol und Benzol.* Das zu diesen Versuchen benutzte Methylenchlorid destillierte zwischen 40—45° vollständig über. Die Reaktion wurde in einem mit Rückflufskühler versehenen Kolben, den man anfänglich sehr schwach erwärmte, bewirkt. Sie verläuft sehr regelmäfsig unter reichlicher Entwicklung von Chlorwasserstoffgas, welches einen Teil des Methylenchlorid mit sich rifs; beide wurden zugleich in einem mit Wasser gefüllten Ballon kondensiert. Auf diese Weise erhielt man von 90 g angewendeten Methylenchlorid 20 g wieder; zu derselben Reaktion hatten 350 g Toluol und ungefähr 50 g Chloraluminium gedient. Sobald sie beendigt, d. h. nachdem die Salzsäureentwicklung sehr langsam geworden war, behandelte man das Produkt mit Wasser und destillierte. Nach dem Toluol konnte man bei etwa 290° eine sehr reichliche Menge von Ditolylmethan und dann bei einer etwas höheren Temperatur einen krystallisierbaren Kohlenwasserstoff auffangen, welcher nach dem Umkrystalisieren aus Benzol kleine grünliche Blättchen bildete. Er siedete bei 225° entsprechend dem *Dimethylanthracen.* Bei der Oxydation mit Chromsäure in Eisessiglösung erhielt man daraus ein Chinon, welches nach dem Niederschlagen durch Wasser und Umkrystallisieren aus Alkohol feine bei 150° schmelzende Nadeln bildete, ebenfalls entsprechend dem Dimethylanthrachinon.

Es folgt hieraus, dafs aufser der durch die Gleichung:

$$2C_6H_5CH_3 + CH_2Cl_2 = CH_2(C_6H_4CH_3)_2 + 2HCl$$

ausgedrückten Hauptreaktion zugleich noch eine andere stattfindet, bei welcher 2 Mol. Methylenchlorid auf 2 Mol. Toluol wirken, wie die folgende Gleichung zeigt:

$$2C_6H_5CH_3 + 2CH_2Cl_2 = CH_3 \cdot C_6H_4 \left\langle \begin{array}{c} CH \\ | \\ CH \end{array} \right\rangle C_6H_4 \cdot CH_3 + 4HCl + H_2.$$

Hierbei müssen also zwei Atome Wasserstoff frei werden, oder vielmehr mufs sich, wie es nach der regelmäfsigen Reaktion zwischen 2 Mol. Toluol und 2 Mol. Methylenchlorid vorauszusehen war, 1 Mol. Dimethylanthracenhydrür bilden, welches seinerseits in Dimethylanthracen umgewandelt werden kann, indem man den Wasserstoff an einen anderen Körper überträgt. Diese reduzierende Wirkung konnte sich auf das Methylenchlorid erstrecken und dasselbe in Methan umwandeln. Die Vf. haben einen Versuch so eingerichtet, dafs sie dadurch nachweisen konnten, ob eine Gasentwicklung während der Reaktion stattfindet; es hat sich indes gezeigt, dafs dies nicht der Fall ist. Es lag ferner die Möglichkeit vor, dafs eine teilweise Reduktion des Methylenchlorides zu Methylchlorid stattfände; letzteres, welches sich neben Toluol und Aluminiumchlorid befand, mufste dann Xylol geben. In der That gelang es, indem man bei der fraktionierten Destillation denjenigen Teil, welcher vor dem Ditolylmethan überging, besonders auffing, daraus eine reichliche Menge eines bei 130—150° siedenden Kohlenwasserstoffes zu extrahieren, welcher durch Oxydation mittels Chromsäuremischung eine beträchtliche Menge Terephtalsäure gab; letztere sublimierte, ohne zu schmelzen, bei höherer Temperatur gemischt mit etwas Isophtalsäure, welche in siedendem Wasser löslicher ist und vor dem Sublimieren schmilzt. Es hatte sich also p-Xylol und m-Xylol gebildet; es konnte übrigens auch o-Xylol vorhanden gewesen sein, welches, wie man weifs, unter den genannten Bedingungen vollständig verbrennt.

Das angewendete Toluol siedete zwischen 110° und 111°. Aufserdem hatte sich noch eine kleine Menge von Kohlenwasserstoffen gebildet, welche bei höherer Temperatur als das Xylol siedeten und Trimethylbenzole zu sein schienen. Ferner waren Produkte entstanden, deren Siedepunkt noch über dem des Dimethylanthracens lag, und die nach dem Erkalten zu einer glasigen durchscheinenden rotbraunen Masse erstarrten. Dieser Fall war namentlich bei einem Versuch eingetreten, bei welchem man Toluol von einer früheren Reaktion verwendete, d. h. solches, welches bereits mit Xylol gemengt war.

Dieselbe Reaktion wurde auch mit Benzol[*] ausgeführt und hierbei kystallisierbares

---

[*] Dies ist bereits früher durch Schwarz geschehen (Ber. Chem. Ges. 14. 1526). Derselbe hat wahrscheinlich mit einem Methylenchlorid gearbeitet, welches stark mit Chloroform vermischt war, weil es sich beim Fraktionieren in drei Portionen trennen liefs: 40—50°, 50—55° und 55—60°. Indem er diese drei auf Benzol einwirken liefs, erhielt er, wie er sagt, fast gleiche

Diphenylmethan erhalten, welches bei 260—265° siedete und bei 25° schmolz. Später ging ein fester Kohlenwasserstoff über, welcher nach mehrmaligem Umkrystallisieren bei 212—213° schmolz und alle Eigenschaften des Anthracens besaß. Er gab mit einer Lösung von Pikrinsäure in Benzol die charakteristischen roten Nadeln und durch Oxydation mittels Chromsäure in Eisessiglösung ein Chinon, welches nach einmaligem Umkrystallisieren aus Benzol bei 280° schmolz. Das nach der Reaktion zurückgebliebene überschüssige Benzol wurde zweimal in dem Apparat von LE BEL und HENNINGER mit vier Kugeln destilliert und gab hierbei eine gewisse Menge eines zwischen 100 und 120° siedenden Kohlenwasserstoffes. Derselbe lieferte nach der Behandlung mit Chlor ein bei 170—180° siedendes Chlorid, welches den charakteristischen Geruch des Benzylchlorids besaß und mit Benzol unter Zusatz von Aluminiumchlorid Diphenylmethan lieferte. Es hatte sich also bei dieser Reaktion Toluol aus Benzol gebildet, wie bei der vorhergehenden Xylol aus Toluol. Die drei gleichzeitig verlaufenden Reaktionen lassen sich durch die folgenden Gleichungen ausdrücken:

$$2\,C_6H_6 + CH_2Cl_2 = (C_6H_5)_2CH_2 + 2\,HCl,$$

$$2\,C_6H_6 + 4\,CH_2Cl_2 = C_6H_4\underset{CH}{\overset{CH}{\diagdown\diagup}}C_6H_4 + 4\,HCl + 2\,CH_2Cl_2,$$

$$C_6H_6 + CH_2Cl = C_6H_5 \cdot CH_3 + HCl.$$

Die Vff. beabsichtigen, diese Versuche fortzusetzen und das Methylenchlorid auf die Xylole und noch höher methylierte Benzole einwirken zu lassen. Sie würden diese vorläufigen Versuche noch nicht veröffentlicht haben, wenn nicht neuerdings ANSCHÜTZ und ELTZBACHER und später ANSCHÜTZ und ANGELBIS Versuche über die Einwirkung gewisser Bromide und Chloride auf Benzol bei Gegenwart von Chloraluminium mitgeteilt hätten. Durch diese ist die Synthese des Anthracens durch Acetylentetrabromid auf Benzol bei Gegenwart von Chloraluminium, sowie diejenige eines Methylanthracenhydrürs durch Einwirkung von Äthylidenchlorid auf Benzol ebenfalls bei Gegenwart von Chloraluminium realisiert worden (Ber. Chem. Ges. 16. 623. 1435; 17. 165).

Die Vff. haben früher schon ähnliche Untersuchungen veröffentlicht, z. B. über die Einwirkung von Chloroform auf Benzol, wobei Phenylanthracen und Anthracen entstehen, (FRIEDEL und VINCENT) ferner die Bildung von Dimethylanthracen bei der Einwirkung von Benzylchlorid auf Toluol. Letztere Bildungsweise haben sie durch die Gegenwart einer gewissen Menge Xylylchlorid in dem angewandten Benzylchlorid erklärt, welches durch Einwirkung zweier Moleküle aufeinander Dimethylanthracenhydrür geben kann. Dieses kann wahrscheinlich wie das Anthracenhydrür seinen Wasserstoff leicht abgeben und einen Teil des Chlorids reduzieren.

$$2\,CH_3 \cdot C_6H_4 \cdot CH_2Cl = CH_3 \cdot C_6H_4\underset{CH_2}{\overset{CH_2}{\diagdown\diagup}}C_6H_4 \cdot CH_3 + 2\,HCl.$$

Übrigens wurde direkt konstatiert, daß durch Einwirkung von Aluminiumchlorid auf Xylylchlorid dasselbe bei 225° schmelzende Dimethylanthracen entsteht, welches ein bei 160° schmelzendes Chinon giebt. Endlich haben die Vff. schon vor längerer Zeit die Bildung einer kleinen Menge von Anthrachinon bei der Einwirkung von Phtalylchlorid auf Benzol bei Gegenwart von Aluminium angezeigt. Hierbei wirkt ebenfalls 1 Mol. eines dichlorierten Körpers auf 1 Mol. Benzol unter Entziehung von zwei Atomen Wasserstoff und Bildung der Anthracengruppe. (Bull. Par. 41. 322—327. 5. April.)

T. S. Dymond, *Darstellung reiner Benzoesäure aus Urin.* (Pharm. Journ. Trans.; D. Amer. Apoth.-Ztg. 4. 737—38.)

W. G. Mixter, Über *die Reduktion von Benzoylorthonitranilid.* HÜBNER (81. 685) erhielt durch die Einwirkung von Zinn und Salzsäure auf Benzoyl-o-Nitranilid das Benzenylphenylenamidin, $C_{13}H_{10}N_2$. Andere Reduktionsprodukte von diesen Orthonitraniliden scheinen noch nicht dargestellt zu sein. Behandelt man die alkoholische Lösung von Benzoylorthonitranilid, aus reinem o-Nitranilin und Benzoylchlorid hergestellt, mit pulverisiertem Zink und Ammoniak und fügt Platinchlorid hinzu, so scheidet sich langsam

---

Mengen von Triphenylmethan und keinen anderen Kohlenwasserstoff. Er hebt besonders die Abwesenheit von Diphenylmethan hervor und stellt für die Reaktion die folgende Gleichung auf:

$$2\,(CH_2Cl_2) + 4\,C_6H_6 = 4\,HCl + C_7H_9 + C_{19}H_{18}.$$

Wie sich weiter unten ergeben wird, sind diese Angaben nicht genau.

eine gelbe Krystallmasse aus, dessen Analysen auf die Formel des Körpers $C_{26}H_{20}N_4O_2$ führen. Es ist derselbe *Orthoazoxybenzanilid*, $C_6H_4NHC_7H_5ON \atop C_6H_4NHC_7H_5ON$ $\Big\rangle O$, das in Wasser un-

löslich, wenig löslich in kochendem Alkohol ist und bei 195°C. schmilzt. Die Entfernung der Benzoylgruppe durch Kalilauge und durch Schwefelsäure, und die Darstellung des Orthoazoxyanilins gelang nicht. Dampft man das alkoholische und ammoniakalische Filtrat vom Azoxybenzanilid ein und digeriert den Rückstand mit einer grofsen Menge kochenden Wassers, so erhält man *Benzoylorthophenylendiamin*, $C_6H_4NHC_7H_5ONH_2$, welches bei 140°C. schmilzt. Man kann die Verbindung auch durch Reduktion von Benzoyl-o-Nitranilid mittels alkoholischer Ammoniumsulfidlösung erhalten.

Die Mutterlauge von den Krystallen des Benzoylphenylendiamins, das bei der Reduktion mit Zink erhalten wurde, wurde verdampft und der Rückstand in Salzsäure gelöst. Ammoniak fällte aus dieser Lösung Benzenylphenylenamidin, $C_{13}H_{10}N_2$. Es sei bemerkt, dafs Azobenzanilid nicht erhalten worden war. (Amer. Chem. Journ. **6.** 25 bis 28.)

Léon Roux, *Darstellung eines Propyl- und eines Amylnaphtalins.* Um Propyl naphtalin darzustellen, erhitzt man in einem mit Rückflufskühler versehenen Ballon ein Gemenge von 200 g Naphtalin und 120 g Propylbromid. Sobald letzteres anfängt zu destillieren, setzt man ungefähr 10 g Chloraluminium in kleinen Mengen hinzu und schüttelt jedesmal den Ballon um. Es tritt alsbald eine sehr lebhafte Entwicklung von Bromwasserstoff ein, welchen man in einem vorher gewogenen Gefäfs mit Wasser auffängt. Man erhitzt nun so lange, bis sich ungefähr die theoretische Menge Bromwasserstoff entwickelt hat. In diesem Moment läfst man abkühlen und setzt 300—400 g Schwefelkohlenstoff hinzu, worin sich alles löst, und behandelt die Lösung mit Wasser, um das Chloraluminium zu zersetzen. Hierauf dekantiert man von dem Schwefelkohlenstoff, trocknet und destilliert aus dem Wasserbade. Es bleibt zuletzt eine braune teigige Masse übrig, welche man der fraktionierten Destillation unterwirft. Um die Zersetzung des Produktes zu vermeiden, wurde die Destillation im Vakuum vorgenommen. Die ersten Anteile, aus denen sich etwas Naphtalin abscheidet, werden ausgeprefst, die Flüssigkeit von neuem der Destillation unterworfen. Nach mehrmaliger Wiederholung der Destillation destilliert die Hauptmenge zwischen 145 und 150° unter einem Druck von 20 mm. Diese Portion besteht aus einer vollkommen farblosen stark lichtbrechenden Flüssigkeit von angenehm aromatischem Geruch; sie ist unlöslich in Wasser und in allen Verhältnissen in Benzol und Alkohol löslich. Sie siedet fast unverändert bei 262—267° unter gewöhnlichem Druck. Sie bildet mit Pikrinsäure eine aus Benzol und Alkohol in feinen citronengelben bei 89—90° schmelzenden Nadeln krystallisierende Verbindung. Die Analyse ergab die Formel $C_{10}H_7(C_3H_7)$. Die Dampfdichte wurde gleich 5,85 gefunden (ber. 5,89). Dieser Kohlenwasserstoff ist demnach *Propylnaphtalin* oder wahrscheinlich ein Isopropylnaphtalin, da das Chloraluminium die Propylgruppe in Isopropyl umwandelt.

Zur Darstellung von Amylnaphtalin wendet man statt Amylbromid Amylchlorid an, welches bei hinreichend hoher Temperatur siedet, damit sich die Reaktion vollziehen kann. Auf diese Weise erhielt Vf. unter ganz gleichen Umständen eine farblose, bei 288 bis 292° unter gewöhnlichem Luftdruck siedende Flüssigkeit von der Formel $C_{10}H_7(C_5H_{11})$. Dieses *Amylnaphtalin* giebt mit Pikrinsäure eine Verbindung, welche aus Alkohol in gelben, bei 105—110° schmelzenden Nadeln krystallisiert. Es scheint demnach isomer und nicht identisch mit den beiden bis jetzt dargestellten Amylnaphtalinen zu sein. Das eine wurde von Paterno durch Einwirkung von Jodwasserstoffsäure und Phosphor auf Lapacinsäure erhalten und giebt eine Pikrinsäure, welche bei 140—141° schmilzt. Das andere wurde nach der Fittig'schen Methode von Leone dargestellt und giebt mit Pikrinsäure eine bei 85—90° schmelzende Verbindung.

Bei diesen Darstellungen bildet sich zugleich mit den substituierten Naphtalinen eine gewisse Menge *Isodinaphtyl* infolge einer reduzierenden Wirkung des Chloraluminiums. Friedel und Crafts haben gezeigt, dafs das Chloraluminium das Naphtalin in Dinaphtyl und in wasserstoffreichere Verbindungen umwandelt, welche Hydrüre des Isonaphtyls zu sein scheinen, was der Vf. angenommen, dafs diese Zersetzung durch die Gegenwart eines Alkylchlorids erleichtert werden könnte. Um sich hiervon zu überzeugen, liefs er Amylchlorid tropfenweise in ein auf 120° erhitztes Gemenge von 150 g Naphtalin und 25 g Chloraluminium einfliefsen. Es trat sofort eine stürmische Reaktion ein, begleitet von einer reichlichen Gasentwicklung. Nach kurzer Zeit wurde die Masse dick und teerartig. Das entwickelte Gas bestand aus Chlorwasserstoffsäure und Pentan, welches letztere, nachdem das Gemenge eine mit Wasser gefüllte Waschflasche passiert hatte, leicht in einer Kältemischung kondensiert werden konnte. Es siedete bei 29—34°. Die teerige Masse wurde mit Wasser behandelt, getrocknet und destilliert und gab dabei eine sehr beträchtliche Menge Isodinaphtyl. Amylnaphtalin hatte sich unter diesen Bedingungen nicht gebildet.

Unter Anwendung von Amyljodid wurden dieselben Resultate erhalten. Die Reaktion, welche durch die Gleichung:

$$2(C_{10}H_9) + C_5H_{11}Cl = HCl + C_5H_{11}H + \begin{matrix} C_{10}H_7 \\ | \\ C_{10}H_7 \end{matrix}$$

ausgedrückt werden kann, zeigt deutlich die reduzierende Wirkung des Chloraluminiums, auf welche FRIEDEL und CRAFTS zu wiederholten Malen aufmerksam gemacht haben. (Bull. Par. **41.** 379—382. 20. April.)

Georg Baumert, *Untersuchung über den flüssigen Teil der Alkaloide von Lupinus luteus.* (Landw. Ver.-Stat. **30.** 296—329 u. folgde.)

Hanriot, Über *das Strychnin.* (Bull. Par. **41.** 333. 5. März. Paris, Soc. Chim.; C.-Bl. 1883. 309.)

5. Physiologische, medizinische und pharmazeutische Chemie.

Karl Kügler, Über *den Kork von Quercus Suber.* Im ersten Teile dieser Abhandlung bespricht Vf. die Abstammung des Flaschenkorkes, sowie dessen Einsammlung und die Entwicklungsgeschichte des Korkes. Es wurde von demselben zuerst ein Chloroformextrakt dargestellt, welches beim Eindampfen eine hellgelbe Masse hinterläßt, die leicht zu Pulver zerrieben werden kann und zu einer braungelben harzigen Masse zusammenschmilzt. Beim Behandeln derselben mit absolutem Alkohol wurde daraus ein amorpher, bei 126° schmelzender, und ein in Nadeln krystallisierender, bei 238° schmelzender Körper erhalten, dessen Analyse die Formel $C_{20}H_{33}O$ ergab; der Vf. nennt ihn *Cerin.* Der bei 126° schmelzende Teil des Chloroformextraktes bestand aus Stearinsäure, Phellonsäure und Glycerin. Dieselben Substanzen fanden sich auch in dem alkoholischen Extrakte des Korkes. Die Phellonsäure, $C_{22}H_{42}O_3$, bildet ein weißes, geruch- und geschmackloses Pulver, schmilzt bei 96°, ist in Wasser unlöslich, schwer löslich in kaltem, leichter löslich in kochendem absoluten Alkohol, Äther, Chloroform, Petroleumäther, Benzol und Schwefelkohlenstoff. Als charakteristisches Oxydationsprodukt des Korkes, um die sich größtenteils die Arbeiten der früheren Autoren drehen, bleibt nur noch die *Cerinsäure,* die neben Korksäure, Azelaïnsäure, Sebacinsäure auch aus den Fetten mittels Salpetersäure erhalten werden kann. Es stellte sich heraus, daß die Phellonsäure durch Oxydation mit Salpetersäure ein Produkt gab, das mit der Cerinsäure der verschiedenen Autoren übereinstimmte. (Arch. Pharm. [3.] **22.** 217—39. Ende März. Straßburg.)

W. Knop, Über *Ernährungsverhältnisse des Zuckerrohres.* (Landw. Vers.-Stat. **30.** 277 bis 287.)

W. Knop, *Bereitung einer konzentrierten Nährstofflösung für Pflanzen.* (Landw. Vers.-Stat. **30.** 292—94.)

Wilh. Schumburg, Über *das Vorkommen des Labfermentes im Magen des Menschen.* Als Extraktionsmittel für das Labferment ist dem Glycerin 0,125 prozent. Salzsäure vorzuziehen. Ziemlich gleich wirksam ist destilliertes Wasser, dem aber, um Fäulnis zu vermeiden, ein Antisepticum zuzusetzen ist. Aus der Magenschleimhaut des Menschen läßt sich ein Milch gerinnenmachendes Ferment extrahieren. Es fehlt dasselbe öfter, meist bei heruntergekommenen decrepiden Individuen oder bei schweren Dyscrasien (Carcinose, Phthise), selten bei kräftigen Personen. Ebenso selten aber ist es bei Phthisikern, stark abgemagerten kachektischen Personen, wie bereits sehr intensiv mazerierten Leichen.

Das Labferment wird schon durch 1 p. c. Natriumcarbonat zerstört. Deshalb ist große Vorsicht beim Neutralisieren der sauren Extrakte nötig. Im Magen, wie man ihn gewöhnlich zur Untersuchung erhält, befindet sich das Labferment als solches, nicht als Zymogen. Es ist außer in der Schleimhaut auch in den übrigen Schichten des Magens vorhanden, und zwar in gleicher Menge wie in der Schleimhaut. Man kann es als erwiesen betrachten, daß das Labferment auch in den Magensaft des lebenden Tieres übergeht. Die Salzsäure des Magens kann nicht als alleinige Ursache der Milchgerinnung angesehen werden. Als solche ist vielmehr eine Kombination von Labferment und Säure zu betrachten. (Inaug.-Dissert. 8. März 1884. Berlin.)

Erwin Herter und **Sergei Lukjanow,** Über *die Aufnahme des Sauerstoffes bei erhöhtem Prozentgehalte desselben in der Luft.* (Fortschr. d. Med. **2.** 274—76. Berlin.)

Josef Hoffmann, *Zur Semiologie des Harns.* Die Resultate der mitgeteilten Versuche sind die folgenden:
1. Das mittlere 24 stünd. Harnvolum des gesunden jungen Mannes in unserem Klima beträgt 1500 ccm. Es wird vermehrt durch reichliche Flüssigkeitsaufnahme, durch gewisse erregende Mittel (Kaffee, Bier) und durch Einwirkung warmer Bäder. Das Harnvolum vermindert sich durch körperliche Anstrengung und in der Zeit nach dem Bade. Das Harnvolum aus der Nachtzeit ist viel geringer (durchschittlich 15,5 p. c.), als das der Tageszeit (84,5 p. c.). 2. Die Menge der Fixa des Harns ist wesentlich abhängig von der Nahrungsaufnahme; die Menge des Harnwassers hat darauf keinen besonders hervortretenden Einfluß. 2. Der größere oder geringere Gehalt des Harns an Farbstoff richtet sich weniger nach dem Volum, als vielmehr nach der Menge der festen Bestandteile des Harns. 4. Der durchschnittliche Säuregrad des Harns ist 1,74 g Salzsäure. Die Acidität des Harns ist herabgesetzt zu Zeiten, in denen die Sekretion des Magensaftes gesteigert ist, ferner in Zuständen, bei welchen eine reichliche Schweißabsonderung vorausgegangen ist; sie ist vermehrt dagegen nach starker Muskelthätigkeit. Nach jeder Mahlzeit folgt zunächst Erhöhung und dann eine Herabsetzung des Säuregrades. Am höchsten ist die Acidität am Nachmittag; vormittags beträgt sie nur wenig mehr als in der Nacht. 5. Gesteigerter oder herabgesetzter Zerfall des Nervengewebes läßt sich aus dem Verhältnisse der Phosphorsäure zum Stickstoffe des Harns erkennen. Bei Depressionszuständen, z. B. unter dem Einflusse des Schlafes, der Chloroformnarkose, ist die Phosphorsäure relativ vermehrt, bei Excitationszuständen vermindert. (Inaug.-Dissert. 26. Jan. 1884. Berlin.)

A. Glause und **B. Luchsinger,** *Zur Kenntnis der physiologischen Wirkungen einiger Ammoniumbasen.* Durch die Untersuchungen von SCHMIEDEBERG und HARNACK (**75.** 629; **76.** 554) wurde das Muscarin als eine Trimethylammoniumbase erkannt. Einige Trimethylammoniumbasen wirken nach SCHMIEDEBERG ähnlich, andere aber nicht. Vff. haben eine ganze Reihe schon bekannter, sowie einiger erst jetzt dargestellter Trimethylammoniumbasen untersucht (Neurin, Muscarin, Amyl-, Valeryl-, Benzyl-, Glyceryl-, Trimethylammonium), endlich Tetramethylammonium, und erklären auf grund ihrer Versuche die Muscarinwirkung als eine allen Trimethylammoniumbasen gemeinsame. Der von SCHMIEDEBERG erwähnte Ausnahmefall des Hexyltrimethylammoniums ist thatsächlich nur ein scheinbarer.

Was im speziellen die Wirkungen der Basen auf das Herz betrifft, so ist die herrschende Auffassung, wonach das Muscarin als ein Reizmittel der Hemmungsapparate betrachtet wird, kaum zu halten. Das Muscarin bedingt im Gegenteil eine Lähmung des Herzens, speziell des Herzmuskels, und ist diese schließlich eine so vollständige, daß die stärksten elektrischen und mechanischen Reize versagen. Aber auch jetzt noch bewirkt Atropin sehr leicht vollständige Wiederbelebung. Ähnlich wie Atropin wirken einige andere, als reizende Muskelgifte bekannte Stoffe: Coffeïn und Veratrin.

Ausführliche Angaben werden später an einem anderen Orte erfolgen. (Fortschr. d. Med. **2.** 276—77.)

7. Analytische Chemie.

Paul Schellbach, Über *die Methoden, den Stickstoffgehalt in Nitroverbindungen zu bestimmen.* Methode der Stickstoffbestimmung nach DUMAS. — Die TÖPLER'sche Queck-silberluftpumpe. — Methode von BECKERHINN, den Stickstoff in Nitroglycerin zu bestimmen. — Methode von HESS. — Methode der Salpetersäurebestimmung nach SCHLÖSING. — Verfahren von CHAMPION und PELLET, den Stickstoff in Schießwolle und Nitroglycerin zu bestimmen. — Nitrometrische Methoden. — Nitrometer von HEMPEL. — HAMPE'S Methode der Stickstoffbestimmung in salpetersauren Salzen und Äthern. — BÖHMER'S Methode, das bei der Zersetzung von Nitraten entwickelte Stickoxydgas durch direkte Wägung zu bestimmen. (Wissensch. Beil. z. Progr. der FALK-Realschule zu Berl. Ostern 1884. (Berlin.)

U. Kreusler und **H. Landolt,** Über *H. Grouven's Methode der Stickstoffbestimmung.* Die Vff. haben von dem kgl. preuß. Ministerium für Landwirtschaft den Auftrag erhalten, die von GROUVEN vor einigen Jahren (Landw. Vers.-Stat. **28.** 343) beschriebene Methode der Stickstoffbestimmung einer Prüfung auf ihre Zuverlässigkeit zu unterwerfen. Sie haben zu diesem Zwecke unabhängig voneinander jeder eine größere Versuchsreihe ausgeführt und kommen zu einem für die Methode ungünstigen Gesamtergebnisse, welche sie in die wenigen Worte zusammenfassen: Die GROUVEN'sche Methode der Stickstoffbestimmung hat zahlreiche Klippen und giebt nicht leicht richtige Resultate. (Landw. Vers.-Stat. **30.** 245 bis 276.)

8. W. Johnson, Über *die Bestimmung von Stickstoff durch Verbrennen mit Calcium-hydrat.* Man kann den Natronkalk durch Calciumhydrat bei der Stickstoffbestimmung ersetzen. Dieses stellt man dar, indem man den besten Kalk mit wenig Wasser löscht, bei mäfsiger Temperatur eintrocknet, zerreibt und durch ein Sieb mit $\frac{1}{25}$ weiten Löchern in eine gut verschliefsbare Flasche hineinsiebt. Zur Verbrennung von 0,5 g Substanz mit einem Stickstoffgehalt von höchstens 8 p. c. wendet man eine Röhre von 14 englischen Zoll Länge an. Für getrocknetes Blut oder Albuminerde mit einem Stickstoffgehalt von 12—17 p. c. mufs die Röhre zwei bis vier englische Zoll länger sein. Die Mischung von Substanz mit Calciumhydrat soll nicht vollständig die Hälfte der Länge der Röhre einnehmen. Die vordere Kalkschicht in dem Verbrennungsrohr wird, bevor man die Mischung erhitzt, zur hellen Rotglut erhitzt, und während der Verbrennung dabei erhalten. Im vorgelegten Säureabsorptionsapparate dürfen keine Dämpfe oder Teerprodukte, welche eine unvollkommene Verbrennung anzeigen, sichtbar werden. Wenn die eigentliche Verbrennung begonnen hat, so kann man ganz schnell bis zur Beendigung derselben fortfahren. Die Röhre soll, bevor man die Luft durchsaugt, unter Rotglut abgekühlt werden. Das bei der Verbrennung entstehende Ammoniak fängt man in titrierter Säure auf: der Überschufs der letzteren wird mit Ammoniak zurücktitriert, wobei Cochenille als Indikator dient. Letztere besitzt vor der Lackmuslösung den bedeutenden Vorzug, dafs sie sich unzersetzt aufbewahren läfst, durch Kohlensäure nicht wesentlich verändert wird und als Indikator empfindlicher ist.

Bei der Anwendung von Natronkalk wird die vorgelegte Normalsäure bald mehr oder weniger rot gefärbt. Bei der Verbrennung mit Calciumhydrat bleibt letztere beinahe farblos, ein Zeichen, dafs die Verbrennung in diesem Falle vollständiger ist. Der gelöschte Kalk vermag eine gröfsere Gewichtsmenge Wasser abzugeben, und dieses oxydiert bei der hohen Temperatur den Kohlenstoff und hydrogenisiert den Stickstoff. Die bei der Verbrennung gebildete Kohlensäure wird in der Rotgluthitze vom Kalk nicht vollständig absorbiert; die Gase, welche die vorgelegte Säure passieren, bringen im Barytwasser einen Niederschlag hervor. Die Säure indessen absorbiert zu wenig von der heifsen Kohlensäure, und wird dadurch keineswegs die Genauigkeit der Methode beeinflufst.

Vergleichende Versuche zwischen dem Natronkalk und der eben beschriebenen Methode ergaben gut übereinstimmende Resultate. Nur bei der Verbrennung des Strychnins stiefs man auf Schwierigkeiten, die sich beseitigen lassen; wenn man nur wenig Strychnin verwendet. (Aus dem Jahresber. der „Connecticut Agricultural-Experiment-Station" für 1883. Amer. Chem. Journ. **6.** 60—63.)

A. G. Green und **S. Rideal,** Über *eine neue mafsanalytische Methode zur Bestimmung der salpetrigen Säure.* Die Vff. haben gefunden, dafs die Bildung von Diazobenzol aus Anilin durch Einwirkung von salpetriger Säure genau quantitativ erfolgt, wenn sie genügend lange fortgesetzt wird, und dafs diese Reaktion zur Bestimmung von Nitriten benutzt werden kann. Eine Zehntelnormallösung von reinem Anilin wird mit ihrem doppelten Äquivalent eines Gemenges von gleichen Teilen Schwefelsäurehydrat und Salzsäure versetzt und das zu bestimmende Nitrit in einem bekannten Volum Wasser gelöst, so dafs die Lösung zwischen $\frac{1}{10}$ und $\frac{1}{100}$ normal ist. Die hierin enthaltene salpetrige Säure wird dann annähernd durch $\frac{1}{100}$-Permanganatlösung oder durch einen vorläufigen Versuch mit Zehntelnormalanilinlösung bestimmt. Es werden hierauf mehrere Versuche ausgeführt, bei denen man immer dieselbe Menge Anilinlösung, aber verschiedene Mengen Nitritlösung innerhalb der durch die vorläufigen Versuche festgestellten Grenzen anwendet. Die Lösung bleibt über Nacht stehen, und am anderen Tage wird jede derselben mit einer gleichen Menge Jodkaliumstärkelösung versetzt. Diejenige, bei welcher sich nur eine schwache Blaufärbung zeigt, enthält einen geringen Überschufs von freier salpetriger Säure. Wenn die Zehntelnormalanilinlösung hinreichend verdünnt ist (etwa mit ihrem vierfachen Volum Wasser für Zehntelnormalnitritlösung), und die Nitritlösung wird langsam hinzugesetzt, so ist die Anwendung von Eis unnötig. Die Versuche haben ergeben, dafs man auf diese Weise die salpetrige Säure bis 0,1 p. c. genau bestimmen kann. (Chem. N. **49.** 173—174. 18. April.)

G. Lechartier, Über *die Bestimmung der Phosphorsäure in den Ackererden.* (C. r. **98.** 817—819. [31.*] März.)

G. L. Spencer, *Neue Methode zur Bestimmung der im Dünger enthaltenen Phosphorsäure.* Nachdem Vf. die gegenwärtig gebräuchlichen Methoden einer kritischen Erörterung unterzogen hat, beschreibt er die von ihm erdachte, welche auf der Anwendung des Silbers zum Zwecke der Fällung und Ausscheidung der Phosphorsäure beruht. Die Methode ist die folgende:

Man glüht eine genügende Menge Dünger, etwa 5—20 g, so lange, bis die Asche weifs geworden, kocht mit konzentrierter Salpetersäure, verdünnt hierauf, filtriert und wäscht den Rückstand aus. Hierdurch wird der gröfste Teil des Eisens ausgeschieden, und die Chlorverbindungen werden zersetzt. Man bringt hierauf die filtrierte Flüssigkeit auf ein bestimmtes Volum, 100, 200 oder 500 ccm. Von dieser Lösung nimmt man, je nach ihrem vermutlichen Gehalte an Phosphorsäure, für den weiteren Versuch 5 oder 10 ccm; doch darf die Probe nicht weniger als 0,10 g und nicht mehr als 0,50 g Phosphorsäure enthalten. Man setzt nun Silbercarbonat im geringen Überschusse zu, wodurch unmittelbar ein in Wasser vollständig unlöslicher Niederschlag von Silberphosphat erzeugt wird, kocht, filtriert und wäscht den Rückstand auf dem Filter mit siedendem Wasser aus. In den ersten Tropfen der filtrierten Flüssigkeit konstatiert man jedoch zuvor mittels Chlornatrium die Gegenwart von Silber, um sicher zu sein, daß man genügend Silbercarbonat zugesetzt hat, um die gesamte Phosphorsäure zu fällen.

Nach völligem Auswaschen des Rückstandes auf dem Filter löst man denselben in dem geringst möglichen Quantum verdünnter Salpetersäure auf. Aus der Lösung scheidet man das Silber mit Chlornatrium aus, neutralisiert sie mit Natriumcarbonat und schreitet hierauf zur Bestimmung der Phosphorsäure mittels einer Uranlösung, wie bei der Methode von JOULIE. Da die zu untersuchende Flüssigkeit mehr Phosphate gelöst enthält, als in dem Falle der Methode JOULIE, so muß man sich natürlicher Weise einer konzentrierteren Uranlösung bedienen. Die mit diesem Verfahren angestellten Versuche führten zu sehr günstigen Resultaten; die konstatierten Fehler können vollständig vernachlässigt werden. Die Methode soll auch sehr schnell ausführbar und sehr wenig kostspielig sein.

Das Silber ebenso wie das Uran kann aus dem Rückstande leicht wieder gewonnen werden. Der Vorteil dieser Methode vor der von JOULIE besteht darin, daß sie eine größere Quantität Dünger von mindestens 0,1 g Phosphorsäuregehalt zu untersuchen gestattet, während JOULIE empfiehlt, nur mit Düngermengen von nicht über 0,04 g Phosphorsäuregehalt zu arbeiten. Hieraus geht hervor, daß bei mehreren phosphorsäurereichen Düngstoffen die nach JOULIE's Verfahren zu untersuchende Probe 0,250 g Gewicht nicht erreicht. Dies ist ein zu geringes Quantum, welches das Unterlaufen von Fehlern nur zu sehr begünstigt. (Bull. de l'Associat. de Chim. 1884. 31; SCHEIBLER's N. Z. 12. 193.)

Ad. Carnot, *Bestimmung der Phosphorsäure in den Ackererden und den Gesteinen.* (C. r. 98. 917—919. [7.*] April.)

P. de Gasparin, Über *die Bestimmung der Phosphorsäure in den Ackererden.* (C. r. 98. 963—964. [21.*] April.)

W. Knop, Über *das Zurückgehen des Superphosphates.* Der Vf. hat früher einmal beiläufig mitgeteilt, daß man bei der Bereitung des Vorrates einer konzentrierten Nährstofflösung für Pflanzen, indem man den salpetersauren Kalk, den Kalisalpeter und das Kalisuperphosphat, PKH_4O_4, zusammen, das Bittersalz aber für sich auflöst und aufbewahrt, um beiderlei Lösungen erst später beim Gebrauch zu Wasserkulturen zu verdünnen und zu mischen, namentlich bei Wintertemperaturen in der ersteren Lösung ein krystallinisch pulveriges Salz sich ausscheiden sieht, das selbst beim Erhitzen in seiner Mutterlauge nachher nur schwer sich wieder auflöst. Dieses Salz wurde damals nicht untersucht. Die Arbeit MÄRKER's (S. 380) hat den Vf. nun veranlaßt, dieses Salz darzustellen und zu analysieren. Die Analysen zeigen, daß es zweibasisch-phosphorsaurer Kalk ist, der je nach der Bereitung einen verschiedenen Wassergehalt aufnimmt. Nach mehrtägigem Trocknen über Schwefelsäure verlieren diese Salze auch bei 100° nichts mehr an Gewicht, erhitzt man sie darauf aber weiter einige Stunden auf 150—170°, so findet man, daß die Wassergehalte innerhalb der durch die beiden folgenden Formeln ausgedrückten Quantitäten schwanken, nämlich von $P_2Ca_2H_2O_8$ mit 6,6 p. c. Wassergehalt und $P_2Ca_2H_2O_8 + H_2O$ mit 12,4 p. c. Wasser. Das einbasische Salz, das sogenannte Superphosphat $P_2CaH_4O_8$ hat also in sich selbst schon die Tendenz, bei sehr starken Konzentrationen in zweibasisches und ein drittes Salz zu zerfallen, das selbstverständlich noch mehr Phosphorsäure enthalten muß als das Superphosphat. Unter gewissen Umständen läßt sich also jedenfalls das Zurückgehen des Superphosphates aus dieser Eigenschaft erklären, denn wenn bei der Bildung des zweibasischen Salzes $P_2Ca_2H_2O_8$ auch das übrige Superphosphat relativ noch reicher an Phosphorsäure werden muß, so wird der Gesamtgehalt an wasserlöslicher Säure doch in dem Maße absolut geringer werden, als dieses zweibasische Salz sich bildet und den unlöslichen Rückstand von Gips etc. vermehrt. (Landw. Vers. Stat. 31. 287—91.)

S. G. Rawson, Über *die Bestimmung von Kupferchlorür in Kupferlösungen.* (Chem. N. 49. 161—62. 10. April.)

H. Athenstädt, *Zur Prüfung der Citronensäure auf Weinsäure.* Hierzu ist das Kalkwasser geeignet, wenn es von genügendem Kalkgehalte ist und in der richtigen Weise angewendet wird. Bezüglich des ersteren Punktes verlangt die Pharmakopöa Germanica, daß 100 ccm Kalkwasser nach Zugabe von 3,5—4 ccm Normalsalzsäure eine saure Flüssigkeit geben dürfen. Hiermit ist also nur der Minimalgehalt an Kalkhydrat normiert und darf gewiß wohl behauptet werden, daß ein gutes Kalkwasser stets noch über 4 ccm

Normalsalzsäure aushält, ohne seine alkalische Reaktion zu verlieren. Zum Nachweise kleiner Mengen Weinsäure neben Citronensäure ist jedoch nur ein mit Kalkhydrat vollständig gesättigtes Kalkwasser zu verwenden. Durch wiederholte mit destilliertem Wasser gemachte Aufgüsse erhielt Vf. stets ein Kalkwasser, das auf 100 ccm zur sauren Reaktion 4,8 ccm Normalsalzsäure gebrauchte. Zur weiteren Ausführung der Prüfung löst man nun 0,5 g von der zu prüfenden Citronensäure in 10 g Aq. dest. und tröpfelt von dieser Lösung vorsichtig fünf Tropfen in 15 g Kalkwasser. Enthält die Säure auch nur geringe Beimengung von Weinsäure, so entsteht schon nach wenigen Augenblicken eine deutliche Trübung, die um so intensiver wird, je mehr sich die Säurelösung in dem Kalkwasser verteilt und sich mit demselben vermischt, wobei jedes Umschütteln vermieden werden muß. Je schwächer nun das Kalkwasser, desto unsicherer die Resultate. Unbrauchbar zum Nachweise kleiner Mengen Weinsäure neben Citronensäure und deshalb leicht zu irrigen Schlüssen führend, ist schon ein solches, das auf 100 ccm nur 4 ccm Normalsalzsäure zur sauren Reaktion erfordert, da dann die auf Abscheidung von weinsaurem Kalk beruhende Reaktion gänzlich ausbleibt.

Zur Aufklärung dieser Erscheinung hat Vf. durch eine lange Reihe vergleichender Prüfungen gefunden, daß geringe Mengen weinsauren Kalkes in Wasser und auch in ungesättigtem Kalkwasser löslich sind, ferner wird diese Löslichkeit jedenfalls noch durch die Anwesenheit von citronensaurem Kalk wesentlich gefördert, denn schon FRESENIUS bemerkt in seiner Anleitung zur qualitativen Analyse, daß citronensaure Alkalien für viele in Wasser unlösliche Verbindungen wirksame Lösungsmittel sind.

Es ist dem Vf. nun unter Benutzung dieser Prüfungsmethode gelungen, in sieben Proben Citronensäure unzweifelhaft Weinsäure nachzuweisen, und scheint hiernach ein völlig weinsäurefreies Präparat nicht leicht zu beschaffen zu sein. (Arch. Pharm. [3.] 22. 230—31. Ende März.)

Theodor Salzer, *Nachweis von Alkohol in ätherischen Ölen.* Man gießt etwas reines Citronenöl in ein trocknes Reagensgläschen, ohne den oberen Teil des Glases zu benetzen, streut dann einige Stäubchen Fuchsin auf den mittleren und oberen Teil der Wandung und erhitzt zum Sieden, wobei keine Veränderung eintritt. Enthielt jedoch das Öl ein Zehntelprozent Weingeist, so wird, nachdem man zum gelinden Sieden erhitzt hat, jedes Fuchsinstäubchen von einem durch die spirituöse Auflösung erzeugten roten Flecken umgeben sein. Es gelingt auf diese Weise, 1 mg Spiritus in 1 g Citronenöl nachzuweisen. (Pharm. Ztg. 29. 202.)

Wiedemann, *Zuckerbestimmung in sehr zuckerreichen Weinen.* Die Bestimmung des Zuckers findet, auf grund der Vereinbarungen der bayerischen Vertreter der angewandten Chemie nach SOXHLET's (oder KNAPP's) Verfahren statt, und zwar sowohl direkt aus dem Originalweine, als einer Probe invertierten Weines. Bei einer dem Vf. eingereichten Probe Ruster-Fettausbruch wurde die Zuckerbestimmung unter den üblichen Kautelen, jedoch mit der Vorsicht vorgenommen, daß fraglicher Wein mit der zehnfachen Menge destillierten Wassers verdünnt wurde.

Die erhaltene Menge des reduzierten Kupfers betrug aus der direkten Bestimmung 0,4613, aus dem invertierten Weine 0,4754 pro 25 ccm des verdünnten Weines. Der Umstand, daß die FEHLING'sche Lösung sich kupferfrei erwies und nahezu die ganze theoretische Menge des in derselben enthaltenen Kupfers durch die Reduktion wieder erhalten wurde (CuSO$_4$ + 5H$_2$O = 249,3; 249,3 : 63,3 = 69,28 : x; demnach x = 17,59 Cu in 1000 ccm FEHLING'scher Lösung oder 0,5277 Cu in 30 ccm derselben), veranlaßte eine Wiederholung der Zuckerbestimmung mit der Modifikation, daß diesmal der Wein nicht mit der zehnfachen, sondern zwanzigfachen Menge Wassers verdünnt wurde. Auch bei dieser größten Verdünnung des Weines ergab sich für 25 ccm desselben 0,449 Kupfer für den invertierten Wein, was einer Gesamtmenge von 20,16 p. c. (20,93 Invers.-Proz.) Zucker entspricht.

Man wird daher, um Arbeit zu ersparen und Zeit zu gewinnen, bei allen Weinen, deren Extraktgehalt 10 p. c. übersteigt, behufs Bestimmung des Zuckergehaltes, sehr zweckmäßig eine zwanzigfache Verdünnung desselben erst vornehmen, da dies jedenfalls einfacher und sicherer ist, als eine Quantitätsvermehrung der FEHLING'schen Lösung. (Pharm. Ztg. 29. 287.)

Kleine Mitteilungen.

Über Salicylsäure in Bier und Wein, von J. A. BARRAL. Der Vf. berichtet zunächst auf grund von Versuchen, die LADURRAU mit Bier zur Konservierung desselben ausgeführt hat (BIEDERM. Centralbl. 7. nach Journ. de l'agricult.). Es wurden zwei Versuche mit je drei Fässern Bier, das eine Mal im Frühjahre, das andere Mal im Sommer ausgeführt. Bei jedem dieser Versuche blieb ein Faß ohne Zusatz, das zweite Faß erhielt einen Zusatz von 4 g, das dritte einen solchen von 8 g per Hektoliter. Die Fässer wurden während zweier Wochen offen gelassen, dann geschlossen und nach einem Monate versucht. Es ließ sich leicht nachweisen, daß das Bier im Fasse 1 beträchtlich, im Fasse 2 ein wenig und im Fasse 3 gar nicht sauer geworden war. Die gleichen Resultate wurden bei beiden Versuchsreihen erhalten. Der Unterschied zwischen dem sich selbst überlassenen und dem mit Salicylsäure versetzten Biere war sehr groß. Zur Vervollständigung des Versuches trank LADURRAU zum Löschen seines Durstes mehrere Wochen ausschließlich von den salicylierten Bieren, ohne dabei jemals irgend eine schädliche Wirkung zu spüren. Er schließt aus seinen Versuchen, daß ein Zusatz von höchstens 10 g Salicylsäure pro Hektoliter Bier genügt, um die Essigbildung und andere Veränderungen dieses Getränkes zu verhindern, und daß ein solcher Zusatz der Gesundheit nicht nur nicht schädlich, sondern wohlthätig für dieselbe ist. Was die Weine anbetrifft, so muß man zwischen noch in Gärung befindlichen und fertigen Weinen unterscheiden. Um die Gärung des Mostes zu verhindern, wird man größere, als die oben angegebenen Mengen verwenden müssen. Allein darum handelt es sich auch nicht, sondern nur darum, Nachgärungen in bereits fertigen Weinen zu verhindern, und hierzu genügt nach dem Vf. eine Menge von 50—80 mg pro Liter. Vf. wendet sich nun gegen die Verfechter des vollständigen Verbotes eines Salicylsäurezusatzes und gegen deren Einwand, daß, wenn überhaupt ein solcher Zusatz erlaubt würde, auch leicht zu große Mengen Salicylsäure angewandt werden würden, wodurch die öffentliche Gesundheit geschädigt werden könnte, indem er die zur Salicylsäurebestimmung dienenden Methoden bespricht und nachweist, daß dieselben hinreichend genaue Resultate geben. (Amer. Bierbr. 1883. 301; Ind.-Bl. 21. 124—25.)

Beiträge für das Centralblatt bittet man an die Redaktion (Leipzig, Lessingstr. 5) zu richten. **Originalarbeiten** von nicht zu großem Umfange werden entsprechend honoriert und gelangen stets sofort nach der Einsendung, und zwar in kürzester Frist, zum Abdruck.

Redaktion: Prof. Dr. **Rud. Arendt** in Leipzig.

Verlag von **Leopold Voss** in Hamburg und Leipzig. — Druck von **Metzger & Wittig** in Leipzig.

No. 24.

Chemisches
Central-Blatt.

11. Juni 1884.

Wöchentlich eine Nummer von
1–3 Bogen. Der Jahrgang mit
Sach- und Namen-Register,
nebst system. Übersicht.

Der Preis des Jahrgangs
ist 30 Mark. Durch alle
Buchhandlungen und Post-
anstalten zu beziehen.

REPERTORIUM

für reine, pharmazeutische, physiologische und technische Chemie.

Dritte Folge. XV. Jahrgang.

Wochenbericht.

1. Allgemeines und Physikalisches.

S. v. Wroblewski und **K. Olszewski**, Über *die Verflüssigung des Sauerstoffes, des Stickstoffes und des Kohlenoxydes*. (Ann. Chim. Phys. [6.] 1. 112—28. Januar; C.-Bl. 1883. 803.)

K. Olszewski, *Bestimmung der Erstarrungstemperatur einiger Gase und Flüssig-keiten*. Mit Hilfe von flüssigem Äthylen hat der Vf. den Erstarrungspunkt folgender Substanzen bestimmt: Chlor $-102°$; Chlorwasserstoff $-115,7°$; Arsenwasserstoff $-118,9°$; Fluorsilicium $-102°$; Äthyläther $-129°$; Amylalkohol $-134°$. (Monatsh. für Chemie 5. 127—28. 7. April.)·

3. Anorganische Chemie.

K. Olszewski, *Dichte und Ausdehnungskoeffizient des flüssigen Sauerstoffes*. In eine Glaskugel von 1,4 ccm Inhalt wurde unter einem Drucke von 40 Atm. reiner Sauerstoff aus einer NATTERER'schen Flasche geleitet und in flüssigem Äthylen, dessen Temperatur bis auf $-139°$ C. erniedrigt werden konnte, allmählich mit flüssigem Sauerstoffe vollstän-dig gefüllt. Um nun die Dichte dieses flüssigen Sauerstoffes zu bestimmen, ließ Vf. den Sauerstoff in eine in Wasser eingetauchte, in Kubikcentimeter eingeteilte Glasglocke treten, in der das Volum bei der beobachteten Temperatur der Umgebung und unter Atmos-phärendruck gemessen wurde. Aus dem auf 0° und 760 mm Druck reduzierten Volum des Sauerstoffgases ließ sich die Dichte des flüssigen Sauerstoffes bestimmen. Dieselbe war in guter Übereinstimmung zweier Versuche bei $-139,2° = 0,878$ und bei $-129,57° = 0,7555$. Daraus ergiebt sich der Ausdehnungskoeffizient des flüssigen Sauerstoffes $= 0,017$. (Wien. Anz. 1884. 72; Naturf. 17. 186.)

J. Mar. Ruys, Über *die allotropische Umwandlung des Schwefels bei sehr niedriger Temperatur*. Die Umwandlung des monoklinischen Schwefels in rhombischen geht be-kanntlich bei gewöhnlicher Temperatur vor sich. Eine einfache Beobachtung zeigt, daß die Geschwindigkeit dieser Umwandlung in der Winterkälte weniger groß ist, als im Sommer. Der Vf. hat auf Veranlassung von H. VAN'T HOFF Versuche angestellt, um zu bestimmen, wieviel Zeit zu der Umwandlung bei sehr niedriger Temperatur, wie sie in höheren Breiten existiert, nötig ist. Diese Beobachtungen wurden während der Über-winterung im Karischen Meere ausgeführt. Am 27. Nov. 1882 setzte Vf. den geschmol-zenen Schwefel einer Temperatur von $-37,4°$ C. aus. Bald nach dem Erstarren bemerkte er an den Rändern, da, wo der Schwefel die Wände der emaillierten eisernen Schale be-rührte, die bekannte Farbenumänderung aus Braun in Hellgelb; indessen wandelte sich nur eine sehr kleine Menge Schwefel in dieser Weise um. Die Hauptmasse blieb unver-ändert. Nach einigen Tagen, während sich die Temperatur etwas hob, konnte man kleine gelbe Flecke beobachten, welche langsam größer wurden und sich heller und heller färbten, bis am 8. Dez., also zwölf Tage später, der ganze Inhalt der Schale hellgelb geworden, also in rhombischen umgewandelt war. Die Temperatur schwankte während dieser Zeit zwischen —39,5 und —11,2°.

Ein zweiter Versuch wurde vom 19.—29. März 1883 ausgeführt und ergab dieselben Resultate. Die Temperatur schwankte hierbei zwischen —38,4 und —4,8°. Zur Vergleichung notiert der Vf. die Resultate ähnlicher Beobachtungen von L. TH. REICHER, bei Temperaturen von +40 bis +90°, bei denen die Umwandlung in 30—70 Minuten vollendet war. (Recueil des Trav. Chim. des Pays-Bas **3**. 1—3. Febr. Kampen.)

L. Th. Reicher, Über *die Temperatur der allotropischen Umwandlung des Schwefels.* Auf die Analogie, welche zwischen Schmelzen oder Erstarren und der Umwandlung der einen Krystallform in eine andere bei amorphen Stoffen besteht, wurde schon von O. LEHMANN hingewiesen. Er sah z. B. beim Erhitzen von salpetersaurem Ammoniak bei etwa 87° die rhombische Modifikation sich in die rhomboedrische umwandeln und beim Abkühlen das umgekehrte bei ziemlich der gleichen Temperatur; die erstgenannte Umwandlung war von Wärmeabsorption begleitet, die letztere von Wärmeentwicklung. Es ist dies dieselbe Erscheinung, wie sie beim Schmelzen und Erstarren beobachtet wird, und auch die bei der Umwandlung auftretende Wärmetönung erinnert an die latente Schmelzwärme.

Vf. legte sich nun die Frage vor, ob diese Analogie auch so weit gehe, daß der Druck auf die krystallographische Erscheinung denselben Einfluß ausübe, wie auf den Schmelzpunkt. Bekanntlich erfährt der letztere mit dem Drucke eine Änderung, die sich nach einer bekannten Gleichung berechnen läßt, wenn die Wärmeabsorption und die Volumänderung beim Schmelzen bekannt sind. Er wählte für diesen Zweck die Umwandlung des Schwefels aus der rhombischen in die monosymmetrische Krystallform und suchte zunächst die Umwandlungstemperatur genau zu bestimmen.

Zu diesem Zwecke wurde eine kleine Quantität Schwefel zwischen zwei Glasplättchen geschmolzen und durch ein geeignetes Verfahren bewirkt, daß der eine Teil dieser Schicht rhombisch, der andere monosymmetrisch auskrystallisierte; die beiden Modifikationen zeigten sich durch eine scharf erkennbare Berührungslinie begrenzt. Bei verschiedenen Temperaturen beobachtete man ein Verrücken dieser Begrenzungslinie, oberhalb der Umwandlungstemperatur bewegte sie sich nach der monosymmetrischen, unterhalb dieser dagegen nach der rhombischen Hälfte, während bei derselben keine Veränderung stattfinden sollte. Es konnte nach dieser Methode zu einer genaueren Ergebnis erzielt werden, als daß bei 90° der monosymmetrische Schwefel sich in rhombischen, bei 100° umgekehrt der rhombische in monosymmetrischen umwandelte.

Eine andere Methode mußte daher zu dieser Bestimmung verwertet werden und diese bestand in der Feststellung der Volumänderungen, welche der Schwefel bei der Umwandlung zeigt; unterhalb der Umwandlungstemperatur erfährt nämlich der monosymmetrische Schwefel eine Volumabnahme, oberhalb derselben der rhombische eine Volumzunahme. während bei der Temperatur der Umwandlung selbst der Schwefel in beiden Modifikationen ein bleibendes Volum zeigt. Die nach dieser Methode in ausführlicher geschilderter Weise ausgeführten Messungen ergaben in drei Versuchen gleichmäßig diese Umwandlungstemperatur = 95,6°.

Der Druck, unter welchem diese Versuche ausgeführt wurden, war im Apparate = 4 Atm. Es wurden nun andere Messungen bei dem höheren Drucke von 15 Atmosphären wiederholt, der durch Erhitzen von Natriumdicarbonat hergestellt war. Die Umwandlungstemperatur war jetzt 96,2°, also im ganzen um 0,6° oder pro eine Atmosphäre um 0,05° gestiegen.

Es ist somit durch diesen Versuch festgestellt, daß für die Umwandlung des rhombischen in monosymmetrischen Schwefel wirklich eine scharf begrenzte Temperatur giebt, oberhalb welcher die Umwandlung in den rhombischen, unterhalb welcher die Umwandlung in monosymmetrischen stattfindet; die Temperatur ist = 95,6°. Diese Umwandlungstemperatur ist aber vom Drucke abhängig und steigt um 0,05° pro Atmosphäre Druckzunahme. Die nach der Formel für die Abhängigkeit der Schmelztemperatur vom Drucke berechneten Werte für die Umwandlung des Schwefels stimmten mit den durch den Versuch festgestellten gut überein. (Ztschr. f. Krystallographie und Mineral. **8**. 593; Naturf. **17**. 187.)

Bartoli und **Papasogli,** Über *die verschiedenen allotropischen Modifikationen des Kohlenstoffes.* Dieselben zeigen ein abweichendes Verhalten gegen unterchlorigsaure Salze, so daß sich hierauf eine Unterscheidungsmethode gründen läßt, wenn man gleichzeitig das Verhalten gegen eine Mischung von Kaliumchlorat und Salpetersäure mit in betracht zieht. In eine erste Kategorie wird der gesammte unreine Kohlenstoff gerechnet, welcher von Wasserstoff, Sauerstoff, Stickstoff begleitet ist, also die Holzkohle, die fossile Kohle. Tierkohle, Kienrus und Lignite. Sie alle werden bei gewöhnlicher Temperatur oder bei 100° von stark alkalischem Natriumhypochlorit angegriffen und in lösliche Produkte übergeführt. Zu einer zweiten Klasse gehört der amorphe Kohlenstoff, welcher entweder gar keine oder nur sehr geringe Spuren anderer Elemente enthält, wie z. B. die Retortenkohle oder diejenigen unreinen Kohlenstoffarten der vorgenannten Gattung, welche eine Reinigung durch Chlor bei sehr hoher Temperatur erfahren haben. Dieser Kohlenstoff wird von dem Natriumhypochlorit nicht gelöst, wohl aber in solche Produkte übergeführt, welche dann von einer Mischung aus Kaliumchlorat und Salpetersäure aufgenommen werden. Hieran reiht sich der Graphit, welcher weder von dem Hypochlorit, noch von der Chloratmischung gelöst, wohl aber von letzterer in ein Produkt übergeführt wird, das in lösliche Modifikationen auf anderem Wege umgebildet werden kann. Gegen den Diamant allein, welcher somit für sich allein eine besondere Art von Kohlenstoff auch bei dieser Gruppierung darstellt, äufsern alle die genannten Agentien keinerlei Wirkung. (L'Orosi 7. 37; Arch. Pharm. [3.] 22. 283.)

J. H. Gladstone und A. Tribe, *Darstellung von Sumpfgas.* (Journ. Chem. Soc. 45. 154—56. Mai; C.-Bl. 1884. 372.)

H. Le Chatelier, Über *die Zersetzung der Cemente durch Wasser.* Der Vf. hat früher durch optische Beobachtung an dünnen Cementblättchen gezeigt, dafs es möglich ist, auf diese Weise die Natur einiger Verbindungen zu bestimmen, welche zur Konstitution der Cemente gehören. Es konnte auf diese Weise die Bildung von krystallisiertem Calciumhydrat, CaO,HO, und krystallisiertem Calciumaluminat, Al_2O_3, 4 CaO, 12 HO, während der Erhärtung direkt beobachtet werden. In Fortsetzung dieser Untersuchungen hat er die progressive Zersetzung der Cemente durch Wasser studiert.

Die wasserhaltigen Cemente geben, wenn sie mit einem Überschusse von Wasser behandelt werden, Kalk ab; man hat bis jetzt angenommen, dafs der gelöste Kalk freier Kalk sei, und hierauf gründet sich das Verfahren zur Bestimmung dieses Kalkes. Der Vf. hat dagegen gefunden, dafs es gröfstenteils Kalkverbindungen sind, die auf diese Weise durch Wasser extrahiert werden. Hieraus erklärt sich, weshalb in jedem Laboratorium in der Regel in allen Cementen die gleiche Menge von freiem Kalk, und in verschiedenen Laboratorien verschiedene Mengen gefunden werden. Diese Mengen sind proportional mit dem Volum des angewendeten Wassers; die Zersetzung der Kalksalze folgt den Gesetzen des chemischen Gleichgewichtes; sie hört auf, sobald die in der Volumeinheit des Lösungsmittels enthaltene Kalkmenge eine gewisse Höhe erreicht hat. Man kann trotzdem den freien Kalk durch Lösung bestimmen unter der Bedingung, dafs man auf einmal nur sehr wenig Wasser anwendet und dasselbe erst dann erneuert, wenn es mit Kalk gesättigt ist, d. h. 1,3 g im Liter enthält. Auf diese Weise ist man sicher, keine Kalkverbindung zu zerstören. Das Calciumferrit, die am wenigsten stabile Verbindung von allen, beginnt sich erst zu zersetzen, wenn die Lösung ungefähr 0,62 g Kalk im Liter enthält.

Auf diese Weise wurde erkannt, dafs die langsam erhärtenden Cemente immer eine grofse Menge freien Kalk enthalten, während die rasch erstarrenden davon beinahe ganz frei sind. Durch progressive Einwirkung von Wasser werden nach und nach alle Kalkverbindungen zersetzt, welche sich während der Erhärtung des Cementes gebildet haben. Die Zersetzung ist dann derselben wird durch den stationären Zustand des Titers der erhaltenen Kalklösung angezeigt, welche aufhört abzunehmen, trotz Zusatz neuer Mengen Wasser. Durch Vergleichung dieser stationären Titer mit denjenigen, welche man mit synthetisch dargestellten Kalkverbindungen erhält, lassen sich diejenigen, welche in den Cementen existieren, und bei einer genauen Messung auch das Verhältnis derselben bestimmen. Der Vf. hat auf diese Weise das Vorhandensein folgender Verbindungen festgestellt:

Verbindung	Gehalt an Kalk in 1 l
CaO,HO	1,3 g
Fe_2O_3, 4 CaO, 12 HO . .	0,6 „
Al_2O_3, 4 CaO, 12 HO . .	0,2 „
SiO_2, CaO, 3 HO . . .	0,05 „ .

Durch diese Methode kann die Frage nicht vollständig gelöst werden; man müfste überdies noch die Gewifsheit besitzen, auf synthetischem Wege alle die Verbindungen hergestellt zu haben, welche sich beim Erhärten bilden können. Dies ist aber nicht der Fall. In der That macht die Auflösung des Kalkes verschiedene Haltepunkte, welche keinem der oben aufgeführten Salze entsprechen. Der Vf. ist deshalb zu der Annahme geneigt, dafs sich auch wasserhaltige Silikoaluminate und Silikoferrite bilden, obwohl es ihm bis jetzt nicht gelungen ist, auf künstlichem Wege ein solches darzustellen. (Bull. Par. 41. 377 bis 379.)

29·

D. Gratama, Über *ein Doppelsulfid von Aluminium und Kalium.* Über ein solches hat bereits vor mehr als zwanzig Jahren H. St. Claire-Deville berichtet, indem er mitteilte, daſs dasselbe schmelzbar und krystallisierbar sei und das Wasser mit Heftigkeit zersetze. Er erhielt es durch Überleiten von Schwefeldampf über ein stark erhitztes Gemenge von Kohle und Kalialaun. Der Vf. hat die Darstellung dieser Verbindung nach dem angegebenen Verfahren versucht, indem er ein inniges Gemenge von Alaun und Kandiszucker in einem geschlossenen Tiegel verkohlte und dann in einem böhmischen Rohre zur Rotglut erhitzte, während er gleichzeitig Schwefeldämpfe darüber leitete. Nach dem Abkühlen zeigte sich die Substanz pyrophorisch; sie entwickelte mit reinem Wasser kein Gas, doch konnte man nach Zusatz von Salzsäure eine geringe Entwicklung von Schwefelwasserstoff beobachten. Die filtrirte Lösung enthielt keine Spur von Aluminium, woraus man schlieſsen muſs, daſs bei der angewendeten Temperatur keine Doppelverbindung von Kalium- und Aluminiumsulfid entstanden war. Eine Wiederholung des Versuchs bei höherer Temperatur führte zu keinem anderen Resultate. Endlich wurde die Erhitzung in einem Porzellanrohre mittelst eines Deville'schen Ofens unter Anwendung eines Gebläses vorgenommen. Die Hitze war so intensiv, daſs die schmiedeeiserne Röhre, welche zum Schutze der Porzellanröhre diente, schmolz und lettere weich wurde. Aber auch in diesem Falle blieb das Resultat ein ähnliches. Die Masse war nicht pyrophorisch und reagierte weder auf Wasser noch auf Salzsäure. (Recueil des Trav. Chim. des Pays-Bas **3.** 4—6. Anf. April. Delft.)

L. F. Nilson und **Otto Pettersson,** *Bestimmung der Dampfdichte des Berylliumchlorids.* Die Vff. haben nach der von Schwarz modifizierten Meyer'schen Methode die Dampfdichte des Berylliumchlorids für Temperaturen zwischen 490° und 912° bestimmt und erhielten Zahlen, welche von 6,7 abnahmen bis etwa zu 2,7. Nimmt man die letztere Zahl als die wahre Dampfdichte an, so ergiebt sich für das Chlorid die Formel BeCl, (berechnet 2,77 für Be = 9,1). Diese Dampfdichte entspricht einer Temperatur zwischen 686° und 812°. Die höheren Dampfdichten bei niederen Temperaturen deuten darauf hin, daſs bei diesen mehrere Moleküle Chlorid kondensiert sind.

Bezüglich des Atomgewichtes des Berylls führen also die Gesetze von Dulong und Petit und von Avogadro, wie die obigen Versuche ergeben, zu widersprechenden Resultaten. Da das Avogadro'sche Gesetz ohne Ausnahme auf alle bekannten flüchtigen Körper Anwendung findet, so muſs man annehmen, daſs das Atomgewicht des Berylls Be,=9,1 ist, welcher Wert gut mit dem periodischen Gesetz der Elemente übereinstimmt. (C. r. **98.** 988—990 [21°] April.)

Alph. Cossa, Über *das neutrale Didymmolybdat und die Wertigkeit des Didyms.* Der Vf. hat eine Verbindung von der Formel DiMoO₄ dargestellt (O=15,96; Mo=95,9; Ci=²/₃.145=96,6). Dieselbe ist isomorph mit dem Bleimolybdat. (C. r. **98.** 990—993. [21.°] April).

P. Schützenberger, Über *ein metallisches Radikal.* Man nimmt gewöhnlich an, daſs eine Metallegierung, wenn sie mit oxydierenden oder chlorierenden Reagenzien behandelt wird, Oxyde, resp. Chloride ihrer einzelnen Bestandteile liefert, daſs also die Verbindung der Metalle selbst aufgehoben wird. Das folgende Beispiel wird zeigen, daſs dies nicht immer der Fall ist.

Gieſst man auf Platinschwamm sein vier- bis fünffaches Gewicht geschmolzenes und auf etwa 400° erhitztes Zinn, so verbinden sich beide Metalle unter lebhafter Entwicklung von Wärme und Licht. Körnt man die Legierung durch Ausgieſsen in kaltes Wasser, so bildet sie eine metallische Masse, die etwas weniger weiſs ist, als Zinn. Wird nun diese Legierung in einem mit Wasserstoff oder Kohlensäure gefüllten Ballon mit Salzsäure übergossen, die mit ihrem gleichen Volum Wasser verdünnt ist, so entwickelt sich Wasserstoff und man erhält eine Lösung, welche einen Teil des Zinns als Zinnchlorür enthält. Nachdem die Wasserstoffentwicklung völlig aufgehört hat, bleibt ein sehr unlöslicher Rückstand, welcher aus dünnen, schimmernden, grauschwarzen, dem Graphit ähnlichen Blättchen besteht. Nach dem Abwaschen mit Alkohol und Wasser und darauf folgendem Trocknen, fühlt sich der Rückstand wie Graphit an und schwärzt die Finger. sowie Papier. Er enthält auſser Platin und Zinn auch noch Chlor, Sauerstoff und Wasserstoff. Durch fortgesetztes Waschen mit Wasser wird fortwährend Salzsäure extrahiert. Um zu einer bestimmten Verbindung zu gelangen, wusch der Vf. das Produkt zuerst mit Wasser und dünntem Ammoniak. Auf diese Weise läſst sich rasch alles Chlor beseitigen und man erhält ein Oxydhydrat von wenig geändertem Aussehen und bräunlicher Farbe. Die Analyse des im Vakuum getrockneten Produktes ergab die Formel Pt₄Sn₉O₄H₄, welches durch Reduktion mit Wasserstoff eine grauweiſse, schwer schmelzbare Legierung von der Formel Pt₄Sn₉ hinterläſst. Diese wurde von H. Sainte-Claire-Deville und Debray beschrieben, welche sie dadurch erhielten, daſs sie ein Teil

Platin und sechs Teile Zinn zusammenschmolzen und das erkaltete Produkt mit Salzsäure behandelten, durch welche das überschüssige Zinn gelöst wurde.

Erhitzt man die pulverförmige Legierung Pt_4Sn_3 in Sauerstoff, so entsteht ein Oxyd von der Formel $Pt_4Sn_5O_6$. Diese abwechselnde Reduktion und Oxydation läfst sich mehrmals hintereinander wiederholen; die Fixierung des Sauerstoffs findet stets unter Erglühen der Masse statt.

Die Stannoplatinverbindungen $Pt_4Sn_5O_5$, $Pt_4Sn_5O_6H_2$ besitzen in hohem Grade das katalytische Vermögen des fein vertheilten Platins, obwohl ihre physische Konstitution (dünne Blättchen) die Annahme einer Porosität ausschliefst. Das Oxydhydrat erhitzt sich in Berührung mit Wasserstoff stark und Alkohol wird dadurch rasch in Aldehyd verwandelt; bringt man die pulverförmige Legierung, welche durch Reduktion des Oxydes erhalten wird, mit Chlor in Berührung, so tritt eine reichliche Wärmeentwicklung ein und Zinnchlorid destilliert über. Von der Struktur dieser Verbindungen macht sich Vf. folgende Vorstellung:

$$\equiv Sn{-}Pt{-}Pt{\equiv}Sn\equiv; \qquad OSn{\equiv}Pt{-}Pt{\equiv}SnO; \qquad OSn{\equiv}Pt{-}Pt{\equiv}SnO$$

Durch längere Zeit fortgesetzte Behandlung des nach der Auflösung in verdünnter Salzsäure bleibenden Rückstandes Pt_4Sn_3 mit konzentrierter heifser Salzsäure erhielt der Vf. ein Produkt, welches weniger als ein Atom Platin (Zinn?) enthielt. Es ist wahrscheinlich, dafs man auf diese Weise schliefslich dahin gelangt, alles Zinn zu eliminieren. (C. r. **98.** 985—988 [21°] April).

4. Organische Chemie.

Wilhelm Fossek. *Synthese zweiwertiger Alkohole durch Einwirkung von alkoholischem Kali auf Gemenge von Aldehyden.* Wie durch Einwirkung von alkoholischem Kali auf Isobutyraldehyd der Diisopropyläthylenglykol entsteht, so entstehen analoge zweiwertige Alkohole, welche eine Isopropylgruppe durch andere Alkyle ersetzt enthalten, wenn man das alkoholische Kali auf ein im molekularen Verhältnis dargestelltes Gemisch des Isobutyraldehydes mit anderen Aldehyden einwirken läfst. Diese Reaktion findet auch statt, wenn man das in alkoholischer Lösung befindliche Gemisch der Aldehyde mit Natriumamalgam versetzt. Die Produkte der Reaktion, welche ebenso verläuft, wie Vf. sie bei der Darstellung des Diisopropyläthylenglykols schon beschrieben, sind sämtlich krystallinisch, in Wasser, Alkohol und Äther löslich und lassen sich unzersetzt destillieren. Es gelang dem Vf. auf diese Art darzustellen: Methylisopropyläthylenglykol aus Acet- und Isobutyraldehyd. Bei Zimmertemperatur eine dicke wasserklare Flüssigkeit, welche bei einer Temperatur, die dem Nullpunkt nahe liegt, zu einem kompakten weifsen Krystallkuchen erstarrt. Riecht schwach, angenehm und besitzt einen etwas brennenden pfeffermünzartigen Geschmack. Siedet bei 204°—208°. — Isobutylisopropyläthylenglykol aus Isovaler und Isobutyraldehyd. Entsteht in nahezu theoretischer Ausbeute. Die heifsgesättigte wässerige Lösung läfst beim Erkalten das Glykol in langen Nadeln aus der Lösung fallen. Schmilzt bei 80°—81°. — Phenylisopropyläthylenglykol aus Benzaldehyd und Isobutyraldehyd. Angenehm aromatisch riechende Substanz, auch löslich in Benzol. Die aus dieser Lösung erhaltenen Krystalle schmelzen bei 81°—82°.

Aus den Produkten, welche durch die Einwirkung alkoholischer Kalilauge auf ein Gemenge von Aceton und Isobutyraldehyd entstehen, läfst sich ebenfalls ein in geringer Menge entstandener krystallinischer Körper isolieren, der bei 94° schmilzt. (Monh. f. Chem. **5.** 119—120. 7. April [20. März] Wien, LIEBEN's Labor.).

E. Baumann. *Über Cystin und Cystein.* KÜLZ hat aus einer grofsen Zahl von Analysen für das Cystin die Formel $C_6H_{12}N_2S_2O_4$ abgeleitet. Vf. ist auf ganz anderem Wege als KÜLZ zu demselben Schlusse gelangt. Löst man nämlich Cystin in Salzsäure auf und bringt in die Lösung etwas Zinnfolie, so wird letztere gelöst. Durch Behandlung des Produktes mit Schwefelwasserstoff und Verdunsten der zinnfreien Lösung erhält man das salzsaure Salz einer neuen Base, welcher die dem Cystin früher zugeschriebene Formel $C_3H_7NSO_2$ zukommt, die also als ein Reduktionsprodukt des Cystins zu betrachten ist. Der Vf. nennt sie *Cystein*.

Das *Cystein* liefert bei der Zersetzung durch Alkalien die gleichen Produkte wie das Cystin. Die aus dieser Zersetzung für das Cystin abgeleitete Formel $CH_2{-}C(NH_2)SH{-}COOH$ kommt nicht diesem, sondern dem *Cystein* zu, das sich zum Cystin durchaus verhält, wie ein Merkaptan zu dem entsprechenden Disulfid. Die Beziehungen beider Körper werden durch folgende Gleichung veranschaulicht:

$$2[CH_3.C(NH_2)SH.COOH] + O = \begin{matrix} CH_3.C(NH_2)S-COOH \\ CH_3.C(NH_2)S-COOH \end{matrix} + H_2O.$$

(Ztschr. physiol. Chem. **8**. 299—305. Anf. April. [März.] Freiburg i. B.)

H. Endemann, *Untersuchung von Glycerin.* Bei einer Untersuchung von Glycerin auf Traubenzucker war beim Kochen mit alkalischer Kupferlösung zwar nicht sofort, aber nach langem Stehen eine Reduktion zu Kupferoxydul erfolgt. Vf. stellte Versuche an, um zu ermitteln, ob die Gegenwart von Glycerin die Nachweisung von Zucker in der Weise beeinträchtige, daß sehr kleine Quantitäten von Zucker dadurch vor Oxydation geschützt werden, resp. daß die Reduktion des Kupferoxydes verhindert oder verlangsamt wird, so daß die Bildung eines Niederschlages erst nach einiger Zeit stattfindet. Es zeigte sich, daß die Fällung von Kupferoxydul durch Zucker bei Gegenwart von Glycerin nicht verhindert oder verlangsamt wird. Die Bildung von Kupferoxydul in einem destillierten Glycerin nach stunden- oder tagelangem Stehen muß daher dem Glycerin selbst zugeschrieben werden. Glycerin mit Kalium- oder Natriumhydrat in fester Form erhitzt, geht in Akrylsäure unter Wasser- und Wasserstoffabspaltung über. Es ist daher durchaus nicht unmöglich, · daß eine gleiche Reaktion auch bei Gegenwart von Wasser stattfindet, wenn dieselbe durch ein Oxydationsmittel, wie eine alkalische Kupferlösung, unterstützt wird.

Bei einer Zuckerbestimmung mittels alkalischer Kupferlösung ist das Glycerin zu verdünnen. Wo es sich um Nachweis von Spuren Zucker handelt, kann die Verdünnung von 1:10 vorgenommen werden, bei Gegenwart aber von irgend erheblichen Zuckermengen ist eine größere Verdünnung einzuhalten, namentlich wenn es auf quantitative Bestimmung abgesehen ist. Reaktionen, die später als die gewöhnlich für Zuckerbestimmungen einzuhaltende Zeit eintreten, sind nicht zu berücksichtigen. (Deutsch-Amerik. Apoth.-Zeitung **5**. 11—12.)

Wilhelm Fossek, *Einwirkung von Phosphortrichlorid auf Aldehyde.* Phosphortrichlorid wirkt auf Propion-, Isobutyr- und Isovaler- und Benzaldehyd in ganz gleichartiger Weise ein. Unter dem Einfluß dieses verwandeln sich die Aldehyde vorerst unter Erwärmen und ohne merkliche Salzsäureabspaltung in dickflüssiges gelbes bis braunes Öl, welches mit Wasser versetzt, heftig unter starkem Erwärmen und Ausstoßen von Salzsäure reagiert. Auf vermehrten Wasserzusatz erfolgt eine Scheidung des Gemisches in zwei Schichten. Die obere Schicht (beim Benzaldehyd die untere) enthält Aldehyd und ölige Körper, welche wohl der Einwirkung des bei der Reaktion freigewordenen Chlorwasserstoffes ihre Entstehung verdanken, die untere, neben Salzsäure, das durch die Einwirkung des Phosphortrichlorids auf Aldehyd hauptsächlich entstandene Produkt, eine Phosphor enthaltende organische Säure. Auf dem Wasserbade eingedampft, erstarrt die filtrierte wässerige Schicht ´zu einer mehr oder weniger roten bis braunen Krystallmasse, welche abgesaugt, zwischen Filterpapier gepreßt und aus Alkohol umkrystallisiert, leicht rein zu bekommen ist.

Die so erhaltenen Produkte sind rein weiß, in Körner oder Schuppenform krystallisiert, luftbeständig, nicht hygroskopisch, lösen sich sehr leicht in Kalilauge und Wasser, etwas schwerer in Alkohol, noch weniger in Äther und sind fast unlöslich in Benzol. Mit Wasserdampf sind diese Säuren nicht flüchtig. Beim Erhitzen schmelzen sie, bei höherer Temperatur wird die geschmolzene Masse erst rot, bläht sich dann unter Abspaltung weißer Dämpfe stark auf und hinterlässt beim Glühen einen schwarzen Fleck. Die wässerige Lösung giebt mit Silbernitrat keinen, die mit Ammoniak genau neutralisierte, einen weißen Niederschlag, der sich in Ammoniak und Salpetersäure leicht löst. Die mit Ammoniak in Überschuß versetzte wässerige Lösung der Säure übt auf salpetersaures Silber auch in der Wärme keine reduzierende Wirkung. Mit Barytwasser und Kalilauge neutralisiert, entstehen in Wasser leicht lösliche krystallisierende Salze. Das Kalisalz ist auch in absolutem Alkohol etwas löslich. Mit überschüssige wässeriger Kalilauge durch mehrere Stunden gekocht, konnte keinerlei Zersetzung der Säure, resp. Abspaltung von Alkohol bewirkt werden.

Die Elementaranalyse der aus Isobutyraldehyd mit Phosphortrichlorid gewonnenen Substanz, welche in Körnern krystallisiert und bei 168°—169° schmilzt, ergab Zahlen, welche auf die empirische Formel $C_4H_{11}PO_4$ stimmen. Durch die Analyse des Barytsalzes wurde die obige Molekularformel bestätigt und die Einbasizität der Säure erwiesen. Das Barytsalz hat die Formel $Ba(C_4H_{10}PO_4)_2$.

Die aus Isovaleraldehyd dargestellte phosphorhaltige Säure krystallisiert in Schuppen, schmilzt bei 183°—184° und giebt bei der Elementaranalyse Zahlen, welche die empirische Zusammensetzung $C_5H_{11}PO_4$ erweisen. Die Verbrennung wurde mit chromsaurem

Blei ausgeführt, der Phosphorgehalt durch Ausfällen der, durch Oxydation mit Salpetersäure entstandenen Phosphorsäure durch Magnesia ermittelt.

Diese aus Valeraldehyd erhaltene Säure ist isomer mit der von Guthrie (Ann. **99.** 57) aus Amylalkohol und Phosphorsäure dargestellten und untersuchten Amyloxydphosphorsäure, aber in ihren Eigenschaften gänzlich verschieden von dieser. Dieser Umstand sowohl, ferner die Einbasizität und die Widerstandsfähigkeit gegen Kalilauge berechtigen wohl den Schluß, daß diese Säuren keine von der Phosphorsäure abzuleitenden Äthersäuren darstellen, sondern eine andere Constitution, vielleicht mit direkter Bindung des Kohlenstoffs an Phosphor, besitzen dürften.

Propionaldehyd mit Phosphortrichlorid behandelt, giebt eine analoge, bei 158°—160° schmelzende Säure, welche aus alkoholischer Lösung in Schuppen krystallisiert. Auch das aus Benzaldehyd entstandene Produkt ist krystallinisch.

Auf Acetaldehyd wirkt Phosphortrichlorid so heftig ein, daß Verkohlung der entstandenen Produkte eintritt. Dieser Umstand hinderte bis nun die Darstellung der analogen Säure aus diesem Aldehyd.

Die bereits in Angriff genommenen Versuche über Ermittlung des Reaktionsverlaufes bei der Entstehung dieser phosphorhaltigen organischen Säuren aus Aldehyden und über die Ausmittlung ihrer Konstitution, sowie die näheren Details ihrer Darstellung und Untersuchung bleiben einer späteren Mitteilung überlassen. (Monh. f. Chem. **5.** 121—123. 7. April. [20. März] Wien, LIEBEN's Labor.)

W. K. J. Schoor, *Einwirkung einiger Substanzen auf Dextrin.* Der Vf. wollte in einem käuflichen, sehr unreinen Produkte, welches außer Stärke und verschiedenen Dextrinen auch Glykose enthielt, die letztere mittels FEHLING'scher Lösung bestimmen. Er erhielt in der That eine Reduktion, aber die Menge des abgeschiedenen Kupferoxyduls veränderte sich mit der Konzentration der Flüssigkeit und der Dauer der Erhitzung; deshalb wurde letztere nur im Wasserbade unterhalb 100° vorgenommen. Da RIBAN beobachtet hatte, daß eine einprozentige Stärkelösung, welche durch Erhitzen dargestellt und mit Chlornatrium gesättigt war, nach drei bis vier Jahren auf einen Teil Dextrin neun Teile Glykose enthielt, so setzte der Vf. der Mischung des Dextrins mit der FEHLING'schen Lösung eine kleine Menge Kochsalzlösung hinzu und erhitzte. Hierauf trat sofort eine sehr starke Reduktion ein, welche sich auf Zusatz von neuen Kochsalzmengen noch vermehrte. Die Anwendung von Natriumdicarbonat ergab dasselbe Resultat. Glycerin, welches für sich allein die FEHLING'sche Lösung nicht reduziert, veranlaßte, wenn es der Dextrinlösung zugesetzt wurde, eine bedeutende Reduktion, welche mit der Quantität des Glycerins zunahm. Der Effekt war noch größer, als man Glycerin zugleich mit einem der oben genannten Salze zusetzte. Es schien selbst, daß unter diesen Umständen das Dextrin vollständig in Dextrose umgewandelt wurde.

Diese Umwandlung findet schon bei gewöhnlicher Temperatur statt, wenn man eins der Salze oder Glycerin zusetzt. Eine kleine Quantität von Dextrin und Glycerin, welches 24 Stunden lang dialysiert war, verursachte nach dem Abdampfen eine sehr starke Reduktion. Dasselbe Resultat wurde unter Anwendung der obigen Salze erhalten. Nimmt man diese und Glycerin zusammen, so ist die Wirkung in dem Dialysator rascher und die Dialyse ist später beendigt. (Rec. des Trav. Chim. des Pays-Bas **3.** 18—19. [19. Apr.] Lecuwarden.)

C. Friedel und **J. M. Crafts,** Über *eine neue allgemeine Methode der Synthese aromatischer Verbindungen.* Eine zusammenfassende Darstellung der mit Aluminiumchlorid bewirkten Synthesen bei Gegenwart von Aluminiumchlorid. (Ann. Chim. Phys. [6.] **1.** 449 bis 533. April.)

Carl Zulkowsky, Über *farbige Verbindungen des Phenols mit aromatischen Aldehyden.* Der Vf. beschreibt die Resultate der Versuche, welche er über die Einwirkung von Salicylaldehyd auf Phenol und von p-Oxybenzaldehyd auf Phenol erhalten hat. (Monatsh. f. Chem. **5.** 108—18. 7. März.)

R. Meldola, Über *die Einwirkung von α-Dibromnaphtol auf Amine.* (Journ. Chem. Soc. **45.** 156—60. Mai; C.-Bl. 1884. 402.)

J. Herzig, *Studien über Quercetin und seine Derivate.* Der Vf. hat folgende Derivate des Quercetins dargestellt: *Hexäthylquercetin,* $C_{24}H_{10}(C_2H_5)_6O_{11}$, welches beim Erhitzen mit alkoholischem Kali auf 140—150° Diäthylprotocatechusäure giebt. *Hexamethylquercetin,* $C_{24}H_{10}(CH_3)_6O_{11}$; *Diacetylhexamethylquercetin,* $C_{24}H_8(CH_3)_6(C_2H_3O)_2O_{11}$; *Diacetylhexäthylquercetin.* (Monatsh. f. Chem. **5.** 72—93. 7. April. [6. März.] Wien, BARTH's Labor.)

P. Chapoteaut, Über *ein Glykosid des Boldo.* Aus den Blättern des chilenischen Baumes Boldo (Boldoa fragrans) haben BOURGOIN und VERNE ein Alkaloid extrahiert, welches sie Boldin nannten (**73.** 166). Dieses Alkaloid existiert in der That, aber seine physiologischen Wirkungen sind so schwach und die Blätter des Boldo enthalten so wenig davon, daſs der Vf. die physiologische Wirkung der Pflanze einer anderen Substanz zuschreiben zu müssen glaubt. Um diese aufzufinden, wurden die Blätter mit siedendem Alkohol extrahiert, die alkoholische Lösung eingedampft, der Rückstand mit etwas Wasser aufgenommen und mit Salzsäure angesäuert, um das Alkaloid vollständig auszuscheiden: die Lösung wurde hierauf mit Äther oder Chloroform geschüttelt und nach dem Abdampfen erhielt man einen syrupartigen, durchscheinenden, bernsteingelben Körper von aromatischem Geruch und Geschmack. Dieser Körper läſst sich mit Wasserdämpfen destillieren, zersetzt sich aber bei der trocknen Destillation im Vakuum oder im Wasserstoffstrom. Aus 1 kg Blättern erhielt man ungefähr 3 g Substanz. Die Analyse ergab die Formel $C_{20}H_{52}O_8$. Der Körper gehört den Glykosiden an, denn mit sehr verdünnter Salzsäure erhitzt, spaltet er sich in Glykose, Methylchlorid und einen in Alkohol und Benzin löslichen, in Wasser unlöslichen, syrupartigen Körper von der Zusammensetzung $C_{19}H_{26}O_8$. Letzterer wird in Benzinlösung durch Natrium unter Entwicklung von Wasserstoff angegriffen und die dadurch entstehende Natriumverbindung läſst sich äthylieren und methylieren, wenn man sie mit den entsprechenden Alkyljodiden behandelt.

Das Glykosid ist offenbar ein Äther, in welchem die Glykose die Rolle der Säure spielt; ob der damit verbundene Alkohol, dessen entmethyliertes Produkt der Körper $C_{19}H_{26}O_8$ ist, ein Alkohol oder ein Pseudoalkohol ist, konnte Vf. nicht bestimmen.

Über die physiologische Wirkung des Glykosids hat LABORDE Versuche an Meerschweinchen und Hunden angestellt und gefunden, daſs sie hauptsächlich eine hypnotische ist. (C. r. **98.** 1052—1053. [28*] April).

5. Physiologische, medizinische und pharmazeutische Chemie.

L. Brieger, *Spaltungsprodukte der Bakterien.* 1. Mitteilung. Der Vf. hat mit Hilfe der von KOCH eingeführten Methoden versucht aus den natürlichen Fäulnisheerde im menschlichen Körper, dem Darmrohr, die darin vorkommenden Bakterienspezies zu sondern und deren Einfluſs auf die komplexen Organbestandteile zu studieren. BIENENSTOCK hat bereits fünf wohlcharakterisierte Bakterienspezies als ausschlieſslich in den Fäces vorkommend beschrieben. Der Vf. hat auſser diesen noch eine Reihe anderer aufgefunden von denen er in der vorliegenden Arbeit einige näher charakterisiert. Während BIENENSTOCK bei seinen Untersuchungen das Auftreten von Mikrokokken vermiſst, hat der Vf. sowohl in künstlichen Fäulnisgemengen, als auch in den Fäces das Auftreten derselben in enormer Menge beobachtet. Der Kokkus der Fäces hat ungefähr die Gröſse des Pneumoniekokkus. Er entwickelt sich sowohl auf Eiweiſs, als auch auf Kohlehydraten und zersetzt dreiprozentige Rohr- oder Traubenzuckerlösung, welche mit etwas frisch gefällten kohlensaurem Kalk versetzt ist, stets in der Weise, daſs sich dabei *Äthylalkohol* bildet. Auſser diesem Kokkus findet man noch zwei Bacillenspezies. Die eine derselben verflüssigt Gelatine langsam und teilt ihr dabei eine grünlich-fluoreszierende Färbung mit; die andere Bacillenart bildet äuſserst kleine Stäbchen, welche ebensowohl auf Eiweiſs als auf Zucker wachsen. Dieser Bacillus unterscheidet sich besonders dadurch, daſs er, auf gewisse Tierspezies (Meerschweinchen) eingeimpft, dieselben in kurzer Zeit tödtet; auf sterilisiertem Menschenblut gedeiht er vortrefflich und vermehrt sich dabei sehr schnell; ebenso läſst sich ein sehr rapides Wachstum desselben erzielen, wenn man ihn auf sterilisiertes Eiweiſs oder sterilisierten Kohlehydraten bei einer Temperatur von 35°—37° C. sich entwickeln läſst. Auf Traubenzuckerlösungen von gleicher Zusammensetzung gebracht, wie die oben für den Kokkus in Anwendung gezogenen, spaltet dieser Bacillus schon in kurzer Zeit bei Temperaturen von 35°—37° nur Säuren ab, unter denen sich vorzugsweise Propionsäure befindet.

Aus diesen Untersuchungen ergiebt sich wieder die Wahrheit des von KOCH aufgestellten Satzes von der Konstanz der Arten, die sich nicht nur in der Form und in dem Wachstum äuſsert, sondern auch in den chemischen Produkten der Bakterien. Deshalb war es von Wichtigkeit, auch den Einfluſs pathogener Bakterien auf ihren Nährboden zu studieren, um zu sehen, ob auch diese pathogenen Bakterien spezifische Spaltungen vollzogen. Vf. hat zunächst einen rasch wachsenden Pilz, den Pneumoniekokkus, auf sterilisierte Trauben- und Rohrzuckerlösungen, die mit frisch gefälltem kohlensaurem Kalk versetzt worden waren, ausgesäet. Dieser Pneumoniekokkus gedeiht auf derartigen Lösungen vortrefflich und vermehrt sich besonders rasch darauf bei Temperaturen von 36°—38° C. Etwa drei bis vier Tage nach dem Aussäen der Pneumoniekokken auf diesen Nährboden nehmen diese Lösungen plötzlich intensiv schwarze Farbe an, und es erfolgt eine äuſserst stürmische Entbindung von Kohlensäure. Allmählich hellt sich diese Nährlösung wieder auf und zeigt einen intensiven aromatischen ätherartigen Geruch. Bei der Destillation verschiedener derartiger mit Pneumoniekokken beschickter Rohr- oder Traubenzuckerlösungen mit Schwefelsäure erhielt Vf. ein Säuregemenge, in welchem sich durch die Analyse namentlich Essigsäure nebst geringen Mengen Ameisensäure nachweifsen liefs. Aus Lösungen von Trauben- und Rohrzucker, in denen der Pneumoniekokkus in der Wärme (36⁰—38⁰ C.) recht üppig sich entwickelt hatte, wurden wiederholt Injektionen in die Lungen von Meerschweinchen oder Mäusen gemacht, die doch nach FRIEDLÄNDER sehr empfänglich für Pneumonie sind, ohne jede Wirkung; wurden aber dann aus diesen Kulturen die Kokken auf Fleischwasserpeptongelatine zurückgeimpft und bei Zimmertemperatur der Entwickelung überlassen, so brachten sie den gröfsten Teil der Versuchstiere, welche sich vorher immun erwiesen, Pneumonie, resp. Pleuritiden hervor. Ob diese Wahrnehmungen konstant sind, ob dann die Wärme oder die bei der Spaltung gebildeten Säuren, resp. deren Äther Abschwächungen der Pneumoniekokken zu erzielen vermögen, werden weitere Untersuchungen lehren. (Ztschr. physiol. Chem. **8.** 306—311. Anf. April [24. März] Berlin, Universitätsklinik).

Balland, *Veränderungen des Mehles beim Aufbewahren.* (Ann. Chim. Phys. [6.] **1.** 533—58. April; C.-Bl. 1883. 644.)

E. J. Maumené, Über *das Vorkommen von Mangan in Weinen und in einer Menge vegetabilischer und animalischer Produkte.* (C. r. **98.** 1056—58. [28.*] April)

Alexander Rosoll, *Beiträge zur chemischen Histologie der Pflanzen.* 1. Das Helichrysin (aus den Involucralblättchen der neuholländischen und kapensischen Strohblumen (Helichrysum bracteatum, foetidum und hebelepis). 2. Pilzfarbstoffe. 3. Über den direkten Nachweis des Saponins im Gewebe der Pflanze. 4. Über den Sitz und den mikrochemischen Nachweis des Strychnins in den Samen von Strychnos nux vomica L. und Strychnos potatorum L. (Monatsh. f. Chem. **5.** 94—107. 7. April. [6. März.] Wien, pflanzenphysiol. Inst.)

G. Lechartier, Über *die Assimilierbarkeit der Phosphorsäure in den Gesteinen und in der Ackererde.* (C. r. **98.** 1058—61. [28.*] April.)

L. Brieger, *Zur Darstellung der Ätherschwefelsäure aus dem Harn.* Behufs Gewinnung der Ätherschwefelsäure aus dem Harn ist unstreitig die Methode von BAUMANN einzig und allein empfehlenswert. Wenn Vf. trotzdem hier eine neue Methode veröffentlicht, so geschieht dies nur deshalb, weil dieselbe vielleicht für manche Zwecke vorteilhaft sein könnte.

Man versetzt frischen Harn mit neutralem Bleiacetat, so lange ein Niederschlag entsteht, filtriert davon ab und giefst dann so lange basisches Bleiacetat zum Filtrate, bis alles damit Fällbare niedergerissen ist. Auch dieser Niederschlag wird wieder abfiltriert und das Filtrat mit Schwefelwasserstoff entbleit. Die entbleite Flüssigkeit wird im Wasserbade zu Sirupdicke eingedampft und nachher im Vakuum einige Zeit lang stehen gelassen. Es krystallisierten alsdann Blättchen heraus, die wiederholt aus viel heifsem absoluten Alkohol umkrystallisiert wurden. Diese Krystalle mit Salzsäure und Chlorbarium gekocht, liefsen reichliche Mengen von schwefelsaurem Baryt ausfallen. Eine Lösung dieser Krystalle mit Bromwasser versetzt, gab einen Niederschlag, der in einiger Zeit krystallinisch erstarrte und sich als Tribromphenol erwies.

0,4227 g des auf diese Weise gewonnenen ätherschwefelsauren Salzes gaben 0,4487 g $SO_4Ba = 43,7$ p. c. SO_4. $C_7H_7SO_4K$ verlangt aber 42,4 p. c. SO_4 und $C_6H_5SO_4K$ fordert 45,3 p. c. SO_4, so dafs also die vorliegende ätherschwefelsaure Verbindung vorzugsweise parakresolschwefelsaures Kalium war. Übrigens werden durch den mit basischem Bleiacetat erhaltenen Niederschlag auch noch geringe Mengen ätherschwefelsaurer Salze mit niedergerissen, weshalb diese Methode für quantitative Bestimmungen der Ätherschwefelsäuren gar nicht anwendbar erscheint. (Ztschr. physiol. Chem. **8.** 311—12. Anf. April. [24. März.])

Schützenberger, *Untersuchungen über die respiratorische Verbrennung.* Vor einigen Jahren hat der Vf. mit QUINQUAUD in Gemeinschaft über die Respiration der Hefezellen berichtet. Die Hefe wurde bei den Versuchen in reinem lufthaltigem Wasser verteilt und die oxydierende Wirkung des Sauerstoffes geschah dabei auf Kosten der unmittelbaren Bestandteile der Zellen. Im Anschlusse hieran hat er nun den Einflufs studiert, welchen gewisse organische Substanzen auf die respiratorische Verbrennung der Zellen ausüben. Es wurden hierzu dicht verschliefsbare Literkolben benutzt, welche man mit Wasser füllte, das mit Sauerstoff bei gewöhnlichem Drucke gesättigt war. Ein Ballon blieb stets ohne allen Zusatz, ein zweiter wurde mit 1 g breiförmiger Hefe versetzt und die übrigen erhielten aufserdem noch eine gewisse Menge von den zu prüfenden Substanzen. Nach Ablauf einer kürzeren oder längeren Zeit (1—3 Stunden) bestimmte man den Sauerstoffgehalt durch Titrieren. Die zur Untersuchung benutzten Substanzen waren: 1. Verschiedene Zuckerarten (Invertzucker, Rohrzucker, Milchzucker); 2. Mannit; 3. verschiedene Alkohole (Methyl-, Äthyl-, Butyl-, Amylalkohol und Glycerin); 4. **Säuren, wie** Essigsäure, Buttersäure, Weinsäure; 5. verschiedene Salze (Natriumacetat, Ammonium-oxalat, Seignettesalz); 6. Amidokörper (Glykokoll und Homologe); 7. **Blausäure und** Chloroform.

Die Resultate, welche in Tabellenform zusammengestellt sind, zeigen, daſs einige der genannten Substanzen ohne nachweisbaren Einfluſs sind, andere bewirken eine deutliche Beschleunigung der Absorption des Sauerstoffes, und wieder andere, wie z. B. die Blau-säure und das Chloroform hemmen oder verlangsamen die Verbrennung bedeutend. (C. r. **98.** 1062—64. [28.*] April.)

Stolnikow, Über *die Bedeutung der Hydroxylgruppe (HO) in einigen Giften.* Nach-dem bereits durch zahlreiche Untersuchungen festgestellt ist, daſs durch den Eintritt ge-wisser Gruppen (Alkyle, NO_2,NH_2 etc.) die physiologischen Wirkungen verschiedener Körper wesentlich modifiziert werden, so hat der Vf. eine Anzahl von Substanzen unter-sucht, welche als Phenole zu betrachten sind, nämlich Morphin, Phenol, Resorcin, Phloro-glucin und Pyrogallol und deren Wirkungen mit denen der entsprechenden Ätherschwe-felsäuren verglichen. Es hat sich aus zahlreichen Beobachtungen ergeben, daſs die Giftig-keit dieser Körper eng verknüpft ist mit den in ihnen enthaltenen Hydroxylgruppen; denn vertauscht man letztere mit der indifferenten Schwefelsäuregruppe, so erhält man Gifte, welche bei weitem schwächer sind und, wie dies beim Morphin und der Morphin-ätherschwefelsäure der Fall war, ihre frühere Natur ganz und gar verändern. (Ztschrft. physiol. Chem. **8.** 235—81. Anf. April. [10. Jan.] Berlin, physiol. Inst.)

6. Mineralogische und geologische Chemie.

G. Tschermak, *Die Skapolithreihe.* Die Minerale, welche sich durch die Gleichheit der Form und Spaltbarkeit, sowie durch die Ähnlichkeit der Zusammensetzung an den Meionit anschlieſsen und welche bisher mit vielen Namen belegt wurden, bilden eine zu-sammenhängende Reihe, welche hier als Skapolithreihe bezeichnet wird.

Nach den bisherigen Untersuchungen bilden die Skapolithe wesentlich eine Reihe von isomorphen Mischungen zweier Silikate:

Meionitsilicat, $Si_{12}Al_{12}Ca_5O_{50}$ oder $Si_6Al_6Ca_5O_{25}$
Marialithsilicat, $Si_{18}Al_6Na_6O_{48}Cl_2$ oder $Si_9Al_3Na_4O_{24}Cl$.

Da in dieser Reihe keine Lücke zu bemerken ist, so kann dieselbe in Absicht einer systematischen Unterabteilung nur willkürlich in Abschnitte zerlegt werden. Wie in vielen Fällen empfiehlt sich auch hier eine Dreiteilung, welche zugleich der herkömm-lichen Klassifikation am besten entspricht.

I. Mischungen von Me bis Me_2Ma_1. Durch Säure vollkommen oder fast vollkommen zersetzbar. Kieselerdegehalt 40—48, Meionitgehalt 100—67 p. c.
a. *Meionit,* (Meionit, HAUY.)
b. *Wernerit* (Paranthin, HAUY; Wernerit, D'ANDRADA z. Th.; Skapolith, WERNER z. Th.; Nuttalit, BROOKE; Glaukolith, v. FISCHER; Strogonowit, HERMANN; Paralogit, NORDENSKIÖLD.)

II. Mischungen von Me_2Ma_1 bis Me_1Ma_2, durch Säure unvollkommen zersetzbar. Kieselerdegehalt von 48—56, Meionitgehalt 67—34 p. c.
a. *Mizzonit* (Mizzonit, SCACCHI.)
b. *Skapolith* (Wernerit, D'ANDRADA z. Th.; Skapolith, WERNER z. Th.; Ekebergit, BERZELIUS; Scolexerose, BEUDANT; Porzellanit, v. KOBELL; Passauit, NAUMANN).

III. Mischungen von Me_1Ma_2 bis Ma durch Säure nicht zersetzbar. Kieselerdegehalt 56—64, Meionitgehalt 34—0 p. c.
a. *Marialith,* v. RATH.)
b. *Riponit* (Dipyr, HAUY; Prehnitoid, BLOMSTRAND).

Als Veränderungsprodukte von Mineralien der Skapolithreihe wurden erkannt: Atheriastit, WEIBYE; Algerit, HUNT; Wilsonit, HUNT; Couseranit, CHARPENTIER; talkartiger Skapolith, SCHUMACHER; Micarell, ABILGAARD; ferner noch einige Pseudo-morphosen. (Monatsh. f. Chem. **4.** 851—88. 2. Jan. [16. Nov. 1883.] Wien.)　　　P.

8. Technische Chemie.

E. Hänisch und **M. Schroeder,** *Nutzbare Gewinnung der schwefligen Säure der Röstgase.* (Chem. Ind. **7.** 117—24.)

Ed. **Landrin**, *Untersuchungen über die Hydraulixität.* Einfluſs des Brennens und der Kohlensäure auf die Erhärtung der kieselhaltigen Cemente. (C. r. **98.** 1053—55. [28·*] April.)

Eduard Kern, Über *den Kefir* (vergl. **84.** 126 und 181.) (D. Amer. Apoth.-Ztg. **5.** 45 bis 46.)

F. Springmühl, *Condensed Beer.* II. (vgl. Pharm. Ztg. 1883. Nr. 98.) Die mittlere Zusammensetzung der englischen Biere ist nach der Analyse des Vf.s und Anderer:

	Alkohol	Extrakt	Asche	Acidität
Ale (ord.) .	5,09	4,25	0,42	0,37 %
Ale (Export) .	6,24	6,29	0,50	0,31 „
Porter. . .	5,85	7,92	0,53	0,35 „
Stout (ord.) .	4,89	5,44	0,39	0,38 „
Double Stout .	6,30	7,48	0,52	0,40 „

Alle besseren englischen Biere zeichnen sich dadurch aus, daſs sie verhältnismäſsig stark gehopft sind, was ihre Haltbarkeit bedeutend erhöht und ihre physiologische Wirkung bedingt. Die Konzentration des englischen Bieres im Vakuum, welche die Entfernung des gröſsten Teiles des Wassers bei niedrigster Temperatur bezweckt, hat die Aufgabe, es zu ermöglichen, daſs die Extraktivstoffe des Hopfens und insbesondere die Hopfenalkaloïde und das Hopfenaroma in unveränderter Form erhalten werden, denn diesem und dem hohen Alkoholgehalte verdankt das konzentrierte Produkt in erster Reihe seine Wirkung als beruhigendes Mittel und als natürliches Schlafmittel.

Wenn die Konzentration bei niedriger Temperatur in vollkommenen Vakuumapparaten erfolgt, so ist das Resultat derselben leicht abzusehen. Wasser und Alkohol verdampfen und die Bestandteile des Bieres bleiben in völlig unveränderter Form im Rückstande. Durch das l. c. beschriebene Verfahren tritt der in neuer Operation vom Wasser getrennte Alkohol, welcher nun die flüchtigen aromatischen Bestandteile des Hopfens enthält, wieder zu dem Extrakt und man erhält so das „konzentrierte Bier“, welches mehr als siebenmal so alkohol- und extraktreich ist, als unsere gewöhnlichen deutschen Biere, und demgemäſs den Bieren nicht mehr beigezählt werden kann. „Condensed beer“ ist ein starker Liqueur, völlig frei von Kohlensäure.

Man verwendet zur Konzentration stark gehopfte und extraktreiche, aber nicht zu alkoholreiche Biere und konzentriert auf ¹/₅—¹/₈ des ursprünglichen Bieres.

Bei einer Konzentration auf ¹/₅ des ursprünglichen Gewichtes enthält das Condensed beer je nachdem es aus einem der oben angeführten Biere hergestellt ist:

Condensed beer aus:	Alkohol	Extrakt	Asche	Acidität
Ale (ord.)	25,45	21,25	2,10	1,85
Ale (Export)	31,20	31,45	2,50	1,55
Porter	29,25	39,60	2,65	1,75
Stout (ord.)	24,45	27,20	1,95	1,90
Double Stout	31,50	37,40	2,60	2,00.

Der Extrakt umfaſst alle Bestandteile des englischen Bieres in unveränderter Form. Er besteht aus Dextrin, Zucker, Proteïn, Glycerin, Milchsäure, Bernsteinsäure, Essigsäure und anorganischen Salzen. Etwa 3,4 p. c. des Condensed beer sind Hopfenextraktivstoffe in gelöster Form.

In einigen vom Vf. untersuchten Proben Condensed beer fand er:

	Proteïn	Glycerin	Milchsäure	Hopfenextraktivstoffe
I.	2,52	0,21	1,26	3,25
II.	2,09	0,19	1,09	3,44
III.	2,41	0,23	1,45	3,56 .

Der Säuregehalt ist in allen englischen Bieren abnorm und findet man daher auch im Condensed beer einen verhältnismäſsig hohen Gehalt an Milchsäure neben geringen Mengen Bernsteinsäure und Essigsäure.

Aus den bisher mit den Hopfenbestandteilen angestellten Versuchen geht hervor, daſs eben diesen die Wirkung des Präparates in Gemeinschaft mit dem meist über 24 p. c.

betragenden Alkoholgehalte als Schlafmittel zuzuschreiben ist. (Pharm. Handelsbl. 1884. Nr. 6. 11. Suppl. der Pharm. Ztg. **29**. Nr. 23.)   P.

P. Vieth, *Kondensierte Stutenmilch.* In der Nähe von Orenburg ist, wie Vf. bereits in Milchztg. 1883. 329 berichtete, eine Gesellschaft zur Fabrikation von kondensierter Stutenmilch als Ersatz für Muttermilch zur Ernährung von Säuglingen gegründet worden, welche sich „CARRICK's Russian·Condensed Mares' Milk Company" nennt. Die mit diesem Präparate in Hospitälern Moskaus, Petersburgs und Londons angestellten Versuche haben die günstigsten Resultate ergeben, so daſs sich die ärztlichen Gutachten sehr lobend aussprechen.

Das Präparat wird in cylindrischen Blechbüchsen mit 300 g Inhalt in den Handel gebracht. Zwei Büchsen, welche Vf. öffnete, hatten einen dicken, kaum noch flieſsenden Inhalt von fast reiner weiſser Farbe, einen angenehmen Geruch und reinen, etwas an Honig erinnernden Geschmack. Die kondensierte Milch löst sich leicht und fast vollständig in warmem Wasser zu einer rein weiſsen Flüssigkeit; wenige kleine ungelöst bleibende Flöckchen bestehen augenscheinlich aus koaguliertem Eiweiſs. Nach den auf der Etiquette gemachten Angaben sind der Stutenmilch 3 % Zucker zugesetzt und soll sie dann auf $^1/_8$ ihrer ursprünglichen Masse eingedampft worden sein.

Im Verhältnisse von 1 : 7 hergestellte Lösungen zeigten in einem Falle ein spezifisches Gewicht von 1,033, im anderen von 1,036. Bei ruhigem Stehen warfen diese Lösungen Rahmschichten von zwar sehr geringer Ausdehnung, aber groſser Konsistenz auf. Die Analyse der beiden Proben ergab folgende Resultate:

	I.		II.	
Wasser	26,73	p. c.	24,04	p. c.
Trockensubstanz	73,27	„	75,96	„
Fett	4,77	„	6,20	„
Proteïn	13,69	„	12,17	„
Zucker	53,07	„	55,81	„
Asche	1,74	„	1,78	„ .

Unter Zugrundelegung des oben angeführten Zuckerzusatzes, des spezifischen Gewichtes der von 1 : 7 hergestellten Lösungen des Präparates und desjenigen der Stutenmilch berechnet Vf., daſs die Milch nicht auf $^1/_8$, sondern nur auf $^1/_5$ ihrer Masse eingedampft worden ist. Die Angabe auf der Etiquette ($^1/_8$) entspricht demnach dieser Berechnung nicht und ist vermutlich in dem Sinne zu verstehen, daſs acht Raumteile Milch auf einen Raumteil reduziert worden sind, in welchem Sinne sie der Wirklichkeit sehr nahe kommt. (Milchz. **13.** 164—65. London.)   P.

Sergius Boubnoff, *Zur Frage vom Verhalten gefärbter Zeuge zum Wasser und zur Luft.* Die umfangreichen Untersuchungen führen zu den Schlüssen, daſs die Farbe der Zeuge keinen Einfluſs weder auf die Menge des hygroskopischen Wassers, welches von den Zeugen absorbiert wird, noch auf die Schnelligkeit der Absorption hat. Der Grad der Verdunstung des Kapillarwassers ist bei den gefärbten und ungefärbten Zeugen derselbe, aber die Verdunstung selbst geht bei den ungefärbten Zeugen nicht so gleichmäſsig wie bei den gefärbten vor sich. Die Farbe ist von bedeutendem Einflusse auf die Permeabilität der Zeuge für die Luft. (Archiv für Hygieine **1.** 418 bis 442. Moskau. München.)   P.

L. Liechti und **W. Suida,** Über *das Verhalten der Lösungen einiger Thonerde- und Eisenoxydsalze. Beiträge zur Chemie der Beizen.* (Pol. J. **251.** 177.)

A. Müller-Jacobs, Über *Zusammensetzung und Wirkungsweise des Türkischrotöles.* (Pol. J. **251.** 499—506 u. 547—52.)

Herstellung blauer Farbstoffe. 1. Darstellung blauer schwefelhaltiger Farbstoffe von der Aktiengesellschaft für Anilinfabrikation in Berlin. 2. Darstellung schwefelhaltiger Farbstoffe von A. BERNTHSEN. 3. Darstellung orangeroter Farbstoffe und Umwandlung derselben in blaue schwefelhaltige Farbstoffe, von R. MÖHLAU. 4. Blaugrüne Farbstoffe aus Trichlorbenzaldehyd mit Dimethylanilin und Diäthylanilin von O. FISCHER. 5. Darstellung substituierter Isatine und Überführung derselben in substituierten Indigo, von P. J. MEYER. (Pol. J. **252.** 78—82.)

P. Schellbach, Über *Explosivstoffe.* Explosive Reaktionen. — Ursachen der Explosionsfähigkeit. — Der Nitrierungsprozeſs. — Physikalische oder mechanische Beschaffenheit der Explosivstoffe. — Die äuſseren Bedingungen, unter denen ein Explosivstoff entzündet wird. — Zündungsart. — Detonation und die Methoden, diese hervorzurufen. — Explosionstemperatur. — Nutzeffekt der Explosivstoffe. — Messung und Untersuchung der Explosionsgase, der -wärme und -temperatur. — Messung des Gasdruckes. — Berechnung der Explosionsarbeit. (Wissensch. Beil. z. Progr. der FALK-Realschule zu Berlin. Ostern 1882 (Berlin).

Kleine Mitteilungen.

Färben von Bernstein, von Ed. HANAUSEK. Will man Bernstein färben, so handelt es sich darum, eine Flüssigkeit zu finden, in welcher das Material erhitzt werden soll, die, nach der „Zeitschrift für Drechsler", folgenden Bedingungen entsprechen muß. Der Siedepunkt der Flüssigkeit muß über 150° C. liegen, besser ist es, dieselbe siedet über 200° C. Der Bernstein darf durch die erhitzte Flüssigkeit weder angegriffen, noch auch in seinen physikalischen Eigenschaften verändert werden. Die Flüssigkeit muß Farbstoffe lösen und auch auf diese entweder gar nicht oder mindestens nicht rasch zersetzend einwirken. Hierbei ist zu erwähnen, daß auch der anzuwendende Farbstoff beim Erhitzen auf 150°—200° C. sich nicht zersetzen darf. Von den fetten und ätherischen Ölen, ferner von festen Fetten und Kohlenwasserstoffen, deren Schmelzpunkt unter 150° C. liegt, dürften manche diesen Anforderungen entsprechen. Die Versuche, dem Bernstein verschiedene Farbentöne zu erteilen, wurden mit Leinöl ausgeführt. Von Farbstoffen lösten sich in demselben, ohne beim Erhitzen auf 200° C. sich ganz zu zersetzen, Drachenblut, Alizarin, Purpurin, Indigo. Von den Anilinfarbstoffen lösten sich im reinen Leinöle weder Fuchsin noch Anilinviolett, noch Methylgrün, noch auch Alkaliblau. Zur Durchführung wurde eine abgewogene Menge Leinöls eingerührt, das zu färbende Stück Bernstein in die Flüssigkeit eingehängt, ein Thermometer eingesenkt und nun langsam bis zur Temperatur von 190°—200° C. erhitzt. Die Flüssigkeit wurde nun einige Minuten bei der erreichten Temperatur von 180° bis 200° C. erhalten, hierauf durch Entfernen der Wärmequelle die erhitzte Flüssigkeit allmählich auf Lufttemperatur abkühlen gelassen. Das aus dem Öle herausgenommene Bernsteinstück zeigte sich nach dem Reinigen gefärbt. Mit den oben angegebenen Farbenmaterialien lassen sich verschiedene Farben erzielen, die außerdem je nach dem Verhältnisse der Farbstoffmenge zur Leinölmenge verschiedene Farbentöne geben. Mit Drachenblut kann ein lichtes oder dunkleres Rötlichbraun erzeugt werden, mit Alizarin Hochgelb, mit Purpurin Orangegelb, mit Indigo ein lichteres oder dunkleres Grün, Dunkelblau und Schwarz.

Für den letztgenannten Farbstoff sollen die Mengenverhältnisse, die eingehalten werden müssen, um die erwähnten Farbentöne zu erzielen, im Folgenden angegeben werden: Für Lichtgrün setzt man zu je 100 Gewichtstln. Leinöl 0,25 Indigo, für Dunkelgrün zu je 100 Tln. Leinöl 0,5 Gewichtstle. Indigo, für Dunkelblau müssen zu je 100 Gewichtstln. Leinöl je 1 Tl. Indigo und endlich für Schwarz zu 100 Tln. Leinöl 4—5 Tle. Indigo hinzu; der Indigo löst sich beim Erhitzen des Leinöls in demselben auf, färbt dasselbe schön purpurrot. Bei öfterem Erhitzen dieser Mischungen auf 200° C. gehen Veränderungen sowohl mit dem Indigo als auch mit dem Leinöl vor sich. Das Leinöl wird dickflüssiger, braun gefärbt, auch färbt es sich beim Erhitzen nicht mehr so schön purpurn. Mit einer durch Erhitzen veränderten Mischung färbt sich Bernstein bräunlich. Will man deshalb von Grün und Blau reine Farbentöne erhalten, so ist es notwendig, die Farbbäder öfter zu wechseln oder zu erneuern. Beim Schwarzfärben ist dies wohl nicht so nötig, doch läßt sich auch in diesem Falle beobachten, daß die Operation leichter und besser bei Anwendung frischer Farbenbäder gelingt, oder wenn wenigstens nach jedesmaligem Erhitzen eine kleine Menge nichtgebrauchten Indigos dem Leinöl zugesetzt wird. Für das Schwarzfärben ist auch das Einhängen des Bernsteins in die Flüssigkeit nicht erforderlich, es erfolgt sogar rascher, wenn der Bernstein mit dem am Boden liegen bleibenden, sich nicht lösenden Teile des Indigos in unmittelbarer Berührung steht. Bringt man in Leinöl fein gepulverten Asphalt und erwärmt bis nahe zum Kochen des Leinöls, so löst sich ein Teil des Asphalts; es wird eine bräunliche Flüssigkeit erhalten, die deutliche grüne Fluoreszenz zeigt. Wird nun der Bernstein in dieser Flüssigkeit längere Zeit auf 200° C. erhitzt, so nimmt er eine bräunliche Farbe an, und derselbe fluoresziert schwach grünlich. Diese Fluoreszenz ist aber viel deutlicher und auffallender, wenn der mit Asphalt behandelte Bernstein nachträglich in einer Mischung von 100 Tln. Leinöl in 0,1 Tl. Indigo erhitzt wird. Aber nicht allein der Asphalt ist anwendbar, um die Fluoreszenz zu erzeugen, sondern auch mit Kohlenwasserstoffen, die selbst Fluoreszenz besitzen, kann der Bernstein fluoreszierend gemacht werden. Für die Praxis hat das Färben des Bernsteins insofern Interesse, als es Thatsache ist, daß dieser Rohstoff sich auf sämtlichen Wegen in der Farbe verändern läßt. Gelänge es, dem Bernsteine die Nuance der Primaqualitäten zu geben, so wäre damit allerdings ein großer Erfolg zu gewärtigen. Übrigens ist das Verfahren des Färbens von minderwertigem Bernstein so einfach, daß solcher beispielsweise ganz gut zu schwarzem Bernstein gemacht werden kann, und dadurch einer angemessenen Verwendung fähig ist. Die Erteilung einer Fluorescenz dürfte für Bernstein gewiß von Bedeutung sein. (Ind.-Bl. **21.** 37).

Untersuchung des Liebig'schen Fleischextraktes. *Aus der Untersuchungsanstalt des hygieinischen Institutes München.*

Um die Güte des Artikels zu beurteilen, genügen die Bestimmungen der Asche, des Wassers und des in 80 prozent. Weingeist löslichen Teiles des Extraktes neben der Geschmacksprobe. Die Wasserbestimmung schützt vor zu geringwertiger verdünnter Ware, der Aschengehalt muß dem natürlichen Aschengehalte des Fleischsaftes entsprechen und das Alkoholextrakt läßt mit Berücksichtigung des Aschengehaltes und der Trockensubstanz einen Gehalt an Leim und anderen in Weingeist unlöslichen Stoffen erkennen. Die im obigen Laboratorium ausgeführte, noch von LIEBIG stammende Methode ist die folgende:

1. Zur Aschenbestimmung wird ca. 1 g Fleischextrakt in einer Platin- oder dünnen Porzellanschale weiß gebrannt. Kochsalzzusatz zu dem Fleischextrakte würde aus dem Verhältnisse der Asche zu den folgenden Größen sofort erkannt werden.

2. Zur Bestimmung des Wassers werden ca. 2 g Extrakt 36 Stunden lang bei 100° C. getrocknet.

3. Für die Bestimmung des Alkoholextraktes werden ca. 2 g in einem Becherglase abgewogen und in 9 ccm Wasser gelöst. Zu dieser konzentrierten wässerigen Lösung werden 50 ccm Weingeist von 93° Tr. gegeben, der einen starken Niederschlag hervorruft. Letzterer setzt sich fest ans Glas an und kann der Weingeist klar in eine gewogene Schale abgegossen werden, in der man ihn bei ca. 70° C. abdunsten läßt. Die gefällte Substanz wird mit 50 ccm Weingeist von 80° Tr. ausgewaschen, die Waschflüssigkeit wie der erste Alkoholauszug in der gleichen Schale verdampft und der Rückstand sechs Stunden lang bei 100° C. getrocknet.

Die Asche darf zwischen 22 und 25, das Wasser zwischen 16 und 21, das Alkoholextrakt zwischen 56 und 65 p. c. schwanken. Aus 170 in dieser Art ausgeführten Analysen ist in Prozenten:

	Asche	Wasser	Alkoholextrakt
das Mittel	23,02	18,79	61,85
Minimum	22,3	16,4	57,3
Maximum	25,2	21,8	64,9.

Man sieht aus der Differenz zwischen dem Mittel und dem Maximum und Minimum, mit welcher Gleichmäßigkeit die Fabrik in Fray-Bentos und das Generaldepot in Antwerpen arbeiten. Seit mehr als zehn Jahren waren nur ein paar Lieferungen wegen zu hohen Wassergehaltes zu beanstanden, welcher dann durch Abdampfen in Antwerpen bis zur Norm reguliert wurde.

Das hygieinische Institut bezweckt mit der Veröffentlichung dieser Methoden eine Gleichmäßigkeit in der Ausführung der Untersuchungen des LIEBIG'schen Fleischextraktes herbeizuführen. (Arch. f. Hygiene 1. 511—12.) P.

Einfluß der chemischen Konstitution auf die Schweißbarkeit des Eisens,

von BÖHME. Versuche über die Festigkeit von Schweißungen von Eisen und Stahl haben das Resultat ergeben, daß eine durch Schweißung dieser Carburete hergestellte Verbindung auch bei der größten Sorgfalt des Schmiedes unzuverlässig ist, weshalb Schweißstellen überall zu vermeiden sind, wo das Eisen auf Zugfestigkeit in Anspruch genommen wird. Um den Zusammenhang zwischen Schweißbarkeit und chemischer Konstitution zu ermitteln, ist nach WEDDING eine Anzahl der auf ihre Festigkeit geprüften Eisenstücke in der chemisch-technischen Versuchsanstalt analysiert worden. Daraus ergiebt sich der Schluß, daß die molekulare Anordnung des Eisens einen weit größeren Einfluß auf die Schweißbarkeit hat, als der Kohlenstoffgehalt. Ist ferner ein allgemeiner Schluß aus den wenigen Analysen gestattet, so ist es der, daß die Schweißbarkeit mit dem Siliciumgehalte zu- und mit dem Mangangehalte abnimmt, indem das Silicium während der Schweißung sich oxydiert und eine das gebildete Eisenoxyduloxyd lösende Schlacke giebt, während Mangan umgekehrt das Oxyduloxyd reduziert, ohne eine flüssige Schlacke bilden zu können. Da im Flußeisen eine Abnahme des Siliciums nach dem Schweißen nicht nachweisbar war, so läßt sich hieraus die an diesem Materiale beobachtete schwierigere Schweißbarkeit mit erklären.

Wahrscheinlicher als die LEDEBUR'sche Angabe, daß der Gesamtgehalt an fremden Körpern, welcher in den nicht schweißbaren Eisensorten um etwa 70 p. c. höher sei, als in den schweißbaren, ist durch die ausgeführten Versuche die REISER'sche Ansicht geworden, welche der chemischen Konstitution nur insofern einen bedingten Einfluß auf die Schweißbarkeit des Eisens zuschreibt, als dadurch seine molekulare Beschaffenheit, d. h. seine Krystallisationsbestreben, beeinflußt wird. Hieraus dürfte sich der Unterschied in der Schweißbarkeit zwischen Schweiß- und Flußeisen ergeben. Ersteres schweißt bei seinem teigartigen Zustande leichter, als das aus flüssigem Zustande erhaltene krystallinische Flußeisen. Man wird deshalb Schweißungen bei letzterem überhaupt vorläufig zu vermeiden haben, was um deswillen auch ausführbar erscheint, als sich das Flußeisen durch Guß in bestimmte Formen bringen läßt, bis man durch weitere Untersuchungen diejenige chemische Untersuchung festgestellt hat, welche das die Schweißbarkeit erschwerende Krystallisationsbestreben in hohen Temperaturen vernichtet. (Mitteil. der techn. Versuchsanstalt der Berl. Hochschule 1883. 70; B.-H.-Z. **43.** 44.)

Piuri oder Indisches Gelb. Der unter dem Namen Piuri in den Handel kommende, unangenehm riechende, gelbe Farbstoff wird in Indien vielfach zum Anstreichen von Thüren, Wänden, Gittern etc., seltener zum Färben von Tuchen und anderen Kleidungsstoffen benutzt. Man unterscheidet mineralisches Piuri, das zum Preise von 0,33 Mk. pro engl. Pfund aus London eingeführt wird, und animalisches Piuri. Über die Darstellungsweise des letzteren war bisher nichts Genaueres bekannt. Vf. ermittelte, daß dieser Farbstoff zu Monghyr in Bengalen aus dem Harne von Kühen bereitet wird, die als Futter ausschließlich Mangoblätter und Wasser erhalten. Eine Kuh mittlerer Größe liefert pro Tag ca. 4,5 l Harn, aus dem durchschnittlich 57 g Piuri gewonnen werden. Da die Kühe bei der in Rede stehenden Prozedur außerordentlich abfallen, so giebt man ihnen zu ihrer Stärkung von Zeit zu Zeit anderes Futter. Der während des Tages gesammelte Harn wird in kleinen irdenen Gefäßen über freiem Feuer erhitzt, wobei sich der gelbe Farbstoff niederschlägt, derselbe wird abfiltriert und in Kugeln geformt, welche letztere zunächst über Kohlenfeuer und schließlich an der Sonne getrocknet werden. Von dem auf solche Weise hergestellten Farbstoffe wird das engl. Pfd. mit 1,66 Mk. bezahlt. (Ind.-Bl. **21.** 124).

Chemische Bestandteile von Boletus luridus, Baumwollsamen- und Buchensamenpreßkuchen, von BOEHM. Es wurde aus dem Boletus luridus und den Preßkuchen von Baumwollsamen und Buchensamen eine organische Base gewonnen, deren Platinchloriddoppelsalz in der Krystallform mit dem Cholinplatinchlorid übereinstimmte. Neben diesem Alkaloid (*Luridocholin*) enthält Boletus luridus noch kleine Mengen einer giftigen Base, welche in ihren Wirkungen dem Muscarin gleichkommt. Durch Oxydation der drei genannten Cholinbasen mit starker Salpetersäure wurden giftige Basen erhalten, welche die Wirkungen des Muscarins und Curares in sich vereinigten. Die Elementaranalyse der Platindoppelsalze zweier derselben (aus Boletus luridus und Baumwollsamenpreßkuchen) ergab die Formel:

$$(C_5H_{14}NO_2HCl)_2 + PtCl_4 + 2H_2O.$$

Es sind daher die oxydierten Basen mit dem Muscarin wohl isomer, aber wegen der Curarewirkung nicht identisch.

Aus Boletus luridus wurden ferner noch isoliert:

1. Ein krystallisationsfähiges ätherisches Öl in geringer Menge; 2. in größerer Quantität eine dem Cholestearin ähnliche krystallinische Substanz; 3. ein krystallisierender Farbstoff von rubinroter Farbe, welcher in wässeriger Lösung stark sauer reagiert, die Phenolreaktion mit Eisenchlorid giebt und auf Zusatz von kleinen Mengen Natrium carbonicum dieselben Farbenveränderungen zeigt, wie sie auf der frischen Bruchfläche von Boletus luridus zu beobachten sind; 4. große Quantitäten von Mannit.

Aus den Preßkuchen der Baumwollensamen wurde eine krystallinische Zuckerart (Gossypose) in großen Mengen isoliert, welche nach den Resultaten der Elementaranalyse zur Rohrzuckergruppe gehört, einen deutlich süßen Geschmack besitzt, rechts dreht und alkalische Zuckerlösung erst nach längerem Kochen mit Mineralsäuren reduziert. (Ges. z. Beförd. d. gesamt. Nat.-Wissensch. z. Marburg; Arch. Pharm. [3.] **22.** 159.)

Neue Experimentaluntersuchungen über den Gasgehalt von Eisen und Stahl, von FR. C. G. MÜLLER. Der Vf. hat, unterstützt von dem Leiter der Bessemerwerke vom Bochumer Verein, WASUM, neue Versuche über die Gasausscheidungen und den Gasgehalt von Stahl und Eisen angestellt, welche ergeben haben, daß Eisen jeder Gattung sowohl im flüssigen, wie im festen Zustande Gase absorbiert, und zwar am meisten H, weit weniger CO, CO_2 und N. Diese Gasabsorption kann ein Spratzen und Steigen der Carburete hervorbringen, welches erstere auf einer Gasentbindung innerhalb der flüssigen Metalle beruht, indem aus von dem Gasen in der Erstarrungskruste offen gehaltenen feinen Kanälen Partikeln flüssigen Metalles emporgeschleudert werden. Die nach oben gelangenden Bläschen sind direkt nicht schädlich und es kann, abgesehen vom verlorenen Kopfe, ein dichter Block erfolgen, wenn bei nur noch wenig flüssigem, einen dünnen Kanal in der Seele des Blockes bildendem Metalle der Kanal von unten nach oben zuwächst; schließt er sich aber zuerst von oben nach unten, so bildet das Gas größere Ansammlungen.

Beim Steigen entstehen wurmartige Röhren, indem ein dem Porenvolum entsprechendes Quantum des flüssigen Innern mit großer Kraft nach oben gedrückt, dabei die Decke gehoben und durchbrochen wird, die radialen, im gewöhnlichen Block horizontal liegenden Porenkanäle aber durch Gasexhalationen aus dem bereits erstarrten und im Übergangsstadium befindlichen Metalle veranlaßt und offen erhalten werden. Gießt man das flüssige Innere eines teilweise erstarrten Blockes von steigendem Stahle aus, so zeigt sich ein Hohlkörper mit durchlöcherter überraschend ebener Innenfläche. Bei stark steigendem Stahle zeigt sich unter einer dünnen porenfreien Kruste das Metall wie eine Bienenwabe durchlöchert und rückt bei schwacher Neigung zum Steigen immer mehr in die Mitte und läßt eine dickere Außenschale gesund. Während beim Spratzen die mittleren Teile des Blockes am meisten gefährdet sind, ist es beim Steigen hauptsächlich die unmittelbar unter der Oberfläche liegende Region. Beim Steigen wird die Gasausscheidung von der bekannten Kontraktionsausscheidung unterstützt und begleitet, welche auch bei absolut dichtem Stahle tiefgehende zentrale Höhlungen, den sog. Lunker, veranlaßt.

Steigen und Spratzen können neben einander auftreten; Thomasstahl z. B. ist unruhig und spratzt und hat mäßige Neigung zum Steigen. Die Ursache des Steigens, nicht auch des Spratzens, ist angestellten Analysen zufolge eine Ausscheidung des absorbierten Wasserstoffes und Stickstoffes (15 p. c.); CO und CO_2 sind nicht oder nur in Spuren vorhanden.

Bei Untersuchung von Stahl und Eisen in Coquillen beim Erstarren in Blasenform entweichenden sog. Coquillengase (das Verfahren der Auffangung ist in der Quelle näher angegeben), sind folgende Resultate erhalten: (Schluß folgt.)

Vernickelung von Zink, nach EBERMEYER. Das Zink wird mit verdünnter Salzsäure abgebeizt und tüchtig abgewaschen. Man hängt es dann kurze Zeit in das Nickelbad, spült und kratzt es nach dem Herausnehmen tüchtig ab. Alles, was nicht festsitzt, geht dabei herunter. Das Stück wird wieder ins Bad gebracht und darauf nochmals gekratzt. Letzteres wird so lange fortgesetzt, bis das Zink mit einer dünnen Nickelschicht überzogen ist, welche dann beliebig dick gemacht werden kann. Man findet die geeignete Stromstärke bald heraus. Hat das Zink einmal einen vollkommenen Nickelüberzug, so kann der Strom verstärkt werden und braucht man ein Abblättern dann nicht mehr zu fürchten. (Metallarbeiter 1883. 93.)

Beiträge für das Centralblatt bittet man an die Redaktion (Leipzig, Lessingstr. 5) zu richten. **Originalarbeiten** von nicht zu großem Umfange werden entsprechend honoriert und gelangen stets sofort nach der Einsendung, und zwar in kürzester Frist, zum Abdruck.

Redaktion: Prof. Dr. **Rud. Arendt** in Leipzig.

Verlag von **Leopold Voss** in Hamburg u. Leipzig. — Druck von **Metzger & Wittig** in Leipzig.

No. 25.

Chemisches
Central-Blatt.

18. Juni 1884.

Wöchentlich eine Nummer von
1–2 Bogen. Der Jahrgang mit
Sach- und Namen-Register,
nebst system. Übersicht.

Der Preis des Jahrgangs
ist 30 Mark. Durch alle
Buchhandlungen und Post-
anstalten zu beziehen.

REPERTORIUM
für reine, pharmazeutische, physiologische und technische Chemie.

Dritte Folge. XV. Jahrgang.

Wochenbericht.

2. Allgemeine Chemie.

Berthelot, *Über die Temperaturskala und die Molekulargewichte.* (C. r. **98**. 952—56. [21.*] April.)

S. Wroblewski, *Über den Siedepunkt des Sauerstoffes, der Luft, des Stickstoffes und des Kohlenoxydes unter gewöhnlichem Luftdrucke.* Da die Angaben des Wasserstoffthermometers aus mehreren Gründen ungenau sind, so hat der Vf. die Siedepunktsbestimmungen der genannten kondensierten Gase auf thermoelektrischem Wege bestimmt. Es haben sich folgende Temperaturen ergeben: Sauerstoff —184°, Luft —192°, Stickstoff —193,1°, Kohlenoxyd —193°. Hieraus ist leicht ersichtlich, daß die Luft das geeignetste Abkühlungsmittel ist. Um sie hierzu zu benutzen, komprimiert man sie zuerst bis zu ihrer Kondensation in metallischen Gefäßen und läßt sie von hier aus in zuvor abgekühlte Rezipienten treten, worin sie sich verflüssigt. Durch Öffnung eines Hahnes läßt man sie dann ausfließen, wie man es jetzt mit der schwefligen Säure macht. Jedenfalls wird die Wissenschaft von diesem Kältemittel noch sehr wichtige Nutzanwendungen ziehen. (C. r. **98**. 982—85. [21.*] April.)

A. Etard, *Über die Löslichkeitskurven der Salze.* Man stellt die Löslichkeit der Salze in der Regel durch Kurven dar, welche die Menge des Salzes ausdrücken, die sich in 100 Tln. Wasser löst. Der Vf. hat bei seinen Untersuchungen die Löslichkeit der wasserfreien Salze auf 100 Tle. der Lösung bezogen. Bei dieser Art der Darstellung liegen alle Resultate zwischen 0 und 100 und geben zugleich die prozentische Zusammensetzung der Lösung an, was für viele Fälle bequemer ist. Schon GAY-LUSSAC hat bei seinen Untersuchungen über die Löslichkeit der Salze gezeigt, daß die Kurven derselben bald gerade, bald krumme Linien sind; neulich hat DE COPPET (S. 392) nachgewiesen, daß die Löslichkeit der wasserfreien Chloride, Bromide und Jodide des Kaliums und Natriums durch gerade Linien, die des wasserhaltigen Brom- und Jodnatriums dagegen durch Kurven ausgedrückt werden. Die Untersuchungen des Vf's. erstrecken sich auf folgende Salze:

CaCl₂, SrCl₂, BaCl₂, NiCl₂, COCl₂, MnCl₂, CuCl₂, CdCl₂, ZnCl₂, MgCl₂, FeCl₂-CaBr₂, SrBr₂, BaBr₂, NiBr₂, COBr₂, FeBr₂, MnBr₂, MgBr₂, ZnBr₂, CdBr₂-CaJ₂, SrJ₂, BaJ₂, NiJ₂, COJ₂, FeJ₂, MnJ₂, ZnJ₂, CdJ₂.

Die Beobachtungen wurden innerhalb weiterer Temperaturgrenzen, als dies gewöhnlich geschieht, angestellt, und zwar zwischen dem Erstarrungspunkte der gesättigten Lösungen und 180°. Auf diese Weise repräsentieren mehrere der Kurven ein Temperaturintervall von —25 bis +180°.

Die Einzelheiten der Untersuchung wird Vf. in einer ausführlichen Arbeit mitteilen. In der vorliegenden Arbeit beschränkt er sich auf die Angabe der Resultate.

Welches auch die Natur des Salzes im festen Zustande sei, ob wasserhaltig oder wasserfrei, so wird die Löslichkeit innerhalb gewisser Temperaturgrenzen immer durch eine gerade Linie dargestellt, welche mit der Temperaturaxe einen mehr oder weniger großen Winkel bildet. Diese Gerade scheint der normalen Löslichkeit des Salzes für einen gewissen Gleichgewichtszustand zwischen Wasser und Salz (wasserfrei oder wasserhaltig) zu entsprechen. Steigert man dann die Temperatur, so tritt ein Moment ein, bei welchem das ursprüngliche Gleichgewicht nicht mehr fortbesteht: ein neuer Zustand stellt sich her und die Richtung der Geraden wird geändert; sobald aber wieder ein neues Gleichgewicht eingetreten ist, so wird die Löslichkeit von neuem proportional mit der Temperatur und man erhält eine Gerade, welche einen anderen Winkel mit der x-Axe bildet.

Bei allen Versuchen wurden auf diese Weise Linien erhalten, welche in der Regel aus zwei durch eine einfache oder sinusartige Kurve verbundenen Geraden bestanden. In gewissen Fällen (namentlich, wie es scheint, bei wasserhaltigen Salzen), finden diese Unterbrechungen zweimal statt. Es läfst sich denken, dafs die besagten Zustandsänderungen der Lösung langsam von statten gehen und infolgedessen innerhalb der Beobachtungstemperaturen nur Störungskurven auftreten können. Gleichwohl hat der Vf. bei allen seinen Versuchen einen derartigen Fall nicht beobachten können.

Die meisten wasserhaltigen Salze, deren Löslichkeitskurven bisher bestimmt wurden, verlieren ihr Wasser zwischen $+20$ und $+100°$. Da nun die Beobachtungen fast nur innerhalb dieser Grenzen angestellt wurden, so ist es begreiflich, dafs man bald eine gerade Linie, bald eine Kurve erhielt, weil man unter der genannten Voraussetzung nur einen Teil der Erscheinung, und zwar nur denjenigen, welcher der Störung entspricht, der Beobachtung unterzog. Berücksichtigt man dies, so läfst sich als allgemeines Resultat aussprechen, dafs für alle vom Vf., als auch von anderen untersuchten Salze die Löslichkeit proportional der Temperatur ist und durch eine oder mehrere Gerade ausgedrückt werden kann, welche untereinander durch Kurven verbunden sind. Es scheint sicher, dafs die den Kurven entsprechenden Störungen mit Änderungen in dem Hydratationszustande der Salze zusammenhängen. (C. r. **98.** 993—96. [21.*] April.)

F. M. Raoult, *Erstarrungspunkt der Salzlösungen zweiwertiger Metalle.* Der Vf. erhielt folgende Resultate:

Namen der Salze	Formeln	Molekulargewicht M	Erniedrigung des Erstarrungspunktes für 1 g Salz in 100 g Wasser A	Molek. Erniedrigung M × A
Bariumchlorat . . .	$Ba, 2ClO_3$	304	0,145	44,1
Bariumnitrat . . .	$Ba, 2NO_3$	261	0,155	40,5
Strontiumnitrat . .	$Sr, 2NO_3$	211	0,195	41,2
Bleinitrat	$Pb, 2NO_3$	331	0,113	37,4
Bariumhypophosphit .	$Ba, 2PH_2O_2$	267	0,190	50,7
Bariumformiat . .	$Ba, 2CHO_2$	227	0,215	49,0
Bariumacetat . . .	$Ba, 2C_2H_3O_2$	255	0,193	49,2
Magnesiumacetat . .	$Mg, 2C_2H_3O_2$	142	0,344	48,9
Kupferacetat . . .	$Cu, 2C_2H_3O_2$	181	0,171	31,1
Bleiacetat	$Pb, 2C_2H_3O_2$	325	0,068	22,2
Bariumjodid	Ba, J_2	391	0,130	51,0
Bariumchlorid . . .	Ba, Cl_2	208	0,233	48,6
Strontiumchlorid . .	Sr, Cl_2	158,4	0,320	50,7
Calciumchlorid . . .	Ca, Cl_2	111	0,420	46,6
Magnesiumchlorid . .	Mg, Cl_2	95	0,514	48,8
Kupferchlorid . . .	Cu, Cl_2	134,2	0,360	48,4
Quecksilberchlorid . .	Hg, Cl_2	271	0,076	20,5
Quecksilbercyanid . .	Hg, Cy_2	252	0,069	17,5
Bariumhyposulfat . .	Ba, S_2O_6	297	0,075	22,0
Magnesiumsulfat . .	Mg, SO_4	120	0,160	19,2
Zinksulfat	Zn, SO_4	161	0,112	18,2
Kupfersulfat . . .	Cu, SO_4	159,2	0,113	18,0
Magnesiumchromat . .	Mg, CrO_4	140,2	0,139	19,5
Magnesiumsuccinat . .	$Mg, C_4H_4O_4$	140,0	0,171	23,9
Bariummalat . . .	$Ba, C_4H_4O_5$	269	0,075	20,1
Magnesiummalat . .	$Mg, C_4H_4O_5$	156	0,124	19,3
Brechweinstein . .	$K, SbO_2C_4H_4O_6$	335	0,055	18,4
Magnesiumcitrat . .	$Mg_3, 2C_6H_5O_7$	450	0,022	10,0
Bariumkobaltcyanid .	$Ba_3, 2COCy_6$	840,6	0,063	52,6

Zunächst ist zu bemerken, daß die molekularen Erniedrigungen der Salze zweiwertiger Metalle den Wert 53 nicht übersteigen. Früher wurde konstatiert, daß die molekularen Erniedrigungen der Säuren, der Basen und der alkalischen Salze niemals die Zahl 50 erreichen. Um das Gesetz festzustellen, welches diesen Erscheinungen zu grunde liegt, muß man die Salze mit schwachen Basen, wie z. B. die Acetate des Bleies und des Kupfers, sowie das Chlorid und Cyanid des Quecksilbers bei Seite lassen. Der Vf. hat nämlich beobachtet, daß die Moleküle der Salze, deren Bildung unter schwacher Wärmeentwicklung erfolgt, die Tendenz besitzen, innerhalb der wässerigen Lösungen sich zu zwei und zwei zu gruppieren und dadurch abnorme Temperaturerniedrigungen hervorzubringen. Läßt man diese Salze außer betracht, so ergiebt sich folgendes:

Alle neutralen Salze, welche durch die Einwirkung einbasischer Säuren auf die Oxyde zweibasischer Metalle entstehen, bringen eine molekulare Schmelzpunkterniedrigung zwischen 41 und 48 hervor, im Mittel 45.

Alle neutralen Salze, welche durch die Einwirkung zweibasischer Säuren auf dieselben Oxyde entstehen, bewirken eine molekulare Schmelzpunkterniedrigung zwischen 18 und 22; im Mittel 20.

Zwischen diesen Resultaten und denjenigen, welche sich auf die Alkalisalze beziehen, besteht folgende sehr einfache Relation: wird in dem Molekül eines Salzes einer einbasischen oder zweibasischen Säure, welches in 100 g Wasser gelöst ist, ein Atom eines zweiwertigen Metalles durch zwei Atome eines einwertigen ersetzt, so erhöht sich die Erstarrungspunkterniedrigung um eine nahezu konstante Größe, nämlich um etwa 20; dies ergiebt sich aus folgender Tabelle:

				Differenz
Ba, 2HO	49,7	2 (K, HO)	70,6	20,9
Ba, 2ClO$_3$	44,1	2 (K, ClO$_3$)	66,4	22,3
Ba, 2NO$_3$	40,5	2 (K, NO$_3$)	61,6	21,1
Ba, 2PH$_2$O$_2$	50,7	2 (K, PH$_2$O$_2$)	72,2	21,5
Ba, 2CHO$_2$	49,0	2 (K, CHO$_2$)	70,4	21,4
Ba, 2C$_2$H$_3$O$_2$	49,2	2 (K, C$_2$H$_3$O$_2$)	69,0	19,8
Ba, Cl$_2$	48,6	2 (K, Cl)	67,2	18,6
Ba, J$_2$	51,0	2 (K, J)	70,4	19,4
Mg, SO$_4$	19,2	K$_2$ SO$_4$	39,0	19,8
Mg, CrO$_4$	19,5	K$_2$, CrO$_4$	38,9	19,4
Mg, C$_4$H$_4$O$_4$	23,9	Na$_2$, C$_4$H$_4$O$_4$	45,1	21,2
Ba, C$_4$H$_4$O$_5$	20,1	K$_2$, C$_4$H$_4$O$_5$	41,9	21,8

Kennt man also die molekularen Erstarrungspunkterniedrigungen der neutralen Salze der alkalischen Erden und zweiatomigen Erden, so ist es leicht, daraus die der entsprechenden Alkalisalze zu berechnen, vorausgesetzt, daß die Säuren einbasisch oder zweibasisch seien.

Aus den Daten, welche der Vf. geliefert hat, kann man die Schmelzpunkterniedrigung berechnen, welche durch 1 Äq. der verschiedenen Salze, gelöst in ein und derselben Menge Wasser, hervorgebracht wird. Führt man dies für die obigen Salze aus, so gelangt man zu folgendem Schlusse:

Die Wechselzersetzungen, welche zwischen den neutralen Salzen der Alkalimetalle und denen der Alkalierdmetalle erfolgen, ohne daß dabei ein Niederschlag entsteht, ändern bezüglich des Erstarrungspunktes der Gemenge wenig oder nichts. (C. r. **98.** 1047 bis 1049. [28.*] April.)

N. Menschutkin, *Über die Bildung der Amide aus den Ammoniaksalzen organischer Säuren.* Die Ammoniaksalze der einbasischen organischen Säuren gehen unter Verlust von 1 Mol. Wasser in Amide über. Diese Reaktion kann quantitativ studiert werden, weil man das Ammoniaksalz neben dem Amid durch Titration mit einer alkoholischen Natronlösung bei Gegenwart von Phenolphtaleïn titrieren kann. Die Bildung der Amide wurde durch Erhitzen der betreffenden Salze in kleinen Ballons bewirkt und zwar entweder im Glycerinbade bei verschiedenen Temperaturen, oder in Anilindampf bei 182,5°, oder Nitrobenzoldampf bei 212,5°. In bestimmten Zeitintervallen wurden die Kolben aus dem Bade genommen und das restierende Ammoniaksalz titriert. Die Amide bilden sich bei Temperaturen über 100°, und zwar um so schneller, je höher die Temperatur steigt, bis zu einer gewissen Grenze. Der allgemeine Gang der Reaktion ist durchaus der Ätherifikation der Säuren und Alkohole analog. Als Beispiel hierfür giebt der Vf. folgende Reihe über die Bildung des Acetamides bei 155° aus Ammoniumacetat. Die Zahlen bedeuten Prozente des gebildeten Amides:

1	4	8	12	24	72	144	192	216	240 Stdn.
50,9	78,1	80,0	80,0	80,6	81,0	81,6	81,6	81,5	81,6

In den folgenden beiden Tabellen sind die Resultate über die Bildung einiger Amide zusammengestellt: die erste enthält die Anfangsgeschwindigkeiten der Amidbildung, d. h. die prozentische Menge Amid, welche nach Ablauf der ersten Stunde bei verschiedenen Temperaturen gebildet wurde. Die zweite Tabelle giebt die Grenzen an.

Anfangsgeschwindigkeiten der Bildung der Amide.

	125°	140°	155°	182,5°	212,5°
Ammoniumformiat	23,41	—	57,46	—	—
„ acetat	6,33	21,36	50,90	78,62	82,83
„ propionat	—	—	50,93	—	—
„ butyrat	—	—	42,46	—	82,24
„ isobutyrat	0	17,20	37,09	74,32	81,51
„ capronat	4,74	—	48,17	76,07	80,78
„ benzoat	—	—	0,75	—	—
„ phenylacetat	—	—	36,4	—	—
„ anisat	—	—	3,8	—	—

Grenzen der Bildung der Amide.

	125°	140°	155°	182,5°	212,5°
Ammoniumformiat	52,25	—	—	—	—
„ acetat	75,10	81,46	82,82	84,04	
„ propionat	—	84,71	84,26	85,43	
„ butyrat	—	84,13	—	Zersetzung	
„ isobutyrat	77,87	84,67	83,79	„	
„ capronat	78,08	84,33	Zersetzung	„	
„ benzoat	—	?	—	—	
„ phenylacetat	—	81,5	—	—	
„ anisat	—	?	—	—	

Aus der ersten Tabelle erkennt man den Einfluß der Temperatur, welche bei ihrer Zunahme die Geschwindigkeit der Amidbildung beträchtlich steigert.

Dieselbe hängt ferner durchaus mit der Isomerie der Säuren zusammen: die Bildung der Amide primärer Säuren erfolgt mit größerer Geschwindigkeit als die der sekundären und tertiären. Für die aromatischen Säuren gilt dasselbe. Die primäre Phenylessigsäure zeigt eine Anfangsgeschwindigkeit von 36,4 p. c., die tertiären Säuren, Benzoesäure und Anissäure, haben nur sehr unbedeutende Anfangsgeschwindigkeiten. Bei Säuren von gleicher Struktur nimmt die Geschwindigkeit mit der Erhöhung des Molekulargewichtes der Säure ab; die Ameisensäure zeigt die größte.

Aus der zweiten Tabelle erkennt man, daß die Grenze im Gegensatze zu der Grenze der Ätherifikation mit der Temperatur sich ändert und zwar mit Erhöhung derselben größer wird; dagegen hat die Isomerie der Säuren auf die Grenze keinen Einfluß. (C. r. **98.** 1049—51. [28.] April.)

W. Spring, *Über die Wärmemengen, welche während der Zusammendrückung fester Körper entwickelt werden.* (Bull. Par. **41.** 488—92. 20. Mai. Paris, Soc. Chim.)

4. Organische Chemie.

Jaques Perl, *Über einige Thiosulfonsäuren und Sulfinsäuren des Toluols.* Die *Diamidotoluol-p-Thiosulfonsäure,* $C_7H_5(NH_2)_2SO_4SH$, erhält man aus Dinitrotoluol-p-Sulfonchlorür und möglichst konzentriertem Schwefelammon und Zersetzung des entstehenden thiosulfonsauren Ammons mit konz. Salzsäure oder Eisessig. Die Verbindung krystallisiert in seideglänzenden Nadeln, die sich bei 152° unter Dunkelfärbung zersetzen. Mit Säuren spaltet sie glatt Schwefel ab unter Bildung der Sulfinsäure, $C_7H_5(NH_2)_2SO_2H$. Vf. beschreibt das Blei-, Natrium- und Silbersalz obiger Säure.

Aus obiger Säure konnte Vf. nach der von HEFFTER und PAYBAN (deren Inaug.-Dissert. Leipzig 1883, resp. Greifswald 1883) angegebenen Methode das *Toluolparasulfindiamin* erhalten.

Die *Diamidotoluol-p-Sulfinsäure,* $C_7H_5(NH_2)_2SO_2H$, geht beim Behandeln mit salpetriger Säure in eine ziegelrote voluminöse Verbindung über, die ihr entsprechender Diazokörper zu sein scheint. Eine Analyse hat Vf. wegen der leichten Zersetzlichkeit des Körpers nicht ausgeführt.

Behandelt man Dinitrotoluolsulfonchlorür mit Zinkstaub in der von SCHILLER und OTTO (**77.** 6) angegebene Weise und versetzt das Reaktionsprodukt mit Barythydrat, so resultiert das *dinitrotoluol-p-sulfinsaure Barium*, $[C_7H_5(NO_2)_2SO_2]_2Ba + x$ aq. Durch Zersetzung des Salzes mit Schwefelsäure erhält man die freie Sulfinsäure, welche sich durch Schwefelammon in die Diamidotoluol-p-Thiosulfonsäure umwandeln läfst.

Des weiteren beschreibt Vf. in der vorliegenden Dissertation die Einwirkung des Kaliumpermanganates auf Disulfanilsäure. Er erhielt dabei die Verbindung $C_6H_3(SO_3K)_2$— $N-N-C_6H_3(SO_3K)_2$, *azotetrasulfonsaures Kalium*, welches mit 3 Mol. Krystallwasser aus der wässerigen Lösung auskrystallisiert. Übergiefst man das Salz mit Säure, so krystallisiert das schwer lösliche saure Kaliumsalz aus. Vf. war nicht im stande, vom Kaliumsalze ausgehend, die freie Säure wegen der Schwerlöslichkeit des sauren Salzes zu erhalten, welches trotz überschüssiger Säure immer gleich herauskrystallisiert. Dagegen gewann er das Chlorür (Schmelzp. 91°) und daraus das Amid (Schmelzp. 229—230°), jedoch, wie es scheint, auch nicht im reinen Zustande. (Inaug.-Diss. 12. Mai. Greifswald.)

E. Nölting, *Über hochsiedende Phenole im Steinkohlenteer.* Man weifs seit langer Zeit, dafs die Destillationsprodukte des Steinkohlenteers, welche zwischen 150 und 220° übergehen, reichliche Mengen von Phenolen enthalten. Man gewinnt daraus auf industriellem Wege das Steinkohlenteerkreosot, welches aufser Phenol noch drei isomere Kresole und vier Xylenole enthält. Was die schweren Öle betrifft, die unter dem Namen Anthracenöle bekannt sind, so ist darin die Gegenwart von Phenolen ebenfalls konstatiert worden, allein bis jetzt existiert keine Publikation über diesen Gegenstand und die fraglichen Phenole sind überhaupt noch nicht näher untersucht. Der Vf. hat vor zwei Jahren bemerkt, dafs diese Öle, welche über 300° destillieren, eine solche Menge Phenol enthalten, dafs sie daraus durch kaustisches Natron extrahieren kann.

Diese Phenole verbinden sich mit Diazoverbindungen zu gelblich- oder rötlichbraunen Farbstoffen, für welche der Vf. eine industrielle Verwendung versucht hat, eine Hoffnung, die sich jedoch nicht realisiert hat. Die erhaltenen Farbstoffe sind weder schön genug, noch lassen sie sich in genügender Menge erhalten, um mit den Diazoderivaten der Naphtole in Konkurrenz zu treten.

Auf Ansuchen des Vf.'s haben VALE & Co. in Hamburg und DITTLER & Co. in Höchst eine gewisse Menge solcher schweren Öle in der geeigneten Weise behandelt und ihm die dadurch erhaltenen Phenole zur Verfügung gestellt. Die Phenole bilden eine schwarze klebrige Masse; bei der ersten Destillation geht schon bei 240 und 250° eine geringe Menge über, aber die Temperatur steigt bald bis 300° und höher, wobei zugleich starke Zersetzung eintritt.

Diesen Übelstand kann man durch Rektifikation im Vakuum vermeiden. Die Phenole enthalten aufserdem eine ziemlich beträchtliche Menge von Kohlenwasserstoffen in Lösung, welche man zum Teil wenigstens durch Auflösen des Produktes in Natronlauge eliminieren kann. Die alkalische Flüssigkeit hält indes immer noch Kohlenwasserstoffe in Lösung. Für die Darstellung von Farbstoffen lassen sie sich direkt verwenden. Mit Diazophenylsulfonsäure erhält man einen gelbbraunen Farbstoff, welcher sowohl als freie Säure, als auch als Alkalisalz in Wasser leicht löslich ist. Das Derivat der Diazonaphtylsulfonsäure ist braunrot und ähnelt dem vorhergehenden.

Der Vf. hat einige Versuche gemacht, um die Natur dieser Phenole aufzuklären. Er hat hierzu nur die über 300° siedenden Produkte benutzt. Dieselben wurden in Natronlauge gelöst, die Lösung zu wiederholten Malen mit Äther und leichten Steinkohlenölen, welche frei von Phenolen waren, geschüttelt. Die Kohlenwasserstoffe gingen hierbei in den Äther, resp. das Benzol über und die Phenole blieben in Alkali. Sie wurden durch Säuren niedergeschlagen, getrocknet und im Vakuum destilliert. Auf diese Weise erhielt man ein wenig gefärbtes Öl, welches selbst nach längerer Zeit keine Spur von Krystallisation zeigte. Es lag offenbar ein komplexes Gemenge vor, aus dem es schwer, wenn nicht unmöglich, gewesen wäre, bestimmte Produkte zu isolieren. Um wenigstens zu wissen, von welchen Kohlenwasserstoffen diese Phenole derivieren konnten, wurden sie mit Zinkstaub destilliert. Hierbei erhielt man ein Gemenge von festen und flüssigen Kohlenwasserstoffen. Dieses wurde der Destillation unterworfen, in Essigsäure gelöst und mit Chromsäure behandelt. Durch Fällen mit Wasser erhielt man eine kleine Menge eines krystallinischen Produktes, in welchem der Vf. die Gegenwart von Anthrachinon und Phenanthrenchinon vermutete.

Um beide zu isolieren, behandelte er das Produkt mit Natriumdisulfit, in welchem das Phenanthrenchinon löslich ist. Nach dem Filtrieren versetzte er die Flüssigkeit mit Natriumcarbonat, wodurch eine kleine Menge eines Körpers niedergeschlagen wurde, der nach seinen charakteristischen Reaktionen als Phenanthrenchinon erkannt werden konnte. Der in dem Sulfit unlösliche Anteil gab bei der Sublimation gelbe Nadeln von Anthrachinon und mit einer alkalischen Lösung von Zinnchlorür die für diese Substanz charakteristische rote Färbung.

Hiernach glaubt der Vf. mit Recht annehmen zu dürfen, dafs in dem Steinkohlenteer Phenole der Anthracen- und Phenanthrenreihe enthalten sind. Die bei niedrigerer Temperatur siedenden Anteile enthalten ohne Zweifel Naphtole, doch konnten bis jetzt noch keine Versuche ausgeführt werden, um dies zu konstatieren. (Bull. Par. **41**. 500—2. 20. Mai. Mühlhausen.)

E. Nölting, *Über das Nitrobenzylchlorid.* BEISLTEIN und GEITNER (LIEB. Ann. **139**. 337) haben durch Auflösen von Benzylchlorid in rauchender Salpetersäure das p-Nitrobenzylchlorid, $C_6H_4(CH_2Cl)^1(NO_2)^4$, erhalten und aufserdem ein Öl, dessen Zusammensetzung zwischen der des Benzylchlorides und des Nitrobenzylchlorides stand, sich aber mehr dem letzteren näherte. Dieses Öl enthält eine gewisse Menge p-Nitrobenzylchlorid gelöst, denn durch Oxydation mit Chromsäuremischung erhielten BEILSTEIN und GEITNER p-Nitrobenzoesäure. Wenn aufserdem noch o-Nitrobenzylchlorid vorhanden gewesen wäre, so müfste dieses vollständig verbrennen.

Da der Vf. eine gröfsere Menge des fraglichen Öles zur Verfügung besafs, welches er als sekundäres Produkt bei der Darstellung von p-Nitrobenzylchlorid erhalten hatte, so unterwarf er es der Oxydation mittels Kaliumpermanganat, welches bekanntlich die Derivate mit Seitenkette, zu welcher Reihe sie auch gehören mögen, oxydiert.

Die Oxydation des flüssigen Nitrobenzylchlorides kann leicht durch eine warme wässerige Lösung von Permanganat, welche ungefähr 50 g im Liter enthält und mit Alkali versetzt ist, bewirkt werden. Die Menge des Permanganates wurde nach der Gleichung:

$$3C_6H_4\begin{Bmatrix}CH_2Cl\\NO_2\end{Bmatrix} + 4KMnO_4 + 2KOH = 3C_6H_4\begin{Bmatrix}COOK\\NO_2\end{Bmatrix} + 3KCl + 4MnO_2 + 4H_2O$$

berechnet. Sobald die Lösung entfärbt war, filtrierte man das Mangansuperoxyd ab und dampfte das Filtrat ein. Eine gewisse Menge von nicht angegriffenem Öle entwich hierbei mit den Wasserdämpfen. Es wurde hierauf mit Salzsäure gefällt und die Säuren abfiltriert. Die Mutterlaugen wurden mit Äther geschüttelt, der Äther abgedampft und der Rückstand mit den Säuren vereinigt. Das Ganze kochte man dann eine gewisse Zeit lang mit Wasser, um die Benzoesäure zu verjagen, welche sich aus dem der Nitrierung entgangenen Benzylchlorid gebildet hatte. (Die Nitrobenzoesäuren verflüchtigen sich nur sehr wenig.)

Der Rückstand konnte nur Nitrobenzoesäuren enthalten, deren Trennung leicht ist. In der That ist die p-Nitrobenzoesäure fast unlöslich in Wasser und die m-Nitrobenzoesäure wenig löslich; beide bilden mit Wasser unlösliche Bariumsalze, besonders die m-Nitrobenzoesäure. Die o-Nitrobenzoesäure ist ziemlich löslich in Wasser und bildet ein sehr lösliches Bariumsalz. Durch methodische Krystallisationen konnten die p- und o-Nitrobenzoesäure getrennt werden; die letztere war in überwiegender Menge vorhanden. Aus dem Oxydationsprodukte von 100 g Öl konnte keine merkliche Menge m-Nitrobenzoesäure isoliert werden. Sie findet sich darin, wenn überhaupt, nur in sehr geringer Menge.

Die o-Nitrobenzoesäure wurde durch ihren Schmelzpunkt 145°, durch ihre Eigenschaften und durch die Analyse des Bariumsalzes, $(C_6H_4[NO_2]COO)_2Ba + 3H_2O$, charakterisiert.

Es geht aus diesen Versuchen hervor, dafs das Benzylchlorid sich der Salpetersäure gegenüber wie das Toluol verhält, d. h. dafs es zugleich ein o- und ein p-Nitroderivat giebt. Das Toluol giebt überdies eine sehr geringe Menge eines m-Nitroderivates. Es ist wahrscheinlich, dafs das Benzylchlorid sich ebenso verhält, allein um in dem Oxydationsprodukte die m-Nitrobenzoesäure nachzuweisen, müfste man mit viel gröfseren Mengen arbeiten, als es der Vf. konnte.

Die Oxydation des o-Nitrobenzylchlorides ist ein bequemes Mittel zur Darstellung der o-Nitrobenzoesäure, um so mehr, als die Trennung der o-Nitrobenzoesäure keine Schwierigkeiten bietet. Das o-Nitrobenzylchlorid könnte vielleicht zur Darstellung von o-Nitrobenzaldehyd dienen, welcher nach den Arbeiten von BAEYER als Ausgangspunkt bei der Indigosynthese eine sehr grofse Bedeutung erlangt hat. (Bull. Par. **41**. 502—4. 20. Ma[1].)

E. Nölting und **G. de Bechi**, *Über die Konstitution des Phtalylchlorides.* Das Phtalophenon, $C_6H_4<\!\!\begin{smallmatrix}CO\\C(C_6H_5)\end{smallmatrix}\!\!>O$, wurde zuerst von FRIEDEL und CRAFTS durch Einwirkung von Phtalylchlorid, $C_6H_4C_2O_2Cl_2$, auf Benzol bei Gegenwart von Aluminiumchlorid erhalten und die Konstitution desselben durch BAEYER festgestellt. Diese Synthese, sowie auch die Umwandlung des Phtalylchlorides in Phtalid, $C_6H_4<\!\!\begin{smallmatrix}CH_2\\CO\end{smallmatrix}\!\!>O$, welche von HESSERT ausgeführt wurde, macht für das Phtalylchlorid die unsymmetrische Formel $C_6H_4<\!\!\begin{smallmatrix}CCl_2\\CO_2\end{smallmatrix}\!\!>O$ sehr wahrscheinlich. BAEYER hat sie diskutiert, aber gezeigt, dafs die

Reaktionen ebenso gut durch die symmetrische Formel $C_6H_4\begin{Bmatrix}COCl\\COCl\end{Bmatrix}$ erklärt werden können.

Die Vff. haben versucht, neue Argumente zur Entscheidung dieser Frage beizubringen, indem sie die Einwirkung des Phtalylchlorides auf Quecksilberphenyl studierten. Je nachdem man eine der obigen Formeln annimmt, muß die Reaktion entweder nach der Gleichung I oder II. erfolgen:

$$\text{I. } C_6H_4\overset{CCl_2}{\underset{CO}{}}{>}O + 2Hg{<}\overset{C_6H_5}{\underset{C_6H_5}{}} = C_6H_4{<}\overset{C(C_6H_5)_2}{\underset{CO}{}}{>}O + 2Hg{<}\overset{C_6H_5}{\underset{Cl}{}}$$

$$\text{II. } C_6H_4\begin{Bmatrix}COCl\\COCl\end{Bmatrix} + 2Hg{<}\overset{C_6H_5}{\underset{C_6H_5}{}} = C_6H_4{<}\overset{COC_6H_5}{\underset{CO.C_6H_5}{}} + 2Hg{<}\overset{C_6H_5}{\underset{Cl}{}}.$$

Im ersteren Falle würde man Phtalophenon und im zweiten ein Diaceton erhalten. Der Versuch hat zu gunsten der ersteren Ansicht entschieden, aber die Ausbeute an Phtalophenon ist sehr gering. In den meisten Fällen blieb sowohl das Phtalylchlorid, als auch das Quecksilberphenyl unverändert; setzte man den Versuch zu lange fort, oder erhitzte man zu stark, so bildeten sich teerartige Massen. Nichtsdestoweniger ist es sicher, daß sich außer Phtalophenon kein anderes, in Salzsäure und verdünnten wässerigen Alkalien unlösliches Produkt bildet; ein Diaceton von der Formel $C_6H_4{<}\overset{CO-C_6H_5}{\underset{CO-C_6H_5}{}}$ müßte aber durch beide Reagenzien angegriffen werden. Nach verschiedenen Versuchen, bei welchen die Vff. nur sehr wenig oder gar kein Phtalophenon erhielten, blieben sie zuletzt bei folgendem Verfahren stehen.

6 g Phtalylchlorid (1 Mol.) wurden mit 20 g Quecksilberphenyl (2 Mol.) und 20—30 g Benzol, welches als Lösungsmittel diente, in geschlossenen Röhren auf 150—160° erhitzt. Die Erhitzung wurde ungefähr 12 Stunden lang fortgesetzt. In den Röhren fand man eine krystallinische Masse, welche nach dem Filtrieren und Waschen mit Benzol Quecksilberphenylchlorid, $Hg(C_6H_5)Cl$, war. Die Benzollösungen wurden zur Trockne gedampft und zu wiederholten Malen mit konzentrierter Salzsäure ausgekocht, um das Quecksilberphenylchlorid und das unveränderte Quecksilberphenyl zu zersetzen. Der nach dem Filtrieren bleibende Rückstand wurde mit Natriumcarbonat erschöpft, welches Phtalsäure in großer Menge auszog. Nach abermaliger Filtration blieb ein unbedeutender Rückstand, welcher in siedendem Alkohol gelöst und mit Tierkohle behandelt wurde. Die Lösung gab nach dem Erkalten gelbe, schuppenförmig vereinigte Nadeln, welche nach dem Umkrystallisieren vollkommen weiß waren, bei 112° schmolzen und alle Eigenschaften des Phtalophenons besaßen. In den Rückständen von der Extraktion mit Salzsäure und mit Natriumcarbonat konnte kein anderes Produkt aufgefunden werden. (Bull. Par. **41.** 498 bis 500. 20. Mai. Mühlhausen.)

Marino-Zuco, *Über die Selmi'schen Ptomaïne.* Der Vf. hat sich überzeugt, daß die Ptomaïne des gesunden Organismus identisch sind mit Neurin, dessen Vorkommen im Nervenmark, im Gehirn, in der Galle, sowie in verschiedenen Pflanzen, z. B. Agaricus muscarius schon länger bekannt, dessen Darstellung aus Äthylenglykol und Trimethylamin aber erst in den letzten Jahren geglückt ist. Vf. konnte das Neurin aus einer Reihe von gesunden Geweben extrahieren, und er fand eine merkwürdige Übereinstimmung zwischen dem von Selmi für manche seiner Ptomaïne festgestellten Reaktionenkomplex und den Eigenschaften dieses Neurins. Wenn gleich letzteres eine in Wasser sehr leicht lösliche Basis ist, so begegnet doch seine Gewinnung einer eigentümlichen Schwierigkeit, welche wohl die Veranlassung ist, daß man es vielfach übersehen hat. Wie nämlich das Neurin selbst im stande ist, Fette aufzulösen, so wird es auch seinerseits von den Fetten aufgenommen und zurückgehalten, so daß man es nur durch die Lösungsmittel der letzteren und gemeinschaftlich mit diesen extrahieren kann. Dann freilich genügt ein Ausschütteln solcher Auszüge mit sehr verdünnter Salzsäure zur Isolierung des Neurins. (Gazz. Chim. Ital.; Arch. Pharm. [3.] **22.** 197—98.)

Ira Remsen und **R. D. Coale,** *Untersuchungen über Sinapin.* I. *Sinapinsäure.* Das Sinapin zerfällt nach älteren Untersuchungen von Babo und Hirschbrunn beim Kochen mit Alkalien in Sinkalin und Sinapinsäure nach der Gleichung:

$$C_{16}H_{23}NO_5 + 2H_2O = C_5H_{15}NO_2 + C_{11}H_{12}O_5.$$
$$\text{Sinkalin} \qquad \text{Sinapinsäure.}$$

Von Claus und Keesé (Lieb. Ann. **84.** 10) ist das Sinkalin als identisch mit dem Bilineurin (Trimethyläthoxyammoniumhydrat, $(CH_3)_3N(C_2H_5O)OH$) erkannt worden. Für die Sinapinsäure ist von Babo und Hirschbrunn nicht festgestellt worden, ob sie ein- oder zweibasisch sei. Dies und die Konstitution der Säure festzustellen, war der Zweck der vorliegenden Untersuchung. Die Sinapinsäure stellten die Vff. durch Kochen von Sinapin mit Barytwasser her. Zahlreiche Elementaranalysen ergaben Werte, aus denen sich die Formel der Säure zu $C_{11}H_{12}O_5$ berechnen läfst. Aus den Analysen des Calcium- und Bariumsalzes geht hervor, dafs die Sinapinsäure als eine einbasische Säure angesehen werden mufs. Die Salze erhielten die Vff. aus der Säure und Calcium-, resp. Barium-carbonat. Die Säure enthält ein Hydroxyl, $C_{10}H_{10}O_2 \begin{Bmatrix} OH \\ COOH \end{Bmatrix}$, was sich auch daraus ergiebt, dafs bei ihrer Behandlung mit Acetylchlorid oder Essigsäureanhydrid nur eine Acetylgruppe eintritt. Die Vff. erhielten die Verbindung $C_{10}H_{10}O_2 \begin{matrix} COOH \\ OC_2H_3O \end{matrix}$.

Beim Schmelzen der Sinapinsäure mit Alkalihydraten konnten Vff. zwar kein bestimmtes Produkt erhalten: es lassen jedoch qualitative Reaktionen, welche mit der Schmelze angestellt wurden, darüber keinen Zweifel, dafs sich Pyrogallol gebildet hatte. Nach alledem ist die Sinapinsäure Butylengallussäure von der Formel $C_6H_2 \begin{Bmatrix} O \\ O \\ OH \\ COOH \end{Bmatrix} > C_4H_8$. Die

Untersuchungen werden fortgesetzt. (Amer. Chem. J. **7.** 50—60.)

Walter Spalteholz, *Zur Kenntnis der Chinolinfarbstoffe.* Vf. hat auf Veranlassung von A. W. HOFMANN den von WILLIAMS (**60.** 384) beobachteten roten Farbstoff herzustellen und zu untersuchen gestrebt. Es gelang nicht, aus Steinkohlenteerchinolin und Amyljodid (nach WILLIAMS) und Digeriren des Produktes mit wässeriger Kalilauge den Farbstoff fest abzuscheiden. Ebenso mifslang es, den Farbstoff entsprechend der von HOFMANN ausgesprochenen (Jahresber. 1862. 361) Ansicht über die Bildungsweise desselben in zwei getrennten Operationen herzustellen. Zu diesem Ende liefs man äquivalente Mengen von Amyljodid und Chinolin im Wasserbade aufeinander einwirken. Beim Erkalten erstarrte das Reaktionsprodukt zu einer rötlich gelblichen Masse, die beim Behandeln mit wenig Alkohol gelbgrüne Nadeln von Chinolinamyljodid $C_9H_7N.C_5H_{11}J$ zurückliefs. Das gereinigte Jodid wurde mit überschüssigem Kalihydrat auf dem Wasserbade erwärmt. Es bildete sich auch hierbei eine rötliche harzige Masse, die sich mit rotvioletter Farbe leicht in Alkohol löste. Die Ausbeuten waren aber sehr gering. Auch bei der Behandlung von Methyl- oder Äthylchinolinjodid mit Alkali bildete sich ein roter Farbstoff, aber die Ausbeuten waren ebenso ungünstig, dafs eine weitere Verfolgung des Gegenstandes wenig Aussicht auf Erfolg bot.

Verf. stellte nun ein möglichst reines Äthylchinolinammoniumjodid, aus einem aus dem Chromat erhaltenen, zwischen 232,5—233,5° C. siedenden Chinolin und Äthyljodid her und erhielt beim Behandeln dieses Produktes mit wässerigem Alkali nur eine äuserst geringe Menge von Farbstoff. Um einen endgültigen Entscheid herbeizuführen, ob ganz reines Chinolin keinen Farbstoff lieferte, versuchte man aus dem reinen krystallisierten Jodäthylat das Chinolin zu isolieren. Es gelang dies, analog den meisten Ammoniumjodiden, durch trockene Destillation unter vermindertem Druck. Vf. erhielt die Base in der That rein, mit einem Siedepunkt von 231,5° bei 753,5 mm B. Wurde dies Chinolin den angegebenen Reaktionen unterworfen, so trat keine Farbstoffbildung ein, wodurch dargethan war, dafs das reine Chinolin die Entstehung des Farbstoffes nicht veranlassen konnte.

Es wurden dann zur Gewinnung des Farbstoffes äquivalente Mengen von Rohchinolin und Äthyljodid auf dem Wasserbade längere Zeit erwärmt und das feste Jodid aus der alkoholischen Lösung entfernt. Letztere wurde zur Vollendung der Reaktion auf dem Wasserbade weiter erwärmt und nach Entfernung des Alkohols der Rückstand mit der etwa doppelten Alkalimenge (wässerige Kalilauge) versetzt und erwärmt. Nach dem Erkalten hatte sich der Farbstoff aus der Lösung abgeschieden. Durch Waschen mit Wasser, und durch fortgesetztes Extrahieren und Kneten mit Äther gelang es, ein krystallisierendes Produkt zu isolieren. Der Farbstoff bildet rhombische Prismen und zugeschärfte Tafeln von seltener Schönheit, die einen lebhaften Cantharidenglanz besitzen. Er verhält sich Lösungsmitteln gegenüber ganz analog dem Cyanin. Durch Säuren werden die roten Lösungen entfärbt, auf Zusatz von Alkalien fällt der Farbstoff in amorphen, fein verteilten Flocken wieder aus.

Um die Zusammensetzung zu studieren, welche sich aus der Elementaranalyse nicht ergab, stellte Vf. das Chinaldinäthyljodid dar, welches er mit Chinolinäthyljodid und Kaliumhydrat digerierte. Bei dieser Behandlung erhielt er einen Farbstoff, dessen Analysen mit denen des aus Rohchinolin dargestellten übereinstimmen. Aus den Zahlen, welche die Elementaranalyse des bei 105° getrockneten Farbstoffes ergab, berechnet sich die

Formel $C_{22}H_{26}N_2J + \frac{1}{2}aq$, entsprechend einem Kondensationsprodukt aus 1 Mol. Chinolinäthyljodid, 1 Mol. Chinaldinäthyljodid und $\frac{1}{2}$ Mol. Wasser.

Bei 120° getrocknet, hat der Farbstoft die Zusammensetzung $C_{22}H_{26}N_2J$. Im luftverdünnten Raume über Schwefelsäure enthält die Verbindung $1\frac{1}{2}$ Mol. Wasser. Es ist dadurch bewiesen, dafs die aus dem Rohchinolin und aus einer Mischung von künstlichem Chinolin und Chinaldin entstehenden Farbstoffe identisch sind, und dafs das gereinigte Chinolin aus dem Steinkohlenteer und das künstliche Chinolin dieselben Körper darstellen. (Inaug.-Dissert. 22. Dezember 1883. Berlin.)

7. Analytische Chemie.

H. Hager, *Schwefelzinkbacillen zur Entwicklung von arsenfreiem Schwefelwasserstoffgas.* Da sich die Verunreinigung des aus Schwefeleisen und verdünnter Schwefelsäure entwickelten Schwefelwasserstoffgases mit aller Sicherheit herausgestellt hat, auch erkannt wurde, dafs das H_2S-Gas, durch Salzsäure geleitet, nicht vom Arsenwasserstoff befreit wird, so hat Vf. in dieser Beziehung experimentiert und gefunden, dafs das aus gewöhnlichem, mit etwas Schwefelarsen versetztem Schwefeleisen mittels verdünnter reiner Salzsäure entwickelte S_2H-Gas frei von Arsen war. Nun kann jedoch Arsen auch mit dem Eisen im Schwefeleisen in einer Verbindung sein, welche mit Salzsäure dennoch ein arsenwasserstoffhaltiges Schwefelwasserstoffgas ausgiebt. Dies ist wenigstens zu vermuten, weshalb es wohl besser ist, die H_2S-Entwicklung aus Stoffen vorzunehmen, welche von Arsen völlig frei sind. Ein solcher Stoff ist reines Schwefelzink. Man bereitet dasselbe einfach und kurz, wenn man 100 Tle. des reinen Zinkoxyds mit 45 Tln. präzipitiertem Schwefel im Pulvermörser mischt und dieses Gemisch in mehrere Portionen geteilt nach und nach unter Umrühren in eine siedende Lösung von 15 Tln. Ätznatron in 150 Tln. destilliertem Wasser einträgt. Die Lösung befinde sich in einem porzellanenen oder blanken eisernen Kasserol. Nach dem Eintragen wird die Erhitzung oder schwaches Sieden noch eine halbe Stunde fortgesetzt und das verdampfende Wasser nur ersetzt, wenn die Masse nicht mehr flüssig sein sollte. Schliefslich wird die Masse im Kasserol mit einem vielfachen Volum Wasser verdünnt und durchrührt. Das gebildete Schwefelzink sammelt man in einem leinenen Kolatorium, wäscht mit Wasser ziemlich aus, und nach dem Abtropfen sucht man die Feuchtigkeit durch Zusammenfalten des Kolatorium und Pressen mit den Händen möglichst zu beseitigen, um dann die feuchte Masse mit $\frac{1}{10}$ Volum trocknem, weifsem Bolus zu vermischen. Diese Masse formt man in Bacillen von 3 bis 5 cm Länge und ca. 0,5 cm Dicke, welche Bacillen an einem lauwarmen Orte zu trocknen sind. Diese Bacillen unterscheiden sich nur insofern vom Schwefeleisen, dafs die Entwicklung des H_2S-Gases daraus, wenn sie etwas schnell vor sich gehen soll, unter Beihilfe von etwas Wärme geschehen mufs.

Die Erzeugung von reinem Schwefelzink kann auch in folgender Weise zur Ausführung kommen. Man macht 300 Tle. einer Ätznatronlauge von 1,163 spez. Gewicht, gemischt mit 20 Tln. präzipitiertem Schwefel, siedend und giebt nach und nach 155 Tle. reinen Zinkvitriol, gelöst in 200 Tln. heifsem Wasser, dazu und erhält die Mischung unter Umrühren 20 Minuten hindurch siedend. Das ausgewaschene Schwefelzink werde in lauer Wärme getrocknet.

Die Darstellung des Schwefelzinks auf trocknem Wege, aus Metall und Schwefel, unterlasse man, denn sie erfolgt gewöhnlich unter heftiger Explosion. Die Darstellung durch Erhitzen von Zinkoxyd mit Schwefel liefert nur ein halbes Schwefelzink. (Pharm. C.-H. **25.** 213.)

Antony Guyard, *Analyse der Ackererden.* Der Vf. macht Vorschläge, um bei dieser Analyse die leichter assimilierbaren mineralischen und organischen Substanzen von den übrigen zu trennen. (Bull. Par. **41.** 384—87. 20. April.)

E. Baumann, *Zur Frage der Jodbestimmung im Harn.* In seiner Arbeit über die Jodbestimmung im Harn hat HARNACK (S. 332) die von ZELLER (S. 13) bei dessen Untersuchungen über die Resorption und die Schicksale des Jodoforms im Organismus angewendete Jodbestimmungsmethode einer Kritik unterzogen und dieselbe abfällig beurteilt. Der Vf. teilt Versuche mit, aus denen hervorgeht, dafs ZELLER bei seinen Untersuchungen sich derjenigen analytischen Methoden bedient hat, welche als die besten bezeichnet werden müssen, die unter den jeweiligen Verhältnissen angewendet werden können, und dafs die Kritik HARNACKS keine Berechtigung besitzt. (Ztschr. physiol. Chem. **8.** 282 bis 290. 3. April. [29. Febr.] Freiberg.)

J. Cosack, *Beitrag zur Stickstoffbestimmung in salpeterhaltigen Düngemitteln.* Auf Veranlassung von KÖNIG hat Vf. die von jenem beschriebene (**83.** 278) Oxydations- und Reduktionsmethode zur Bestimmung des Stickstoffes in salpeterhaltigem Guano nochmals im Vergleich zur RUFFLE'schen und Xanthogenatmethode auf ihre Brauchbarkeit geprüft und ist dabei zu den weiter unten folgenden Resultaten gelangt. Das Material zu dieser Untersuchung bestand aus vier Rohguanoproben, von denen die drei ersteren aus einer Ladung von Pabellon de Pica, und die letzte aus einer Huanillosladung (mit 0,62 p. c. Stickstoff in Form von Salpetersäure) herstammten. Sämtliche vier Proben stellten Knollen vor, die sehr reich an organischen Substanzen waren. Besonders waren Probe 1 und 2 vollständig mit kleinen Krystallen (von harnsaurem Ammoniak?) durchsetzt. Dieser Umstand ließ es von vornherein zweifelhaft erscheinen, ob die Oxydations- und Reduktionsmethode zum Ziele führen würde, da ja Harnsäure nur unvollständig durch das Oxydationsgemisch zerstört wird.

Es folgen jetzt die nach den einzelnen Methoden erzielten Resultate, wobei zu bemerken ist, daß die Zahlen das Mittel aus je zwei gut übereinstimmenden Analysen bilden:

Nr.	Gewöhnl. Methode	Nach RUFFLE	Mit Xanthogenat	Oxydation und Reduktion
1	9,81	10,26	10,19	9,34
2	8,24	8,57	8,46	8,17
3	3,59	3,68	3,85	3,37
4	4,07	4,77	4,68	4,27

Während nun die RUFFLE'sche und Xantogenatmethode gut übereinstimmende Zahlen lieferten, ergab die Oxydations- und Reduktionsmethode wesentlich geringere Werte. Dieselben blieben bei den drei ersten Proben sogar hinter den nach der VARRENTRAPP'schen Methode erhaltenen Zahlen zurück.

Ein weiterer Versuch, bei welchem Vf. auf ungefähr 1 g Substanz 1 g Kaliumpermanganat — also fast die doppelte Menge — anwandte und behufs Oxydation drei Stunden kochte, führte nur bei Probe 3 und 4 zum Ziel, während bei Probe 1 und 2 die Resultate unverändert blieben, nämlich:

Nr. 1.	Nr. 2.	Nr. 3.	Nr. 4.
9,35	8,25	3,78	4,59 p. c.

Sodann wurde versucht, den Gesamt-N in der Weise zu ermitteln, daß 2 g Substanz mit Wasser bis zu 200 ccm ausgewaschen, der Rückstand mit Natronkalk wie üblich verbrannt und die Hälfte des Filtrats mit dem Oxydations- und Reduktionsgemisch behandelt wurde. Auf diese Weise lieferten wohl Nr. 2, 3 und 4 mit den vorstehenden Bestimmungen nach RUFFLE übereinstimmende Zahlen, nicht aber Nr. 1. Es kommen also unter Umständen — im rohen Peru-Guano — N-Verbindungen vor, welche obigem Oxydationsgemisch hartnäckig widerstehen und deshalb eine Bestimmung des Gesamtstickstoffes nach dieser Methode unmöglich machen.

Dasselbe ist auch bei Blutmehl der Fall; ein diesbezüglicher Vergleich möge hier ebenfalls Platz finden. Zur Zeit wurden nämlich der Versuchsstation in Münster Superphosphate zur Analyse zugeschickt, die Stickstoff in Form von Blutmehl, Ammoniak und Salpeter enthielten, und von der betreffenden Fabrik die getrennte Bestimmung der einzelnen Stickstoffarten erwünscht. Vf. verfuhr zu diesem Zwecke wie folgt: 2 g Substanz wurden auf einem Filter mit Wasser auf 200 ccm ausgewaschen. Den Rückstand verbrannte er nach dem Trocknen wie gewöhnlich mit Natronkalk und ermittelte dadurch die Menge des Blutmehlstickstoffes. Zur Bestimmung des Ammoniak- und Salpetersäurestickstoffes wurden 100 ccm der Lösung mit überschüssigem Kali und 75 ccm Spiritus in einen ERLENMEIER'schen Kolben gebracht und der Spiritus in eine mit 10 ccm Normalschwefelsäure gefüllte Vorlage überdestilliert. Zu dem Destillationsrückstand wurde nach dem Erkalten, und nachdem eine neue Vorlage vorgelegt war, durch ein Trichterrohr mit Hahn ungefähr 10 g. in 75 ccm Spiritus aufgeschlemmtes Zink- und Eisenpulver gegeben und der Spiritus nach der Beendigung der ersten stürmischen Wasserstoffentwicklung wie vorhin abdestilliert. Die Titration der beiden Destillate ergab den Gehalt an Ammoniak-, resp. Salpeterstickstoff. Die Resultate, die sowohl untereinander, als auch mit den Berechnungen der Fabrik übereinstimmten, sind im Mittel mehrerer Bestimmungen folgende:

	Blutmehl-N.	Ammoniak-N.	Salpeter-N.	Gesamt-N.
1.	1,01	2,35	1,85	5,21
2.	0,96	1,21	7,33	9,50

Alsdann hat Vf. noch den Versuch gemacht, den Gesamtstickstoff mit Hilfe der Oxydations- und Reduktionsmethode zu ermitteln. Es scheint jedoch, daß auch das Blutmehl für das Oxydationsgemisch zu widerstandsfähig ist, denn die Resultate fielen gegen die Summe der Einzelbestimmungen etwas zu niedrig aus; statt 5,21 p. c., resp. 9,50 p. c. erhielt er 5,06 p. c., resp. 9,17 p. c. N. Hat man es daher mit Düngegemischen zu thun, welche neben verhältnismäßig größeren Mengen Salpetersäure — über 0,5—1 p. c. N in dieser Form — sehr schwer zersetzbare organische N-Verbindungen enthalten, so läßt die oben erwähnte Oxydations- und Reduktionsmethode im Stich, und da in solchen Fällen auch die RUFFLE'sche und Xanthogenatmethode zu niedrige Resultate liefert, so ist alsdann für die Bestimmung des Gesamt-N nur die DUMAS'sche Methode anwendbar. Die Methode von KJELDAHL — Zerstörung der organischen Substanz durch konz. Schwefelsäure und Chamäleon —'kann selbstverständlich bei Salpetergemischen keine Anwendung finden. (Rep. anal. Chem. **4.** 129—131. Anf. Mai [6. April], Münster, Landw. Versuchsstation.)

Paul Wagner, *Bestimmung des Stickstoffes im Chilisalpeter, Salpetersuperphosphat etc.* Die Methode ist eine Modifikation der SCHLÖSSING'schen. In ein etwa 300 ccm fassendes Kochfläschchen werden ca. 40 ccm einer (in größerer Menge vorrätig gehaltenen) Eisenchlorürlösung gegossen, welche 200 g Eisen im Liter enthält. Das Fläschchen wird mit einem doppelt durchbohrten Kautschukstopfen verschlossen, welcher eine unter Wasser mündende Gasleitungsröhre und ein mit Glashahn versehenes Trichterrohr trägt, dessen Spitze nicht bis in die Eisenchlorürlösung reicht. Man kocht das Kölbchen luftleer und läßt dann durch.den Tropftrichter 10 ccm einer Normallösung, welche 33 g reines Natriumnitrat im Liter enthält, in die fortwährend im Sieden erhaltene Eisenlösung eintropfen. Das entwickelte Stickoxyd wird in einer mit Wasser gefüllten, 100 ccm fassenden Maßröhre aufgefangen. Ist die Normallösung bis auf einen kleinen Rest eingetropft, so wird das Trichterrohr zweimal nacheinander mit zwanzigprozentiger Salzsäure nachgespült. Ist die Gasentwicklung zu Ende, so wird die Maßröhre bei Seite gestellt, durch eine neue ersetzt und — natürlich ohne daß die Eisenchlorürlösung inzwischen aus dem Kochen gekommen ist — in das Trichterrohr 10 ccm einer zu bestimmenden Lösung von Salpeter oder salpeterhaltiger Düngemischung gegossen, welche so konzentriert ist, daß aus den 10 ccm ca. 50—90 ccm Stickoxyd entwickelt werden. Im übrigen verfährt man wie vorher. Man läßt in gleicher Weise noch 6—7 Bestimmungen folgen, ohne die Eisenlösung zu erneuern, und führt zum Schluß noch eine Kontrollbestimmung mit 10 ccm Normallösung aus. Die gefüllten Maßröhren bringt man in einen weiten, mit Wasser gefüllten Cylinder und liest die erhaltenen Volume ab, aus denen sich in einfacher Weise der Stickstoffgehalt berechnen läßt, ohne daß man auf Temperatur und Luftdruck Rücksicht zu nehmen hat. (Chemiker-Ztg.; Chem.-Ind. **7.** 140.)

A. Longi, *Maßanalytische Bestimmung der Salpetersäure.* Zur Herstellung der Titerflüssigkeit löst man 40 g Kaliumzinnsulfat in 800 g verdünnter Schwefelsäure (1 Tl. Säure auf 1 Tl. Wasser) unter Zusatz von etwas konzentrierter Salzsäure. Man bestimmt den Gehalt dieser Lösung durch Titrieren mittels Eisenchlorid und Permanganat und verdünnt darnach die Lösung durch Hinzufügen verdünnter Schwefelsäure soweit, daß sie 11,8 g Zinn im Liter enthält ($^1/_{10}$ Normallösung). Die Flüssigkeit, welche die zu bestimmende freie Salpetersäure enthält, wird mit einem Tropfen einer Lösung von Diphenylamin in Schwefelsäure blau gefärbt und durch Hinzutröpfeln der Zinnsalzlösung aus einer in $^1/_{10}$ ccm geteilten Bürette farblos titriert. (Gazz. Chim. Ital. **13.** 482; Chem.-Ind. **7.** 139.)

Antony Guyard, *Bestimmung des ammoniakalischen Stickstoffes im Erdboden.* Der Vf. hat gefunden, daß das gewöhnliche Verfahren zur Bestimmung des Ammoniaks im Erdboden (100 g Erde, 300 g Wasser und 2—4 g Magnesia) nicht den ammoniakalischen, sondern den organischen Stickstoff bestimmt, welcher letztere durch Magnesia und siedendes Wasser leicht in Ammoniak übergeführt wird. Verschiedene Proben ein und derselben Erde gaben 45—85 kg Ammoniak per Hektar, je nachdem man 1—5 g kalzinierte Magnesia anwandte und zwei- bis dreimal soviel Ammoniak, wenn man zwei- bis dreimal weniger kaustischen Kalk nahm. Das Ammoniak, welches man durch dieses Verfahren erhält, ist also proportional dem mehr oder weniger fortgeschrittenen Zersetzungszustande der in der Erde enthaltenen organischen Substanz, ebenso aber auch und insbesondere dem Gewichte und der Alkalität des angewendeten Reagens. Mit demselben Gewichte, z. B. 2 g Magnesia, erhält man vollkommen gut übereinstimmende Resultate für eine und dieselbe Erde und abweichende Resultate von der einen zur anderen, je nach dem Zersetzungszustande der organischen Substanz; wendet man statt der kalzinierten Magnesia 4 g Magnesia alba oder basisch kohlensaure Magnesia an, so erhält man, obgleich dieses Reagens das Ammoniak aus seinen Salzen ebenso vollständig austreibt, als die kalzinierte Magnesia, bei Ackererden doch nur unbedeutende, nicht bestimmbare Spuren von Ammoniak, weil das basische Carbonat auf die organische Substanz nicht einwirkt.

Der Vf. hat deshalb zur Bestimmung des in Form von Ammoniaksalzen im Boden präexistierenden Ammoniaks die basisch kohlensaure Magnesia statt der geglühten Magnesia substituiert.

Die organische Substanz kann sich aber in einem solchen Zustande der Zersetzung befinden, daß auch das basische Carbonat noch als ein zu energisches Reagens auftritt. Deshalb schlägt der Vf. vor, als ammoniakalischen Stickstoff im Boden nur denjenigen zu bezeichnen, welchen man durch die Einwirkung des neutralsten Reagens, das sich herstellen läßt und dennoch fähig ist, beim Sieden das Ammoniak aus seinen Salzen auszutreiben, erhält. Dieses Reagens ist das Calciumcarbonat, welches man durch Fällung einer Chlorcalciumlösung mittels Natriumdicarbonat herstellt und als Milch aufbewahrt. Es genügt, das Chlorcalcium in geringem Überschusse anzuwenden, um ein vollkommen neutrales Reagens zu erhalten.

Für die Praxis ist es wichtig, den Gehalt an Stickstoff, welcher sich leicht in Ammoniak überführen läßt, sowie denjenigen, der bereits in Form von Ammoniaksalz im Boden vorhanden ist, zu kennen. Deshalb schlägt der Vf. vor, daß man folgendermaßen unterscheidet: ammoniakalischen Stickstoff, ausgetrieben durch Calciumcarbonat; organischen, durch basisch kohlensaure Magnesia leicht in Ammoniak überführbaren Stickstoff; Stickstoff, welcher durch geglühte Magnesia leicht in Ammoniak umzuwandeln ist, und endlich Stickstoff, welcher durch geglühten Kalk in Ammoniak umgewandelt wird. In einer zweiten Portion bestimmte man dann noch den Stickstoff, der sich durch kaustisches Natron oder Kali in Ammoniak umwandeln läßt, und zuletzt noch den organischen Stickstoff durch Verbrennung mit Natronkalk. (Bull. Par. 41. 337—39. 5. April.)

Thomas S. Gladding, *Über das Zurückgehen der Phosphorsäure.* In Ergänzung seiner früheren Versuche (82. 604) hat Vf. neue Untersuchungen mit natürlichen Phosphaten, künstlichen und natürlichen Düngern ausgeführt. Was das Lösungsvermögen einer neutralen, ammoniakalischen und mit Citronensäure angesäuerten Lösung von citronensaurem Ammonium den natürlichen Phosphaten gegenüber anbetrifft, so haben die Versuche ergeben, daß eine schwach angesäuerte Lösung eine größere Menge Rohphosphates aufzunehmen vermag. Eine geringe Alkaleszenz des Ammoniumcitratreagenzes vermindert die Löslichkeit aller Kalkphosphate, und dies um so mehr, je stärker alkalisch die Reagenslösung gemacht wird. Im anderen Falle vermag die Alkaleszenz der Citrallösung die Aufnahmefähigkeit der letzteren Phosphaten gegenüber zu steigern, wenn die Phosphorsäure als Eisen- und Aluminiumphosphat und nicht als Kalkphosphat vorhanden ist. Da eine ideale Methode der Bestimmung der zurückgegangenen Phosphorsäure die Trennung der präzipitierten Phosphate von den im Dünger zurückgebliebenen, ursprünglich unlöslichen Phosphaten anstrebt, so ist für diesen Zweck die neutrale Lösung des Ammoniumcitrates entschieden empfehlenswerter, als die saure oder neutrale Lösung des letzteren.

Ein Wechsel der Digestionstemperatur von 40—65° C. vermehrt nur schwach die Löslichkeit der natürlichen Phosphate.

Nachdem Vf. das Zurückgehen der Phosphorsäure durch Versuche verfolgt hat, giebt er zur Analyse der Superphosphate auf Grund seiner, in der vorliegenden und in den früheren Arbeiten gemachten Erfahrungen folgende Methode an.

Methode der Analyse von Superphosphaten. Zu 2 g der gesiebten Probe, welche sich in einem 200 ccm Kolben befindet, fügt man 50 ccm Salpetersäure hinzu — handelt es sich um schwer lösliches Aluminium- und Eisenphosphat, so sind einige Kubikzentimeter Salzsäure außerdem hinzuzufügen — und kocht das Ganze 15 Minuten lang. Nach dem Abkühlen füllt man den Kolben bis zur Marke an, mischt und filtriert durch ein trocknes Filter in ein trocknes Becherglas. 50 ccm des Filtrates werden mit 25 ccm konzentriertem Ammoniak und dann mit Salpetersäure bis zur sauren Reaktion versetzt. Zu der heißen Flüssigkeit fügt man Molybdänlösung, welche 5 p. c. MoO₃ enthält (auf je 0,1 g Phosphorsäureanhydrid sind 60 ccm derselben zu nehmen), hinzu, läßt bei 65° C. eine Stunde lang stehen, filtriert, wäscht den Niederschlag mit Ammoniumnitratlösung aus, löst ihn mit heißem Ammoniak auf und läßt zu dieser Lösung aus einer Bürette die Magnesiamixtur tropfenweise unter stetem Umrühren zufließen. Nach einer Stunde wird filtriert und nach dem Waschen des Niederschlages mit Ammoniak getrocknet, geglüht und gewogen. Die Magnesiamixtur enthält 110 g kryst. Magnesiumchlorid, 300 g Ammoniumchlorid, 400 ccm konzentriertes Ammoniak und 1500 ccm Wasser; man wendet für je 0,1 g P₂O₅ 10 ccm dieser Mixtur an.

Lösliche Phosphorsäure. 2 g der Probe werden in einem Mörser mit 25 ccm kaltem Wasser angerieben und in einen 200 ccm-Kolben hineinfiltriert. Den Rückstand digeriert man in obiger Weise noch fünf- oder sechsmal mit der gleichen Menge Wasser, vereinigt die Filtrate, und füllt bis zur Marke auf. 50 ccm der Lösung wendet man zur Bestimmung der Phosphorsäure an.

Unlösliche Phosphorsäure. Der Rückstand auf dem Filter von der vorigen Bestimmung wird mit 100 ccm einer Citratlösung, vom spez. Gewicht 1,09, in einen 200 ccm Kolben gespült, letzterer mit einem Korke geschlossen und auf einem Wasserbade bei einer konstanten Temperatur von 65° C. 30 Minuten unter häufigem Umschütteln erwärmt. Man filtriert warm, bringt nach dem Auswaschen Filter und Inhalt in die 200 ccm-Flasche zurück, fügt 50 ccm Salpetersäure hinzu, kocht 15 Minuten und bestimmt die Phosphorsäure, wie angegeben.

Zurückgegangene Phosphorsäure. Die Summe der löslichen und unlöslichen Phosphorsäure von der Gesamtphosphorsäure abgezogen, giebt die zurückgegangene Phosphorsäure. Die Ammoniaklösung, welche bei der Bestimmung verwendet wird, enthält 1 Tl. sehr konzentriertes Ammoniak in 32 Tln. Wasser; die Ammoniumnitratlösung ist zehnprozentig und wird schwach mit Salpetersäure angesäuert. (Amer. Chem. J. 6. 1—18.)

Kleine Mitteilungen.

Unterscheidung von Stahl und Eisen in kleinen Stücken, von WALRAND. Der frische Bruch ist in der Regel ein Kennzeichen für die Klassifizierung des Probestückes; sein Ansehen bietet aber keine genügende Sicherheit, sobald gutes Feinkorneisen oder sehr weicher Stahl vorliegt. Um auch in solchen Fällen die Unterscheidung bequem und sicher durchzuführen, hat der Vf. das einfache Mittel angegeben, den Bruch des erhitzten und zur blauen Farbe nachgelassenen Probestückes zu betrachten. Bei diesem Verfahren sollen alle Zweifel über die Natur des fraglichen Stückes ausgeschlossen sein.

Der Versuch kann folgendermaßen ausgeführt werden:

Der ungefähr 25—30 cm lange Probestab wird etwa 4—5 cm von seinen Enden leicht eingeritzt; das eine Ende erhitzt man dann langsam und gleichmäßig bis zur dunklen Rotglut (325 bis 400°) und kühlt es in Wasser ab. Während des Abkühlens muß das noch warme Stück öfters mit einer Feile untersucht werden, bis die bloßgelegte, metallisch glänzende Fläche dunkel gelb, besser blau angelaufen erscheint; jetzt wird rasch und vollkommen abgekühlt.

Die Bruchflächen der nun an beiden Enden an der Einritzstelle abgeschlagenen Probestücke dienen zum Vergleichen. Gewöhnliches, kalt gebrochenes Schmiedeeisen erscheint sehnig oder körnig; ist es aber in obiger Weise behandelt worden, so zeigt es sich im Bruche matt, zerrissen und von kurzer Sehne. Harter und mäßig harter Stahl ist feinkörnig; nach dem Erhitzen und Nachlassen hat er einen glänzenden, ganz oder teilweise glatten Bruch. Schwedisches Eisen hat nur Spuren von Sehne, unterscheidet sich sonst nicht von weichem Stahl; im angelassenen Zustande wird die Sehne deutlich und das glatte Aussehen verschwindet, während es bei gleichartig behandeltem, weichem Stahle um so mehr hervortritt. (Soc. des Ingenieurs civils: Pol. Journ. **251.** 332.)

Nachweis von Kohlenwasserstoffen in den Fetten, von F. NITSCHE. Zur Bestimmung von Mineralölen, Paraffin u. dergl. in Handelsfetten werden 10 g des zu untersuchenden Fettes mit 7 g Natronlauge von 38° B. und 30 g 90- bis 96 prozent. Alkohol im Wasserbade bis zum beginnenden Sieden des Alkoholes erwärmt und nun langsam 40 g Glycerin von 28° B. hinzugefügt. Zu der Seifenlösung, welche bei Gegenwart irgend bedeutenderer Mengen von Kohlenwasserstoffen stets trübe ist, werden 100 ccm rückstandfreies Benzin zugesetzt und kräftig durchgeschüttelt. Das Benzin nimmt die Kohlenwasserstoffe auf und trennt sich von der Seifenlösung leicht und vollständig, da letztere infolge des Glycerinzusatzes auch bei gewöhnlicher Temperatur nicht mehr erstarrt. Beim Verdunsten der Benzinlösung bleibt das Mineralöl zurück. Zur quantitativen Bestimmung ist es genauer, 10 g des Fettes zu verseifen, die Fettsäure abzuscheiden, zu titrieren und die Menge des verbrauchten Alkalis mit jener zu vergleichen, welche die aus der mit Benzin gewaschenen Glycerinseife durch Zersetzen mit Schwefelsäure und Kochen erhaltene Fettsäure verlangt.

Diese Probe ist auch anwendbar, um Stearinkerzen und Kerzenmaterial auf das Vorhandensein von Paraffin, Ceresin, Mineralwachs u. dergl. zu prüfen, und hat dieselbe den Vorteil, derartige Zusätze beim Abdampfen des Benzins unverändert zurückzulassen, so daß dieselben auf ihre physikalischen und chemischen Eigenschaften untersucht werden können. Die in den Extraktionsknochenfetten des Handels vorhandenen schweren Öle können nach dieser Methode ihrer

Menge und Beschaffenheit nach erkannt werden. (Seifenfabrikant 1883. 565; Polyt. Journ. **251**. 335.)

Neue Experimentaluntersuchungen über den Gasgehalt von Eisen und Stahl, von FRIEDRICH C. G. MÜLLER. (Schluß aus voriger Nummer.)

1. *Roheisen.* Graues Bessemerroheisen mit 3,104 Graphit, 0,584 amorphem C, 1,68 Si, 1,93 Mn entwickelte bei dichtem Block reichlich Gas, bestehend aus 37,3 CO, 58,3 H, 0,5 N, 3,9 CO_2; Spiegeleisen mit 4,180 C, 0,253 Si und 7,37 Mn entwickelt reichlich Gas bei dichtem Block, enthaltend 48,7 CO, 49,5 H, 0,5 N und 1,3 CO_2; Thomaseisen mit 39,6 CO, 46,8 H, 10,0 N, 3,6 CO_2 entwickelt weniger Gas als die beiden anderen Sorten bei blasenfreiem Block. enthaltend 39,6 CO, 46,8 H, 10,0 N, 3,6 CO_2. Das CO hat die Tendenz, vor dem Erstarren zu entweichen, da ihm die Legierungsfähigkeit des H und N fehlt.

2. *Bessemerstahl.* Schienenstahl (von oben) mit 0,23—0,28 C, 0,15—0,25 Si, 0,5—0,06 Mn, P 0,06—0,08 gab Gase mit 37,3 CO, 47,3 H, 7,9 N und 7,5 CO_2; Federstahl mit 0,48—0,53 C, 0,15—0,25 Si, 0,8—0,9 Mn und 0,6—0,8 P gab, je nachdem das Gießen von oben oder unten geschah, resp. 34,0 und 45,9 CO, 49,5 und 41,4 H, 8,6 und 9,9 N, 7,9 und 2,8 CO_2. Federstahl liefert mehr Gase als dichter Schienenstahl. Starke Flammenbildung beim Ausgießen in die Sammelpfanne, ruhiger Fluß des Metalles beim Gießen und Erstarrung desselben zu absolut blasenfreien Blöcken, obgleich aus dem Innern beim Erstarren Gase aufsteigen und durch feine Öffnungen in der oberen Erstarrungskruste entweichen. Steigender Bessemerstahl gab in zwei Fällen ähnliche Resultate, im dritten mehr Kohlenoxydgas; völlig entkohltes, oxydisches Bessemermetall ohne Spiegeleisenzusatz stieg in der Koquille und gab 18,6 CO, 24,9 H, 24,9 N und 2,3 CO_2.

3. *Thomasstahl,* weich, desoxydiert und rückgekohlt mit 2 p. c. 95 prozent. Ferromangan mit 0,05—0,1 C, Spr. Si, 0,05—0,1 P und 0,45—0,55 Mn gab beim Gießen von unten Gase mit 65 CO, 5 H und 30 N; Schienenstahl mit 8 p. c. geschmolzenem Spiegeleisen versetzt Gase mit 68,0 CO, 16,2 H, 11,0 N und 4,8 CO_2; Schienenstahl mit 10 p. c. Spiegeleisen, unruhig, rasch steigend, gab Gase mit 62,0 CO, 34,2 H, 1,0 N, 2,8 CO_2. Beim basischen Stahl sind die Gasausscheidungen sehr hervortretend und eigentümlich. Während die Spiegelreaktion im Konverter schwach ist und Ferromangan fast gar keine Kohlenoxydgasbildung zur Folge hat, tritt in der Sammelpfanne eine heftige Entwickelung brennbarer Gase ein, und wenn die Masse in der Pfanne ruhig geworden, so fängt sie in den Koquillen anfangs von neuem an zu wallen und zu spritzen und entläßt bis zum völligen Erstarren aus dem Innern große Mengen Gase. Dabei ist die Tendenz zum Steigen und zur Wurmbildung trotzdem nicht groß und es kann der mildeste Stahl ziemlich dichte Blöcke liefern. Die Flußeisen und Schienenstahl bestehen die ersten Gasmengen lediglich aus CO (77,9—81,7 p. c.), welches aber während des Erstarrens, wie beim sauren Stahl, austritt. Basisches überblasenes Material ohne jeden Zusatz gab poröse Blöcke und vorwiegend H bei zurücktretendem CO. Bei einem Silizitzusatz zu basischem Stahl wirft sich der Sauerstoff des Bades fast ausschließlich auf das Si, der Stahl ist ruhig, steigt aber gleichwohl und entläßt dabei vorwiegend H, was für den H als Ursache des Steigens spricht und andererseits bestätigt, daß das Schäumen und Spritzen von CO herrührt. Stickstoff und Wasserstoff scheinen in dem flüssigen Eisen wahrhaft legiert zu sein, während CO als Nichtelement eine Legierung nicht bilden kann, daher auch nur absorbiert wird. In ähnlicher Weise, wie der Gesamtkohlenstoff des grauen Roheisens im flüssigen Metall und unmittelbar unter dem Schmelzpunkte völlig legiert ist und erst nach dem Erstarren sich teilweise als Graphit ausscheidet, so kann das Eisen im geschmolzenen Zustande inkorporierten Überschuß von H und N nach dem Erstarren nicht festhalten, und es erfolgt die Ausscheidung in Radialröhren. (Stahl und Eisen **3**. 443. B.-H.-Z. **43**. 42.)

Gewinnung der Blumendüfte, nach NAUDIN. Der Vf. hat ein neues Verfahren in

Vorschlag gebracht, welches vor sämtlichen bisher gebräuchlichen Methoden zur Gewinnung der Riechstoffe wesentliche Vorzüge bietet. Der Apparat besteht aus sechs miteinander kommunizierenden Gefäßen. In das erste Gefäß, den Digestor, kommt der Rohstoff und das Extraktionsmittel, in dem zweiten Gefäße wird das überschüssige Wasser dekantiert: in dem dritten Gefäße wird das Lösungsmittel abdestilliert, indem einerseits durch Saugpumpen die Destillation in der Kälte hervorgerufen, andererseits durch Druckpumpen das Destillat verdichtet wird. Dieses Pumpensystem ist der wichtigste Teil des Apparates. Das fünfte Gefäß ist ein unter Druck wirkender Kühler, und in einem sechsten Gefäße wird das Produkt gesammelt.

Der Betrieb kann ohne Unterbrechung fortgeführt werden; die Extraktion erfolgt rasch, vollständig, gefahrlos und ohne Veränderung des Riechstoffes, vorausgesetzt, daß das Extraktionsmittel richtig gewählt und in der nötigen Reinheit angewendet wird.

Für die Qualität des Duftes ist natürlich auch die Beschaffenheit des Rohstoffes maßgebend. Die Blumen sollen zu der Zeit gesammelt werden, wenn sie den stärksten und reinsten Geruch besitzen.

Über die qualitative Leistungsfähigkeit des Apparates berichtet der Erfinder Erstaunliches. Er isolierte mit Hilfe desselben den Duft der Kuhmilch und erkannte aus demselben die Pflanzen, von denen sich das Tier genährt hatte. Verschiedene Kaffee- und Theesorten ergaben gut unterscheidbare Düfte.

Die leichte Zersetzbarkeit der nach älteren Methoden durch Pressung oder bei hohen Temperaturen dargestellten Riechstoffe führt Vf. auf Verunreinigungen mit leicht zersetzbaren Pflanzenstoffen zurück. Die nach seinem Verfahren gewonnenen Riechstoffe sind sehr rein und in hohem Grade beständig. Selbst in Berührung mit der Luft bleiben sie jahrelang unverändert. (Pharm. C.-H. **25.** 135—136.)

Wasserfeste Firnisse für Papier.
Solche werden nach folgenden Vorschriften dargestellt. 1. 1 Damarharz, 4, 5 bis 6, Aceton werden in einer verstopften Flasche zwei Wochen lang digeriert, die klare Lösung abgegossen, dieser vier Collodium zugesetzt und das Ganze durch ruhiges Stehen klären gelassen.

2. 30 weißen Schellacks werden mit 500 Äther digeriert, der Lösung 15 kohlensauren Bleioxyds zugesetzt, dann längere Zeit geschüttelt und schließlich mehrfach filtriert.

3. In 100 warmen Wasser werden fünf Leim gelöst und mit dieser Lösung das Papier bestrichen. Nach dem Trocknen taucht man das Papier eine Stunde lang in eine zehnprozentige Lösung von essigsaurer Thonerde, läßt es wieder trocknen, um es zuletzt zu glätten.

4. Man erhitzt 120 Leinölfirnis und gießt dann unter Umrühren eine Mischung aus 33 Ätzkalk und 22 Wasser zu, der man 55 geschmolzenen Kautschuk beigemischt hat. Nach gutem Durchrühren seiht man die Mischung und trägt sie heiß auf.

5. Ein Guttapercha wird in 40 Benzin im Wasserbade vorsichtig digeriert und damit das Papier bestrichen. Auf diesem Firnisse läßt sich gut schreiben, zeichnen und malen. (Papier-Ztg.; Pharm. C.-H. **25.** 107.)

Vergleichende Morphinbestimmungen im Opiumpulver und Opiumextrakt.
Für größere Laboratorien, Fabriken und Droguenhäuser ist die Bestimmung des Morphingehaltes im Opium von wesentlicher Wichtigkeit. Die Methode muß nicht nur eine verläßliche, sondern auch rasch auszuführen sein. In dieser Hinsicht scheint die von W. BERNHARDT in der D.-Amer. Apoth.-Ztg. des vorigen Jahres empfohlene Methode der besonderen Beachtung der Fachkreise wert zu sein.

Im analytischen Laboratorium von G. HELL & Co. ist der Versuch unternommen worden, die BERNHARDT'sche Methode mit zwei anderen Verfahren zu vergleichen, und soll mit dieser Publikation die Anregung gegeben werden, die vergleichenden Analysen fortzusetzen und die anhaftenden Mängel der drei Methoden zu erforschen.

1. Nach der BERNHARDT'schen Methode wird 1 g Opiumpulver mit destilliertem Wasser angerieben, die Lösung abgegossen und mit dem neuerlichen Anreiben so lange fortgefahren, bis eine filtrierte Probe farblos ist und mit Eisenchlorid keine Meconsäurereaktion mehr entsteht. Die filtrierten Lösungen erreichen das Gesamtgewicht von etwa 40 ccm. Man dampft nun die Lösung auf 25 ccm ein, schüttelt sie in einem Probecylinder mit fünf Tropfen Ammoniak und 10 ccm Äther. Sodann wird die Ätherschicht durch Dekantieren und Aufsaugen mittels Fließpapier vollständig entfernt und das als krystallinisches Pulver abgeschiedene Morphin auf einem getrockneten und gewogenen Filter gesammelt. Die letzten Mengen der Mutterlaugen werden durch etwas Äther verdrängt. Im obigen Laboratorium ließ man die Morphinabscheidung nicht eine Stunde, sondern vier bis fünf Stunden andauern, weil sie in einer Stunde niemals eine vollständige war. Statt des Äthers wurde eine geringe Menge von kaltem, destilliertem Wasser als Waschflüssigkeit verwendet, weil ersterer durch den feuchten Niederschlag nicht durchdringen wollte, als durch das Filter ging, weshalb das Verdrängen der Mutterlauge nur unvollkommen stattfinden konnte.

2. Als zweite Methode wurde mit geringfügigen Änderungen die in der Pharm. Germ. II. vorgeschriebene benutzt. 2 g getrocknetes Opiumpulver wurde nach bis zur Erschöpfung mit destilliertem Wasser, konzentrierte bis auf 40 ccm und versetzte mit 5 g Alkohol, 5 g Äther und 10 Tropfen Ammoniak; die Mischung überließ man nach öfterem Schütteln zwölf Stunden der Ruhe. Das ausgeschiedene Morphin wurde auf einem getrockneten und gewogenen Filter gesammelt und mit einer Mischung aus 2 g Alkohol, Äther und Wasser gewaschen.

3. Als dritte Methode diente die Vorschrift der Österr. Pharm.: danach werden 2 g Opiumpulver mit 20 g einer Mischung aus 2,0 verdünnter Salzsäure und 34 destilliertem Wasser 24

Stunden hindurch maceriert, sodann filtriert und der Rückstand mit etwas Wasser ausgewaschen. Das Filtrat wird mit 8,0 Chlornatrium versetzt, zwölf Stunden zur Seite gestellt, hiernach filtriert, mit Kochsalzlösung ausgewaschen und das Filtrat mit soviel Ammoniak versetzt, daß es schwach danach riecht. Nach zwölf Stunden wird der Niederschlag gesammelt, getrocknet und in verdünnter Essigsäure gelöst, neuerdings mit Ammoniak gefällt und die Fällung mit geringen Mengen Wassers gewaschen und getrocknet.

Nach den vorliegenden Analysen sind die Unterschiede in den Prozentergebnissen beim Opiumextrakte ganz unbedeutende; bei den Analysen des Opiumpulvers betragen die Differenzen über 1,5 p. c. Jedenfalls sind die Morphinverluste bei dem leicht löslichen Extrakte viel geringere als beim Pulver.

Nach der Methode der Pharm. Germ. II. wurde stets das kleinste Resultat erzielt; es scheint dies der Alkoholzusatz bei der Fällung und beim Waschen des Niederschlages zu verschulden. Der nach der Österr. Pharm. erhaltene Morphinniederschlag ist hingegen nicht rein genug, um als reines Morphin gelten zu können, und eine etwa durch Auskochen in Benzin und Umkrystallisieren aus Alkohol ausgeführte Reinigung bringt zu viele Verluste mit sich. Zudem ist die Methode der Österr. Pharm. eine so zeitraubende und umständliche, daß man sich ihrer kaum bedienen kann.

Nach der von BERNHARDT angegebenen Methode gelang es auch nicht, ganz reine Morphinkrystalle zu erhalten; sie waren stets bräunlichgrau gefärbt. Um sich auf die gewogene Morphinausbeute vollkommen verlassen zu können, dürfte es notwendig sein, in einer Reihe von Versuchen den Prozentgehalt der Verunreinigungen des erhaltenen Morphins zu bestimmen, damit man bei den Analysen Anhaltspunkte habe, was im Mittel von dem gewonnenen Niederschlage abzurechnen wäre, um nur reines Morphin der Wägung zu unterziehen. Wenn es nicht gelingt, das Morphin ganz ohne Verluste in reinem Zustande aus dem Opium abzuscheiden, so wird es zweckmäßig sein, ein bestimmtes Prozent festzustellen, das nach der jeweiligen Methode entweder abzuziehen oder hinzuzurechnen wäre. Jedenfalls ist die kürzeste Methode die beste, wenn sie keine größeren Fehler besitzt, als die anderen zeitraubenden Methoden, und als eine solche Methode mit abgekürztem Verfahren muß die BERNHARDT'sche bezeichnet werden. (Pharm. Post; Schweiz. Wochenschr. f. Pharm. 22. 95—98.) P.

Beiträge für das Centralblatt bittet man an die Redaktion (Leipzig, Lessingstr. 5) zu richten. Originalarbeiten von nicht zu großem Umfange werden entsprechend honoriert und gelangen stets sofort nach der Einsendung, und zwar in kürzester Frist, zum Abdruck.

Redaktion: Prof. Dr. Rud. Arendt in Leipzig.

Verlag von Leopold Voss in Hamburg und Leipzig. — Druck von Metzger & Wittig in Leipzig.

No. 26. **Chemisches** 25. Juni 1884.

Wöchentlich eine Nummer von
1-2 Bogen. Der Jahrgang mit
Sach- und Namen-Register,
nebst system. Übersicht.

Central-Blatt.

Der Preis des Jahrgangs
ist 30 Mark. Durch alle
Buchhandlungen und Post-
anstalten zu beziehen.

REPERTORIUM

für reine, pharmazeutische, physiologische und technische Chemie.

Dritte Folge. XV. Jahrgang.

Beobachtung bei der elektrolytischen Darstellung des Chlorstickstoffes,

von

FRIEDRICH MARECK.

Bei der nun schon seit mehreren Jahren alljährlich wiederholten elektrolytischen Darstellung des Chlorstickstoffes aus einer kalt gesättigten Salmiaklösung mittels sechs BUNSEN'scher Elemente (mit ca. $7^1/_2$ Zoll Höhe der Zinkcylinder) hatte ich, wenn auch nicht jedesmal, so doch meistenteils, wenigstens viermal Gelegenheit, eine jedenfalls auffällige Beobachtung zu machen, deren ich zu meiner Verwunderung an keiner Stelle erwähnt finde, so weit als mir wenigstens auf meinem von allem fachmännischen Verkehre abgeschnittenen Posten die chemische Litteratur zugänglich ist.

Als Elektroden benutzte ich quadratische Stücke starken Platinbleches von gut $^1/_2$ Zoll Seitenlänge, welche, an einem der Ecken durchlöchert, anfänglich an den kupfernen Leitungsdraht aufgehängt, und so in die Salmiaklösung einer jeden Zelle eingetaucht wurden, dafs das mit dem Kupferdrahte verbundene Eck ganz aufser der Flüssigkeit blieb und die Blechstücke ca. nur mit $^3/_4$ der Diagonale eintauchten.
Als Zelle für die Chlorstickstoffentwicklung diente ein gleich weiter Glasbecher mit ca. $^1/_2$ l gesättigter Salmiaklösung mit dünner Terpentinölschicht; — als zweite Zelle zur Aufnahme der negativen Elektrode benutzte ich ganz neue, noch ungebrauchte Diaphragmen aus hartem weifsen Thone, wie sie zu DANIELL'schen Elementen dienen. Ein paarmal wurden dieselben auch gegen einen mit tierischer Blase verbundenen Glascylinder ausgewechselt. Die Salmiaklösung gab sowohl neutral wie angesäuert keine Spur einer Metallreaktion; war also vollkommen frei von Cu sowohl wie Fe.
Während der kräftigsten Stromwirkung und einer fast bedenklichen Raschheit und Vehemenz der Chlorstickstoffdetonationen schien die schäumende Gasentwicklung von NH_4 und H in der Thonzelle zeitweilig nachzulassen. Wurde dann bei zu rascher Folge der Detonationen aus dieser Zelle die Platinelektrode ausgehoben, so erschien sie — nach nur kurzem Eintauchen — blofs grau angelaufen, nach einer Dauer von acht bis zehn Minuten dagegen erschienen die eingetauchten Teile dicht mit einem rufsähnlichen zarten tiefdunklen braunschwarzen bis schwarzen Niederschlage überzogen. Derselbe liefs sich mit dem Finger zwar wegwischen; doch blieben gleich danach noch braune Streifen am Platin haften. Am auffälligsten erschien mir dann aber, dafs während des Betrachtens dieser deutlich substantielle dichte Belag ganz mit derselben Erscheinung, wie ein durch Anhauchen auf blankem Stahl oder auf Spiegelglas erzeugter Fleck sehr rasch, aber doch allmählich verschwand, und vom Rande nach einwärts vorschreitend das blanke Platin erscheinen liefs. Während dieses Verschwindens war deutlicher Ammoniak-

geruch wahrnehmbar, und zuletzt erschien, solange das Platinstück am Kupferdrahte hing, der daran haftengebliebene Flüssigkeitsrest schwach blau gefärbt.

Beim Eintauchen in verdünnte Säure verschwand der Niederschlag fast augenblicklich. Da das Blech beim Ausheben aus der konz. Salmiaklösung doch immer von dieser durch die Zersetzung noch dazu ammoniakalisch gewordenen benetzt blieb, und während des Abspülens derselben der Niederschlag doch zu rasch verschwand oder wenigstens sich verminderte, so war damit nicht viel anzufangen. Das einzige, was mir noch damit leidlich gelang, war die Beobachtung, dafs das Quecksilber auf der berufsten Platinfläche ganz wie auf mit Säure benetztem Zink auseinander flofs; ebenso, wenn das noch teilweise mit jenem bedeckte Blech mit dem Rande in Quecksilber getaucht wurde, lief dasselbe, soweit das Platin noch mit dem Niederschlage bedeckt war, rasch auseinander und haftete kurze Zeit wie auf einer amalgamierten Fläche, während es nach wie vor vom Platin ablief.

Wegen der aus der haftengebliebenen Flüssigkeitsrestes auf dem blank gewordenen Platin ersichtlichen Mitwirkung des Kupferdrahtes wurde ein letztes Mal der Versuch zur Kontrolle in der Art abgeändert, dafs bei völlig neuer Zusammenstellung und Füllung die Platinquadrate an so lange Platindrahtstückchen befestigt wurden, dafs deren Verbindung mit den kupfernen Schliefsungsdrähten mittels kleiner Klemmen ganz aufserhalb der beiden Zellen verlegt ward, und eine Benetzung des Kupfers mit der Samiaklösung ganz ausgeschlossen blieb.

Auch diesmal erschien das betreffende Platinblech nach kurzer Dauer erst nur grau getrübt — nach mehreren Minuten jedoch ganz gleichmäfsig dunkeltombakbraun, etwas schillernd aber glatt angelaufen. Es schien sogar dieser Überzug gegen das Abreiben etwas hartnäckiger zu sein; er verschwand aber beiderseits in gleicher Weise wie die anderen Male.

Bei der diesjährigen Wiederholung der Demonstration mit einer anderen Kombination von neuen Elementen zwei gröfseren und zwei kleineren, konnte obige Erscheinung nicht wahrgenommen werden. Doch machte mir einer meiner Schüler, der aus der Marineakademie in Fiume übergetreten war, die Mitteilung, dafs er dort im Vorjahre bei dem gleichen Anlasse Gelegenheit gehabt habe, dieselbe wahrzunehmen.

Krems a. d. Donau, Niederöst. Landesoberrealschule. 22. Mai 1884.

Wochenbericht.

1. Allgemeines und Physikalisches.

Robert Schiff, *Über die Kapillaritätskonstanten der Flüssigkeiten bei ihrem Siedepunkte.* (LIEB. Ann. **223.** 47—106.)

D. Mendelejeff, *Über die Ausdehnung der Flüssigkeiten durch die Wärme.* (Journ. Chem. Soc. **45.** 126—35. April.)

Carl Michaelis, *Über die elektrische Leitungsfähigkeit verunreinigten Quecksilbers und die Methoden zur Reinigung desselben.* Der erste Teil der vorliegenden Dissertation beschäftigt sich mit den Versuchen, um zu erkennen, wie die vorkommenden Verunreinigungen die elektrische Leitungsfähigkeit des Quecksilbers beeinflussen, und wie grofs die Reinheit desselben für gewisse Zwecke sein mufs; im zweiten Teil sind die Mittel angegeben, welche es möglich machen, das Quecksilber in der verlangten Beschaffenheit zu erhalten.

Man kann die metallischen Verunreinigungen des Quecksilbers nach ihrer Wirkung auf dieses und zugleich nach der Art und Schwierigkeit ihrer Abscheidung in drei Gruppen teilen; der ersten gehören das Magnesium, Kalium und Natrium, der zweiten Zink, Blei, Kadmium und Wismut an, während die dritte Gruppe durch Gold, Silber oder Kupfer vertreten wird.

Was die erstgenannten drei Metalle anbetrifft, so gleichen die ihnen zugehörigen Amalgame einander nicht nur dadurch, dafs sie ihre elektrische Leitungsfähigkeit in derselben Weise gegen reines Quecksilber ändern, sondern auch, weil bei ihnen allen dreien die verunreinigenden Metalle an der Luft so stark herausoxydieren, dafs es leicht ist, jede Spur derselben fast blofsen Auges im Quecksilber zu erkennen. Während die Magnesiumamalgame an der Oberfläche grau und schmutzig erscheinen, sehen die Kalium- und Natriumamalgame zuvor blank aus (es gilt dies nur innerhalb bestimmter Grenzen), sind aber sofort durch ihr eigentümlich feuchtes Aussehen zu erkennen. Durch starkes, einige Zeit fortgesetztes Schütteln mit konzentrierter oder schwach verdünnter Schwefelsäure wird jede Spur dieser Metalle aus dem Quecksilber entfernt. Bei den Amalgamen des Kaliums und Natriums genügt oft schon der Zutritt der atmosphärischen Luft, um diese Metalle fast vollkommen abzuscheiden. Die zweite Gruppe der metallischen Verunreinigungen des Quecksilbers wird dadurch gekennzeichnet, daſs die mit ihnen gebildeten Amalgame leicht an glatten Flächen haften und stark abfärben. Durch diese Eigenschaft konnte Vf. noch einen Gehalt des Quecksilbers an: 0,00095 p. c. Zink, 0,0012 p. c. Zinn, 0,0018 p. c. Blei, 0,0015 p. c. Kadmium oder 0,0027 p. c. Wismut erkennen. Wahrscheinlich gehen die Grenzen, bis zu denen dieses Kennzeichen die Verunreinigung anzeigt, noch viel weiter, wenn man mit gröſseren, als bei den Versuchen verwendeten Quecksilbermengen (etwa 50—60 g in jedem Falle) operiert, bei denen man den Quecksilberstrahl längere Zeit auf dieselbe Stelle der Porzellanschale fallen lassen kann. Verf. hat zuweilen noch in dieser Weise Verunreinigungen erkannt, die bei geringeren Quantitäten nicht bemerkbar waren und sich auch nicht mehr durch eine Änderung in der Leitungsfähigkeit erkennen lieſsen. — Auch die Reinigung des Quecksilbers von den Metallen dieser Gruppe gelingt auf chemischem Wege verhältnismäſsig leicht. Am brauchbarsten ist dazu das von W. Siemens (Pogg. Ann. 110. 20) angegebene Verfahren, wonach das Quecksilber einige Zeit unter konzentrierter Schwefelsäure, welcher einige Tropfen konzentrierter Salpetersäure zugesetzt sind, gekocht wird. Das so behandelte Quecksilber muſs man aber dann noch unter schwach verdünnter Salpetersäure aufstellen und es von Zeit zu Zeit so heftig schütteln, daſs dasselbe sich in lauter kleine Kügelchen auflöst. — Die andere Reinigungsmethode (79. 243) mittels Kaliumchromat und Schwefelsäure hat Vf. weniger vorteilhaft gefunden, wenigstens zeigte das so behandelte Quecksilber beim Abdestillieren meist einen verhältnismäſsig starken Rückstand, was bei reinem Quecksilber durchaus nicht der Fall ist. Ein Übelstand, den die Salpetersäure hat, ist der nicht unbeträchtliche Verlust an metallischem Quecksilber, der durch Auflösung in der Säure entsteht. Derselbe wird vollständig vermieden durch die Quecksilberdestillation.

Die mit der dritten Gruppe der Metalle: Gold, Silber und Kupfer gebildeten Amalgame, deren Zusammensetzung innerhalb gewisser Grenzen bleibt, sind durch ihr bloſses Aussehen von reinem Quecksilber nicht zu unterscheiden. Die stärker Gold (bezw. Silber und Kupfer)haltigen machen bei näherer Betrachtung den Eindruck, als ob in ihnen feine krystallinische Körperchen suspendiert wären. Eine chemische Scheidung der Bestandteile gelingt nur bei den Kupferamalgamen und da in durchaus befriedigender Weise mittels des Siemens'schen Verfahrens.

Ein vorzügliches Mittel, das Quecksilber von seinen Verunreinigungen zu befreien, ist die Destillation im Vakuum bei ruhiger Oberfläche. Es ist möglich, mittels derselben (namentlich wenn sie wiederholt und ein Quecksilberquantum angewandt wird) dem Quecksilber einen Grad der Reinheit zu verleihen, der nicht nur für elektrische Widerstandsmessungen durchaus genügt, sondern für seinen Teil sogar eine erhebliche Steigerung der Ansprüche an die Genauigkeit derselben zuläſst. Über dieses Verfahren, das zugleich als bestes Erkennungsmittel für etwaige Verunreinigungen des Quecksilbers gelten kann, berichtet Vf. folgendes:

Kleinere Qantitäten Quecksilber bringt man in das zugeschmolzene Ende einer unter einem stumpfen Winkel gebogenen Glasröhre, deren Weite je nach der Menge des zu destillierenden Quecksilbers gewählt werden muſs. Die Röhre war vorher sorgfältig gereinigt und durch Erwärmen bei im Innern vermindertem Luftdruck von aller an den Wänden hängenden Feuchtigkeit befreit. Nach sorgsamer Füllung wurde die Luft ausgepumpt und die Glasröhre zugeschmolzen. Um den Schenkel, in dem sich das Quecksilber befand, möglichst gleichmäſsig zu erwärmen, wurde ein vertikal aufgestellter Hohlcylinder von Blech von etwa 7 cm Weite und 30 cm Höhe benutzt, dessen Wand etwa 5 cm vom oberen Ende eine runde Öffnung hatte, durch die der mit Quecksilber gefüllte Schenkel der Glasröhre in das Innere hineinragte, und deren Gröſse der Weite desselben angepaſst war. Die Temperatur im Innern des Cylinders konnte durch vollständige oder teilweise Bedeckung der oberen Öffnung sowie durch Verschiebung des Brenners reguliert werden. Der auſserhalb befindliche Schenkel der Destillationsröhre wurde durch ein feuchtes Tuch kühl erhalten. Die Amalgame, welche destilliert werden sollten, stellte Vf. in den Röhren selbst dar. (Nur die Kupferamalgame wurden auf elektrischem Wege hergestellt.) War die Destillation bis zum gewünschten Maſse ausgeführt, so wurde die Glasröhre in ihrer Biegungsstelle zersprengt und das Destillat in bezug auf seine Leitungsfähigkeit untersucht. In dieser Weise hat Vf. zwei verschiedene Versuchsreihen durchgeführt, indem einmal einmal Wasserluftpumpe, die etwa 20—30 mm Druck zurückließ, dann mittels einer Quecksilberluftpumpe so gut wie möglich die Röhren evakuiert wurden. Im ersten Falle war es nicht möglich, bei ganz ruhiger Oberfläche das Quecksilber

31 *

zu verdampfen, was im zweiten Falle gelang. Um das Überspritzen des Amalgams in den anderen Schenkel zu verhüten, wurde die Glasröhre oberhalb des Quecksilbers so stark erwärmt, daß der äußere Luftdruck dieselbe bis auf einen ganz schmalen Kanal zusammenschnürte, durch den zwar der Quecksilberdampf, aber nicht die Flüssigkeit in den anderen Schenkel entweichen konnte. Auch hierbei wurden durch Spritzen Verunreinigungen in das Destillat übergeführt; dieses Spritzen tritt leicht ein, sobald sich im Destillierraum noch merkliche Spuren von Luft befinden, was mittels der Quecksilberluftpumpe vermieden wird.

Von den Metallen scheinen Kadmium und Wismut am leichtesten mit hinüber zu destillieren. (Inaug. Dissert. 11. Dezember 1883. Berlin.)

J. H. Gladstone, *Über Refraktionsäquivalente organischer Verbindungen.* Der Vf teilt die Resultate von Untersuchungen mit, welche er von Zeit zu Zeit seit dem Jahre 1870 ausgeführt hat. Die Resultate sind in drei Tafeln zusammengestellt und betreffen mehr als 140 Substanzen. Tafel I enthält die Brechungskoeffizienten flüssiger Körper für die Linie *A*, *D* und *H*. Tafel II giebt ein Verzeichnis der angewendeten Lösungsmittel und des Prozentgehaltes der gelösten Substanzen. Tafel III endlich giebt die spezifische Refraktion und Dispersion, sowie die Refraktionsäquivalente aller Substanzen aus den Beobachtungen abgeleitet, sowie theoretisch berechnet.

Die spezifische Refraktion ist der Brechungsexponent mal *A* minus 1 dividiert durch das spezifische Gewicht, also:

$$\frac{\mu A - 1}{d}.$$

Die spezifische Dispersion ist:

$$\frac{\mu H - 1}{d} - \frac{\mu A - 1}{d},$$

oder was dasselbe ist:

$$\frac{\mu H - \mu A}{d}.$$

Das Refraktionsäquivalent ist:

$$\frac{\mu A - 1}{d} \times \text{dem Atomgewichte}.$$

Folgende Werte wurden für die Elemente erhalten: Kohlenstoff gesättigt 5,0; Kohlenstoff in C_nH_n 5,95; Kohlenstoff, doppelt gebunden 6,1; Wasserstoff 1,3; Sauerstoff, einfach gebunden 2,8; Sauerstoff, doppelt gebunden 3,4; Stickstoff 4,1; Stickstoff in Basen, NO_2 etc. 5,1; Chlor 9,9; Brom 15,3; Jod 24,5; Schwefel, einfach gebunden 14,1; Schwefel, doppelt gebunden 16,0. (Chem. N. **49.** 233. 23. [15.*] Mai. London, Chem. Soc.)

T. Carnelly und **T. Burton,** *Eine neue Form des Pyrometers.* Dieses Pyrometer besteht aus einer hohlen Kupferspirale, welche in den Raum dessen Temperatur gemessen werden soll, gebracht und dort von Wasser durchströmt wird. Die Temperatur des Wassers wird vor dem Zufluß und nach dem Abfluß gemessen und aus der Differenz mittels einer Tafel die Temperatur bestimmt. Ein ähnliches Instrument ist schon von Boulier (Bull. Soc. Chim. · **40.** 108) beschrieben worden. Mit Hilfe dieses Pyrometers hat der Vf. Temperaturen bis zu 650° mit einer Genauigkeit von 25° bestimmt. (Chem. N. **49.** 212. 9. [1.] Mai. London, Chem. Soc.).

3. Anorganische Chemie.

Albert R. Leeds, *Atomisierung des Sauerstoffes bei hohen Temperaturen, Darstellung von Wasserstoffsuperoxyd und Ammoniumnitrit und Nichtbildung von Ozon beim Verbrennen von reinem Wasserstoff und Kohlenwasserstoffen in reiner Luft.* (Chem. N. **49.** 237—39; Journ. Amer. Chem. Soc. 1884. Nr. 1—2.)

E. Pollacci, *Freiwillige Oxydation des Schwefels.* Seit längerer Zeit ist es bekannt und durch mannigfache Beobachtungen bestätigt, daß sublimierter Schwefel mit destilliertem Wasser in Brei verwandelt, an der Luft sich oxydiert und schließlich sich in Schwefelsäure verwandelt unter der Bedingung, daß die Temperatur etwa +35 bis 40° beträgt, was am besten erreicht wird, wenn man das Gemisch den Strahlen der Sommersonne exponiert. Aus einer Reihe von Umständen, welche diese Oxydation beschleunigen, hat Vf. den Schluß gezogen, daß dieselbe durch den Sauerstoff der Luft veranlaßt werde. Die von anderer Seite aufgestellte Behauptung, daß der zum Schwefel herantretende Sauerstoff dem sich bei diesem Vorgange zersetzenden Wasser entstamme, veranlaßte den Vf., den Gegenstand wieder aufzunehmen, und die neue Untersuchung, welche der Akademie zu Mailand am 21. Februar ausführlich mitgeteilt wurde, hat ein Resultat ergeben, das von allgemeinerem Interesse ist.

Zunächst wurde durch variierte Wiederholungen des Hauptversuches überzeugend der Nachweis geführt, daß eine Zerlegung des Wassers bei dieser Oxydation keine Rolle spiele, daß vielmehr der hierzu erforderliche Sauerstoff der Luft entstamme und in Wasser gelöst enthalten ist; denn vollständig luftfrei gemachtes Wasser kann Monate lang mit Schwefel vermischt sein, ohne daß sich merkliche Mengen von Schwefelsäure entwickeln.

Durch weitere Versuche wurde dann der Nachweis geführt, daß Sauerstoff im Entstehungszustande, wie er leicht und bequem aus Wasserstoffsuperoxyd gewonnen werden kann, gleichfalls im stande ist, den Schwefel zu oxydieren. Da der gewöhnliche Sauerstoff dies noch viel weniger vermag, so blieb nur die Möglichkeit, daß die Oxydation durch Ozon veranlaßt werde; und dies hat der Versuch direkt bestätigt.

Es folgt nun aus diesen Versuchen, daß die oxydierenden Eigenschaften des Ozons verschieden sind von den des naszierenden Sauerstoffes; daß Ozon ein gewöhnlicher Bestandteil der Luft sei, und daß vielleicht der Schwefel durch die Eigenschaft, sich mit dem Ozon zu verbinden, ein geeignetes Mittel zum Nachweis des Ozons in der Luft und möglicherweise zu seiner Dosierung liefern könnte. (Rendiconti Reale Istituto Lombardo 2. 17. 198; Ntf. 17. 196.)

E. Divers und **Masachika Shimosé**, *Über die Einwirkung von Chlorwasserstoff auf Selensulfoxyd.* Diese läßt sich durch die folgenden Gleichungen ausdrücken:

(1) $2\,SeSO_2 + 2\,HCl = SeSO_2SeCl_2 + H_2SO_4$
(2) $SeSO_2SeCl_2 + HCl = Se_2Cl_2 + SO_2HOCl$.

Selensulfoxy-   Selenium-
chlorid   Selenochlorid.

Selen wird in rauchender Schwefelsäure gelöst und Salzsäuregas durch die Lösung geleitet, worauf sich eine tiefrote Flüssigkeit abscheidet. Diese ist das Selenium-Selenochlorid. Die Mutterlauge enthält Sulfurylhydroxychlorid, welches noch nicht isoliert werden konnte. (Chem. N. 49. 212. 9. [1.] Mai. London, Chem. Soc.).

E. Divers und **Masachika Shimosé**, *Über Selensulfoxyd.* Eine gelbe Modifikation von Selensulfoxyd scheint zu existieren, hat aber bis jetzt noch nicht in reinem Zustand dargestellt werden können. Beim Erhitzen wird sie in Selen und Schwefelsäureanhydrid zersetzt. Letzteres oxydiert einen Teil des Selensulfoxydes zu seleniger Säure und schwefliger Säure. Tellursulfoxyd giebt beim Zersetzen mit Wasser Tellur und Schwefelsäure und durch eine sekundäre Reaktion schweflige Säure und tellurige Säure. (Chem. N. 49. 212. 9. [1.] Mai. London, Chem. Soc.).

K. Olszewski, *Neue Versuche zur Verflüssigung des Wasserstoffes. Erstarrung und kritische Temperatur des Stickstoffes.* Obwohl nach den Bestimmungen des Vfs. der im Vakuum verdampfende, flüssige Sauerstoff die Temperatur bis auf −198° C. herabsetzt, war es nicht möglich, mittels dieses Kältegrades den Wasserstoff zu verflüssigen; die kritische Temperatur dieses Gases muß also noch tiefer liegen. Erfolgreicher hingegen waren einige Versuche mit Stickstoff, der durch flüssiges Äthylen nur schwer verflüssigt werden konnte.

Wurde dieses Gas einem Drucke von 60 Atm. ausgesetzt und während einer ziemlich langen Zeit in einer Glasröhre bis auf −142° C. abgekühlt mittels Äthylen, der sich im Vakuum verflüchtigte, so wurde der Stickstoff flüssig, ohne daß man einen Meniscus sehen konnte. Wenn man den Druck bis auf 35 Atm. verminderte, so begann der Stickstoff mit einer solchen Schnelligkeit zu sieden, daß er in den oberen Teilen der Röhre weiß und undurchsichtig erschien. Wurde der Druck auf dieser Höhe gehalten, so hörte der Stickstoff zu sieden auf, er wurde vollkommen klar und ließ einen sehr ausgesprochenen Meniscus erkennen. Der flüssige Stickstoff verharrte in diesem Zustande ziemlich lange, verdampfte aber nach und nach und erzeugte eine Druckzunahme in dem Apparat. Weiter wurde der Meniscus immer weniger deutlich, und schließlich verschwand er gänzlich, als das Manometer 39,2 Atm. Druck angab. Der Druck von 39,2 Atm. ist also der kritische Druck des Stickstoffes.

Wurde der flüssige Stickstoff auf den Druck einer Atmosphäre gebracht, so verdampfte er anfangs schnell; dann, wenn weniger als die Hälfte übrig war, wurde die Verdampfung langsamer, aber die Flüssigkeit selbst blieb vollkommen durchsichtig, ohne eine Spur von Krystallen zu zeigen. Das Erstarren des Stickstoffes trat ebenso wenig ein, wenn man in dem Apparat ein Vakuum herstellte. Anders jedoch verhielt sich der Stickstoff, wenn man Wasserstoff in einer Röhre von 4,5 mm äußerem und 2,5 mm innerem Durchmesser in flüssigen Stickstoff tauchte und nun, während letzterer im Vakuum verdampfte, den Druck des Wasserstoffes von 160 Atm. auf 40 Atm.

sinken liefs. Dieser kondensierte sich zu einer farblosen und durchsichtigen Flüssigkeit, die, in der Röhre herumgeschleudert, an den Wänden herabflofs. Einen Moment später bedeckte sich die äufsere Fläche der Röhre im gasförmigen Stickstoff mit einer weifsen, undurchsichtigen Schicht, und innerhalb des flüssigen Stickstoffes mit einer halb durchsichtigen Eismasse. Diese Eismasse und weifse Schicht waren offenbar Stickstoff, der an den Wänden der Röhre erstarrt war, die durch das Sieden des in der Röhre enthaltenen, flüssigen Wasserstoffes ungeheuer abgekühlt waren. (C. r. **98.** 913—15; Naturforscher **17.** 214.)

G. Lunge, *Über Chlorkalk und Chlorlithion.* Vf. wendet sich gegen die Einwände, welche von KRAUT (**83.** 731) gegen die von ihm in Gemeinschaft mit NAEF unter obigem Titel publizierte Abhandlung erhoben worden sind (**83.** 635. 731). Die neuerdings angestellten Versuche beweisen unter anderen, dafs auch bei 0° der Verlauf der Reaktion derselbe, wie bei den bei gewöhnlicher Temperatur angestellten Versuchen, ·nur weit langsamer ist. Ferner widerlegen sie die Behauptungen KRAUT's, dafs trocknes Lithiumhydrat bei 0° kein Chlor aufnahm, und dafs die grofsen, von NAEF und dem Vf. aufgefundenen Mengen von überschüssigem Chlorid nur infolge der höheren Temperatur (ca. 15°) entstanden waren. (LIEB. Ann. **223.** 106—10. Nov. Zürich.)

A. Joly, *Über die sauren Phosphate des Baryts.* Wenn man in Wasser bei gewöhnlicher Temperatur das saure Bariumphosphat, $BaO, 2HO, PO_5$, bringt, so zersetzt sich dasselbe, es schlägt sich Dibariumphosphat, $2 BaO, HO, PO_5$, nieder, und die sehr saure Flüssigkeit enthält Baryt und Phosphorsäure. Diese Erscheinung ist derjenigen analog, welche der Vf. in einer früheren Mitteilung studiert hat (S. 83). Sie unterscheidet sich indes durch die verschiedenen Grenzen, welche man beobachtet, wenn man zu ein und derselben Menge Wasser steigende Mengen Salz zusetzt und das Verhältnis bestimmt, gegen welches die Mengen der Base und der Säure, welche in der restierenden Flüssigkeit enthalten sind, streben. Bei mittlerer Temperatur von 15° wurden zunehmende Mengen von Monobariumphosphat in 100 g Wasser gebracht. In dem gleichen Volum einer jeden Lösung bestimmte man den Baryt und die Phosphorsäure. Nimmt man an, dafs die Base ihrer ganzen Menge nach mit der Säure verbunden bleibt, um Monobariumphosphat zu bilden, welches gelöst bleibt, ohne in Gegenwart eines Überschusses von Phosphorsäure Zersetzung zu erleiden, so wird die Säure in zwei Fraktionen vorhanden sein, von denen der Vf. die eine die *verbundene* und die andere die *freie* nennt. Einige der auf diese Weise erhaltenen Resultate sind in der unten folgenden Tabelle verzeichnet; der Vf. hat ferner das Verhältnis R der gesamten Phosphorsäure zur verbundenen Phosphorsäure, das Gewicht p des gelösten Monobariumphosphates, das Gewicht P des ursprünglichen Salzes und endlich das Verhältnis $\frac{p}{P}$ berechnet, welches diejenige Fraktion des Salzes repräsentiert, die ohne Zersetzung gelöst ist.

P	Baryt	Phosphorsäure			p	$\frac{p}{P}$	R
		total	verbunden	frei			
0,96	0,395	0,39	0,37	0,02	0,85	0,89	1,06
2,83	1,05	1,10	0,97	0,13	2,27	0,80	1,12
5,23	1,46	1,80	1,36	0,44	3,14	0,61	1,32
5,53	1,40	1,84	1,30	0,54	3,03	0,55	1,41
7,55	1,82	2,46	1,69	0,77	3,93	0,52	1,46
10,28	2,33	3,28	2,16	1,12	5,02	0,49	1,52
20,22	3,86	6,13	3,58	2,55	8,34	0,41	1,71
30,30	5,12	8,88	4,75	4,13	11,07	0,365	1,82
45,60	7,26	13,15	6,74	6,41	15,70	0,345	1,95
72,40	11,20	20,73	10,37	10,36	24,15	0,333	1,99

Diese Tabelle ergiebt, dafs, wenn das Gewicht P des mit der gleichen Menge Wasser zusammengebrachten Salzes von 1 auf 72 steigt, das Verhältnis R der totalen zur verbundenen Phosphorsäure von 1 auf 1,99, oder nahezu 2 wächst, d. h. dafs in der konzentriertesten Lösung, welche erhalten wurde, indem man einen Überschufs des Monobariumsalzes in das Lösungmittel brachte, die Phosphorsäure und der Baryt zu einander in dem Verhältnisse von 2 Aq. Säure zu 1 Aq. Base stehen, was der Formel:

$$BaO, 2HO, PO_5 = \tfrac{1}{2}(2BaO, PO_5) + \tfrac{1}{2}(BaO, 2HO, PO_5) + \tfrac{1}{2}(PO_5, 3HO)$$

entspricht.

Ein Drittel des sauren Phosphates ist also ohne Zersetzung gelöst, während die beiden anderen Drittel in zweibasisches unlösliches Phosphat und in gelöste Phosphorsäure gespalten sind.

Um dem Gange der Erscheinung besser zu folgen, kann man die Resultate graphisch darstellen oder dafür eine empirische Formel berechnen. Im ersteren Falle nimmt man als Abscissen die Werte von P und als Ordinaten das Verhältnis $\frac{p}{P}$, wodurch man erkennt, daſs der Vorgang kein kontinuierlicher iſt. Solange die Werte von P kleiner als 6 sind, bildet die Kurve nahezu eine gerade Linie, deren Gleichung (wenn man $P =$ x und $\frac{p}{P} = $ y setzt:

$$y = 1 - 0,077\,x \quad \ldots \quad \ldots \quad \ldots \quad (1)$$

ist. Noch genauer wird das Resultat ausgedrückt durch:

$$y = \frac{1}{1,095^2} \quad \ldots \quad \ldots \quad \ldots \quad (2)$$

Sobald aber P in die Nähe von 6 kommt, also $\frac{p}{P}$ ungefähr 0,55 wird, so biegt die Kurve rasch nach der x-Axe um und wird asymptotisch zur Geraden y = 0,33. Die Formel:

$$y = 0,33 + \frac{0,34}{1,077^2} \quad \ldots \quad \ldots \quad \ldots \quad (3)$$

deren Koeffizienten aus allen Versuchsresultaten berechnet worden sind, ist ein genauer Ausdruck für die Erscheinung.

Die Zersetzung des Monobariumphosphates durch Wasser hat also zwei Phasen. In der ersten nimmt, während die Menge des in das gleiche Gewicht Wasser gebrachten Monobariumphosphates nach einer arithmetischen Reihe steigt, das Gewicht dieses Salzes, das sich ohne Zersetzung löst, in geometrischer Progression ab. Sobald aber die Hälfte des ursprünglichen Salzes zersetzt ist, ändert sich die Erscheinung. Der Vf. nimmt an, daſs sich dann in der Flüssigkeit ein zweibasisches Salz, $BaO, 2PO_5, Aq$, welches zum Teil zersetzt ist, gebildet hat, dessen Menge zugleich mit der Acidität der Flüssigkeit wächst, und welches an der Grenze allein existiert. Die Erscheinungen, welche man beobachtet, wenn man die sauersten Lösungen bei Gegenwart von abgeschiedenem Dibariumphosphat mit Wasser verdünnt, stimmen mit dieser Annahme überein.

Der Vf. hat in derselben Weise die Zersetzung des Monocalcium- und Monostrontiumphosphates bei gewöhnlicher Temperatur oder bei Temperaturen von 0, 50 und 80° untersucht und ist zu der Annahme gelangt, daſs sich Polyphosphate, $MO, 2PO_5, Aq$, oder $2MO, 3PO_5, Aq$ bilden. (C. r. 98. 1274—76. [19.*] Mai.)

A. J. Shilton, *Notiz über Eisensulfocyanid.* Setzt man zu einer Lösung von Rhodankalium einen Tropfen einer verdünnten Eisenchloridlösung, so verschwindet die rote Farbe, welche zuerst entsteht vollständig; ferner beobachtete der Vf., daſs eine Lösung, welche soviel Eisensulfocyanid enthält, daſs sie ganz undurchsichtig ist, sich vollständig entfärbt, sobald man sie mit überschüssiger Salzsäure kocht. Diese Erscheinungen erklären sich leicht dadurch, daſs das Sulfocyanid ein kräftig reduzierendes Agens ist. (Chem. N. 49. 234. 25. [13.] Mai, London, Chem. Soc.)

Terreil, *Über krystallisiertes ammoniakalisches Silberchlorid und -jodid.* Amorphes ammoniakalisches Silberchlorid wurde mit einer gesättigten Ammoniaklösung in einem geschlossenen Rohre im Wasserbade erhitzt. Hierbei löste es sich rasch und vollständig auf, und beim Abkühlen schieden sich aus der Lösung lange weiſse blätterförmige Prismen ab, welche aus Nadeln zusammengesetzt waren. Diese verloren an der Luft ihr Ammoniak rasch, schwärzten sich im Lichte und verwandelten sich zugleich in mikroskopische glimmerartige Blättchen; durch Wasser wurden sie ebenfalls zersetzt. Die Analyse der Krystalle ergab die Formel $AgCl, 2NH_3$. Ähnlich verhielt sich das Silberjodid, welches Krystalle von der Formel $AgJ, 2NH_3$ gab. Mit Silberbromid wurden negative Resultate erhalten. (C. r. 98. 1279—80. [19.*] Mai.)

A. Ditte, *Über die Einwirkung des Kaliumsulfides auf Quecksilbersulfid.* Bringt man frisch gefälltes Quecksilbersulfid in eine kalte Lösung von Kaliumsulfid, so löst es sich darin zum gröſsten Teil; sobald die Flüssigkeit gesättigt ist, verwandelt sich der Überschuſs in schöne weiſse, durchsichtige, glänzende Krystallnadeln von der Formel HgS, $KS, 7HO$. Wendet man eine warme Lösung an, so bildet das metallische Sulfid glänzende goldgelbe Blättchen von der Formel HgS, KS, HO. Die Bildung dieses Doppelsulfides findet unter beträchtlicher Wärmeentwicklung statt. Setzt man zu einer konzentrierten kalten Lösung von Kaliumsulfid pulverförmiges Quecksilbersulfid, so verwandelt sich dieses augenblicklich in eine harte kompakte Masse, die Flüssigkeit erhitzt sich stark, und nach einiger Zeit ist das metallische Sulfid vollständig in weiße Krystalle des Doppelsulfids umgewandelt.

Das Doppelsulfid, HgS, KS, löst sich ohne Zersetzung in einer konzentrierten Lösung von Schwefelkalium, durch verdünnte Lösungen aber, sowie durch reines Wasser wird es augenblicklich zersetzt. Erhitzt man eine Lösung dieser Verbindung, so zerfällt dieselbe, sobald man Wasser hinzufügt. Da die Temperatur steigt, so kommt bald ein Moment, wo die Menge des in der Lösung enthaltenen freien alkalischen Sulfids die kleinste Menge ist, welche die Flüssigkeit bei der betreffenden Temperatur enthalten darf, um das Doppelsalz nicht zu zersetzen; erhitzt man nun noch ein wenig, so wird das Gleichgewicht gestört, und das Doppelsulfid zersetzt sich, die Flüssigkeit wird trübe, und es bildet sich ein Niederschlag, in um so beträchtlicherer Menge, je stärker man erhitzt. Läßt man nun erkalten und schüttelt lebhaft, so löst sich der Niederschlag wieder, und das Gleichgewicht der Lösung kehrt zurück. Der unter diesen Umständen erhaltene Niederschlag ist nicht das schwarze amorphe Quecksilbersulfid, welches sich bildet, wenn man kaltes Wasser zu dem Doppelsulfid setzt, er bildet vielmehr schwarze, sehr glänzende Nadeln, welche meist strahlenförmig vereinigt sind und noch Schwefelkalium enthalten: es ist dies ein neues Doppelsulfid, dessen Zusammensetzung der Formel 5 HgS, KS, 5 HO entspricht. Diese Verbindung kann auch direkt erhalten werden, wenn man einen Überschuß von Quecksilbersulfid in eine konzentrierte Lösung von Schwefelkalium bringt, deren Konzentration indes nicht grofs genug ist, um die weifsen Nadeln des Doppelsulfides HgS, KS zu geben; ein Teil des Schwefelmetalles löst sich, und nach Ablauf einiger Stunden ist der Rest in schöne schwarze glänzende Nadeln von der Zusammensetzung 5 HgS, KS, 5 HO umgewandelt. Die schwarzen Krystalle sind um so glänzender und voluminöser, je langsamer sie sich bilden; durch Wasser werden sie nicht gelöst, wohl aber zersetzt, denn wenn man sie, nachdem sie von der alkalischen Flüssigkeit getrennt sind, mit kaltem Wasser wäscht, so fliefst dieses klar ab, solange es noch eine gewisse Menge alkalisches Sulfid enthält; digeriert man aber die Krystalle in einer grofsen Menge Wasser, so verlieren sie bald ihren Glanz und werden trübe; da sie fast löslich sind, so erfolgt der Angriff auf der Oberfläche; es löst sich Schwefelkalium, und schwarzes amorphes Quecksilbersulfid wird gebildet, welches die Flüssigkeit trübt. Nach einer gewissen Zeit sind die Krystalle vollständig verschwunden. Die Zersetzung geht viel rascher von statten, wenn man warmes Wasser anwendet, besonders bei der Siedetemperatur.

Bringt man also Quecksilbersulfid in Berührung mit einer Lösung von Schwefelkalium, so löst diese immer eine gewisse Menge davon auf; ist die Lösung verdünnt, so tritt weiter keine Veränderung ein, und der Überschuß des metallischen Sulfides erleidet keine Umwandlung, selbst nicht nach mehreren Monaten. Übersteigt die Konzentration eine gewisse Grenze, so wandelt sich das überschüssige Quecksilbersulfid in schwarze Nadeln des Doppelsulfides 5 HgS, KS um, und zwar um so rascher, je höher die Temperatur ist; andererseits aber ist, um die Krystallisation zu bewirken, je höher Temperatur auch eine um so stärkere Lösung des alkalischen Sulfides nötig. Endlich, wenn letztere einen noch höheren Grad von Konzentration angenommen hat, so wird die Bildung des Doppelsulfides HgS, KS möglich, und es entstehen allmählich weifse Krystalle, welche bald das ursprüngliche Quecksilbersulfid vollständig ersetzen. Bei einer gegebenen Temperatur kann man also das eine oder das andere dieser Sulfide erhalten, je nachdem die angewendete Flüssigkeit mehr oder weniger reich an alkalischem Sulfid ist.

Da das Doppelsulfid 5 HgS, KS sich auf Kosten der Verbindung HgS, KS bilden kann, sobald man eine Lösung der letzteren unter geeigneten Bedingungen erhitzt, so kann man mit derselben alkalischen Flüssigkeit, welche ein wenig reicher an alkalischem Sulfid ist, als diejenige, welche in der Kälte das Salz HgS, KS zersetzt, nach Belieben das eine oder das andere Doppelsalze erhalten, je nachdem man die Bedingungen der Temperatur ändert; nimmt man z. B. eine Flüssigkeit, welche in 1000 Teilen Wasser 428 Teile Kaliumsulfid und 647 Teile Quecksilbersulfid enthält, und erhitzt sie mit einem Überschuß des letzteren, so wird dieser vollständig in schwarze Nadeln umgewandelt; wenn man dagegen die warme Flüssigkeit filtriert und abkühlen läßt, so verbindet sich ein Teil des alkalischen Sulfides in dem Mafse, wie die Flüssigkeit erkaltet, mit dem gelöst gebliebenen Doppelsulfide 5 HgS, KS, und es scheiden sich glänzende Nadeln der Verbindung HgS, KS, 7 HO ab.

Die Gleichgewichtsbedingungen einer Flüssigkeit werden übrigens stets modifiziert, wenn man sie mit einem Überschuß von Quecksilbersulfid versetzt. Nimmt man z. B. irgend eine kalte Lösung, welche Krystalle des Doppelsalzes HgS, KS, 7 HO enthält, und mengt sie mit einem Überschuß von Quecksilbersulfid, so sieht man die weißen Krystalle allmählich verschwinden; die Gleichgewichtsbedingungen werden bei gleichbleibender Temperatur vollständig verändert, und bald enthält die Flüssigkeit nur noch schwarze Nadeln des Doppelsulfides 5 HgS, KS, 5 HO. Dieses letztere bildet sich also stets innerhalb einer alkalischen Flüssigkeit, welche einen gewissen Konzentrationsgrad überschreitet, aber zugleich zu arm an alkalischem Sulfid ist, um die Bildung der Verbindung HgS, KS zu bewirken; es bildet sich auch in sehr konzentrierten alkalischen Flüssigkeiten, welche mit überschüssigem Quecksilbersulfid in Berührung gebracht werden, und endlich, wenn man durch Erwärmen die Lösungen des Doppelsulfides HgS, KS zersetzt. In dem letzteren Falle können die Krystalle des Sulfides 5 HgS, KS je nach den Umständen in zwei verschiedenen Formen auftreten; sie können auch von verschieden krystallisiertem Quecksilbersulfid begleitet sein. Hierüber will Vf. in einer nächsten Arbeit Näheres mitteilen. (C. r. **98.** 1271—73. [19.*] Mai.)

Karl Hoffmann, *Zur Kenntnis der Wismutsäure.* Nach den Untersuchungen des Vfs. ist die höchste Oxydationsstufe des Wismuts, die Wismutsäure, nach der Formel Bi_2O_5 zusammengesetzt. Kaliverbindungen derselben entstehen, wenn Wismuthydroxyd in einer nicht zu konzentrierten Kalilauge (bis vom spez. Gewicht 1,539) verteilt, Chlor in der Kälte eingeleitet und darauf nach Zusatz von Kalilauge bis zur alkalischen Reaktion gekocht wird. Diese Operation ist mit der erhaltenen Wismutverbindung unter Anwendung neuer Mengen Kalilauge wiederholt (etwa dreimal) vorzunehmen.

Die so entstehenden Kaliumbismutate sind nach dem Typus $2 BiO_2K + nBi_2O_5$ zusammengesetzt, von rotbrauner bis dunkelviolettbrauner Farbe und um so kalireicher, je konzentrierter die Kalilauge angewandt wurde. Durch siedendes Wasser gehen sie in etwas heller aussehende kaliärmere Salze über.

Beim vielfach wiederholten Behandeln dieser Salze mit kohlensäurehaltigem Wasser in gelinder Wärme geht der größte Teil des Kalis aus der Verbindung, aber vielleicht nicht der ganze, uud es entsteht eine hell leberbraune sehr kaliarme Verbindung der Wismutsäure.

Alle diese Verbindungen sind wasserfrei. Mit Essigsäure behandelt, hinterlassen sie das orangefarbene Bismutylbismutat, Bi_4O_9, mit verdünnter Salpetersäure gekocht, das gelbbraune Bismutylbismutat, Bi_4O_8.

Wendet man Wismuthydroxyd und so starke Kalilauge an, daß sie beim Erkalten krystallisiert, und leitet in die siedende Lösung das Chlor, so erhält man ockergelbe bis rote Kaliverbindungen, welche basische Kaliwismutoxydsalze der Wismutsäure oder Kalibismutylbismutate der drei- oder fünfbasischen Wismutsäure sind. In ihnen ist also nicht alles Wismut pentavalent, sondern zum Teil noch trivalent enthalten. Ebensolche Verbindungen entstehen, wenn man krystallinisches Wismutoxyd anwendet und in der Siedehitze das Chlor zuleitet. Das Wismutoxyd wird also allmählich und unter gleichzeitiger Aufnahme von Kali in die höchste Oxydationsstufe verwandelt. Die erst entstehenden ockergelben und roten Körper sind Zwischenverbindungen, welche auch bei wiederholter Behandlung mit neuer konzentrierter Kalilauge und Chlor nicht höher oxydiert werden und also nicht in reine Kaliumbismutate übergehen.

Sie liefern beim Kochen mit konzentrierter Salpetersäure das orangegelbe wasserhaltige

$$Bismutylbismutat\ Bi_2\overset{v}{O}_4 + 2 H_2O = Bi\overset{III}{O}_2(BiO) + 2 H_2O\ (das\ „Wismutsuperoxydhydrat``$$
$BiO_2 + H_2O$ von Heintz und Schrader). (Lieb. Ann. **223.** 110—36.)

5. Physiologische, medizinische und pharmazeutische Chemie.

Pichard, *Über die nitrifixierende Wirkung einiger Salze in der Ackererde.* Stickstoffhaltige organische Substanzen werden in sterilem, fast reinem Quarzsand, wie aus den Untersuchungen von Schlösing und Müntz hervorgeht, nicht nitrifiziert. Nach dem Vf. wirken dagegen die Sulfate des Kaliums, Natriums und Calciums, in einer Menge von 5 p. m. dem Boden zugesetzt, stark nitrifizierend, besonders das Calciumsulfat. Wegen der Schwerlöslichkeit des letzteren Salzes kann man annehmen, daß die Wirkung desselben innerhalb weiter Grenzen schwankt und ihr Maximum bei einer gleichmäßigen Verteilung innerhalb des Bodens erlangt. Unter einem gleichen Umständen ist die Nitrifikation in einem feinkörnigen Boden, dessen Teilchen höchstens 1 mm Durchmesser haben, bedeutender als in einem grobkörnigen mit Körnern von 1—3 mm Durchmesser, jedenfalls infolge einer gesteigerten Einwirkung der Luft und einer regelmäßigen Durchfeuchtung des ersteren im Vergleich mit dem zweiten. Setzt man die nitrifizierende Wirkung des Calciumsulfates gleich 100, so erhält man für die verschiedenen. Salze die folgenden Zahlen:

Calciumsulfat	100
Natriumsulfat	47,91
Kaliumsulfat	35,78
Calciumcarbonat	13,32
Magnesiumcarbonat	12,52

Diese Zahlen können für Kalium- und Natriumsulfat, wenn beide in nicht gesättigten Lösungen angewendet werden, variieren, scheinen aber für das Calciumsulfat, sowie für das Calcium- und Magnesiumcarbonat konstant zu sein. Hiermit scheint der Düngewert des Gipses in Zusammenhang zu stehen. (C. r. **98**. 1289—90. [19.*] Mai.)

A. B. Griffiths, *Über die Einwirkung von Ferrosulfat auf das Pflanzenleben.* Der Vf. fand, daſs 0,15 p. c. Ferrosulfat als Zusatz zu einer Lösung verschiedener Salze günstig, dagegen 0,2 p. c. schädlich einwirkt auf die Entwicklung von Senfsamen, Kohlpflanzen und gewisse mikroskopische Wasserpflanzen. (Chem. N. **49**. 234. 25. [13.] Mai. London, Chem. Soc.).

P. P. Dehérain, *Über die landwirtschaftliche Anwendung der Superphosphate.* (C. r. **98**. 1286—89. [19.*] Mai.)

G. Esbach, *Harnsaures Natron?* Der amorphe ziegelrote Niederschlag, welcher sich so häufig aus konzentrierten sauren Harnen ausscheidet, besteht nicht, wie man bisher allgemein annahm, aus harnsauren Salzen, sondern aus Harnsäure selber. Filtriert man den Niederschlag ab, wäscht ihn mit Wasser aus, preſst zwischen Filtrierpapier und bringt noch feucht eine Probe auf blaues Lackmuspapier, so färbt sich dasselbe rot. Rührt man eine Probe des Niederschlages mit wenig Wasser auf dem Objektträger an und bedeckt mit dem Deckgläschen, so bilden sich aus der vorher amorphen Masse allmählich die für Harnsäure charakteristischen Krystalle. — Neben Harnsäure findet sich in diesem Niederschlage häufig oxalsaurer Kalk und, wenn der Harn einige Zeit gestanden hat, Magnesiumphosphat. Der Grund, weshalb sich die Harnsäure amorph und nicht krystallinisch ausscheidet, liegt in der Anwesenheit von Mucin (nachgewiesen durch Alkohol, dem man einige Tropfen Jod zusetzt). (Bull. gén. de thérap. 1884. 107; C.-Bl. f. klin. Med. **5**. 303—4.)

Georg Salomon, *Über das Paraxanthin, einen neuen Bestandteil des normalen menschlichen Harnes.* Unter dem Namen Paraxanthin hat Vf. einen neuen Bestandteil des normalen menschlichen Harnes beschrieben (**83**. 189), der durch seine Reaktionen eine nahe Verwandtschaft mit den Xanthinkörpern bekundet, aber vor den übrigen Gliedern dieser Gruppe sich durch eine vorzügliche Krystallisationsfähigkeit auszeichnet.

Zur Darstellung wurden Xanthin, Hypoxanthin, Paraxanthin und die ihnen verwandte Harnsäure durch Zusatz einer ammoniakalischen Silberlösung in Form von Silberverbindungen herausgefällt. Letztere werden durch Schwefelwasserstoff zersetzt, aus dem Filtrat wird die Harnsäure zuerst durch Eindampfen der Flüssigkeit zur Abscheidung gebracht und dann durch Zusatz von Ammoniak; durch letzteren werden aber auch die Phosphate mit etwas Kalkoxalat gefällt. Die filtrierte Lösung versetzt man von neuem mit Silbernitrat und löst den Niederschlag behufs Abtrennung des Hypoxanthins nach NEUBAUER in heiſser Salpetersäure von 1,1 spez. Gewicht. Beim Erkalten fällt rasch das schwerlösliche salpetersaure Silberhypoxanthin. Die salpetersaure Lösung wird nach dem Abfiltrieren mit Ammoniak versetzt, wobei sich, jetzt zum dritten Male, Xanthinsilber und Paraxanthinsilber ausscheiden. Der Niederschlag wird auf einem Filter gesammelt, mit Schwefelwasserstoff heiſs zerlegt, das Flüssigkeit, in der das Schwefelsilber vorhanden ist, heiſs filtriert, das Filtrat auf ca. 100 ccm eingedampft und ein wenig Ammoniak zugesetzt, wodurch in 12—24 Stunden die letzten Reste von Phosphaten und Oxalaten ausgefällt werden. Man dampft das Filtrat von den letzteren im Becherglase weiter ein, bis diffuse Trübung auftritt, und findet am nächsten Tage das Xanthin ausgeschieden. Man filtriert und dampft schlieſslich, unter Filtration etwa sich noch abscheidender Xanthinmengen, bis auf wenige Kubikzentimeter ein. Man kann das auskrystallisierte Paraxanthin durch Abpressen und Umkrystallisieren aus heiſsem Wasser reinigen. Es bildet eine schneeweiſse, sehr lockere, blätterige Masse von schönem Seidenglanz.

Die Elementaranalyse ergab Zahlen, welche für die Formel $C_7H_8N_4O_2$ sprechen. Hiernach würde dem Paraxanthin dieselbe empirische Zusammensetzung zukommen, wie dem Theobromin, das bekanntlich nach E. FISCHER (**83**. 66) als ein Methylderivat des Xanthins zu betrachten ist. Es würde ferner die Formel auch mit dem Dioxydimethylpurin von FISCHER übereinstimmen.

Bei einer Vergleichung des Theobromins mit dem Paraxanthin hat sich herausgestellt, daſs von einer Identität derselben nicht die Rede sein kann. Allerdings teilt ersteres, abgesehen, von der Fällbarkeit durch Silbernitrat, mit dem letzteren die Rotfärbung beim Eindampfen mit Chlorwasser, auch die kompliziertere WEIDEL'sche Reaktion geben beide (wie auch das Xanthin). Die Rotfärbung geht bei allen drei Substanzen auf Zusatz von

Natronlauge in ein schönes, aber schon in der Kälte rasch verschwindendes Blauviolett über, endlich ist das Theobromin ebenso wie Paraxanthin nicht fällbar durch Quecksilbersalze, dagegen fehlt dem Theobromin die Fähigkeit, gröfsere Krystalle zu bilden, und der eigentümliche Geruch nach Isonitril, welcher beim Paraxanthin beim Erhitzen auftritt. Das Theobromin unterscheidet sich auch durch sein Verhalten zur Natronlauge vom Paraxanthin (**83.** 189). Mit dem Dioxydimethylpurin (methylierte Harnsäure) ist das Paraxanthin nicht identisch.

Weitere Versuche bewiesen, dafs das Paraxanthin ein präformierter Bestandteil des Harns ist und nicht durch Einwirkung der bei seiner Darstellung verwendeten Reagenzien auf andere Harnbestandtteile aus letzteren entstanden sein kann. (Ztschr. f. klin. Med. 7. Suppl.-Hft. 63—80.)

H. Quincke, *Über einige Bedingungen der alkalischen Reaktion des Harns.* (Ztschr. f. klin. Med. **7.** Suppl.-Heft. 22—33. Kiel.)

Hauser, *Über das Vorkommen von Mikroorganismen im lebenden Gewebe des normalen tierischen Organismus.* Die Frage, ob bereits in dem lebenden Gewebe eines gesunden Tieres Mikroorganismen — seien es Keime von irgend welchen unschädlichen Spaltpilzarten, oder seien es Keime von Fäulniserregern, welche nach dem Tode unfehlbar faulige Zersetzung des Gewebes herbeiführen müfsten — vorhanden wären, war schon vielfach der Gegenstand sehr eingehender, wichtiger Untersuchungen gewesen. Obwohl bereits verschiedene Autoren zu negativen Resultaten, welche hier jedenfalls mehr ins Gewicht fallen, als positive, gekommen sind und kürzlich von ZAHN mit Bestimmtheit der Nachweis erbracht wurde, dafs wenigstens das Blut gesunder Tiere absolut frei von jeglichen derartigen Keimen ist, so ist doch die ganze Frage noch lange nicht als gelöst zu betrachten.

Eine gröfsere Reihe von in dieser Richtung angestellten Versuchen, welche in den letzten Monaten am pathologisch-anatomischen Institute zu Erlau vom Vf. ausgeführt wurde, ergab: nun ein Resultat, welches im stande sein dürfte, einen wesentlichen Beitrag zur Lösung dieser Frage zu liefern, und welches Vf. daher, da ihm die Fertigstellung der ganzen Arbeit, sowie das Studium anderer daran sich knüpfender Fragen wohl noch eine geraume Zeit beschäftigen werden, schon jetzt der Öffentlichkeit übergeben möchte.

Bis jetzt wurden 49 Versuche angestellt, von welchen 36 bereits zum Abschlufs gebracht sind, während die übrigen 13 noch nicht auf ihr Ergebnis geprüft sind. Es wurden zu den Versuchen dem frisch getöteten Tiere ganze Organe oder gröfsere Gewebstücke einfach mit ausgeglühten Instrumenten ohne jegliche besondere Cautelen entnommen und dann in mit Watte verschlossene Reagensgläser oder in Glasdosen gebracht, welche zuvor im Trockensterilisationsschrank durch Erhitzen sterilisiert worden waren. Benutzt wurden folgende Organe: Herz, Milz, Leber, Niere, Muskel, Hoden und aufserdem ganze Embryonen. Um das Vertrocknen der Präparate zu verhindern, kamen die Gläser in eine feuchte Kammer und wurden dann meistens in die Brütofen gestellt, wo sie einer konstanten Temperatur von 27—38° C., in mehreren Fällen bis zu 38° C. ausgesetzt waren.

Obwohl nun die Präparate zum Teil länger als zwei, ja selbst drei Wochen in dieser Weise aufbewahrt waren, so ist doch unter den 36 bis jetzt abgeschlossenen Versuchen in keinem einzigen eigentliche Fäulnis eingetreten; 26 mal, d. h. in 72,2 p. c., blieb überhaupt jegliche Entwicklung von Mikroorganismen aus, und trat auschliefslich spontane Zersetzung des Gewebes ein, bei welcher dasselbe einen eigentümlichen, an Fleischextrakt oder starke Fleischbrühe erinnernden Geruch erhält. Bei den übrigen 10 Versuchen entstand einmal ein kleiner Schimmelpilzrasen, einmal eine Hefepilzkolonie, und nur achtmal entwickelten sich Bakterien, welche aber durch nachträgliche Züchtung stets als einzelne Reinkulturen verschiedener Arten erkannt wurden, welche für sich allein, selbst bei massenhafter Entwicklung, niemals die gewöhnliche faulige Zersetzung herbeigeführt hatten.

Es erscheint dem Vf. zweifellos, dafs in den acht Fällen die Bakterienentwicklung, gerade so wie die Entwicklung des Schimmelpilzrasens und des Hefepilzes, lediglich auf zufällige Verunreinigung von aufsen zurückzuführen ist, wie denn auch in zwei Fällen die Fehlerquellen sich evident nachweisen liefsen.

Es wurden auch Untersuchungen daraufhin angestellt, ob verschiedene Gasarten einen wesentlichen Einflufs auf die Bakterienentwicklung in den Geweben und die faulige Zersetzung der letzteren ausüben. Bis jetzt sind Wasserstoff, Sauerstoff und Kohlensäure geprüft worden, jedoch ist die Anzahl der in dieser Hinsicht vorgenommenen Versuche noch zu klein, um bereits ein abschliefsendes Urteil hierüber abzugeben. Sichergestellt ist nur soviel, dafs weder im Wasserstoffgas, noch in der Kohlensäure Bakterienentwicklung in den Geweben erfolgt, wenn nicht Keime von aufsen hinzugetreten sind; Kohlensäure scheint in letzterem Falle die Bakterienentwicklung und die Fäulnis etwas zu verzögern, reiner Sauerstoff dagegen dieselben zu begünstigen.

Die chemische Untersuchung der bei der spontanen Gewebszersetzung, welche also zunächst lediglich durch den Tod des Gewebes bedingt ist und ohne jegliche Einwirkung von Mikroorganismen vor sich geht, entstehenden Zerfallsprodukte hat FLEISCHER übernommen und wird das Resultat seiner Untersuchungen in einer besonderen Arbeit veröffentlichen. (Med. C.-Bl. **22**. 355—356.)

Jac. G. Otto, *Das Vorkommen grofser Mengen von Indoxyl- und Skatoxylschwefelsäure im Harn bei Diabetes mellitus.* (PFLÜGER's Arch. **33**. 607—18. Christiania.)

Gréhant und **Quinquaud**, *Untersuchungen über den Ort der Harnstoffbildung.* Zahlreiche Versuche haben ergeben, dafs das Blut der Lebervene, der Milzvene und der Pfortader stets reicher an Harnstoff ist, als das arterielle Blut der Carotiden, woraus die Vff. schliefsen, dafs die Organe des Unterleibes der Sitz einer kontinuierlichen Harnstoffbildung sind. Das Gemenge von Chylus und Lymphe, welches aus dem Brustlymphstamme entnommen wurde, zeigte sich stets reicher an Harnstoff, als das venöse und arterielle Blut. (C. r. **98**. 1312—14. [26.*] Mai.)

E. A. Schäfer, *Über die Fettresorption im Dünndarme.* (Öffentl. Brief an Prof. PFLÜGER.) (PFLÜGER's Arch. **33**. 513—14. London.)

Otto Wiemer, *Über den Mechanismus der Fettresorption.* (PFLÜGER's Archiv **33**. 515—537.)

J. Gründler, *Über die Form der Ausscheidung des Jodes im menschlichen Harn nach äufserlicher Anwendung des Jodoforms.* Die unter Leitung von HARNACK ausgeführte Arbeit G.'s schliefst sich an die frühere HARNACK'sche Arbeit „Über den Nachweis des Jods im Harn nach der Anwendung von Jodoform" (Berliner klin. Wochenschr. 1882 Nr. 20) an. Das Material für die Untersuchungen Vf.'s lieferten 20 mit Jodoformverbänden behandelte Individuen und zwar wurden bei 19 derselben keine Intoxicationserscheinungen beobachtet, während ein Fall, bei welchem nach einer Exstirpation eines Myoms des Uterus ungefähr 7—8 g Jodoform in die Peritonealhöhle gebracht waren, unter den Erscheinungen einer Jodoformvergiftung tötlich endete. Aufserdem berichtet Vf. über einen Versuch an Kaninchen und einen am Hunde. Das Resultat der Untersuchung ist folgendes. In einzelnen Fällen tritt trotz lokaler Jodoformanwendung im Urin gar kein Jod auf. In allen den Fällen, in welchen die Jodoformanwendung zu einer Allgemeinvergiftung nicht führt, findet die Ausscheidung des Jodes im Harn im wesentlichen in Form von Jodalkali statt, zuweilen treten neben Jodalkali nicht unbeträchtliche Mengen von jodsauren Salzen auf. Kommt es dagegen nach Jodoformanwendung zu einer Allgemeinwirkung, so wird das Jod im Harn gröfstenteils nicht als Jodkali, sondern in Form organischer Verbindungen ausgeschieden. Hieraus schliefst Vf., dafs die Ursache der Allgemeinvergiftung zu der Form, in welcher das aus dem Jodoform an der Applikationsstelle abgespaltene Jod zur Resorption kommt, in nächster Beziehung steht. Falls es daher gelingt, ein Mittel aufzufinden, welches die Überführung des Jodes in Jodkali vor der Resorption sicherte, so würde damit ein erheblicher Schutz gegen den Eintritt der Vergiftung gegeben sein. (Diss. Halle 1883; Med. C.-Bl. **22**. 333.)

G. Leubuscher, *Physiologische und therapeutische Wirkungen des Convallamarin.* Convallamarin ist ein sehr energisch wirkendes Herzgift, das subkutan appliziert oder direkt in den Blutkreislauf gebracht, Kalt- und Warmblüter schon in sehr kleinen Gaben tötet, und zwar durch Herzstillstand. Nach gröfseren Gaben ist bei Warm- und Kaltblütern eine Verlangsamung der Herzthätigkeit zu beobachten, die aber bei letzteren weniger ausgesprochen ist. Auf die Atmung hat die Verbindung keinen bestimmten Einflufs. (Ztschr. f. klin. Med. **7**. 581—91.)

v. Mering, *Über das Schicksal des Kairin im menschlichen Organismus.* Verf. stellte fest, dafs nach Kairingenufs eine beträchtliche Vermehrung der *gebundenen* Schwefelsäure (Ätherschwefelsäure) vorkommt, und suchte die gebildete Ätherschwefelsäure zu isolieren, indem er Harn von Patienten, welche täglich 3—4 g Kairin erhalten hatten, in ähnlicher Weise verarbeitete, wie das HOPPE-SEYLER (**83**. 505) zur Darstellung der indoxylschwefelsauren Kaliums angegeben hatte. Der Harn wurde zur Sirupkonsistenz eingedampft, mit 95 p. c. Alkohol versetzt, abfiltriert, das Filtrat mit dem gleichen Volum Äther versetzt und die nach 24 Stunden abgegossene, klare hellrote Flüssigkeit mit konzentrierter alkoholischer Oxalsäurelösung in der Kälte gefällt, solange ein Niederschlag entstand, schnell filtriert und mit konzentrierter Lösung von Kaliumcarbonat bis zur deutlich alkalischen Reaktion versetzt. Nach nochmaliger Filtration und dem Abdestillieren des Äthers von der Lösung wurde der Rest zum dicklichen Sirup eingedampft, mit der zwanzigfachen Menge absoluten Alkohols in der Kälte aufgenommen und in einem verschlossenen Gefäfs einen Tag stehen gelassen. Der Rückstand wurde abfiltriert und das Filtrat mit ¹/₂ Volum Äther versetzt, bald darauf abfiltriert und wieder grofse Mengen

Äther hinzugefügt. Nach 24 Stunden hatte sich eine reichliche Ausscheidung von weifsen seidenglänzenden Krystallen gebildet, die aus absolutem Alkohol umkrystallisiert und über Schwefelsäure getrocknet wurden. Die Elementaranalyse ergab Zahlen, die zu der Formel $C_{11}H_{14}NO.SO_3K$ (kairinschwefelsaures Kali) stimmen. Das Salz ist sehr resistent gegen Alkalien und färbt sich mit Höllensteinlösung oder mit Eisenchlorid schön purpurrot. Eine wässerige Lösung von kairinschwefelsaurem Kali bleibt beim Kochen mit verdünnter Salzsäure farblos. Vf. stellte aus dem isolierten ätherschwefelsauren Kali noch das salzsaure Kairin $C_{11}H_{16}.NOHCl$ dar.

Es ist also erwiesen, dafs dem Organismus einverleibtes Kairin mit Schwefelsäure eine ätherartige Verbindung eingeht und als kairinschwefelsaures Salz in ähnlicher Weise ausgeschieden wird, wie dies BAUMANN für die verschiedensten Phenole nachgewiesen hat. Es läfst sich auch in ähnlicher Weise, wie dies BAUMANN für die Phenole nachgewiesen hat, für das Kairin annehmen, dafs dasselbe nur zum gröfseren Teil als kairinschwefelsaures Salz ausgeschieden wird und zum geringeren Teil weiteren Oxydationen unterliegt, da auch der Kairinharn häufig gelbgrün ist, beim Stehen an der Luft nachdunkelt, und eine Lösung von Kairinschwefelsäure ungefärbt ist. Nach gröfseren Kairingaben kann der Harn die Ebene des polarisierten Lichtes nach links abdrehen und nach dem Erwärmen mit Salzsäure FEHLING'sche Lösung reduzieren. Es ist anzunehmen, dafs die Linksdrehung von Glykuronsäure abhängt, die sich mit dem Kairin gepaart hat, analog dem von BAUMANN und PREUSSE angegebenen Verhalten der Glykuronsäure gegen Phenol (Phenylglykuronsäure von SCHMIEDEBERG und KÜLZ). (Ztschr. f. klin. Med. 7. Suppl.-Heft. 149—154. Strassburg.)

L. A. Buchner, *Über Vergiftungen mit gifthaltigem Mehl.* Vf. berichtet über eine chronische Vergiftung durch *bleihaltiges Mehl,* von welch' letzterem eine Probe 0,077 p. c., und eine zweite 0,086 p. c. enthielt. Die Recherchen, auf welche Weise das Blei in das Mehl gekommen sei, ergaben; dafs der Besitzer der Mühle die notwendig gewordene Reparatur des Mühlwerkes durch einen Pfuscher vornehmen liefs, wobei das sogenannte Obereisen (Mühlhaue) am oberen Mühlsteine, dem sog. Läufer, zur Befestigung mit Blei eingegossen wurde. Der Überflufs des schmelzenden Metalles rann auf den unteren Mühlstein, wo es dann mit dem zu mahlenden Getreide notwendig in Berührung kommen mufste, dabei gerieben und mit dem Mehle gemengt wurde. Das Blei mufs bei seiner feinen Verteilung zwischen Mehl leicht oxydiert worden und schliefslich in Bleiweifs übergegangen sein, da es mittels verdünnter Essigsäure dem Mehle entzogen werden konnte. Ein zweiter Versuch betrifft eine Vergiftung mit *arsenhaltigem Reismehle.* Das fragliche Mehl enthielt 3,28 g arsenige Säure auf 100 g. Die Nachforschungen, auf welche Weise das Gift in das Mehl gelangt war, blieben erfolglos. (FRIEDRICH's Bl. f. gerichtl. Med. u. Sanit.-Polizei 35. 161—175. München.)

Paul Guttmann, *Über die Wirkung des Antipyrins.* (Berl. klin. Wochenschr. 21. 305—6.)

E. Grahn, *Die Art der Wasserversorgung der Städte des deutschen Reiches mit mehr als 5000 Einwohnern.* (Vortrag gehalten in der Generalvers. des niederrhein. Ver. f. öffentl. Gesundheitspfl. am 20. Oktober 1883. C.-Bl. f. allgem. Gesundheitspfl. 3. 134—56.)

C. Tanret, *Darstellung von gelatinösem Calciumphosphat extempore.* Um den officinellen dreibasischen phosphorsauren Kalk darzustellen, soll man kalzinierte Knochen mit Salzsäure extrahieren, die Lösung durch ein Alkali fällen, den gallertartigen Niederschlag nach gehörigem Auswaschen zu Plätzchen formen und trocknen. In diesem Zustand wird das Präparat aber jedenfalls von dem Magensaft sehr schwer angegriffen. Der Vf. schlägt deshalb folgende Methode vor, welche gestattet, dasselbe extempore zu bereiten. Monocalciumphosphat wird in Wasser gelöst und andererseits eine Lösung von Kalk in Zuckersirup bereitet. Hierauf mischt man beide Lösungen miteinander und erhält einen Niederschlag, welcher so gelatinös ist, dafs 1 g desselben, in 100 g Wasser suspendiert, selbst nach 27 stündiger Ruhe kaum eine dünne Flüssigkeitsschicht an der Oberfläche zeigt. Nach der Theorie müfste man, um 1 g Tricalciumphosphat zu erhalten, 0,47 g gelöschten Kalk und 0,86 g Monocalciumphosphat anwenden. Da aber die Krystalle des letzteren sehr hygroskopisch sind und deshalb in der Regel noch etwa 1 Mol. Wasser zuviel enthalten, so ist es angemessen, davon einen Überschufs von 7—12 p. c. anzuwenden. Andererseits entspricht der gewöhnliche gelöschte Kalk auch nicht der Formel $Ca(OH)_2$), und deshalb nimmt man am besten davon etwa 0,50 g. Als passende Vorschrift für die Praxis ergiebt sich, dafs man zur Bereitung einer bestimmten Gewichtsmenge von gelatinösem Phosphat die gleiche Gewichtsmenge saures Phosphat und die Hälfte gelöschten Kalk anwendet. (Journ. Pharm. Chim. [5.] 9. 389—91).

6. Mineralogische und geologische Chemie.

A. Gorgeu, *Über eine künstliche Pseudomorphose der Kieselsäure.* Die geglühten Krystalle des künstlichen Fayalits oxydieren sich bei Rotglühhitze in Berührung mit Luft. Nach sechsstündiger Einwirkung konstatiert man eine Sauerstoffaufnahme von 7,3—7,5 p. c., während die Rechnung für vollständige Umwandlung des Ferrosilikates in Ferrisilkat 7,8 p. c. verlangt. Die Krystalle bewahren dabei ihre Form. Wird die Substanz mit siedender konzentrierter Salzsäure behandelt, so löst sich das Eisenoxyd, und die Kieselsäure bleibt durch eine kleine Spur Eisenoxyd gelb gefärbt zurück. Sie besitzt einen Wassergehalt von 4—6 p. c., welchen sie beim Glühen verliert, und löst sich in einer siedenden kaltgesättigten Lösung von Natriumcarbonat, wie die gewöhnlichen Hydrate der Kieselsäure. Die Krystallform ist genau die der Fayalitkrystalle. In ihrer Einwirkung auf das polarisierte Licht verhält sie sich dem Anschein nach im trocknen Zustand wie ein doppelt brechender Körper. Dieselbe Pseudomorphose erhält man auch aus gut krystallisiertem künstlichem Knebelit. Der natürliche Knebelit läfst nach dem Glühen unter Behandlung mit Salzsäure ebenfalls alle Kieselsäure zurück. Aber da dieses Mineral in der Natur nur in blätterigen Massen vorkommt; so läfst sich die Doppelbrechung nur an einzelnen Stellen des Produktes darthun. (C. r. **98.** 1281—82. [19.*] Mai.)

W. F. Hillebrandt, *Eine interessante Varietät von Löllingit und anderen Mineralien.* Vf. beschreibt die Eigenschaften eines Minerales, welches nach seinen Analysen die Formel (eines Löllingits), $Fe(CoNi)AsS_2$, besitzt, ferner einen Cosalit von der allgemeinen Formel $2RS + Bi_2S_3$, worin R Blei oder Silber oder das Cuprostom bedeuten kann. Ein ähnliches neues Mineral fand er nach der allgemeinen Formel $3R_2 + 4Bi_2S_3$ zusammengesetzt. Eine Hübneritart, dessen Analyse Spuren von Niob ergab, besitzt die Formel $MnWO_4$. (Amer. J. of Sc. [3]. **27.** 349—58.)

A. v. Planta, *Die Bäder von Bormio.* Das Wasser hat ein spez. Gewicht von 1,001 und enthält in 1000 Tln.;

Chlornatrium	0,112 g
Natriumsulfat	0,604
Kaliumsulfat	0,181
Magnesiumsulfat . . .	2,520
Calciumsulfat . . .	4,863
Calciumcarbonat . . .	0,735
Ferrocarbonat	0,025
Manganocarbonat . . .	0,014
Aluminiumphosphat . . .	0,0004
Kieselsäure	0,207
Summe der festen Bestandteile	10,26 g
Freie und halbgebund. Kohlens.	0,474 g.

(D. Badeztg. **28.** Nr. 977.)

George F. Kunz, *Über den weifsen Granat von Wakefield, Canada.* (Amer. Journ. of Sc. [3.] **27.** 306.)

George F. Kunz, *Turmaline und verwandte Mineralien von Auburne, Maine.* (Amer. Journ. of Sc. [3.] **27.** 303—5.)

George F. Kunz, *Über den Andalusit von Gorham, Maine.* (Amer. Journ. of Sc. [3.] **27.** 305.)

George F. Kunz, *Topas und die denselben begleitenden Mineralien bei Stoneham.* (Amer. Journ. of Sc. [3.] **27.** 212—16.)

George F. Brush und **Sam. J. Penfield**, *Die Identität des Scovillits mit dem Rhabdophan* (vgl. **78.** 439; **83.** 188.) (Amer. Journ. of Sc. [3.] **27.** 200—1.)

Edward S. Dana, *Die Krystallform des vermeintlichen Herderits von Stoneham.* (Amer. Journ. of Sc. [3.] **27.** 229—32.)

Paul Lohmann, *Analyse des Harzer Sauerbrunnens.* Eine neuerdings ausgeführte Analyse ergab:

Kohlensaurer Kalk . . .	0,1718 g
Kohlensaure Magnesia . .	0,0365
Kohlensaures Eisen . . .	geringe Mengen
Chlorkalium	0,0024
Chlornatrium	0,0336

Schwefelsaures Natron	.	.	0,0154
Kohlensaures Natron .	.	.	0,1361
Kieselsäure .	.	.	.	0,0080

(Ztschr. f. Min.-Wasserfabr. **1.** 57—58.)

Ch. Cloëz, *Analyse des Mineralwassers von Brucourt.* (C. r. **98.** 1282—85. [19.*] Mai.)

7. Analytische Chemie.

G. Lunge, *Über die Ausführung der fraktionierten Destillation zur Wertbestimmung von chemischen Produkten.* (Chem. Ind. **7.** 150—58.)

J. Latschenberger, *Nachweis und Bestimmung des Ammoniaks in tierischen Flüssigkeiten.* (Monatsh. f. Chem. **5.** 129—54. 8. Mai. [20.*] März.] Wien.)

J. König, *Über Fehlerquellen bei der Bestimmung der Phosphorsäure.* Der Vf. zeigt, daſs eine der Ursachen mangelhafter Übereinstimmung der Analysen verschiedener Chemiker nicht selten in der unvollkommenen Reinheit der angewendeten Reagenzien Molybdänsäure, molybdänsaures Ammonium und essigsaures Uran zu suchen sein dürfte. (Rep. anal. Chem. **4.** 161—63. Versuchsstat. Münster.)

Adolf Tamm, *Über die Bestimmung von Phosphor im Eisen und in Eisenerzen.* (Chem. N. **49.** 208—10. 9. Mai.)

Turner, *Über die Bestimmung von Silicium in Eisen und Stahl.* Der Vf. hat Eisen- und Stahlsorten untersucht, welche zwischen 0,06 und 22 p. c. Silicium enthielten; hierbei wurden verschiedene Methoden angewendet und es hat sich dabei ergeben, daſs die von WATTS mit geringen Abänderungen die besten Resultate liefert. Dieselbe besteht darin, daſs man einen Strom trocknes Chlorgas, welches frei von Luft ist, bei Dunkelrotglühhitze über Eisenspäne leitet. Das Eisenchlorid verflüchtigt sich und kondensiert sich an den kälteren Teilen der Röhre, während das Siliciumchlorid entweicht und durch Einleiten in Wasser zersetzt wird. Durch Verdampfen des letzteren erhält man ohne weiteres Kieselsäure. Eine geringe Menge Schlacke und das darin enthaltene Silicium bleiben in dem Porzellanschiffchen unverändert zurück. Die Verbesserung, welche Vf. hierbei angebracht hat, besteht darin, daſs er eine mit Wasser gefüllte WILL-VARRENTRAPP'sche Kugelröhre zur Zersetzung des Siliciumchlorides anwendet. Der Verlust, welcher dadurch bewirkt wird, daſs etwas Kieselsäure an der Innenwand der Kugelröhre hängen bleibt, kann dadurch vermieden werden, daſs man dieselbe vor und nach dem Versuche wägt. Der Vf. giebt eine tabellarische Zusammenstellung der Resultate, welche er nach sechs verschiedenen Methoden mit sechs Proben von Eisen und Stahl erhalten hat. (Chem. N. **49.** 233—34. 23. [15.] Mai. London, Chem. Soc.)

A. Streng, *Über eine neue mikroskopische Reaktion auf Natrium.* Um sehr kleine Mengen von Natrium mikrochemisch nachweisen zu können, bedient der Vf. sich des Uraniacetates. Das betreffende Silikat eines Dünnschliffes wird mit einem Lösungsmittel, z. B. Salzsäure, behandelt; ein oder mehrere Male eingedampft, wird der chlornatriumhaltigen Masse ein Tropfen essigsauren Uranoxydes beigefügt. Es bilden sich dann tetraedrische Krystalle von essigsaurem Uranoxydnatrium, $(UO_2(C_2H_3O_2)_2,NaC_2H_3O_2)$. Daneben scheiden sich noch rhombische Kryställchen von essigsaurem Uranoxyd ab, die aber durch ihre äuſseren Formen, sowie in bezug auf ihr Verhalten gegen das polarisierte Licht leicht von dem Doppelsalze unterschieden werden können. Diese Reaktion ist deshalb sehr empfindlich, weil nur 6,6 p. c. Natriumoxyd zur Bildung des essigsauren Uranoxydnatriums erforderlich sind. Das käufliche essigsaure Uranoxyd muſs mittels absoluten Alkohols erst gereinigt werden, da es meist Spuren von Natrium enthält. (22 Ber. d. Oberhess. Ges. f. Natur- u. Heilk. Marburg 1883. 258; Ztschr. f. wissensch. Mikrosk. **1.** 307.)

Prunier, *Maſsanalytische Bestimmung des Kalkes.* Um bei der Titrierung des Kalkes mit Oxalsäure das Oxalat rascher zum Absetzen zu bringen, so daſs über dem Niederschlage eine klare Lösung sichtbar wird, kocht der Vf. die Flüssigkeit mit einer geringen Menge Stärke. (Journ. Pharm. Chim. [5.] **9.** 300—3.)

Antony Guyard, *Über die Trennung und Bestimmung des Kalkes bei Gegenwart eines groſsen Überschusses von Thonerde, Magnesia, Eisenoxyd und Phosphorsäure.* Thonerde, Eisenoxyd etc., sowie die Phosphate dieser drei Basen sind, wie man weiſs, in ammoniakalischem citronensauren Ammoniak löslich. Der Vf. hat beobachtet, daſs wenn man von letzterem möglichst genau dieselbe Menge anwendet, welche nötig ist, um die genannten Körper vollkommen in Lösung zu erhalten, der Kalk sich sehr leicht und vollständig durch Ammoniumoxalat ausfällen läſst. Das Calciumoxalat kann dann in gewöhnlicher Weise geglüht und direkt gewogen werden. Enthält das Gemenge aber, wie es z. B. bei den Ackererden vorkommt, etwas lösliche Kieselsäure, so wird diese mit gefällt und reifst kleine Mengen von Eisenoxyd und Thonerde mit nieder; in diesem Falle ist es nötig, den erhaltenen Kalkniederschlag vor der Bestimmung davon zu befreien. Die Gegenwart von Magnesia hindert in keiner Weise die Bestimmung des Kalkes. Es genügt, die Fällung bei 70—80° auszuführen, um das ammoniakalische Magnesiumphosphat, welches sich in der Kälte niederschlagen würde, in Lösung zu erhalten. Nach der Abscheidung des Kalkes läfst sich dann die Magnesia durch Phosphorsäure und die Phosphorsäure durch Magnesia bestimmen.

Dieses sehr einfache Verfahren kann jedenfalls Anwendung in der Analyse finden, jedenfalls ist es bequemer, als das gewöhnliche, welches darin besteht, die Gemenge von Kalk, Magnesia, Thonerde, Eisenoxyd und Phosphorsäure in saure Acetate zu verwandeln; auch steht es demselben an Genauigkeit voran; denn das Calciumoxalat ist in freier, selbst verdünnter Essigsäure löslich, und zwar proportional den Mengen der vorhandenen Essigsäure und essigsauren Salze. Der Vf. hat die Beobachtung gemacht, dafs man, um eine vollständige Ausfällung des Kalkes zu bewirken, soviel Ammoniumoxalat zusetzen mufs, um die Acetate und die freie Essigsäure in Oxalate umzuwandeln. Selbst unter dieser Bedingung ist aber die Fällung des Kalkes noch nicht ganz vollständig. (Bull. Par. 41. 339—340. 5. April.)

R. W. Atkinson, *Über die mafsanalytische Bestimmung des Eisens.* (Chem. News 49. 217—18. 16. Mai.)

Beringer, *Die Parkes'sche mafsanalytische Methode der Kupferbestimmung mittels Cyankalium.* Wie u. a. CROOKES und STEINBECK dargethan haben, verläuft die Zersetzung der ammonikalischen Kupferlösung durch Cyankalium unter Entfärbung der ersteren je nach dem Ammoniak- und Ammoniaksalzgehalt verschieden. Bei Kontrollversuchen hat BERINGER gefunden, dafs gleiche Resultate erhalten werden, wenn Ammoniaksalze nicht vorhanden sind, die Temperatur und Manipulationen bei den Versuchen dieselben bleiben und ein geringer Überschufs von Natronlauge gegeben wird. Man braucht dann nur noch die Ammoniakmenge und die gesamte Menge von Flüssigkeit zu berücksichtigen, und kommen dabei folgende Fälle vor:

a. Wenn die Kupfer-, Ammoniak- und gesamte Flüssigkeitsmenge gleichmäfsig zunimmt, so hängt die verbrauchte Quantität Cyankalium nur von der Quantität des anwesenden Kupfers ab.

b. Wenn die Kupfermenge und die gesamte Flüssigkeitsmenge konstant bleibt, aber die Ammoniakmenge wächst, so wird Cyankalium erforderlich.

c. Wenn die Ammoniak- und Kupfermenge konstant bleibt, aber die Gesamtflüssigkeitsmenge wächst, so wird weniger Cyankalium verbraucht.

Wenn nun die Vermehrung des Ammoniakgehaltes eine Vermehrung des Cyankaliums, eine Vermehrung des Wassergehaltes, resp. der Gesamtflüssigkeitsmenge aber eine Verminderung des Cyankaliums bedingt, so mufs sich eine Ammoniaklösung von derartiger Konzentration anwenden lassen, bei welcher die Wirkung des Ammoniaks und des Wassers sich aufheben.

Die Zugabe einer derartigen Lösung kann das Versuchsresultat also nicht alterieren, und in einer solchen Lösung wird die erforderliche Cyankaliummenge der vorhandenen Kupfermenge proportional sein, solange als letztere sich nicht in sehr weiten Grenzen verändert. Es wurden in dieser Richtung zwei Versuchsreihen angestellt, eine mit 25 ccm Kupfersulfatlösung (mit 15,753 g unkrystallisiertem Kupfersulfat im l) und 2 ccm 10 p. c. Natronlösung, dann mit resp. 75 und 6 ccm bei verschiedenen Mengen Ammoniak. Die verbrauchten Mengen Cyankalium (mit 35 g KCy im l Wasser) waren folgende:

Ammoniak . . .	25,0	40,0	50,0	75,0	100,0	150,0
Verbr. Cyankalium 1.	11,2	11,5	11,7	11,9	12,1	12,5
2.	34,65	34,9	35,3	35,6	36,05	36,7

In dem Falle, wo 75,0 ccm Ammoniaklösung benutzt wurden, sind die verbrauchten Cyankaliummengen den anwesenden Kupfermengen annähernd proportional, und findet bei der obigen Ammoniakmenge der kleinste Fehler statt. Es können somit mit einer Ammoniakflüssigkeit von bestimmter Konzentration (15 ccm Ammoniak von 88° auf 300 ccm Lösung) und bei Zusatz von etwas Natronlösung gleichmäfsige Resultate erhalten werden. Beim Titrieren läfst man die Cyankaliumlösung rasch zufliefsen, bis eine merkliche Farbenveränderung eintritt, d. h. sich dem Ende bis auf 1—1,5 ccm genähert hat, und dann den Rest mit 5, 3, 2 und je 1 Tropfen hinzugiebt bis zur bleibenden violetten

Färbung, wo sich dann die Titration in drei bis vier Minuten ausführen läfst. (Chem. N. **48**. 111. B. H. Z. **43**. 200.)

L. Raby, *Neue Reaktionen des Codeïns und Äskulins.* Man befeuchtet Codeïn in einem Uhrglase mit zwei Tropfen Natriumhypochloritlösung und setzt vier Tropfen konzentrierte Schwefelsäure hinzu; nach dem Umrühren mit einem Glasstabe tritt eine prächtig himmelblaue, sehr beständige Färbung auf. Äskulin wird durch vier Tropfen Schwefelsäure befeuchtet und das etwas gefärbte Gemenge allmählich mit der Hypochloritlösung versetzt. Hierbei tritt eine intensive violette Färbung ein, welche im Laufe einer Stunde allmählich verschwindet. (Journ. Pharm. Chim. [5.] **9**. 402.)

Petri, *Zum Verhalten der Aldehyde, des Traubenzuckers, der Peptone, der Eiweifskörper und des Acetons gegen Diazobenzolsulfonsäure.* Schon vor länger als einem Jahr hat der Vf. gefunden, dafs Diazobenzolsulfonsäure sowohl mit Traubenzucker als auch mit Pepton in alkalischen Lösungen intensive Farbenreaktionen giebt. Noch bevor er. dies veröffentlichte. erschien die erste Arbeit PENZOLD's (**83**. 428) über die neue Traubenzuckerreaktion. PENZOLDT und FISCHER (Ber. Chem. Ges. **16**. 657) haben alsdann nachgewiesen, dafs letztere Reaktion eine neue Aldehydreaktion ist. Das Spektrum des roten Farbstoffes hat der Vf. zuerst untersucht und kurz beschrieben in seiner ersten Arbeit über die Diazosäure (Ztschr. f. klin. Med. **6**. H. 5.). Weitere Erfahrungen über das Verhalten der Säure gegen Peptone, sowie über das Spektrum der bezüglichen Farbstoffe sind von ihm zuletzt Ende vorigen Jahres veröffentlicht worden (**84**. 329). Die Bemühungen, die fraglichen Farbstoffe zu isolieren, blieben bisher resultatlos. Beim weiteren Studium der gefärbten Lösungen ist es dem Vf. aber gelungen, einige charakteristische Reaktionen derselben zu finden. Ferner hat er die Beobachtung gemacht, dafs der rotbraune Farbstoff, welchen Peptone und in anscheinend etwas schwächerem Mafse auch die löslichen Eiweifssubstanzen mit der Diazosäure geben, übergeführt werden kann in einen prachtvoll fuchsinroten Körper, der sehr wahrscheinlich mit dem Traubenzuckeraldehydfarbstoff identisch ist. (Ztschr. physiol. Chem. **8**. 291—298. Anf. April [10. März] Görbersdorf.)

Theodor Pusch, *Prüfung der Citronensäure auf Weinsäure.* 1 g zerriebene Citronensäure wird mit 10 g konz. reiner (ungefärbter) Schwefelsäure für Ph. g. II. in einem trockenen Reagiercylinder übergossen, der letztere in eine Klammer gespannt und in ein mit Wasser gefülltes Becherglas hineingehängt, darauf das Wasser bis fast zum Kochen erhitzt und bei dieser Temperatur eine Stunde erhalten. Die Säure löst sich unter Gasentwicklung und Schäumen zu einer citronengelben Flüssigkeit und ändert, falls sie rein war, diese Farbe innerhalb einer Stunde nicht; enthielt sie aber nur ein halbes Prozent Weinsäure, so verändert die anfangs citronengelbe Flüssigkeit allmählich ihre Farbe und erscheint schon nach 25—30 Minuten bräunlich, nach einer Stunde rotbraun. Selbstverständlich müssen die zu dieser Probe verwendeten Krystalle keine Holz- oder Papierstückchen etc. enthalten. (Arch. Pharm. [3] **22**. 315—317.)

Karl Labler, *Ägyptisches Wachs.* Dasselbe, im Handel auch als ägyptisches Beladiwachs eingeführt, kommt in unregelmäfsigen, starken Kuchen vor, die an der Oberfläche rauh, schmutzig lichtgelb sind. Das spez. Gewicht ist 0,955. Die Lösung von 0,5 g des Wachses in 5 ccm Chloroform, welche unter Erwärmen in einer Eprouvette hergestellt wird, blieb etwa eine Stunde lang klar, dann setzten sich kleine Körnchen an, und die Lösung wurde im oberen Drittel trübe, das untere blieb nach zwölf Stunden klar. Obwohl die Trübung, als auch die ausgeschiedenen Körnchen auf einen Zusatz von Pflanzenwachs zu diesem in Untersuchung befindlichen ägyptischen Wachs schliefsen lassen konnten, so gaben die durchgeführten bestätigenden Reaktionen keinen Anhaltspunkt für das Vorhandensein desselben. Auch die Prüfung auf Harz blieb resultatlos. Andere Versuche erwiesen, dafs das Verhalten des ägyptischen Wachses in der Chloroformlösung mit dem oben erwähnten übereinstimmt. Es hat also das ägyptische Wachs zum Unterschiede von dem böhmischen Wachs einmal die Eigenschaft, dafs die Chloroformlösung nicht klar bleibt, dann, dafs es, mit verdünntem Weingeist gekocht, ein sich trübendes Filtrat liefert und schliefslich, dafs es sich leichter bleichen läfst, als das böhmische. Vf. fand Wachskerzen, die ihm zur Untersuchung übersendet waren, mit ägyptischem Wachs versetzt. (Rundschau **10**. 289—91.)

A. Gawalowsky, *Nachweis einer Färbung des Veilchensirups mit Rosanilinblau.* A. 1 Tl. Sirup und 2 Tle. Wasser werden mit farblosem Fuselöle geschüttelt. B. 1 Tl. Sirup und 1 Tl. Wasser werden mit einigen Tropfen Essigsäure versetzt. C. 1 Tl. Sirup wird mit $^1/_2$ Wasser und zwei bis drei Tropfen Ammoniak versetzt.

Reaktion zu	*Echter Veilchensirup.*	*Ein mit Anilinblau tingierter Sirup.*
A.	Die obere Fuselölschicht erscheint farblos oder höchstens mit sehr geringem grünlichen Stich; untere Wasserschicht bleibt gefärbt.	Die obere Fuselölschicht ist sattblau gefärbt. Die untere wässerige Schicht erscheint mehr oder weniger vollständig entfärbt.
B.	Wird ponceaurot gefärbt.	Bleibt unverändert, oder bei einigen Anilinblausorten geht noch in tieferes, meist grünblau über.
C.	Anfangs eichengrün, später zeisiggrün bis gelbgrün.	Wird entfärbt.

Die Ausfärbeprobe mit Seide ist bei schwach gefärbtem Sirup sehr unsicher. Das durch Ammoniak anfangs in grün, später in gelbgrün bis grünlichgelb umgewandelte Veilchenblau wird nach Verlauf von 24 Stunden durch Übersättigen des Ammons mit schwachen Mineralsäuren und selbst Essigsäure nicht mehr reaktiviert. Dagegen wird das durch Ammon entfärbte Anilinblau selbst nach langer Einwirkung des Ammoniaks auf Zusatz von Essigsäure sofort wieder regeneriert. (Rundschau **10**. 29.)

Julius Nega, *Über den Quecksilbernachweis im Harn bei Anwendung verschiedener Präparate nach einer modifizierten Ludwig-Fürbringer'schen Methode.* Vf. verwandte zu seinen Versuchen eine Lametta, welche er im Wasserstoffstrome erhitzte und in wohl geschlossenen Röhren aufbewahrte.

$1\frac{1}{2}$ l Harn wurden mit Salzsäure angesäuert, mit 0,15—0,25 g Lametta versetzt, hierauf im Wasserbade bei 60—80° erwärmt und bis zum nächsten Tage stehen gelassen. Die Lametta wurde dann mit heißem Wasser und absolutem Alkohol gewaschen, gereinigt und sorgfältig getrocknet. Sie wurde darauf in eine nach einer Seite zu kapillar ausgezogene Röhre gebracht, das andere Ende jedoch nicht kapillar ausgezogen, sondern in einiger Entfernung von dem Messingpfropfen zugeschmolzen.

Es wird zuerst das der Kapillaren gegenüberliegende Ende, alsdann das gesamte Mittelstück mitsamt der Lametta stark erhitzt. Ist die Röhre heiß geworden, so genügt eine Bewegung derselben, und die Lametta fällt von dem weniger erhitzten Übergangsteile in das stärker erhitzte zugeschmolzene Ende der Röhre. Die Quecksilberdämpfe sublimieren bei diesem Erhitzen in die Kapillaren und setzen sich an der Grenze der erhitzten Partie ab. Hierauf wird das Endstück mitsamt dem Messingpfropfen abgeschmolzen und es bleibt nur die Kapillare mit einer kolbigen Auftreibung zurück, deren Größe nicht wesentlich in betracht kommt. Um minimale Mengen Jod in die Kapillaren hineinzubringen, verfährt Vf. in folgender Weise.

Man nimmt ein Becherglas, welches mit einem mehrfach durchbohrten Pappdeckel zugedeckt wird. Auf den Boden des Becherglases wirft man ein paar Körnchen Jod; durch die Löcher werden die Kapillarröhren mit kolbigem, zugeschmolzenem Ende nach oben gesteckt und das Ganze bleibt bis zum nächsten Tage stehen. Auf diese Weise gelingt es mit Leichtigkeit, die erwünschte minimale Menge Jod (in Dampfform) einzuführen, und läßt sich der Überschuß desselben leichter vermeiden, wie bei dem früher gebräuchlichen Verfahren. Das Verfahren gestattet, die Jodierung von zahlreichen Glasröhren gleichzeitig vorzunehmen. Man findet den roten Ring von Quecksilberjodid nach dieser Behandlung schon vor, wenn die Lametta trocken war; im anderen Falle kann man die Bildung des Jodides durch gelindes Erwärmen zu Stande bringen. Eine wertvolle Kontrolle der makroskopischen Untersuchungsresultate bietet die mikroskopische Untersuchung der Ringe. Es ließen sich nach obigem Verfahren 0,1—0,2 mg Sublimat im Harn nachweisen. (Berl. klin. Wochenschr. **21**. 298—99. Straßburg i. E.)

Otto Lindt, *Über den mikrochemischen Nachweis von Brucin und Strychnin.* Vf. hat bei Anlaß einer Arbeit versucht, *Brucin* und *Strychnin* in den Samen von Strychnos nux vomica L. und von Strychnos Ignatii auf mikrochemischem Wege nachzuweisen. Für Brucin kann der Zusatz von Salpetersäure oder von ERDMANN'S Reagenz nicht verwendet werden, da erstere die Bildung von Xanthoproteïnsäurereaktion, letzteres die bekannte rosenrote Färbung der Zucker-Eiweißreaktion bewirkt, welche die Brucinreaktion verdeckt. Nimmt man statt des ERDMANN'schen Reagenzes eine mit wenig Salpetersäure versetzte Selensäure (auf 5 Tropfen Selensäure von 1,4 spez. Gewicht ein bis zwei Tropfen Salpetersäure von 1,2 spez. Gewicht), so werden die genannten Übelstände vermieden.

Läßt man eine solche Salpetersäureselensäure unter dem Deckgläschen zu dem vorher durch Petroläther vom Fette befreiten zarten Schnitte zutreten, so färben sich die geschichteten Zellwandungen rasch hellrot, allmählich orange und gelb werdend, während das Zellumen und die in ihm enthaltene granulöse Materie ungefärbt bleiben, resp. sich als brucinfrei erweisen.

Für den mikrochemischen Nachweis des Strychnins ist die Chromsäure- (Kaliumdichromat- und Schwefelsäure-)Reaktion nicht zu verwerten; dieselbe gelingt aber leicht bei Anwendung einer Lösung von schwefelsaurem Ceroxyd in Schwefelsäure, wenn vorher durch wiederholte Maceration mit Petroläther (von höchstens 45° Siedepunkt) und absolutem Alkohol fettes Öl, Traubenzucker und das in absolutem Alkohol lösliche Brucin entfernt worden sind.

Das Reagens, das erst unmittelbar vor der Beobachtung auf das Präparat einwirken darf, färbt sofort die Zellwandungen in allen ihren Verdickungsschichten stärker oder schwächer violettblau, während das Innere der Zellen vorläufig farblos bleibt. Später nimmt auch das Zellinnere eine intensiv rote Färbung an. Nach den Untersuchungen des Vf's befinden sich die Alkaloide in den Wandverdickungen der das Sameneiweiß bildenden Zellen der Samen eingelagert, und scheinen die in der Peripherie gelegenen Zellen alkaloidreicher zu sein, als diejenigen des Centrums. Die Lösung des Ceritsulfates, die das Salz im Überschuß enthalten soll, braucht nicht frisch bereitet zu sein. (Ztschr. f. wissensch. Mikrosk. 1. 237—40.)

Wilh. Thörner, *Zur Milchanalyse.* Bemerkung gegen OSKAR DIETZSCH s. w. u. (Rep. anal. Chem. 4. 163—65.)

R. Bensemann, *Beitrag zur Untersuchung der Fette.* Der Vf. bedient sich hierzu seit längerer Zeit der Bestimmung des Schmelzpunktes der wasserunlöslichen Fettsäuren. Er beschreibt das Verfahren ausführlich und giebt in einer Tabelle die Schmelzpunkte für diejenigen Fette, welche bis jetzt als zuverlässig echt und rein in seinen Besitz gelangt sind. (Rep. anal. Chem. 4. 165—67.)

Antony Guyard, *Über die Einwirkung von Luft auf Tanninlösungen und über die Bestimmung des Tannins.* (Bull. Par. 41. 336—37. 5. April.)

Oskar Dietzsch, *Zur Milchanalyse.* (Rep. anal. Chem. 4. 131—33.)

Bignamini, *Über die Bestimmung von Saccharose, Glykose und Lactose nebeneinander.* In anbetracht der praktischen Bedeutung einer solchen Aufgabe bei Untersuchung von kondensierter Milch, deren durch absichtlichen Zuckerzusatz geschaffener Saccharosegehalt eine bis zu 6 p. c. betragende Abschwächung durch Glykosebildung bei längerem Aufbewahren in der warmen Jahreszeit erfährt, hat Vf. eine Methode ausgearbeitet, welche sich für den in Rede stehenden Zweck gut bewährt hat. Er bedient sich dazu der FEHLING'schen Lösung und bestimmt mit der Wage das Gewicht des Kupferoxyduls, welches durch die Wirkung eines bekannten Volum Zucker enthaltender Flüssigkeit bei 100° ausgefällt wurde. Zuvor wird ein für allemal diejenige Menge Glykose oder Invertzucker, sowie von Laktose bestimmt, welche zur Ausfällung von 1 g Kupferoxydul erforderlich ist. Dieselbe berechnet sich wie folgt:

$$g\ 0{,}0993 : g\ 0{,}050 = g\ 1 : \beta\beta = g\ 0{,}4035\ \text{und}$$
$$g\ 0{,}0993 : g\ 0{,}067 = g\ 1 : LL = g\ 0{,}6747.$$

Es ist klar, daß man durch Multiplikation des bei einer Bestimmung erhaltenen Gewichtes von Kupferoxydul mit einem dieser Koeffizienten die bei der Reduktion beteiligt gewesene Menge Zucker, resp. Milchzucker oder Glykose findet, die in einem gegebenen Volum zuckerhaltiger Flüssigkeiten vorhanden gewesen sein muß.

Handelt es sich also um die erwähnte Untersuchung kondensierter Milch, so wird man sich zunächst aus einem bestimmten Gewicht derselben ein gemessenes Volum eines wässerigen Auszuges derselben herstellen. Von dieser Flüssigkeit wird ein aliquoter Teil, welcher jedoch nicht über 1,5 g Gesamtzucker enthalten soll, im Wasserbade mit einem leichten Überschusse von FEHLING'scher Lösung erwärmt, bis sich das Kupferoxydul vollständig abgeschieden hat, welches durch den vorhandenen Milchzucker und Invertzucker ausgefällt wurde. Es wird auf einem tarierten Filter gesammelt, gewaschen, getrocknet und gewogen. Sein Gewicht sei = r.

Das Filtrat und das Waschwasser vom Niederschlage werden angesäuert, durch einen Schwefelwasserstoffstrom oder Behandlung mit Barythydrat vom Kupfer befreit, aus dem neuen Filtrat der Schwefelwasserstoff verjagt und nun die darin vorhandene Saccharose in bekannter Weise durch Kochen mit sehr verdünnter Mineralsäure invertiert, worauf man wieder im ersten Falle mit FEHLING'scher Lösung operiert. Das jetzt reduzierte Kupferoxydul wird wieder gewogen, und der hieraus berechnete Invertzucker giebt, mit 0,95 multipliziert, die Menge der vorhanden gewesenen Saccharose.

Nun kommt der dritte Abschnitt der Arbeit. In einer neuen, der erst verwendeten genau gleichen Menge der ursprünglichen Flüssigkeit wird Saccharose und Laktose invertiert und hierauf der gesamte Invertzucker mit Kupferlösung bestimmt; wird hiervon der bei der zweiten Arbeit ermittelte Rohrzucker abgezogen, so giebt der Rest die Summe von invertiertem Milchzucker und ursprünglicher Dextrose an. Diese Summe dieser beiden sei = g. Damit sind alle erforderlichen Daten beisammen, um den Milchzucker und die Dextrose der kondensierten Milch zu berechnen. Der Rohrzucker bleibt bei dieser Berechnung weiterhin aufser Frage, da er ja schon bei der vorausgehenden Operation bestimmt worden ist. Es seien nun x und y die Mengen invertierten Milchzuckers und des ursprünglichen Invertzuckers, welche obige Menge g zusammensetzen, so ist x + y = g. Das oben erwähnte Gewicht r des Kupferoxyduls ist das Resultat der Milchzuckermenge x vor deren Invertierung und von y in g. Werden nun diese Zuckermengen durch deren betreffende oben berechnete Reduktionskoeffizienten dividiert, so erhält man die korrespondierenden Kupferoxydulmengen, deren Summe = r sein wird. Ist nun x die in g enthaltene Menge invertierter Milchzucker, so wird 0,95 x die Menge des ursprünglichen Milchzuckers sein, welcher zur Bildung des Kupferoxydulniederschlages r beigetragen hat, und man kann jetzt folgende zweite Gleichung konstruieren:

$$\frac{0,95\,x}{0,6747} + \frac{y}{0,5035}\ r.$$

Es erübrigt somit nur noch, die Werte von x und y einzustellen und in der üblichen Weise auf 100 umzurechnen. Werden 0,6742 = L und 0,5035 = β angenommen, so ergeben sich nachstehende allgemeine Formeln:

$$x = \frac{\beta\,Lr - Lg}{0,95\,\beta - L}; \quad y = \frac{\beta\,Lr - 0,95\,\beta g}{0,95\,\beta - L}.$$

(Ann. di Chim. 1884. Nr. 1; Arch. d. Pharm. [3] **22.** 283—284.)

Adolf Ott, *Zur quantitativen Eiweifsbestimmung im Harn.* Seit man weifs, dafs der Harn bei Albuminurie nicht blofs einen einzigen Eiweifskörper. sondern deren zwei das Albumin und Serumglobulin enthält, ist man zu erforschen bemüht gewesen, von welchen Umständen die wechselnden Mengen dieser beiden Eiweifsstoffe abhängen. Die bisjetzt allein gebräuchliche Methode zur gesonderten Bestimmung jener beiden Eiweifskörper nebeneinander ist nicht zur Lösung dieser Frage geeignet. Sie beruht bekanntlich darauf, dafs einmal der Gesamteiweifsgehalt des Harnes durch Wägung und in einer anderen Portion desselben Harnes das Globulin für sich allein bestimmt werde. Diese Methode liefert zwar zuverlässige Resultate, jedoch erfordert sie einen so grofsen Aufwand an Zeit, dafs sich so ausgedehnte Untersuchungen, wie solche notwendig wären, unmöglich von einem einzelnen ausführen lassen. Ein kürzerer Weg als die Wägung der Eiweifsniederschläge liefs sich durch die Anwendung der Polarisation für die quantitative Bestimmung eröffnen. Da die spezifische Drehung des Albumins und des Globulins bekannt ist, so genügt es zur gesonderten Bestimmung, den Drehungsgrad der Lösung beider Eiweifskörper und aufserdem den eines der in Mischung enthaltenen, z. B. des Globulins, zu ermitteln. Das Weitere ergiebt sich dann aus der einfachen Berechnung. Diese Methode ist für die Bestimmung der genannten Eiweifsstoffe in serösen Flüssigkeiten gebraucht worden; auch ist von HAMMARSTEN die Methode für den Harn bereits bearbeitet worden; derselbe schreibt vor, zur Fällung des Globulins, nativsauren Harn oder, wenn der Harn alkalisch reagierte, mit Essigsäure schwach angesäuerten mit Magnesiumsulfat zu behandeln; damit steht aber die von HOFMEISTER gemachte Erfahrung im Widerspruch, dafs aus einer mit Magnesiumsulfat gesättigten Albuminlösung auch durch saures Phosphot (dem Salz, welches die saure Reaktion des Harnes bedingt) Albumin als solches gefällt wird. Es schien demnach, als könne man Gefahr laufen, beim Sättigen des natürlich sauren Harnes mit Magnesiumsulfat neben dem Globulin auch das Albumin niederzuschlagen. Dieser Punkt mufste zunächst endgiltig entschieden werden. Alsdann handelt es sich darum, die Linksdrehung des Harnes selbst bei der polarimetrischen Eiweifsbestimmung zu eliminieren. Während die Untersuchung über den Einflufs der Reaktion des Harnes auf die Fällbarkeit des Albumins bei der Untersuchung zu entscheidenden Resultaten geführt hat, hat dagegen diejenige über den Einflufs der Reaktion des Harnes noch keine endgültigen Resultate ergeben.

Zu den Versuchen über den Einflufs der Reaktion auf die Fällbarkeit des Albumins durch Magnesiumsulfat verwendete Vf. eine Serumalbuminlösung, welche durch Sättigen eines Transsudates mit Magnesiumsulfat und anhaltender Dialyse erhalten war. Diese neutral reagierende Flüssigkeit wurde bei 30—40° wieder mit obigem Salze gesättigt und filtriert. Je 5 ccm des Filtrates wurden mit ¼ Normallösungen von neutralem Natrium- und saurem Kaliumphosphat in wechselnden Mengen versetzt. Die Mischungen von Albuminlösung und Phosphat wurden darauf bei 30—40° abermals mit schwefelsaurer Magnesia gesättigt. Die Proben, welche nur 0—0,5 saures Phosphat neben 1—0,5 neutralem Phosphat enthielten, waren nach dem Erkalten klar geblieben, diejenigen dagegen, welche mehr als 0,5 saures Phosphat (neben 0,5 neutralem) enthielten, Trübungen und Niederschläge aufwiesen, die mit dem Gehalt der Lösung an saurem Phosphat gleichmäßig zunahmen. Die Probe mit 1,0 saurem Phosphat (und kein neutrales) zeigte den stärksten Niederschlag. Es geht daraus hervor, daß das Albumin in einer phosphathaltigen, mit Magnesiumsulfat gesättigten Lösung nur dann vollständig in Lösung bleibt, wenn von der Gesamtphosphorsäure mindestens 0,5 als neutrales Phosphat vorhanden ist; eine Abnahme des neutralen Phosphats zu Gunsten des sauren bedingt immer eine Fällung des Albumins. Das Filtrat der Probe mit 1,0 saurem Phosphat enthielt gar kein Albumin mehr, die mit 0,9 saurem Phosphat nur eine sehr geringe Menge und so weiter: die mit weniger Phosphat versetzten Proben ließen immer mehr Albumin fallen.

Man hat bei einer Trennung der beiden Eiweißkörper nach HAMARSTYN darauf zu achten, daß das Albumin ganz in Lösung bleibe (das Globulin fällt nach Versuchen unter allen Umständen vollständig aus). Um ersteres zu bewirken, hätte man nur solchen Harn in Arbeit zu nehmen, in welchem mindestens die Hälfte der Phosphorsäure als neutrales Phosphat enthalten ist. Man prüft die Reaktion des Harnes und stumpft die etwaige saure Reaktion bis zur amphoteren Reaktion oder wenigstens bis sehr nahe zu dieser Grenze ab. (Prag. Med. Wochenschr. 9. 153—54. Prag.)

Ch. Ern. Schmitt, *Bestimmung der freien Fettsäuren in den Ölen.* Die folgenden Bedingungen genügen, um mit hinreichender Genauigkeit die freien Fettsäuren in den Fetten nach der Methode von BURSTYN zu bestimmen. 1. Es ist besser, das Öl abzuwiegen, um den Titer auf 100 Gewichtsteile zu stellen. 2. Das Öl muß mit sehr starkem Alkohol mehrere Stunden behandelt werden, nach Bedarf einen ganzen Tag, und ist darauf die Mischung während der Nacht der Ruhe zu überlassen. Man kann dann den Alkohol, ohne fürchten zu müssen, daß Öl mitgerissen wird, abdekantieren. 3. Als Indikator empfiehlt sich, Curcumatinktur anzuwenden. 4. Dieses Verfahren (von BURSTYN) darf nur bei Ölen zur Verwendung gelangen, welche die gewöhnliche Zusammensetzung der vegetabilischen Öle (Olein, Margarin, Stearin) besitzen. 5. Im zweifelhaften Falle ist die volumetrische Analyse durch die gewichtsanalytische zu ergänzen. (Répert. de Pharm; Schweiz. W. f. Pharm. **22**. 89—92). P.

Aug. Leonhardi, *Prüfung der Leimfestigkeit des Papieres.* Vf. beschreibt folgende Prüfung des Papieres, um das Durchschlagen der Tinte zu entdecken. Die eine Seite des zu prüfenden Papieres wird mittels einer für diesen Zwecke konstruierten Ausziehfeder mit einer Anzahl Strichen von neutraler Eisenchloridlösung bedeckt, die 1,531 p. c. Eisen enthält. Nach dem Trocknen gibt man auf die Rückseite des Papieres unter Schräghalten desselben an der Stelle, wo die Striche sind, eine kleine Quantität Äther von 0,726 spez. Gewicht, der mit reinem Tannin gesättigt ist. Ist nun das betreffende Papier gegen Tinte undurchlässig, so wird die mit der ätherischen Tanninlösung behandelte Seite nach dem fast augenblicklich erfolgenden Trocknen keine Veränderung zeigen, im anderen Falle aber, je nach der Durchlässigkeit des Papieres, in mehr oder minder stärkerer Weise die bekannte Reaktion sichtbar werden.

Die Ausziehfeder ist nicht verstellbar, sondern so adjustiert, daß die beiden Spitzen, welche nicht scharfkantig, sondern abgerundet sein müssen, in einer Entfernung von 1 mm auseinander stehen. Die Backen derselben sind aus Elfenbein, Horn oder Hartgummi herzustellen. Die angewandte Eisenchloridlösung stellt in der angegebenen Zusammensetzung eine Flüssigkeit dar, welche in bezug auf ihre Fähigkeit, das Papier zu durchdringen, dem Durchschnitte der besseren Schreib- und Kopiertinten entspricht. (Papier-Ztg. **9**. 625. Dresden.)

8. Technische Chemie.

A. Gawalowski, *Die Hilfsmaterialien der Sodawassererzeugung, sowie deren Prüfung auf Reinheit.* (Rundschau **10**. 359—60.)

E. Egger, *Über die Einwirkung von verdünnten Säuren auf Flaschenglas.* (Arch. f. Hygieine 1884. 68—74.)

H. Pellet, *Neue Untersuchungen über die Rolle der Knochenkohle in der Zuckerfabrikation.* (La Sucrerie Belge **12**. 306 und 325; SCHEIBL. N. Z. **12**. 228—31.)

R. Kayser, *Beitrag zur Chemie des Weines.* (Rep. anal. Chem. **4**. 145—58 und 167 bis 173.)

M. Edelberg, Über *den Eiweifsgehalt des frischen Fleischsaftes.* Der Hühnerfleischsaft war der eiweifsreichste und enthielt 11,75 p. c., Schweinefleischsaft 8,64 p. c., Rinderfleischsaft 6,41 p. c., Elennsaft 5,18 p. c. Eiweifs. Vf. kommt auf Grund aller seiner Versuche zu folgenden Schlüssen: Die chemischen Eigenschaften des Fleischsaftes unterscheiden denselben von Eiweifskörpern, z. B. von Hühnereiweifs, soweit bis jetzt bekannt, nur so wenig, dafs man in denselben keinen Grund finden kann, ihn dem Hühnereiweifs vorzuziehen. Als Nahrungsstoff eignet er sich nicht wegen seines trotz aller Korrigenzien recht unangenehmen Geschmackes und wegen seines hohen Preises. Die rasche Verderbnis des Fleischsaftes wird einer rationellen Verwendung desselben stets im Wege stehen. Der aus Fischfleisch ausgeprefste Saft ist wegen seines ganz geringen Eiweifsgehaltes und widerlichen Geschmackes und Geruches vollkommen unbrauchbar. (Inaug.-Diss. Dorpat 1883; St. Petersb. Med. W. N. F. 1. 175.)

John T. Stoddart, *Die Bestimmung des Entflammungspunktes von Petroleum.* BEILSTEIN (**83**. 634) hat gezeigt, dafs die vom Vf. angegebene Methode der Bestimmung des Entflammungspunktes des Petroleums unter Anwendung eines kontinuierlichen Luftstromes (vgl. Am. Chem. Journ. **4**. 285) zu hohe Resultate giebt, während LIEBERMANN (**82**. 731) damit zu niedrige Resultate erhalten hat.

Der Vf. zeigt nun, dafs der Entflammungspunkt von der Zeit des Luftdurchleitens abhängig ist. Bei 30—40 Sekunden langem Durchleiten von Luft wird die niedrigste Entflammungstemperatur gefunden, bei weiterem Durchleiten steigt dieselbe allmählich. Die von BEILSTEIN erhaltenen Resultate finden darin ihre Erklärung, dafs bei Anwendung der intermittierenden Methode die Angaben sehr schwankend, und zwar zu hoch ausfallen. Da die letzteren von den Dimensionen des mit Dampf gefüllten Raumes über dem Petroleum abhängig sind, so soll der das Petroleum fassende Cylinder nicht enger als 2,5 cm sein und darf 4 cm nicht überschreiten. Bei einem Durchmesser von 2,5 cm, soll seine Länge wenigstens 16 cm sein. Wenn dieser Cylinder mit 50 ccm Petroleum gefüllt ist, so soll die Oberfläche des Schaumes 5 cm von dem äufsersten Rande des Gefäfses entfernt sein. Das Petroleumgefäfs wird in einem Wasserbade erhitzt, in welches es bis zur Oberfläche des Petroleums eintaucht; die Temperatur darf, sobald sie dem Entflammungspunkt nahe ist, nicht schneller als um 2° pro Minute steigen. Die Geschwindigkeit des durch das Petroleum getriebenen Luftstromes ist so zu regulieren, dafs der entstehende Schaum ca. 1 cm hoch steht. Das Zündungsflämmchen, wird bei jedesmaligem Steigen des Thermometers um 0,5°, später noch häufiger an die Öffnung des Cylinders gehalten. Ist der Test erfolgt, so wird eine frische Probe des Öles zu einem neuen Versuch verwendet, wobei der Luftstrom nicht weniger als eine und höchstens drei bis vier Minuten vor dem beobachteten Entflammungspunkt in Bewegung gesetzt wird. Vf. verwendete gewöhnlich als Zündungsflämmchen die ca. 0,5 cm lange Gasflamme, welche beim Anzünden von Leuchtgas an der Spitze eines Lötrohres entsteht. (Am. Chem. Journ. **6**. 18—23.)

P. F. Frankland, Über *die Zusammensetzung des Steinkohlengases mit Beziehung auf dessen Leuchtkraft.* Der Vf. hat das Gas, welches aus verschiedenen englischen Kohlensorten gewonnen wird, untersucht und von den Bestandteilen desselben, namentlich die Kohlenwasserstoffe, welche durch Schwefelsäure absorbiert werden, die Kohlensäure, den Sauerstoff, Stickstoff, Wasserstoff, das Kohlenoxyd und Sumpfgas bestimmt. Auf die Einzelheiten der Untersuchung ist zu verweisen. (Chem. N. **49**. 212. 9. [1.°] Mai; London. Chem. Soc.)

Kleine Mitteilungen.

Gehaltsbestimmung reiner wässeriger Rohrzuckerlösungen mittels Brechungsexponenten, von F. STROHMER. Die quantitative Bestimmung organischer Körper auf rein chemischem Wege in solch einfacher und exakter Weise wie bei den unorganischen Verbindungen durchzuführen, ist in den meisten Fällen eine schwere, ja nach dem gegenwärtigen Standpunkte der analytischen Chemie in der Mehrzahl der Fälle eine unlösbare Aufgabe. Die hochkomplizierte Zusammensetzung, die leichte Zersetzbarkeit, sowie die Löslichkeitsverhältnisse jener Körper für sich oder in ihren Verbindungen machen rein chemische Methoden oft unanwendbar. In diese Lage versetzt, mufste sich die Chemie bei ihrer Schwesterwissenschaft der Physik notgedrungen guten Rat schaffen, und so wurden die Gehaltsbestimmungen auf physikalischem Wege ein integrierender Bestandteil der heutigen analytischen Chemie. Die Eleganz, die

Schnelligkeit der Durchführung und die Genauigkeit dieser Methoden sind obendrein die, Ursache, daß sie die rein chemischen Bestimmungen nur schwer vermissen lassen.

Neben Dichtigkeits- und Siedepunktsverhältnissen sind es namentlich die optischen Eigenschaften vieler organischer Körper, welche eine Gehaltsermittelung in ihren Lösungen möglich machen; so das Verhalten vieler Kohlenhydrate und Alkaloide zum polarisierten Licht oder jenes verschiedener Farbstoffe zur Größe und Intensität ihres Absorptionsspektrums. Ein anderes Mittel dürfte aber auch in der Bestimmung des Brechungsexponenten, welcher abhängig ist von der Menge und Art des gelösten Körpers, zu finden sein, ja der Zukunft dürfte es vielleicht sogar gelingen, durch Kombinierung mehrerer physikalischer Methoden selbst die quantitativen Verhältnisse von Gemengen organischer Körper feststellen zu können. Wäre z. B. bei einer Lösung von Rohrzucker, Dextrose und Lävulose die Abhängigkeitsfunktion der Dichten und Brechungsexponenten einer Lösung von der Dichte- und den Brechungsexponenten der einzelnen Bestandteile ebenso bekannt, wie dies betreffs der Polarisation der Fall ist, so hätten wir dann drei Gleichungen mit drei Unbekannten, und die Aufgabe wäre gelöst. Gegenwärtig sind wir jedoch noch nicht so weit, wurden doch bis jetzt nicht einmal die Brechungsexponenten zu Gehaltsbestimmungen reiner Lösungen herbeigezogen. Es hatte dies darin seinen Grund, daß diese optischen Konstanten sich nur äußerst mühsam und nur mit Hilfe komplizierter Apparate genau ermitteln ließen. Der zu untersuchende Körper wurde in Prismenform gebracht, das Minimum der Ablenkung bestimmt und der Brechungsexponent nach der Formel:

$$n = \frac{\sin \frac{1}{2}(Ao + B)}{\sin \frac{1}{2} B}$$

berechnet, wobei B den brechenden Winkel des Prismas und Ao das Minimum der Ablenkung bedeutet. Die Messungen wurden mit einem Spektrometer ausgeführt.

WOLLASTON wandte dann, namentlich für undurchsichtige Körper, das Prinzip der Totalreflexion an, dasselbe Prinzip, auf welches in neuerer Zeit E. ABBE Apparate basierte, welche die Bestimmung des Brechungsexponenten zu einer für jedermann leichten, sicheren und rasch lösbaren Aufgabe machen.

Mit ABBE'schen Apparaten wurden auch vom Vf. die Brechungsexponenten reiner Rohrzuckerlösungen ermittelt; bevor er jedoch zu den Resultaten der gemachten Untersuchungen übergeht, will er noch das Prinzip der Methode der Bestimmung der Brechungsexponenten durch Totalreflexion in kurzem erörtern.

Ist in nebenstehender Fig. 1 xy die Grenzfläche zwischen zwei Medien M und M', wovon M dichter als M' wäre, so werden die von einem Punkte S ausgehenden Lichtstrahlen a_1, a_7, a_1 . . . vom Lote gebrochen; denkt man sich diesen Vorgang nun in Gedanken fortgesetzt, so kommt man zu einem Einfallswinkel (α), bei welchem der gebrochene Strahl (a'_4) gerade in die Trennungsfläche (x, y) der beiden Medien fällt, darüber hinaus treten die Strahlen $(a_5, a_6$ . . .) nicht mehr aus M nach M', sondern werden in M total reflektiert. Jener Einfallswinkel α, welcher die Grenze bildet, von der an alle Strahlen total reflektiert werden, wird als der Grenzwinkel der Totalreflexion bezeichnet.

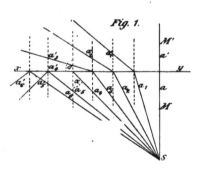

Fig. 1.

Der Brechungsexponent für den Strahl a_4 ist:

$$N = \frac{\sin \alpha}{\sin \beta}$$

und da $\beta = 90°$, daher $\sin \beta = 1$, $N = \sin \alpha$, d. h. der Sinus des Grenzwinkels der Totalreflektion ist gleich dem Brechungsexponenten.

Der Brechungsexponent für den Lichtübergang aus einem Körper in einen anderen ist aber

504

gleich dem Quotienten aus den relativen Brechungsexponenten [*] der beiden Körper; für den Fall nun, als der relative Brechungsexponent für M, n und für M', n' wäre, ergiebt sich:

$$\sin \alpha = \frac{n}{n'}. \tag{1}$$

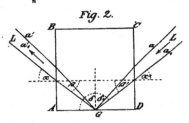

Nimmt man einen starkbrechenden Glaswürfel vom Durchschnitte $A B C D$, Fig. 2, auf dessen unteren Fläche $A D$ ein Tropfen Schwefelkohlenstoff, Glycerin oder Öl gebracht worden wäre, so wird man z. B. in der Richtung von a' den Tropfen deutlich auf der spiegelnden Basis $A D$ wahrnehmen, während er in der Richtung von a'_1 gerade verschwindet, indem Licht, welches von L kommt, gar nicht mehr in den Tropfen eindringt, sondern total reflektiert wird.

Dieses kann aber, wie man oben gesehen hat (Gleichung 1), nur dann der Fall sein, sobald der Einfallswinkel δ' so groß wird, daß:

$$\sin \delta' = \frac{n_1}{n} \quad \text{oder} \quad n_1 = n \sin \delta' \tag{2}$$

ist, wobei unter der Voraussetzung, daß $n_1 < n$, n den Brechungsexponenten des Glases und n' jenen der Flüssigkeit des Tropfens G bedeutet.

Der Brechungsexponent des Glases ist:

$$n = \frac{\sin \alpha'}{\sin \beta} \quad \text{oder da } \alpha' = \alpha \text{ und } \beta' = \beta$$

$$n = \frac{\sin \alpha}{\sin \beta} \quad \text{oder} \quad \sin \beta = \frac{\sin \alpha}{n}.$$

Wie die Figur zeigt, ist auch $\delta' = \delta$ und:

$$\sin \delta = \sqrt{1 - (\sin \beta)^2}$$

daher:

$$\sin \delta = \sqrt{1 - \frac{(\sin \alpha)^2}{n^2}}$$

und somit nach Gleichung (2):

$$n_1 = n \sqrt{1 - \frac{(\sin \alpha)^2}{n^2}}$$

$$= \sqrt{n^2 - (\sin \alpha)^2},$$

d. h. man findet, wenn der Brechungsexponent des Glaswürfels bekannt ist, jenen der Flüssigkeit F, wenn man den Winkel α mißt.

Dies war das Prinzip, welches auch WOLLASTON anwandte, um die Brechungsindices von solchen Körpern zu bestimmen, welche nicht ganz durchsichtig waren oder nur in sehr geringer Menge zur Verfügung standen; ABBE hat nun für durchsichtige Flüssigkeiten ein Verfahren ermittelt, die Grenzstellung der Totalreflexion nicht durch die Beobachtung des reflektierten, sondern des durchgelassenen Lichtes zu ermitteln und das Prinzip und die Beschreibung der von ihm hierzu konstruierten Apparate in einer ausführlichen Abhandlung [**] niedergelegt; da ein tieferes Eindringen in diese Schrift zu weit führen würde, und bereits A. v. WALTENHOFEN (Pol. J. 213. 481) ein klares durchsichtiges Referat über diesen Gegenstand veröffentlicht hat, so wollen wir das, was dieser Forscher über ABBE'S Apparate sagt, wiedergeben:

---

[*] Unter relativen Brechungsexponenten versteht man jenen für den Übergang von Licht aus Luft in andere Körper.

[**] E. ABBE, Neue Apparate zur Bestimmung des Brechungs- und Zerstreuungsvermögens fester und flüssiger Körper, Jena 1874.

„Zwei rechtwinklige Prismen *ABC* und *DEF*, Fig. 3, zwischen welchen wir uns die untersuchte Substanz (im Zwischenraume *ABDF* der Hypotenusenflächen) denken wollen, können in
der in Fig. 4 ersichtlichen Weise mittels Nut und Sperrhaken zusammengefügt werden, wobei

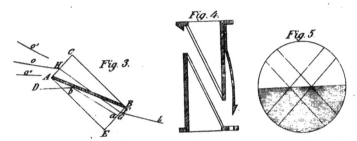

Fig. 4.

Fig. 3.

Fig. 5.

man durch dünne Zwischenlagen (Papier) bei *AD* und *BF* dafür sorgt, daß die Prismen getrennt erhalten werden. Fallen nun, etwa von einem Beleuchtungsspiegel herkommend, Strahlen
(z. B. *LG*) auf das eine Prisma, so werden dieselben, solange sie nicht zu schief auf die Substanz treffen, durchgehen und aus dem anderen Prisma parallel (wie z. B. *HO* parallel *LG*)
austreten. Nehmen wir an, *GH* sei schon die
schiefste Richtung, bei welcher das Licht aus dem
ersten unteren Prisma noch in die Substanz eindringen kann, so werden alle schiefer als *GH*
einfallenden Strahlen (wie z. B. *ab*) total reflektiert, alle weniger schiefen aber durchgelassen
werden. Letztere werden bewirken, daß das
Gesichtsfeld hell erscheint, wenn man in einer
Richtung jenseits der Grenzlage *OH* (z. B. *O'*)
gegen das Doppelprisma hinsieht, während dies
nicht stattfinden kann, wenn man das Doppelprisma in einer Richtung diesseits der Grenzlage
(z. B. in der Richtung *O''*) avisiert. Denken
wir uns nun ein kleines astronomisches Fernrohr
in der Richtung *OH* angebracht und durch
dieses das Prisma betrachtet, so wird der obere
Teil des Gesichtsfeldes hell, der untere dunkel
erscheinen. Dreht man das Prisma um eine
zum Hauptschnitte (d. i. hier zur Zeichnungsebene) senkrechte Axe, so wird sich die Schattengrenze (so wollen wir die horizontale Grenzscheide zwischen dem oberen hellen und unteren
dunklen Teile des Gesichtsfeldes nennen) nach
aufwärts oder abwärts verschieben; bei einer gewissen Stellung aber wird die Schattengrenze
gerade in der Mitte des von einem doppelten
Fadenkreuze (Fig. 5) durchzogenen Gesichtsfeldes
erscheinen.

Am Instrumente (Fig. 6), welches bei *C*
das beschriebene Doppelprisma enthält, wird die
soeben erwähnte Drehung des letzteren durch die
Bewegung einer Alhidade *B* bewirkt, wodurch
zugleich die Ablesung der Drehungswinkel an
einer auf dem feststehenden Sektor *A* aufgetra-

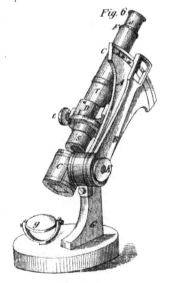

Fig. 6.

genen Skala ermöglicht wird. Für jede Substanz wird die Alhidade, wenn man das Fadenkreuz
auf die Schattengrenze eingestellt hat, einen bestimmten Teilstrich anzeigen, und man wird, wenn
man auf eine stärker brechende Substanz übergeht, die Alhidade gegen *c* hinauf drehen müssen,
um eben dieselbe Einstellung wieder zu erhalten (weil eben bei der stärker brechenden Substanz
die Grenzlage *GH* der Totalreflexion einer schieferen Richtung entspricht).“

Aus den Winkelstellungen der Alhidade vom Nullpunkt, entsprechend etwa dem Brechungsexponenten des Wassers, könnte man aus dem Austrittswinkel α ebenso, wie es vom Vf. oben beim WOLLASTON'schen Würfel (Fig. 2) gezeigt wurde, den Brechungsexponenten berechnen. ABBE hat aber keine Kreisteilung, sondern der Bequemlichkeit halber eine Skala der fortschreitenden Brechungsexponenten, und zwar von jenem des Wassers bei 15° C. 1,3337 bis 1,6 (Brechungsexponent der Glassorte des Doppelprismas) angebracht. Der Brechungsexponent der zu untersuchenden Flüssigkeit muß, wie wir früher gezeigt haben (n' $<$ n), jedoch immer kleiner als jener der benutzten Glassorte sein; da aber ein relativer Brechungsindex von 1,6 nur von sehr wenig Flüssigkeit erreicht wird, wie:

von Schwefelkohlenstoff mit	1,690	
„ Cassiaöl „	1,600	
„ Tolubalsam „	1,628	
„ Anisöl „	1,601 ,	

so wird die Anwendbarkeit der Methode in den meisten Fällen zulässig sein.

„So einfach, wie bis jetzt beschrieben, würde die Beobachtung sich gestalten, wenn man nur homogenes Licht auf den Beleuchtungsspiegel fallen ließe, z. B. nur rotes Licht mittels einer roten Glasplatte oder nur das gelbe Licht einer Kochsalzflamme etc. Wenn man aber weißes Licht anwendet, was gewöhnlich zu geschehen pflegt, so kann die Schattengrenze offenbar nicht scharf erscheinen. Denn bei jener Stellung des Prismas, bei welcher für den gelben Anteil des weißen Lichtes die totale Reflexion eben beginnt, ist diese Grenzstellung für die roten Strahlen noch nicht erreicht, für die violetten aber schon überschritten. Die Folge davon ist, daß die Schattengrenze farbige Säume hat, von welchen sich Rot unmittelbar an den dunklen Teil des Gesichtsfeldes anschließt; an Rot reihen sich dann die anderen Farben in der bekannten Ordnung des Spektrums. Um nun die Schattengrenze scharf zu erhalten (und noch zu einem anderen, später zu erwähnenden Zwecke), muß diese Farbenzerstreuung (Dispersion) aufgehoben werden. Hierzu dient ein eigener Bestandteil des Instrumentes, Kompensator genannt, welcher folgende Einrichtung hat.

Fig. 7.

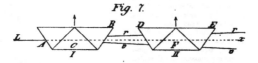

Durch die Verbindung eines Flintglasprismas C (Fig. 7) mit zwei Crownglasprismen A und B kann man ein sogen. AMICI'sches Prisma herstellen, welches die Eigenschaft hat, einen weißen Lichtstrahl LA in seine farbigen Bestandteile (z. B. rot bei r und violett bei v) zu zerlegen, während die mittleren (gelben) Strahlen, ihrer ursprünglichen Richtung Lz parallel, den geraden Weg fortsetzen.* Nennen wir den Winkel der aus dem Prisma I austretenden Strahlen r und v, allenfalls δ (Dispersionswinkel), so können wir denselben auf 2δ bringen, wenn wir die Strahlen noch durch ein zweites gleiches AMICI'sches Prisma II hindurchgehen lassen, welches die in der Zeichnung angedeutete, mit dem ersten Prisma gleichgerichtete Stellung hat. Denkt man sich nun beide Prismen um die Gerade Lz als Axe nach entgegengesetzter Richtung gedreht, so werden, wenn jedes Prisma um 90°, die Prismen gegen einander also um 180° gedreht worden sind (in welchem Falle dann die beiden beigefügten Pfeile entgegengesetzte, zur Zeichnungsebene senkrechte Richtungen haben), die Wirkungen beider Prismen sich aufheben, d. h. die Dispersion derselben wird $=o$ sein. Bei weiterer Drehung wird die Dispersion negativ, d. h. Rot wird nach abwärts, Violett nach aufwärts abgelenkt (während früher das Umgekehrte der Fall war), und wenn jedes Prisma um 180° gedreht ist (beide Pfeile also nach abwärts gerichtet erscheinen), wird die besagte negative Dispersion ihren größten Wert (-2δ) annehmen. In den Zwischenstellungen werden, wie sich durch eine dem Lehrsatze vom Kräftenparallelogramm ähnliche Schlußfolgerung einsehen läßt, Dispersionswerte zwischen $(+2\delta)$ und (-2δ) herauskommen.

Die zwei mittels eines Getriebes t (Fig. 6) gegen einander drehbaren AMICI'schen Prismen (im Instrumente bei T und S enthalten) bilden also einen Apparat, der innerhalb der Grenzen $(+2\delta)$ und (-2δ) jede beliebige Dispersion hervorzubringen vermag, also z. B. auch eine solche, welche gerade hinreicht, die bei der Totalreflexion im Prisma C hervorgebrachte Disper-

---

* $A\alpha$ bezeichnet natürlich nicht den Weg des Strahles LA im Prisma, sondern nur die Verlängerung dieser Einfallsrichtung, die Strahlen r und v kreuzen sich im mittleren Prisma.

sion aufzuheben, wenn wir die Kompensatorprismen mittels ihres Getriebes in die entsprechende Stellung bringen. Indem wir dies thun, stellen wir die scharfe Schattengrenze im Gesichtsfelde des Fernrohres wieder her und können den gesuchten Brechungsexponenten, welcher dann immer für die sogenannten mittleren (gelben) Strahlen gilt, in der bereits beschriebenen Weise ablesen.

Die Drehung, welche wir dem Kompensator erteilen müssen, um die Farbenzerstreuung bei der Totalreflexion aufzuheben, gestattet aber noch eine andere Nutzanwendung; sie ermöglicht nämlich einen Schluß auf die Größe der von der untersuchten Substanz bei der Totalreflexion bewirkten Dispersion. Es ist deshalb am Kompensator eine Trommelteilung mit Index (siehe Fig. 6) angebracht, an der man die besagten Drehungsmittel — dem Übergange von $(+ 2\delta)$ zu $(- 2\delta)$ entsprechen 60 Kompensatorteile — ablesen kann.

In vorliegender Arbeit will Vf. von den Messungen der Dispersion von Zuckerlösungen absehen, weil er über diese in Verein mit anderen optischen Untersuchungen gesondert zu referieren beabsichtigt, hier seien also nur die Brechungsexponenten solcher Lösungen besprochen. Die Bestimmung des Brechungsexponenten mittels des ABBE'schen Refraktometers läßt sich, wie sich ja aus vorstehendem leicht ergiebt, in folgender einfachen Weise durchführen: Man nimmt zuerst von C in Fig. 6, indem man die Klammern lichtet, den einen Teil des Prismas ab, während man die zur Aufnahme der zu prüfenden Flüssigkeit bestimmten Fläche des festen Prismas durch Drehen um k in eine horizontale Lage bringt; an der oberen und unteren Schmalseite derselben legt man schmale Papierstreifchen auf und giebt in die Mitte der Fläche selbst einen Tropfen der zu untersuchenden Flüssigkeit, legt rasch den abgehobenen Prismenteil auf, befestigt denselben und stellt, nachdem man sich durch Bewegung des Spiegels G die günstigste Beleuchtung gesucht, annähernd auf die Schattengrenze im Fadenkreuze durch Verschieben von B ein; dann wird durch Drehen an t die Dispersion aufgehoben und, was jetzt erst möglich, genau aufs Fadenkreuz eingestellt. An der Skala bei C kann dann der Brechungsexponent abgelesen werden.

Die ganze Bestimmung fordert kaum mehr als zwei Minuten Zeit und weniger als 0,1 ccm Untersuchungsmaterial. Nach jeder Bestimmung sind die Prismenflächen mit Wasser und Alkohol sorgfältig zu reinigen und am besten mit einem Lederlappen zu trocknen.

Zur Darstellung der Zuckerlösung wurde ganz chemisch reiner Rohrzucker, welcher zum Teil aus prima Raffinade, zum Teil aus feinstem weißen Kandis, durch mehrmaliges Umkrystallisieren aus Wasser und absolutem Alkohol erhalten war, verwendet. Die Gehaltsermittlung der wässerigen Lösung wurde durch Bestimmung des spezifischen Gewichtes vorgenommen. Letzteres geschah piknometrisch, und zwar einmal mit einem von L. CAPELLER in Wien äußerst sauber ausgeführten Instrumente nach SPRENGEL (POGG. Ann. 150. 459) und einmal mit einem den REGNAULT'schen Fläschchen nachgebildeten Piknometer. Beide gestatten das genaueste Einstellen bei einer bestimmten Temperatur, und waren die Wasserkapazitäten jedes derselben aus zahlreichen spezifischen Gewichtsbestimmungen, welche diesen Versuchen vorangingen, berechnet.

Aus den beiden erhaltenen Zahlen wurde das Mittel genommen, ebenso ist der Brechungsexponent je einer Lösung, in den unten angeführten Zahlen, das Mittel aus mehreren gesonderten Einstellungen an zwei von SCHMIDT & HÄNSCH in Berlin konstruierten und vorher vom Vf. auf ihre Richtigkeit geprüften ABBE'schen Refraktometern.

Alle Beobachtungen beziehen sich auf die Temperatur von 17,5° C., das spez. Gewicht auch auf Wasser von dieser Temperatur. Inbetreff der Temperatur muß Vf. jedoch vor Mitteilung der Versuchsresultate noch einige Worte vorausschicken.

Bekanntlich ist die Temperatur nicht ohne Einfluß auf die Größe des Brechungsexponenten, für Wasser zeigt dies die Formel RÜHLMANN'S (PFAUNDLER, Lehrbuch der Physik 1879. 2. 1. Abt. 169):

$$n(d) = 1,33374 - 0,000\,002\,014\,t^2 + 0,000\,000\,000\,051\,4\,t^4,$$

worin t die Temperatur bedeutet. Bei geringen Temperaturschwankungen wird dieser Einfluß wohl, wie ersichtlich, nur ein geringer sein. Beim ABBE'schen Instrumente nimmt nun das Untersuchungsobjekt in der geringen Menge, als es hierbei zur Verwendung kommt, sehr rasch die Temperatur des Instrumentes an, denn wenn man den Brechungsexponenten einer Flüssigkeit von der Temperatur des Instrumentes bestimmt, und man kühlt nachher dieselbe Flüssigkeit rasch stark ab, so giebt eine Wiederholung der Bestimmung der abgekühlten Flüssigkeit mit demselben Instrumente dieselbe Zahl, was nicht sein könnte, wenn die im Instrumente eingeschlossene Flüssigkeit die niedere Temperatur beibehalten hätte. Um nun in unseren Versuchen nur solche Zahlen zu erhalten, welche auch inbezug des Brechungsexponenten für 17,5° C. gelten, wurden die Beobachtungen zu einer solchen Zeit und in einem solchen Raume gemacht, wo die Lufttemperatur nur wenig von der normalen abwich.

Die erhaltenen Resultate waren folgende:

Spez. Gewicht der Zuckerlösung bei 17,5° C.	Brechungsexponent $n_{(d)}$ bei 17,5° C.	Temperatur der Luft Grad C.	Spez. Gewicht der Zuckerlösung bei 17,5° C.	Brechungsexponent $n_{(d)}$ bei 17,5° C.	Temperatur der Luft Grad C.
1,0039	1,3350	17,6	1,0386	1,3470	17,2
1,0079	1,3360	17,6	1,0404	1,3475	17,6
1,0108	1,3370	17,4	1,0449	1,3490	18,0
1,0166	1,3395	17,8	1,0615	1,3550	18,0
1,0201	1,3405	17,0	1,0832	1,3620	17,8
1,0202	1,3405	18,1	1,1059	1,3690	17,2
1,0241	1,3420	17,5	1,1295	1,3765	18,0
1,0323	1,3450	17,5			

Aus diesen Größen läßt sich eine allgemeine Formel über die Abhängigkeit der Brechungsexponenten reiner, wässeriger Rohrzuckerlösungen von den spez. Gewichten, resp. Dichten dieser Lösungen berechnen.

Liegt allgemein die Aufgabe vor, aus einer Reihe von Beobachtungen,

$$\text{die den Argumenten:} \quad \begin{matrix} n_1, n_2, n_3 & \ldots & \ldots & \ldots & n_g \\ d_1, d_2, d_3 & \ldots & \ldots & \ldots & d_g \end{matrix}$$

entsprechen, ein Gesetz aufzustellen, so ist klar, daß es unbestimmt viele Funktionen geben muß, die alle die Eigenschaft haben, daß allen ihren Werten von d die korrespondierende von n entsprechen, während in Wahrheit doch nur eine einzige Funktion, etwa $n = \varphi(d)$, entspricht.

Die Aufgabe wäre in unserem Falle nicht durchführbar, wenn nicht durch das Hinzutreten der Bedingung, daß die Form der Funktion linear sein müsse, die Lösung zu einer bestimmten gemacht würde.

Daß wir es hier jedoch mit einer solchen Funktion zu thun haben, geht daraus hervor, daß man durch die graphische Darstellung von n (Brechungsexponent) und d (spez. Gewicht) eine gerade Linie erhält, also die Form:

$$n_d = a + b\,d. \tag{1}$$

Obermayer (Sitzungsber. d. mathem. naturw. Klasse der kaiserl. Wien. Akad. 1870. 797) hat seinerzeit ebenfalls die Brechungsexponenten von 10, 20 und 30 p. c. wässeriger Zuckerlösungen nach der Fraunhofer'schen Methode bestimmt, und ist zu dem Ausdrucke:

$$\frac{n_d - n_o}{C d_c} = k$$

gekommen, in welcher Formel n_o den Brechungsexponenten des Wassers und C die Gewichtsprozente der Lösung, also:

$$C = \frac{100\,D}{D-1} \frac{d-1}{d} \quad \ldots \quad (a)$$

bedeuten. Setzt man letzteren Ausdruck, in welchem D die Dichte des reinen Zuckers ausdrückt, in den Obermayer'schen Quotienten ein, so erhält man nach erfolgter Transponierung:

$$n_d = \left(n_o - k\,\frac{100\,D}{D-1}\right) + \left(k\,\frac{100\,D}{D-1}\right)d,$$

also wieder das Gesetz $n_d = a + b\,d$.

Es handelt sich demnach um die numerischen Werte der Konstanten a und b in der Gleichung (1), welche am schärfsten und sichersten durch die Methode der kleinsten Quadrate ermittelt werden können. Zur Bestimmung dieser beiden Werte würden eigentlich zwei Gleichungen genügen, und zwar:

$$\left. \begin{matrix} a + b\,d_1 - n_1 = o \\ a + b\,d_2 - n_2 = o \end{matrix} \right\}. \tag{2}$$

Da aber die Beobachtungen von n_1, n_2 sowohl wie jene von d_1 und d_2 mit unvermeidlichen Fehlern behaftet sind, so würden die auf diese Weise berechneten Werte von a und b nicht die richtigen sein.

Denkt man sich z. B. die Werte von a und b schon bekannt und bildet aus der Reihe der Versuche Gleichungen von der Form (2), so werden im allgemeinen diese Gleichungen sich nicht auf Null reduzieren, es werden vielmehr Fehler $v_1, v_2, v_3, v_4 \ldots v_g$ übrigbleiben, so daß man erhält:

$$
\left.
\begin{aligned}
a + b\,d_1 - n_1 &= v_1 \\
a + b\,d_2 - n_2 &= v_2 \\
a + b\,d_3 - n_3 &= v_3 \\
\cdot \quad \cdot \quad \cdot \quad &\cdot \\
\cdot \quad \cdot \quad \cdot \quad &\cdot \\
a + b\,d_g - n_g &= v_g
\end{aligned}
\right\}
\tag{3}
$$

Nach einem Grundsatze der Methode der kleinsten Quadrate müssen die Konstanten a und b derart bestimmt werden, daß die Bedingungsgleichung:

$$
v_1{}^2 + v_2{}^2 + v_3{}^2 + v_4{}^2 + \ldots v_g{}^2 = [vv] = \text{Min.}
\tag{4}
$$

bestehe, $[vv]$ bedeutet hier nur die symbolische Bezeichnung für die Summe.

Dieses wird nun erfüllt, wenn man:

$$
\frac{d[vv]}{da} = 0 \text{ und } \frac{d[vv]}{db} = 0
$$

setzt, d. h. wenn man setzt:

$$
\left.
\begin{aligned}
v_1 \frac{dv_1}{da} + v_2 \frac{dv_2}{da} + v_3 \frac{dv_3}{da} + \ldots + v_g \frac{dv_g}{da} &= 0 \\
v_1 \frac{dv_1}{db} + v_2 \frac{dv_2}{db} + v_3 \frac{dv_3}{db} + \ldots + v_g \frac{dv_g}{db} &= 0
\end{aligned}
\right\}
\tag{5}
$$

Die in diesen Gleichungen erscheinenden Differentialquotienten haben folgende Bedeutung:

$$
\frac{dv_1}{da} = \frac{dv_2}{da} = \frac{dv_3}{da} = \ldots \frac{dv_g}{da} = 1
$$

$$
\frac{dv_1}{db} = d_1 \quad \frac{dv_2}{db} = d_1 \quad \frac{dv_3}{db} = d_2 \ldots \frac{dv_g}{db} = d_g \,.
$$

Setzt man diese Werte und die aus (3) folgenden Werte für v in Gleichung (5) ein, so erhält man schließlich die beiden Normalgleichungen:

$$
\begin{aligned}
a\,g + b[d] &= [n] \\
a[d] + b\,[dd] &= [nd],
\end{aligned}
$$

aus welchen sich ergiebt:

$$
\left.
\begin{aligned}
a &= \frac{[n]\,[dd] - [d]\,[nd]}{[dd]\,g - [d]^2} \\
b &= \frac{[nd]\,g - [n]\,[d]}{[dd]\,g - [d]^2}
\end{aligned}
\right\}
\tag{6}
$$

Der Ausdruck $[dd]$ bezeichnet hier ebenfalls eine Summe, g die Anzahl der Versuche. Die numerische Bestimmung hat, dieses vorausgesetzt, keine weitere Schwierigkeit. In folgender Tabelle (s. nächste Seite oben) hat Vf. nun alle für die Berechnung nötigen Größen zusammengestellt.

Daraus ergiebt sich:

$[n]\,[dd] = 330{,}1402$ $[d]\,[nd] = 329{,}8516$ $[dd]\,g = 244{,}8930$ $[d]^2 = 244{,}6063$ $[nd]\,g = 316{,}3560$ $[n]\,[d] = 316{,}2622$.

Es ist also: $a = 1{,}00698$ und $b = 0{,}32717$, mithin ist bei $17{,}5^\circ$ C. $n_d = 1{,}00698 + 0{,}32717\,d$.

$$
\tag{7}
$$

Setzt man in diese einfache Gleichung $d = 1$, also die Dichte einer Zuckerlösung vom Gehalte 0, d. h. jene des reinen Wassers, so erhält man:

$$
n_d = 1{,}33415.
$$

Versuchsnr.	Spez. Gewicht bei 17,5°C.	Brechungsexponent nd bei 17,5° C.	d d	n d
1	1,0039	1,3350	1,0078	1,3402
2	1,0079	1,3360	1,0158	1,3465
3	1,0108	1,3370	1,0217	1,3514
4	1,0166	1,3395	1,0335	1,3617
5	1,0201	1,3405	1,0406	1,3674
6	1,0202	1,3405	1,0408	1,3676
7	1,0241	1,3420	1,0488	1,3743
8	1,0323	1,3450	1,0657	1,3885
9	1,0386	1,3470	1,0785	1,3989
10	1,0404	1,3475	1,0824	1,4019
11	1,0449	1,3490	1,0918	1,4096
12	1,0615	1,3550	1,1268	1,4384
13	1,0832	1,3620	1,1732	1,4754
14	1,1059	1,3690	1,2230	1,5139
15	1,1295	1,3765	1,2758	1,5547
15 = g	15,6399 = [d]	20,2215 = [n]	16,3262 = [d d]	21,0904 = [n d]

Aus der oben mitgeteilten RÜHLMANN'schen Formel des Brechungsexponenten für Wasser berechnet sich für 17,5°C.:

$$n_d = 1{,}33312, \text{ und nach WÜLLNER* } n_d = 1{,}33313.$$

Also eine ziemlich gute Übereinstimmung.

In untenstehender Tabelle hat Vf. den Brechungsexponenten für 1—50 proz. Lösungen berechnet; dieselben können, namentlich dort, wo man es nur mit sehr geringen Mengen von Untersuchungsmaterial zu thun hat, leicht zu Gehaltsbestimmungen benutzt werden.

Tabelle über Gehalt, spez. Gewicht und Brechungsexponenten reiner, wässeriger Rohrzuckerlösungen.

Gewichtsproz. Zucker	Spez. Gewicht bei 17,5°C.	n_D bei 17,5°C.	Gewichtsproz. Zucker	Spez. Gewicht bei 17,5°C.	n_D bei 17,5°C.
1	1,0040	1,3355	26	1,1106	1,3703
2	1,0080	1,3368	27	1,1153	1,3719
3	1,0120	1,3381	28	1,1200	1,3734
4	1,0160	1,3394	29	1,1247	1,3750
5	1,0200	1,3407	30	1,1295	1,3765
6	1,0240	1,3420	31	1,1343	1,3781
7	1,0281	1,3433	32	1,1391	1,3797
8	1,0322	1,3447	33	1,1440	1,3812
9	1,0363	1,3460	34	1,1490	1,3829
10	1,0404	1,3474	35	1,1540	1,3845
11	1,0446	1,3487	36	1,1590	1,3362
12	1,0488	1,3501	37	1,1641	1,3878
13	1,0530	1,3515	38	1,1692	1,3895
14	1,0572	1,3529	39	1,1743	1,3912
15	1,0614	1,3542	40	1,1794	1,3928
16	1,0657	1,3557	41	1,1846	1,3946
17	1,0700	1,3571	42	1,1898	1,3963
18	1,0744	1,3585	43	1,1951	1,3980
19	1,0788	1,3599	44	1,2004	1,3997
20	1,0832	1,3614	45	1,2057	1,4015
21	1,0877	1,3628	46	1,2111	1,4032
22	1,0922	1,3643	47	1,2165	1,4050
23	1,0967	1,3658	48	1,2219	1,4068
24	1,1013	1,3673	49	1,2274	1,4086
25	1,1059	1,3688	50	1,2329	1,4105

* Lehre vom Licht, WÜLLNER'S Experimentalphysik (1875). 2. 150.

Auch von konzentrierteren Lösungen, als in der Tabelle angegeben, kann man leicht den Gehalt ermitteln; denn ist der Brechungsexponent bekannt, so braucht man nur aus Gleichung (7) d zu berechnen und in der BALLING'schen Tafel die diesem spezifischen Gewichte entsprechende Prozentziffer aufzusuchen, oder man bedient sich direkt der unten folgenden Formel (8).

Will man den Brechungsexponenten durch die Gehaltsziffer ausdrücken, so braucht man nur den aus (α) (S. 508) folgenden Wert $d = \dfrac{100\,D}{D(100-C)+C}$ in Gleichung (7) einzusetzen, man erhält dann:

$$n_d = 1{,}00698 + \frac{32{,}717\,D}{D(100-C)+C} \qquad (8)$$

worin D die Dichte des reinen Zuckers bei $17{,}5^\circ$C. bedeutet, welche Zahl von GERLACH mit 1,580 468 bestimmt wurde.

Vorstehende Arbeit wurde vom Vf. bereits im Jahre 1879 im Wiener Laboratorium des Centralvereins für Rübenzuckerindustrie durchgeführt, die Publizierung derselben hat sich aus mancherlei Ursachen bis heute verzögert.

Für die Bereitwilligkeit, mit welcher die Apparate von seiten der Leitung des genannten Institutes zur Verfügung gestellt wurden, sei derselben zum Schlusse dieses Artikels der beste Dank ausgedrückt. (Separat-Abdr. aus: Organ des Centralvereins f. Rüb.-Z.-Ind. in der Österr.-Ungar. Monarchie 21.; vom Vf. eingesandt.)

Herstellung von Ammoniumalbumin, von E. MUTH. (D. P.). Statt der Verwendung von Harzleim u. dergl. zur Papierleimung empfiehlt Vf. Verbindungen des Caseïns mit Ammoniak, Ammoniumalbumin genannt. Zur Herstellung desselben werden 100 kg möglichst trockenes Milchcaseïn mit 10 kg gepulvertem Ammoninmcarbonat und 1 kg Ammoniumphosphat durcheinander gearbeitet, bis die blasige Beschaffenheit, welche durch vorhandene Milchsäure verursacht wird, nachläfst, die Masse ein gleichmäfsiges, von Klumpen freies Aussehen zeigt und die milchweifse Farbe sich in eine schwach gelbliche verwandelt hat. So lange sich Blasen bilden, ist Milchsäure vorhanden, mithin auch Albuminate in unlöslicher Form. Zur vollständigen Umwandlung des Caseïns in Ammoniumalbumin sind funfzehn bis zwanzig Stunden erforderlich. Leichter erfolgt diese Umwandlung durch Ammoniumhydrat; da sich jedoch hierbei eine in Wasser lösliche Ölseife bildet, welche das Papier durchscheinend macht und sich von der Flüssigkeit nur schwer trennen läfst, so ist Ammoniumhydrat nur dann zu verwenden, wenn infolge mangelhafter Behandlung sich das Ammoniumalbumin nicht vollständig lösen sollte.

Thonerdesalze scheiden das Albuminoid mit Thonerdehydrat ab; ebenso verhalten sich Magnesiasalze, nur ist bei letzteren die Ausscheidung keine vollständige. Vermöge des Verhaltens gegen Thonerdesalze läfst sich das Ammoniumalbumin zur Masseleimung im Holländer verwenden; die Behandlung ist ebenso wie bei Anwendung von Albuminoiden, d. h. in Verbindung mit Harzleim.

Soll das Ammoniumalbumin zur Oberflächenleimung des Papieres verwendet werden, so mufs dessen Fettgehalt zuvor beseitigt werden, was am besten dadurch geschieht, dafs man der verdünnten Lösung etwa 5 p. c. Paraffin zusetzt und das Ganze auf 50° erhitzt. Das geschmolzene Paraffin, mit der Flüssigkeit stark geschüttelt, nimmt alles Fett auf und scheidet sich aus der Oberfläche der Flüssigkeit nach dem Erkalten in Gestalt einer festen Scheibe ab. Die Verwendung des Ammoniumalbumins behufs der Oberflächenleimung ist ebenso wie diejenige der Albuminoide: nur mufs das Papier auf wenigstens 130° erwärmt werden. Das so erhaltene Papier soll auch gegen Wasser widerstandsfähig sein. (Pol. J. **252.** 86.)

Verfahren zur Reinigung von Glycerin, nach C. MOLDENHAUER u. CH. HEINZERLING. (D. P.). Kochsalzhaltiges Rohglycerin oder Seifenunterlauge wird bei niederer Temperatur eingedampft. Dann versetzt man den Rückstand mit 1—2 Tln. absolutem Alkohol, fügt, wenn die Mischung nicht freies Alkali enthalten sollte, 1—2 p. c. entwässertes kohlensaures Natrium zu und trennt durch Filtration das andere bekannte Weise die ausgeschiedenen Salze von der Flüssigkeit. Die erhaltene alkoholische Lösung von Glycerin wird mit Schwefelsäure angesäuert, das ausgeschiedene Natronsalz getrennt und die Lösung mit Bleioxyd oder Bleisalzen zur Abscheidung des Chlors versetzt. In manchen Fällen kann die Behandlung mit Bleioxyd oder löslichen Bleisalzen unterbleiben. Das in diesem Falle nach dem Abdestillieren des Alkohols zurückbleibende, noch chlorhaltige Glycerin mufs nur dann so oft destilliert werden, bis es chlorfrei ist. Der Alkohol wird in einer geeigneten Destillierblase abdestilliert. Am Ende der Operation gehen Äther über, welche aus den in der Unterlauge vorhanden gewesenen flüchtigen organischen Säuren, wie Propionsäure, Buttersäure u. dgl., bei Gegenwart von Alkohol und eine Säure entstanden sind. (Pol. J. **252.** 86.)

Verfahren zur Herstellung von Kaliumchlorat, von E. K. MUSPRATT. (D. P.).
Nach diesem Verfahren wird statt Kalk Magnesia angewendet. Diese wird mit Wasser zu einer
Milch angerührt und unter beständigem Umrühren Chlorgas eingeleitet. Es entsteht eine Lösung
von Magnesiumchlorat und Chlormagnesium. Dieselbe wird mit Chlorkalium erhitzt und dadurch eine Lösung von Kaliumchlorat und Chlormagnesium erhalten, aus welcher man den
größten Teil des Kaliumchlorates durch Auskrystallisierenlassen gewinnt. Die abfallenden
Laugen werden weiter erhitzt und dabei das noch in Lösung verbliebene Kaliumchlorat ausgefällt,
so daß die Mutterlauge nur noch Chlormagnesium enthält. Zur Wiedergewinnung des Chlors
und der Magnesia läßt man die letzten Laugen abkühlen und erstarren und bewirkt die Zersetzung auf bekanntem Wege durch Wärme. Ein geringer Gehalt der erhaltenen Magnesia mit
Chlormagnesium beeinträchtigt deren Wiederverwendung bei einer neuen Operation nicht. (Pol.
J. **252.** 224.)

Beiträge für das Centralblatt bittet man an die Redaktion (Leipzig, Lessingstr. 5) zu
richten. **Originalarbeiten** von nicht zu großem Umfange werden entsprechend honoriert und
gelangen stets sofort nach der Einsendung, und zwar in kürzester Frist, zum Abdruck.

Redaktion: Prof. Dr. **Rud. Arendt** in Leipzig.

Verlag von Leopold **Voss** in Hamburg u. Leipzig. — Druck von **Metzger & Wittig** in Leipzig.

Hierzu eine litterar. Beilage von **Theodor Fischer's** mediz. Buchhandlung in Berlin.

N⁰ 27.   **Chemisches**   **2. Juli 1884.**

Wöchentlich eine Nummer von
1-2 Bogen. Der Jahrgang mit
Sach- und Namen-Register,
nebst system. Übersicht.

Central-Blatt.

Der Preis des Jahrgangs
ist 20 Mark. Durch alle
Buchhandlungen und Post-
anstalten zu beziehen.

REPERTORIUM

für reine, pharmazeutische, physiologische und technische Chemie.

Dritte Folge. XV. Jahrgang.

Wochenbericht.

2. Allgemeine Chemie.

W. Spring, *Über die Mengen der Sulfide, welche sich durch successive Zusammendrückung aus ihren Elementen bilden.* Bei seinen früheren Untersuchungen hat der Vf. (**83.** 497; **84.** 117) konstatiert, dafs sich unter dem Einflusse von starkem Drucke gewisse chemische Verbindungen bilden können. Auf diese Weise hat er verschiedene Legierungen, Arsen- und Schwefelverbindungen dargestellt, ohne die Erscheinung indessen quantitativ zu verfolgen, und auch ohne den Druck, welcher dazu nötig ist, genauer zu bestimmen. Es handelte sich, nachdem dies festgestellt war, darum, genau den Einflufs zu bestimmen, welchen der Druck bei diesen Erscheinungen übt, d. h. zu erfahren, ob die Menge der gebildeten Verbindung zugleich von der Gröfse des Druckes und der Entwicklung der Berührungsfläche der betreffenden pulverförmigen Körper oder von letzterer allein abhängt. Nach dieser Richtung hat der Vf. jetzt seine Untersuchungen fortgesetzt und teilt die Resultate derselben mit.

Zuvörderst handelte es sich darum, festzustellen, in welchem Verhältnisse die Menge eines gebildeten Metallsulfides zunimmt, wenn der Druck konstant bleibt und die Berührungsfläche sich ändert. Die Versuche haben, wie sich zeigen wird, ergeben, dafs die Gröfse der Berührungsfläche bei den Erscheinungen dieser Art von grofser Bedeutung ist. Sie erstreckten sich auf die Bildung von Silber-, Kupfer- und Bleisulfid und wurden in folgender Weise ausgeführt.

Das Silber wurde durch die Feile in ein sehr feines Pulver verwandelt, das Kupfer durch Reduktion von fein gepulvertem Kupferoxyd mittels Wasserstoff gewonnen und das Blei in gröfseren Körnern angewendet, wie man sie durch die Raspel erhält. Diese Metallpulver wurden dann mit fein zerriebenem krystallisiertem Schwefel (nicht Schwefelblumen) in solchen Mengen gemischt, wie sie den Formeln Ag₂S, CuS und PbS entsprechen. Die Mischung geschah nur unter Anwendung eines feinen Pinsels, wobei jeder Druck vermieden wurde.

Der angewandte Schwefel war in Schwefelkohlenstoff vollständig löslich, wovon man sich vorher stets durch einen besonderen Versuch überzeugte. Dies ist für die Analyse der erhaltenen Produkte von besonderer Wichtigkeit. Nachdem dies geschehen war, setzte man die Schwefel-Metallgemische in Mengen von 2—3 g einem Drucke von 7000 Atm. aus. Die hierdurch erhaltenen Blöcke wurden von neuem fein gepulvert, und zwar entweder durch Anwendung der Feile (Schwefelsilber und Schwefelblei), oder im Achatmörser (Schwefelkupfer), und hierauf abermals einem Drucke von 7000 Atm. ausgesetzt, wieder gepulvert u. s. f., im ganzen sechsmal. Von jedem Produkte behielt man eine Probe zurück, um sie zu analysieren.

Durch dieses Verfahren wurde beabsichtigt, zwischen dem Schwefel und dem Metall immer neue Berührungsflächen herzustellen und dieselben zu vermehren. Behufs der Analyse wurden die Produkte, nachdem sie in feines Pulver verwandelt waren, auf dem Filter vollständig mit Schwefelkohlenstoff ausgewaschen, welcher zuvor durch lange Berührung mit Quecksilber und darauf folgende Destillation gereinigt war.

Folgendes sind die für Schwefelsilber erhaltenen Resultate:

	Erste Kompression	Zweite Kompression	Vierte Kompression	Sechste Kompression
	g	g	g	g
Gewicht der angewendeten Probe	2,6434	2,2564	2,9398	3,0858
Schwefel in CS$_2$ gelöst	0,3360	0,2550	0,1618	0,1620
Verbundener Schwefel	0,0154	0,0361	0,2175	0,2765
Gebildetes Ag$_2$S	0,1194	0,2798	1,3731	2,1429
Ag$_2$S in Prozenten	4,51	12,43	46,74	69,41

Diese Resultate wurden durch eine direkte Bestimmung des Silbers als Chlorid kontrolliert.

Man sieht, daß die Menge des gebildeten Schwefelsilbers bis zur vierten Kompression außerordentlich rasch, nachher etwas weniger rasch zunimmt. Zeichnet man die Resultate in einer Kurve auf, so kehrt dieselbe der Kompressionsaxe zuerst ihre konvexe Seite zu und zeigt dann einen Inflexionspunkt, welcher etwa bei der fünften Kompression liegt.

Für die richtige Beurteilung der Resultate wirft sich die Frage auf, ob die Vermehrung des Schwefelsilbers wirklich eine Folge der successiven Kompressionen oder nicht vielleicht eine Wirkung der Reibung ist, welche beim Pulverisieren der erhaltenen Blöcke stattfindet. Um diese Frage zu beantworten, wurde eine gewisse Menge des Pulvers, welches durch Feilen des durch die zweite Pressung erhaltenen Blockes gewonnen war, noch weiter auf einer Glasplatte mittels eines Läufers zehn Minuten lang zerrieben. Die Analyse desselben ergab dann folgendes:

Gewicht der Probe . . . 1,2760 g
Schwefel in CS$_2$ gelöst . . . 0,1422
Schwefel, verbunden . . 0,0224
Ag$_2$S gebildet 0,1736
Ag$_2$S in Prozenten . . . 13,60 p. c.

Vergleicht man die letzte Zahl mit der in der zweiten Kolumne der obigen Tabelle verzeichneten (12,43 p. c.), so ergiebt sich, daß schon durch das bloße Reiben eine Verbindung der beiden Körper bewirkt wird; diese geht indessen viel langsamer von statten, als die durch den Druck bewirkte. Diese Thatsache ist übrigens nicht neu, da man, wie bekannt, das Quecksilber schon in der Kälte durch Zusammenreiben mit Schwefel leicht verbinden kann. Überdies hat BÖTTINGER (Ann. 182. 315) Schwefelquecksilber durch Zusammenreiben von Ultramarin mit Quecksilber erhalten und ebenso Schwefelblei und Schwefelsilber dargestellt, indem er trocknes Bleiacetat und Silbernitrat mit Ultramarin rieb.

Bei dieser Gelegenheit erwähnt der Vf., daß er auch einen Block, welchen er bei seinen früheren Versuchen durch zweimalige Kompression von Silber und Schwefel erhalten hatte, nach Ablauf eines Jahres analysierte und darin gebildetes Schwefelsilber in einer Menge von 41,63 p. c. gefunden hat. Hieraus ersieht man, daß auch die Zeit bei dieser Erscheinung eine bedeutende Rolle spielt, da sich die Menge des gebildeten Schwefelsilbers während eines Jahres fast vervierfacht hat. Hierauf wird er bei seinen weiteren Untersuchungen zurückkommen. Die mit Blei erhaltenen Resultate sind folgende:

	Erste Kompression	Zweite Kompression	Vierte Kompression	Sechste Kompression
	g	g	g	g
Gewicht der Probe	3,2634	3,3968	4,0466	2,6244
Schwefel gelöst in CS$_2$	0,4311	0,3668	0,3896	0,1946
Schwefel verbunden	0,0058	0,0880	0,1522	0,1568
Gebildetes PbS	0,0433	0,6572	1,1367	1,1961
PbS in Prozenten	1,32	19,34	28,08	45,45

Die rasche Vermehrung des Schwefelbleies von der ersten zur zweiten Kompression ist vielleicht dem Umstande zuzuschreiben, daß bei der ersten Pressung die Bleikörner verhältnismäßig groß waren, weil sie durch die Raspel erzeugt worden waren.

Mit Kupfer wurden folgende Resultate erhalten:

	Erste Kompression	Zweite Kompression	Vierte Kompression	Sechste Kompression
	g	g	g	g
Gewicht der Probe	1,8458	1,3916	2,7162	2,0446
Schwefel gelöst in CS₂	0,5689	0,3895	0,6950	0,4532
Schwefel verbunden	0,0528	0,0795	0,2198	0,2356
CuS, gebildet oder	0,1567	0,2360	0,6525	0,7016
Cu₂S gebildet	0,2600	1,1965	1,0887	1,1633
CuS in Prozenten	8,49	16,95	24,02	34,60
Cu₂S „	14,09	28,20	40,08	56,89

Da es zweifelhaft ist, ob hierbei CuS oder Cu₂S gebildet wurde, so hat der Vf. die Resultate für beide berechnet. Er hat auch einen Block analysiert, den er bereits vor vier Jahren durch einmalige Kompression von Kupferfeile mit Schwefel erhalten hatte, und darin 20,86 p. c. CuS oder 34,69 p. c. Cu₂S gefunden. Auch hier zeigt sich, wie bedeutend der Einfluß der Zeit ist.

Im ganzen zeigen die obigen Versuche, daß der Druck unter gewissen Bedingungen die Verbindung fester Körper bewirkt. Die Menge der Verbindung hängt zugleich von der Größe der Berührungsfläche der Elemente und der Dauer der Berührung ab. Mit anderen Worten: Man würde gleich von Anfang an eine vollkommene Verbindung bewirken können, wenn es möglich wäre, das Metall und den Schwefel innig genug miteinander zu mengen. Diese durch den Druck bewirkten Verbindungen sind ihrer Natur nach mit den langsamen Verbindungen zu vergleichen, welche unter gewissen Bedingungen eintreten. So oxydiert sich z. B. ein Stück Natrium in trockner Luft langsam, obgleich die Temperatur unterhalb des eigentlichen Entflammungspunktes liegt; ebenso geht Silber in Berührung mit Schwefel unter Druck langsam in Schwefelsilber über, ohne daß dazu eine Temperaturerhöhung nötig ist. Aus den obigen Versuchen geht ferner hervor, daß ein Gemenge fester pulverförmiger Körper, wenn es einer einmaligen und nicht zu lange dauernden Pressung ausgesetzt wird, nur eine unvollkommene Verbindung erfährt. Dies hat bereits JANNETTAZ gezeigt, und die obigen Analysen stehen damit im Einklange; sie bekunden, daß der Druck für sich kein chemisches Agens wie die Wärme oder die Elektrizität ist. (Bull. Par. **41**. 492—98. 20. Mai. Paris, Soc. Chim.)

Etard, *Über die Löslichkeit der Salze.* In seiner letzten Mitteilung (S.465) hat der Vf. gezeigt, daß man, um eine genaue Vorstellung von der Löslichkeit der Salze zu erhalten, dieselbe zwischen sehr weiten Temperaturgrenzen bestimmen muß, unter welcher Voraussetzung man dann annehmen kann, daß für alle Salze die Löslichkeit proportional der Temperatur ist und deshalb durch eine mehr oder weniger geneigte Gerade dargestellt werden kann.

Alle Änderungen, welche dieses Gesetz erleidet, sind vorübergehend und entsprechen nicht sowohl einer Änderung der Löslichkeitserscheinung, als vielmehr einem Dissociationszustande, welchem die gelösten Substanzen gegenüber ihrem Lösungsmittel unterliegen. Um die Richtigkeit dieser Annahme zu beweisen, hat der Vf. nicht nur zahlreiche eigene Versuche angestellt, sondern auch viele von anderen Autoren veröffentlichte Zahlenangaben in der Weise umgerechnet, daß sie den prozentischen Gehalt der Lösungen angeben, und hierbei hat sich gezeigt, daß jene Daten, wenn sie ohne vorgefaßte Meinung publiziert waren, dieselben Gesetzmäßigkeiten erkennen ließen. In dieser Beziehung sind besonders namhaft zu machen die Löslichkeiten des Kaliumnitrates (GAY-LUSSAC), des Natriumnitrates (MAUMENÉ), der Chlorate, Bromate und Jodate des Natriums (KREMERS) etc.

In den meisten Fällen aber sind die veröffentlichten graphischen Darstellungen Gerade, ohne jede Krümmung (KCl, NaCl, BaCl₂, ZnSO₄, MgSO₄) oder einfache Kurven ohne irgend welche geradlinige oder asymptotische Verlängerung (Alaun, HgCl₂,Ba[NO₃]₂). In diesem Falle ist anzunehmen, daß die Versuche unzureichend waren, und daß die Kurve nur einen kleinen geradlinigen oder gekrümmten Teil der ganzen Erscheinung darstellt.

Um die Löslichkeit der Salze ohne Anwendung vieler Ziffern darzustellen, wird es deshalb genügen, nur die mitunter sehr ausgedehnten geradlinigen Teile der Kurve durch die Formel $s = a + bt$ auszudrücken und einige Punkte für die Störungskurve anzugeben. Es ist zu bemerken, daß für ein und dieselbe Metallgruppe in ihrer Verbindung

33 *

mit den Halogenen dargestellt, die Kurve sehr ähnlich ist. So sind z. B. die Kurven der Halogenverbindungen von Ca, Sr, Ba fast identisch, ebenso für die von Mg, Zn, Cd. Zur Bestimmung der äußersten Punkte der Löslichkeitskurven kann man sich für die niedrigeren Temperaturen mit Vorteil des Methylchlorides bedienen, wodurch man leicht eine Temperatur von —20° erhält. Für die höchsten Temperaturen hat der Vf. einen Überschuß des krystallisierten Salzes mit einer kalt gesättigten Lösung desselben in Glasröhren erhitzt. Dieselben wurden wie gewöhnlich präpariert und vor dem Zuschmelzen etwa in der Mitte auf ihren halben Durchmesser ausgezogen und daselbst in einem Winkel von 45° gekrümmt. Nach dem Verschlusse erhitzte man sie dann im Ölbade unter Anwendung eines Thermostaten und häufigem Umschütteln, worauf man den gelösten Teil in den anderen Schenkel hinüber dekantierte. Beide Schenkel waren ungefähr gleich groß und enthielten nach dem Dekantieren jeder etwa 15 g Substanz. Nachdem die Röhre bis ungefähr 90° abgekühlt war, wurde sie in der Mitte durchschnitten und gewogen, der Inhalt dann analysiert und die leere Röhre zurückgewogen. Die hierdurch erhaltenen Punkte waren in der Verlängerung derjenigen Linie, welche für gewöhnlichen Druck gefunden wurde, wonach anzunehmen ist, daß der Druck auf die Löslichkeit keinen wahrnehmbaren Einfluß ausübt.

Nach diesen Allgemeinheiten erübrigt nun, auf einige Eigentümlichkeiten einzugeben, welche sich in der Löslichkeit gewisser Salze oder Salzgruppen erkennen lassen, und zu zeigen, daß in allen Fällen, wo eine Störung der Löslichkeitsgeraden beobachtet wird, die Bildung oder Zersetzung von Verbindungen, welche meistens Hydrate sind, zu grunde liegt. Dies läßt sich am besten durch Anführung von Beispielen zeigen. Der Vf. beschränkt sich in dieser Arbeit zunächst nur auf das Chlornatrium.

Die Löslichkeit des Chlornatriums zwischen 0 und 100° ist wohl bekannt; sie bildet eine Gerade, und die Menge des in 100 Tln. der Lösung enthaltenen Salzes bei verschiedenen Temperaturen ist durch die Formel:

$$S = 26{,}4 + 0{,}0248\, t$$

gegeben, wo 26,4 die Menge des bei 0° gelösten wasserfreien Salzes ist. Bestimmt man die Löslichkeit bei 120, 140, 160°, so findet man, daß diese Formel auch dann noch gilt; die Punkte, welche man erhält, liegen in der Verlängerung der ursprünglichen geraden Linie und die Löslichkeit beträgt immer 0,0248 p. c. für jeden Temperaturgrad. Da aber das Chlornatrium unter 0° ein Hydrat von der Formel $NaCl, 2H_2O$ bildet, welches sein Wasser über —10° verliert, so ist anzunehmen, daß die Kurve bei diesem Punkte eine Biegung erleiden muß. Dies wurde durch den Versuch vollkommen bestätigt.

Von 0° beginnt sich nämlich die Löslichkeit zu ändern; wenn man dieselbe bei —5, —10, —15, —22° bestimmt, so findet man, daß sie sich schneller verändert, als der obigen Formel entspricht: diese ergiebt nämlich für —21° eine Löslichkeit von 26 p. c., während nur 23,5 gefunden wurden. Diese Thatsache steht offenbar mit der Existenz eines bestimmten Hydrates in Zusammenhang, da die Störung genau in dem Punkte beginnt, bei welchem das Hydrat sich bildet, resp. zersetzt. (C. r. **98**. 1276—79. [19.*] Mai.)

W. A. Tilden, *Über die Schmelzpunkte und deren Beziehung zu der Löslichkeit der wasserhaltigen Salze.* In einer Untersuchung, welche der Vf. im Juni des vorigen Jahres in Gemeinschaft mit SHENSTONE veröffentlicht hat, wurde dargethan, daß zwischen den Schmelzpunkten und der Löslichkeit der wasserfreien Salze in Wasser unterhalb 100° eine Relation besteht. In der vorliegenden Arbeit zeigt der Vf., daß eine ähnliche Beziehung zwischen den Schmelzpunkten der wasserhaltigen Salze und deren Löslichkeit vorhanden ist. Die Temperatur, bei welcher die Schmelzung beginnt, stimmt in vielen Fällen mit derjenigen überein, bei welcher in der graphischen Darstellung der Löslichkeit die Kurve plötzlich aufsteigt (vergl. die vorstehende Abhandlung von ETARD). Bei isomorphen Salzen, welche den gleichen Gehalt an Krystallwasser besitzen, stehen Löslichkeit und Schmelzbarkeit bei allen Temperaturen unterhalb des Schmelzpunktes in demselben Verhältnisse in der Weise, daß das schmelzbarste zugleich auch das löslichste ist. (Chem. N. **49**. 234. 25. [13.] Mai. London, Chem. Soc.)

E. Drechsel, *Elektrolysen und Elektrosynthesen.* Der Vf. hat vor drei Jahren in seiner Abhandlung: „*Über die Bildung des Harnstoffes im tierischen Organismus*" (**81.** 164) den Nachweis geliefert, daß durch rasch aufeinander folgende Oxydation und Reduktion dem carbaminsauren Ammon in wässeriger Lösung die Elemente des Wassers entzogen werden, wobei Harnstoff entsteht. Diese Harnstoffbildung hatte er durch folgende Gleichungen interpretiert:

I. $NH_4.CO.O.NH_4 + O = NH_2.CO.O.NH_4 + H_2O;$

II. $NH_2.CO.O.NH_4 + H_2 = NH_2.CO.NH_2.H_2O.$

Die Wasserabspaltung werde also dadurch bewirkt, daß dem Carbamat durch Oxydation erst zwei Atome Wasserstoff und dem hypothetischen Körper $NH_2.CO.O.NH_2$ durch Reduktion ein Atom Sauerstoff entzogen wird (oder es könnte auch umgekehrt erst Reduktion und dann Oxydation erfolgen). Da nun bekanntlich im tierischen Organismus mannigfache Synthesen stattfinden; bei denen wir eine Wasserabspaltung annehmen müssen, z. B. von Hippursäure aus Benzoësäure und Glykokoll, von Phenolätherschwefelsäure aus Phenol und Schwefelsäure, so lag die Frage nahe, ob solche Synthesen nicht auch, wie die des Harnstoffes, durch schnell aufeinander folgende Oxydation und Reduktion erzielt werden könnten.

Da hier die Verhältnisse etwas anders liegen, als bei dem carbaminsauren Ammon, indem für die Bildung der Phenolätherschwefelsäure die Vereinigung zweier Moleküle (Phenol und Schwefelsäure) und wegen der großen Zersetzlichkeit der freien Ätherschwefelsäure die Gegenwart eines Alkalis bei ihrer Bildung erforderlich sind, wurde der Versuch in folgender Weise angestellt: Eine gesättigte Lösung von doppeltkohlensaurer Magnesia wurde mit dem gleichen Volum einer Lösung von schwefelsaurer Magnesia gemischt und das Ganze mit käuflicher, reiner Carbolsäure gesättigt. Etwa 400 ccm dieser Mischung wurden dann etwa 30 Stunden unter Abkühlung mit Wechselströmen elektrolysiert; als Elektroden dienten je drei Platinplatten, die Ströme wurden von einer SIEMENS'schen Wechselstrommaschine geliefert, welche in jeder Sekunde die Stromrichtung etwa sechzigmal änderte. Nach Ablauf der Zeit wurde die Flüssigkeit abgegossen und durch frische ersetzt.

Vf. gelangte so in den Besitz von 10 bis 12 l elektrolysierter Flüssigkeit, die er einer eingehenden, chemischen Analyse, deren Gang ausführlich mitgeteilt wird, unterzog. Dieselbe ergab die Gegenwart von γ-Diphenol, Brenzcatechin, Hydrochinon, Phenolätherschwefelsäure, Ameisensäure, normaler Valeriansäure, Oxalsäure, Bernsteinsäure und Malonsäure.

Diese Resultate lassen sich also dahin zusammenfassen, daß unter dem Einflusse wechselnder Oxydation und Reduktion, bewirkt durch Elektrolyse mit Wechselströmen, sowohl synthetische, als auch analytische Prozesse sich abspielen. Erstere führen zur Bildung von γ-Diphenol und gepaarten Schwefelsäuren, insbesondere Phenolätherschwefelsäure, letztere dagegen zur Entstehung einer ganzen Reihe verschiedener Säuren. Die Bildung des γ-Diphenols läßt sich durch folgende Gleichung ausdrücken:

$$2C_6H_5.OH + O = HO.C_6H_4.C_6H_4.OH + H_2O,$$

d. h. wenn ein Atom Sauerstoff in statu nascendi mit zwei Mol. Phenol zusammentrifft, so entzieht es jedem derselben je ein Atom Wasserstoff, und die beiden gleichartigen Reste vereinigen sich zu dem Diphenol. Trifft das Sauerstoffatom aber nur ein Mol. Phenol, so oxydiert es dieses direkt zu Hydrochinon, resp. Brenzcatechin:

$$C_6H_5.OH + O = C_6H_4.(OH)_2.$$

Die Phenolätherschwefelsäure dagegen entsteht durch Oxydation mit nachfolgender Reduktion:

I. $C_6H_5.OH + HO.SO_2.OH + O = C_6H_4.O.O.SO_2.OH + H_2O$;
II. $C_6H_4.O.O.SO_2.OH + H_2 = C_6H_4.O.SO_2.OH + H_2O.$

Das Zwischenglied ist übrigens isomer mit Hydrochinonätherschwefelsäure.

Die nicht Schwefelsäure haltigen Produkte zeigen, nach ihrem Kohlenstoffgehalt in Reihen zusammengestellt, daß das Phenol zunächst zu Hydrochinon und Brenzcatechin oxydiert wird, von denen das erstere anscheinend kaum weiter verändert wird, während das letztere durch Aufnahme von Wasserstoff und Sauerstoff in Säuren der Ameisensäure- und Oxalsäurereihe übergeht. Die wirklich nachgewiesenen ein- und zweibasischen Säuren bilden ferner eine Reihe mit regelmäßig abnehmendem Kohlenstoffgehalt; demnach muß eine stufenweise Verbrennung in der Art stattgefunden haben, daß immer ein Atom Kohlenstoff aus dem Molekül herausgenommen und zu Kohlensäure verbrannt worden ist, unter gleichzeitiger Bildung der Säure mit dem nächst niederen Kohlenstoffgehalt. Eine spezielle Hypothese über den Mechanismus dieser Vorgänge aufzustellen, ist bei dem jetzigen Mangel an Erfahrungen über die Elektrolyse der ein- und zweibasischen Säuren, speziell bei der durch Wechselströme noch verfrüht.

Die Ergebnisse der vorliegenden Untersuchung beanspruchen ein um so größeres Interesse, als die aufgeführten Körper zum Teil überhaupt noch nicht direkt aus Phenol erhalten worden sind, zum Teil nur durch verschiedene kräftige Reagenzien bei höherer Temperatur. γ-Diphenol, Hydrochinon oder Brenzcatechin durch die Oxydationsmittel direkt aus Phenol zu erzeugen, ist bisher nicht gelungen; dagegen fanden BARTH und SCHREDER, daß bei der Einwirkung von schmelzendem Kali auf Phenolsalicylsäure, Oxybenzoesaure, α- und β-Diphenol entstehen, von schmelzendem Natron aber Brenzcatechin, Resorcin und Phloroglucin gebildet werden, und ähnlich aus Hydrochinon durch schmelzendes Natron Oxyhydrochinon. HOPPE-SEYLER giebt ferner an, daſs bei der Behandlung von Benzol mit Wasser und Palladiumwasserstoff etwas Phenol gebildet wird, neben einer Spur eines anderen Körpers, der sich mit Kali bräunt, aber seiner Natur nach nicht genauer erkannt wurde. Vergleicht man nun die Methoden von BARTH und SCHREDER und HOPPE-SEYLER mit der hier angewandten, so zeigt sich, daſs bei aller sonstigen Verschiedenheit doch alle drei ein Moment gemeinsam haben, welches man daher als ein ganz wesentliches betrachten muſs, das nämlich, daſs die Oxydation stets in Gegenwart sehr kräftiger Reduktionsmittel stattfindet. Dieses kräftige Reduktionsmittel ist in allen drei Fällen Wasserstoff in statu nascendi, der zwar nicht die Oxydation zu verhindern vermag, aber ihr doch eine Grenze stecken und sie in andere Bahnen leiten kann. Vf. bemerkt noch zum Schluſs, daſs die Produkte, welche er bei seinen Versuchen erhalten hat, zum Teil die nämlichen sind, welche auch der Tierkörper aus Phenol bildet: die Ätherschwefelsäuren des Phenols, Hydrochinons und Brenzcatechins. Da aber nicht alles eingeführte Phenol in diesen Formen ausgeschieden wird, ein Teil desselben vielmehr „verschwindet", so wird man den Phenolharn künftig auf die oben gefundenen Säuren zu untersuchen haben, namentlich auf Bernsteinsäure. (J. pr. Chem. **29.** 229—52.)

3. Anorganische Chemie.

E. Dervin, *Über die Phosphorsulfide.* Der Vf. hat Sulfide von der Formel PS_4, PS_3, P_4S_{11}, P_4S_{11}, $(P_2S_3, 2PS_4)$ etc. dargestellt. (Bull. Par. **41.** 433—36. 5. Mai. Paris, Soc. Chim.)

Zabudsky, *Über ein Hydrat des im Guſseisen enthaltenen Kohlenstoffes.* (Bull. Par. **41.** 424—28. 5. Mai. Paris, Soc. Chim.)

P. Hautefeuille und **A. Perrey,** *Über das Spratzen des Goldes und Silbers in Phosphordämpfen.* Bekanntlich absorbiert Silber, wenn es auf Kohle oder in Berührung mit Luft geschmolzen wird, brennbare Gase oder Sauerstoff. Indem die Vff. beabsichtigten, die eigentümlichen Phosphüre des Silbers, welche PELLETIER im Jahre 1792 beschrieben hat, wieder darzustellen, wurden sie dazu geführt, die Einwirkung von Phosphordämpfen zuerst auf Silber und dann auch auf Gold zu studieren. Die Versuche führen zu dem Schlusse, daſs hierbei ähnliche Erscheinungen wie die von DUMAS beschriebenen auftreten, und gestatten überdies, den Einfluſs darzulegen und genauer zu präzisieren, welchen die Veränderung des physikalischen Zustandes der Körper auf die Statik der chemischen Verbindungen ausüben.

Bei der Temperatur, bei welcher das Silber zu erweichen beginnt, absorbiert es rasch Sauerstoff; etwas unterhalb seiner Schmelztemperatur absorbiert es ebenfalls rasch Phosphordämpfe unter einem geringeren Drucke, als dem der Atmosphäre. Übrigens erhöht der Phosphor die Schmelzbarkeit des Metalles. Den absorbierten Sauerstoff hält das Silber in einem unwirksamen Gase bei einer Temperatur, die mindestens derjenigen seiner Erweichung gleich ist, zum gröſsten Teile zurück; das phosphorhaltige Silber hält in geschmolzenem Zustande den Phosphor ebenfalls zum groſsen Teile zurück.

Erstarrt das Silber in der Luft, so stöſst es einen Teil des aufgenommenen Sauerstoffes aus; erstarrt es im Phosphordampfe, so giebt es den ganzen Phosphor ab. Silber, welches in Sauerstoff gespratzt hat, giebt das absorbierte Gas erst bei 300—400° ab: phosphorhaltiges Silber, welches, nachdem es geschmolzen war, noch $^1/_5$ p. c. Phosphor enthält, giebt diesem in der Nähe des Siedepunktes des Quecksilbers ab. Das gespratzte Silber erscheint nach dem Erstarren nach einem Vergleiche von DUMAS wie eine Insel mit vulkanischem Relief; beim Spratzen in Phosphordämpfen bläht sich das Metall auf und bedeckt sich an der Oberfläche mit sehr dünnwandigen Bläschen, wodurch es ein chagrinartiges Aussehen gewinnt. Durch Abänderung der Bedingungen der vorgängigen Sättigung mit Phosphordämpfen oder des Erkaltens kann das Silber auch fadenförmig und selbst krystallisiert erscheinen. Diese drei Resultate haben die Vff. mit einem und demselben Silber in einer Glasröhre, deren Temperatur von dem einen Ende zum anderen abnahm, erhalten.

Auch das Gold absorbiert bei einer Temperatur unterhalb seines Schmelzpunktes Phosphordämpfe, hält dieselben bei höherer Temperatur zurück und spratzt beim Erkalten. Bei rascher Abkühlung wird ein Teil des Phosphors zurückgehalten.

Die meisten übrigen Metalle gehen mit dem Phosphor feste Verbindungen ein. Das Blei aber absorbiert nur eine sehr geringe Menge Phosphor und giebt denselben beim Erstarren unter ähnlichen Erscheinungen ab, wie sie sich beim Erstarren von Guſseisen oder Stahl in Wasserstoff oder Kohlenoxyd zeigen.

Eine andere Versuchsreihe ergab, daſs das geschmolzene Arsensilber beim Erstarren eine partielle Zersetzung erleidet, was sich bei erneutem Schmelzen und Abkühlen wiederholt. Unterhalb des Schmelzpunktes der Legierung wird das Arsen langsam abgegeben.

Im allgemeinen ergiebt sich also hieraus, daſs die durch direkte Verbindung der Metalle mit Sauerstoff, Phosphor oder Arsen entstandenen Körper bei Temperaturerhöhung zersetzt werden; die Zersetzung ist stets korrelativ mit dem Erstarren. (C. r. **98.** 1378 bis 1379. [2.*] Juni.)

L. Lindet, *Über die Verbindung der Goldchloride mit Phosphorchloriden.* Der Vf. hat folgende Verbindungen dargestellt: Goldphosphorchlorür, $Au_2Cl_2PCl_3$, und Goldphosphorchlorid, $Au_2Cl_2PCl_5$. (C. r. **98.** 1382—84. [2.*] Juni.)

A. Ditte, *Einwirkung des Kaliumsulfides auf Quecksilbersulfid.* In seiner letzten Mitteilung (S. 487) hat der Vf. angegeben, daſs bei der Zersetzung einer Lösung von Kaliumquecksilbersulfid, HgS,KS, durch Erhitzen schwarze glänzende Nadeln eines anderen Doppelsulfides $5HgS,KS$ erhalten werden; letzteres besitzt nicht immer die angegebene Form, sondern kann auch in schönen mehr oder weniger dunkelroten Nadeln auftreten. Erhitzt man nämlich eine klare Lösung, welche in 1000 g Wasser 428 g Kaliumsulfid und 547 g Quecksilbersulfid enthält, in einer geschlossenen Röhre, so beginnt sich dieselbe bei 35° zu trüben und schwarze Nadeln abzuscheiden, deren Menge mit der Erhöhung der Temperatur zunimmt. Wenn man dagegen die Erhitzung im Wasserbad vornimmt, so erhält man feuerrote Nadeln, denen mitunter einige schwarze beigemengt sind. Jene entstehen sehr häufig, wenn man vorsichtig erhitzt, und sicher, wenn man der Flüssigkeit eine Spur Zinnober zusetzt. In einer schwach, z. B. zuf 35—40° erhitzten Lösung, welche noch keine Abscheidung gegeben hat, kann man nach Belieben die schwarzen oder die roten Nadeln hervorbringen, je nachdem man eine schwarze Nadel oder eine Spur Zinnober setzt. Die Nüance der Krystalle ändert sich übrigens vom hellen Feuerrot bis zum Dunkelzinnoberrot, je nach der Konzentration der Flüssigkeit und der Temperatur. Die roten Nadeln bilden sich mitunter freiwillig, wenn man z. B. in einen geschlossenen Ballon eine Lösung von Kaliumsulfid, welche mit schwarzen Nadeln erfüllt ist, sich selbst überläſst, so sieht man mitunter nach längerer oder kürzerer Zeit diejenigen Nadeln, welche an der Wand sitzen und nicht in die Flüssigkeit tauchen, ihre schwarze Farbe verlieren und sich in sternförmige rote Gruppen umwandeln. Die roten Nadeln halten sich in der Kälte innerhalb einer alkalischen Lösung gut, in der Wärme aber sind sie nicht beständig, und je konzentrierter die Lösung ist, welche man erhitzt, um so schwieriger scheidet sie rote Nadeln ab; ein kurzes Sieden genügt, um sie in schwarze Krystalle umzuwandeln. Nimmt man z. B. eine konzentrierte Lösung von Kaliummonosulfid, sättigt dieselbe in der Kälte mit Zinnober, setzt von letzterem noch einen Überschuſs hinzu und erhitzt allmählich, so löst sich ein Teil des Zinnobers um so mehr, als die Temperatur steigt, und bald beginnt der Rest desselben sich umzuwandeln: er bläht sich auf, nimmt vier- bis fünfmal an Volum zu, und zu gleicher Zeit verwandelt er sich in rote Nadeln, welche bis auf die Farbe den schwarzen Krystallen des Doppelsulfides $5HgS,KS$ gleichen. Fährt man nach vollendeter Umwandlung fort, zu erhitzen, so ändert sich die Farbe der Nadeln, sie werden mehr und mehr dunkel, und nach einigen Augenblicken hat man nur noch schwarze Krystalle.

Ist die Lösung des alkalischen Sulfides so beschaffen, daſs sie bei gewöhnlicher Temperatur nur eine sehr kleine Menge des Doppelsalzes HgS,KS enthält, so tritt beim Erhitzen eine verwickelte Erscheinung ein; es bildet sich nicht allein die Verbindung, $5HgS,KS$, sondern diese kann auch teilweise in der siedenden Flüssigkeit unter Bildung von Quecksilbersulfid, welches unter diesen Umständen krystallinisch auftritt, zersetzt werden. Nimmt man z. B. eine Lösung, welche 100 g Wasser, 279 g Kaliumsulfid enthält und filtriert dieselbe, nachdem man sie mit Zinnober gesättigt hat, oder den Überschuſs des letzteren ab, so scheidet die klare Flüssigkeit beim Erhitzen über freiem Feuer schwarze Nadeln ab. Mit diesen zugleich aber eine gewisse Menge schwarzer, von einen ganz verschiedene Krystalle; es sind kleine hexagonale Tafeln oder kurze, hahnkammartig gruppierte Nadeln, welche aus Quecksilbersulfid bestehen; erhitzt man die Lösung einige Augenblicke zum Sieden, um sie etwas zu konzentrieren, so verschwinden die letzteren Krystalle, und es bleiben nur noch schwarze Nadeln des Doppelsulfides $5HgS,KS$ übrig. Dieselbe Lösung giebt, wenn sie im Wasserbade erhitzt wird, bald schwarze Nadeln, bald eine zinnoberrote Abscheidung, letztere stets, wenn eine Spur Zinnober zugegen ist; diese Abscheidung ist bis auf die Farbe der vorigen gleich. Man findet darunter lange und dünne rote Nadeln des Doppelsulfides und rhomboidale, durchsichtige, rote Blättchen von Quecksilbersulfid; letztere bilden sich in einer passend konzentrierten Lösung fast ausschlieſslich.

Man kann hiernach zu gleicher Zeit Krystalle des Doppelsulfides $5HgS,KS$ und solche von Schwefelquecksilber erhalten, und zwar jeden dieser beiden Körper unter zwei verschiedenen Formen; alle beide scheiden sich mit derselben Färbung ab; wenn das eine rot ist, ist es auch das andere und ebenso, wenn beide gleichzeitig schwarz sind.

Nach allem diesen kann man sich leicht Rechenschaft von dem Vorgang bei der industriellen Darstellung des Zinnobers geben. Das eine hierzu gebräuchliche Verfahren besteht darin, schwarzes gefälltes oder in der Wärme dargestelltes Quecksilbersulfid (Aethiops mineralis) mit einer alkalischen Lösung von Kaliumpolysulfid zu digerieren. Man schüttelt von Zeit zu Zeit und verhütet, daß die Temperatur über 45° steigt; nach einer gewissen Zeit beginnt das Sulfid rot zu werden, und sobald es die gewünschte Nüance hat, wird die Lösung dekantiert und der Bodensatz ausgewaschen; es bildet sich hierbei eine gewisse Menge des Doppelsulfides $5\,HgS,KS$, und da die Temperatur der Flüssigkeit nicht unveränderlich ist, so wird bei einer geringen Erhöhung derselben ein kleiner Theil dieses Doppelsulfides zersetzt und giebt krystallisiertes rotes Quecksilbersulfid; diese Farbe tritt, wie oben gezeigt wurde, leicht bei niedriger Temperatur auf. Kühlt sich die Flüssigkeit ab, so bildet sich wieder Doppelsulfid auf Kosten von amorphem Sulfid, welches durch eine neue Temperaturerhöhung zersetzt wird, und so fort.

Man kann mit Hilfe von Schwefelkalium auf nassem Weg reinere Zinnoberkrystalle erhalten, als auf trocknem, da das Produkt in letzterem Falle immer etwas Quecksilber enthält. Es genügt zu diesem Zweck, einen Überschuß von Zinnober zu einer Schwefelkaliumlösung hinzuzusetzen, welche zu wenig konzentriert ist, um jenen in Nadeln des Doppelsulfides umzuwandeln; das Gemenge überläßt man dann in einem geschlossenen Gefäß bei gewöhnlicher Temperatur sich selbst. Die Temperaturschwankungen zwischen Tag und Nacht sind ausreichend, um abwechselnd Lösung und Wiederabscheidung des Metallsulfides zu bewirken.

Die Krystalle, welche anfänglich mikroskopisch sind, werden allmählich größer, und je nach den Umständen nach kürzerer oder längerer Zeit ist die ganze Menge des Zinnobers vollständig in sehr schöne prächtig rote Krystalle umgewandelt, welche man leicht von der alkalischen Lösung trennen kann. (C. r. **98.** 1380—82. [2.*] Juni.)

4. Organische Chemie.

C. Schorlemmer und **T. E. Thorpe**, *Heptan aus Pinus Sabiniana* (**83.** 133.) (Am. Chem. Journ. **6.** 28—31.)

Richard Hübner, *Über einige Abkömmlinge der Isäthionsäure (Monhydroxyläthansulfonsäure)*. Die zu den Versuchen verwandte Isäthionsäure stellte Vf. durch Einwirkung von Schwefelsäureanhydrid auf wasserfreien Äther dar, wobei die Ausbeute an Isäthionsäure nicht nur von der bei der Einwirkung innegehaltenen Temperatur, sondern auch von der relativen Menge der aufeinander wirkenden Substanzen wesentlich abhängig war, so daß Vf. diese Einwirkung zunächst genauer untersuchte, als dies bis jetzt geschehen war.

Als erstes Resultat ergab sich, daß das erste Produkt der Einwirkung obiger Verbindungen ein *Schwefelsäureäther* ist, und daß die relativ geringen Mengen von Methion- und Äthionsäureäther, welche gefunden wurden, ihre Entstehung der weiteren Einwirkung von Schwefelsäureanhydrid auf den zuerst entstandenen Schwefelsäureäther verdanken, wie dies Vf. direkt nachweisen konnte.

Um bei der Darstellung der Isäthionsäure die zu weit gehende Zersetzung und damit Verluste möglichst zu vermeiden, leitet man zu einem auf 0° abgekühlten Äther etwas mehr als das gleiche Gewicht Schwefelsäureanhydrid. Man gießt, nachdem man probiert, ob Wasser noch unveränderten Äther abscheidet, das Reaktionsprodukt in viel Wasser aus, sammelt und trocknet den gebildeten Schwefelsäureäther schnell über Schwefelsäure und läßt auf den letzteren wieder Anhydrid wirken.

Vf. stellte die von KOLBE (LIEB. Ann. **122.** 38) bereits erhaltene *Monochloräthansulfonsäure* (Chloräthylschwefelsäure, $CH_2Cl—CH_2.SO_2OH$), durch Einwirkung von Phosphorpentachlorid auf das isäthionsaure Kalium dar, wobei sich zunächst das Chloräthansulfochlorid, $CH_2Cl—CH_2.SO_2Cl$, bildet, das mit Wasser die obige Säure liefert. Es werden das Barium-, Blei-, Ammonium-, Kupfer-, Zinknatrium und andere Salze dieser Säure beschrieben. Die Monochloräthansulfosäure ist sehr hygroskopisch und daher schwer krystallisiert zu erhalten.

Beim Einwirken des Dichlorides auf alkoholhaltigen Natriumalkoholat wurde das äthoxyläthansulfonsaure oder ätherisäthionsaure Natrium erhalten. Bei Verwendung von trocknem Natriumalkoholat entstand der Äthoxyläthansulfonsäureäther, $C_2H_5O.C_2H_4.SO_2.$ OC_2H_5, und wahrscheinlich auch Chloräthansulfonsäureäther. Alkoholhaltiges Natriumalkoholat und chloräthansulfonsaures Natrium ergab äthoxyläthansulfonsaures Natrium,

$C_2H_5O.C_2H_4SO_3Na$. Des weiteren stellte Vf. die Äthoxyläthanmonoäthyldischwefelsäure, ferner die Äthoxyläthansulfosäure (Ätherisäthionsäure) und einige Salze her. (LIEB. Ann. **223**. 198—235. 3. Febr. Jena.)

Karl Garzarolli-Thurnlackh und **Alfred Popper**, *Über die Einwirkung von Zinkpropyl und Zinkisobutyl auf Butylchloral.* Bei der Einwirkung von Zinknormalpropyl auf Butylchloral (1 auf 1 Mol.) bildet sich ein Reaktionsprodukt, welches, in Wasser eingetragen, unter Gasentwicklung Zinkhydrat und einen ölförmigen Körper abscheidet. Letzteres erstarrt und erwies sich als Trichlorbutylalkohol. Das bei der Einwirkung von Zinkpropyl auf Butylchloral sich entwickelnde Gas ist Propylen. Ersteres wirkt demnach in gleichem Sinne wie Zinkäthyl auf Butylchloral. Zinkisobutyl zeigte eine gleiche Einwirkung, wie das Zinkpropyl auf das Butylchloral; es bewirkt die Bildung des Zinkderivates des Trichlorbutylalkohols. (LIEB. Ann. **223**. 166—69.)

Karl Garzarolli-Thurnlackh, *Über die Einwirkung von Zinkäthyl und Zinkmethyl auf gechlorte Aldehyde.* (Dritte Abhandlung.) In Fortsetzung seiner früheren Versuche (**82**. 7. 203. 587) beschreibt Vf. in dieser Abhandlung die Darstellung und Eigenschaften des aus Butylchloral und Zinkmethyl (1 Mol. auf 1 Mol.) zu gewinnenden *Methyltrichlorpropylcarbinols* und seiner Derivate. Ersteres krystallisiert in rosettenartig gruppierten seideglänzenden Nadeln von angenehm campherartigem Geruche und 50,5° C. Schmelzp.; die Verbindung siedet unter 41 mm Druck zwischen 123—24° C. Das *Methyltrichlorpropylcarbinacetal* wurde aus dem obigen Alkohol und Acetylchlorid und nachträglicher Digestion mit Essigsäureanhydrid bei 150° C. gewonnen, bildet eine angenehm riechende, farblose Flüssigkeit, die bei 227° C. (Druck 726 mm) siedet und das spez. Gewicht von 1,3048 bei 11,5° besitzt.

Salpetersäure oxydiert das Carbinol zu Trichlorbuttersäure und Kohlensäure; Kaliumdichromat und Schwefelsäure bewirkt die Oxydation zu *Methyltrichlorpropylketon*, $C_5H_7Cl_3O$, wodurch das Methyltrichlorpropylcarbinol als ein sekundärer Alkohol charakterisiert ist. Das Keton ist eine farblose, von angenehmem, an Terpenderivate erinnerndem Geruche und siedet zwischen 191—193° (Druck 743,8 mm), liefert bei der weiteren Oxydation mit Kaliumchromat und Schwefelsäure bei 150—160° Kohlensäure, Salzsäure und Essigsäure.

Durch die Einwirkung des pulverförmigen Eisens und der Essigsäure auf Methyltrichlorpropylcarbinol werden dieser Verbindung zwei Chloratome entzogen und es entsteht *Methylmonochlorallylcarbinol*, C_5H_9ClO (bildet sich bei Anwendung von Zinkstaub und Salzsäure). Dasselbe ist eine farblose, durchdringend riechende Flüssigkeit vom Siedepunkte 158—159° (bei 724,4 mm Druck) und dem spez. Gewichte 1,08821 bei 14,1° und verbindet sich direkt mit Brom. Oxydationsmittel wirken sehr energisch darauf ein. Kaliumpermanganat spaltet es in Kohlensäure, Essigsäure und wahrscheinlich auch Milchsäure. Das *Acetat* dieser Verbindung erhält man durch ihre Digestion mit Essigsäureanhydrid, es stellt eine angenehm riechende Flüssigkeit vom Siedepunkte 172 bis 173° (bei 734,4 mm Druck) dar, die sich mit Brom direkt verbindet und von Oxydationsmitteln sehr leicht angegriffen wird. Das *Methylmonochlorallylcarbinchlorid* wird aus dem Carbinol und Phosphortrichlorid erhalten und hat die Formel $C_5H_8Cl_2$ (Siedep. 142 bis 144°, Druck 726 mm). Mit Brom verbindet es sich zu *Methylmonochlordibrompropylcarbinchlorid*, $C_5H_8Br_2Cl_2$.

Die Konstitution des Methyltrichlorpropylcarbinols kann durch die Formel CH_3. $CHCl.CCl_3.CH(OH).CH_3$, und die des Methylmonochlorallylcarbinols durch $CH_3.CH=CCl$. $CH(OH).CH_3$ ausgedrückt werden. (LIEB. Ann. **223**. 149—65. 8. Febr. Graz.)

A. de Girard, *Über die Phosphine der Aldehyde.* Der Vf. giebt einen ausführlichen Bericht seiner Untersuchungen über diesen Gegenstand (**82**. 168) und faßt die von ihm erhaltenen Resultate folgendermaßen zusammen.

Das Jodphosphonium verbindet sich direkt mit den Aldehyden der fetten und aromatischen Reihe. Bis jetzt sind derartige Verbindungen dargestellt worden von dem Acet-, Propion-, Isobutyr-, Valer-, Önanth-, Benzoyl- und Salicylaldehyd. Die Acet-, Propion-, Valer- und Önanthverbindungen sind gut krystallisiert. Sie enthalten 4 Mol. Aldehyd auf 1 Mol. Phosphoniumjodid.

Man kann sie auf den Ammoniumtypus beziehen und als *quaternäre Phosphoniums* betrachten. Hiernach müssen sie nach der gebräuchlichen Nomenklatur folgendermaßen bezeichnet werden: *Tetrahydroxäthylidenphosphonium-*, *Tetrahydroxypropylidenphosphonium-*, *Tetrahydroxamylidenphosphonium-* und *Tetrahydroxönanthylidenphosphoniumjodid.*

Man kann in diesen Verbindungen das Jod durch Hydroxyl ersetzen und daraus Phosphoniumhydrate erhalten, welche drei- oder viermal die Aldehydgruppe enthalten. Es entstehen auf diese Weise: *Trihydroxypropylidenphosphoniumhydrat*, *Tetrahydroxamylidenphosphoniumhydrat.* Diese geben 1 Mol. Wasser ab; auf diese Weise erhielt man z. B. das *Tetrahydroxäthylidenphosphin.*

Die Chlorale verbinden sich direkt mit Phosphoniumjodid unter Verlust von Jodwasserstoff. Diese Verbindungen sind gut krystallisiert und enthalten 2 Mol. Chloral, verbunden mit 1 Mol. Phosphorwasserstoff. Auf diese Weise wurde dargestellt: aus Chloral das *Dihydroxychloralphosphin* und aus Butylchloral das *Dihydroxybutylchloralphosphin.*

Auch Aceton vereinigt sich direkt mit Phosphoniumjodid, giebt aber keine krystallisierbare Verbindung. (Ann. Chim. Phys. [6.] **2.** 1—66.)

L. Claisen und **A. C. Ponder**, *Über Kondensationen des Acetons mit aromatischen Aldehyden und Furfurol* (vgl. **83.** 488 ff.). Während nach früheren Versuchen Salzsäure auf ein Gemisch von Benzaldehyd und Aceton einwirkend nur Dibenzalaceton liefert, gelingt es bei Gegenwart verdünnter Alkalilösungen, die Reaktion nach Belieben so zu leiten, dafs entweder nur ein Aldehydrest oder zwei solcher Reste in das Aceton eintreten. Ebenso leicht gelingt die successive Einführung zweier verschiedener Aldehydradikale in das Aceton, also die Darstellung der gemischten Derivate von der Formel $CO \big\langle {}^{CH=CH.R}_{CH=CH.R'}$. Von Wert ist diese Methode namentlich für die Darstellung der Furfurolacetonkondensationsprodukte, die sich wegen der Unbeständigkeit des Furfurols gegen Mineralsäuren nicht durch Einwirkung von Salzsäure auf das Gemisch gewinnen lassen.

Benzalaceton (CH_3—CO—CH=CH—C_6H_5 Zimmtsäuremethylketon). Dieser schon von BAEYER (LIEB. Ann. Suppl. **5.** 82) beobachtete, von CLAISEN und CLAPARÈDE **82.** 74) und von ENGLER und LEIST **73.** 455) auf anderem Wege dargestellte Körper läfst sich viel bequemer aus Benzaldehyd und Aceton bei Gegenwart von zehnprozentiger Natronlauge erhalten. Nebenbei bildet sich etwas *Dibenzalaceton*, Cinnamon: CO.(CH=CH—C_6H_5)$_2$, das sich auch leicht durch Einwirkung verdünnter Natronlauge auf Aceton und einen Überschufs von Benzaldehyd oder auf Monobenzalaceton und Benzaldehyd darstellen läfst. Seine Lösung in Chloroform liefert bei Behandlung mit Brom das Tetrabromid $C_{17}H_{14}O.Br_4$.

Das charakteristische Verhalten einer Benzaldehydacetonlösung gegen Natronlauge kann benutzt werden, um Spuren von Aceton selbst in sehr verdünnter Lösung nachzuweisen. 0,02 g Aceton in 2 ccm wässerigen Alkohols geben auf Zusatz eines Tropfens Benzaldehyd und Natronlauge einen relativ reichlichen Niederschlag der charakteristischen gelben Blättchen des Dibenzalacetons, genügend, um den Schmelzpunkt zu bestimmen (112—112,5° C.) und mit Schwefelsäure die orangerote Färbung zu erzeugen.

Furfuralaceton (Furfuracrylsäuremethylketon, CH_3—CO—CH=CH—C_4H_3O) wurde erhalten aus 20 g Furfurol, 30 g Aceton (in 1 l Wasser gelöst) und mit 30 g Natronlauge (zehnprozentig) in der Kälte. Das sich hierbei abscheidende, mit Äther ausgeschüttelte Öl siedete bei 135—137°, besitzt eine hellgelbe Farbe und an Furfurol und Zimmt erinnernden Geruch. Das Furfuralaceton erstarrt zu Nadeln, die bei 39—40° schmelzen. In Schwefelsäure löst es mit hellbräunlich gelber Farbe, die bei vorsichtigem Erwärmen in ein intensives Weinrot übergeht. Die hellrötlichgelbe Lösung des Körpers in Acetylchlorid und Benzoylchlorid färbt sich nach kurzem Erwärmen schön smaragdgrün.

Das *Difurfuralaceton* [CO(CH=CH—$C_4H_3O)_2$], das sich auch bei der Darstellung des Furfuralcetons in kleinen Mengen bildet, entsteht aus 20 g Furfurol, 6 g Aceton in 400 ccm Wasser und 300 ccm Alkohol und noch 30 g Natronlauge. Aus Petroläther umkrystallisiert, bildet der Körper flache citronengelbe, am Licht sich bräunende Prismen vom Schmelzpunkt 60—61° C. Mit konz. Schwefelsäure, mit rauchender Salzsäure und Acetylchlorid giebt er prachtvoll tiefdunkelrote Lösungen.

Benzalfurfuralaceton, $CO \big\langle {}^{CH=CH—C_6H_5}_{CH=CH—C_4H_3O}$, kann einerseits durch Kondensation von Benzalaceton und Furfurol, andererseits durch solche von Furfuralaceton und Benzaldehyd hergestellt werden. Seine strohgelben Blättchen oder flachen Prismen schmelzen bei 55—56° C. und lösen sich in konz. Schwefelsäure mit dunkelroter Farbe auf.

Cuminalaceton, [$C_3H_4(C_{10}H_{12})O$], dargestellt aus 20 Tln. Aceton, 20 Tln. Cuminol, 300 Tln. Wasser, 170 Tln. Alkohol und 20 Tln. Natronlauge, bildet ein unter 23 mm Druck bei 180—181° siedendes, stark lichtbrechendes, gelbliches Öl. Das *Dicuminalaceton* (aus 20 Tln. Cuminol, 4 Tln. Aceton in 300 Tln. Wasser und 250 Tln. Alkohol und 20 Tln. Natronlauge) krystallisiert in hellgelben langen Prismen vom Schmelzpunkt 106—107°, die sich in Schwefelsäure mit schön orangeroter Farbe lösen.

Das *Benzalacetophenon*, welches bereits früher erhalten wurde (**83.** 488), läfst sich bequem durch Einwirkung von Natronlauge auf eine wässerig-alkoholische Lösung von Acetophenon und Benzaldehyd bereiten. (LIEB. Ann. **223.** 137—48. Bonn).

A. Herzfeld, *Über Lävulose. 1. Die spezifische Ablenkung der Lävulose.* (Ztsch. d. Ver. f. R.-Z.-Ind. **21.** 430—49.)

W. H. Kent und **B. Tollens**, *Vorläufige Notiz über Galaktose und Schleimsäure.*
Galaktose wurde aus Milchzucker durch Kochen mit Schwefelsäure etc. und wiederholtes
Umkrystallisieren hergestellt und in sehr reiner Form gewonnen; viel besser läfst sich
dieser Zucker jedoch, wie es scheint, durch Anwendung von Salzsäure erhalten. Zunächst
haben die Vff. die Bildung von Schleimsäure einerseits aus Milchzucker, andererseits aus
Galaktose mit systematisch wechselnden Mengen Salpetersäure sehr verschiedener Konzentration untersucht und als erste Krystallisation im günstigsten Falle aus Milchzucker
38 p. c., aus Galaktose ca. 77 p. c. Schleimsäure erhalten, so dafs Pasteur's Angaben
völlig bestätigt sind.. Die Polarisation der Galaktose hat in einigen Versuchen mit zehn-
bis fünfzehnprozentigen Lösungen (α) D = 81,4—81,7° ergeben.

Bekanntlich entsteht aus Milchzucker und mehreren anderen Kohlehydraten beim
Erhitzen mit Schwefelsäure Lävulinsäure; da nun aus Dextrose bei gleicher Behandlung
ebenfalls Lävulinsäure sich bildet und Dextrose nach den vorhandenen Angaben neben
Galaktose aus Milchzucker beim sogen. Invertieren entsteht, war einer der nächstliegen-
den Versuche die Prüfung der Galaktose auf ihr Verhalten beim Erhitzen mit Schwefel-
oder Salzsäure.

Der Versuch hat nun die Bildung von Lävulinsäure aus Galaktose mit Salzsäure ergeben, indem die Vff. im stande waren, aus der Reaktionsflüssigkeit Zink- und Silber-
lävulat mit den bekannten Eigenschaften (Silbersatz in schönen Sechsecken, deren Winkel
gemessen wurden, und deren Silbergehalt zu der Formel $C_5H_7O_3Ag$ stimmte) zu gewinnen,
und der Schlufs wird wahrscheinlich, dafs Lävulinsäure aus allen eigentlichen Kohley-
draten entsteht, und ihre Bildung ein Kriterium für die Kohlehydratnatur eines Körpers
ist. Sicher wird dieser Schlufs natürlich erst, wenn alle bekannten Kohlehydrate einheitlicher Natur auf ihr Verhalten beim Kochen geprüft sind und das bezeichnete Resultat
gegeben haben werden.

Die Schleimsäure denken die Vff. ebenfalls in den Kreis der Untersuchung zu ziehen.
(Ztschr. d. Ver. f. Rübenz.-Ind. **21.** 449—50.)

E. Gossin, *Über die Einwirkung von Isobutylchlorid auf Benzol bei Gegenwart von
Chloraluminium.* Um tertiären Isobutylbenzol darzustellen, hat der Vf. die Methode von
Friedel und Crafts versucht, welche in Fällen ähnlicher Art nie versagt hat. Er liefs
zu diesem Zwecke 50 g Isobutylchlorid (Siedep. 68—69°) auf 150 g Benzol und etwa 50 g
Aluminiumchlorid einwirken. Das Reaktionsprodukt wurde mit Wasser gewaschen und
der fraktionierten Destillation unterworfen, wobei man nach zehn- bis zwölfmaliger Wiederholung ungefähr 40 g einer vollkommen farblosen, klaren, sehr beweglichen, bei 166—167°
siedenden Flüssigkeit erhielt. Eine kleine Menge des Produktes siedet bei 152—155°.
Jener Anteil gab bei der Analyse $C_{10}H_{14}$ oder C_6H_5—C_4H_9. Die Dampfdichte, im Apparate von Meyer bestimmt, ergab 4,72 (ber. 4,64), spez. Gew. 0,8795 bei 0°.
Die bei 152—155° siedende Fraktion besafs ebenfalls die Zusammensetzung $C_{10}H_{14}$.

Der Vf. konnte die Eigenschaften dieses Körpers nicht genauer untersuchen, doch
glaubt er, dafs er die Konstitution des tertiären Butylbenzols besitzt. Das bei 166—167°
siedende Produkt gab bei der Oxydation mit Kaliumpermanganat, sowie mit Chromsäure
in Essigsäurelösung Benzoesäure. Da der Siedepunkt mit demjenigen übereinstimmt,
welchen Fittig für den Körper erhielt, den er durch Einwirkung von Brombenzol auf
Isobutylbromid erhalten hatte, so hat Vf. beide miteinander verglichen und ihre Identität
festgestellt. (Bull. Par. **41.** 446—47. 5. Mai. Paris, Soc. Chim.)

R. D. Silva, *Über die Synthese des Diphenyläthans und Äthylidenchlorid.* Nachdem
Angelbis und Anschütz (Ber. Chem. Ges. **17.** 165) die Synthese des Diphenyläthans aus
Äthylidenchlorid und Benzol bei Gegenwart von Aluminiumchlorid angezeigt haben, bemerkt der Vf., dafs er denselben Körper auf dieselbe Weise durch Einwirkung von Äthylidenchlorid bereits vor drei Jahren (Bull. Par. **36.** 66) dargestellt hat. (Bull. Par. **41.**
448—49. 5. Mai.)

J. V. Janovsky, *Über direkte Substitutionsprodukte des Azobenzols und ein asymmetrisches Triamidobenzol.* In seiner im Jahre 1882 veröffentlichten Arbeit: „Über die
Nitroderivate der Azobenzolparasulfosäure", hat Vf. nachgewiesen, dafs durch Nitrierung
der Parasulfosäure des Azobenzols zwei Mononitrosäuren und durch fortgesetztes Nitrieren
eine Dinitrosäure gebildet wird. Die Stellungsfrage dieser Dinitrosäure mufste damals
offen bleiben, weil bei der bedeutenden Anzahl der Dinitrosulfosäuren des Azobenzols
(es giebt 64 Ortsisomerien) die Stellung erst dann bestimmt werden konnte, wenn die
Stellung der Mononitrosäuren bekannt war. Die Stellung der Mononitrosäuren wurde
vom Vf. in der Abhandlung über Nitro- und Amidoderivate des Azobenzols festgestellt
und nachgewiesen, dafs beim Nitrieren mit einer Salpetersäure von 1,40 V. G. vorwiegend eine Nitrosäure entsteht, die beim Abbau in Sulfanilsäure und Paraphenylendiamin zerfällt, somit der Formel $(SO_3H)^4(C_6H_3N)^1 = N^4(C_6H_4)(NO_2)^4$ entspricht.

Da nun eine Bestimmung der Stellung einer Dinitrosulfosäure, welche bei direkter Nitrierung der Azobenzolparasulfosäure resultiert, wegen der vielen Isomerien unmöglich war, so studierte Vf. erst den Einfluſs der Salpetersäure auf die oben erwähnte *Para-nitroparasulfosäure*, bei welcher die Anzahl der Isomerien bedeutend geringer war (4), um dieselbe dann mit der durch direkte Nitrierung erhaltenen zu vergleichen. Um jeden der Mühe zu überheben, sich die vielen Isomerien berechnen zu müssen, seien dieselben in folgendem aufgezählt: In erster Reihe ist zu berücksichtigen, daſs die Monosulfosäure des Azobenzols drei Isomerien besitzt, von denen eine (1,4) bekannt. Durch Eintritt eines Elementes oder einer von der Sulfogruppe verschiedenen Gruppe wächst die Anzahl der Isomerien auf 18. Bezeichnen wir die Kerne mit I und II und nehmen an, daſs die Sulfogruppe in I steht, die Nitro- (oder andere) Gruppe in II, so resultieren für die Ortho-, Meta- und Parasulfosäure je drei Isomerien im Kerne II, also zusammen neun Isomerien. Tritt die substituierende Gruppe neben der Sulfogruppe in den Kern I, so erhalten wir für die Sulfogruppe in der Orthostellung die Isomerien: 1,2,3—1,2,4— 1,2,5—1,2,6, wobei die SO_3H-Gruppe in 2 zu denken ist; für die Sulfogruppe in 3 (also Metastellung) die Isomerien: 1,3—2, 1,3—4, 1,3,—5, endlich, wenn die Sulfogruppe in der Parastellung steht, die Isomerien: 1,4—2 (identisch mit 1,4—6) und 1,4—3 (identisch mit 1,4,—5) — zusammen also 18 Isomerien.

Die Dinitrosulfosäuren besitzen 64 Isomerien; die erste Art derselben entsteht, wenn die Sulfogruppe im Kern I, die Nitrogruppen im Kern II sind, und zwar für die Sulfogruppe in der Orthostellung sind im zweiten Kerne sechs Isomerien möglich, somit für drei Stellungen der Sulfogruppe 18 Isomerien, die zweite Art der Isomerien entsteht, wenn eine Nitrogruppe im Kern II, die andere aber neben der Sulfogruppe im Kern I sich befindet. Die Stellung der Sulfogruppe und Nitrogruppe zur Azogruppe ist dann:

für die Sulfogruppe in der Orthostellung (N = N) in der Stellung 1)
gedacht = 1,2,3—1,2,4—1,2,5,—1,2,6 . . . . = 4 Isomere,

für die Sulfogruppe in der Metastellung = 1,3,2*—1,3,4,—1,3,5—
1,3—6 . . . . = 4 Isomere,

schlieſslich für die Sulfogruppe in der Parastellung = 1,4,2 (identisch
mit 1,4—6) und 1,4,3 (identisch mit 1,4—5) . . . . . . = 2 Isomere,
                                                            Summe 10 Isomere.

Da nun ebenfalls die Nitrogruppe im Kerne II in drei Stellungen möglich ist, so ist die Zahl der Isomerien = 30.

Die dritte Art der Isomerie entsteht dann, wenn beide Nitrogruppen neben die Sulfogruppe in den Kern I treten; es sind, wie leicht verständlich, 16 Isomerien denkbar, und zwar sechs für die Orthostellung, sechs für die Metastellung und vier für die Parastellung der Sulfogruppe. Die Anzahl der möglichen Isomerien ist somit 18 + 30 + 16 = 64.

Wie oben erwähnt, beschränkt sich die Anzahl wesentlich im vorliegenden Falle dadurch, daſs Vf. von der Parasulfosäure und für die Dinitroprodukte von der Parasulfoparanitrosäure ausging. Aus der letzteren sind nur folgende vier Isomerien möglicherweise zu erhalten.

Die Dinitrosäure erhält man durch Erhitzen der Paranitrosulfosäure mit der viereinhalbfachen Menge einer Salpetersäure von 1,48—1,50 V. Gewicht; wird die Lösung nachher mit Wasser gemischt, ca. zwei Volume, so erstarrt das Ganze zu einem Magma von Krystallen; durch Umkrystallisieren und starkes Einengen (unter stetigem Wasserzusatz,

---

* Die Stellungen 1,2,3 und 1,3,2 sind hier nicht identisch, weil drei Substituente vorhanden:

um die Salpetersäure möglichst zu entfernen) wird die Säure gereinigt. Ihre Formel durch Analysen festgestellt, ist: $C_{12}H_7(NO_2)_2.N_2SO_3H$. Die Salze der Säure sind sehr schwer im Wasser löslich und krystallisieren nur in mikroskopischen Krystallen. Es wurden das K-, Na- und Ba-Salz dargestellt.

Wird die Dinitrosäure reserviert abgebaut, so liefert sie ein stark gelb färbendes Produkt, dessen Untersuchung sich Vf. vorbehält. Bei völligem Abbau liefert die Säure Sulfanilsäure, somit sind nur zwei Isomerien möglich, und zwar die oben mit 1. und 2. bezeichneten; der Abbau war aber besonders darum wichtig, weil Vf. zu einem *asymmetrischen Triamidobenzol* auf diesem Wege gelangen konnte, einem Triamidobenzol, dessen Stellung a priori bekannt, und zwar 1,2,4 (mit 1,3,4 identisch), gleichgültig, ob Vf. die Säure:

$$SO_3H.C_6H_4.N{=\!=}N.C_6H_3(NO_2)^3(NO_2)^4 \text{ oder die Säure: } SO_3H.C_6H_4.N{=\!=}N^1.C_6H_3(NO_2)^3(NO_2)^4$$

reduzierte.

Mit Sicherheit ist bis jetzt nur das benachbarte Triamidobenzol 1,2,3 von SALKOWSKI (Ann. 163. 23) dargestellt worden, durch Erhitzen der Triamidobenzoesäure. Über das asymmetrische ist nur bekannt, daß es aus α-Dinitranilin entsteht, die Reaktionen jedoch sind in der Abhandlung nicht angeführt. A. W. HOFMANN hat dasselbe nicht durch Reduktion des Dinitranilins (1,3,4) erhalten können, sondern nachgewiesen, daß Dinitranilin beim Abbau Phenylendiamin (para) liefert.

Durch Abbau der Dinitroazobenzolparasulfosäure entsteht jedoch ein Triamidobenzol. Der Abbau wurde mit Zinn und Salzsäure ausgeführt, die Masse unter den üblichen Kautelen eingedampft und zuerst mit wenig Wasser behandelt, wobei die Hauptmenge der Sulfanilsäure zurückblieb, die umkrystallisiert und bestimmt wurde. Dieselbe ist übrigens mikroskopisch nicht zu verwechseln, wie auch sich ihr Verhalten gegen Bromwasser gut charakterisiert. Die salzsaure Base wurde mit Kaliumcarbonat frei gemacht, mit Äther ausgeschüttelt und nach dem Verdunsten in das Hydrochlorat überführt; dasselbe krystallisiert in schönen, sich leicht rot färbenden Nadeln. Durch Destillation des reinen Hydrochlorates mit Kaliumcarbonat läßt sich die Base rein darstellen. Dieselbe erstarrt in der Vorlage zu strahligen Krystallen, die sich leicht verfärben. Der Schmelzpunkt wurde zu 132—133° C. gefunden.

Die Base (aus dem Hydrochlorat rein dargestellt) gab bei der Verbrennung einen niedrigeren Stickstoffgehalt 33,08 (statt 34,14), da Verf. bis jetzt nicht genügende Quantitäten hatte, um sie durch Umkrystallisieren zu reinigen. Die Reaktionen der Base sind sehr charakteristisch. Rein ist sie vollkommen weiß, verfärbt sich leicht und wird rötlich. Oxydationsmittel, wie Eisenchlorid und Kaliumchromat, färben die reine (destillierte) Base grün (smaragdfarbig). Diese Reaktion ist höchst empfindlich und gelingt mit 1 mg Base in 10 ccm Wasser; die unreine Base, wie auch das Hydrochlorat färben Oxydationsmittel zuerst violett, dann grün. Platinchlorid fällt bei Zusatz von Alkohol ein krystallinisches gelbrotes Pulver.

Das Hydrochlorat krystallisiert in langen Nadeln oder auch aus konzentrierter Lösung in konzentrisch gruppierten feinen Nadeln; es färbt sich an der Luft braunrot.

Aus der Synthese geht hervor, daß die Base die Stellung 1,2,4 hat, also ein asymmetrisches Triamidobenzol ist. Von dem von SALKOWSKI beschriebenen Triamidobenzol unterscheidet es sich wohl durch die oben angeführten Reaktionen und Schmelzpunkt wesentlich; über das zweite Triamidobenzol, welches SALKOWSKI aus Dinitranilin erhielt, giebt er in der Abhandlung (Ann. 174. 266) nichts näheres an und hat weder den Schmelzpunkt, noch irgend welche Reaktionen dort erwähnt. Das vom Verf. erhaltene asymmetrische Triamidobenzol entspricht dem von BARTH und SCHREDER erhaltenen Oxyhydrochinon 1, 2, 4. Über die weiteren Reaktionen der Base behält sich Verf. vor, später zu berichten.

Aus obigem erhellt, daß nur noch zwei Formeln für die Dinitrosulfosäure möglich sind, entweder die Formel:

$$SO_3H . C_6H_4N = N^1C_6H_3(NO_2)^3(NO_2)^4 \text{ oder } SO_3H . C_6H_4N = N^1.C_6H_3(NO_2)^3(NO_2)^4,$$

da beide beim Abbau dasselbe Triamidobenzol geben müssen. Die zweite Formel erscheint dem Verf. wahrscheinlicher nach dem Verhalten der Azoverbindungen gegen Salpetersäure. Er hat nachgewiesen, daß bei der Nitrierung der Azobenzolparasulfosäure vorwiegend Paranitroparasulfosäure neben Metanitrosulfosäure entsteht. Durch direktes Nitrieren der Azobenzolsulfosäure mit 1,48er Säure entsteht die vom Verf. oben beschriebene Dinitrosäure fast ausschließlich (Ausbeute 97 p. c.), sodaß anzunehmen ist, daß die Para- und Metanitrosäure dieselbe Dinitrosäure geben, deren Stellung im zweiten Kerne deshalb

1, 3, 4 (N in 1.) sein müfste. Sicher kann dies aber nur durch reservierten Abbau festgestellt werden und sind diesbezügliche Versuche im Gange.

Um übrigens den Verlauf der Reaktionen und den Eintritt der Nitrogruppen in Azoverbindungen zu studieren, hat Verf. das von LAURENT und GERHARDT beschriebene Nitro- und Dinitroazobenzid dargestellt. Man erhält es am besten durch vorsichtiges Nitrieren des Azobenzols mit einer Säure von 1,51 Volumgew. Die Trennung des Mono- und Dinitroproduktes gelingt leicht mit Essigsäure oder besser Aceton, letzteres löst das Mononitroazobenzol schon in der Kälte, während Dinitroazobenzol fast ganz ungelöst bleibt. Letzteres krystallisiert auch in siedendem Aceton in prachtvollen orangeroten Nadeln. Das Mononitroprodukt aus kaltem Aceton und Alkohol in gelben Nadeln.

Durch Sulfierung des Mononitroazobenzols glaubte Vf. die Paranitrosäure des Azobenzols zu erhalten, es entstehen aber andere Produkte, mit deren Untersuchung er eben beschäftigt ist; jedenfalls ist es nicht gleichgültig für die Stellung, welche Säure zuerst reagiert. Die Stellungsfrage des Nitroazobenzols mufs ebenfalls zuerst sichergestellt werden, und gedenkt er in nächster Zeit darüber zu berichten.

Monobromparasulfosäure des Azobenzols. Die direkten Substitutionsprodukte des Azobenzols mit Brom hat WERIGO (Ann. **135**. 178; **165**. 189) eingehend untersucht und unter anderen auch eine Dibromazobenzolsulfosäure beschrieben.

Monosubstitutionsprodukte sind nicht bekannt.

Da durch Einwirkung von Brom und Halogenen überhaupt nur symmetrische Disubstitutionsprodukte entstehen und auch auf anderem Wege, wie durch Oxydation substituierter Amine und Reduktion substituierter Nitrokörper nur solche gebildet werden können, ging Vf. von der Azobenzolparasulfosäure aus.

Durch Bromieren der Azobenzolparasulfosäure unter Wasser mit 1 Mol. Brom entsteht eine beim Verdünnen herauskrystallisierende Säure, die äufserlich eine grofse Ähnlichkeit mit der Parasulfosäure besitzt; bei langsamer Krystallisation aber scheidet sie sich in feinen Nadeln ab, während die Parasulfosäure in sechsseitigen Blättern krystallisiert. Die Analyse ergab die Formel $C_{12}H_8BrN_2.SO_3H + 3aq$. Dampft man die Lösung der Säure ein, ohne dafs der bei der Darstellung entstehende Bromwasserstoff entfernt wurde, so färbt sich die Lösung braun und setzt eine lachsfarbige, in Wasser kaum lösliche Bromhydrazosulfosäure ab. Die Salze der Monobromazobenzolparasulfosäure krystallisieren sehr gut, sind in heifsem Wasser leicht, in kaltem schwer löslich. Dargestellt wurden das K-, Na-, Ca-, Zn- und Pb-Salz.

Die Bromazobenzolparasulfosäure ist eine sehr starke Säure und deplaziert Salzsäure und Salpetersäure aus ihren Alkaliverbindungen derselben leicht in der Kälte, in der Wärme werden aber ihre Salze zersetzt.

Bei völligem Abbau mit Zinn und Salzsäure liefert die Säure Sulfanilsäure und ein Bromamidobenzol. Behufs Reindarstellung des letzteren wurde der von Salzsäure möglichst befreite Rückstand mit Kalilauge übersättigt und mit Wasserdampf überdestilliert. Das Bromamidobenzol geht milchig über, erstarrt aber zu weifsen Nadeln, die sich an der Luft röten. Der Schmelzpunkt des umkrystallisierten Produktes war: 63,5—64,0°C., somit ist das Bromamidobenzol in der Stellung 1,4.

Die Bromsulfosäure des Azobenzols, die durch direkte Bromierung entsteht, entspricht somit der Formel $(SO_3H)^4C_6H_4.N'\overline{}N'.C_6H_4.Br^4$. (Mon. f. Chem. **5**. 155—64. 8. Mai. [3.* April.] Wien.)

Kleine Mitteilungen.

Über eine abgekürzte Methode für Türkischrotfärberei und Alizarindruck, von A. MÜLLER. Bekanntlich verhalten sich mehrere der flüchtigen organischen Ammoniakbasen mit Alkylradikalen Thonerde- (und Zinn-)Salzlösungen gegenüber in der Weise, dafs sie Niederschläge bilden, welche im Überschusse des Fällungsmittels löslich sind. Hierher gehören z. B. Mono-, Di- und Triäthylamin, die Butyl- und Amylamine, sowie einige Di- und Triamine. Diese Eigenschaft wurde von dem Vf. versuchsweise benutzt, um das Beizen der Ware mit Öl und Thonerde in eine einzige Operation zu vereinigen, wobei auch das sonst notwendige Kreidebad wegfällt und der Stoff nach dem Trocknen und der Verflüchtigung der Base direkt zum Färben mit Alizarin vorbereitet ist.

Einer klaren gesättigten Lösung von Thonerdehydrat in zehnprozentigem Äthylamine wurden etwa 15 p. c. ebenfalls mit Äthylamin neutralisiertes Türkischrotöl beigegeben und die gut abgekochte und getrocknete Ware mit der klaren Beizflüssigkeit behandelt. Nach vollkommenem Trocknen bei gewöhnlicher Temperatur wurde im Alizarinbade wie gewohnt ausgefärbt und mit Seife geschönt, wobei ein äußerst lebhaftes und feuriges Rot zur Entwicklung gelangte. Die Verhältnisse können verschiedentlich verändert werden, so auch durch Zugabe einer geringen Menge von Zinnsalz zur alkalischen Thonerdelösung; in allen Fällen aber zeichnet sich die Farbe durch hohen Lüster und große Solidität aus.

Wenn es gelingen sollte, derartige Ammoniake für den Großbetrieb billig genug herzustellen, so würde diese Methode, die einzige, mittels welcher es möglich ist, Öl- und Thonerdebeizen in einer Operation zu geben, in Färbereien und Druckereien eines Erfolges sicher sein, um so eher, als unter Umständen auf eine Wiedergewinnung der angewendeten flüchtigen Basen durch geeignete Vorrichtungen (z. B. Durchleiten der Abzugsdämpfe durch salzsäurehaltiges Wasser) Bedacht genommen werden könnte.

Eine längere Versuchsreihe, dahin zielend, die Fällung von Thonerde durch Ammoniak durch Zugabe bestimmter organischer Säure (z. B. Weinsäure) zu verhindern, um die Lösung, mit Türkischrotöl und Ammoniak in geeigneten Mengen versetzt, zum Beizen zu benutzen, lieferte nur ungenügende Resultate, obgleich auch diesfalls die Fixation des Alizarins im Färbebade eine vollkommene war. Die Farbe ließ sich nicht mit Türkischrot vergleichen, war matt und staubig. (Pol. J. **252**. 219—20.)

Darstellung blauer schwefelhaltiger Farbstoffe von der Aktiengesellschaft für Anilinfabrikation in Berlin. (D. P.).

Hierzu wird die Anwendung der aus Nitrosodimethylanilin, resp. Nitrosodiäthylanilin gewonnenen schwefelhaltigen Basen empfohlen. Zur Darstellung derselben werden z. B. 10 kg Dimethylanilin in 10 l Salzsäure von 21,5° Bé. und 50 l Wasser gelöst und unter Abkühlung mit einer Lösung von 7 kg salpetrigsaurem Natron in 25 l Wasser langsam versetzt. Nach einigem Stehen hat sich das Nitrosodimethylanilin der Hauptsache nach abgeschieden und die Lauge reagiert neutral. Man versetzt die ganze Reaktionsmasse mit überschüssigem Schwefelammonium (etwa 20 l konzentriertes, resp. je nach der Stärke etwas mehr oder weniger), erwärmt im Wasserbade unter gutem Umrühren so lange, bis das unangegriffene Schwefelammonium verjagt ist, läßt erkalten und filtriert die wässerige Lauge von der gebildeten harzartigen, schwefelhaltigen Verbindung ab. (Pol. J. **252**. 78.)

Rath's Apparat zur Darstellung wasserfreier Schwefelsäure. (D. P.).

Mittels desselben soll eine direkte Vereinigung von schwefliger Säure und atmosphärischem Sauerstoff herbeigeführt werden. Die Röstgase aus einem Stückkiesofen treten, des größten Teiles ihres Wasserdampfes beraubt und auf eine mäßige Temperatur gebracht, in den unteren Teil eines Kühlapparates, welcher eine große Anzahl senkrechter Bleiröhren oben und unten in Bleiplatten eingelötet enthält, alles in einem Wasserbehälter befindlich und mit einem konischen Kasten überdeckt, aus dessen Spitze die Gase behufs des Trocknens durch ein Bleirohr in einen mit Koks gefüllten Bleiturm strömen, in welchem 60 grädige Schwefelsäure eintröpfelt.

Die Geschwindigkeit der Gase beträgt zweckmäßig in den Bleiröhren 12 cm in der Sekunde, im Turme 6 cm. Mittels einer Pumpe werden die trocknen Gase in stehende eiserne, mit feuerfestem Thon gefütterte Röhren gepreßt, welche oben und unten durch Flantschenverbindung mit den zu- und abführenden Röhren gesichert sind. In den Kontaktsubstanzen versehenen Röhren werden durch Heizgase in eine zwischen hell- und dunkelrot liegende Temperatur versetzt. Die zu verbindenden Gase werden in ein horizontales, mit den vertikalen Röhren verbundenes Rohr gepumpt, durchstreichen von oben nach unten die Kontaktsubstanzen, und das gebildete Anhydrid zieht unten durch engere Rohre zu den Kondensations-, resp. Absorptionsgefäßen. Das Anhydrid wird entweder in Weißblechgefäßen, welche in einem zwischen 25 und 30° erwärmten Raume stehen, zu flüssigem Anhydrid verdichtet und dann in dem verlangten Verhältnisse mit Schwefelsäure gemischt, oder dasselbe tritt gasförmig in gußeiserne Gefäße, welche mit Schwefelsäurehydrat beschickt und mit Wasser so kühl gehalten werden, daß die Temperatur nicht unter 25° sinkt. Mittels Hahnes kann das Produkt in die Transportgefäße abgelassen werden. Noch brennbare Gase (Kohlenoxyd, Kohlenwasserstoffe) enthaltende Röstgase werden durch ein zwischen Röstofen und Kühlapparat eingeschaltetes, auf Rotglut erhitztes Eisenrohr geleitet, dessen Futter von feuerfestem Thon mit Ansätzen versehenen Thonkern enthält, welcher die durchgehenden Gase zwingt, den heißesten Teil des Rohres zu passieren und zu verbrennen. (B.- u. H.-Ztg. **43**. 152.)

Herstellung von Liqueurweinen aus Beerenobst, nach GÖTHE.

Möglichst reife Beeren werden zerdrückt und ausgepreßt. Festhäutige Früchte, wie Johannis-, Preißsel-, Heidel-

und Stachelbeeren werden behufs Nachreife einige Tage unzerdrückt in zugedeckten Schüsseln stehen gelassen, wonach sie sich leichter auspressen lassen und größere Saftmenge ergeben. Schwarze Johannis-, Heidel-, Preißelbeeren und Weichselkirschen geben den Saft infolge eines großen Gehaltes gallertartiger Stoffe nur schwer ab, aus welchem Grunde es sich empfiehlt, sie nach dem Zerdrücken mit einem Teile des ohnehin zuzusetzenden Wassers zu übergießen und sie, ehe man sie keltert, 24 Stunden gut zugedeckt stehen zu lassen. Kerne, Schalenteile und gallertartige Stoffe müssen vom Safte möglichst getrennt werden. Nach dem Auspressen werden auf 1 l Saft 1 l Wasser zugesetzt, und damit die Fruchtsäfte einen angenehmen säuerlichen Geschmack behalten, der Säuregehalt durch Weinsäurezusatz reguliert. Durchschnittlich nimmt man 2 g Weinsäure pro 1 l Saft. Die Säure, sowie 2 kg Zucker werden in den 2 l zuzusetzenden Wassers warm gelöst und das ganze Gemisch bis zu $^9/_{10}$ in ein Gärgefäß gethan. Die beim Gären einzuhaltende Temperatur ist 20°C., die möglichst konstant eingehalten werden soll. Das Gärgefäß wird gut verspundet, in den Spund eine Glasröhre eingesetzt, die nach abwärts gebogen in ein daneben gestelltes Glas Wasser ausmündet. Nach ungefähr vier bis sechs Wochen ist die stürmische Gärung vorüber. Nun wird der Wein abgezogen und in ein anderes Gefäß übergefüllt. Man untersucht dabei den Wein auf seinen Alkoholgehalt und ergänzt diesen, im Falle dieser geringer sein sollte, auf 14 Volumpros. Der durchschnittliche Zusatz beträgt 5,5 p. c. Sprit. Zur Nachgärung wird der Wein sechs bis acht Wochen bei derselben Temperatur stehen gelassen, bis er sich vollständig klärt. Bei der Nachgärung ist es immer nötig, den Gärspund aufzusetzen.

Um sich zu überzeugen, daß der Wein die richtige Flaschenreife hat, stellt man ein Glas desselben ins Zimmer. Trübt sich der Inhalt nach 24 Stunden, oder steigen Bläschen auf, so muß der Wein noch länger lagern. Bleibt der Inhalt des Gläschens hell und flacker, so kann der Wein unbedenklich auf Flaschen gezogen werden, die dann gut verkorkt in den Keller zu legen sind. Wie die Erfahrung lehrt, besitzen derartige sorgfältig bereitete Weine eine große Haltbarkeit (zehnjährige Stachelbeer- und Johannisbeerweine sind keine Seltenheit) und gewinnen in den ersten Jahren noch erheblich an Feinheit und Gewürz. (D. Destill.-Ztg.; Ind.-Bl. 21. 133 bis 134.)

Beiträge für das Centralblatt bittet man an die Redaktion (Leipzig, Lessingstr. 5) zu richten. **Originalarbeiten** von nicht zu großem Umfange werden entsprechend honoriert und gelangen stets sofort nach der Einsendung, und zwar in kürzester Frist, zum Abdruck.

Redaktion: Prof. Dr. **Rud. Arendt** in Leipzig.

Verlag von **Leopold Voss** in Hamburg und Leipzig. — Druck von **Metzger & Wittig** in Leipzig.

·№: 28.

Chemisches

9. Juli 1884.

Wöchentlich eine Nummer von
1.g Bogen. Der Jahrgang mit
Sach- und Namen-Register,
nebst system. Übersicht.

Central-Blatt.

Der Preis des Jahrgangs
ist 20 Mark. Durch alle
Buchhandlungen und Post-
anstalten zu beziehen.

REPERTORIUM

für reine, pharmazeutische, physiologische und technische Chemie.

Dritte Folge. XV. Jahrgang.

Wochenbericht.

4. Organische Chemie.

Friedr. Bergmann, *Über Nonylsäuren (Pelargonsäuren) verschiedenen Ursprunges.* Der Vf. hat folgende Nonylsäuren miteinander verglichen: 1. Die Säure aus Normaloktylalkohol; 2. die durch Oxydation von Ölsäure; 3. die durch Oxydation von Methylnonylketon; 4. die aus dem Destillate der Blätter von Pelargonium roseum; 5. die aus dem Fuselöle der Rübenzuckermelasse; 6. die aus der Undecylensäure. Er hat von allen den Siedepunkt, den Erstarrungs- und Schmelzpunkt und das spezifische Gewicht bestimmt, sowie das Barium-, Zink- und Kupfersalz, die Äthyläther und die Amide dargestellt und analysiert. Bei einem Vergleiche der Beobachtungen kann es keinem Zweifel unterliegen, daß alle diese Säuren identisch sind. Da nun mit hoher Wahrscheinlichkeit anzunehmen ist, daß die von FRANCHIMONT und ZINCKE aus dem Oktylalkohol des Heracleumöles dargestellte Nonylsäure als „normale" aufzufassen ist, um so mehr, als sie in ihren Eigenschaften mit der von JOURDAN aus Heptylacetessigäther gewonnenen Heptylessigsäure übereinstimmt, so sind die im vorstehenden beschriebenen Säuren ebenfalls als „normale" zu betrachten. Das Gleiche dürfte mit der von LIMPACH aus Stearolsäure, einem direkten Abkömmlinge der Ölsäure, dargestellten Nonylsäure der Fall sein. Ebenso ist auch die Caprinsäure, die sich nach den Versuchen von GORUP-BESANEZ und GRIMM in ein Methylnonylketon überführen läßt, welches mit dem in dem Rautenöle vorkommenden identisch ist, wie bereits KRAFFT angiebt, als eine normale Säure anzusprechen. (Arch. Pharm. [3.] **22.** 331—44.)

A. P. N. Franchimont, *Einwirkung der Salpetersäure auf die Amine, Amidosäuren und Amide.* (Rec. des Trav. Chim. des Pays-Bas. **2.** 329—49. [8. Jan.] Leiden.)

Heinr. Vater, *Über die Einwirkung der Monochloressigsäure auf o- und p-Amidophenol und die sich hierdurch bildenden Oxyphenylglycine.* Obgleich die Amidophenole schon Gegenstand zahlreicher und eingehender Untersuchungen gewesen sind, so ist doch bisher noch nicht ermittelt worden, ob diese Verbindungen zur Darstellung von Oxyphenylamidosäuren dienen können. Die mannigfachen Analogien zwischen den Amidophenolen und dem Anilin weisen darauf hin, eben erwähnte Säuren auf einem der Synthese des Phenylglycins analogen Wege zu gewinnen. MICHAELSEN und LIPPMANN, welche die Synthese des Phenylglycins zuerst beschrieben (C. r. **61.** 739), ließen 1 Mol. Monobromessigsäure auf 2 Mol. Anilin in wasserfreiem Äther einwirken. Diese Lösung erwärmte sich und lieferte nach Verjagen des Äthers undeutliche Krystalle. Durch wiederholtes Kochen derselben mit Wasser wurde bromwasserstoffsaures Anilin gelöst, während Phenylglycin zurückblieb. Dieselben nahmen daher an, daß sich in der ätherischen Lösung folgende Reaktion vollzogen habe:

$$CBrH_2COOH + 2C_6H_5NH_2 = C_6H_5NH.CH_2COOH + C_6H_5NH_2.HBr$$
Phenylglycin.

SCHULTZEN und NENCKI, P. J. MEYER, sowie SCHWEBEL (Ber. Chem. Ges. **10.** 2046) wiederholten diesen Versuch unter Anwendung von Monochloressigsäure. Letzterer fand jedoch, daß in der ätherischen Lösung nur das monochloressigsaure Salz des Anilins entsteht, und daß sich das Phenylglycin erst durch das Kochen der Ingredienzien mit Wasser bilde.

Um sich von der Richtigkeit der Angaben SCHWEBEL's zu überzeugen, operierte Vf. zunächst statt mit dem in Äther schwer löslichen o-Amidophenol mit den leicht löslichen o-Anisidin und o-Amidophenetol. Bei der Einwirkung von 1 Mol. Monochloressigsäure auf 2 Mol. dieser Verbindungen in konzentrierter ätherischer Lösung erwärmte sich dieselbe um 12, resp. 15° und erstarrte nach einer halben Stunde zu einem Krystallbrei, welcher mit der Luftpumpe abgesogen wurde. Im Filtrate befand sich die Hälfte des angewandten o-Anisidins, resp. o-Amidophenetols; Salzsäure war in demselben nicht nachweisbar. Die auf dem Filter zurückgebliebene Substanz zeigte einheitliche Krystallisation und wurde aus Äther umkrystallisiert. Sie erwies sich salzsäurefrei, aber chlorhaltig. und Natronlauge schied die angewandten Amine wieder aus. Die Produkte der Einwirkung der Monochloressigsäure auf Anisin und Amidophenetol in ätherischer Lösung sind demnach die entsprechenden Monochloracetate.

Diese in Wasser, Alkohol und Äther leicht löslichen Salze krystallisieren in langen weißen Nadeln, zersetzen sich jedoch nach und nach zu einer braunen harzigen Masse. Kocht man sie längere Zeit mit einem zweiten Molekül der entsprechenden Amine in Wasser gelöst, resp. suspendiert, so entstehen die gesuchten Glycine unter gleichzeitiger Bildung der chlorwasserstoffsauren Salze der Amine; z. B.:

$$CH_3OC_6H_4NH_2.HOOCCH_2Cl + CH_3OC_6H_4NH_2 =$$
monochloressigsaures o-Anisidin

$$CH_3OC_6H_4NH.CH_2COOH + CH_3OC_6H_4NH_2.HCl.$$
o-Methyloxyphenylglycin (s. u.)

Die gleiche Reaktion tritt ebenfalls ein, wenn man direkt 1 Mol. Monochloressigsäure in siedendem Wasser auf 2 Mol. eines Amidophenols einwirken läßt. Daß auch unter diesen Umständen sich zunächst die entsprechenden Monochloracetate bilden, geht daraus hervor, daß die in Wasser schwer oder unlöslichen Amidophenole sich nach dem Hinzubringen der Monochloressigsäure rasch teilweise auflösen, während die weiteren Umsetzungen erst allmählich vor sich gehen. Der Verlauf derselben läßt sich an dem Auftreten der Salzsäure verfolgen.

Um schließlich diejenigen Umsetzungen zu studieren, welche die monochloressigsauren Amidophenole beim Erhitzen in wässeriger Lösung ohne Hinzufügung eines zweiten Moleküls Amidophenol erleiden, wurde eine Lösung von 1 Mol. Monochloressigsäure und 1 Mol. o-Amidophenol im zugeschmolzenen Glasrohre drei Stunden auf 120° erhitzt. Es entstanden o-Oxyphenylglycin (s. u.), salzsaures o-Amidophenol, sowie in Äther lösliche. etwas harzige, nicht krystallisierende Produkte. Das salzsaure o-Amidophenol wurde durch Natronlauge zerlegt und das Amidophenol gewogen; es war nahezu die Hälfte der angewandten Menge. Das monochloressigsaure o-Amidophenol hatte sich demnach in folgender Weise umgesetzt:

$$2 HOC_6H_4NH_2.HOCOCH_2Cl = HOC_6H_4NH.CH_2COOH$$
monochloressigsaures o-Amidophenol   o-Oxyphenylglycin

$$+ HOC_6H_4NH_2.HCl + CH_2ClCOOH.$$

Die Einwirkung des erhitzten Wassers auf die freie Monochloressigsäure und die Neigung des o-Amidophenols zum Verharzen erklärt die Gegenwart der in Äther löslichen Nebenprodukte.

o-Oxyphenylglycin, $HOC_6H_4NH.CH_2COOH$, erhalten durch Kochen von 1 Mol. Monochloressigsäure und 2 Mol. o-Amidophenol mit der zwanzigfachen Menge Wasser, krystallisiert mit H_2O in farblosen Blättchen.

p-Oxyphenylglycin, $HOC_6H_4NH.CH_2COOH$, entsteht analog aus dem p-Amidophenol. krystallisiert ohne Wasser.

o-Methoxyphenylglycin, $CH_3OC_6H_4NH.CH_2COOH$, entsteht durch Erhitzen einer wässerigen Lösung von 1 Mol. Monochloressigsäure mit 2 Mol. o-Anisidin, krystallisiert in länglich rechteckigen, oft sternförmig gruppierten Blättchen.

p-Methoxyphenylglycin, $CH_3OC_6H_4NH.CH_2COOH$, entsteht durch Einwirkung von Monochloressigsäure auf p-Anisidin in siedendem Wasser, krystallisiert in kugeligen Aggregaten. Die Methoxyphenylglycine sind mit dem Tyrosin isomer.

o-Äthoxyphenylglycin, $C_2H_5OC_6H_4NH.CH_2COOH$, durch Einwirkung von Monochloressigsäure auf o-Amidophenetol.

o-Äthoxyphenylglycinäther, $C_2H_5OC_6H_4NH.CH_2COOC_2H_5$, durch Einwirkung von 1 Mol. Monochloressigsäureäthyläther auf 2 Mol. o-Amidophenetol in siedender alkoholischer Lösung, krystallisiert, mit Wasserdämpfen übergetrieben, allmählich in oft 1 cm langen wachsglänzenden Nadeln.

o-Äthoxyphenyläthylglycin, $C_2H_5OC_6H_4NC_2H_5.CH_2COOH$, durch Erhitzen von 1 Mol. Monochloressigsäure und 2 Mol. o-Monoäthylamidophenetol in alkoholischer Lösung, ein in Wasser untersinkendes, darin schwer lösliches Öl.

o-Äthoxyphenyldiäthylglycinchlorid, $C_2H_5OC_6H_4N(C_2H_5)_2.CH_2COOH.Cl$, durch Erhitzen von 1 Mol. Monochloressigsäure und 1 Mol. o-Diäthylamidophenetol in ätherischer Lösung im zugeschmolzenen Glasrohre auf 100°.

Reaktionen der Oxyphenylglycine. Bekanntlich hat HOFMEISTER (Ann. **189**. 6) für die ausschließlich aus Derivaten der Methanreihe zusammengesetzten Amidosäuren und für das Tyrosin eine Reihe charakteristischer Reaktionen näher beschrieben. Vf. hat diese Reaktionen mit Leucin und Tyrosin wiederholt und geprüft, wie sich die eben beschriebenen Oxyphenylglycine zu den von HOFMEISTER angewendeten Reagenzien verhalten.

1. Analog den Amidosäuren aus der Abteilung der Fettkörper und dem Tyrosin färben sich die Lösungen der Oxyphenylglycine durch einen Tropfen Eisenchloridlösung blutrot. Hiervon machen auch die Paraverbindungen keine Ausnahme, was zu der violetten Färbung, welche das p-Amidophenyl liefert, in bemerkenswertem Gegensatze steht. Die alkylierten Verbindungen zeigen die gleiche Reaktion.

2. Während die von HOFMEISTER untersuchten Amidosäuren mit Kupfervitriol eine blaue Färbung geben, tritt bei den Oxyphenylglycinen und ihren Derivaten eine grüne Färbung ein. Nach SCHWEBEL (Ber. Chem. Ges. **10**. 2046) ist das Phenylglycinkupfer ebenfalls grün gefärbt.

3. In Gegenwart von Natronhydrat lösen die Amidosäuren aus der Abteilung der Fettkörper (mit Ausnahme des Taurins) und das Tyrosin Kupferhydroxyd. Die Oxyphenylglycine geben jedoch ein hell grünlichgelbes Gerinnsel, welches sich langsam in der Kälte, rasch beim Kochen in eine voluminöse gelbe Masse umwandelt, welche außer Kupfer noch organische Substanz enthält.

4. Im Verhalten gegen Quecksilbersalze ist zwischen den Oxyphenylglycinen und den übrigen Amidosäuren kein wesentlicher Unterschied zu bemerken, nur sind die reduzierenden Eigenschaften der ersteren bedeutend stärker. Das o-Methoxyphenylglycin giebt, wie das isomere Tyrosin, schon beim Kochen mit salpetersaurem Quecksilberoxyd ohne Zusatz von Natriumcarbonat einen weißen Niederschlag.

Aber während der Tyrosinniederschlag, wie R. HOFMANN (Ann. **87**. 124) zuerst angiebt, durch einige Tropfen höchst verdünnter rauchender Salpetersäure bei wiederholtem Aufkochen intensiv rot gefärbt wird, bleibt der o-Methoxyphenylglycinniederschlag unverändert.

Es weichen demnach die Oxyphenylglycine in einigen Reaktionen von den Amidosäuren der Abteilung der Fettkörper ab, während das ebenfalls Oxyphenyl enthaltende Tyrosin sich eng an letztere anschließt. (Journ. prakt. Chem. **29**. 286—99. 12. Mai. [April.] Dresden, Polytechnikum.)

Rudolf Benedikt und **Paul Julius**, *Über Diresorcin und Diresorcinphtaleïn.* Das Diresorcin wurde durch Schmelzen von Resorcin mit Ätznatron dargestellt. Im reinen Zustande schmilzt es unzersetzt bei 310°. Durch Kochen mit Essigsäureanhydrid und Natriumacetat wurde es in Acetyldiresorcin, $C_{12}H_6(OC_2H_3O)_4$, umgewandelt aus diesem Hexanitrodiresorcin, $C_{12}(NO_2)_6(OH)_4$, dargestellt. Ein Dekabromdiresorcin erhielt man durch Einwirkung von Brom auf in Kalilauge gelöstes Diresorcin.

Diresorcinphtaleïn wurde durch Einwirkung von Phtalsäureanhydrid auf Diresorcin erhalten:

$$C_{12}H_{10}O_4 + C_8H_4O_3 = H_2 + C_{20}H_{12}O_6,$$

und es kommt ihm die Formel: $\begin{matrix} C_6H_2(OH)_2 \\ C_6H_2(OH)_2 \end{matrix} > C < \begin{matrix} C_6H_4.CO \\ O \end{matrix}$ zu.

Das hierbei erhaltene Produkt ist löslich. Durch Einwirkung von 2 Mol. Diresorcin und 1 Mol. Phtalsäureanhydrid erhält man ein anderes Produkt, welches die Vff. als unlösliches Diresorcinphtaleïn bezeichnen. Von dem löslichen Phtaleïn wurde ein Bromderivat und ein Acetylderivat, sowie das Diresorcinphtalin dargestellt. (Monatsh. f. Chem. **5**. 177—87. 8. Mai. [3.* April.] Wien, Techn. Hochschule.)

34*

M. Buchstab, *Über das m-Azo- und Hydrazophenetol.* Vorläufige Mitteilung. Von den zu den Azoverbindungen des Phenols gehörenden Körpern sind bis jetzt von SCHMITT und MÖHLAU, WESELSKY und BENEDIKT, HEPP nur das Ortho- und Paraazophenol, Ortho- und Paraazophenetol, Orthoazoxyphenetol und Orthohydrazophenetol dargestellt worden, während die Darstellung der entsprechenden Verbindungen der Metareihe noch nicht ausgeführt wurde; diese Lücke hat Vf. auszufüllen versucht und ist zu folgenden Resultaten gelangt.

Durch Reduktion der alkoholischen Lösung von m-Nitrophenetol mit Natriumamalgam erhält man das m-Azophenetol. Die Verbindung ist in Alkohol, Äther etc. löslich und krystallisiert aus Alkohol in orangegelben Prismen, welche bei 91° schmelzen. Von Wasser unlöslich, ebenso von konzentrierter Salzsäure wird sie nicht aufgenommen, was bemerkenswert ist, weil das Orthoazophenetol sich in letzterer auflöst. Beim Einleiten von Schwefelwasserstoff in die alkoholisch ammoniakalische Lösung von m-Azophenetol scheidet sich nach Zusatz von Wasser das in farblosen Nadeln krystallisierende m-Hydrazophenetol aus, welches in Alkohol, Äther, Schwefelkohlenstoff etc. leicht löslich ist und dessen Schmelzpunkt bei 85° liegt.

Das m-Hydrazophenetol geht durch Behandeln mit Mineralsäuren in die entsprechenden Diäthoxybenzidine über; bis jetzt ist es nur gelungen, das salzsaure Salz desselben darzustellen. Die weitere Untersuchung dieser Verbindungen behält sich Vf. vor. (Journ. prakt. Chem. **29.** 299—300. Mai. [April.] Dresden, Polytechnikum.)

Karl Hazura und **Paul Julius,** *Über Resorcinäther.* Bei der Behandlung von nichtflüchtigem, bei 115° schmelzendem Mononitroresorcin entsteht neben Nitroresorcinsulfosäure ein anderer Körper, den die Vff. als Nitroresorcinäther erkannt haben. Er entsteht nach folgender Gleichung:

$$2C_6H_3(NO_2)(OH)_2 = C_6H_3(NO_2)(OH).O.(OH)(NO_2)C_6H_3 + H_2O.$$

Er ist in Wasser und Alkohol schwer löslich, unlöslich in Äther, leicht löslich in Ammoniak und aus dieser Lösung durch Essigsäure wieder fällbar; er bräunt sich bei 170° und verkohlt beim stärkeren Erhitzen, ohne zu schmelzen; in konzentrierter Schwefelsäure löst er sich auf und fällt bei Zusatz von Wasser unverändert wieder aus. Es wurde von diesem Äther ein neutrales und ein saures Barytsalz dargestellt. Daß der Äther in der That ein Derivat des Benzols und nicht des Diphenyls ist, ergiebt sich daraus, daß aus ihm durch Einwirkung von konzentrierter Salpetersäure außer anderen Produkten Trinitroresorcin entsteht.

Es schien nicht ohne Interesse, aus Resorcindisulfosäure und Resorcin ein Resorcinsulfeïnresorcin zu bereiten, analog dem von EUGEN FISCHER aus Phenanthrendisulfosäure und Resorcin erhaltenen, angeblichen *Phenanthrensulfeïnresorcin.* 20 g Resorcindisulfosäure (1 Mol.) wurden mit 16,5 g (2 Mol.) Resorcin bis auf 190° C. erhitzt. Dabei entweicht neben Wasserdämpfen auch schweflige Säure. Die pharlharidenartig glänzende Masse wurde mit verdünnter Natronlauge ausgekocht. Aus der filtrierten Lösung fiel nach dem Neutralisieren des Alkalis ein rotbrauner, flockiger Niederschlag aus. Derselbe gab bei der Analyse 3,4 Tle. Schwefel, während einem Resorcinsulfeïnresorcin über 14 Tle. Schwefel entsprechen würden. Aber auch dieser Schwefel läßt sich durch wiederholtes Lösen in verdünnter Natronlauge und Fällen mit Salzsäure entfernen. Der so gereinigte Körper gab bei der Analyse Zahlen, welche mit den von BARTH und WEIDEL (Ber. Chem. Ges. **9.** 308) für ihren *Diresorcinäther,* $C_6H_3(OH).O.(OH)C_6H_4$, gefundenen nahezu übereinstimmen. Auch die physikalischen Eigenschaften des Körpers stimmten, wie eine direkte Vergleichung ergab, vollkommen mit den Eigenschaften des Diresorcinäthers überein.

Da nun aus Resorcin und Resorcindisulfosäure kein Sulfeïn, sondern Resorcinäther erhalten worden war, so lag die Vermutung nahe, daß auch E. FISCHER (Ber. Chem. **13.** 317) in seinem Phenanthrensulfeïnresorcin nur unreinen Resorcinäther in Händen gehabt habe.

Die Vff. haben den Versuch E. FISCHER's genau nach seinen Angaben wiederholt und das Produkt durch mehrmaliges Lösen in verdünnter Natronlauge und Fällen mit Salzsäure ebenfalls schwefelfrei erhalten können, und dasselbe sowohl durch die Analyse als auch durch die Vergleichung aller seiner Eigenschaften mit dem Diresorcinäther von BARTH und WEIDEL identifiziert. Nach diesem Ergebnisse des Versuches darf die Existenz des Phenanthrensulfeïnresorcins überhaupt in Frage gestellt werden. (Monatsh. f. Chem. **5.** 188—92. 8. Mai. [3.* April.] Wien, Techn. Hochschule.)

Alexander Thate, *Über die Einwirkung von Reduktionsmitteln auf o-Nitrophenoxylessigsäure.* Die in dieser Arbeit beschriebenen Versuche haben folgende positive Resultate ergeben:

1. Die beste Methode zur Darstellung von o-Nitrophenoxylessigsäure ist die, äquivalente Mengen von o-Nitrophenolnatrium und monochloressigsaurem Natron in konzentrierter wässeriger Lösung 10—12 Stunden lang auf 100° zu erhitzen.

2. Durch Reduktion der o-Nitrophenoxylessigsäure in alkalischer Lösung mittels Natriumamalgam werden der Reihe nach Azoxyorthophenoxylessigsäure, Azoorthophenoxylessigsäure, Hydrazoorthophenoxylessigsäure und o-Amidophenoxylessigsäure, resp. das Anhydrid der letzteren, erhalten:

$$C_8H_7NO_5 \qquad\qquad C_{16}H_{14}N_2O_7 \qquad\qquad C_{16}H_{14}N_2O_6$$
o-Nitrophenoxylessig.   Azoxyorthophenoxylessig.   Azoorthophenoxylessigsäure.

$$C_{16}H_{16}N_2O_6 \qquad\qquad C_9H_9NO_3$$
Hydrazoorthophenoxylessigsäure   o-Amidophenoxylessigsäure.

3. Durch Reduktion der o-Nitrophenoxylessigsäure mit Eisenfeile und Essigsäure gelingt es zwar leicht, o-Amidophenoxylessigsäureanhydrid, aber nicht die von der o-Nitrophenoxylessigsäure sich ableitenden Azoverbindungen zu erhalten.

Durch Reduktion der o-Nitrophenoxylessigsäure mit Zinnchlorür in salzsaurer Lösung entsteht in erster Linie Monochlororthoamidophenoxylessigsäureanhydrid, daneben bildet sich, namentlich bei unvollkommener Reduktion, noch o-Amidophenoxylessigsäureanhydrid. (Journ. prakt. Chem. **29**. 145—91. Ende April. [Febr.] Leipzig.)

J. H. Stebbins jun., *Über die Spektra der Azofarbstoffe*. (Journ. Amer. Chem. Soc. **6**. 117—20.)

P. Van Romburgh, *Über einige Derivate des Sulfophenylamides und ihre Einwirkung auf rauchende Salpetersäure*. (Rec. des Trav. Chim. des Pay-Bas **3**. 7—17. [April.] Leiden.)

K. Kraut und **York Schwartz**, *Über das Hipparaffin*. Vff. verglichen das von H. SCHWARZ (LIEB. Ann. **75**. 201) durch Oxydation der Hippursäure mittels Bleihyperoxyd hergestellte Hipparaffin mit dem Äthyliden- und dem Äthylendibenzamid, um die Frage zu entscheiden, welches der beiden letzteren mit dem ersteren identisch sei (vergl. J. MAIER, LIEB. Ann. **137**. 162; H. SCHWARZ, Wien. Akad.-Ber. 77. 2. 762). Zu diesen Vergleichen wurde das Äthylendibenzamid nach HOFMANN (**72**. 337) aus Äthylendiamin und Chlorbenzoyl, und die entsprechende Äthylidenverbindung nach LIMPRICHT aus Aldehydammoniak und Chlorbenzoyl (LIEB. Ann. **99**. 119) hergestellt.

Abgesehen davon, dafs der Schmelzpunkt des Hipparaffins ein anderer ist (222 bis 223°), als der des Äthylendibenzamids (249°) und des Äthylidenbenzamids (202—204°), ist auch sein Lösungsvermögen in absolutem Alkohol von demjenigen der beiden letzteren Verbindungen verschiedenes. Äthylidenbenzamid zerfällt schon bei 130° mit Wasser in Aldehyd und Benzamid, Hipparaffin wird selbst bei 180° unvollständig zersetzt und Äthylendibenzamid bedarf eines Zusatzes von Natronlauge und zerfällt dann in Äthylendiamin und Benzoesäure. Beim Kochen von Äthylendibenzamid mit zwölfprozentiger Schwefelsäure entstand Ammoniak, Benzoesäure und Aldehyd, wogegen Hipparaffin zur vollständigen Zersetzung eine 32 prozentige Schwefelsäure bedurfte und dabei nicht Acetaldehyd, sondern Formaldehyd als Trimethylensulfid (HOFMANN, (**70**. 465) nachgewiesen lieferte. Somit war das Hipparaffin als Äthylendibenzamid, $C_{16}H_{14}N_2O_2$, erkannt, was durch die Elementaranalyse und durch den Vergleich des nach dem Verfahren von HEPP und SPIESS (**76**. 787) aus Methylal und Benzonitril hergestellten Methylendibenzamids bestätigt wurde. Hipparaffin bildet sich demnach aus der Hippursäure nach der Gleichung:

$$2C_7H_5CO \atop H \Big\}N.CH_2.COOH + O_4 = CH_2(NHCO.C_6H_5)_2 + 3CO_2 + 2H_2O.$$

(LIEB. Ann. **223**. 40—47.]

Albert R. Leeds, *Über das Benzureïd*. SCHIFF (Ann. **151**. 192) beschreibt die Einwirkung des Benzaldehyds auf Harnstoff. Der Vf. hat diese Reaktion mit folgenden Resultaten wiederholt. 2 Mol. Harnstoff wurden in Alkohol gelöst und mit 1 Mol. Benzaldehyd versetzt. Hierauf wurde eine zur Auflösung des Harnstoffes hinreichende Menge Alkohol zugesetzt und die Flasche, mit Baumwolle verstopft, einige Wochen stehen gelassen. Es hatten sich feine Krystallnadeln abgeschieden, deren Analyse die Formel des

Benzodiureïds, $C_7H_6 {{NH.NH_2.CO}\atop{NH.NH_2.CO}}$ ergab.

Bei einem anderen Versuche wurden 3 Mol. Harnstoff und 2 Mol. Benzaldehyd angewandt und die Flasche am Rückflufskühler mehrere Tage lang erhitzt. Hierbei wurden Krystalle von *Benzotriureïd* erhalten. (Journ. Amer. Chem. Soc. **6**. 15—16.)

Hugo Köhler, *Über das p-Äthoxyphenylmethan und einige Derivate desselben.* Die Urethane der aromatischen Reihe sind oft schon Gegenstand der Untersuchung gewesen. Man hat sich darauf beschränkt, die Spaltungs- und Umsetzungsprodukte derselben kennen zu lernen; es ist aber noch nicht versucht worden, festzustellen, welchen Einfluſs das Carbaminsäureradikal möglicherweise bei Substitutionen im Benzolkerne ausüben könnte. Von diesem Gesichtspunkte ausgehend, hat der Vf. seine Experimentaluntersuchungen über das p-Äthoxyphenylurethan unternommen.

p-Äthoxyphenylurethan, $CO\begin{Bmatrix}OC_2H_5\\NHC_6H_4OC_2H_5\end{Bmatrix}$, wurde durch Einwirkung von Chlorkohlensäureäther auf p-Amidophenetol in alkoholischer Lösung dargestellt, wobei sich zugleich salzsaures Amidophenetol bildet: wohl ausgebildete, rosa gefärbte Nadeln vom Schmelzpunkte 94°, leicht löslich in Alkohol, Äther, Chloroform, Benzol und Eisessig, unlöslich in Petroleumäther und in kaltem Wasser, giebt beim Kochen mit Natronlauge p-Amidophenetol, Natriumcarbonat und Äthylalkohol; beim Erhitzen mit Salzsäure auf 130° p-Amidophenol, Kohlensäure und Äthylchlorid. Beim Erhitzen zersetzt es sich zwischen 250 und 270° in p-Äthoxycarbanil, $C_6H_4OC_2H_5\begin{Bmatrix}CO\\\end{Bmatrix}N$, und Alkohol und giebt mit Salpeters. von 1,2 spez. Gew. *Nitroparaäthoxyphenylurethan,* $CO\begin{Bmatrix}OC_2H_5\\NHC_6H_3(NO_2)OC_2H_5\end{Bmatrix}$.

Dieses geht durch Reduktion mit Zinn und Salzsäure in *Amidoparaäthoxyphenylurethan,* $CO\begin{Bmatrix}OC_2H_5\\NHC_6H_3(NH_2)OC_2H_5\end{Bmatrix}$, über, von welchem zunächst die salzsaure Verbindung erhalten wurde, aus der man dann die Base durch Einwirkung von Natriumcarbonat in kleinen weiſsen Nadeln gewinnt.

Um die Funktion der in das p-Äthoxyphenylurethan eingetretenen NO_2-Gruppe zu bestimmen, wurde aus dem Amidoparaäthoxyphenylurethan ein Diamidophenol dargestellt, indem man jenes mit rauchender Salzsäure einschloſs, zwei Stunden lang auf 150° erhitzte und dann nach dem Erkalten die Röhre öffnete, um das dabei gebildete Chloräthyl und die Kohlensäure entweichen zu lassen, und diese Operation noch zweimal wiederholte. Auf diese Weise erhielt man *salzsaures Diamidophenol,* welches mit dem von HEMILIAN (Ber. Chem. Ges. **8.** 768) aus α-Dinitrophenol mit Zinn und Salzsäure gewonnenen verglichen wurde. Es zeigte sich von demselben auffallend verschieden, und deshalb kommt der Vf. zu dem Schlusse, daſs beide Körper isomer sind. Da hier nur zwei Isomeriefälle möglich sind, so muſs das eingetretene NO_2 oder das daraus entstandene Amid in der von dem Vf. erhaltenen Verbindung sich zum Hydroxyl in der Metastellung befinden.

Diazoimidäthoxyphenylurethan, $CO\begin{Bmatrix}OC_2H_5\\NC_6H_3(OC_2H_5)N{=}N\end{Bmatrix}$, wurde durch Diazotierung des salzsauren Amidoäthyloxyphenylurethans mittels salpetriger Säure erhalten.

Dinitroparaäthoxyphenylurethan, $CO\begin{Bmatrix}OC_2H_5\\NHC_6H_2(NO_2)_2OC_2H_5\end{Bmatrix}$, wurde durch Einwirkung von roter rauchender Salpetersäure auf p-Äthoxyphenylurethan erhalten. Von dieser Verbindung wurden zwei isomere Modifikationen erhalten; die eine derselben ging bei der Behandlung mit Zinn und Salzsäure in salzsaures Diamidoparaäthoxyphenylurethan über.

Trinitroparaäthoxyphenylurethan, $CO\begin{Bmatrix}OC_2H_5\\NHC_6H(NO_2)_3OC_2H_5\end{Bmatrix}$, entstand ebenfalls durch Einwirkung von rauchender Salpetersäure ohne Abkühlen. Hieraus ergiebt sich die auſserordentliche Beständigkeit des p-Äthoxyphenylurethans. Aus dem Trinitroderivate erhielt man durch Zinn und Salzsäure *das salzsaure Triamidoparaäthoxyphenylurethan,* und durch Spaltung mittels Schwefelsäure von 1,14 spez. Gewicht konnte eine Verbindung erhalten werden, welche der Vf. trotz mangelhafter Übereinstimmung der Analysen für Trinitroamidophenetol, $C_6H(NO_2)_3NH_2OC_2H_5$, ansieht. Das unreine Produkt wurde durch Zinn und Salzsäure in *salzsaures Tetraamidophenetol,* $C_6H(OC_2H_5)(NH_2)_4 2HCl$, umgewandelt. (Journ. prakt. Chem. **29.** 257—86. 12. Mai. [April.] Dresden, Polytechnikum.)

M. v. Stojentin, *Über die Einwirkung von Äthoxalylchlorid auf Diphenylsulfoharnstoff und Triphenylguanidin.* Um die wenig studierte Wirkungsweise des Äthoxalylchlorides auf stickstoffhaltige Verbindungen kennen zu lernen, hat Vf., auf Anregung von E. v. MEYER, Versuche unternommen, über welche er im folgenden unter Vorbehalt ausführlicher Mitteilungen kurz berichtet.

Läſst man Äthoxalylchlorid vorsichtig auf in Benzol gelösten *Diphenylsulfoharnstoff* einwirken, so bildet unter heftiger Reaktion ein gegen, in verfilzten Nadeln von 231° Schmelztemperatur krystallisierendes Produkt, welches nach dem Umkrystallisieren aus viel heiſsem Alkohol die Zusammensetzung $C_{21}H_{17}N_2S_2O$ hat. Seine chemische Konstitution ist noch nicht sicher erkannt, doch wird sie sich aus dem Verhalten desselben ermitteln lassen. Durch Behandeln der alkoholischen Lösung dieses Körpers mit salpetersaurem Silber wird er leicht entschwefelt; aus dem Filtrate vom Schwefelsilber krystallisiert eine Verbindung in feinen weifsen Nadeln von 147° Schmelztemperatur aus; nach ihrer durch die Analyse festgestellten Zusammensetzung und nach ihrem Verhalten ist dieselbe die schon bekannte, auf anderem Wege dargestellte *Diphenylparabansäure*, $C_{15}H_{10}N_2O_3 = CON_2(C_6H_5)_2(C_2O_2)''$ (Diphenyloxalylharnstoff). Mittels Salpetersäure wurde daraus die Dinitrodiphenylparabansäure gewonnen.

Das ursprüngliche schwefelhaltige Produkt ($C_{21}H_{17}N_3S_2O$) liefert ebenfalls mit rauchender Salpetersäure ein Nitroprodukt, welches die Zusammensetzung $C_{21}H_{17}N_3S_2O_5$ hat und bei 235° schmilzt, dessen Konstitution aber noch nicht mit hinlänglicher Sicherheit ermittelt ist. Dasselbe spaltet durch Erhitzen mit Wasser und leichter noch mit Alkalien p-Nitroanilin ab. Wird das erst erhaltene (gelbe) Produkt bei Gegenwart von Anilin mit salpetersaurem Silber behandelt, so resultiert unter Austritt von Schwefelsilber eine gelbe, in Nadeln krystallisierende Verbindung, deren Untersuchung im Gange ist. Ferner wurde aus $C_{21}H_{17}N_3S_2O$ durch längere Einwirkung von salpetriger Säure ein in Äther lösliches, und daraus in feinen, konzentrisch gelagerten Nadeln krystallisierendes Produkt erhalten.

Auf Triphenylguanidin wirkt Äthoxalylchlorid heftig ein; das durch Umkrystallisieren aus Alkohol gereinigte Produkt hat die Zusammensetzung $C_{23}H_{16}N_3ClO$ und schmilzt bei 190°. Das Chloratom desselben wird durch Digerieren mit alkoholischem Kali, sowie mittels Natriumamalgam eliminiert. In beiden Fällen entsteht Triphenylguanidin. Mit Salpetersäure giebt jenes Produkt unter heftiger Reaktion ein rotes Harz, das sich teilweise in Alkohol löst und durch Entfärben mittels Tierkohle weifse Nadeln von der Schmelztemperatur 200° liefert.

Auch auf *Phenylharnstoff* wirkt Äthoxalylchlorid bei geringem Erwärmen ein; es resultiert ein in Alkohol lösliches, und daraus in seideglänzenden Nadeln von der Schmelztemperatur 120° krystallisierendes Produkt. (Journ. prakt. Chem. **29.** 302—3. Mai. Leipzig. KOLBE's Labor.)

J. Rotheit, *Neue Bildungsweise von Carbostyril.* Durch Einwirkung von Chlor auf Chinolin in essigsaurer Lösung entsteht Trichloroxychinolin; jedoch wird nur ein Teil des angewandten Chinolins in dieser Weise verändert; der gröfste Teil bleibt in Lösung, läfst sich daraus durch Natronlauge ausfällen und durch Destillation mit Wasserdämpfen wiedergewinnen. So gaben 250 g Chinolin in stark verdünnter essigsaurer Lösung nach sechsstündiger Einwirkung des Chlors, welche zunächst in der Kälte, alsdann in der Wärme vorgenommen wurde, zunächst 40 g Rohprodukt und 160 g unverändertes Chinolin. Diese Operationen liefsen sich fünfmal wiederholen. Im ganzen wurden aus dem Rohprodukt 100 g erhalten, welche nach mehrfachem Umkrystallisieren aus heifsem Alkohol 25 g reine Substanz gaben. Dieselbe krystallisiert in feinen, weifsen, verfilzten Nadeln, welche in Benzol, Chloroform und Alkohol, wenn auch schwer, löslich sind und bei 200° schmelzen.

Dieses Trichloroxychinolin läfst sich weder durch Zinn und Salzsäure, noch durch verdünnte Jodwasserstoffsäure reduzieren. In zugeschmolzenen Röhren mit rauchender HJ erhitzt, wird es erst bei 250° chlorfrei und liefert feine weifse Nadeln, welche in kaltem Wasser gar nicht, in heifsem leicht löslich sind und bei 201° schmelzen. Die Analyse ergab die Zusammensetzung des Oxychinolins, welches mit dem Carbostyril identisch ist. (Journ. prakt. Chem. **29.** 300—2. Mai. Leipzig, KOLBE's Labor.)

Paul Julius, *Über eine neue Reaktion des Benzidins.* Bei Versuchen über die Oxydation des Benzidins wurde eine heifs gesättigte wässerige Lösung dieser Base mit einer Kaliumdichromatlösung versetzt. Es entstand sofort ein äufserst voluminöser tiefblauer, aus verfilzten Nadeln bestehender Niederschlag, welcher abgesaugt und mit kaltem Wasser gewaschen wurde. Der neue Körper erwies sich als unlöslich in allen gebräuchlichen Lösungsmitteln, er verglimmt, auf dem Platinblech erhitzt, unter Zurücklassung einer grünen Asche, die, wie die Analyse ergab, aus Chromoxyd bestand. Kocht man längere Zeit mit Wasser, so findet eine teilweise Zersetzung statt; die Flüssigkeit färbt sich gelb und giebt mit Bleizucker und Essigsäure die charakteristische Chromsäurereaktion. Beim Kochen mit verdünntem Ammoniak hinterbleibt ein reichlicher brauner, amorpher Rückstand, welcher viel Chrom enthält; die filtrierte Lösung ist durch chromsaures Ammon gelb gefärbt und scheidet beim Erkalten glänzende Blättchen aus, die bei 122° schmelzen und auch sonst alle Eigenschaften des Benzidins besitzen, auch mit Kaliumdichromatlösung wieder einen blauen Niederschlag geben und die von CLAUS und RISLER (Ber. Chem. Ges. **14.** 82.) beschriebene Reaktion mit Schwefelkohlenstoff und verdünntem Bromwasser zeigen.

Es besteht also wohl kein Zweifel, dafs man es nicht, wie Vf. anfangs vermutete, mit einem Oxydationsprodukt des Benzidins, sondern mit einem chromsauren Salz zu thun hat, dessen Formel durch die Analyse festgestellt wurde: $C_{12}H_8(NH_4)_2H_4CrO_4$. Bemerkenswert ist die aufserordentliche Empfindlichkeit dieser Reaktion. 0,0286 g Benzidin wurden in 300 ccm Wasser gelöst und gaben in dieser Verdünnung, mit einer konzentrierten Kaliumdichromatlösung versetzt, einen so intensiven Niederschlag, dafs die Flüssigkeit undurchsichtig erschien; und selbst in einer Lösung von 0,0220 g Benzidin in 1 l Wasser (also ca. 1 : 50000) entstand noch ein deutlicher Niederschlag, wenn man die Flüssigkeit vorher erwärmte.

Das mit dem Benzidin isomere Diphenylin giebt selbst in der aufserordentlich verdünnten Lösung, die durch Kochen desselben mit Wasser erhältlich ist, dieselbe Reaktion (Monatsh. f. Chem. 5. 193—94. 8. Mai. [3. April.] Wien, Techn. Hochschule).

W. R. Hodgkinson, *Über Fluoren.* Während der fraktionierten Destillation von Fluoren bemerkte der Vf. die Bildung einer orangeroten Substanz. Dieselbe ist wahrscheinlich ein Oxydationsprodukt. Einige Kilogramm Fluoren (Schmelzp. 100°) wurden langsam destilliert und die Fraktion zwischen 280 und 295° aus Essigsäure krystallisiert und von neuem destilliert. Die Fraktion 285—290° wurde hierauf über eine Mischung von Bleiglätte und Manganoxyd (5 : 1) in einem weiten eisernen Rohre auf die Temperatur des schmelzenden Zinns erhitzt. Es destillierte ein roter fester Körper über, aber die gefärbte Substanz konnte nicht von dem unveränderten Kohlenwasserstoff durch Destillation getrennt werden. Eine teilweise Trennung wurde durch Erhitzen mit 50 proz. Essigsäure bewirkt, welche das Fluoren löst. Die auf diese Weise erhaltene Substanz krystallisiert aus Eisessig in Rhomben, Schmelzp. 165—170°, sublimiert unter teilweiser Zersetzung und giebt dicke rote Dämpfe. Der Körper wurde durch Chromsäure in Eisessiglösung oxydiert, wobei zwei Oxydationsprodukte erhalten wurden: das eine krystallisiert in blafsgelben Nadeln, ist fast unlöslich in kaltem Chloroform, schmilzt bei 278°; das andere scheidet sich in kurzen roten Nadeln ab, welche bei 188° schmelzen und die Zusammensetzung $C_{12}H_6O_3$ haben.

Es ist dem Vf. gelungen, die rotgefärbte Substanz zu isolieren. Dieselbe scheint sich bei der Destillation, selbst im Vakuum, zu zersetzen. (Chem. N. 49. 212—13. 9. [1.] Mai. London Chem. Soc.)

W. H. Perkin jun., *Über Benzoylessigsäure und einige ihrer Derivate.* Aus verschiedenen Gründen hat sich Vf. veranlafst gesehen, den Benzoylessigäther genauer zu untersuchen mit besonderer Berücksichtigung derjenigen Reaktionen, bei welchen die Ketongruppe beteiligt ist. Er beschreibt zuerst die Darstellung der Phenylpropiolsäure. 500 g Zimmtsäure wurden in 1—1½ l absolutem Alkohol suspendiert und Chlorwasserstoffgas bis zur vollständigen Lösung hineingeleitet. Nach zwei- bis dreistündigem Stehen wurde das Produkt in Eiswasser gegossen. Der Zimmtsäureäther scheidet sich als Öl ab, welches in Äther gelöst, mit verdünnter Natriumcarbonatlösung gewaschen, getrocknet und zuletzt mit 440 g Brom behandelt wurde. Nach kurzer Zeit wurde das ganze in eine grofse Schale gebracht und der Äther verdunstet, worauf sich der Phenyldibrompropiolsäureäther als ein fester Krystallkuchen abschied. Derselbe wurde zwischen Fliefspapier ausgeprefst und durch alkoholisches Kali zersetzt. Das phenylpropiolsaure Kali wurde schliefslich mit verdünnter Schwefelsäure behandelt und dadurch die freie Säure als Öl abgeschieden. Nach gehöriger Reinigung bildete dieselbe Krystalle, welche gemessen werden konnten. Sie wurden in Phenylpropiolsäureäther umgewandelt, welcher durch Behandlung mit gewöhnlicher, schwach verdünnter Schwefelsäure Benzoylessigäther lieferte. Derselbe ist ein farbloses, bei 265—270° ohne Zersetzung siedendes Öl, er giebt mit Eisenchlorid dieselbe violette Färbung wie Acetessigäther und zersetzt sich beim Kochen mit verdünnter Schwefelsäure in Acetophenon, Alkohol und Kohlensäure. Das Wasserstoffatom in der CH_2-Gruppe kann durch Natrium ersetzt werden. Das Barium-, Kupfer-, Silber- und Bleisalz wurde dargestellt. Wird reiner Benzoylessigäther mit verdünnter wässeriger Kalilösung behandelt und das entstandene Produkt durch verdünnte Schwefelsäure zersetzt, so erhält man *Benzoylacetessigsäure*, welche nach der Reinigung in dünnen durchsichtigen Nadeln krystallisiert, die das Licht polarisieren und bei 103—104° schmelzen. Hiervon wurde das Kupfer-, Blei-, Calcium-, Barium- und Eisensalz dargestellt, auch die freie Säure analysiert. In einem anderen Teile der Arbeit bespricht der Vf. die Verbindungen, in denen die Wasserstoffatome der Methylengruppe durch Äthyl etc., substituiert sind: die Äthylbenzoylessigsäure (Schmelzp. 111—115°) und den Äthylbenzoylessigäther. Der letztere giebt bei der Behandlung mit verdünnter Kalilösung viel Phenylpropylketon, mit starker Kalilösung dagegen organische Säuren. Im letzten Theile der Arbeit wird die Darstellung der Diäthylbenzoylessigsäure und der Allylbenzoylessigsäure und der entsprechenden Äther und die Einwirkung von Brom auf das Allylacetophenon beschrieben. (Chem. N. 49. 212. 9. [1.] Mai. London Chem. Soc.)

Aug. Kekulé und **Otto Strecker**, *Über die Trichlorphenomalsäure und die Konstitution des Benzols.* Vff. haben die Studien von CARIUS (LIEB. Ann. 140. 317; 142. 129; 143. 315; 149. 257; 155. 217; C.-Bl. 70. 291 und KRAFFT, 77. 420) über die Trichlorphenomalsäure einer kritischen Beurteilung unterworfen. Die Resultate ihrer Studien kurz zusammengefaßt ergaben, daß diese Säure nicht nach der von CARIUS angegebenen Bildungsgleichung erfolgt und auch nicht die von demselben ihr zugeschriebene Formel $C_7H_3Cl_3O_4$ besitzt; sie ist aber noch weniger, wie KRAFFT behauptet, identisch mit Trichlorhydrochinon. Mit Alkalien spaltet sie nicht Chlorwasserstoff ab und liefert dabei auch keine Fumarsäure, aber nichtsdestoweniger ist die Phenakonsäure von CARIUS identisch mit Fumarsäure. Vff. haben den präparativen und descriptiven Teil der CARIUS'schen Arbeit durchaus bestätigt gefunden, während sie dasselbe von den Analysen und Interpretationen nicht sagen können. KRAFFT habe einfach nicht die Bedingungen wiederfinden können, unter denen CARIUS gearbeitet hatte.

Den Versuchen zufolge fassen die Vff. die Trichlorphenomalsäure als β-Trichloracetylakrylsäure auf, das aus ihr durch Addition von Brom entstehende Produkt wäre dann β-Trichloracetyl-α-β-Dibrompropionsäure. Beide Säuren stehen in einfacher Beziehung zu einigen bekannten Substanzen:

β-Trichloracetylakrylsäure (Trichlorphenomalsäure) $CCl_3-CO-CH=CH-COOH$
β-Trichloracetyl-α-β-Dibrompropionsäure $CCl_3-CO-CHBr-CHBr-COOH$
β-Acetylpropionsäure (Lävulinsäure) $CH_3-CO-CH_2-CH_2-COOH$
γ-Oxynormalvaleriansäure $CH_3-CH.OH-CH_2-CH_2-COOH$
Normalvaleriansäure $CH_3-CH_2-CH_2-CH_2-COOH.$

Es muß demnach sehr wahrscheinlich erscheinen, daß es gelingen werde, die sogen. Trichlorphenomalsäure und ihr Bromadditionsprodukt durch Reduktion schrittweise in Lävulinsäure, γ-Oxyvaleriansäure, resp. deren Lacton und in Normalvaleriansäure umzuwandeln. Derartige Reduktionsversuche bieten aber schon deshalb Schwierigkeiten, weil beide Säuren sehr leicht Chloroform abspalten, während das andere Spaltungsprodukt zu Bernsteinsäure reduziert wird. Vff. haben nach dieser Richtung hin schon einige Versuche, jedoch ohne bestimmte Resultate, unternommen. Sie glauben, dabei das Lacton der γ-Oxyvaleriansäure beobachtet zu haben.

Vff. erhielten auch durch Oxydation von Chinon mit Kaliumchlorat und Schwefelsäure die Trichlorphenomalsäure. Schließlich knüpfen sie an diesen experimentellen Teil Betrachtungen über die Bildung der Säure aus dem Benzol und über die daraus sich etwa ergebenden Rückschlüsse auf die Konstitution des letzteren. (LIEB. Ann. 223. 170—97. 20. März. Bonn.)

Ernst Schmidt, *Zur Nomenklatur der Alkaloide der Atropa Belladonna und der Datura Stramonium.* (Arch. Pharm. 22. [3.°] 329—31.)

G. Dragendorff und **H. Spohn**, *Die Alkaloide des Aconitum Lycoctonum.* (Pharm. Ztschr. f. Rußl. 23. 313—23 u. m. Forts.)

B. Auerbach, *Fäulniskrystalle in Leichen.* Zwei Kinder von fünf, resp. sechs Wochen wurden 110 und 134 Tage nach dem Tode gerichtlich obduziert, nachdem sich Verdacht auf Vergiftung durch Strychnin erhoben hatte. Die Fäulnis war in dem feuchten Lehmboden bei der niedrigen Wintertemperatur nicht besonders weit vorgeschritten, und es ergab die Obduktion bei dem einen Kinde nur an der inneren Magenoberfläche „hanfkorn- bis über stecknadelkopfgroße, krystallgleiche" Körnchen, letztere auch auf der dem Magen entsprechenden Zwerchfellshälfte, wie auf dem parietalen Blatt des Peritoneums der linken Bauchseite. — Auch bei dem zweiten Kinde wurde der nämliche Befund am Magen, hier aber überdies an der Dünn- und Dickdarmschleimhaut, wahrgenommen. Die chemische Untersuchung erwies die Krystalle als Tripelphosphat, und zwar stellten weitere Ermittelungen fest, daß die Kinder vor ihrem Tode kohlensaure Magnesia und HUFELAND'sches Kinderpulver bekommen hatten, somit für die Entstehung größerer Mengen von phosphorsaurer Ammoniakmagnesia im Verdauungskanal die Bedingungen gegeben waren. (Vierteljahrsschr. f. gerichtl. Mediz. 40. 66; Med. C.-Bl. 22. 320.)

C. Fr. W. Krukenberg, *Über die Hyaline.* Unter Hyaline versteht man die Übergangsstufe zwischen Eiweißstoffen und Kohlehydraten. Sie werden durch Behandlung von Eiweißstoffen mit verdünnter kalter Kali-, resp. Natronlauge erhalten. Hierbei geben sie sämtlichen Schwefel und einen Teil ihres Kohlenstoffes ab. Die so entstandenen Körper lassen sich leicht in Kohlehydrate überführen und enthalten demnach wahrscheinlich Kohlehydratreste in organischer Verbindung.

Zu diesen Stoffen rechnet Vf. das Onuphin SCHMIEDEBERG'S, einen Körper in der Schlangenhaut, den DE LUCA für Cellulose hielt, und endlich einen Stoff, den er selbst aus Spirographisscheiden erhielt. Das Spirographin stellt, wie das Hyalin von HOPPE-

SEYLER, welches von LÜCKE in den Echinokokkusblasen gefunden wurde, eine Zwischenstufe zwischen Eiweißstoffen und eigentlichen Hyalinen dar: es enthält noch Schwefel und giebt noch viele Eiweißreaktionen.

Aus dem Spirographin hat Vf. zwei Körper gewonnen, von denen der eine, das Spirographidin, zu den Hyalinen zu rechnen ist. Es wird aus den Spirographisscheiden gewonnen, wenn man dieselben mit Salzsäure behandelt und in verdünnter kalter Natronlauge löst, neutralisiert und das Filtrat mit Alkohol fällt. Es hat die Formel $C_{23}H_{76}N_9O_{23}$. Durch Kochen mit verdünnter Schwefelsäure wird daraus Glykose gebildet. Vf. stellte eine Eisen- und eine Zinnverbindung des Spirographidins her. Die Analyse stieß jedoch wegen des verschiedenen Wassergehaltes und der leichten Zersetzlichkeit dieser Präparate auf große Schwierigkeiten. Außerdem scheint der Niederschlag, welcher in einer Spirographidinlösung durch Zinnchlorür hervorgebracht wird, keine Zinnverbindung dieses Körpers selbst, sondern die eines verwandten Körpers darzustellen. Neben dem Spirographidin entsteht bei obiger Behandlung der Spirographisscheiden noch das Spirographein. Diese Substanz hat große Ähnlichkeit mit den Eiweißstoffen. Sie giebt MILLON'sche Reaktion, Biuretreaktion, erfährt durch Pepsinsalzsäure eine teilweise Zersetzung, aus welcher Peptone und Hemialbumose hervorgehen. Eine einfache Formel läßt sich noch nicht aufstellen.

Eine Substanz, die zu den Hyalinen zu rechnen ist, kann man aus Schlangenhaut nach derselben Methode wie das Spirographidin erhalten. Diese Substanz liefert mit verdünnter Schwefelsäure ebenfalls einen glykoseartigen Körper. Neben diesem Körper erhält man aus der Schlangenhaut auch noch einen eiweißartigen Stoff. (Verh. d. physik.-med. Ges. zu Würzburg. N. F. 18. 1883. 3; SCHMIDT's Jahrb. 201. 225.)

F. A. Flückiger, *Zur Kenntnis des Kümmelöles.* (Arch. Pharm. 22. [3.] 361—65.)

Rudolf Benedikt und **Karl Hazura,** *Über das Morin* (s. S. 377). In dieser Abhandlung beschreiben die Vff. die Gewinnung des Morins, das Verhalten desselben gegen schmelzendes Ätzkali, die Einwirkung von Natriumamalgam, die Oxydation mit Salpetersäure und die Formel des Morins, $C_{15}H_8O_6$. (Monatsh. f. Chem. 5. 165—76. 8. Mai. [3.* April.] Wien, Techn. Hochschule.)

5. Physiologische, medizinische und pharmazeutische Chemie.

Stanislaus von Stein, *Eine neue Methode, um Hämoglobinkrystalle zu erhalten.* Die ersten Krystalle nach seiner Methode erhielt Vf. im Juni 1877 aus Menschen- und Pferdeblut, den 19. April 1878 aus dem Blute des Meerschweinchens und den 5. Juni 1879 aus Ratten- und Eichhörnchenblut. Seit jener Zeit bis heute haben sich Form und Farbe des Hämoglobins gut erhalten. Einige von den größeren Krystallen haben Spalten bekommen.

Zur Darstellung benutzt man Blut aus jedem beliebigen Teile des Organismus. Es kann noch ganz warm, gerade aus der Wunde, defibriniert oder aus einem Gerinnsel ausgepreßt sein. Ein Tropfen wird auf ein Objektglas gebracht und so lange der Luft ausgesetzt, bis er an seiner Peripherie einzutrocknen anfängt. Dann trägt man Kanadabalsam auf, zuerst rund herum um das Blut, um das etwaige Entweichen zu verhindern, und dann erst füllt man den übrig gebliebenen Raum. Hierbei ist darauf zu achten, daß man den mittleren Teil des Bluttropfens zur Peripherie abdrängt; dadurch schafft man freien Raum für die Krystallisation, sonst bekommt man meist kleine Formen oder einen solchen Filz von Krystallen, daß man ihre Konturen nicht unterscheiden kann. Man darf auch nicht eine zu dicke Schicht Blut nehmen, da in diesem Falle der Kanadabalsam in die tiefer liegenden Partien nicht eindringt, und infolge dessen die hellrote Farbe des Blutes einen Stich ins Violette bekommt, was keineswegs die Krystallisation fördert. Vf. verfuhr noch auf eine andere Weise, indem er das Blut nicht verdunsten ließ, sondern sogleich mit dem Reagens behandelt und mit einem Deckgläschen bedeckte.

Am besten ist derjenige Kanadabalsam, welcher gelb und nicht ganz klar aussieht. Im flüssigen Balsam bilden sich die Krystalle schneller, haben manches Mal auch größere Dimensionen; aber dafür werden dieselben in einem oder zwei Tagen braun, dann schmutzigschwarz und werden in kurzer Zeit durch viele Spalten in kleine Stücke zerklüftet. Die eben beschriebene Erscheinung beobachtet man noch schneller, wenn man das Präparat mit einem Deck- oder Uhrgläschen überdeckt.

Wenn der flüssige Balsam lange Zeit an der Luft steht oder auf einem Wasserbade bis zu einer solchen Konsistenz eingedampft wird, daß sich das Reagens durch einen in die Höhe gehobenen Glasstab in durchsichtige, aber nicht milchiggetrübte Fäden zieht, so erhält man bei der Anwendung eines solchen Reagenzes dauerhafte Präparate mit Beibehaltung der Form und Farbe.

Ist das Blut nach dem einen oder anderen Verfahren bearbeitet worden, so mufs es unbedingt unbedeckt an der Luft bis zur Beendigung der Krystallisation und bis jenen Moment gelassen werden, wo der balsamische Geruch fast ganz verschwunden ist, was gewöhnlich ein Paar Tage dauert. Dann streift man mit einem Messer, das in Äther, Terpentin- oder Nelkenöl (von den beiden letzten Substanzen soll man nicht zu viel nehmen) eingetaucht ist, den oberen übrigen Teil des Balsams ab, bedeckt das Ganze mit einem Gläschen und schliefst das Präparat mit Asphalt oder Balsam ein. Die Erfahrung hat gelehrt, dafs mit der Zeit durch das zu starke Eintrocknen des Reagenzes in den grofsen Krystallen sich Spalten bilden, die sich bei Beachtung der obigen Vorsichtsmafsregel vermeiden lassen. (Med. C.-Bl. **22**. 404—5. Juni. [April]. Moskau.)

E. Baumann, *Über die Bildung der Mercaptursäuren im Organismus und ihre Erkennung im Harn.* (Ztschr. physiol. Chem. **8**. 190—97. Freiburg.)

Hammerbacher, *Über die Bildung der Ätherschwefelsäuren.* Von der Tatsache ausgehend, dafs von den drei Oxybenzoesäuren die Eiweifs fällende Salicylsäure Ätherschwefelsäuren nicht bildet, wohl aber die beiden anderen: die Meta- und Paraoxybenzoesäure (BAUMANN und HERTER), welche Eiweifs nur teilweise oder gar nicht fällen, hat Vf. die drei Nitrophenole, das α- und β-Naphtol, sowie das Ortho- und Paratoluidin darauf geprüft, ob eine Beziehung zwischen der Bildung von Ätherschwefelsäuren und dem sichtbaren Verhalten der genannten Substanzen zu den Eiweifskörpern sich auffinden läfst. Es hat sich nun eine Regelmäfsigkeit in dem erwähnten Sinne nicht ergeben. Sowohl Orthonitrophenol, welches Eiweifs nicht fällt, liefert Ätherschwefelsäuren (Steigerung bis auf das Zehnfache der Norm nach 2,5 g), als auch die Meta- und Paraverbindung, welche Eiweifs fällen. Nach 1,5 g Metanitrophenol stieg die Menge der Ätherschwefelsäuren auf das Sechs- bis Zwölffache, nach 0,5 g Paranitrophenol nur um ²/₃ gegen die Norm an. Sowohl das Eiweifs fällende α-, sowie das Eiweifs nicht fällende β-Naphthol liefsen die Menge der Ätherschwefelsäuren auf das Zwei- bis Dreifache ansteigen. Im Gegensatze zu den Oxybenzoesäuren bildet das Eiweifs fällende Orthotoluidin Ätherschwefelsäuren (Steigerung auf das Dreifache), das Eiweifs nicht fällende Paratoluidin war darauf ohne Einflufs. Schon 0,5 g Paratoluidin wirkt toxisch: wiederholtes Erbrechen, starke Depression, vollständige Nahrungsverweigerung, heftiger Katarrh der Rachen- und Nasenschleimhaut, Albuminurie; der Reizungszustand hält bis zu acht Tagen an. Dieselben toxischen Erscheinungen traten auch nach subkutaner Injektion auf. Orthotoluidin rief nur Erbrechen, keine sonstigen krankhaften Erscheinungen hervor. (PFLÜGER'S Arch. **33**. 94; Med. C.-Bl. **22**. 318.)

Oscar Jacobsen, *Über die Beimengungen der aus Siambenzoe sublimierten Benzoesäure.* (Arch. Pharm. **22**. [3.] 366—74.)

Kleine Mitteilungen.

Chemische Prüfungsmethode in gekürzter Form. Guttularmethode der chemischen Analyse, von H. HAGER. Die bisher gebräuchliche umständliche und Material verzehrende Prüfungsmethode für die Arzneistoffe kann zu einem grofsen Teile durch eine Methode ersetzt werden, welche nur einzelne Tropfen sowohl des Reagens, wie der zu prüfenden Substanz erfordert. Um sie von der bisher geübten Methode zu unterscheiden, benennt Vf. sie Guttularmethode (Tropfmethode). Dieselbe soll nicht allein dem Pharmazeuten, sondern auch dem Droguist, welcher in die Lage kommt, Substanzen chemisch untersuchen zu müssen, bequem zur Hand sein. Sie erfordert folgende Apparate und Reagenzien.

I. Etwa sieben bis neun *kleine Fläschchen* von 10 bis 20 ccm Rauminhalt. Ein jedes dieser Fläschchen ist mit einem Glasstopfen geschlossen, welcher nach unten zu einem Stäbchen verlängert ist und an seinem unteren Ende matt berieben sein mufs, um mittels dieses Stopfens einen Tropfen der Reagens herauszunehmen und auf irgend eine Stelle, auf Papier, Glas, Blech übertragen zu können.

II. Etwa sechs *Fläschchen* mit ca. 25 ccm Rauminhalt, welche mit Gummistopfen geschlossen werden. In letzteren ist ein Glasstab eingesetzt, dessen unteres Drittel matt geschliffen ist.

Die Fläschchen mit Glasstopfen sind bestimmt für die Lösungen des Silbers, Bariumchlorida (Bariumnitrat reagiert weniger scharf), Ammoniumoxalat, Oxalsäure, Schwefelsäure, Salzsäure, Salpetersäure, Äther, Chloroform. Die Fläschchen mit Gummistopfen sind bestimmt für Natronlauge, Ätzammon, Natriumcarbonat, alkalische Wismuttartratlösung (für die Prüfung des Harns der Diabeteskranken).

III. *Reagenspapiere*, aus gutem Filtrierpapiere bereitet, in ca. 1 cm breiten und 5 cm langen Streifen. Sie sind in Papp- oder Blechkästchen, oder besser in kleinen Hafengläsern mit aufschraubbarem Deckel aus Blech verschließbar, zur Hand zu halten. Diese Papiere sind getränkt mit Reagenzien und vorsichtig getrocknet, z. B.:

A. Reagenspapiere mit Lackmus, rotes und blaues.

B. Curcumapapier.

C. Indigokarminpapier wird durch warme Salpetersäure und die ätzenden Alkalien gelb (nicht durch Ätzammonium).

D. Rosanilinpapier dient zur Prüfung auf Weingeist.

E. Kaliumferrocyanid- oder Blutlaugensalzpapier. Dieses dient als Reagens auf Ferrisalz (blau), Kupfer (dunkelbraun), Uran (dunkelbraun), Gold (grünlichbraun), Platin (braungrün bis rötlich), Thallium, Vanadsäure (gelb). Mit Lösungen des Antimons, Bleies, Kadmiums, Indiums, Mangans, Wismuts, Zinks, Zinns, Silbers, Ferrosalzes treten keine erkennbare Färbungen ein, doch im durchfallenden Lichte kann man in der feuchten Stelle des Papieres meist erkennen, ob eine Fällung stattgefunden hat. Der Ferrosalzfleck wird beim Trocknen blau, von Indium braun, von Mercursalz meist bläulich, von Mangan rötlich.

Der Gebrauch der Reagenspapiere besteht im allgemeinen darin, daß man einen Tropfen der zu prüfenden Flüssigkeit auf einen Streifen des Papieres aufsetzt.

F. Kaliumsulfocyanidpapier, Rhodanidpapier, wird von saurer Wismutnitratlösung und Platinlösung stark gelb, von Uranlösung mäßig gelb, von Kupfersalz bläulichschwarz oder gelbrot mit bläulichen Flecken, durch Goldlösung rot, durch Mercurinitrat weiß, durch Mercuronitrat schwarz gefärbt. Ferrisalz färbt blutrot, Ferrosalz läßt ungefärbt. Salpetersäure färbt etwas grau. Eine gelinde Erhitzung über dem Luftzuge einer Petrollampe, deren Flamme auf 1—2 mm Höhe reduziert ist, bewirkt bei Bleisalzlösung eine gelblichgraue, im durchfallenden Lichte dunklere Färbung, alkalische Wismutlösung eine mehr graue Färbung.

G. Natriumsulfitpapier. Mercurichlorid färbt gelblichrot, Mercuronitrat graugrün. Wird ein Tröpfchen der Lösungen von Silber, Gold, Quecksilber, Blei aufgesetzt und im Zuge einer sehr schwach brennenden Petrollampe erhitzt, so erfolgt Bräunung bis Schwärzung.

H. Natriumthiosulfatpapier. Mercurosalz färbt schwarz. Alkalische und salpetersaure Wismutlösung färbt beim Erwärmen über der Petrollampe gelb bis braun, Bleisalz beim Erwärmen braun. Mit nicht zu konzentrierter Jodlösung genäßt, tritt Entfärbung ein.

J. Kaliumjodidpapier wird durch Mercurisalze rot, durch Mercurosalz grün, durch Bleilösung gelb, durch salpetersaure Wismutlösung weiß gefärbt. Zur Erkennung von Chlorat giebt man in ein Reagiergläschen zu 2—3 ccm der Lösung einen Streifen des Papieres, dann 1 ccm verdünnter Schwefelsäure dazu und erwärmt. Bei Gegenwart von Chlorat färbt sich die Flüssigkeit gelb, oder man giebt von der mit Schwefelsäure versetzten und erwärmten Flüssigkeit ein Tröpfchen auf das Kaliumjodidpapier, wo sofort ein gelber bis brauner Rand auftritt. Salzsaure Antimonlösung färbt schwarzbraun.

K. Kaliumjodatpapier dient zur Erkennung der Jodide. Mit einer mit Essigsäure schwach angesäuerten Jodidlösung benetzt, tritt Gelb- bis Braunfärbung ein. Ebenso wirken Phosphorigsäure, Phosphorlösung, Salpetrigsäure.

L. Ferroammoniumsulfatpapier wird nur zur Erkennung der Gerbsäuren gebraucht, je nachdem es mit der warmen Gerbsäurelösung einen blauvioletten, grünen, braunen Farbenton annehmen wird. Ferrichloridpapier wäre passender für den Zweck, wird aber zu mürbe und auch indifferent gegen Gerbsäuren. Man legt einen Streifen des Papieres auf ein Glasscheibchen und betropft es mit der Gerbsäurelösung, welche mit einem Tropfen verdünnter Schwefelsäure versetzt ist.

M. Bleiacetatpapier wird durch Schwefelwasserstoff braun, durch Chromat gelb, durch Jodide ebenfalls gelb gefärbt. Als Reaktiv gegen H_2S-Gas ist der Papierstreifen mit Ätzammon zu befeuchten.

N. Mercurichloridpapier wird durch ätzende und kohlensaure Salze der fixen Alkalien und alkalischen Erden gelbrot gefärbt (nicht durch Ammon). Durch Jodide wird es rot, durch Chromat rotgelb, durch Thiosulfat blaßgrau mit gelbrotem Rande beim Abtrocknen, durch Sulfit und Schwefligsäure gelbrot gefärbt.

O. Mercuronitratpapier dient angefeuchtet zum Nachweis des Ammongases, welches schwarz färbt (sehr scharfe Reaktion). Ätzalkali, Alkalimonocarbonate, Natriumthiosulfat färben grünlichbraun bis schwarz. Natriumsulfit heller braun. (Dicarbonatlösungen der Alkalien lassen farblos). Kaliumchromat färbt dunkelrot, Jodide grüngelb, Borax grünlichbraun, Kaliumcyanid gewöhnlich braun bis schwarz, H_2S schwarz.

P. Zinksulfidpapier, dargestellt mit flüssiger Mischung aus Schwefelzink, Natriumsulfit und Borax. Blei, Wismut, Kupfer, Quecksilber in mineralsaurer Lösung auf das auf einem Glasscheibchen liegende Papier aufgetropft und erwärmt ergeben graue, braune bis schwarze Flecke.

Q. Silberdichromatpapier wird durch freie Salzsäure sofort gelb gefärbt.

R. Taninpapier wird durch Ferrisalze blauschwarz, durch Uranlösung rötlich bis rotbraun, durch Kupferlösung rötlichbraun, durch Molybdänate dunkel rotgelb, durch Wolframate grünlichgelb oder gelb, Mercurinitrat gelb, Mercuronitrat kaum blaßgrau. Mercurichlorid, Blei, Wismut in Lösung verursachen keine besondere Färbung.

Die Papierstreifen werden den Verhältnissen entsprechend mit der zu untersuchenden Flüssigkeit behandelt. Man betropft oder benetzt sie mit den Fingern haltend oder auf ein Glasscheibchen gelegt.

IV. Zwei *Streifen aus Messingblech*, 2,5—3 cm breit und 15—17 cm lang. Sie dienen zum Nachweise des Arsens, sowohl der Arsenigsäure wie der Arsensäure. Die salzsaure Lösung wird mit etwas Oxalsäurelösung versetzt oder der ammoniakalische Auszug mit Salzsäure übersättigt und mit Oxalsäure versetzt. Letztere Säure bezweckt die Reduktion der Arsensäure zu Arsenigsäure. Ein Tropfen der Lösung wird auf das Messingblech gesetzt und in dem Zuge einer sehr schwach brennenden Petroleumlampe erhitzt, nach scharfem Eintrocknen aber nicht weiter erhitzt, um etwa die Oxalsäure oder das Ammonsalz zu verdampfen. Dann wird die Stelle des Fleckes mit Wasser abgewaschen, und ein dunkler meist permanganatfarbiger Fleck zeigt Arsen an. Dünne dunkle Randlinien um den Fleck von geringer Farbe deuten auf eine 100 000- bis 150 000 fache Verdünnung des Arsens. Das Messingblech wird mit einem nassen Läppchen, das man in Sand getaucht hat, wieder blank gemacht und von dem Arsenfleck befreit. Das Nähere über diese Methode des Arsennachweises, welche sehr scharfe Resultate giebt, wird Vf. in einem besonderen Artikel mitteilen.

Ob das Messingblech von der richtigen Beschaffenheit ist, wird erkannt, wenn man einen Tropfen verdünnter arsenfreier Salzsäure darauf eintrocknet und erhitzt. Nach dem Abwaschen mit Wasser und' Bereiben mit nassem Leinenzeuge darf kein Fleck hinterbleiben.

Die Arsenlösung muß oder kann stark salzsauer sein, darf aber keine freie Schwefelsäure, keine Salpetersäure oder Nitrate und kein freies Ammon enthalten. Es genügt, wenn die Schwefelsäure an Alkali gebunden ist. Mit Rücksicht auf diese Bedingungen ist die Arsenlösung herzustellen.

Noch sei bemerkt, daß an Stelle des Messings Kupfer nicht verwendbar ist.

V. Drei bis vier *Glasscheiben*, die Scheibe 3 cm breit und 10 cm lang, aus klarem, weißem, nicht dickem, mehr dünnem Glase, um darauf Reaktionen vorzunehmen oder darauf Flüssigkeiten abzudampfen. Sie eignen sich auch als Unterlage der Reagenspapierstreifen.

VI. Platinblechstück und ein Stück Platindraht.

Die Ausführung der Prüfung, bei welcher weder das Messingblech noch die Papiere in Anwendung kommen, ist folgende. Man giebt auf ein Glasscheibchen zwei Tropfen der zu prüfenden Flüssigkeit und dann dicht daneben einen Tropfen des Reagens. Dann mischt man beide Flüssigkeiten. Die Durchsichtigkeit des Glases läßt die geringste Trübung erkennen. Hier vollziehen sich vorwiegend diejenigen Reaktionen, deren Resultat in farblosen oder wenig gefärbten Niederschlägen oder Trübungen bestehen. Selbst die schwächste Opalessenz kommt klar zur Erkennung. Um die Farbe genau zu unterscheiden legt man die Glasscheibe auf weißes oder schwarzes Papier. Auf die Glasscheibe legt man auch wohl den Streifen Reagenspapier, um diesen mit einem Tropfen zu benetzen, auch wohl an einem warmen Orte zu trocknen oder zu erhitzen.

Die Glasscheiben dienen auch zum Nachweise nicht flüchtiger Stoffe in flüchtigen. Man giebt auf die Scheibe 1—2 Tropfen der Flüssigkeit und erhitzt sie über dem Cylinder einer schwach brennenden Petrollampe unter Hin- und Herbewegen der Glasscheibe. Selbst die kleinsten Mengen fixen Rückstandes sind auf dem Glase zu erkennen und entferne Minimalspuren mit Hilfe des Mikroskopes, welches auch die Unterscheidung krystallinischer Rückstände von amorphen zuläßt. Ferner dienen diese Glasscheibchen als ein physikalisches Material zur Unterscheidung der Benzine, wie dies in dem Kommentar des Vf's. unter Benzinum Petrolei näher beschrieben ist.

Die Darstellung der Reagenspapiere erfordert nur eine gewisse Umsicht, insofern das feuchte Filtrierpapier, welches ein mittelstarkes sein muß, leicht zerreißt. Man gießt die mäßig kons. Reagierflüssigkeit auf einen Dessertteller von Porzellan in 1—2 mm dicker Schicht und zieht die 5—6 cm breiten Papierstreifen im ruhigen Tempo hindurch, um sie über Porzellanteller, in horizontalen Wellen übereinander gelegt, an einem warmen Orte zu trocknen. (Pharm. Centralh. **35.** 251—54.)

Einige neue Färbemittel für Weine und Liqueure. Ein französischer Farbstoff, der nach AMTHOR ein eingedickter Johannisbeersaft mit etwa vier Prozent Alkohol ist, wird neuerdings als *„Teinte bordelaise"* in den Handel gebracht.

Das *„Rouge végétale"*, ebenfalls ein Färbemittel, kann auf folgende Weise erkannt und vom Fuchsin unterschieden werden:

100 ccm des verdächtigen Weines werden durch Destillation von Alkohol befreit, der Rückstand mit Schwefelsäure stark angesäuert und mit Äther geschüttelt. Der ätherische Auszug wird in einem kleinen Schälchen mit einem weißen Wollfaden zusammen verdunstet. Derselbe wird bei Gegenwart von Rouge végétale ziegelrot, beim Befeuchten mit Ammoniak vorübergehend violett, später schmutzigfarbig. Wird statt Äther Essigäther genommen, so wird der Faden rosenrot, durch Ammoniak violett.

Rouge végétale läßt sich ebenso wie Fuchsin durch Amylalkohol ausschütteln. Jedoch wird die Lösung durch Zufügen von Ammoniak entfärbt, wenn Fuchsin vorhanden war, dagegen zeitweilig violett bei Gegenwart von Rouge végétale. Bei gelindem Erwärmen und Schütteln entzieht in diesem Falle das Ammoniak dem Amylalkohol die Farbe und wird dunkelbraun bis dunkelfeuerrot. Wird Essigsäure zugefügt, so verschwindet die Farbe fast gänzlich.

Unter dem Namen *„Safransurrogat"* wird seit etlichen Jahren eine gelbe Teerfarbe verkauft. Sie dient zum Gelbfärben von Liqueuren, Zuckerbäckerwaren, Makkaroni etc., und galt stets als unschädlich. Eine Mischung desselben dient als *„Smaragdgrün"* zum Färben von Liqueuren; eine Mischung mit Anilinrot führt den Namen *„Karminsurrogat"*. Das Safransurrogat besteht aus dem nitrokresolsaurem Kalium und bis zu 40 p. c. Salmiak, durch welch letzteren es nicht explosiv wird. Dieses Safransurrogat kann mit Pikrinsäure gefälscht sein. (Ztschr. d. allgem. österr. Apoth.-Ver.; Schweiz. Wochenschr. **22.** 143—44.)

Cement als Holzanstrich. Unter den vielen Holzkonservierungsmitteln gegen den Einfluß der Witterung ist dasjenige des Cementes als Anstrich verhältnismäßig wenig bekannt, da man immer annimmt, Holz und Cement verbinde sich nicht miteinander. Im Falle eines Anstriches, wie er folgend beschrieben wird, verhält es sich aber nicht so, der Cement schützt viel mehr das Holz am sichersten gegen Witterungseinfluß und auch in ziemlichem Grade gegen Feuer. Das zu bestreichende Holz soll jedoch nicht glatt (gehobelt) sein, am besten gesägt oder mit dem Säghobel aufgerauht. Der Anstrich, von dem man stets nur höchstens soviel bereiten darf, als man in einer halben Stunde zu verbrauchen im stande ist, wird wie folgt zusammengesetzt: 1 Tl. guter Cement, 2 Tle. feiner geschlämmter Sand, 1 Tl. ausgepreßter Käsestoff von frisch geronnener Milch und ³/₄ Tle. Buttermilch. Während der Anstrich aufgetragen wird, muß die Flüssigkeit beständig aufgerührt werden, weil sich sonst der fein geschlämmte Sand an den Boden des Gefäßes absetzt. Man streicht nicht zu fett und möglichst gleichmäßig, und wenn der erste Anstrich vollständig trocken ist, läßt man einen zweiten, ebenso vorsichtig gestrichenen folgen. Auch gehobelte Hölzer können bestrichen werden, nur ist der Anstrich nicht so dauerhaft, und die Mischung kann etwas mehr Cement erhalten. Als Überzug über den Cementanstrich erhalten die Hölzer einen Anstrich mit grünem Erdfirnis. Bei senkrecht stehenden Hölzern genügt ein einziger solcher, bei solchen, die der Witterung sehr ausgesetzt oder in schräger Lage sind, streiche man zweimal. (Österr. Handelsjournal; Pol. Notizbl. **39.** 39.)

Wandtafelanstrich. Man löst 350 g besten Schellack in 2 l Spiritus unter mäßigem Ermärmen auf und vermischt die Lösung mit 500 g gut abgeriebenem Schmirgel und 200 g feinstem Beinschwarz. Es ist aber mit größter Sorgfalt darauf zu achten, daß Schmirgel und Beinschwarz im feinsten geschlämmten Zustande angewendet werden. Der Lack wird möglichst dünn aufgetragen und der Spiritus abgebrannt (letzteres ist aber nicht durchaus nötig); dies wird vierbis fünfmal wiederholt. Etwaige Unebenheiten werden nach dem Trocknen mit feinem Schmirgelpapier abgerieben. Man erhält auf diese Weise einen Anstrich von feinem Korn und ohne Glanz; der zarteste Kreidestrich ist auf große Entfernung hin sichtbar. Waren die zugesetzten Pulver, der Schmirgel und das Beinschwarz, nicht ganz zart geschlämmt, so wird das Korn des Anstriches gröber, und die Tafel zeigt dann den Nachteil, daß sich beim Schreiben Kreideparttikelchen zwischen die einzelnen Körner so fest setzen, daß sie auch durch wiederholtes nasses Abwischen nicht fortgeschafft werden können, die Tafel wird dadurch etwas unansehnlich. (Ind.-Bl. **21.** 40.)

Die Versorgung der Städte mit Heizgas, von H. BUNTE. Über die Annehmlichkeit einer zentralen Versorgung unserer Städte mit gasförmigem Brennstoffe anstatt der jetzt gebräuchlichen festen, rohen Brennstoffe kann wohl im allgemeinen kein Zweifel bestehen, insbesondere mit Rücksicht darauf, daß Rauch und Ruß, welche aus den Schornsteinen entweichen, als eine große Belästigung der Stadtbewohner angesehen werden müssen. Die Benutzung von Heizgas wird nicht nur bewirken, daß die Rauchkalamität mit einem Schlage aus der Welt geschafft wird, sondern sie wird auch noch andere Annehmlichkeiten im Gefolge haben, worunter die Ersparnis an Arbeit, Zeit und Geld besonders hervorzuheben ist.

So übereinstimmend das Urteil in bezug auf die Vorteile ist, welche eine allgemeine Einführung der Benutzung von Heizgas im Gefolge haben wird, so weit gehen die Ansichten mit bezug auf die Art und Weise der Durchführung einer Versorgung mit Heizgas auseinander.

Die erste Frage, welche hier zu beantworten ist, um zu einer Lösung der vorliegenden Aufgabe zu gelangen, bezieht sich auf die Herstellung des Heizgases, welches zur zentralen Versorgung benutzt werden soll. Es können nämlich in dieser Beziehung drei Hauptarten von Heizgas aus den festen Brennstoffen hergestellt werden, nämlich das Leuchtgas, das Generatorgas und das Wassergas.

Das Leuchtgas wird bekanntlich durch Destillation der Kohlen und Zersetzung der flüchtigen Produkte in glühenden Retorten zu brennbaren Gasen erzeugt. Das Generatorgas, wie es in den

Schachtöfen der mit Koks gespeisten Gasgeneratoren entsteht, wird durch Verbrennung des festen, an und für sich nicht flüchtigen Kohlenstoffes zu gasförmigem Kohlenoxyd erhalten. Das Wassergas endlich entsteht durch Verbrennung von glühender Kohle in Wasserdampf.

Das Leuchtgas sowohl wie das Wassergas bildet sich unter Wärmeaufnahme, so daß eine Heizung der Retorten oder Schachtöfen, in denen das Gas erzeugt wird, nötig ist. Bei dem Gasbildungsprozesse wird keine Wärme entwickelt, und die entstehenden Gase besitzen meist eine niedrige Temperatur.

Das Generatorgas dagegen bildet sich unter Wärmeentwicklung, und die bei der Gasbildung frei werdende Wärme reicht nicht nur hin, um den einmal eingeleiteten Prozeß selbstthätig fortzuführen, sondern es ist auch noch ein gewisser Wärmeüberschuß vorhanden, welcher durch die heiß entweichenden Gase abgeführt wird.

Die chemische Zusammensetzung dieser drei Gasarten ist aus der folgenden Zusammenstellung zu ersehen:

Bestandteile	Steinkohlen-leuchtgas	Generatorgas	Wassergas
	Volumprozente	Volumprozente	Volumprozente
Kohlenoxyd	9	34,3	50
Wasserstoff	47	—	50
Sumpfgas	34	—	—
Schwere Kohlenwasserstoffe . . .	5	—	—
Kohlensäure und Stickstoff . . .	5	65,7	—

· Verbrennungswärme der Einzelbestandteile:

	W.-E.	W.-E.	W.-E.
Kohlenoxyd	275	1048	1527
Wasserstoff	1209	—	1286
Sumpfgas	2916	—	—
Schwere Kohlenwasserstoffe . . .	1111	—	—
Heizwert von 1 cbm Gas . . .	· 5511	1048	2813
Verhältnis des Heizwertes . . .	5,3	1	2,7

Wenn man nun die Eigenschaften dieser verschiedenen Gasarten in bezug auf ihre Verwendbarkeit zur Versorgung größerer Distrikte mit Heizgas prüft, so kommt in erster Linie der Heizwert derselben, und zwar bezogen auf die Volumeinheit (1 cbm), in Frage. Aus der chemischen Zusammensetzung läßt sich auf grund der bekannten Verbrennungswärme der Einzelbestandteile der Heizwert ableiten, welcher in der Tabelle aufgeführt ist. Aus derselben ergiebt sich, daß 1 cbm Leuchtgas mit einem Heizwerte von rund 5500 Wärmeeinheiten (W.-E.) etwa 5,3 mal so viel Wärme zu entwickeln vermag als ca. 1 cbm Generatorgas, und daß 1 cbm Wassergas nur etwa halb so viel Wärme entwickelt, als 1 cbm Leuchtgas. Gegenüber den anderen Gasarten zeigt demnach das gewöhnliche Steinkohlenleuchtgas in bezug auf den Heizwert der Volumeinheit eine bedeutende Überlegenheit.

Dieser Umstand fällt schwer ins Gewicht, wenn es sich um die Verteilung des Gases auf größere Entfernungen hin handelt, wie dies bei einer centralen Versorgung einer Stadt oder eines Distriktes mit Heizgas der Fall ist, denn es ist klar, daß durch eine Rohrleitung von bestimmten Dimensionen unter sonst gleichen Umständen mit Leuchtgas eine etwa fünfmal größere Wärmemenge zur Verteilung gebracht werden kann, als mit Generatorgas, und eine etwa doppelt so große Wärmemenge, als mit reinem Wassergase. Diese Konzentration des Heizwertes in geringem Volum ist um so vorteilhafter, je größer die Entfernung der Produktionsstelle vor dem Verbrauchsorte, und je wechselnder der Gasverbrauch in den verschiedenen Tagesstunden oder Jahreszeiten ist. Es kann sogar dieser Umstand allein für die Wahl der Gasart entscheidend sein, da für eine gesicherte Versorgung des Distriktes mit Heizgas nicht allein die Rohrleitungen, sondern auch die Dimensionen der Vorrathsbehälter und Fabrikationsapparate in Frage kommen und diese Verhältnisse die Herstellungskosten des Gases sehr bedeutend beeinflussen.

Wo es sich dagegen nur um eine Verteilung auf kurze Strecken oder um eine Verwendung des Gases in der unmittelbaren Nähe der Erzeugungsstelle handelt, wird die Konzentration des Heizwertes in ihrer Bedeutung sehr zurücktreten, und die eigentlichen Produktionskosten des Heizgases werden den Ausschlag geben. (Schluß folgt.)

Die chemischen Vorgänge beim Verfahren mit Bromsilbergelatine, von ABNEY. Die Bromsilbergelatine wird meist in der Art bereitet, daß man Kaliumbromid in Gelatinelösung auflöst und Silbernitratlösung hinzu gießt, wodurch sich Silberbromid und Kaliumnitrat bilden: Kaliumbromid und Silbernitrat geben Silberbromid und Kaliumnitrat:

$$KBr + AgNO_3 = AgBr + KNO_3.$$

Das Kaliumnitrat wird durch Waschen aus der Emulsion entfernt, es bleibt also Silberbromid. Durch das Belichten zersetzt sich dieses in Silbersubbromid und Brom.
Silberbromid giebt Silbersubbromid und Brom:

$$Ag_2Br_2 = Ag_2Br + Br.$$

Alkalische Entwicklung mit Pyrogallol wirkt in folgender Weise auf das Subbromid:

Silbersubbromid, Pyrogallol und Ammoniak geben
$$2 Ag_2Br + Pyrogallol + 2 NH_4HO =$$
Silber, Oxydiertes Pyrogallol, Ammoniumbromid und Wasser:
$$4 Ag + Pyro. O. + 2 NH_4Br + 2 HO.$$

Das gleichzeitig in der empfindlichen Schicht vorhandene Silberbromid wird nicht verändert. Der Eisenoxalatentwickler wirkt wie folgt:

Silbersubbromid und oxalsaures Eisenoxydul geben:
$$2 Ag_2Br + 3 (Fe, C_2O_4) =$$
Silber, Eisenbromür und oxalsaures Eisenoxyd:
$$4 Ag + FeBr_2 + Fe_2(C_2O_4)_3.$$

Das Eisenbromür zerstört das entwicklungsfähige Bild, es wirkt demnach verzögernd bei der Entwicklung. Durch Zusatz einer geringen Menge Fixiernatron (Natriumhyposulfit) zum Entwickler wird es in Natriumbromid verwandelt:

Natriumhyposulfit und Eisenbromür geben:
$$Na_2S_2O_3 + FeBr_2 =$$
Eisenhyposulfit und Natriumbromid:
$$Fe_2S_2O_3 + 2 NaBr_2,$$

es wirkt also das Fixiernatron dadurch als Beschleuniger, daß es die zurückhaltende Bromeisenverbindung zerstört. (Phot. Arch. **25.** 135—36.)

Beiträge für das Centralblatt bittet man an die Redaktion (Leipzig, Lessingstr. 5) zu richten. **Originalarbeiten** von nicht zu großem Umfange werden entsprechend honoriert und gelangen stets sofort nach der Einsendung, und zwar in kürzester Frist, zum Abdruck.

Redaktion: Prof. Dr. **Rud.** Arendt in Leipzig.

Verlag von **Leopold Voss** in Hamburg u. Leipzig. — Druck von **Metzger & Wittig** in Leipzig.

No. 29.

Chemisches

16. Juli 1884.

Wöchentlich eine Nummer von
1-2 Bogen. Der Jahrgang mit
Sach- und Namen-Register,
nebst system. Übersicht.

Central-Blatt.

Der Preis des Jahrgangs
ist 30 Mark. Durch alle
Buchhandlungen und Post-
anstalten zu beziehen.

REPERTORIUM

für reine, pharmazeutische, physiologische und technische Chemie.

Dritte Folge. XV. Jahrgang.

Wochenbericht.

2. Allgemeine Chemie.

C. Marignac, *Über das vermeintliche Zusammenkrystallisieren von Körpern verschiedener atomistischer Konstitution.* Bekanntlich hat BRÜGELMANN vor kurzem (**83.** 471) den Satz aufgestellt, daß zum Zusammenkrystallisieren von Salzen eine Übereinstimmung der chemischen Konstitution und der Krystallform nicht erforderlich, sondern daß die Bildung von Mischkrystallen im wesentlichen nur von den Konzentrationsverhältnissen und der Temperatur der Lösungen abhängig sei. Der Vf. hat einige von den Versuchen, auf welche BRÜGELMANN seine Ansichten stützt, wiederholt, ist aber dabei zu abweichenden Resultaten gelangt.

Zuerst wurde eine gemischte Lösung von Kupfersulfat und Kaliumdichromat, welche für jedes der beiden Salze in der Kälte gesättigt war, der freiwilligen Verdunstung überlassen. Während der ersten Tage konzentrierte sich die Flüssigkeit, ohne zu krystallisieren, indessen setzte sich an der Wand des Gefäßes eine kleine Menge eines braunen, pulverförmigen Überzuges ab, welcher aus einem Kupferchromat bestand. Die Menge desselben nahm noch während der folgenden Vorgänge etwas zu, doch in immer geringerem Verhältnisse. Die Bildung ist eine reichlichere, wenn man durch Erwärmen konzentriert.

Hierauf erfolgte eine Reihe successiver Krystallisationen, welche alle ein gleiches Aussehen besaßen. Es waren blaß blaugrüne Krystalle in schiefen rhombischen Tafeln. Ihre Form erweckte sofort die Vermutung, daß sie aus einem Doppelsalze von Kupfer- und Kaliumsulfat beständen. Dies wurde in der That durch die Analyse bestätigt, welche folgende Resultate gab:

		gefunden	berechnet
CuO	. . . .	18,14	17,96
K₂O durch Differenz		20,46	21,34
2SO₃	. . . .	35,71	36,25
6 Aq	. . . .	24,92	24,45
CrO₃	. . . .	0,77	—
		100,00	100,00.

Die gefundene Chromsäure würde 1,13 p. c. Kaliumdichromat entsprechen, allein dies ist viel zu viel, denn in der That ist der größte Teil dieser Chromsäure in Form des erwähnten pulverigen, braunen Niederschlages vorhanden.

Die Krystalle des Doppelsulfates mischten sich hierauf mit völlig bestimmt ausgebildeten und rein gefärbten Krystallen von Kaliumdichromat. Es wurden von diesen eine gewisse Menge ausgesucht, oberflächlich mit Wasser gewaschen und analysiert; die Resultate stimmten mit der Rechnung vollkommen überein.

Während sich diese Krystalle fortdauernd noch bildeten, nahm die Menge des gleichzeitig sich abscheidenden Disulfates ab, hierauf traten andere Krystalle von einer etwas

XV.

dunkleren grünen Farbe auf. Ihre Form war die des Kupfersulfates, allein sie waren so stark mit kleinen Krystallen von Kaliumdichromat uhd Kaliumkupfersulfat gemischt und inkrustiert, daß es nicht gelang, eine vollkommen homogene Probe von ihnen zu erlangen. Gleichwohl hat der Vf. dieselben so gut als möglich isoliert und eine Analyse ausgeführt, welche ergab, daß sie im wesentlichen nur aus Kupfersulfat bestanden:

	gefunden	berechnet
CuO	31,01	31,86
SO₃	31,49	32,07
Aq	36,26	36,07
CrO₃	0,74	—
K₂O	0,63	—
	100,13	100,00.

Bei fortgesetzter Verdunstung bilden sich dieselben Krystalle, aber immer kleiner und unbestimmter. Infolge der Ausscheidung eines grofsen Teiles des Kalis im Zustande von neutralem Doppelsulfat häuft sich die Chromsäure in der Mutterlauge an, welche dadurch dunkelbraun und sirupartig wird und zuletzt nur noch ein braunes Produkt abscheidet, welches durch Wasser unter Bildung von Kaliumdichromat zersetzt wird.

Obgleich aus diesen Beobachtungen hervorgeht, daß sich durch Association von Kaliumdichromat und Kupfersulfat keine Mischkrystalle bilden, hat der Vf. noch weiter versucht, wie sich Krystalle von Kaliumdichromat und Kupfersulfat verhalten, wenn man jeden derselben in eine gesättigte Lösung des anderen Salzes bringt. Er hat sich zu diesem Zwecke eine gemischte Lösung beider Salze dargestellt, welche so lange konzentriert wurde, bis sich von beiden Krystalle ausschieden. Hierauf wurde in einen Teil der Lösung ein Krystall von Kupfersulfat und in einen anderen ein Krystall von Dichromat gebracht. Während der langsamen Verdunstung des Lösungsmittels wuchs der Kupfersulfatkrystall, welcher anfänglich 0,40 g wog, während acht Tagen bis zur Gröfse von 1,66 g, er hatte also 1,26 g an Gewicht zugenommen. Das Wachsen geschah vollkommen regelmäßig, ohne Änderung der Form. Der neu gebildete Teil war grün. Kleine Krystalle von Dichromat und andere von Kaliumkupfersulfat hatten sich rund herum angesetzt, konnten aber leicht davon getrennt werden. Die Krystalle wurden möglichst gut gesäubert, dann in Wasser gelöst und analysiert. Es wurde indessen nur die Chromsäure und das Kali bestimmt. Jene betrug 0,47, diese 0,30 p. c. Die Gewichtszunahme hat also fast ganz ausschliefslich durch Abscheidung von Kupfersulfat stattgefunden, welches nur geringe Spuren von Dichromat mit sich genommen hat. Was den Krystall von Kaliumdichromat betrifft, der unter denselben Bedingungen in der Lösung verweilte, so zeigte derselbe kein wahrnehmbares Wachstum. Er inkrustierte sich gleich von Anfang an mit kleinen Krystallen von Kaliumkupfersulfat, welche zusammen mit anderen von Dichromat und Kupfersulfat bald eine Rinde bildeten. Letztere waren sehr blaßgrün von Farbe, wahrscheinlich weil die Krystallisation sehr langsam stattgefunden hatte.

Endlich hat der Vf. noch Versuche mit einer gemischten Lösung von Borax und Kaliumchlorat ausgeführt, welche nach BRÜGELMANN Mischkrystalle aus beiden Salzen geben würde. Ein halber Liter einer kalt gesättigten Lösung des ersten Salzes wurde mit einem gleichen Volum einer gesättigten Lösung des zweiten gemischt. In der Voraussicht, daß die freiwillige Verdunstung eine zu grofse Zeit in Anspruch nehmen würde, konzentrierte man die Lösung successive, indem man sie jedesmal so lange erhitzte, bis etwa 100 g Wasser verdampft waren, und hierauf überliefs man sie während 24 Stunden der Abkühlung. Es schieden sich nicht eher Krystalle aus, als bis die Lösung ungefähr auf die Hälfte ihres ursprünglichen Volums reduziert war. Die beiden ersten Krystallisationen bestanden nur aus Kaliumchlorat. Hierauf erhielt man blätterige Krystalle von Chlorat und prismatische kurze, dicke Krystalle von Borax, welche sich durch freiwillige Verdunstung vergröfserten. Die Krystalle des Kaliumchlorates, welche sich unmittelbar vor dem Borax, also aus einer Lösung, welche für letzteres Salz fast gesättigt war, ausgeschieden hatten, wurden gesammelt und nach einer im Originale näher beschriebenen Methode analysiert. Sie enthielten 0,23 p. c. Borsäure. Andererseits wurden die in den folgenden Krystallisationen abgeschiedenen Boraxkrystalle sorgfältig ausgesucht, gereinigt und ebenfalls analysiert; sie enthielten 0,19 p. c. Kaliumchlorat.

Aus allen diesen Beobachtungen glaubt der Vf. folgenden Schluß ziehen zu dürfen.

Die Beobachtungen von BRÜGELMANN sind bis zu einem gewissen Punkte genau, aber in dem Mafse, als sie es sind, konstatieren sie nur folgendes, seit langer Zeit bekannte und von allen Chemikern angenommene Faktum:

"Wenn ein Salz aus einer Lösung, welche fremde Salze in beträchtlicher Menge oder gar bis zu ihrer Sättigung enthält, krystallisiert, so sind die abgeschiedenen Krystalle nicht vollkommen rein, sie enthalten immer eine geringe Menge des anderen Salzes, welches auch ihre Natur sein mag. Dieses Mitkrystallisieren, dieses mechanische Einschliefsen kleiner Mengen von Mutterlauge steht in keiner Beziehung zu einer regelmäfsigen Association, wie solche bei Salzen von gleicher atomistischer Konstitution eintritt. Es liegt hierin also nichts, wodurch das Fundamentalgesetz des Isomorphismus erschüttert werden könnte. (Bull. Par. **41**. 541—47. 5. Juni. Paris, Soc. Chim.)

Berthelot und **Werner**, *Thermochemische Untersuchungen über die Bromsubstitutionen.* Trotz ihrer Bedeutung für die organische Chemie sind die Substitutionen in thermischer Hinsicht bis jetzt nur an wenig Objekten studiert worden, durch die Untersuchungen von BERTHELOT über die Chlor-, Brom- und Jodwasserstoffäther des Methyl- und Äthylalkohols, sowie über die Chloride, Bromide und Jodide des Acetyls, und zwar durch die Vergleichung der Verbrennungswärmen der betreffenden Körper mit denen ihrer Derivate. Direkte Untersuchungen dieser Art bieten besondere Schwierigkeiten dar, weil man bei gewöhnlicher Temperatur keine einheitlichen und bestimmten Produkte erhält. Läfst man z. B. Chlor einwirken, so erhält man immer mehrere Produkte: ein Teil der ursprünglichen Substanz bleibt unverändert, während ein anderer mehrere Äquivalente Wasserstoff verliert und zugleich mehrere Derivate giebt. Mit Brom und Jod erwachsen ähnliche Schwierigkeiten.

Gleichwohl ist es den Vffn. gelungen, eine Klasse von Substitutionsprodukten aufzufinden, welche bei gewöhnlicher Temperatur im Kalorimeter und zwar ohne sekundäre Reaktionen erzeugt werden können.

Dies sind die Bromderivate der Phenole. Man weifs, dafs die Einwirkung des Broms auf die Phenole, besonders auf das gewöhnliche Phenol und das Resorcin nicht blofs zum Nachweise, sondern selbst zur Bestimmung dieser Körper benutzt werden kann, da sich unter geeigneten Bedingungen hierbei Tribromphenole direkt bei gewöhnlicher Temperatur bilden. Diese Reaktion haben die Vff., nachdem sie sich von der Genauigkeit derselben unter den Versuchsbedingungen überzeugt haben, zu ihren thermischen Untersuchungen benutzt. Sie teilen in der vorliegenden Arbeit die Resultate ihrer Versuche über die Bildungswärmen der Tribrom-, Dibrom- und Monobromphenole mit, welche unter Anwendung gewisser Kunstgriffe leicht erzeugt werden können.

I. *Tribromphenol.* Die Reaktion, nach welcher dasselbe entsteht, ist:

$$C_{12}H_6O_2 + 3Br_2 = C_{12}H_3Br_3O_2 + 3HBr.$$

Die Bildungswärme wurde nach drei verschiedenen Methoden bestimmt.

1. Durch Einwirkung einer abgewogenen Menge von reinem Brom auf eine wässerige Lösung von Phenol in äquivalenter Menge (8,312 g = 1 l). Die Reaktion ist langsam und dauert etwa eine halbe Stunde, wobei sich immer eine Spur sekundärer Produkte bildet. Indessen entspricht die Hauptreaktion der obigen Gleichung, wie sich aus der Bestimmung der gebildeten Bromwasserstoffsäure ergiebt. Die dabei entwickelte Wärme beträgt bei 10°: +72,27 cal (Mittel aus drei Versuchen). Dies entspricht der Gleichung:

$$C_{12}H_6O_2 \text{ gelöst} + 3Br_2 \text{ flüssig} = C_{12}H_3Br_3O_2 \text{ krystall.} + 3HBr \text{ gelöst.}$$

Rascher und glatter geht die Reaktion von statten, wenn man der wässerigen Phenollösung zuvor eine gewisse Menge Bromkalium (ungefähr 1 Äq. für 1 Äq. Brom) zusetzt; auf diese Weise erhielt man bei 11° als Mittel aus drei Veruchen +71,69 cal; mit zuvor gelöstem Brom würde man 3,3 cal weniger, also +68,39 cal haben.

2. Durch Einwirkung von in Wasser gelöstem Brom (25 g = 1 l) auf gelöstem Phenol. Der Versuch verläuft rascher und glatter. Bei 10° erhielt man im Mittel aus sieben Versuchen +68,185 cal. Zur Kontrolle wurde bei einem Versuche der entwickelte Bromwasserstoff bestimmt, wobei man 3,93 statt 4,07 cal erhielt. Bei einem anderen Versuche wog man das gebildete Tribromphenol und erhielt 5,27, statt 5,30 g; eine Brombestimmung ergab 72,2, statt 72,5 p. c., woraus sich die Genauigkeit der Versuche ergiebt.

3. Durch Einwirkung von Brom auf Phenolnatrium:

$$C_{12}H_5NaO_2 + 3Br_2 = C_{12}H_2Br_3O_2 + NaBr + 2HBr.$$

Dieser Prozefs verläuft noch besser, als die vorigen. Man erhielt:

Phenat, gelöst (1 Äq. = 4 l) + Brom gelöst (25 g = 1 l) . . . +74,56 cal.

Um diese Zahl mit den vorhergehenden zu vergleichen, mufs man davon die Differenz zwischen den Neutralisationswärmen des Natrons durch Bromwasserstoff und durch Phenol abziehen, nämlich 13,7—7,4 = 6,3. Auf diese Weise erhält man +68,26 cal.

Zieht man das Mittel aus den Resultaten dieser drei Methoden (68,39, 68,18 und

35 *

68,26 cal), so ergiebt sich 68,28 cal, welche Zahl unter der Voraussetzung gilt, daſs alle Körper, mit Ausnahme des Tribromphenols, gelöst sind.

II. *Dibromphenol.* Zuerst wurde die Darstellung dieses Körpers versucht, indem man äquivalente Mengen von Brom auf Phenol, beide in Lösung, einwirken lieſs:

$$C_{12}H_6O_2 \text{ gelöst} + 2Br_2 \text{ gelöst} = C_{12}H_4Br_2O_2 + 2HBr \text{ gelöst.}$$

Bei zwei Versuchen bei 10° wurden +44,40 cal erhalten. Allein diese Zahl ist nur annähernd, da das Produkt eine gewisse Menge Tribromphenol enthält. Genauere Resultate erhielt man, indem man zuerst das Dibromphenol erzeugte und dieses dann durch Einwirkung einer äquivalenten Menge Brom in Tribromphenol umwandelte. Die direkte Einwirkung verläuft schlecht; man erhält aber gute Resultate, wenn man das in Wasser gelöste Natronsalz anwendet. Die groſse Stabilität des Tribromphenols gestattet, die Reaktion zu einem bestimmten Ende zu führen:

$$C_{12}H_3NaBr_2O_2 \text{ gelöst (12 g in 300 ccm)} + Br_2 \text{ gelöst} = C_{12}H_3Br_3O_2 + NaBr \text{ gelöst}$$
$$+31,13 \text{ und } +30,90 \text{ cal.}$$

Um hieraus die Wärme zu berechnen, welche durch die Substitution des Dibromphenols entwickelt wird, genügt es, die Differenz zwischen der Neutralisationswärme des Natrons und des Dibromphenols durch Bromwasserstoff zu wissen. Durch direkte Versuche wurde gefunden:

$$C_{12}H_4Br_2O_2 \text{ fest} + NaO \text{ verdünnt} = C_{12}H_3NaBr_2O_2 \text{ gelöst} + HO \text{ entw. } \dots +4,84 \text{ cal.}$$
$$+13,7 - 4,84 = + 8,86$$
$$+31,01 - 8,86 = +22,15 \text{ cal.}$$

Dies ist die durch die folgende Reaktion entwickelte Wärme:

$$C_{12}H_4Br_2O_2 \text{ fest} + Br_2 \text{ gelöst} = C_{12}H_3Br_3O_2 \text{ fest} + HBr \text{ gelöst.}$$

Zieht man sie von 68,28 cal ab, so erhält man die Bildungswärme des Dibromphenols:

$$C_{12}H_6O_2 \text{ gelöst} + 2Br_2 \text{ gelöst} = C_{12}H_4Br_2O_2 \text{ fest} + 2HBr \text{ entw. } \dots +46,73 \text{ cal.}$$

III. *Monobromphenol.* Durch Einwirkung von 2 Äq. gelöstem Brom auf gelöstes Phenol (1 Äq. = 5 l) erhielten die Vff. bei 10° als Mittel aus drei Versuchen +22,28 cal, allein das Produkt enthielt zugleich eine gewisse Menge Di- und Tribromphenol, welche durch Lösung und Destillation getrennt werden konnten. Das Monobromphenol selbst blieb zum Teil gelöst, wodurch der Versuch weniger genau wird.

Mit Phenolnatrium und Br_2 gelang die Reaktion besser; die entwickelte Wärme berechnete sich aus dem Resultate für Phenol: +22,27 cal. Endlich wurde noch derselbe Kunstgriff angewendet, wie oben, d. h. Monobromphenolnatrium wurde zuerst dargestellt und dann durch eine äquivalente Menge Brom in Tribromphenol umgewandelt:

$$C_{12}H_4NaBrO_2 \text{ gelöst (aus 3,7 g und 4,3 g } C_{12}H_6O_2 \text{ in 300 ccm)} + 2Br_2 \text{ gelöst} =$$
$$C_{12}H_3Br_3O_2 \text{ gefällt} + NaBr \text{ gelöst} + HBr \text{ gelöst, entw. bei 12°:}$$
$$+51,52 \text{ und } +50,80 \text{ cal, im Mittel: } +51,36 \text{ cal.}$$

Für die Neutralisation des Monobromphenols hat man:

$$C_{12}H_5BrO_2 \text{ flüssig} + NaO \text{ verdünnt} \quad \dots \quad +7,43 \text{ cal}$$
$$\text{„} \quad \text{fest} \quad \text{„} \quad \dots \quad +4,42 \text{ „} .$$

Zieht man die Differenz von 13,7 und 4,4 cal: — +9,3 cal von der vorhergehenden Zahl ab, so erhält man schlieſslich:

$$C_{12}H_5BrO_2 \text{ fest} + 2Br_2 \text{ gelöst} = C_{12}H_3Br_3O_2 \text{ fest} + 2HBr \text{ gelöst: } +51,4 - 9,3 =$$
$$+42,1 \text{ cal.}$$

Derselbe Versuch, ausgeführt mit Bromwasser und flüssigem Monobromphenol ergab: +45,36 cal, also für den festen Körper: +42,35 cal, was mit dem vorigen gut übereinstimmt. Das Mittel aus beiden ist also 42,2 cal.

Für die Bildungswärme des Monobromphenols berechnet sich also:

$$C_{12}H_6O_2 \text{ gelöst} + Br_2 \text{ gelöst} = C_{12}H_5BrO_2 \text{ fest} + HBr \text{ gelöst: } +68,3 - 42,2 =$$
$$+26,1 \text{ cal.}$$

Im ganzen hat sich aus den vorhergehenden Versuchen folgendes ergeben:

$C_{12}H_6O_2$ gelöst $+$ Br$_2$ gelöst $=$ $C_{12}H_5BrO_2$ fest $+$ HBr gelöst . . . $+26,1$ cal
"   2 Br$_2$ " $C_{12}H_4Br_2O_2$ "   . . . $+46,0$ "
"   3 Br$_2$ " $C_{12}H_3Br_3O_2$ "   . . . $+68,3$ " .

Diese Zahlen sind fast proportional; um sie vergleichbarer zu machen, müssen sie zunächst für den festen, resp. gasförmigen Zustand berechnet werden:

$C_{12}H_6O_2$ fest $+$ Br$_2$ Gas $=$ $C_{12}H_5BrO_2$ fest $+$ HBr Gas . . . . $+12,1$ cal
$C_{12}H_6O_2$ fest $+$ 2Br$_2$ Gas $=$ $C_{12}H_4Br_2O_2$ fest $+$ 2 HBr Gas . . . . $+20,4$ "
$C_{12}H_6O_2$ fest $+$ 3Br$_2$ Gas $=$ $C_{12}H_3Br_3O_2$ fest $+$ 3 HBr Gas . . . . $+31,0$ " .

Diese Zahlen sind nahezu den angewendeten Brommengen proportional, und jedes Äquivalent entwickelt ungefähr $+10,5$ cal.

Die Proportionalität scheint übrigens hiermit aufzuhören, denn die Bildung des Tetrabromphenols entspricht nach den Messungen der Vff. einer kleineren Zahl; hieraus erklärt sich bis zu einem gewissen Grade die vorwiegende Stabilität des Tribromphenols. Beachtet man ferner, dafs die Zahl $+10,5$ fast der dritte Teil derjenigen ist, welche der Bildung der Bromwasserstoffsäure aus den Elementen entspricht:

$$H_2 + Br_2 \text{ Gas} = HBr + HBr \ldots \ldots 27,0 \text{ cal,}$$

so erkennt man hieraus, dafs die reine und einfache Substitution des Broms für Wasserstoff:

$$C_{12}H_6O_2 \text{ fest} + Br_2 = C_{12}H_5Br_2O_2 + HBr$$

3 × 3 cal absorbieren würde; dies bedeutet, dafs die Bildung der substituierten Phenole nicht durch eine direkte Operation, sondern infolge einer Wechselzersetzung auf Kosten der bei der Bildung der Bromwasserstoffsäure entwickelten Energie erfolgt. (C. r. **98.** 1213—18. [19.*] Mai.)

Ch. Truchot, *Thermische Untersuchungen über die Fluosilikate.* Die Fluosilikate des Kaliums, Natriums und Lithiums können nach drei verschiedenen Methoden erhalten werden:

1. *Einwirkung von Fluorsilicium auf die alkalischen Fluoride.* Läfst man in der früher (S. 437) beschriebenen Weise im Kalorimeter Fluorsilicium auf eine Lösung von Fluorkalium oder Fluornatrium oder auf in Wasser suspendiertes Fluorlithium einwirken, so bildet sich durch Einwirkung beider Körper ein alkalisches Fluosilikat. Man richtet den Versuch so ein, dafs noch ein Überschufs des Fluorids vorhanden ist und bestimmt das gebildete Fluosilikat mittels titrierter Natronlauge unter Anwendung von Phenolphtaleïn.

Die Wärmemengen, welche für 1 Äq. des Fluosilikates hierbei entwickelt werden, sind:

SiFl$_2$ Gas $+$ KFl (1 Äq. $=$ 2 l) $=$ SiFl$_2$KFl unlöslich . . . $+22,8$ cal
SiFl$_2$ Gas $+$ NaFl (1 Äq. $=$ 2 l) $=$ SiFl$_2$NaFl unlöslich . . . $+18,3$ "
SiFl$_2$ Gas $+$ LiFl unlösl. (in 2 l) $=$ SiFl$_2$LiFl gelöst . . . . $+13,5$ " .

Das Natriumfluosilikat ist in der Lösung des Fluorids vollständig unlöslich, man braucht also die Lösungswärme desselben nicht in Rechnung zu ziehen. Das Fluorlithium, welches in Wasser sehr wenig löslich ist, verbindet sich im suspendierten Zustande ebenso leicht mit dem Fluorsilicium, als die anderen Fluoride. Das dabei entstehende Lithiumfluosilikat ist dagegen sehr leicht löslich; bekanntlich bildet es ein Hydrat SiFl$_2$LiFlH$_2$O$_2$, welches bei 100° zerfällt. Die Lösungswärme des wasserfreien Fluosilikates wurde gefunden:

SiFl$_2$LiFl fest $+$ 400 H$_2$O$_2$ $=$ SiFl$_2$LiFl,H$_2$O$_2$ gelöst . . . $+0,92$ cal.

Aus diesen Zahlen und den schon bekannten Lösungswärmen des Kalium- und Natriumfluorids berechnet sich:

SiFl$_2$ Gas $+$ KFl fest $=$ SiFl$_2$KFl fest . . . $+26,4$ cal
SiFl$_2$ Gas $+$ NaFl fest $=$ SiFl$_2$NaFl fest . . . $+17,7$ "
SiFl$_2$ Gas $+$ LiFl fest $=$ SiFl$_2$LiFl fest . . . $+12,58$ "

2. *Einwirkung von Fluorsilicium auf die verdünnten Alkalien.* Diese Methode gelingt nur bei Kali, das Natron dagegen giebt, wie bereits bekannt, Natriumfluorid, und das Lithium, wie der Vf. gefunden, ebenfalls Lithiumfluorid ohne Fluosilikat. Die durch die Einwirkung auf Kali entwickelte Wärmemenge ist:

$3\,SiFl_2$ Gas $+ 2\,KHO_2$ (1 Äq. $= 3\,l$) $= 2(SiFl_2KFl)$ gefällt $+ SiO_2H_2O_2$ unlöslich
$+82,94$ cal,

was 41,47 cal für 1 Äq. Fluosilikat oder 27,65 cal für 1 Äq. Fluorsilicium entspricht.
Hieraus berechnet sich:

$$3\,SiFl_2 \text{ Gas } + 2\,KHO_2 \text{ fest } = 2(SiFl_2KFl) \text{ fest } \ldots \quad +107,94 \text{ cal}$$
$$\text{also für 1 Äq. Fluosilikat } \ldots \quad + 53,97 \text{ „}$$
$$\text{und „ Fluorsilicium } \ldots \quad + 35,98 \text{ „.}$$

Das Fluorsilicium giebt beim Einleiten in Natron- oder Lithionlösung folgende
Resultate:

$SiFl_2$ Gas $+ 2\,NaHO_2$ (1 Äq. $= 2\,l$) $= 2\,NaFl$ gelöst $+ SiO_2H_2O_2$ unlöslich . . . .
$+32,7$ cal,
$SiFl_2$ Gas $+ 2\,LiHO_2$ (1 Äq. $= 3\,l$) $= 2\,LiFl$ unlöslich $+ SiO_2H_2O_2$ unlösl. . . . .
$+34,6$ cal.

Bei diesen Reaktionen befindet sich die abgeschiedene Kieselsäure neben einem Überschusse von Alkali; das Studium der Abkühlung hat bei jedem Versuche gezeigt, daß
die Kieselsäure nicht auf das Kali, wohl aber auf das Natron, und zwar je nach dem
Überschusse desselben in verschiedener Weise einwirkt; deshalb waren auch die gefundenen Zahlen 34,2, 33,3 und 33,8 nicht übereinstimmend; zieht man aber diese sekundäre
Reaktion in Rechnung, so erhält man 32,8, 32,6 und 32,7 cal. Für das Lithion kann
diese Einwirkung vernachlässigt werden, da sie fast gleich Null ist. Die obigen Resultate führen zu folgendem Ergebnisse:

$SiFl_2$ Gas $+ 2\,NaHO_2$ fest $= 2\,NaFl$ fest $+ SiO_2H_2O_2$ fest . . . $+53,5$ cal
$SiFl_2$ Gas $+ 2\,LiHO_2$ fest $= 2\,LiFl$ fest $+ SiO_2H_2O_2$ fest . . . $+46,24$ „.

Da die Lösungswärme des Lithions:

$$LiHO_2 + 400\,H_2O_2 = LiHO_2 \text{ gelöst } \ldots \quad +5,82 \text{ cal}$$

gefunden wurde, so wirft sich folgende wichtige Bemerkung auf: THOMSEN hat für die
Bildungswärme des Natriumfluorids:

$$NaO(1\text{Äq.} = 2\,l) + HFl(1 \text{ Äq.} = 2\,l) = NaFl \text{ gelöst } \ldots \quad +16,3 \text{ cal}$$

gefunden. Substituiert man in der obigen Gleichung:

$SiFl_2$ Gas $+ 2\,NaHO_2$ (1 Äq. $= 2\,l$) $= 2\,NaFl$ gelöst $+ SiO_2H_2O_2$ unlöslich: $+32,7$ cal.

H für Na, so findet man:

$SiFl_2$ Gas $+ 2\,H_2O_2 + n\,H_2O_2 = 2\,HFl$ verdünnt $+ SiO_2H_2O_2$ . . . nahezu 0 cal.

woraus sich erklärt, daß eine Einwirkung von Siliciumfluorid auf Wasser nicht stattfindet.

3. *Einwirkung von Kieselfluorwasserstoffsäure auf verdünnte Alkalien.* Die Säure
wurde durch Einwirkung von Fluorsilicium auf konzentrierte reine Fluorwasserstoffsäure
dargestellt; es bildete sich das Tetrahydrat der Säure, welches durch successive Krystallisationen gereinigt wurde. Äquivalente Mengen dieser Säure und der betreffenden Base
wurden unter den bekannten Vorsichtsmaßregeln gemischt.

Man fand:

$SiFl_2HFl$ (1 Äq. $= 3\,l$) $+ KHO_2$ (1 Äq. $= 3\,l$) $= SiFl_2KFl$ fest $+ H_2O_2$ . . . .
$+22,0$ cal
$SiFl_2HFl$ (1 Äq. $= 3\,l$) $+ NaHO_2$ (1 Äq. $= 3\,l$) $= SiFl_2NaFl$ fest $+ H_2O_2$ . . .
$+15,8$ cal
$SiFl_2HFl$ (1 Äq. $= 6\,l$) $+ SiHO_2$ (1 Äq. $= 6\,l$) $= SiFl_2LiFl$ gelöst $+ H_2O_2$ . . .
$+14,3$ cal,

woraus sich berechnet:

$SiFl_2HFl,2\,H_2O_2$ fest $+ KHO_2$ fest $= SiFl_2KFl$ fest $+ H_2O_2$ fest . . . . . .
$+39,9$ cal
$SiFl_2HFl,2\,H_2O_2$ fest $+ NaHO_2$ fest $= SiFl_2NaFl$ fest $+ H_2O_2$ fest . . . . . .
$+31,0$ cal
$SiFl_2HFl,2\,H_2O_2$ fest $+ LiHO_2$ fest $= SiFl_2LiFl$ fest $+ H_2O_2$ fest . . . . . .
$+24,6$ cal.

Bei Einwirkung von 1 Äq. Säure auf 3 Äq. Alkali erhielt man für Natron und Lithion:

SiFl,HFl (1 Äq. — 6 l) + 3 NaHO₂ (1 Äq. — 2 l) — 3 NaFl gel. + SiO₂H₂O₂ fest . . .
+33,3 cal

SiFl,HFl (1 Äq. — 6 l) + 3 LiHO₂ (1 Äq. — 2 l) — 3 LiFl unlösl. + SiO₂H₂O₂ fest . .
+34,75 cal,

hieraus berechnet sich:

SiFl,HFl,2H₂O₂ fest + 3 NaHO₂ fest — 3 NaFl fest + SiO₂H₂O₂ fest . . . . . .
+68,5 cal

SiFl,HFl,2H₂O₂ fest + 3 LiHO₂ fest — 3 LiFl fest + SiO₂H₂O₂ fest . . . .
+56,15 cal.

(C. r. **98**. 1330—33. [26.*] Mai.)

E. Werner, *Thermische Untersuchungen über die gebromten Phenole.* Der Vf. hat die Schmelzungswärme, die spezifische Wärme und die Neutralisationswärme der gebromten Phenole bestimmt. (C. r. **98**. 1333—36. [26.*] Mai.)

Spencer U. Pickering, *Über die Hydratationswärme der Salze.* Die Hydratationswärme wasserfreier Salze wird gewöhnlich durch die algebraische Differenz zwischen der Lösungswärme (A) des wasserfreien Salzes und der des wasserhaltigen Salzes (B) bestimmt. Diese Differenz (A—B) giebt in Wahrheit die Wärme, welche durch die Absorption einer gewissen Anzahl Wassermoleküle durch das wasserfreie Salz entwickelt wird, aber sie repräsentiert nicht die Energie der chemischen Verbindung des Wassers mit dem Anhydrid; denn aufser der eigentlichen Verbindungswärme enthält der Ausdruck A—B noch diejenige Wärme, welche der Umwandlung einer gewissen Menge flüssigen Wassers in festes Wasser entspricht, indem die Untersuchung von PERSOZ über die spezifischen Wärmen gezeigt hat, dafs das Krystallwasser eines festen Salzes sich in den Bedingungen des festen und nicht des flüssigen Wassers befindet. Nimmt man z. B. das Magnesiumsulfat an, so giebt THOMSEN dafür folgende Zahlen:

$$MgSO_4 + Aq \text{ entwickelt } 20\,280 \text{ cal}$$
$$MgSO_4,7H_2O + Aq \text{ absorbiert } 3\,800 \text{ cal.}$$

Hieraus ergiebt sich für $MgSO_4 + 7 H_2O = 24\,080$ cal, von denen aber 10 010 cal auf die Festwerdung von 7 H_2O kommen, wonach der chemischen Reaktion $MgSO_4 + 7 H_2O$ nur 14 070 cal entsprechen. Ähnliche Korrektionen sind auch in anderen Fällen vorzunehmen. (Chem. N. **49**. 216. 16. Mai.)

D. Tommasi, *Über die Bildungswärme einiger löslichen Verbindungen und über das Gesetz der thermischen Konstanten.* (Bull. Par. **41**. 532—41. 5. Juni.)

A. Ditte, *Einwirkung von Kupfersulfid auf Kaliumsulfid.* Wenn man frisch gefälltes Schwefelkupfer, CuS, in eine konzentrierte kalte Lösung von Einfachschwefelkalium bringt, so färbt sich dieser orangegelb, und nach einigen Stunden hat der Niederschlag krystallinische Gestalt angenommen; er besteht je nach den Umständen aus vier- oder achteckigen, sehr dünnen, durchsichtigen, im durchfallenden Lichte dunkelrot erscheinenden Blättern oder aus langen dünnen, im auffallenden Lichte grünlichen, sehr glänzenden Nadeln. Wenn man bei Siedehitze arbeitet, so verwandelt sich das metallische Sulfid fast augenblicklich in eine farblose, verfilzte Masse, welche die ganze Flüssigkeit erfüllt; sie besteht aus sehr feinen bronzefarbenen, metallisch glänzenden Nadeln. Alle diese Krystalle haben die gleiche Zusammensetzung, 4 Cu₂S, KS. Wenn die alkalische Lösung eine gewisse Konzentration nicht überschreitet, so verwandelt sich das Schwefelkupfer nicht in Krystalle, selbst nicht nach mehreren Monaten. Es zeigt sich hier etwas Analoges, wie beim Schwefelquecksilber, allein es findet in allen Fällen Spaltung des Kupfersulfides, CuS, in Kupfersulfür, Cu₂S, statt, welches sich mit dem alkalischen Sulfid vereinigt. Man hat:

$$6 CuS \text{ fest } + KS \text{ gelöst } = 3 Cu_2S \text{ fest } + KS_4 \text{ gelöst } . . . +2,3 \text{ cal.}$$

Die Zahl 2,3 ist nur angenähert, denn es kann sich auch ein schwefelärmeres Kaliumsulfid als KS₄ bilden, und andererseits zieht man keine verdünnten Lösungen an, und zieht die Verbindungswärme von Cu₂S mit dem alkalischen Sulfid nicht in Rechnung; aber man sieht, dafs, da die Lösung schwach exothermisch ist, die Konzentration der Flüssigkeit eine beträchtliche Rolle spielen und das Zeichen der Wärmetönung umkehren kann. Hierdurch erklärt sich die Thatsache, dafs unter einem gewissen Konzentrationsgrade das Sulfid CuS sich nicht zersetzt, und die krystallisierte Verbindung nicht entsteht.

Diese Spaltung des Kupersulfides, CuS, läfst sich leicht durch den Versuch konstatieren. Wenn man eine Lösung von reinem Einfachschwefelkalium nimmt, so ist sie farblos und giebt mit verdünnten Säuren nur eine sehr geringe Abscheidung von Schwefel, wodurch sie kaum opalaszierend wird; dieselbe Flüssigkeit aber wird, nachdem sie mit Schwefelkupfer zusammengebracht ist, und das letztere sich umgewandelt hat, orangerot, wie die alkalischen Polysulfide; mit Wasser verdünnt und mit Säuren behandelt, giebt sie dann eine milchige Abscheidung von Schwefel, welche sich beim Sieden zusammenballt. Nun ist einerseits das Doppelsulfid, $4 Cu_2S, KS$, sehr wenig löslich: eine Lösung, welche in 100 g Wasser 500 g Kaliummonosulfid enthält, kann etwa 5 g Cu_2S bei gewöhnlicher Temperatur lösen. Andererseits ist es nicht möglich, anzunehmen, daß das gefällte Schwefelkupfer, CuS, wie THOMSEN angenommen hat, ein Gemenge von Schwefel und Kupfersulfür, Cu_2S, ist, denn wenn man eine Flüssigkeit anwendet, welche unfähig ist, die Bildung von Krystallen zu bewirken und dieselbe in zwei Teile teilt, wovon man den einen mit einem gewissen Gewichte Schwefel und den anderen mit einer solchen Menge frisch gefälltem CuS zusammenbringt, daß dieses bei seinem Übergange in Cu_2S die gleiche Menge Schwefel abgeben kann, so findet man nach einigen Tagen in der ersten Flüssigkeit allen Schwefel gelöst, wodurch dieselbe die Färbung der Polysulfide angenommen hat, während die zweite im Gegenteile hellgelb erscheint und auf Zusatz von Säuren keinen Schwefel abscheidet; auch zeigt die Analyse, daß sie eine Lösung von alkalischem Monosulfid ist, welches eine sehr geringe Menge Kupfer gelöst enthält; dieses CuS kann also nicht als ein Gemenge von Cu_2S mit Schwefel angesehen werden, da sich letzterer sonst unter den genannten Bedingungen gelöst haben würde.

Eine konzentrierte Lösung von alkalischem Monosulfid zersetzt also das Schwefelkupfer CuS in Cu_2S und in Schwefel, da die Bildungswärme des alkalischen Polysulfides unter diesen Umständen die des Kupfersulfürs nicht übersteigt und das Sulfür Cu_2S vereinigt sich mit dem Kaliumsulfid zu dem krystallisierten Doppelsulfid. In einer verdünnten Lösung dagegen ist die Bildungswärme des Sulfides CuS größer, als die des alkalischen Polysulfides, und infolgedessen tritt nach dem Prinzipe der größten Arbeit die Zersetzung des Sulfides CuS nicht ein; letzteres kann beliebig lange in der Flüssigkeit bleiben, ohne sich krystallinisch umzuwandeln, weil sich kein Sulfür Cu_2S bildet.

Das Doppelsulfid $4 Cu_2S, KS$ kann auch direkt aus dem Metalle erhalten werden. Wenn man ein Kupferblech in eine konzentrierte kalte Lösung von Einfachschwefelkalium bringt, so bedeckt es sich nach kurzer Zeit mit glänzenden schönen Nadeln, deren Menge allmählich zunimmt; arbeitet man aber in einem geschlossenen Gefäße, so hört das Wachstum der Krystalle nach einigen Tagen auf, und das Ganze bleibt in diesem Zustande, wie lange auch der Versuch dauern möge. Die Reaktion, welche zuerst stattfindet und dann aufhört, wird durch den in der Flüssigkeit gelösten oder in der Luft des Ballons enthaltenen Sauerstoff veranlaßt. Es bildet sich zuerst CuS und Kali, letzteres in zu geringer Menge, um auf das gebildete Sulfid einzuwirken:

$$KS \text{ gelöst} + O + Cu = KO \text{ gelöst} + CuS \text{ fest} \quad \ldots \quad +31,2 \text{ cal.}$$

In dem Maße, wie das CuS entsteht, spaltet es sich auch wieder in Cu_2S, welches unter Bildung der Verbindung $4 Cu_2S, KS$ krystallinisch wird, und in Schwefel, welcher die Bildung von Polysulfid veranlaßt; hiernach hört die Reaktion auf, sobald aller Sauerstoff verschwunden ist. In diesem Momente reagiert indessen das gebildete alkalische Polysulfid noch auf das Kupfer und giebt eine neue Menge des Doppelsulfides $4 Cu_2S, KS$, denn die Flüssigkeit ist, sobald die Reaktion aufgehört hat, vollkommen farblos, und es würde doch eine sehr geringe Menge Polysulfid genügen, um ihr die charakteristische orangerote Färbung zu geben; übrigens ist die Reaktion:

$$KS_4 \text{ gelöst} + 6 Cu = 3 Cu_2S + KS \text{ gelöst} \quad \ldots \ldots \quad +27,7 \text{ cal}$$

stark exothermisch.

Es läßt sich übrigens leicht zeigen, daß der Angriff des Kupfers durch den Sauerstoff veranlaßt wird, wenn man mit einer von Luft befreiten Flüssigkeit in einer sauerstofffreien Atmosphäre arbeitet. Unter diesen Bedingungen kann das Kupfer mehrere Monate lang selbst mit einer gesättigten Lösung von Kaliummonosulfid zusammenbleiben, ohne zu alteriert zu werden und ohne seinen Glanz zu verlieren. Wenn die alkalische Lösung Luft enthält, aber zu verdünnt ist, um das Kupfersulfid CuS zu spalten, so wird das Metall angegriffen, solange noch freier Sauerstoff in der Atmosphäre des Gefäßes ist, aber das Doppelsulfid $4 Cu_2S, KS$ bildet sich nicht mehr und es setzt sich an der Oberfläche des Metallbleches nur ein schwarzer Überzug ab, welcher aus kleinen krystallinischen Schuppen von Kupfersulfid, CuS, besteht. (C. r. **98.** 1429—32. [9.*] Juni.)

4. Organische Chemie.

E. Külz, *Über eine neue linksdrehende Säure (Pseudooxybuttersäure).* Ein Beitrag zur Kenntnis der Zuckerruhr. Als Vf. im Harn von einigen, an der sogen. schweren Form leidenden Diabetikern, die Chloralhydrat in der Dose 2,5—4 g erhalten hatten, nach dem Vergären des Zuckers die Urochloralsäure zunächst durch Polarisation konstatieren wollte, fiel es ihm auf, daß die beobachtete Linksdrehung weit stärker ausfiel, als man nach der Menge des eingeführten Chloralhydrates erwarten konnte. Die Vermutung, daß dies Resultat durch die Gegenwart eines zweiten linksdrehenden Körpers bedingt sei, erwies sich als richtig, insofern der Harn dieser Kranken, auch ohne, daß sie Chloralhydrat nahmen, nach dem Vergären des Zuckers links drehte. Es mußte daher konstatiert werden, daß die aktive Substanz weder aus dem Traubenzucker, noch aus irgend einem anderen Harnbestandteile bei der Hefegärung sich bilde, daß sie vielmehr im Harn präformiert sei, ferner, daß es sich nicht um eine vermehrte Ausscheidung jener linksdrehenden Substanz von Haas (**76.** 311) handele, die auch im normalen Harn vorkommt und durch Bleiessig und Ammoniak fällbar ist. (Der Harn von Kälbern, Kühen, Pferden und Schweinen dreht unter normalen Verhältnissen weit stärker links, als der normale menschliche Harn. Die Linksdrehung der genannten Tierharne wird durch Bleizucker nicht beeinträchtigt, wohl aber durch Bleiessig. Die geringe optische Wirksamkeit, welche nach der Fällung mit Bleiessig noch zu konstatieren ist, wird durch Bleiessig und Ammoniak aufgehoben. Demnach scheint es sich um zwei verschiedene linksdrehende Substanzen zu handeln. Die durch Bleiessig fällbare kann mit der von Haas nicht identisch sein. Die weitere Bearbeitung dieses Gegenstandes ist im Gange.) Nachdem besondere Versuche dargethan hatten, daß die optische Wirksamkeit jener diabetischen Harne von keiner der bis jetzt im Tierorganismus, speziell im Harn aufgefundenen linksdrehenden Substanzen (Eiweiß, Pepton, Hemialbumose, Leucin, Tyrosin, Asparaginsäure, Cystin, Cholesterin, Lävulose, gepaarte Glykuronsäure) herrühren konnte, mußte es sich um eine gewisse, diabetischen Harnen eigentümliche Substanz handeln, deren Isolierung dem Vf. gelang.

Vf. erhielt zunächst nach einem komplizierten Verfahren das Bariumsalz der linksdrehenden Substanz, von welchem er ausgehend, eine Reihe anderer Salze darzustellen im stande war. Besonders schön sah das Silbersalz aus, welches er zu den Analysen benutzte, welche zur Formel $C_4H_7AgO_3$ führten. Das Drehungsvermögen dieses über Schwefelsäure im Vakuum bis zum konstanten Gewichte getrockneten, linksdrehenden Salzes wurde in einem Jetett-Cornu'schen Halbschattenapparate (spezifische Drehung für Traubenzucker $(\alpha)_j$ = 53,1) bei 12° R. ermittelt und ergab sich zu $(\alpha)_j$ = —8,637. Birotation zeigte die Substanz nicht.

Aus dem Silbersalze konnte die freie Säure gewonnen werden, deren Analyse die Formel $C_4H_8O_3$ ergab. Diese giebt mit Eisenchlorid keine Farbenreaktion und ist mit Wasserdämpfen nicht flüchtig; die Formel stimmt mit der Oxybuttersäure überein, jedoch weichen ihre Eigenschaften von denjenigen der vier bekannten Oxybuttersäuren ab. Vf. nennt die Säure vorläufig *Pseudooxybuttersäure.*

So weit dies vom Vf. festgestellt werden konnte, wurde die Anwesenheit der Säure in keinem Falle der leichten Form des Diabetes konstatiert, und bei der schweren Form nur in solchen Fällen, deren Harn sich mit Eisenchlorid burgunderrot färbte (Acetessigsäure). Es ist recht wohl möglich, daß die Säure zur sogen. Acetonurie in einer bestimmten Beziehung steht und daß sie ein normales Oxydationsprodukt des Traubenzuckers ist. (Nach vorläufigen Angaben bildet sich bei der Oxydation der Pseudooxybuttersäure mittels Kaliumdichromat und Schwefelsäure reichlich Kohlensäure, eine flüchtige Säure und wahrscheinlich Aceton.)

Bestimmte Anhaltspunkte berechtigen auch zur Vermutung, daß der diabetische Harn noch andere stickstofffreie Säuren enthält. Die Anwesenheit der Säure im diabetischen Harn bietet nicht nur in diagnostischer, sondern auch in prognostischer Beziehung klinisches und endlich noch analytisches Interesse.

Bekanntlich fällt die polarimetrische Zuckerbestimmung im Harn bisweilen niedriger aus, als die titrimetrische. Diese Differenz findet in den oben bezeichneten Fällen jetzt ihre befriedigende Erklärung in dem gleichzeitigen Gehalte des Harns an linksdrehender Säure. Bei der optischen Bestimmung des Traubenzuckers wird man künftig nicht umhin können, der Sicherheit halber stets eine Probe nach vollständiger Vergärung des Traubenzuckers gleichzeitig auf Linksdrehung zu untersuchen, um, wenn eine solche konstatiert wird, sie auf Traubenzucker zu beziehen und zur ursprünglichen Rechtsdrehung zu addieren. (Ztschr. f. Biol. **20.** 165—76. Marburg, physiol. Inst.)

J. Habermann und **M. Hönig,** *Über die Einwirkung von Kupferoxydhydrat auf einige Zuckerarten,* (Zweite Abhandlung.) In einer früheren Mitteilung brachten die Vff. die Resultate zur Mitteilung, welche sie bei der Einwirkung von Kupferoxydhydrat auf neutrale und alkalische Lösungen der Dextrose, Lävulose, Saccharose und des Invertzuckers erhalten hatten (**82.** 631); in der vorliegenden Abhandlung wird die Einwirkung des obigen Hydrates auf neutrale und alkalische Lösungen der Galaktose, des Milchzuckers, der Maltose, des Sorbins, Dulcits und Mannits mitgeteilt.

Galaktose. Dieser Zucker wurde nach der von SOXHLET (**80.** 245) empfohlenen Vorschrift aus durch mehrfaches Umkrystallisieren gereinigtem Milchzucker erhalten, wobei, übereinstimmend mit FUDAKOWSKY's Angaben, als zweites Spaltungsprodukt des Milchzuckers mit vollständiger Sicherheit die Dextrose konstatiert werden konnte. Bei der Einwirkung von Kupferoxydhydrat, welche die gleiche ist, ob sie in alkalischer oder neutraler Lösung erfolgt und wobei sich nur eine Verschiedenheit in bezug auf die Zeitdauer des Reaktionsverlaufes geltend macht, wurden erhalten: Kohlensäure, Ameisensäure, Glykolsäure (in geringer Menge), Milchsäure, eine mit Wasserdämpfen nicht flüchtige, in Äther unlösliche Säure (resp. Säuregemisch) und ein Rest von unzersetztem Zucker.

Milchzucker. Der Verlauf der Reaktion ähnelt dem beim Rohrzucker in der ersten Mitteilung (l. c.) geschilderten; auch hier geht wahrscheinlich der Oxydation die Inversion voraus. Ebenso zeigen sich die erzielten Oxydationsprodukte nicht verschieden von jenen der Galaktose, nur sind die Mengenverhältnisse namentlich zwischen Milchsäure und Glykolsäure andere; letztere war in diesem Falle in gröfserer Menge vorhanden, als bei der Galaktose.

Maltose. Dieselbe wurde nach der von HERZFELD (**83.** 755) angegebenen Methode erhalten. Das Kupferoxydhydrat wird von ihr aufserordentlich rasch, namentlich in alkalischer Lösung reduziert; die Zersetzungsprodukte sind in qualitativer und quantitativer Beziehung dieselben wie bei der Dextrose.

Sorbin reduziert sehr energisch Kupferoxydhydrat; beobachtet wurden als Zersetzungsprodukte: sehr reiche Mengen Kohlensäure, relativ sehr erhebliche Mengen Ameisensäure, eine sehr geringe Menge einer in Äther löslichen braunen Substanz, welche ein Gemenge eines indifferenten Harzes mit einer Säure darstellt, ferner eine Säure von der einfachsten Formel $C_3H_4O_3$, deren Identität mit Glycerinsäure zur Zeit noch nicht bewiesen werden konnte.

Mannit und *Dulcit* wirken weder in neutraler noch alkalischer Lösung auf Kupferoxydhydrat ein.

Die Bildung der meisten jetzt und früher beobachteten Oxydationsprodukte läfst sich in ziemlich einfacher Weise erklären, wenn man für die Glykose, Lävulose und den Sorbin die Auffassung als isomere fünfatomige Aldehyd-, resp. Ketonalkohole gelten läfst. Es bildet für diese Auffassung auch die aus dem Sorbin entstandene Glycerinsäure, die sich möglicher Weise auch bei den anderen Zuckerarten bildet, kein Hindernis. Dagegen läfst sich die beobachtete reichliche Bildung von Milchsäure bei der Galaktose und dem Milchzucker durch Oxydation in ungezwungener Weise kaum erklären, wenn man auch für diese Zuckerart eine der obigen ähnliche Annahme über die Konstitution derselben macht. (Monatsh. f. Chem. **5.** 208—16. 24. April (12. Juni.) Beñnn.)

Richard Hübner, *Über einige Äther der Benzolsulfosäure.* Vf. stellt nach der von SCHILLER und OTTO (**77.** 36; Ber. Chem. Ges. **9.** 1638) angegebenen Methode aus Natriumalkoholat und Benzolsulfochlorid den *Benzolsulfosäureäthyläther* her. Derselbe ist eine gelblich gefärbte ölige, nicht unzersetzt destillierbare Flüssigkeit vom spez. Gew. 1,22 bei 17° C. In ganz analoger Weise erhielt er den *Benzolsulfosäuremethyl-* und *Propyläther.* Ersterer besitzt ein spez. Gew. von 1,272 bei 17°, letzterer ein solches von 1,185: beide haben im übrigen die nämlichen Eigenschaften, wie der Äthyläther.

Um das *Anhydrid der Benzolsulfosäure* darzustellen, wurden folgende Versuche ausgeführt: 1. Einwirkung von Benzolsulfochlorid auf das Natriumsalz der Säure, ohne dafs eine wesentliche Umsetzung stattfand; 2. Einwirkung von Benzolsulfochlorid auf Benzolsulfosäureäthyläther, welche ohne Erfolg blieb; 3. Einwirkung von Benzolsulfochlorid auf reine Benzolsulfosäure. (Die reine Benzolsulfosäure stellte Vf. aus dem Bariumsalz und Schwefelsäure in genau berechneten Mengen dar. Die Säure ist sehr hygroskopisch, krystallisiert mit 2 Mol. Wasser, schmilzt zwischen 40 und 42° und erstarrt zwischen 38 und 36° C.) Dabei wurde ein Produkt erhalten, dessen Analyse nicht mit den für das Anhydrid berechneten Werten übereinstimmte und als eine mehr oder weniger wasserhaltige Säure angesehen werden mufste. 4. Einwirkung von Benzolsulfochlorid auf benzolsulfosaures Silber. Die Beobachtungen erwiesen, dafs dabei in der That die Bildung des gewünschten Anhydrids stattgefunden haben mufste, da bei der Behandlung des erhaltenen stark hygroskopischen Produktes mit vollkommen wasserfreiem Äthyläther Benzolsulfosäureäther sich ergeben hatte. (LIEBIG's Ann. **223.** 235—246. 3. Febr. Jena.)

Franz Fiala, *Über einige gemischte Äther des Hydrochinons.* Zur Darstellung derselben gelangte das von HABERMANN für das Dimethylhydrochinon benutzte Verfahren (**77.** 278) (Digestion von Hydrochinon, alkylschwefelsaurem Kali und Ätzkali fünf bis sechs Stunden bei 160—170°). Als Ausgangspunkt für die unten aufgeführten Körper diente das Monomethylhydrochinon, das im Verhältnisse von 1:1:1 mit dem entsprechenden Alkylkaliumsulfat und Ätzkali digeriert wurde. Auch die gemischten Äther sind wie die bisher bekannten Hydrochinondialkyläther mit Wasserdämpfen flüchtig. Dargestellt wurden:

Methyläthylhydrochinon . . . . Schmelzpunkt 39° C.
Methylpropylhydrochinon . . . . „ 26° „
Methylisobutylhydrochinon . . . . Siedepunkt zw. 227—230° „

(Monatsh. f. Chem. **5.** 232—35. Mai [12. Juni]. Brünn.)

Karl Zulkowsky, *Die aromatischen Säuren als farbstoffbildende Substanzen.* (Vorläufige Mitteilung.) Die Fähigkeit der aromatischen Säuren, mit mehratomigen Phenolen Kondensationsprodukte, welche Farbstoffe sind, zu bilden, scheint noch·nicht beobachtet zu sein (Gallein wird aus dem Anhydrid der Phtalsäure erhalten), und hat Vf. diesbezügliche Versuche angestellt, wobei er sich vorläufig darauf beschränkte, die Reaktionsfähigkeit der Benzoesäure und Salicylsäure auf Resorcin, Orcin und Pyrogallussäure zu prüfen. Die reichlichen Farbstoffausbeuten lassen auf einen ziemlich glatten Verlauf des Prozesses schliefsen, und es ist mehr als wahrscheinlich, dafs sich ebenso die anderen aromatischen Säuren oder wenigstens deren nächststehende Verwandte verhalten werden. Vf. hat die Reaktionsprodukte vorläufig nicht näher untersucht, jedoch stimmen deren Eigenschaften mehr oder weniger mit den Phtaleïnen überein; Vf. behält sich die Erforschung dieses Gebietes vor. (Monatsh. f. Chem. **5.** 221—27. 24. April [12. Juni]. Brünn.)

Franz Berger, *Über die Darstellung des Phenylcyanamids.* Vf. läfst, um Phenylcyanamid zu erhalten, auf Monophenylsulfoharnstoff in alkalischer Lösung (30prozentiger Kalilauge) heifse konzentrierte Bleizuckerlösung einwirken (vergl. HOFMANN **70.** 262; RATHKE **78.** 436). Diese Darstellung hat vor den zitierten Entschwefelungsverfahren manche Vorzüge, und schwankt dabei die Ausbeute zwischen 75—80 p. c. der berechneten. (Monatsh. f. Chem. **5.** 217—20. 24. April [12. Juni]. Technische Hochschule Brünn.)

Eduard Spiegler, *Zur Kenntnis der Euxanthongruppe.* Diphenylenketon, nach WITTENBERG und V. MEYER durch Destillation von Phenanthrenchinon über Bleioxyd (Ber. Chem. Ges. **16.** 502) erhalten, vereinigt sich mit Hydroxylaminchlorhydrat zu einem *Di-*

$$\text{phenylenacetoxim, } \begin{matrix} C_6H_4 \\[-2pt] | \\[-2pt] C_6H_4 \end{matrix}\!\!>\!\!CNOH \text{ (Schmelzpunkt 192°), von welchem auch das salzsaure}$$

Salz dargestellt werden konnte (Derivate s. folgende Abhandlung). Versuche, das Diphenylenketonoxyd PERKIN's (**83.** 533) aus diesem analog zusammengesetzte Euxanthon durch Behandlung mit Hydroxylamin in eine Isonitrosoverbindung überzuführen, blieben erfolglos. Ebensowenig gelang es, beide Verbindungen bei der mehrtägigen Behandlung mit Phenylhydrazin in einen entsprechend zusammengesetzten Körper umzuwandeln. Diese negativen Resultate stehen nun im Widerspruch mit dem, was bisher über die Reaktionsfähigkeit des Ketonsauerstoffes bekannt ist. Um zu ermitteln, ob die Gegenwart von weiteren Sauerstoffatomen in diesen Verbindungen die Einwirkung von Hydroxylamin verhindere, wurde Dioxybenzophenon, $(C_6H_4(OH))_2CO$, der Hydroxylaminreaktion unterworfen und dabei ein Öl von der Zusammensetzung $(C_6H_4OH)_2CNOH$ erhalten. Daraus geht hervor, dafs obige Annahme belanglos ist. Dem Einwande, dafs die hohe molekulare Zusammensetzung des Euxanthons und Diphenylenketonoxydes die Einwirkung des Hydroxylamins zu verhindern im stande sei, konnte durch die Darstellung einer Isonitrosoverbindung aus dem Phenyl-α-Naphtylketon begegnet werden. Letzterer lieferte den Körper $C_6H_5 \cdot CNOH \cdot C_{10}H_7$. Die Thatsache, dafs die obengenannten beiden Substanzen Hydroxylamin gegenüber nicht reaktionsfähig sind, führt dazu, jene nicht mehr als Ketone, sondern Laktone zu betrachten, welche gegen Hydroxylamin indifferent sind. Die beiden Körper als Laktone aufgefafst hätten die Formel:

$$\text{Diphenylenketonoxyd } C_6H_4\!\!<\!\!\begin{matrix} O \\[-2pt] C_6H_4 \end{matrix}\!\!>\!\!CO, \qquad \text{Euxanthon } C_6H_3OH\!\!<\!\!\begin{matrix} O \\[-2pt] C_6H_3OH \end{matrix}\!\!>\!\!CO.$$

(Monatsh. f. Chem. **5.** 195—202. 24. April [12. Juni]. Zürich.)

Eduard Spiegler, *Zur Kenntnis des Diphenylacetoxims.* Diese aus Benzophenon und Hydroxylamin hergestellte Verbindung läfst sich leicht unter der Einwirkung von Natriumalkoholat und Halogenalkylen in die entsprechenden Äther umwandeln. Dargestellt wurden:

Diphenylacetoximmethyläther, $(C_6H_5)_2CNOCH_3$ (Schmelzpunkt 92° C.)

    „   äthyläther, $(C_6H_5)_2CNO . C_2H_5$ (Siedepunkt 276—279°)

    „   benzyläther, $(C_6H_5)_2CNO . C_7H_7$ (Schmelzpunkt 55—56°)

    „   acetyläther, $(C_6H_5)_2CNO(C_2H_3O)$ (Schmelzpunkt 55°).

Das salzsaure Diphenylacetoxim entsteht durch Einleiten von trocknem Salzsäuregas in eine Lösung von Diphenylacetoxim in wasserfreiem Äther; das Natriumsalz, $(C_6H_5)_2CNONa$, bildet sich aus Diphenylacetoxim, in trocknem Äther gelöst, und Natriumalkoholat. (Monatsh. f. Chem. **5.** 203—7. 24. April [12. Juni]. Zürich.)

Eduard Spiegler, *Über einige hochmolekulare Acetoxime der Fettreihe.* Vf. prüfte das Verhalten mehrerer Ketone von hohem Molekulargewicht gegen Hydroxylamin und fand, dafs die Gröfse der Kohlenwasserstoffkette auf die Reaktionsfähigkeit des Ketonwasserstoffs keinerlei Einfluſs hat, nur geht, wie sich erwarten läſst, bei den hochmolekularen Ketonen die Reaktion etwas langsamer vor sich.

Das Methylnonylketon liefert bei Behandlung mit salzsaurem Hydroxylamin das *Methylnonylacetoxim*, $CH_3-CNOH-C_9H_{19}$, Schmelzpunkt 42°. Das Myriston giebt bei gleicher Behandlung das *Myristoxim*, $C_{13}H_{27} . CNOH . C_{13}H_{27}$ (Schmelzpunkt 51°) und das Stearon das *Stearoxim*, $C_{17}H_{35} . CNOH . C_{17}H_{35}$, vom Schmelzpunkt 62—63° C. Beim Myriston und beim Stearon drückt der Eintritt der Oximidgruppe den Schmelzpunkt dieser Verbindungen um je 25° C. herunter. (Monatsh. f. Chem. **5.** 241—43. 23. Mai [12. Juni]. Zürich.)

Rudolf Wegscheider, *Über Isobutylnaphtalin.* Zur Entscheidung der Frage, ob das Phenantren als Naphtalinderivat aufzufassen ist, erschienen am geeignetsten die Isobutylnaphtaline, da deren Überführbarkeit in Phenantren nach der durch WREDEN und ZNATOVICH (**77.** 6) nachgewiesenen Bildung von Naphtalin aus Isobutylbenzol wahrscheinlich und mindestens eines der beiden Isomeren leicht zu erhalten ist. Vf. veröffentlicht jetzt schon seine gemachten Erfahrungen, da soeben von LÉON ROUX eine Publikation auf demselben Gebiete erschienen ist (**84.** 442).

Das Isobutylnaphtalin wurde unter Anwendung der Methode von FRIEDEL und CRAFTS aus Naphtalin, Isobutylchlorid und Aluminiumchlorid dargestellt. Als Produkte der Einwirkung dieser Substanzen wurden beobachtet: das Isobutylnaphtalin (Siedepunkt 280°), bei 80° schmelzende Krystalle (wahrscheinlich α-β-Dinaphtyl), solche vom Schmelzpunkt 146—147° (wahrscheinlich α-α-Dinaphtyl) und Isodinaphtyl, $C_{20}H_{14}$, (Schmelzpunkt 188° C.). — Das Isobutylnaphtalin liefert eine bei 96° schmelzende Pikrinsäureverbindung. In betreff der Bildung des Isodinaphtyls kann Vf. die von ROUX (l. c.) gemachten Beobachtungen nur bestätigen. — Da das Chloraluminium unter Umständen Seitenketten abspaltet, so muſs bei der Darstellung der Homologen des Naphtalins die Gegenwart eines Überschusses dieses Chlorides vermieden werden, und man erhält thatsächlich schlechte Ausbeuten, wenn man das Alkylchlorid zu dem Gemisch von Naphtalin und Aluminiumchlorid setzt; man muſs letzteres zu einem Gemenge der beiden ersteren hinzufügen. — Der Versuch, nach der GOLDSCHMIDT (**82.** 357. 636) zur Darstellung der Homologen des Benzols verwandten Methode auch das Isobutylnaphtalin (Einwirkung von Chlorzink auf Naphtalin und Isobutylalkohol) zu erhalten, war erfolglos. (Monatsh. f. Chem. **5.** 236—40. 23. Mai [12. Juni]. Wien.)

J. Habermann, *Diäthylalizarinäther.* Über diese Substanz liegen bereits von SCHÜTZENBERGER Beobachtungen vor, die von demselben mitgeteilten Beleganalysen stimmen aber nicht mit dem berechneten Werte überein. Vf. hat es unternommen, von neuem diesen Äther zu studieren. Die Darstellung geschah aus Alizarin, Äthylkaliumsulfat und Ätzkali unter Berücksichtigung der Molekularverhältnisse nach dem für die Gewinnung der Hydrochinonäther etc. eingehaltenen Vorgange (**77.** 278; **78.** 339. 547). Der Äther besteht aus sattgoldgelben bis bräunlichgelben Aggregaten, die sich in heiſsem Wasser etwas lösen. Die Lösung wird auf Zusatz von Ätzkali lebhaft rot. Die weingeistige Lösung ist rein gelb gefärbt. (Monatsh. f. Chem. **5.** 228 bis 231. 8. Mai [12. Juni.] Brünn.)

Henry B. Millard, *Albumin, dessen Bezeichnungen und Nachweise bei Albuminurie.* (Med. Rec. **25.** 601—4.)

E. Grimaux, *Über einige Reaktionen des Albumins.* Vor kurzem hat der Vf. gezeigt, daſs die Lösungen des Amidobenzoesäurecolloids durch Zusatz kleiner Mengen von Salz die Eigenschaft gewinnen, in der Wärme zu koagulieren, und daſs diese Erscheinung zugleich von der Menge des koagulierenden Agens und der Verdünnung der Lösung abhängt (S. 218). Die Untersuchung der Reaktionen verdünnter Eiweiſslösungen ergiebt, daſs diese unter denselben Bedingungen koagulieren, wie das Amidobenzoesäurecolloid. In der That ist seit SCHEELE bekannt, daſs das mit Wasser verdünnte Hühnereiweiſs in der Wärme nicht gerinnt, eine Thatsache, die bereits 1821 von CHEVREUL konstatiert wurde.

Setzt man zu verdünnten Eiweifslösungen kleine Mengen von Salzen, z. B. Chlornatrium, Calciumsulfat, Magnesiumsulfat, Chlorammonium etc., so gerinnen sie beim Erhitzen. Beim Eiweifs sowohl als beim Amidobenzoesäurecolloid kann der koagulierende Einflufs der Salze durch Wasser aufgehoben werden.

Die Kohlensäure spielt dieselbe Rolle wie die Salze: es genügt, in eine verdünnte Eiweifslösung einen Strom Kohlensäure zu leiten, um die Flüssigkeit schon bei mäfsig hoher Temperatur zum Koagulieren zu bringen. Dasselbe beobachtet man, wie bereits früher gezeigt wurde, bei der Lösung des Amidobenzoesäurecolloides: setzt man derselben eine zum Gerinnen in der Wärme ungenügende Menge Kochsalz hinzu, so wird sie koagulierbar, sobald man sie mit Kohlensäure sättigt.

Mit Wasser verdünntes Eiweifs wird in der Kälte nicht modifiziert; CHEVREUIL hat gezeigt, dafs solche Lösungen durch Konzentrieren im Vakuum die Eigenschaften des unverdünnten Eiweifses wieder annehmen, erhitzt man dagegen diese unverdünnten Lösungen, so wird das Albumin modifiziert.

SCHEELE hat das bereits beobachtet; er sagt: „Wenn man Hühnereiweifs genau mit zehn Teilen Wasser mischt und das Gemenge zum Sieden erhitzt, so bleibt das Eiweifs gelöst; setzt man aber etwas Säure zu, so koaguliert die Lösung wie Milch."

CHEVREUL seinerseits hat beobachtet, dafs durch Aufkochen oder durch Abdampfen im Wasserbade das Eiweifs sich umwandelt und dabei eine Veränderung erleidet, durch welche es dem koagulierten Albumin analog wird.

Die Untersuchungen, welche der Vf. über diesen Gegenstand gemacht hat, zeigen, dafs das Albumin in verdünnter Lösung in einen Körper umgewandelt wird, welcher dem Caseïn ähnlich ist. Erhitzt man Eiweifslösungen, welche 1 p. c. trockner Substanz erhalten, einige Minuten lang auf 90°, so scheiden sich einige Flocken ab; die filtrierte Flüssigkeit wird beim Aufkochen nicht getrübt, sondern nur opaleszierend. Die Lösung enthält jetzt kein Eiweifs mehr, sondern ein Umwandlungsprodukt desselben. Sie giebt nach Einwirkung von Kohlensäure einen gallertartigen Niederschlag, welcher sich unter der Einwirkung eines Luftstromes wieder löst. Dieser Niederschlag verschwindet ebenfalls, wenn man die Flüssigkeit im Vakuum über eine Kalilösung bringt oder wenn man ihn nach dem Abfiltrieren und Auswaschen mit kohlensäurehaltigem Wasser in lufthaltigem Wasser suspendiert.

Verdünnte Essigsäure bewirkt einen in überschüssiger Säure leicht löslichen gallertartigen Niederschlag, welcher nach Neutralisation der Säure mittels eines Alkalis wieder auftritt und sich im Überschusse des letzteren gleichfalls löst. Ein Zusatz von Natriumphosphat zu der vorher erhitzten Eiweifslösung verhindert die Fällung durch Kohlensäure, aber nicht durch Essigsäure, und die Flüssigkeit besitzt die Reaktionen einer Caseïnlösung. Endlich wird das modifizierte Albumin durch Einwirkung von Wärme koagulierbar, wenn man kleine Mengen von Kochsalz, Calciumsulfat und Magnesiumsulfat etc. zusetzt.

Bei der Einwirkung von Kohlensäure auf die verdünnten und durch die Wärme modifizierten Lösungen wird nicht alle Eiweifssubstanz gefällt; die von dem Koagulum abfiltrierte Flüssigkeit enthält ein Pepton, und wenn man die verdünnte Albuminlösung, anstatt sie blofs auf 80° zu erhitzen, einige Minuten lang zum Sieden bringt, so vermindert sich die Menge der durch Kohlensäure fällbaren Substanzen, während sich zu gleicher Zeit die des Peptons vermehrt.

Die Reaktionen der verdünnten Lösung des Eiweifs sind diesem Körper nicht eigentümlich. Auch mit dem Amidobenzoesäurecolloid lassen sie sich hervorbringen. Kocht man eine verdünnte Lösung desselben einige Minuten, so wird es wie das Eiweifs modifiziert und besitzt dann die Eigenschaft, in der Kälte mit Kohlensäure ein Koagulum zu geben, welches unter dem Einflusse eines Luftstromes wieder verschwindet. Die Gegenwart von Natriumphosphat verhindert die Fällung durch Kohlensäure.

Bei den Globulinen ist die Entstehung von Niederschlägen durch Kohlensäure, welche sich unter der Einwirkung von Luft wieder lösen, nicht beobachtet worden; dagegen findet sie sich bei anderen Colloiden wieder, z. B., wie der Vf. gefunden hat, bei den kondensierten Pyruvinureïden, den Colloiden der Eisensalze, den mehratomigen Alkoholen etc. (C. r. **98**. 1336—38. [26.*] Mai.)

Kleine Mitteilungen.

Verwendung des Asbests. Den reinsten und für technische Zwecke brauchbarsten Asbest liefert jetzt Amerika, namentlich Kanada. Am meisten geschätzt ist das unter dem Namen Kanadafaser oder Bostonit vorkommende Mineral, welches wegen seiner langfaserigen, flachsartigen Textur direkt versponnen werden kann. Der italienische Asbest, welcher früher meistens in Europa verarbeitet wurde, enthält viel Thon und überschüssige krystallinische Kieselsäure, welche nicht nur seiner Verarbeitung Schwierigkeiten entgegenstellen, sondern auch seine Verwendung zur Stopfbüchsenverpackung, wegen starken Verschleißes der Kolbenstangen, kaum gestatten.

Der Asbest wurde schon früher, ähnlich wie der Amiant, zu feuerfesten Geweben (jedoch selten), Papier, Lampendochten und chemischen Feuerzeugen benutzt. Mit dem Bekanntwerden größerer Vorkommen dieses Minerales hat sich auch dessen technische Verwendung mehr verallgemeinert.

Nach einem Artikel des Württemberger Gewerbeblattes teilen wir über letztere das Nachstehende mit.

Asbest findet Verwendung zu:

Asbestgarn. Das aus amerikanischem Asbest gesponnene Garn ist ein sechsfach gezwirnter Faden von ca. 4 mm Stärke. Es besitzt große Festigkeit und ist dabei weich und biegsam wie Seide. Man kann es unmittelbar zum Verpacken kleiner Stopfbüchsen benutzen und in Verbindung mit Schwarzkitt zum Verdichten der Flantschen von Dampf- und Heißwindleitungen verwenden, und findet dasselbe ausgedehnte Verwendung in der Hüttentechnik. Aus demselben Materiale werden Asbeststricke und Asbestseile, rund oder viereckig, von beliebiger Stärke geliefert. Aus reinem Asbestgarn wird Asbesttuch hergestellt, welches sich ganz vorzüglich zum Filtrieren von Säuren eignet.

Asbestplatten werden von Papierstärke bis zu jeder beliebigen Dicke in Bogen von ca. 1 qm angefertigt. Dieselben sind dicht und fest, dabei im gewissen Grade auch biegsam und werden zum Dichten von Flantschen, die öfter zu lösen sind, wie z. B. Mannlochdeckel, verwendet. Um das Anbacken der Dichtung zu vermeiden, empfiehlt es sich, die Platten mit Öl oder Graphit zu bestreichen.

Das neueste Asbestfabrikat ist das mit Mineralfarben bemalte, beschriebene oder bedruckte Asbestpapier, dessen Verwendung für Tapeten und Theaterdekorationen, sowie für wichtige Urkunden und Wertpapiere vorgeschlagen wird. Die Mineralfarben, welche hier zur Verwendung kommen, sind zweifelsohne mit Asbestpulver hergestellt.

Aus Asbestgeweben werden in neuerer Zeit auch Asbestkleider gefertigt, die dazu dienen sollen, einzelne Körperteile vor strahlender Hitze zu schützen. So fabriziert die Bostoner Asbest-Compagnie folgende Gegenstände:

Kappen mit Nackenschutz	à 0,37 kg	schwer
Arbeitsblousen	à 3,38	„
Schurzfelle	à 1,70	
Gamaschen	à Paar 1,02	„
Strümpfe	à Paar 1,14	„
Handschuhe, lange	à Paar 0,59	„
„ kurze	à Paar 0,46	„ .

Von Einführung dieser Kleider in größerem Maßstabe ist bis jetzt noch nichts bekannt geworden.

Die Preise für Asbestfabrikate sind, trotzdem letztere sich vervollkommnet haben und besseres Material dazu verwendet wird, nicht gestiegen, eher zurückgegangen. Es kosten gegenwärtig:

Asbestgarn	M. 9,00	pro kg
Asbeststricke und Seile	„ 11,00	„
Asbestkartons	„ 4,40	„
Asbesttuch (1,08 kg pro qm)	„ 18,00	pro qm
Asbestkitt	„ 3,30	pro kg
Asbestfaser, weiß, langfaserig	„ 5,50	„
Asbestpapier	„ 6,60	„
Asbestpulver	„ 60,00	pro 100 kg.

(B.- und Hüttenm. Ztg. **43.** 201.)

Das Geheimnis der Patina, von E. STEINER. Es ist längst erwiesen, daß die Patina auf künstlichem Wege nicht herstellbar ist, und daß sie nicht abhängt von der Art der Legierung. Von Wichtigkeit bei der zu erzielenden Naturpatina ist eine möglichst rein und sorgfältig erhaltene Gufshaut. Patina finden wir daher nur auf getriebenen oder in Wachsform gegossenen, jedenfalls aber nur sehr gering oder gar nicht durch die Feile, d. h. Ciselierung angegriffenen Gufsstäcken. Dafs je nach der Legierung immerhin nicht nur die Bronze, sondern auch die Legierung eine andere Farbe haben mufs, ist selbstverständlich. Der Fehler, welcher in der neueren Bronzetechnik gemacht wird, liegt darin, dafs die Gufsformen teils zu porös sind, teils zu viel Nähte haben. Je feiner der Formsand, je weniger Nähte vorhanden und daher wegzunehmen sind, desto weniger wird die Patinabildung unterbrochen. Patina und Sandform vertragen sich nicht.

Der Beginn der Patinabildung trifft mit dem Erkalten des geschmolzenen Metalles zusammen und ist mikroskopisch sofort zu unterscheiden. Je strengflüssiger die Legierung des Metalles ist, desto mehr wird dieselbe eine Naturpatina unterstützen, weshalb man häufig und mit vollem Rechte edle Metalle, besonders Silber, beimischte. In dem Augenblicke des Erkaltens sondern sich, wie bei der Haut tierischer Wesen, die verschiedenen Schichten, die Metalle der Legierung, je nach ihrer Güte. Die Oberfläche, gleichsam der menschlichen Haut entsprechend, hegt das Patinapigment die Eigenschaften der Farbenbildung.

Je weiter man das Metall dieser Gufshaut beraubt, desto weicher wird es bis zu seiner Mitte: von hier ab nimmt dasselbe in derselben Reihenfolge wieder an Härte bis zur anderen Oberfläche zu. Das Verfahren des Sandformgusses ist daher verwerflich. Es sind deshalb schon mehrfache Bemühungen gemacht worden, eine Giefserei wieder einzurichten, welche in Wachsformen giefsen kann. Das vorherige Schwarzwerden der Bronze ist in jedem Klima unter allen Verhältnissen stets dasselbe gewesen, und es ist eben solcher Fehler, die Bildwerke mit Säuren davon zu befreien. Ein einfaches Abseifen, um den Staub zu verdrängen, und sorgfältiges Abtrocknen ist das einfachste Verfahren, wenn man Patina erzielen will. Es kommt darauf an, wie die Bronze hergestellt und behandelt wird, wenn man Patina haben will; hiervon hängt auch die Dauerhaftigkeit des Materiales ab, denn das Patina unterscheidet sich von Bronzeoxyd, welches jede künstliche auch nur ist, dadurch, dafs letzteres in die Bronze sich einfrifst und sie zerstört; Patina bildet eine feste, dem Emaille ähnlich erscheinende Kruste. (Metallarb.; Polyt. Notizbl. 39. 147—48.)

Die Versorgung der Städte mit Heizgas, von H. BUNTE. (Schlufs aus vorig. Nr.).

Die Wahl zwischen dem einen oder dem anderen der genannten Gase wird in erster Linie durch den Preis derselben, d. i. durch die Erzeugungskosten bedingt, und ein Gas wird nur dann für Heizung allgemeinere Anwendung finden können, wenn es billig genug hergestellt werden kann. Zur Zeit fehlen noch die genügenden Erfahrungen über die Herstellungskosten des Wassergases, und es ist bezüglich dieser Kosten selbstverständlich, dafs dieselben an verschiedenen Orten und unter verschiedenen Umständen sehr verschieden ausfallen werden, so dafs selbst bei genauer Kenntnis der Herstellungskosten für jeden einzelnen Fall eine sorgfältige Abwägung bei der Wahl des Gases nötig ist.

Im allgemeinen wird der Preis des Gases am bedeutendsten von dem Werte des Rohmateriales der daraus erhaltenen Nebenprodukte beeinflufst. In dieser Beziehung ist zu bemerken, dafs für das Steinkohlenleuchtgas ein verhältnismäfsig wertvolles Rohmaterial verwendet wird, das oft weit zu transportieren ist, andererseits werden aber die Ausgaben für die Gaskohlen in manchen Fällen grofsenteils oder auch gänzlich durch die wertvollen Nebenprodukte wieder gedeckt. Für die Darstellung des Wassergases ist man in der Auswahl des Rohmateriales weniger beschränkt, und es kann bei dessen Herstellung aus Koks der Wert dieses Nebenproduktes der Leuchtgasfabrikation dadurch gesteigert werden, dafs dasselbe in Gasform zur Verwendung kommt. Andererseits werden aber bei der Wassergasfabrikation keine wertvollen Nebenprodukte erhalten. Die hier berührten Gesichtspunkte sind jedenfalls zu berücksichtigen, wenn es sich um eine Abwägung der Vor- und Nachteile der beiden Gase handelt.

Unzweifelhaft ist es rationell, die Versorgung der Städte mit Heizgas im unmittelbaren Anschlusse an die Leuchtgasfabrikation zur Ausführung zu bringen, und die Sache so einzurichten, dafs nur ein einziges Gas für beide Zwecke Verwendung findet, so dafs man mit einer einzigen Rohrleitung auskommt, weil anderenfalls die Anlagen sehr kompliziert und kostspielig werden. Für die Versorgung einer Stadt oder eines gröfseren Distriktes mit Heizgas ist man also entweder darauf angewiesen, ein billiges Leuchtgas zu fabrizieren, dessen leuchtende Kohlenwasserstoffe in den Heizbrennern zersetzt und nur auf ihre Heizkraft ausgenutzt werden, oder man hat ein billiges Heizgas zu erzeugen und die Einrichtung zu treffen, dafs dasselbe an den Orten, wo es zur Beleuchtung verwendet werden soll, mit Kohlenwasserstoffen vermischt, d. h. karburiert wird, oder dafs man Glasglühbrenner verwendet, bei denen auch nur die Heizkraft des Gases zur Wirkung kommt, wie wir im folgenden sehen werden.

Was die sogen. Karburierung des an sich nicht leuchtenden Wassergases anbelangt, so benutzt man in Amerika dazu die dort billigen Naphtaöle, welche bei der Raffinierung des Petroleums gewonnen werden. Mit Rücksicht hierauf sind in den letzten Jahren in Amerika bereits eine große Anzahl mitunter sehr bedeutender Wassergasfabriken entstanden. In Europa ist jedoch der Preis der Naphtaöle zu hoch, als daß man an deren Verwendung zur Karburierung des Wassergases denken könnte. Glücklicherweise ist aber durch die Erfindung der Glasglühbrenner ein Mittel gegeben worden, das nicht leuchtende Wassergas ohne weiteres zur Beleuchtung verwenden zu können.

Die Glasglühbrenner oder Inkandeszenzbrenner sind von CLAMOND in Paris erfunden und neuerdings bedeutend verbessert worden. Die neuen CLAMOND'schen Glühbrenner werden einfach wie gewöhnliche Argandbrenner auf die Gasarme aufgeschraubt; dieselben sind so eingerichtet, daß das Gas in Vermischung mit vorgewärmter Luft in vielen kleinen Flämmchen durch die Löcher eines schwach konischen Rohres an dessen Umfange herausbrennt. Über dieses Rohr ist ein ebenso konischer Korb aus einem feinen Geflechte von Magnesiafäden * gestülpt, welcher zum Glühen kommt. Dieses Licht ist, wie QUEGGLIO im Anschlusse an den Vortrag des Vfs. mitteilte, mit elektrischem Lichte, sowie mit Gas- und Öllicht verglichen worden und hat eine viel größere, Licht entwickelnde Oberfläche ergeben, in welche man ohne Schaden für das Auge blicken kann. Das Licht hat keine violetten Strahlen wie das elektrische Bogenlicht, sondern einen höchst angenehmen gelbrötlichen Ton, gleich dem elektrischen Glühlichte, und läßt selbst die zartesten Farben auf Stoffen erkennen, so daß es die angenehmste Beleuchtung ergiebt. Selbst bei den noch unvollkommenen Brennern betrug die Leuchtkraft für 120 l stündlichen Konsum drei Caroeleinheiten = 27 bis 30 Normalkerzen, was einer Verdoppelung des Leuchtwertes des Gases entspricht.

Im allgemeinen scheint sich für diese Inkandeszenzbrenner das Leuchtgas noch besser zu eignen, als das Wassergas, so daß man also ganz freie Wahl zwischen diesen beiden Gasarten hat und natürlich sich für das billigste entscheiden wird. Es sind neuerdings in der Herstellung des Wassergases ganz bedeutende Fortschritte gemacht worden, aber es scheint doch, als wenn die Herstellung des Leuchtgases selbst auf Raumeinheiten, also gar nicht auf den Heizwert berechnet (der ja beim Leuchtgase bedeutend höher ist, als beim Wassergase), viel billiger sei, als der des Wassergases. Es handelt sich also immer wieder darum, das Leuchtgas möglichst billig an die Konsumenten abzugeben. (Vortrag, gehalten in der Vers. der deutschen Gasfachmänner; Maschinenbauer; D. Ind.-Ztg. 1884. 122—23.)

----

* Diese Magnesiafäden werden aus einer teigartigen, von gewöhnlicher weißer Magnesia zubereiteten Masse ähnlich wie Nudeln hergestellt.

Beiträge für das Centralblatt bittet man an die Redaktion (Leipzig, Lessingstr. 5) zu richten. **Originalarbeiten** von nicht zu großem Umfange werden entsprechend honoriert und gelangen stets sofort nach der Einsendung, und zwar in kürzester Frist, zum Abdruck.

Redaktion: Prof. Dr. **Rud. Arendt** in Leipzig.

Verlag von **Leopold Voss** in Hamburg u. Leipzig. — Druck von **Metzger & Wittig** in Leipzig.

No. 30.

Chemisches

23. Juli 1884.

Wöchentlich eine Nummer von
1–2 Bogen. Der Jahrgang mit
Sach- und Namen-Register,
nebst systm. Übersicht.

Central-Blatt.

Der Preis des Jahrgangs
ist 30 Mark. Durch alle
Buchhandlungen und Post-
anstalten zu beziehen.

REPERTORIUM
für reine, pharmazeutische, physiologische und technische Chemie.

Dritte Folge. XV. Jahrgang.

Wochenbericht.

3. Anorganische Chemie.

F. C. Robinson und **C. C. Hutchins**, *Über eine einfache Methode zur Extraktion von Cäsium- und Rubidiumverbindungen aus dem Lepidolith von Hebron.* Das Mineral wird in einem eisernen Mörser gepulvert und mit der gleichen Menge Flußspat gemischt, das Gemenge in einem Bleigefäße mit konzentrierter Schwefelsäure zu einem dünnen Breie angerührt und im Sandbade zwei Stunden lang, oder bis die Masse hart und trocken geworden ist, erhitzt. Nach dem Abkühlen wird das Produkt zerschlagen, in einer Porzellanschale ausgekocht und die Lösung jedesmal heiß filtriert. Das Filtrat enthält Cäsium, Rubidium und Kalium in Form von Alaunen. Diese sind in heißem Wasser ungefähr gleich löslich, bei 17° aber löst sich der Kaliumalaun ungefähr sechsmal leichter, als der Rubidiumalaun. Hiernach ist es leicht, alle drei voneinander zu trennen. 100 g Lepidolith in dieser Weise behandelt, gaben ungefähr 3 g Cäsium- und Rubidiumalaun. (Amer. Chem. Journ. März 1884; Chem. News **49.** 253.)

L. L'Hote, *Über die Reinigung des arsenhaltigen Zinks.* Das käufliche Zink ist stets unrein; es enthält sehr häufig wechselnde Mengen von Blei, Eisen, Kohlenstoff und Arsen. Die Bestimmung des letzteren geschieht durch den MARSH'schen Apparat. Man löst in der Entwicklungsflasche des letzteren 25 g Zinkgranalien in zehnfach verdünnter Schwefelsäure vollständig auf. Das Arsen setzt sich vollständig in einer erhitzten Röhre ab. Um sich davon noch sicherer zu überzeugen, verbindet man das Ende der Röhre mit einem WILL-VARRENTRAPP'schen Rohre, welches eine Lösung von neutralem Silbernitrat (1:20) enthält. Die Operation dauert ungefähr drei Stunden. Wird sie gut geleitet, so trübt sich die Silberlösung nicht. Um jeden Arsenverlust zu vermeiden, leitet man vor Beginn und nach Beendigung des Versuches reines Wasserstoffgas aus einem Gasometer hindurch. Die das Arsen enthaltende Röhre wird abgeschnitten und gewogen, hierauf in einer kleinen Porzellanschale zuerst mit einigen Tropfen Salpetersäure und dann mit Wasser gewaschen, getrocknet und abermals gewogen; ist der Arsengehalt des Zinks sehr schwach, so muß man zwei- bis dreimal 25 g lösen. Auf diese Weise hat der Vf. verschiedene Versuche ausgeführt, von denen er hier einige Resultate giebt, welche auf 1 g Zink berechnet sind:

Zinkblech von Vieille-Montagne 1,75 mm dick	.	. .	36,0 mg
" " 0,37 "	.	. .	30,0 "
" 0,03 "	.	. .	20,0 "
" von Harfleur 1,72 "	.	. .	10,5 "
" von Cie Asturienne 2,00 "	.	. .	26,0 "

Zinkblech in Stangen gereinigt von Vieille-Montagne, sehr schwacher Ring, nicht wägbar
von Schlesien, sehr schwacher Ring, nicht wägbar.

Um das Zink von Arsen zu befreien, erhitzt man es gewöhnlich mit Kaliumnitrat und destilliert es dann. Diese Behandlung ist ziemlich langwierig und liefert ein Zink, welches sehr schwer angegriffen wird. Man kommt rascher zum Ziele, wenn man in das geschmolzene Zink 1—1¹/₂ p. c. wasserfreies Magnesiumchlorid bringt. Beim Umrühren der Masse entweichen weifse Dämpfe von Chlorzink und führen das Arsen mit fort. Das Metall wird dann in kaltes Wasser gegossen und giebt vollkommen arsenfreie, durch zehnfach verdünnte Schwefelsäure sehr leicht angreifbare Granalien.

Der Vf. hat gefunden, dafs dasselbe Reinigungsverfahren auch bei antimonhaltigem Zink anzuwenden ist; das Antimon entweicht dann als Antimonchlorid. (C. r. **98.** 1491 bis 1492. [16.*] Juni.)

L. Troost, *Durchlässigkeit des Silbers für Sauerstoff.* Wie der Vf. vor längerer Zeit in Gemeinschaft mit H. SAINTE CLAIRE DEVILLE gezeigt hat, besitzen Platin und Eisen die Eigenschaft, in der Rotglühhitze Wasserstoffgas hindurchzulassen. Die Ursache hiervon scheint darin zu liegen, dafs beide Metalle Wasserstoff aufnehmen und damit sehr unbeständige und infolgedessen dissociierbare Verbindungen geben. Das geschmolzene Silber, welches Sauerstoff in sich aufgenommen hat, läfst denselben im Momente des Erstarrens nicht vollständig entweichen. DUMAS hat gezeigt, dafs ein Teil des Sauerstoffes von dem bereits erkalteten Silber noch zurückgehalten wird. Will man denselben vollständig extrahieren, so mufs man das Metall im Vakuum auf 500—600° erhitzen. Hieraus hat der Vf. den Schlufs gezogen, dafs das Silber bei einer hinreichend hohen Temperatur permeabel für Sauerstoff sein müsse, ebenso wie das Platin und das Eisen für Wasserstoff. Um dies zu beweisen, hat der Vf. eine Silberröhre von 10 mm innerem Durchmesser und 1 mm Wanddicke auf eine Länge von 10 cm in einer eisernen Muffel, welche innerlich mit einem Platincylinder ausgekleidet war, in Dampf von siedendem Kadmium erhitzt. Leitet man durch die Muffel einen langsamen Sauerstoffstrom und erzeugt im Innern der Röhre mittels einer Sprengelpumpe ein Vakuum, so tritt in der That, sobald das Kadmium im vollen Sieden ist, Sauerstoff in die Röhre ein. Bei einem Versuche konnte man 6,1 ccm sammeln, was auf eine Oberfläche von 1 qm erhitzten Silbers berechnet, 1,7 l Sauerstoff ergiebt. Auch wenn man Luft statt Sauerstoff anwendet, findet ein Durchgang von Sauerstoff statt. Das gesammelte Gas enthielt nicht eine Spur von Stickstoff, aber die Durchgangsgeschwindigkeit war eine geringere; man konnte in einer Stunde 3,2 ccm sammeln, was für 1 qm Fläche 0,89 l ergiebt.

Bei einer anderen Versuchsreihe wandte man eine Röhre von gleichem Durchmesser, aber halber Wandstärke an. Um die Deformation derselben durch den äufseren Luftdruck zu vermeiden, wurde eine Spirale von starkem Platindrahte eingeführt; auch evakuierte man die Röhre, die vorher mit Kohlensäure gefüllt war, nur bis auf 5 cm Druck. Wie zu erwarten war, wurde hierbei eine beträchtliche Vergröfserung der Durchgangsgeschwindigkeit beobachtet. Dieselbe stieg bei Anwendung von reinem Sauerstoffe auf 12 ccm in der Stunde, entsprechend 3,33 l auf 1 qm erhitzte Fläche, bei Anwendung von Luft auf 5,9 ccm, entsprechend 1,64 l auf 1 qm erhitzte Fläche.

Um den Durchgang des Sauerstoffes durch das erhitzte Metall zu bewirken, ist es nicht absolut erforderlich, das Innere der Röhre zu evakuieren, sondern man kann auch einen langsamen Strom eines anderen Gases, z. B. Kohlensäure, hindurch leiten. Unter diesen Bedingungen passierten bei Anwendung von reinem Sauerstoff 3 ccm in der Stunde die Wand der Röhre, was einer Menge von 0,835 l für 1 qm Oberfläche entspricht, und bei Anwendung von Luft 2,3 ccm, entsprechend 0,64 l für 1 qm Oberfläche.

Es wurden auch Versuche mit anderen Gasen ausgeführt. Bei Anwendung von Kohlensäure ergab sich unter Benutzung der zweiten Röhre eine Geschwindigkeit von 0,4 ccm in der Stunde, für Kohlenoxyd nur 0,1 ccm, und für Stickstoff war die Geschwindigkeit noch geringer.

Die Durchlässigkeit des Silbers für Sauerstoff zeigt, wie notwendig es ist, besondere Vorsichtsmafsregeln anzuwenden, wenn man Luftpyrometer mit Silberreservoir benutzt.

Die aufserordentliche Langsamkeit, mit der der Sauerstoff durch das erhitzte Silber geht, legt es nahe, auf diese Weise den Sauerstoff aus der Atmosphäre zu extrahieren, wenn man ein Gefäfs von genügend grofser Oberfläche anwendet. Es würde sich hierzu ein sehr flaches, rechteckiges Gefäfs empfehlen, welches man spiralig aufrollt. (C. r. **98.** 1427—29. [9.*] Juni.)

4. Organische Chemie.

Oechsner de Koninck, *Synthese der Pyridinhydrüre.* Die neueren Publikationen von HOFMANN und LADENBURG veranlassen den Vf. zur Mitteilung einiger Resultate, welche er in den letzten zwei Jahren erhalten hat. Er hat versucht, die Synthese der Pyridinhydrüre zu bewirken, indem er von dem β-Lutidin und β-Collidin (Siedep. 196°) aus Cinchonin und Brucin ausging. Beide Basen wurden zuerst der Einwirkung von Jodwasserstoffsäure bei hoher Temperatur unterworfen. Zu diesem Zwecke wurden sie mit der überschüssigen konzentrierten Säure einige Stunden lang in geschlossenen Röhren auf 220° erhitzt. Es wurden hierbei Polyjodide erhalten. Aus der Analyse konnte man nicht entnehmen, ob es Trijodide, $C_7H_9NJ_3$ und $C_8H_{11}NJ_3$, oder die Jodhydrate der Dijodide, $C_7H_9N.J_2,HJ$ und $C_8H_{11}NJ_2,HJ$, waren. Beide Verbindungen bilden braune, sehr dicke, bei höheren Temperaturen nicht unzersetzt siedende Flüssigkeiten, welche immer Verunreinigungen enthalten, wodurch die Wasserstoffentwicklung ungenau wird.

Durch vereinigte Einwirkung von amorphem Phosphor und konzentrierter Jodwasserstoffsäure in geschlossenen Röhren bei 100° und 130—140° auf das β-Collidin wurden keine Resultate erhalten, weil das Erhitzen, wie der Vf. später fand, zu langsam geschehen war. Durch Probieren gelangte er dazu, eine kleine Menge eines *Dihydrocollidins* zu erhalten.

Eine dritte Versuchsreihe ging darauf hinaus, die Hydrürung der beiden Basen durch ein Gemenge von konzentrierter Jodwasserstoffsäure und Kupferspänen zu bewirken, doch wurde auch hierbei kein Resultat erhalten. Der Vf. bemerkt indessen, dafs WURTZ nach einer privaten Mitteilung durch dieses Verfahren aus dem Aldolcollidin ein Dihydrocollidin erhalten hat.

Die Einwirkung von Natrium und absolutem Alkohol auf das β-Lutidin und das β-Collidin liefert interessante Resultate.

Unter besonderen Bedingungen erhielt der Vf. das Hexahydrür des β-Lutidins von Brucin, welches WISCHNEGRADSKY durch Hydrogenieren des β-Lutidins von Cinchonin erhalten hatte. Wenn schon die Darstellung dieses Alkaloides Schwierigkeiten darbietet, so ist die genauere Trennung desselben von dem β-Lutidin nicht minder schwierig; sein Siedepunkt scheint zwischen 155 und 160° zu liegen, doch giebt der Vf. diese Angabe nur unter Reserve, da das Hexahydrür des β-Lutidins nicht nur schwer von dem β-Lutidin zu trennen, sondern überdies noch sehr hygroskopisch ist. Das Hexahydrür des β-Lutidins bildet eine farblose, leicht bewegliche, lichtbrechende Flüssigkeit, welche im Aussehen nicht sehr von den Pyridinbasen differiert; es besitzt einen durchdringenden eigentümlichen Geruch, welcher an den des Piperidins erinnert. Es verbindet sich leicht mit Methyljodid zu einem gut krystallisierten Jodomethylat; dieses Additionsprodukt wurde getrocknet und dann mit einem geringen Überschusse von kaustischem, vorher nicht geschmolzenem Kali destilliert, wobei es sich nach der Gleichung:

$$C_7H_{15}N,CH_3J + KHO = KJ + H_2O + C_8H_{17}N$$

zersetzte. Eine kleine Quantität konnte analysiert werden und ergab die Zusammensetzung des *Cicutins*.

Die Konstitution dieser Base scheint durch die Formel $C_5H_9(C_2H_5)N(CH_3)$ ausgedrückt werden zu müssen; sie ist isomer und nicht identisch mit dem Cicutin, denn nach den Untersuchungen von HOFMANN ist das Cicutin das Hexahydrür des o-Propylpyridins.

Das β-Collidin wird unter denselben Bedingungen in ein Hexahydrür, $C_9H_{17}N$, umgewandelt, welches dasselbe Aussehen wie sein höheres Homologes besitzt und in einer zwischen 175 und 180° siedenden Fraktion enthalten ist. Diese Angabe ist ebenfalls nur annähernd genau; dieses Hexahydrür bildet ein neues Isomeres des Cicutins, denn durch die Untersuchung seiner Oxydationsprodukte ist der Vf. zu der Ansicht gelangt, das β-Collidin als ein Methyläthylpyridin, d. h. als ein gemischtes höheres Homologes des Pyridins zu betrachten. Die Konstitution des neuen Alkaloides wird ohne Zweifel durch die Formel $C_5H_3(CH_3)(C_2H_5)NH$ ausgedrückt werden. Übrigens hat der Vf. diese Synthese bereits vor vier Monaten bekannt gemacht. (C. r. **98.** 1438—40. [9.°] Juni.)

A. Verneuil, *Über den Selenharnstoff.* Die Darstellung des Selenharnstoffes aus Selenocyanammonium durch Erwärmen ist dem Vf. bis jetzt nicht gelungen, wahrscheinlich nur, weil er über zu wenig Substanz verfügte, denn er bildet sich in fast theoretischer Menge, wenn man Selenwasserstoff auf Cyanamid einwirken läfst, nach der Gleichung:

$$C_2N_2H_2 + 2HSe = C_2N_2H_4Se_2.$$

Eine Lösung von Cyanamid in Äther (20 g in 1 l) absorbiert den Selenwasserstoff in der Kälte vollständig; ist der Gasstrom rasch, so setzen sich schon nach einer halben Stunde Krystalle ab, und die Flüssigkeit gesteht nach einigen Stunden zu einer Masse. Bekanntlich verhält sich der Schwefelharnstoff ähnlich, indem sich seine nadelförmigen Krystalle innerhalb der Lösungen, aus denen sie sich abscheiden, verfilzen. Nach dem Abfiltrieren und Waschen mit Äther wird das Produkt in siedendem Wasser gelöst, welches eine Spur Selen niederschlägt, und nach zweimaligem Umkrystallisieren erhält man den Selenharnstoff vollkommen weifs und rein. Er färbt sich indessen bald schwach rosarot infolge einer Zersetzung, welche er im Lichte erleidet. Es mufs bemerkt werden, dafs die Fixation des Selenwasserstoffes auf Cyanamid viel rascher von statten geht, als die des Schwefelwasserstoffes, da im letzteren Falle eine mit Schwefelwasserstoff gesättigte ätherische Lösung von Cyanamid erst am folgenden Tage Sulfoharnstoff abschied. Die Gegenwart einer kleinen Menge Ammoniak erleichtert die Reaktion bedeutend, welche in einer sauren Lösung überhaupt nicht einzutreten scheint. Der Selenharnstoff ist sehr leicht in warmem, viel weniger leicht in kaltem Wasser löslich; eine wässerige Lösung von 19° enthält ungefähr 10,70 p. c. Absoluter Alkohol löst bei 18° 2,88 p. c., und Äther bei derselben Temperatur nur 0,56 p. c. Durch Erhitzung schmilzt der Selenharnstoff anscheinend ohne Zersetzung; erhöht man aber die Temperatur langsam, so schmilzt er bei 200° und erleidet dabei eine tiefgreifende Zersetzung. (Bull. Par. **41.** 599—600. 20. Juni.)

E. Louise, *Über das Tribenzoylmesitylen.* In früheren Mitteilungen hat der Vf. gezeigt, dafs man nach der Methode von FRIEDEL und CRAFTS das Radikal Benzoyl successive für zwei Atome Wasserstoff im Mesitylen substituieren und auf diese Weise zwei gut krystallisierte Ketone, das *Benzoylmesitylen,* $C_{16}H_{16}O$, und das Dibenzoylmesitylen, $C_{77}H_{20}O_1$, erhalten kann. Auf demselben Wege kann man nun noch ein drittes Benzoyl im Mesitylenkerne substituieren. Aus vielen Versuchen, um die beste Bereitungsart dieser verschiedenen Ketone aufzufinden, ergab sich, dafs die Temperatur hierbei eine wesentliche Rolle spielt: das Monosubstitutionsprodukt kann in fast theoretischer Menge aus 1 Mol. Benzoylchlorid, gelöst in 1 Mol. Mesitylen, erhalten werden, wenn die Temperatur 118° nicht übersteigt; ebenso wird das Diketon ohne irgend ein anderes Produkt gewonnen, wenn die Temperatur 150° erreicht. Als Ausgangspunkt für die Bereitung des trisubstituierten Produktes kann man sowohl Benzoyl- als auch Dibenzoylmesitylen, gelöst in einem Überschusse von Benzoylchlorid, anwenden. Die Temperatur beträgt 198°. Hierbei zersetzt sich ein Teil des Aluminiumchlorides unter Entwicklung von Salzsäure, ohne substituierend zu wirken, ein anderer Teil aber bringt die beabsichtigte Wirkung hervor. Der Vf. hat in der Regel 10 g des Monoketons, 40 g Benzoylchlorid und 3 g Aluminiumchlorid angewendet und 12—13 Stunden auf 198° erhitzt. Das Rohprodukt wird dann mit warmem Wasser bis zur vollständigen Zersetzung des Benzoylchlorides behandelt. Es bleibt eine schwarze feste Masse zurück, welche aus einem innigen Gemenge von Kohle und dem Reaktionsprodukte besteht. Diese Masse wird mit siedendem Alkohol erschöpft, durch dessen Verdunstung man das Triketon in kleinen bernsteingelben Krystallen erhält. Diese lassen sich durch Tierkohle vollständig entfärben; die Analyse ergab die Formel $C_{30}H_{24}O_3$.

FRIEDEL und CRAFTS haben, nachdem sie das Dibenzoyldurol dargestellt und beobachtet hatten, dafs das Benzophenon mit Benzoylchlorid bei 150° nicht reagiert, daraus geschlossen, dafs die Gegenwart der Methylgruppe den Eintritt des Benzoyls in den Benzolkern erleichtert. Diese Beobachtung und die bekannte Konstitution des Mesitylens veranlassen den Vf., eine symmetrische Stellung der Benzoyle anzunehmen und das neue Keton als symmetrisches *Tribenzoyltrimethylbenzol* zu betrachten. Dieses Keton beginnt bei 215—216° zu schmelzen, es ist fast unlöslich in kaltem, leichter löslich in siedendem Alkohol, Äther, Benzol etc.; das beste Lösungsmittel scheint ein Gemenge von Chloroform und gewöhnlichem Aceton zu sein. Es scheidet sich aus dieser Lösung in Form von dicken, schiefen Prismen mit rhombischer Basis ab, deren vorderer spitzer Winkel 76°46' und die Neigung der oberen Fläche zu den Seitenflächen p : m 94°10' ist. (C. r. **98.** 1440—42. [9.*] Juni.)

A. Houdès, *Über das krystallisierte Colchicin.* Seitdem PELLETIER und CAVENTOU dieses Alkaloid zuerst aus der Herbstzeitlose dargestellt, dasselbe aber für Veratrin gehalten hatten, haben verschiedene Chemiker sich mit derselben Substanz beschäftigt. GEIGER und HESSE gewannen aus dieser Pflanze eine krystallisierte Substanz, deren chemische Eigenschaften verschieden von dem krystallisierten Colchicin waren. Später giebt OBERLIN an, dafs er niemals krystallisiertes Colchicin hat erhalten können, selbst nicht nach dem Verfahren von GEIGER und HESSE; dafs er aber aus dem Colchicin eine neutrale, leicht krystallisierende Substanz gewonnen habe, welche er Colchiceïn nannte.

In neuester Zeit sind LUDWIG und STABLER zu denselben Resultaten gekommen. Angesichts dieser abweichenden, einander widersprechenden Angaben hat der Vf. den Gegenstand noch einmal in Untersuchung genommen und auf folgende Weise krystallisiertes Colchicin erhalten.

Man erschöpft durch Auslaugen 35 kg Colchicumsamen mit 100 kg Alkohol von 96 p. c. Die vereinigten und filtrierten Flüssigkeiten werden durch Destillation von dem Alkohol vollständig befreit, und das erhaltene Extrakt zu wiederholten Malen mit dem gleichen Volum einer Lösung von Weinsäure (1 : 20) geschüttelt, wodurch man die fetten und harzigen Substanzen abscheidet, während das Colchicin in die saure Lösung übergeht.

Diese wird dekantiert, filtriert und mit einem Überschusse von Chloroform geschüttelt, welches das aktive Prinzip aus der sauren Flüssigkeit ohne vorherigen Zusatz von Alkali in sich aufnimmt; durch Abdampfen erhält man Krystalle imprägniert mit Farbstoff. Man löst dieselben in der Kälte mit einem Gemenge von gleichen Teilen Chloroform, Alkohol und Benzol und läßt die Lösung freiwillig verdunsten, worauf sich das krystallisierte Colchicin abscheidet. Dieses reinigt man durch wiederholte ähnliche Behandlung. Auf diesem Wege erhielt der Vf. aus 1 kg Samen 3 g des Alkaloids, während die Zwiebeln pro Kilogramm nur 0,40 g gaben.

Das Colchicin bildet farblose, in Warzen gruppierte Prismen, schmeckt sehr bitter, bläut Lackmus schwach, ist wenig löslich in Wasser, Glycerin und Äther, in jedem Verhältnisse aber löslich in Alkohol, Benzol oder Chloroform. Es enthält Wasser und schmilzt bei 93°; nach dem Trocknen bei 100° ist der Schmelzpunkt 163°. Das krystallisierte Colchicin verbrennt ohne Rückstand und enthält Stickstoff; es verbindet sich mit gewissen organischen Säuren, während es sich mit stärkeren Säuren, sowie mit Mineralsäuren, zersetzt.

Seine Lösung ist ohne Wirkung auf alkalische Kupferlösung, aber nach länger fortgesetztem Kochen mit verdünnter Schwefelsäure reduziert es dieselbe. Durch das letztere Verhalten, sowie durch die Eigenschaft, Salze zu bilden, stellt sich das Colchicin dem Solanin nahe.

Starke oder verdünnte Mineralsäuren lösen das Colchicin, indem sie dasselbe citronengelb färben; Salpetersäure giebt eine vorübergehende violette Färbung; durch Kali und Natron werden die Lösungen gefällt, nicht aber durch Ammoniak. Mit Tannin entsteht ein beim Erwärmen löslicher weißer Niederschlag, mit Platinchlorid ein orangegelber, mit Jodwasser ein kermesroter, mit Kaliumquecksilberjodid ein gelber, und endlich mit Jodjodkalium ein kastanienbrauner Niederschlag.

Der Vf. beabsichtigt, durch weitere Versuche festzustellen, in welcher Beziehung das krystallisierte Colchicin zu dem Colchicein von OBERLIN steht.

Nach physiologischen Versuchen, welche LABORDE angestellt hat, wirkt das krystallisierte Colchicin erst bei relativ großen Dosen. Für Meerschweinchen im mittleren Gewichte von 450 g ergab sich 0,02—0,03 g als die physiologische, und 0,06 g als die letale Dose (nach einer Stunde ungefähr). (C. r. 98, 1442—44. [9.°] Juni.)

5. Physiologische, medizinische und pharmazeutische Chemie.

P. Calliburces, *Untersuchungen über den Einfluß eines Stromes gereinigter Luft von gewöhnlicher Temperatur oder 65° auf die Gärung zuckerhaltiger Säfte.* Durch frühere Versuche hatte der Vf. gefunden, daß gewöhnliche, nicht gereinigte Luft einen sehr günstigen Einfluß auf die Alkoholgärung ausübt, wenn man den zuckerhaltigen Saft derart durch den Luftstrom in Bewegung setzt, daß derselbe dadurch eine beträchtliche Konzentration erleidet. Allein hierbei besteht der Übelstand, daß dadurch eine große Menge anderer Keime mit hineingebracht werden, welche die Alkoholgärung stören. Um dies zu vermeiden, hat der Vf. seinen Apparat mit einer Reinigungsvorrichtung versehen, welche die Luft von jenen Keimen befreit. Um ferner die Verdampfung der Flüssigkeit noch mehr zu beschleunigen, wurde der Apparat in der Weise modifiziert, daß man die Luft zuvor bis auf 65° erhitzen konnte. Hierdurch wurde die Temperatur des Saftes um höchstens 3—4° erhöht. Die Flüssigkeit selbst wurde hierbei verstäubt. Um zu untersuchen, ob auf diese Weise durch den Luftstrom ein Teil der verstäubten Flüssigkeit mit fortgerissen wird, wurde der Apparat mit einem U-Rohre versehen, durch welches die abgeführte Luft entweichen mußte. Die Versuche wurden mit Most von schwarzen Weintrauben ausgeführt. Es hat sich gezeigt, daß in der That ein Teil des Saftes mit fortgerissen wurde, da sich in dem U-Rohre eine blaßrot gefärbte Flüssigkeit von süßlichem Geschmacke kondensierte. Der Apparat wurde infolgedessen noch in der Weise abgeändert, daß der Luftstrom und die Ströme des pulverisierten Flüssigkeit eine entgegengesetzte Richtung erhielten. Bei einem Versuche wurden 30 l Most von 1,050 spez. Gewicht angewendet, welcher durch die pneumatische Behandlung bis zu einer Dichte von 1,150 konzentriert wurde. Die gegorene Flüssigkeit blieb dreizehn Monate stehen und wurde dann untersucht. Sie zeigte einen Alkoholgehalt von 18,40 Volumprozenten. Bei einem anderen Versuche wurden 50 l Saft von 1,058 mit Luft von 65° behandelt und ebenfalls auf 1,150 spez. Gewicht konzentriert. Vergleichsweise wurde eine gleiche Quantität desselben Saftes direkt der Gärung überlassen. Die erste Probe begann nach acht, die zweite nach dreizehn Stunden zu gären, bei jener hörte die Gasentwicklung aber erst nach 21 Tagen, bei dieser schon nach elf Tagen vollständig auf.

Beide Produkte wurden neun Monate lang aufbewahrt und waren beide nach dieser Zeit vollständig klar. Die mit Luft behandelte Flüssigkeit besaß eine schöne dunkelrote

Farbe, die andere war etwas heller. Als man indessen zu jener soviel Wasser hinzusetzte, als ihr durch die pneumatische Behandlung entzogen war, besafsen beide dieselbe Farbe. Die Änderung der Farbe beruht also nicht auf einer Umwandlung des Önocyanins, sondern ist einfach nur eine Folge der Konzentration. Der Alkoholgehalt der pneumatisierten Flüssigkeit betrug 17,30, sie besafs den Geschmack, Geruch, sowie alle Charaktere eines feinen Weines.

Nach achtzehn Monaten zeigte sie sich vollkommen gut erhalten und hatte eine noch bessere Beschaffenheit angenommen. Die nicht pneumatisierte Flüssigkeit dagegen war auffallend sauer und roch stark nach Essigsäure; 1000 ccm derselben verlangten 5,20 g Natriumcarbonat zur Neutralisation. (C. r. **98.** 1372—75. [2.*] Juni.)

H. Tappeiner, *Untersuchungen über die Eiweifsfäulnis im Darmkanale der Pflanzenfresser.* (Nach Versuchen von L. Böhm und O. Schwenk.) Vorstehende Abhandlung bildet eine ausführlichere Darlegung von Untersuchungen, die bereits in den Mitteilungen unter dem Titel: „Über die Bildungsstätten des Phenols, Indols und Skatols im Darmkanale der Pflanzenfresser" (Ber. Chem. Ges. **14.** 2375 und 2382; C.-Bl. **82.** 72) veröffentlicht worden sind.

Die Versuche erweisen, soweit die angeführten Reaktionen hierzu berechtigen, dafs in jeder Darmabteilung des Pferdes und Rindes „Phenol" vorkommt, und zwar im Pansen und in den Dickdärmen in wägbarer Menge. Sie konstatieren ferner die Anwesenheit je eines Körpers aus der Indigogruppe, und zwar des Skatols im Pansen des Rindes und im Grimmdarme des Pferdes, des Indols im Dünndarme des Pferdes und Rindes, im Blinddarme des Pferdes und Blind- und Grimmdarme des Rindes. (Ztschr. f. Biol. **20.** 215—33. Pathol. Institut München.)

Aug. Belohoubek, *Über Ebenholz und dessen Farbstoff.* Die zuerst angewandte mikrochemische Untersuchung hatte keinen Erfolg; behufs makrochemischer Prüfung wurde geraspeltes Holz mit absolutem Äthyl- und Amylalkohol gekocht. Derselbe färbte sich dichroitisch, im durchfallenden Lichte gelb, im reflektierten grün. Der schwarze Farbstoff des Ebenholzes stimmt bezüglich der Löslichkeit weder mit den Eiweifskörpern, noch mit den Harz- oder Gummiarten überein, und sieht sich Vf. zu der Ansicht gedrängt, dafs in der ursprünglich ungefärbten Muttersubstanz desselben ein Reduktionsprozefs um sich greift, welcher schliefslich bis zur Bildung von Kohle führt. Vf. hält den löslichen schwarzen Inhalt des Ebenholzes für Humussäure, den in Alkalien unlöslichen Teil, der vollkommen verbrennbar ist und hierbei Kohlensäure liefert, für Kohle. Der schwarze Farbstoff des Ebenholzes mufs daher nach allen seinen Eigenschaften als Kohle betrachtet werden, deren Muttersubstanz wegen Mangel an jungem Ebenholzmateriale bisher nicht sichergestellt werden konnte, und welche Kohle insbesondere dadurch an Interesse gewinnt, dafs ihre Bildung, d. i. die Carbonisation pflanzlicher Stoffe physiologisch in einer lebenden Pflanze vor sich geht. (Sitzungsber. der kgl. böhm. Ges. d. Wissensch. zu Prag 1883; botan. C.-Bl. **18.** 293—94.)

Molisch in Wien macht bezüglich dieser Arbeit darauf aufmerksam, dafs er bereits den Nachweis erbracht hat (Sitzber. d. k. Akad. d. Wissensch. Wien. Abteil. I. Juliheft 1879), dafs der schwarze Inhaltskörper des Ebenholzes Humussäure und Humuskohle enthält, und dafs derselbe durch einen langsamen Verwesungsprozefs aus Gummi hervorgeht.)

H. Joulie, *Über. den Verlust an Stickstoff bei der Fermentation der Dünger.* Die Untersuchung von Stallmist bietet wegen der mangelnden Gleichmäfsigkeit der Massen Schwierigkeiten dar. Der Vf. hat deshalb mit eigens präparierten Gemengen von Düngersubstanzen gearbeitet. Hierzu benutzte er Glasglocken mit Abflufsröhren, welche umgekehrt auf einem konischen Untersatze standen. Die Düngersubstanzen wurden durch ein im Innern der Glocke angebrachtes Drahtsieb getragen und durch die Öffnung der Glocke mit einer Glasplatte bedeckt. Die ablaufende Flüssigkeit sammelte sich in einem untergesetzten Gefäfse. In dieser Weise wurden sechs gleich grofse Apparate mit folgender Mischung beschickt:

75 g gehacktes Stroh, 50 g getrockneter und zerriebener Pferdemist, 300 ccm gefaulter Urin und 375 ccm destilliertes Wasser. Der Apparat Nr. 1 erhielt aufser diesem Gemenge keinen weiteren Zusatz; Nr. 2 noch 10 g fossiles Phosphat von Cher; Nr. 3 10 g Phosphat und 10 g Gips; Nr. 4 10 g Phosphat und 10 g Calciumcarbonat; Nr. 5 10 g Calciumcarbonat allein; Nr. 6 10 g Gips allein. Ein siebenter Apparat bestand aus einer dreimal so grofsen Glocke und enthielt folgendes Gemenge ohne weiteren Zusatz: 150 g Stroh, 200 g Pferdemist, 400 g gefaulten Urin und 850 g destilliertes Wasser.

Im Anfange täglich und später alle zwei bis drei Tage wurde die abgelaufene Flüssigkeit wieder in das Gefäfs zurückgegossen. Alle Apparate standen im Laboratorium im zerstreuten Tageslichte bei gewöhnlicher Temperatur bis 1. Sept. 1883, im ganzen also sechs Monate und zehn Tage. Es wurden alsdann die Dünger und die abgelaufenen Flüssigkeiten analysiert, und durch Vergleichung mit den angewendeten Substanzen war leicht festzustellen, welche Änderung in der Zusammensetzung durch die Gärung hervorgebracht war.

Auf diese Weise hat sich folgendes ergeben:

1. Eine länger fortgesetzte Gärung des Mistes bewirkt einen Verlust an Stickstoff, welcher bei den Versuchen etwa 20 p. c. beträgt, in der Praxis dürfte derselbe aber viel gröfser sein, da die Verdampfungsflächen für das Ammoniumcarbonat bedeutend gröfser sind.

2. Dieser Verlust wird ausschliefslich durch die Verflüchtigung oder Zersetzung des in den Flüssigkeiten enthaltenen Ammoniaks bewirkt.

3. Ein Teil des ammoniakalischen Stickstoffes tritt während der Gärung in Verbindung mit den organischen Substanzen.

Die Gröfse dieses Anteiles, welche bei den Versuchen zwischen 22,82 und 44,54 p. c. des ammoniakalischen Stickstoffes betrug, hängt von den relativen Mengen des letzteren und der organischen Substanzen ab.

4. Ein Zusatz von Calciumphosphat verändert den Gang der Erscheinung nicht und ebenso wenig die Gröfse des Verlustes.

5. Ein Zusatz von Calciumcarbonat und Calciumsulfat in gröfseren Mengen erhöhen den Verlust, indem sie die organischen Substanzen vermindern.

In Rücksicht auf die Praxis zeigt diese Untersuchung, dafs selbst bei der bestorganisierten Düngerbereitung grofse Verluste von Stickstoff eintreten, und dafs es notwendig ist, nach Mitteln zur Vermeidung derselben zu suchen. Dies soll der Gegenstand einer folgenden Arbeit sein. (C. r. **98**. 1444—46. [9.*] Juni.)

Georgios Politis, *Über das Verhältnis der Phosphorsäure zum Stickstoff im Harn bei Fütterung mit Gehirnsubstanz.* (Ztschr. f. Biolog. **20**. 193—214. Physiol. Institut. München.)

Stanislaus Chaniewski, *Über Fettbildung aus Kohlehydraten im Tierkörper.* (Ztschr. f. Biol. **20**. 179—92. Riga.)

E. Maumené, *Über das Vorkommen von Mangan in Tieren und Pflanzen und über die Bedeutung desselben für das tierische Leben.* (C. r. **98**. 1416—19. [9.*] Juni.)

Richard Schneider, *Über das Schicksal des Caffeïns und Theobromins im Tierkörper nebst Untersuchungen über den Nachweis des Morphins im Harn.* Das Caffeïn gelangt vom ganzen Magendarmkanale aus rasch und vollständig zur Resorption; das in medizinalen Dosen gereichte Alkaloid wird zum gröfsten Teile im Organismus zersetzt und ist als solches im Harn nicht mehr nachzuweisen. Diese Zersetzung ist bei kleinen Gaben eine vollständige und erst bei der Einfuhr von gröfseren Mengen (0,5 bei einem erwachsenen Menschen) passiert ein geringer Teil unverändert den Körper und kann dann im Harn nach dem Verfahren von DRAGENDORFF (Ermittelung d. Gifte 1876) nachgewiesen werden. Durch künstliche Steigerung der Diurese kann selbst bei einer geringen Dosis von Caffeïn dieses im Harn nachgewiesen werden. Beim gewöhnlichen Kaffe- und Teegenufs wird kein unzersetztes Caffeïn ausgeschieden; erst wenn derselbe das gewöhnliche Mafs überschreitet, findet man im Harn diese Base in geringer Menge. Ganz analog sind die Verhältnisse beim Theobromin. Der dritte Teil der Arbeit, der Nachweis des Morphins im Harn bestätigt die von DRAGENDORFF und KAUZMANN gefundenen positiven Resultate. (Inaug.-Dissert. Dorpat 1884.)

E. Küls, *Über die Wirkung und das Schicksal des Trichloräthyl- und Trichlorbutylalkohols im Tierorganismus.* Auf grund früherer Versuche (PFLÜG. Arch. **28**. 506) und der in der vorliegenden Abhandlung mitgeteilten lassen sich folgende Sätze aufstellen: 1. Weder nach Chloroform noch nach Trichloressigsäure tritt im Harn Urochloralsäure auf, wohl aber nach flüssigem, wie polymerisiertem Chloral, Chloralhydrat und Trichloräthylalkohol. 2. Die schlafmachende Wirkung des Chlorals und Chloralhydrates kann nicht auf einer Abspaltung von Chloroform beruhen. 3. Dafs Chloralhydrat und Butylchloralhydrat im Molekül hypnotisch wirken, ist höchst wahrscheinlich, bis jetzt thatsächlich jedoch nicht bewiesen. 4. Experimentell bewiesen ist nur, dafs die aus Chloralhydrat und Butylchloralhydrat im Organismus durch Reduktion entstehenden gechlorten Alkohole (Trichloräthylalkohol und Trichlorbutylalkohol) hypnotisch wirken und im Harn als Trichloräthyl-, resp. Trichlorbutylglykuronsäure auftreten.

Weiteren Versuchen zufolge kann es keinem Zweifel unterliegen, dafs auch die Urochloralsäure, wie das urochloralsaure Natrium, ebenso die Urobutylchloralsäure, wenn sie in genügender Dosis eingeführt werden, hypnotisch wirken, so jedoch, dafs der Schlaf weit später eintritt und länger andauert, als dies nach Einverleibung von Chloralhydrat,

568

Butylchloralhydrat, Trichloräthyl- und Trichlorbutylalkohol in entsprechenden Dosen der Fall ist. (Ztschr. f. Biol. **20.** 157—64. Physiol. Instit. Marburg.)

W. Jaworski, *Experimentelle Ergebnisse über das Verhalten der Kohlensäure, des Sauerstoffes und des Ozons im menschlichen Magen.* Aus den Versuchen ist zu ersehen, daß gewisse Gase nicht ohne Einfluß auf die Sekretion der Magenschleimhaut sind. Die eingeführten Gase vermehren überhaupt die Quantität des secernierten Magensaftes. Daß in der That nicht die mechanische Reizung des Magens, sondern die Einwirkung der Gase die vermehrte Sekretion hervorbringt, ersieht man daraus, daß die Vermehrung derselben je nach der chemischen Beschaffenheit der Gase variiert. Die größte Sekretion der Magenflüssigkeit ergaben die Versuche mit Ozon. Die Änderungen in der Beschaffenheit des Magensaftes unter Einwirkung verschiedener Gase sind verschieden. Der Sauerstoff bewirkte in einem Falle die Ausscheidung eines stark alkalischen Magensaftes, welcher das Eiweiß nicht verdaut, aber etwas davon auflöst. Ozon hatte einmal eine starke Abnahme der Alkalität des Magensaftes, ein anderes mal nur eine geringe zur Folge. Kohlensäure vermehrte in zwei Fällen die *Acidität des Magensaftes erheblich;* im dritten Falle wurde jedoch keine Änderung in der Beschaffenheit desselben bewirkt. Der unter dem Einflusse von Kohlensäure erhaltene saure Magensaft erwies sich in hohem Grade fäulniswidrig. Ein stark peptonisierender Magensaft wurde nur in zwei Fällen, und zwar unter dem Einflusse von Kohlensäure, erhalten; in anderen Fällen wurde ein neutraler oder alkalischer Magensaft erhalten, der zwar das Eiweiß löste, jedoch dasselbe nicht peptonisierte. Der unter dem Einflusse der Gase secernierte Magensaft enthält stets einen geringeren Prozentgehalt an Chlor als vorher, ist somit verdünnter, und zwar um so mehr, je größer die secernierte Menge desselben ist. Subjektive Ergebnisse, wie Wohlbehagen und Anregung des Appetites brachte nur Kohlensäure hervor. (Ztschr. f. Biol. **20.** 234 bis 254. Krakau.)

6. Mineralogische und geologische Chemie.

C. W. Blomstrand, *Ein Uranmineral von Moss und über die natürlich vorkommenden Uranate im allgemeinen.* (Journ. prakt. Chem. **29.** 191—228.)

H. Goroeix, *Über die Mineralien, welche den Diamant in dem neuen Lager von Salobro, Provinz Bahia, Brasilien, begleiten.* Dieses neue Lager, welches sich von den bisher bekannten auffällig unterscheidet, befindet sich nicht weit von der Küste an der Provinz Bahia. Die Umgebung ist flach, sumpfig und mit Wäldern bedeckt, deren Erforschung zur Entdeckung der Diamanten geführt hat. Diese liegen in einem weißen Thone, welcher stark mit abgefallenen Blättern durchsetzt ist, ein Umstand, der auf eine rezente Bildung schließen läßt.

Die Mineralien, welche den Diamanten begleiten, sind weit weniger zahlreich, als in den übrigen Diamantfeldern von Diamantina, Bagagem, Abaeté etc., in denen sich Thon nur in geringer Menge findet. Die Untersuchung eines geringen Schlemmrückstandes dieses Thones ergab die Gegenwart von folgenden Mineralien: Quarz, Kiesel, Monazit, Zirkon, Disthen, Staurolith, Almandin, Korund, Eisenoxydul, Titaneisen, Pyrit. Nächst dem Quarz herrscht der Monazit vor. (C. r. **98.** 1446—48. [9.*] Juni.)

C. Friedel und **Sarasin,** *Umwandlung gewisser Silikate aus der Familie der Zeolithe ineinander.* Die Glieder dieser Familie sind besonders durch die Konstanz des Verhältnisses zwischen dem Sauerstoffe der Basen mit 1 Atom O und dem der Thonerde charakterisiert. Man könnte hiernach annehmen, daß es Spinelle, verbunden mit mehreren Molekülen Kieselsäure und Wasser sind. Allein wenn man sich erinnert, daß sie stets mindestens 2 Mol. Kieselsäure enthalten, so kommt man zu dem Schlusse, daß sie wesentlich aus einer Atomgruppe bestehen, in welcher 2 Mol. Kieselsäure das Alkali oder die alkalischen Erden mit der Thonerde verbinden:

$$\text{NaOSiO}\Big\rangle\text{Al}\big\langle \quad \text{oder} \quad \text{Ca}\Big\langle \text{OSiO}\Big\rangle\text{Al},\big\langle$$

Verbindet man ein bis vier Moleküle Kieselsäure mit wechselnden Mengen von OH-Gruppen oder Sauerstoffatomen, so gelangt man dahin, nicht allein alle Zeolithe (mit Ausnahme des Prehnits, in welchen das Verhältnis $RO : M_2O_3$ gleich 2:3 anstatt 1:3 ist), sondern auch zugleich die Feldspate zu bezeichnen.

Nach dieser Hypothese, welche gerechtfertigt erscheint, obgleich sie sich bis jetzt noch anf keine Reaktion stützt, muß ·man leicht von einem Zeolith zu dem anderen gelangen können.

Die Vff. haben gefunden, daß dies in der· That möglich ist.

Mischt man fein gepulverten Laumontit mit einer Lösung von Natronwasserglas und erhitzt ungefähr auf 500°, so verschwindet der Laumontit, und an seiner Stelle findet man schöne Krystalle von Analcim. Die Veränderung besteht, abgesehen von dem Wassergehalte, in einer Vertretung des Kalks durch Natron. Neben dem Analcim findet man eine gewisse Menge prismatische Krystalle, welche dem Mesotyp sehr ähnlich sind. Die Menge der letzteren Krystalle wird größer, und zugleich vermindern sich die des Analcims, wenn man der Mischung eine gewisse Menge Natron hinzufügt. Diese Krystalle haben trotz der anscheinenden Ähnlichkeit mit dem Mesotyp doch nicht die Zusammensetzung desselben, sondern die dieses Minerales plus 1 Mol. wasserfreies Natron.

Zwei Produkte verschiedener Darstellung haben bei der Analyse übereinstimmende Zahlen gegeben. Allein da· es sehr schwer ist, ein vollkommen reines Produkt zu erhalten, und da immer eine kleine Menge Analcim mit beigemengt ist, so machen die Vff. diese Angaben nur unter Reserve.

Wenn man den Mesotyp selbst mit Natriumsilikat erhitzt, so erhält man ein in quadratischen, nadelförmigen Prismen krystallisierendes Produkt, welches im äußeren dem vorigen sehr ähnelt, aber eine abweichende Zusammensetzung hat, wonach man es als ein Gemenge von Mesotyp mit dem künstlich dargestellten Minerale ansehen kann. (Bull. Par. 4I. 593—95. 20. Juni. [9. Mai.] Paris, Soc. Chim.)

7. Analytische Chemie.

N. W. Lord, *Ammoniumfluorid als Lötrohrreagens.* Der Gebrauch von Kaliumdisulfat und Flußspat als Reagens zum Hervorbringen der Flammenfärbung durch Bor ist bekannt, allein die Gegenwart von Alkali verhindert die Anwendung dieser Methode zum Nachweise anderer Körper. Der Vf. hat gefunden, daß sich Ammoniumfluorid als Fluorquelle ebenso gut eignet und leicht zur Entdeckung der Alkalien, des Bors und anderer Körper in Mineralien anzuwenden ist.

Man verfährt hierbei folgendermaßen:

Um Feldspat oder ähnliche Silikate zu prüfen, wird eine kleine Probe des Minerales gepulvert, mit dem Reagens gemischt, auf den Platindraht genommen, mit Schwefelsäure befeuchtet und entweder in die Lötrohrflamme oder in die eines BUNSEN'schen Brenners gebracht. Die Kalifärbung tritt dann ebenso deutlich hervor, wie bei reinen Salzen. Die Prüfung auf Bor ist von außerordentlicher Empfindlichkeit. Der Umstand, daß das Borfluorid leichter flüchtig ist, als die entsprechenden Alkaliverbindungen, gestattet den Nachweis von Bor in jedem Alkalisalze. Man bringt einen Tropfen Schwefelsäure auf den Deckel eines Platintiegels, setzt etwas Ammoniumfluorid und dann das gepulverte Mineral hinzu und rührt das Ganze zusammen. Hierauf nimmt man etwas davon auf den Platindraht und erhitzt, wobei man die Probe nicht in, sondern nur nahe an die Flamme zu bringen braucht. Es tritt sofort eine deutliche Grünfärbung der Flamme ein, welche selbst durch Natron nicht beeinträchtigt wird. (Engin. and Min. Journ.; Chem. N. 49. 253.)

G. Lechartier, *Über die Analyse der Ackererden.* (C. r. .98. 1339—42. [26.*] Mai.)

W. Camerer, *Zur Bestimmung des Stickstoffes in Urin und Kot.* Vf. beschreibt eine Modifikation der VARRENTRAPP-WILL'schen Methode für die Bestimmung des Urinstickstoffes, ohne den Urin vorher einzudampfen. Eine starkwandige Verbrennungsröhre von nicht zu kleinem Kaliber wird auf die gewöhnliche Weise hergerichtet, der nicht ausgezogene Teil des Rohres soll jedoch etwa 10 cm länger sein, als bei der gewöhnlichen Verbrennung. Für den Urin wird eine dünnwandige Glasröhre, welche sich eben noch bequem in das Verbrennungsrohr einschieben läßt, folgendermaßen vorbereitet; dieselbe wird an einem Ende kurz abgeschmolzen, am anderen glatt abgeschnitten. Das ganze Gefäß soll eine Länge von ca. 7 cm haben und faßt alsdann 5—7 ccm Urin. Ferner wird aus festem Paraffin ein kleiner Deckel bereitet, das Plättchen sei etwa 0,5 mm dick und so groß, daß es, auf das offene Ende des Gefäßes gelegt, dasselbe allseitig ein wenig überragt. Nachdem Gefäß und Deckel gewogen sind, wird ersteres mit dem zu untersuchenden Urin soweit gefüllt, daß das Niveau der Flüssigkeit noch 2—3 mm von seinem Rande entfernt bleibt. Der Paraffindeckel wird gut angeschmolzen und das Gefäß wieder gewogen, woraus man die Urinmenge erhält. Das Verbrennungsrohr wird derart gefüllt, daß zuerst eine ca. 8 cm lange Schicht Natronkalk, sodann das Uringefäß, sein zugeschmolzenes Ende gegen das ausgezogene Ende des Verbrennungsrohres gerichtet, sodann wieder Natronkalk und ein Asbestpfropf kommt. Der Absorptionsapparat wird mit 20—30 ccm Schwefelsäure gefüllt, die im Liter 10 g Anhydrid enthält. Ist letzterer an das Rohr angesetzt, so neigt man behufs Entleerung des Uringefäßes jenes in der Weise, daß der Stickstoffapparat nach abwärts steht, und erwärmt an der Stelle, wo das zugeschmolzene Ende des Uringefäßes sichtbar ist, vorsichtig mit einer Weingeistflamme. Nunmehr wird geglüht wie üblich, wobei wegen der großen Menge Wasserdampf besondere Sorgfalt darauf zu verwenden ist, daß sich im ausgezogenen Ende des Rohres kein Wasser kondensiert. Die Schwefelsäure bleibt farblos.

Die vom Vf. angeführten Kontrollanalysen zeigen befriedigende Übereinstimmung.

Bei der Bestimmung des Kotstickstoffes verfährt man in ähnlicher Weise, wie vorhin.

Schließlich suchte Vf. noch zu ermitteln, in welchem Verhältnisse die nach der HÜFNER'schen Methode gefundene Stickstoffmenge zu dem Gesamtstickstoffgehalte des Harns (mit der Natronkalkmethode bestimmt) steht. (Ztschr. f. Biol. **20.** 255—63.)

A. Arnaud und **L. Padé,** *Nachweis von Salpetersäure und Nitraten in vegetabilischen Geweben.* Vor einigen Jahren (**81.** 788) hat ARNAUD ein neues Alkaloid der Chinarinde, das Cinchonamin $C_{19}H_{24}N_2O$ beschrieben, welches vom Cinchonin nur durch ein Plus von zwei Atomen Wasserstoff differiert. Die Salze des Cinchonamins besitzen beachtenswerte Eigenschaften, besonders das Nitrat, welches in verdünnten Säuren fast absolut unlöslich ist. Dasselbe krystallisiert mit großer Leichtigkeit. Bringt man in die Lösung eines Nitrates eine kleine Menge eines Cinchonaminsalzes, welches in angesäuertem Wasser gelöst ist, so scheiden sich sofort zahlreiche kleine, mit bloßem Auge sichtbare Krystalle ab; durch Umschütteln der Flüssigkeit erfolgt die Krystallisation rascher, aber die Krystalle sind nur unter dem Mikroskop zu erkennen.

Diese Eigenschaft des Cinchonaminnitrates kann dazu dienen, die Salpetersäure in Salzgemengen nachzuweisen. Bringt man z. B. in eine Lösung, welche Kaliumchlorat, Kaliumdichromat und Eisenchlorid und außerdem noch eine kleine Menge eines Nitrates enthält, einige Tropfen einer Lösung eines Cinchonaminsalzes, so entsteht sofort der charakteristische krystallinische Niederschlag. Hierdurch wird es möglich, die Nitrate mittels eines Cinchonaminsalzes zu bestimmen, und die Vff. behalten sich vor, den Gegenstand nach dieser Richtung hin weiter zu untersuchen. Für jetzt haben sie sich darauf beschränkt, durch dieses Mittel kleine Mengen von Salpetersäure in vegetabilischen Geweben nachzuweisen.

Die Borragineen, die Solaneen, die Urticeen und die Chenopodeen sind Pflanzenfamilien, deren Spezies meistens Nitrate enthalten. Zu ihrem Nachweis haben sich die Vff. des schwefelsauren und des salzsauren Cinchonamins bedient. Beide Salze geben befriedigende Resultate, ist das letztere in saurer Lösung vorzuziehen. Es wurden untersucht: Parietaria officinalis, Borrago officinalis, Digitalis purpurea und Chenopodium murale. Man brachte frische Schnitte der Stengel in eine Lösung von salzsaurem Cinchonamin (1 : 250), welche mit etwas Salzsäure angesäuert war. Unter dem Mikroskop zeigten sich die Zellen dieser Schnitte mit Krystallen von salpetersaurem Cinchonamin angefüllt. Durch die Untersuchung von Längsschnitten kann man sich leicht über die Verteilung der Nitrate in der Pflanze Aufschluß verschaffen, und die Vff. haben auf diese Weise konstatiert, daß ihre Menge von der Axe zur Peripherie zunimmt.

Ein anderes noch einfacheres Verfahren besteht darin, Stengelstücke von Parietaria, von der Kartoffelpflanze, von der Nessel oder von Borätsch etc. in eine verdünnte, schwach angesäuerte Lösung eines Cinchonaminsalzes zu bringen; nach zwölfstündigem Verweilen hatten sich die Stengelstücke mit zahlreichen Krystallen bedeckt, welche man leicht als salpetersaures Cinchonamin erkennen konnte. Die in den Zellen enthaltenen Nitrate waren sozusagen herausdiffundiert und hatten dort die Krystallisation bewirkt; endlich kann man auch den Saft der Pflanze auspressen und in demselben, nachdem er abgekühlt ist, durch dasselbe Reagens die Salpetersäure nachweisen. Dieser Versuch gelingt am besten mit Parietaria.

Die Vff. begnügen sich vorläufig mit diesen Mitteilungen; sie beabsichtigen, ihre Studien auf die Absorption der Nitrate durch die Pflanzen oder die Bildung derselben in den vegetabilischen Geweben, die Zirkulation und Zerstörung derselben in den verschiedenen Pflanzenteilen auszudehnen.

Der Nachweis der Salpetersäure in Regenwässern, Mineralwässern, überhaupt da, wo sie sich nur in geringer Menge, sei es in freiem Zustand, sei es in Verbindung befindet, scheint auf diesem Wege leicht ausgeführt werden zu können.

Das Cinchonamin ist bis jetzt noch sehr selten, allein wenn es in dieser Weise nützliche Anwendung finden sollte, wird es nicht schwer sein, sich größere Mengen davon zu verschaffen, da die Rinde von Remigia purdieana ziemlich reich daran ist. (C. r. **98.** 1488—90. [16.*] Juni.)

J. Hazard, *Zur quantitativen Bestimmung des Quarzes in Gesteinen und Bodenarten.* Die Methode beruht auf der Zerlegbarkeit der gesteinbildenden Silikate durch verdünnte Schwefelsäure unter hohem Druck. Direkte Versuche haben ergeben, daß folgende Silikate hierdurch vollständig aufgeschlossen werden: Muscovit, Biotit, Granat, Turmalin, Talk, Hornblende, Hypersthen, Diallag und Pyroxen und von den Feldspaten Anorthit und Labrador, während Orthoklas, Albit und Oligoklas unzersetzt bleiben. Für den letzteren Fall bedient sich der Vf. einer direkten Methode, indem er die Kieselsäure im ganzen bestimmt und davon die den genannten Silikaten zukommende abzieht. (Ztschr. anal. Chem. **23**. 158—160.)

C. Bodewig, *Bestimmung der Borsäure in Borosilikaten.* (Ztschr. anal. Chem. **23**. 143—49.)

R. Fresenius und **W. Fresenius,** *Untersuchungen über den Nachweis von Verfälschungen im Portlandcement.* (Ztschr. anal. Chem. **23**. 175—85.)

P. Schridde, *Bemerkungen zum Quecksilbernachweise im Harn, von Dr. Nega.* (S. 498.) (Berl. Klin.-Wochenschr. **21**. 359.)

O. Kuhn, *Über den qualitativen Nachweis und die quantitative Bestimmung des Arsens, Schwefels, Phosphors, sowie einiger in geringer Menge im gediegenen Kupfer des Handels vorkommende Metalle.* Bemerkung zu dem Aufsatze von JUL. LÖWE (**83**. 133.) (Ztschr. anal. Chem. **23**. 165—70.)

Georg Rosenfeld, *Nachweis des Antipyrins im Harne.* Nach Gaben des von KNORR (Ztschr. f. klin. Med. **7**. 641) dargestellten und von FILEHNE als Antipyreticum empfohlenen Antipyrins giebt der Harn mit einigen Tropfen einer schwach verdünnten Eisenchloridlösung eine rotbraune Färbung, die bei starken Niederschlägen nur beim Einfallen der Tropfen zu bemerken ist. Die Färbung gleicht der Eisenchloridreaktion mit Acetessigsäure. Im Gegensatz zu dieser letzteren tritt die Rotfärbung auch nach Kochen des Urins auf; sie erreicht übrigens dem Anschein nach in etwa 20 Stunden bei Darreichung von ca. 4 g eine beträchtlichere Intensität, welche sie bis ca. 36 Stunden behält. Da das Antipyrin selbst in wässriger Lösung dieselbe Reaktion zeigt und sich die sonst wohl einzig in betracht kommende Acetessigsäure als Ursache der Reaktion ausschließen läßt, so läßt sich aus der Reaktion schließen, daß das Antipyrin ins Blut aufgenommen und durch die Nieren im Laufe von etwa 36 Stunden ausgeschieden wird. Ob dabei das Antipyrin selbst, oder ein ihm nahestehendes, ebenso reagierendes Stoffwechselprodukt im Harn erscheint, bleibt zweifelhaft. (Breslauer ärztl. Ztg. **6**. 134. Breslau.)

E. Bosshard, *Über das Verhalten einiger Amidosäuren zu Kali- und Barytlauge, sowie zu Magnesia.* (Ztschr. anal. Chem. **23**. 160—65.)

Emil Chr. Hansen, *Über Wiesner's neue Prüfungsmethode der Preßhefe.* (Pol. J. **252**. 419—21.)

Julius Wiesner, *Bemerkungen zu vorstehendem Aufsatze.* (Pol. J. **252**. 421—24.)

Alfred Jörgensen, *Zur Analyse der Preßhefe.* (Pol. J. **252**. 424—26.)

Kleine Mitteilungen.

Oleocotonat, ein neues Alizarinöl für Druckerei und Färberei, von WEGELIN und KUHLMANN. Die Genannten erzeugen durch ein neues Verfahren ein Türkischrotöl, welches alle Eigenschaften der Ricinusrotöle besitzt, ohne jedoch deren Unannehmlichkeiten zu zeigen. Die Ricinusrotöle sind nie in gleichmäßiger Qualität und Beschaffenheit erhältlich; dieselben enthalten oft unlösliche Teile, die man nur durch starken Zusatz von Ammoniak und Natron lösen kann; dies ist besonders der Fall bei Ölen, welche dick geworden sind und aussehen, wie Schmierseife. Ein Öl guter Qualität soll folgende Eigenschaften besitzen: 1. Dünnflüssig sein, und durch Beimischung lauwarmen Wassers eine helle, durchsichtige Lösung ergeben; 2. mit Lackmuspapier eher sauer, als alkalisch reagieren: 3. eine nicht zu dunkle Färbung darbieten. Das neue Oleocotonat entspricht dem Vorstehenden, hat immer das nämliche Aussehen, ist flüssig, klar und weist nie eine Änderung in seinen Eigenschaften und seiner Beschaffenheit auf. Seine Löslichkeit ist vollständig, daher findet kein Verlust von Ölsäure statt, während dies bei den Ricinusrotölen häufig vorkommt. Das neue Produkt enthält geringe Mengen von alkalischen Basen, seine Ergiebigkeit ist somit größer. In allen Versuchen, die im Vergleiche mit den Ricinusrotölen stattgefunden haben, soll das Oleocotonat als weit vorzüglicher anerkannt worden sein, besonders das Rot fällt damit lebhafter und vollköniger aus. (Centralbl. für die Textilind. 1884. 318; Pol. Notizbl. **39**. 150.)

Vergleich der auf der Erde gewonnenen Eisenerze und Kohle und des daraus gewonnenen Roheisens und Stahles, von ALB. WILLIAMS. Die folgende Tabelle giebt eine Übersicht über die geförderten Eisenerz- und Kohlenmengen und die daraus gewonnenen Roheisen- und Stahlmengen. Deutschland nimmt darin die dritte Stelle ein.

Land	Eisenerz		Roheisen		Stahl		Kohle	
	Jahr	t	Jahr	t	Jahr	t	Jahr	t
Grofsbritannien	1882	16 893 032	1882	8 629 180	1882	2 295 803	1882	159 003 977
Ver. Staaten	1882	9 144 000	1882	4 697 296	1882	1 764 479	1882	88 252 415
Deutschland	1882	8 150 162	1882	3 170 957	1882	1 050 000	1882	65 332 925
Frankreich	1882	3 500 000	1882	2 033 104	1882	453 783	1882	20 803 332
Belgien	1882	250 000	1882	717 000	1882	200 000	1882	17 485 000
Österr.-Ungarn	1881	1 050 000	1881	523 571	1882	225 000	1881	15 304 813
Rufsland	1880	1 023 883	1880	448 514	1880	307 382	1880	3 292 212
Schweden	1881	826 254	1881	435 489	1881	52 234	1882	250 000
Spanien	1882	5 000 000	1880	85 939	1873	216	1880	847 128
Italien	1882	350 000	1882	25 000	1876	2 800	1874	182 500
Andere Länder	1882	1 016 000	1882	101 600	1882	20 320	1882	8 128 000
		47 203 331		20 867 650		6 372 017		378 882 302

(Bull. Amer. Iron and Steel Ass.; Pol. J. **252**. 222.)

Über die Zersetzung von Ammoniak durch Hitze von W. RAMSAY und S. YOUNG. Wenn Ammoniakgas durch eine erhitzte Röhre geleitet oder dem elektrischen Funken ausgesetzt wird, zersetzt es sich teilweise in Stickstoff und Wasserstoff. Da diese Reaktion für die Darstellung des Ammoniaks von grofser Wichtigkeit ist, so wurden Versuche unternommen, um den Einfluß der Temperatur und des Materials der Erhitzungsgefäße genauer zu studieren.

Das durch Kochen von Ammoniakflüssigkeit entwickelte Gas wurde durch Ätzkalk getrocknet und durch einer erhitzte Röhre geleitet. Das unzersetzte Ammoniakgas bestimmte man durch Absorption mit Normalsäure, den durch die Zersetzung entstandenen Stickstoff und Wasserstoff durch Messung im Eudiometer. Die Temperatur wurde durch das Schmelzen von Salzen mit bekannten Schmelzpunkte annähernd bestimmt.

Die Hauptresultate sind folgende: Unter den für die Zersetzung günstigsten Bedingungen — d. h. bei Anwendung einer Eisen- oder Porzellanröhre oder dem elektrischen Funken ausgesetzt best gefüllt ist — beginnt dieselbe schon bei 500°. Bei 780° ist dieselbe fast ganz vollständig. Bei Anwendung von Glasgefäßen zur Erhitzung beginnt die Zersetzung erst bei viel höherer Temperatur (ungefähr bei 780°). Die Geschwindigkeit, mit welcher das Gas die Röhre durchzieht, also die Dauer der Erhitzung ist von sehr großem Einfluß auf die Zersetzung. Die Natur der Oberfläche des Erhitzungsgefäßes ist von großer Wichtigkeit für die Zersetzung. Die Zersetzung nimmt bedeutend zu, wenn die Erhitzungsfläche vergrößert wird. Dies wurde dadurch erreicht, daß die Röhre mit Asbest, Eisen- oder Kupferspänen u. dgl. gefüllt wurde.

Eine absolut vollständige Zersetzung konnte nie hervorgebracht werden. Das aus der Röhre austretende Gas enthielt immer noch Spuren von Ammoniak. Da diese Erscheinung auch bei der Zersetzung durch den elektrischen Funken immer eintritt, glauben, die Vff., daß eine geringe Rückbildung von Ammoniak aus Stickstoff und Wasserstoff stattfinde, und studieren sie jetzt den Einfluß von Gaskohle, welche ja die Erhitzungsfläche in den Gasretorten bildet, auf die Zersetzung des Ammoniaks. (Journ. Soc. Chem. Ind. **3**. 157; Pol. J. **252**. 379.)

Moderne Sprengstoffe. Viele Jahre hindurch bildete das Schießpulver den einzigen Sprengstoff und der Sprengprozeß ging langsam und in unbefriedigender Weise vor sich, namentlich aber in feuchtem oder sehr hartem Gesteine.

Im Laufe der Zeit fand die Chemie Sprengmittel für den nässesten Boden und für die härtesten Gesteine. Erst in neuerer Zeit ist eine Anzahl von Sprengstoffen mit weit mächtigerer Wirkung, wie die des Schießpulvers, erzeugt worden, von denen einige in großem Maßstabe zu Sprengzwecken ihren Eingang in die Praxis gefunden haben. Die Tendenz der Erfindung war, ein Explosiv bei genügender Sicherheit während des Gebrauches mit viel größerer potenzieller Energie, wie die des Schießpulvers, zu erzeugen. Der erfolgreichen Versuche in dieser Hinsicht sind nur wenige; hierher gehören hauptsächlich die Nitroverbindungen, von denen Schießbaumwolle, Dynamit und Lithofrakteur die wichtigsten sind.

Obwohl Schießbaumwolle und verwandte explosive Agensien eine weite Sphäre der Nutzbarkeit besitzen, vorzugsweise mit Rücksicht auf militärische Zwecke, so sind sie doch zur bergmännischen Verwendung nicht brauchbar.

Die Steifheit der Schießbaumwoll- und ähnlicher Patronen ist ein großer Nachteil beim Laden der Bohrlöcher, da die Ladung der Gefahr ausgesetzt ist, stecken zu bleiben, was in der That die Ursache von Unglücksfällen gewesen ist.

Die plastische Beschaffenheit des Dynamits und Lithofrakteurs erlauben das Anpassen der Patronen an etwaige Unregelmäßigkeiten, die im Bohrloch vorkommen können; auf diese Weise ist die Manipulation des Ladens erleichtert und eine große Quelle von Gefahren beseitigt. Heutzutage werden die Nitroglycerinverbindungen weitaus jenen Sprengstoffen vorgezogen, welche ihrer Beschaffenheit nach hart sind und sich nicht zusammendrücken lassen.

Da man nachwies, daß die Energie eines guten Standard-Dynamits — das ist ein Dynamit, welcher 75 p. c. Nitroglycerin und 25 p. c. Kieselguhr enthält — der der reinen gepreßten Schießbaumwolle gleichkommt, so gewann der Dynamit, welcher in England im Jahre 1867 eingeführt wurde, als eines der am besten praktisch verwendbaren Explosivs für industrielle Zwecke immer mehr festen Boden.

Nach FRIEDR. ABEL belief sich der Absatz im Jahre 1867 bloß auf 11 t. Die Nachfrage wuchs jedoch rapid, und im Jahre 1877 wurden aus NOBEL's Dynamitfabrik allein 3500 t verkauft, während 1882 die Konsumtion 9500 t erreichte. Dies repräsentiert jedoch keineswegs den Totalbetrag des erzeugten und verwendeten Dynamits.

Aber wenngleich der Dynamit viele Vorteile besitzt, so hat er doch auch zwei Schattenseiten. Erstens entwickeln sich nach dem Abfeuern eines Schusses salpetrige Dämpfe, die für einige Zeit die Arbeiten vor Ort nicht gestatten. Die Entwicklung dieser Dämpfe ist der unvollkommenen Verbrennung des Nitroglycerins zuzuschreiben und die durch die Explosion der Hauptmasse hervorgerufene Energie wirkt in der Weise auf den unverzehrten Teil des Nitroglycerins, daß sie denselben in Dampf verwandelt, der sich mit der Atmosphäre vermengt und mit dem Rauche des Zünders eine beträchtliche Zeit vor Ort verweilt. Dies verursacht die Dämpfe, welche der Gesundheit nachteilig sind und den Bergmann nötigen, während der Zeit des Aufklärens der Wetter zu pausieren. Die Anwendung des Lithofrakteurs hingegen ist von diesem Nachteile nicht begleitet, denn es bilden sich beim richtigen Gebrauche durch seine Explosion keine schädlichen Dämpfe, wie dies die praktische Erfahrung gezeigt hat. Die Ursache davon ist die, daß der Lithofrakteur einen geringeren Prozentsatz an Nitroglycerin wie Dynamit, dafür aber noch andere Ingredienzien enthält, welche, als perfekte Absorptionsstoffe wirkend, gleichfalls die Explosion unterstützen und jedes Teilchen Nitroglycerin in den Stand setzen, im Bohrloche zu explodieren, und so verhindern, daß ein Teil in Gestalt eines giftigen Gases als das Resultat einer unvollkommenen Verbrennung in die Luft geschleudert wird.

Die zweite Schattenseite, welche der Dynamit besitzt, ist die, daß er infolge seiner außerordentlich rapiden Wirkung eher einen zerschmetternden als zerreißenden Effekt auf das Gestein ausübt. Die Schnelligkeit der Aktion ist dem Faktum zuzuschreiben, daß das Nitroglycerin allein als Explosiv wirkt; die Kraftentwicklung ist seiner ungeheuer rapiden Verbrennung beizumessen. Dagegen besteht Lithofrakteur aus Nitroglycerin mit einem großen Prozentsatz an brennbarer und explosiver, absorbierender Stoffe und einer nur geringen Menge unverbrennbarer Körper. Das Resultat davon ist, daß Aktion und Reaktion der Ingredienzien des Lithofrakteurs sich so ausgleichen, daß ein Aufschub der Explosion verursacht wird, d. h. er verbrennt langsamer als Nitroglycerin, gerade so, wie grobkörniges Sprengpulver langsamer verbrennt, wie feinkörniges Schießpulver, obschon beide bei gleichem Gewichte dieselbe Kraft, aber mit verschiedenem Resultate, entwickeln können. Diese Verzögerung bedingt, daß der Lithofrakteur einen größeren Zerreißungseffekt hervorbringt, als dies bei anderen Nitroglycerinpräparaten der Fall ist, die, wie erwähnt, eine zerschmetternde Wirkung haben. Bei Anwendung von Lithofrakteur wird das Gestein nicht innerhalb einer beschränkten Fläche um das Bohrloch herum zu lauter Pulver zermalmt, sondern zerspalten, in der That gehoben, also angelautet, so daß bei jedem Schusse der Bergmann viel mehr Gestein gewinnt.

Dies ist durch den Gebrauch des Lithofrakteurs erwiesen und auch bereits von den Männern der Praxis anerkannt worden; es verdient somit dieses Explosiv eine ausgedehntere Verwendung. (Iron; Österr. Ztschr. 32. 281—282.)

Eine neue Methode des Arsennachweises, Kramatomethode, von H. HAGER. Die vorliegende, für die Guttularanalyse bestimmte neue Methode ist eine leicht ausführbare und dabei eine sehr scharfe, da sie noch bei 150 000 facher Verdünnung Resultat gewährt und nur einen bis zwei Tropfen der Lösung erfordert. Die Basis der Methode besteht darin, einen Tropfen der stark salzsauren Arsenlösung auf blankes Messingblech zu setzen und diesen Tropfen über dem Zuge einer mit sehr niedriger Flamme brennenden Petroleumlampe abzudampfen und zu erhitzen. Das Resultat ist ein dunkler Fleck mit der Farbe des Kaliumpermanganates, bei starker Verdünnung der Arsenlösung ein rötlicher Fleck, und bei sehr starker Verdünnung eine dunkle liniendicke Einfassung eines schwachfarbigen oder blaßgrauen Fleckes. Die Erhitzung muß anfangs eine mäßige sein, damit die Flüssigkeit nicht zerspritzt, nach dem Eintrocknen kann eine stärkere Hitze in Anwendung kommen, jedoch soll sie nicht so stark sein, um etwa vorhandenes Ammonsalz zur Verdampfung zu bringen.

Die Herstellung der Arsenlösung ist nun eine wesentliche Aufgabe, welche ohne Zeit- und Materialverlust zu lösen ist, denn es genügt, nur wenige Tropfen der Arsenlösung zur Hand zu haben.

Eine Hauptbedingung ist die Abwesenheit freien Ammoniaks und freier Schwefelsäure, denn letztere erleidet beim Erhitzen auf dem Messingbleche eine Zersetzung unter Bildung eines dunklen Fleckes. Diese Säure muß durch Alkalien oder Alkalicarbonate gesättigt werden. Ferner darf in der Arsenlösung weder freie Salpetersäure, noch ein Nitrat gegenwärtig sein. Wären diese vertreten, so erzeugen sie auch einen Fleck. Daß die Arsenlösung stark salzsauer zu machen ist, wolle man auch nicht übersehen.

Zur Prüfung der Schwefelsäure verfahre man z. B. in folgender Weise: In ein ca. 6 cm weites porzellanenes Kasserol giebt man genau 20 Tropfen der konzentrierten Schwefelsäure und 40 Tropfen Wasser. Dann versetzt man mit 1,6 g Natriumdicarbonat in feiner Pulverform und erwärmt auch wohl, wenn nach dem Umrühren innerhalb fünf Minuten noch kleine Teile des Carbonates vorhanden wären. Nachdem noch zehn Tropfen Ätzammon und 0,2 g Ammoniumoxalat hinzugesetzt worden sind, dürfte die Schwefelsäure total an Base gebunden sein. Nachdem mit dreißig bis vierzig Tropfen Salzsäure sauer gemacht ist, giebt man einen Tropfen auf Messingblech und erhitzt nun über dem Zuge einer mit sehr schwacher Flamme brennenden Petroleumlampe, so daß die Verdampfung langsam ohne Spritzen stattfindet, und nach dem Eintrocknen erhitzt man einen Augenblick etwas stärker, ohne das Ammonsalz zu verdampfen. Nach dem Abwaschen des Salzfleckes tritt der Fleck hervor.

Je nach Gegenwart der Menge des Arsens ist der Fleck grau bis rot bis schwarz. Ein reines Alkalisulfat, mit Ammoniumoxalat und Salzsäure versetzt, giebt keinen farbigen Fleck und zeigt nur die Stelle an, worauf die Abdampfung geschah, wenn das Blech nicht genügend glänzend war.

Die Salzsäure (von 1,124 spez. Gewicht) auf Arsengehalt zu prüfen, verdünne man dieselbe mit dem zweifachen Volum Wasser und versetze mit wenig Ammoniumoxalat, um von dieser Mischung einen Tropfen auf dem Bleche einzutrocknen und dann nur soweit zu erhitzen, daß Ammonsalz und Oxalsäure nicht zur Verdampfung gelangen.

Von der Phosphorsäure (1,120 spez. Gewicht), welche nur Arsensäure enthält, versetze man zwanzig Tropfen mit 0,5 g Natriumdicarbonat, 0,2 g Ammoniumoxalat und 30 Tropfen Wasser. Nach dem Aufschäumen setze man 25—30 Tropfen Salzsäure (von 1,124 spez. Gewicht) hinzu und schreite zur Erhitzung auf dem Bleche. Besser verfährt man, wenn man ca. 1 ccm Phosphorsäure mit fünf Tropfen Ätzammon und zehn Tropfen Ammoniumoxalatlösung, dann mit 1 ccm Salzsäure versetzt. Giebt man von dieser Flüssigkeit zwei Tropfen auf das Blech und erhitzt mäßig, so bildet sich bei Gegenwart von Arsen ein schwarzer Rand und die Schwärze geht auch in das Innere des Tropfen über, einen dunklen Fleck bildend. Da Phosphorsäure schwer zu verflüchtigen ist, sie sich nur unter Zersetzung und Fleckbildung verflüchtigen würde, so genügt eine minutenlange schwache Erhitzung (200°C.) nach dem Verdampfen der wässerigen Teile.

Essigsäure wird mit ¹/₄ Vol. Salzsäure (1,124 spez. Gewicht) und etwas Oxalsäurelösung gemischt, ein Tropfen davon auf das Blech gegeben und nun bei sehr gelinder Wärme erhitzt, so daß langsame Verdunstung stattfindet. Bei starkem (⁸/₁₀₀₀₀) Arsengehalt erblickt man schon während des Eindampfens die Bildung des Fleckes. Ein Sättigen der Säure ist hier nicht angebracht.

Bei Wismutsubnitrat kann die spezielle Arsenprobe in Wegfall kommen, denn ein Arsenist enthaltendes Wismutsubnitrat giebt mit 8 Tln. Salpetersäure innerhalb einer halben Stunde keine klare Lösung.

Carbonate werden mit Salzsäure übersättigt, neutrale Salze mit Salzsäure stark sauer gemacht und nach Zusatz von etwas Oxalsäure zur Reaktion verwendet. Beim Brechweinsteine wird in folgender Weise verfahren.

0,5 g des fein gepulverten Brechweinsteines werden mit zehn bis zwölf Tropfen Ätzammon und zehn Tropfen Wasser gemischt und dann nach Verlauf von zehn Minuten mit 3—4 ccm Weingeist durchmischt. Die in kleinen Mixturmörser bewirkte Mischung wird in ein Reagierglas eingegossen und zum Absetzen bei Seite gestellt, um nach einer halben Stunde die Filtration vorzunehmen. Würde man dieselbe sofort ausführen, so erlangt man kein klares Filtrat. Nur das klare Filtrat versetze man mit 40 bis 50 Tropfen Salzsäure und 15 bis 20 Tropfen gesättigter Oxalsäurelösung, und nehme mit dieser Flüssigkeit die Reaktion vor. Man verdampfe diese Mischung auch wohl auf ein geringeres Volum, um mit dieser konzentrierten Form die Reaktion zu versuchen. Diese Probe beruht auf der Eigenschaft des Ammoniumarsenits, in Weingeist löslich zu sein, während ammoniakalisches Antimonyl nicht darin löslich ist. Ein trübes Filtrat enthält Antimon, welches eine dem Arsen ähnliche Reaktion giebt.

Arsensaures Ammonium, Ammoniumarseniat, ist nur wenig, jedoch genügend in Weingeist mit 60—70 p. c. Gehalt löslich, um mit dieser Lösung nach Zusatz von Salzsäure und Oxalsäure auf dem Messingbleche ein kräftiges Resultat zu erlangen. Man kann auch den weingeistig-ammoniakalischen Auszug auf ein geringes Volum eindampfen, wodurch das überschüssige Ammon beseitigt wird, und dann mit Salzsäure und etwas Oxalsäure versetzen.

Schwefelblumen werden in Menge eines Grammes mit 15 Tropfen Ätzammon und 2 ccm Wasser durchschüttelt, nach Verlauf einer halben Stunde in ein Filter gebracht, das Filtrat in einem Reagierglase mit 30 Tropfen Salzsäure versetzt und nach Zusatz von etwas Oxalsäurelösung (15 Tropfen) in den Zustand versetzt, um damit die Reaktion auf dem Messingbleche vorzunehmen. Etwa gegenwärtige schweflige Säure verdampft, ohne die Reaktion zu modifizieren.

Die Hauptpunkte bei dieser Reaktion auf dem Messingbleche sind 1. eine stark salzsaure, mit etwas Oxalsäure oder Ammoniumoxalat versetzte Lösung; 2. ein mit nassem Sande blank geriebenes, reines, trocknes Messingblech, und 3. eine anfangs mäßige, nur die Verdampfung fördernde Erhitzung des Tropfens, dann eine etwas stärkere Erhitzung.

Da diese Methode des Arsennachweises zur Unterscheidung von anderen Methoden einen Namen haben muß, so nennt sie Vf. Messingblechmethode oder Kramatomethode ($\chi\varrho\tilde{\alpha}\mu\alpha$, $\tau\acute{o}$, Messing.) (Pharm. Centralh. **25.** 265—66.)

Ammoniakgewinnung aus den Gasen der Koksöfen im Interesse der Landwirtschaft, von CL. WINKLER. Das wichtigste, durch seinen Stickstoffgehalt wirkende Düngemittel mineralischen Ursprunges ist der südamerikanische Salpeter, wovon im Jahre 1884 an 600 000 t exportiert werden dürften. Rechnet man davon 300 000 t für die Landwirtschaft, so entspricht dieses bei 16 p. c. Stickstoffgehalt einer Menge Stickstoff von 48 Mill. kg im Werte von 90 Mill. Mark.

Vergleicht man hiermit das in der Steinkohle enthaltene Stickstoffquantum, von welch ersterer jährlich an 360 Mill. t mit $1\,^1/_3$ p. c. Stickstoff gefördert werden, so entspricht dieses 4800 Mill. kg Stickstoff. Danach ist die Massengewinnung von Ammoniak aus Steinkohle, falls billig genug ausführbar, ein Gegenstand von hoher nationalökonomischer Bedeutung, indem dadurch die Landwirtschaft vom Auslande unabhängig werden würde. Schon jetzt dürfte die bei der Leuchtgasfabrikation in Ammoniaksalzen gewonnene Menge Stickstoff an 10 Mill. kg betragen, welche durch Bindung von etwa 40 Mill. kg Schwefelsäure von 60° der chemischen und hüttenmännischen Industrie großen Nutzen schafft. Dieser würde ungleich größer werden, wenn man das Ammoniak von der Koksdarstellung mit Vorteil gewinnen könnte, wobei es sich aber um die Lösung eines Problems der allerschwierigsten Art handeln dürfte. Zwischen den chemisch allerdings ähnlichen Prozessen der Leuchtgas- und Koksfabrikation herrscht doch ein großer Unterschied; dort bildet das Gas, hier Koks das Hauptprodukt, dort kommen große Gasmassen in betracht, und hier ist man auf die Wiederverwendung des Gases bei der Kokerei angewiesen. Trotz aller Bestrebungen der Neuzeit, der verbesserten Öfen von KNAB, CARVÈS, HÜSSENER, OTTO u. a. ist noch ein weiter Schritt zu thun bis zur allgemeinen Durchführung der Gewinnung von Ammoniak aus Koksofengasen. Es dürfte sich zur Lösung der Aufgabe empfehlen, die Prozesse der Verkokung und der Verarbeitung der flüchtigen Produkte als zwei ganz verschiedene Prozesse zu behandeln und getrennt in einer Versuchsstation mit einem Versuchsofen üblicher Größe bei Generatorfeuerung gründlich zu studieren. Wird man auf diese Weise auch dahin kommen, die technischen Schwierigkeiten zu überwinden, so ist die allgemeinere Einführung der Ammoniakgewinnung doch wieder abhängig von der zu erwartenden Rentabilität, welche in direkter Beziehung zum Ausbringen, zu den Gewinnungskosten und zum Marktpreise des erzeugten Ammoniaksalzes steht. Was das Ausbringen an Ammoniak betrifft, so wird es niemals gelingen, den gesamten Stickstoffgehalt der Steinkohle nutzbar zu machen, und dürfte die wirkliche Ausbeute an Ammoniak nur $^1/_5$ der berechneten betragen, indem nicht aller Stickstoff in Ammoniak übergeht, sondern ein Teil Cyan bildet, ein anderer im freien Zustande entweicht, und noch ein anderer in den Koks zurückbleibt. Dazu kommt, daß in der Verkokungstemperatur (etwa 780°C.) das Ammoniak sich schon in seine Elementarbestandteile zersetzt (bei etwa 500°C.). Nach A. W. HOFMANN giebt die Steinkohle bei der Destillation nur $^1/_5$ ihres Stickstoffes ab, $^2/_5$ bleiben in den Koks. Nach FOSTER erfolgen vom Gesamtstickstoffe 14,51 p. c. als Ammoniak, 1,56 als Cyan, 35,26 ins Gase und 48,67 in den Koks, und sind somit 28,2 p. c. des überhaupt verflüchtigten Stickstoffes in Ammoniak übergegangen. Nach WINKLER'S Versuchen mit Steinkohlen von Zauckeroda geben einem dasigen Koksofen 100 Tle. eingesetzter Beschickung mit 58,44 C, 3,75 H, 5,99 O, 1,08 N, 1,92 S, 10,05 Asche und 18,77 Wasser: 53,2 Tle. Koks (mit 39,91 C, 0,26 H, 1,27 O, 0,31 N, 1,40 S, 10,05 Asche) und 46,8 Tle. flüchtige Bestandteile (mit 18,53 C, 3,49 H, 4,72 O, 0,77 N, 0,52 S und 18,77 Wasser).

Es ließ sich nicht ermitteln, wieviel von dem in die flüchtigen Produkte übergegangenen Stickstoff darin in Gestalt von Ammoniak enthalten war. Wird angenommen, daß 5 p. c. der gesamten Steinkohlenproduktion (360 Mill. t) = 18 Mill. t mit $1^{1}/_{2}$ p. c. Stickstoff zur Verkokung kommen und 28 p. c. des überhaupt verflüchtigten Stickstoffes in Gestalt von Ammoniak in den flüchtigen Produkten enthalten sind, so können von jener Steinkohlenmenge beim Verkoken = 58 596 t Ammoniak = 227 490 t schwefelsaures Ammoniak erhalten werden, worin etwa soviel Stickstoff, als der Landwirtschaft in Gestalt von südamerikanischem Salpeter zugeführt wird. Rechnet man, hochgegriffen, die Kosten des schwefelsauren Ammoniaks pro Ctr. zu 6 M 90 Pf. so würde man bei den jetzigen niedrigen Marktpreisen von 13 M pro Ctr. noch einen Reingewinn von 28 Mill. Mark haben. Sollten auch die Darstellungskosten dieses Ammoniaksalzes die auf dem Chilisalpeter ruhenden Gewinnungs-, Verfrachtungs- und Handelskosten übertreffen, so lassen sie doch sicher noch einen beachtenswerten Gewinn übrig. Würde auch ein noch weiteres Sinken der jetzt schon ganz ungewöhnlich niedrigen Ammoniakpreise eintreten, so erscheint doch die Gewinnung des in den Koksofengasen enthaltenen Ammoniaks im Interesse der Landwirtschaft als eine wirtschaftliche Pflicht zur Erhöhung des Nationalwohlstandes, während jetzt das Ammoniak vandalisch in die Luft hinausgeraucht wird. (Jahrb. f. d. Berg- und Hüttenwesen im Königreich Sachsen auf das Jahr 1884.)

Nach den Untersuchungen von W. SMITH (Chem.-Ztg. 1884. Nr. 36) enthalten die bei der Destillation von Kohlenteer erhaltenen, vom Rohanthracen getrennten Öle, sowie auch das Pech beträchtliche Mengen hochsiedender und beständiger Stickstoffverbindungen, und scheint der Gehalt der gewöhnlichen Kohlenteeröle an Stickstoff 2 p. c. zu sein. Es enthielten an Stickstoff gewöhnliche Gasretortenkoks 1,375 p. c., metallurgische Koks aus einem Bienenkorbofen 0,511, und solche aus dem SIMON-CARVES-Ofen 0,384 p. c. Diese Resultate ergeben, daß die starke Hitze von kurzer Dauer in den Gasretorten für die Zersetzung gewisser, sehr stabiler Stickstoffverbindungen der Kohle weniger wirksam ist, als die etwa gleich hohe, aber lang anhaltende Temperatur des SIMON-CARVES-Ofens. In den Gaswerken werden 2—3 Ctr. Kohle sechs Stunden erhitzt, in dem SIMON-CARVES-Ofen 4 t während vierzig Stunden. (B.- u. H.-Z. **43**. 223—24.)

Beiträge für das Centralblatt bittet man an die Redaktion (Leipzig, Lessingstr. 5) zu richten. **Originalarbeiten** von nicht zu großem Umfange werden entsprechend honoriert und gelangen stets sofort nach der Einsendung, und zwar in kürzester Frist, zum Abdruck.

Redaktion: Prof. Dr. **Rud. Arendt** in Leipzig.

Verlag von **Leopold Voss** in Hamburg und Leipzig. — Druck von **Metzger & Wittig** in Leipzig.

No. 31.

Chemisches Central-Blatt.

30. Juli 1884.

Wöchentlich eine Nummer von 1–2 Bogen. Der Jahrgang mit Sach- und Namen-Register, nebst system. Übersicht.

Der Preis des Jahrgangs ist 20 Mark. Durch alle Buchhandlungen und Postanstalten zu beziehen.

REPERTORIUM
für reine, pharmazeutische, physiologische und technische Chemie.

Dritte Folge. XV. Jahrgang.

Die chemische Zusammensetzung und Prüfung des Paprikas.

Vorläufige Mitteilung
von
F. Strohmer,
Assistent der k. k. landw.-chem. Versuchsstation in Wien.

Unter dem Namen Paprika, spanischer oder Cayennepfeffer etc., wird bekanntlich ein schön rotes, scharf schmeckendes, pulverförmiges Gewürz in den Handel gebracht, das in Amerika und England hauptsächlich zur Zubereitung der sogen. Mixed pickles verwendet wird, aber namentlich in Ungarn eine Hauptwürze der unterschiedlichsten Speisen bildet, so daß dasselbe ein Charakteristikum der nationalen ungarischen Küche repräsentiert. Von letzterem Lande aus hat der Paprika auch seine Verbreitung nach Österreich und Deutschland gefunden, so daß er jetzt auch hier zu jenen Gewürzen gehört, die fast in keinem Haushalte mehr fehlen.

In der einschlägigen Litteratur ist über den Gegenstand soviel wie gar nichts zu finden. J. König teilt in seinem ausgezeichneten Werke: „Die menschlichen Nahrungs- und Genußmittel" 2. Aufl. 2. 460 nur soviel mit, daß der unter dem Namen Cayennepfeffer oder spanischer Pfeffer im Haushalte verwendete Pfeffer aus Samen und Samenkapseln der in Südamerika wildwachsenden, in Ost- und Westindien auch kultivierten Pflanzen *Capsicum baccatum*, *annuum* und *frutescens* besteht. Auch die in anderen Werken verstreuten Notizen hierüber sind nicht ausführlicher und enthalten, namentlich was die chemische Zusammensetzung dieses Gewürzes betrifft, sogar Unrichtigkeiten.

Soweit ich mich bis heute informieren konnte, repräsentiert der Paprika, auch spanischer oder türkischer Pfeffer genannt, die vermahlene, trockne Frucht (Samen und Kapsel) von *Capsicum annuum* L. (gemeine Reißbeere), einer zu den Solanaceen gehörenden Pflanze, deren Heimat Ostindien ist und darum auch hin und wieder als *Capsicum indicum* Lobel bezeichnet wird. Die Pflanze wird behufs der Paprikagewinnung namentlich in Ungarn, Spanien und Griechenland kultiviert. Eine besonders langfrüchtige Spielart derselben Pflanze ist *Capsicum longum*, die lange Beißbeere, welche ebenfalls den eigentlichen Paprika liefert.

Der in England und Amerika verwendete Cayennepfeffer (Neger- oder Vogelpfeffer, auch Guineapfeffer) repräsentiert dagegen die vermahlene Frucht von *Capsicum frutescens* W. und *Capsicum baccatum*, Pflanzen, welche von manchen Botanikern als eigene Arten, von anderen jedoch nur als Spielarten der Stammpflanze des Paprikas betrachtet werden.

Der Erste, welcher die Früchte von *Capsicum annuum* L. näher chemisch untersuchte, war BRACONNOT (Ann. Chim. Phys. [2.] **2.** 1. 124). Derselbe gewann durch Ausschütteln des weingeistigen Auszuges der Früchte mit Äther und Verdunstenlassen des letzteren eine braunrote, weiche, scharf schmeckende Masse, die er *Capsicin* nennt. Aus dem durch heißen Weingeist erhaltenen Extrakt der Capsicumfrüchte gewann er durch Ausziehen mit Wasser und kaltem Weingeiste das *Capsicumrot*.

Nach WITTING (Repert. Pharm. **13.** 366) enthält wiederum der spanische Pfeffer ein krystallinisches Alkaloid als seinen wirksamen Bestandteil, auch nach J. C. TRESH (Pharm. Journ. and Trans. d. Pharm. Centralh. **17.** 427) ist der wirksame Bestandteil der Capsicumfrüchte ein krystallisierter Körper, das *Capsaïcin*, das leicht löslich in Alkohol und in Äther ist und lösliche Niederschläge mit BaCl, und CaCl, giebt. Es soll durch Dialyse aus dem spanischen Pfeffer gewonnen werden. Auch er macht keine weiteren Mitteilungen über die anderen Bestandteile dieses Gewürzes.

Beauftragt, einige an die k. k. Versuchsstation eingelangten Paprikaproben auf ihre Reinheit und Qualität zu prüfen, war ich auch genötigt, Untersuchungen über die nähere Zusammensetzung des Paprikas auszuführen. Die Resultate, die ich da erhielt, standen jedoch fast ganz im Widerspruche mit dem bisher über den Gegenstand Veröffentlichten und oben Mitgeteilten; namentlich ist das Capsicin BRACONNOT's, welches als der wirksame Bestandteil des spanischen Pfeffers zumeist angesehen wird, kein reiner Körper, sondern ein Gemenge verschiedener Substanzen, wie aus nachstehendem hervorgehen dürfte.

Die Früchte von Capsicum annuum L. bestehen im Mittel aus 42 p. c. Samen und 58 p. c. Schalen (Kapsel).

Extrahiert man die Samen so lange mit 80 prozent. Alkohol, bis derselbe nichts mehr aufnimmt, und nachher mit Äther, so hinterbleibt nach dem Verjagen des letzteren ein hellgelbes Öl, welches wie Erdnußöl riecht und einen angenehmen, süßlichen, keineswegs brennenden oder scharfen Geschmack besitzt. 1 g des Öles verbraucht zur vollständigen Verseifung 201,9 mg Kalihydrat. Der Ätherextrakt des unveränderten Samens, mit Alkohol öfters gewaschen, hinterläßt das gleiche Öl. Dasselbe ist selbst in 80 p. c. Alkohol etwas löslich, so daß man bei beiden Darstellungsweisen nicht unbedeutende Verluste erleidet.

Der oben erhaltene alkoholische Samenauszug schmeckt ungemein scharf und brennend, in demselben war demnach das würzende Prinzip des Paprikas zu suchen. Versetzt man nun diese Lösung mit viel Wasser, so trübt sich dieselbe stark milchig, ohne daß sich aber, selbst bei tagelangem Stehen, merkliches absetzen möchte. Es wurde darum der die Flüssigkeit trübende Körper mit Äther ausgeschüttelt und die abgehobene Ätherlösung freiwillig verdunsten gelassen, wobei eine wässerige milchige Flüssigkeit hinterblieb, auf der sich ziemliche Mengen von Öltropfen abgesetzt hatten. Nach Abheben der letzteren sollte nun die milchige, ungemein scharf schmeckende Flüssigkeit auf dem Wasserbade zur Trockne gebracht werden, dabei verflüchtigte sich jedoch der trübende Körper mit dem Wasser unter Bildung von stechend scharfen und eigentümlich riechenden Dämpfen vollständig, so daß in der Porzellanschale zuletzt nur einige wenige gelbe Öltröpfchen hinterblieben.

Extrahiert man die Schalen mit Äther, so hinterbleibt beim Verdunsten bei gewöhnlicher Temperatur eine schöne rote Masse, welche in Alkohol, Chloroform, Petroleumäther, Terpentinöl und Alkalien löslich, in Wasser und Säuren unlöslich ist. Der Ätherextrakt der Schalen enthält nur sehr wenig Fett. Durch Ausziehen des roten Ätherrückstandes mit Alkohol und Fällen der alkoholischen Lösung mit Wasser konnte der rote Körper jedoch nicht erhalten werden, da er alle Filter passierte. Es wurde daher die mit Wasser versetzte Alkohollösung längere Zeit gekocht, wobei sich wiederum scharf riechende Dämpfe entwickelten, aber auch die noch filtrierbare Flüssigkeit erhalten, und darum wurde dieselbe mit Kalilauge bis zur vollständigen Lösung des Farbstoffes versetzt, längere Zeit geschüttelt, um das wenige vorhandene Fett zu verseifen, und nun mit Äther ausgezogen, die Ätherlösung hinterließ beim freiwilligen Verdunsten abermals eine schön rote Masse, welche jedoch bei 100°C. zusammenschmolz, dabei braun wurde, sauer reagierte, sich in der Wärme mit Alkalien verseifte und daher die Eigenschaften eines Fettes zeigte.

Da nach obigem das scharfe Prinzip des Paprikas ein flüchtiger Körper ist, so wurden die Samen wie auch die Schalen mit Wasser destilliert. In beiden Fällen erhielt ich nun im Destillate, welches über kaltem Wasser aufgefangen wurde, einen weißen Körper, der zum Teil in Flocken auf der Flüssigkeit schwamm, zum Teil als feine Nadeln sich in derselben suspendierte. Zur Gewinnung desselben schüttelte ich das Destillat mit Äther aus und ließ denselben freiwillig verdunsten. Es hinterblieb hierbei in der Schale ein fein krystallinischer, durchscheinender Körper, welcher scharf, jedoch nicht unangenehm riecht, sich in Alkohol und Äther löst und in der Wärme verflüchtigt, also eine campherartige Substanz.

Nach dem Mitgeteilten würde demnach der Paprika enthalten:

1. Ein fettes Öl ohne scharfen Geschmack und Geruch, das zur vollständigen Verseifung von 1 g 201,9 mg KHO verbraucht und fast ausschließlich in den Samen vorkommt.

2. Einen campherartigen Körper, welcher scharf schmeckt und riecht und das eigentlich würzende Prinzip des Paprikas repräsentiert (Capsicin). Derselbe ist in den Schalen und Kernen enthalten, wie es scheint jedoch in ersteren in größerer Menge, als in letzteren. Hier ist er in fettem Öle gelöst.

3. Einen harzartigen Körper, den roten Farbstoff (Capsicumrot), welcher nur in den Schalen enthalten ist.

Eine nähere Charakterisierung der einzelnen Bestandteile hoffen wir nach weiteren Untersuchungen geben zu können. Da in der gesamten Litteratur, wenigstens in der mir zugänglichen, nur eine Analyse von spanischem Pfeffer enthalten war, und zwar eine von BUCHHOLZ (J. KÖNIG, die menschlichen Nahrungs- und Genußmittel I. 2. Aufl. 148. Berlin 1882), welche noch vor dem Jahre 1859 ausgeführt worden sein muß, und mir dieselbe unrichtig erschien, habe ich auch eine solche der Frucht von Capsicum annuum L. durchgeführt. Die von mir hierzu verwendeten Schoten waren ungarischer Abstammung, und zwar solche, welche zur Herstellung der besten Sorten des Handelspaprikas dienen. Dieselben ergaben bei der Untersuchung folgendes Resultat:

	Samen	Schalen	Ganze Frucht
Wasser (bei 100°C. Flüchtiges)	8,12	14,75	11,94
Stickstoffsubstanz als Protein berechnet	18,31	10,69	13,88
Fett (Ätherextrakt)	28,54	5,48	15,26
Stickstofffreie Extraktivstoffe (Differenz)	24,33	38,73	32,63
Rohfaser	17,50	23,73	21,09
Reinasche	3,20	6,62	5,20
	100,00	100,00	100,00
Stickstoff	2,93	1,71	2,22.

Nach dem oben Mitgeteilten würde in vorstehenden Analysen der Wassergehalt als zu hoch gefunden anzunehmen sein, da er einen Teil des flüchtigen, wahrscheinlich campherartigen Körpers (Capsicin) einschließt.

Der Ätherextrakt der Samen würde fast ganz als Fett, jener der Schalen als Capsicumrot anzusprechen sein. Der Ätherextrakt der ganzen Frucht jedoch die Summe beider repräsentieren. Wenn nun auch die Frage: „Ob eine vorliegende Paprikasorte gefälscht". am besten und einfachsten durch das Mikroskop beantwortet werden dürfte, so können doch auch die obigen Zahlen zur Lösung derselben gewiß brauchbare Anhaltspunkte liefern. Ich fand z. B. in einigen Paprikasorten des Handels:

	I. Rosenpaprika Prima	II. Rosenpaprika Sekunda	III. Königs- paprika
Bei 100°C. Flüchtiges	17,35	14,39	12,69
Stickstoffsubstanz als Protein berechnet	14,56	14,31	13,19
Ätherextrakt	14,43	15,06	13,35
Asche	5,10	5,66	7,14.

Die Probe III., welche nach vorstehender Analyse im Vergleiche mit jener der reinen Paprikaschoten als mindeste Sorte anzusehen war, enthielt, wie die mikroskopische Untersuchung zeigte, neben den Früchten auch einen Teil der Fruchtstengel und des Fruchtbodens mit vermahlen.

Wien, Juni 1884.

Wochenbericht.

1. Allgemeines und Physikalisches.

J. Luvini, *Über den sphäroidalen Zustand.* Wasser siedet unter einem Drucke von 1 mm Quecksilber bei —18 bis —20°, folglich muß die Temperatur des sphäroidalen Wassers unter diesem Drucke niedriger als —18° sein. Hiernach läßt sich ermessen, wie tief die Temperatur sehr flüchtiger Flüssigkeiten im sphäroidalen Zustande unter sehr niedrigen Drucken sinken muß. Der Vf. hat berechnet, daß bei dem Versuche von Despretz (**49.** 230) die Temperatur des sphäroidalen Stickoxyduls bei 20 mm Druck niedriger als —200° sein muß. Auch muß, wie sich leicht einsehen läßt, das Wasser in diesem Zustande unter einem Drucke von 1—2 mm durch sich selbst gefrieren. Auf diese Weise erstarrt bei dem Despretz'schen Versuche das Stickoxydul zu Schnee, und ebenso muß jede Flüssigkeit unter einem Drucke, der gleich oder niedriger ist, als ihre Dampfspannung, bei dem Gefrierpunkte erstarren.

Der Vf. hat eine Platinschale, welche in siedendem Wasser erwärmt war, in die Höhlung eines Ziegelsteines von sehr hoher Temperatur gesetzt und 12—15 ccm Äther hineingegossen. Hierauf wurde ein kleines Glasröhrchen mit Wasser gefüllt hinein gebracht, das Ganze mit dem Rezipienten der Luftpumpe bedeckt und dieser evakuiert. Er benutzte dazu eine alte Maschine, mit der er den Druck nicht niedriger als 100—120 mm bringen konnte. Trotzdem gefror das Wasser in etwa einer Minute. Als man Luft eintreten ließ und den Rezipienten entfernte, fand man die Glasröhre voll Eis. Mit einem Vakuum von 6—7 mm würde man das Gefrieren des Wassers in Alkohol bewirkt haben. Auf dieselbe Weise muß bei einem Vakuum von 8—10 mm Quecksilber in Äther gefrieren. (C. r. **98.** 1536. [23.*] Juni.)

Robert Schiff, *Über Volumveränderung während des Schmelzens.* Unter den verschiedenen in Vorschlag gebrachten Methoden, um die Volumveränderungen der Substanzen während des Schmelzprozesses zu messen, zieht diejenige von H. Kopp (Lieb. Ann. **93.** 129) vor allem unsere Aufmerksamkeit auf sich. Wenn dieselbe auch gute Resultate ergab, so hängen ihr dennoch einige Mängel an, welche unter gewissen, nicht gerade seltenen Umständen die Messungen äußerst schwierig, um nicht zu sagen unmöglich machen. Vf. beschreibt eine Methode, welche einfacher ist und bei aller erforderlichen Genauigkeit folgenden Bedingungen genügt:

1. Anwendung des Quecksilbers als Dilatometerflüssigkeit; 2. Verringerung der Anzahl von Wägungen, Dichtigkeitsbestimmungen etc.; 3. Beschickung des Dilatometers im luftleeren Raume.

Nach den Untersuchungen von F. Krafft (**82.** 659) hat die Bestimmung des spezifischen Gewichtes flüssiger Substanzen bei ihrem Schmelzpunkte ein besonderes Interesse gewonnen. Derselbe faßt seine Beobachtungen in dem Satze zusammen: „das Molekularvolum von prozentisch und thermisch vergleichbaren Flüssigkeiten ist dem Molekulargewichte direkt proportional." Die von dem Vf. angestellten Bestimmungen ergaben, daß die von einem konstanten Zuwachse des Molekulargewichtes herrührende Änderung des Molekularvolums beim Schmelzpunkte weit entfernt davon ist, konstant zu sein. Dieselbe schwankt:

für CH$_2$ zwischen 9,98 und 21,86
für NO$_2$ „   10,58 „ 20,38
für H$_2$ „   3,58 „ 19,73
für O   „   1,43 „ 6,25

und für die Werte von H$_2$ minus dem Werte der Lücke:

zwischen —10,78 und +8,21.

Für die in Betrachtung gezogenen Substanzen und Reihen scheint sich daher die Regel von KRAFFT nicht zu bestätigen. Es scheint der Schmelzpunkt kein Punkt der physikalischen Vergleichbarkeit zu sein, wie dies doch für den Siedepunkt wenigstens teilweise der Fall ist. (LIEB. Ann. **223**. 247—68. Modena 1883.)

2. Allgemeine Chemie.

A. Etard, *Über die Löslichkeit einiger Haloidsalze. Bromnatrium.* Die Resultate, welche der Vf. erhielt, indem er die Kurve, welche KREMERS zwischen 0 und 120° festgestellt hatte, verlängerte, befinden sich im Einklange mit den Beobachtungen dieses Chemikers. Die Löslichkeit zwischen —20 und +40° ist durch die Formel $S = 40 + 0,1746 t$ gegeben. Auf eine gewisse Ausdehnung zwischen 40 und 50° ändert die Gerade ihre Richtung, und zwischen 50 und 150° gilt für die Löslichkeit die Formel $S = 52,3 + 0,0125 t$.

Wenn man in einer gesättigten Lösung das Verhältnis zwischen dem wasserfreien Salze und dem Wasser in Molekülen ausdrückt, so erhält man für die größte Mehrheit der gut löslichen Salze Ziffern, welche sehr vergleichbar sind mit denjenigen, welche für die festen wasserhaltigen Salze gelten, ganz so, als ob es sich um geschmolzene Hydrate handelte.

Für das Bromnatrium ist bei —20° das Verhältnis des Anhydrids zum Wasser $NaBr : 8 H_2O$; bei 40° $NaBr : 5,5 H_2O$, also entspricht der Zunahme der Löslichkeit $S = 40 + 0,1746 t$ eine Verminderung des Sättigungswassers von $8 H_2O$ auf $5,5 H_2O$. Zwischen 50 und 150°, wo $S = 52,3 + 0,0125 t$, sinkt das Sättigungswasser von $4,5 H_2O$ auf $4,3 H_2O$, die Lösung bewahrt also innerhalb dieses großen Intervalls von 100° eine fast konstante Zusammensetzung und entspricht nahezu $2 NaBr : 9 H_2O$. Die Gerade, welche die Löslichkeit des NaBr darstellt, ändert bei 50° ihre Richtung, bei welcher Temperatur auch das bekannte Hydrat $NaBr, 2 H_2O$ an der Luft sein Krystallwasser verliert.

Jodnatrium. Verlängerte Linien von Kremers. Zwischen 0 und 80° : $S = 61.3 + 0,1712 t$ entsprechend den extremen Molekularverhältnissen $NaJ : 5 H_2O$ und $NaJ : 3 H_2O$. Zwischen 80 und 160° ist $S = 75 + 0,0258 t$, $NaJ : 3 H_2O$ und $NaJ : 2 H_2O$. Unter 0° scheint sich die Löslichkeit sehr rasch zu vermindern. Die Salze $NaBr, 2 H_2O$ und $NaJ, 2 H_2O$ geben nach DE COPPET eine krumme Linie. Der Versuch hat gezeigt, daß die Richtungsänderung in der Nähe des kleinen Raumes, wo sich die Transformation der Hydrate vollzieht, nur dann als eine mit der konkaven Seite der Abscissenaxe zugekehrte Kurve erscheint, wenn die Linie nicht genügend verlängert ist.

Von KCl, KBr, KJ sind bis jetzt keine Hydrate bekannt. Hieraus folgt nicht die Nichtexistenz derselben in der Luft, noch weniger im Wasser; sicher ist, daß für zwei der genannten Salze die Löslichkeitsgeraden Störungen zeigen, welche den für die Hydrate gefundenen durchaus ähnlich sind.

Chlorkalium. Die gesättigte Lösung erstarrt bei —9°. Von diesem Punkte bis 110° ist $S = 20,5 + 0,1445 t$ mit $KCl : 15 H_2O$ und $KCl : 6 H_2O$. Über 110° ist die Löslichkeit nicht weiter beobachtet worden.

Bromkalium. Die Kurve von KREMERS besteht aus zwei Geraden, von 0—40° ist $S = 34,5 + 0,2420 t$ und von 30—120° $S = 41,5 + 0,1378 t$. Nach DE COPPET (S. 392) wird die Löslichkeit durch eine Gerade dargestellt. Wegen dieser Nichtübereinstimmung hat der Vf. die Löslichkeit von KBr zwischen —12° und +165° beobachtet und ein mit den Angaben von KREMERS übereinstimmendes Resultat erhalten.

Das Molekularverhältnis ist bei 12° $KBr : 13 H_2O$, bei 30° $KBr : 11 H_2O$ und bei 120° $KBr : 5 H_2O$.

Jodkalium. Nach den Versuchen von DE COPPET und dem Vf. wird die Löslichkeit dieses Salzes zwischen 0 und 100° durch eine Gerade dargestellt. Der Vf. hat sie bis 165° verfolgt und $S = 55,8 + 0,122 t$ gefunden. Bei 0° ist $KJ : 7 H_2O$ und bei 120° $KJ : 3,7 H_2O$. Nach der graphischen Darstellung von DE COPPET setzt sich die Gerade noch unter 0° fort. Nach den Zahlenangaben desselben und nach den Beobachtungen des Vf's. erleidet sie dagegen wie die für KBr eine Krümmung. Der Vf. hat dies durch drei Versuchsreihen festgestellt.

Die Kurven der sechs bis jetzt beschriebenen Haloidsalze sind fast genau parallel.

Chlorkalium. Die Löslichkeit des krystallisierten Hydrates $CaCl_2, 6 H_2O$ zwischen —18° und +6° ist derart, daß der Gehalt der Lösung an wasserfreiem Salze durch die Formel $S = 32 + 0,2148 t$ gegeben ist; $CaCl_2 : 13 H_2O$ und $CaCl_2 : 10 H_2O$. Von 6 bis 48° erleidet die Kurve eine S-förmige Krümmung, und von 50—170° gilt für die Löslichkeit die Formel $S = 54,5 + 0,0755 t$.

Die Ansicht, daß die durch eine Gerade dargestellte normale Löslichkeit eine Dissociation unter Wasserverlust ist, welche nach einem von der Temperatur abhängigen bestimmten Gesetze erfolgt, steht im Widerspruche damit, daß in der Lösung eine große Menge Wasser vorhanden ist. Das Chlorcalcium gestattet die Ausführung eines Versuches, welcher zeigt, daß in einer gesättigten Lösung alles Wasser gebunden sein, und daß diese Lösung wie gewisse Verbindungen wasserentziehend wirken kann. Bekanntlich wird eine Lösung von Kobaltchlorür durch Erwärmen oder Einwirkung wasserentziehender Mittel blau, eine Lösung von Nickelchlorür gelb. Setzt man einige Tropfen dieser Lösung zu einer überschüssigen kalt gesättigten Lösung von krystallisiertem Chlorcalcium, so wird jene sofort blau oder gelb gefärbt. Ebenso wirkt Chlormagnesium, nicht aber gesättigte Chlorzinklösung, welche man doch in der Regel für sehr wasserentziehend annimmt. Es treten hier offenbar Wechselzersetzungen gesättigter Lösungen ein, welche unabhängig von den bestimmten, darin enthaltenen Hydraten sind. Die kalt gesättigte Lösung von Chlorcalcium liefert noch eine andere Stütze dieser Ansicht: Chlorbarium und Chlorstrontium nämlich werden aus ihren Lösungen durch eine Lösung von $CaCl_2$, $6H_2O$ so vollständig gefällt, daß man in der Flüssigkeit von beiden keine Spur mehr findet. (C. r. **98**. 1432—34. [9.*] Juni.)

E. Grimaux, *Über einige Kolloïdsubstanzen. — Schweizer'sche Flüssigkeit.* PELIGOT hat gezeigt, daß diese, wenn sie durch Einwirkung von Ammoniak auf Kupferspäne dargestellt wird, ein Gemenge von ammoniakalischem Kupfernitrit und ammoniakalischem Kupferoxyd ist, von denen nur das letztere die Eigenschaft besitzt, die Cellulose zu lösen. (Ann. Chim. Phys. [3.] **63**. 343). Dialysiert man diese Lösung in einem porösen Gefäße, so zeigt sich, daß das ammoniakalische Kupferoxyd ein kolloïdaler Körper ist. In den ersten Tagen geht eine große Menge des blauen Salzes in das äußere Gefäß über zugleich mit überschüssigem Ammoniak.

Später nach sechs oder sieben Tagen findet sich darin keine Spur von Kupfer mehr. Das poröse Gefäß enthält eine blaue Flüssigkeit, welche aus ammoniakalischem Kupferoxyd besteht, und welche der Dialyse absoluten Widerstand leistet. Dieser Körper zeigt alle Eigenschaften der Kolloïde: er scheidet auf Zusatz von Wasser gelatinöse Flocken von Kupferoxydhydrat und wird durch fünf bis sechs Volume Wasser vollständig zersetzt, während durch ein bis zwei Volume die Zersetzung nur eine partielle ist. Die Lösung wird ferner durch sehr geringe Mengen Magnesiumsulfat, Calciumsulfat, Aluminiumsulfat, Kupfersulfat oder Essigsäure gefällt, nicht aber durch Chlornatrium und Kaliumsulfat. Sie scheidet ferner Kupferoxydhydrat ab durch Einwirkung einer Temperatur von 40—50°, doch ist der Niederschlag nicht bleibend, sondern löst sich beim Abkühlen langsam wieder auf. Dies ist also eine wirkliche, durch die Wärme bewirkte Dissociation in Kupferoxyd und Ammoniak.

Die Lösungen der Cellulose in dem SCHWEIZER'schen Reagens sind bekanntlich von sehr dunkelblauer Farbe und im durchfallenden Licht opak, so daß man nur unvollkommen durchsehen kann. Die Dialyse gestattet, diesen Übelstand zu beseitigen, denn wenn nach mehreren Tagen das ammoniakalische Kupfernitrit vollständig durch die Dialyse beseitigt ist, so erscheint die Celluloselösung weniger gefärbt, sie giebt auf Zusatz von Wasser einen gelatinösen Niederschlag von Cellulose, welcher durch einige Tropfen Ammoniak wieder zu einer schwach gefärbten, vollkommen durchsichtigen Flüssigkeit gelöst wird. Weiter darf die Dialyse nicht getrieben werden, denn das ammoniakalische Kupfernitrit zersetzt sich allmählich durch die Diffusion, Ammoniak tritt in das Wasser des äußeren Gefäßes, und in dem porösen Gefäße findet man eine gallertartige, tiefdunkelblaue Masse, welche sich von der Mutterlauge leicht trennen läßt. Diese ist eine Verbindung von Kupferoxyd und Cellulose und löst sich nicht mehr in Ammoniak, sondern giebt dadurch nur ihr Kupferoxyd ab.

Kondensierte Pyruvinureïde. Wenn man bei 100° einen Überschuß von Pyruvinsäure auf Harnstoff einwirken läßt oder die krystallisierten Pyruvinureïde auf 150° erhitzt, so erhält man weiße pulvrige Massen, welche sich in Alkalien zu kolloïdalen Flüssigkeiten lösen, wie Vf. bereits früher bei seinen Untersuchungen über die Ureïde der Pyruvinsäure gezeigt hat. Er hat neuerlich die Untersuchung dieser Körper wieder aufgenommen. Die ammoniakalischen Lösungen derselben erstarren beim Abdampfen im Vakuum gallertartig und trocknen dann zu hornartigen, durchscheinenden Massen aus. Dampft man die Lösungen im Wasserbade ab, so gelatinieren sie beim Abkühlen ganz ähnlich wie das Gelatin. Es genügen 5 p. c. Pyruvinsäure zur Bildung der Gallerte. Diese konzentrierten Lösungen geben mit allen Säuren, mit Chlornatrium, Kaliumsulfat, Kalkwasser, Barytwasser, den Salzen der alkalischen Erden und der Metalle gallertartige Niederschläge. Die ammoniakalischen Lösungen werden ebenso wie die Natronlösungen durch Einwirkung eines Kohlensäurestromes gelatiniert und durch nachfolgende Einwirkung eines Luftstromes wieder klar.

Trotz dieser Analogieen sind die kondensierten Pyruvinureïde doch von den Kolloïden des Organismus durchaus verschieden; sie widerstehen der Einwirkung von siedender· Salpetersäure.

Kolloïdales Asparaginsäureamid. Das Asparaginsäureanhydrid giebt, wie der Vf. gezeigt hat (82. 40), beim Erhitzen mit Harnstoff auf 100° eine kolloïdale Substanz, welche sich nach dem Aufnehmen im Wasser, durch Dialyse von dem Harnstoff vollständig befreien läfst. Ebenso läfst sich eine kolloïdale Substanz darstellen, wenn man auf Asparaginsäureanhydrid bei 150° einen Strom von Ammoniakgas einwirken läfst. Das mit Wasser aufgenommene Produkt giebt beim Abdampfen im Vakuum oder im Wasserbad eine gallertartige Masse, welche durch Austrocknen eine amorphe, hornartige Masse hinterläfst. Mit Barytwasser, Chlorcalcium, Essigsäure und Salpetersäure · giebt die Lösung voluminöse Niederschläge. Der durch Salpetersäure erzeugte Niederschlag löst sich in der Wärme und erscheint auf Zusatz von Wasser wieder. Chlornatrium scheidet in der Kälte nur Spuren ab, beim Erwärmen aber reichlichere Mengen. Magnesiumsulfatlösung giebt, schon in wenig Tropfen zugesetzt, in der Kälte einen Niederschlag, welcher durch gelindes Erwärmen wieder verschwindet und sich beim Sieden wieder bildet und nun beständig bleibt. Dieses Kolloïd verwandelt sich durch Wasseraufnahme leicht in einen Körper, welcher keinen Niederschlag mehr giebt; es genügt, dasselbe in Ammoniakflüssigkeit zu lösen, um Lösungen zu erhalten, die nicht mehr gefällt werden.

Lösliche Kieselsäure. GRAHAM hat lösliche Kieselsäure erhalten, indem er eine mit Salzsäure versetzte verdünnte Lösung von Wasserglas dialysierte. Man kann aber auch ohne Anwendung der Dialyse Lösungen von reiner Kieselsäure darstellen; denn es genügt, das Methylsilikat von FRIEDEL und CRAFTS durch Wasser zu verseifen, indem man 8 g desselben am Rückflufskühler mit 200 g Wasser kocht und die Flüssigkeit zur Vertreibung des gebildeten Methylalkohols auf drei Viertel konzentriert. Diese Lösung enthält 2,26 p. c. wasserfreie Kieselsäure, ist sehr beständig und koaguliert durch Einwirkung von Kohlensäure weder in der Kälte, noch in der Wärme. Nach GRAHAM's Angaben werden die Kieselsäurelösungen durch Kohlensäure leicht koaguliert, doch scheint sich dies auf Lösungen von 10 p. c. zu beziehen. Die Lösung von 2,26 p. c. wird in der Wärme durch Kochsalz und Kaliumsulfat koaguliert; es ist aber eine ziemlich grofse Menge dieses Salzes dazu nötig. Die entstandene Gallerte ist mehr voluminös und bildet eine durchscheinend steife Masse. Übrigens koaguliert die Lösung auch freiwillig, aber erst nach fünf Wochen. GRAHAM hat gezeigt, dafs das freiwillige Koagulieren um so langsamer von statten geht, je verdünnter die Lösung ist. Dies läfst sich leicht mit der unreinen Kieselsäurelösung, welche man durch Zersetzung · des Siliciumchlorids durch Wasser erhält, darthun. Mit einer salzsauren Lösung, welche 1,23 p. c. wasserfreie Kieselsäure enthält, erhält man sofort eine Koagulation, wenn man sie mit dem gleichen Volum einer Kaliumcarbonatlösung (spez. Gewicht 1,22) mischt; verdünnt man sie aber mit 1—2 Volumen Wasser, so bleibt die Flüssigkeit nach dem Zusatz des Kaliumcarbonats klar, und das Koagulieren beginnt erst nach einer Viertelstunde. (C. r. 98. 1434—37. [9.°] Juni.)

E. Grimaux, *Ferrialkalische Derivate mehratomiger Alkohole.* H. ROSE hat im Jahre 1827 gezeigt, dafs Glycerin, Mannit, Rohrzucker und die Glykose die Fällung von Eisensalzen durch Alkalien verhindern. Die Annahme, dafs diese alkalischen Eisenlösungen kolloïdale Körper enthalten, hat sich bestätigt. Die Versuche wurden hauptsächlich mit Glycerin ausgeführt, allein der kolloïdale Charakter zeigt sich gleichfalls bei Mannit, Erythrit und zuckerhaltigen Lösungen.

Setzt man zu einer Lösung von Eisenchlorid Glycerin und dann Kali, so erhält man einen Niederschlag, welcher sich in überschüssigem Alkali wieder löst; die Lösung koaguliert unter verschiedenen Bedingungen je nach dem Verhältnis von Wasser zum Glycerin und Kali. Eine Lösung von 5 g Glycerin, 10 ccm Eisenchloridlösung (von 30° B.) 40 g Wasser und 10 ccm Kali (spez. Gewicht 1,132) giebt beim Aufkochen sofort ein dickes Koagulum; ist aber die Menge des Glycerins gröfser, so koaguliert sie durch Erwärmen nicht. Eine Lösung von 10 g Glycerin, 20 ccm Eisenchlorid und 17 ccm Kali koaguliert erst dann beim Sieden, wenn man sie mit fünf Volumen Wasser mischt; setzt man aber zu gleicher Zeit noch Glycerin zu, so koaguliert sie nicht. Gesättigte Chlornatriumlösung begünstigt das Gerinnen, ebenso überschüssiges Kali. Glycerinarme Flüssigkeiten koagulieren schon in der Kälte freiwillig, so z. B. gerinnt die erste Lösung, wenn man sie mit drei Volumen Wasser mischt, nach fünf bis sechs Tagen und mit einem Volum Wasser nach etwa zwölf Tagen.

Das Gerinnen der ferrialkalischen Glycerinlösungen in der Kälte oder in der Wärme ist daher durch den Gehalt an Glycerin bedingt, es findet nur dann statt, wenn dieser Gehalt unter eine gewisse Grenze sinkt. Jede Ursache, welche diesen Gehalt vermindert, führt die Koagulation herbei, so z. B. die Dialyse glycerinreicher Lösungen; dieselben geben zuerst ihren Überschuſs an Kali ab, dann Glycerin und sind jetzt durch Wärme koagulierbar; schließlich bleibt im Dialysator eine geronnene Masse zurück; es ist hierdurch bewiesen, daſs das Gerinnen infolge einer Dissociation durch die Einwirkung des Wassers bewirkt wird, welches Glycerin entzieht und die Bildung eines basischen Eisenglycerinates bedingt.

Alle Lösungen, welche in der Wärme gerinnen, werden durch Kohlensäure gefällt. Der Niederschlag ist beständig und verschwindet unter keiner Bedingung; bei glycerinreichen Lösungen aber hat die Einwirkung der Kohlensäure andere Resultate zur Folge. Nachdem der Kohlensäurestrom einige Augenblicke gedauert hat, wird die Lösung durch die Wärme gerinnbar; läſst man den Strom aber in der Kälte noch länger einwirken, so erhält man nach ein oder zwei Stunden eine dicke, gallertartige Masse, welche sich rasch wieder löst, wenn man einen Luftstrom hindurchleitet oder das Gemenge einige Zeit im Vakuum über Kalilauge stehen läſst. Dieses Verhalten gleicht also ganz dem des erhitzten Eiweiſs, des Amidobenzoesäurecolloïds und der Pyruvinureïde. Der durch Kohlensäure gebildete Niederschlag ist in Alkalien und Alkalicarbonaten löslich. Man erhält ihn regelmäſsig mit einer Lösung von 20 g Glycerin, 10 ccm Eisenchlorid, 12 ccm Kali und 20 g Wasser.

Die ferrialkalischen Glycerinlösungen werden durch Essigsäure gefällt und das Koagulum durch überschüssige Essigsäure wieder gelöst; die essigsaure Lösung giebt mit Kaliumeisencyanür einen grünen Niederschlag, welcher durch Einwirkung einer Mineralsäure blau wird. Es läſst sich leicht zeigen, daſs dieser kolloïdale Körper nicht bloſs ein Eisenglycerinat ist, sondern daſs er auch Alkalien enthält, denn wenn man ihn so lange dialysiert, bis das äuſsere Wasser kein Kali mehr aufnimmt, so ist doch die Flüssigkeit im Dialysator immer noch stark alkalisch; überdies läſst sich eine analoge Lösung erhalten, wenn man statt Kali Ammoniak anwendet, aber diese Lösung gerinnt, sobald sie den gröſsten Teil ihres Ammoniaks durch Verdunsten an der Luft verloren hat. Man erhält ferner dasselbe Kolloïd, wenn man statt Kali oder Natron die entsprechenden Carbonate anwendet.

Diese kolloïdalen Lösungen sind also Verbindungen des Glycerins mit Eisenoxydhydrat und Alkalien oder alkalischen Carbonaten; leider ist es schwer, ihre Zusammensetzung zu bestimmen: die aus ihnen sich abscheidenden Gallerten werden durch längeres Waschen zersetzt und hinterlassen nur Eisenoxydhydrat. Ihre Reaktionen zeigen, daſs sie durch Wasser leicht in Glycerin und in unslösliche, an Eisenoxyd reichere Verbindungen dissociiert werden, doch wird die Dissociation durch die Menge des Glycerins begrenzt, und zugleich muſs sich die neue Eisenverbindung unter Wasserverlust polymerisieren, denn sie ist nicht mehr in überschüssigem Glycerin löslich.

Mannit und Erythrit verhalten sich wie Glycerin, sie geben mit Eisenchlorid und Alkalien Lösungen, welche beim Erwärmen zuerst und mit Kohlensäure einen gallertartigen, durch einen Luftstrom wieder löslichen Niederschlag geben. Der Rohrzucker bildet ähnliche Lösungen. GRAHAM hat bereits das Eisensaccharat als ein Kolloïd betrachtet und durch Koagulieren desselben mittels Kaliumsulfat ein basisches Eisensaccharat erhalten, welches 22 p. c. Zucker und 78 p. c. Eisenoxyd enthält; er hat ferner beobachtet, daſs die alkalischen Lösungen des Eisensaccharates im Dialysator koagulieren. (C. r. **96.** 1485—88. [16.*] Juni.)

E. Grimaux, *Über kolloïdale Ferrisalze. Ferrikaliumtartrat.* Schon GRAHAM hat das ammoniakalische Ferritartrat und das ammoniakalische Ferricitrat als kolloïdale Substanzen betrachtet. Auch das Ferrikaliumtartrat gehört zu dieser Klasse von Körpern. Bei der Dialyse passiert es durch die Membran nur äuſserst langsam. Seine Lösungen, sich selbst überlassen, zersetzen sich allmählich; eine Lösung von 20 p. c. wurde nach Verlauf von einem Monat in eine flüssige, in Wasser noch lösliche Gallerte verwandelt; eine verdünntere Lösung von 10 p. c. gab einen unlöslichen Niederschlag von basischem Tartrat. Durch Kali wird das Salz nicht gefällt, erhitzt man es aber mit überschüssigem Kali, so verwandelt sich das Ganze in eine gelatinöse Masse. Kochsalz und Ammoniumchlorid fällen in der Kälte die Lösungen des Ferrikaliumtartrates; der Niederschlag löst sich in der Wärme und erscheint beim Abkühlen wieder. Die Koagulation tritt auch in der Wärme nach Zusatz von einigen Tropfen Salzsäure ein, wenn dabei die Lösung noch stark alkalisch bleibt; eine gröſsere Menge Säure bewirkt die Koagulation in der Kälte. Kohlensäure giebt einen ockerartigen Niederschlag, welcher dem vorhergehenden nicht ähnlich ist, sondern das Aussehen von Ferrihydrat besitzt. Die Lösung des Salzes wird durch Ferrocyankalium violett gefärbt, durch Zusatz irgend einer Säure, selbst Weinsäure, bildet sich sofort Berliner Blau.

Ferriarsenat. Wenn man zu einer Lösung von Natriumarsenat allmählich eine Lösung von Eisenchlorid setzt, so erhält man zuerst einen weiſsen gallertartigen, in Ammoniak löslichen Niederschlag von Ferriarsenat $(AsO_4H)_3Fe_2$; später löst sich auf

Zusatz einiger Mengen von Eisenchlorid der Niederschlag allmählich und giebt eine klare, schwach gelblich gefärbte Flüssigkeit. Wendet man titrierte Lösungen an, so ergiebt sich, daß ungefähr 1 Mol. Eisenchlorid auf 2 Mol. Natriumarsenat verbraucht werden. Man muß fast eine halbe Stunde nach dem Zusatz des Eisenchlorids warten, da die Lösung nicht unmittelbar eintritt. Diese Lösung erstarrt in der Wärme zu einer dicken, opaken, gelblichweißen Gallerte, welche, mit Wasser angerührt und auf ein Filter gebracht, das basische Ferriarsenat, $(AsO_4)_2Fe_3$, welches in Ammoniak unlöslich ist, konstituiert, während die filtrierte Flüssigkeit Chlorwasserstoffsäure ohne eine Spur von Eisen enthält, vorausgesetzt, daß man gerade die zum Auflösen nötige Menge Eisenchlorid angewendet hat. Da der erste Niederschlag, welcher sich bei der Einwirkung von Eisenchlorid auf Natriumarsenat bildet, das Arsenat $(AsO_4H)_3Fe_2$ und die Gallerte des Arsenats $(AsO_4)_2Fe_3$ ist, so scheint die Reaktion nach folgender Gleichung vor sich zu gehen:

$$2[(AsO_4H)_3Fe_2] + Fe_2Cl_6 = 3[(AsO_4H)_2Fe_2Cl_2].$$

Der lösliche Körper ist ein Ferrichlorarsenat $(AsO_4H)_2Fe_2Cl_2$, welcher durch Einwirkung von Wasser und Wärme sich in Ferriarsenat $(AsO_4)_2Fe_3$ und Salzsäure $2HCl$ spaltet. Bei der Darstellung dieser Lösung muß man überschüssiges Eisenchlorid vermeiden, welches die Koagulation durch Erwärmen hindert. Mit einem nur ganz geringen Überschuß erhält man eine Lösung, welche noch die Eigenschaft zu koagulieren besitzt, aber die in der Wärme gebildete Gallerte verschwindet beim Abkühlen wieder, und die Lösung wird nach einigen Stunden klar. Wendet man genau 1 Mol. Eisenchlorid auf 2 Mol. Natriumarsenat an, so ist die Gallerte beständig. Unterwirft man eine koagulierbare Lösung der Dialyse, so hat sie nach einigen Tagen das Chlornatrium abgegeben, und die Gallerte ist nicht opak, sondern absolut durchsichtig und hellgelb; verlängert man die Dialyse, so wird der lösliche Körper allmählich durch das Wasser zersetzt und koaguliert im Dialysator zu einer steifen, durchsichtigen, rotgelben Gallerte. Durch Chlornatrium werden die Lösungen des Ferrichloroarsenates in der Wärme koaguliert; das Gerinnen findet mit einem Überschuß von Kochsalz unmittelbar statt; die Lösung wird durch Alkalien zersetzt, der Niederschlag ist rostrot und im Überschuß des Fällungsmittels unlöslich.

Ferriarsenit. Kaliumarsenit giebt mit Eisenchlorid einen hellgelben Niederschlag, welcher löslich in Ammoniak ist und wahrscheinlich aus Ferriarsenit $(AsO_3H)_3Fe_2$ besteht. Hierauf löst sich dieser Niederschlag in überschüssigem Eisenchlorid, und die Lösung verwandelt sich beim Erwärmen in eine dicke, in Ammoniak unlösliche Gallerte. Diese Lösung ist wenig beständig und koaguliert auch freiwillig. Sie besitzt übrigens eine Eigenschaft, welche das entsprechende Arsenat nicht hat; auf Zusatz von Kali giebt sie einen Niederschlag, welcher sich in überschüssigem Kali wieder löst; die durch Dialyse gereinigte braune Lösung ist noch stark alkalisch und enthält ein kolloïdales Ferrikaliumarsenit. Sie trübt sich beim Erwärmen nicht, setzt man aber Kali hinzu, so verwandelt sie sich in der Wärme in eine braune, dicke Gallerte wie das Ferrikaliumtartrat. Sie wird wie dieses durch Chlornatrium in gesättigter Lösung gefällt. Die arsenige Säure steht also in ihrem Verhalten gegen Eisensalze der Weinsäure nahe. Sie verhindert deren Fällung durch Kali.

Borax giebt mit Eisenchloridlösung einen Niederschlag, welcher sich in überschüssigem Eisenchlorid löst; die Lösung ist rostfarbig, koaguliert in der Wärme, wird durch Kali gefällt, und der Niederschlag verschwindet nicht durch überschüssiges Alkali nicht. Die Borsäure wirkt also wie Arsensäure und nicht wie arsenige Säure. Man darf nicht zuviel Eisenchlorid zur Boraxlösung setzen, da die Flüssigkeit sonst beim Erwärmen nicht koaguliert.

Natriumphosphat reagiert wie das Natriumarsenat, aber seine Lösungen sind weniger leicht koagulierbar. Man muß wie beim Borax genau die zur Lösung nötige Menge Eisenchlorid zusetzen, weil sonst die Flüssigkeit in der Wärme nicht gerinnt.

Lösliche Kieselsäure in einer Konzentration von 2,26 p. c., erhalten durch Verseifen von Methylsilikat, giebt mit Eisenchlorid und überschüssigem Kali eine sehr wenig beständige Lösung, welche sich nach einigen Minuten trübt und zersetzt.

Man erkennt hieraus, daß die Zahl der Eisenderivate, welche kolloïdale und koagulierbare Lösungen geben, sehr groß ist. Die Ursache scheint in dem mehratomigen Charakter des Ferricum Fe und des normalen, wenig beständigen Hydrats $Fe_2(OH)_6$ zu liegen, welches leicht Wasser verliert und polymere Verbindungen giebt. Der Vf. will nächstens eine theoretische Erklärung dieser Erscheinungen geben. (C. r. **98.** 1540—42. [23.] Juni.)

John J. Wood, *Geschwindigkeit der chemischen Absorption von Gasen.* Aus den Messungen von GRAHAM über die Geschwindigkeit der Gasdiffusion durch poröse Substanzen in ein Vakuum hatte sich ergeben, daß je leichter ein Gas ist, desto schneller sein Durchgang durch die Scheidewand erfolge, oder daß die Schnelligkeit der Diffusion eines Gases sich ändert, umgekehrt wie die Quadratwurzel seiner Dichte. Nach einer anderen Methode hatte Loschmidt die Diffusion der Gase studiert; er ließ zwei verschiedene Gase, welche sich in zwei übereinander stehenden, durch eine Scheidewand getrennten Röhren befanden, durch eine Öffnung derselben frei gegen einander diffundieren und fand, daß eine Beziehung bestehe zwischen den Molekulargewichten der Gase und ihrer Diffusionsgeschwindigkeit, ohne daß dieselbe näher festgestellt worden wäre.

Nach einer dritten Methode hat Vf. die Diffusion der Gase zu studieren versucht, indem er von folgender Betrachtung ausging: Wenn es möglich wäre, in einem geschlossenen Gefäße, das ein homogenes Gemisch zweier Gase enthält, eine solche Anordnung zu treffen, daß von den Molekülen der beiden Gase, welche eine bestimmte Fläche der Gefäßwand treffen, nur diejenigen eines Gases in ein Vakuum treten, aus dem sie nicht zurückkehren, dann würde die Geschwindigkeit, mit welcher das Gefäß von diesem Gase entleert wird, einen Maßstab abgeben für die Diffusionsgeschwindigkeit des einen durch die Moleküle des anderen Gases. Eine solche Versuchsanordnung herzustellen, ist freilich unmöglich; aber in etwas unvollkommener Weise läßt sich dies praktisch ausführen, wenn man die selektive Absorption durch chemisch wirkende Stoffe für diesen Zweck verwertet.

Obwohl die Einwände, welche gegen diese Methode zum Studium der Gasdiffusion vorgebracht werden können, nicht unwesentlich sind, sind doch die mittels derselben erzielten Resultate nicht ohne Interesse. So hat sich z. B. herausgestellt, daß ein bestimmtes, absorptionsfähiges Gas weniger schnell absorbiert wird, wenn es mit Luft gemischt ist, als wenn es mit dem leichteren Gase Wasserstoff gemengt war; besonders deutlich zeigte sich dieser Unterschied in den ersten Stadien der Absorption. Wenn jedoch die Atmosphäre der Gase unverändert war, dann trat die Beziehung der Absorptionsgeschwindigkeit zur Dichte des Gases nicht in befriedigender Weise zu Tage. Wenn die beiden Gase CO_2 und H_2S miteinander verglichen wurden, war ein deutlicher Unterschied in der Geschwindigkeit ihrer Absorption sichtbar, indem das leichtere Gas schneller absorbiert wurde; besonders bemerkbar war dies in einer Wasserstoffatmosphäre. Dasselbe war der Fall bei den Gasen Cl und SO_2. Diese Thatsachen sind namentlich in den ersten Stadien des Experimentes deutlich und stimmen mit den früheren Experimentalarbeiten über die Gasdiffusion überein. Aber obwohl in diesen beiden Gruppen stets das leichtere Gas schneller absorbiert wurde, wurden Cl und SO_2, trotzdem sie höhere Dichten besitzen als CO_2 und H_2S, schneller absorbiert als diese, namentlich wenn sie in Luft untersucht wurden; in einer Wasserstoffatmosphäre wurden H_2S und Cl nahezu gleich schnell absorbiert.

Um die Versuche von Störungen möglichst frei zu halten, wurde von dem zu absorbierenden Gase nur ein kleines Volum in einem großen Volum des anderen Gases verwendet und als absorbierende Flüssigkeit eine konzentrierte Kalilösung benutzt, welche die zur vollständigen Absorption des ganzen Gases notwendige Menge sehr bedeutend übertraf. Durch die konzentrierte Kalilösung wurde auch jede mögliche Störung durch Wasserdämpfe im Apparat verhütet. Endlich wurde das Volum des Gases im Absorptionsgefäß konstant gehalten, um den unbekannten Faktor eines variablen Druckes auszuschließen.

In betreff der Ausführung der Versuche sei hier nur erwähnt, daß die Messungen der absorbierten Gasmengen an einem Manometer ausgeführt wurden, und daß das cylinderförmige Absorptionsgefäß, an dem U-förmig eine Röhre für die Kalilösung angeschmolzen war, mit diesem sich in einem Wasserbade von konstanter Temperatur befand. Die Gase wurden nacheinander eingeführt, und erst nach etwa 20 Stunden, während welcher sie sich wohl vollständig miteinander gemischt hatten, begann der Versuch durch Einführung des Absorptionsmittels.

Bei allen Versuchen, deren Ergebnisse in besonderen Tabellen zusammengestellt sind, ist auffallend, daß trotz der Größe des Absorptionsgefäßes und der geringen Menge der jedesmal geprüften Gase, diese so schnell in die absorbierende Substanz übergingen. In der ersten Minute waren bereits 75 p. c. von H_2S, Cl und SO_2 absorbiert, wenn die Atmosphäre aus Wasserstoff bestand; auch in einer Luftatmosphäre war die Menge ziemlich groß, so daß die meisten Beobachtungen, welche nach den ersten zwei oder drei Minuten gemacht wurden, bei verhältnismäßig geringer Spannung geschehen, wo keine deutlichen Unterschiede in der Absorptionsgeschwindigkeit mehr sich zeigen.

In wieweit die physikalischen Zustände und die chemischen Wirkungen an der Grenzfläche zwischen dem Gase und dem Absorptionsmittel die Zahlenergebnisse beeinflussen, so daß die erlangten numerischen Werte als Maßstab für die Diffusion der untersuchten Gase nicht gelten können, dies festzustellen, ist für die vorliegende Frage von fundamentaler Bedeutung. Vf. hat zur Aufklärung dieses Punktes eine Reihe von Versuchen ausgeführt, „welche bisher die Frage zwar noch nicht wesentlich gefördert haben, aber in der That anzudeuten scheinen, daß diese Methode, die Diffusion zu studieren, dem oben angegebenen idealen Fall näher kommt, als bei der ersten Betrachtung erwartet werden konnte".

Zunächst wurden Versuche gemacht, um den Einfluß der Konzentration der absorbierenden Lösung auf die Absorptionsgeschwindigkeit zu ermitteln. Kohlensäure in trockner Luft wurde mit einer Kalilösung abgesperrt, welche durch Verdünnung mit destilliertem Wasser um 5 p. c. schwächer gemacht war: es wurde dabei ebenso wenig eine Änderung der Absorptionsgeschwindigkeit beobachtet als bei Verdünnungen um 10, 15 und 30 p. c.; auch die Verminderung der Konzentration auf die Hälfte ergab dieselbe Geschwindigkeit wie die konzentrierte Lösung. Sogar als die Konzentration auf ein Viertel reduziert war, war die Änderung der Absorptionsgeschwindigkeit nicht groß und machte sich vorzugsweise nur im Beginne des Versuches durch eine Verzögerung bemerkbar. Nach der ersten Minute zeigte das Manometer ziemlich denselben Wert wie bei der konzentrierten Lösung. Dies erklärt sich aus dem Umstande, daß die absorbierende Flüssigkeit in der trocknen Atmosphäre Wasserdämpfe entwickelt, welche das Manometer in entgegengesetztem Sinne beeinflussen als die Atmosphäre der Gase.

Mit den anderen Gasen sind keine entsprechenden, systematischen Untersuchungen angestellt worden; nur in zwei ausführlichen Versuchsreihen mit verschiedenen Gasen in Wasserstoff und Luft waren die Kalilösungen um 30 p. c. in ihrer Konzentration verschieden, und die erhaltenen Resultate zeigten gleichwohl keine größeren Unterschiede als die Einzelversuche einer jeden Reihe. Es darf daher wohl zweifellos die für die Kohlensäure gefundene Regel, daß nämlich die Geschwindigkeit der Absorption sich faktisch nicht ändert mit der Konzentration der absorbierenden Flüssigkeit, als auch für die anderen Gase giltig betrachtet werden. Wenn man annimmt, daß die Messung der Absorptionsgeschwindigkeit eines Gases eine Schätzung giebt für seine Diffusionsgeschwindigkeit durch ein anderes Gas, dann mußte obiges Resultat erwartet werden, denn die bloße Konzentration der absorbierenden Flüssigkeit kann keinen Einfluß haben auf die Anzahl der Stöße gegen ihre Oberfläche. Diese Zahl wird gleich bleiben, ob die Lösung stark oder schwach ist, und wenn alle aufstoßenden Moleküle absorbiert werden, muß die Absorptionsgeschwindigkeit unveränderlich bleiben, wenn auch die Konzentration des Absorbens schwankt.

In jedem Versuche erkennt man, daß die Hypothese, die Absorptionsgeschwindigkeit sei dem Drucke proportional, nicht stichhaltig ist; namentlich ist dies deutlich in den Fällen, wo das Gas sehr schnell absorbiert wird, oder wo der größere Teil des Gases in den ersten zwei bis drei Minuten absorbiert wird. Dies könnte daher rühren, daß das Kali mit dem absorbierten Gase an der Oberfläche eine Haut bildet, welche die weitere Absorption hindert. Es muß dann, wenn das Gas beim Beginne des Versuches verschiedene Drucke besitzt, die Absorptionsgeschwindigkeit sich ziemlich gleich bleiben. Versuche, welche in dieser Richtung mit SO₂ in trockner Luft angestellt wurden, zeigten nun, daß der Absorptionskoeffizient zunimmt, wenn der Druck abnimmt; und hieraus darf gefolgert werden, daß der Diffusionskoeffizient eines Gases eine mit dem Drucke variable Größe ist, was bisher experimentell noch nicht nachgewiesen war, obwohl theoretische Betrachtungen dies wahrscheinlich machten.

Es ist nicht wahrscheinlich, daß die größere Absorptionsgeschwindigkeit der schwereren Gase Cl und SO₂ erklärt werden könne durch die Bildung von Strömungen, welche die Gase über die Oberfläche des Absorbens ausbreiten. Zur Entscheidung dieses Punktes wurde das Absorptionsgefäß in gewöhnlicher Weise mit CO₂ in einer Wasserstoffatmosphäre beschickt und 20 Stunden stehen gelassen, dann ließ man die Kalilösung einfließen und beobachtete die Absorptionsgeschwindigkeit. Nachdem der Versuch beendet war, wurde Kohlensäure in den Apparat auf das Kali gelassen bis zum selben Druck wie früher und die Absorptionsgeschwindigkeit beobachtet. Da die CO₂ 22 mal schwerer als H ist, sollte man meinen, daß sie nach dem Boden sinken, dort eine Wolke bilden, und eine schnelle Absorption dies andeuten würde. Dies war jedoch nicht der Fall; während der ersten fünf Minuten oder bis etwa 65 p. c. des Gases absorbiert wurden, war die Absorptionsgeschwindigkeit bedeutend geringer, als nachdem die Gase sich 20 Stunden miteinander gemischt hatten. Nach fünf Minuten nahm die Geschwindigkeit ein wenig zu und war dauernd größer als im ersten Experiment.

Daß die chemischen und physikalischen Wirkungen, welche an der Oberfläche des Absorbens in diesen Experimenten stattfinden, die Absorptionsgeschwindigkeit beeinflussen, kann nicht geleugnet werden; und in welchem Grade diese Einflüsse die Messungen in ihrer Bedeutung für die Gasdiffusion beeinträchtigen, muß durch weitere Untersuchungen festgestellt werden. Die Anwendung verschiedener Alkalien als absorbierende Substanzen für die Gase Cl, SO₂, CO₂, H₂S und verschiedener Säuren für die Absorption des NH_3 wird wohl ausführliches Material für die Behandlung der Frage liefern. Erwägt man jedoch das Resultat, welches die Änderung der Konzentration des Kali ergeben, so möchte man vermuten, daſs weder die Natur des benutzten Alkalis die Absorptionsgeschwindigkeit der Gase noch die Art der Säuren die Absorption des NH_3 beeinflussen werden; doch dies muſs durch den Versuch entschieden werden. (Phil. Mag. [5.] 17. 352. Mai; Ntf. 17. 241—43.)

P. Schützenberger, *Über einige Erscheinungen der Occlusion.* Die folgende Beobachtung liefert ein Beispiel für die Occlusion eines Gases durch ein anderes. Bekanntlich entwickelt sich aus einem Gemenge von Kaliumchlorat und Braunstein rasch Sauerstoff bei verhältnismäſsig niedriger Temperatur und reiſst eine gewisse Menge Chlor und Sauerstoffverbindungen desselben mit fort. Dieser Sauerstoff besitzt noch nach mehrwöchentlichem Aufbewahren in einem Gasometer über Wasser einen deutlichen Geruch nach Chlor oder unterchloriger Säure und auſserdem die Eigenschaft, Kautschuk nach Art des Ozons anzugreifen. Der Vf. hat beobachtet, daſs die Kautschukröhren, welche einen groſsen, 400 l fassenden Gasometer mit den Apparaten verbinden, nach einigen Wochen brüchig werden und besonders da, wo sie zuerst von dem austretenden Gase berührt werden. Gleichwohl kann dieser Sauerstoff Blase für Blase stundenlang durch reines Wasser oder eine sehr verdünnte Lackmuslösung, eine Lösung von indigschwefelsaurem Natrium oder auch durch eine Lösung von Silbernitrat geleitet werden, ohne irgendwie die Anwesenheit von Chlor, Chlorwasserstoff oder einer Sauerstoffsäure des Chlors zu zeigen. Wenn man dagegen den Sauerstoff zuvor durch eine enge Platinröhre leitet und diese an einer Stelle erhitzt, so lassen sich auf das deutlichste Spuren von Chlor nachweisen: ·der Indigkarmin wird entfärbt und das Silbernitrat gefällt. Welche Erklärung man dieser Thatsache auch geben möge, so beweist sie doch aufs bestimmteste, daſs eine gewisse Menge Chlor, welches dem Kaliumchlorat im Momente seiner raschen Zersetzung bei niedriger Temperatur entzogen worden ist, innerhalb des Sauerstoffes versteckt bleiben kann und erst nach einer genügenden Erhitzung erkennbar wird. Es ist wenig wahrscheinlich, daſs das Chlor, welches auf diese Weise frei gemacht wird, zuvor in Form einer seiner bekannten Verbindungen vorhanden war. Reines Chlor und Chlorwasserstoff würden unmittelbar mit Silbernitrat einen Niederschlag geben, die unterchlorige, chlorige und Unterchlorsäure würden den Indigo ebenso gut wie nach dem Erhitzen entfärben, und endlich würden die Chlorsäure und die Überchlorsäure den Lackmus röten und sich überdies wahrscheinlich während der langen Zeit des Aufbewahrens in dem Wasser gelöst haben. Das Chlor muſs demnach unter einer anderen, bis jetzt noch unbekannten Form innerhalb des Sauerstoffes existieren. Der aus chlorsaurem Kali allein bei höherer Temperatur und in langsamer Weise entwickelte Sauerstoff zeigt dieses Verhalten nicht.

Folgendes ist· ein anderes Beispiel von Occlusion, welches die Aufmerksamkeit verdient, und dessen Übersehen zu Irrtümern bei gewissen Analysen führen kann.

Beim Verbrennen eines Kohlenwasserstoffes mittels chromsaurem Blei war der Vf. überrascht, stets für den Wasserstoff Zahlen zu erhalten, die etwa um 1 p. c. gröſser waren, als die Theorie verlangt, oder als man durch Verbrennung mit Kupferoxyd erhält. Durch eine aufmerksame Untersuchung gelangte der Vf. zur Auffindung der Ursache. Wird das Bleichromat vor der Analyse geschmolzen und sofort ausgegossen, so sind die Resultate der damit ausgeführten Elementaranalyse normal, sobald man angemessene Vorsichtsmaſsregeln trifft, um den störenden Einfluſs der Luftfeuchtigkeit zu verhüten. Wenn man dagegen das Chromat einige Zeit lang (etwa ³/₄ Stunden) in einem Tiegel und in einem PERROT'schen Ofen geschmolzen hält, sodann auf ein flaches Eisenblech ausgieſst und so lange es heiſs ist grob pulvert und in einem verstöpselten Gefäſse aufbewahrt, so giebt die Analyse stets einen Überschuſs von Wasserstoff, so sehr man auch bemüht sein mag, den Einfluſs der Luftfeuchtigkeit zu verhüten. Die Differenz rührt von zurückgehaltenem Wasser in der Masse des Chromates her, Wasser, welches sich in dem Momente entwickelt, wo das Salz zur Rotglut gebracht ist. Dies läſst sich durch eine Blankoanalyse ohne organische Substanzen beweisen. Aus Bleichromat, welches eine Verbrennungsröhre von 0,8 m Länge füllte, lieſs sich auf diese Weise 0,025—0,03 g Wasser austreiben.

Man kann kaum annehmen, daſs dieses Wasser von dem Chromate während des Zerschlagens, welches doch bei sehr hoher Temperatur stattfindet, absorbiert wird. Für die folgenden Operationen ist der Einfluſs der Luft so gut wie vollständig ausgeschlossen. Übrigens zeigt sich diese Erscheinung bei Bleichromat, welches unmittelbar nach dem Schmelzen ausgegossen wird, nicht. Am wahrscheinlichsten ist dem Vf. die Annahme, daſs während des fortgesetzten Schmelzens in einem Tiegel mit porösen Wänden und über einer Gasflamme eine gewisse Menge Wasserdampf in sich auflöst, gerade wie das geschmolzene Silber den Sauerstoff. Ein Teil dieses Wassers wird nach dem raschen Erstarren der Masse zurückgehalten und entwickelt sich erst bei Rotglühhitze wieder. Wie dem auch sein mag, so steht die Thatsache an sich fest und kann zu nicht unbedeutenden Fehlern bei organischen Analysen mittels Bleichromat führen.

Die folgende Beobachtung zeigt, daß auch Occlusionserscheinungen sich zeigen können zwischen einer Verbindung und einem ihrer Elemente. Sehr fein verteiltes Kupferoxyd, erhalten durch Glühen von Nitrat oder durch Fällung, welches in Sauerstoff bis zur beginnenden Rotglut erhitzt wird und dann im Sauerstoffstrome erkaltet, entwickelt unter Aufbrausen Sauerstoff, wenn man es in verdünnter Schwefelsäure oder Salzsäure löst, nachdem man es zuvor in Wasser verteilt und damit aufgekocht hat, um alle mechanisch eingeschlossene Luft zu beseitigen. Der Vf. hat das entwickelte Gas gesammelt und konstatiert, daß es zum größten Teile durch pyrogallussaures Kalium absorbiert wird. Offenbar wird der Sauerstoff hier durch das Kupferoxyd zurückgehalten, und zwar in einer von der gewöhnlichen Verbindung ganz verschiedenen Weise, weil er sich bei der Umwandlung des Oxydes in ein Salz entwickelt. Würde er mit dem Kupferoxyde ein Superoxyd bilden, so müßte bei der Auflösung in Salzsäure Chlor frei werden, was nicht der Fall ist. Auch diese Erscheinung kann bei der organischen Analyse zu einer Fehlerquelle werden. (C. r. **98.** 1520—23. [23.*] Juni.)

R. Romanis, *Über Molekularvolume einiger Doppelchloride.* (Chem. N. **49.** 273. 20. Juni.)

H. Kolbe, *De mortuis nil nisi bene; sed non nimis.* (Journ. prakt. Chem. **29.** 381—383.)

De Forcrand, *Thermische Untersuchungen über die Glyoxaldisulfite des Kaliums und Bariums. Kaliumglyoxaldisulfit.* Diese Verbindung wurde von DEBUS nicht dargestellt; man erhält es wie das entsprechende Natriumsalz. Es krystallisiert in glänzenden Prismen, welche 2 Äq. Wasser enthalten. Die Analyse stimmte mit der Formel:

$$C_4H_2O_4, 2(KO,S_2O_4)2H_2O$$

überein. Die Lösungswärme bei $+17°$ (1 Tl. Salz in 40 Tln. Wasser) beträgt: —13,40 cal.

Folgende thermische Resultate wurden gefunden, resp. berechnet:

$$C_4H_2O_4 \text{ fest} + 4SO_2 \text{ Gas} + 2KO \text{ fest} + 2HO \text{ fest} = C_4H_2O_4, 2(KO,S_2O_4)2HO \text{ fest..}$$
$$+142,81 \text{ cal,}$$

oder wenn man von flüssigem 2HO ausgeht:

$$\dots +144,24 \text{ cal.}$$

Für die gelöste Verbindung:

$$+129,41 \text{ und } +130,84 \text{ cal.}$$

$$C_4H_2O_4 \text{ fest} + 2(KO,S_2O_4) \text{ fest} + 2HO \text{ fest} = C_4H_2O_4, 2(KO,S_2O_4)2HO \text{ fest} \dots$$
$$+14,28 \text{ cal,}$$

und für den gelösten Körper: $+0,88$ cal; wenn man vom flüssigen Wasser ausgeht: $+15,71$ und $+2,31$ cal.

Bariumglyoxaldisulfit. Diese Verbindung wurde von DEBUS analysiert und beschrieben: $C_4H_2O_4, 2(BaO,S_2O_4)7HO$. Die Lösungswärme in 200 Tln. Wasser bei $+16°$ wurde —8,68 cal für 1 Äq. gefunden.

Der Vf. giebt folgende Gleichungen:

$$S_2O_4 \text{ (1 Äq.} = 32 \text{ g} = 8 \text{ l)} + 2BaO \text{ (1 Äq.} = 76,5 \text{ g} = 20 \text{ l)} \dots +17,32 \text{ cal} \times 2$$
$$S_2O_4 \text{ (1 Äq.} = 32 \text{ g} = 8 \text{ l)} + BaO \text{ (1 Äq.} = 76,5 \text{ g} = 20 \text{ l)} \dots +17,56 \text{ cal}$$
$$C_4H_2O_4 \text{ gelöst} + 2(BaO,S_2O_4) = C_4H_2O_4, 2(BaO,S_2O_4)7HO \text{ gelöst} \dots x + 10,69 \text{ cal}$$
$$C_4H_2O_4 \text{ fest} + 4SO_2 \text{ Gas} + 2BaO \text{ fest} + 7HO \text{ fest} = C_4H_2O_4, 2(BaO,S_2O_4)7HO$$
$$\text{fest} \dots +92,72 \text{ cal,}$$

und für den gelösten Körper $+84,04$ cal, oder von flüssigem Wasser ausgehend $+97,72$ und 89,04 cal.

Diese Zahlen gestatten, wie der Vf. zeigt, die Bildung des Bariumsalzes durch Einwirkung von Chlorbarium auf flüssiges Natriumglyoxaldisulfit, sowie die Fällung des gelösten Bariumglyoxaldisulfites durch Schwefelsäure zu erklären. (C. r. **98.** 1537—39. [23.*] Juni.)

Kleine Mitteilungen.

Asbestgewinnung in Italien. Die Asbestgewinnung findet in den Provinzen Sondrio (Valtellina) und Piemont statt, in ersterer an etwa vierzig Punkten in dem Thale Malenco in den Gemeinden Lanzada, Chiesa, Torre Santa Maria und Caspeggio durch Tagebau, indem man das, den in regelmäßigen Gängen von 7—10, selbst 50 cm Mächtigkeit vorkommenden Asbest umschließende Gestein (grünliche chloritische und kalkige Schiefer) durch Pulversprengung entfernt und so den Asbest bloßlegt. Derselbe erscheint in sehr zähen Faserbündeln von weißlich gelber Farbe; die Fasern hängen mehr oder weniger miteinander zusammen oder zeigen sich bei großer Länge (oft mehr als 1 m) fein und aufgelöst und knäuelförmig zusammengeballt, zuweilen auch kompakt, wie durch ein Walzwerk zusammengedrückt. Am häufigsten findet sich der Asbest an den Stellen des Serpentingesteines, an welchen dieses homogener, zäher und mächtiger ist.

In der Provinz Turin wird der Asbest in den Serpentinbergen der Thäler Aosta, Lanzo, Susa und Ossola in 22 verschiedenen Gemeinden aus Gängen von 1—10 cm Mächtigkeit und bis 20 m Längenerstreckung, aber von beschränktem Verflächen gewonnen. Der beste Asbest kommt von Emarese, der feuerbeständigste von Usseglio, und der von Campiglia Sonna hat zwar sehr lange Fasern, aber befindet sich oft in einem Zustande der Zersetzung. Sämtliche Sorten haben jedoch weniger kräftige Fasern als das Mineral von Valtellina. Neuerdings ist die Produktion durch Vereinigung mehrerer Unternehmungen im Aufschwunge begriffen und läßt sich auf eine jährliche Ausbeute von 300, selbst 1000 t allein von der neuen Gesellschaft (The United Asbestos Comp. bringen.

WILSON in Genua hat den Vertrieb von Rohasbest, die Patent Asbestos Manufactura Co. in Glasgow hat keine Fabrik in Italien, sondern versendet den Asbest nach Schottland. Mehrere Fabriken in Turin (DEVALLE, PELLI u. CO. in Cirié, DOMENICO ULRICH, The Italo English Asbestos Co.) verarbeiten das Rohmaterial auf Asbestpappe zum Schutze der Gebäude gegen Brände, Dichtungsringe für Dampfröhren, Asbestfilz zur Bekleidung von Dampfkesseln, Röhren, Cylindern etc., Asbestpapier für Notariatsakten, Theaterdekorationen, chemische Arbeiten etc., Asbestteile zu Dichtungen, Stück- und Teigmasse zum Schließen von Fugen der Dampfkessel, Gasröhren etc., Fäden, Gewebe für chemische Operationen, Feuerschirme, Kleidung für Feuerwehrmänner etc. Der Rohasbest kostet loco Turin pro 1 kg 1,75 Lire. (Österr. Zeitschr. 31. Nr. 50; B.- u. H.-Z. 43. 225.)

Chromsalzindustrie. Den Ausgangspunkt für die Fabrikation der Chrompräparate bildet das aus Chromeisenstein in der Weise dargestellte chromsaure Kali, dass man das sorgfältigst ausgewählte, meist 50—55 p. c. Chromoxyd enthaltende Erz mahlt, mit Pottasche bei hoher Temperatur glüht, die Schmelze auslaugt, die Lauge mit Essig- oder Schwefelsäure versetzt und dieselbe, wenn sie hinreichend konzentriert, sonst nach dem Eindampfen krystallisieren läßt. Das erfolgende Krystallmehl wird mit kaltem Wasser gewaschen, nochmals in heißem Wasser gelöst und umkrystallisiert. In England befinden sich vier große Fabriken des Kalisalzes (in Glasgow und Sowerby Bridge, Lancashire), welche das Chromeisenerz aus Rußland, Griechenland und der Türkei beziehen.

Hauptsächlich werden türkische Erze verarbeitet; die russischen sind wegen großer Transportkosten teurer, die griechischen oft mit minderwertigem Materiale im Gehalte herabgezogen. Auch verwandte norwegische Erze waren wegen zu geringen Gehaltes nicht rentabel zu verarbeiten. Außer in England giebt es noch je eine Fabrik in Baltimore, mit welcher die englischen Fabriken wegen des hohen Schutzzolles nicht konkurrieren können; eine in Moskau, wo wegen weiten Transportes die englische Konkurrenz ausgeschlossen ist, und eine dritte in der Nähe Wiens. Die norwegische Fabrik in Trontjeln war wegen Armut der norwegischen Erze nicht rentabel. In Deutschland befindet sich eine Fabrik in Elberfeld.

Die vier englischen Fabriken liefern jährlich an 10 000 000 kg chromsaures Kali, welches Quantum nicht nur den englischen Bedarf deckt, sondern auch mit den außerenglischen Fabriken in Konkurrenz tritt. Die wenigen Fabriken, welche die Preisregelung des Chromates in der Hand haben, normieren denselben meist so hoch, daß er zu den Darstellungskosten in keinem richtigen Verhältnisse steht.

Die chromsauren Salze finden u. a. Verwendung zur Darstellung von Farben, in der Färberei, neuerdings zur Gerberei nach HEINZERLING's Verfahren u. a. (Chem. Ztg. Nr. 111. 1883; B.- u. H.-Z. 43. 225.)

Guano, eine giftige Substanz, von H. HAGER. Der Gutsbesitzer MANN in Carlsberg (Kreis Arnswalde) erlitt einen großen Verlust. Die Knechte hatten die geleerten Guanosäcke in einer Wasserpfütze auf dem Gutshofe ausgewaschen. Zufällig hatten fünf Kühe, welche man auf dem Hofe frei herumlaufen ließ, sich an dieser Pfütze getränkt, und alle fünf Kühe verendeten.

Aus seinem Leben weiß Vf., daß Arbeiter, welche inmitten des Guanostaubes ihr Frühstück verzehrt hatten, mehrere Stunden darauf an Leibschmerzen und dann an heftigem Durchfall litten. Es ist jedenfalls Guano, von welcher Art er auch sein mag, ein giftiger Körper, und erfordert seine Handhabung immer Vorsicht. (Pharm. Centralh. **25**. 213.)

Kalkanstrich. Der Zusatz von Kochsalz zur Kalktünche ist mehrfach empfohlen worden. Folgende einschlägige Vorschrift wird gegeben: 20 l ungelöschter Kalk werden mit soviel heißem Wasser abgelöscht, daß das Wasser 15 cm über dem Kalk steht. Die Kalkmilch wird weiter verdünnt und 1 g Zinkvitriol nebst 0,5 g Kochsalz hinzugefügt. Zusatz von 0,5 g gelber Ocker erteilt dieser Tünche eine Rahmfarbe, roter Ocker eine rote, etwas Lampenruß eine perlartige, Amber und Lampenruß eine rehfarbene Schattierung. Diese Tünche wird wie gewöhnlich mittels Pinsel aufgetragen und soll, ohne Risse zu bekommen, trocknen. (Techniker; Pol. Notizbl. **39**. 166.)

Goldchlorationsprozeß. In den Vereinigten Staaten verwendet man zur Chloration des Goldes hölzerne Bottiche, in welchen einige Tage lang Salzlauge gestanden hat, und die dann nach dem Trocknen mit heißem Asphaltfirnis überzogen werden. Der Bottich hat einen durchlöcherten doppelten Boden, unter den auf der einen Seite das Chlor tritt, während auf der anderen durch einen mit Stöpsel versehenen Schlauch beim Laugen die Flüssigkeit abgelassen werden kann. Auf den Boden kommt ein Quarzfilter, darauf wird etwa sechs Zoll hoch Erz gesiebt, dieses mit Zeug überdeckt, dann der hölzerne Deckel aufgesetzt und durch denselben Wasser zur Verteilung auf das Zeug gelassen, während durch eine andere Öffnung im Deckel unabsorbiertes Chlorgas entweicht. (Min. and Scient. Preß **48**. Nr. 9; B.- u. H.-Z. **43**. 215.)

Wasserreinigung durch Magnesia, von STOHMANN. Dieselbe beruht darauf, daß geglühte Magnesia nach der Hydratation außerordentlich leicht die freie Kohlensäure der gewöhnlichen Wässer absorbiert und die dadurch seines Lösungsmittels beraubten kohlensauren Kalk zur Ausscheidung bringt unter Bildung von Magnesiumdicarbonat. Zur Ausfällung von 2 Äq. kohlensaurem Kalk (200 g) ist nur 1 Äq. Magnesia (40 g) erforderlich. Die Magnesia zersetzt auch den Gips, indem sich aus dem Magnesiumdicarbonat durch Aufnahme von Magnesiahydrat soviel Monocarbonat bildet, als zur Zersetzung des Gipses geradezu erforderlich ist. Der alkalisch reagierende Kesselschlamm von Magnesiahydrat wirkt jeder Säurebildung und Korrosion entgegen, und hat sich die Magnesia als Wasserreinigungsmittel in der Praxis sehr bewährt. Nähere Auskunft über geeignete Beschaffenheit des Wassers etc. giebt die Firma HEINE und WEICKERT in Leipzig, Uferstr. 12. (GLASER'S Ann. 1884. 105; B.- u. H.-Z. **43**. 202.)

Einfluß der Titansäure auf die Schmelzbarkeit feuerfester Thone, von SEGER. Der Vf. hat Zettlitzer Kaolin, welcher 98,5 p. c. reine Thonerdesubstanz enthält, einerseits mit Kieselsäure (5 und 10 p. c.), andererseits mit Titansäure (der der Kieselsäure äquivalenten Menge) im DEVILLE'schen Gebläseofen auf eine zwischen Schmiedeeisen- und Platinschmelzhitze liegende Temperatur erhitzt. Der Zettlitzer Thon war nach dem Glühen für sich weiß, fast völlig verdichtet an den Kanten durchscheinend, die Form völlig erhalten, scharfkantig mit matter Oberfläche. 100 Teile des Thones mit 5 p. c. Kieselsäure waren nach dem Glühen schneeweiß, noch etwas saugend, auf dem Bruche porzellanartig, von matter Oberfläche, die Form völlig erhalten. Mit 10 p. c. Kieselsäure geglüht, war der Thon ebenfalls weiß, noch stärker saugend, an den Kanten durchscheinend, fast porzellanartig dicht, von matter Oberfläche.

Ein Zusatz von 6,65 Tln. Titansäure auf 100 Tle. Thon bewirkten, daß derselbe nach dem Glühen auf dem Bruche dicht gesintert war, eine matt glasierte Oberfläche zeigte und eine dunkelblaugraue Färbung angenommen hatte. Bei einem Gehalte von 13,3 Tln. Titansäure erschien die Probe zu einem blaugrauen Emailletropfen zusammengegangen.

Hiernach wirkt Titansäure schon als entschiedenes Flußmittel bei Temperaturen, bei welchen die Kieselsäure noch auflockernd wirkt, und es scheint danach geboten, bei Analysen feuerfester Thone mehr als bisher auf die Gegenwart von Titansäure acht zu haben. Was die beobachtete blaugraue Färbung anlangt, so erinnert dieselbe an die Farbe, welche manche Thone bei starkem Brennen annehmen, und es ist wohl möglich, daß dieselbe ein Anzeichen eines geringen Titansäuregehaltes ist, da andere Thone von erheblich höherem Eisengehalte sich vollkommen weiß brennen. Dieser letzte Punkt bedarf jedoch zur Entscheidung noch einer eingehenden Untersuchung. (Thonindustriestg. 1883. 243; Chem. Ind. **7**. 127.)

Kadmiumgehalt des Cillier Zinkstaubes. Auf der k. k. Zinkhütte in Cilli wurden kürzlich Untersuchungen bezüglich des Kadmiumgehaltes des bei der Zinkdestillation fallenden Zinkstaubes (Poussière) vorgenommen, welche ergaben, daß sowohl der in den Handel gelangende gesiebte Zinkstaub, als auch der gröbere Siebrückstand, und zwar ersterer 0,302—0,356 p. c., letzterer bis 0,262 p. c. Kadmium enthalten. Man unterzog nun, im Hinblick auf die Eigenschaft des Kadmiums, leichter zu verflüchtigen als Zink, das in den ersten Stunden des Prozesses übergehende Destillat der Untersuchung, wobei man nur jene Partien wählte, die sich in den den Vorsteckballons aufgesetzten, am wenigsten erwärmten Kapseln ansammeln, und fand den Kadmiumgehalt nach zwei Stunden mit 0,794, nach vier Stunden mit 0,630 (in einem zweiten Falle mit 0,514), nach sechs Stunden mit 0,283 p. c. Der Vergleich des in den Allongen und in den Kapseln enthaltenen Zinkstaubes ergab nach drei Stunden in den ersteren 0,227, in den letzteren 0,704 p. c. Cd, nach sechs Stunden 0,064, resp. 0,212 p. c. Aus diesen Analysenergebnissen ist zu schliefsen, dafs das Kadmium, in den ersten Stadien des Prozesses überdestilliert, nach sechs Stunden der gröfste Teil desselben ausgeschieden ist und sich vorzugsweise in den kühleren Teilen der Allongen ansammelt. Die Untersuchungen werden fortgesetzt, wobei das Augenmerk darauf zu richten ist, eine Konzentration des Gehaltes an Kadmium zu erzielen, um, wie bei den Zinkhütten Oberschlesiens, dessen Gewinnung zu ermöglichen. (Österr. Ztschr. **32**. 365.)

Nachweis von Orseille in damit gefärbten Weinen, von COTTON. Der verdächtige Rotwein wird durch einen Überschuß von Bleiessig gefällt, der Niederschlag auf einem Filter gesammelt, ausgewaschen und getrocknet. Nach dem Trocknen wird das Filter mit Inhalt in kleine Stückchen zerschnitten und diese in starken Alkohol gebracht, dem 10 p. c. Ammoniak zugesetzt worden sind. Reiner Wein und solcher, der vegetabilische Farbstoffe, wie von Malven, Hollunder, Kampeche etc. enthält, giebt keine Färbung an den ammoniakhaltigen Alkohol ab. Wein, der Kochenille enthält, giebt zwar auch keine sofortige Färbung, aber nach Verlauf einiger Tage nimmt die Flüssigkeit eine kaum merkliche gelbe Färbung an. Orseille dagegen tritt sofort mit ihrer natürlichen rotvioletten Farbe hervor und geht in dem Vehikel in Lösung. Alle übrigen, zum Färben von Rotwein angewendeten Farbstoffe chemischen oder vegetabilischen Ursprunges zeigen kein gleiches Verhalten, denn sie färben den ammoniakhaltigen Alkohol entweder anders oder gar nicht oder erst nach Verlauf einiger Zeit. (Rep. de Pharm. **12**. 71; Arch. Pharm. [3.] **22**. 435.)

Beiträge für das Centralblatt bittet man an die Redaktion (Leipzig, Lessingstr. 5) zu richten. **Originalarbeiten** von nicht zu grofsem Umfange werden entsprechend honoriert und gelangen stets sofort nach der Einsendung, und zwar in kürzester Frist, zum Abdruck.

Redaktion: Prof. Dr. **Rud. Arendt** in Leipzig.

Verlag von **Leopold Voss** in Hamburg u. Leipzig. — Druck von **Metzger & Wittig** in Leipzig.

No. 32.

Chemisches Central-Blatt.

6. August 1884.

Wöchentlich eine Nummer von
1-2 Bogen. Der Jahrgang mit
Sach- und Namen-Register,
nebst system. Übersicht.

Der Preis des Jahrgangs
ist 30 Mark. Durch alle
Buchhandlungen und Post-
anstalten zu beziehen.

REPERTORIUM .

für reine, pharmazeutische, physiologische und technische Chemie.

Dritte Folge. XV. Jahrgang.

Wochenbericht.

1. Allgemeines und Physikalisches.

L. Cailletet, *Über die Anwendung des Methans zur Hervorbringung sehr niedriger Temperaturen.* Das flüssige Äthylen, dessen Eigenschaften der Vf. vor einigen Jahren (**82**. 436) beschrieben hat, giebt, wenn es bei gewöhnlichem Luftdrucke siedet, eine so niedrige Temperatur, dafs man dadurch komprimierten und durch diesen Körper abgekühlten Sauerstoff im Momente seiner Entspannung kondensieren kann; man beobachtet dann in dem Apparate ein stürmisches Aufwallen. WROBLEWSKI und OLSZEWSKI haben unter Anwendung des siedenden Äthylens den Meniskus des flüssigen Sauerstoffes beobachten können, was dem Vf. nie gelungen ist. Durch Anwendung von Methan statt Äthylen ist es dem Vf. gelungen, den Sauerstoff zu verflüssigen, ohne dazu Luftpumpen anzuwenden. Wird das Sumpfgas schwach komprimiert und in Äthylen, welches bei Atmosphärendruck siedet, abgekühlt, so verwandelt es sich alsbald in eine äufserst leicht bewegliche Flüssigkeit, welche bei ihrem Verdampfen eine so starke Kälte erzeugt, dafs der Sauerstoff darin sofort flüssig wird. Unter dieser Bedingung ist die Kondensation des Sauerstoffes eine der einfachsten Laboratoriumsarbeiten. Näheres über die Einrichtung des Apparates wird der Vf. nächstens mitteilen. (C. r. **98**. 1565—66. [30.*] Juni.)

Joachim Sperber, *Versuch eines allgemeinen Gesetzes über die spezifische Wärme.* Nach dem DULONG-PETIT'schen Gesetze berechnet sich bekanntlich die spezifische Wärme C eines Elementes vom Atomgewichte a aus der Formel $C = \dfrac{6,4}{a}$. Das Gesetz mufs nach dem Vf. schon deshalb unrichtig sein, weil es nichts aussagt über die Abhängigkeit der spez. Wärme von der Temperatur. Ferner liefert es, auf Gase angewandt, ganz falsche Werte. Aufserdem läfst es darüber im Unklaren, warum die Konstante in der Formel nahezu gleich 6 ist. Der Vf. vorliegender Schrift nimmt nun an, dafs die wahre spez. Wärme sowohl vom *Atomgewicht* als auch von der *Anzahl* der Atome im Molekül abhängig sei. Indem er zeigt, dafs die spez. Wärme zum weitaus gröfsten Teile der Lockerung des das Molekül umgebenden Äthers diene, gelangt er mit Hilfe einer Annahme über die Gestalt dieser Ätherhülle zu dem Gesetze: $C = \dfrac{2n^2}{an}$, wo n die Anzahl der Atome im Molekül und an das Molekular-, also a das Atomgewicht bezeichnet. (Die Konstante im Zähler ist deshalb $= 2$ gesetzt, weil für H_2O, wo $n = 3$ und $an = 18$ ist, die spez. Wärme $C = 1$ werden mufs.) Bei den weitaus meisten Elementen wird das Molekül ein-, zwei- oder dreiatomig (s. u.) sein; für ein einatomiges ist $C = \dfrac{2}{a}$, für für ein zweiatomiges ist $C = \dfrac{4}{a}$, für das dreiatomige $= \dfrac{6}{a}$.

Die Atomwärme $a C$ ist also 2, 4 oder 6, je nachdem das Molekül aus 1, 2 oder 3 Atomen besteht.

XV.

38

Der Vf. findet sein Gesetz experimentell bestätigt; die Atomwärme vom einatomigen Hg-Dampfe ist = 2, ..., die vom Br_2-, Cl_2-, J_2-Dampfe ist = 4, ..., die von den meisten festen Elementen, deren Moleküle von ihm als dreiatomig angesehen werden, ist bekanntlich = 6, ... Die Abweichung der experimentellen von der berechneten spez. Wärme rührt nach dem Vf. von der Wärme her, welche zur Vermehrung der potentiellen Energie dient; diese ist in der Formel nicht enthalten. Allotropische Modifikationen, welche sich durch die verschiedene Anzahl der Atome im Molekül unterscheiden, müssen nach dem neuen Gesetze verschiedene Atomwärme haben. Als Bestätigung dieser Folgerung werden u. a. die Beobachtungen am Silicium angeführt, dessen beide Modifikationen nahezu die Atomwärmen 4 und 6 besitzen.

W. H. Perkin, *Über die magnetische Molekularrotation chemischer Verbindungen in bezug auf deren Zusammensetzung.* In einer vorläufigen Notiz über diesen Gegenstand (**82.** 435. 578) hat der Vf. gezeigt, dafs, wenn man das Rotationsvermögen auf die Längeneinheit bezieht, bestimmte Gesetzmäfsigkeiten nicht aufgefunden werden können, sondern dafs man nur dann Relationen zwischen jenem Vermögen und der Zusammensetzung der Körper erwarten kann, wenn man „molekulare Längen" von Flüssigkeiten miteinander vergleicht, d. h. Längen, welche so bemessen sind, dafs der Lichtstrahl, wenn er dieselben passiert, in allen Fällen gleichviel Moleküle trifft. Es wurde ferner gezeigt, dafs sich die durch diese molekularen Längen bewirkte Rotation aus den Beobachtungen mit der Längeneinheit durch die Formel $\frac{r.Mw}{d}$ berechnen läfst, wo r die beobachtete Rotation, Mw das Molekulargewicht und d die Dichte der Substanz ist, und endlich, dafs, wenn dieser Wert durch die Zahl dividiert wird, welche man auf ähnliche Weise für die Vergleichssubstanz (in diesem Falle Wasser) erhält, das Resultat der *Molekularkoeffixient der magnetischen Rotation*, oder kurz die *Molekularrotation* ist.

Hierzu waren Beispiele gegeben worden, welche sowohl aus eigenen Beobachtungen, als auch aus anderen, von BECQUEREL und DE LA RIVE berechnet waren, und welche die Richtigkeit dieser Ansicht bewiesen und die Existenz eines bestimmten Gesetzes der magnetischen Rotationspolarisation darthäten.

Diese Untersuchungen sind nun fortgesetzt worden und die vorliegende Mitteilung enthält die Resultate sorgfältiger Beobachtungen an 140 Substanzen, welche zu den verschiedenen Klassen der fetten organischen Verbindungen gehören. Aus diesen Resultaten geht hervor, dafs bei streng homologen Reihen durch die Einführung einer CH_2-Gruppe eine konstante Zunahme der Molekularrotation bewirkt wird. Als Mittel aus vielen vollständig übereinstimmenden Beobachtungen ergab sich für diese Konstante für CH_2 der Wert 1,023. Jede Reihe hat überdies ihre eigene Anfangs- oder Reihenkonstante, und es wurde gefunden, dafs, wenn diese einmal für eine Reihe durch die sorgfältige Beobachtung eines ihrer Glieder bestimmt ist, die Molekularrotation eines jeden anderen Gliedes durch die Formel Mol. Rot = s + 1,023 n gefunden wird, wo s die Anfangs- oder Reihenkonstante und n die Zahl der Kohlenstoffatome im Molekül ist. Weiter wurde gefunden, dafs man in homologen Reihen das erste und mitunter auch die beiden ersten Glieder weglassen mufs. Dies stimmt mit den Beobachtungen anderer Autoren über andere chemische und physikalische Eigenschaften der homologen Reihen überein, und es scheint, als wenn der Einflufs des Kohlenwasserstoffkernes dieser Substanzen zum gröfseren oder geringeren Teile durch den der äufseren Elemente neutralisiert wird und dafs die wahren homologen Reihen immer erst mit dem Gliede beginnen, welches mindestens drei Kohlenstoffatome im Kerne hat. Ferner nimmt der Isomerismus einen bedeutenden Anteil an der Erscheinung, und wenn das obige Gesetz streng gültig sein soll, so ist es nötig, dafs die Reihen nicht nur in bezug auf das Molekulargewicht, sondern auch auf ihre Molekularkonstitution homolog sind. Nimmt man als Norm die Molekularrotation einer normalen Reihe, so sind die für die Iso- und sekundären Körper erhaltenen Zahlen höher, und die für die tertiären Körper noch höher. Die Zunahme der Methylgruppen macht also ihren Einflufs derart geltend, dafs die Molekularrotation erhöht wird, oder mit anderen Worten: je komplizierter die Konstruktion, desto gröfser ist der Einflufs auf das polarisierte Licht. In einigen Fällen ist der Einflufs, den der Isomerismus übt, noch markierter, z. B. bei den Äthylen- und Äthylidenverbindungen, und besonders überall da, wo zwei oder mehrere Nichtkohlenwasserstoffradikale oder Elemente in der Verbindung vorhanden sind. In diesem Falle variieren die erhaltenen Zahlen sowohl nach der Anordnung der Kohlenstoffatome im Kerne, als auch nach der Stellung der substituierenden Radikale, je nachdem diese in demselben Kohlenstoffkerne oder in der Nachbarschaft desselben, oder in gröfserer Entfernung sich befinden. Dies zeigt sich besonders bei den Äthern der zweibasischen Säuren der Reihe $C_nH_{2n-4}O_4$. Da diese Säuren selbst fest sind, so können sie nicht geprüft werden. Die normale Reihe scheint hier die Formel: $COO.(C_2H_5)(CH_2)_n COO.(C_2H_5)$ zu haben und das erste Glied der wirklichen homologen

Reihe der Bernsteinsäure- oder vielleicht auch der Glutarsäureäther zu sein. Mittels der Mallonsäurederivate wurde eine große Zahl der niederen Glieder dieser Reihe erhalten und geprüft. Die vier Äther von der Formel $C_nH_6(COO.C_nH_5)_2$ bieten gute Beispiele für den Einfluß des molekularen Isomerismus in dieser Reihe. Die Molekularrotation für den Glutarsäureäthyläther ist 9,403 (berechnet aus dem Bernsteinsäureäther), für den Brenzweinsäureäthyläther 9,347, für den Äthylmalonsäureäthyläther 9,272 und für den Dimethylmalonsäureäthyläther 9,268. Bei den Halogenderivaten der mehrwertigen Radikale tritt dieser Einfluß des Isomerismus noch mehr hervor, und zwar sind es besonders die Bromide, welche hier in betracht kommen.

Was den Einfluß der successiven Vertretung von Wasserstoff in einer Verbindung durch ein negatives Radikal anbetrifft, so findet man, daß es um so schwieriger ist, einen festen Wert für die Zunahme der Rotation zu erhalten, je größer die Zahl der Isomerien in dem betreffenden Falle ist. Diese Schwierigkeit wird noch dadurch vermehrt, daß es fast unmöglich ist, derartige polysubstituierte Körper in genügender Zahl und Reinheit zu erhalten, um sie miteinander vergleichen zu können. Wenn einige dieser Körper auch in mancher Hinsicht geeignet erscheinen, so liegt wieder ihr Schmelzpunkt zu hoch etc.

Die Entziehung von Wasserstoff, d. h. die Bildung ungesättigter Verbindungen übt einen bedeutenden Einfluß auf die magnetische Rotation aus, indem sie dieselbe für jedes Minus von H_2 um eine Einheit steigert. So hat der Propylalkohol 3,769, der Allylalkohol 4,683: Differenz 0,914; ferner der Propylmalonsäureäthyläther 10,367, der Allylmalonsäureäthyläther 11,281: Differenz 0,914.

Es wurden auch Versuche gemacht, aus den Resultaten die Rotationen der Elemente zu berechnen, allein in anbetracht, daß der Isomerismus einen so beträchtlichen Anteil an der Erscheinung nimmt, ist anzunehmen, daß der Wert der Elemente je nach ihrer Stellung im Molekül variiert, und daß das Höchste, was sich hier erreichen läßt, in der Aufstellung gewisser Grenzen für die verschiedenen Reihen besteht, innerhalb deren der Wert der Elemente schwankt. Der Vf. glaubt, daß diese Variation der Molekularrotation infolge des molekularen Isomerismus bei der Bestimmung der Konstitution unbekannter Körper von Nutzen sein kann. Folgendes sind die Reihenkonstanten, welche aus einer großen Zahl von Beobachtungen abgeleitet wurden: Paraffine, C_nH_{2n+2}: 0,512; Isoparaffine: 0,625; Alkohole, $C_nH_{2n+2}O$: 0,700; Iso- und sekundäre Alkohole: 0,845; Oxyde, $C_nH_{2n+2}O$: 0,642; Isoxyde: 0,932; Aldehyde, $C_nH_{2n}O$: 0,264; Isoaldehyde und Ketone: 0,377; Säuren, $C_nH_{2n}O_2$: 0,393; Isosäuren: 0,504; Ameisensäureäther vom Äthyläthan aufwärts: 0,495; Essigsäureäther vom Äthyläther an aufwärts: 0,370; Essigsäureäther mit positivem Isoradikal: 0,483; Methyläther: 0,273; Äthyläther: 0,336; Isoäthyläther: 0,449; Methyläther der Bernsteinsäurereihe: 0,093; Äthyläther der Bernsteinsäurereihe: 0,196; Äther der Bernsteinsäurereihe mit positivem Isoradikal: 2,432; Chloride, $C_nH_{2n+1}Cl$: 1,988; Iso- und sekundäre Chloride: 2,052; Bromide: 3,814; Iso- und sekundäre Bromide: 3,902; Jodide: 8,006; Iso- und sekundäre Jodide: 8,092; Äthyläther der Oleïnreihe, $C_nH_{2n-2}O_2$: 1,452.

Alle diese Beobachtungen beziehen sich auf die Linie D. Es wurde dazu eine Lampe benutzt, in welcher Wasserstoff über stark erhitztes Natrium geleitet wurde, das sich in einem stark erhitzten, eisernen Gasrohre befand; der Wasserstoff wurde dadurch vollständig mit Natriumdampf gesättigt und gab eine glänzende, monochromatische Flamme. Während der Untersuchung wurde eine große Zahl von Dichtebestimmungen ausgeführt, wobei man Rücksicht auf die Beziehungen zwischen den Dichten homologer Glieder und zu einander nahm. (Chem. N. **49.** 284—85. 27. [19.] Juni. London, Chem. Soc.)

2. Allgemeine Chemie.

H. Grimaux, *Über die Koagulation der kolloïdalen Körper.* Im weiteren Fortgange der Untersuchung über die kolloïdalen Substanzen beabsichtigte der Vf. zu zeigen, daß die Reaktion der Eiweißkörper nicht dieser Klasse von Körpern eigentümlich sind und von ihrem kolloïdalen Charakter abhängen; und ferner die Ursache der Koagulation, sei es der freiwilligen, sei es der unter Mitwirkung von Wärme oder von Salzen eintretenden festzustellen. Die Beobachtungen, welche er über das Hydrat und die Salze des Eisens, sowie über die stickstoffhaltigen Kolloïde gemacht hat, haben ihn zu dem Versuche geführt, eine Theorie der Koagulation der kolloïdalen Körper zu geben. Da die Koagulation unter verschiedenen Bedingungen eintritt und durch Verdünnung bald verzögert, bald begünstigt wird, so war es nötig, die Erscheinungen in diesen beiden Fällen besonders zu studieren.

Körper, deren Koagulation durch Verdünnung verlangsamt wird. Da das Gerinnen des Ferrihydrates und der löslichen Kieselsäure um so mehr Zeit oder eine um so höhere

Temperatur erfordert, je verdünnter die Lösung ist, so ist es gestattet, dieses Gerinnen mit der Ätherifikation zu vergleichen. Die lösliche Kieselsäure, welche durch Einwirkung von Wasser auf Methylsilikat, $Si(OCH_3)_4$, entsteht, entspricht dem normalen Hydrat $Si(OH)_4$; ebenso ist das lösliche Ferrihydrat, welches durch Einwirkung von Wasser auf Ferriäthylat, $Fe_2(OC_2H_5)_6$, entsteht, das normale Hydrat $Fe_2(OH)_6$. Reagieren 2 Mol. Kieselsäurehydrat oder Ferrihydrat aufeinander, so vereinigen sie sich unter Wasserverlust zu Dikieselsäurehydrat, $Si(OH)_3-O-Si(OH)_3$, resp. Diferrihydrat, $Fe_2(OH)_5-O-Fe_2(OH)_5$. Diese Kondensation unter Elimination von Wasser ist mit einer Ätherifikation zu vergleichen, und durch weitere Verfolgung dieser Analogie kann man sich Rechenschaft geben von allem, was bei der Koagulation der löslichen Kieselsäure und des löslichen Ferrihydrates vor sich geht.

Die freiwillige Koagulation in der Kälte ist eine langsame Reaktion, wie die Ätherifikation, welche nach den Untersuchungen von BERTHELOT mehrere Jahre braucht, um bei gewöhnlicher Temperatur ihre Grenze zu erreichen, und zwar ist sie um so langsamer, je verdünnter die Lösung ist, da die Ätherifikation durch die Gegenwart von Wasser verlangsamt wird. Bei der Einwirkung von Wärme zeigt sich die Analogie von neuem, denn die Koagulation sowohl, als auch die Ätherifikation erreichen ihre Grenze um so eher, je höher die Temperatur ist.

Die Salze begünstigen die Koagulation, indem sie als wasserentziehende Mittel wirken; hiernach kann man annehmen, daß sie auch die Ätherifikation begünstigen. Der Vf. beabsichtigte, hierüber Versuche anzustellen, als er in den Abhandlungen von BERTHELOT einer Thatsache begegnete, welche ebenfalls für die Analogie zwischen den beiden Erscheinungen spricht. BERTHELOT hat in der That gefunden, daß die Verseifung von Benzoeäther bei 200° durch die Gegenwart von Chlorbarium zum Teil verhindert wird.

Die Analogie hört aber auf, insofern die Erscheinung nicht umkehrbar ist, da Kieselsäure und das Ferrihydrat, wenn sie einmal koaguliert sind, nicht wieder löslich werden, sich so zu sagen nicht wieder verseifen lassen; gleichwohl ist der Unterschied nicht so absolut, wie er erscheint, denn einerseits können die koagulierte Kieselsäure und das koagulierte Eisenhydrat unter gewissen Bedingungen sich doch in Wasser wieder lösen, und andererseits ist die Zersetzung der Äther durch Wasser niemals ganz vollständig. Endlich ist auch noch zu erwähnen, daß für die Umwandlung der kolloïdalen Körper die Zeit ein notwendiges Element ist, wie GRAHAM gezeigt hat, und daß sie sich durch die Langsamkeit ihrer Reaktionen den organischen Verbindungen nähern.

Da das Gerinnen der stickstoffhaltigen Kolloïde, Eiweiß und Amidobenzoesäurekolloïd durch Verdünnung ebenfalls verzögert oder verhindert wird, so gehören sie mit dem Ferrihydrat und mit der Kieselsäure in eine Klasse und man kann annehmen, daß ihre „Pectisation" auch auf einer Wasserentziehung beruht.

Eine eigentümliche Thatsache, welche sich noch nicht genügend erklären läßt, ist der Umstand, daß die gelatinierten Körper eine Zusammenziehung erleiden, was man sehr gut bei dem Koagulum der Kieselsäure und des Ferrihydrates beobachten kann, bei denen die Kontraktion mehrere Wochen dauert. Der Vf. glaubt, daß folgende Auffassung zulässig ist. In einer ersten Phase der Koagulation bilden sich die oben erwähnten Anhydrokörper $Si(OH)_3-O-Si(OH)_3$ und $Fe_2(OH)_5-O-Fe_2(OH)_5$. Es läßt sich nun leicht einsehen, daß diese neuen Moleküle sich abermals unter Wasserverlust kontrahieren können, bis sie einen definitiven Zustand annehmen. Wenn dem so ist, so müssen in jedem Augenblicke, so lange die Kontraktion dauert, verschiedene Körper in der Masse vorhanden sein, deren molekulare Komplikation ohne Aufhören wächst. Auf diese Weise läßt sich durch fortdauernden Verlust nicht nur von chemisch gebundenem Wasser, sondern auch von solchem, womit die Gallerten imprägniert sind, die Zusammenziehung erklären. Als Stütze für diese Ansicht kann folgender Versuch gelten:

Wenn man Ferriäthylat durch Wasser zersetzt, so erhält man nach einer gewissen Zeit je nach den Wassermengen einen dicken Sirup und dann eine durchscheinende Gallerte. Wenn man in dem Momente, wo diese sich bildet, mit Wasser verdünnt, so löst sie sich vollständig. Dies würde das erste Produkt der Kondensation sein, welches in Wasser noch löslich ist; während die Gallerte, wenn man sie eine Viertelstunde lang sich selbst überläßt, so daß sie schon begonnen hat, sich zusammenzuziehen, vollkommen unlöslich wird.

Körper, bei denen die Verdünnung die Koagulation begünstigt. Das Gerinnen der Ferriderivate, der SCHWEIZER'schen Flüssigkeit und des Calciumsaccharates wird durch Verdünnung begünstigt; diese Erscheinung verhält sich zu dem Gerinnen der Kieselsäure und des Eisenhydrates ebenso, wie die Dissociation durch Auflösung mit der Ätherifikation; sie wird durch Verdünnen begünstigt, weil der Körper, welcher während der Reaktion eliminiert wird, ein anderer als Wasser ist. Aus diesem Grunde wird auch die Zersetzung des Eisenkaliumglycerinates durch die Gegenwart von Glycerin eliminiert, und die durch Wärme koagulierbaren Lösungen werden durch Zusatz von überschüssigem Glycerin beständig, sowie durch Zusatz von Wasser koagulierbar. Endlich gelangen Lösungen, welche arm an Glycerin sind, durch Wasserzusatz nach Verlauf von wenig Tagen zur Koagulation.

Das *Ferrichloroarsenat* ist in einem Überschusse von Eisenchlorid beständig und koaguliert freiwillig bei der Dialyse durch Einwirkung von Wasser; die Lösungen des Ferrikaliumtartrates werden mit der Zeit zersetzt, und um so schneller, je konzentrierter sie sind. Was die dialysierte SCHWEIZER'sche Flüssigkeit betrifft, so wird sie durch Wasser in Kupferoxyd und Ammoniak dissociiert, und bei Gegenwart eines kleinen Überschusses von Ammoniak findet die Zersetzung nicht statt; durch Einwirkung von Wärme zersetzt sie sich in Kupferhydrat und Ammoniak, welche sich beim Abkühlen von neuem wieder verbinden.

Man sieht hieraus, daß die Koagulation der Kolloïde nicht mehr den Charakter eines völlig dunklen und unerklärbaren Phänomens besitzt; wir gelangen zu einem genügenden Aufschlusse darüber, wenn wir sie uns von den Gesetzen des chemischen Gleichgewichtes abhängig denken, wie die Erscheinungen der Ätherifikation und der Dissociation, sei es der einfachen, sei es der Dissociation durch Lösung: in beiden Fällen wird die Zersetzung durch die Gegenwart des Körpers, welcher bei der Reaktion eliminiert wird, begrenzt oder verhindert. (C. r. **98**. 1578—81. [30.°] Juni.)

N. Menschutkin, *Über die Bildung der Säureamide aus den Ammoniumsalzen.* Die Methode der Untersuchung bestand darin, daß die Ammoniumsalze in zugeschmolzenen Röhren der Einwirkung einer konstanten Temperatur teils im Glycerinbade, teils in den Dämpfen siedender Flüssigkeiten ausgesetzt wurden und in regelmäßigen Zeiträumen die Reaktion quantitativ verfolgt wurde. Letzteres geschah, indem man die Quantität des gebliebenen Ammoniaksalzes am Ende des betreffenden Zeitraumes durch Titrieren in alkoholischer Lösung bei Gegenwart von Phenolphtaleïn mittels titrierter alkoholischer Natronlauge bestimmte. Zu den Versuchen dienten die Ammoniumsalze der Ameisen-, Essig-, Propion-, Butter-, Isobutter- und Capronsäure; einige Bestimmungen wurden auch mit denen der Benzoesäure, der Phenylessigsäure und der Anissäure ausgeführt.

Etwas ausführlicher beschreibt der Vf. die Amidierung des Ammoniumacetates, welche sich nach der Gleichung:

$$CH_3.CO.NH_4O = CH_3.CO.NH_2 + H_2O$$

vollzieht.

Diese Umwandlung beginnt erst bei etwa 110° und vollzieht sich selbst bei 125° noch sehr langsam, wie folgende Zusammenstellung zeigt.

Die Zahlen derselben geben an, wie viel Prozent Acetamid aus dem Ammoniumacetat nach Verlauf der angegebenen Zeit im Mittel gebildet worden sind.

Amidierung der Essigsäure bei 125°.

1 Stde.	12 Stdn.	24 Stdn.	48 Stdn.	156 Stdn.	240 Stdn.	288 Stdn.	336 Stdn.	408 Stdn.
5,93	49,57	57,47	68,26	74,65	74,82	75,07	75,15	75,30.

Die Anfangsgeschwindigkeit der Amidierung der Essigsäure, also die Geschwindigkeit am Ende der ersten Stunde, ist sehr klein und im Mittel = 6,33 p. c. Sie wird mit der Zeit größer, die gebildete Menge des Acetamides wächst; sie kommt jedoch, etwa nach 156 Stunden, zum Stillstande. Wie es vorauszusehen war, hat die Reaktion eine Grenze, welche durch die entgegengesetzte Reaktion, die Zersetzung des Acetamides durch das sich bildende Wasser, bedingt ist. Die Grenze tritt ein, wenn die Geschwindigkeiten beider entgegengesetzten Reaktionen gleich werden. Es gleicht somit in dieser Hinsicht die Bildung der Säureamide vollkommen der Bildung der zusammengesetzten Äther. Bei der graphischen Darstellung der Resultate der Versuche über die Bildung des Acetamids, wenn auf der Abscissenaxe die Stunden, auf der Ordinatenaxe die Prozente des gebildeten Acetamides abgetragen werden, bekommt man Kurven, die, denen bei der Untersuchung die Ätherbildung erhaltenen, vollkommen ähnlich sind.

Der Einfluß der Temperatur auf die Bildung des Acetamides wird aus der folgenden Tabelle erkannt. In dieser bedeuten die Zahlen der obersten Horizontalreihe die Stunden, und die der ersten Vertikalreihe die Temperaturen.

Temp.	1	4	8	12	14	24	40	72	144	192	240 Stdn.
140°	21,36	—	—	—	—	80,58	—	—	77,54	78,26	78,10
155°	50,90	78,12	79,99	80,00	—	—	—	80,91	81,60	81,60	81,57
182,5°	78,31	—	—	82,60	82,68	82,29	83,00	—	—	—	—
212,5°	82,83	—	—	83,96	84,01	84,19	84,05	—	—	—	—

Hieraus ergiebt sich, daſs die Temperatur sowohl auf die Geschwindigkeit, als auch auf die Grenze einen Einfluſs ausübt. Steigt die Temperatur, so wird die Anfangsgeschwindigkeit immer gröſser und zugleich wird die Zeit, welche nötig ist, um die Grenze der Amidierung zu erreichen, wesentlich verkürzt.

Die Bildung der Amide anderer Säuren wurde nur hinsichtlich der Anfangsgeschwindigkeit und der Grenze studiert. Die Mittelwerte der erhaltenen Resultate sind in der folgenden Tabelle zusammengestellt:

	125°	140°	155°	182,5°	212,5°
Ammonium-Formiat	23,41	—	57,46	—	—
„ -Acetat	6,33	21,36	50,90	78,62	82,83
„ -Propionat	—	—	50,93	—	—
„ -Butyrat	—	—	42,46	—	82,24
„ -Isobutyrat	0	17,20	37,09	74,32	81,51
„ -Capronat	4,74	—	48,17	76,07	80,78

Die Zahlen lassen erkennen, daſs durch die Erhöhung der Temperatur die Anfangsgeschwindigkeit für alle angeführten Säuren ziemlich gleichmäſsig vermehrt wird. Ferner zeigt sich der Einfluſs des Molekulargewichtes, sowie der Isomerie der Säuren auf die Geschwindigkeit ihrer Amidierung. Was die Anfangsgeschwindigkeit der Säuren „gleicher Struktur", aber von verschiedenem Molekulargewichte, betrifft, so besitzt die Ameisensäure die gröſste Anfangsgeschwindigkeit und bei den Säuren mit gröſserem Molekulargewichte wird die Anfangsgeschwindigkeit kleiner. Die Differenzen sind am gröſsten bei verhältnismäſsig niedriger Temperatur und werden immer kleiner, je höher die Temperatur steigt. Diese Regelmäſsigkeit läſst sich selbst bei 212,5° erkennen. Nur die normale Buttersäure macht bei 155° eine Ausnahme, welche durch die bei dieser Temperatur stattfindende Beschleunigung der Geschwindigkeit bedingt wird.

Der Einfluſs der Isomerie ergiebt sich aus den Daten für die Isobuttersäure, welche eine sekundäre ist. Er zeigt sich 1. in der höheren Temperatur, bei der die Amidierung beginnt und 2. in der konstant kleineren Geschwindigkeit, verglichen mit der der Buttersäure, ja selbst der Capronsäure.

Um diesen Schluſs zu prüfen, wurden die Anfangsgeschwindigkeiten der Amidierung bei 155° für folgende aromatische Säuren bestimmt: Ammoniumbenzoat 0,75; Ammoniumphenylacetat 36,4; Ammoniumanisat 3,8; auch hier zeigt die primäre Phenylessigsäure eine gröſsere Geschwindigkeit der Amidierung, als die tertiären Säuren: Benzoesäure und Anissäure.

Da die Versuche mit primären, secundären und tertiären Säuren ausgeführt sind, so hält Vf. dieselben für genügend, um daraus folgende allgemeine Schlüsse ziehen zu können:

1. Die Isomerie der Säuren übt einen Einfluſs auf die Geschwindigkeit ihrer Amidierung aus.

2. Die primären Säuren zeigen die gröſsten Geschwindigkeiten der Amidierung.

3. Die sekundären Säuren zeigen kleinere Geschwindigkeiten, sowie eine höhere Temperatur des Anfangs der Amidierung.

4. Die tertiären Säuren haben die kleinsten Geschwindigkeiten der Amidierung; dieser Schluſs ist aus dem Verhalten der aromatischen Säuren gezogen.

5. Die Ameisensäure zeigt die gröſste Anfangsgeschwindigkeit der Amidierung.

Wie die Amidierung der Essigsäure, so zeigt auch die Amidierung der anderen Säuren das Eintreten des Gleichgewichtes, der Grenze, nachdem bei irgend einer Temperatur eine genügende Zeit erwärmt wird. Die folgende Tabelle giebt die Grenzen für die verschiedenen Säuren bei den betreffenden Temperaturen an.

	125°	155°	182,5°	212,5°
Ammonium-Formiat	52,22	—	—	—
„ -Acetat	75,10	81,46	82,82	84,04
„ -Propionat	—	84,71	84,26	85,43
„ -Butyrat	—	84,13	—	82,58
„ -Isobutyrat	77,87	84,67	83,79	83,66
„ -Capronat	78,08	84,33	82,71	82,41
„ -Benzoat	—	8,82	—	—
„ -Phenylacetat	—	· 81,5	—	—
-Anisat	—	2,9	—	—

Bei dem Acetamid läfst sich deutlich das Steigen der Grenze mit wachsender Temperatur verfolgen, ebenso beim Propionamid.

Bei der Buttersäure, Isobuttersäure und der Capronsäure findet ein Zurückgehen der Grenze statt, weil die Ammoniumsalze derselben bei Temperaturen über 150° eine teilweise Zersetzung erleiden. Im allgemeinen läfst sich sagen: 1. Die Ameisensäure zeigt die niedrigste Grenze der normal verlaufenden Amidierung; 2. die Isomerie der Säuren (zunächst nur der primären und sekundären) übt keinen Einflufs auf die Grenze der Amidierung aus.

Die allgemeinen Schlüsse, die man aus dieser Untersuchung betreffs des Einflusses der Isomerie und des Molekulargewichtes der Säuren auf die Geschwindigkeit, sowie auf die Grenze der Amidierung ziehen kann, sind vollkommen identisch mit denjenigen Regelmäfsigkeiten, welche bei der Bildung der zusammengesetzten Äther beobachtet wurden, so z. B. zeigt in beiden Reaktionen, bei der Ätherbildung, sowie bei der Amidbildung, die Ameisensäure die gröfste Geschwindigkeit, aber die kleinste Grenze. Ihre Homologen zeigen kleinere Geschwindigkeiten, aber gröfsere Grenzen, wobei die tertiären Säuren die kleinsten Geschwindigkeiten der Ätherifizierung, sowie der Amidierung zeigen, und die Isomerie der Säuren keinen Einflufs auf die Grenzen der Ätherifizierung, sowie der Amidierung ausübt.

Der Vf. zeigt diese Übereinstimmung noch präziser durch Zusammenstellung der Ätherifikations- mit den Amidierungskoeffizienten. (Journ. prakt. Chem. **29.** 422—36. Ende Juni. [April.] St. Petersburg.)

N. Menschutkin, *Über die Veränderung der Geschwindigkeit einiger Reaktionen im Zusammenhang mit der Temperatur.* Der Vf. stellt in dieser Abhandlung zunächst die Anfangsgeschwindigkeiten (Geschwindigkeit nach Abschlufs der ersten Stunde der Reaktion), 1. der Bildung des Äthylacetats aus Essigsäure und Äthylalkohol; 2. der Bildung des Acetanilid aus Essigsäure und Anilin und 3. der Bildung des Acetamids aus Essigsäure und Ammoniak derart zusammen, dafs er dieselben für Temperaturzunahmen für je 80° bis 212,5° berechnet. Dabei zeigt sich übereinstimmend, dafs diese Geschwindigkeiten mit der Temperatur stetig, aber nicht proportional zunehmen. Zuerst wachsen sie rascher als die Temperatur, erreichen dann ein Maximum, dann werden die Zunahmen kleiner und die Temperaturen wachsen schneller als die Geschwindigkeiten. Eine graphische Darstellung ergiebt, dass die Kurven der Abscissen-(Temperatur-)axe zuerst die konvexe und dann die konkave Seite zukehren.

Was den Einfluss der Temperatur auf den absoluten Wert der Grenzen betrifft, so kommen bei allen drei Vorgängen stets zwei entgegengesetzte Reaktionen in Betracht: die Bildung und die Wiederzersetzung der betreffenden Verbindung. Der Einflufs der Temperatur kann sich deshalb in dreifacher Weise äufsern:

1. Falls die Temperatur auf die Geschwindigkeiten entgegengesetzter Reaktionen gleich einwirkt, sodass bei allen Temperaturen ihre Geschwindigkeiten gleich kommen, so wird sich die Grenze mit der Temperatur nicht verändern ; 2. wirkt die Temperatur ungleich auf die Geschwindigkeiten entgegengesetzter Reaktionen, so ist, je nachdem die Temperatur z. B. die Geschwindigkeit der Bildungsreaktion mehr beschleunigt, ein Steigen der Grenze zu erwarten; 3. im entgegengesetzten Falle, wenn die Geschwindigkeit der Zersetzungsreaktion mehr beschleunigt wird, mufs mit dem Steigen der Temperatur die Grenze niedriger werden.

Die untersuchten Reaktionen stellen alle diese drei Fälle vor. Bei der Ätherifikation sind, wie aus den Untersuchungen von BERTHELOT und PÉAN de St. GILLES hervorgeht, und wie der Vf. überdies bestätigt hat, die Grenzen verschiedener Systeme dieselben. Bei der Bildung des Acetanilids zeigt sich in Gemäfsheit der früheren Untersuchüngen des Vf. eine Verminderung der Grenze mit steigender Temperatur und endlich bei der Bildung des Acetamids ein Steigen der Grenze mit zunehmender Temperatur. (J. pr. Chem. **29.** 437—447. Ende Juni [April]. St. Petersburg.)

Albert Zander, *Untersuchungen über die spezifischen Volume flüssiger Verbindungen. IV. Normale Fettsäuren und normale Fettalkohole.* Die früheren Abhandlungen finden sich in LIEB. Ann. **214.** 81 und **221.** 61. (LIEB. Ann. **224.** 56—95. Mitte Juni.)

W. Ostwald, *Studien zur chemischen Dynamik. Dritte Abhandlung. Die Inversion des Rohrzuckers.* (Journ. prakt. Chem. **29.** 385—408. Ende Juni. [April.] Riga.)

J. L. Andreä, *Die Löslichkeit fester Körper in Wasser bei verschiedenen Temperaturen.* Der Vf. zeigt zuerst den Mangel an Übereinstimmung der Löslichkeitsangaben verschiedener Forscher über dieselben Salze, erörtert die Ursache der hierbei vorkommenden Fehlerquellen und teilt dann die Resultate eigener Versuche mit, wobei er nach drei verschiedenen Methoden gearbeitet hat. Die untersuchten Salze sind: Natriumchlorid, Kaliumchlorid, Kaliumsulfat und Kaliumnitrat. (Journ. prakt. Chem. **29.** 455—77. Anf. Juli. [Mai.] Sneek.)

Woldemar de la Croix, *Der Einflufs der Verdünnung auf die Geschwindigkeit chemischer Reaktionen.* (Journ. pr. Chem. **29.** 478—89. Anf. Juli. [Mai.] Riga.)

H. Kolbe, *Blumenlese modern-chemischer Aussprüche.* (Journ. prakt. Chem. **29.** 497—500.)

H. Kolbe, *Adolf Baeyer, Reformator der chemischen Nomenklatur.* (Journ. prakt. Chem. **29.** 501—4.)

F. M. Raoult, *Allgemeines Gesetz über das Erstarren der Lösungsmittel.* (Ann. Chim. Phys. [6.] **2.** 66—93. Mai; C. Bl. 1883. 33.)

F. M. Raoult, *Untersuchungen über die Teilung der Säuren und der Basen innerhalb einer Lösung nach der Methode der Erstarrung der Lösungsmittel.* (Ann. Chim. Phys. [6.] **2.** 93—99. Mai; C.-Bl. 1883. 244.)

F. M. Raoult, *Über den Erstarrungspunkt der sauren Lösungsmittel.* (Ann. Chim. Phys. [6.] **2.** 99—115. Mai.)

F. M. Raoult, *Über den Erstarrungspunkt alkalischer Lösungen.* (Ann. Chim. Phys. [6.] **2.** 115—25. Mai; C.-Bl. 1883. 785.)

3. Anorganische Chemie.

E. Reichardt, *Über den Kohlensäuregehalt der Luft.* Die neueren Bestimmungen der Kohlensäure der Luft von J. REISSET, MÜNTZ und AUBIN haben etwas niedrigere Zahlen ergeben, als frühere, welche die Zahl 4,15 in 10000 Volumteilen übereinstimmend und im Mittel zahlreicher Versuche erwiesen. Die Schwankungen der älteren Versuche, deren gröfste Zahl schon von DE SAUSSURE herrührten, später namentlich von HLASIWETZ und GILM bestätigt worden, liegen zwischen drei bis sechs Volumteile Kohlensäure in 10000 Volumteilen Luft.

REISET fand in 320 Versuchen einen mittleren Gehalt von 2,962 Vol., SCHULZE in Rostock bei vier Jahre dauernden Versuchen 2,917 im Durchschnitt. MÜNTZ und AUBIN fanden bei Tage 2,664—2,897, bei Nacht 2,670—3,120 Vol. Schon SCHULZE sprach sich dahin aus, dass der Unterschied wohl nicht in der Verminderung des Kohlensäuregehaltes zu suchen, sondern eher in der jetzigen Verbesserung des Verfahrens der Bestimmung; derselbe benutzte die Methode nach PETTENKOFER, Titrieren mit Barytwasser und nachträglichem Rücktitrieren mit Oxalsäure.

Versuche, welche der Vf. in der Zeit von zwei Jahren angestellt hat, ergaben in 10000 Vol. Luft an Kohlensäure 2,9 Vol. 3, 1—2,98—2,98—3,0—2,99—3,15—2,90—2,99 bis 3,00 oder im Mittel dieser zehn Versuche 2,99 Vol., somit die oben aufgeführten Ergebnisse anderer Forscher wiederum bestätigend. Die Bestimmung geschah sowohl durch Titrieren mit Barytwasser, wie durch Wägung des kohlensauren Kalkes bei der Anwendung von Kalkwasser und wurden sowohl kleinere, wie gröfsere Mengen Luft dabei genommen. Für die Zwecke der Luftuntersuchung werden noch heute meist Aspiratoren in der Form geeichter Literflaschen gebraucht, aus welchen man durch passende Vorrichtung das Wasser mittels Heber laufen läfst und die dafür einströmende Luft über oder durch die Kohlensäure bindende Substanz leitet. Bei kleineren Mengen, etwa einigen Litern Luft mag dieses Verfahren angehen, bei gröfseren ist es sehr umständlich und verlangt eine stete Aufmerksamkeit, Wechseln oder Umfüllen der Flaschen und bei Nacht die Gegenwart des Experimentierenden oder wenigstens Aufsicht. Seit längerer Zeit benutzt

Vf. dazu kleine Gasuhren von der Genauigkeit von mindestens ein Liter und einfacher Teile desselben, welche durch die bekannten kleinen Tropfröhren in Bewegung gesetzt werden. Letztere sind jetzt in jeder Handlung chemischer Apparate in sehr verschiedener Form zu haben, künstlich in einem Glase verschmolzen, auch von Metall gefertigt, was gänzlich unnötig ist. Man kann diese Röhrchen bei jedem Wasserhahn anbringen und läfst nur Wasser durchtropfen, während durch das seitliche Rohr Luft eingesaugt wird. Läfst man letztere Verbindung mit der Gasuhr verknüpfen und diese mit den Apparaten zur Bestimmung der einzelnen Luftbestandteile, so bedarf man sowohl sehr wenig Wasser für den Luftstrom, wie auch wenig oder gar keine Aufmerksamkeit während des Versuches. Ein Ablesen bei Anfang und am Ende des Versuches an der Gasuhr ergiebt die ein- und durchgesaugte Luft. Ein Gefäss mit etwa 10—20 Litern Wasser und Ablaufhahn oder Röhre, durch welche mittels Quetschhahn das Tropfen des Wassers geregelt wird, genügt. Die Einfachheit dieser Vorrichtung gestattet auch sehr gut die Vorführung bei Vorlesungsversuchen.

Will man die einfache Mittelzahl für den Kohlensäuregehalt der Luft aussprechen, so ist es angezeigt, 3 Vol. für 10000 Vol. anzunehmen, wie es auch schon früher DUMAS vorschlug. (Arch. Pharm. [3.] **22**. 414—415.)

H. W. Bakhuis Roozeboom, *Über das Hydrat der schwefligen Säure.* (Recueil des Trav. Chim. des Pays-Bas **3**. 29—58.)

H. W. Bakhuis Roozeboom, *Über das Hydrat des Chlors.* (Recueil des Trav. Chim. des Pay-Bas **3**. 59—72.)

H. W. Bakhuis Roozeboom, *Über das Hydrat des Broms.* (Recueil des Trav. Chim. des Pays-Bas **3**. 73—83.)

H. W. Bakhuis Roozeboom, *Über das Hydrat des Chlorwasserstoffgases.* (Recueil des Trav. Chim. des Pays-Bas **3**. 84—104.)

Hugo Prinz, *Über die Konstitution des Schwefelchlorürs.* (LIEB. Ann. **223**. 355 bis 371. Ende Mai.)

Hugo Prinz, *Versuche, um Schwefel mit Schwefel zu verbinden.* (LIEB. Ann. **223**. 371—78. Ende Mai.)

H. Fleck, *Über den Arsengehalt des rohen schwefelsauren Ammoniak.* Das rohe schwefelsaure Ammoniak, das wie bekannt aus den Teerwässern der Steinkohlengasfabriken durch Neutralisation mittels englischer Schwefelsäure hergestellt wird, enthält bis zu 0,5 g Arsenik pro kg. Da dieses Salz zur Darstellung feuersicherer Gegenstände angewendet wird, so fragt es sich, ob letztere durch ihren Arsengehalt gesundheitsschädlich werden können. Vf. hat berechnet, dafs man bei Anwendung einer zehnprozentigen Lösung an Ammoniumsulfat 41,5 qm, unter Verwendung einer zwanzigprozentigen Lösung 20 qm Prospektleinwand mit 1 kg des Salzes imprägniere. Bei den obigen Arsenikgehalte käme alsdann 1,2 mg As_2O_3 auf 1 qm Leinwand im ersteren Falle, im letzteren (zwanzigprozentige Lösung) 2,5 mg As_2O_3, eine Menge, die zu sanitären Bedenken keine Veranlassung giebt. (**12.** und **13.** Jahresb. d. kgl. chem. Centralst. f. öffentl. Gesundheitspfl. [1884. Dresden.] 69—70.)

S. M. Jörgensen, *Über das Verhältnis von Luteo- und Roseosalzen.* (Journ. prakt. Chem. **29**. 409—12. Ende Juni. [April.] Kopenhagen.)

Heinrich Boettger, *Polysulfide des Natriums.* In dieser Arbeit werden folgende Verbindungen beschrieben: Natriummonosulfid, Na_2S, $5H_2O$; Natriumdisulfid, Na_2S_2, $5H_2O$; Natriumtrisulfid, Na_2S_3, $3H_2O$; Natriumtetrasulfid, Na_2S_4, $8H_2O$; Natriumpentasulfid, Na_2S_5, $8H_2O$. (LIEB. Ann. **223**. 335—42. Ende Mai. [14. Febr.] Jena.)

Heinrich Boettger, *Konstitution der Alkalipolysulfide.* Die Anhänger der Monovalenztheorie erklären die Konstitution der Alkalipolysulfide durch eine kettenförmige Aneinanderreihung mehrerer Atome zweiwertigen Schwefels, welche sich untereinander mit je einer Affinität binden, während die zuletzt übrigbleibenden zwei Affinitäten durch zwei Atome des einwertigen Alkalimetalls beschäftigt werden. Nach dieser Ansicht ist z. B. die Konstitution des Natriumpentasulfids:

$$\underset{\text{ı ıı ıı ıı ıı ıı ı}}{Na_2S_5} \; = \; Na\!-\!S\!-\!S\!-\!S\!-\!S\!-\!S\!-\!Na.$$

Gegen diese Auffassung lassen sich alle Einwürfe geltend machen, welche gegen die konstante Valenz der Elemente überhaupt erhoben worden sind. (Vergl. hierzu GEUTHER in „Mitteilungen aus dem chem. Laboratorium der Universität Jena." Jena 1876; Jenaische Zeitschr. f. Naturw. **10**. Supplhft. 2. 134.) Unter den Vertretern der wechselnden Valenz der Elemente sind die Ansichten über die Konstitution der in Frage stehenden

Verbindungen geteilt. Die Einen lassen die Valenz des Schwefels in denselben ungeändert und nur diejenige des Alkalimetalles variieren; nach den Anderen ist in den Polysulfiden die Wertigkeit des Metalles konstant, dagegen diejenige des Schwefels veränderlich. Zu den Anhängern der ersten Ansicht gehört GEUTHER. (Lehrb. d. Chem. Jena 1870. 222.) Nach demselben ist die Konstitution der den Natriumpolysulfiden ganz analogen Kaliumpolysulfide in folgender Form zum Ausdruck gebracht:

$$\overset{\text{I}}{K_2}\overset{\text{II}}{S} = \overset{\text{II}}{K_2}\overset{\text{I}}{S}; \quad \overset{\text{II}}{K}\overset{\text{II}}{S} = \overset{\text{II}}{K}\overset{\text{II}}{S}; \quad \overset{\text{III}}{K_2}\overset{\text{II}}{S_3} = \overset{\text{II}}{K_2}\overset{\text{III}}{S_3}; \quad \overset{\text{IV}}{K_2}\overset{\text{II}}{S_4} = \overset{\text{II}}{K_2}\overset{\text{IV}}{S_4}; \quad \overset{\text{V}}{K_2}\overset{\text{II}}{S_5} = \overset{\text{II}}{K_2}\overset{\text{V}}{S_5};$$

indessen ist, wie GEUTHER auch später gelehrt hat, die Annahme eines di- und tetravalenten Kaliums unnötig. Man kann vielmehr auch die folgenden Formeln schreiben:

$$K_2S = \overset{\text{I}}{K} - \overset{\text{II}}{S} - \overset{\text{I}}{K}; \quad K_2S_2 = \overset{\text{III}=\overset{\text{II}}{S}}{K}\overset{\text{II}}{\underset{-S-K,}{\text{I}}}; \qquad K_2S_3 = \overset{\text{III}\rightleftharpoons \overset{\text{II}}{S}}{K}\overset{\text{II}}{\underset{-S-K\rightleftharpoons S}{\text{III}\ \text{II}}};$$

$$K_2S_4 \rightleftharpoons \overset{\overset{\text{II}}{=S}}{\underset{-S-K\rightleftharpoons S}{\overset{\text{V}}{K}\rightleftharpoons \overset{\text{II}}{S}}}\ ; \quad K_2S_5 \rightleftharpoons \overset{\overset{\text{II}}{=S}}{\underset{-S-K}{\overset{\text{V}}{K}\rightleftharpoons \overset{\text{II}}{S}}}\overset{\text{V}=S}{\underset{=S}{\text{II}}}.$$

Zu den Anhängern der letzteren Ansicht gehört DRECHSEL (Journ. f. pr. Chem. 4. 20). Nach demselben ist das Tetra- und Pentasulfid analog dem Sulfit und dem Sulfat des Natriums konstituiert. Er schreibt:

$$Na_2S_4 = \overset{\overset{\text{II}}{=S}}{\underset{-S-Na}{\overset{\text{IV}}{S}-\overset{\text{II}}{S}-\overset{\text{I}}{Na}}} \quad \text{analog} \quad Na_2(SO_3) = \overset{\overset{=O}{}}{\underset{-O-Na}{\overset{\text{IV}}{S}-\overset{}{O}-\overset{\text{I}}{Na}}}$$

und:

$$Na_2S_5 = \overset{\overset{\text{II}}{=S}}{\underset{-S-Na}{\underset{-S-Na}{\overset{\text{VI}}{S}=\overset{\text{II}}{S}}}} \quad \text{analog} \quad Na_2(SO_4) = \overset{\overset{=O}{}}{\underset{-O-Na}{\underset{-O-Na}{\overset{\text{VI}}{S}=O}}}$$

Um über die Zulässigkeit dieser Ansicht ein Urteil zu gewinnen, wurde die Einwirkung von Bleihydroxyd auf das Natriumtetra- und Pentasulfid untersucht. Bei der grofsen Verwandtschaft des Bleies zum Schwefel liefs sich nach der Ansicht von DRECHSEL eine Auswechselung des gesamten zweiwertigen Schwefels gegen Sauerstoff erwarten, so dafs z. B. bei Anwendung von Natriumpentasulfid die Reaktion unter Bildung von Natriumsulfat nach der Gleichung:

$$3\,Na_2S_5 + 4\,Pb_2O_4H_2 = 3\,Na_2SO_4 + 12\,PbS + 4\,H_2O$$

verlaufen würde.

In einer tubulierten Retorte, welche mit einem Rückflufskühler verbunden war und durch welche ein Strom trockenen Wasserstoffgases geleitet wurde, wurden die nach obiger Gleichung sich berechnenden Mengen Natriumpentasulfid und Bleihydroxyd (1 g $Na_2S_5 + 8\,H_2O$ und 3 g $Pb_2O_4H_2$) bei Gegenwart von Wasser zusammengebracht und längere Zeit bis zum Kochen erhitzt. Der entstandene schwarze Rückstand wurde durch Filtration von der schwach gelb gefärbten Flüssigkeit getrennt. Das neutral reagierende Filtrat enthielt keine Schwefelsäure, sondern nur unterschweflige Säure; der schwarze Rückstand bestand nur aus Bleisulfid. Das Natriumpentasulfid verhielt sich daher, Bleihydroxyd gegenüber, wie Natriummonosulfid + Schwefel. Letzterer, welcher zu Beginn der Reaktion abgeschieden wird, wirkt auf das gleichzeitig mitentstehende Natriumhydroxyd ein, unter Bildung von Natriumdithionit, wie dies bekannt ist und es die folgenden Gleichungen zum Ausdruck bringen:

$$3Na_2S_5 + Pb_4O_4H_2 + 2H_2O = 3PbS + 6NaOH + 12S$$
$$6NaOH + 12S = 2Na_2S_5 + S_2O_4Na_2 + 3H_2O$$
$$\overline{\Sigma\ Na_2S_5 + Pb_4O_4H_2 = 3PbS + S_2O_4Na_2 + H_2O.}$$

Wie das Natriumpentasulfid verhält sich auch das Natriumtetrasulfid, nur daſs die hierbei entstehende Flüssigkeit, wegen des gleichzeitig mitentstehenden Natriumhydroxyds, nicht neutral, sondern alkalisch reagiert. Die Einwirkung verläuft also nach folgender Gleichung:

$$30Na_2S_4 + 10Pb_4O_4H_2 + 20H_2O = 30PbS + 90S + 60NaOH$$
$$54NaOH + 90S = 18Na_2S_4 + 9S_2O_3Na_2 + 27H_2O$$
$$\overline{\Sigma\ 12Na_2S_4 + 10Pb_4O_4H_2 = 30PbS + 6NaOH + 9S_2O_3Na_2 + 7H_2O.}$$

Nach den Ergebnissen dieser Einwirkungen muſs es daher als unstatthaft erscheinen, das Natriumtetra- und Natriumpentasulfid als den Sauerstoffsalzen des Schwefels analog konstituiert aufzufassen.

(Daſs bei der Einwirkung des Bleihydroxyds auf die Polysulfide des Natriums zunächst unter Abscheidung von Schwefel und Bildung von Bleisulfid Natriumhydroxyd entsteht, wie es in den Gleichungen angenommen ist, geht aus dem Folgenden zur Genüge hervor:

1. Es ist bekannt, daſs die Monosulfide und Hydrosulfide der Alkali- und Erdalkalimetalle beim Kochen ihrer wässerigen Lösungen mit den Oxyden oder Hydroxyden solcher Metalle, deren Sulfide durch Kalilauge, Natronlauge, Barytwasser u. s. w. unverändert bleiben, also z. B. beim Kochen mit Kupferoxyd oder Bleioxyd, zu Hydroxyden umgesetzt werden. Diese letzteren Oxyde sind also imstande, die Auswechselung des am festesten gebundenen Schwefels, nämlich des Monosulfidschwefels, gegen Sauerstoff zu bewirken. Von dieser Reaktion wird bekanntlich zur Darstellung von Barythydrat aus Bariumsulfid Gebrauch gemacht.

2. Bei der Einwirkung des Bleihydroxyds auf das Pentasulfid sowohl als auf das Tetrasulfid des Natriums entsteht dieselbe Schwefeloxydationsstufe, nämlich unterschweflige Säure. Dies setzt in beiden Fällen den gleichen Verlauf der Reaktion voraus, wie er auch in den obigen Gleichungen angenommen worden ist. Will man indeſs dies nicht zugeben, meint man vielmehr der Hergang verlaufe so, daſs nur eine teilweise Auswechselung des Polysulfidschwefels gegen Sauerstoff stattgefunden habe, d. h. beim Pentasulfid nach der Gleichung:

$$\overset{=S}{\underset{-SNa}{\overset{VI}{S-SNa}}} + Pb_4O_4H_2 = \overset{=S}{\underset{-ONa}{\overset{VI}{S-ONa}}} + 3PbS + H_2O$$

vor sich gegangen sei, so müſste bei Anwendung von Tetrasulfid nicht Natriumdithionit, sondern entweder thioschwefligsaures oder schwefligsaures Salz gebildet worden sein, nach folgenden Gleichungen:

$$\overset{=S}{\underset{-SNa}{\overset{IV}{3S-SNa}}} + 2Pb_4O_4H_2 = \overset{=S}{\underset{-ONa}{\overset{IV}{3S-ONa}}} + 6PbS + 2H_2O$$

oder:

$$\overset{=S}{\underset{-SNa}{\overset{IV}{S-SNa}}} + Pb_4O_4H_2 = \overset{=O}{\underset{-ONa}{\overset{IV}{S-ONa}}} + 3PbS + H_2O.$$

Da nun aber thatsächlich dies nicht der Fall ist, so ist auch die Voraussetzung, es habe eine teilweise Auswechselung des Schwefels stattgefunden, nicht richtig. GEUTHER.)
(LIEB. Ann. **223**. 343—45. Ende Mai. [14. Febr.] Jena.)

Kleine Mitteilungen.

Zur Prüfung auf Arsen, besonders des Wismutsubnitrats nach den Prinzipien der analytischen Guttularmethode von H. HAGER. Diese Prüfung geschieht in der Weise, dafs man ein Vol. des Wismutsubnitrats mit ca. 1,5 Vol. Ätzammon mischt, dann mit 1,5 Vol. Wasser verdünnt und einmal aufkocht. Dies ist notwendig, weil das Wismutarseniat eine gewisse Resistenz gegen Ätzammonflüssigkeit zeigt. Nach wiederholtem Umschütteln und dem völligen Erkalten wird durch ein kleines genäfstes Filter gegossen, von dem völlig klaren (!) Filtrate ein Quantum von drei bis vier Tropfen in dicker Schicht auf dem Glasstreifen abgedampft und auch durch mäfsige Wärme ein Teil des gegenwärtigen Ammoniumnitrats verdampft. Dann läfst man erkalten. Die Salzschicht zeigt unter dem Mikroskop nur ein klares Krystallfeld. In die Mitte dieses erkalteten Feldes giebt man nun einen Tropfen Silbernitratlösung (1:20) und breitet diesen Tropfen mittels eines Glas- oder Holzstäbchens (mit dem freien Ende eines Zündhölzchens) über das Krystallfeld aus. Wenn man nun unter dem Mikroskop bei 80 bis 120facher Vergröfserung prüft, so erblickt man die kleinen massenhaften punkt- und spiefsförmigen dunkelroten Silberarseniatkryställchen. Sind nur einzelne oder einige wenige anzutreffen, so ist das Präparat den Anforderungen der Ph. Germ. od. II entsprechend; ist aber das ganze Krystallfeld von diesen dunklen Krystallen durchsetzt, so ist es zu beanstanden.

Diese Reaktion kann auch durch folgendes höchst praktisches Verfahren noch besser ersetzt werden.

Liegt eine farblose ammoniakalische Arsenlösung vor, so versetzt man sie mit etwas reinem Natriumacetat, schüttelt bis zur Lösung, wenn nötig unter Erwärmen, setzt einige (vier bis fünf) Tropfen davon auf einen Glasstreifen und trocknet bei gelinder Wärme über einer Petroleumlampe ein. Der Zweck ist die Beseitigung des freien Ammons. Die eingetrocknete Stelle bildet ein rein weifses Feld. Nach dem völligen Erkalten (!) giebt man auf das weifse Feld einen kleinen Tropfen der vier- bis fünfprozentigen Silberlösung. Bei Gegenwart von Arsensäure tritt eine rote, bei Gegenwart von Arsenigsäure eine gelbe Färbung auf, welche sich im letzteren Falle besonders am Rande des Silbernitrattropfens zeigt. Die Färbung wird durch die weifse Salzeinfassung besonders scharf hervorgehoben. Unter dem Mikroskope wird sich der rote oder gelbe Niederschlag bei Gegenwart sehr entfernter Arsenspuren auch leicht erkennen lassen.

Wäre die arsenhaltige ammoniakalische Lösung sehr verdünnt, so bringt man sie durch Abdampfen auf ein geringeres Volumen. (Pharm. Centralh. **25.** 277—78.)

Die Industriegesteine des deutschen Südtirols, von W. KELLNER. Das deutsche Südtirol erstreckt sich im grofsen und ganzen auf das gesamte deutsche Sprachgebiet südlich des Brenner. Es umfafst das Eisack- und deutsche Etschthalgebiet, von der Pafshöhe des Brenner bis zur Thalenge von Salurn; das Vintschgau bis zur Malserhaide an der Reschen-Scheideck; das Pusterthal, von der Franzensfeste bis zum östlichsten Tiroler Dorfe im Drauthale. Von Nordtirol wird es geschieden durch den Alpenstock der Östhaler- und Zillerthaler-Alpen, von Salzburg durch die Tauernkette. Die Grenze zwischen Deutsch- und Wälschtirol, dem Trentino, folgt der Wasserscheide der Noce und Etsch, sowie gen Bozen dem Kamme des Mendelgebirges. Unweit des südlichsten deutschen Dorfes Salurn durchschneidet die bezügliche Grenze die Wasserscheide zwischen Etsch, Eisack, Rienz und Drau einer-, und jener des Avisio, Kordevole, der Boite und Piave andererseits. Mit seinem Flächeninhalte von 969 822 ha reicht sonach das deutsche Südtirol von den Eisfeldern des Ortler und des Grofsglockner bis hinab zu den Rebengeländen der sonnigen Etschthales und zerfällt hinsichtlich seiner politischen Einteilung in die folgenden fünf Bezirke: Bozen, Brixen, Bruneck, Liens an der Drau und Meran.

Die Berge Südtirols enthalten einen bedeutenden Reichtum an edleren Industriesteinen. Man findet dort den Marmor, die Serpentine, den Porphyr und Granit.

Der vornehmste Industriestein ist der *Marmor.* Sein Hauptgebiet befindet sich im Vintschgau und im Mareiter Thale, einem Zweige des Eisackthales. Das Vintschgauer Marmorlager umfafst den ganzen Kalkgebirge, der das gastliche Vintschgau vom Lauser- bis zum Ultenthale begrenzt. Am mächtigsten findet sich das Marmorgestein im Laaserthale, an der westlichen Abdachung der Laaserspitze; im Tornellenbruche, ferner an dem Vintschgauer Marmorlager im Göflaner Thale und endlich in dem vom Cevedale herabkommenden Mortellthale. Thalabwärts erscheinen die Marmorlager von Laatsch und Kastellbell an der Etsch, sowie jene der Gemeinde Partschins, nahe der Grenzscheide zwischen dem Vintschgau und dem Burggrafenamte Meran. Den edelsten Marmor enthält der Gebirgsstock zwischen dem Laaser- und Mortellthale.

Der Laaser Marmor gleicht in seiner Kornbildung jenem von Paros. Das Laaser Gestein zeigt zwar eine geringere Weichheit und Bildungsfähigkeit als der Karrarische Marmor, dagegen besitzt es aber auch eine gröfsere Dauerhaftigkeit und Wetterhärte als ersterer. Dies beweisen heute die in früheren Jahrhunderten aus Laaser Marmor errichteten Bauten und Monumente, so

z. B. das Chor der Kirche zu Lass, der Kirchturm in Schlanders, die ·h. Madonna auf dem Sandplatze zu Meran; ferner die Portale und gotischen Türmchen der zahlreichen Kirchen und Kapellen des anmutigen Etschthales.   Es beweisen dies endlich die vielen unter König Ludwig I. von Bayern aus Lasser Marmor aufgeführten Monumente und Bauten, darunter die Walhalla bei Donaustauf, die Glyptothek, die Propyläen, das Siegesthor in München u. a.

Das Marmorgestein von Kastellbell besitzt ein grobkörniges Gefüge.   Die Latscher Produkte zeigen eine blaugraue Farbe.   Die Marmorblöcke der Partschinser Brüche sind nur in kleineren Partien fein, zum größeren Teile dagegen sind sie schieferartig.

Bei Sterzing am südlichen Brennerabhange mündet das vom erzreichen Schneeberg herabkommende Mareiter- oder Ridnaunthal.   Dort, nahe beim Dörfchen Mareit, wo sich die Kuppe des Krystallkalkes in stundenlanger Ausdehnung bis zu einer Höhe von 2600 m erhebt, sowie bei Flading und Ratschinges im gleichnamigen Thale finden wir den reinen, weißen Marmor in einer Mächtigkeit, welche in einigen Brüchen 30 m Höhe erreicht.   Der Sterzinger Marmor, aus fast reinem kohlensauren Kalk bestehend, besitzt ein schönes Krystallgefüge und eine Druckfestigkeit, welche jener des Granits gleichkommt.   Dabei ist der bezügliche Marmor sehr hart, vollständig wetterfest und leicht polierfähig.   Diese Eigenschaften empfehlen ihn zur Verwendung für alle feineren Steinarbeiten, bei denen mehr auf Härte und Widerstandsfähigkeit, als auf hervorragende Feinheit des Materials Rücksicht zu nehmen ist.   Die gotischen Erker des Sterzinger Rathhauses, seine Ornamente und Figuren, der Kreuzgang des Brixener Domes, geben Zeugnis von der Vortrefflichkeit und Güte des Sterzinger Marmors und von seiner ausgebreiteten Verwendung während der mittelalterlichen Blütezeit der Steinmetzkunst.   Später sind auch die Figuren und Reliefs der Innsbrucker via triumphalis und der Statuen im Schönbrunner Schlosse aus Mareiter Gestein gemeißelt worden.

Die Geschichte der Südtiroler Marmorindustrie greift weit zurück.   Im gräfl. Sarntheimschen Parke in Bozen erhebt sich eine Säule aus Vintschgauer Marmor, deren römische Inschrift ergiebt, daß jenes Gestein schon den alten Römern bekannt war und von ihnen verarbeitet wurde. Das Mittelalter zog eine große Anzahl Bildhauer, Bau- und Steinmetzmeister nach jenen entlegenen Tiroler Gebirgsthälern. Ein regelrechtes Brechen und Abteufen der verwendbaren Marmorschichten war früher nicht im Brauche.   Die verwendeten Steine gehörten ausschließlich zu den Findlingen, welche durch das Überfluten der Gebirgsbäche, durch Lawinen, Muren und dergl. aus den hochgelegenen Gesteinschichten nach den unteren Regionen geführt wurden.   In Lass und Sterzing bestehen Marmorwerkstätte, welche seit einer Reihe von Jahren mit hervorragenden Leistungen an die Öffentlichkeit treten.   Die Lasser Werkstätte dient vorwiegend Skulpturzwecken. Die dortigen Marmorbrüche sind, wie überall in Tirol, fast durchweg Eigentum der anliegenden Gemeinden.   Die letzteren haben das Steingewinnungsrecht auf Jahre hinaus verpachtet. Mit dem dort gewonnenen Material sind während des abgelaufenen Jahrzehnts (1871 bis 1880) in der Lasser Werkstätte u. a. geschaffen worden: Der Hochaltar der Stefanskirche in Bremen: Altar, Taufstein und Kanzel für die Heidelberger Pfarrkirche; das Monument für die Gefallenen in Kassel; die gegen 5 m hohen Figuren für den Monumentalbrunnen in Philadelphia; die Apostelfiguren für die Basilica in Trier; der Hochaltar der neuen Votivkirche zu Wien; die imponierende Gruppe des Grafen Eberhart im Barte, aufgestellt im Stuttgarter Schloßgarten; die Hermen im Sitzungssaale des Wiener Parlamentsgebäudes.   Die Sterzinger Werkstätte, 20 Minuten von der dortigen Bahnstation entfernt, verarbeitet den Marmor vorwiegend zu architektonischen und dekorativen Zwecken.   Die betreffenden Maschinenanlagen werden mit vierzig Pferdekräften betrieben und umfassen sechs Sägen zum Zerschneiden der Marmorblöcke, fünf Drehbänke für Rundgegenstände, fünf Schleifmaschinen, Hobelmaschinen, Polierapparate etc.

Die Produktion der Mareiter Brüche betrug im Jahre 1880 an weißem krystallinischem Marmor 400 cbm im Werte von 32 000 fl. Das Hauptabsatzgebiet der Sterzinger Marmore ist Wien, woselbst sie zu den großen Monumentalbauten, zu Denkmälern und ähnlichen Objekten verwendet werden.

Im Jahre 1873 hatte das österr. Handelsministerium, durch kontraktliche Vereinbarung mit dem Besitzer der Lasser Marmorwerkstätte, zur Errichtung einer Marmorschule beigetragen.   Die bezügliche Privatschule entsprach indessen nicht hinreichend den gehegten Erwartungen, so daß die k. k. Regierung sich schließlich veranlaßt sah, im Jahre 1879 eine unabhängige Fachschule in Lass zu errichten. Diese Schule steht in Verbindung mit der dortigen Werkstätte und erfreut sich eines immer größeren Aufschwunges. Der theoretische Unterricht, welcher alljährlich am 15. Dez. beginnt und um die Mitte des folgenden Jahres endet, umfaßt das Zeichnen und Modellieren, der praktische das Bearbeiten der Blöcke in der Werkstätte.

Das Wälschtiroler Gebiet (il Trentino) hat seine Marmorbrüche in dem vom Avisio durchrauschten Fleimserthale, ferner in Mori, Castione und Lavarone, wo die farbenprächtigsten Marmorsteine lagern, und endlich bei Trient. Hier, sowie in Predazzo, im Val di Fiemme (Fleimser Thal), befinden sich Fachschulen für Bildhauer.

Die *Serpentinlager* kommen im Pfitscherthale vor, welches, an den Gletschern des Hochfeilers (Zillerthaler Alpen) beginnend, sich zur Sterzinger Ebene hinabzieht und gegenüber dem Mareiter

Thale mündet. Die Serpentine zeichnen sich durch geschlossene Formation, große Härte und Zähigkeit aus. Diese Eigenschaften ermöglichen es, die Serpentinplatten jeder Größe und Stärke herzustellen. Die Tiroler Serpentine entfalten aus dunkelgrünem Grunde perlmutterartig glänzende, hellere und durchsichtige Farben. Außerdem erweisen sie sich äußerst polierfähig. Die genannten Serpentinlager liefern Blöcke, aus denen sich Säulen bis 4 m Länge und Platten bis zu 4 qm gewinnen lassen. Die Verkleidungsplatten an den Altären des Domes zu Brixen weisen auf die Verwendung der Sterzinger Serpentine in früherer Zeit zurück.

Die größte Ausdehnung der Südtiroler Industriesteingebiete hat der *Porphyr*. Das ganze Gebiet des vom Brennerbad herabkommenden Eisack, von Klausen bis zur südlichsten Grenze des Bozener Bezirks, bildet ein einziges mächtiges Porphyrlager. Die größeren Porphyrbrüche liegen bei Branzoll, Kastelruth, Leifers, Weidbruck, Auer und Montigl. Man findet in jenen Brüchen Porphyr der verschiedensten Farben und Qualitäten. Die Südtiroler Porphyre besitzen eine enorme Härte und Festigkeit. Die ihnen eigene außerordentliche Polierfähigkeit, ihre dunkelviolette, grüne oder schwarze Grundfarbe mit durchsichtigen Quarzgebilden, geben ihnen die Eigenschaft der prachtvollsten, allen Witterungseinflüssen trotzenden Bausteine. Die Porphyre des Eisackthales werden zu Sockeln, Säulen, Trottoirplatten, Brunnenbecken u. dgl. verarbeitet.

Der *Granit* ruht in einem gewaltigen Bruche zwischen der Franzensfeste und dem Dörfchen Grasstein (Brennerbahn). Jenes reiche Lager liefert, in beliebiger Quantität, ein ausgezeichnetes Baumaterial.

Die Südtiroler Steinindustrie leidet unter dem Drucke ungünstiger Eisenbahntarife, der hohen Zölle des Auslandes und der mangelhaften Straßenbeschaffenheit im Industriegebiete. Für die Verfrachtung der schweren und umfangreichen Erzeugnisse der Steinindustrie bedarf dieselbe auch besonderer Vergünstigungen seitens der Bahnen. Der Zoll, den Deutschland auf Steinarbeiten und geschnittene Platten gelegt hat, hat den deutschen Markt für die Tiroler Steinindustrie verschlossen, dagegen hält z. B. der italienische Marmor zollfrei seinen Einzug in Österreich und erdrückt die einheimische Steinindustrie mit seiner Konkurrenz. (B.- und Hüttenm. Ztg. **43.** 269—71.)

Verpuffungsprobe für Schießpulver. Nach den „Ordnance Instructions U. S. Navy" werden gegen acht Pulverkörner auf eine Glasplatte kegelförmig gestreut und mit Hilfe eines glühenden Eisendrahtes entzündet. Es soll kein Rückstand bleiben, sondern nur einige Rauchflecken sich zeigen. Kapitän SMITH (in seinem „Handbook of the Manufacture and Proof of Gunpowder") geht ähnlich vor, nur giebt er das Pulver in einen fingerhutförmigen Kupfercylinder, den er auf die Glasplatte stülpt. Es wird dadurch eine stets nahe, gleichförmige Lagerung der Körner erreicht, welche ebenso wichtig ist, als ihre Anhäufung in einem Kegel, da in diesem Falle die Zersetzung intensiver vor sich geht, als bei einer lagenförmigen Ausbreitung. Ein gutes, gleichförmig gemengtes Pulver verpufft ganz und läßt nur einige Rauchflecken zurück; ein schlecht gemengtes dagegen einen schmutzigen Rückstand von unzersetztem Salpeter und Schwefel. Von Feuchtigkeit angegriffenes Pulver verpufft schlecht, da ein Teil des Salpeters gelöst wurde. Trotz ihrer Einfachheit erfordert jedoch die Probe große Übung.

Col. CHABRIER veröffentlicht (C. r. **78.** 1138) zur Untersuchung des Schießpulvers eine pyrographische Methode. Das Pulver wird auf einem mit Jodidstärke blau gefärbten Papiere verpufft. Man nimmt ein 0,3 m langes, 0,15 m breites, befeuchtetes Papierblatt, legt es auf eine gleich große Glasplatte und streut in der Mitte $^{1}/_{2}$ g Pulver nach der Längenrichtung. Nach der Entzündung des letzteren erscheint das Papier an der betreffenden Stelle gebleicht, mit schwarzen Flecken und Streifen auf weißem Grunde und weißen Flecken auf blauen Grunde. Gestalt und Größe des gebleichten Raumes, Zahl und Anordnung der Flecken und Streifen sind durch die Qualität und Quantität des verwendeten Pulvers bestimmt. Die Ursache der Entfärbung ist die beim Verpuffen sich entwickelnde Hitze. Nachteile dieser einen entschiedenen Fortschritt bekundenden Methode sind: Schwierigkeit der Erzeugung eines gleichmäßig blauen Farbentones, bald eintretende Entfärbung, so daß es unmöglich ist, die Proberesultate lange aufzubewahren. Zur Beseitigung des letzten Übelstandes wendet man Ch. E. MUNROE mit TURNBULL'S Blau gefärbtes Papier an, dessen Gebrauch sich aus folgendem erklärt:

Nach DEBUS erfolgt die Verbrennung des Schießpulvers nach der Gleichung:

$$16 KNO_3 + 13 C + 5 S = 3 K_2 CO_3 + 5 K_2 SO_4 + 9 CO_2 + CO \times 8 N_2.$$

Wegen des gewöhnlichen Überschusses an C und S treten weitere sekundäre Reaktionen ein:

$$3 K_2 SO_4 + 2 K_2 CO_3 + 7 C + 7 S = 5 K_2 S_2 + 9 CO_2.$$

Die gebildeten Polysulfide werden an der Luft zu Thiosulfaten oxydiert. Beide wirken auf TURNBULL'S Blau entfärbend, sowie Alkalien und Alkalicarbonate, und durch das Verpuffen des Schießpulvers entstehen daher am Papiere weiße und gelbe Flecken.

Zur Ausführung der Probe nimmt man ein befeuchtetes Papier von 15 — 20 cm, legt es auf eine Glas- oder Kupferplatte. Das Pulver wird aus einem abgestutzten Bleikonus von 3 cm Inhalt, der am schmäleren Ende mit dem Finger geschlossen wird, aufs Papier geschüttet und mit Eisen-, Kupfer- oder feinem Platindrahte entzündet. Nach 30 Sekunden bringt man das Blatt unter den Hahn und wäscht es mit gewöhnlichem Wasser.

MUNROE wendete bei seinen Versuchen Schießpulverkuchenmehl an und fand an der Basis des Pulverkegels das Papier geschwärzt, rund herum schwarze Flecken und Streifen und das ganze Blatt mit weißen und gelben Flecken bedeckt. Bei schlecht gemengtem Pulver erscheinen nun letztere groß und unregelmäßig in Gestalt und Verteilung, bei guter Mengung klein und gleichförmig verteilt, so daß das Papier nur schwächer blau aussieht, mit einigen Flecken und Streifen versehen. Außerdem bleiben, wenn die Bestandteile des Pulvers grob waren, größere, im Gegenfalle ganz kleine Kügelchen als Rückstand.

Wichtig für die Durchführung ist der gleichmäßig blaue Farbenton und wird das Papier am besten folgendermaßen erzeugt:

In einer undurchsichtigen Flasche werden 35,44 g rotes Blutlaugensalz in 283,5 cm reinem Wasser, in einem zweiten Gefäße 70,88 g Ammoniumcitrat von Eisen in 170,1 cm Wasser gelöst, beides zusammengegossen, gut geschüttelt, vollkommen dicht verstopft und an einem dunklen Orte aufbewahrt. Das Bestreichen des Papieres mit der Farbe darf nur bei Gas- oder Lampenlicht geschehen. Die Farbe muß mit einem sehr reinen Schwamme möglichst gleichförmig aufgetragen werden, und damit keine Stelle frei bleibt, überfährt man das Papier in zwei senkrechten Richtungen. Die Blätter werden in einen Kasten zum Trocknen gelegt. Von der herausgenommenen Flüssigkeit darf in die Flasche nichts mehr zurückgegossen werden, da sonst deren Inhalt verdirbt. Aus demselben Grunde ist auch Schale und Schwamm vor und nach dem Gebrauche sorgfältig zu waschen.

Die Blätter werden vor und nach dem Gebrauche vier bis fünf Stunden lang hellem Sonnenlichte ausgesetzt; vor der Probe befeuchtet man sie fünf Minuten lang durch einen fließenden Wasserstrom, legt sie auf eine Glasplatte und saugt das überflüssige, besonders das stehende Wasser mit Löschpapier auf. Auch zur Untersuchung von Kornpulver hat sich die Methode bewährt. (Journ. Amer. Chem. Soc. 6. 1—2; Österr. Ztschr. 32. 334—35.)

Evonymin und seine Bereitung, von THIBAULT. Der Vf. berichtet über dieses neue Mittel, das, da es in die amerikanische Pharmakopöe aufgenommen worden ist, einen dauernden Platz in der Therapie behaupten zu wollen scheint. Im J. 1845 berichtete CARPENTER über die Rinde der Stammpflanze: Evonymus atropurpureus, die im nordwestlichen Amerika bei den Indianern als ein ausgezeichnetes Mittel gegen Wassersucht und Leberleiden gilt. CLOTHIER, HESCOTT und WENZELL veröffentlichten 1861 und 1862 im Journ. de pharm. Americain Analysen dieser Rinde. Nach ihnen enthält die Rinde: ein krystallisierbares Glykosid (WENZELL's Evonymin), Asparagin, Pectin, Albumin, Glykose, Stärke, ein fettes Öl, Wachs, vier verschiedene Harze, organische, mit Kalk und Magnesia verbundene Säuren: Äpfel-, Citronen-, Weinsteinsäure und die von WENZELL entdeckte Evonsäure, Calcium-, Eisen- und Aluminiumphosphat, Calcium- und Kaliumsulfat, Eisenoxyd und Kieselerde. Wie die amerikanischen Ärzte konstatierten, hat die Abkochung der Rinde abführende und gallenausleerende Wirkung, ist ferner die Rinde der Wurzel wirksamer, als die des Stammes, und ist es vorteilhafter, die Abkochung durch ein Präparat zu ersetzen, das sie Evonymin nannten, das aber natürlich nicht mit dem oben erwähnten WENZELL'schen Glykosid identisch ist. Es kommt in drei verschiedenen Qualitäten im Handel vor: als braunes, grünes und flüssiges Evonymin.

Das braune Evonymin ist ein graubräunliches, nach Farinzucker riechendes Pulver mit schwach bitterem Geschmacke, der sehr schnell eine außerordentliche Speichelabsonderung hervorruft. Es ist sehr hygroskopisch und in Wasser fast vollständig löslich; die Lösung ist dunkelbraun gefärbt. In Alkohol und Äther löst es sich fast gar nicht. Die wässerige Lösung wird durch phosphormolybdänsaures Ammon leicht gefällt, dagegen gar nicht durch Quecksilberjodidjodkalium, Säuren oder verdünnte Basen. Alkalische Kupferlösung wird davon in der Wärme energisch reduziert. — Das grüne Evonymin findet man im Handel in zwei Sorten. Die eine Sorte ist ein blaßgrünes Pulver mit demselben Geschmacke wie das braune, und auch fast gänzlich in Wasser löslich. Der hierbei bleibende Rückstand ist Chlorophyll. Befreit man dies Evonymin mit Äther von dieser Substanz, so verhält es sich gegen Lösungsmittel und Reagenzien ganz wie das braune Evonymin. Die zweite Sorte ist ein dunkelgrünes, in Wasser unlösliches, in Alkohol und Äther schwer lösliches Pulver. Es ist etwa zehnmal weniger wirksam, als das braune Evonymin und achtmal weniger, als das oben angeführte grüne Präparat. Diese Sorte ist deshalb zu verwerfen. — Das flüssige Evonymin ist eine wässerige Lösung von braunem Evonymin, die zum Zwecke größerer Haltbarkeit einen Zusatz von ¹/₃ Alkohol enthält. In Mitteilungen über die Bereitungsweisen der verschiedenen Handelssorten des Evonymins sind die amerikanischen Fabrikanten sehr zurückhaltend, um sich das Monopol der Darstellung zu erhalten. Vf. hat, sich auf die Eigenschaften der amerikanischen Evonyminsorten stützend, mit verbürgt echter Rinde von Evonymus atropurpureus Präparate von gleicher Wirksamkeit und demselben Aussehen wie die amerikanischen auf folgende Weisen hergestellt: Zur Darstellung von braunem Evonymin nimmt man auf 1 Tl. Wurzelrindenpulver 6 Tle. Alkohol von 60 p. c. Das Pulver wird zunächst mit einem gleichen Gewichte Alkohol angefeuchtet, dann in einen Verdrängungsapparat gebracht, nach 24 Stunden mit dem Reste des Alkohols ausgelaugt und mit Wasser deplaziert. Man destilliert die weingeistige Flüssigkeit auf dem Dampfbade, fügt zu dem Destillationsrückstande ein wenig Milchzucker, um die Ausscheidung des Harzes zu verhindern und vollendet das Austrocknen auf dem Dampfapparate und im Trockenschranke. Man pulverisiert und bewahrt in gut verschlossenen Gläsern die annähernd 10 p. c. betragende Ausbeute auf. Zu flüssigem Evonymin nimmt Vf. auf 8 Tle. Pulver von Wurzelrinde 48 Tle. Alkohol von 60 p. c. und deplaziert wie oben angegeben; der nach der Destillation bleibende Rückstand wird auf dem Dampfbade abgedampft, bis sein Gewicht ⅐ von dem der angewandten Rinde ist. Sodann fügt man 1 Tl. von dem vorher durch Destillation wiedergewonnenen Alkohol zu, läßt absetzen und filtriert. Dieser Fluidextrakt entspricht dem Gewichte der Rinde. Das grüne (lösliche) Evonymin wird wie das braune Evonymin bereitet, nur verwendet man zu ihm Stammrinde und muß dafür sorgen, daß das Abdampfen und Trocknen bei möglichst niedriger Temperatur erfolgt. Die grüne Farbe des Produktes rührt von dem in der Stammrinde enthaltenen Chlorophyll her, das in der Wurzelrinde fehlt. Das braune Evonymin ist das wirksamste unter diesen Präparaten; mit ihm wurden auch die meisten physiologischen und therapeutischen Versuche angestellt. RUTHERFORD sagt im British medical Journal: nach von ihm angestellten Beobachtungen bewirke Evonymin eine sehr starke Gallenausscheidung und sei, in Dosen von 0,1 g in Pillenform gegeben, sehr wirksam, hartnäckige Verstopfungen zu heben, auch sei es von ausgezeichneter Wirkung bei Leberleiden. VIGNAL und DODDS veröffentlichten im „Edinburgh medical Journal et therapeutic Gazette" ausgezeichnete Resultate, die sie mit Evonymin bei ihren klinischen Versuchen erlangten, so daß sie es für eines der besten bis jetzt bekannten Mittel gegen Hämorrhoiden erklären. Auch in Frankreich haben viele Ärzte dieses günstige Urteil durch ihre Erfahrungen bestätigt gefunden, wofür auch der täglich steigende Verbrauch von Evonymin spricht. (L'Union pharmac. 24. 302; Arch. Pharm. [3.] 22. 430—31. Anf. Juni.)

Beiträge für das Centralblatt bittet man an die Redaktion (Leipzig, Lessingstr. 5) zu richten. Originalarbeiten von nicht zu großem Umfange werden entsprechend honoriert und gelangen stets sofort nach der Einsendung, und zwar in kürzester Frist, zum Abdruck.

Redaktion: Prof. Dr. Rud. Arendt in Leipzig.

Verlag von Leopold Voss in Hamburg und Leipzig. — Druck von Metzger & Wittig in Leipzig.

No 33.

Chemisches

13. August 1884.

Wöchentlich eine Nummer von
1-2 Bogen. Der Jahrgang mit
Sach- und Namen-Register,
nebst system. Übersicht.

Central-Blatt.

Der Preis des Jahrgangs
ist 30 Mark. Durch alle
Buchhandlungen und Post-
anstalten zu beziehen.

REPERTORIUM
für reine, pharmazeutische, physiologische und technische Chemie.

Dritte Folge. XV. Jahrgang.

Wochenbericht.

3. Anorganische Chemie.

Edmond Dreyfus, *Über die Konstitution des Chlorkalks.* Die hierüber bis jetzt aufgestellten Hypothesen stützen sich auf zwei verschiedene Prinzipien. Nach dem ersten nimmt man im Chlorkalk die Existenz eines Oxychlorids, $CaOCl_2$, an, welches durch direkte Verbindung von Chlor und Kalk nach der Gleichung:

$$Ca(OH)_2 + Cl_2 = CaOCl_2 + H_2O$$

entsteht. Nach der Entdeckung der unterchlorigen Säure durch BALARD griff die Ansicht Platz, daß das wirksame Prinzip im Chlorkalk nichts anderes als Calciumhypochlorit, $Ca(OCl)_2$, sei.

BALARD und nach ihm GAY-LUSSAC nahmen an, daß der Chlorkalk ein Gemenge von Calciumhypochlorit, Chlorcalcium und Calciumhydrat ist und nach der Gleichung:

$$2Ca(OH)_2 + 4Cl + nCa(OH)_2 = Ca(OCl)_2 + CaCl_2 + 2H_2O + nCa(OH)_2$$

entsteht. Der Chlorgehalt müßte, wenn man von dem überschüssigen Calciumhydrat absieht, 48,96 p. c. aktives Chlor betragen, von dem die Hälfte sich im Zustande von Chlorcalcium befindet. CRACE-CALVERT gab für die Bildung des Chlorkalkes die Gleichung:

$$3Ca(OH)_2 + 6Cl = Ca(OCl)_2 + 2CaCl_2 + 3H_2O.$$

Diese beiden Hypothesen geben über das überschüssige Calciumhydrat, welches bei der Auflösung des Chlorkalkes immer abgeschieden wird, keinen Aufschluß. FRESENIUS suchte diese Thatsache zu erklären, indem er den Chlorkalk als ein Gemenge eines Moleküls $Ca(OCl)_2$ mit einem Molekül der Verbindung $CaCl_2,2CaO + 2H_2O$ ansah, welches nach der Gleichung:

$$4Ca(OH)_2 + 4Cl = Ca(OCl)_2 + CaCl_2,2CaO + 4H_2O$$

entsteht, wonach der überschüssige Kalk aus einem basischen Calciumchlorid entstehen würde. Der Gehalt an aktivem Chlor würde dann 32,4 p. c. oder 102 chlorometrischen Graden entsprechen. Die Technik erzeugt gegenwärtig Chlorkalk von 115—120°, wonach die Formel von FRESENIUS nicht angenommen werden kann. BOLLEY hat gezeigt, daß die Bildung des basischen Calciumchlorides nicht die Ursache von der Gegenwart des Calciumhydrates sein kann, da jenes im stande ist, Chlor zu absorbieren.

Nach den Untersuchungen von HURTER und neuerlich von LUNGE und SCHÄPPI, welche durch Kohlensäure den größten Teil des im Chlorkalk enthaltenen Chlors auszutreiben vermochte, hält man das Chlorcalcium nicht für einen wesentlichen Bestandteil des Chlorkalkes. Da dasselbe durch Bildung einer äquivalenten Menge Hypochlorit entstehen würde, so hat man infolge dessen die Hypochlorittheorie verlassen. KOLBE, RICHE und SCHEURER-KESTNER haben ebenfalls Untersuchungen über den Chlorkalk veröffentlicht. Nach KOLBE ist das aktive Prinzip nicht $CaOCl_2$, sondern eine Verbindung von 1 Mol. Wasser mit Oxychlorid, nach der Gleichung:

$$4\,Cl + 3\,Ca(OH)_2 = 2(CaOCl_2, H_2O) + Ca(NH)_2$$

entstanden. Der Chlorkalk würde dann 123 chlorometrische Grade betragen. Auch diese Formel ist nicht annehmbar, weil man chlorreichere Produkte fabriziert.

DAVIS nimmt, ohne es zu beweisen, an, daſs im festen Chlorkalk Calciumoxychlorid und Calciumhydrat, und in der wässerigen Lösung ebenfalls Oxychlorid, $CaOCl_2$, enthalten ist.

Keine dieser Hypothesen giebt eine genügende Erklärung über die Gegenwart des überschüssigen Calciumhydrates.

STAHLSCHMIDT ist der einzige, der eine solche Erklärung gegeben hat. Nach ihm ist das aktive Prinzip des Chlorkalkes Calciumhydrat, in welchem der Wasserstoff des einen Hydroxyls durch Chlor ersetzt ist: $Ca{<}^{OH}_{OCl}$; für die Bildung des Chlorkalkes würde dann folgende Gleichung gelten:

$$3\,Ca(OH)_2 + 4\,Cl = 2\,Ca(OH)OCl + CaCl_2 + 2\,H_2O.$$

Bei der Behandlung mit Wasser würde sich das aktive Prinzip nach der Formel:

$$2\,CaHClO_2 = Ca(OH)_2 + Ca(OCl)_2$$

zersetzen. Ein nach dieser Reaktion entstandenes Produkt müſste 39,01 p. c. Chlor enthalten. Da man aber nicht selten mehr als 40 p. c. darin bestimmt hat, so scheint es auf den ersten Blick, daſs auch diese Ansicht zurückgewiesen werden muſs. Dem ist indessen nicht so; vielmehr ist eine Erklärung hierfür leicht zu geben. Die Feuchtigkeit des Kalkes wirkt auf die bereits gebildete Verbindung $CaHClO_2$ und zersetzt dieselbe teilweise, wobei nach der obigen Formel Calciumhypochlorit und Calciumhydrat entsteht, welches letztere fähig ist, sich mit neuen Mengen Chlor zu verbinden. Hiernach würde bei Gegenwart eines Überschusses von Wasser nach der Gleichung:

$$2\,Ca(OH)_2 + 4\,Cl = Ca(OCl)_2 + CaCl_2 + 2\,H_2O$$

ein Produkt mit 48,96 p. c. aktivem Chlor entstehen.

Die Hypothese von STAHLSCHMIDT nimmt also als aktives Prinzip die Verbindung $CaHClO_2$ und eine mehr oder weniger groſse Quantität von Hypochlorit, $Ca(OCl)_2$, welches durch eine sekundäre Reaktion entsteht, an. Chemisch reiner Chlorkalk müſste also enthalten:

Aktives Chlor	39,01 p. c.
Chlorcalcium	30,49
Chlor des Chlorcalciums	19,50
Kalk	15,38
Wasser, bei niedriger Temperatur ausgetrieben .	9,89
Chlorkalk auf 100 Calciumhydrat . . .	163,96.

Die Übereinstimmung dieser Zahlen mit zahlreichen Beobachtungen und die genügende Erklärung über das Vorhandensein des überschüssigen Kalkes giebt dieser Hypothese einen groſsen Wert. LUNGE und SCHÄPPI bestreiten sie indessen auf grund von Experimenten über die Zersetzung des Chlorkalkes durch Kohlensäure. Diese beiden Chemiker kommen zu dem Resultate, daſs trockne oder feuchte Kohlensäure auf 55 bis 100° erhitzt, aus nicht getrocknetem Chlorkalk fast sämtliches Chlor austreibt. Da in keinem Falle, sagen sie, das Chlorcalcium durch Kohlensäure zersetzt wird, so folgt, daſs jede Hypothese, nach welcher Chlorcalcium ein Element des Chlorkalkes bildet, zurückgewiesen werden muſs. (Vergl. übrigens die Untersuchungen von KRAUT (**83.** 2 u. 731). Als Stütze ihrer Ansicht sprechen sie übrigens die von ODLING mitgeteilte Thatsache an, daſs, wenn man den Chlorkalk in Alkohol löst, die Lösung kein Chlorcalcium enthalten ist.

Wenn dem so wäre, so würde man in der That zu dem Schlusse berechtigt sein, daſs das Chlorcalcium kein konstituierendes Element des Chlorkalkes ist. Es ist aber nicht richtig, daſs der Alkohol aus dem Chlorkalk kein Chlorcalcium aufnimmt. Alle Versuche, welche zur Verifikation jener Angaben ausgeführt wurden, haben ein negatives Resultat ergeben. Der Alkohol enthält immer eine beträchtliche Menge Chlorcalcium in Lösung, und zwar um so mehr, je länger dasselbe mit dem Chlorkalk in Berührung bleibt, infolge einer eintretenden Zersetzung.

Als einen sicheren Beweis für die Nichtexistenz von Chlorcalcium sehen LUNGE und SCHÄPPI die Austreibung des Chlors durch Kohlensäure an. Es ist allerdings richtig, daſs Kohlensäure allein das Chlorcalcium nicht zersetzt, aber bei der Einwirkung der Kohlensäure auf Chlorkalk kommt keineswegs allein das Chlorcalcium in betracht, sondern es treten noch andere Elemente mit ins Spiel.

Da nach der letzten Hypothese das im Chlorkalk angenommene typische Chlorid $2CaHClO_2 + CaCl_2 + 2H_2O$ ist, so wirkt die Kohlensäure auf den ersten Bestandteil nach der Gleichung:

$$2CaHClO_2 + 2CO_2 = 2CaCO_3 + H_2O + Cl_2O$$

ein. Es entsteht also freie unterchlorige Säure, welche bei Gegenwart von Kohlensäure auf das Chlorcalcium nach der Gleichung:

$$CaCl_2 + CO_2 + Cl_2O = CaCO_3 + Cl_4$$

reagieren kann, woraus folgt, daſs man allerdings schließlich eine vollständige Zersetzung des Chlorkalkes unter Entwicklung allen aktiven Chlors erzielen kann.

Daſs dies in der That so geschieht, wurde durch den Versuch bewiesen.

Reines pulverförmiges Chlorcalcium verlor, nachdem es 25 Minuten der Einwirkung eines Gemenges von Unterchlorigsäuregas und Kohlensäure ausgesetzt war, 40 p. c. von dem Chlor, welches zuvor als $CaCl_2$ darin enthalten war. Nach 40 Minuten langer Einwirkung stieg der Verlust bis auf 60 p. c. Chlor. Dieselbe Einwirkung auf in Wasser gelöstes Chlorcalcium führte zu demselben Resultate. Wenn das Chlorcalcium für sich schon in dieser Weise durch ein Gemenge von Unterchlorigsäuregas und Kohlensäure zersetzt wird, so muſs dies noch in erhöhtem Maſse beim Chlorkalk durch Behandlung mit Kohlensäure der Fall sein. Denn indem letztere zuerst auf das aktive Prinzip einwirkt, so entwickelt sich zuerst unterchlorige Säure, welche bei Gegenwart von Kohlensäure das Chlorcalcium mit um so gröſserer Energie zersetzen muſs, als es sich in nascierenden Zustande befindet. Man erzielt also schlieſslich eine vollständige Zersetzung des Chlorkalkes durch Kohlensäure, wobei nach der Gleichung:

$$2CaHClO_2 + CaCl_2 + 3CO_2 = 3CaCO_3 + H_2O + 4Cl$$

alles Chlor frei wird. Die Versuche über die Einwirkung der Kohlensäure auf Chlorkalk sind also für die Abwesenheit des Chlorcalciums im festen Chlorkalk keineswegs entscheidend.

Die Hypothese von STAHLSCHMIDT giebt hiernach einen genügenden Aufschluſs dieser Reaktion und bleibt deshalb die wahrscheinlichste von allen Theorien. Allein es fehlt noch ein letztes Element, denn bis jetzt ist nicht bewiesen worden, daſs das durch die Auflösung des Chlorkalkes in Wasser gefällte Calciumhydrat in der That ein konstituierendes Prinzip ist.

GOEPNER, welcher die Gegenwart von Chlorcalcium in Chlorkalk leugnet, behauptet, daſs das überschüssige Calciumhydrat seine Entstehung der schützenden Einwirkung des durch sekundäre Reaktionen gebildeten Chlorcalciums verdankt. Diese Hypothese ist nicht annehmbar, denn in diesem Falle müſste man mit reinen Elementen Chlorkalk ohne überschüssigen Kalk gewinnen können, was nicht der Fall ist.

RICHTERS und JUNKERS schreiben dem aktiven Prinzip des Chlorkalkes eine groſse Hygroskopizität zu und erklären die Gegenwart des überschüssigen Kalkes aus der Absorption des Hydratwassers des Kalkes durch das aktive Prinzip selbst. Dieses Argument hat keinen Wert, weil trocknes Calciumhydrat sehr gut trocknes Chlor absorbiert. Nach den genannten Chemikern würde sich also das bei der Auflösung des Chlorkalkes in Wasser abgeschiedene Calciumhydrat nur zufällig darin finden; anstatt das Resultat einer Zersetzung des aktiven Prinzips zu sein, wird es nur als Nebenprodukt gelten.

Die folgenden Versuche des Vf's. haben zu einem durchaus entgegengesetzten Resultate geführt. Zwei Reaktionen dienen als Basis dieser Versuche.

I. Fester Chlorkalk mit Ammoniak und Alkohol behandelt, zersetzt sich unter Fällung einer gewissen Menge von Kalk und Bildung von Chlorcalcium und Chlorammonium. Die zum Sieden erhitzte Flüssigkeit wird filtriert, mit viel Wasser verdünnt und durch Ammoniumoxalat gefällt; der hierdurch aus dem Chlorcalcium als Oxalat abgeschiedene Kalk wird entweder durch Umwandlung in Sulfat oder durch Titrieren mit Chamäleon bestimmt. Auf diese Weise erhielt man bei zahlreichen Versuchen mit derselben Probe Chlorkalk durchaus übereinstimmende Zahlen.

II. Trockner Chlorkalk zur Rotglut erhitzt und geschmolzen, entwickelt Chlor und Sauerstoff. Der Rückstand durch ein wenig Wasser aufgenommen und mit Alkohol verdünnt, wird filtriert und in der erhaltenen, durch Wasser und etwas Ammoniak verdünnten Lösung der Kalk durch Ammoniumoxalat gefällt. Die Menge des auf diese Weise bestimmten Kalkes war konstant und überdies genau mit der nach der Reaktion I. gefundenen übereinstimmend.

Es bleibt nun noch übrig, das Verhältnis dieser in Chlorcalcium umgewandelten Kalkmenge zum gesamten Kalk zu bestimmen und die Schlußfolgerungen festzustellen, welche man hieraus ziehen kann.

Von den Versuchen, welche der Vf. zu diesem Zwecke angestellt hat, citiert er zwei Beispiele, welche genügen werden, seine Schlußfolgerungen zu begründen. Der zu den Versuchen dienende Chlorkalk war durch Einwirkung von Chlor auf Kalk bis zur vollständigen Sättigung bereitet. Das Resultat würde nicht entscheidend sein, wenn in dem Produkte noch ein Teil des Kalkes vorhanden wäre, welcher den Einfluß des Chlors nicht erfahren hätte; die Analyse eines solchen Produktes ergab:

Gesamtmenge des Chlors Cl	39,60
Aktives Chlor	39,25
Gesamtmenge des Kalkes CaO . .	45,80
Kohlensäure CO_2	1,30
CaO entsprechend der CO_2 . . .	1,64
„ „ dem inaktiven Chlor .	0,28 p. c.

Zieht man den mit dem inaktiven Chlor und der Kohlensäure verbundenen Kalk ab, so bilden sich 45,80—(1,64 + 0,28) = 43,88 p. c. Kalk. Die Bestimmung des Kalkes als Chlorcalcium nach der Behandlung mit Ammoniak ergab 22,28 p. c. Kalk, wovon man 0,28 p. c., entsprechend dem inaktiven Chlor, abziehen muß, es bleiben also 22,28—0,28 = 22,00 p. c. in Chlorcalcium umgewandelter Kalk übrig. Von 43,88 p. c. Kalk im Chlorkalk werden also 22,00 p. c., d. h. die Hälfte in Chlorcalcium umgewandelt.

Eine zweite Probe Chlorkalk lieferte bei der Analyse folgende Zahlen:

Gesamtmenge des Chlors	41,68
Aktives Chlor	38,54
Gesamtmenge des Kalkes	45,38
Kohlensäure CO_2	2,70
$Ca(ClO_3)_2$	0,48
CaO entsprechend der CO_2	3,43
„ „ dem Chlorat . . .	0,13
„ „ dem inaktiven Chlor .	2,47.

Es sind also in diesem Produkte 45,38—6,03 = 39,35 p. c. nützlicher Kalk enthalten. Die Bestimmung des Kalkes in Lösung durch Behandlung mit Ammoniak ergab 22,31 p. c., nach Abzug des dem Chlorat und dem inaktiven Chlor entsprechenden Kalkes bleiben 22,31—(0,13 + 2,47) = 19,71 p. c. Kalk, welcher in Chlorcalcium umgewandelt wurde. In diesem Falle haben wir also das Verhältnis von 39,35 : 19,71, d. h. wiederum nahezu die Hälfte des nützlichen Kalkes.

Die Reaktion des Ammoniaks auf den Chlorkalk kann durch folgende Gleichung ausgedrückt werden:

$$2[2(CaHClO_2) + CaCl_2] + 2NH_4O = 2NH_4Cl + 3CaCl_2 + 3Ca(OH)_2 + O_4 \ldots (1).$$

Die Calcination des Chlorkalkes ergiebt dasselbe Resultat und erfolgt nach der Gleichung:

$$2[2(CaHClO_2) + CaCl_2] + H_2O = 3CaCl_2 + 3Ca(OH)_2 + Cl_2 + O_3 \ldots (2).$$

Einige Chemiker haben für die erste Reaktion mit Unrecht die Gleichung:

$$3[2(CaHClO_2) + CaCl_2] + 4NH_4O = 6CaCl_2 + 3Ca(OH)_2 + 4N + 10H_2O \ldots (3)$$

aufgestellt. Der Irrtum beruht darauf, daß, wenn nach der Sättigung des Chlorkalkes mit Ammoniak bei Gegenwart von Wasser das Sieden lange genug fortgesetzt wird, die zwei Moleküle Ammoniak des Chlorammoniums der Gleichung (1) durch ein Molekül Kalk ersetzt werden, und man schließlich das durch die Reaktion (3) angegebene Resultat erhält: 2 Mol. Chlorcalcium auf 1 Mol. Calciumhydrat.

Wie man sieht, giebt die Sättigung des Chlorkalkes mit Ammoniak ein Resultat, welches nicht durch das Verhältnis des durch Auflösung in Wasser abgeschiedenen Calciumhydrates beeinflußt wird; mag dieses Verhältnis 8, 10 oder 13 p. c. betragen, so entspricht die Menge des in Chlorcalcium umgewandelten Kalkes immer der Hälfte des nützlichen Kalkes.

Diese Beobachtung ist ein sicherer Beweis zu gunsten der Theorie, welche den überschüssigen Kalk als ein konstituierendes Element des Chlorkalkes annimmt. Es ist evident, daß im umgekehrten Falle die Reaktion des Ammoniaks kein unveränderliches Resultat ergeben würde.

Die Annahme einer Verbindung CaHClO, als aktives Prinzip im Chlorkalk ist hiernach für die Interpretation der Thatsachen am geeignetsten, und die Formel des Chlorkalkes wäre. demnach $2CaHClO_2 + CaCl_2 + 2H_2O$. (Bull. Par. **41**. 600—9.)

E. Divers und **Tetsukichi Shimidzu**, *Über Calciumhydrosulfide.* Ein Teil Kalk, dargestellt durch Glühen von gefälltem Calciumcarbonat, wurde mit 4 Tln. Wasser zu einem dicken Brei angerührt und Schwefelwasserstoff hindurch geleitet; sobald sich der Kalk gelöst hatte, wurde mehr davon hinzugefügt, bis eine derartig konzentrierte Lösung von Calciumhydrosulfid entstand, daß sie beim Abkühlen krystallisierte. Die Darstellung dieses Produktes dauerte mehrere Tage. Die Luft muß vollkommen ausgeschlossen bleiben und die Reaktion durch Abkühlung erleichtert werden. Die erhaltene Lösung wird an einen mäßig warmen Ort gestellt, so daß Krystalle, die sich gebildet haben, wieder gelöst werden; dann dekantiert man in einer Atmosphäre von Schwefelwasserstoff. Beim Abkühlen scheiden sich prismatische Krystalle von $Ca(HS)_2, 6H_2O$ aus. Diese sind sehr leicht löslich in Wasser und Alkohol und zersetzen sich beim Erhitzen, sowie durch Stehen an der Luft. Wird die Substanz mit Wasser ·oder Calciumhydrat behandelt, so entsteht *Calciumhydroxyhydrosulfid*, $CaHSHO, 3H_2O$. Dieser Körper krystallisiert in farblosen, vierseitigen Prismen und entwickelt an der Luft langsam Schwefelwasserstoff. Durch gelindes Erwärmen in einem Strome von Schwefelwasserstoff entsteht Calciummonosulfid, gemischt mit etwas Hydroxyd. Kohlensäure zersetzt die Calciumhydrosulfide, und andererseits zersetzt Schwefelwasserstoff das Calciumcarbonat, so daß Kohlensäure, mit überschüssigem Schwefelwasserstoff gemischt, durch Kalkwasser geleitet werden kann, ohne dasselbe zu trüben.

ODLING hat angegeben, daß beim Kochen von Calciumhydrosulfid mit Schwefel Schwefelwasserstoff entweicht und Calciumpentasulfid gebildet wird. Die Vff. zeigen, daß, wenn Schwefelwasserstoff durch eine kalt gesättigte Lösung von Calciumpentasulfid geleitet wird, die umgekehrte Reaktion eintritt, und Calciumhydrosulfid entsteht. Endlich haben die Vff. die Bildung von Calciumthiosulfat aus dem Hydrosulfid und dem Pentasulfid untersucht und gefunden, daß in beiden Fällen keine direkte Oxydation eintritt, sondern der Schwefelwasserstoff oxydiert wird, und dann durch die Einwirkung seiner Oxydationsprodukte das Thiosulfat entsteht. Sie geben folgende Gleichungen dafür an:

$$CaHSHO + 2O_2 + H_2S = CaS_2O_3 + 2H_2O$$
$$CaS_5 + 2H_2O = CaHSHO + 3S + H_2S.$$

(Chem. N. **49**. 262—63. 13. [5.] Juni. London, Chem. Soc.)

Charles W. Folkard, *Molekularverbindungen des Calciums.* (Chem. N. **49**. 258. 13. Juni.)

A. Geuther, Über die *Calciumoxysulfide.* (LIEB. Ann. **224**. 178—201. Ende Juni. [14. Febr.] Jena.)

A. Geuther, *Über die Konstitution der Polysulfide und der Polyoxyde.* (LIEB. Ann. **224**. 201—24. Ende Juni. [14. Febr.] Jena.)

A. de Schulten, *Über die Bildung von neutralem krystallisierten Aluminiumorthophosphat.* Dieses Salz ist bis jetzt in wasserfreiem und krystallisiertem Zustande noch nicht bekannt. RAMMELSBERG und MILLOT haben das Hydrat als gelatinösen Niederschlag erhalten, jener durch Behandlung einer Alaunlösung mit Natriumphosphat, so lange noch ein Niederschlag entsteht; dieser durch Fällung von Aluminiumphosphat mit Ammoniak und Behandlung des Niederschlages mit Essigsäure.

Der Vf. stellt das krystallisierte Orthophosphat in folgender Weise dar.

Eine konzentrierte Lösung von Natriumaluminat wird mit Phosphorsäure versetzt, bis das Gemenge stark sauer ist, und in einer geschlossenen Röhre einige Stunden lang auf 250° erhitzt. Es bildet sich alsbald ein reichlicher Absatz von kleinen hexagonalen, zugespitzten Prismen, und wenn man eine genügende Menge Phosphorsäure angewendet hatte, so sind die Krystalle vollständig rein. Die Analyse ergab die Formel $Al_2(PO_4)_2$. In der Rotglühhitze verlieren die Krystalle nichts an Gewicht, sie schmelzen selbst bei heller Rotglut nicht, sind unlöslich in konzentrierter Salzsäure und Salpetersäure und werden von konzentrierter Schwefelsäure in der Hitze nur schwer angegriffen. Um den Körper zu lösen, schmilzt man ihn mit Natriumcarbonat und behandelt die geschmolzene Masse mit Wasser, worin diese sich vollständig löst. Das spez. Gewicht der Krystalle beträgt 2,59, ihre Dimensionen gehen über 2 mm Länge und $^1/_{10}$ mm Durchmesser nicht hinaus.

Es scheint, daß bei der Bildung dieses krystallisierten Phosphates die Gegenwart von saurem Natriumphosphat notwendig ist, um die Krystallisation des Salzes zu bewirken, denn erhitzt man gallertartige Thonerde mit Phosphorsäure in einer geschlossenen Röhre auf 250°, so erhält man niemals ein krystallisiertes Salz. Derselbe Körper läſst sich aber auch darstellen, wenn man eine Lösung von Aluminiumchlorid mit Phosphorsäure versetzt, doch erhält man unter dieser Bedingung nur einen krystallinischen Sand. Nimmt man indessen statt der Phosphorsäure eine konzentrierte Lösung von sehr saurem Natriumphosphat, so erhält man sehr gut ausgebildete Krystalle.

Unter Abänderung der Mengen der angewendeten Substanz erhielt der Vf. krystallisierte Doppelphosphate des Aluminiums, welche er noch nicht untersucht hat. Endlich bemerkt er, daſs, wenn man Arsensäure statt der Phosphorsäure anwendet, Arsenverbindungen entstehen, die ebenfalls noch genauer zu untersuchen sind. (C. r. **98**. 1583—84. [30.*] Juni.)

H. Moissan, *Über die Darstellung des Chromsäurehydrates und über einige neue Eigenschaften des Chromsäureanhydrids. Reinigung der schwefelsäurehaltigen Chromsäure.* Die krystallisierte Chromsäure, wie sie im Handel vorkommt, enthält immer noch eine beträchtliche Menge Schwefelsäure. Man kann sie davon nach folgendem Verfahren befreien. Man beginnt damit, die Chromsäure über einer Platinschale über sehr mäſsigem Feuer zu schmelzen. Es ist wichtig, mit auſserordentlicher Vorsicht zu erhitzen, wenn man nicht eine zu rasche Zersetzung der Chromsäure herbeiführen will. Unter dieser Bedingung entweicht zuerst Wasser, dann schmilzt die Masse, und da die geschmolzene Chromsäure dichter als die Schwefelsäure ist, so schwimmt letztere obenauf und zieht sich an den Rändern der Platinschale in die Höhe. Der gröſste Teil der Schwefelsäure verflüchtigt sich auf diese Weise. Man gieſst das Ganze dann auf Porzellan: die Schwefelsäure, welche weit flüssiger ist, flieſst zuerst aus und dann die Chromsäure. Nach dem Erstarren zerschlägt man die Masse und wählt diejenigen Stücke aus, welche von der Schwefelsäure nicht berührt worden sind. Diese bewahrt man in trocknen Flaschen auf. Die so behandelte Chromsäure enthält nur noch eine geringe Menge Schwefelsäure. Sie ist von schön roter Farbe, besitzt einen charakteristischen Bruch, ist sehr hygroskopisch und löst sich vollständig in Wasser. Die Bestimmung des Chroms ergab die Formel CrO$_3$.

Chromsäurehydrat, CrO$_3$HO. Um Krystalle von Chromsäurehydrat zu erhalten, bringt man überschüssiges Chromsäureanhydrid mit Wasser zusammen; das Gemenge erhitzt sich mäſsig. Man erwärmt es mäſsig und erhält es einige Augenblicke auf 100°; dann dekantiert man und kühlt auf Eis ab. Es scheiden sich zuerst an den Wänden des Gefäſses kleine Krystalle von roter Farbe ab, welche man von der Mutterlauge trennt und im Vakuum über Schwefelsäure trocknet. Erwärmt man dieselben in einer geschlossenen Röhre, so schmelzen sie leicht, entwickeln Wasser und werden zu Chromsäureanhydrid. An der Luft ziehen sie Feuchtigkeit an und zerflieſsen schnell. Die Bestimmung des Chroms ergab die Formel CrO$_3$HO. Das Hydrat ist demnach dem Schwefelsäuremonohydrat analog.

Einwirkung von gasförmiger Chlorwasserstoffsäure auf trockne Chromsäure. Chromsäureanhydrid, welches nach obigem Verfahren gereinigt worden ist, giebt mit Chlorwasserstoffgas eine eigentümliche Reaktion. Sobald beide Körper bei gewöhnlicher Temperatur zusammentreten, wird das Gas absorbiert, und es entwickeln sich reichliche rote Dämpfe, welche sich zu einer bei 108° siedenden Flüssigkeit kondensieren: *Chlorochromsäure.* CrO$_2$Cl. Erhitzt man die Röhre, in welcher die Reaktion erfolgt, gelinde, so wird letztere beschleunigt, und man erhält in wenig Augenblicke eine beträchtliche Menge Chlorochromsäure:

$$CrO_3 + HCl = CrO_2Cl + HO.$$

Das abgeschiedene Wasser reagiert auf einen Teil der Chlorochromsäure, und am Ende des Versuches findet man an Stelle der Chromsäure eine ölige, in Wasser vollständig lösliche Substanz, welcher schon DUMAS bei seinen Untersuchungen über das Chromoxychlorid begegnet ist.

Bromwasserstoff- und Jodwasserstoffgas geben unter gleichen Bedingungen keine entsprechenden Verbindungen.

Trocknes Chlor endlich greift das Chromsäureanhydrid nicht an. Wenn es nicht sehr gut gereinigt ist, so kann es, wenn es etwas Chlorwasserstoffgas enthält, die Verbindung CrO$_2$Cl geben. Dasselbe geschieht, wenn man bei 150° ein Gemenge von Chlor und etwas Wasserdampf einwirken läſst; letztere liefern Salzsäure und die Chromsäure wird angegriffen.

Die alkalischen Chromate, sowie Barium-, Blei- und Silberchromat veranlassen bei der Berührung mit Salzsäure ebenfalls eine Entwicklung von Chlorochromsäure. Diese Reaktion ist demnach allgemein und gestattet, die freie oder verbundene Chromsäure zu charakterisieren. (C. r. **98**. 1581—83. [30.*] Juni.)

W. G. Brown, *Ein neues wasserhaltiges Manganaluminiumsulfat von Sevier Co., Tenn.* Das am kleinen Pégeon, einem Nebenflusse des Tennesseeflusses, in groſser Menge sich findende Mineral gehört zu der Klasse der Alaune, ist weiß, oder schwach rosa gefärbt, vom spez. Gewichte 1,782 und einer Härte von 1,5. Seine wässrige Lösung reagiert sauer und besitzt einen adstringierenden bitteren Geschmack. Die Analyse führte zu der Formel $Mn_3Al_4(SO_4)_9(H_2O)_{51}$. Das Mangan kann durch Fe^{II}, Mg, Co, Ni und Cu^{II} vertreten sein. Die Zusammensetzung des Minerales hat Ähnlichkeit mit der des Apjohnits und Bosjemanits von Südafrika, $(R^{II}Al_2(SO_4)_4(H_2O)_{24})$, oder von der Schweiz, $R^{II}_3Al_4(SO_4)_9(H_2O)_{40}$. (Amer. Chem. Journ. **6.** 97—101.)

Bohuslaw Raymann und **Carl Preis**, *Über Zinnbromide.* Die Vff. beschreiben folgende Verbindungen:

Zinndibromid, $SnBr_2$ und $SnBr_2 + H_2O$
Zinntetrabromid, $SnBr_4$ und $SnBr_4 + 4H_2O$
Zinnbromidbromwasserstoffsäure, $H_2SnBr_6, 8H_2O$
Zinnnatriumbromid, $Na_2SnBr_6, 6H_2O$
Zinncalciumbromid, $CaSnBr_6 + 6H_2O$
Zinnstrontiumbromid, $SrSnBr_6 + 6H_2O$
Zinnmagnesiumbromid, $MgSnBr_6 + 10H_2O$
Zinnmanganbromid, $MnSnBr_6 + 6H_2O$
Zinneisenbromid, $FeSnBr_6 + 6H_2O$
Zinnnickelbromid, $NiSnBr_6 + 8H_2O$
Zinnkobaltbromid, $CoSnBr_6 + 10H_2O$

und endlich die beiden Oxybromide:

$$Sn_2Br_6O, 12H_2O \text{ und } Sn_9Br_8O_2, 10H_2O.$$

(LIEB. Ann. **223.** 323--34. Ende Mai. Prag, k. k. böhm. techn. Hochschule.)

4. Organische Chemie.

Bohuslaw Raymann und **Karl Preis**, *Einige Reaktionen des Jods auf organische Verbindungen bei erhöhter Temperatur.* Über die Funktionen des Jods ist nur wenig Positives bekannt, denn seine Substitutionsfähigkeit wird durch die Eigenschaften des Jodwasserstoffes paralysiert. Vereinzelt ist die Arbeit SCHÜTZENBERGER'S (**73.** 165) über die Einwirkung von Jod auf Toluol; derselbe erhielt bei dieser Reaktion: Xylol, Benzyltoluol und Kohlenwasserstoffe der Formel $_nC_{14}H_{11}$. Daß Jodwasserstoff bei erhöhter Temperatur Seitenketten aromatischer Verbindungen loszutrennen vermag, ist schon einigemal beobachtet worden (BERTHELOT bei Acenaphten, TIEMANN und HAARMAN bei Koniferylalkohol etc.

Wie die Vff. nachgewiesen haben (**79.** 263; **80.** 263), wirkt Jod bei 250° auf aromatische Verbindungen, die mit längeren Seitenketten versehen sind, in der Weise ein, daß die Seitenketten losgetrennt und in Methyle zersplittert werden, welche letzteren dann in den Kern substituirend eintreten. Sie haben nämlich aus Terpentinöl, Cymol, Campher, Amylbenzol eine Reihe aromatischer Kohlenwasserstoffe:

$$C_6H_5.CH_3, \quad C_6H_4{CH_3 \atop CH_3}, \quad C_6H_3{C_3H_7 \atop CH_3 \atop CH_3}$$

etc. erhalten, deren Bildung neben dem destruktiven Abbau eine Synthese voraussetzt. Neben diesen Reaktionen hat sich auch die hydrierende Einwirkung des Jodwasserstoffes geltend gemacht; alle Fraktionen enthielten Hydride, die nicht isoliert werden konnten, weil die Ausbeute ungemein gering, und unsere Aufmerksamkeit in erster Linie auf aromatische Kohlenwasserstoffe gerichtet war. Neben aromatischen Kohlenwasserstoffen und deren niedriger siedenden Hydriden enthielten die Röhren in bedeutender Menge Gase, welche der Paraffinreihe angehörende niedere Kohlenwasserstoffe sind.

In dieser Reaktion war eine gewisse Analogie des Jods mit Chlor und Brom unverkennbar, die Synthesen erforderten jedoch keine Erklärung.

Eine bloße Molekularumlagerung der Methyle aus den Seitenketten konnte man nicht annehmen, denn das energische Jod mußte mitgeholfen haben, und so schritten die Vff. zu Alkylphenylsynthesen aus Jodphenylen und Jodalkylen, nach dem Schema:

$$C_6H_5J + JCH_3 = C_6H_5.CH_3 + J_2.$$

Mit Rücksicht auf die destruktiven Eigenschaften des Jods stellten sie ihre Versuche in der Weise an, daß aromatische Kohlenwasserstoffe mit Jodalkylen und sehr wenig Jod bei 250° in zugeschmolzenen Röhren erhitzt wurden (vier bis acht Stunden). Den bei der Reaktion stets gebildeten Jodwasserstoff versuchten sie dadurch zu beseitigen, daſs sie Alkylbromide zusetzten, unter der Voraussetzung, daſs der nach folgender Gleichung:

$$CH_3Br + JH = CH_3J + BrH$$

entstandene Bromwasserstoff keinen schädlichen Einfluſs ausüben, das gebildete Jodalkyl dagegen noch von Nutzen sein könnte. In anderen Fällen wurde Isobutylalkohol zugesetzt, der infolge seiner Konstitution zum Abbau von Jodmethylen besonders geeignet schien. Die Ausbeute an höheren Kohlenwasserstoffen war wirklich in diesem Falle sehr ausgiebig und wurde nur das Studium der Reaktionsprodukte durch gleichzeitige Bildung von Isobutylbenzolen und deren Homologen erschwert.

Benzol (aus Benzoesäure) mit Jodmethyl und Jod. Unter den Reaktionsprodukten wurde nachgewiesen Methan und Toluol und höhere Kohlenwasserstoffe.

Toluol mit Jodäthyl und Jod. Hierbei bildeten sich Xylole, vorwiegend m-Xylol, in den höheren Fraktionen wahrscheinlich Hydride und Äthylphenyle.

m-Xylol, Jodmethyl und Jod. Pseudocumol neben Methylen, und wahrscheinlich ein Kohlenwasserstoff, welcher dem von HOLTMEYER aus Mesitylen dargestellten entspricht: $C_{11}H_{16}$.

Käufliches gereinigtes Pseudocumol mit Jodäthyl und Jod. Ein Kohlenwasserstoff, $C_6H_2(C_2H_5)(CH_3)_2$, wahrscheinlich das symmetrische Äthyldimethylbenzol.

Aus diesen wenigen Synthesen sieht man gleichwohl, daſs die Beobachtungen der Vff. bei Terpentinöl, Cymol und Campher ihre Erklärung finden. Jod wirkt auf die Kohlenwasserstoffe, liefert Jodphenyle, trennt längere Seitenketten ab und löst sie in Jodmethyl auf, welches mit den Jodphenylen im Sinne jener Synthesen reagiert.

Hexyljodid und Jod. Das Produkt ließ reichliche Mengen Jodwasserstoff entweichen und bestand zum gröſsten Teile aus Hexan. Die Reaktion besteht also in der Einwirkung von Jodwasserstoff auf Hexyljodid. (LIEB. Ann. **223**. 315—23. Ende Mai. Prag, k. k. böhm. polytechn. Hochschule.)

Armstrong und **Miller**, *Über die Einwirkung hoher Temperaturen auf Petroleumkohlenwasserstoffe.* Die Vff. haben das durch Kompression des Gases, welches durch Leiten von Petroleumdämpfen durch stark erhitzte Retorten erhalten wurde, gewonnene Öl untersucht. Sie zeigen, daſs ihr Material in gewisser Hinsicht mit dem übereinstimmt, welches FARADAY im Jahre 1825 benutzte, und in welchem er Benzol entdeckte. Auſser dem Benzol und dessen Homologen enthält das Ölgas Kohlenwasserstoffe der Äthylen- und Acetylenreihe. Es ist merkwürdig, daſs die letzteren nicht in strengem Sinne homolog mit dem Acetylen sind, insofern sie sich unfähig erweisen, Metallverbindungen zu bilden, welche dem Acetylenkupfer entsprechen; sie sind wahrscheinlich Derivate des *Allen*, $CH_2.C.CH_2$, welches isomer mit dem Allylen oder Methylacetylen ist. Aus den Fraktionen, welche niedriger sieden als das Benzol, wurden zwei Kohlenwasserstoffe der Acetylenreihe isoliert, das *Methylallen*, $CH_2.CH.C.CH_2$, welches identisch mit dem von CAVENTON aus dem durch Kompression von Leuchtgas erhaltenen Kohlenwasserstoffgemenge dargestellten ist, und das *Hexoylen*, C_6H_{10}, identisch mit dem von SCHORLEMMER beschriebenen. Die krystallinischen Tetrabromide dieser Kohlenwasserstoffe wurden in gröſseren Mengen und in reinem Zustande erhalten. Bis jetzt ist es noch nicht gelungen, den intermediären Kohlenwasserstoff C_5H_7 darzustellen. Die Fraktionen unter dem Siedepunkte des Benzols enthalten ferner zwei Olefine, das Amylen und Hexylen. Eine Untersuchung ihrer Oxydationsprodukte ergiebt, daſs beides die normalen Kohlenwasserstoffe sind; in denen das Amylen bei der Oxydation mit Permanganat normale Buttersäure, und das Hexylen normale Valeriansäure liefert: mit anderen Worten: das Amylen ist normales Propyläthylen und das Hexylen normales Butyläthylen. Dies ist eine Erweiterung der Beobachtungen von THORPE und YOUNG. Durch Erhitzen von Paraffin unter Druck bei verhältnismäſsig niedriger Temperatur erhielten die Vff. ein Gemenge von niederen (normalen) Paraffinen bis herab zum Pentan. Je höher die Temperatur der Gasretorten war, desto vollständiger wurden die Paraffine in Olefine, Acetylene, Benzole etc. umgewandelt. Es ist nicht unwahrscheinlich, daſs die Benzole direkt durch die Einwirkung der Hitze auf die Paraffine entstehen und etwa durch Aufbau aus Kohlenwasserstoffen der Acetylenreihe sich bilden. (Chem. N. **49**. 285—86.)

Carl Hell, *Methode zur Bestimmung des Molekulargewichtes und der Atomigkeit höherer Fettalkohole.* Die primären Alkohole werden bekanntlich durch Erhitzen mit Kali- oder Natronkalk unter Wasserstoffentwicklung in die korrespondierenden Säuren verwandelt. Die Menge des hierbei entwickelten Wasserstoffes ist abhängig von dem Molekulargewichte des Fettalkohols. Gelingt es daher, das Volum des bei dieser Reaktion frei werdenden Wasserstoffes genau zu bestimmen, so ist damit zugleich ein Maſs für die Molekulargröſse des dieser Reaktion unterworfenen Alkohols gewonnen. Bei den niederen

Gliedern der Fettalkohole kommt hier allerdings ein Umstand in betracht, welcher die quantitative Ausführung dieser Reaktion sehr erschwert, vielleicht ganz unmöglich macht. Wie schon Dumas und Stas beobachtet haben, liegen die Temperaturen, bei welchen die Umwandlung des Alkohols in die Carbonsäure entsprechend der Gleichung:

(1) $$R.CH_2OH + KOH = R.COOK + 2H_2$$

und die weitergehende Zersetzung der Säure in Kohlensäure und einen Kohlenwasserstoff nach der Gleichung:

(2) $$RCOOK + KOH = R.H + CO_3K_2$$

vor sich geht, nicht allzuweit voneinander, so daſs die für die vollständige Zersetzung nach der Gleichung (1) notwendige Überhitzung stets noch einen mehr oder weniger groſsen Bruchteil des Reaktionsproduktes im Sinne der Gleichung (2) weiter verändert. Dem entwickelten Wasserstoffe wird daher eine von dem Grade der Überhitzung abhängige Menge eines Kohlenwasserstoffes beigemengt sein.

Dieser Umstand kommt aber nur bei den niederen Alkoholen, bei welchen die infolge der weitergehenden Reaktion auftretenden Kohlenwasserstoffe selbst gasförmig oder sehr flüchtig sind, in betracht, bei den höheren Alkoholen dagegen wird die Bildung von Kohlenwasserstoffen, da diese nicht flüchtig sind, keinen Einfluſs auf die Menge des entwickelten Gases ausüben können.

Dieser Voraussetzung entsprechend fanden auch schon Dumas und Stas bei der Untersuchung des aus Cetylalkohol entwickelten Gases reinen Wasserstoff, dem keine Spur eines Kohlenwasserstoffes beigemengt war, während das aus Äthyl- und Amylalkohol erhaltene Gas bei der eudiometrischen Verbrennung eine erhebliche Menge Kohlensäure ergab.

Den ersten Anstoſs zu einer genaueren quantitativen Verfolgung dieser Reaktion erhielt Vf. schon vor einigen Jahren gelegentlich einer in Gemeinschaft mit O. Hermanns ausgeführten Untersuchung über das rohe Buchenholzteerparaffin (80. 646). Neben der Lignocerinsäure gelang es ihm, darin einen weiteren sauerstoffhaltigen Körper nachzuweisen, welcher keine sauren Eigenschaften besaſs, sondern erst durch Schmelzen mit Kalihydrat unter Wasserstoffentwicklung in eine Säure übergeführt wurde, und daher ein Alkohol, möglicherweise aber auch ein Aldehyd sein muſste. Da nun der Alkohol wie der Aldehyd vom gleichen Kohlenstoffgehalte beim Schmelzen mit Kalihydrat dieselbe Säure liefert, das entwickelte Wasserstoffvolum aber bei ersterem doppelt so groſs, als bei letzterem sein wird, so versuchte Vf., den Wasserstoff zu messen, um so in der einfachsten Weise Aufschluſs über die Natur dieses Körpers zu erhalten.

Ein zu diesem Zwecke ausgeführter Versuch ergab überraschend genaue und übereinstimmende Resultate, und deshalb hat der Vf. die Methode genauer ausgearbeitet und einen im Originale beschriebenen, und durch Abbildung erläuterten Apparat konstruiert, durch welchen die Zersetzung, sowie das Auffangen und Messen des entwickelten Wasserstoffes leicht ausgeführt werden kann.

Mit diesem Apparate wurden zuerst Versuche mit dem Myricylalkohol des Carnaubawachses ausgeführt und damit 0,839—0,835—0,8423—0,8429 p. c. Wasserstoff erhalten. Ein Kontrollversuch unter Anwendung der Sprengel'schen Luftpumpe ergab 0,839 p. c. Das Mittel aller dieser Bestimmungen ist 0,8393 p. c. Wasserstoff. Die Zusammensetzung dieses Myricylalkohols wurde durch Überführung in Melissinsäure und genaue Analyse des Blei- und Silbersalzes derselben aus der Formel $C_{30}H_{62}O$ entsprechend erkannt. Berechnet man nun nach der Gleichung:

$$C_{30}H_{62}O + NaOH = C_{30}H_{59}O_2Na + 2H_2$$

die Menge des Wasserstoffes, welche theoretisch entwickelt werden könnte, so ergiebt sich 0,915 p. c. H. Die theoretisch berechnete Menge übersteigt daher die wirklich gefundene um etwa ein Elftel. Zu ähnlichen Resultaten ist Schwalb in des Vf.'s Laboratorium gelangt, indem er den Myricylalkohol des Bienenwachses in reinster Form isolierte und damit Wasserstoffbestimmungen ausführte. Derselbe fand im Mittel von vier Versuchen 0,817 p. c. Wasserstoff.

Es ergiebt sich also aus diesen Versuchen eine konstante Differenz zwischen den Resultaten der Beobachtung und Rechnung. Der Vf. hat die Ursache davon aufzufinden versucht und neigt sich der Annahme zu, daſs dieselbe wohl darin liegen mag, daſs bei der hohen Zersetzungstemperatur (270—290°) ein Teil des Myricylalkohols verdampft, sich also der Einwirkung des Natronkalkes entzieht. Wenn daher auch diese Methode bis jetzt zur Bestimmung des Molekulargewichtes der höheren Fettalkohole nur unter gewissen Einschränkungen zu gebrauchen ist, so hat dieselbe in anderer Hinsicht, so namentlich bei der Bestimmung der Atomigkeit der Alkohole, bei der Unterscheidung der Alkohole von den Aldehyden u. dgl. dem Vf. schon solche wesentlichen Dienste geleistet, daſs er überzeugt ist, dieselbe werde auch anderen in ähnlicher Richtung arbeitenden Fachgenossen willkommen sein. Er hofft durch passende Abänderung des Apparates, etwa in der Weise, daſs man den Wasserstoff über eine gröſsere Schicht erhitzten Natronkalks streichen läſst, die der Anwendung zu einer exakten Molekulargewichtsbestimmung noch entgegenstehende Fehlerquelle zu beseitigen. (LIEB. Ann. **223.** 269—283. Ende Mai, Stuttgart, Technische Hochschule.)

H. Stürcke, *Über die chemischen Bestandteile des Carnaubawachses.* Das Wachs der Carnauba *(Copernicia cerifera* M.*)* bildet einen bedeutenden Ausfuhrartikel Brasiliens. Es ist bis jetzt nur unvollständig und mit nicht übereinstimmenden Resultaten von BÉRARD, STORY, MASCELYNE und PIEVERLING untersucht worden. Ersterer giebt an, in dem Wachs bedeutende Mengen freier Cerotinsäure, $C_{27}H_{54}O_2$, nachgewiesen zu haben. Vf. zeigt, daſs diese Angabe nicht richtig ist, und hat durch seine Untersuchung folgende Körper als Bestandteile des Wachses festgestellt: 1. Einen Kohlenwasserstoff vom Schmelzpunkt 59 bis 59,5°. 2. Einen Alkohol $C_{28}H_{57}.CH_2OH$ vom Schmelzpunkt 76°. 3. Myricylalkohol $C_{29}H_{59}.CH_2OH$ vom Schmelzpunkt 85,5°. Aus dem Alkohol wurde die Melissinsäure $C_{29}H_{59}.COOH$ vom Schmelzpunkt 90° dargestellt. 4. Einen zweisäurigen Alkohol $C_{22}H_{46} {<}{{CH_2.OH}\atop{CH_2.OH}}$ vom Schmelzpunkt 103,5 bis 103,8°. Aus dem Alkohol wurde die Säure $C_{22}H_{45}(CO_2H)_2$ vom Schmelzpunkt 102,5° erhalten. 5. Eine Säure $C_{23}H_{47}.COOH$ vom Schmelzpunkt 72,5° isomer mit der Lignocerinsäure. 6. Eine Säure $C_{26}H_{53}.COOH$ vom Schmelzpunkt 79°, identisch oder isomer mit der Cerotinsäure. 7. Eine Säure $C_{19}H_{38} {<}{{CH.OH}\atop{COOH}}$, eine Oxysäure, resp. ihr Lacton $C_{19}H_{38} {<}{{CH_2}\atop{CO}}{>}O$ vom Schmelzpunkt 103,5°; daraus wurde die Dicarbonsäure $C_{19}H_{38}(COOH)_2$ vom Schmelzpunkt 90° dargestellt. (LIEB. Ann. **223.** 283—314, Ende Mai, Stuttgart, Technische Hochschule.)

J. Personne fils, *Über einen Alkohol aus dem Vogelleim der Stechpalme.* Bericht über eine Untersuchung des verstorbenen J. PERSONNE. Dieser Vogelleim wird durch Gärung der Rinde der Stechpalme (Ilex aquifolium) unter gewissen Bedingungen bereitet. So wie er im Handel vorkommt, bildet er eine grünliche, klebrige, zähe Masse. Der Vater des Vf. hat den Vogelleim zu wiederholten Malen untersucht, zuerst im Jahre 1871 und besonders im Jahre 1878. Die Resultate selbst sind von dem Vf. kontrolliert worden.

Beim Trocknen im Wasserbad verliert der Vogelleim 26—27 p. c. Wasser. Er kann von unlöslichen Substanzen durch Behandeln mit Chloroform oder Petroleumäther befreit werden. Die Pflanzenreste und Kalksalze bleiben ungelöst zurück. Sie betragen etwa 23 p. c. und bestehen aus nahezu 60 p. c. Calciumoxalat. Die Lösung wird eingedampft und der Rückstand einige Zeit lang auf 120° erwärmt. Dieser ist ein Äther oder ein Gemenge von Äthern eines eigentümlichen Alkohols, welcher homolog mit dem Benzylalkohol zu sein scheint. Um ihn zu isolieren, wird der gereinigte Vogelleim mit konzentriertem. alkoholischem Kali verseift, was ziemlich lange dauert. Während dessen scheidet sich eine elastische, kautschukähnliche Masse ab; die alkoholische, schwach gefärbte, durchsichtige Lösung wird in eine groſse Menge Wasser gegossen und giebt eine gallertartige Masse, welche man auf einem leinenen Filter sammelt und mit viel Wasser auswäscht; man neutralisiert hierauf die Spuren Alkali, welche noch vorhanden sind, durch etwas Essigsäure. Die von neuem mit Wasser gewaschene, dann filtrierte und ausgepreſste Masse giebt einen weiſsen festen Kuchen. Nach dem Trocknen löst man denselben in siedendem Alkohol von 90 p. c. auf; während des Erkaltens der Lösung scheiden sich sehr feine, seideglänzende, in Form von Schuppen gruppierte Krystallnadeln aus. Durch wiederholte Auflösung in siedendem Alkohol unter Zusatz von Tierkohle erhält man die Substanz vollkommen weiſs und perlmutterglänzend. Der so bereitete Körper ist indessen immer noch nicht rein. Er ist durch eine eigentümliche Substanz verunreinigt, welche man unter dem Mikroskop unterscheiden kann. Da letztere weniger löslich in Alkohol ist, so gelingt es, durch wiederholte Krystallisationen aus siedendem Alkohol sie zu beseitigen. Der neue Körper ist in kaltem Wasser unlöslich, in siedendem Alkohol von 90 p. c. Petroleumäther, Chloroform und gewöhnlichem Äther in jedem Verhältnis löslich. Der Schmelzpunkt ist 175°. Bei einem Druck von 100 mm Quecksilber sublimiert die Substanz bei 115°; ihr Siedepunkt scheint sehr hoch, und zwar über 350° zu liegen. Die Dämpfe besitzen einen aromatischen Geruch. Die Analyse ergab die Formel $C_{30}H_{44}O_2$. Der Körper ist ein Alkohol; mit Essigsäureanhydrid giebt er einen Essigäther, dessen Schmelzpunkt zwischen 204° und 206° liegt. Der verstorbene PERSONNE hat ihm den Namen *Ilicylalkohol* gegeben; im Vogelleim ist derselbe mit mehreren Säuren, die der Fettsäurereihe anzugehören scheinen, verbunden. (C. r. **98.** 1585—87. [30.*] Juni.)

Mc. Gowan, *Zur Kenntnis des Trichlormethylsulfonchlorides.* Auf Veranlassung von KOLBE, hat Vf. begonnen, das chemische Verhalten dieses interessanten Chlorides nach verschiedenen Richtungen hin eingehend zu untersuchen. Seitdem dasselbe von KOLBE zum Gegenstand einer näheren Untersuchung gemacht war (Ann. Chem. Pharm. **54**. 145), sind weiterhin von LOEW (Ztschr. d. Chem. 1868. 518; 1869. 82) Mitteilungen darüber veröffentlicht worden. LOEW beschrieb u. a. die eigentümliche Einwirkung von wässerigem Ammoniak auf Trichlormethylsulfonchlorid, wobei aus dem Ammoniak Stickstoff frei wird, während der Wasserstoff desselben sich mit Chlor verbindet, gemäfs folgender Gleichung:

$$3\,CCl_3SO_2Cl + 8\,NH_3 = 3\,CCl_3SOONH_4 + N_2 + 3\,H_4NCl.$$

Trichlormethylsulfins. Ammon.

In anbetracht dieser, in ihrer Art fast einzigen Reaktion hat Vf. die Wechselwirkung von Ammoniak und Trichlormethylsulfonchlorid unter den verschiedensten Bedingungen untersucht und gefunden, dafs letzteres immer dem Ammoniak Wasserstoff entzieht, dadurch Stickstoff in Freiheit setzt und selbst in das Ammonsalz der Trichlormethylsulfinsäure übergeht. Das Amid der Trichlormethylsulfonsäure, dessen Bildung man erwarten sollte, entsteht also nicht. — Durch Einwirkung von Anilin auf Trichlormethylsulfonchlorid wird dagegen das entsprechende Anilid erzeugt.

Die obige Reaktion des Ammoniaks, sowie die von Schwefelwasserstoff und von Cyaniden auf Trichlormethylsulfonchlorid haben den Vf. veranlafst, das Verhalten der Chloride von Di- und Monochlormethylsulfonsäure gegen obige Agenzien zu untersuchen, um — wenn möglich — festzustellen, in welcher Weise die Natur der betreffenden Verbindungen durch den Eintritt von einem, resp. mehreren Atomen Chlor geändert wird. — Methylsulfonchlorid lieferte — wie Vf. beobachtet hat — mit Ammoniak das Amid, mit Anilin das Anilid der Methylsulfonsäure (schön krystallisierende Verbindungen). (Journ. pr. Chem. **29**. 138—139. April [März] Leipzig, KOLBE's Labor.).

Heinr. Böttger, *Einwirkung von Schwefel auf Natriummercaptid.* Der folgende Versuch hatte den Zweck, zu erforschen, ob eine direkte Anlagerung des divalenten Schwefels an das Natriummercaptid möglich sei, in welchem Falle alsdann durch den Nachweis einer Verbindung:

$$\underset{SNaS}{\overset{H_5}{C_2\;III}}\quad oder\quad \underset{SNaS_2}{\overset{H_5}{C_2\;v}}$$

ein positiver Beweis für die drei-, resp. fünfwertige Natur des Natriums erbracht wäre. Einige Vorversuche sollten zu einer bequemeren Darstellungsweise des Natriummercaptids, als die gewöhnliche aus metallischem Natrium und Mercaptan ist, führen. Es sind die folgenden:

a. *Schwefeläthyl und Natriummonosulfid.* Beide Substanzen wurden in dem nach der Gleichung:

$$(C_2H_5)_2S + Na_2S = 2\,C_2H_5SNa$$

geforderten Gewichtsverhältnisse zusammengebracht und im verschlossenen Rohre zuerst vier Stunden lang auf 100°, sodann acht Stunden lang auf 180°, und zuletzt noch längere Zeit auf 210° erhitzt. Es ergab sich beim Öffnen des Rohres, dafs beide Substanzen nicht aufeinander eingewirkt hatten.

b. *Mercaptan und Natriumhydrosulfid.* Beide Substanzen wurden in dem aus der Gleichung:

$$C_2H_5SH + NaSH + 1\tfrac{1}{2}H_2O = C_2H_5SNa + SH_2 + 1\tfrac{1}{2}H_2O$$

folgenden Gewichtsverhältnisse zusammengebracht und im verschlossenen Rohre nach einander auf 100, 180 und 210° erhitzt. Beim Öffnen des Rohres zeigte sich ein starker Druck, das entweichende Gas war Schwefelwasserstoff. Der Inhalt der Röhre bestand zum geringen Teile aus unzersetztem Mercaptan, während der feste Rückstand die Zusammensetzung des Natriumhydrosulfides, $Na_2S_2H_2 + 3\,H_2O$, hatte. Die folgenden Gleichungen veranschaulichen die bei der Einwirkung von Mercaptan auf Natriumhydrosulfid stattfindenden Vorgänge:

$$C_2H_5SH + NaSH = C_2H_5SNa + H_2S$$
$$C_2H_5SNa + OH_2 = C_2H_5ONa + H_2S$$
$$C_2H_5ONa + OH_2 = C_2H_5OH + NaOH$$
$$NaOH + SH_2 = NaSH + H_2O$$
$$\overline{\Sigma\,C_2H_5SH + NaSH + OH_2 = SH_2 + C_2H_5OH + NaSH.}$$

Die Endprodukte der Einwirkung sind somit Schwefelwasserstoff, Natriumhydrosulfid und Alkohol, deren Vorhandensein durch den Versuch auch in der That konstatiert wird.

c. *Schwefeläthyl und Natriumhydrosulfid,* sowie

d. *Mercaptan und Natriummonosulfid* sind ohne Einwirkung auf einander.

Das Natriummercaptid wurde nun, da diese Versuche negative Resultate ergeben hatten, durch Einwirkung von metallischem Natrium auf Mercaptan dargestellt. Diese Darstellung wurde in einem mit Rückflufskühler in Verbindung gesetzten Glasrohre ausgeführt, wobei das Natrium nur in kleinen Stückchen hinzugefügt werden darf, weil bei Anwendung gröfserer sich dieselben mit gebildetem Natriummercaptid überziehen und durch Verhinderung der Berührung des metallischen Natriums mit der Flüssigkeit auch die weitere Einwirkung unmöglich machen. Auf diese Weise wurden bei Anwendung von 7 g Mercaptan 1,1 g Natrium in Mercaptid verwandelt und hierzu nach Zusatz von 10 g absolutem Alkohol die sich auf 1 Mgt. Natriummercaptid berechnende Schwefelmenge (1,5 g) gefügt. Beim Erwärmen auf 100° trat teilweise Lösung der festen Bestandteile ein. Der flüssige Röhreninhalt, von dem festen durch Destillation aus dem Wasserbade im Wasserstrome getrennt, enthielt neben Alkohol nur Äthyldisulfid. Der feste Rückstand endlich bestand aus Natriumpolysulfiden und einer geringen Menge von höheren Schwefelverbindungen des Äthyls.

Natriummercaptid und Schwefel vermögen sich daher nicht direkt miteinander zu vereinigen, vielmehr zersetzen sie sich gegenseitig, und zwar nach der Gleichung:

$$2C_2H_5SNa + 2S = (C_2H_5)_2S_2 + Na_2S_2.$$

(Lieb. Ann. **223**. 346--48. Ende Mai.)

Heinr. Böttger, *Zur Kenntnis des Schwefeläthyls.* 1. *Einwirkung von Schwefel auf Einfach-Schwefeläthyl.* Nach Müller (Journ. pr. Chem. **4**. 39) vereinigen sich Schwefel und Schwefeläthyl selbst beim viertägigen Erhitzen auf 150° nicht. Die Wiederholung des Versuches ergab indessen, dafs eine wenn auch nur teilweise Vereinigung beider Substanzen doch stattfindet, wobei sich Zweifach-, Dreifach-, Vierfach- und wahrscheinlich auch Fünffachschwefeläthyl bilden.

2. *Einwirkung von Schwefelchlorür auf Schwefeläthyl.* Diese läfst sich durch folgende Gleichung ausdrücken:

$$5S_2Cl_2 + (C_2H_5)_2S = 10ClH + 4C + 11S.$$

3. *Einwirkung von Thionylchlorür auf Schwefeläthyl.* Hierfür stellt Vf. folgende Gleichung auf:

$$
\begin{aligned}
10\,SOCl_2 &= 5SO_2 + 5SCl_4 \\
5SCl_4 + 2(C_2H_5)_2S &= 20ClH + 8C + 7S \\
\hline
\Sigma\ 10\,SOCl_2 + 2(C_2H_5)_2S &= 5SO_2 + 20ClH + 8C + 7S.
\end{aligned}
$$

4. *Einwirkung von Sulfurylhydroxylchlorid auf Schwefeläthyl.*

$$
\begin{aligned}
10\,SO_3HCl &= 5SO_2Cl_2 + 5SO_4H_2 \\
5SO_2Cl_2 &= 5SO_2 + 10Cl \\
10Cl + [C_2H_5]_2S &= 10ClH + 4C + S \\
2SO_4H_2 + S &= 3SO_2 + 2H_2O \\
\hline
\Sigma\ 10\,SO_3HCl + (C_2H_5)_2S &= 3SO_4H_2 + 8SO_2 + 10ClH + 2H_2O + 4C.
\end{aligned}
$$

5. *Einwirkung von Sulfurylchlorid auf Schwefeläthyl:*

$$
\begin{aligned}
5SO_2Cl_2 &= 5SO_2 + 10Cl \\
10Cl + (C_2H_5)_2S &= 10ClH + 4C + S \\
\hline
\Sigma\ 5SO_2Cl_2 + (C_2H_5)_2S &= 5SO_2 + 10ClH + 4C + S.
\end{aligned}
$$

(Lieb. Ann. **223**. 348—54. Ende Mai. Jena.)

Kleine Mitteilungen.

Nachweis der Salpetersäure und salpetrigen Säure, der Nitrate und Nitrite. Neue Reaktionsmethoden. (Mit teilweiser Rücksicht auf die Guttularmethode), von H. HAGER. Die übliche Methode dieses Nachweises mittels Ferrosulfates und Schwefelsäure, welche eine gewisse Routine erfordert, kann bei farblosen Flüssigkeiten und Salzlösungen durch eine einfachere Methode ersetzt werden.

Die farblosen Salzlösungen werden mit Salzsäure stark sauer gemacht, Alkaliacetatlösungen, die Lösungen mit Salzen organischer Säuren müssen überhaupt mit einem sehr starken Überschusse von Salzsäure versetzt werden. Dann giebt man zu 3—4 ccm der sauren Lösung eine erbsengroße Menge des pulverigen, fast farblosen Ferrosulfates, welches durch Fällung mittels Weingeistes hergestellt ist, und agitiert wenig und sanft. Bei Gegenwart reichlicher Mengen Nitrat und Nitrit färbt sich die Flüssigkeit intensiv gelb. Bleibt sie farblos, so erhitzt man sie, ohne dabei zu agitieren, bis zum Aufkochen, und bei Gegenwart geringer Spuren der Stickstoffsäuren tritt sofort kräftige Gelbfärbung ein. Eine später eintretende gelbe Farbe hat selbstverständlich keine Beziehung zu Nitraten oder Nitriten.

Zur Prüfung des Ätzkalis löst man eine bohnengroße Menge in 2 ccm Wasser und versetzt bis zum Überschusse mit Salzsäure, um dann eine erbsengroße Menge des pulverigen Ferrosulfates dazu zu geben, wenig und gelind agitierend. Tritt keine Gelbfärbung ein, wie gewöhnlich, so erhitzt man, jedoch nicht agitierend, fast zum Aufkochen. Eine nun sofort eintretende kräftige Gelbfärbung zeigt die Verunreinigung mit Nitrat etc. an. Diese Operationen werden in einem Reagiercylinder ausgeführt.

Um konzentrierte Schwefelsäure auf jene Stickstoffsäuren zu prüfen, giebt man fünf Tropfen der Säure auf einen Glasstreifen, welcher auf weißem Papiere liegt, und streut ein sehr kleines Prieschen von dem fast farblosen pulverigen Ferrosulfate in die Mitte der Säure. Ist nur eine Spur der Stickstoffsäuren vertreten, so färbt sich das Ferrosulfat sofort, oder bei sehr entfernten Spuren im Verlaufe einer Minute chokoladenbraun.

Seitdem uns Carbolsäure oder Phenol in farblosen Krystallen zur Hand ist, hat man ein brillantes Reagens auf Salpetersäure und Salpetrigsäure erlangt, welches die Schwefelsäureferrosulfatmethode aus der Reihe der Prüfungsmethoden wahrscheinlich ausschließen wird.

Giebt man zu reiner konz. Schwefelsäure einen Phenolkrystall, so schwimmt dieser anfangs am Niveau, um dann in Lösung überzugehen, ohne die Flüssigkeit zu färben. Enthält die Schwefelsäure nur eine Spur der Stickstoffsäuren, so tritt alsbald Färbung ein, welche nach Maß gegenwärtiger Stickstoffsäuren in Rot, Braun, Grün, aber immer in eine Dunkelfärbung übergeht. Ist die Schwefelsäure wasserhaltig, so ist ein Erwärmen auf 50—70°C. erforderlich.

Will man eine organische Säure, wie Essigsäure oder ein Salz der Alkalien auf Stickstoffsäuren prüfen, so macht man 2—3 ccm der Flüssigkeit mit Salzsäure stark sauer, giebt dann einige Krystalle des Phenols dazu und erwärmt bis auf 80—90°C. Bei Abwesenheit der Stickstoffsäuren bleibt die Flüssigkeit farblos oder immer nur kaum gefärbt oder blaßfarbig. Sind Spuren dieser Säuren vertreten, so tritt auch die dunkle und kräftigere Färbung sofort ein. Die Prüfung der Phosphorsäure geschieht in gleicher Weise. Zu 2 ccm der offizinellen Phosphorsäure giebt man 1 ccm Salzsäure und einige Phenolkrystalle und erhitzt.

Diese Reaktion ist auch leicht nach der Guttularmethode ausführbar, indem man drei Tropfen der zu untersuchenden Flüssigkeit mit zwei bis drei Tropfen Salzsäure auf einer Glasfläche mischt und in die Mitte des Fleckes einen kleinen Phenolkrystall legt. Erwärmt man nun sanft über dem Zuge einer schwach brennenden Petroleumlampe, so umgiebt sich der Krystall mit dunkeler Färbung.

Zur Prüfung des Ferrichlorides und anderer Ferrisalze kann auch die Schwefelsäureferrosulfatprüfungsmethode weiterhin außer Geltung kommen, jedoch im Gefolge dieser Prüfungsweise und der Guttularmethode giebt man vier bis fünf Tropfen der Ferrilösung auf einen Glasstreifen, in der Mitte der Flüssigkeitsschicht eine kleine Messerspitze des pulverigen Ferrosulfates, so daß dieses von der Flüssigkeit durchtränkt wird. Giebt man nun in die Masse der Ferrosulfatschicht zwei Tropfen konz. Schwefelsäure, so färbt sich das Ferrosulfat dunkelbraun, wenn Salpetersäure gegenwärtig ist, seine krystallinische Beschaffenheit gleich einbüßend.

Einfacher ist die Prüfung bei den Ferrisalzen mit Phenol, wenn man in folgender Weise verfährt.

Man giebt von der Ferrisalzlösung, z. B. vom Liq. Ferri sesquichlorati, 2—3 ccm in ein Reagierglaschen, dazu 1—2 ccm Wasser, 2—3 ccm reine Salzsäure und dann nach der Mischung drei bis vier Phenolkrystalle. Bei Abwesenheit der Salpetersäure bewahrt die Flüssigkeit eine gelbrote Farbe und bleibt durchsichtig. Erhitzt man nun auf 80—90°C., so findet keine weitere Veränderung statt, bei Gegenwart von Salpetersäure in Spuren tritt dunkle Färbung ein, so daß die Durchsichtigkeit schwindet. Der Salzsäurezusatz hebt die Reaktion des Phenols auf

Ferrisalz auf, und dies ist der Hauptgrund, warum auch hier Phenol als Reagens auf Stickstoff-säuren anwendbar wird.

Das Phenol kann in dieser Reaktion durch andere organische Verbindungen ersetzt werden, doch fand Vf. die Phenolreaktion als die sicherste und schärfste, so daß er ihr den Vorrang einräumte.

Stehen keine Phenolkrystalle zur Disposition, so nimmt man von der farblosen flüssigen Carbolsäure auf je 3 ccm Flüssigkeit etwa fünf bis sechs Tropfen. (Pharm. Centralh. **25.** 289—290.)

Über die Ursachen der Fettablagerung im Tierkörper, von KARL VOIT. In dieser Abhandlung beantwortet der Vf., gestützt auf die besonders durch ihn selbst so außer-ordentlich geförderte Lehre von Ernährung des tierischen Organismus vier praktisch wichtige Fragen: 1. Aus welchen Stoffen bildet sich im Tierkörper Fett? Nach unseren heutigen Er-fahrungen steht die Sache so, daß aus dem Fett der Nahrung Fett im Körper zur Ablagerung kommen kann (EBSTEIN's gegenteilige Annahme ist unrichtig), daß bei der Eiweißzersetzung Fett entsteht und wahrscheinlich bei sehr großen Gaben auch aus den Kohlehydraten. (Eine weitere Fettbildungsart, wie sie durch J. MUNK's schöne Versuche als thatsächlich vorkommend dargethan worden ist, nämlich die synthetische aus Fettsäuren, wird vom Vf. nicht erwähnt. Manche Thatsachen sprechen für die wesentliche Bedeutung des Eiweißes bei der Fettbildung: und was die Kohlehydrate betrifft, so haben sie, auch wenn sie sich nicht in Fett umwandeln sollten, doch einen maßgebenden Einfluß auf die Ablagerung von Fett, indem sie als leichter zersetzliche Stoffe durch ihren Zerfall das Fett vor der Zerstörung schützen.

2. Unter welchen Umständen findet ein Fettansatz im Tierkörper statt? Zur Beantwortung dieser Frage muß man auf die Ursachen der Stoffzersetzungen im Körper zurückgehen. Bis vor kurzer Zeit glaubte man, der aus der Luft aufgenommene Sauerstoff wäre die Ursache dieser Zersetzungen. Man dachte sich dementsprechend, es gelange dann Fett zum Ansatz, wenn mehr Fett entstehe, als durch den Sauerstoff verbrennen könne; allzu reichliche Zufuhr von Substanz oder zu geringe Aufnahme von Sauerstoff sollte daher das Fettwerden bedingen. Diese Vor-stellungen sind, wie man jetzt weiß, nicht richtig. Die Ursachen für die Stoffzersetzung finden sich in der Organisation, in den Zellen; der Sauerstoff ist zunächst nicht daran beteiligt. Jede Zelle ist im stande, durch diese in ihr liegenden Ursachen und nach Maßgabe der äußeren Be-dingungen, unter welchen sie sich befindet, und welche auf jene inneren Ursachen ändernd ein-wirken, eine bestimmte Quantität von komplizierten chemischen Verbindungen in einfachere zu zerlegen. Diese Befähigung der Zellen kann durch gewisse Einflüsse (Chinin, Alkohol, Morphium, Erniedrigung der Temperatur der Zellen) vermindert, durch andere (Überschuß von Stoffzufuhr, die Veränderung der Zellen beim Fieber, die Steigerung der Temperatur derselben, vor allem die Muskelthätigkeit) erhöht werden. Die Zersetzlichkeit aber der den Zellen zugeführten Stoffe ist eine sehr verschiedene; am leichtesten zerfällt durch die Kräfte der Zellen das zu den Zellen getragene gelöste Eiweiß in seine nächsten Komponenten, wobei das abgespaltene Fett nicht weiter zersetzt werden muß, sondern auch angesetzt werden kann, etwas schwerer zerfallen die Kohlehydrate, d. h. der den Zellen zugeführte Zucker, am schwierigsten zersetzbar ist das Fett. Dies bleibt also am leichtesten übrig. Der Fettansatz oder die Mästung kann demnach geschehen durch eine zu große Gabe von Fett in der Nahrung, durch einen Überschuß von au-zersetztem Eiweiß abgespaltenem Fett und aus unzerstört gebliebenem Fette, welches durch Kohlehydrate geschützt oder vielleicht auch aus ihnen erzeugt worden ist. Aber nicht allein durch ein Übermaß der fettbildenden Nahrungsstoffe läßt sich Fett im Körper zur Anlagerung bringen, sondern auch dadurch, daß bei gleicher Zufuhr die Fähigkeit der Zellen, Stoff zu zer-legen, verringert wird: durch reichliche Aufnahme von Alkohol, bei geringer Körperbewegung etc. In der Mehrzahl der Fälle bringt nicht eine Abnahme der Zersetzungsfähigkeit der Zellen das Fettwerden hervor, sondern neben der zu geringen Körperbewegung ein Übermaß der fett-bildenden Nahrungsstoffe.

3. Wie kann man das im Tierkörper abgelagerte Fett zum Verschwinden bringen? Da in der Mehrzahl der Fälle ein Überschuß gewisser Nahrungsstoffe die Ursache der Fettleibigkeit ist, so wird man vor allem diesen beseitigen müssen. Man thut gut, den Fetten reichlich Eiweiß zu geben (natürlich nicht soviel, daß daraus Fett sich ansammelt), und dazu geringere Mengen von Fett oder von Kohlehydraten, von oder von beiden, da sie zur Erhaltung nötig sind, so daß der Körper eben eine kleine Menge von Fett einbüßt. Man wähle demnach am besten fettarmes Fleisch, um genügend Eiweiß zuzuführen, und giebt außerdem in den Speisen aus den geeig-neten vegetabilischen Nahrungsmitteln (z. B. in grünen Gemüsen) Fett- und Kohlehydrate (mit Bevorzugung der letzteren), und zwar in der Menge, daß Tag für Tag eine kleine Quantität vom Körperfett abgegeben wird. Die Fettzersetzung im Körper kann alsdann noch unterstützt werden durch stärkere Körperbewegung, durch wenig Schlaf, kalte Bäder, nicht zu warme Klei-dung etc.

4. Lassen sich die bis jetzt geübten Methoden der Entfettung in Einklang mit den Erfahrungen der Wissenschaft bringen? Es handelt sich hier wesentlich um die BANTING-Kur und um die von EBSTEIN vor kurzer Zeit empfohlene Methode. Die Methode BANTING'S ist nicht einzig eine Fettentziehungskur, sondern beruht in ganz rationeller Weise auf einer Vermehrung der Eiweißration und auf einer Verminderung von Fett- und Kohlehydraten. EBSTEIN schlägt dagegen, sich auf physiologisch unrichtige Voraussetzungen stützend, vor, den Fettleibigen Fett zuzuführen, aber die Kohlehydrate soviel als möglich zu beschränken. Die Methode EBSTEIN'S unterscheidet sich nur dadurch von der BANTING'S, daß bei ihr der Abzug am Fett nur gering ist, oder sogar gar nicht stattfindet, während der an Kohlehydraten viel beträchtlicher ist. Der Erfolg ist beide Male der gleiche; aber bei der Erlaubnis, Fett zu genießen (EBSTEIN), liegt die Gefahr des Fettansatzes näher, als bei Zulassung von Kohlehydraten (BANTING), welche in mehr als doppelt so großer Menge verabreicht werden dürfen. (Deutsche Med. Ztschr.; Vortrag, geh. in der Sitz. d. ärztl. Vereins am 10. Okt. 1883.)

Ammoniumarseniat, Verhalten desselben in der Hitze. Nachweis des Arsens und der Metalle auf dem Wege der Guttularmethode. Arsenhaltiges Wismutsubnitrat, von H. HAGER. Zwei Gramm des neutralen Ammoniumarseniates in feiner Pulverform eine Viertelstunde in ein Bad geschmolzenen Bleies (333°C.) eingesenkt, ergab eine an der Luft trocken bleibende Masse, welche sich als saures Ammoniumarseniat erwies. Dieselbe Masse erhielt sich bei einer ungefähren Hitze von 400°C., nur wurde die weiße Masse nach eintägigem Stehen etwas feucht, ein Beweis, daß sie auch etwas freie Arsensäure enthielt. Da sie auch eine gelbliche Farbe zeigte, so mußte etwas der Arsensäure eine geringe Reduktion erfahren haben. Eine geringe Menge dieser sauren Ammoniumarseniatmasse bis auf ungefähr 500° erhitzt (Rotglut) verdampfte und, dem Feuer entzogen, lieferte sie eine Krystallmasse, welche an der Luft bald zerfloß, aber immer noch nicht etwas von Ammon frei war, wie Vf. dies mit seinem Mercuronitratpapiere leicht erkennen konnte, als er die feuchte Masse mit Ätzkalilauge mischte.

Das Ammoniumarseniat steht also, was die Festigkeit der Verbindung anbelangt, dem Ammoniumphosphat sehr nahe. Wenn man ein mit Salmiak gemischtes Ammoniumarseniat erhitzt, so verdampft der Salmiak vollständig, und das Ammoniumarseniat bleibt als saures Salz zurück. Dann einer stärkeren Hitze ausgesetzt, tritt eine geringe Desoxydation ein, und die Masse zeigt hier und da farbige (gelbliche, bläuliche) Schattierungen. Mit Ammoniumoxalat gemischt und erhitzt, geht die Desoxydation leicht vor sich, und metallisches Arsen scheidet aus. Wird diese Operation auf einem dünnen Objektglase ausgeführt, so findet man die Krystallstrahlen des Ammoniumarseniates mit grauen, mikroskopisch kleinen Punkten stellenweise durchsetzt oder damit gefüllt, welche Strahlen aus undurchsichtigen oder schwarzen Konglomerationen (Arsen) auslaufen.

Höchst interessant ist das Bild unter dem Mikroskop, wenn man die mit Kalilauge und Oxalsäure versetzte Ammoniumarseniatlösung in dünner Schicht auf dem dünnen Glasstreifen erhitzt und eintrocknet. Das Mikroskop läßt dann krallenförmig gebogene Prismen erkennen, welche in verschiedenen Farben irisieren, so daß die Gegenwart des Arsens klar in die Augen fällt. Mit Natriumoxalat versetzt, erhält man verschiedene Bilder. Eines derselben z. B. zeigte Prismen, deren Enden mit Arsenpartikeln besetzt waren, ähnlich den Eisenpulverbärten an den Magnetstäben. Man sieht hieraus, daß beim Erhitzen krystallinischer Massen elektrische Vorgänge thätig sind.

Um nun laut den Prinzipien der Guttularmethode auf mikroskopischem Wege Arsen nachzuweisen in irgend welchen Verbindungen, so extrahiere man die Arsensäure mit Atzammon oder Ätzkali oder Kaliumcarbonat, versetze·mit Salzsäure, um eine ziemlich neutrale Verbindung zu erlangen, versetze aber auch reichlich mit Oxalsäure oder Ammoniumoxalat und streiche zwei Tropfen auf der einen Hälfte eines großen Objektglases oder Glasstreifens dünn auseinander, um über dem Zuge einer schwach brennenden Petroleumlampe unter kreisender Bewegung des Glases erst einzutrocknen und dann etwas stärker zu erhitzen. Schon beim Eintrocknen findet meist Reduktion statt, und unter dem Mikroskop erblickt man neben klaren durchsichtigen Krystallen graue oder mit grauer Masse angefüllte Krystalle. Nach dem stärkeren Erhitzen finden sich schwarze Massen, viele derselben in krystallinischer Form.

Liegt Arsenigsäure vor, so ist mit dem Erhitzen nur langsam vorzugehen, und die auf dem Glase befindliche dünne Schicht der Lösung, welche Ammoniumchlorid und Kaliumchlorid und Ammoniumoxalat oder Oxalsäure enthält, ist nach dem Eintrocknen nur an einer Stelle stärker zu erhitzen als an der anderen, um ausgeschiedene metallische Arsenmassen leicht aufzufinden und von der farblosen und grauen Salzmasse zu unterscheiden. Die Ränder des Krystallfeldes zeigen gewöhnlich eine schwarze oder dunkelgraue Basis.

Man kann Natriumhydroxyd, Natriumcarbonat auch zur Lösung der Arsenigsäure und der Arsensäure verwenden und dann mit Ammoniumoxalatlösung versetzen. In dem Krystallfelde bilden sich dann aber mehr würfelförmige oder oktaedrische Krystalle, welche in dicker Lage dunkle Massen bilden und daher leicht täuschen können.

Sicherer ist es, das Carbonat des Natriums oder Kaliums in Chlorid oder nur dann in Oxalat zu verwandeln, wenn man keine total arsenfreie Salzsäure zur Hand haben sollte.

Die Arsenlösung enthält in allen Fällen Oxalat und ist stets frei von Metallen und Erden.

Um nun metallische Verunreinigungen nachzuweisen, wie Blei, Eisen, Quecksilber, Wismut, Kadmium, Zink etc., versetze man zehn Tropfen ·der zu prüfenden Lösung mit drei bis vier Tropfen Ätzkalilauge und zwanzig Tropfen Natriumthiosulfatlösung. Bei Eisen, Zink, Uran ist die Kalilauge in vier- bis fünffacher Menge (fünfzehn bis zwanzig Tropfen) zuzumischen. Von der Mischung giebt man nun einen bis zwei Tropfen auf das äußere Drittel eines großen Objektglases, trockne über dem Zuge einer schwach brennenden Petroleumlampe ein und erhitze dann noch um ein geringes stärker. Es finden sich dann die entsprechenden Färbungen der Sulfide ein. Bei Spuren muß man zum Mikroskop greifen. (Auf Quecksilber, Kupfer, Eisen zu prüfen, genügen meist die mit Kaliumjodid, Kaliumferrocyanid und Gerbsäure getränkten Reagenspapiere und Ätzammon.)

Blei ist das meistens als Verunreinigung vorkommende Metall und ist mit vorliegender Probe leicht zu erkennen.

Kupfer giebt auf diesem Wege meist keine charakteristische Reaktion.

Wird die mit Ätzalkali alkalisch gemachte Natriumthiosulfatlösung in dünner Schicht auf dem Glase eingetrocknet, so erhält man ein mattes Krystallfeld, welches, unter dem Mikroskop betrachtet, aus durchsichtigen sternförmigen Kryställchen zusammengesetzt ist. Eine farbige Beimischung eines gebildeten Metallsulfides wäre dann auf dem mikroskopischen Wege leicht zu erkennen, denn die Sulfide sind meist nicht durchsichtig.

Mit dieser Reaktion umgeht man den Gebrauch von Schwefelwasserstoff und Schwefelammonium, welche nicht nur der Gesundheit sehr schädlich sind, sondern auch wegen ihres widrigen Geruches gehaßt werden.

Man darf sich nur mit dieser Prüfungsmethode praktisch bekannt machen, um darin einen sicheren Blick zu gewinnen. (Pharm. Centralh. **24.** 278—80.)

Beiträge für das Centralblatt bittet man an die Redaktion (Leipzig, Lessingstr. 5) zu richten. **Originalarbeiten** von nicht zu großem Umfange werden entsprechend honoriert und gelangen stets sofort nach der Einsendung, und zwar in kürzester Frist, zum Abdruck.

Redaktion: Prof. Dr. **Rud. Arendt** in Leipzig.

Verlag von **Leopold Voss** in Hamburg u. Leipzig. — Druck von **Metzger & Wittig** in Leipzig.

Hierzu eine litterarische Beilage von **Wilh. Engelmann** in Leipzig.

№ 34.

Chemisches

20. August 1884.

Wöchentlich eine Nummer von
1–2 Bogen. Der Jahrgang mit
Sach- und Namen-Register,
nebst system. Übersicht.

Central-Blatt.

Der Preis des Jahrgangs
ist 30 Mark. Durch alle
Buchhandlungen und Post-
anstalten zu beziehen.

REPERTORIUM

für reine, pharmazeutische, physiologische und technische Chemie.

Dritte Folge. XV. Jahrgang.

Wochenbericht.

4. Organische Chemie.

J. M. Lovén, *Über die Thiomilchsäure und die Thiodilactylsäuren.* Vf. versuchte zunächst die Darstellung dieser Säuren nach der von Schacht (Ann. Chem. Pharm. **129.** 1) und von Böttinger (**79.** 565) angegebenen Methode aus α-Chlorpropionsäure und Kaliumsulfhydrat. Viel leichter kann man die α-Thiomilchsäure, CH_3—$CH.HS$—$COOH$, aus wässeriger Brenztraubensäure und Schwefelwasserstoff erhalten. Die Säure ist ein farbloses Öl von unangenehmem Geruche, welches sich mit Eisenchlorid vorübergehend tief indigblau färbt. Die wieder entfärbte Lösung giebt mit Rhodankalium keine, mit Alkalien aber bei Luftzutritt eine intensive purpurrote Färbung, die an der Luft unter Bildung von Dithiodilactylsäure allmählich wieder verschwindet. War das Eisenchlorid überschüssig, so ist die Thiomilchsäure vollständig in Dithiodilactylsäure verwandelt, und Alkali giebt keine Färbung mehr. Mit Überschuß von Kupferoxydsalzen (nicht Kupferchlorid) giebt die Säure oder ein Salz eine tief violette Lösung (keinen Niederschlag wie die isomere β-Thiomilchsäure und die Thioglykolsäure), welche bei Überschuß an Thiomilchsäure entfärbt wird. Durch vorsichtige Oxydation mit Jod oder mit Eisenchlorid entsteht Dithiodilactylsäure, $(HOCO—C_3H_4)_2S_2$. Vf. beschreibt einige Salze, welche durch Substitution des Wasserstoffes der SH-Gruppe entstanden sind: die Quecksilberthiomilchsäure, deren Kalium- und Bariumsalz, die Silberthiomilchsäure, die Wismut-, Platino-, Cupro- und Bleithiomilchsäure. Der Äthyläther der Thiomilchsäure verhält sich gegen Metallverbindungen wie Mercaptan.

Die Dithiolactylsäure besitzt den Schmelzpunkt 142° und geht mit naszierendem Wasserstoffe in Thiomilchsäure über. Die von Schacht und Böttinger für Thiomilchsäure gehaltene Substanz scheint zweifellos Dithiolactylsäure gewesen zu sein.

Die Thiodilactylsäure, $(HOCO.C_3H_4)_2S$, ist das Nebenprodukt bei der Darstellung der Thiomilchsäure; sie entsteht als Hauptprodukt bei der Einwirkung von α-chlorpropionsaurem Kalium oder auf basisch-thiomilchsaures Kalium; ihr Schmelzpunkt ist 125°. Vf. beschreibt das Barium- und Silbersalz. Läßt man das mit Schwefelwasserstoff in gelinder Wärme völlig gesättigte Gemisch gleicher Mengen von Brenztraubensäure und Wasser nach Zusatz von Salzsäure einige Zeit stehen, so erhält man einen Körper, dessen Analysen nahezu mit der Formel $C_8H_{16}S_5O_4 [(HOCO.C_3H_4)_2S_3?]$ übereinstimmen.

Aus β-Jodpropionsäure erhält man eine β-Thiomilchsäure (Thiohydrakrylsäure, $COOH.$ $CH_2.CH_2.SH$), welche mit Kupferoxydsalzen einen lichtvioletten, bald schmutziggrün werdenden Niederschlag liefert. Ist das Salz nicht überschüssig, so entsteht Kupferthiomilchsäure. Die β-Dithiodilactylsäure entsteht durch Zusatz von Eisenchlorid zu der rohen, mit Äther dem angesäuerten Produkte der Einwirkung von β-Jodpropionsäure und Kaliumsulfhydrat entzogenen Thiohydrakrylsäure, so lange, als sich vorübergehend Bläuung zeigt. (Journ. prakt. Chem. **29.** 366—78. April. Lund.)

Herbert Jackson, *Einwirkung von arseniger Säure auf Glycerin.* In den Lehrbüchern wird angegeben, daß Glycerin das beste Lösungsmittel für As_2O_3 ist, doch ist

XV.

40

die Ursache hierfür nirgends zu finden. Der Vf. zeigt, daß hierbei eine Verbindung $C_3H_5AsO_3$ nach der Gleichung: ,

$$2C_3H_5(OH)_3 + As_2O_3 = 2C_3H_5AsO_3 + 3H_2O$$

entsteht. (Chem. N. **49**. 258. 13. Juni.)

C. le Nobel, *Über einige neue chemische Eigenschaften des Acetons und verwandter Substanzen, und deren Benutzung zur Lösung der Acetonurtefrage.* GUNNING fand 1. daß Aceton mit Jodtinktur und Ammoniak Jodoform liefert, eine Eigenschaft, die dem Äthylalkohol abgeht (dieser liefert mit Jodjodkalium und Ammoniak Jodoform), und 2. im Anschlusse an eine frühere Mitteilung REYNOLD'S, daß frisch gefälltes Quecksilberoxyd in Gegenwart von Alkali durch Aceton gelöst wird. Am genauesten stellt man letztere Reaktion so an, daß man Quecksilberchlorid mit einer alkoholischen Kalilösung fällt, zu dem stark alkalischen Gemenge die Aceton enthaltende Flüssigkeit hinzusetzt und die Mischung im Probierröhrchen stark schüttelt. Man filtriert und weist im Filtrate das Acetonquecksilberoxyd durch Zinnchlorür oder Schwefelammonium nach. Die beiden Reaktionen sind so empfindlich, daß es noch gelingt, durch die Jodoformreaktion $^1/_{1000}$ mg, durch die Quecksilberoxydreaktion $^1/_{100}$ mg Aceton nachzuweisen. Vf. fand, daß eine Acetonlösung mit einer verdünnten, noch eben rot gefärbten Lösung von Nitroprussidnatrium und Kali oder Natronlauge eine brillante rubinrote Färbung giebt. die sich nach einigen Augenblicken in eine strohgelbe umwandelt. Wird sowohl die rubinrote als die gelbe Lösung mit Säure behandelt, so bekommt sie beim Kochen oder beim Stehen an der Luft einen grünblauen Teint. [Die mit Nitroprussidnatrium, Natronlauge und *Kreatin* oder *Kreatinin* erhaltene Rotfärbung (WEYL, **79**. 135) geht sofort in eine strohgelbe über.] Mittels obiger Reaktion gelingt noch der Nachweis von $^1/_4$ mg Aceton. wobei zu bemerken ist, daß bei minimalen Acetonmengen die rubinrote Färbung gar nicht erscheint; dagegen wird die gelbe Mischung ganz deutlich durch Säuren violett. Die Behauptung SALKOWSKI'S (**80**, 421), daß bei Kreatininreaktion die gelbe Farbe durch Kochen mit Eisessig grünblau wird, ist auf den gleichzeitigen Gehalt des Harns an Aceton zu beziehen. Zur Trennung beider (in indicanreichen Harnen) kann man Ausschüttelung mit reinem Äther anwenden. Die Nitroprussidnatriumreaktion tritt bei Anwendung von Ammoniak oder Ammoniumcarbonat nicht sofort auf; Schütteln mit Luft oder Versetzen mit einer starken Säure (wobei die Mischung alkalisch bleiben muß) bewirkt Rosafärbung der Flüssigkeit, welche schließlich weinrot wird. Die Reaktion ist leicht durch ihr Verhalten von der Schwefelwasserstofffärbung zu unterscheiden.

Die *Äthyldiacetsäure* liefert, mit obigen Reagenzien versetzt, eine rubinrote Farbe. die sehr langsam in Strohgelb übergeht, mit Säuren bloß dunkler, beim Kochen mit letzteren jedoch gleichfalls grünblau wird. Bei Anwendung von Ammoniak entsteht ganz die nämliche Reaktion, wie mit Natron, so daß sich ein wesentlicher Unterschied mit Aceton herausstellt. Die beiden Reaktionen sind empfindlicher, wie die GERHARDT'sche mit Eisenchloridlösung. Weiter werden sowohl gelbes als rotes Quecksilberoxyd, ebenso Bleihydrat ohne Gegenwart eines Alkalis durch die Säure gelöst; dagegen giebt sie nicht die Jodoformreaktion.

Aus den Untersuchungen geht hervor, daß alle Körper (Aceton, Äthyldiacetsäure, auch Aldehyde und die Acetessigsäure), welche die Gruppe CH_3—CO enthalten. mit Nitroprussidnatrium eine Reaktion geben, die sich gegen Säuren oder Ammoniak verschieden verhalten.

Mit Hilfe obiger Reaktionen konnte Vf. ermitteln, daß Aceton nur in äußerst geringer Menge im normalen Harn sich vorfindet, und daß das Vorkommen desselben nur bei der Destillation größerer Harnmengen konstatiert werden kann. Weiter enthält der normale Harn noch einen Körper, welcher mit Jodjodkalium Jodoform liefert und kein Aceton ist. Endlich hat Alkoholgenuß einen wesentlichen Einfluß auf die Acetonausscheidung. Vf. bespricht schließlich noch das Vorkommen von Aceton im pathologischen Harn. (Arch. f. exper. Pathol. u. Pharmakol. **18**. 6—24. Jan. Leiden.)

M. Seidel, *Über die Oxydation des Quecksilberdiäthyls mit übermangansaurem Kali.* Die Beobachtung von OTTO und DREHER (Ann. Chem. Pharm. **154**. 125), daß Quecksilberdiphenyl durch Oxydation mit Chamäleonlösung in eine Säure von der Zusammensetzung C_6H_5HgOOH übergeführt wird, hat den Vf. auf Anregung von E. v. MEYER veranlaßt, dieselbe Reaktion mit dem Quecksilberdiäthyl vorzunehmen. Bildete sich hier eine Säure von der Zusammensetzung C_2H_5HgOOH (Äthylquecksilbersäure), so war damit der Nachweis geliefert, daß das Quecksilber auch vierwertig zu fungieren vermag.

Quecksilberdiäthyl wurde in einem mit Rückflußkühler verbundenen Kolben so lange mit konzentrierter (wässeriger) Chamäleonlösung erhitzt, als diese noch sich entfärbte. Die stark alkalische, von Mangansuperoxydhydrat filtrierte Flüssigkeit lieferte auf Zusatz von Salzsäure einen weißen (meist flockigen) Niederschlag, welcher aus heißem Alkohol in silberglänzenden Blättchen von 190° Schmelztemperatur krystallisierte.

Nach den durch die Elementaranalyse erhaltenen Zahlen konnte dieser Körper die Äthylquecksilbersäure, C_2H_5HgOOH, wohl sein; jedoch erweckte der Umstand, daß derselbe von Natronlauge nur schwierig gelöst wird, Verdacht gegen eine solche Annahme. Qualitativ untersucht, erwies sich die in Rede stehende Verbindung stark chlorhaltig. Die damit ausgeführte Chlorbestimmung ließ keinen Zweifel darüber aufkommen, daß die Substanz das schon lange bekannte *Äthylquecksilberchlorid*, C_2H_5HgCl, ist, dessen Zusammensetzung mit der von obiger hypothetischer Säure bezüglich des Kohlenstoffes, Wasserstoffes und auch des Quecksilbers nahe übereinstimmt.

Die Entstehung des Äthylquecksilberchlorides aus Quecksilberdiäthyl ist leicht zu erklären. Das eine Äthyl des letzteren wird zu Kohlensäure und Wasser oxydirt, und Hydroxyl tritt an seine Stelle: aus dem Quecksilberdiäthyl, $Hg(C_2H_5)_2$, wird so *Äthylquecksilberoxydhydrat*, $Hg(C_2H_5)OH$, welches in der alkalischen Lösung enthalten ist und durch Neutralisieren derselben mit Salzsäure in das *Äthylquecksilberchlorid*, $Hg(C_2H_5)Cl$, übergeht.

Das *Quecksilberdimethyl*, $Hg(CH_3)_2$, liefert durch Behandeln mit Chamäleonlösung und mit Salzsäure, wie zu erwarten, das *Methylquecksilberchlorid*, $Hg(CH_3)Cl$, welches in glänzenden, bei 170° schmelzenden Blättchen krystallisiert.

Daß nach obiger Mitteilung die „*Phenylquecksilbersäure*", C_6H_5HgOOH, sich als mit dem Phenylquecksilberchlorid, C_6H_5HgCl, identisch erweisen werde, war kaum zweifelhaft und wurde durch den Versuch bestätigt; doch sieht Vf. von einer ausführlichen Mitteilung seiner Resultate ab, da sich OTTO (s. d. folgende Notiz) mit demselben Gegenstande beschäftigt. (Journ. prakt. Chem. **29**. 134—36. April. [März.] Leipzig, KOLBE's Laborat.)

Robert Otto, *Über die Einwirkung von Kaliumpermanganat auf Quecksilberdiphenyl.* In der von OTTO und R. DREHER veröffentlichten Abhandlung über Quecksilberdiphenyl (Ann. Chem. Pharm. **154**. 93) findet sich unter anderen die Angabe, daß diese Verbindung durch Behandlung mit einer wässerigen Lösung von Kaliumpermanganat unter Reduktion desselben zu Manganhyperoxydhydrat und gleichzeitiger Entstehung von Oxalsäure- und Kohlensäuresalz in einen Körper von der Formel: $C_6H_5-Hg-O \atop H} O$ übergeführt werde.

Dieser Körper von ausgesprochenem sauren Charakter soll in der alkalischen, vom Manganhyperoxydhydrat abfiltrierten Flüssigkeit als Salz enthalten sein und aus derselben durch Zusatz von Salzsäure in kleinen, glasglänzenden, bei 251—252° schmelzenden Krystallen abgeschieden werden. Diese Angaben beruhen auf einem Irrtume. Der vermeintliche Körper $C_6H_5-Hg-O \atop H} O$ ist nämlich neueren Versuche zufolge identisch mit dem durch Einwirkung von Chlor auf Quecksilberdiphenyl neben Chlorbenzol nach der Gleichung:

$$\left.{C_6H_5 \atop C_6H_5}\right\}Hg + Cl_2 = {C_6H_5 \atop Cl} + {C_6H_5 \atop Cl}\Big\}Hg,$$

oder durch Einwirkung von Quecksilberchlorid auf Quecksilberdiphenyl nach der Gleichung:

$$\left.{C_6H_5 \atop C_6H_5}\right\}Hg + HgCl = 2 {C_6H_5 \atop Cl}\Big\}Hg$$

sich bildendem Quecksilbermonophenylchlorür. Die Entstehung desselben erklärt sich dadurch, daß durch die Einwirkung des Kaliumpermanganates auf die Quecksilberverbindung sich zunächst neben Carbonat und Oxalat das vom Vf. früher (Journ. pr. Chem. [12.] **1**. 179) beschriebene Quecksilbermonophenylhydroxyd, $Hg(C_6H_5)OH$, bildet, eine basische Verbindung, welche auf Zusatz von Salzsäure aus ihrer Lösung als $Hg(C_6H_5)Cl$ gefällt wird, welches bei 250—251° schmilzt und 23,0 p. c. C, 1,6 p. c. H und 64,0 p. c. Hg enthält, fast übereinstimmend mit der angenommenen Verbindung, welche davon 23,2, 2,0 und 64,5 p. c. enthalten würde. Die Vergleichung der auf dem einen und dem anderen Wege erhaltenen Verbindung hat die völlige Identität beider ergeben.

0,788 g des mittels Kaliumpermanganat dargestellten Körpers, welcher nach einmaligem Umkrystallisieren aus heißem Benzol kleine, glänzende, bei 251° schmelzende Blättchen darstellte, gaben, mit CaO geglüht, 0,260 g AgCl, entsprechend 11,3 p. c. Chlor. Die Verbindung ${C_6H_5 \atop Cl}\Big\}Hg$ enthält 11,4 p. c. Chlor. Aus den alkalischen, vom Manganhyperoxydhydrat getrennten Flüssigkeiten ließ sich durch Schütteln mit Benzol etc. das

Quecksilbermonophenylhydroxyd mit den (l. c.) für dasselbe angegebenen Eigenschaften isolieren.

Quecksilberditolyl verhält sich beim Kochen mit einer wässerigen Lösung von Kaliumpermanganat analog dem Quecksilberdiphenyl; es entsteht die Base $Hg(C_7H_7)OH$, die aus ihrer wässerigen Lösung durch Salzsäure als $Hg(C_7H_7)Cl$ gefällt wird; gleichzeitig bilden sich, aber in weit größerer Menge, als aus der Phenylverbindung, unter gleichen Bedingungen Oxalsäure und Kohlensäure. (Journ. prakt. Chem. **39.** 136—38. April. [7. März.] Braunschweig.)

H. Ritthausen, *Über Melitose aus Baumwollsamen.* Der von BERTHELOT *Melitose* genannte Zucker $C_{12}H_{22}O_{11}$, $3H_2O$ ist bis jetzt nur aus der Manna von van Diemensland, die dort in undurchsichtigen Tropfen von verschiedenen Eucalyptusarten niederfällt, dargestellt worden. Vf. fand, daß die Baumwollsamen ihn in reicher Menge enthalten, und stellte aus den im Handel überall vorkommenden, als geschätztes, proteïnreiches Viehfutter verwendeten Preßrückständen geschälter Samen, den Baumwollsamenkuchen, etwas größere Quantitäten davon dar. Die große Löslichkeit der Melitose in 80 prozentigem Weingeist, womit die Preßrückstände extrahiert werden, bewirkte, daß die Ausbeute an diesem Kohlehydrat auf 3 p. c. des Rohmaterials stieg. Man erwärmt die Preßrückstände mit diesem Weingeist auf 60—70°, entzieht mit Äther die Farbstoffe und fällt den Rest der letzteren nach beträchtlicher Verdünnung mit Wasser durch vorsichtigen Zusatz von basisch essigsaurem Blei. Aus dem Filtrate wird der Überschuß von Blei mit Schwefelwasserstoff gefällt und die restierende Lösung eingedampft. Nach 10—12 tägigem Stehen in der Kälte (0° bis 3°) schieden sich Krystallmassen ab; aus den Mutterlaugen ließen sich noch weitere Mengen des Körpers erhalten.

Die Melitose besitzt einen schwach süßen Geschmack, in Wasser ist sie sehr leicht löslich, in Weingeist umkrystallisiert und in größeren Krystallnadeln angewandt, löst sie sich langsamer darin auf. 1 Gewtstl. Melitose löst sich bei 16° in 6 Gewtln. Wasser. Die wässerige Lösung polarisiert stärker rechts als Saccharose ($\alpha_J = +117,4°$). Alkalische Kupferlösung, sowie die anderen für Glycose gebräuchlichen Reagenzien werden auch bei Kochhitze nicht verändert; Kalilauge, Baryt- oder Kalkwasser erzeugt nicht die geringste Bräunung. Beim Kochen mit verdünnter Schwefelsäure tritt schwache Gelbfärbung ein, alkalische Kupferlösung wird nun reduziert, und die Drehung der konvertierten Melitose ist vermindert ($\alpha_J = 61,8°$). Die Elementarzusammensetzung stimmt mit der früher von BERTHELOT zu $C_{12}H_{22}O_{11} + 3H_2O$ überein. Geschmolzene Melitose giebt die letzten Anteile Wasser sehr langsam ab; wird aber beim Trocknen die Schmelzung vermieden, was durch Erhitzen auf 84—85° erreicht wird, so entweicht der größte Teil des Wassers, und der Rest desselben kann bei 104—107° ausgetrieben werden, ohne daß Schmelzung eintritt. (Journ. prakt. Chem. **29.** 351—57 Königsberg.)

H. Ritthausen, *Vorkommen von Citronensäure in verschiedenen Leguminosensamen.* Vor längerer Zeit haben KREUSLER und der Vf. (**71.** 3) das Vorkommen von Äpfelsäure, Oxalsäure und Citronensäure in den Samen der gelben Lupine (Lup. luteus), wovon die letztere vorher schon von BEYER (**71.** 805) nachgewiesen war, konstatiert. Die Citronensäure hat nun Vf. auch in den Samen von Vicia sativa (Wicke), V. faba (Saubohne), verschiedenen Sorten Erbsen (Pisum sativum) und weißen Gartenbohnen (Phaseolus) gefunden. Die gepulverten Samen werden mit Wasser unter Zusatz von wenig Chlorwasserstoffsäure in Zimmerwärme digeriert, die Lösung nach der Neutralisieren erhitzt, eingeengt und von der abgeschiedenen Substanz durch Filtration getrennt. Hierauf fällt man mit Bleiacetat, zersetzt den Niederschlag mit Schwefelwasserstoff, vertreibt den Überschuß desselben, versetzt mit Kalkmilch bis zur starken alkalischen Reaktion, filtriert wieder und kocht. Die hierbei entstehende Fällung wird getrocknet und mit der dem Calciumgehalt entsprechenden Schwefelsäuremenge zersetzt. Aus der Lösung krystallisiert dann die Citronensäure aus. (Journ. prakt. Chem. **29.** 357—59. Königsberg.)

H. Ritthausen, *Über die Löslichkeit von Pflanzenproteïnkörpern in salzsäurehaltigem Wasser.* Vf. fand, daß Eiweißkörper einiger Leguminosensamen in Salzsäurewasser sich unverändert in großen Mengen lösen und aus der Lösung durch Neutralisation mit Alkali als leicht zu sammelnde Substanzen größtenteils gefällt werden. Die Extraktion geht sehr leicht vor sich, wenn man dieselben eine Extraktion mit Wasser von ca. 85 p. c. Tr. in Zimmertemperatur vorausgeht. Die mittels Salzsäurewasser gelösten und dargestellten Proteïnsubstanzen aus Erbsen, Saubohnen und gelben Lupinen sind Gemische zweier Proteïnkörper, gleichwie die mittels reinem oder kalihaltigem Wasser oder mittels Salzlösung (**83.** 184) direkt aus den Samen hergestellten. Der eine dieser Körper, Conglutin oder die demselben sehr ähnliche Substanz der Erbsen und Bohnen, erleidet weder durch Behandlung mit Kaliwasser noch mit Salzsäurewasser bezüglich seiner Löslichkeit in Salzlösungen Änderungen, während die andere, Legumin, in eine gegen Salzlösungen indifferente, d. h. darin unlösliche Modifikation umgewandelt wird. Anders verhalten sich die Substanzen aus weifsen Bohnen und Wickensamen; die der ersteren löst sich in zweiprozentiger Salzlösung nur in geringer Menge auf, und das aus dieser Lösung gefällte ist der ursprünglichen und der nicht gelösten Substanz völlig gleich, aber leicht und ganz klar in Salzsäure- oder Kaliwasser löslich; von dem Niederschlage aus der Lösung der Wickensamen wird durch Salzlösung ebenfalls nur wenig gelöst. Demnach erscheinen diese Körper nicht wie Gemenge, sondern müssen als einfache Proteïnsubstanz angesehen werden. (Journ. prakt. Chem. **29**. 360—65. Königsberg.)

C. F. Cross und **E. J. Bevan**, *Oxycellulose und Phenylhydrazin.* In einer neueren Nummer der Ber. Chem. Ges. 1884. 572) findet sich eine Abhandlung von E. FISCHER über die Reaktionen der Salze des Phenylhydrazins mit Aldehyden und Ketonen der aromatischen und der fetten Reihe. Die Vff. beschreiben die Einwirkung des Reagens auf Körper aus der Cellulosegruppe und deren Derivate. Die von WITZ und den Vffn. beschriebene Oxycellulose giebt eine dunkelgelbe Färbung, wenn man sie mit einer Lösung von salzsaurem Hydrazin erwärmt; Lignose andererseits wird schmutziggelb gefärbt, welche Farbe sich wesentlich von der hellgelben Färbung durch Anilinsulfat unterscheidet.

Diese Reaktionen sind charakteristisch, und die Vff. empfehlen sie denjenigen, welche mit Untersuchungen über Kohlehydrate beschäftigt sind. (Chem. N. **49**. 257 — 258. 13. Juni.)

R. Wollner, *Zur Kenntnis des sogen. Rubeanwasserstoffes.* Das einfachste Produkt der Vereinigung von Cyan mit schwefelhaltigen Körpern ist die von WÖHLER u. LIEBIG entdeckte und später von VÖLCKEL näher untersuchte Rubeanwasserstoffsäure. Leitet man trocknes Cyangas und gleichzeitig Schwefelwasserstoff in Alkohol, so färbt sich dieser erst gelb, von dem zuerst entstehenden Zwischenprodukte, der sogen. Flaveanwasserstoffsäure, und bei einem Überschusse von Schwefelwasserstoff fällt ein roter krystallinischer Körper aus, die Rubeanwasserstoffsäure, von der Zusammensetzung $C_2N_2H_4S_2$. Sie ist in Wasser fast unlöslich, ebenso in Äther, in Alkohol schwer löslich und wird aus letzterem am besten umkrystallisiert. Sie ist eine ziemlich beständige Verbindung, löslich in Alkalien, aus denen sie durch Säuren wieder abgeschieden werden kann.

Vf. erhielt dieselbe Verbindung auf folgende Weise: Leitet man in eine alkoholische Lösung von Natriumsulfhydrat trocknes Cyangas, so färbt dieselbe sich dunkelrot, und es scheidet sich auf Zusatz von Salzsäure Rubeanwasserstoff aus. Läfst man die mit Cyan behandelte Lösung einige Stunden stehen, so tritt Zersetzung ein, und man kann mit Salzsäure keine Rubeanwasserstoffsäure mehr fällen. Durch Einleiten von Wasserstoff in die Natriumsulfhydratlösung hatte Vf. zuvor den freien Schwefelwasserstoff möglichst entfernt; es kann also die Bildung der verhältnismäfsig grofsen Menge Rubeanwasserstoff nicht etwa dem noch vorhandenen freien Schwefelwasserstoffe zugeschrieben werden.

Die obige Bildungsweise der Rubeanwasserstoffsäure legt die Vermutung nahe, dafs dieser Verbindung eine andere Konstitution zukommt, als ihr fast allgemein zugeschrieben wird. Die Entstehung ihres Natriumsalzes aus Natriumsulfhydrat und Cyan läfst sich durch folgende Gleichung interpretieren:

$$2NaSH + (CN)_2 = \begin{cases} C(NH)SNa \\ C(NH)SNa \end{cases}$$

Die freie Säure: $\begin{cases} C(NH)SH \\ C(NH)SH \end{cases}$ ist hiernach ein Abkömmling der noch unbekannten

Thiooxalsäure: $\begin{cases} COSH \\ COSH \end{cases}$, deren zwei Sauerstoffatome durch zwei Atome Imid ersetzt sind.

Versuche, der Rubeanwasserstoffsäure mit Quecksilberoxyd bei Gegenwart von Ammoniak oder Anilin den Schwefel zu entziehen, mislangen, da eine Trennung der Produkte nicht möglich war.

Die Rubeanwasserstoffsäure wird von den meisten Chemikern als Amid der geschwefelten Oxalsäure: $\begin{cases} CSNH_2 \\ CSNH_2 \end{cases}$, aufgefafst, und in der That verhält sie sich in vieler Beziehung den Thioamiden analog; dies zeigt ihr Verhalten zu Jodmethyl. Erhitzt man die Rubeanwasserstoffsäure im zugeschmolzenen Rohre in methylalkoholischer Lösung mit Jodmethyl auf 150°, so entstehen neben gasförmigen (schwefelhaltigen) Produkten reichliche Mengen Trimethylsulfinjodid und in geringer Menge Oxamid, welche an ihren Eigenschaften erkannt wurden.

Erhitzt man Thiobenzamid, welches durch Einleiten von Schwefelwasserstoff in Benzonitril dargestellt wurde, mit Jodmethyl im zugeschmolzenen Rohre auf 130°, so bildet sich ebenfalls Trimethylsulfinjodid neben dem Benzoesäuremethyläther.

Durch Einwirkung von Cyan auf andere schwefelhaltige Verbindungen, wie Thiacetsäure, Mercaptan, Mercaptide, Additionsprodukte in reinem Zustande zu gewinnen, ist dem Vf. nicht gelungen, da sich der Trennung derselben große Schwierigkeiten entgegenstellten. (Journ. prakt. Chem. **29**. 129—31. April. [Febr.] Leipzig, KOLBE's Laborat.)

R. Wollner, *Über die Oxybase des Kyanmethins*, $C_6H_9N_3O$. Durch Einwirkung von salpetriger Säure auf Kyanmethin in essigsaurer Lösung wird analog dem Kyanäthin das Amid durch Hydroxyl ersetzt und eine Oxybase erhalten (**83**. 343.) Aus dem salpetersauren Salze der Oxybase, welches bei der obigen Reaktion entsteht, wird dieselbe durch Neutralisieren mit Soda, Eindampfen bis zur Trockne und Extrahieren mit Benzol in weißen Nadeln vom Schmelzpunkte 192° erhalten. Sie unterscheidet sich durch ihre große Löslichkeit in Wasser ganz erheblich von der Oxybase des Kyanäthins. Da sich durch die Einwirkung von salpetriger Säure auf Kyanmethin stets kleine Mengen eines gelben Körpers, wahrscheinlich einer Nitroverbindung, bilden, welche die Reinigung erschwerten, so empfiehlt sich zur Darstellung der Oxybase folgende, auch beim Kyanäthin schon angewandte Methode.

Das rohe Kyanmethin wird in zugeschmolzenen Röhren mit starker Salzsäure auf 180° erhitzt. Der Röhreninhalt wird auf dem Wasserbade zur Verjagung der Salzsäure eingedampft, mit kohlensaurem Natron neutralisiert und der trockne Rückstand mit Benzol extrahiert.

Die Oxybase bildet mit Säuren gut krystallisierende Salze, so mit Salpetersäure und Oxalsäure, ebenso bildet die salzsaure Verbindung mit Platinchlorid ein in Tafeln krystallisierendes Doppelsalz. Alle zeichnen sich durch ihre große Löslichkeit in Wasser aus. Analog der *Kyanconiin* genannten Base $C_6H_{11}N_3$, welche durch Reduktion des sog. Chlorkyanconiins gewonnen wurde (**80**. 678), versuchte Vf., die dem Kyanmethin entsprechende Base $C_6H_9N_3$, darzustellen. 12 g der obigen Oxybase wurden zu diesem Zwecke mit 40 g Chlorphosphor in einem Kölbchen gemischt und auf dem Sandbade erhitzt. Nach eingetretener Reaktion, bei welcher geringe Mengen Salzsäuregas entwichen, wurde das Phosphoroxychlorid abdestilliert und der Rückstand in Wasser gegossen. Während der Erwärmung waren in den Kolbenhals weiße, an der Luft zerfließliche Krystallnadeln sublimiert, die vielleicht die salzsaure Verbindung der neuen Base, $C_6H_7ClN_3$, sind. Sie sind in Alkohol und Äther unlöslich, zerlegen sich dabei in einen öligen Körper und Salzsäure.

Die mit Wasser versetzte saure Masse wurde mit Natronlauge neutralisiert und mit Wasserdampf destilliert. Mit dem Wasserdampfen ging ein farbloses Öl über, das dem wässerigen Destillate mit Äther entzogen wurde. Der über Kalk getrocknete Äther wurde verdunstet, und es blieb ein öliger Körper zurück, der einen intensiven, dem Acetamid ähnlichen Geruch besitzt.

Über Schwefelsäure getrocknet, sublimierten an den Wänden des Gefäßes weiße Nadeln, die in Wasser sich zu jenem Öle zersetzen und mit salpetersaurem Silber eine deutliche Reaktion auf Chlor geben. Das Öl, das wahrscheinlich nach der Formel $C_7H_7ClN_2$ zusammengesetzt ist, löst sich leicht in Äther, Alkohol und Benzol; es ist unlöslich in Wasser, fast unlöslich in konzentrierter Salzsäure. Es ist leicht flüchtig, geht sogar schon mit den Ätherdämpfen über. Mit Salzsäuregas bildet es einen festen Körper, der sich genau so verhält, wie die oben erwähnten Nadeln, jedoch zur Analyse nicht zu verwenden war wegen seiner Zerfließlichkeit an der Luft. Auch das ölige Produkt lieferte keine genauen analytischen Resultate wegen des ihm anhaftenden festen Körpers, von dem es selbst durch mehrmaliges Schütteln mit Natronlauge nicht befreit werden konnte.

Die Ausbeute war so gering, daß von einem Fraktionieren der Verbindung abgesehen werden mußte. Das Chlorid wurde mit Zink und Salzsäure der Reduktion unterworfen. Nach vollendeter Reaktion wurde die Lösung mit Natronlauge versetzt und mit Wasserdampf destilliert. Das übergehende Destillat zeigte keine Trübung, hatte aber alkalische Reaktion und einen dem obigen chlorhaltigen Körper ähnlichen Geruch. Auch beim Erhitzen schied sich aus der wässerigen Lösung kein Öl ab. Mit Quecksilberchlorid erhielt Vf. eine Doppelverbindung, welche vermutlich der aus Kyanconiin dargestellten analog ist.

Erwärmt man die Oxybase des Kyanmethins mit Jodmethyl im zugeschmolzenen Rohre auf 150°, so erhält man nicht, wie aus der Oxybase des Kyanäthins, eine methylierte Oxybase, sondern es entstehen wesentlich die jodwasserstoffsauren Salze von methylierten Ammoniaken, zum größten Teile Tetramethylammoniumjodid, wie aus einer Jodbestimmung hervorgeht. Die einzelnen jodwasserstoffsauren Salze waren nicht voneinander zu trennen, doch zeigte sich beim Übergießen des Salzgemisches mit Natronlauge ein deutlicher Geruch nach Methylamin. In diesem Punkte unterscheidet sich die Oxybase des Kyanmethins wesentlich von dem entsprechenden Derivate des Kyanäthins, welches von Jodmethyl nicht in so eingreifender Weise zersetzt wird. (Journ. prakt. Chem. **29**. 131—34. April. [Febr.] Leipzig, KOLBE's Labor.)

Arm. Gautier, *Neue Methode zur Synthese organischer Stickstoffverbindungen. Synthese des Xanthins und des Methylxanthins.* Die Hypothese, daſs die Cyanwasserstoffgruppe CNH in den Hauptverbindungen der Harnsäurereihe präexistiert, und daſs diese Verbindungen selbst wieder die Kerne bilden, um welche sich die anderen Radikale des Eiweiſsmoleküls lagern, hat den Vf. seit dem Jahre 1872 beschäftigt, und die schönen Arbeiten von SCHÜTZENBERGEE über die Spaltung der Proteïnkörper erscheinen ihm als eine Stütze für diese Ansicht. Im Jahre 1873 hat Vf. in diesem Sinne Versuche zur Synthese der Harnsäurekörper und Einweiſsstoffe begonnen. Er setzte voraus, daſs bei Gegenwart einer Spur Alkali oder Alkalisalzen das Formonitril N(CH)''' die Konstitution eines Carbylamins C (NH) annimmt und zu Polymerisationen befähigt wird, aus denen bei Gegenwart von Wasser als Endglied des Azulmin $x(C_{10}H_{10}N_8O_4)$ wird. Allein es war vorauszusehen, daſs die Bildung eines so kondensierten Moleküls von der Entstehung weniger komplexer Körper begleitet sein würde, welche ohne Zweifel der Harnsäurereihe angehören, denn von Anfang an wurde beobachtet, daſs die Oxydation der Azulmine Guanidin gibt.

Die Schwierigkeit der Untersuchung aber, sowie die Giftigkeit der Cyanwasserstoffsäure und die Gefahr der Bildung explosiver Körper haben den Vf. veranlaſst, die Versuche eine Zeit lang ruhen zu lassen. Jetzt aber infolge einer bald zu veröffentlichenden Untersuchung über die Bildung alkaloïdartiger Körper während des normalen tierischen Lebens hat er sich zu einer Wiederaufnahme derselben veranlaſst gesehen und durch Polymerisation der Cyanwasserstoffsäure bei Gegenwart von Wasser Xanthin $C_5H_4N_4O_2$ und Methylxanthin erhalten. Das erstere differiert von der Harnsäure $C_5H_4N_4O_3$ nur durch ein Atom Sauerstoff, und das Methylxanthin ist ein neuer intermediärer Körper zwischen dem Xanthin und Dimethylxanthin $C_7H_8N_4O_2$, isomer mit dem Theobromin des Kakao.

Um beide darzustellen, erhitzt man ein Gemenge von Cyanwasserstoffsäure, Wasser und Essigsäure. Letztere dient nur dazu, um zu verhindern, daſs die Flüssigkeit ammoniakalisch wird, in welchem Fall die Polymerisation nicht verhindert werden kann. Der Inhalt der Röhren wird mit kaltem Wasser behandelt; dieses löst eine gewisse Zahl von Körpern, darunter reduzierende Säuren und eine Substanz, welche mit überschüssiger Chlorwasserstoffsäure behandelt allmählich purpurrote feine mikroskopische nadelförmige Krystalle bildet. Es ist eine zweiatomige Säure, auf welche der Vf. noch zurückkommen wird. Der in der Kälte erschöpfte Inhalt der Röhren wird mit siedendem Wasser aufgenommen; die Lösung gibt beim Abkühlen einen Niederschlag, welchen man wäscht, in Chlorwasserstoffsäure wieder auflöst, durch Ammoniak neutralisiert, filtriert und endlich mit Kupferacetat behandelt. Sobald die Flüssigkeit zum Sieden erhitzt wird, scheidet sich ein Gemenge von Kupferxanthat und -methylxanthat ab. Dieses sammelt man, wäscht es und zersetzt es in der Wärme durch Schwefelwasserstoff. Durch siedendes Wasser läſst sich hierauf zuerst Methylxanthin extrahieren, welches sich beim Abkühlen abscheidet. Man kann auch das Gemenge der durch Schwefelwasserstoff zersetzten Kupferverbindungen mit angesäuertem Wasser zum Sieden erhitzen, heiſs filtrieren, mit Ammoniak sättigen und die Lösung konzentrieren. Das Xanthin und Methylxanthin scheiden sich dann beim Abkühlen ab.

Die Synthese des Xanthins und Methylxanthins aus Cyanwasserstoffsäure und Wasser geschieht nach folgender Gleichung:

$$11CNH + 4H_2O = C_5H_4N_4O_2 + C_6H_6N_4O_2 + 3NH_3.$$
$$\text{Xanthin.} \qquad \text{Methylxanthin.}$$

Die Ausbeute ist schwach; in der That sind die genannten Körper von einer beträchtlichen Menge einer in honigfarbenen Nadeln krystallisierenden Verbindung begleitet, welche sich in Wasser in Azulminsubstanzen umwandeln.

Wenn man bei der Reaktion das Wasser durch verschiedene ein- oder mehratomige Alkohole, Ketone, Aldehyde, Phenole etc. ersetzt, so erhält man eine fast unbegrenzte Reihe von Körpern, von denen einige basische, andere neutrale Eigenschaften besitzen.

Das Xanthin wurde durch seine Reaktionen charakterisiert: Löslichkeit in Alkalien und Säuren, Fällung in der Wärme nur durch Kupferacetat, gelatinöse in Ammoniak schwer lösliche Verbindung mit Silbernitrat; Bildung eines dichten Niederschlages mit Quecksilberchlorid und eine Trübung mit Bleiacetat; lösliches Chloroplatinat, nadelförmiges Chloraurat, amorphes, nach dem Eintrocknen schwer lösliches Nitrat; reichlicher gelber Niederschlag mit phosphormolybdänsaurem Natrium in saurer Lösung des Nitrates; Nitroderivat, welches mit verdünnter Kalilauge eine schöne orangerote Färbung annimmt.

Alle diese Reaktionen sind die des Xanthins, und wenn einige auch für andere Körper derselben Familie gelten, so sind viele doch für das Xanthin charakteristisch.

Der Mechanismus dieser Synthesen scheint mit demjenigen, welcher in Vegetabilien stattfindet, sehr ähnlich, wenn nicht identisch zu sein. Nach des Vf.'s Beobachtungen bildet sich die Gruppe $=$ C(NH) im naszierenden Zustand durch Reduktion von Nitraten und Nitriten bei Gegenwart einer Menge organischer Substanzen. Wie dem auch sei, so hat diese Methode, welche selbst in der Kälte zu molekularen Aggregationen zwischen Körpern, die man als gesättigt annimmt, führt, schon eine große Zahl neuer Resultate ergeben, die der Vf. bald mitteilen zu können hofft. (C. r. **98.** 1523—26. [26.*] Juni).

A. Colson, *Untersuchungen über die Xylole.* Die Leichtigkeit, mit welcher man jetzt die drei isomeren Xylole erhalten kann, hat den Vf. veranlaßt, eine vergleichende Untersuchung der davon abgeleiteten Alkohole zu unternehmen. Er hoffte, zwischen diesen so ähnlich konstituierten Körpern physikalische Analogien zu finden, wie sie beim Mesitylen vorkommen, und die Widersprüche zu beseitigen, welche bis jetzt darüber bekannt geworden sind. Die Resultate von RADZISZEWSKI und WISPECK (Ber. Chem. Ges. **15.** 1743) insbesondere stimmen wenig mit dem überein, was der Vf. im Jahre 1882 bei einer noch nicht publizierten Untersuchung über das rohe Xylol gefunden hat. Er wird zuerst die zweiatomigen Alkohole, welche von diesen Kohlenwasserstoffen derivieren beschreiben, indem er bemerkt, daß die eine derselben, der Totylen- oder Peroxylenglykol, von GRIMAUX entdeckt und beschrieben worden ist.

o-Xylen- oder Phtalylglykol $C_8H_{10}O_2 = C_6H_4 \begin{cases} CH_2OH \\ CH_2OH \end{cases}$. — Bei seiner bemerkenswerten Arbeit über das Phtalid hat HESSERT durch Hydrogenieren des Phtalylchlorids einen unreinen, bei 56—62° schmelzenden Körper erhalten, welchen er Phtalalkohol nannte (Ber. Chem. Ges. **12.** 646). Der Vf. hat diesen Glykol in genügend reinem Zustande erhalten durch Verseifung von o-Xylendibromid. Man erhitzt dasselbe am Rückflußkühler mit seinem 20—30fachen Gewicht Wasser, welches die zur Neutralisation der sich abscheidenden Bromwasserstoffsäure nötige Menge gelöst enthält. Sobald das Dibromid gelöst ist, filtriert man und dampft im Vakuum zur Trockne; der Rückstand wird mit Äther aufgenommen und die Lösung hinterläßt nach Verdunstung des Äthers rhomboidale tafelförmige Krystalle; dies ist der *Phtalylglykol* oder *o-Xylenglykol* wie sich aus der Analyse ergiebt. Nach der Reinigung mittels Äther schmilzt er bei 64,2—64,8°. Die Gegenwart von sehr wenig Wasser erniedrigt den Schmelzpunkt; das Schmelzen geht langsam, und der Glykol bleibt einige Zeit im Zustande der Überschmelzung. Bei 16° ist er in seinem fünffachen Gewicht Äther und leicht in seinem sechsfachen Gewicht Wasser löslich; in Alkohol noch löslicher. Bei 75° beträgt die Dichte 1,141; der Geschmack ist bitter. Erhitzt man den Glykol mit konzentrierter Chlorwasserstoff- oder Bromwasserstoffsäure, so scheiden sich daraus beim Erkalten Krystalle des entsprechenden Dichlorids oder Dibromids aus; dies ist eine allgemeine Eigenschaft der Glykole dieser Reihe.

Äther. o-Xylendibromid. $C_8H_8Br_2 = C_6H_4 \begin{cases} CH_2Br \\ CH_2Br \end{cases}$. Dieser Körper dient zur Darstellung der übrigen o-Xylenverbindungen. Er wird erhalten, wenn man o-Xylol auf 140—190° erhitzt und tropfenweise Brom einträgt. Nach dem Erkalten wird die feste durchsichtige Masse an der Filterpumpe filtriert und auf dem Filter mit Äther gewaschen, wodurch man eine bei 92,5° schmelzenden Körper erhält. Dieser besitzt nach der Reinigung durch Umkrystallisieren aus Alkohol den Schmelzpunkt 94,6°. Derselbe differiert auffallend von demjenigen, welchen RADZISZEWSKI und WISPECK angeben: 143°; dagegen stimmt er mehr mit dem von BAEYER und PERKIN gefundenen, welche diesen Körper bei ihrer Untersuchung über das Indonaphten (Ber. Chem. Ges. **17.** 122) als Nebenprodukt erhalten haben (93°) überein. Die Brombestimmung zeigte, daß der Körper ein Dibromid ist, und die Verseifung charakterisiert ihn als Alkohol. Er entspricht der Phtalsäure, denn durch Oxydation mittels Kaliumpermanganat in wässeriger Lösung giebt er eine schwache, bei 179° schmelzende Säure, welche in bei 129° schmelzenden Nadeln sublimiert: dies ist der Charakter der Phtalsäure.

Das o-Xylendibromid ist in der Wärme in Äther, Alkohol und leichtem Petroleum leichter löslich als in der Kälte. In rohem Zustande sticht es stark in die Augen, nicht aber, wenn es gereinigt ist. Durch Alkohol wird es teilweise verseift. Dieses eigentümliche Verhalten ist für die Geschichte der aromatischen mehratomigen Alkohole beachtenswert und dient vielleicht zur Erklärung der abweichenden Angaben von RADZISZEWSKI und WISPECK; ihr o-Xylol war wahrscheinlich mit p-Xylol gemengt, so daß sie ein Gemenge von zwei Bromiden erhielten: dasjenige des p-Xylols, welches sich leichter bildet und beständiger ist, als die übrigen, hat allein den Operationen der Reinigung widerstanden.

o-Xylendichlorid. $C_8H_8Cl_2 = C_6H_4 \begin{cases} CH_2Cl \\ CH_2Cl \end{cases}$. Wenn man den Glykol mit seinem 20—25fachen Gewicht konzentrierter Chlorwasserstoffsäure erhitzt, so setzt er beim Abkühlen Krystalle ab, welche in Äther und leichtem Petroleum leicht löslich sind, leicht sublimieren, bei 54,8° schmelzen und das spez. Gewicht 1,33 bei 20° besitzen. Durch Einwirkung von gasförmiger Chlorwasserstoffsäure auf den Phtalglykol hat HESSERT diese Verbindung erhalten, aber jedenfalls in unreinem Zustande, denn er beschreibt sie als eine nicht destillierbare und unkrystallisierbare Flüssigkeit. RAYMAN hat als o-Xylenchlorid einen bei 103° schmelzenden Körper beschrieben. Dieser Schmelzpunkt entspricht aber dem des p-Xylenchlorids; der Irrtum von RAYMAN ist wahrscheinlich auf dieselbe Weise veranlaßt worden, wie der von RADZIBZEWSKI und WISPECK. (Cr. **98.** 1543—45 [23°.] Juni.)

A. Staub und **Watson Smith**, *Über ein Nebenprodukt von der Bereitung des Aurins.* In einer früheren Mitteilung (**83.** 683) wurde gezeigt, daß das fragliche Produkt *Phenyl-o-Oxaläther*, durch direkte Verbindung zweier Moleküle Phenol mit einem Molekül wasserfreier Oxalsäure gebildet wird. Die Vff. haben eine völlig reine Probe davon durch wiederholtes Umkrystallisieren aus Eisessig bereitet und analysiert, wobei sich die Formel $C_{14}H_{10}O_6$ ergab. Analoge Verbindungen mit α- und β-Naphtol wurden erhalten, nicht aber mit Resorcin. Der Schmelzpunkt des Phenyl-o-Oxalates liegt bei 226—227°; durch Erhitzen mit starker Schwefelsäure wird Aurin gebildet. Ist Phenol zugegen, so ist die Ausbeute an Aurin nicht größer. Während der Reaktion werden nur Spuren von Ameisensäure gebildet. Die Vff. schließen, daß das o-Phenyloxalat keinen Anteil an der Bildung des Aurins nimmt. Sie beweisen ferner, daß durch Einwirkung von naszierender Kohlensäure auf Phenol keine Spur von Aurin gebildet wird. (Chem. N. **49.** 262. 13. [5°.] Juni. London, Chem. Soc.)

Martin Rapp, *Über die Phenyl- und Kresylester der Phosphorsäure und ihre Nitrierung.*
Mononitromonophenylphosphorsäure, $PO(OC_6H_4NO_2)(OH)_2$
Dinitrodiphenylphosphorsäure, $PO(OC_6H_4NO_2)_2OH$
Trinitrotriphenylphosphorsäure, $PO(OC_6H_4NO_2)_3$
Dinitrodiphenylphosphorsäureäthyläther, $PO(OC_6H_4NO_2)_2(OC_2H_5)$
Monoparakresylphosphorsäurechlorid, $PO(OC_6H_4CH_3)Cl_2$
Monoparakresylphosphorsäure, $PO(OC_6H_4CH_3)(OH)_2$
Triparakresylphosphorsäureester, $PO(OC_6H_4CH_3)_3$.

(LIEB. Ann. **224.** 156—178. Juni. [12. April.] Tübingen.)

Georg Kumpf, *Über nitrierte Phenylbenzyläther und nitrierte Benzylchloride.* p-Nitrobenzylchlorid, p-Nitrobenzyljodid; o-Nitrobenzylchlorid, o-Nitrobenzyljodid.

I. *p-Nitrobenzyläther :*

Phenyl-p-Nitrobenzyläther, $C_6H_5—O—(CH_2)^1—C_6H_4—(NO_2)^4$
o-Nitrophenyl-p-Nitrobenzyläther, $(NO_2)^2—C_6H_4—O^1—(CH_2)^1—C_6H_4—(NO_2)^4$
p-Nitrophenyl-p-Nitrobenzyläther, $(NO_2)^4—C_6H_4—O^1—(CH_2)^1—C_6H_4—(NO_2)^4$
α-Dinitrophenyl-p-Nitrobenzyläther, $(NO_2)^2(NO_2)^4—C_6H_4—O^1—(CH_2)^1—C_6H_4—(NO_2)^4$
β-Dinitrophenylnitrobenzyläther, $(NO_2)^2(NO_2)^6—C_6H_4—O^1—CH_2—C_6H_4—(NO_2)^4$
Trinitrophenylnitrobenzyläther, $(NO_2)^2(NO_2)^4(NO_2)^6—C_6H_2—O^1—CH_2—C_6H_4—(NO_2)^4$.

II. *Benzyläther :*

o-Nitrophenylbenzyläther, $(NO_2)^2—C_6H_4—O^1—CH_2—C_6H_5$
p-Nitrophenylbenzyläther, $(NO_2)^4—C_6H_4—O^1—CH_2—C_6H_5$
α-Dinitrophenylbenzyläther, $(NO_2)^2(NO_2)^4—C_6H_4—O^1—CH_2—C_6H_5$
β-Dinitrophenylbenzyläther, $(NO_2)^2(NO_2)^6—C_6H_4—O^1—CH_2—C_6H_5$
Trinitrophenylbenzyläther, $(NO_2)^2(NO_2)^4(NO_2)^6—C_6H_2—O^1—CH_2—C_6H_5$.

(LIEB. Ann. **224.** 96—137. Juni. [12. April.] Tübingen.)

Paul Frische, *Über nitrierte p-Kresylbenzyläther.*

Nitrokresylbenzyläther, $C_6H_3(CH_3O)^1.C_6H_4.(NO_2)^2.(CH_3)^4$
Dinitrokresylbenzyläther, $C_6H_3(CH_3O)^1.C_6H_4.(NO_2)^2(CH_3)^4(NO_2)^6$
Kresylnitrobenzyläther, $(CH_3)^4—C_6H_4—O^1—(CH_2)^1—C_6H_4—(NO_2)^4$
Nitrokresylnitrobenzyläther, $(NO_2)^2.(CH_3)^4.C_6H_4—O^1—CH_2—C_6H_4—(NO_2)^4$
Dinitrokresylnitrobenzyläther, $(NO_2)^2.(CH_3)^4.(NO_2)^6C_6H_2—O^1—CH_2.C_6H_4.(NO_2)^4$.

(LIEB. Ann. **224.** 137—55. Juni. [12. April.] Tübingen.)

August Bernthsen, *Die Akridine.* Die vorliegende Untersuchung, über welche vorläufige Mitteilungen (Ber. **15.** 3011 und **16.** 767. 1802. 1971) teilweise bereits vor mehr als Jahresfrist erfolgt sind, zerfällt in folgende Abschnitte: 1) *Akridin* (aus Ameisensäure und Diphenylamin); 2) *Phenylakridin* (aus Benzoesäure und Diphenylamin); 3) *Methylakridin* (aus Essigsäure und Diphenylamin); 4) *Butylakridin* (aus Valeriansäure und Diphenylamin; und 5) *Akridylbenzoesäure* (aus Phtalsäure und Diphenylamin). Der VI. Abschnitt enthält eine Zusammenstellung der allgemeinen Merkmale der Akridine, eine Besprechung der aus der Untersuchung sich ergebenden theoretisch interessanten Schlussfolgerungen und den Hinweis auf den weiteren Ausbau der vorliegenden Untersuchungen. (LIEB. Ann. **224.** 1—56. Mitte Juni. Heidelberg.)

Schlagdenhauffen, *Bildung von ameisensaurem Zink in einem Reservoir für Terpentinöl.* An der unteren Fläche des Deckels eines Zinkgefäßes, in welchem zehn Jahre lang Terpentinöl aufbewahrt worden war, fand der Vf. einen weißen fest anhaftenden Überzug, stellenweise mit braunen harzartigen Flecken. Die weiße Substanz war zum Teil in Wasser löslich, ebenso die braune. Das Filtrat von beiden reduzierte ammoniakalisches Silber, besaß also die Eigenschaften der Formiate; als man aber die weiße Substanz mit Wasser kochte und heiß filtrierte, bildete sich immer ein brauner, flockiger, sehr reichlicher Niederschlag, welcher unter dem Mikroskop kleine gut ausgebildete Krystalle zeigte. Als nach längerer Zeit das Filtrat vollkommen abgekühlt war, hatte sich am Boden der Schale krystallisiertes ameisensaures Zink abgeschieden. Behandelte man die Substanz mit kaltem Wasser, so blieb das Filtrat klar und gab nach der Konzentration dieselben Krystalle. Als man den weißen Körper zuerst mit siedendem Alkohol behandelte, wurde eine gewisse Menge eines Zinksalzes ausgeschieden, welches, da das Zinkformiat unter diesen Umständen unlöslich ist, nichts anderes als terebentinsaures Zink sein konnte. Denn durch Abdampfen der alkoholischen Lösung zur Trockne und Wiederaufnehmen des Rückstandes mit Wasser erhielt man eine lösliche Verbindung, welche Silbernitrat reduzierte, durch Schwefelwasserstoff gefällt wurde und ebenso mit Kali einen Niederschlag gab, welcher sich in überschüssigem Kali löste, aber nach dem Eindampfen zur Trockne und dem Glühen eine Zinkmenge ergab, welche in keinem Verhältnis zu dem Formiat stand. Die Bildung der Terebentinsäure und der Ameisensäure würde nach folgender Gleichung stattfinden:

$$C_{10}H_{16} + 7O = C_9H_{14}O_2 + CH_2O_2.$$

(Journ. Pharm. Chim. [5.] **9.** 482—84. Juni.)

W. A. Tilden, Über *die Zersetzung von Terpenen durch Hitze.* (Chem. N. **49.** 286. 20. Juni.)

J. H. Stebbins, jun. *Einwirkung von Diazo-β-Naphtalin auf Phenole.* Seit der Entdeckung, daß β-Naphtol durch Ammoniak unter Druck in β-Naphtylamin umgewandelt werden kann, ist ein neues Feld zur Darstellung von Azofarbstoffen erschlossen. Diese Verbindungen sind isomer mit den Derivaten des α-Naphtylamins oder Diazo-α-Naphtalins. Von mehreren Autoren ist gesagt worden, daß das β-Naphtylamin diazoliert und mit Phenolen zu neuen Farbstoffen verbunden werden kann, aber in keinem Falle sind derartige Verbindungen beschrieben worden. In der Absicht, einen neuen Einblick in die Natur dieser Körper zu gewinnen, hat der Vf. Diazo-β-Naphtalinchlorid mit Phenolen behandelt und folgende Resultate erhalten.

Phenolazo-β-Naphtalin $\beta C_{10}H_7-N\cdots N-C_6H_4OH$. 10,2 g β-Naphtylamin wurden in 12 g 7 g HCl (1,2 spez. Gewicht) mit 500 ccm Wasser verdünnt mäßig erhitzt, filtriert und zum Abkühlen gebracht; hierauf setzte man unter beständigem Umrühren 5 g NaNO, 50 ccm Wasser hinzu. Das auf diese Weise gebildete Diazo-β-Naphtalinchlorid wurde nach einstündigem Stehen mit einer Lösung von 6,7 g Phenol, 5,7 g Natriumhydrat und 200 ccm Wasser gemischt. Es entstand unmittelbar ein ziegelroter Niederschlag. Dieser wurde gesammelt, filtriert und getrocknet, nachher durch Lösen in Natronlauge, Fällen mit Essigsäure und Umkrystallisieren aus Benzol gereinigt. So wurden kleine hellgelbe, in kaltem Wasser wenig lösliche Krystalle erhalten, welche in siedendem Wasser zu einer harzigen Masse schmelzen. In Natronlauge lösen sie sich leicht und lassen sich daraus durch Säuren unverändert wieder abscheiden. Schmelzpunkt 100°. Der Körper ist wahrscheinlich nach folgender Gleichung entstanden:

$$\beta C_{10}H_7N\cdots N-Cl + C_6H_5OH = \beta C_{10}H_7-N\cdots N-C_6H_4OH + HCl.$$

Erhitzt man einen Teil des Farbstoffes mit drei Teilen rauchender Schwefelsäure im Wasserbade eine Stunde lang, so wird eine Sulfosäure gebildet. Die Schmelze wird in Wasser gelöst, mit Calciumcarbonat neutralisiert und von dem Gips abfiltriert. Das Filtrat scheidet sich beim Abdampfen des Kalksalzes der neuen Sulfosäure in mikroskopischen Nadeln aus, welche im durchfallenden Licht gelb und im reflektierten Licht rotbraun erscheinen. Die Bestimmung des Schwefels und Calciums gab Resultate, nach welchen der Vf. für das Salz die Formel:

$$\left(\beta C_{10}H_5 <^{SO_2}_{SO_2}> Ca-N \stackrel{\cdot}{=} N-C_6H_4(OH)-SO_2\right)_2 \stackrel{\cdot\cdot}{=} Ca + 3^{1}/_{2}H_2O$$

aufstellt. Die freie Säure wird wahrscheinlich durch eine der Formeln:

1. $\beta C_{10}H_5(HSO_3)_2-N \quad N-C_6H_3(HSO_3)OH,$
2. $\beta C_{10}H_6(HSO_3)-N \stackrel{\cdot}{=} N-C_6H_2(HSO_3)_2OH,$

ausgedrückt.

o-Kresolazo-β-Naphtalin $\beta C_{10}H_7-N \quad N-C_6H_3(CH_3)OH.$ 10,2 g β-Naphtylamin wurden mit 12,7 g Salzsäure (1,2 spez. Gewicht) und 5 g Natriumnitrit diazotiert und die erhaltene Lösung nach einer Stunde mit 7,7 g o-Kresol, 5,7 g Natron und 200 ccm Wasser versetzt. Es entstand ein gelbbrauner Niederschlag, welcher nach dem Waschen getrocknet wurde. Er ist löslich in Toluol, Äther, Petroleumäther, Alkohol und Eisessig, krystallisiert aber aus keinem dieser Lösungsmittel. Er ist ferner löslich in Natronlauge und wird daraus unverändert durch verdünnte Säuren wieder abgeschieden.

Er schmilzt in siedendem Wasser zu einer harzigen Masse, wobei teilweise Zersetzung eintritt. Mit rauchender Schwefelsäure im Wasserbade erhitzt, erleidet der Körper totale Zersetzung, so daß eine Sulfosäure nicht hergestellt werden konnte. Der Vf. konnte keine Analyse ausführen, ist aber nicht im Zweifel, daß die Reaktion nach der folgenden Gleichung verläuft:

$$\beta C_{10}H_7-N \cdot \cdot N-Cl + C_6H_4(CH_3)OH = \beta C_{10}H_7-N \stackrel{\cdot}{=} N-C_6H_3(CH_3)OH.$$

Resorcinazo-β-Naphtalin, $\beta C_{10}H_7-N \quad N-C_6H_3(OH)_2),$ wurde in derselben Weise wie die vorhergehende Verbindung aus Resorcin dargestellt. Der erhaltene rotbraune Niederschlag wurde nach dem Waschen und Trocknen mit Natronlauge behandelt, welche ihn zum Teil löst. Der unlösliche Rückstand wurde gewaschen und getrocknet und zu einer näheren Prüfung bei Seite gesetzt. Das Filtrat, mit Salzsäure angesäuert, gab einen hellbraunen Niederschlag, welcher das saure Natronsalz des Resorcinazo-β-Naphtalins ist von der Formel:

$$\beta C_{10}H_7-N \cdot \cdot \cdot -C_6H_3 <^{ONa}_{OH} + C_2H_6O.$$

Es enthält 1 Mol. Alkohol, wie sich aus der Formel ergiebt. Die freie Säure entspricht demnach der Formel: $\beta C_{10}H_7-N \stackrel{\cdot}{=} N-C_6H_3(OH)_2.$ Beim Erhitzen mit rauchender Schwefelsäure im Wasserbade entsteht ein Sulfosalz, welches der Vf. nicht näher untersucht hat.

Der oben erwähnte, in Natronlauge unlösliche Rückstand wurde in Alkohol gelöst; die Lösung schied beim Konzentrieren den Körper in Form flacher, rotbrauner Prismen vom Schmelzpunkte 143—144° ab. Der Körper ist keine Diazoverbindung, wie sich aus der Analyse ergab, doch konnte die Natur desselben nicht mit Bestimmtheit festgestellt werden. (Journ. Amer. Chem. Soc. **6**. 151—55. Mai.)

Charles E. Groves, *β-Naphtochinon.* In einer vorläufigen Mitteilung (**82**. 713) über eine Methode zur Darstellung des β-Naphtochinons mit bezug auf das β-Naphtolorange, das Natriumsalz der Diazosulfonsäure $OH.C_{10}H_5.N_2.C_6H_4.SO_3H,$ welches LIEBERMANN als das geeignetste Material zur Darstellung des Chinons empfiehlt, erwähnte der Vf., daß er die Versuche von LIEBERMANN sorgfältig wiederholt, und zwar dessen Resultate überall bestätigt gefunden habe, mit ihm aber nicht in bezug auf den Wert der Methode zur Darstellung des β-Naphtochinons übereinstimmen könne.

In der vorliegenden Arbeit werden eingehende Mitteilungen über die Darstellung des salzsauren Amido-β-Naphtols aus β-Orange durch Reduktion mit Zinnchlorid, sowie mit alkalischen Sulfiden gegeben. Obwohl der Prozeß theoretisch interessant ist, so steht er doch dem von STENHOUSE und dem Vf. angegebenen (**77**. 438) in bezug auf Einfachheit und Ergiebigkeit nach. Letzterer besteht darin, daß man Nitroso-β-Naphtol aus β-Naphtol durch Einwirkung von Nitrosylsulfat bereitet und dann das Bariumsalz desselben durch Schwefelammonium reduziert. Gegenwärtig wird fast reines Natriumnitrit in großen Mengen zur Benutzung in der Teerfarbenindustrie dargestellt, und es ist deshalb vorteilhaft, dieses käufliche Produkt an Stelle des Nitrosylsulfates, welches man im Laboratorium benutzen muß, anzuwenden. Eine verdünnte Lösung von Natrium-β-Naphtol und Natriumnitrit in geeigneten Verhältnissen wird in verdünnte Schwefelsäure gegossen, der gelbe Niederschlag gesammelt, durch Auflösen in verdünnter Natronlauge gereinigt und

als *Natriumnitroso-β-Naphtol* durch Zusatz von mehr Natron gefällt, indem das Natrium-
derivat in Lösungen, welche 2—3 p. c. NaHO enthalten, nur wenig löslich ist. Diese
Natriumverbindung bringt man noch feucht in eine Lösung von Zinnchlorür in Salzsäure,
worin sie sofort in salzsaures Amido-β-Naphtol übergeht. Es muſs übrigens hierbei dafür
gesorgt werden, daſs kein zu groſser Überschuſs von Zinnchlorür vorhanden ist, weil sonst
eine Verbindung von Amido-β-Naphtol mit Zinnchlorid an Stelle des salzsauren Salzes
entsteht.

β-Naphtochinon. Um das Amidoderivat in das Chinon umzuwandeln, ist es vorteilhafter, als oxydierendes Agens Eisenchlorid, statt wie früher empfohlen wurde, Chromsäuremischung anzuwenden. Jenes kann ohne Schaden in beträchtlichem Überschusse
angewendet werden und lange Zeit in Berührung mit dem Chinon bleiben, ohne dasselbe
zu verändern, während es durch Chromsäuremischung rasch zersetzt wird. Wenn eine
verdünnte Lösung von salzsaurem Amido-β-Naphtol in eine Lösung von Eisenchlorid gegossen wird, von welcher man etwas mehr als die Gleichung:

$$OH.C_{10}H_6.NH_2Cl + Fe_2Cl_6 + H_2O = C_{10}H_6O_2 + 2FeCl_2 + NH_4Cl + 2HCl$$

verlangt, anwendet, so wird die Mischung augenblicklich dunkler und setzt sofort das
Chinon in mikroskopischen, orangegelben Nadeln ab. Diese werden sorgfältig gewaschen
und bei gelinder Wärme in einer Atmosphäre, welche frei von sauren Dämpfen ist, getrocknet; letztere würden das Chinon durch Bildung von *Dinaphtyldichinhydron* dunkler
färben. Das auf diesem Wege erhaltene β-Naphtochinon ist rein und von tief goldgelber
Farbe; die Ausbeute beträgt 70—72 p. c. von dem angewendeten salzsauren Amidonaphtol.
Wie bereits erwähnt, hat dieser Prozeſs zwei Vorzüge vor dem LIEBERMANN'schen: erstens
ist er einfacher, und zweitens betragen die Kosten für das Rohmaterial zur Darstellung
eines bestimmten Gewichtes Chinon nur ungefähr ein Fünftel.

Nitro-β-Naphtochinol, $C_{10}H_5(NO_2)(OH)_2$. In ihrer früheren Untersuchung erwähnen
STENHOUSE und GROVES, daſs durch Einwirkung von Jodwasserstoffsäure und Phosphor
auf das Nitrochinon zwei Verbindungen, anscheinend Nitro-β-Naphtochinol und Amido-β-
Naphtochinol entstehen. Dieselben lassen sich übrigens bequemer durch Anwendung von
Zinnchlorür als Reduktionsmittel darstellen· Wird feuchtes Nitro-β-Naphtochinon in eine
mäſsig verdünnte Lösung von Zinnchlorür (enthaltend 4—5 p. c. Zinn) in geeignetem
Verhältnisse eingeführt, so löst sich ein groſser Teil des Nitroderivates zu einer dunkelroten Flüssigkeit, aber in wenig Minuten wird diese heller, und das Amidochinol scheidet
sich charakteristisch ab. Es ist fast unlöslich in Wasser, läſst sich aber aus Alkohol oder
Benzol umkrystallisieren, wodurch man es in glänzenden, roten Nadeln erhält, welche
durchaus verschieden von der gleich zusammengesetzten Substanz sind, die KORN (Ber.
Chem. Ges. **17.** 909) aus Nitro-β-Naphtochinonanilid erhalten hat.

Amido-β-Naphtochinol. Nitro-β-Naphtochinon wird in das Amidoderivat umgewandelt, wenn man es durch Zinn und Salzsäure oder durch eine heiſs konzentrierte Lösung
von Zinnchlorür reduziert. Es ist übrigens besser, dasselbe zuerst in Nitro-β-Naphtochinol
umzuwandeln, und die Krystalle noch feucht mit fein verteiltem Zinn, wie man es durch
Fällung erhält, und konzentrierter Salzsäure zu mischen. Beim gelinden Erhitzen im
Wasserbade beginnt eine lebhafte Reaktion, welche, wenn man mit gröſseren Mengen arbeitet, durch Eintauchen in kaltes Wasser gemäſsigt werden muſs. Die rote Farbe verschwindet schnell, und beim Abkühlen setzt sich das salzsaure Amido-β-Naphtochinol in
krystallinischem Zustande ab und kann durch Umkrystallisieren aus heiſsem Wasser gereinigt werden, wodurch man es in glashellen Prismen erhält. Wie die Amido-β-Naphtol-
verbindung wird es an der Luft bald oxydiert.

Schlieſslich macht der Vf. darauf aufmerksam, daſs, obgleich er in Gemeinschaft mit
STENHOUSE die Darstellung von Amido-β-Naphtochinon durch Einwirkung oxydierender
Agenzien veröffentlicht und später in einer direkt an LIEBERMANN gerichteten Notiz mitgeteilt hat, daſs er mit einer Untersuchung über das Nitro-β-Naphtochinon und dessen
Reduktionsprodukten beschäftigt sei (Ber. Chem. Ges. **14.** 1659), dennoch ein „Student
in dem organ. Laboratorium der techn. Hochschule", welcher unter LIEBERMANN's Leitung arbeitet und neuerlich eine Note publiziert hat, in welcher er die Reduktion des
Nitro-β-Naphtochinons zu Amido-β-Naphtochinon beschreibt, ohne jene Arbeiten zu erwähnen. (Chem. N. **49.** 257. 13. Juni.)

Kleine Mitteilungen.

Verarbeitung der Thomasschlacken auf Düngematerial, nach HASENCLEVER.

Zu diesem Zwecke sind bereits zwei ausgedehnte Etablissements von der Gesellschaft Fertilitas in Stolberg bei Aachen und Schalke in Westfalen im Betriebe und sollen ähnliche Anlagen an anderen Orten gemacht werden, und zwar in der Nähe von Sulfatfabriken, um deren verdünnte Salzsäure, ein sonst so lästiges Nebenprodukt, benutzen zu können. Man wird die jetzt fabrizierte Salzsäure zur Zersetzung der Schlacken vollständig und besser verwerten können, als zur Chlorentwicklung, wie auch die Extraktion der Phosphorsäure in den meisten Fällen vorteilhafter sein wird, als die bisherige Wiedergewinnung des Schwefels aus den Sodarückständen. Die deutsche Salzsäureproduktion beläuft sich pro Jahr annähernd auf 148 450 t Säure von 20° B. (Chem. Ind.; B.- u. H.-Z. **43**. 215; eine ausführlichere Mitteil. über denselben Gegenstand: B.- u. H.-Z. **43**. 218—20.)

Selbstzersetzung von Sprenggelatine, von CHARLES E. MUNROE.

ABBOT konstatiert in einem Berichte über submarine Sprengungen, daß Sprenggelatine, welche den Winter und Frühling hindurch lagerte, ohne einer höheren Temperatur ausgesetzt zu sein, in Cellulose und freies Nitroglycerin sich zersetzte unter reichlicher Entwicklung von Untersalpetersäuredämpfen.

Der Vf. beobachtete ebenfalls eine Selbstzersetzung bei gewöhnlicher Temperatur. Campherierte Sprenggelatine, in Paraffin und lichtbraunes Manillapapier gehüllt, gab nach einjährigem Liegen Untersalpetersäuredämpfe ab und schrumpfte bedeutend zusammen. Das Papier war außen mit kleinen Krystallgruppen bedeckt. Der Camphergeruch war noch sehr stark. Die Masse löste sich im Wasser bald, der Kamphergeruch verschwand, das Wasser ward strohgelb, enthielt Spuren von salpetriger Säure, aber keine Salpetersäure. Beim Verdampfen der abfiltrierten Flüssigkeit krystallisierte Oxalsäure in großer Menge aus, während die Mutterlauge über dem Wasserbade in eine zuckerähnliche Masse sich verwandelte, welche mit FEHLING'S Solution die Glykosereaktion gab. Das Paraffin wurde unverändert gewonnen, das Papier in Flocken. Dagegen konnte die Gegenwart von Glycerin, Nitroglycerin oder Nitrocellulose nicht nachgewiesen werden.

DE LUCA teilt (C. r. **59**. 487. 1847) mit, daß Schießwolle sich am raschesten bei Erhitzung im Wasserbade auf 50° zersetzt, auch unter Einwirkung des direkten Sonnenlichtes schnell, weniger bei zerstreutem Lichte und sehr langsam in der Dunkelheit. Die Schießbaumwolle schrumpft zuerst auf ein Zehntel ihres ursprünglichen Volums zusammen, wird dann gummiähnlich und klebrig, endlich schwillt sie an unter fortwährender Abgabe von Dämpfen (Untersalpetersäure), besonders aber in der letzten Phase. Schließlich hört die Gasentwicklung auf, die Masse wird spröde, licht wie Zucker und ist dann im Wasser vollkommen löslich. Sie besteht vorwiegend aus Glykose, Gummimasse, Oxalsäure, wenig Ameisensäure und einer neuen Säure. Aus 100 g Schießwolle wurden 14 g Glykose erhalten.

Bezüglich der Beständigkeit des Nitroglycerins, des zweiten Bestandteiles der Sprenggelatine, bemerkt A. BRÜLL in seinen „Etudes sur la nitroglycérine et la dynamite": Nitroglycerin, welches Spuren von Säure enthält, ist nicht beständig, doch geht die Zersetzung langsam und ruhig vor sich. Zuerst entweichen Untersalpetersäuredämpfe, die Flüssigkeit wird grünlich, dann bilden sich Stickoxydul, Kohlensäure und Oxalsäurekrystalle. Nach einigen Monaten erhält man eine grünliche, gelatinöse Masse, aus Oxalsäure, Wasser und Ammonian bestehend. Bei höherer Temperatur (Sonnenhitze) geht die Zersetzung rascher vor sich; selten jedoch bewirkt sie eine Explosion.

Die Quelle des Übels scheint also in der Gegenwart freier Säure zu liegen, und bei Schießwolle ist sie kaum zu vermeiden, nachdem die Löslichkeit der letzteren ihre Reinigung erschwert. (Journ. Amer. Chem. Soc. **6**. Nr. 1 bis 2; Chem. N. **49**. 259; Österr. Ztschr. **32**. 313.)

Darstellung von Cuprammonium- und Zinkammoniumverbindungen und ihre technische Verwendung, von C. R. A. WRIGHT.

In den letzten Jahren wurden viele Versuche ausgeführt, die Eigenschaft der Cuprammonium- und Zinkammoniumverbindungen, Cellulose zu lösen, technisch zur Darstellung einer Art Pergament zu verwerten. Der ursprünglich von J. SCOFFERN angegebene Prozeß wird jetzt von der Patent Waterproof Paper and Canvas Company in den Canal Works zu Willesden Junction im großen Maßstabe ausgeführt und besonders für Seile, Papier und Segeltuch verwendet. Die betreffenden Stoffe werden dabei so lange in eine konzentrierte Cuprammoniumlösung getaucht, bis die äußeren Fasern ganz gelatiniert sind. Beim Trocknen auf Dampftrommeln entsteht aus denselben eine dicke Schicht. Um dickere Pappe darzustellen, werden mehrere dünne Blätter miteinander durch das Bad gezogen, gepreßt und getrocknet. Bei vorsichtigem Trocknen verbindet sich das Kupfer mit der Faser zu

einer grünen Verbindung; diese bewahrt die so behandelten Stoffe auch vor Insekten und
Schwämmen. Anstatt Cuprammoniumhydroxyd kann man eine Mischung mit der Zinkverbin-
dung anwenden; letztere allein arbeitet schlecht. Bei den Cuprammoniumsalzen ist die Pektini-
sierungskraft bedeutend geringer.

Die angewendete Kupferlösung enthält nach dem Vf. etwa 100—150 g Ammoniak und 20
bis 25 g Kupfer in 1 l; dieselbe wird im großen dargestellt durch die Einwirkung von starker
Ammoniakflüssigkeit auf Kupferspäne in Gegenwart eines Luftstromes. Aus Messingspänen läßt
sich auf die gleiche Weise eine Mischung von Kupfer und Zinkammoniumhydroxyd erhalten.
Zink allein wird auf diese Weise wenig angegriffen. Bei Gegenwart von Eisen wird die Lösung
durch Bildung eines galvanischen Stromes beschleunigt. Reine Cuprammoniumlösung hat absolut
keine Einwirkung auf eiserne Gefäße.

Über die Darstellung der Kupferlösung (blue liquor) machte Vf. folgende Versuche. Die
Beziehungen zwischen Konzentration und spezifischem Gewichte der wässerigen Ammoniaklösungen
ergaben sich zu:

Spez. Gew.	Proz. NH$_3$ bei 18,5° nach WRIGHT und THOMPSON	Prozent NH$_3$ bei 140° nach CARIUS	Prozent NH$_3$ bei 16° nach OTTO	Mittlerer Gehalt bei 16,2°	Gramm im Lit. bei 16,2°	Differenz für 1,001 spez. Gew.
1,000	0	0	—	0	0	
0,995	1,16	1,200	—	1,17	11,64	2,33
0,990	2,32	2,375	—	2,34	23,17	2,31
0,985	3,48	3,525	—	3,52	34,67	2,30
0,980	4,74	4,725	—	4,73	46,35	2,34
0,975	6,00	5,975	5,850	5,97	58,21	2,37
0,970	7,27	7,225	7,175	7,23	70,13	2,38
0,965	8,54	8.514	8,500	8,52	82,22	2,42
0,960	9,81	9,825	9,800	9,83	94,37	2,43
0,955	11,19	11,171	11,125	11,16	106,58	2,44
0,950	12,56	12,543	12,446	12,53	119,04	2,49
0,945	13,94	13,971	—	13,96	131,93	2,58
0,940	15,47	15,400	—	15,44	145,14	2,64
0,935	17,01	16,900	—	16,96	158,58	2,68
0,930	18,54	18,467	—	18,50	172,05	2,69
0,925	20,08	20,033	—	20,06	185,55	2,70

Bei den Versuchen über Ammoniakmengen, welche aus einer wässerigen Lösung durch einen
Luftstrom fortgerissen werden, zeigte sich, daß beim Lösen von 11,4 kg (25 Pfd. engl.) Kupfer
in Ammoniakflüssigkeit (150 g NH$_3$ in 1 l) 2—9 kg (5—20 Pfd.) Ammoniak je nach der Temperatur durch den Luftstrom fortgerissen werden. Dieses Ammoniak wird in der Praxis in Form
von verdünnter Kupferlösung wieder gewonnen.

Die Löslichkeit des Kupfers, wenn es mit Ammoniak und Luft behandelt wird, nimmt mit
steigender Konzentration bedeutend ab. Auch bei der besten Absorption wird nur ein geringer
Teil des durchgehenden Sauerstoffes der Luft zurückgehalten. Wenn die Stärke der Kupferlösung
12—15 g in 1 l nicht übersteigt, so ist dieselbe sehr beständig; dieselbe ist auch ein ausgezeichnetes Konservierungsmittel für Holz. Die von der oben genannten Gesellschaft mit dem Kupfer-
verfahren dargestellten Waren gehen im Handel allgemein unter dem Namen „Willesden fabrics".
(Pol. J. **253**. 37—38.)

Auramin, von A. KÖCHLIN. Dieser von der Badischen Anilin- und Sodafabrik in Lud-
wigshafen einerseits, von BINDSCHEDLER und BUSCH andererseits in den Handel gebrachte gelbe
Farbstoff ist eine interessante Neuheit, welche sich schnell die Gunst des Druckers zu erobern
gewußt hat. Es ist der erste künstliche gelbe Farbstoff, welcher sich auf der Pflanzenfaser in
der Art der basischen Anilinfarbstoffe durch Gerbsäure fixieren läßt. Eine Dampffarbe wird aus
Auramin, dem gleichen Gewichte Weinsäure und dem sechsfachen Gewichte Tannin zusammengesetzt. Wird diese Farbe auf gewöhnliches, statt mit Zinn präpariertes Gewebe gedruckt, so
wird nach dem Dämpfen die Befestigung durch die übliche Brechweinsteinbehandlung vervollständigt. Es widersteht alsdann die Gelb dem Seifen. Der Ton dieser Gelb wechselt vom Goldgelb bis zum reinen Schwefel- oder Citronengelb, je nach der Menge des Farbstoffes. Das Auramin fixiert sich ebenfalls auf Wolle und giebt auf derselben Töne von unerreichter Reinheit.
Das Ölbeizen des Baumwollstoffes ist der Fixierung des Auramins eher schädlich als nützlich.

Die Lichtechtheit dieses Farbstoffes scheint eine beträchtliche zu sein; hingegen leidet er an
bedeutender Empfindlichkeit gegenüber Chlor. Seine Eigenschaft, sich mit Tannin befestigen zu

zu lassen, gestattet seine Mengung mit anderen Tanninfarben, z. B. behufs Erzeugung von sehr gelben Tönen von Malachitgrün u. dergl. Auf der anderen Seite läfst sich das Auramin hingegen auch mit metallischen Beizen, z. B. mit Thonerde, unter gewissen Bedingungen fixieren. Das neue Gelb wird gewifs den Kreuzbeeren eine Konkurrenz bereiten, zwar weniger in bezug auf Solidität, indem ja ein Kreuzbeerengelb, mit Zinnoxydul oder Zinnoxyd unter gleichzeitiger Anwendung von Chrommordant fixiert, die Echtheit der Alizarinfarben besitzt und dabei von der Präparation des Gewebes (Zinn oder Öl) unabhängig ist, als vielmehr in Hinsicht auf den Preis. Ein aufserordentlicher Aufschlag ist seit geraumer Zeit im Preise der Kreuzbeeren eingetreten, und suchen die Anilinfarbenfabrikanten, angefeuert von den Verbrauchern, seit lange nach einem künstlichen Ersatze derselben.

A. POIRRIER in Paris hat den ersten Schritt in dieser Richtung gethan, und zeichnet sich sein Jaune solide, ein mit Chromacetat fixierbarer Azofarbstoff, durch Echtheit aus. Es läfst sich in Art des Kreuzbeerenextraktes mit Cöruleïn, Blauholz, COUPIER's Grau etc. behufs Hervorbringung von Olive- und Modefarben mischen, zieht aber auch ebenso wie der Gelbbeerenfarbstoff die basischen Anilinfarbstoffe (Methylenblau) beim Dämpfen an und gestattet so die Erzeugung einer ähnlichen Farbenskala, wie der Farbstoff aus dem Pflanzenreiche, über welchen es die gröfsere Billigkeit voraus hat. Für sich allein fixiert, giebt das Jaune solide orangegelbe Farbentöne, von bedeutender Widerstandsfähigkeit gegen Seife und Licht.

Heute vervollständigt das Auramin diesen Wettkampf, indem es jene reinen und lebhaften Farben liefert, welche das Jaune solide nicht hervorzubringen vermag.

Ein dritter neuer, gelber Farbstoff, welcher in bezug auf Reinheit der damit erzeugten Töne sich dem Auramin ebenbürtig an die Seite stellt, der hingegen nur auf Seide und Wolle angewendet wird, ist das Flavanilin der Farbwerke, vormals MEISTER, LUCIUS und BRÜNNING in Höchst a. M. Nach dem Vf. wird das Flavanilin im Drucke mit seinem Gewichte Weinsäure und essigsaurer Magnesia fixiert. Färbt man auf Baumwolle fixierten Manganbister in Flavanilin, so erhält man ein lebhafteres Braun, wie das auf gleiche Weise mit Naphtylamin erzeugte; nur werden hierbei die mit Zinnsalz geätzten weifsen Stellen gelb. Bei der Oxydation des Flavanilins auf dem Gewebe, in gleicher Weise ausgeführt, wie diejenige des Anilins behufs Schwarzerzeugung, erhält man nach dem Vf. viel blässere Nankintöne, wie diejenigen, welche das Toluidin (1,4) unter denselben Umständen giebt. (Sitzungsber. des Comité de Chimie de Mulhouse. April 1884; Pol. J. **253.** 86—87.)

Darstellung von Bromwasserstoffsäure, von AD. SOMMER. Die Darstellungsmethoden der Bromwasserstoffsäure lassen sich in vier Klassen einteilen: 1. Direkte Verbindung von Brom und Wasserstoff; 2. Zersetzung von Wasserstoffverbindungen, wie H_2S, HJ, NH_3 und Öle, durch Brom; 3. Zersetzung von Bromverbindungen mit festen Metalloiden (besonders PBr_3) mit H_2O; 4. Zersetzung von Metallbromiden durch Säuren. Von den unter 1 bis 3 aufgeführten Methoden liefert nur diejenige mit PBr_3 gute Resultate.

Vf. beschreibt nun eine von ihm neu vorgeschlagene Methode durch Zersetzung von $ZnBr_2$ mit H_2SO_4. Das Zinkbromid wird mit Leichtigkeit durch Einwirkung von Bromwasser, welches ungelöstes Brom enthält, auf Zink dargestellt. Die Lösung wird schnell eingedampft. Um gleich das beständige Hydrat von HBr, welches $5H_2O : 1HBr$ enthält, zu erzielen, destilliert man 225 Tle. $ZnBr_2$, 180 Tle. Wasser (das Wasser in der Schwefelsäure eingeschlossen) und 196 Tle. Schwefelsäure (als Monohydrat berechnet) in einer Retorte:

$$ZnBr_2 + 2H_2SO_4 + 10H_2O = ZnSO_4.H_2SO_4 + 2HBr.10H_2O.$$

Das Produkt wird zur Reinigung von H_2SO_4 mit $BaCO_3$ versetzt und wieder destilliert (Siedepunkt 123°).

Sulfide lassen sich leicht in Sulfate überführen, wenn man dieselben zuerst mit Salpetersäure erwärmt und dann langsam konz. Bromwasserstoffsäure zusetzt. (Journ. Soc. Chem. Ind. **3.** 20—23.)

Nahrungswert des gekochten Fleisches, von AUGUST VOGEL. Bei der in Haushaltungen üblichen Art des Fleischkochens wird das rohe Fleisch mit kaltem Wasser übergossen und dieses langsam ins Kochen gebracht. Es bildet sich dabei bekanntlich ein Schaum, welcher abgenommen wird. Aber gerade dieser abgeschöpfte Schaum enthält einen wichtigen Teil des Nahrungsstoffes — das im Fleische ursprünglich enthaltene lösliche Eiweifs, welches durch das Kochen geronnen. Diese Art der Zubereitung entzieht daher dem Fleische den Nahrungswert, ohne dafs derselbe der Fleischbrühe zu gut kommt. Beim Braten des Fleisches oder auch durch Einlegen in kochendes Wasser, nach LIEBIG's Vorschlag, mufs hiernach demselben der volle Nahrungswert erhalten bleiben. Diesen von vornherein angenommenen, aber noch nicht direkt nachgewiesenen Unterschied des Nahrungswertes zwischen Fleisch mit kaltem und Fleisch mit kochendem Wasser behandelt, hat Vf. durch einige Versuche festgestellt. Möglichst von Fett befreite, ungefähr faustgrofse Stücke Rindfleisch wurden mit gleichen Mengen Wassers behandelt und zwar in dem einen Versuche mit kaltem Wasser, welches durch langsames Erwärmen zum Kochen kam, — in dem anderen Versuche mit bereits lebhaft kochendem Wasser. In beiden Versuchen war das Kochen gleich lange Zeit, und zwar einige Stunden unter beständiger Erneuerung des verdampften Wassers fortgesetzt worden. Nach dem einen Verfahren — durch Einlegen des Fleisches in kaltes Wasser — wird demselben ein großer Teil des Eiweißes durch Lösen entzogen, nach dem zweiten aber, beim unmittelbaren Behandeln des heißen Fleisches mit kochendem Wasser, namentlich wenn demselben einige Tropfen Salzsäure zugesetzt werden, wird das Eiweiß sogleich an der Oberfläche des Fleisches koaguliert und somit eine Hülle gebildet, welche das Eindringen des Wassers ins Innere verhindert und die löslichen Bestandteile einschließt. Da bekanntlich das Eiweiß des Fleisches sich als vorwaltend stickstoffhaltig kennzeichnet, so mußte selbstverständlich die Bestimmung der Menge des Stickstoffes in den nach beiden Arten behandelten Fleischsorten über deren Nährwert Aufschluß geben. Als das Ergebnis zahlreicher Untersuchungen zeigte sich der Stickstoffprozentgehalt des mit kaltem Wasser ausgezogenen und dann erst langsam gekochten Fleisches wesentlich geringer, als der Stickstoffgehalt des sogleich in kochendes Wasser eingelegten Stückes. Als Durchschnitt ergab sich nach vielfach in neuerer Zeit in des Vf.s Laboratorium wiederholten Versuchen der Nahrungswert des langsam gekochten Fleisches zu dem Nahrungswert des sogleich in kochendes Wasser gebrachten Fleisches im Verhältnis von 4 : 5, d. h. fünf Pfund nach der gewöhnlichen Weise gekochten Fleisches enthalten den Nährwert von vier Pfund des in kochendes Wasser gebrachten Fleisches. Das umgekehrte Verhältnis findet bei der Fleischbrühe statt. Diejenige Fleischbrühe, welche aus dem mit kaltem Wasser behandelten Fleische entstanden ist, ergab sich etwas stickstoffreicher, als die aus dem unmittelbar in kochendes Wasser gebrachten Fleische gewonnene. Der Stickstoffgehalt des gekochten Fleisches und der Fleischbrühe zusammengerechnet stimmt mit dem Gesamtstickstoffgehalte des ungekochten Fleisches sehr nahe überein. Aber auch auf Gemüse, namentlich auf Kartoffeln, ist die Art des Kochens nicht ohne einigen, wenn auch minder wesentlichen Einfluß. Bringt man Kartoffeln, namentlich geschälte, in kaltes Wasser und erwärmt nach und nach zum Sieden, so bemerkt man eine Ansammlung von Schaum an der Oberfläche, indem das in kaltem Wasser gelöste Pflanzeneiweiß durch die allmähliche Temperaturerhöhung zum Gerinnen gebracht wird. Werden dagegen die Kartoffeln von vornherein in kochendes Wasser eingelegt, so gerinnt das Eiweiß an der Oberfläche der Kartoffeln plötzlich, und die im anderen Falle beobachtete Schaumbildung tritt gar nicht oder nur in sehr vermindertem Maßstabe auf. Vergleichende Stickstoffbestimmungen ergaben eine immerhin bemerkbare Stickstoffverminderung bei der langsam gekochten Kartoffel gegenüber der sofort in kochendes Wasser eingelegten. Wenn dieselbe auch nicht als eine sehr wesentliche betrachtet werden kann, so dürfte solche durch die Art des Kochens herbeigeführte Verminderung doch wohl einige Rücksicht verdienen, dies um so mehr, als die Kartoffel wie bekannt, ungefähr 2 p. c. Eiweiß enthält.

Beiträge für das Centralblatt bittet man an die Redaktion (Leipzig, Lessingstr. 5) zu richten. **Originalarbeiten** von nicht zu großem Umfange werden entsprechend honoriert und gelangen stets sofort nach der Einsendung, und zwar in kürzester Frist, zum Abdruck.

Redaktion: Prof. Dr. **Rud. Arendt** in Leipzig.

Verlag von Leopold Voss in Hamburg und Leipzig. — Druck von **Metzger & Wittig** in Leipzig.

Hierzu eine litterarische Beilage von **Julius Springer** in Berlin.

No. 35.

Chemisches

27. August 1884.

Wöchentlich eine Nummer von
1–2 Bogen. Der Jahrgang mit
Sach- und Namen-Register,
nebst system. Übersicht.

Central-Blatt.

Der Preis des Jahrgangs
ist 30 Mark. Durch alle
Buchhandlungen und Post-
anstalten zu beziehen.

REPERTORIUM

für reine, pharmazeutische, physiologische und technische Chemie.

Dritte Folge. XV. Jahrgang.

Wochenbericht.

4. Organische Chemie.

L. Battut, *Wirkung der Säuren auf den krystallisierten Zucker.* Inversion des reinen Zuckers und des Zuckers in der Rübe durch Schwefelsäure, Weinsteinsäure und Essigsäure. (Journ. des Fabricants de sucre 1884. Nr. 18; SCHEIBLER'S N. Ztschr. **13.** 9 bis 12.)

Ernst v. Meyer, *Bemerkungen über die chemische Konstitution des Anthrachinons, Anthracens und zugehöriger Verbindungen.* Der Vf. entwickelt in einer ersten Mitteilung die Gründe für seine Ansicht, dass das Anthrachinon nicht zur Klasse der Diketone gehört, sondern als ein Abkömmling des Phtalids zu betrachten ist, und namentlich als o-Phenylenphtalid, und dass ihm demnach die Formel $C_6H_4\left\{\begin{matrix} CO \\ C(C_6H_4)'' \end{matrix}\right\}O$ zukommt. Das Anthracen selbst würde dann $C_6H_4\left\{\begin{matrix} CH_2 \\ C(C_6H_4) \end{matrix}\right\}$, also ein Abkömmling des noch nicht dargestellten Phenylendimethylens, $C_6H_4\left\{\begin{matrix} CH_2 \\ CH_2 \end{matrix}\right\}$, sein.

In einer zweiten Mitteilung wendet er sich gegen die Einwürfe, welche V. MEYER (Ber. Chem. Ges. **17.** 818) und A. LIEBERMANN (Ber. Chem. Ges. **17.** 888) gegen diese Ansicht erhoben haben und erkennt die letzteren nicht als schwer wiegende Argumente an. (Journ. prakt. Chem. **29.** 139—44 und 494—97. Leipzig.)

Wm. Rupp, *Über β-Phenanthrolsulfosäure.* Diese Säure wurde durch Erhitzen von einem Teile β-Phenanthrol mit zwei Teilen Schwefelsäure im Wasserbade dargestellt; das Produkt wurde in Wasser gelöst, mit Bleicarbonat neutralisiert und durch Schwefelwasserstoff zersetzt. Die freie Säure, $C_{14}H_9(HSO_3)OH$, ist löslich in Wasser, Alkohol und Äther, läfst sich aber nicht krystallinisch erhalten. Nach dem Abdampfen des Lösungsmittels bildet sie eine schwarze pechartige Masse, selbst wenn die konzentrierte Lösung nur ganz licht gefärbt war. Alle Versuche zur Entfärbung derselben waren fruchtlos. Das Bleisalz ist in kaltem Wasser wenig und in siedendem Wasser leicht löslich, mit überschüssigem Bariumhydrat giebt die freie Säure einen grauen amorphen Niederschlag, welcher das neutrale Bariumsalz ist. (Journ. Amer. Chem. Soc. **6.** 155.)

Erich Harnack, *Über ein digitalinartig wirkendes Glykosid aus einem afrikanischen Pfeilgifte.* (Arch. f. experim. Pathol. und Pharm. **18.** 1—5. Dez. 1883. Halle.)

B. Luchsinger, *Ist Santonsäure wirklich ein ausschliefsliches Hirnkrampfgift?* (PFLÜG. Arch. **34.** 293—94.)

Fridolin, *Über Chebulinsäure.* Vf. giebt in einem Vortrage eine vorläufige Mitteilung über eine Säure, welche er in den Steinfrüchten der Terminalia Chebula gefunden hat und welche er Chebulinsäure zu nennen vorschlägt. Die Isolierung der Säure kann derart geschehen, dass die Früchte durch Alkohol extrahiert werden und der nach dem Verdunsten des Alkohols verbleibende Rückstand in Wasser aufgenommen wird. Die wässerige Lösung wird mit Kochsalz bis zur Sättigung versetzt, die dadurch zur Ausscheidung gelangende Masse von der Flüssigkeit getrennt und in Wasser gelöst. Beim Schütteln dieser Lösung mit Essigäther gehen die Gerbsäuren zugleich mit der Chebulinsäure in die ätherische Flüssigkeit über. Letztere wird nach dem Absetzen von der wässerigen Flüssigkeit getrennt. Löst man nach Abzug des Essigäthers den Rückstand in wenig Wasser, so erstarrt die zunächst klare Lösung nach mehreren Tagen zu einem Krystallbrei. Diese Krystalle von Chebulinsäure können mittels eines Saugfilters von den flüssig bleibenden Gerbsäuren getrennt und durch mehrmaliges Umkrystallisieren aus heifsem Wasser in vollkommen farblosem Zustande erhalten werden. Die gefundene prozentische Zusammensetzung der Chebulinsäure kommt der der Gallussäure nahe, in einigen wenigen Reaktionen stimmt die Chebulinsäure auch mit dieser überein, im übrigen aber ist sie so wesentlich von ihr verschieden, dafs von vornherein eine Identität beider Säuren ausgeschlossen erscheint.

Die Chebulinsäure bildet geruchlose, süfs schmeckende rhombische Prismen, die sich sehr leicht in Alkohol und heifsem Wasser, schwerer in Äther und sehr schwer in kaltem Wasser zu einer sauer reagierenden Flüssigkeit lösen. Die wässerige Lösung reduziert FEHLING'sche Flüssigkeit und giebt mit Eisenchlorid eine blauschwarze Fällung, die nach dem Zusatze von verdünnter Schwefelsäure sich farblos löst (Gallussäure mit gelber Farbe), und die nach abermaligem Zusatze einer sehr verdünnten Eisenchloridlösung eine grüne Farbe annimmt (Gallussäure hellbraun). Eine wässerige, warm bereitete Lösung fällt Leim, kalt bereitete nicht; Cyankalium ist ohne Einwirkung (Gallussäure giebt eine intensiv rosa Färbung). Mit Natriumcarbonat geschüttelt, wird die Lösung hellgelb, nach Zusatz von Mineralsäure farblos (Gallussäure giebt eine smaragdgrüne Lösung, die nach Zusatz einer Säure weinrot und nach abermaligem Sättigen mit dem Alkali wieder grün wird.) Schwefelsaures Cinchonin giebt einen weifsen, mit Gallussäure keinen, Kalkwasser einen farblosen, bei weiterem Zusatze einen grünen und dann blaugrün werdenden Niederschlag. Der Niederschlag mit Barytwasser ist malachitgrün. Goldchlorid wird erst beim Stehen von der Chebulinsäurelösung reduziert, wobei die Flüssigkeit eine blauviolette Färbung annimmt. Das bei der trocknen Sublimation der Säure erhaltene krystallinische Sublimat verhält sich wie Pyrogallol. Beim Erwärmen der Lösung im zugeschmolzenen Rohre bei 100°C. zerfällt sie in Chebulinsäure unter Aufnahme der Elemente des Wassers in Gallussäure und in eine Gerbsäure von der Zusammensetzung:

$$C_{14}H_{14}O_{10}(C_{26}H_{24}O_{19}) (?) + H_2O = 2C_7H_6O_5 + C_{14}H_{14}O_{10}.$$

Von den Salzen hat Vf. das Blei- und Kupfersalz hergestellt; ersteres enthält 66,95 p. c. Bleioxyd, letzteres 36,25 p. c. (Sitzungsber. aus der Dorpater Naturf.-Ges. 1884; Botan. C.-Bl. **19.** 94—95.)

H. Ost, *Einwirkung von Hydroxylamin und von Äthylamin auf Komansäure.* Aus Komansäure, $C_6H_2O_4$.COOH, und Hydroxylamin entsteht ein Körper von der Zusammensetzung einer Oximidokomansäure, $C_6H_2O.N(OH)$.COOH, jedoch stimmt das chemische Verhalten desselben nicht mit dem einer Oximidoverbindung überein. Bei 200° wirkt Salzsäure ein und erzeugt unter Kohlensäureentwicklung die Verbindung $C_5H_4NO_4$, durch Reduktionsmittel wird die fragliche Oximidoverbindung in β - Oxypicolinsäure (**84.** 310) übergeführt. Es scheint demnach, dafs Hydroxylamin analog dem Ammoniak auf Komansäure einwirkt und eine Dioxypyridincarbonsäure bildet. Mit dieser Auffassung steht das Verhalten substituierter Ammoniake gegen Komansäure im Einklange. Äthylamin verwandelt letztere in die Verbindung:

$$C_6H_2NO_5 + \frac{1}{2}H_2O = C_5H_2(C_2H_5)N \begin{Bmatrix} OH \\ COOH \end{Bmatrix},$$

die Oxycarbonsäure eines Äthylpyridins. Die Säure zerfällt schon bei 160° in Kohlensäure und einen hoch siedenden neutralen Körper, C_7H_9NO, wahrscheinlich Oxyäthylpyridin, $(C_5H_3(C_2H_5)N.OH)$. Ganz analog verhält sich die Komansäure gegen Äthylamin; es entsteht $C_8H_9.NO_4$, wahrscheinlich Dioxyäthylpyridincarbonsäure. Anilin und Komansäure geben das phenylierte Produkt $C_{12}H_9NO_4$. (Journ. prakt. Chem. **29.** 378—80. 14. Mai. Techn. Hochsch. Hannover.)

H. Ritthausen, *Vorkommen von Vicin in Saubohnen (Vicia Faba.)* (Vergl. **76.** 326; **81.** 694.) (Journ. prakt. Chem. **29.** 359—60.)

H. Ritthausen, *Über die Zusammensetzung der mittels Salzlösung dargestellten Eiweifskörper der Saubohnen (Vicia Faba) und weifsen Bohnen (Phaseolus.)* (Journ. pr. Chem. **29.** 448—56. Anf. Juli. Königsberg.)

S. Zeisel, *Über das Colchicin.* Der Vf. bemerkt, dafs HOUDÉS, welcher vor kurzem (S. 564) eine Mitteilung über das krystallisierte Colchicin brachte, wahrscheinlich keine Kenntnis von seinem (des Vf's.) Artikel über das Colchicin und das Colchiceïn (**83. 308**) gehabt hat. Um zu beweisen, daß er sich fortdauernd mit der Untersuchung dieses Körpers beschäftigt hat, teilt er einige Resultate mit, die er seitdem erhalten.

Die Krystalle, welche sich aus einer Lösung von Colchicin in Chloroform abscheiden und welche in ihren Eigenschaften fast ganz mit den von HOUDÉS beschriebenen übereinstimmten; sind nicht, wie letzterer annimmt, Colchicin, sondern eine Verbindung von *Colchicin mit Chloroform.* Das Chloroform läßt sich davon durch bloßes Stehen an der Luft nicht trennen, sondern man muß die Krystalle in Wasser lösen und die Lösung zum Sieden erhitzen. Verdünnte Mineralsäuren spalten das Colchicin in Colchiceïn und Methylalkohol. Jenes giebt durch Erhitzen mit konzentrierten Mineralsäuren auf 110—120° eine neue Base, welche der Vf. *Apocolchiceïn* nennt, und zugleich Methylalkohol und Essigsäure. Bei der Oxydation giebt Colchicin ein gut krystallisiertes Produkt, dessen Zusammensetzung der Vf. bestimmt hat. Mit reduzierenden Agenzien giebt es amorphe, schwer zu reinigende Produkte.

Der Vf. sieht für jetzt davon ab, für die genannten Körper Formeln zu geben; die zahlreichen Analysen, welche er gemacht hat, zeigen, daß die für das Colchicin und Colchiceïn gebräuchlichen Formeln nicht genau sind, allein sie gestatten noch nicht, dafür neue mit Sicherheit aufzustellen. (C. r. **98.** 1587—88. [30.*] Juni.)

A. Heinsius, *Über das Verhalten der Eiweißstoffe zu Salzen von Alkalien und von alkalischen Erden.* In eiweißhaltigen Flüssigkeiten gewährt von den Chlorüren das Calciumchlorid das ergiebigste Präzipitat, sodann Magnesium- und Natriumchlorid. Chlorkalium ergab nur eine geringe Trübung; beim Chlorammonium blieb die Flüssigkeit fast ganz hell. Von den Nitraten ergab nur Natriumnitrat ein einigermaßen beträchtliches Präzipitat. Auch die verschiedenen Phosphate erzeugten keinen oder nur einen unerheblichen Niederschlag, wie auch bei Sättigung mit Ammoniumoxalat, Rhodanammonium und Ammoniumacetat. Mit Natriumacetat wurde ein starker Niederschlag erzielt. Von Sulfaten brachten das Kalium- und Natriumsulfat einige Trübung. Das Ammoniumsalz dagegen gab einen sehr bedeutenden Niederschlag, und in der von diesem abfiltrierten Flüssigkeit fand sich keine Spur Eiweiß mehr. Dasselbe Resultat ergaben Ammoniumsulfit und Natriumdisulfat, während durch Sättigen mit Ammoniumdisulfat zwar ein beträchtlicher Niederschlag entstand, ohne daß das Eiweiß vollständig gefällt wurde. MÉHU hatte bereits im J. 1878 das Ammoniumsulfat angewandt, um aus serösen Flüssigkeiten und aus Milch die Eiweißstoffe auszuscheiden; derselbe empfahl dieses Salz, um Urobilin und andere Pigmente aus dem Urin, Gallensäure und Gallenfarbstoffe aus der Galle auszuscheiden. Der Ammoniumsulfat- und -sulfit-, sowie der Natriumdisulfatniederschlag ist in Wasser löslich. Nach Entfernung des Salzes durch Dialyse schlägt sich ein Teil des Eiweiß, das Globulin, nieder. Das Ammoniumsulfat scheidet auch Pepton und Propepton vollständig und unverändert aus deren Lösungen ab.

Es ist kein Grund vorhanden, den Teil der Eiweißstoffe des Blutes, der durch Chlornatrium und Dialyse nicht, sondern nur durch Magnesiumsulfat niedergeschlagen wird, zum Globulin zu rechnen (vergl. HAMMARSTEN, Jahresber. über Fortschr. der Tierchem. **11.** 17.)

Man wird einen Eiweißstoff nur dann den Globulinen zuzählen können, wenn er aus seinen Lösungen in Salzen nicht nur durch Sättigung mit dem Salze niedergeschlagen wird, sondern auch nach Entfernung desselben sich als in Wasser unlöslich erweist. (PFLÜGER's Arch. **34.** 330—34.)

C. Loring Jackson und **A. E. Menke,** *Über gewisse Substanzen aus Curcuma* (vgl. **82.** 726 und **83.** 438). Erhitzt man Curcumin mit einem geringen Überschusse von Essigsäureanhydrid und Natriumacetat etwa sechzehn Stunden lang, so erhält man zunächst ein zähes, dunkelbraunes Produkt, welches man in Eisessig löst und mit Wasser fällt. Die Fällung besteht aus Monoacetcurcumin:

$$C_{14}H_{13}(C_2H_3O)O_4 = (C_6H_3(OCH_3)^2(OC_2H_3O)^4(C_6H_5.COOH)^1,$$

sintert bei 58—60° zusammen und wird noch nicht bei 100°C. vollständig flüssig. Das Diacetcurcumin, $C_{14}H_{12}(C_2H_3O)_2O_4$, konnte Vf. bei obiger Darstellung der Monoverbindung nur einmal beobachten. Die gelben glänzenden, rhombischen Tafeln schmelzen bei 154°C. Mit konzentrierter Schwefelsäure liefern beide Verbindungen blutrote Lösungen. Phosphoroxychlorid verwandelt in Ligroin aufgelöstes Curcumin in eine purpurrote Substanz von grünem Schiller, welches das Anhydrid desselben zu sein scheint. Die vom Vf. mit *Tumerol* bezeichnete Verbindung (**83.** 438) geht bei der Oxydation mit heißer Chamäleonlösung im Überschusse in die Terephtalsäure über. Behandelt man ersteres aber bei gewöhnlicher Temperatur mit mäßig konzentrierter Permanganatlösung, bis die rote Farbe verschwunden ist, so erhält man beim Extrahieren der Masse, nach Entfernung des abgeschiedenen Mangansuperoxydes, mit Äther eine schwarze teerartige Substanz, aus welcher Wasserdämpfe die Curcuminsäure (Tumerinsäure, tumeric. acid.) $C_{11}H_{44}O_2$ übertreiben. Als weitere Oxydationsprodukte treten Kohlensäure, Essigsäure und die Apocurcuminsäure (Apoturmerinsäure apoturmeric acid) auf, welche letztere sich in dem von der Curcuminsäuredarstellung herrührenden Rückstand befindet. Für die Darstellung der reinen Curcuminsäure extrahiert man das mit Wasserdämpfen erhaltene Destillat mit Äther und führt die Säure in das in Aggregaten von Nadeln krystallisierende Kalksalz über $Ca(C_{11}H_{18}O_2)_2$ $+ 3H_2O$. Nach Zersetzung des letzteren mit Säuren erhält man die Curcuminsäure als ein zu Nadeln erstarrendes Öl, das schwach nach Kokosnüssen riecht und bei 34—35° schmilzt. Das Silbersalz giebt die Formel $C_{11}H_9O_2Ag$. Vf. beschreibt das Barium- und Zinksalz. — Bei der Oxydation dieser Säure mit Kaliumpermanganat entsteht Apocurcuminsäure $C_{16}H_{12}O_4$ oder $C_{10}H_{10}O_4$, dessen Calcium- oder Bariumsalz entweder $CaC_{10}H_8O_4.2H_2O$, resp. $BaC_{10}H_9O_4.2H_2O$ oder Ca-, resp. $BaC_{10}H_{10}O_4.2H_2O$ sind. Die Säure selbst schmilzt bei 221°. Reine Curcumin- und Apotumerinsäure liefern bei weiterer Oxydation mit Chamäleon keine Terephtalsäure.

Isobutylturmerol liefert mit Brom kein Additionsprodukt, sondern unter Abspaltung von Bromwasserstoffsäure ein nicht beständiges Öl. (Amer. Chem. Journ. 6. 77—88.)

G. Loring Jackson und **A. E. Menke,** *Über die Einwirkung von Phosphortrichlorid auf Anilin.* Das von TAIT (Jahresber. d. Chem. 1865. 411) beobachtete Einwirkungsprodukt obiger Substanzen, den Körper $(C_6H_5NH_{7})_3P.3HCl$, konnte Vf. nicht erhalten. Läfst man drei Moleküle PCl_3 auf ein Molekül Anilin einwirken und erhitzt das erhaltene Produkt auf 100 oder besser 150°C., so scheint sich die Verbindung $(C_6H_5NH)_2PCl$ zu bilden. Da sich dieser Körper nicht isolieren liefs, so wurde die alkoholische Lösung der Masse mit Wasser gefällt, wobei Phosphoranilid $(C_6H_5NH)_2P.OH$ erhalten wurde. Dasselbe stellt ein amorphes, weifses bei 87° schmelzendes Pulver vor, das in Alkohol und Äther leicht, aber nicht in kaltem Wasser löslich ist, und wird bei zwölfstündigem Kochen mit rauchender Salzsäure zu Anilinchlorid, Phosphorsäure und zu einer geringen Menge einer kohlenstoffhaltigen Substanz zersetzt. Rauchende Salpetersäure führt es in Pikrinsäure und m-Dinitrophenol (Schmelzpunkt 113—115°), Essigsäureanhydrid in Acetanilid über.

Wenn man das Produkt der Einwirkung von Phosphortrichlorid auf Anilin mit einem Überschufs der letzteren noch weiter erhitzt, so erhält man eine orangerote Substanz, Phosphoranilid, Anilinchlorid und -phosphit und einen bei 208° schmelzenden Körper, der mittels Alkohol gereinigt die Zusammensetzung:

$$(C_6H_5NH)_7P_3O_3H_2 = [(C_6H_5NH)_2P]_2H_2O_3.PC_6H_5NH$$

ergab; er krystallisiert in kleinen monoklinen Prismen oder strahligen Nadeln. Von einer anderen sich bei der Umsetzung obiger Substanzen bildenden Verbindung vom Schmelzpunkt 150° geben Vff. nur die Elementaranalyse an (C = 55,62 p. c., H = 6,37 p. c., Chlor = 12,83 p. c., P = 9,70 p. c.). (Amer. Chem. Journ. 6. 89—97.)

5. Physiologische, medizinische und pharmazeutische Chemie.

Alph. Rommier, *Über die Wirksamkeit kultivierter Weinhefe.* Nach Mitteilungen des Vf's. soll man in Deutschland eine neue Methode der Weinbereitung versucht haben, welche darin besteht, dafs man den Most zuerst sterilisiert und dann mit einer ausgewählten Hefe versetzt. Diese Methode, welche PASTEUR bereits für das Bier angewendet hat, mufs sicherlich gute Resultate geben, weil sie die gleichzeitige Entstehung sekundärer Gärungen hindert. Allein die Sterilisierung des Mostes scheint eine delikate Sache zu sein, welche sich im grofsen schwer ausführen läfst. Der Vf. hat sich die Frage gestellt, ob die Sterilisation nicht vielleicht umgangen werden könnte, und ob durch die Aussaat von kultivierter Hefe am Anfang der Gärung nicht etwa derart beschleunigt werde, dafs schon dadurch die Entwicklung sekundärer Gärungen verhindert würde.

In der That ist bekannt, dafs in einer und derselben Flüssigkeit verschiedene Gärungen mit verschiedener Energie eintreten; so kommt es, dafs die intensivste Gärung die anderen beherrscht und zuletzt ganz aufhebt. Auf dieses Prinzip hat PASTEUR bekanntlich seine Methode zur Kultur der Fermente gegründet. Nun brauchen die Fermentkeime, welche sich auf den Schalen der Weinbeeren befinden, immer eine längere oder kürzere Zeit, je nach der Temperatur, um zu keimen und Weinhefe zu erzeugen; während dieser Zeit entwickeln sich die falschen Hefen und die Schimmelpilze, indem sie sekundäre Reaktionen hervorbringen, welche die Qualität des Weines beeinträchtigen. Wenn man aber sofort, wenn der Wein geprefst ist, in den Most Weinhefe, welche durch Kultur gereinigt worden ist, einführt, so tritt die Alkoholgärung sofort ein und paralysiert dadurch die Wirkung der übrigen Fermente. Auf grund dieser Erwägungen hat der Vf. im Herbst vorigen Jahres eine Reihe von Gärungsversuchen ausgeführt, von denen er drei mitteilt. Dieselben wurden je mit 4 kg zerquetschten Weintrauben ange-stellt, welche man in Ballons brachte, die mit einem Gasableitungsrohre versehen waren. Der Ballon Nr. 1 erhielt keinen weiteren Zusatz. In den Ballon Nr. 2 brachte man aufser-dem 60 ccm eines Mostes, welcher Weinhefe von zweiter Kultur enthielt. Der Inhalt des dritten Ballons endlich wurde mit 60 ccm Weinhefe versetzt, welche seit einem Jahre aufbewahrt war. Die Gärungen dauerten vom 7.—14. September, sie verliefen bei ge-wöhnlicher Temperatur, welche zwischen 15 und 22° schwankte. Im ersten Ballon be-gannen die Trester erst nach Ablauf von 48 Stunden zu steigen; von diesem Momente an bis zum 14. September verlief die Gärung sehr langsam, und zwar so, dafs zwei bis drei Blasen Kohlensäure in der Minute entwichen. Da am 14. Sept. der Versuch noch nicht beendigt war, so brachte man das Gärungsgefäfs in ein Bad von 35°. Hierdurch gewann die Gärung an Lebhaftigkeit, so dafs sechs Blasen Kohlensäure in der Minute entwickelt wurden; nach drei Tagen war sie alsdann beendigt.

Die Versuche Nr. 2 und 3 verliefen fast ganz identisch. In weniger als zwölf Stunden begannen die Trester sich zu erheben, und schon in der Mitte des zweiten Tages war die Gärung zu ihrem Maximum gelangt. Sie entsprach 70—75 Blasen in der Minute. Am 14. Sept. waren beide Versuche beendigt, also zu einer Zeit, wo die Gärung vom ersten Versuche kaum begonnen hatte.

Diese Versuche bewiesen, dafs ein Zusatz von kultivierter Weinhefe die Gärung rasch hervorruft und bei 15—22° (anstatt 30—35°) zu Ende führt. Durch andere Versuche wurde konstatiert, dafs ein Most, den man mit Zucker versetzt hatte, durch Zusatz von Weinhefe zur vollständigen Vergärung gebracht werden konnte. Auf diese Weise wurde ein Wein von 18,75 p. c. Alkohol erhalten, welcher, wie die saccharimetrische Analyse zeigte, keine Spur von Zucker mehr enthielt. Die Gärungen dauerten vierzig Tage, vom 7. Sept. bis 17. Oktbr.; sie wurden mit 4 kg Weintrauben bei gewöhnlicher Temperatur ausgeführt.

Welches sind nun die praktischen Resultate, die man aus diesen Beobachtungen ziehen kann?

Es wird stets vorteilhaft sein, dem gekelterten Weine Hefe, welche durch Kulturen gereinigt ist, zuzusetzen; durch dieses Mittel paralysiert man die Wirkung der falschen Hefen und Schimmelpilze, welche sich stets im Traubensafte befinden, und zwar je nach dem Jahrgange in sehr verschiedenen Mengen. Diese Praxis bietet noch für die Fabri-kation der Weifsweine ein besonderes Interesse dar. Bekanntlich wird der Most derselben von den Trestern getrennt und bei relativ niedriger Temperatur zur Gärung angesetzt, wobei man mitunter bis zur tiefst möglichen Grenze herabsteigt. Unter diesen Umständen aber dauert die Gärung für gewöhnlichen Wein mehrere Monate, und für feinen Wein sogar Jahre lang. Es ist sehr wahrscheinlich, dafs man solchen Wein von gemischter Qualität weit rascher als nach der gewöhnlichen Methode zur Vollendung bringen kann, wenn man dem Moste gereinigte Hefe hinzusetzt. In der That zeigen die obigen Ver-suche, dafs man die Temperatur sehr herabsetzen kann, ohne die Intensität der Gärung zu vermindern. (C. r. **98.** 1594—96. [30.*] Juni.)

G. Vandevelde, *Studien zur Chemie des Bacillus subtilis.* Die Bestimmung des bei der Entwicklung des Bacillus subtilis in Fleischextraktlösung gebildeten Ammoniaks er-gab, dafs die Menge des letzteren dem in der Flüssigkeit enthaltenen Extrakte direkt proportional ist, und dafs das Ammoniak sich besonders in den ersten Tagen der Thätig-keit der Bakterien bildet, und dafs dieses, welches gröfstenteils in der Periode der Ent-wickelung und Vermehrung der Bacillen durch die Assimilation stickstoffhaltiger Sub-stanzen entsteht, nach den ersten Tagen sich nur unbedeutend vermehrt. Die Analyse der Nährlösungen ergab ferner, dafs nicht nur eine Vermehrung der flüchtigen Fettsäuren, sondern auch, dafs diese Vermehrung hauptsächlich in der letzten Zeit der Thätigkeit der Bakterien geschieht. Zur Assimilation, welche der Entwicklung und Vermehrung der Ba-cillen proportional ist, wird besonders das Kreatinin benutzt. Die Fleischmilchsäure der Lösung nimmt von den ersten vierzehn Tagen ab, und wächst diese Verminderung mit der Dauer der Thätigkeit der Bakterien; nach sieben Wochen war die Menge der Fleisch-milchsäure fast Null. Das Gesamtresultat der Versuche ist, dafs die starke Assimilation, die in Beziehung zur Entwicklung und Vermehrung der Bacillen steht und an der Ober-fläche vor sich geht, zunächst die grofse Menge Ammoniak, die sich in den ersten Tagen bildet, und das Verschwinden des Kreatins erklärt. Später stirbt ein grofser Teil der Bacillen ab und fällt auf den Boden des Gefäfses, ein anderer bildet ein kaum sichtbares Häutchen auf der Oberfläche und lebt als Aerobie, ein dritter endlich wirkt als Ferment und bedingt das allmähliche Verschwinden der Fleischmilchsäure und die Vermehrung der Fettsäuren.

Vf. untersuchte des weiteren die Gärungsprodukte, die durch den Bacillus subtilis auf Kosten des Glycerins einerseits und des Traubenzuckers andererseits entstehen und gelangt zu der Schlußfolgerung, daß der fragliche Bacillus ziemlich lange als Ferment leben kann, und wenn sich die Ergebnisse BUCHNER'S bestätigen, so ist die Umwandlung des Bacillus anthracis in Bacillus subtilis der Übergang eines Wesens, das nur sehr kurze Zeit ohne freien Sauerstoff leben kann, in ein Wesen, das sehr wohl ziemlich lange die ihm zum Leben nötige Wärme durch Zerlegung gärungsfähiger Substanzen bilden kann. Der Bacillus subtilis wandelt die Kohlehydrate zunächst in Milchsäure um und hat eine große Neigung, auf Kosten der letzteren Buttersäure zu bilden.

Beim Studium der Zusammensetzung des Bacillus subtilis konnte Vf. das Vorhandensein von Nucleïn, aber keine Cellulose nachweisen. (Ztschr. physiol. Chem. **8.** 367—90. 25. April. Physiol. Chem. Laboratorium. Straßburg.)

Berthold Bienstock, *Die Bakterien der Fäces* (vgl. **83.** 809). Wir bringen aus dem chemischen Teil der sehr umfangreichen Arbeiten einen kurzen Abriß. Zunächst ergab es sich, daß das Pepsin die Entwicklung von Bakterien absolut nicht hemmt, daß dagegen Salzsäure in der geringen Konzentration schon, wie sie im Magensaft enthalten ist, antiseptisch wirkt, und daß endlich diese antibakteritische Wirkung der Säure sich nur auf Mikrokokken und Stäbchen, dagegen nicht auf Sporen erstreckt. Vf. fand unter den vier aus den Fäces isolierten Bakterienarten einen Bacillus (von Trommelschlägerform), welcher der specifische Spaltpilz der Eiweißzersetzung ist. Wird derselbe auf einen sterilisierten Nährboden, aus Fibrin, Wasser und einem Salzgemenge Magnesiumsulfat, Kaliumphosphat, Calciumchlorid und Natriumcarbonat bestehend, gebracht, so konnten unter den Zersetzungsprodukten Pepton, Indol, Phenol, flüchtige Fettsäuren, aromatische Oxysäuren (Paroxyphenylpropionsäure) und ein eigentümlicher blauer Farbstoff nachgewiesen werden. Findet bei der Zersetzung Luftabschluß statt, so resultieren wenig aromatische Säuren und reichliche Mengen von Leucin und Pepton. Es bilden sich also bei der Lebensthätigkeit dieses Bacillus alle jene Spaltungsprodukte des Eiweißes, welche für die Eiweißzersetzung typisch sind. Jedes einzelne der bei der Eiweißzersetzung der Reihe nach auftretenden Spaltungsprodukte, mit dem Bacillus infiziert, liefert die nächstfolgenden Produkte der Spaltungsreihe. (So lieferte Pepton die Oxyphenylpropionsäure, Tyrosin Phenol und aromatische Oxysäuren, Paroxybenzoesäure wird in Phenol übergeführt.) Weiterhin konnte festgestellt werden, daß alles dies nur durch diesen Bacillus, dagegen durch andere Bakterienarten absolut nicht geschieht. Der Bacillus zersetzt nur Eiweißstoffe, dagegen bringt er auf anderes nicht eiweißhaltiges, aber zersetzungsfähiges organisches Material verimpft keine Veränderung desselben hervor. Zu jeder Zeit und in jedem Stadium der Umsetzung der infizierten Eiweißsubstanzen kann aus denselben der betreffende Bacillus in Reinzüchtung erhalten werden, welche durch beliebig viele Generationen fortgeführt, stets dieselben Spaltungen mit derselben Exaktheit wie die Mutterkultur bewirkt.

Dieser spezifische Bacillus der Eiweißzerlegung kommt in allen normalen Exkrementen vor und zwar von dem Augenblicke an, wo der Mensch sich von gemischter Nahrung zu ernähren beginnt. Er fehlt dagegen konstant in den Stühlen solcher Säuglinge, die nur durch Milch genährt werden. Ein Versuch zeigte, daß der Bacillus Caseïn aus Kuhmilch unverändert ließ. (Ztschr. f. klin. Med. **8.** 1—43, Breslau.)

F. Röhmann, *Nachtrag zur Arbeit von B. Bienstock: Über die Bakterien der Fäces.* Bei den Fäulnisversuchen mit Fibrin hat BIENSTOCK einen eigenartigen blauen Farbstoff unter den Zersetzungsprodukten gefunden, welcher mit dem Farbstoff der blauen Milch so große Ähnlichkeit zeigt, daß Vf. beide für identisch zu erklären nicht anstehen möchte.

Der Farbstoff ist verschieden von Indigo, zeigt aber bei seiner Bildung ganz analoge Verhältnisse, wie sie von HÜPPE (**84.** 315) bei der Bildung des blauen Farbstoffes in der Milch beobachtet worden sind. (Ztschr. f. klin. Med. **8.** 43—47. Breslau.)

J. Seegen, *Zucker im Blute, seine Quelle und seine Bedeutung.* Behufs Zuckerbestimmung im Blute entfernt Vf. zunächst die Eiweißstoffe nach Zuthat von einigen Tropfen Essigsäure mittels essigsauren Natrons und Eisenchlorid. Als die wichtigsten Resultate der Untersuchungen ist folgendes zu verzeichnen. Sie bestätigen, was bereits von vielen anderen Forschern nachgewiesen wurde, daß Zucker ein normaler Bestandteil des Blutes ist. Der Zuckergehalt des Blutes schwankt (mindestens bei Hunden) zwischen 0,1—0,15 p. c. — Der Zuckergehalt ist im Herzblute (rechtes Herz) und im arteriellen Blute (Carotis) ganz gleich. Differenzen zwischen Zuckergehalt des arteriellen und des venösen Blutes sind nicht konstant und in ziemlich engen Grenzen schwankend. Nur das Pfortaderblut enthält nahezu konstant weniger Zucker, als das Carotisblut. Das aus der Leber strömende Blut enthält doppelt soviel Zucker als das in die Leber einströmende. Im Mittel aus dreizehn Untersuchungen ergab sich im Pfortaderblute 0,119 p. c. und im Lebervenenblute 0,23 p. c. Zucker. Der Zucker wird (wenigstens bei Fleischfressern) ausschließlich aus den Eiweifskörpern der Nahrung gebildet. Der allergröfste Teil des im verfütterten Fleische enthaltenen Kohlenstoffs mufs für die Zuckerbildung verwertet werden; durch Ausspaltung der Leber nimmt den Zuckergehalt im Blute ab.

Die Zuckerbildung in der Leber und dessen Umsetzung im Blute oder in den vom Blute durchströmten Organen bildet eine der wichtigsten Funktionen des Stoffwechsels. (PFLÜGER's Archiv. **34.** 388—421. Wien.)

Heinr. Paschkis, *Über das Vorkommen des Phytosterins.* Vf. hat im Fette der Colchicumsamen einen Körper gefunden, der seinen chemischen und physikalischen Eigenschaften zufolge als Phytosterin zu bezeichnen ist (vergl. HESSE, **78.** 549.) HESSE fand das Drehungsvermögen $(\alpha)_D = -34{,}2^0$, LINDENMEYER $(\alpha)_l = -32{,}5^0$ und der Vf. $(\alpha)_D = -32{,}7^0$. (Ztschr. physiol. Chem. **8.** 356—57. 3. April. Laborator. des Prof. LUDWIG. Wien.)

Alexander Fridolin, *Vergleichende Untersuchungen über die Gerbstoffe der Nymphäa alba und odora, Nuphar luteum und advena, Cäsalpinia coriaria, Terminalia Chebula und Punica Granatum.* (Pharm. Ztschr. f. Rufsl. **23.** 393—404 u. folgde.)

Berthelot, *Über das allgemeine Vorkommen von Nitraten im Pflanzenreiche.* Der Stickstoff ist, wie bekannt, ein wesentliches Element in allen lebenden Wesen; er ist für die Pflanzen nicht minder notwendig, als wie für die Tiere, obgleich seine Menge in jenen geringer ist. Der erste Ursprung aber dieses Stickstoffes, welcher zur Bildung der unmittelbaren Pflanzenbestandteile dient, ist noch nicht genügend aufgeklärt, und ebenso wenig der Cyklus der Umwandlungen, die dieses Element von den stickstoffhaltigen Bestandteilen des Bodens oder von der Atmosphäre an bis wieder zurück erleidet. Der Vf. hat eine neue Untersuchung dieses Gegenstandes begonnen, und zwar mit Unterstützung des französischen Unterrichtsministeriums auf der chemischen Station zu Meudon. Seit einem Jahre beschäftigt er sich speziell mit der Untersuchung der Nitrate, welche in den Geweben gewisser Pflanzen vorkommen, sowie auch ihres Ursprunges und ihrer Rolle bei bei den physiologischen Vorgängen innerhalb der Pflanzen. Verschiedene Pflanzenspezies wurden während ihrer ganzen Vegetationsperiode in allen ihren Teilen untersucht, wobei mehrere tausend Analysen auszuführen waren. Die erhaltenen Resultate weisen auf die Existenz einer neuen vegetabilischen Funktion hin, welche die Bildung von Nitraten innerhalb gewisser vegetabilischer Gewebe während einer bestimmten Vegetationsperiode bewirkt. Sie ist das Resultat der Wirkung gewisser Zellen, welche ohne Zweifel nach Art des von MÜNTZ und SCHLÖSING aufgefundenen Salpeterfermentes wirken, ähnlich wie nach den Untersuchungen der Zellen der Früchte die Rolle eines Hefefermentes spielen, um darin alkoholische Gärung zu erzeugen. Diese Funktion ist korrelativ mit den Oxydations- und Reduktionserscheinungen, welche in den Geweben vor sich gehen, und mit den aufeinander folgenden Bedingungen des pflanzlichen Lebens.

Es bieten sich hier sehr interessante Probleme dar, z. B. die Frage, ob der Salpeter oder vielmehr die salpetrige Säure, die ihn erzeugt, bereits im Dünger, in der Ackererde und in der Atmosphäre existiert, oder ob sie durch die Pflanzen selbst aus den stickstoffhaltigen Bestandteilen des Bodens oder des Düngers erzeugt wird. Ehe der Vf. zur Diskussion dieser und anderer Fragen übergeht, teilt er zunächst die Resultate seiner Versuche mit, welche das ganz allgemeine Vorkommen der Nitrate im Pflanzenreiche darthun.

Schon vor sehr langer Zeit ist dieses Vorkommen nachgewiesen worden. Bereits STAHL (Fundamenta Chym. **2.** 105. Nürnberg 1747) kündigte vor beinahe $1\frac{1}{2}$ Jahrhundert die Existenz des Salpeters in Parietaria, Nicotiana und Fumaria an. Er giebt als Beweis dafür das Auswittern des Salzes aus den getrockneten Pflanzen, sowie die Bildung roter Dämpfe während ihrer Gärung an. Nach BOUSSINGAULT ist mitunter die Menge des Salpeters im Tabak im Thale des Ganges so grofs, dafs er an der Oberfläche der lebenden Pflanze in Form salzartiger Effloreszenzen auftritt. Man hat weiter Salpeter im Borrago nachgewiesen, welche Pflanze diesem Salze ihre diuretischen Wirkungen verdankt; ferner in den Amarantaceen, wie BOUTIN, VAUDIN, REICHARDT und andere Experimentatoren gezeigt haben.

Endlich ist auch noch die Zuckerrübe zu nennen; wo bereits der Salpeter vor einem halben Jahrhunderte durch die Zuckerfabrikanten aufgefunden worden ist, und zwar in einer solchen Menge, dafs man nach den Arbeiten von CORENWINDER und von FAUCHER in den letzten Jahren selbst daran gedacht hat, die Pflanze zur Salpeterfabrikation zu verwerten.

Die Untersuchungen des Vf's. werfen ein neues Licht auf diese Frage, welche ein hohes Interesse für „die nationale Verteidigung" besitzt.

Um die Gegenwart von Salpeter in einer Pflanze nachzuweisen, hat der Vf. folgendes Verfahren eingeschlagen.

Von der zu untersuchenden Pflanze werden 2—300 g mit Wasser extrahiert, die Lösung im Wasserbade eingedampft und der Rückstand mit einem Gemenge von Alkohol und Wasser aufgenommen. Diese Lösung wird zur Entfernung des Alkohols von neuem verdampft und im Rückstande die Nitrate nach dem Verfahren von SCHLÖSING bestimmt. Vielleicht wird die ganz neuerlich von ARNAUD und PADÉ beschriebene Methode zum Nachweise und zur Bestimmung der Salpetersäure mittels Cinchonamin ein noch besseres Mittel abgeben, um die wahren Mengen der in der Pflanze vorkommenden Nitrate zu bestimmen.

Die Nitrate finden sich hauptsächlich im Stengel der Gewächse, welches der Hauptsitz ihrer Bildung ist. Dies ergiebt sich z. B. aus folgenden Analysen, welche sich auf die ersten Vegetationsperioden der betreffenden Pflanzen beziehen.

Amarantus caudatus.

Eine getrocknete Pflanze wog	0,610 g
Der Stengel enthält Kaliumnitrat	0,0204 g
Die Wurzel	0,0039 „
Die Blätter	0,0024 „.

Berechnet man diese Zahlen auf 1000 Gewtle. der betreffenden Pflanzenteile, so ergiebt sich:

Stengel	83,8 g
Wurzel	58,6 „
Blätter	8,2 „.

Amarantus mit roten Blättern.

	Stengel . .	0,0054 g
Eine getrocknete Pflanze (0,518 g)	Wurzel . .	0,0011 „
	Blätter . .	0,00036 g.

Borrago officinalis.

	Stengel . .	0,027 g
Eine getrocknete Pflanze (1,4195 g)	Wurzel . .	0,0026 g
	Blätter . .	0,0058 „.

Delphinium.

	Stengel . .	0,160 g
Auf 1000 Tle. der getrockneten Pflanze	Wurzel . .	0,044 „
	Blätter . .	0,00 „
	Blüte . .	0,00 „.

Medicago sativa.

	Stengel . .	0,00018 g
Eine getrocknete Pflanze	Wurzel . .	—
	Blätter . .	— .

Triticum sativum.

	Stengel . .	0,00170 g
Eine getrocknete Pflanze	Wurzel . .	0,00023 „
	Blätter . .	0,00031 „.

Avena sativa.

	Stengel . .	0,0032 g
Eine getrocknete Pflanze (2,80 g)	Wurzel . .	0,0009 „
	Blätter . .	0,0011 „.

Der Vf. wird in seinen späteren Mitteilungen hierauf noch näher eingehen. Die untersuchten Pflanzen gehörten sehr verschiedenen Familien an, so daß es gestattet ist, die Resultate zu verallgemeinern. Die meisten Pflanzen sind bis jetzt auf Salpeter noch nicht untersucht worden.

Namen der Pflanze		Kaliumnitrat in 1000 Tln.	
		Getrocknete Pflanze	Frische Pflanze
Hypnum triquetrum (Moose)	—	0,055	0,050
Equisetum telmateia (Equisetaceen)	Stengel	0,360	0,066
Pteris aquilina (Filices)	"	0,300	0,053
Scirpus lacustris (Cyperaceen)	"	0,049	0,012
Juncus conglomeratus (Juncaceen)	"	0,180	0,065
Asparagus officinalis (Liliaceen)	"	0,300	0,044
Scilla nutans (Liliaceen)	Zwiebel	0,077	0,024
Dactylis glomerata (Gramineen)	Stengel	0,110	0,024
Triticum sativum (Gramineen)	"	27,8	4,40
Dasselbe, acht Tage später	"	11,20	2,10
Avena sativa (Gramineen)	"	9,5	1,03
Dieselbe, acht Tage später	"	17,6	2,80
Pinus sylvestris (Coniferen)	Junge Sprossen	0,21	0,049
Prunus domestica (Rosaceen)	"	0,12	0,026
Pyrus communis (Rosaceen)	"	0,15	0,043
Papaver Rhoeas (Papaveraceen)	Stengel	31,6	1,60
Chelidonium majus (Papaveraceen)	"	2,2	0,24
Solanum tuberosum (Solaneen)	"	15,4	1,06
Bryonia dioica (Cucurbitaceen)	"	33,3	2,10
Plantago lanceolata (Plantagineen)	"	0,77	0,15
Lychnis dioica (Caryophylleen)	"	1,90	0,23
Galium aparine (Rubiaceen)	"	0,10	0,012
Cherophyllum temulum (Umbelliferen)	"	0,18	0,020
Euphorbia Cyparissias (Euphorbiaceen)	"	Spuren	—
Geranium robertianum (Geraniaceen)	"	7,0	0,78
Senecio vulgaris (Compositen)	"	0,49	0,071
Tanacetum vulgare (Compositen)	"	0,75	0,076
Urtica dioica (Urticaceen)	"	12,6	1,8
Lamium album (Labiaceen)	"	0,19	0,033
Reseda lutea (Resedaceen)	"	5,9	0,74
Brassica alba (Cruciferen)	"	2,80	0,48
Rumex acetosa (Polygoneen)	"	0,38	0,042
" " "	Blätter	0,15	0,018
Ranunculus acris (Ranunculaceen)	Stengel	Spuren	—
Trifolium pratense (Leguminosen)	"	Spuren	—

Hiernach enthalten also fast alle Pflanzen Nitrate, wenigstens während einer gewissen Periode ihrer Vegetation: Die Dicotyledonen und die Monocotyledonen und andere Pflanzenklassen, Moose, Farren, Equisetaceen etc., ebenso die Landflanzen und die Wasserpflanzen, die einjährigen Pflanzen so gut wie die Sträucher und die Bäume etc. Die Mengen der Nitrate variieren übrigens von fast Null bis zu 15 p. m. in den Kartoffeln, 28 p. m. in dem Weizen und 150 p. m. in gewissen Amarantusarten. (Cr. r. **98.** 1506—11. [23.*] Juni.)

7. Analytische Chemie.

Pieper, *Referat über die Thätigkeit der im Jahre 1883 vom Verein deutscher Düngerfabrikanten gewählten Kommision für Anbahnung eines einheitlichen Verfahrens bei der Stickstoffbestimmung.* Die Kommissionsvorschläge umfassen folgende Punkte:

1. Schwefelsaures Ammoniak. Das Ammoniak wird in einem besonders abgebildeten Apparate durch Erhitzen mit gebrannter Magnesia (*nicht Natronlauge*) abdestilliert.

2. Organischer Stickstoff, z. B. Blut, Hornmehl etc. — Die Bestimmung geschieht durch Verbrennen mit Natronkalk in einer *41 cm langen Glasröhre*, die Mischung von Substanz und Natronkalk darf nur *eine Länge von 8—10 cm* einnehmen. — Eiserne Verbrennungsröhren können nur unter den von Prof. PAUL WAGNER angegebenen Modifikationen (Anwendung von Einsatzröhren und Verbrennen im Wasserstoffstrome) empfohlen

werden. — Die Methode von KJEDAHL ist empfehlenswert und eignet sich besonders, wenn gröfsere Mengen Stickstoffbestimmungen auszuführen sind.

3. Stickstoff in Form von Salpetersäure. — *Chilisalpeter:* a. Bestimmung aus der Differenz: Man bestimmt die Feuchtigkeit durch Trocknen bei 120° C., den Gehalt an Kochsalz durch Titrieren mit Zehntelnormalsilberlösung, den Gehalt an Natriumsulfat und unlöslichen Rückstand gewichtsanalytisch; aus der Differenz ergiebt sich der Gehalt an salpetersaurem Natron; b. Austreiben der Salpetersäure durch Glühen mit Kieselsäure, resp. saurem chromsauren Kali und Bestimmung derselben aus dem Gewichtsverluste; c. Reduktion der Salpetersäure in stark alkalischer Lösung durch Zinkstaub und Eisenfeile zu Ammoniak und Abdestillieren derselben (Methode von SIEWERT); d. Reduktion der Salpetersäure durch salzsaure Eisenchlorürlösung und Berechnung des Stickstoffes aus dem sich ergebenden Gasvolum von Stickoxyd (Methode von SCHLÖSING-GRANDEAU).

4. Stickstoff in Form von Ammoniak und organischem Stickstoff wird stets durch Verbrennen mit Natronkalk in einer 34 cm langen Verbrennungsröhre bestimmt; ebenso in Ammoniaksuperphosphaten.

5. Stickstoff in Form von Ammonik und Salpetersäure. Das Ammoniak wird mit Magnesia abdestilliert, im Rückstande die Salpetersäure durch Zinkstaub, Eisenfeile und Natronlauge zu Ammoniak reduziert und letzteres ebenfalls abdestilliert, oder in einer Probe wird Ammoniak, wie angegeben, bestimmt und in einer zweiten die Salpetersäure nach der Methode von SCHLÖSING-GRANDEAU.

6. Organischer Stickstoff bei Gegenwart von kleinen Mengen von Salpetersäure (wie im Peru-Guano). Für diese Fälle empfiehlt sich am besten die Methode von RUFFLE, nach der die Substanz in gewohnter Weise mit Natronkalk, aber unter Zusatz von entwässertem unterschwefligsauren Natron, Zusatz von Schwefel und Holzkohle verbrannt wird. Übersteigt der Gehalt an Stickstoff in Form von Salpetersäure 0,5 p. c, so kann die Untersuchung nur nach der Methode von DUMAS ausgeführt werden. (Generalversamml. des Vereins Deutscher Düngerfabrikanten. 20. Mai. Wiesbaden; Protokoll a. d. Chem. Ind. 7. 181—88.)

E. Aubin, *Über die Methoden zur Bestimmung der Phosphorsäure in den Superphosphaten.* In den käuflichen Superphosphaten findet sich sehr häufig eine gewisse Menge natürliches Phosphat, welches der Einwirkung der Schwefelsäure entgangen ist. Dieser Teil kann nicht denselben Wert haben, wie die löslichen Produkte, und die Analytiker haben versucht, ein Reagens zu finden, mittels dessen man den Anteil des zersetzten und des nicht zersetzten natürlichen Phosphates trennen kann. NEUBAUER und FRESENIUS haben zu diesem Zwecke citronsaures Ammoniak empfohlen. Aber der Angriff der Superphosphate durch dieses kann auf verschiedene Weise ausgeführt werden: 1. Wenn das Produkt keine Magnesia enthält, so wird es direkt mit dem Reagens zerrieben; 2. ist Magnesia vorhanden, so behandelt man es zuvor mit Wasser. Diese Behandlung kann wieder auf zweierlei Weise geschehen: 1. indem man das Superphosphat wiederholt mit kleinen Mengen Wasser erschöpft und rasch auf ein kleines Filter abtrennt; 2. indem man es nach dem Zerreiben mit einem gröfseren Volum Wasser digeriert. In beiden Fällen wird der in Wasser unlösliche Teil abfiltriert und mit citronensaurem Ammoniak digeriert. Diese beiden Methoden führen nicht zu denselben Resultaten, wenn man auch die gleichen Mengen Wasser anwendet; um dies zu zeigen, hat Vf. eine Reihe vergleichender Bestimmungen von verschiedenen Superphosphaten gemacht, indem er immer dasselbe Gewicht Substanz anwendete und die Lösung in gleicher Weise verdünnte. In den meisten Fällen führt die zweite Methode zu höheren Zahlen. Die beobachteten Differenzen sind auf verschiedene Ursachen zurückzuführen. Diese sind:

1. *Der Säuregrad des Superphosphates.* Das Vorhandensein freier Säuren kann man nachweisen, wenn man die Superphosphate durch starken Alkohol erschöpft, welcher die Phosphorsäure und die Schwefelsäure löst, ohne das Phosphat oder Sulfat anzugreifen. Man begreift, dafs die Existenz dieser freien Säuren in den Flüssigkeiten die Lösung eines Teiles des dreibasischen Phosphates, welches bei der Fabrikation unangegriffen geblieben ist, begünstigen mufs. Um dies nachzuweisen, hat der Vf. den Rückstand, welchen man erhält, wenn man alles Lösliche aus dem Superphosphat durch Wasser und durch citronensaures Ammoniak entfernt, mit einer Flüssigkeit digeriert, welche durch Erschöpfung des Superphosphates mit destilliertem Wasser erhalten wurde. Dieser Rückstand ist derjenige Teil, welcher von der Schwefelsäure bei der Fabrikation nicht angegriffen worden ist. Nach zweitägiger Digestion wurde die Phosphorsäure in den Flüssigkeiten bestimmt, und man erhielt für 100 Teile Superphosphat vor der Digestion 6,65 und nach der Digestion 7,16 p. c. Dieser Zuwachs von 0,51 p. c. löslicher Phosphorsäure ist auf Rechnung der Azidität des Superphosphates zu schreiben.

2. *Verreiben des Superphosphates während des Nehmens der Probe.* Dies ist von erheblichem Einflusse bei denjenigen Superphosphaten, welche im Mörser zu reinem Brei verrieben werden. Der Vf. fand den Gehalt eines Superphosphates vor dem Zerreiben 11,26 p. c., zwei Tage nach dem Zerreiben 14,20 p. c. und den Gehalt der ersten Probe mit Sand zerrieben 13,00 p. c.

3. *Gegenwart gröfserer Mengen von Magnesia in den Superphosphaten.* Digeriert man solche Superphosphate mit einem beschränkten Volum Wasser, so wird das Magnesiumphosphat nicht vollständig gelöst, und der Rest, der verbleibt, geht für die Analyse verloren, wenn man danach den Rückstand mit alkalischem citronensauren Ammoniak angreift.

Der Vf. giebt in einer Tabelle die Zusammenstellung der Analyse von fünfzehn Superphosphaten, welche zeigen, von welchem Einfluß die genannten Umstände sind, und wie dadurch die Genauigkeit der Resultate beeinträchtigt wird. Es ist daher rationell, aus den Superphosphaten zuvor alle löslichen Substanzen durch Wasser auszuziehen, bevor man das Citrat einwirken läfst. (C. r. **98.** 1591—94 [30.*] Juni.)

H. Hager, *Eine neue Reaktion auf Salze des Natriums, Ammoniums und Lithiums.* Das bezügliche Reagens ist das Kaliumstannosochlorid. Man bereitet diese Lösung aus 5 Tln. krystallisiertem Stannochlorid (Zinnchlorür), 10 Tln. destilliertem Wasser und soviel Ätzkalilauge von 1,145 spez. Gewicht, bis eine ziemlich klare, also nicht völlig klare Lösung entstanden ist. Nach Verlauf einer Stunde setzt man noch 5 Tle. Kalilauge und 15 Tle. Wasser hinzu, stellt wieder einige Stunden bei Seite und geht dann an die Filtration durch Fliefspapier, wenn eine solche notwendig sein sollte. Zur Lösung von 5 g Stannochlorid genügen 38- 40 g der Kalilauge.

Die Lösung ist völlig farblos und klar und wird in Flaschen mit Gummistopfen aufbewahrt.

Die Reaktion besteht in einer weifsen Trübung. Die zu prüfende Flüssigkeit darf nicht sehr sauer sein. Wäre sie sauer, so macht man sie mit Ätzkalilauge (welche mit dem Reagens keine Trübung giebt), schwach alkalisch. Salze der Erden, Metalle dürfen nicht gegenwärtig sein und müfsten zuvor durch reine Kaliumcarbonatlösung beseitigt werden. Bei Gegenwart von Natron, Natriumcarbonat und allen anderen Natriumsalzen erfolgt auf Zusatz des Reagens eine weifse Trübung oder ein weifser Niederschlag. Dasselbe zeigt selbst Spuren Natron an. Aus diesem Grunde soll auch die Lösung des Stannochlorides in Ätzkalilauge während der Bereitung keine völlig klare sein, weil im Ätzkali Spuren Natron selten fehlen, und muß auch dem Natronniederschlage immer etwas Zeit zum Absetzen gelassen werden, ehe man filtriert. Bei Spuren Natron tritt die Trübung bisweilen erst im Verlaufe von einer bis drei Minuten an. Bei Prüfung der Ätzkalilauge auf Natrongehalt und des Kaliumcarbonates auf Natriumcarbonatgehalt ist eine völlige oder auch nur teilweise Sättigung mit Salzsäure zu empfehlen, weil dadurch die Reaktion an Schärfe gewinnt, besonders, wenn es sich um den Nachweis von Spuren Natron handelt.

Störend wirkt Borsäure, und muß die Natriumborat enthaltende Lösung durch Zusatz von Kaliumchlorid oder Kaliumsulfat eine gewisse Zersetzung erlitten haben, ehe man das Stannoreagens hinzusetzt.

Lithium- und Ammoniumsalze verhalten sich wie Natriumsalze, nur scheint beim Lithium die Gegenwart eines Borats die Reaktion nicht zu beeinflussen.

Cäsium und Thallium in Salzlösung scheinen durch das Stannoreagens nicht angezeigt zu werden.

Da das Reagens in wässeriger Flüssigkeit mit 8 p. c. Weingeistgehalt eine weifse Trübung erzeugt, so ist bei der Prüfung auf Natrongehalt auch die Anwesenheit des Weingeistes auszuschliefsen.

Die Kaliumstannosochloridlösung ist für die Prüfung der Kaliumsalze auf eine Verunreinigung mit Natrium- und Ammoniumsalz ein ungemein bequemes Reagens und beseitigt die bisher üblichen Reagiermethoden. Dazu kommt, dafs die Darstellung dieses Reagens wenig Umstände macht. Die umständliche Darstellung und ungenügende Haltbarkeit der Lösung des antimonsauren Kaliums, welche früher als Reagens auf Natron angewendet wurde, sind wohl allein Ursache, warum dieses Reagens aufser Gebrauch gekommen ist.

Die Prüfung mittels des Stannoreagens läfst sich bequem nach dem Modus der Guttularmethode ausführen. Man giebt zwei bis drei Tropfen der Salzlösung, welche geprüft werden soll, auf einen Glasstreifen und läfst inmitten der Flüssigkeitsschicht einen Tropfen des Reagens niederfallen. (Pharm. Centrabl. **25.** 291—92.)

652

Kleine Mitteilungen.

Beschlüsse der vom Kaiserl. Gesundheitsamte berufenen Kommission zur Beratung einheitlicher Methoden für die Analyse des Weines. 1. Instruktion über das Erheben, Aufbewahren und Einsenden von Wein behufs Untersuchung durch den Sachverständigen. a. Von jeder Probe ist mindestens eine Flasche (³/₄ l), möglichst vollgefüllt, zu erheben. b. Die zu verwendenden Flaschen und Korke müssen durchaus rein sein; am geeignetsten sind neue Flaschen und Korke. Krüge oder undurchsichtige Flaschen, in welchen das Vorhandensein von Unreinigkeiten nicht erkannt werden kann, sind nicht zu verwenden. c. Jede Flasche ist mit einem anzuklebenden (nicht anzubindenden) Zettel zu versehen, auf welchem der Betreff und die Ordnungszahl des beizulegenden Verzeichnisses der Proben angegeben sind. d) Die Proben sind, um jeder Veränderung derselben, welche unter Umständen in kurzer Zeit eintreten kann, vorzubeugen, sobald als möglich in das chemische Laboratorium zu schicken. Werden sie aus besonderen Gründen einige Zeit an einem anderen Orte aufbewahrt, so sind die Flaschen in einen Keller zu bringen und stets liegend aufzubewahren. e) Werden Weine in einem Geschäft entnommen, in welchem eine Verfälschung stattgefunden haben soll, so ist auch eine Flasche von demjenigen Wasser zu erheben, welches mutmaßlich zum Verfälschen der Weine verwendet worden ist. f. Es ist in vielen Fällen notwendig, daß zugleich mit dem Wein auch die Akten der Voruntersuchung dem Chemiker eingesandt werden.

2. Analytische Methoden. *Spezifisches Gewicht.* Bei der Bestimmung desselben ist das Pyknometer oder eine mittels des Pyknometers kontrollierte WESTPHAL'sche Wage anzuwenden. Temperatur 15° C.

Weingeist. Der Weingeistgehalt wird in 50—100 ccm Wein durch die Destillationsmethode bestimmt. Die Weingeistmengen sind in der Weise anzugeben, daß gesagt wird: in 100 ccm Wein bei 15° C. sind n g Weingeist enthalten. Zur Berechnung dienen die Tabellen von BAUM-HAUER oder von HEHNER.

(Auch die Mengen aller sonstiger Weinbestandteile werden in der Weise angegeben, daß gesagt wird: In 100 ccm Wein bei 15° C. sind n g enthalten.)

Extrakt. Zur Bestimmung desselben werden 50 ccm Wein, bei 15° C. gemessen, in Platinschalen (von 85 mm Durchmesser, 20 mm Höhe und 75 ccm Inhalt, Gewicht ca. 20 g) auf dem Wasserbade eingedampft und der Rückstand 2¹/₂ Stunden im Wassertrockenschranke erhitzt. Von zuckerreichen Weinen (d. h. Weinen, welche über 0,5 g Zucker in 100 ccm enthalten) ist eine geringere Menge nach entsprechender Verdünnung zu nehmen, so daß 1,0 bis höchstens 1,5 g Extrakt zur Wägung gelangen.

Glycerin. 100 ccm Wein (Süßweine, siehe unten) werden durch Verdampfen auf dem Wasserbade in einer geräumigen, nicht flachen Porzellanschale bis auf ca. 10 ccm gebracht, etwas Quarzsand und Kalkmilch bis zur stark alkalischen Reaktion zugesetzt und bis fast zur Trockne eingedampft. Den Rückstand behandelt man unter stetem Zerreiben mit 50 ccm Weingeist von 96 Volumprz., kocht ihn damit unter Umrühren auf dem Wasserbade auf, gießt die Lösung durch ein Filter ab und erschöpft das Unlösliche durch Behandeln mit kleinen Mengen desselben erhitzten Weingeistes, wozu in der Regel 50 bis 150 ccm ausreichen, so daß das Gesamtfiltrat 100—200 ccm beträgt. Den weingeistigen Auszug verdunstet man im Wasserbade bis zur zähflüssigen Konsistenz. (Das Abdestillieren der Hauptmenge des Weingeistes ist nicht ausgeschlossen.) Der Rückstand wird mit 10 ccm absolutem Weingeist aufgenommen, in einem verschließbaren Gefäß mit 15 ccm Äther vermischt, bis zur Klärung stehen gelassen und die klar abgegossene event. filtrierte Flüssigkeit in einem leichten, mit Glasstopfen verschließbaren Wägegläschen vorsichtig eingedampft, bis der Rückstand nicht mehr leicht fließt, worauf man noch eine Stunde im Wassertrockenschranke trocknet. Nach dem Erkalten wird gewogen.

Bei *Süßweinen* (über 5 g Zucker in 100 ccm Wein) setzt man zu 50 ccm in einen geräumigen Kolben etwas Sand und eine hinreichende Menge pulverig-gelöschten Kalkes und erwärmt unter Umschütteln auf dem Wasserbade. Nach dem Erkalten werden 100 ccm Weingeist von 96 Volumprz. zugefügt, der sich bildende Niederschlag absetzen gelassen, letzterer von der Flüssigkeit durch Filtration getrennt und mit Weingeist von derselben Stärke nachgewaschen. Den Weingeist des Filtrates verdampft man und behandelt den Rückstand nach dem oben beschriebenen Verfahren.

Freie Säuren (Gesamtmenge der sauer reagierenden Bestandteile des Weines). Diese sind mit einer entsprechend verdünnten Normallauge in 10 bis 20 ccm Wein zu bestimmen. Bei Anwendung von ¹/₁₀ Normallauge sind mindestens 10 ccm Wein, bei ¹/₂ Normallauge 20 ccm zu verwenden. Es ist die Tüpfelmethode mit empfindlichem Reagenspapier zur Feststellung des Neutralisationspunktes zu empfehlen. Erheblichere Mengen von Kohlensäure im Wein sind vorher durch Schütteln zu entfernen. Die „freien Säuren" sind als Weinsteinsäure ($C_4H_6O_6$) zu berechnen und anzugeben.

Flüchtige Säuren. Dieselben sind durch Destillation im Wasserdampfstrom und nicht indirekt zu bestimmen und als Essigsäure ($C_2H_4O_2$) anzugeben.

Die Menge der „*nichtflüchtigen Säuren*" findet man, indem man die der Essigsäure äquivalente Menge Weinsteinsäure von dem für die „freien Säuren" gefundenen, als Weinsteinsäure berechneten Wert abzieht.

Weinstein und freie Weinsteinsäure. a) qualitative Prüfung auf freie Weinsteinsäure: Man versetzt zur Prüfung eines Weines auf freie Weinsteinsäure 20 bis 30 ccm Wein mit gefälltem und dann feingeriebenem Weinstein, schüttelt wiederholt, filtriert nach einer Stunde ab, setzt zur klaren Lösung zwei bis drei Tropfen einer 20prozentigen Lösung von Kaliumacetat und läßt die Flüssigkeit zwölf Stunden stehen. Das Schütteln und Stehenlassen muß bei möglichst gleichbleibender Temperatur stattfinden. Bildet sich während dieser Zeit ein irgend erheblicher Niederschlag, so ist freie Weinsteinsäure zugegen und unter Umständen die quantitative Bestimmung dieser und des Weinsteins nötig.

b) Quantitative Bestimmung des Weinsteins und der freien Weinsteinsäure: In zwei verschließbaren Gefäßen werden je 20 ccm mit 200 ccm Ätheralkohol (gleiche Volume) gemischt, nachdem der einen Probe zwei Tropfen einer 20prozentigen Lösung von Kaliumacetat (entsprechend etwa 0,2 g Weinsteinsäure) zugesetzt worden waren. Die Mischungen werden stark geschüttelt und dann sechzehn bis achtzehn Stunden bei niedriger Temperatur (zwischen 0 bis 10^0 C.) stehen gelassen, die Niederschläge abfiltriert, mit Ätheralkohol ausgewaschen und titriert. Es ist zweckmäßig, die Ausscheidung durch Zusatz von Quarzsand zu fördern. (Die Lösung von Kaliumacetat muß neutral oder sauer sein. Der Zusatz einer zu großen Menge von Kaliumacetat kann verursachen, daß sich weniger Weinstein abscheidet.) Der Sicherheit wegen ist zu prüfen, ob nicht in dem Filtrat von der Gesamtweinsteinsäurebestimmung durch Zusatz weiterer zwei Tropfen Kaliumacetats von neuem ein Niederschlag entsteht. In besonderen Fällen empfiehlt es sich, zur Kontrolle die folgende von NESSLER und BARTH angegebene Methode anzuwenden:

„50 ccm Wein werden zur Konsistenz eines dünnen Sirups eingedampft (zweckmäßig unter Zusatz von Quarzsand), der Rückstand in einen Kolben gebracht, mit jeweils geringen Mengen Weingeist von 96 Volumprz. und nötigenfalls mit Hilfe eines Platinspatels sorgfältig alles aus der Schale in den Kolben nachgespült und unter Umschütteln weiter Weingeist hinzugefügt, bis die gesamte zugesetzte Weingeistmenge 100 ccm beträgt. Man läßt verkorkt etwa vier Stunden an einem kalten Orte stehen, filtriert dann ab, spült den Niederschlag und wäscht das Filter mit Weingeist von 96 Volumprz. aus; das Filter giebt man in den Kolben mit dem zum Teil flockigklebrigen, zum Teil krystallinischen Niederschlag zurück, versetzt mit etwa 30 ccm warmem Wassers, titriert nach dem Erkalten die wässerige Lösung des Weingeistniederschlages und berechnet die Acidität als Weinstein. Das Resultat fällt etwas zu hoch aus, wenn zähklumpige sich ausscheidende Pektinkörper mechanisch geringe Mengen gelöster freier Säure einschließen. Im weingeistigen Filtrat wird der Alkohol verdampft, 0,5 ccm einer 20prozentigen, mit Essigsäure bis zur deutlich sauren Reaktion angesäuerten Lösung von Kaliumacetat zugesetzt und dadurch in wässeriger Flüssigkeit die Weinsteinbildung aus der im Weine vorhandenen freien Weinsteinsäure erleichtert. Das Ganze wird nun wie der erste Eindampfrückstand unter Verwendung von (Quarzsand und) Weingeist von 96 Volumprz. zum Nachspülen sorgfältig in einen Kolben gebracht, die Weingeistmenge zu 100 ccm ergänzt, gut umgeschüttelt, verkorkt, etwa vier Stunden kalt stehen gelassen, abfiltriert, ausgewaschen, der Niederschlag in warmem Wasser gelöst, titriert und für ein Äquivalent Alkali zwei Äquivalente Weinsteinsäure in Rechnung gebracht. Diese Methode zur Bestimmung der freien Weinsteinsäure hat vor der ersteren den Vorzug, daß sie frei von allen Mängeln einer Differenzbestimmung ist."

Die Gegenwart erheblicher Mengen von Sulfaten beeinträchtigt den Wert der Methoden.

Äpfelsäure, Bernsteinsäure, Citronensäure. Methoden zur Trennung und quantitativen Bestimmung der Äpfelsäure, Bernsteinsäure und Citronensäure können zur Zeit nicht empfohlen werden.

Salicylsäure. Zum Nachweise derselben sind 100 ccm Wein wiederholt mit Chloroform auszuschütteln, das Chloroform ist zu verdunsten und die wässerige Lösung des Verdampfungsrückstandes mit stark verdünnter Eisenchloridlösung zu prüfen. Zum Zweck der annähernd quantitativen Bestimmung genügt es, den beim Verdunsten des Chloroforms verbleibenden Rückstand, der nochmals aus Chloroform umzukrystallisieren ist, zu wägen.

Gerbstoff. Falls eine quantitative Bestimmung des Gerbstoffes (event. des Gerb- und Farbstoffes) erforderlich erscheint, ist die NEUBAUER'sche Chamäleonmethode anzuwenden. In der Regel genügt folgende Art der Beurteilung des Gerbstoffgehaltes: In 10 ccm Wein werden, wenn nötig, mit titrierter Alkaliflüssigkeit die freien Säuren bis auf 0,5 g in 100 ccm abgestumpft. Sodann fügt man 1 ccm einer 40 prozentigen Natriumacetat- und zuletzt tropfenweise unter Vermeidung eines Überschusses 10 prozentige Eisenchloridlösung hinzu. Ein Tropfen der Eisenchloridlösung genügt zur Ausfällung von je 0,05 p. c. Gerbstoff. (Junge Weine werden durch wiederholtes energisches Schütteln von der absorbierten Kohlensäure befreit.)

Farbstoffe. Rotweine sind stets auf Teerfarbstoffe zu prüfen. Schlüsse auf die Anwesenheit anderer fremder Farbstoffe aus der Farbe von Niederschlägen und anderen Farbenreaktionen sind nur ausnahmsweise als sicher zu betrachten. Zur Ermittelung der Teerfarbstoffe ist das Ausschütteln von 100 ccm Wein mit Äther vor und nach dem Übersättigen mit Ammoniak zu empfehlen. Die ätherischen Ausschüttelungen sind getrennt zu prüfen.

Zucker. Der Zucker ist nach Zusatz von Natriumcarbonat nach der FEHLING'schen Methode unter Benutzung getrennter Lösungen und bei zukerreichen Weinen (d. h. Weinen, die über 0,5 g Zucker in 100 ccm enthalten) unter Berücksichtigung der von SOXHLET resp. ALLIHN angegebenen Modifikationen zu bestimmen und als Traubenzucker zu berechnen. Stark gefärbte Weine sind bei niederem Zuckergehalt mit gereinigter Tierkohle, bei hohem Zuckergehalt mit Bleiessig zu entfärben und dann mit Natriumcarbonat zu versetzen. Deutet die Polarisation auf Vorhandensein von Rohrzucker hin (vergl. unter: Polarisation), so ist der Zucker nach der Inversion der Lösung (Erhitzen mit Salzsäure) in der angeführten Weise nochmals zu bestimmen. Aus der Differenz ist· der Rohrzucker zu berechnen.

Polarisation. 1. Bei Weißweinen: 60 ccm Wein werden in einem Maßcylinder mit 3 ccm Bleiessig versetzt und der Niederschlag abfiltriert. Zu 30 ccm des Filtrates setzt man 1,5 ccm einer gesättigten Lösung von Natriumcarbonat, filtriert nochmals und polarisiert das Filtrat. Man erhält hierdurch eine Verdünnung von 10:11, die Berücksichtigung finden muß. 2. Bei Rotweinen: 60 ccm Wein werden mit 6 ccm Bleiessig versetzt und zu 30 ccm des Filtrates 3 ccm der gesättigten Natriumcarbonatlösung gegeben, nochmals filtriert und polarisiert. Man erhält hierdurch eine Verdünnung von 5 : 6. Die obigen Verhältnisse (bei Weiß- und Rotweinen) sind so gewählt, daß das letzte Filtrat ausreicht, um die 220 ɱm lange Röhre des WILD'schen Polaristrobometers, deren Kapazität ca. 28 ccm beträgt, zu füllen. An Stelle des Bleiessigs können auch möglichst kleine Mengen von gereinigter Tierkohle verwendet werden. In diesem Falle ist ein Zusatz von Natriumcarbonat nicht erforderlich, auch wird das Volum des Weines nicht verändert. Beobachtet man bei der Polarisation einer Schicht des unverdünnten Weines von 220 mm Länge eine stärkere Rechtsdrehung als 0,3° WILD, so wird folgendes Verfahren notwendig: 210 ccm des Weines werden in einer Porzellanschale unter Zusatz von einigen Tropfen einer 20 prozentigen Kaliumacetatlösung auf dem Wasserbade zum dünnen Sirup eingedampft. Zu dem Rückstande setzt man unter beständigem Umrühren nach und nach 200 ccm Weingeist von 90 Volumprz. Die weingeistige Lösung wird, wenn vollständig geklärt, in einen Kolben abgegossen oder filtriert und der Weingeist bis auf ungefähr 5 ccm abdestilliert oder abgedampft. Den Rückstand versetzt man mit etwa 15 ccm Wasser und etwas in Wasser aufgeschwemmter Tierkohle, filtriert in einen kleinen graduierten Cylinder und wäscht so lange mit Wasser nach, bis das Filtrat 30 ccm beträgt. Zeigt dasselbe bei der Polarisation jetzt eine Drehung von mehr als + 0,5° WILD, so enthält der Wein die unvergärbaren Stoffe des käuflichen Kartoffelzuckers (Amylin). Wurde bei der Prüfung auf Zucker mit FEHLING'scher Lösung mehr als 0,3 g Zucker in 100 ccm gefunden, so kann die ursprünglich durch Amylin hervorgebrachte Rechtsdrehung durch den linksdrehenden Zucker vermindert worden sein; obige Alkoholfällung ist in diesem Fall auch dann vorzunehmen, wenn die Rechtsdrehung geringer ist als 0,3° WILD. Der Zucker ist aber vorher durch Zusatz reiner Hefe zum Vergären zu bringen.

Bei sehr erheblichem Gehalt an (FEHLING'sche Lösung) reduzierendem Zucker und verhältnismäßig geringer Linksdrehung kann die Verminderung der Linksdrehung durch Rohrzucker oder Dextrine oder durch Amylin hervorgerufen sein. Zum Nachweis der ersteren wird der Wein durch Erhitzen mit Salzsäure (auf 50 ccm Wein 5 ccm verdünnte Salzsäure vom spezifischen Gewichte 1,10) invertiert und nochmals polarisiert. Hat die Linksdrehung zugenommen, so ist das Vorhandensein von Rohrzucker nachgewiesen. Die Anwesenheit der Dextrine findet man, wie bei Abschnitt: „Gummi" angegeben. Bei Gegenwart von Rohrzucker ist dem Weine möglichst reine, ausgewaschene Hefe zuzusetzen und nach beendeter Gärung zu polarisieren. Die Schlußfolgerungen sind dann dieselben, wie bei zuckerarmen Weinen. Zur Polarisation sind nur große, genaue Apparate zu benutzen. Die Drehung ist nach LANDOLT (Zeitschr. f. anal. Chem. 7. 9) auf WILD'sche Grade umzurechnen: 1° WILD'sche Grade = 4,6043° SOLEIL, 1° SOLEIL = 0,217 189° WILD, 1° WILD = 2,89005° VENTZKE, 1° VENTZKE = 0,346 015° WILD.

Gummi (arabisches). Zur Ermittelung eines etwaigen Zusatzes von Gummi versetzt man 4 ccm Wein mit 10 ccm Weingeist von 66 Volumprz. Bei Anwesenheit von Gummi wird die Mischung milchig trübe und klärt sich erst nach vielen Stunden. Der entstehende Niederschlag haftet zum Teil an den Wandungen des Glases und bildet feste Klümpchen. In echtem Weine entstehen nach kurzer Zeit Flocken, welche sich bald absetzen und ziemlich locker bleiben. Zur näheren Prüfung empfiehlt es sich, den Wein zur Sirupdicke einzudampfen, ,mit Weingeist von obiger Stärke auszuziehen, und den unlöslichen Teil in Wasser zu lösen. Man versetzt diese Lösung mit etwas Salzsäure (vom spezifischen Gewichte 1,10), erhitzt unter Druck zwei Stunden lang und bestimmt dann den Reduktionswert mit FEHLING'scher Lösung unter Berechnung auf Dextrose. Bei echten Weinen erhält man auf diese Weise keine irgend erhebliche Reduktion. (Dextrine würden auf dieselbe Weise zu ermitteln sein.)

Mannit. Da man in einigen Fällen das Vorkommen von Mannit im Weine beobachtet hat, so ist beim Auftreten von spießförmigen Krystallen im Extrakt und Glycerin auf Mannit Rücksicht zu nehmen.

Stickstoff. Bei der Bestimmung des Stickstoffes ist die Natronkalkmethode anzuwenden.

Mineralstoffe. Zur Bestimmung derselben werden 50 ccm Wein angewandt. Findet eine unvollständige Verbrennung statt, so wird die Kohle mit etwas Wasser ausgelaugt und für sich verbrannt. Die Lösung dampft man in der gleichen Schale ein und glüht die Gesamtmenge der Asche schwach.

Chlorbestimmung. Der Wein wird mit Natriumcarbonat übersättigt, eingedampft, der Rückstand schwach geglüht und mit Wasser erschöpft. In dieser Lösung ist das Chlor titrimetrisch nach VOLHARD oder auch gewichtsanalytisch zu bestimmen. Weine, deren Asche durch einfaches Glühen nicht weiß wird, enthalten in der Regel erhebliche Mengen von Chlor (Kochsalz).

Schwefelsäure. Diese ist im Wein direkt mit Bariumchlorid zu bestimmen. Die quantitative Bestimmung der Schwefelsäure ist nur dann auszuführen, wenn die qualitative Prüfung auf ein Vorhandensein anormaler Mengen derselben schließen läßt. (Bei schleimigen oder stark trüben Weinen ist die vorherige Klärung mit spanischer Erde zu empfehlen.) Kommt es in einem besonderen Falle darauf an, zu untersuchen, ob freie Schwefelsäure oder Kaliumdisulfat vorhanden, so muß der Beweis geliefert werden, daß mehr Schwefelsäure zugegen ist, als sämtliche Basen zur Bildung neutraler Salze erfordern.

Phosphorsäure. Bei Weinen mit nicht deutlich alkalisch reagierender Asche ist die Bestimmung in der Weise auszuführen, daß der Wein mit Natriumcarbonat und Kaliumnitrat eingedampft, der Rückstand schwach geglüht und mit verdünnter Salpetersäure aufgenommen wird; alsdann ist die Molybdänmethode anzuwenden. Reagiert die Asche erheblich alkalisch, so kann die salpetersaure Lösung derselben unmittelbar zur Phosphorsäurebestimmung verwendet werden.

Die übrigen Mineralstoffe des Weines (auch event. Thonerde) sind in der Asche resp. dem Verkohlungsrückstande nach bekannten Methoden zu bestimmen.

Schweflige Säure. Es werden 100 ccm Wein im Kohlensäurestrome nach Zusatz von Phosphorsäure abdestilliert. Zur Aufnahme des Destillates werden 5 ccm Normaljodlösung vorgelegt. Nachdem das erste Drittel abdestilliert ist, wird das Destillat, welches noch Überschuß von freiem Jod enthalten muß, mit Salzsäure angesäuert, erwärmt und mit Bariumchlorid versetzt.

Verschnitt von Traubenwein mit Obstwein. Der chemische Nachweis des Verschnittes von Traubenwein mit Obstwein ist nach den bis jetzt vorliegenden Erfahrungen nur ausnahmsweise mit Sicherheit zu führen. Namentlich sind alle auf einzelne Reaktionen sich stützenden Methoden, Obstwein vom Traubenwein zu unterscheiden, trüglich; auch kann nicht immer aus der Abwesenheit von Weinsteinsäure oder aus der Anwesenheit geringer Mengen derselben mit Gewißheit geschlossen werden, daß ein Wein kein Traubenwein sei.

Bei der Darstellung von Kunstwein, resp. als Zusatz zu Most oder Wein werden erfahrungsgemäß neben Wasser zuweilen folgende Substanzen verwendet: Weingeist (direkt oder in Form gespriteter Weine), Rohrzucker, Stärkezucker und zuckerreiche Stoffe (Honig), Glycerin, Weinstein, Weinsteinsäure, andere Pflanzensäuren und solche enthaltende Stoffe, Salicylsäure, Mineralstoffe, arabisches Gummi, Gerbsäure und gerbstoffhaltige Materialien (z. B. Kino, Katechu), fremde Farbstoffe, Ätherarten und Aromata. Die Bestimmung, resp. der Nachweis der meisten dieser Substanzen ist oben bereits angegeben worden, mit Ausnahme der Aromata und Ätherarten, für welche Methoden vorläufig noch nicht empfohlen werden können. Speziell sind hier noch folgende Substanzen zu erwähnen, welche zur Vermehrung des Zuckers, Extraktes und der freien Säuren Verwendung finden: Dörrobst, Tamarinden, Johannisbrot, Datteln, Feigen.

3. Anhaltspunkte für die Beurteilung der Weine. Prüfungen und Bestimmungen, welche zum Zweck der Beurteilung des Weines in der Regel auszuführen sind: Extrakt, Weingeist, Glycerin, Zucker, freie Säuren überhaupt, freie Weinsteinsäure, qualitativ, Schwefelsäure, Gesamtmenge der Mineralbestandteile, Polarisation, Gummi, bei Rotweinen fremde Farbstoffe.

Prüfungen und Bestimmungen, welche außerdem unter besonderen Verhältnissen auszuführen sind: Spezifisches Gewicht, flüchtige Säuren, Weinstein und freie Weinsteinsäure, quantitativ, Bernsteinsäure, Äpfelsäure, Citronensäure, Salicylsäure, schweflige Säure, Gerbstoff, Mannit, einzelne Mineralbestandteile, Stickstoff.

Die Kommission hält es für wünschenswert, bei der Mitteilung der in der Regel auszuführenden Bestimmungen obige (sub a angeführte) Reihenfolge beizubehalten.

Die Kommission kann es nicht als ihre Aufgabe ansehen, eine Anleitung zur Beurteilung der Weine zu geben, glaubt aber auf Grund ihrer Erfahrungen auf folgende Punkte aufmerksam machen zu sollen.

Weine, welche lediglich aus reinem Traubensafte bereitet sind, enthalten nur in seltenen Fällen Extraktmengen, welche unter 1,5 g in 100 ccm liegen. Kommen somit extraktärmere Weine vor, so sind sie zu beanstanden, falls nicht nachgewiesen werden kann, daß Naturweine derselben Lage und desselben Jahrganges mit so niederen Extraktmengen vorkommen. Nach Abzug der „nichtflüchtigen Säuren" beträgt der Extraktrest bei Naturweinen nach den bis jetzt vorliegenden Erfahrungen mindestens 1,1 g in 100 ccm, nach Abzug der „freien Säuren" mindestens

1,0 g. Weine, welche geringere Extraktreste zeigen, sind zu beanstanden, falls nicht nachgewiesen werden kann, daſs Naturweine derselben Lage und desselben Jahrganges so geringe Extraktreste enthalten. Ein Wein, der erheblich mehr als 10 p. c. der Extraktmenge an Mineralstoffen ergiebt, muſs entsprechend mehr enthalten, wie sonst als Minimalgehalt angenommen wird. Bei Naturweinen kommt sehr häufig ein annäherndes Verhältnis von einem Gewichtsteil Mineralstoffe auf 10 Gewtstn. Extrakt vor. Ein erhebliches Abweichen von diesem Verhältnis berechtigt aber noch nicht zur Annahme, daſs der Wein gefälscht sei. Die Menge der freien Weinsteinsäure beträgt nach den bisherigen Erfahrungen in Naturweinen nicht mehr, als ein Sechstel der gesamten „nichtflüchtigen Säuren". Das Verhältnis zwischen Weingeist und Glycerin kann bei Naturweinen schwanken zwischen 100 Gewtln.Weingeist zu 7 Gewtln. Glycerin und 100 Gewtln. Weingeist zu 14 Gewtln. Glycerin. Bei Weinen, welche ein anderes Glycerinverhältnis zeigen, ist auf Zusatz von Weingeist, resp. Glycerin, zu schlieſsen. Da bei der Kellerbehandlung zuweilen kleine Mengen von Weingeist (höchstens 1 Volumprz.) in den Wein gelangen können, so ist bei der Beurteilung der Weine hierauf Rücksicht zu nehmen.

Bei Beurteilung von Süſsweinen sind diese Verhältnisse nicht immer maſsgebend.

Für die einzelnen Mineralstoffe sind allgemein gültige Grenzwerte nicht anzunehmen. Die Annahme, daſs bessere Weinsorten stets mehr Phosphorsäure enthalten sollen als geringere, ist unbegründet. Weine, welche weniger als 0,14 g Mineralstoffe in 100 ccm. enthalten, sind zu beanstanden, wenn nicht nachgewiesen werden kann, daſs Naturweine derselben Lage und desselben Jahrganges, die gleicher Behandlung unterworfen waren, mit so geringen Mengen von Mineralstoffen vorkommen. Weine, welche mehr als 0,05 p. c. Kochsalz in 100 ccm enthalten, sind zu beanstanden.

Weine, welche mehr als 0,092 g Schwefelsäure (SO_3), entsprechend 0,20 g Kaliumsulfat (K_2SO_4) in 100 ccm enthalten, sind als solche zu bezeichnen, welche durch Verwendung von Gips oder auf andere Weise zu reich an Schwefelsäure geworden sind.

Durch verschiedene Einflüsse können Weine schleimig (zäh, weich), schwarz, braun, trübe oder bitter werden; sie können auch sonst Farbe, Geschmack und Geruch wesentlich ändern; auch kann der Farbstoff der Rotweine sich in fester Form abscheiden, ohne daſs alle diese Erscheinungen an und für sich berechtigten, die Weine deshalb als unecht zu bezeichnen.

Wenn in einem Weine während des Sommers eine starke Gärung auftritt, so gestattet dies noch nicht die Annahme, daſs ein Zusatz von Zucker oder zuckerreichen Substanzen, z. B. Honig u. a. stattgefunden habe, denn die erste Gärung kann durch verschiedene Umstände verhindert, oder dem Wein kann nachträglich ein zuckerreicher Wein beigemischt worden sein.

Beiträge für das Centralblatt bittet man an die Redaktion (Leipzig, Lessingstr. 5) zu richten. Originalarbeiten von nicht zu groſsem Umfange werden entsprechend honoriert und gelangen stets sofort nach der Einsendung, und zwar in kürzester Frist, zum Abdruck.

Redaktion: Prof. Dr. Rud. Arendt in Leipzig.

Verlag von Leopold Voss in Hamburg u. Leipzig. — Druck von Metzger & Wittig in Leipzig.

No. 36.

Chemisches
Central-Blatt.

3. Septbr. 1884.

Wöchentlich eine Nummer von
1-2 Bogen. Der Jahrgang mit
Sach- und Namen-Register,
nebst system. Übersicht.

Der Preis des Jahrgangs
ist 30 Mark. Durch alle
Buchhandlungen und Post-
anstalten zu beziehen.

REPERTORIUM
für reine, pharmazeutische, physiologische und technische Chemie.

Dritte Folge. XV. Jahrgang.

Zur Isomorphie und Morphotropie,

von

Dr. C. HINTZE,

Privatdozent in Bonn.

Am Anfange dieses Jahrhunderts stellte HAUY den Satz auf, daß jedem Körper von eigentümlicher chemischer Zusammensetzung auch eine eigentümliche Krystallform zukommt, und daß eine Ausnahme davon höchstens die im regulären Systeme krystallisierenden Körper machen. Diesem Satze schien eine neue Lehre zu widersprechen, welche EILHARD MITSCHERLICH im Jahre 1819 durch eine der Berliner Akademie vorgelegte Arbeit begründete. Bei der Untersuchung phosphorsaurer und arsensaurer Salze, die MITSCHERLICH zunächst nur vom rein chemischen Standpunkte aus interessierten, hatte er gefunden, daß die entsprechenden Kalium- und Ammoniumsalze alle vier eine gleiche Form haben. Phosphor mit Arsen, und Kalium mit Ammonium gleichwertig gesetzt, deutete dies auf das Gesetz, daß von der Gleichheit der chemischen Formel die Gleichheit der Krystallform abhängt. Geprüft und bestätigt wurde diese Gesetzmäßigkeit durch die Untersuchung einer Reihe schwefelsaurer Salze, wobei sich ferner herausstellte, daß nur die Salze mit gleichem Gehalte an Krystallwasser gleiche, die mit verschiedenem Wassergehalte verschiedene Krystallform hatten. Der neu entdeckten Eigenschaft der Körper gab MITSCHERLICH den Namen der Isomorphie.

Es ist einleuchtend, welcher neue Gesichtspunkt für die Betrachtung der Mineralien mit der Aufstellung des Gesetzes der Isomorphie gewonnen wurde.

Weiter fand MITSCHERLICH, daß Körper bei analoger chemischer Formel und gleicher Krystallform, isomorphe Körper, auch noch die Eigenschaft besitzen, in beliebigen relativen Mengen zusammen zu krystallisieren, isomorphe Mischungen zu bilden, und in Krystallen zu erscheinen, deren Form derjenigen der komponierenden Verbindungen gleicht.

Schon den älteren Mineralogen war es bekannt gewesen, daß in manchen Mineralien gewisse Bestandteile sich gegenseitig vertreten können, ohne die Krystallform merklich zu ändern. JOH. NEP. FUCHS hatte solche Bestandteile als vikarierende bezeichnet. Nun war es klar, daß die Mineralien, die solche vikarierende Bestandteile aufweisen, vollkommen entsprechend anzusehen sind den künstlich dargestellten isomorphen Mischungen.

MITSCHERLICH selbst fand übrigens bald, daß Krystallmessungen, angestellt mit vervollkommneten Instrumenten, den Beweis lieferten, wie die Krystallwinkel bei isomorphen Körpern keineswegs absolut gleich, sondern nur sehr ähnlich sind.

XV.   42

Hierdurch wurde der Vergleichung von Körpern mit ähnlichen Krystallwinkeln schon ein gewisser Spielraum geschaffen.

Auch in chemischer Beziehung ließ sich schwer abgrenzen, was man zur Begründung einer Isomorphie als analoge Zusammensetzung aufzufassen hätte. Schon die Isomorphie der Kalium- und Ammoniumsalze zeigte, daß es nicht auf die gleiche Anzahl der Atome ankommt; die Isomorphie der überchlorsauren und übermangansauren Salze und die isomorphe Vertretung von Schwefel und Arsen im Arsenkies bewies, daß auch die Gleichwertigkeit keine zuverlässigen Anhaltspunkte bietet. Bald war also der Willkür Thür und Thor geöffnet. Es ist auch nicht ausgeblieben, daß die seltsamsten Dinge zu Tage gefördert wurden, besonders aber als mit der Ausbildung der sog. organischen Chemie auch die Kohlenstoffverbindungen ein neues und ergiebiges Feld dieser Thätigkeit eröffneten. Es würde zu weit führen, hier alle die Verirrungen herzuzählen, zu denen das Bestreben geführt hat, einen Zusammenhang zwischen Krystallform und chemischer Konstitution auch bei den organischen Verbindungen aufzufinden. Die Isomorphie konnte sich hier nicht von der Tragweite erweisen, die man ihr analog wie bei den anorganischen Verbindungen zuzuschreiben sich für berechtigt hielt.

Erst PAUL GROTH gebürt das Verdienst, den Weg zu einer fruchtbareren Betrachtung der Verhältnisse gezeigt zu haben, daß es nämlich vorteilhafter sei, statt nach isomorphen Körpern zu suchen, vielmehr die Verschiedenheiten der Krystallform bei chemisch verwandten Substanzen zu studieren. GROTH machte darauf aufmerksam, daß es gewisse Atome und Atomgruppen giebt, welche für Wasserstoff in das Benzol und dessen Abkömmlinge eintretend, die Krystallform desselben nur in mäßiger Weise alterieren, so daß man im stande ist, die Form des neuen Körpers mit der des ursprünglichen zu vergleichen. So wirken die Hydroxyl- und die Nitrogruppe. Phenol und Resorcin sind rhombisch wie das Benzol; Mono-, Di-, Trinitrophenol sind rhombisch wie das Phenol; zumeist ist dabei das Verhältnis von zwei Axen nahezu gleich geblieben, nur die dritte beträchtlich geändert. Energischer wirkt die Substitution von Chlor, Brom oder Jod; durch deren Eintritt wird bei Benzolderivaten meist das Krystallsystem in ein weniger symmetrisches, das rhombische in das monosymmetrische geändert, doch mit Erhaltung von Winkelähnlichkeiten in gewissen Zonen, die im nahezu gleichen Verhältnisse von zwei Axen zum Ausdrucke gebracht werden können. GROTH führt für seine neue Theorie den Namen der *Morphotropie* ein, faßte aber zunächst nur die Verhältnisse der Wasserstoffsubstitution ins Auge, die Annahme beibehaltend, daß entsprechende Metalle sich isomorph vertreten. GROTH ging zunächst dazu über, auch bei anorganischen Verbindungen, speziell der Mineralien, gestaltordnende, morphotropische Beziehungen und Einflüsse aufzusuchen und zu studieren, statt der bloßen Isomorphismen.

Vereinzelt begegnet man wohl jetzt in der Litteratur der Neigung, auch bei Mineralien morphotropische Beziehungen anzunehmen, namentlich in Fällen, wo die Isomorphie im strikten Sinne MITSCHERLICH's nicht mehr zur befriedigenden Erklärung der Thatsachen ausreicht. Aber es ist noch von keiner konsequenten Durchführung die Rede, und zumeist läßt man daneben die Isomorphie noch in voller Selbständigkeit bestehen. Es muß übrigens daran erinnert werden, daß schon GUSTAV ROSE gelegentlich seiner Gedächtnisrede auf MITSCHERLICH im Jahre 1864 die Worte aussprach: „Wahrscheinlich ist das Gesetz von MITSCHERLICH nur ein bestimmter, spezieller Fall eines noch allgemeineren Gesetzes, dessen Fassung noch gefunden werden ist."

Sechs Jahre später stellte GROTH die Morphotropie auf.

Ich möchte nun noch einen Schritt weiter gehen. Wir wissen, daß die als isomorph bezeichneten Körper keineswegs ganz gleiche Winkel, resp. Axenverhältnisse besitzen, sondern mehr oder weniger oft bis zu mehreren Graden differieren. Als typisches Beispiel der Isomorphie gelten die rhomboedrischen Carbonate. Der Kalkspat hat aber einen Rhomboederwinkel von etwa 105°, der Magnesit von mehr als 107°. Dadurch, daß in der Verbindung kohlensaures Calcium das Calcium durch Magnesium ersetzt ist, ist eine nachweisbare Veränderung in der Krystallform sich gegangen. Kurz die beiden als isomorph bezeichneten Körper stehen gerade so gut in morphotropischer Beziehung zu einander, wie irgend zwei verwandte organische Verbindungen, die ohne Schaden für den Vergleich eine viel kompliziertere Konstitution haben dürfen, beispielsweise Diphenyldibrom&than und Diphenyltribromäthan. Die Verschiedenheiten in der Krystallform bei den gewöhnlich als isomorph bezeichneten Körpern sind nur eben verhältnismäfsig unbedeutend. Durch Vertauschung der sich vertretenden Elemente ist nur eine geringe morphotropische Wirkung hervorgebracht worden.

Es soll nun aber nicht blofs eine Namensänderung sein, die Isomorphie als eine Morphotropie schwächeren Grades zu bezeichnen, sondern die Veränderung des Standpunktes, die Sache zu betrachten, kann recht wohl für die weitere Forschung fruchtbar sein. Der Unterschied ist aber der, dafs wir nicht fragen sollen, sind zwei Körper in der Form gleich oder nicht, sind sie isomorph oder nicht (nebenbei wissen wir ja, dafs sie in der Form nie ganz gleich sind), sondern dafs wir fragen wollen, welche Veränderung ist in der Krystallform vorgegangen durch die Substitution eines Atoms oder einer Atomgruppe durch ein anderes Element oder Radikal? Oft ist aber diese Veränderung eine so geringfügige, dafs die Krystallformen der verglichenen Körper relativ gleich erscheinen, also in gewissem Sinne die Bezeichnung isomorph verdienen. Es ist aber auch kein Mangel an Beispielen, wo eine gewisse Analogie der chemischen Formel den Verdacht einer Isomorphie erweckt hat, und daraufhin die betreffenden Krystalle in der willkürlichsten Weise gedreht und umgestellt worden sind, wo bei einfachster Ausbildung der Krystalle oft den Flächen ganz komplizierte Zeichen vindiziert werden mufsten, um nur in den Axenverhältnissen die ersehnte Isomorphie zum Ausdruck bringen zu können. Es braucht nur erinnert zu werden an die gezwungene Isomorphie von Euklas mit Datolith, von Baryt mit Anhydrit, von Diaspor mit Göthit und Manganit, von Wagnerit mit Triploidit, von Auripigment mit Antimonglanz u. s. w., um die Berechtigung der Frage zugeben zu müssen, ob es nicht besser ist, statt nach Isomorphismen zu suchen und alles zu nivellieren, lieber auch hier vom morphotropischen Standpunkte aus die leitenden und warnenden Wegweiser zu beachten, die uns durch die natürliche Ausbildung der Krystalle gegeben sind. Es giebt auch genug Mineralien, die gewifs nicht mehr in den Rahmen der Isomorphie passen, aber zweifellos morphotropische Beziehungen aufweisen, so Stephanit und Geokronit, Kryolith und Pachnolith, Fairfieldit und Roselith, Friedelit und Dioptas, Skapolith mit Sarkolith und Melilith.

In sämtlichen bisher angeführten Beispielen ist durch den Einflufs des neu eintretenden Elementes oder Radikals das Krystallsystem nicht geändert worden, was sich bei organischen Verbindungen so häufig beobachten läfst. Indes analoge Beispiele finden sich auch bei den anorganischen Verbindungen, resp. Mineralien. Nur weil man sich so fest an die Lehre der Isomorphie geklammert hat, war man genötigt, den betreffenden Erscheinungen eben andere Erklärungen unterzuschieben.

Kupferuranit und Kalkuranit krystallisieren bei ganz analoger chemischer Formel in verschiedenen Systemen, aber mit ähnlichem Habitus und ähnlichen Axenverhältnissen. Früher hielt man beide für tetragonal, bis für den Kalkuranit durch optische Untersuchung das rhombische System erwiesen wurde. Damit war auch die Isomorphie ausgeschlossen. Denn „Isomorphie in verschiedenen Systemen" bleibt eben eine contradictio in adjecto. Als Ausweg wurde vorgeschlagen, eine Isodimorphie anzunehmen. Wir kennen aber weder den rhombischen Kupferuranit, noch den tetragonalen Kalkuranit. Ist es nicht einfacher, auf diese durch nichts erwiesene Isodimorphie zu verzichten, und nur zu konstatieren, dafs durch den Eintritt von Calcium für Kupfer das System rhombisch geworden ist, mit unverkennbarer Beibehaltung annähernd tetragonaler Dimensionen? Mit demselben Recht könnte man ja auch bei allen organischen Verbindungen, wo durch den morphotropischen Einflufs einer Substitution das Krystallsystem geändert worden ist, sich mit der Erklärung einer Isodimorphie helfen wollen. Der Weg, der dort als der richtigere erkannt worden ist, wird es auch hier sein.

Auch für die Pyroxengruppe möchte ich die Betrachtung vom morphotropischen Standpunkte aus vorziehen, statt eine Trimorphie anzunehmen durch Aufstellung einer rhombischen, monosymmetrischen und asymmetrischen Reihe. Ich sehe in der Krystallform des monosymmetrischen Wollastonits das morphotropische Resultat der Vertauschung von Magnesium mit Calcium im rhombischen Enstatit, und in der Krystallform des asymmetrischen Rhodonits das morphotropische Resultat des Eintrittes von Mangan. Krystallographische Beziehungen unter diesen in drei verschiedenen Systemen krystallisierenden Mineralen sind unzweifelhaft vorhanden. Wenn wir aber die durch Substitution in einer Verbindung hervorgebrachte Veränderung in krystallographischer Beziehung nicht nur verfolgen innerhalb gewisser Grenzen, besonders nicht nur innerhalb der Grenzen relativer Gleichheit im Spezialfall der sogenannten Isomorphie, sondern dazu übergehen, zu konstatieren und zu verfolgen, wie durch eine solche Substitution das Krystallsystem geändert werden kann unter Erhaltung krystallographischer Beziehungen, so treten wir damit auch der Frage gegenüber, ob die Vereinigung von zwei chemisch analogen Verbindungen im Sinne der Mischung, der sog. isomorphen Mischung, nur so lange möglich

42*

ist, als die beiden Verbindungen noch in demselben System krystallisieren, oder auch dann noch, wenn die morphotropische Kraft der Substitution den einen Körper bereits in ein anderes Krystallsystem übergeführt hat, mit Erhaltung krystallographischer Ähnlichkeiten. Ich glaube, daſs diese Frage in der Natur entschieden ist zu Gunsten der Mischung von Verbindungen, die verschiedenen Krystallsystemen angehören dürfen, und daſs in diesem Sinne auch die Mischungen bei den Mineralien der Pyroxengruppe zu verstehen sind. Die Moleküle der einen Verbindung werden hierbei einen energischeren Einfluſs auf die Formbildung ausüben, als die der anderen: wir kennen keinen kalkreichen Enstatit oder Hypersthen, wohl aber magnesiumreiche monosymmetrische Pyroxene; noch energischer ist das Manganilikat, eine Augitschlacke von nur 12 p. c. Mangan ist asymmetrisch. Wie weit solche gemischte Gruppierungen möglich sind, das können wir aber nur empirisch erforschen. Es ist wohl aber anzunehmen, daſs es gewisse Grenzen giebt, innerhalb welcher solche Mischungen, als Folge genügend gleich orientierter Anziehungen der Moleküle, möglich sind, und daſs keineswegs jeder Körper mit jedem Körper zusammenkrystallisieren kann.

Es besteht kein theoretisches Hindernis, daſs auch organische Verbindungen untereinander solcher Mischungen fähig sind. Isomorphe Körper im alten Sinne kennen wir auch hier. Beispielsweise ist in vielen Fällen die morphotropische Kraft von Chlor und Brom beim Eintritt in eine Kohlenstoffverbindung eine nahezu gleiche, es entstehen Körper, die man als isomorph bezeichnen kann. Ob solche nicht auch Mischungen eingehen können, ist nur, soviel mir bekannt, noch nicht·versucht worden. Das Bestreben des Chemikers geht in erster Linie ja darauf, durch Krystallisieren seine Substanzen zu reinigen, und nicht zu mischen. Es scheint mir aber in dem Aufsuchen der Möglichkeit und der Grenzen, innerhalb welcher ähnlich krystallisierende, verwandte organische Verbindungen Mischungen zu bilden im stande sind, ein Weg zu interessanten Forschungen und Resultaten angedeutet, die für die Chemie selbst auch von groſser Bedeutung werden können.

Wochenbericht.

1. Allgemeines und Physikalisches.

K. Olszewski, *Kritische Temperatur und Druck des Stickstoffes. Siedetemperatur des Stickstoffes und Äthylens unter niedrigem Drucke.* In seiner letzten Mitteilung hat der Vf. gezeigt, daſs es zur Verflüssigung eines mäſsig groſsen Volums Stickstoff nötig ist, denselben mittels Äthylen auf —142° abzukühlen und einem Drucke von 60 Atm. auszusetzen. Dies war die niedrigste Temperatur, welche der Vf. mittels Äthylen erhalten konnte; sie genügte kaum, den Stickstoff zu kondensieren, selbst nicht unter Anwendung der Entspannung. Durch Messung der Spannung des Äthylens bei —142° überzeugte sich Vf., daſs dieselbe noch ziemlich beträchtlich, nämlich 24 mm Quecksilber war. Seitdem ist es ihm gelungen, diesen Druck auf 10 mm zu reduzieren, was einer Temperaturerniedrigung auf —150° gleichkommt. Dies hat er benutzt, um die Relation zu bestimmen, welche zwischen der Temperatur des Äthylens und dem Drucke, unter dem es verdampft, existiert. Der Druck wurde mit einem Quecksilbermanometer und die Temperatur mit einem Wasserstoffthermometer gemessen. Folgendes sind die Resultate:

Druck	Temperatur	Druck	Temperatur
750 mm	—103°	107 mm	—126°
546 „	—105°	72 „	—129,7
441 „	—108°	56 „	—132°
346 „	—111°	31 „	—139°
246 „	—115,5°	12 „	—148°
146 „	—122°	9,8 „	—150,4°.

Die Verflüssigung einiger Kubikzentimeter Stickstoff bietet keine Schwierigkeiten, und es ist durchaus nicht nötig, hierzu flüssigen Sauerstoff anzuwenden, denn bei der Temperatur von —150° lassen sich alle Gase, mit Ausnahme von Wasserstoff, in statischem Zustande verflüssigen. Durch die Kondensation des Stickstoffes mittels Äthylen hat der Vf. den kritischen Druck und die Temperatur dieses Gases bestimmt. In einer früheren Note hat er mitgeteilt, daſs der kritische Druck des Stickstoffes 39 Atmosphären beträgt; indessen hat er sich überzeugt, daſs diese Zahl nicht genau ist. Kühlt man Stickstoff auf

−142° ab und steigert den Druck auf 60 Atmosphären, so sieht man den Meniscus nicht, weil die Temperatur noch über der kritischen ist. Durch Erniedrigung des Druckes aber sinkt die Temperatur um einige Grade, und wenn der Druck 33,6 Atm. beträgt, beobachtet man das Sieden und infolgedessen auch den Meniscus des Stickstoffes. Dieses Sieden findet stets bei dem Drucke von 33 Atm. statt. Die Temperatur des Stickstoffes mit dem Wasserstoffthermometer gemessen, war unter diesen Bedingungen −146°. Erniedrigt man dann den Druck, so siedet der Stickstoff, und das Thermometer zeigt folgende Temperaturen:

Druck	Temperatur
35 Atm. (kritischer Punkt)	−146° (kritische Temperatur)
31 „	−148,2°
17 „	−160,5°
1 „	−194,4°
Vakuum	−213.

Diese Zahlen sind das Resultat einer Reihe von Versuchen.

WROBLEWSKI meint, daß die von ihm publizierten Versuche über die Verflüssigung des Wasserstoffes und die Erstarrung des Stickstoffes durch die des Vf's. bestätigt werden. Dies ist aber nicht der Fall; denn bei der Temperatur des siedenden Sauerstoffes unter einem Drucke von einer Atmosphäre und einer Entspannung von 100 Atm. (Versuchsbedingungen WROBLEWSKI's) hat der Vf. niemals eine Spur Wasserstoff verflüssigen können; ebensowenig in siedendem Sauerstoffe im Vakuum (Temperatur noch um 17° niedriger) und unter Entspannung des auf 190 Atm. komprimierten Gases. Bei seinen letzten Versuchen hat er die Temperatur auf −213°, d. h. noch 32° tiefer als WR. erniedrigt. Die Erscheinungen, welche von beiden beobachtet wurden, differieren in mehr als einem Punkte. Denn WR. konnte nur ein Sieden wahrnehmen, und zwar war dieses unter den Versuchsbedingungen ziemlich schwierig, während der Vf. ganz bestimmt eine durchsichtige, farblose Flüssigkeit sah, was DUMAS zu der Bemerkung veranlaßte, daß der Wasserstoff nicht, wie man jetzt anzunehmen pflegt, ein Metall ist. PICTET hatte die metallische Natur des Wasserstoffes bestätigt, während die Versuche von CAILLETET und HAUTEFEUILLE im Gegenteile gezeigt haben, daß der Wasserstoff, in Kohlensäure gelöst, eine farblose, durchsichtige Flüssigkeit giebt; es geschieht also mit Unrecht, daß man dieses Element unter die Metalle rechnet, und des Vf's. Versuche bestätigen die Versuche von CAILLETET und HAUTEFEUILLE.

Dagegen bestätigen sie nicht die Erstarrung des Stickstoffes unter den von WR. angegebenen Bedingungen, denn sie zeigen, daß der Stickstoff selbst bei einer Temperatur unter −194,4° nicht fest wird, und es ist klar, daß man durch Entspannung des Stickstoffes bis auf eine Atmosphäre nicht zu einer niedrigeren Temperatur gelangen kann, als −194,4°, was WR. selbst gezeigt ist.

Der Vf. kann auch nicht länger mehr die Ansicht WR's. in bezug auf das Wasserstoffthermometer teilen, welches ihm stets genaue Resultate gegeben hat. Der Teil der Röhre, dessen Temperatur nicht bekannt ist, ist außerordentlich kapillar, was eine genaue Bestimmung der Temperatur gestattet. WR. mißt die Temperaturen mittels eines Thermoelementes; er hat sie mit dem Wasserstoffthermometer zwischen −102 und −130° verglichen; aber die Genauigkeit innerhalb dieses Intervalls hängt vollständig von der Genauigkeit des Wasserstoffthermometers ab, welches zur Vergleichung dient. Jede Temperaturmessung unter −130° mittels eines Thermoelementes beruht auf einer Hypothese. (C. r. **99**. 133—36. [21.*] Juli.)

F. v. Hefner-Alteneck, *Vorschlag zur Beschaffung einer konstanten Lichteinheit.* Die Lichteinheit definiert der Vf. folgendermaßen: Die Lichteinheit ist die Leuchtkraft einer freibrennenden Flamme, welche aus dem Querschnitt eines massiven, mit Amylacetat gesättigten Dochtes aufsteigt, der ein kreisrundes Dochtröhrchen aus Neusilber von 8 mm innerem, 8,2 mm äußerem Durchmesser[1] und 25 mm freistehender Länge vollkommen ausfüllt, bei einer Flammenhöhe von 40 mm von dem Rande des Dochtröhrchens bis zur Flammenspitze und wenigstens zehn Minuten nach dem Anzünden gemessen.

Er beschreibt dann eine Lampe, die dieser Vorschrift entspricht.

Ferner hat er noch in der gleichen Lampe bei gleicher Flammenhöhe geprüft und folgende Werte gefunden.

---

* Neuerdings hat der Vf. seinen Vorschlag dahin geändert, daß der äußere Durchmesser 8,3 mm betragen soll. Die Lichtstärke wird dadurch nicht geändert, das Rohr aber solider und die Dochtstellung vorteilhafter.

Benennung der Stoffe	Formel	Gewichtsteile Kohlenstoff in Prozenten	Siedepunkte	Leuchtkraft	1 g verbrannt in Sekunden	In 100 Sek. verbrennen Gramm Kohlenstoff
Amylvalerat	$C_{10}H_{20}O_2$	69,7	195°	1,03	430	0,162
Amylacetat	$C_7 H_{14}O_2$	64,6	138	1,00	388	0,166
„ käuflich	—	—	—	1,00	—	—
Amylformiat	$C_6 H_{12}O_2$	62,1	122	1,01	372	0,163
Isobutylacetat	$C_6 H_{12}O_2$	62,1	116	0,99	373	0,163
Isobutylformiat	$C_5 H_{10}O_2$	58,8	98	0,97	355	0,166
Äthylacetat	$C_4 H_8 O_2$	54,5	75	1,24	212	0,285

Kolumne fünf, sechs und sieben zeigen das interessante Verhalten obiger Stoffe (mit auffälliger Ausnahme des letzten), dafs ihr Konsum bei der Verbrennung mit gleich grofser Flamme und nahezu gleicher Leuchtkraft verschieden ist, jedoch so, dafs die Mengen des in gleichen Zeiten dabei verbrennenden Kohlenstoffes wieder annähernd dieselben sind. Von allen diesen Körpern erscheint das Amylacetat für die Einheitslampe am geeignetsten.

Versuche bei 1. Anwendung von käuflichem Amylacetat, statt des chemisch reinen; 2. Herstellung des Dochtes aus Fäden von je 2 mm Durchmesser gewöhnlicher ausgesponnener Baumwolle; 3. dasselbe mit etwa 1 mm dicken Fäden; 4. Beschneiden des Dochtes in einer etwa 2 mm hohen Kuppe statt in einer Fläche kaum abweichende Resultate, so dafs auch die Reproduktion der Lichteinheit keine Schwierigkeiten darbietet. (Elektrotechnische Ztschr. 5. 20—24; Beibl. 8. 504—5.)

A. Bartoli und Papasogli, *Ein galvanisches Element, bei welchem Kohle den negativen Pol bildet.* Wenn die Kohle den negativen Pol eines Elementes bildet, so mufs dieselbe bei geschlossenem Strome oxydiert werden, und es ist zu erwarten, dafs durch diese Oxydation organische Verbindungen entstehen. Versuche mit Platin und Gold als positiven Pol und mit verschiedenen Elektroden führten die Vff. bald zur Konstruktion eines Elektromotors, dessen Strom stark genug war, um mehrere Monate lang eine elektrische Schelle in Bewegung zu setzen. Als beste Flüssigkeit erwies sich die Lösung von Natrium- oder Kaliumhypochlorit. Wird in eine solche Lösung ein Kohlenstäbchen nebst einem Gold- oder Platinbleche eingetaucht und der Strom geschlossen, so wird die Kohle nach und nach vollständig aufgezehrt. Die Flüssigkeit enthält dann Mellithsäure und die Benzo- und Hydrobenzocarbonsäuren, welche sich bilden, wenn man alkalische Lösungen mit Kohlenelektroden elektrolysiert. So ist es gelungen, durch Oxydation der Kohle bei gewöhnlicher Temperatur Arbeit zu leisten, ein Vorgang, der von dem Lebensprozesse nicht wesentlich verschieden ist. (Gazz. Chim. Ital. 14; Österr. Ztschr. 32. 394.)

G. Krebs, *Drei Oxonapparate.* Da man bei der Herstellung von Ozon Gummistopfen und Gummiröhren nicht verwenden darf, und die Benutzung von Kork auch ihre Unannehmlichkeiten hat, so schien es Vf. ratsam, Apparate zur Darstellung des Ozons durch Elektrolyse des Wassers, durch Zersetzung von Kaliumpermanganat und von Bariumsuperoxyd mittels Schwefelsäure ganz aus Glas herstellen zu lassen.

Fig. 1 (n. S.) zeigt den Apparat zur Herstellung des Ozons durch Elektrolyse des Wassers: An das geschlossene Ende des Schenkels b einer an einem Gestell verschiebbaren U-Röhre ab ist eine Gasleitungsröhre c angeschmolzen, welche man in einen kurzen, engen Reagenscylinder (Präparatenglas) tauchen läfst. Das Platinplättchen in b wird mit dem positiven Pol einer Kette von mindestens drei guten BUNSEN'schen Elementen verbunden. Die verdünnte Schwefelsäure wird möglichst kalt durch a, und zwar so hoch eingegossen, dass sie nur wenig über den Enden der Platinplättchen steht. Nachdem die Wasserzersetzung einige Minuten gedauert hat, giefst man in das Präparatengläschen dünne Jodkaliumkleisterlösung ein; die Bläung erfolgt sofort; ist sie nicht intensiv genug, so läfst man die Wasserzersetzung noch einige Zeit fortdauern und das Gas durch die Kleisterlösung streichen; doch ist es, der Druckverhältnisse wegen, geraten, die Röhre c nur etwa $\frac{1}{2}$ cm tief in die Lösung tauchen zu lassen. Wird, was sich auch einmal ereignen kann, die Lösung bräunlich statt blau, so fehlt es an Stärke.

Fig. 2 zeigt den Apparat zur Darstellung des Ozons durch Zersetzung von Kaliumpermanganat mittels Schwefelsäure. Es ist ein 8 cm hoher und 4 cm weiter, nicht zu dickwandiger Glascylinder, dessen Boden ebenso dick im Glas ist, wie die Seitenwand (ca. 1 mm dick). Der Cylinder läfst sich durch einen hohlen, eingeschliffenen, dünnwandigen

Glasstopfen, an den oben eine Gasleitungsröhre angeschmolzen ist, verschliefsen. Man giefst zunächst Schwefelsäure ca. 1—2 cm hoch in den Cylinder und streut dann trockenes Kaliumpermanganat ein, höchstens zwei Gewichtsteile Kaliumpermanganat auf drei Ge-

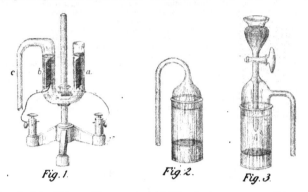

Fig. 1.   *Fig. 2.*   *Fig. 3.*

wichtsteile Schwefelsäure. Nimmt man zuviel Salz, streut man es namentlich zuerst ein und giefst dann Schwefelsäure zu, so tritt leicht nach einiger Zeit eine heftige Explosion ein. Im anderen Falle ist der Versuch völlig gefahrlos. Die Anwesenheit von Ozon wird wie bei dem ersten Versuche nachgewiesen.

Fig. 3 zeigt den Apparat zur Darstellung des Ozons durch Zersetzung von Bariumsuperoxyd mittels Schwefelsäure. Man nimmt entweder gewöhnliches Bariumsuperoxyd oder besser Bariumsuperoxydhydrat, wie es durch Auflösung von gewöhnlichem Bariumsuperoxyd in verdünnter Salzsäure, Fällung mittels Barytwasser und Austrocknen erhalten wird. Man schüttet in den Cylinder getrocknetes Bariumsuperoxyd ca. 2 cm hoch und setzt den hohlen Glasstopfen auf, durch den in der Mitte der Stiel eines Hahntrichters hindurchgeht, und an welchen seitlich ein Gasleitungsrohr angeschmolzen ist. In den Trichter giefst man bei geschlossenem Hahne konzentrierte Schwefelsäure und öffnet dann den Hahn soweit, dafs die Schwefelsäure langsam austropft.

Es ist gut, wenn auch nicht absolut notwendig, das Cylinderglas in kaltes Wasser zu stellen. Neben Ozon bilden sich dabei die bekannten weifsen Nebel in ziemlicher Menge." (Wied. Ann. **22**. 139—40.)

Alfred Köllicker, *Eine Klammer zum Festhalten der Röhrchen bei Schmelzpunktsbestimmungen.* Dieselbe besteht aus einer federnden Platte von Platinblech, die sich mit ihren verbreiterten, gebogenen Enden um das Thermometer legt. An dieses Blech ist ein aus zwei Armen *a* und *b* bestehender Ring von Platindraht angenietet, der das Thermometer umfafst und mit dem federnden Platinbleche zusammen die ganze Vorrichtung daran festhält. Der Arm *b* ist so gebogen, dafs er zwei Ösen bildet, durch welche man das zur Schmelzpunktsbestimmung dienende Röhrchen hindurch schiebt, und welche dasselbe dann genau dem Thermometer parallel festhalten. (Inaug.-Diss. über d. Einwirk. von Triphenylbrommethan auf Natriumacetessigester. Würzburg 1883; Ztschr. anal. Chem. **23**. 205.)

" Die drei hier beschriebenen Apparate hat der Vf. bei Desaga in Heidelberg anfertigen lassen.

C. Reinhardt, *Modifizierter Kipp'scher Schwefelwasserstoffapparat.* Der Vf. sucht gewisse Übelstände, welche sich beim Kipp'schen Apparate zeigen, wenn derselbe zu einer länger fortgesetzten Schwefelwasserstoffentwicklung benutzt wird, durch die in der unten stehenden Figur abgebildete Modifikation zu beseitigen. Die Kugel *a* dient zur Aufnahme der Säure. Sie ist mit zwei Hälsen *b* und *c* versehen und hat etwa 2 l Inhalt. Durch *c* führt mittels Gummistopfens das Verbindungsrohr *d* (von 8 mm lichter Weite), an welchem sich *e* ein Zulaſs-, *f* ein Ablaſshahn, *g* ein Schlammsammler und *h* ein Zweigrohr befindet. *i* ist ein als Träger der Kugel *a* dienender Zinkblechconus, in welch' letzterem sich drei Ausschnitte für das Zweigrohr *h*, sowie für die Regulierung der Glashähne *e* und *f* befinden. Das Rohr *h* ist mit dem Säuregefäſs *i*, mittels Gummistopfens verbunden. *K* dient zur Aufnahme des Schwefeleisens, welches durch die mit Gummistopfen verschlieſsbare Öffnung *l* leicht eingefüllt werden kann. *m* ist ein dreimal durchbohrter Gummistopfen. Durch den Hahn *n* entweicht das entwickelte Schwefelwasserstoffgas. In *b* sitzt ein Gummistopfen, durch welchen das Kugelrohr *o* führt, dieses ist mit dem Absorptionsapparat *p* und p_1 verbunden. Der untere Teil von *p* und p_1 ist mit Kalilauge gefüllt, während sich im oberen Teile eine Schicht Glaswolle und eine solche von Glasperlen befinden.

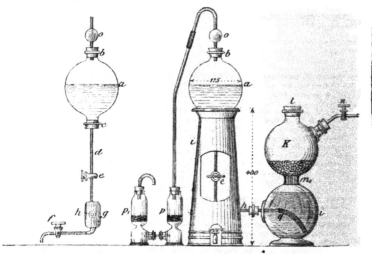

Die Handhabung des Apparates ist nun folgende: Nach beendigter Einfüllung von Schwefeleisen in *K* wird *l* luftdicht verschlossen. Man schiebt auf das Zweigrohr *h* den Gummistopfen, hierauf das Stück Gummischlauch *q*, steckt den Stopfen in *i*, fest und stülpt den Conus über das Rohr *d*, an welch' letzterem der Gummistopfen von *c* übergeschoben ist, setzt nun die Kugel *a* auf *i* und verbindet durch den vorderen Ausschnitt greifend *d* mit *a*. Bei geschlossenem Hahne *e* füllt man die Kugel mit einem Gemische von einem Volum roher Salzsäure und 4 Volum Wasser und befestigt das Kugelrohr auf *a*, worauf der Apparat in Thätigkeit gesetzt werden kann. Öffnet man Hahn *e* und *n*, so steigt die Säure nach *K*, die Entwicklung beginnt; schlieſst man den Hahn *n*, so drückt das Gas die Säure nach *a* zurück, mitgerissener Schwefelwasserstoff muſs die Kalilauge in *p* und p_1 passieren und wird unschädlich gemacht. Jetzt schlieſst man auch den Hahn *e*, der Apparat ist auſser Betrieb, die Säure wird in *a* zurückgehalten.

Hat sich die Säure abgestumpft, so kann man dieselbe mit Leichtigkeit abzapfen, ohne den Apparat zu verrücken. Man öffnet einfach die Hähne *e*, *n* und *f*. Durch das Gummischlauchstück *q* wird auch infolge der Heberwirkung die Säure in i_1 völlig abgezogen.

Der Apparat ist nach den Angaben des Verfassers durch die Firma C. Gerhardt,

MARQUART'S Lager chemischer Apparate in Bonn ausgeführt. (Ztschr. anal. Chem. **23**. 169—71. Mai, Aktiengesellschaft Vulkan, Duisburg-Hochfelde.)

4. Organische Chemie.

D. Klein, *Über eine allgemeine Reaktion der mehratomigen Alkohole bei Gegenwart von Borax und Parawolframaten.* Vor längerer Zeit (**78**. 387) hat der Vf. auf gewisse abnorme Reaktionen des Mannits bei Gegenwart einer wässerigen Boraxlösung hingewiesen. Unter denselben Bedingungen zeigt der Dulcit dasselbe Verhalten wie sein Isomeres, nämlich:

1. Eine Lösung, welche weniger als 0,5 Mol. Borax auf 1 Mol. Dulcit enthält, ist stark sauer, und zwar um so stärker, je geringer die Menge des Borax ist.
2. Eine Lösung, welche 0,5 Mol. Borax auf 1 Mol. Dulcit enthält, ist neutral.
3. Eine Lösung, welche mehr als 0,5 Mol. Borax auf 1 Mol. Dulcit enthält, ist um so mehr alkalisch, je gröfser die Menge des Borax ist; (die Lösungen, um die es sich hier handelt, wurden durch Mischen der gesättigten Lösungen der beiden Körper bei gewöhnlicher Temperatur erhalten.)

Der Dulcit ist gegen Lackmus neutral, der Borax besitzt dagegen alkalische Reaktion. In keinem Falle zeigen die Lösungen des Dulcit und Borax ein Rotationsvermögen, was sich voraussehen läfst, da alle Dulcitverbindungen inaktiv sind. Setzt man der Lösung (1) einige Tropfen neutrale Lackmuslösung hinzu, so nimmt sie eine ziegelrote Färbung an; diese Farbe geht auf Zusatz einer grofsen Menge destillierten Wassers in blau über.

Eine Mischung einer Lösung von Dulcit und parawolframsaurem Natrium zeigt dieselben Reaktionen wie die entsprechenden Lösungen des Mannits und dieses Salzes. Das Natriumparawolframat rötet in konzentrierter Lösung Lackmustinktur kaum und zeigt gegen Lackmuspapier amphigene Reaktionen. Erhitzt man eine gemischte konzentrierte Lösung von Dulcit und Natriumparawolframat, so färbt die Flüssigkeit dann blaues Lackmus rot nach Art der starken Säuren; während aber eine Lösung von 10 g Mannit und 4 g Natriumparawolframat in 100 cm Wasser in einer Flüssigkeitslänge von 219 mm die Polarisationsebene um 36′ nach rechts lenkt, so bewirkt eine Lösung von 4 g desselben Salzes und 10 g Dulcit in derselben Wassermenge keine Ablenkung (Versuchstemperatur 19°).

Die Löslichkeit des Dulcits in Wasser wird durch die Gegenwart des Parawolframats bedeutend gesteigert, allein nicht so stark als durch Borax. Aus konzentrierten Lösungen scheidet sich mitunter der Dulcit aus.

Diese Reaktionen sind durchaus allgemein. Der Vf. hat beobachtet, dafs sie durch alle löslichen Diborate und Parawolframate bei Gegenwart irgend eines mehratomigen, nicht kondensierten Alkohols bewirkt werden. Die Menge des letzteren, welcher nötig ist, um die saure Reaktion hervorzubringen, ist um so geringer, je höher die Atomigkeit des letzteren ist. Die Vergröfserung des Rotationsvermögens tritt nur dann ein, wenn der Alkohol selbst ein Rotationsvermögen besitzt. Diese Thatsachen wurden für Glykole (Glykol, Propylglykol, Butylglykol), das Glycerin, den Erythrit, die Glykosen und die Galaktose durch den Versuch festgestellt. Die Saccharose und das Dextrin haben kein ähnliches Resultat ergeben; ebensowenig der Quercit, allein man weifs nach den Untersuchungen von PRUNIER, dafs der Quercit kein mehratomiger Alkohol ist.

Die Säurealkohole mit hohem Molekulargewicht zeigen ein ähnliches Verhalten, wenn ihre Atomigkeit ebenfalls hoch ist: so erhält man durch Mischen einer verdünnten Lösung von Borsäure, welche Lackmus nicht rötet, mit einer gleichbeschaffenen Schleimsäurelösung ein Gemenge, welches stark sauer ist.

Die mehratomigen Alkohole geben mit Borsäurelösungen analoge Reaktionen wie der Mannit; ihre Wirkung variiert nach demselben Gesetze wie bei letzterem.

Alle diese Reaktionen erklären sich einfach dadurch, dafs sich Äther des angewendeten Alkohols bilden, welche gegenüber den Basen die Rolle von Säuren spielen und eine gröfsere Sättigungskapazität besitzen, als die Mineralsäuren. Da sie zur Bildung neutraler Salze eine gröfsere Menge Base verlangen, als die betreffende Mineralsäure, so geben sie saure Lösungen. (C. r. **99**. 144—47. [21.*] Juli.)

J. Regnauld und **Villejean**, *Über die Reinigung des Methylalkohols*, LIEBEN erhielt reinen Methylalkohol durch Behandlung von Oxalsäuremethyläther mit einer Base. Für gewisse Sorten von Methylalkohol scheint dieses Verfahren ungenügend; der durch Einwirkung von Kalkhydrat aus dem Oxalsäuremethyläther regenerierte Methylalkohol enthält immer noch eine gewisse Menge einer Substanz, welche mit Jod und alkalischen Hydraten Jodoform giebt. Diese Substanz ist vielleicht Aceton, welches sich immer im käuflichen, sogenannten reinen Methylalkohol findet und möglichenfalls von dem Oxalsäureäther zurückgehalten sein kann. Es ist aber auch möglich, dafs es eine Spur von Äthylalkohol ist, welche sich bei der Destillation des Holzes gebildet hat. Dieser würde durch die Oxalsäure in den entsprechenden Äther umgewandelt und durch die Einwirkung der Base wieder regeneriert worden sein.

Wie dem auch sein mag, so ist das folgende Verfahren geeignet, grofse Mengen von völlig reinem Methylalkohol zu erhalten, welcher frei ist von jeder jodoformgebenden Substanz.

In dem aus dem Oxalsäureäther regenerierten Alkohol löst man eine grofse Menge (ungefähr ein Zehntel seines Gewichts) Jod, hierzu setzt man allmählich eine wässerige Natronlösung in ausreichender Menge, um eine vollständige Entfärbung und eine deutliche alkalische Reaktion zu bewirken. Dieses Gemenge giebt bei vorsichtiger Destillation einen absolut reinen Methylalkohol, welcher über Kalk rektifiziert, das spez. Gewicht 0,810 bei 15° besitzt. Der Zweck dieser Operation ist, innerhalb des Methylalkohols selbst jede fremde organische Substanz in Jodoform zu verwandeln und letzteres wiederum in Jodid und alkalisches Formiat zu zersetzen. (C. r. **99.** 82—84. [15.*] Juli.)

F. W. Dafert, *Untersuchungen über den Mannit.* Die durch diese Untersuchung festgestellten Thatsachen und die daraus zu ziehenden Schlüsse sind folgende.

1. Da bei der Oxydation des Mannits Lävulose entsteht, andererseits diese mit Natriumamalgam wieder Mannit giebt, so ist der Schlufs gerechtfertigt, dafs der Fruchtzucker ein unmittelbarer Abkömmling des Mannits ist, d. h. dafs ihm die Stellung gebührt, welche man seit FITTIG'S Vortrag über die Konstitution der Zuckerarten der Dextrose einräumte.

2. Da sich bei der Oxydation des Mannits keine Dextrose und kein dextroseartiger Körper nachweisen läfst (die auftretende Rechtsdrehung bei fortgesetzter Oxydation rührt von einer Säure her), sind die von SCHEIBLER geäufserten Bedenken über den Ursprung des Mannits bei der Reduktion des Traubenzuckers anscheinend sehr gerechtfertigt, und ist derselbe offenbar das Produkt eines sekundären Prozesses. Daraus läfst sich aber wieder der Schlufs ziehen, dafs wir zwar allen Grund haben, eine sehr nahe Verwandtschaft des Traubenzuckers und Mannits, nicht aber einen so unmittelbaren Zusammenhang der beiden wie im vorhergehenden Falle anzunehmen, und erscheint insbesondere der Versuch, die Dextrose als Aldehyd, die Lävulose als Keton aufzufassen, resp. umgekehrt, ein unglücklicher. Ja man kann sogar gegen die Richtigkeit unserer ganzen Auffassung der Kohlehydrate Bedenken erheben, auf die der Vf. hier beiläufig aufmerksam macht. Man nimmt die Zuckerarten als Derivate des Mannits an und spricht demselben die Strukturformel CH$_2$OH—CH.OH—CH.OH—CH.OH—CH.OH—CH$_2$OH zu, basierend auf der Arbeit ERLENMEYER'S und WANKLYN'S (Journ. f. prakt. Chem. **87.** 183) über die Reduzierbarkeit des Mannits durch Jodphosphor, wobei ein Hexyljodid:

$$CH_2—CH_2—CH_2—CH_2—CHJ—CH_3$$

entstehen soll. So wenig an der Richtigkeit der Beobachtungen ERLENMEYER'S und WANKLYN'S gezweifelt werden kann, so sehr scheint es dem Vf. nötig, wenigstens noch neue Beweise für die jetzt angenommene Formel des Hexyljodids aus Mannit zu erbringen, ehe sie als sichergestellt gelten kann. Worauf stützt sich der Beweis, dafs dem genannten Jodide die obige Formel zukommt? Zuvörderst auf die Thatsache, dafs aus demselben ein sekundärer Hexylalkohol gebildet wird, welcher durch Oxydation zuerst in ein Aceton und dann in Essigsäure und Buttersäure gespalten wird. „Nach der bekannten, bis jetzt ohne Ausnahme bei der Oxydation der Acetone beobachteten Regelmäfsigkeit, sagt FITTIG, kommt einem Aceton, welches dieses Verhalten zeigt, die Formel: CH$_3$—CO—C$_4$H$_9$ zu. Es ist ein Methylbutylketon, und mufs die Gruppe C$_4$H$_9$ normal konstituiert sein, weil normale Buttersäure entsteht."

Die Richtigkeit dieser letzteren These ist aber erst zu beweisen, und scheint es entgangen zu sein, dafs G. WAGNER vor längerer Zeit die bis jetzt nicht widerlegte Behauptung aufgestellt hat, das POPOW'sche Spaltungsgesetz der Ketone nach dem Typus CH$_3$(CH$_2$)$_n$CO(CH$_2$)$_m$CH$_3$ bei der Oxydation sei falsch, und dafs der einzige Versuch auf welche sich dasselbe stützte, den thatsächlichen Verhältnissen nicht entsprechend. Ist dasselbe aber unrichtig, so ist zum mindesten die Behauptung gerechtfertigt, es sei die dem Mannit zugeschriebene Konstitutionsformel noch sehr einer Bestätigung bedürftig.

Eine diesbezweckende Arbeit hat erst vor kurzem DOMAC (Monatsh. **2.** 322) geliefert, doch stützt sich auch diese wieder auf die Spaltungsregel der Ketone und kann daher nicht mafsgebend sein. Über die VICTOR MEYER'sche Reaktion bei dem entstehenden Jodide sind die Angaben auch nicht übereinstimmend. DOMAC sagt zwar, dafs dasselbe der VICTOR MEYER'schen Reaktion unterworfen, die für die sekundären Jodide charakteristische Blaufärbung zeigt, wogegen KRUSEMANN behauptet, dafs zwar ein Pseudonitrol zu entstehen scheint, obgleich die auftretende Blaufärbung, selbst bei Anwendung von

0,5 g Jodid, sehr schwach war im Vergleich mit derjenigen, die man z. B. mit Isopropyljodid erhält.

Indem Vf. auf diese etwas schwankenden Grundlagen unserer Ansichten über die Struktur der Zuckerarten aufmerksam macht, möchte er nicht mißverstanden werden. Er hat gegenwärtig noch kein Argument für oder gegen die Richtigkeit der angeführten Behauptungen anzuführen und ist nicht in der Lage, direkt die Veränderungen und die Natur des Hexyljodids aus Mannit zu studieren, will sich also auch nichts in dieser Beziehung reserviert haben. Möglicherweise wird die noch im Gange befindliche Untersuchung der weiteren Oxydationsprodukte des Mannits einiges zur Beurteilung der angeregten Frage beitragen können.

In vorliegender Arbeit sind insbesondere zwei Fragen noch nicht beantwortet worden, und zwar die Entscheidung der Natur des Begleiters der Lävulose in diesem Falle und die Gewinnung reiner Lävulose durch Oxydation des Mannits. (Ztschr. d. Ver. Rüb.-Zuck.-Ind. **21.** 574—603.)

A. Müntz und **V. Marcano,** *Über den Perseït, eine dem Mannit analoge Zuckerart.* In den Fruchtkernen von Laurus persea fand AVEQUIN 1831 eine Substanz, welche er für Mannit erklärte, und MELSENS bestätigte dies später durch eine Elementaranalyse. Die Vff. haben diese Versuche wiederholt und gefunden, daß die Substanz von dem Mannit verschieden ist; sie hat die Zusammensetzung $C_{14}H_{14}O_{12}$, Schmelzp. ·183,5—184° (Mannit 164—164,5°), ist sehr löslich in warmem Wasser, weit weniger in kaltem (6 p. c. bei 15°) und scheidet sich aus einer konzentrierten Lösung beim Abkühlen in Form einer mehligen Masse ab. Im Originale findet sich eine ausführliche Beschreibung der Eigenschaften und des chemischen Verhaltens. (C. r. **99.** 38—40. [7.*] Juli.)

G. Bertoni und **F. Truffi,** *Beitrag zum Studium der Ätherifikation durch doppelte Umsetzung.* Die Vff. haben weitere Versuche über die Umsetzung von Alkoholen mit Amylnitrit angestellt und folgende Werte für die Grenze gefunden:

	Methyl	Äthyl	Propyl	Butyl
	100	85	52	37
Diff.	15		15	
			33	
			2 × 15 ca.	

Daraus schließen die Vff.: Die Fähigkeit der Alkohole der Fettsäurereihe, sich durch doppelte Umsetzung in Nitrite zu verwandeln, nimmt um einen konstanten Wert oder sein Multiplum ab, wenn man von einem Gliede zum nächsten höheren aufsteigt.

Die Vff. stellen noch die Siedepunkte der Alkohole und Nitrite zusammen. Eine Anomalie zeigt sich in der Differenz derselben beim Äthyl- und Methylalkohol.

Substanz	Primär. Amyl normal	Amyl von Gärung	Primär. Butyl. normal	Isobutyl	Propyl. normal	Isopropyl	Äthyl	Methyl
Alkohol . .	137°	132°	116°	107°	97°	84,6°	78°	68°
Nitrit . .	97°	92°	76°	67°	57°	44,5°	18°	13°
Differenz . .	40°	40°	40°	40°	40°	40,1°	60° $40 + \frac{40}{2}$	80° 2 × 40

(Gazz. Chim. Ital. **14.** 23—29; Beibl. **6.** 427.)

A. Levallois, *Polarimetrische Untersuchungen über die Cellulose.* (C. r. **99.** 43 bis 45. [7.*] Juli.)

A. Destrem, *Einwirkung des Induktionsfunkens auf Benzol, Toluol und Anilin.* Läßt man den Induktionsfunken innerhalb gewisser Flüssigkeiten der aromatischen Reihe überschlagen, so gelingt es leicht, dieselben zu zersetzen. Überdies entziehen sich diese Zersetzungsprodukte in dem Maße, wie sie entstehen, der weiteren Einwirkung des Funkens; deshalb kann man sicher sein, bei der Analyse nur wirkliche Zersetzungsprodukte zu finden, welche frei sind von Produkten einer sekundären Wirkung. Der Vf. hat sich bei seinen Versuchen eines HOFMANN'schen Zersetzungsapparates mit einem Arme bedient, welcher mit einem Gasableitungsrohre versehen war, um die Gase nach einer

Quecksilberwanne zu leiten. Der Funken wurde von einem mittelgrofsen Induktionsapparate geliefert, der durch drei BUNSEN'sche Elemente in Thätigkeit gesetzt war. Er schlug zwischen zwei sehr nahestehenden Platindrähten über.

Der Untersuchung wurden zunächst Benzol, Toluol und Anilin unterworfen. Sobald der Funken innerhalb einer dieser Flüssigkeiten überspringt, so bilden sich an den Elektroden zahlreiche Gasblasen und zu gleicher Zeit ein kohliger Absatz, welcher bald die ganze Masse erfüllt. Beim Anilin ist letzterer weniger voluminös und sinkt rasch auf den Boden des Gefäfses, was bei Benzol und Toluol nicht der Fall ist. Die Analyse der erhaltenen Gasgemenge ergab:

Für Benzol: 42—43 p. c. Acetylen; 57—58 p. c. Wasserstoff
Für Toluol: 23—24 „ 76—77 „
Für Anilin: 21 „ 65 „ 9 p. c. Cyanwasserstoffs.
und 5 p. c. Stickstoff.

Nach der Wirkung des Funkens findet man aufser der Kohle, die sich abgesetzt hat, im Benzol und Toluol Diphenyl und eine braunrote, in den genannten Kohlenwasserstoffen lösliche Verbindung, welche man leicht durch Konzentration oder durch Abkühlen isolieren kann. Sie soll genau untersucht werden. (C. r. **99**. 138—39. [21.*] Juli.)

A. Colson, *Über einige Derivate des m-Xylols* (S.632). RADZISZEWSKI u. WISPEK erhielten aus m-Xylol, welches durch Destillation von rohem Xylol dargestellt war, ein bei 140 bis 141° schmelzendes Dibromid, welches sie mit Unrecht zur Metareihe rechneten. Ihr m-Xylol enthielt sicherlich noch p-Xylol, denn der Vf. hat konstatiert, dafs zwei successive Oxydationen mit jedesmal darauf folgendem Rektifizieren nicht ausreichend sind, um alles p-Xylol des rohen Kohlenwasserstoffes zu zerstören. Er benutzte zur Oxydation verdünnte Salpetersäure in der Weise, dafs nach der ersten Operation ungefähr ⁴⁄₅ der ursprünglichen Flüssigkeitsmenge verschwunden waren, und dafs durch die zweite Operation das in jener Weise angereicherte Produkt wiederum auf die Hälfte reduziert wurde. Nach der Umwandlung eines solchen m-Xylols in Dibromid blieb nach dem Abkühlen und Absaugen an der Filterpumpe ein fester Kuchen, welcher sich in Äther zum grofsen Teil löste. Der unlösliche Teil bestand aus Tolylendibromid, welches bei 142—143° schmolz, während das andere, durch successive Krystallisationen aus Äther oder Chloroform gereinigte Teil ein bei 76—77° schmelzendes, und in den genannten Flüssigkeiten sehr leicht lösliches Dibromid gab; dieses ist das Derivat des m-Xylols. Versucht man, den festen Kuchen mit siedendem Alkohol zu reinigen, so verwandelt sich das Produkt in flüssige Verbindungen (Äthyline), und man erhält nur p-Xylendibromid. Hieraus erklärt sich der Irrtum von RADZISZEWSKI und WISPEK, welche an Stelle des m-Derivates das mehr oder weniger reine p-Derivat erhielten.

m-Xylendibromid, $C_6H_4(CH_2Br)_2$. Man erhält dasselbe leicht, wenn man käufliches, reines m-Xylol in der Weise behandelt, wie der Vf. bereits für das o-Xylol angegeben hat. Mit Äther auf dem Filter gewaschen, schmilzt es bei 75°, ist aber nicht absolut rein, sondern mufs noch mehrmals aus Petroleumäther oder Alkohol von 90 p. c. umkrystallisiert werden, wobei man im letzteren Falle nicht zum Sieden erhitzen, den Alkohol auch nicht zu lange in Berührung lassen darf. Nach dreimaligem Umkrystallisieren sind die Krystalle des Dibromids weifs, in Äther und Chloroform löslich, ebenfalls löslich in der dreifachen Menge Petroleumäther und in einer noch geringeren Menge Alkohol; es sticht nicht in die Augen und schmilzt bei 77,1°; spez. Gew. 1,734 bei 0°, 1,61 bei 90° (flüssig).

m-Xylenglykol, $C_6H_4(CH_2OH)_2$. Das obige Dibromid wird vollständig verseift, wenn man es längere Zeit mit seinem dreifsigfachen Gewichte siedenden Wassers, welches die zur Neutralisation der gebildeten Bromwasserstoffsäure nötige Menge Kaliumcarbonat enthält, in Berührung läfst. Durch Verdampfung im Wasserbade zur Trockne erhält man eine krystallinische Masse, welche, durch wasserfreien Äther aufgenommen, an diesen den gebildeten Glykol abgiebt. Durch langsame Verdunstung der ätherischen Lösung erhält man ein Öl, welches zu mikroskopischen, bei 45,5—46,2° schmelzenden, geruchlosen, bitter schmeckenden Krystallen erstarrt. Dies ist der m-Xylenglykol; bei 12° ist er in seiner siebenfachen Menge Äther löslich und viel leichter löslich in Wasser. Er zeigt das Phänomen der Übersättigung in hervorragender Weise, denn es ist fast unmöglich, den Körper aus einer wässerigen Lösung umzukrystallisieren; ebenso bleibt er auch lange Zeit überschmolzen; sein spez. Gewicht ist 1,16 bei 18°.

Dieser Glykol gehört der Metareihe an, denn bei der Oxydation mit Permanganat giebt er Isophtalsäure. Mit konzentrierter Bromwasserstoffsäure behandelt, geht er wieder in das bei 77° schmelzende Dibromid über; Chlorwasserstoffsäure liefert das entsprechende Dichlorid.

m-Xylendichlorid, $C_6H_4(CH_2Cl)_2$, entsteht, wie erwähnt, durch Einwirkung von konz. heifser Chlorwasserstoffsäure auf Glykol. Es ist ein krystallinischer Körper, welcher nach der Reinigung durch Sublimation oder durch Äther bei 34,2° schmilzt.

Vergleichung der Schmelzpunkte. Die Schmelzpunkte der Derivate der drei Xylole zeigen interessante Beziehungen: die des p-Xylols sind bereits von GRIMAUX bestimmt und durch den Vf. bestätigt worden. Die folgende Tabelle zeigt, dafs die m-Derivate niedrigere und die p-Derivate höhere Schmelzpunkte besitzen als die o-Derivate.

	p-Reihe	o-Reihe	m-Reihe
Dichlorid	100,5°	54,5°	34,2°
Dibromid	143°	94,9°	77,1°
Glykol	112,5°	64,6°	46,2°
Kohlenwasserstoff .	16°	?	?

(C. r. **99**. 40—42. [7.*] Juli.)

W. H. Perkin jun., *Über Benzoylessigsäure und einige ihrer Derivate.* (Journ. Chem. Soc. **45**. 170—89. Juni; C.-Bl. 1884. 536.)

5. Physiologische, medizinische und pharmazeutische Chemie.

P. Calliburcès, *Beschreibung eines neuen Abdampfungs- und Destillationsapparates zur pneumatischen Behandlung der Zuckersäfte.* Mit Rücksicht auf seine Untersuchungen

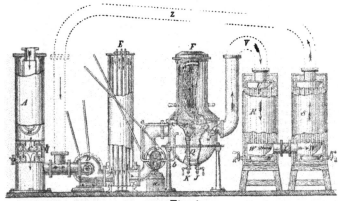

Fig. 1.

über den Einflufs der Luft auf die Gärung (S. 565) hat der Vf. den obigen Apparat konstruiert. *A* ist der Reiniger für die Luft und besteht aus einem cylindrischen Gefäfse, welches mehrere Filter *B* (aus Watte mit Stoff überzogen) enthält; diese umgeben die Eintrittsöffnung für die Luft konzentrisch und bewirken die Reinigung derselben. Wenn eine ganz vollständige Reinigung erzielt werden soll, so vermehrt man die Zahl der Filter und vergröfsert die Dimensionen des Reinigers, versieht letzteren auch mit einem Waschapparat *C*, welcher so eingerichtet ist, dafs die Luft nach ihrem Durchgang durch die Filter das darin enthaltene Wasser mehrmals passieren mufs. Ein Ventilator *D* saugt die Luft ein und treibt dieselbe zweimal, zuerst von unten nach oben und dann von oben nach unten durch den Erwärmungscylinder *E* zum Abdampfungsapparat *F*, in welchem der Saft kontinuierlich verstäubt wird. Im oberen Teile von *F* befinden sich zwei parallele Platten *H*, welche derart mit vielen Löchern durchbohrt sind, dafs die Löcher der einen den der anderen nicht entsprechen; hierdurch wird das Hinüberreifsen von Flüssigkeitsteilchen vermieden. Durch den Hahn *I* kann Flüssigkeit in das Innere des Apparates *F* eingelassen werden. Das Ausflufsrohr liegt etwas unterhalb der Spalte *M* des Verstäubers *N* (Fig. 1 s. oben, Fig. 2 s. n. S.) und dient zugleich als Überlauf, um zu verhindern, daſs diese Spalte in Flüssigkeit eintaucht. Ein zweiter Hahn *I* dient zum zeitweiligen Extrahieren einer Flüssigkeitsprobe, um die Dichte derselben zu bestimmen, sowie zum Ablassen der ganzen Flüssigkeit, sobald dieselbe konzentriert genug ist. Der dritte Hahn *K* endlich wird benutzt, um mittels eines Schlauches eine Verbindung mit der zu behandelnden Flüssigkeit herzustellen, wenn sich das Reservoir derselben auſserhalb befindet.

Bedient man sich eines Stromes komprimierter Luft zum Verstäuben der Flüssigkeit, so aspiriert eine Pumpe die Luft aus dem Reiniger *A* und treibt sie durch die ringförmige, sehr enge Spalte *M* des Verstäubers *N*. Der stark gepreſste Luftstrom aspiriert die Flüssigkeit (in welche die mit Löchern *O* versehene Aspirationsröhre *Q* taucht) und bildet daraus soviel Strahlen, als der Verstäuber Kanäle hat. Diese brechen sich an der inneren Oberfläche einer kleinen Trommel *P* und verwandeln sich dadurch in sehr feinen Staub. Ist die Flüssigkeit in einem besonderen Gefäſse enthalten, so setzt man dasselbe mit der Aspirationsröhre *Q* (deren Löcher *O* für diesen Fall geschlossen werden müssen) mittels eines festen Rohres durch den Hahn *K* in Verbindung. Da man aber auf diese Weise durch bloſses Aspirieren der Flüssigkeit in kurzer Zeit keine genügend groſse Menge verstäuben kann, so ist noch eine Flüssigkeitspumpe *a* angebracht, deren Saugrohr *b* in die Flüssigkeit taucht, und deren Ausfluſsrohr *c* mit der Spalte *M* des Verstäubers in Verbindung steht.

Will man den Apparat bloſs zum Verdampfen benutzen, so läſst man den hindurch getriebenen Luftstrom mit den Dämpfen, die er mit sich führt, ins Freie treten; soll er aber zugleich zur Destillation dienen, so muſs man den Luftstrom noch durch Kondensatoren *R, S....* leiten. Ein jeder besteht aus einem cylindrischen, mit kaltem Wasser gefüllten Reservoir, in dem sich eine groſse Menge vertikaler Röhren *T* befindet. Diese münden oben und unten in zwei Trommeln *U* und *W*. In die obere Trommel *U* des Kondensators *R* tritt durch die weite Röhre *V* und die Öffnung *G* der mit den Wasserdämpfen beladene Luftstrom aus dem Verdampfungsapparate *F* ein, gelangt dann durch die Röhren *T* in die untere Trommel des Kondensators *S* etc. Jede untere Trommel *W* ist überdies noch mit einer mittleren konkaven Scheidewand versehen, welche einen unteren Raum *X* abtrennt; jede Scheidewand hat in ihrer Mitte ein Loch, durch dieses flieſst die kondensierte Flüssigkeit nach *X* und kann dort abgelassen werden. Die obere Trommel des letzten Kondensators steht entweder mit der äuſseren Luft oder durch ein weites Rohr *Z* mit dem Aspirationskanale des Ventilators *D* in Verbindung. In diesem letzten Falle zirkuliert immer dieselbe Luft in dem Apparate. Hierdurch vermeidet man jeden Verlust von Flüssigkeit.

Um auf eine absolut sichere Weise die Wegführung pulverisierter Flüssigkeitsteilchen durch den Luftstrom zu verhüten, ist der Apparat *F* noch mit einer konkaven Platte *d* versehen, deren konkave Seite nach unten gekehrt ist. Sie hat in der Mitte ein Loch, in welchem sich das obere Ende des Verstäubers befindet. Diese Einrichtung bietet folgende Vorteile: der Luftstrom wird dadurch, ehe er aus dem Verdampfungsapparate austritt, gezwungen, durch die Öffnung der konkaven Platte *d* zu gehen und die Wand der röhrenförmigen Flüssigkeitsschicht zu passieren, welche sich durch das Ablaufen der zurückflieſsenden Flüssigkeit bildet.

N

P

O

Fig. 2.

Die Resultate, welche der Vf. bei der Benutzung dieses Apparates erzielt hat, sind folgende:

1. Unterwirft man den Traubensaft einer pneumatischen Behandlung durch gereinigte Luft von gewöhnlicher Temperatur oder von 65° und treibt diese Behandlung bis zu einer beträchtlichen Reduktion des wässerigen Teiles des Saftes, so beginnt die Gärung rascher und dauert länger als in dem nicht so behandelten Safte.

2. Durch die pneumatische Behandlung wird selbst dann, wenn die Konzentration beträchtlich weit getrieben ist, weder der Farbstoff noch die anderen Bestandteile des Saftes verändert.

3. Reinigt man die Luft nicht, so entwickeln sich während der Gärung parasitäre Vegetationen, welche ein fadenförmiges Sediment bilden.

4. Die Entwicklung dieser Vegetation infolge der Anwendung nicht gereinigter Luft bildet kein absolutes Hindernis für die Konservierung der Flüssigkeit.

5. Wendet man gereinigte Luft an, so tritt selbst bei starker Konzentration des Saftes die Entwicklung eines fadenförmigen Sedimentes nicht ein.

6. Durch die pneumatische Behandlung wird nicht nur ein alkoholreicheres Produkt erzielt, sondern auch das Verhältnis der anderen flüchtigen Gärungsprodukte und der fixen Bestandteile des Saftes (Extrakt) zum Wasser erhöht. (C. r. **98**. 1476—80. [16.*] Juni.)

Balland, *Untersuchung über das Mehl. Zweite Abhandlung*. (C. r. **99**. 71—72 und 178. [15.*] und [22.*] Juli.)

F. Nobbe, P. Bässler und **H. Will**, *Untersuchung über die Giftwirkung des Arsens, Bleis und Zinks im pflanzlichen Organismus*. (L. V. St. **30**. 381—400 u. fgde.)

E. Reichardt, *Phosphorsäuregehalt der Gipse*. Unter Düngegips kommt aufser den natürlichen Gemengen das Gemisch vor, wie es die oft sehr bunte Lagerung jeweilig zeigt. Bald ist es reiner, fast chemisch reiner Fasergips, bald ist es stark gefärbtes Gestein, oft mit Kalkadern, thonigen Lagen und dergl. mehr durchsetzt. In der Nähe von Jena finden sich reichlich Gipslagerungen, ausgezeichnet durch wellenförmige Schichtung, oft bunt gefärbt, und zwischen den einzelnen Schnüren lagert Mergel, welcher aus Thon, Sand, namentlich aber Magnesia führendem kohlensauren Kalk besteht, demnach wesentlich dolomitischer Natur ist. Hier kommt es nun allverbreitet vor, dafs sich bei einwirkender Nässe sowohl Gips löst, wie kohlensaure Magnesia, und beide sich umsetzen, so dafs kohlensaurer Kalk sich abscheidet, und Bittersalz auskrystallisiert. Die Gipswände sind oft reichlich mit Krystallisationen bedeckt, genau den Zwischenlagen entsprechend. Dieselben treten bei trockner Witterung hervor und bestehen aus Gips mit reichlich Bittersalz, welches alsbald durch den Geschmack erkannt werden kann. Die dort zu Tage tretenden Quellen führen deshalb auch reichlich dieses Salz.

Vor einiger Zeit wurde dem Vf. ein Düngegips zur Untersuchung gesendet, bei welchem angegeben war, dafs er 66,9 p. c. krystallisierten Gips enthalte und 2,94 p. c. Phosphorsäure, welche bestehen sollte aus 0,52 in Wasser leicht löslich, 0,78 citratlöslich und 1,64 unaufgeschlossen. Die Angaben waren an und für sich auffällig, da es bei so kleinen Mengen nicht üblich ist, auch noch derartige Unterscheidung der Löslichkeit zu treffen. Wäre das Gemisch ein Fabrikabfall gewesen, so hätte es doch mehr in dem Sinne des Fabrikanten liegen sollen, einen höheren Gehalt zu lassen, da namentlich die leicht lösliche Phosphorsäure verhältnismäfsig sehr gut bezahlt wird.

Bei der in neuester Zeit so ausgebreiteten Kenntnis des Vorkommens von Phosphaten ist sehr häufig gefunden worden, dafs auch unter den Mineralien leicht oder leichter lösliche Phosphorsäure vorkommt, namentlich als zweibasische Verbindung, worauf die Fabrikanten der Superphosphate jetzt sehr aufmerken, da sie dann weniger Schwefelsäure zur Aufschliefsung nötig haben. So lag es nahe, natürlich vorkommende Gipse in gleicher Richtung zu prüfen.

Eine zweite eingesendete Probe Gips, als Einstreumittel in die Ställe verwendet, ergab 0,42 p. c. Phosphorsäure, und Proben der hiesigen, Mergel führenden Gipse erwiesen gegen 3 p. c. in den verschiedensten Grade der Löslichkeit. Reiner Fasergips war dagegen vollkommen frei von Phosphorsäure. Dieses Vorkommen regt zur Untersuchung anderer Lagerstätten an, und es kann sehr wohl die Wirksamkeit des Düngegipses dadurch wesentlich erhöht werden. (Arch. Pharm. [3] **22**. 413—14. Anf. Juni. Jena.)

Heinrich Struve, *Studien über Blut*. (Journ. prakt. Chem. **29**. 305—50. Tiflis. März.)

G. Hüfner, *Über das Oxyhämoglobin des Pferdes*. Die Untersuchungen, welche im Auftrage des Vf's. von MAX BÜCHELER ausgeführt worden sind, erstreckten sich 1. auf die Krystallform und den Krystallwassergehalt des Farbstoffes. Es wurde nur das Auftreten einerlei Krystallform: 2—3 mm lange und etwa $\frac{1}{2}$ mm breit beobachtet. Die Bestimmung des Krystallwassergehaltes mit prismatischen Krystallen ausgeführt, ergab, dafs ein Molekül (12042) der schwefelsäuretrocknen Masse noch immer etwa 28 Mol. Wasser festhält.

2. Zur Bestimmung der Löslichkeit wurden feuchte, prismatische Krystalle verwandt und als Temperaturen solche von 1 und 20°. Die Menge des gelösten Farbstoffes wurde photometrisch durch Messung der Konzentration der entstandenen Lösung bestimmt. 100 ccm Wasser von 1° lösen 2,614 g, von 20° 14,375 g.

3. Elementaranalyse. Unter der Annahme, dafs ein Atom Eisen im Molekül vorhanden sei, berechnet sich für den bei 115° getrockneten Farbstoff aus den erhaltenen Zahlen die ungefähre empirische Formel $C_{600}H_{960}N_{154}S_3FeO_{179}$, also das Molekulargewicht m = 12042. Wenn ferner x das fragliche Gewicht des mit 1 g Hämoglobin verbundenen

Kohlenoxydes (CO = 28), so erhält man $x = \frac{28}{12042} = 0,002\,325\,2 = 1,86$ ccm bei 0° und 760 mm Druck, und 1,41 ccm bei 0° und 1 m Druck.

4. Der wirkliche Gehalt des arteriellen Farbstoffes an losem Sauerstoffe beträgt im Mittel von vierzehn Versuchen 1,39 ccm bei 0° und 1 m Druck. Die Untersuchungen liefern den Beweis, daſs das Pferdehämoglobin in bezug auf die Abhängigkeit der lose fixierten Sauerstoffmenge vom Eisengehalte des Moleküls keine Ausnahme von der Regel macht. (Ztschr. physiol. Chem. **8.** 358—65. 22. April. Tübingen.)

S. W. Lewaschew, *Beiträge zur Lehre über den Einfluſs alkalischer Mittel auf die Zusammensetzung der Galle.* I. Versuche mit doppeltkohlensaurem Natron. — Versuche mit schwefelsaurem Natron. — Versuche mit phosphorsaurem Natron. — Salicylsaures Natron. (Ztschr. f. klin. Med. **7.** 609—31 und **8.** 48—85. Petersburg.)

O. Minkowski, *Über das Vorkommen von Oxybuttersäure im Harn bei Diabetes mellitus* (vgl. **84.** 406.) (Arch. f. exper. Pathol. u. Pharmak. **18.** 35—48. Juni. Königsb.)

O. Minkowski, *Nachtrag über Oxybuttersäure im diabetischen Harn.* Vf. weist durch die Bestimmung des spezifischen Drehungsvermögens der Oxybuttersäure und ihres Silbersalzes nach, daſs sie mit der von KÜLZ (**84.** 553) beschriebenen Pseudooxybuttersäure identisch ist. Die aus dem Harn gewonnene Säure zeigte sich mit der nach der Vorschrift von WISLICENUS aus Acetessigäther mittels Natriumamalgam hergestellten *β*-Oxybuttersäure in ihren Eigenschaften wie in dem Verhalten ihrer Salze auſserordentlich ähnlich, indessen besteht eine vollkommene Identität nicht, da die durch Reduktion hergestellte Säure optisch inaktiv ist. Gleichwohl kann es nicht zweifelhaft sein, daſs auch der aus dem Harn gewonnene Säure die Konstitution der Betaoxybuttersäure zukommt. Es scheint daher, daſs hier ähnliche Verhältnisse obwalten, wie bei den homologen Milchsäuren. Vf. schlägt für die in Rede stehende Säure den Namen „Paraoxybuttersäure" oder „Acetonsäure" vor. (Arch. f. exper. Pathol. u. Pharmak. **18.** 147—50.)

W. Salomon, *Über die Verteilung der Ammoniaksalze im tierischen Organismus und über den Ort der Harnstoffbildung.* (VIRCHOW'S Arch. f. pathol. Anat. und Physiol. **97.** 149—70; Chem. Labor. d. pathol. Institute zu Berlin.)

Th. Weyl, *Über die Nitrate des Tier- und Pflanzenkörpers.* Vf. wies nach, daſs das Destillat des mit konzentrierter reiner Schwefelsäure und Salzsäure angesäuerten normalen Harnes die für die salpetrige, häufig auch die für die Salpetersäure charakteristischen Reaktionen zeigt. Aus dem Destillate lieſs sich durch Oxydation ein Körper gewinnen, welcher bei der Zersetzung mit Eisenchlorür und Salzsäure Stickoxyd entwickelte. Vf. kommt daher zu dem Schlusse, daſs der menschliche Harn, solange in demselben kein anderer Stoff aufgefunden wird, der die angegebenen Reaktionen zeigt, Nitrate enthält. (Hundeharn ist nach Fleischfütterung der Tiere frei von Nitraten.) Des weiteren konnte der Vf. den Nachweis führen, daſs in reinen Lösungen selbst unter den für die Zersetzung günstigsten Bedingungen salpetrige Säure neben Harnstoff für kurze Zeit beständig ist. Es geht salpetrige Säure aus saurer Lösung ins Destillat über, wenn sie durch die reduzierenden Stoffe des Harns aus Salpetersäure gebildet ist. Aus dem Harn kann bei Gegenwart von Harnstoff und Schwefelsäure salpetrige Säure überdestilliereu. (VIRCH. Arch. f. pathol. Anat. und Physiol. **96.** 462—74.)

Ch. Richet, *Dialyse der Säure des Magensaftes.* Der Vf. hat bereits früher gezeigt, daſs die Salzsäure des Magensaftes in demselben mit schwachen Basen, wie Leucin, oder mit eiweiſshaltigen Stoffen verbunden ist. Die Dialyse lieferte ihm ein neues Mittel, dieselbe Thatsache zu begründen. Um den Beweis unwiderleglicher zu machen, bewirkte er die Verbindung von Salzsäure mit den organischen Stoffen des Magens. Die Dialyse wurde bald durch gewöhnliches Dialysierpapier, bald durch poröse Gefäſse aus Biskuit ausgeführt, welch letzteres vorzuziehen ist. Die Resultate sind identisch. Wenn man das Gesamtgewicht Säure, das durch das poröse Gefäſs dialysierte, sei es für die wässerige Lösung, sei es für den künstlichen Magensaft, vergleicht, so findet man dieselbe gleiche Differenz wieder. Die Salzsäure verbindet sich im Kontakte mit der Magenschleimhaut mit gewissen, in dieser Schleimhaut enthaltenen Stoffen und wird alsdann weniger dialysierbar. Mit Schwefelsäure ist das Resultat identisch. Verbindet man die Säure mit Peptonen oder mit Leucin, so erhält man eine Flüssigkeit, die etwas weniger gut dialysiert, wie eine einfache wässerige Lösung; aber der Widerstand gegen die Dialyse ist viel geringer, wie bei der Verbindung der Säure mit der Magenschleimhaut. Vf. hält es deshalb für wahrscheinlich, daſs, wie SCHIFF dies schon lange annimmt, das Pepsin es ist, mit dem sich diese Verbindung, wenn nicht ausschlieſslich, so doch hauptsächlich, vollzieht. (C. r. **98.** 682; Arch. Pharm. [3.] **22.** 467.)

Heinr. Struve, *Studien über Milch.* (S. 318.) III. Mitt. *Frauenmilch.* (Journ. prakt. Chem. **29.** 110—24. April. [Febr.] Tiflis.)

A. Kossel, *Über Guanin.* Vf. fand in 100 Tln. der nachstehend bezeichneten, getrockneten Organe folgende Mengen Guanin, Hypoxanthin und Xanthin:

	Guanin	Hypoxanthin	Xanthin
Leukämisches Blut	0,201	0,072	verloren
Sarkom d. Bauchhaut einer Kuh	0,283	0,272	nicht bestimmt
Sarkom der Haut des Oberarmes	0,196	0,137	
Embryonaler Muskel (Rind)	0,412	0,359	0,111
Muskel des erwachs. Tieres (Rind)	0,020	0,230	0,053
Desgl. (Hund)	Spuren	0,222	0,093
Pankreas (Rind Nr. 1)	0,241	0,411	0,844
„ (Rind Nr. 3)	0,746	0,364	0,130
Milz (Rind)	0,270	0,281	0,152
Leber (Rind)	0,197	0,134	0,121.

(Ztschr. physiol. Chem. **8**. 404—10. 2. Mai. Physiol. Inst. d. Univ. Berlin.)

N. Suchorsky, *Zur Lehre von der Wirkung verdichteter Luft auf die Respiration.* Einerseits die Uneinigkeit gewisser Untersuchungen über die Wirkung verdichteter Luft auf die Respiration, wie auch die ·Nichtübereinstimmung derselben mit den anderen Ansichten vom Zustande der Blutgase und den die Sauerstoffaufnahme im Organismus bestimmenden Bedingungen, andererseits vieljährige eigene Beobachtungen über die therapeutische Wirkung verdichteter Luft bei Erkrankungen der Respirationsorgane haben Vf. bewogen, diese Frage wieder einer experimentellen Prüfung zu unterwerfen. Drei pneumatische Apparate, welche in dem Nikolaimilitärhospital eingerichtet sind, wie auch experimentelle Mittel, die Vf. im pathologisch-physiologischen Laboratorium vorfand, haben ihn in den Stand gesetzt, die nötigen Untersuchungen anzustellen, wobei besondere Aufmerksamkeit der Methodik überhaupt und der Aufnahme der ausgeatmeten Luft unter den dem natürlichen Atmen möglichst nahestehenden Bedingungen zugewendet wurde.

Die Hauptresultate, zu denen er kam, sind kurz folgende:

1. Die absolute Menge der ausgeatmeten Kohlensäure und des aufgenommenen Sauerstoffs beim Atmen in verdichteter Luft vermindert sich.

2. Die Verminderung der Kohlensäureausscheidung ist dabei unmittelbar durch die Volumverminderung der geatmeten Luft bedingt, welche Verminderung ihrerseits durch Verminderung der Anzahl oder des Volums (Tiefe) einzelner Respirationen, oder durch Verminderung beider bedingt wird.

3. Der Prozentgehalt der ausgeatmeten Luft an Kohlensäure bei erhöhtem Luftdruck ist fast derselbe, wie auch bei gewöhnlichem, atmosphärischem Drucke.

4. Die Menge des aufgenommenen Sauerstoffs vermindert sich beim Atmen in verdichteter Luft etwas weniger, als die Menge der ausgeatmeten Kohlensäure, sodafs der Koeffizient $\frac{CO_2}{O}$ sich dabei vermindert.

5. Beim Atmen in verdichteter Luft geschieht eine relativ gröfsere O-Aufnahme, als bei gewöhnlichem atmosphärischen Luftdrucke.

6. Alle diese Wirkungen verdichteter Luft sind desto bedeutender, je mehr der respiratorische Gasaustausch der Versuchsperson, infolge dieser oder jener Atmungsbedingungen oder der pathologischen Veränderungen des Respirationsorgans, erschwert ist.

7. Die nicht selten vorkommenden Abweichungen von diesen Regeln hängen gewöhnlich von den zufälligen Veränderungen der Anzahl oder des Volums (Tiefe) der Respirationen ab.

8. Die Anzahl und das Volum (Tiefe) der Respirationen vermindern sich, wie schon erwähnt, beim Atmen in verdichteter Luft; aber deren Charakter oder eigentlich Rhythmus, d. h. die relative Dauer der In- und der Exspiration — wenigstens bei der Luftverdichtung, die in seinen Versuchen angewandt wurde (s. u.) — bleibt unverändert.

9. Der Rhythmus der respiratorischen Bewegungen wird einerseits durch die Individualität der Person bestimmt — wobei jedoch normal auf die Exspiration immer eine mehr oder weniger lange Pause folgt, — andererseits durch Widerstände beim Atmen — ganz gleichgültig, ob dieselben in einer Durchgangsverminderung der Luftwege (mechanische Hindernisse, Bronchitis) oder Beschränkung der Exkursionen des Respirationsorgans (Emphysema, Pleuritis) oder endlich in der Verminderung der atmenden Fläche (Pneumonia, Pleuritis exsudativa, teils auch Emphysema) bestehen. In allen diesen Fällen besteht die Veränderung des respiratorischen Rhythmus in einer Verminderung, bis zum vollständigen Verschwinden, der Pause und in einer Vergröfserung auf Kosten derselben, der Dauer der Exspiration und dann der Inspiration; die Dauer dieser letzteren kann dabei der Exspirationsdauer ganz gleich sein und die Hälfte der Dauer des ganzen respiratorischen Aktes einnehmen.

10) Verdichtete Luft wirkt auf die Blutzirkulation in doppelter Weise: einerseits komprimiert sie alle ihr zugänglichen Kapillarnetze der äufseren Körperfläche und des Respi-

rationsorgans und bewirkt eine vollständigere Ausleerung der Venen, andererseits ändert sie die Blutverteilung im Körper in dem Sinne, daß sie den Blutzufluß zu den Bauchorganen vermehrt.

11. Die therapeutische Wirkung verdichteter Luft läßt sich ausschließlich auf die mechanische Wirkung auf den Organismus und die Vermehrung des O-Partialdrucks zurückführen. Diese letztere übt dabei, ebenso wie im Falle des Atmens in der an Sauerstoff reicheren Luft, keinen merklichen Einfluß auf die Oxydationsprozesse im Körper aus und vergrößert keinesfalls die letzteren; im Gegenteil: in pathologischen Fällen, wo der respiratorische Gasaustausch mehr oder weniger behindert ist, führt sie, wie oben erwähnt, zur Verminderung der absoluten Mengen des aufgenommenen O und der ausgeatmeten CO_2, indem sie dem Organismus die Aufgabe des nötigen Gasaustausches erleichtert und überflüssig verschwendete Kräfte in Form vermehrter Muskelarbeit des Respirationsapparates erspart. Daraus folgt, daß man bei der therapeutischen Anwendung verdichteter Luft keinesfalls auf eine direkte Beförderung der Oxydation und der Ernährung der Körpers bei Kranken rechnen darf, sondern nur auf die Ersparung der Kräfte desselben in den Fällen, wo der Kranke nötige respiratorische Gasaustausch mehr oder weniger erschwert und mit bedeutenden Muskelanstrengungen verbunden ist. Nichtsdestoweniger wäre es falsch, daraus zu schließen, daß in diesen Fällen die Anwendung verdichteter Luft durch Einatmen von Luft mit entsprechend größerem O-Gehalt ersetzt werden könnte, da die verdichtete Luft, außer der Vermehrung des O-Partialdrucks, noch eine Reihe sehr günstiger Einflüsse auf den kranken Organismus überhaupt und auf den respiratorischen Apparat besonders ausübt — die Einflüsse, die aus der mechanischen Wirkung des erhöhten Luftdrucks sich ableiten lassen.

Der erhöhte Luftdruck in den pneumatischen Apparaten variierte bei des Vf.s Versuchen zwischen 1045 und 1143 mm Hg. Für die Gasanalysen waren ausschließlich die BUNSEN'schen gasometrischen Methoden angewendet. (Med. C.-Bl. **22.** 433 — 35. St. Petersburg, Pathol. physiol. Labor. des Nikolaimilitärhospitals, Mai.)

8. Lukjanow, Über *die Aufnahme von Sauerstoff bei erhöhtem Proxentgehalt desselben in der Luft*. Ztschr. physiol. Chem. **8.** 315—55. 28. März. Berlin.

Rudolf v. Jacksch, *Weitere Beobachtungen über Acetonurie.* 1. *Die Methode zum Nachweis des Acetons im Harn.* Wo es sich um den Nachweis so geringer Mengen Substanz handelt, wie bei der Aufsuchung des Acetons im Harn, ist die Empfindlichkeit der für diesen Zweck verwendeten Reaktion selbstverständlich von ausschlaggebender Bedeutung. Weiter kommen dann die Fehlerquellen in betracht, welche aus der Anwendung der Reaktionen auf die Untersuchung des Harns erwachsen. Vf. hat zuerst die Empfindlichkeit der folgenden Acetonproben geprüft. 1) PENZOLDT's Indigoprobe. Dieselbe beruht auf der von BAEYER und V. DREWSEN entdeckten Umwandlung des Orthonitrobenzaldehyds durch Aceton in alkalischer Lösung zu Indigo (**83.** 148); 2) die LEGAL'schen Probe (**83.** 652); 3) die Nitroprussidprobe von LE NOBEL (**84.** 626); 4) die Probe von REYNOLDS-GUNNING, beruhend auf der Löslichkeit des frisch gefällten Quecksilberoxydes in acetonhaltigen Flüssigkeiten (vgl. LE NOBEL, **84.** 626); 5) die LIEBEN'sche Probe, Bildung von Jodoform mit Jod-Jodkalium und Natron- oder Kalilauge und 6) die Modifikation durch GUNNING, der statt der fixen Alkalihydrate Ammoniak verwendet.

Es ergab sich, daß bei Anwendung reiner Acetonlösungen von allen Acetonproben die LIEBEN'sche die größte Empfindlichkeit besitzt, indem sich mittels derselben noch 0,01 mg Aceton sofort erkennen läßt; aber auch bei noch viel geringeren Mengen — 0,001 und 0,0001 mg — versagt sie nicht, wenn die Jodoformabscheidung dabei auch nur sehr langsam verläuft. Ihr zunächst stehen die Proben von GUNNING (6) und von REYNOLDS (4), welche beide noch 0,01 mg Aceton anzeigen. Jod-Jodkalium und Jodtinktur verhielten sich bei der GUNNING'schen Reaktion in dieser Hinsicht gleich. Die Probe von GUNNING erschwert insofern die Bestimmung der unteren Grenzen, als der Jodstickstoff, welcher sich bildet, nur sehr langsam, selbst in 24 Stunden nicht vollständig verschwindet. Bei weitem minder empfindlich sind die Reaktionen von LEGAL und LE NOBEL, bei welchen die untere Grenze zwischen 0,8 und 0,1 mg liegt, aber 0,8 mg näher als 0,1 mg. PENZOLDT's Indigoprobe nimmt in dieser Reihe die letzte Stelle ein, da sie schon versagt, wenn die Acetonmenge weniger als 1,6 mg beträgt.

Von den angeführten Acetonproben giebt nur eine auch mit Alkohol eine Reaktion, die LIEBEN'sche Jodoformprobe; sie ist aber gegen diesen viel weniger empfindlich, als gegen Aceton. (0,45 mg Alkohol geben nach 48 Stunden keine Krystalle mehr, selbst keine Trübung.) Die GUNNING'sche Probe giebt bei Gegenwart von 7,5 mg Alkohol keine Reaktion. — 2. *Untersuchung des Harns auf Aceton.* Um aus dem Harn direkt läßt sich eigentlich nur die LEGAL'sche Reaktion anwenden. Man verfährt am zweckmäsigsten so, daß man dem Harn im Reagensglase etwas frisch bereitete Nitroprussidnatriumlösung, darauf starke Natronlauge (ca. 30prozentige) bis zur alkalischen Reaktion zusetzt und, wenn die anfänglich auftretende Purpurfärbung zu gelb verblaßt ist, zwei bis drei Tropfen konzentrierte Essigsäure zufließen läßt, so aber, daß sich die Säure nicht mit der ganzen Probe mischt. An der Berührungsschicht beider Flüssigkeiten tritt dann eine karmoisinrote, bei Anwesenheit von großen Mengen Aceton eine dunkelpurpurrote Färbung ein, die nach längerem Stehen braungrün wird. Die LE NOBEL'sche Probe läßt sich direkt beim Harn anwenden, wenn man diesen stark verdünnt.

Bei der Prüfung von Harnen mit den obigen Verfahren hat sich des weiteren ergeben, daß die Nitroprusidreaktion, namentlich in der LE NOBEL'schen Modifikation mit der LIEBEN'schen Jodoformprobe in der Intensität gleichen Schritt hielt, ja daß die letztere sogar intensive Reaktionen gab, wo die anderen, auch die direkte von LEGAL, entweder nur schwach auftraten oder ganz versagten. Die LE NOBEL'sche Reaktion ist die einzige, die nie ausbleibt. Diese Thatsache steht im Widerspruch mit der relativen Empfindlichkeit der Acetonreaktionen und ist auf die *Anwesenheit von Parakresol* im Harn, welches sich auch mit Wasserdämpfen verflüchtigt, zurückzuführen.

Vf. spricht sich dafür aus, daß die LIEBEN'sche Jodoformreaktion, welche im Harndestillate auftritt, für den Nachweis des Acetons im Harn charakteristisch und die Furcht vor Verwechselung eine übertriebene, es müßte denn sein, daß eine Alkoholzufuhr stattgefunden hat. — 3. *Das Verhältnis des Acetons zur Acetessigsäure im Harn.* Vf. kommt auf Grund seiner Versuche zu dem Schlusse, daß die Annahme des Vorkommens des Acetons als solchen im Harne einen sehr hohen Grad von Wahrscheinlichkeit besitzt. Das Aceton ist im Harne weder in einer Verbindung mit den Eigenschaften einer Säure (Acetessigsäure), noch in einer solchen mit den Eigenschaften einer Basis enthalten. Man erhält aus acetessigsäurehaltigen Harnen nur dann Aceton, wenn sich die Säure zersetzt hat. Nachdem Vf. nach 4. *die gegenteiligen Angaben* einer Kritik unterzogen hatte, weist er nach, daß im Blute von nicht fiebernden Menschen die Acetonreaktion ausblieb, dagegen im Blute von Fieberkranken eintrat. Auch hier ist das Aceton als solches vorhanden. Ebenso fand sich in den Exhalationen fiebernder Kranker eine Substanz, die die Acetonreaktion ergab. Im Mageninhalte befindet sich Aceton; ob dasselbe aus der Nahrung stammt oder im Magen gebildet wird, kann zur Zeit nicht gesagt werden. Die Fäces endlich gesunder Menschen enthalten eine Substanz, welche mit Kalilauge und Jod-Jodkalium Jodoform liefert; bei gewissen Krankheiten, und zwar vorzüglich bei jenen, welche mit einer vermehrten Ausscheidung von Aceton durch den Harn einhergehen, hat das Fäcesdestillat die Eigenschaft, nicht nur mit Kalilauge, sondern auch mit Ammoniak und Jodtinktur Jodoform zu liefern, außerdem aber auch noch die Acetonreaktion von REYNOLDS deutlich zu zeigen. Der Nachweis des Acetons jedoch in den Fäces und dem Mageninhalt ist nach den Auseinandersetzungen des Vf.s noch viel unsicherer als beim Blute. (Ztschr. f. klin. Med. **8.** 115—154. 19. März. Wien.)

Joseph Cahn, *Über die Resorptions- und Ausscheidungsverhältnisse des Mangans im Organismus.* Als Versuchsmaterial benutzte Vf. das Manganocitrat und gelangte zu den Schlüssen: 1. Das Mangan, in die Blutbahn gebracht, wird von den roten Blutkörperchen nicht aufgenommen. 2. Das Metall wird von den parenchymatösen Organen aufgenommen und von ihnen weiter befördert. Der größte Teil wird auf der Darmschleimhaut ausgeschieden und verläßt mit den Fäces den Organismus. 3. Vom unverletzten Darm aus findet eine Resorption von Mangan in irgend in betracht kommender Menge nicht statt.

Bei der nahen chemischen und pharmakologischen Verwandtschaft, die Mangan und Eisen zu einander zeigen, läßt sich wohl annehmen, daß die für ersteres festgestellten Verhältnisse auch für das letztere Geltung haben. (Arch. f. exper. Pathol. u. Pharmak. **18.** 129—146. Straßburg.)

Kormann, *Mitteilungen über einige Erfahrungen mit neueren Nahrungsmitteln für gesunde und kranke Kinder, resp. Erwachsene.* (Schluß zu **84.** 411.) TIMPE's Nährpräparate. LÖFLUND's Kindermilch. (Memorab. **29.** 138—48; 193—204. Coburg. März.)

Prior, *Über den Einfluß des Chinins auf den Stoffwechsel des gesunden Organismus.* (PFLÜGER's Arch. **34.** 237—75. Bonn.)

J. Forster, *Über die Verwendbarkeit der Borsäure zur Konservierung von Nahrungsmitteln.* [Nach Versuchen von Dr. G. H. SCHLENCKER aus Surakarta (Java) mitgeteilt]. Nach den mitgeteilten Versuchen beeinträchtigt die Borsäure als Zusatz zu den vom Menschen verzehrten Speisen entweder die Ausnutzung einzelner Nahrungsbestandteile, wenn auch in geringem Grade, und giebt zu einer vermehrten Abstoßung zelliger Anteile von der Darmwand und zu einer gesteigerten Schleimproduktion Veranlassung. Was die praktische Verwendung der Borsäure zum Konservieren von Speisen und Getränken anbelangt, so muß sehr vorsichtig verfahren werden. Tritt eine Wirkung, wie sie bei den vom Vf. geschilderten Versuchen dargethan ist, bereits bei vorübergehendem Verbrauche von geringen Mengen der Säure und beim normalen Erwachsenen ein, so kann man kaum

43*

anders als annehmen, dafs ein länger fortgesetzter Verbrauch auch von kleineren Quantitäten des Konservemittels leicht zu Übelständen führt, die Borsäure würde sich hiernach nicht in dem Grade zur Konservierung von Speisen eignen, als man meist annehmen geneigt ist. Am wenigsten dürfte dann wohl die Borsäure zweckmäfsig sein zur Konservierung von Milch, die als Kindernahrungsmittel verwendet werden soll. (Arch. f. Hygieine **2**. 75—116. Amsterdam.)

Laujorrois, *Antiseptische Eigenschaften des Kaliumdichromates.* Um dieselben nachzuweisen, unternahm der Vf. viele Versuche, bei deren einem er 500 g Harn 5 g Kaliumdichromat zusetzte und selbst nach acht Monaten in diesem Harn keine Spur von Fäulnis auffand; der Harn war klar, durchsichtig, ohne Bodensatz und ohne Geruch. Blut ebenso behandelt, gab dieselben Resultate. Kuhmilch mit einem Zusatze von 1 p. c. Kaliumdichromat während drei Sommermonaten in einer Abdampfschale der freien Luft ausgesetzt, war nicht verändert, nicht geronnen und sah, von einer schwachen Färbung abgesehen, wie frische Milch aus. Oran'genblütenwasser bewahrte durch Kaliumdichromatzusatz die Lieblichkeit seines Geruches. Von drei gleich alten Hühnereiern liefs Vf. eines intakt, injizierte in das zweite zehn Tropfen einprozentige Kaliumdichromatlösung und in das dritte zehn Tropfen einprozentige Carbolsäurelösung. Nach zwei Monaten wurden die drei Eier, die unter gleichen Umständen in freier Luft gelegen hatten, geöffnet, und die zwei ersten unverdorben, dagegen das dritte mit Carbolsäureeinspritzung vollkommen in Fäulnis übergegangen und sehr übelriechend gefunden.

Zum Konservieren von Nahrungsmitteln kann Kaliumdichromat wegen seiner giftigen Eigenschaften nicht verwandt werden. Trotz seiner Empfehlung von E. Robin, Vicente zum äufserlichen und innerlichen Gebrauche gegen Syphilis, wurde das Mittel wegen seiner giftigen Wirkungen, die selbst bei kleinen Dosen unvermutet eintreten können, immer wenig angewandt. Jedenfalls sichern dem Kaliumdichromat dennoch seine antiseptischen Eigenschaften, seine Geruchlosigkeit und sein niedriger Preis eine vielfache Verwendung, sowohl in der Heilkunde, als auch in der Industrie. (L'Union pharm. **25**. 19; Arch. Pharm. [3.] **22**. 427. Anf. Juni.)

Filipow, *Zur therapeutischen Bedeutung von Sauerstoff und Ozon.* (Pflüg. Archiv **34**. 335—61. Kasan.)

H. Fleck, *Über Flufsverunreinigungen, deren Ursachen, Nachweis, Beurteilung und Verhinderung.* (12. u. 13. Jahresber. d. Kgl. Chem. Centralstelle f. öffentl. Gesundheitspflege zu Dresden. Dresden 1884. 3—55.)

H. Fleck, *Zur Beurteilung der Verwendbarkeit bleihaltiger Topfgeschirre.* Vf. suchte die Frage zu beantworten, wieviel Blei sich unter Umständen in kochendem vierprozentigen Essig aus Topfglasuren auflösen kann, und ob die Fähigkeit bleihaltiger Topfglasuren, Blei in Lösung abzugeben, bei wiederholtem Gebrauche eine gleiche bleiben oder möglicherweise abnehmen kann. (Veranlassung zu diesen Versuchen war der Entwurf einer Verordnung des deutschen Reiches, betreffend die Verwendung von Blei und Zink bei der Herstellung von Nahrungs-, Genufsmitteln und Gebrauchsgegenständen, in dem es heifst: die Herstellung von Efs-, Trink- und Kochgeschirren mit Email oder Glasur, welche bei halbstündigem Gebrauch mit einem in 100 Gewtln. Essigsäure enthaltenden Essig an den letzteren Blei abgeben, ist verboten etc.) Es wurde zu ermitteln gesucht, ob und wieviel Blei durch erstmaliges einstündiges Kochen mit vierprozentigem Essig aus bleihaltigen Geschirrglasuren in Auflösung geht, sodann, ob durch Wiederholung der Auskochungen mit stärkerem (achtprozent.) und wieder mit schwächerem (vierprozent.) Essig eine Bleiauflösung erfolgt. Es zeigte sich, dafs die Glasuren in ihrem Verhalten kochendem Essig gegenüber sehr verschiedenartig sind, und dafs die Bleiabgabe auch bei fortgesetztem Gebrauche der Geschirre nicht immer abnimmt. Gleichzeitig konnte konstatiert werden, dafs bleihaltige Glasuren existieren können, welche sich indifferent gegen Essig verhalten (vgl. **83**. 809). Eine Glasur, welche auf 1 l Gefäfsinhalt 0,041 g Blei abgegeben hatte, wurde von demselben Fabrikanten aus denselben Rohmaterialien in den nämlichen Gewichtsverhältnissen hergestellt und nur stärker gebrannt; in diesem Falle wurde durch kochenden Essig bei mehrmaliger und längerer Behandlung damit nicht die geringste Spur Blei gelöst. (12. u. 13. Jahresber. d. Kgl. Centralstelle f. öffentl. Gesundheitspfl. zu Dresden. Dresden 1884. 57—61.)

H. Fleck, *Die Oxydation des Ammoniaks im Brunnenwasser.* W. Hempel hat den experimentellen Nachweis geliefert, dafs die Anwesenheit von doppeltkohlensaurem Kalk im Wasser die Salpeterbildung wesentlich begünstigt, während das Vorhandensein anderer Kalksalze, z. B. des Gipses, die Oxydation des Ammoniaks nicht wesentlich beschleunigt. Vf. hat nachgewiesen, dafs diese Oxydation, welche man der Anwesenheit organisierter Gebilde zuschrieb, auch ohne die letzteren vor sich geht. Er benutzte dazu zwei in verschiedener Höhe aufgestellte Bechergläser, welche durch zusammengelegte Filtrierpapierstreifen miteinander verbunden waren. Giefst man in das obere Becherglas eine Flüssig-keit, so wirkt der Papierstreifen als Heber, und die Flüssigkeit befindet sich bei ihrem Übergange in das untere Glas im Zustande grofser Flächenverteilung, wodurch für die Oxydation möglichst günstige Bedingungen geboten werden. Ammoniakhaltiges Wasser in dieser Weise mit der Luft in Berührung gebracht, liefs die Oxydation des Ammoniaks zu Ammoniumnitrit beobachten. Die Intensität der Erscheinung richtete sich nach dem Ammoniakgehalte der Flüssigkeit, nahm aber nicht dem letzteren proportional zu, sondern ab. Überschreitet der Ammoniakgehalt eine gewisse Grenze, so hört die Oxydation des-selben auf. Bei Anwendung eines Wassers mit 1 p. c. Ammoniak blieb die Salpeterbil-dung gleich Null, wogegen bei Anwendung eines 0,2 prozentigen Ammoniaks die Oxydation sich so intensiv zeigte, dafs die im unteren Becherglase sich ansammelnde Flüssigkeit eine sofortige und sehr deutliche Nitritreaktion mit Jod-Zink-Stärkelösung gab. Bei 1 p. m. Ammoniakgehalt im Wasser reagiert die ins untere Glas abgeheberte Lösung neutral und giebt die Nitritreaktion; jene enthält neben salpetrigem noch salpetersaures Ammonium. Gegen-wart von doppeltkohlensaurem Kalk, desgleichen das Sterilisieren des Papiers durch Subli-mat oder mittels Temperaturen von 140°C. beeinträchtigen die Oxydation nicht. Berück-sichtigt man nun, dafs die Salpeterbildung im Erdboden nur bei Vorhandensein eines leicht durchlässigen Bodenmaterials stattfindet, in dem die Diffusion ·der Bodengase mit der äufseren Atmosphäre einen verhältnismäfsig raschen Verlauf nimmt, und dafs hier-bei jederzeit Wässer mit viel weniger als ein p. m. Ammoniak zur Oxydation geboten sind, so· dürfte man wohl zur Annahme berechtigt sein, dafs sich auch hier die Umwand-lung des Ammoniaks in salpetrige- und Salpetersäure durch einen successive verlaufenden Oxydationsprozefs vollzieht, ohne dafs als Vermittler des letzteren ein besonderes Salpeter-bildungsferment in Aktion zu treten braucht. (12. und 13. Jahresb. d. Kgl. Chem. Cen-tralstelle f. öff. Gesundheitspfl. zu Dresden. (Dresden 1884) 54—57.)

7. Analytische Chemie.

G. Lunge, *Über die Ausführung der fraktionierten Destillation zur Wertbestimmung von chemischen Produkten.* Bekanntlich besitzen wir für eine ganze Reihe von organischen Produkten, welche zum Teil Handelsartikel von hervorragender Bedeutung sind, keine andere Methode der Wertbestimmung als die fraktionierte Destillation. Leider gestattet diese schon prinzipiell keine scharfe Scheidung der einzelnen Bestandteile eines Gemenges und wird in den meisten Fällen nur einen rein empirischen Mafstab zur Beurteilung der Qualität eines Artikels an die Hand geben. So bedeutet doch z. B. 90 prozentiges Benzol bekanntlich nicht ein Gemenge, in dem 90 p. c. C_6H_6 enthalten sind, sondern ein solches, von dem 90 Volumproz. bis 100° erhalten werden. Hierzu kommt noch, dafs unter ver-schiedenen Bedingungen eine und dieselbe Flüssigkeit durchaus abweichende Siedepunkte zeigt. — Bei den Arbeiten der Kommission, welche der Verein zur Wahrung der Inter-essen der chemischen Industrie Deutschlands behufs Vereinbarung einer Methode für Handelsanalysen niedergesetzt hat, zeigte es sich bald, dafs einer der wichtigsten Punkte die genaue Definition der Bedingungen ist, unter denen Untersuchungen von Handels-produkten durch fraktionierte Destillation vorzunehmen sind, um mit demselben Produkte an verschiedenen Orten übereinstimmende Resultate zu erzielen.

Vf. versendete, um festzustellen, welche Verfahren für obigen Zweck wirklich in Ausübung sind, Fragebogen an die Mitglieder der zweiten und vierten Abteilung obigen Vereines (Teer- und Mineralöldestillation; Kohlenteerindustrie und organische Farbstoffe), in denen über die Art der durch fraktionierte Destillation analysierten Produkte, das Material und die Form der Gefäfse, die Anwendung von Dephlegmatoren, die Form und Anwendungsart der Thermometer, die Korrektion für Barometerstand und anderweitige in betracht zu ziehende Punkte um Information gebeten ward.

Auf diese Weise konnte ermittelt werden, dafs nur wenige Körper der *fetten* Reihe durch fraktionierte Destillation auf ihre Qualität untersucht werden, z. B. Alkohol, Methyl-alkohol, Aldehyd, Eisessig, Petroleumnaphta, Petroleumbenzin, Leuchtpetroleum. Weitaus wichtiger ist die fraktionierte Destillation bei *aromatischen* Verbindungen: Benzole aller Art (incl. Toluol und Xylol), Nitrobenzol etc., Anilinöl (Anilin, Toluidin, Xylidin, Cumidin), Echappées, Dimethylanilin, Diäthylanilin, Benzylchlorid, Benzotrichlorid, Benzaldehyd, Chinolin, Chinaldin, Carbolsäure, Naphtalin. — Fast alle befragten Firmen destillieren ausschliefslich in Glasgefäfsen, nur zwei destillieren einen kupferner Flaschen mit Glasauf-sätzen. Eine dritte Firma macht zwar die gewöhnlichen Benzolproben in Glasgefäfsen, stellt aber besondere Proben mit gröfseren Mengen (1 kg) zur genaueren Ermitelung der zu erwartenden Rendite in Metallgefäfsen an. — Was die *Form* der Gefäfse anbetrifft, so wendet keine Teerdestillation die in England gebräuchlichen Retorten mit in die Flüssigkeit eingesenkten Thermometern an; gewöhnliche Retorten werden von einigen der deutschen Fabriken für die hochsiedenden Petroleumprodukte, Naphtalin u. dgl. angewendet; im häufigen Gebrauch ist der sog. Fraktionierkolben bald mit, bald ohne Dephlegmierung der Dämpfe. Zwei Fabriken benutzen das Gegenteil der Dephlegmation, nämlich vollständige Abführung einmal gebildeter Dämpfe, hauptsächlich zu dem Zwecke, um das Quecksilbergefäß des Thermometers vor äußerer Abkühlung zu schützen. Das Dampfabzugsrohr ist dicht über dem Bauche des Kolbens angesetzt; an dieser Stelle ist aber ein inneres Rohr da, wo der Hals in den Bauch übergeht, so angeschmolzen, daß die im Halse des Kolbens sich kondensierende Flüssigkeit nicht in den Bauch desselben zurücktropfen kann, sondern durch das Dampfabzugsrohr in den Kühler fortläuft. Das schmale cylindrische Quecksilbergefäß des Thermometers befindet sich in der Mitte des inneren Rohres und wird durch dieses vor Abkühlung von außen geschützt. Der für die Beurteilung maßgebende Grad des Thermometers befindet sich gerade über dem Korke, so daß die Quecksilbersäule so gut wie ganz im Dampfe ist. Dies involviert natürlich spezielle Thermometer mit verschieden hoch anfangender Graduierung für jede einzelne Flüssigkeit.

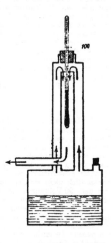

Nachdem Vf. die Frage besprochen hatte, welches der angewendeten Systeme als das empfehlenswerteste anzusehen ist, geht er zur „Art und Stellung des Thermometers" über. Hierbei erwähnt derselbe einen Apparat, welchen eine der größten Fabriken zur Prüfung des Punktes 100° anwendet, nämlich ein Blechgefäß, auf dessen Deckel ein doppelter hoher Blechcylinder steht. Die Dämpfe des lebhaft siedenden Wassers strömen nur in den ringförmigen Zwischenraum zwischen beiden Cylindern ein, treten oben in den inneren Cylinder über und verlassen ihn in der Nähe des Bodens durch ein nach außen führendes Rohr. Das Thermometer steht im inneren Rohre so, daß der Punkt für 100° gerade außerhalb des Korkes zu stehen kommt. Für den Barometerstand muß die bei Wasser ja genau bekannte Korrektion vorgenommen werden, und wenn mit Berücksichtigung derselben das Thermometer nicht genau 100° zeigt, so werden seine Angaben dementsprechend rektifiziert. Dies wird für Temperaturen wenig unter oder über 100° (also z. B. für Benzolproben) gewiß ausreichen; für höhere Temperaturen wird es keine absolute Zuverlässigkeit gewähren. Die meisten Fabriken begnügen sich stets, Thermometer von gleicher Form, Länge des Quecksilbergefäßes etc. anzuwenden, wobei die Mehrzahl für genaueste Normierung der Form, einige auch für Bezug von einer Centralstelle sind.

Fast alle sind einig darüber, daß die Skala möglichst weit im Dampfe sein solle. Aber über die Stelle, wo das Quecksilbergefäß in bezug auf das Dampfabführungsrohr anfangen und endigen soll, herrschen bedeutende Meinungsverschiedenheiten, die Vf. anführt. — Desgleichen verbreitet er sich über „Korrektion für den Barometerstand". Für Benzole schreiben verschiedene außer der Beobachtung der Fraktion auch die des spez. Gew. vor. Bei 90 und 50 prozent. Benzol soll nichts unter 80°, bei 90 prozent. nichts über 120°, bei 50 prozent. nichts über 130° überdestillieren. Für Benzol werden ferner zum Teil auch noch besondere Forderungen in bezug auf das Verhalten gegen Säuren gestellt. Naphtalin wird aus einer Retorte destilliert, wobei das Quecksilbergefäß gegenüber dem untersten Teile des Halses angebracht ist. Das zwischen 210—225° Übergehende wird aufgefangen. Benzaldehyd wird zweckmäßig im CO_2-Strome destilliert. — Bei Methylalkohol wendet man, da er „siedefaul" ist, eine eingelegte Spirale an. Es sollen davon 98,5—99 p. c. innerhalb eines halben Grades (66 — 66,5°) übergehen. Bei Leuchtpetroleum schlägt SCHENKEL (Eisenbüttel) vor, 200 ccm in einem gewöhnlichen Rundkolben von 250—300 ccm Inhalt, mit einem Halse von 80—90 mm Höhe mit eingelegter Platinspirale zu destillieren. Bei unter 150° siedendem Petroleum wird ein mit Glasperlen gefülltes Rohr (HEMPEL'scher Aufsatz) von 180—200 mm Höhe und 25 mm Weite umgeben von einem Cylinder von Asbestpappe, bei über 150° siedendem ein Dreiwegaufsatz für Thermometer und Dampfabzug auf den Kolben gesetzt. Man destilliert derart, daß in einer Minute etwa 2 ccm übergehen. Bei 150° beseitigt man die Flamme, liest ab, entfernt nach zehn Minuten das Perlenrohr, steckt das Dreiwegrohr direkt auf den Kolben, worauf man bis 300° weiter destilliert. Ein Petroleum, welches unter 150° mehr als 5 p. c. Destillat abgiebt, ist unzulässig, ein solches das bis 300° nicht über 90 p. c. liefert, von schlechter Qualität. Was von 150—300° C. übergeht, ist als „Normalpetroleum" anzusehen. (Chem. Ind. **7**. 150—158. Mai. [24. März.] Zürich.)

A. H. Allen, *Über die Beständigkeit von Hypobromitlösungen und ihre Anwendung zur Titration von Ölen.* Die Einwirkung von Natron auf Brom geht zuerst nach folgender Gleichung vor sich: $2NaOH + Br_2 = NaBrO + NaBr + H_2O$. Nach einiger Zeit, besonders beim Erwärmen, tritt folgende Zersetzung ein: $3NaBrO + 3NaBr = NaBrO_3 + 5NaBr$. Infolge dieser Reaktion wurden die Hypobromitlösungen bis jetzt immer als unbeständig bezeichnet. Es ergiebt sich jedoch aus zahlreichen Versuchen, daſs die Lösungen, wenn sie eine genügende Menge freies Natriumhydrat enthalten, sich bei langem Aufbewahren und selbst beim Kochen nur wenig verändern. Die Beständigkeit der Hypobromitlösungen ist bei den Bestimmungen von Ölen in alkalischer Lösung von Wichtigkeit. Bei Bestimmungen in salzsaurer Lösung ist sie gleichgültig, da immer das gesamte Brom frei wird:

$$3NaBrO + 3NaBr + 6HCl = 6NaCl + 6Br + 3H_2O \text{ und}$$
$$NaBrO_3 + 5NaBr + 6HCl = 6NaCl + 6Br + 3H_2O.$$

Vf. findet die merkwürdige bis jetzt unerklärte Thatsache, daſs bei allen Versuchen der durch Analyse gefundene Bromgehalt der Lösungen höher war als das aus der wirklich angewendeten Menge Brom berechnete:

	I	II	III
Angewendetes Brom	12,432	12,929	12,44
Durch Titration gefunden	12,98	13,18	12,86.

(Journ. Soc. Chem. Ind. **3**. 65; Pol. Journ. **253**. 48.)

K. Heumann, *Über Petroleumprüfung und einen neuen Prüfungsapparat.* Dieser vom Vf. konstruierte Apparat ist bereits unter dem Namen des Verfertigers (E. LEYBOLD's Nachfolger in Köln) auf S. 425 beschrieben und durch eine Abbildung erläutert. Wir tragen über denselben hier noch folgendes nach:

Die Ursache, warum die Ausführung der Petroleumprüfung so äuſserst wenig Sorgfalt bedarf und auch verschiedene Apparatenexemplare trotz sehr erheblicher Differenzen in allen Dimensionen doch stets dieselben übereinstimmenden Resultate liefern, liegt einmal daran, daſs infolge des fortwährenden Mischens der sich bildenden Öldämpfe mit dem abgeschlossenen Luftvolum die langsame Diffusion der Dämpfe völlig beseitigt wird; dadurch beeinfluſst die Raschheit der Ölerhitzung auch bei sehr bedeutenden Unterschieden in der Erhitzung das Resultat nicht. Es ist ferner gleichgültig, wie stark die Heizflamme wirkt, wenn sie nicht durch zu rasches Erhitzen des Petroleums die Versuchsdauer so abkürzt, daſs die Zündungsversuche übereilt werden müssen. Ebenso wenig kommt es auf die sonst bestimmt vorgeschriebene Anfangstemperatur des Wassers an. Die Gröſse des Ölgefäſses kann beliebig geändert werden, wenn nur in allen Fällen das Gefäſs zur Hälfte mit Petroleum gefüllt wird, damit sich ein dem Ölvolum gleiches Luftvolum mit den Dämpfen mischt. Es ist auch gleichgültig, an welchem Punkte des Dampfgemisches sich die Zündflamme beim Niedertauchen in das Petroleumgefäſs befindet, da durch das kontinuierliche Durchmischen der Petroleumdämpfe mit dem ganzen disponiblen Luftvolum sich in überall ganz gleich zusammengesetztes und darum gleich entzündliches Dampfluftgemenge an jeder Stelle des Gefäſsraumes befindet. Die Barometerschwankungen beeinflussen die mit diesem Apparate zu erhaltenden Resultate ebenso, wie beim ABEL'schen Prober. Durch eine besondere Prüfung wurde festgestellt, daſs die Differenz zwischen den Angaben eines geeichten ABEL'schen Probers und des in Rede stehenden Apparates mit unkorrigiertem Thermometer bei 714 mm Druck dieselbe war, wie bei 763 mm Druck.

Bei den Versuchen wendet man am besten Petroleum von nicht mehr als 18° C. an, das Wasser des Wasserbades soll auf 21° gebracht und der Docht der Spiritusheizlampe so reguliert werden, daſs die Spitze der Flamme den Boden des Wassertopfes gerade berührt. Von Zeit zu Zeit dreht man die Kurbel einige Male herum und beobachtet den Thermometerstand. Der erste Versuch ist ein Vorversuch, welcher annähernd die Entflammungstemperatur kennen lehrt und den Zweck hat, zu bewirken, daſs bei den nachfolgenden Hauptversuchen die Zahl der vergeblichen Zündproben annähernd die nämliche ist, einerlei ob das Petroleum schon unter 20° oder erst bei 40° entflammbare Dämpfe liefert. Sobald das Thermometer 18° zeigt, wird der erste Zündversuch ausgeführt; das Umrühren und Prüfen mit der Zündflamme wird von Grad zu Grad fortgesetzt. Beim Hauptversuch führt man zwei Grade unter der durch den Vorversuch angezeigten Entflammungstemperatur den ersten Zündversuch aus, und setzt man dann die Prüfung von einem halben bis einen halben Grad fort. Der Sicherheit wegen ist die Hauptprobe zu wiederholen, die Differenz der Resultate darf höchstens einen halben Grad betragen; das Mittel ist dann als gültig anzunehmen. (Chem. Ind. 7. 188—198. Techn. chem. Laborator. des Polytechnikums, Zürich.)

Kubel, *Ein verbesserter Schwefelwasserstoffapparat.* Die Verbesserung besteht in der Aufbewahrung, resp. Konservierung des in dem gebrauchten Apparate zurückbleibenden Schwefeleisens nach dem Abspülen mit Wasser unter Glycerin. Derselbe besteht aus zwei florentiner Flaschen (Fig. 1) von je ¹/₂ l Fassung (von Stender Glashütte bei Lam. springe à 75 Pf.), in deren unterer Öffnung ein Kork mit kurzem Glasrohr befestigt wird. Die obere Öffnung der Entwicklungsflasche wird mit einem Korke verschlossen, durch den ein oberhalb knieförmig gebogenes Glasrohr geht, welches durch ein Gummirohr mit einem gleich gebogenen Glasrohre verbunden ist, dessen längerer Schenkel durch den Kork einer zweckmäfsigen Waschflasche von Stender (Höhe 18 cm) bis auf den Boden reicht. In der seitlichen Öffnung der Waschflasche ist ebenfalls ein zweischenkliges Glasrohr be. festigt, an dem mit Hilfe eines Gummirohres das gerade, ziemlich enge Glasrohr befestigt wird, welches das Gas direkt in die zu behandelnde Flüssigkeit leitet. Die beiden Haupt.

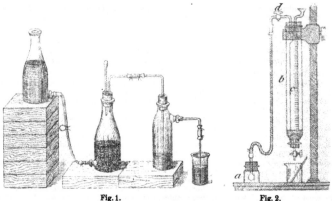

Fig. 1.   Fig. 2.

flaschen sind durch einen etwa 20 cm langen Gummischlauch, der durch einen Quetschhahn geschlossen werden kann, verbunden. In die Entwicklungsflasche kommt zuerst eine Schicht bohnengrofser Kiesstückchen, die besser wie Kohlenstückchen sind, darauf Schwefeleisen in ähnlich grofsen Stücken, bis die Flasche nahezu zur Hälfte gefüllt ist, ausreichend für einen längeren Gebrauch, in die Waschflasche etwas Wasser und dann bei geschlossenem Quetschhahne in die oben offene Säureflasche mehr oder weniger verdünnte Salzsäure, etwa 1 Tl. Säure, 2 Tle. Wasser, je nachdem längere oder kürzere Zeit Gas entwickelt werden soll. Diese Flasche wird von vornherein höher gestellt, wie die Entwicklungsflasche. Nach dem Öffnen des Quetschhahnes fliefst die Säure zu dem Schwefeleisen, und die Gasentwicklung beginnt. Ist die Säure gänzlich verbraucht, so stellt man die Säureflasche so tief, dafs alle Flüssigkeit aus der Entwicklungsflasche in jene fliefst, wobei die Verbindung zwischen letzterer und Waschflasche unterbrochen oder ein in dem Korke der Entwicklungsflasche für gewöhnlich durch Gummikappe verschlossenes Luftröhrchen geöffnet wird, läfst die unbrauchbare Flüssigkeit fortlaufen, füllt neue Säure in die Flasche, und die Gasentwicklung beginnt von neuem.

Wird die Entwicklung unterbrochen, ehe alle Säure verbraucht ist, und soll dieselbe aufbewahrt werden, so läfst man alle Flüssigkeit in die Säureflasche zurücksteigen, schliefst dann die obere Öffnung derselben mit einem Korke, legt die Flasche auf die Seite, dafs die seitliche Öffnung sich obenauf befindet, entfernt Kork mit Glasrohr und verschliefst die Öffnung mit einem anderen Korke. Soll der Apparat nicht weiter benutzt werden, so läfst man, wenn sich die Aufbewahrung überschüssiger Säure nicht mehr lohnt, alle Flüssigkeit ablaufen, nimmt den Apparat auseinander, spült alle Teile mit Wasser ab, schliefst die seitliche Öffnung der Entwicklungsflasche mit einem Korke und übergiefst das zurückgebliebene Schwefeleisen mit Glycerin. Bei der Wiederbenutzung läfst man das Glycerin ablaufen, dasselbe wird wiederholt benutzt, spült den Rest mit Wasser ab, setzt den Apparat, wie angegeben zusammen, und sofort beginnt bei Zutritt der Säure die Gasentwicklung. .(Arch. Pharm. [3] **22**. 374—378.)

R. Baur, *Apparat zur Bestimmung von Kohlensäure und Carbonaten*. (D. P.) (siehe Fig. 2 vor. S.). *a* ist das Entwicklungsgefäls, welches die zu untersuchende Substanz aufnimmt; das darin befindliche Kugelrohr ist für die Säure bestimmt, diese kann durch Neigen des Apparates aus dem Gefäfse herausgegossen werden; es ist durch einen Dreiweghahn *d* und ein Kautschukrohr mit *a* verbunden und von einem weiteren, unten mit Hahn versehenen Cylinder *b* umgeben. In diesen ist es unten durch einen Korkfufs fixiert, das Rohr *b* wird mit einer für Kohlensäure möglichst unzugänglichen Lösung durch einen oben angebrachten Trichter gefüllt; dieselbe kann durch den Hahn wieder abgelassen werden. Durch den Hahn·*d* kann man das Innere des Rohres *c* sowohl mit der Atmosphäre, als auch mit dem Entwicklungsgefäfse verbinden. Nach vollendeter Entwicklung stellt man durch Öffnen des Ablaufhahnes oder Nachgiefsen von Flüssigkeit durch den Trichter das

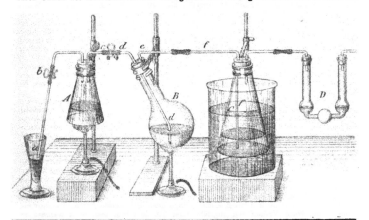

Niveau in *b* und *c* gleich. Die Handhabung des Apparates ergiebt sich aus der Zeichnung von selbst. (Journ. pr. Chem. **29**. 489—93. Anf. Juli. Blaubeuren.)

E. Wildt und **A. Scheibe**, *Eine einfache Methode zur quantitativen Bestimmung der Salpetersäure*. Die Vff. empfehlen seit längerer Zeit zur Bestimmung der Salpetersäure, namentlich in Auszügen von Pflanzenstoffen die SCHLÖSING'sche Methode unter Regeneration des gebildeten Stickoxydes. Sie bedienen sich hierzu des in der obenstehenden Figur abgebildeten Apparates.

A ist ein ERLENMEYER'sches Kölbchen von ungefähr 250 ccm Inhalt, in welches die salpetersäurehaltige Lösung gebracht wird, *B* ein schräg gestellter unten runder Glaskolben mit möglichst langem Halse von ebenfalls 250—300 ccm Inhalt, der bis ungefähr zur Hälfte mit Natronlauge gefüllt ist und den Zweck hat, die aus dem Entwicklungsgefäfse mit übergehenden Salzsäuredämpfe zu absorbieren, *C* ein ERLENMEYER'sches Kölbchen von 750 ccm Inhalt, welches etwas Wasser enthält und dazu dient, die gebildete Salpetersäure aufzunehmen, *D* endlich eine PELIGOT'sche Röhre, ebenfalls Wasser enthaltend, und zwar soviel, dafs die äufsere Luft abgesperrt ist, damit etwa aus *C* entweichende Salpetersäuredämpfe zurückgehalten werden. Die Röhre *d* ist nach unten etwas gebogen, so dafs sie senkrecht in die Natronlauge hineinreicht, und zu einer Spitze ausgezogen, um zu verhindern, dafs die Dämpfe in zu grofsen Blasen durch die Natronlauge hindurchstreichen. Die Röhre *e* ist nach *B* zu schief abgeschliffen und mufs so weit sein, dafs das in derselben sich kondensierende Wasser nicht Tropfen bilden kann, sondern zurückläuft; im anderen Falle wird das Wasser in die Vorlage C getrieben und könnte dabei leicht etwas Natronlauge mitreißen, wodurch die Bestimmung ungenau würde. Die Röhre f taucht in das in dem Gefäße C befindliche Wasser ein. Alles übrige ist aus der Zeichnung leicht verständlich.

· Zur Ausführung der Bestimmung erhitzt man zunächst die Flüssigkeit in den Kolben A und B zum Kochen, um die darin befindliche Luft auszutreiben; während dieser Zeit ist der Quetschhahn b geschlossen, der Quetschhahn c geöffnet und die Verbindung der Röhre e und f gelöst, so daß die Wasserdämpfe durch die Röhre e entweichen können. Nach ungefähr 15—20 Minuten langem Kochen kann man sicher sein, daß aller Sauerstoff ausgetrieben ist, man verbindet nun die Röhren e und f miteinander, schließt den Quetschhahn c, indem man gleichzeitig die Flamme bei B etwas verstärkt, um ein Zurücktreten des in der von jetzt an zu kühlenden Vorlage C befindlichen Wassers zu verhüten, und öffnet den Quetschhahn b. Sobald aus der Röhre a Wasserdampf herausströmt, taucht man das Ende derselben in ein Spitzglas, in welchem sich 50 ccm der ·nach der SCHLÖSING'schen Vorschrift hergestellten Eisenchlorürlösung befinden. Man entfernt dann die Flamme bei A, wodurch infolge der Bildung eines luftverdünnten Raumes innerhalb des Kolbens die Lösung in das Entwicklungsgefäß übersteigt, spült noch einigemal mit Wasser nach, bis alle Eisenchlorürlösung aus der Röhre a entfernt ist, schließt wieder den Quetschhahn b und erhitzt das Gefäß A von neuem. Bei dieser Operation ist sorgfältig das Zutreten von Luft zu vermeiden, es gelingt dies dadurch am besten, daß man die Regulierung vermittels Fingerdrucks ausübt. Nach Verlauf von einigen Minuten bräunt sich der Inhalt, womit der Beginn des Reduktionsprozesses und der Stickstoffoxydentwicklung angezeigt wird; sobald man dies bemerkt, ersetzt man bei c den Quetschhahnverschluß durch den Druck der Finger und beobachtet durch zeitweise Verminderung desselben, ob die Flüssigkeit in der Röhre d noch das Bestreben zeigt, nach A überzusteigen, oder ob sich ein Druck nach B geltend macht: ist letzteres der Fall, so öffnet man die Röhre ganz.

Hierbei ist jedoch vorsichtig zu verfahren, und es empfiehlt sich, etwas Druck in dem Gefäß A entstehen zu lassen, weil sonst leicht ein Zurücksteigen von C aus stattfindet, wodurch die Bestimmung unbrauchbar würde. Man reguliert die Flammen so, daß die Flüssigkeit in beiden Gefäßen nicht zu heftig kocht, aber auch Zurücktreten des Wassers aus der Vorlage C nicht möglich ist, und treibt auf diese Weise das gebildete Stickstoffoxydgas aus. Dasselbe wird durch die Natronlauge im Kolben B von der Salzsäure befreit und gelangt dann in die durch Wasser stets kühl gehaltene Vorlage C, wo dasselbe durch den darin befindlichen Sauerstoff der atmosphärischen Luft unter Mitwirkung der Wasserdämpfe zu Salpetersäure oxydiert wird. Bei der gegebenen Größe des Kolbens reicht der darin vorhandene Sauerstoff vollständig zur Oxydation des aus einem halben Gramm Chilisalpeter entstehenden Stickoxydgases aus. Die gebildete Salpetersäure löst sich in dem Wasser der Vorlage C auf, und nur bei etwas stürmischer Entwicklung oder unzureichender Kühlung tritt zuweilen eine geringe Menge Salpetersäure in die PELIGOT'sche Röhre über. Nach Verlauf von ungefähr einer Stunde trennt man noch während des Kochens der Flüssigkeiten in den Kolben A und B die Gummiverbindung von e und f und titriert darauf die in C und D enthaltene Salpetersäure mittels ziemlich verdünnter Natronlauge (Vff. benutzen etwa $^1/_4$ Normallauge).

Zur Erzielung genauer Resultate sind namentlich folgende Vorsichtsmaßregeln zu beobachten. Es ist darauf zu sehen, daß aus dem Kolben A und B der Sauerstoff vollständig ausgetrieben wird, sowie daß während des Einlassens der Eisenchlorürlösung kein Sauerstoff mit in das Entwicklungsgefäß eintritt, auch muß die Glasröhre gut mit Wasser ausgespült werden, damit keine Eisenchlorürlösung zurückbleibt, da sonst von derselben Stickstoffoxydgas absorbiert wird. Ferner muß die Röhre e so weit sein, daß das sich in derselben verdichtende Wasser in dem Kolben B zurückläuft, zu welchem Behufe es auch zweckmäßig ist, dieselbe sich etwas nach B neigen zu lassen; auch auf das vollständige Austreiben des Stickoxydgases hat man zu achten, sowie darauf, daß die Entwicklung desselben nicht zu stürmisch vor sich geht. Endlich ist die Vorlage C während der Operation gut zu kühlen, und zwar muß dies auch schon vor der Einleitung des Stickstoffoxydgases geschehen; versäumt man letzteres, so kann durch die sich entwickelnden Wasserdämpfe leicht ein größerer Teil des Sauerstoffs aus dem Kolben ausgetrieben werden, so daß die zurückbleibende Menge nicht. mehr zur Oxydation des Stickstoffoxydgases ausreicht. (Ztschr. anal. Chem. **23.** 151—55. Mai. [Nov. 1883.] Versuchsstation Posen.)

E. Falières, *Maßanalytische Bestimmung des Schwefelkohlenstoffes in den Sulfocarbonaten.* (Ann. Chim. Phys. [6.] **2.** 134—44. Mai; C.-Bl. 1883. 570.)

P. Ehrlich, *Über die Sulfodiazobenzolreaktion.* (D. Med. Wochenschr. **10.** 419—22. 16. Juni. [3. Juli.] Berlin.)

A. R. Leeds, *Physikalische und chemische Analyse von Mehl.* (Chem. N. **49.** 269 bis 273 u. folgde.)

Nega, *Erwiderung auf die Bemerkungen Schridde's zum „Quecksilbernachweise im Harn"* (vergl. NEGA **84.** 498; SCHRIDDE **84.** 571.) (Berl. klin. Wochenschr. **21.** 439.)

J. B. Mackintosh, *Über F. Williams' volumetrische Manganbestimmung.* F. WILLIAMS' hat im J. 1881 (Transact. Amer. Inst. Min. Eng. **10.** 10) vorgeschlagen, das Mangan im Spiegeleisen in der Weise zu bestimmen, daſs dasselbe nach der von BEILSTEIN und JAWEIN aufgefundenen Reaktion (Ber. Chem. Ges. **12.** 1528) aus der salpetersauren Lösung durch Kaliumchlorat als MnO_2 gefällt, dieses mittels einer bekannten Menge Oxalsäure bei Gegenwart von Schwefelsäure gelöst und der Oxalsäureüberschuſs maſsanalytisch bestimmt wird. Die Richtigkeit des Verfahrens in dieser Weise hat dann 1883 STONE (Engin. a. Min. J. **35.** 318) durch die Behauptung bestritten, daſs in dem gegebenen Falle nicht MnO_2, sondern $10 MnO_2.MnO$ gefällt werde, und er hat vorgeschlagen, die Ausführung und Berechnung der Probe dementsprechend zu modifizieren. Diese sich widersprechenden Angaben haben den Vf. veranlaſst, in Verbindung mit seinen Assistenten BEBE und COLLEY eine Reihe von Versuchen zur Konstatierung des Richtigen zu unternehmen. Dieselben gründeten sich auf folgende Unterlagen:

1. Daſs Kaliumpermanganat eine Oxydationskraft hat entsprechend fünf Atome Sauerstoff auf zwei Atome Mangan ($K_2Mn_2O_8$ geben K_2O und $2 MnO$ und O_5).

2. Daſs dieselbe Menge Mangan im Zustande des Superoxydes eine Oxydationskraft entsprechend zwei Atome Sauerstoff hat ($2 MnO_2$ geben $2 MnO$ und O_2).

Nimmt man also eine Permanganatlösung von unbekannter Stärke und reduziert dieselbe zu Superoxyd, so wird die Oxydationskraft des gebildeten Superoxydes gleich der von zwei Fünftel der Menge ·der ursprünglich genommenen Permanganatlösung sein. Wäre dagegen der gebildete Niederschlag kein Superoxyd, sondern ein unbestimmtes oder bestimmtes Gemisch von Superoxyden und Oxyden, so liesse sich doch aus ihrer Oxydationskraft ihre Zusammensetzung bestimmen. Die Analysen fanden nun in folgender Weise statt.

Die benutzte Menge Permanganat wurde mittels Chlorwasserstoffsäure zersetzt und zur Austreibung des Wasserüberschusses konzentriert. Nach genügendem Zusatze von Salpetersäure wurde die Lösung bis zur vollständigen Austreibung der Chlorwasserstoffsäure zum Kochen erhitzt. Sodann wurde das Mangan durch Kaliumchlorat niedergeschlagen, nach längerem Abkühlen, eine wichtige Vorsichtsmaſsregel, durch Asbest abfiltriert, dann zunächst mit Wasser vollständig ausgewaschen und nach Zusatz einiger Kubikzentimeter Schwefelsäure mit einem Volum Oxalsäurelösung behandelt, deren Äquivalent an Permanganat bekannt war. Der Überschuſs an Oxalsäure wurde schlieſslich mittels Permanganat titriert, und die Differenz zwischen dem Verbrauche hieran und dem Äquivalente des gesamten Volums Oxalsäure ergab die Oxydationskraft des Niederschlages.

Eine Reihe von vier Versuchen ergab, daſs der Niederschlag aus 99,37, 100,07, 99,86 und 100,67, oder im Durchschnitte aller vier Versuche aus 99,99 p. c. MnO_2 bestand.

Es muſs hier ausdrücklich darauf aufmerksam gemacht werden, daſs bei vorstehenden Resultaten der Niederschlag bewirkt wurde durch allmähliches, abwechselndes Hinzufügen von Kaliumchlorat und Salpetersäure, bis keine Bildung von gelben Dämpfen mehr beobachtet wurde. Bald nach der ersten Anwendung des Verfahrens wurde nämlich bemerkt, daſs die Reaktion sich selten vollständig vollzog, wenn das Kaliumchlorat nur während einer Periode hinzugefügt wurde und daſs vielmehr, wenn nach scheinbarer Beendigung der Reaktion, die durch ein ganz plötzliches Aufhören der gelben Dämpfe sich kundgab, von neuem Salpeter und darauf Kaliumchlorat hinzugefügt wurde, gelbe Dämpfe sich wieder zeigten und mit charakteristischem Aufkochen wieder verschwanden. Es ist daher bei dieser Methode nötig, wiederholt abwechselnd Salpetersäure und Kaliumchlorat hinzuzufügen, bis sich sicher keine Dämpfe mehr entwickeln. Beachtet man diese Vorsicht nicht, so sind die Resultate fast stets zu niedrig. Die nächste Reihe von Versuchen wurde ausgeführt, um diesen Punkt aufzuhellen und die Gröſse des Fehlers zu bestimmen, den man machen kann, wenn man den Anweisungen von WILLIAMS, sowie von FOND genau folgt und nur einmal Kaliumchlorat hinzufügt und bis zum scheinbaren Aufhören der Reaktion kocht.

Drei Versuche ergaben, daſs in diesem Falle der Niederschlag aus 97,82, 98,92, 98,04 und im Durchschnitte aus 98,26 p. c. MnO_2 bestand; zwei andere, zu anderer Zeit ausgeführte Versuche ergaben 98,34 und 99,07 p. c. MnO_2; es entstand also ein Fehler bis über 2 p. c.

Wäre nun die Zusammensetzung des Niederschlages, entsprechend der von STONE gegebenen Formel, $10 MnO_2 + MnO$, so müſste die Oxydationskraft desselben 90,91 p. c.

684

der theoretischen Oxydationskraft des MnO_2 betragen, anstatt der hier gefundenen ungleich höheren. Nach diesen Resultaten darf man vielmehr an der genauen Zusammensetzung des Niederschlages wohl nicht zweifeln; dieselbe entsteht unter den angegebenen Vorsichtsmaßregeln durchaus sicher, und jede Bestimmung, die sich auf eine andere Annahme gründet, muß als auf falscher Grundlage beruhend und somit als ungenau bezeichnet werden. (Transact. Amer. Inst. Min. Eng. **10.** 10; durch Berg- u. Hüttenm. Ztg. **43.** 302—303.)

R. Ulbricht, *Nachweis von schwefliger Säure, Salicylsäure und Metallen in Mosten und Weinen.* 100 ccm Wein oder 50 ccm Most und 50 ccm Wasser werden im Kolben der Destillation unterworfen: vorgelegt wird eine Eprouvette mit 5 ccm einer Lösung, welche im Liter 5 g Jod und 7,5 g Jodkalium enthält. Nachdem 10 ccm destilliert sind (gute Kühlung!) wird der Eprouvetteninhalt in einem Becherglase mit einigen Tropfen Salzsäure und Chlorbarium geprüft (HAAS, Ber. Chem. Ges. **15.** 154). Ohne die Destillation zu unterbrechen, legt man an Stelle der Eprouvette ein Kölbchen vor, welches einen Tropfen verdünnte Eisenchloridlösung enthält. Sind im Untersuchungsobjekte auch nur 30 mg Salicylsäure pro Liter enthalten, so macht sich alsbald die bekannte Reaktion bemerkbar. Man setzt die Destillation fort, bis 50 ccm ins Kölbchen übergegangen sind. Der Destillationsrückstand kann noch zur Prüfung auf durch Schwefelwasserstoff fällbare Metalle etc. verwendet werden. (Rep. anal. Chem. **4.** 217.)

v. Perger, *Quantitative Bestimmung des Morphins im Opium.* Der Vf. hat folgende Methoden miteinander verglichen:

1. *Methode von Hager, verbessert von Godeffroy.* Man nimmt 10 g getrocknetes Opiumpulver und knetet es in einer Porzellanschale mit ungefähr 25 ccm heißem Wassers gut durch, giebt dann die Masse auf ein leinenes Collatorium, preßt aus, bringt den Rückstand wieder in die Reibschale, knetet wieder mit etwa 25 ccm heißem Wasser und wiederholt diese Operationen, Kneten und Auspressen so lange, bis das neu hinzugefügte Wasser nicht mehr gefärbt wird. Die kollierte Flüssigkeit vermischt man mit einem Brei aus 8—10 g gelöschten Kalkes, kocht zwei- bis dreimal auf, filtriert und löst in dem Filtrate soviel Salmiak auf, daß die Flüssigkeit selbst nach längerem Stehen deutlich nach Ammoniak riecht. Nach 12—24 Stunden ist das Morphin herauskrystallisiert, man bringt es auf ein früher gewogenes Filter, wäscht es mit wenig ammoniakhaltigem Wasser, trocknet und wägt wieder.

2. *Die Methode der Pharmacopoea austriaca Ed. VI.* 10 g gepulvertes, getrocknetes Opium werden mit 90 g einer Mischung, bestehend aus 140 g destillierten Wassers und 40 g Salzsäure (12,2 p. c.) digeriert. Mit dem Rest der verdünnten Salzsäure (90 g) wird gewaschen. Der nach dem Filtrieren bleibende und gewaschene Rückstand wird getrocknet und sein Gewicht bestimmt. Wenn das Opium gut ist, darf letzteres nicht 4,5 g überschreiten. Der salzsauren Lösung werden 20 g gepulvertes Chlornatrium zugemischt und 24 Stunden in der Kälte stehen gelassen. Der erhaltene Niederschlag wird durch Dekantation und Filtrieren von der Flüssigkeit getrennt und auf dem Filter mit einer gesättigten Kochsalzlösung gewaschen. Zu den Flüssigkeiten, Filtrat und Waschwasser giebt man Ammoniak zu, bis die Flüssigkeit deutlich danach riecht. Die Lösung bleibt zwölf Stunden stehen, bis sich das Morphin in Krystallen abscheidet, man dekantiert, mischt den Niederschlag mit möglichst wenig destilliertem Wasser, spült in ein Filter, trocknet in einer Porzellanschale und versetzt mit dem gleichen Gewicht einer Mischung, welche aus gleichen Teilen Essigsäure (20,4 p. c.) und destilliertem Wasser besteht; man setzt noch die gleiche Wassermenge hinzu, filtriert und wäscht das Filter mit ca. 50 ccm Wasser. Die Flüssigkeiten dürfen das Gewicht von 70—80 g nicht überschreiten. Dann wird zu dem Filtrat Ammoniak in geringem Überschuß gegeben und zwölf Stunden stehen gelassen; man sammelt auf gewogenem Filter, wäscht mit 20 ccm Wasser und trocknet. Das Minimum muß 1 g betragen.

3. *Die Methode von E. Merk,* welche in dessen großem Etablissement in Darmstadt ausschließlich angewendet wird.

15 g zerschnittenes Opium werden mit 100 g Spiritus von 45 p. c. Gehalt ausgekocht, der Auszug wird durch Filtration vom Rückstand getrennt und der Rückstand nochmals mit 100 g Spiritus von derselben Stärke behandelt; die vereinigten Auszüge werden mit 8 g krystallisierter Soda versetzt und ohne umzurühren eingedampft. Der erhaltene Abdampfrückstand wird mit 60 g kaltem Wasser aufgeweicht, in einem Cylinderglase dekantiert, die klare Flüssigkeit abgegossen und das Ungelöste nochmals mit 30 g kalten Wassers abgewaschen, dann in derselben Weise mit 45 g Weingeist (von 90 p. c. Gehalt) behandelt und schließlich auf ein Filter gebracht. Die auf dem Filter zurückbleibende, krystallinische Masse trocknet man zwischen Filtrierpapier ab, löst in einer Mischung von 15 g Essigsäure (bestehend aus 1 Tl. Essigsäure von der Dichte 1,06 und 8 Tln. Wasser) und

15 g destilliertes Wasser, filtriert durch dasselbe Filter, auf welchem der Rückstand gesammelt wurde, fällt das Filtrat mit Ammoniak und sammelt nach zwölfstündigem Stehen den Niederschlag auf einem tarierten Filter, trocknet und wägt.

4. Endlich hat der Vf. selbst eine Methode (IV) zusammengestellt, deren Ausführung er folgendermaßen beschreibt.

10—20 g des zu untersuchenden Opiums werden in möglichster Verteilung mit 15 bis 30 g Ätzbaryt* und ca. 150—200 ccm Wasser ganz kurze Zeit gekocht; die Lösung wird durch Dekantation und Filtrieren von dem Rückstande getrennt und letzterer mit kleinen Mengen heißen Wassers noch einige Male gekocht, bis eine Probe der Lösung, verdunstet, mit Molybdänsäureschwefelsäure keine Morphinreaktion mehr zeigt. Bei dieser Operation ist ein zu oft wiederholtes Auskochen zu vermeiden, und betragen die Filtrate in der Regel nicht mehr als etwa 4—500 ccm Volumen. In diese Lösung, welche alles Morphin enthält, leitet man einen Strom gewaschener Kohlensäure ein, bis die Flüssigkeit mit dem Gase übersättigt ist, und dampft nun die ganze Masse möglichst rasch in einer Schale zur Trockne auf dem Wasserbade ein. Den erhaltenen Rückstand befeuchtet man mit absolutem Alkohol, löst ihn mittels eines scharfen Spatels von der Schale los, bringt ihn in einen Glaskolben (nach ERLENMEYER) und extrahiert nun mit kochendem absoluten Alkohol so lange, bis eine Probe desselben, auf einem Uhrglase verdunstet, keine deutliche Morphinreaktion mit Molybdänschwefelsäure mehr zeigt. Dazu genügen in der Regel ca. 3—400 ccm. Die klaren alkoholischen Filtrate werden in einem kleinen Kolben (ERLENMEYER) durch Destillation vom Alkohol befreit.** Ist durch wiederholtes Nachgießen von Alkohol und Destillation das Volum der Lösung ein kleines geworden, so wird der Rest des vorhandenen Alkohols durch Einstellen des Kolbens in ein kochendes Wasserbad vollständig verdampft.

Der im Kolben verbleibende Rückstand ist von gelbbrauner Farbe, harzartig, klebrig; man gießt nun auf denselben ca. 15 ccm Wasser, dem man etwas Ammoniak zugefügt hat, und läßt längere Zeit stehen. Die dunkle, harzartige Masse färbt sich lichtbraun und wird fest durch die Aufnahme von Wasser. Die Umwandlung wird durch Rühren und Reiben mit einem mit Kautschuk versehenen Glasstab befördert. Ist die Masse derart verändert, so wird durch ein kleines, gewogenes Filter dekantiert und der fein verteilte Niederschlag durch wiederholtes Zurückgießen des Filtrates auf das Filter gebracht; schließlich wäscht man mit wenig ammoniakalischem Wasser nach. Auch hier sind größere Flüssigkeitsmengen möglichst zu vermeiden. Das Filter wird bei 40° getrocknet und in einen Glastrichter gebracht, welcher unten geschlossen werden kann. Man übergießt das Filter mit reinem, alkoholfreiem Chloroform und läßt letzteres mit dem Filterinhalt längere Zeit in Berührung, dann öffnet man den Hahn, läßt das Chloroform ablaufen, gießt eine neue Menge desselben auf und wiederholt die Operation so lange, bis eine Probe des nur wenig gefärbten Extraktionsmittels auf einem Uhrglase verdunstet, der bleibende Rückstand in verdünnter Salzsäure gelöst und die Lösung mit Ätzpatronlösung versetzt, nur mehr eine spurenweise Trübung zeigt (3—5 ccm der Chloroformlösung genügen zu dieser Probe).

Das Filter wird getrocknet und gewogen; das erhaltene Produkt ist *rohes Morphin.* Dasselbe muß lichtbraun bis strohgelb gefärbt sein; es enthält kein Narcotin und ist in manchen Fällen *** schon so rein, daß es, mit sehr wenig Salzsäure übergossen, sich mit gelber Farbe löst, und beim Schütteln die Lösung durch Bildung des salzsauren Salzes sofort krystallinisch erstarrt; ein allmähliches Krystallisieren aus Alkohol liefert reine Morphinkrystalle; sämtliche Reaktionen des Morphins werden erhalten.

Ist eine Reinigung nötig, so erfolgt dieselbe, indem man das Filter mit dem Rohmorphin mit möglichst wenig, sehr verdünnter Essigsäure übergießt. (Bei einem Gewicht des Rohmorphins von 1,0—1,5 g genügt eine Mischung von 1,5—2 ccm Essigsäure (20 p. c.) und 20—25 ccm Wasser.) Um die Lösung des Morphins als Acetat zu fördern, kann man die verdünnte Essigsäure auch erwärmt (30—50°) anwenden. Man wiederholt das

---

* Die Anwendung so bedeutender Mengen von Ätzbaryt ist unbedingt nötig und wird durch die neuen Angaben von D. B. DOTT (aus Chem. and Drugg. d. Deutsch-Amerik. Apoth.-Ztg. 4. 571) begründet.

** Die Extraktion gelingt um so rascher, je feiner zerteilt der Eindampfungsrückstand ist, und diese Zerteilung läßt sich aus der Schale mit Hilfe eines Pistills leicht bewerkstelligen. Die Destillation des Alkohols erfolgt am besten durch direktes Erhitzen des Kolbens auf einem Drahtnetze.

*** Die Reinheit hängt von der Qualität des Opiums und von der exakten Durchführung der Methode ab.

Aufgiefsen mit dem Filtrate mehrmals, um alles Morphin zu lösen, wäscht mit 5 ccm Wasser nach und versetzt nun das gelbbraune Filtrat mit einigen Tropfen von Ferrocyankaliumlösung, filtriert wieder durch dasselbe Filter und wäscht mit ca. 20—25 ccm Wasser nach.[*] Das gesamte Volum darf 50—60 ccm nicht übersteigen.[**] Die erhaltene Lösung wird mit Ammoniak alkalisch gemacht und bleibt 24 Stunden sich selbst überlassen; das krystallisierte Morphin wird auf einem getrockneten gewogenen Filter gesammelt, mit ammoniakalischem Wasser gewaschen, bei 102° getrocknet und gewogen.

Das derart gewonnene Produkt besitzt eine weifse bis strohgelbe Farbe; es löst sich in verdünnter Natronlauge leicht und vollständig auf, mit wenig Salzsäure übergossen erstarrt die Lösung rasch durch die krystallinische Ausscheidung von reinem salzsauren Morphin, aus Alkohol krystallisiert, erhält man die für das reine Morphin charakteristischen Krystalle; mit gelbem Blutlaugensalz entsteht in saurer Lösung keine Trübung; alle für das Morphin charakteristischen Reaktionen werden in einer für die Reinheit des Produktes sprechenden Form erhalten.[***]

Nach diesen Methoden wurden sechs verschiedene Opiumsorten untersucht, welche Arbeit der Vf. mit J. V. Janovsky, R. Kämpf, C. Hornoch und R. Spängler gemeinschaftlich ausführte.

Folgendes sind die nach den verschiedenen Methoden erhaltenen Durchschnittswerte (Prozentgehalt an Morphin) bezogen auf getrocknetes Opium, wobei die unreinen Produkte mit * bezeichnet sind. Der Gehalt an:

Opium	E. MERK	Pharm. austr.	HAGER-GODEFFROY	Methode IV.
I.	—	4,17* p. c.	1,63* p. c.	9,04 p. c.
II.	5,99 p. c.	2,04* „	0,507* „	8,37 „
III.	—	—	5,567* „	9,1
IV.	9,32 „	0,253* „	8,52 „	11
V.	1,72 „	0,3* „	1,17* ;	3,68
VI.	13,57 „	?*	8,42 „	14,75 „

Diese Resultate der Untersuchung, aus welchen der Vf. vorläufig noch keine definitiven Schlufsfolgerungen ziehen will, da die Zahl derselben eine noch zu kleine ist, zeigen so überraschende Differenzen, dafs bei aller Rücksichtnahme auf die Schwierigkeit, genaue Durchschnittsproben zur Analyse zu bringen, eine Erklärung der Unterschiede der nach den verschiedenen Methoden erhaltenen Produkte sowohl in qualitativer als quantitativer Beziehung, nur in der Art der Methoden und deren subjektiven Durchführung gesucht werden kann. (Journ. prakt. Chem. **29.** 97—110. April. [Febr.] Reichenberg.)

F. Penzoldt, *Ältere und neuere Harnproben und ihr praktischer Wert.* (Korr.-Bl. d. allgem. ärztl. Ver. v. Thüringen. **13.** 198—216. Erlangen.)

Adolf Ott, *Zur Bestimmung des Wassers, resp. der Trockensubstanz im Malze.* Der Wassergehalt des Malzes und damit auch der Gehalt desselben an Trockensubstanz wird allgemein durch Ermittelung des Gewichtsverlustes bestimmt, welchen das Malz bei einer Temperatur erleidet, die dem Siedepunkte des Wassers gleich ist oder denselben um mehrere Grade (ca. 5—10°C.) übersteigt. Die Ausführung der Wasserbestimmung geschieht entweder 1. in der Weise, dafs man eine gewogene Menge Malz, geschroten oder auch in ganzen Körnern, in einer Trockenröhre (Trockenente) unter Durchsaugen von trockner Luft (oder Wasserstoff) so lange im Ölbade oder Luftbade erhitzt, bis keine irgend erhebliche Gewichtsabnahme mehr stattfindet, oder 2. in der Weise, dafs man das gewogene und geschrotene Malz in einem offenen, beim Wägen verschliefsbaren Gefäfse im Luftbade bis zur Gewichtskonstanz trocknet.

Die erhaltenen Versuchsergebnisse zeigen, dafs beim Trocknen des Malzes im Luftstrome ca. 1 p. c. Wasser mehr gefunden wurde, als beim Trocknen im Luftbade unter

---

[*] Je gröfser die in Anwendung kommenden Wassermengen sind, desto gröfser ist der Verlust an Morphin. Diesen Verlust durch eine Korrektur zu kompensieren, sind Versuche im Gange.

[**] Sollten die Flüssigkeitsmengen nach der Extraktion mit Essigsäure gröfsere sein, als die angegebenen, so kann auf dem Wasserbade eingeengt werden, jedoch mufs dies vor dem Zusatze des Blutlaugensalzes geschehen.

[***] Bei allen bisher untersuchten Opiumproben gelang es jedesmal, ein so reines Produkt zu gewinnen, wenn die angegebenen Bedingungen eingehalten wurden, das Auskochen mit Barytwasser nicht zu weit geführt und die Menge der zum Lösen nötigen Essigsäure nicht unnötig vermehrt wurde, wodurch eine spurenweise Lösung der durch Ferrocyankalium fällbaren Körper eintritt.

Anwendung gleicher Temperaturen (ca. 108°). Es liegt hierbei der Gedanke nahe, daſs der Luftstrom eine zersetzende und oxydierende Wirkung auf das Malz ausübe, welche wegfallen muſs, wenn man das Malz im Wasserstoffstrome erhitzt. Vf. wies nach, daſs in der That der Gewichtsverlust des Malzes beim Erhitzen auf 80—108° im Wasserstoffe fast völlig von entwichenem Wasser und nur zu einem verschwindend kleinen Teile von anderweitigen Stoffen (Kohlendioxyd, Stickstoffverbindungen, Glycerin (?) etc.) herrührte. Die Wasserbestimmung im Vakuum über Phosphorsäureanhydrid lieferte beinahe dasselbe Resultat, wie diejenige im Luftbade. (Ztschr. für das ges. Brauwesen 7. 253 — 58. Weihenstephan.)

L. Battut, *Über die Bestimmung des Zuckers und der Glykose mittels Kupferlösung.* Obgleich man sich in den Zuckerfabriken so viel als möglich des Polarimeters bedienen sollte, so giebt es doch Umstände, wo man zu der Kupferlösung greifen muſs, z. B. bei der Analyse von Produkten, welche im ersten Stadium der Zersetzung begriffen sind, bei der Untersuchung von Glykose. Bis jetzt sind noch nicht die Fehler näher erörtert worden, welche dem letzteren Verfahren anhaften. Aus den Versuchen, welche der Vf. zunächst behufs Bestimmung des gesamten Zuckers und der Glykose in dem Zucker-rübensafte angestellt hat, geht hervor, daſs das mit der PELLET'schen Lösung erhaltene Resultat, als Einheit gesetzt, die FEHLING'sche Lösung ein viel zu hohes Resultat liefert, wenn man die Bestimmung nach dem Verfahren WEIL's (Zinnchlorür) ausführt, und daſs sich das Ergebnis ein wenig der Wirklichkeit nähert, bei der direkten Methode (nach VIOLETTE). Da die letztere eine merklich geringere Abweichung, als die FEHLING'sche Lösung liefert, so sollte sie dieser a priori vorgezogen werden. Jedoch ist diese Über-einstimmung nur oberflächlich; bei näherem Vergleiche der Resultate bemerkt man, daſs VIOLETTE's Bestimmung nur einen Bruchteil der Glykose und folglich des wirklich vor-handenen Zuckers angiebt. Es ist dies eine Folge des Mangels an Empfindlichkeit unter den Bedingungen des Versuches; da die Reaktion zu langsam vor sich geht, so erscheint sie beendigt, wenngleich noch in der Lösung ein Teil unzersetzten Zuckers verbleibt. Sucht man den Prozeſs zu verlängern, indem man den Zeitraum zwischen den einzelnen Zusätzen der Zuckerlösung mehr ausdehnt, so ist das Endergebnis ein zu hohes, weil die Reduktion nicht allein von Zucker, sondern auch von den organischen Substanzen, welche vom Bleiacetat nicht gefällt wurden, bewirkt worden ist.

Beim Titrieren mittels Zinnchlorür findet man viel mehr Zucker als Glykose. Da hier die Zuckerlösung mit einem einzigen Male und kalt zugesetzt wird, und man das ruhige Kochen einige Stunden lang unterhält, so ist die Reaktion nicht allein eine voll-ständige, sondern es hat auſserdem Bildung von Glykose auf Kosten des krystallisierbaren Zuckers und Einwirkung der reduzierenden organischen Substanzen auf die Kupferlösung stattgefunden. Diese verschiedenen Einwirkungen zusammen liefern die bedeutenden Ab-weichungen, welche der Vf. bei seinen Versuchen beobachtet hat.

Bei den weiteren vergleichenden Prüfungen der Methoden zur Bestimmung des Zuckers und der Glykose in der Rübe selbst ergab es sich, daſs die FEHLING'sche Lösung infolge ihrer Einwirkung auf den Zucker begleitenden verschiedenen Substanzen falsche Re-sultate liefert. Vf. empfiehlt, dieselbe (Modifikation WEIL) nur bei qualitativen Unter-suchungen zu benutzen und sich ausschlieſslich bei genauen Zucker- und Glykosebestim-mungen der PELLET'schen Lösung zu bedienen. Ebenso empfiehlt es sich, alle Bestim-mungen des Zuckers in der Rübe, welche auf der Inversion des krystallisierbaren Zuckers beruhen, in Gegenwart der Rübensubstanz selbst aufzugeben. Das VIOLETTE'sche Ver-fahren liefert bei seiner Anwendung mit Bleiacetat gefälltem Safte eine Zahl, welche zuweilen zwar der Polarimeteranzeige sich sehr nähern kann, aber nur als eine empirische zu bezeichnen ist. Die PELLET'sche Lösung hat den Vorzug, sich sehr lange unverän-dert zu halten, ihre Anwendung erfordert nur die Reduktion im Wasserbade.

Vf. bemerkt noch, daſs man bei Anwendung von Kupferlösungen in betreff des Vo-lums und des Zuckergehaltes nicht allein bei denselben Verhältnissen verbleiben muſs, sondern auch die Lösung nach demjenigen Verfahren „titrieren" muſs, nach welchem die Zuckerbestimmung ausgeführt worden ist. Man würde einen schweren Fehler begehen, wenn der Berechnung der Resultate einer Bestimmung bei Reduktion der FEHLING'schen Lösung im Wasserbade, z. B. der durch Reduktion auf einer Eisenplatte gefundene Titer, zu grunde gelegt würde.

So sind:

10 ccm FEHLING'sche Lösung = 0,0513 Glykose bei Reduktion im Wasserbade, Ti-trieren mit Zinnchlorür.

10 ccm FEHLING'sche Lösung = 0,0460 Glykose bei Reduktion auf einer Eisenplatte, Titrieren mit Zinnchlorür.

10 ccm FEHLING'sche Lösung = 0,0526 Glykose bei Reduktion auf einer Eisenplatte und Titrieren nach VIOLETTE.

Da die PELLET'sche Lösung nur in einer Weise titriert wird, so hat man allein Sorge zu tragen, stets mit demselben Volum und der gleichen Quantität Zucker zu arbeiten. (Bull. de l'associat. de Chimist. 1884. 82; SCHEIBLER'S N. Z. **13**. 15—18.)

Kleine Mitteilungen.

Verfahren zum Bleichen und Entfetten von Faserstoffen, von H. KÖCHLIN. Der Vf. empfiehlt, Faserstoffe durch Tränken mit Alkalien oder kaustischen alkalischen Erden und nachfolgendes Erhitzen derselben mittels Dampfes oder heißer Luft zu bleichen. Dadurch nun, daß der zum Erhitzen dienende Dampf nie vollkommen luftfrei ist, kommt die mit Ätzalkali getränkte Baumwolle mit atmosphärischer Luft in Berührung, wodurch sie oxydiert wird. Um nun die Baumwolle vor einer solchen Oxydation zu bewahren und so die Festigkeit ihrer Fasern zu erhalten, ist es nötig, dem kaustischen Alkali einen reduzierenden Stoff, und zwar Natriumsulfit oder Natriumdisulfit beizufügen. Man taucht daher die Baumwolle u. dergl. in kochendes, mit Schwefelsäure gemischtes Wasser ein, um die stärkehaltigen Stoffe aus der Ware zu entfernen; hierauf wird dieselbe in ein Gemisch von Ätznatron und Natriumdisulfit gebracht, ausgepreßt und etwa eine Stunde lang erhitzt. Die Menge des zuzusetzenden Natriumdisulfides richtet sich nach der Menge der Luft, welche der zu verwendende Dampf enthält. (D. Pat. 1. Dez. 1883.)

Beiträge für das Centralblatt bittet man an die Redaktion (Leipzig, Lessingstr. 5) zu richten. Originalarbeiten von nicht zu großem Umfange werden entsprechend honoriert und gelangen stets sofort nach der Einsendung, und zwar in kürzester Frist, zum Abdruck.

Redaktion: Prof. Dr. **Rud. Arendt** in Leipzig.

Verlag von **Leopold Voss** in Hamburg und Leipzig. — Druck von **Metzger & Wittig** in Leipzig.

Hierzu ein Beiblatt.

No. 37.

Chemisches Central-Blatt.

10. Septbr. 1884.

Wöchentlich eine Nummer von
1–2 Bogen. Der Jahrgang mit
Sach- und Namen-Register,
nebst system. Übersicht.

Der Preis des Jahrgangs
ist 30 Mark. Durch alle
Buchhandlungen und Post-
anstalten zu beziehen.

REPERTORIUM

für reine, pharmazeutische, physiologische und technische Chemie.

Dritte Folge. XV. Jahrgang.

Wochenbericht.

1. Allgemeines und Physikalisches.

S. Wroblewski, *Über die Eigenschaften des flüssigen Sumpfgases und sein Gebrauch als Kältemittel.* Die niedrigste Temperatur, welche der Vf. bis jetzt durch siedendes Äthylen erzeugen konnte, betrug —144°. Zwischen dieser und der Temperatur des unter gewöhnlichem Drucke siedenden Sauerstoffes (—184°) besteht eine Lücke von 40°, welche man ausfüllen muß, wenn man bei intermediären Temperaturen arbeiten will. Da das Sumpfgas sich schwerer verflüssigen läßt, als das Äthylen, so läßt sich annehmen, daß es die gewünschte Temperatur geben wird. Aus diesem Grunde hat der Vf. die Eigenschaften dieses Gases zu untersuchen begonnen. Das Gas wurde in Mengen von mehreren Hundert Litern aus geschmolzenem Natriumacetat und Natronkalk bereitet und enthält infolgedessen neben anderen Verunreinigungen eine gewisse Menge Wasserstoff. Es giebt eine fast ebenso klare und durchsichtige Flüssigkeit, wie das Äthylen; seine Dichte beträgt, mit Wasser von 4° verglichen, 0,37. Folgende Tabelle stellt die Liquefaktionskurve des Sumpfgases dar:

Temperatur	Druck	
— 73,5°	56,8 Atm.	— Kritischer Punkt
— 75,9°	52,5 „	
— 96,2°	24,9 „	
—113,4°	16,4 „	
—130,9°	6,7 „ .	

Der Druck wurde in dem Moment gemessen, in welchem die ersten Flüssigkeitsspuren wahrgenommen werden konnten, und zur Messung diente ein thermoelektrisches Element. Das Sumpfgas läßt sich ausgießen wie Äthylen und kann auf gewöhnlichen Atmosphärendruck gebracht werden, ohne zu erstarren. Sein Siedep. liegt zwischen —155 und —160°. Es ergiebt sich hieraus, daß das Gas zur Benutzung als Kältemittel gut geeignet ist und die Lücke zwischen dem Äthylen und dem Sauerstoffe ausfüllt.

Sauerstoff, atmosphärische Luft, Stickstoff und Kohlenoxyd können durch dieses Gas abgekühlt und unter geringem Drucke verflüssigt werden. (C. r. **99.** 136—37. [21.*] Juli.)

K. Olszewski, *Kritische Temperatur und Druck der Luft.* Als Abkühlungsmittel bediente sich der Vf. flüssiger Luft, von der er ungefähr 6 ccm unter dem Drucke von einer Atmosphäre oder im Vakuum verdampfen ließ. Die Versuche wurden in ähnlicher Weise ausgeführt, wie beim Stickstoffe. Zuerst wurde die Luft in einem NATTERER'schen Apparate komprimiert und dann in eine durch Äthylen auf —142 bis —150° abgekühlte Glasröhre geleitet; sobald das Manometer 50 Atm. zeigte, beobachtete man keinen Meniskus, da dieser Druck noch über dem kritischen Drucke der Luft liegt. Erniedrigt man denselben aber langsam bis 37,6 Atm., so wird das Sieden der Luft in dem Teile der Röhre, welcher aus dem Äthylen hervorragt, sehr wahrnehmbar, und man kann den Meniskus ganz genau erkennen.

Dieser Druck liegt unterhalb des kritischen Druckes; läfst man die Temperatur der Luft steigen, so steigt der Druck ebenfalls, und erst bei 39 Atm. verschwindet der Meniskus vollständig. Bei einer Wiederholung dieses Versuches wurde indessen beobachtet, dafs der Druck, unter welchem der Meniskus verschwindet, nicht so konstant ist, wie der, unter welchem das Sieden der flüssigen Luft eintritt; Ähnliches wurde auch beim Stickstoff beobachtet. Folgendes sind die für Luft erhaltenen Resultate:

Druck	Temperatur	
39 Atm.	−140°	− Kritischer Punkt
33 „	−142	
27,5 „	−146	
20,0 „	−152	
14,0 „	−158,5	
12,5 „	−160,5	
6,8 „	−169	
4,0 „	−176	
1 „	−191,4	
Vakuum	−205.	

Es ist möglich, dafs die Temperatur der im Vakuum verdampfenden Luft noch niedriger ist. Dasselbe nimmt der Vf. auch für Sauerstoff (−198°) und für Stickstoff (−213°) unter analogen Bedingungen an. Wenn man sich erinnert, dafs die Siedetemperaturen des Sauerstoffes und Stickstoffes bei einer Atmosphäre −181 und −194,4° sind, so sieht man, dafs die Temperatur der Luft unter demselben Drucke nur sehr wenig von derjenigen differiert, welche man durch Rechnung findet, während man durch Berechnung der Siedetemperatur der Luft im Vakuum eine Zahl findet, welche bedeutend von −205° C. differiert. Dies zeigt, dafs die flüssige Luft im Vakuum nicht mehr ihre ursprüngliche Mischung besitzt, und dafs Stickstoff in beträchtlicher Menge daraus verdampft ist. Obgleich die Luft leichter zu erhalten ist, als der Stickstoff, hat sich der Vf. bei seinen ersten Versuchen über die Verflüssigung des Wasserstoffes derselben dennoch nicht bedient, weil er mit Stickstoff eine niedrigere Temperatur zu erhalten hoffte. (C. r. 99. 184—86. [28.*] Juli.)

D. **Mendelejeff**, *Über die Ausdehnung der Flüssigkeiten durch die Wärme.* (Ann. Chim. Phys. [6.] 2. 271—82. Juni; C.-Bl. 1884. 482.)

P. **Hautefeuille** und J. **Chappuis**, *Einwirkung der elektrischen Effluvien auf Sauerstoff und Stickstoff bei Gegenwart von Chlor.* (Ann. Chim. Phys. [6.] 2. 282—84. Juni; C.-Bl. 1884. 337.)

E. **Bouty**, *Über die elektrische Leitungsfähigkeit verdünnter wässeriger Lösungen.* (Forts. von S. 273.) Die neutralen Salze in verdünnter Lösung bilden in bezug auf ihre elektrische Leitungsfähigkeit eine ganz spezielle Gruppe. Der Vf. hat wässerige Lösungen von organischen Substanzen, welche sehr verschiedenen Gruppen angehören, studiert:

Äthylalkohol	Glykose	Äthylaldehyd	Äthyläther	Acetamid	Eiweifs
Glycerin	Kandiszucker	Aceton		Dichlorhydrin	Harnstoff
Erythrit					
Phenol					

Alle diese Substanzen leiten sehr schlecht. Einige vermehren die Leitungsfähigkeit des käuflichen destillierten Wassers in kaum wahrnehmbarer Weise, selbst in einer Menge von ¹/₂₉₀ (Erythrit, Zucker, Glycerin); diejenigen, welche am besten leiten, besitzen immer noch einen 50 bis 200 mal gröfseren Widerstand, als die neutralen Salze von gleichem Äquivalent; vielleicht verdanken sie diese geringe Leitungsfähigkeit überhaupt nur Spuren von beigemengten Säuren oder Salzen (Aldehyd, Acetamid).

Es war von besonderem Interesse, die Alkalien und die Säuren zu studieren. Die hierauf bezüglichen Versuche haben zu folgenden Resultaten geführt.

Wasserfreie Alkalien oder Säuren sind keine Leiter; wasserhaltige Alkalien oder Säuren leiten nach Art der Salze.

Aber ein und dasselbe Alkali und eine und dieselbe Säure bilden im allgemeinen mit dem Wasser mehrere bestimmte Verbindungen. Es folgt hieraus, dafs sich die Natur des Elektrolyten sowohl mit der Verdünnung, als auch mit der Temperatur ändern kann; die Leitungsfähigkeit erleidet dann entsprechende Veränderungen.

.1. *Alkalien.* Die organischen Alkalien (Anilin, Toluidin) leiten in wässeriger Lösung 6—800 mal schlechter als Salze: das Ammoniak, welches mit dem Wasser keine bestimmte Verbindung bildet, leitet 110 mal schlechter, als ein Salz von demselben Äquivalente. Dagegen leiten Kali, Natron, Lithion, Baryt, Kalk, Thalliumoxyd in wässeriger Lösung gut. Vom Kali kennt man die Hydrate KO,HO; $KO,5HO$; $4KO,HO + 2HO$. Das Verhältnis des Widerstandes einer Kalilösung zu einer Chlorkaliumlösung von gleicher Konzentration bei 15° ist:

Konzentration	$^1/_{200}$	$^1/_{100}$	$^1/_{4000}$
Widerstand	0,393	0,414	0,461.

Der mittlere Koeffizient der Zunahme der Leitungsfähigkeit von 0 bis 50° ist für Kalilauge von $^1/_{200}$ Konzentration für jeden Grad 0,028. Wenn der Elektrolyt KO,HO wäre und mit einem neutralen Salze identifiziert werden könnte, so würde das Verhältnis des Widerstandes seiner Lösung zu der von Chlorkalium 0,752, und der Koeffizient der Zunahme 0,033 sein. Es ist hiernach wahrscheinlich, daß in sehr verdünnten Lösungen der Elektrolyt nicht KO,HO, sondern ein komplexeres Hydrat ist.

Die Untersuchung der übrigen basischen Hydrate ergab analoge Resultate.

2. *Säuren.* Die Leitungsfähigkeit einer wässerigen Lösung von glasiger arseniger Säure ($^1/_{1000}$) ist kaum wahrnehmbar. Die glasige arsenige Säure ist wasserfrei, und man kennt überhaupt keine Verbindung der arsenigen Säure mit Wasser.

Die Lösungen von Schwefelwasserstoff und Kohlensäure leiten 310, resp. 150 mal schlechter, als Salze von gleichem Äquivalente. Bei gewöhnlichem Drucke existiert keine Verbindung der Kohlensäure oder des Schwefelwasserstoffes mit Wasser.

Dagegen kennt man von der schwefligen Säure bei niedriger Temperatur folgende Hydrate:

$$S_2O_4 + 14H_2O_2; S_2O_4 + 9H_2O_2; S_2O_4 + H_2O_2,$$

diese Verbindungen sind sehr unbeständig und werden durch eine geringe Temperaturerhöhung zersetzt. Der Vf. hat bei gewöhnlicher Temperatur (20°) eine Lösung von schwefliger Säure in gekochtem destillierten Wasser dargestellt; diese Lösung, welche nur geringe, kaum wahrnehmbare Spuren von Schwefelsäure enthielt, leitete ebenso gut als eine Chlorkaliumlösung von gleicher Konzentration, also nur 2,33 mal schlechter, als ein neutrales Salz von gleichem Äquivalente. Erniedrigt man die Temperatur von 20 auf 0°, so nimmt die Leitungsfähigkeit für jeden Grad nur um 0,0085 ab (statt 0,033) bei den neutralen Salzen. Die Bildung einer neuen Menge Hydrat, welches bei 20° dissoziiert war, kompensiert also zum Teil die normale Zunahme, welche der Leitungswiderstand erfahren müßte, wenn der Elektrolyt in der Lösung unverändert bliebe.

Die Schwefelsäure bildet mit dem Wasser ebenfalls verschiedene bestimmte Hydrate. Die Leitungsfähigkeit einer sehr verdünnten Lösung variiert mit der Verdünnung. Der Vf. hat eine wässerige Lösung von $^1/_{30}$ Konzentration mit der doppelten Menge Wasser, dann wiederum mit der doppelten Menge etc. verdünnt und den Widerstand dieser Lösungen bestimmt.

Es hat sich folgendes ergeben:

$^1/_{30}$	$^1/_{60}$	$^1/_{120}$	$^1/_{240}$	$^1/_{480}$	$^1/_{960}$	$^1/_{1920}$	$^1/_{3840}$	$^1/_{7681}$
1,917	1,894	1,867	1,856	**1,849**	1,854	1,881	1,942	2,002

Der Widerstand erreicht also für eine Konzentration von etwa $^1/_{500}$ ein Minimum. Eine Schwefelsäurelösung leitet ungefähr dreimal so gut, als ein neutrales Salz von gleichem Äquivalente. Man könnte diese große Leitungsfähigkeit, wie BOURGOIN vorgeschlagen hat, dadurch erklären, daß man als den einem neutralen Salze äquivalenten Elektrolyten $^1/_2(SO_2,3HO)$ annimmt; allein es erscheint dem Vf. sicher, daß sich die Natur des Elektrolyten nicht nur mit der Verdünnung, sondern auch mit der Temperatur ändert, denn die mittlere Zunahme der Leitungsfähigkeit der Schwefelsäure von 0 bis 60° beträgt nur 0,0119 (statt 0,033) für einen Grad.

Die verschiedenen mineralischen und organischen Säuren stehen in bezug auf die Leitungsfähigkeit zwischen der arsenigen Säure, welche gar nicht leitet, und Schwefelsäure, welche dreimal besser leitet, als ein neutrales Salz. Die Borsäure und Pyrogallussäure sind ebenso gute Isolatoren, wie die arsenige Säure. Die Salpetersäure, Chlorwasserstoffsäure und Pikrinsäure leiten ebenso gut, wie die Schwefelsäure. Zahlreiche Messungen, mit mehr als zwanzig verschiedenen Säuren ausgeführt, will der Vf. nächstens mit allen Details veröffentlichen. (C. r. **99.** 30—32. [7.°] Juli.)

Nik. von Klobukow, *Über ein neues Verfahren zur Bestimmung der Dampfdichte niedrig siedender und hoch siedender Körper.* Zwei Abhandlungen, in denen der zu diesem Zwecke dienende Apparat ausführlich beschrieben und durch zehn Abbildungen erläutert ist. (WIED. Ann. **22.** 465—509. Juli. [10. Mai.] München.)

2. Allgemeine Chemie.

D. Tommasi, *Über die entwässernde Wirkung der Salze.* Aus den Untersuchungen von GRIMAUX über die Koagulation der kolloidalen Körper ergiebt sich, daß die Salze das Gerinnen kolloidaler Körper begünstigen, indem sie als wasserentziehende Mittel wirken. Der Vf. macht auf einen Fall aufmerksam, in welchem durch ein Salz gerade der entgegengesetzte Einfluß ausgeübt wird. Bekanntlich giebt das Kupferhydrat schon bei 77° sehr leicht sein Wasser ab, indem es sich in schwarzes Kupferoxyd umwandelt. Diese Umwandlung aber wird durch die Gegenwart gewisser Salze selbst bei 100° verhindert; andererseits giebt es wiederum Salze, welche durch ihre Gegenwart die Zersetzungstemperatur des Kupferhydrates erniedrigen. Die folgende Tabelle läßt diesen Einfluß erkennen:

					Entwässerungstemperatur
Kupferhydrat	$+$	CO_3Na_2	zu	5 p. c.	50°
„	$+$	ClK	„ 10	„	71°
„	$+$	NaHO	„ 10	„	74°
„	$+$	H_2O			77°
„	$+$	$C_4H_4O_6Na$	zu 10 p. c.		78°
„	$+$	SO_4Na_2	„ 10	„	79°
„	$+$	NaHO	„ 1	„	83°
„	$+$	NaHO	„ 0,5	„	84°
„	$+$	BrK	„ 10	„	85°
„	$+$	ClO_3K	gesättigte Lösung		85°
„	$+$	JK	zu 10 p. c.		98°
„	$+$	Cl_2Ca	„ 10	„	110°
„	$+$	SO_4Mn	„ 10	„	110°
„	$+$	Zucker	„ 10	„	100°.

In einigen Fällen genügt eine Spur gewisser Salze, um die Zersetzung des Kupferhydrates zu verhindern. So besitzt z. B. eine sehr verdünnte Lösung von Mangansulfat, welche nur 0,3 p. c. enthielt, die besondere Fähigkeit, zu verhindern, daß das Kupferhydrat selbst beim Kochen sein Wasser verliert. (C. r. **99.** 37—38. [7.*] Juli.)

E. J. Mills und **M^c D. Mackey,** *Kurven, auf denen eine chemische Wirkung nicht stattfindet.* Die Vff. wollen in bestimmten Fällen den Anfang der chemischen Umwandlung bestimmen, der vielfach mit einer Kurve ohne chemische Wirkung identisch sein wird. Bringt man bei konstanter Temperatur Schwefelsäure und Zink zusammen, so hört die Gasentwicklung auf, wenn die verdünnte Schwefelsäure zum Teil verbraucht ist. Bezeichnet y den Prozentgehalt an H_2SO_4, und x die entwickelte Gasmenge, so kann man die Formel aufstellen:

$$y = a + bx + cx^2,$$

in welcher $a b c$ drei aus wenigstens drei Versuchen bestimmbare Konstante bezeichnen. Setzt man dann $x = 0$, so erhält man $y = a$ einen Punkt der Kurve ohne chemische Umsetzung. Versuche bei anderen Temperaturen ergaben weitere Punkte. Für möglichste Reinheit des Zinks (dargestellt durch Elektrolyse aus dem Acetat) und der Schwefelsäure wurde Sorge getragen. In der beigegebenen Tabelle bezeichnet t die mittlere Versuchstemperatur, bei welcher jedesmal durch drei Versuche die Konstanten der Formel a, b, c ermittelt wurden, von denen a, d. h. also der Prozentgehalt an H_2SO_4, bei welcher $x = 0$ wird („zero strength") unter s mitgeteilt ist. s_1 ist nach den Formeln berechnet:

$$s_1 = 54{,}47 + \frac{25{,}15 - 4{,}3\,(35{,}25 - t)}{1 - (35{,}25 - t)},$$

und oberhalb 35°:

$$s_1 = 54{,}47 + \frac{25{,}15 - 3{,}3\,(t - 35{,}25)}{1 - (t - 35{,}25)}.$$

Hiernach ist die Reaktion von wässeriger reiner Schwefelsäure auf Zink eine sehr komplizierte. (Phil. Mag. [5.] **16.** 429—33; Beibl. **8.** 422—23.)

E. Meyerson, *J. Rey und das Gesetz von der Erhaltung der Materie.* Der Vf. lenkt die Aufmerksamkeit auf den 1645 verstorbenen Arzt JEAN REY, der zuerst die Gewichtszunahme von Metallen bei der Oxydation dem Gewichte der dabei aufgenommenen Luft zuschrieb (sein Werk erschien 1630). Drei Gedanken gehen durch sein Werk: 1. das

Gewicht der .Luft, 2. die Konstanz des Gewichtes und 3. die Absorption der Luft durch die sich oxydierenden Metalle. Wie klar seine Ideen von dem Gewichte der Luft sind, zeigt, daſs nach ihm von zwei scheinbar gleich schweren Stücken Eisen und Gold ersteres in der That schwerer ist, als letzteres, weil es mehr Luft verdrängt.

LAVOISIER soll entschieden bei seinen ersten Arbeiten JEAN REY's Schrift nicht gekannt haben.

GRIMAUX macht in einem folgenden Aufsatze darauf aufmerksam, daſs BOYEN J. REY zitiert. (Revue scient. [3.] **4.** 299—303; Beibl. **8.** 537.)

William Ramsay, *Indirekte Berechnung der Bildungswärme organischer Körper.* Durch diese Note will der Vf. die Aufmerksamkeit der Chemiker auf einen Fehler lenken, der ganz allgemein bei der Berechnung der Bildungswärme organischer Körper begangen wird. Derselbe besteht darin, daſs man die Verflüchtigungswärme des Kohlenstoffes in die Bildungswärme mit einrechnet, und findet sich überall in den Arbeiten von BERTHELOT, THOMSEN und anderer Chemiker, die sich mit diesem Gegenstande beschäftigt haben.

Es ist gebräuchlich, die Bildungswärme organischer Körper folgendermaſsen zu ermitteln.

Nach der allgemeinen Annahme ist die bei der Zersetzung einer Verbindung absorbierte Wärme gleich derjenigen, welche bei der direkten Bildung derselben Verbindung aus den Elementen entwickeln würde.

Wenn nun eine Verbindung, z. B. ein Kohlenwasserstoff, zu Kohlensäure und Wasser verbrannt wird, so nimmt man an, daſs die dabei entwickelte Wärme von derjenigen, welche durch die Verbrennung derselben Menge freien Kohlenstoffes und Wasserstoffes entwickelt wird, um die Wärmemenge differiert, welche bei der Verbindung der betreffenden Elemente entwickelt oder absorbiert wird. Um dies an einem Beispiele zu erläutern, giebt der Vf. aus den Arbeiten von BERTHELOT das folgende:

Dipropargyl, C_6H_6, Molekulargewicht 78.

72 g C (Diamant) oxydiert zu CO_2 = 6 × 93,866 =	+563,196 cal
6 g H oxydiert zu H_2O = 6 × 34,600 =	+207,600 „
Gesamtwärme, entw. bei der Verbrenn. der Elemente	+770,796 „
Wärme, entw. bei der Verbrenn. von C_6H_6	+853,600 „
Differenz oder Bildungswärme von C_6H_6	− 82,800 „

Diese Zahl ändert sich etwas, wenn amorpher Kohlenstoff statt Diamant genommen wird. Die Bildungswärme beträgt dann:

72 g C (amorph) oxydiert zu CO_2 = 6 × 96,926 =	+581,200 cal
6 g H oxydiert zu H_2O = 6 × 34,600	+207,600 „
Gesamtwärme, entw. durch die Verbrenn. der Elemente	+788,800 „
Differenz oder Bildungswärme von C_6H_6	− 64,800 „

Die Bildungswärme des Benzols wird von J. THOMSEN in gleicher Weise berechnet, worüber nähere Details zu geben überflüssig ist.

Die folgende Auseinandersetzung wird die Unrichtigkeit dieses Verfahrens darthun und den richtigen Weg zeigen, den man bei der Berechnung einzuschlagen hat.

Die Bildungswärme der Ameisensäure CH_2O_2 läſst sich auf zwei verschiedene Arten berechnen. CH_2O_2 = 46.

Die Reaktion ist $CH_2O_2 + O = CO_2 + H_2O$.

1. Der Wasserstoff wird als bereits oxydiert angesehen.

26 g CO oxydiert zu CO_2	+ 68,370 cal
18 g H_2O (bereits gebildet)	0
Gesamtw. bei d. Verbrenn. aus den Elementen entw.	+ 68,370 „
Wärme, bei der Verbrenn. von CH_2O_2 entwickelt	+ 96,190 „
Bildungswärme von CH_2O_2 aus den Elementen	− 27,820 „

2. Der Kohlenstoff wird als bereits oxydiert angesehen:

2 g H oxydiert zu H_2O	+ 68,360 cal
44 g CO_2 (bereits gebildet)	0
Wärme, entw. bei der Verbrennung der Elemente	+ 68,360 „
Verbrennungswärme von CH_2O_2	+ 96,190 „
Bildungswärme von CH_2O_2 aus den Elementen	− 27,830 „

Es ist evident, dafs beide Methoden dasselbe Resultat geben. Hieraus folgt, dafs $H_2O = CO,O$ ist. Ebenso läfst sich die Bildungswärme der Essigsäure auf zwei Wegen berechnen:

$$C_2H_4O_2 + 4O = 2CO_2 + 2H_2O.$$

1. Der Wasserstoff als oxydiert angenommen:

24 g C (amorph) oxydiert zu $CO_2 = 2 \times 96,960 =$	+193,920 cal
36 g Wasser (bereits gebildet)	0
Gesamtw., durch die Verbrenn. der Elemente entw.	+193,920 „
Verbrennungswärme von $C_2H_4O_2$ (gefunden)	+210,300 „
Bildungswärme von $C_2H_4O_2$ aus den Elementen	— 16,380 „.

2. Der Kohlenstoff als oxydiert angenommen:

2×28 g CO oxydiert zu $CO_2 = 2 \times 68,370 =$	+136,740 cal
2×2 g H oxydiert zu $H_2O = 2 \times 68,360 =$	+136,720 „
Gesamtw., entw. durch die Verbrennung der Elemente	+273,460 „
Verbrennungswärme von $C_2H_4O_2$ (gefunden)	+210,300 „
Bildungswärme von $C_2H_4O_2$ aus den Elementen	+ 63,160 „.

Aus der ersten Rechnung ergiebt sich also —16,380 und aus der zweiten +63,160 cal als die Bildungswärme der Essigsäure; es ist nun klar, dafs nur die zweite Rechnung richtig sein kann; die Ursache der Verschiedenheit liegt darin, dafs die Verbrennungswärme des amorphen Kohlenstoffes oder des Diamanten die Verflüchtigungswärme des Kohlenstoffes einschliefst. Hieraus würde folgen, dafs die Verbrennungswärme des gasförmigen Kohlenstoffes zu CO gleich der des Kohlenoxydes CO zu Kohlensäure CO_2 ist, also $(C,O) = (CO,O)$. Berechnet man unter dieser Voraussetzung die Bildung der Essigsäure nach der ersten Methode, so erhält man:

3. Wasserstoff als bereits oxydiert angenommen.

2×12 g C (gasförmig) oxydiert zu $CO_2 =$	+273,480 cal
2×18 g Wasser (fertig gebildet)	0
Gesamtwärme, entw. durch die Verbrenn. der Elemente	+273,480 „
Verbrennungswärme von $C_2H_4O_2$ (gefunden)	+210,300 „
Bildungswärme von $C_2H_4O_2$ aus den Elementen	+ 63,180 „.

Aus dieser Rechnung folgt, dafs die Verflüchtigungswärme von 12 g amorphem Kohlenstoff bei gewöhnlicher Temperatur 39,780 cal beträgt.

Es ist klar, dafs, wenn auch nicht alle, so doch die meisten der bisher bestimmten Bildungswärmen organischer Verbindungen aus den Verbrennungswärmen derselben abgeleitet sind, und zwar ohne diese Korrektion. Deshalb mufs ein grofser Teil der numerischen Resultate dieses Kapitels der Thermochemie umgerechnet werden. (Chem. N. **50.** 15. 11. Juli.)

A. Witz, *Über die Verbrennung explosiver Gasgemenge bei verschiedener Verdünnung.* (C. r. **99.** 187—90. [28.*] Juli.)

E. Fossati, *Vorlesungsversuch (Davy'sche Sicherheitslampe).* Der Vf. nimmt ein Kupfergefäfs von ca. 200 ccm Inhalt, seine Länge ist dreimal so grofs, als sein Durchmesser. Oben und unten lassen sich kupferne Deckel aufschrauben, an die Ansatzröhren zum Einleiten von Gas angesetzt sind. Auf $^1/_7$ der Höhe von oben befinden sich Vorsprünge, auf die man ein Drahtnetz legen kann. Man füllt nun das Ganze mit einem Gasluftgemische, setzt die Deckel auf, nähert dem oberen Ende eine Flamme; es tritt eine Explosion ein; nähert man nun dem unteren Ende wieder eine Flamme, so tritt eine neue Explosion ein. Ein Zeichen, dafs die erste Explosion nicht das Gas in beiden Abteilungen entflammt hat. Schliefst man nach der ersten Explosion die Röhre, öffnet sie nachher wieder und nähert sie der Flamme, so findet eine zweite Explosion statt, die schwächer ist, als die erste; so kann man bis zu einer sechsten Explosion gelangen. (Nuovo Cimento [3.] **13.** 57—60; Beibl. **8.** 576.)

3. Anorganische Chemie.

Massanori Ogáta, *Über die Giftigkeit der schwefligen Säure.* Die Versuche ergaben, dafs weder bei verschiedenen Individuen einer und derselben Gattung, noch bei den verschiedenen Tiergattungen ein bestimmter Konzentrationsgrad der schwefligen Säure immer die gleiche Wirkung hervorbringt, dafs aber die schweflige Säure unter allen Umständen ein intensives Gift ist. Schon ein Gehalt von 0,04 p. c. bringt nach einigen Stunden

Dyspnoe und Trübung der Hornhaut bei allen Tieren hervor. Am Menschen wurden keine Versuche angestellt. Die schädliche Wirkung der schwefligen Säure auf den tierischen Organismus mufs hauptsächlich in der Wirkung auf das Blut gesucht werden, welches die Säure zuerst absorbiert und dann sofort in Schwefelsäure umwandelt. Letztere Wirkung kommt nur der freien Säure und nicht den Sulfiten zu. Das durch SO_2 entfärbte verdünnte Blut zeigt im Spektralapparate keine Absorptionsstreifen mehr. Die Entfärbung von Blutlösungen bewirken auch andere Säuren, und zwar wurden 5 ccm verdünntes Blut entfärbt: durch 0,74 mg Salzsäure, 1,28 mg SO_2, 1,34 mg H_2SO_4, 1,41 Salpetersäure und durch 4,11 mg Essigsäure. (Arch. f. Hygieine **2**. 223—45. Hygieinisches Institut München.)

E. Divers und **Masachika Shimosé**, *Über die Einwirkung von Chlorwasserstoff auf Selensulfoxyd.* (Journ. Chem. Soc. **45**. 194—98. Juni; C.-Bl. 1884. 485.)

E. Divers und **Masachika Shimosé**, *Über Selensulfoxyd.* (Journ. Chem. Soc. **45**. 201—5. Juni; C.-Bl. 1884. 485.)

Berthelot und **Guntz**, *Über die Absorption von Chlor durch Kohle und seine Verbindung mit Wasserstoff.* Nach einer Beobachtung von MELSENS verbindet sich Chlor direkt mit Wasserstoff, wenn man gereinigte Holzkohle mit dem Gase sättigt und dann Wasserstoff darüber leitet. Hierbei findet merkwürdigerweise eine Absorption von Wärme statt. Die Vf. haben den Versuch im Kalorimeter wiederholt und die Bedingungen desselben sorgfältig geprüft; hierdurch ergiebt sich, wie sich zeigen wird, die Erklärung dieser Anomalie.

Zuerst wurde die Kohle sorgfältig gereinigt, um jede fremde chemische Reaktion unmöglich zu machen; dann brachte man dieselbe in ein cylindrisches Glasgefäfs, welches mit einem Schlangenrohr verbunden war. Das Ganze befand sich im Kalorimeter. Es ergab sich nach Ausführung aller Reduktionen, dafs die während der Absorption von 35,5 g Chlor durch Kohle entwickelte Wärme 6,78 cal, also für Cl_2 : 13,57 cal beträgt. Dieser Wert ist nahezu doppelt so grofs als die Verdampfungswärmen des flüssigen Broms und Jods, welche nicht viel von der des Chlors differieren dürfen. Die Kondensation des Chlors durch die Kohle würde also viel mehr Wärme entwickeln, als seine Verflüssigung, eine Thatsache, welche übrigens schon für andere Gase beobachtet worden ist. Gleichwohl bleibt die Zahl 6,78 weit unter der Bildungswärme der Chlorwasserstoffsäure ($+ 22,0$) zurück; die von MELSENS beobachtete Abkühlung kann also nicht durch die vorgängige Kondensation des Chlors durch die Kohle erklärt werden.

Leitet man im Kalorimeter reinen und trocknen Wasserstoff über mit Chlor gesättigte Kohle, so sinkt die Temperatur. Die dabei auftretenden Gase bestehen aber nicht allein aus reinem oder mit Wasserstoff gemischtem Chlorwasserstoff, sondern sie enthalten noch eine beträchtliche Menge Chlor, welches wiederum verflüchtigt worden ist. Durch diesen Vorgang wird eine gröfsere Wärmemenge absorbiert, als durch die Bildung der Salzsäure produziert wird. Es hat sich nun den Versuchen ergeben, dafs für ein Volum Chlor, welches sich mit Wasserstoff verbindet, sieben Volume Chlor verdampfen. Da nun 1 Äq. Chlor bei seiner Verbindung mit Wasserstoff $+ 22,0 - 6,8 = 15,2$ cal entwickelt, sieben Äquivalente Chlor bei ihrer Verdampfung 47,6 cal absorbieren müssen, so ergiebt sich hieraus die Differenz $- 47,6 + 15,2 = - 32,4$ cal. Die Wärmeabsorption rührt also bei diesem Versuche wie bei allen endothermischen Reaktionen nicht von einer eigentlichen chemischen Reaktion, sondern von der Intervention einer fremden Energie her, welche in diesem Falle ganz unabhängig von dem eigentlichen chemischen Vorgange ist. (C. r. **98**. 7—8. [7.†] Juli.)

P. Hautefeuille und **A. Perrey**, *Über das Phosphorsäureanhydrid.* Die Vf. weisen in dieser Arbeit die Existenz von drei Phosphorsäureanhydriden nach; das erste ist krystallisiert, das zweite amorph und pulverförmig und das dritte amorph und glasig; die letzten beiden sind Polymere des ersteren.

Verbrennt man Phosphor in einer Röhre, durch welche man einen Strom trockne Luft leitet, so kondensiert sich das krystallisierte Anhydrid an dem kalten Ende der Röhre, das pulverförmige in der Zone, welche durch die Verbrennung erhitzt ist, und das glasige Anhydrid zeigt sich nur an den Stellen, welche bis zur Rotglut erhitzt waren. Der Vf. giebt eine genaue Beschreibung dieser drei Formen. (C. r. **99**. 33—35. [7.*] Juli.)

Max Gruber, *Über die hygieinische Bedeutung und die Erkennung des Kohlenoxyds.* Erwiderung auf die von FOLKER (**84**. 380) gegen die Abhandlungen des Vf.s (**81**. 700 und **83**. 809) erhobenen Bedenken. (Arch. f. Hygieine **2**. 246—251. Graz.)

H. Le Chatelier, *Über die chemischen Vorgänge bei der Erhärtung der Cemente.* (Bull. Par. **42**. 82—89; C.-Bl. 1884. 451.)

Alex. Gorgeu, *Über Calciumoxychlorid und die einfachen und gechlorten Calcium-silikate. Künstliche Darstellung des Wollastonits.* *Calciumoxychlorid.* Leitet man über geschmolzenes rotglühendes Chlorcalcium einen Strom feuchte Luft, so bildet sich allmählich Calciumoxychlorid; sobald die Zusammensetzung des Ganzen der Formel $CaCl,CaO$ nahe kommt, wird die Entwicklung von Chlorwasserstoff langsamer, ohne jedoch vollständig aufzuhören, und nach genügend langem Glühen bleibt nur wasserfreier Kalk übrig, wie bereits PELOUZE konstatiert hat. Aus der Salzsäuremenge, welche entweicht bis zum Auftreten der durchscheinenden und einfach brechenden Kalkkrystalle die man in der mit Alkohol angerührten Masse unterscheiden kann, läfst sich für das Calciumoxychlorid die Formel $CaCl,CaO$ berechnen. Man kann dasselbe aber nicht in reinem Zustande isolieren, weil es durch Wasser und Alkohol rasch zersetzt wird. Nach zweitägiger Berührung mit starkem Alkohol findet man in der zerkleinerten Masse feine doppeltbrechende, unlösliche Nadeln oder Blättchen, welche nur $^1/_2$ Äq. Chlorcalcium auf 1 Äq. Kalk enthalten; dieses Oxychlorid ist löslich in Zuckerwasser.

Durch Kieselsäure wird die Zersetzung des Chlorids erleichtert, durch alkalische Chloride dagegen beträchtlich verzögert.

Calciumsilikate. Läfst man gefällte Kieselsäure auf Chlorcalcium bei Gegenwart von Wasserdampf einwirken, so variiert die Natur der Produkte je nach der Menge und der Reinheit des angewendeten Salzes; 1 Äq. Chlorid giebt mit 1 Äq. Kieselsäure das Disilikat SiO_2,CaO; 2 Äq. Chlorid und 1 Äq. Kieselsäure das neutrale Silikat $SiO_2,2CaO$; mit 7 Äq. Chlorid erhält man nur gechlorte Silikate; wenn man endlich das Kalksalz mit 20 p. c. alkalischem Chlorid mischt, so erhält man ein krystallisiertes Disilikat, welches identisch mit dem Wollastonit ist. Gepulverter Sand wirkt langsamer als Kieselsäure.

Einfache Silikate. Wenn man in den beiden ersten Fällen das Schmelzen des Gemenges verhütet und die Einwirkung so lange fortsetzt, als noch eine Gewichtsveränderung stattfindet, so wird alles Chlorid zersetzt, und die Kieselsäure, welche in saures oder neutrales Silikat übergeführt wurde, ist löslich in Säuren geworden. Die erhaltenen Produkte bestehen aus doppeltbrechenden Körnern und enthalten aufser den beiden Silikaten einige Prozente Chlorsilikat und Oxychlorid. Das neutrale Salz ist in zwanzig Teilen Essigsäure löslich.

Gechlorte Silikate. Versucht man Calciumsilikate darzustellen, indem man 1 g Kieselsäure auf 15—20 g Calciumchlorid einwirken läfst, so erhält man im allgemeinen keine einfachen Silikate. Die Kieselsäure verbindet sich allerdings leicht mit dem Kalk, der infolge der Einwirkung des Wasserdampfes auf das Chlorcalcium entsteht, und giebt zuerst ein Disilikat, dann ein neutrales Silikat, aber mit dem Überschufs des Schmelzmittels bilden die beiden Salze gechlorte Silikate, welche man isolieren kann, wenn man die geschmolzene und zerschlagene Masse mit absolutem Alkohol behandelt. Das eine derselben, $SiO_2,2CaO,CaCl$, welches von LE CHATELIER entdeckt ist, bildet orthorhombische, stark lichtbrechende Tafeln, deren optische Axen einen Winkel von 35° bilden. Das andere, welches bis jetzt noch nicht bekannt war, zeigt die Form hexagonaler, fast regelmäfsiger Tafeln, welche von der Fläche betrachtet einfachbrechend, von den Kanten doppeltbrechend sind. Die Zusammensetzung dieses Salzes scheint $SiO_2,CaO,CaCl$ zu sein. Beide Salze werden durch starke Säuren leicht gelöst und durch Wasser, sowie durch kohlensaures Wasser gespalten; sie schmelzen leicht in der Rotglühhitze und geben bei dieser Temperatur im Wasserdampfe ihr Chlor ab.

Künstlicher Wollastonit. Erhält man eine halbe Stunde lang ein Gemenge von 1 g Kieselsäure, 15 g Chlorcalcium und 3 g Kochsalz in einem Strome feuchter Luft im Glühen, so entsteht ein Gemenge von überschüssigen Chloriden, geringen Mengen gechlorter Silikate, runden Körnern von Tridymit und von langen Prismen. Wird die Schmelze zerschlagen und zuerst mit kaltem Wasser, dann mit verdünnter Essigsäure behandelt, so bleibt nichts ungelöst als ein wasserfreies Silikat und Tridymit. Die Zusammensetzung und Dichte entspricht der des Wollastonits, aber die Härte 3,5 ist geringer als die des letzteren (5). In den übrigen physikalischen Eigenschaften stimmen beide ebenfalls überein. (Cr. r. **99.** 256—59. [4.*] August.)

L. Godefroy, *Über die Verbindungen des Chromchlorids mit anderen metallischen Chloriden.* Aus dieser Untersuchung ergiebt sich, dafs das Chromchlorid mit Metallchloriden bestimmte und krystallisierbare Verbindungen bilden. Diese entstehen immer unter denselben Bedingungen. Sie sind durch Wasser unter Bildung von Salzsäure zersetzbar, und die Zersetzung hört auf, sobald die Flüssigkeit 32,5 p. c. freie Säure enthält. Ebenso giebt es auch Doppelverbindungen der Bromide und Jodide. (C. r. **99.** 141—44. [21.*] Juli.)

L. Forquignon, *Über die Zersetzung des weifsen Roheisens durch Hitze.* Durch frühere Untersuchungen hat der Vf. gezeigt, dafs die Darstellung des hämmerbaren Gufseisens auf einer Spaltung des weifsen Eisencarburets in Graphit und ein kohlenstoffärmeres Carburet beruht. Diese Ansicht erhält durch die folgenden Versuche eine direkte Bestätigung.

Weifses Roheisen wurde in eine dichte Platinkapsel derart eingelassen, dafs es mit der Wand desselben in keine Berührung kam. Der Apparat war mit einer Luftpumpe verbunden so dafs man ihn vollständig evakuieren konnte; während dessen erwärmte man auf 200°, um das Eisen völlig zu trocknen und die okkludierten Gase auszutreiben. Diese Operation wurde sehr oft wiederholt und dabei nach jedesmaliger Abkühlung reiner Wasserstoff hindurch geleitet, welcher zuvor in langsamem Strome eine lange mit Phosphorsäureanhydrid gefüllte Röhre passiert hatte. Nachdem dies geschehen, wurde der Apparat mehrere Tage lang auf 900—1000° erhitzt, wobei das Eisen weder schmolz noch erweichte. Es war hierdurch hämmerbar geworden. Seine Oberfläche war mit einer grauen Haut bedeckt, welche auf Papier oder Biskuitporzellan einen Strich gab; auf dem Bruch war es entweder gleichmäfsig schwarz wie Graphit, oder es zeigten sich zahlreiche, kleine regelmäfsig verteilte schwarze Punkte. Die Analyse ergab:

Versuch I. Vor dem Erhitzen: 2,959 gebundener Kohlenstoff und kein Graphit; nach 172 stündigem Erhitzen im Vakuum: 0,895 gebundener Kohlenstoff und 2,061 Graphit.

Versuch II. Vor dem Erhitzen: 2,824 gebundener Kohlenstoff und kein Graphit; nach 196 stündigem Erhitzen im Vakuum: 1,159 gebundener Kohlenstoff und 1,676 Graphit.

Es scheint, dafs diese teilweise Zersetzung von einem Gleichgewichtszustande abhängt, welcher sich zwischen dem Kohlenstoff, dem Eisen und dem Eisencarburet herstellt und von der Temperatur abhängig ist. Die Graphitmenge, welche während der Temperaturzunahme ausgeschieden wird, geht durch ein Maximum, weil das ursprüngliche Eisencarburet durch Schmelzen völlig wieder hergestellt wird. Bemerkenswert ist hierbei, dafs sich ein homogener fester Körper in zwei gleichfalls fester Körper spaltet, und dafs bei der Versuchstemperatur keine Dampfspannung wahrnehmbar ist. (C. r. **99.** 237—38. [4.*] August.)

Lecoq de Boisbaudran, *Abscheidung des Galliums.* (Ann. Chim. Phys. [6] **2.** 176 bis 271. Juni; C.-Bl. 1884. 419 und frühere.)

G. Rousseau und **A. Saglier**, *Über die Darstellung von krystallisiertem Bariummanganit.* Mangandioxyd, welches lange Zeit hindurch als ein besonderes Oxyd betrachtet wurde, kann sich mit Basen in bestimmten Verhältnissen verbinden. GORGEU, welcher zuerst die Aufmerksamkeit auf diese Eigenschaft lenkte, schlug vor, ihm den Namen *manganige Säure* zu geben. Er schlofs aus seinen ersten Versuchen, dafs die Sättigungskapazität des Mangandioxyds je nach den Bedingungen seiner Darstellung variiert: entsteht es innerhalb siedender Salpetersäure, so giebt es Verbindungen vom Typus 15 MnO_2,RO; wird es auf kaltem Wege dargestellt und mit einer alkalischen Lösung in Berührung gebracht, so giebt es Manganite, in welchen das Verhältnis des Mangans zum Alkali durch die Formel 5 MnO_2,RO ausgedrückt wird (Ann. Chim. Phys. [3] **66.** 153). Diese Ansicht wurde später durch die Versuche von RISLER bestätigt, welcher durch Kalcinieren eines Gemenges von übermangansaurem Kalium mit einem wasserfreien Metallchlorid eine Reihe von Manganiten erhielt, welche die allgemeine Formel Mn_5O_{11},R hatten. Inzwischen hat WELDON die Bildung eines Calciummanganats MnO_2,CaO gezeigt, welches bei der Regeneration der Manganrückstände in der Chlorbereitung eine Rolle spielt. Um die Sache völlig aufzuklären, und die wahre Sättigungskapazität der manganigen Säure festzustellen, hat GORGEU eine Reihe neuer Untersuchungen unternommen, welche ihn dazu führten, das Mangandioxyd als eine zweibasische Säure aufzufassen, wie sich auch auf der Zusammensetzung des Hausmannits $Mn_3O_4 = MnO_2$,2MnO. (C. r. **84.** 177) ergiebt.

Wenn GORGEU nun auch dieses salzartige Oxyd in reichlicher Menge darstellen konnte, indem er Manganoxydul bei Gegenwart von Kalilösung der Luft aussetzte, so gelang es ihm doch nicht, alkalische oder erdalkalische gesättigte Manganite zu erzeugen und er schiebt diesen Mifserfolg der zersetzenden Einwirkung des Wassers zu, durch welches sie in saure Manganite von dem Typus 5 MnO_2,RO zersetzt würden.

Da andererseits die erdalkalischen Manganite MnO_2,RO, deren Bildung WELDON bei seinem Regenerationsprozesse annimmt, bis jetzt noch nicht in krystallisiertem Zustande dargestellt werden konnten, so kann man ihre Existenz als besondere chemische Spezies in Abrede stellen, oder sie wenigstens als ein komplexes Gemenge von Manganiten 5 MnO_2,RO mit überschüssigem Kalke oder Magnesia betrachten.

Diese Lücke haben die Vff. auszufüllen versucht. Da die früheren Experimentatoren auf nassem Wege nur amorphe Niederschläge erhalten hatten, so versuchten sie den trocknen Weg. Man weifs, dafs die Manganate sich bei mehr oder weniger hoher Temperatur unter Entwicklung von Sauerstoff zersetzen, aber diese Erscheinung, welche alle Chemiker bei der Darstellung des Kaliummanganates zu beobachten Gelegenheit hatten, ist bis jetzt noch nicht genügend studiert worden. Man kann annehmen, dafs alle Manganate beim Glühen zuerst 1 Äq. Sauerstoff abgeben und sich in Manganite verwandeln. Erhitzt man ein Manganat innerhalb eines geeigneten Schmelzmittels und regelt die Temperatur so, dafs die Zersetzung nicht weiter als bis zu dem zuerst gebildeten Manganite geht, so ist man zu der Hoffnung berechtigt, auf diesem Wege eine krystallisierte Verbindung zu erhalten.

Der Versuch hat diese Voraussetzung bestätigt. Es ist den Vff. gelungen, auf diesem Wege ein krystallisiertes Bariummanganit zu erzeugen, und dies ist der erste Schritt zur Darstellung der erdalkalischen Manganite, eine Arbeit, welche bis jetzt noch nicht beendigt werden konnte, und zwar wegen gewisser Unsicherheiten bei der Darstellung des Calcium- und Magnesiummanganates, welche als Ausgangspunkt für die Untersuchungen dienten.

Die Darstellung der erstgenannten Verbindung geschieht in folgender Weise. Man bringt in einen Platintiegel ein Gemenge von 2 g Bariummanganat nnd 10 g Chlorbarium. Der Tiegel wird in einem Ofen erhitzt, in welchen man die Masse auf Eisenschmelzhitze, also auf 1500—1600⁰ bringen kann. Aus vielen mifsglückten Versuchen hat sich ergeben, dafs eine so hohe Temperatur nötig ist; nach vierstündigem Erhitzen läfst man den Tiegel erkalten und kann daraus eine schwarzgraue Masse loslösen, welche an ihrem unteren Teile zahlreiche, glänzende, schwarze Punkte zeigt. Der obere Teil ist noch grün gefärbt von unzersetztem Bariummanganat. Man zerschlägt die Masse und behandelt sie zu wiederholten Malen mit siedendem Wasser, welches das Chlorbarium und den durch partielle Dissociation des Chlorbariums entstandenen Baryt löst. Zuletzt bleibt ein Magma von schwarzen Nadeln, welches man mit schwach angesäuertem Wasser auswäscht. Auf diese Weise erhält man kleine nadelförmige opake Krystalle von Bariummanganit von blauschwarzer Farbe und im Glanze ähnlich dem krystallisierten Silicium. Es löst sich leicht in Chlorwasserstoffsäure unter Chlorentwicklung und wird durch Salpetersäure schwierig angegriffen. Seine Zusammensetzung entspricht der Formel MnO_2,BaO; sein spez. Gewicht ist 5,85.

Man findet in der Natur ein Bariummanganit, welches die Mineralogen unter dem Namen *Psilomelan* beschrieben haben, aber dieser Körper ist amorph und nur in Form nierenförmiger oder kompakter Konkretionen bekannt. Er enthält in der Regel Wasser, mitunter auch Kali, und einige Proben entwickeln beim Erhitzen Sauerstoff. Endlich beträgt seine Dichte nur 3,7—4,4. Hieraus ergiebt sich, dafs das krystallisierte Bariummanganit eine besondere, von dem natürlichen Produkte verschiedene Spezies darstellt. (C. r. **99.** 139—41. [21.*] Juli.)

J. E. Reynolds, *Über die Synthese von Bleiglanz mittels Thiocarbamid.* (Journ. Chem. Soc. **45.** 162—65. Juni; C.-Bl. 1884. 419.)

A. Högbom, *Über einige Wolframate des Natriums und der seltenen Erdmetalle.* Der Vf. hat folgende Salze dargestellt und analysiert:

$$Na_3Di,3WO_3; \quad NaDi,2WO_3; \quad Na_3La_2,7WO_4; \quad Na_4La_2,9WO_4;$$
$$Na_3Y_2,7WO_4; \quad Na_3Ce_2,7WO_4; \quad Na_4Sm_4,9WO_4; \quad Na_4Er_4,9WO_4;$$
$$Na_2Th,4WO_4.$$

Diese Salze gehören folgendem Typus an:

I.	II.	III.	IV.	V.
$\left.\begin{matrix}4Na_2O\\R_2O_3\end{matrix}\right\}7WO_3;$	$\left.\begin{matrix}3Na_2O\\R_2O_3\end{matrix}\right\}6WO_3;$	$\left.\begin{matrix}3Na_2O\\2R_2O_3\end{matrix}\right\}9WO_3;$	$\left.\begin{matrix}Na_2O\\R_2O_3\end{matrix}\right\}4WO_3;$	$\left.\begin{matrix}2Na_2O\\RO_2\end{matrix}\right\}4WO_3$
R = La, Ce, Y	R = Di	R = Di	R = Di	R = Th.

Die Salze der Typen I, II und V entstehen bei Gegenwart eines Überschusses von Natriumwolframat; die Salze der Typen III und IV bei Gegenwart eines Überschusses von Chlornatrium. (Bull. Par. **42.** 2—6. 5. Juli.)

D. Klein, *Über neue Borowolframate.* Der Vf. beschreibt in dieser Arbeit folgende Salze: $9WO_3,B_2O_3,2Na_2O,2H_2O + 10Aq; \quad 9WO_3,B_2O_3,2BaO,2H_2O + 16Aq;$ $10WO_3,B_2O_3,2BaO + 16Aq; \quad 10WO_3,B_2O_3,2BaO + 20Aq.$ (C. r. **99.** 35—37 [7.*] Juli.)

4. Organische Chemie.

T. E. Thorpe und **A. W. Rücker**, *Über die kritische Temperatur des Heptans.* (Journ. Chem. Soc. **45**. 165—67. Juni; C.-Bl. 1884. 438.)

L. Prunier, *Über das Triacetin eines Butylglycerins.* Im J. 1875 hat der Vf. Mitteilungen über die Einwirkung von Chlor auf den Jodwasserstoffäther des Gärungsbutylalkoholes gemacht, und unter den zahlreichen gechlorten Verbindungen, welche dabei auftreten, wurden zwei isoliert, deren Zusammensetzung der Formel $C_8H_7Cl_3$ entsprach. Um festzustellen, ob dieses Produkt oder wenigstens ein Teil desselben als das Trichlorhydrin eines dreiatomigen Alkohols funktioniert, wurde es mit 20 Tln. Wasser in Röhren eingeschmolzen und auf 170° erhitzt nach der Methode von BERTHELOT. Hierbei löste sich eine beträchtliche Menge des gechlorten Produktes, und es entstand viel Chlorwasserstoff. Die wässerige Lösung wurde durch Silber von der freien Salzsäure befreit und im Vakuum eingedampft, wodurch man eine kaum gefärbte, zerfliesliche, schwach saure Substanz erhielt, welche man mittels Kalk neutralisierte. Man löste sie hierauf zu wiederholten Malen in absolutem Alkohol und dampfte die Lösung zur Trockne. Der feste zerfliesliche, gegen Lackmus neutrale Rückstand besafs einen süfslichen Geschmack und einen bittern Nachgeschmack. Bei 18 mm Druck destillierte der Körper bei ungefähr 240°. Er bildet mit Kalk eine krystallisierbare und durch Wasser zersetzbare Verbindung. Nach der Abscheidung des Kalkes durch Wasser und Lösen in absolutem Alkohol hinterläfst die Substanz beim Glühen nur einen sehr geringen Rückstand. Die Zusammensetzung entspricht der Formel $C_6H_{10}O_6$.

Diese hier beschriebenen Versuche wurden im J. 1875 ausgeführt. Da der Vf. neuerlich die Gelegenheit hatte, dieselben zu wiederholen und zu bestätigen, so erschien es von Interesse, ein anderes Triacetin als das obige, $C_6H_7Cl_3$, darzustellen. Er versuchte deshalb, mittels einer organischen Säure einen gesättigten Äther zu erhalten.

Krystallisierbare Essigsäure lieferte mehrere, in gewöhnlichem Äther lösliche Essigäther. Von diesen sind einige krystallisierbar, einige amorph; in der Absicht, ein gesättigtes Produkt zu erhalten, wurde das Hauptprodukt der Einwirkung von Essigsäureanhydrid bei einer Temperatur von 140° angewendet und der entstandene Äther nach dem Verfahren von BERTHELOT isoliert. Diese Verbindung ist schwach gelblich gefärbt, neutral und bitter. Durch längeres Aufbewahren unter einer Glocke neben Schwefelsäure und Kalk wird sie beinahe fest. In diesem Zustande wurde sie in geschlossenen Röhren mittels titriertem Barytwasser verseift, und hierdurch konstatiert, dafs sie etwas mehr als 75 p. c. verbundene Essigsäure enthielt. Die Formel des Butyltriacetins, $C_6H_7(C_2H_3O_2)_3$, verlangt 77 p. c. Diese Zahl ist zwar etwas höher, als die durch den Versuch gefundene, allein letztere übertrifft die dem Diacetin entsprechende (63,15) bedeutend genug, um die Annahme zu gestatten, dafs das Produkt zum grofsen Teile aus dem Triacetin besteht. Die Existenz desselben, sowie die des oben erwähnten Trichlorhydrins sind Beweise für die dreiatomige Funktion des dem gewöhnlichen Glycerin homologen Butylglycerins. (C. r. **99**. 193—95. [28.*] Juli.)

Oechsner de Koninck, *Über die Konstitution der Pyridinbasen von Brucin.* 1. Nachdem der Vf. mittels eines neuen Verfahrens die Existenz zweier Lutidine in dem rohen Chinolin, welches aus Brucin erhalten wurde, dargethan hatte (**83**. 215) versuchte er die Konstitution dieser beiden Isomeren festzustellen. Zu diesem Zwecke versetzte er die Fraktion 155°—170° durch Kaliumpermanganat oxydiert, wobei die Temperatur des Wasserbades nicht über 95° stieg. Nach sechs Tagen war die Entfärbung vollständig. Es wurde durch eine gesättigte Lösung von Kupferacetat gefällt, die filtrierte Flüssigkeit durch verdünnte Schwefelsäure neutralisiert und angemessen konzentriert. Das Kupferacetat schied sofort ein hellblaues Pyridinsalz (A) ab. Die bei gelinder Wärme abgedampfte filtrierte Flüssigkeit hinterliefs ein amorphes, hellgrünes Pyridinsalz (B). Bei fortgesetztem Eindampfen schied sich ein dunkelgrünes, in breiten Blättern krystallisierendes Salz (C) ab und zuletzt ein dunkelblaues Salz (D).

Salz A. Es gab bei der Behandlung mit Schwefelwasserstoff eine Säure, welche die Zusammensetzung, den Schmelzpunkt und die Löslichkeitsverhältnisse der *Nicotianinsäure* besafs; dieselbe beginnt in reinem Zustande bei 150° zu sublimieren, und ihr Kupfersalz hat die Zusammensetzung eines basischen Nicotianats $C_6H_4NO_2.Cu.OH$; es existiert also in den Ölen des Brucins eine mit dem β-Lutidin identische Base, wie man nach der Reaktion mit Äthyljodid unter Einwirkung von siedendem Wasser auf das Chloroplatinat dieser Base voraussetzen konnte. Das β-Lutidin ist das m-Äthylpyridin $C_5H_4.N^1.(C_2H_5)^2$, wenn man mit SKRAUP annimmt, dafs die Nicotianinsäure m-Carbopyridinsäure ist.

Salz B. Dieses liefert durch Zersetzung mit Schwefelwasserstoff eine gummiartige

Masse, welche sich bei der Destillation über Kalk in Pyridin und Kohlensäure zersetzt; die Reinigung dieser Masse, welche in geringer Menge erhalten wurde, bot wegen ihrer geringen Löslichkeit in Wasser und Alkohol gewisse Schwierigkeiten. Sie bräunt sich bei 275°, wird bei 280° weich und zersetzt sich rasch oberhalb dieser Temperatur. Dieses war das erste Resultat, welches der Vf. erhielt. Seitdem hat er eine gröfsere Menge der Säure bereitet, und es ist ihm die Reinigung derselben besser gelungen. Er beobachtete, dafs dadurch der Schmelzpunkt auf 300° stieg. Diese Thatsache, in Verbindung mit der geringen Löslichkeit der Säure führte zu der Annahme, dafs sie identisch mit Isonicotinsäure sein könnte, welche er durch Oxydation des γ-Lutidins aus Steinkohlenteer erhalten hat. In der That schmilzt dieses bei 306°, ist im allgemeinen wenig löslich und giebt ein hellgrünes, basisches, amorphes, in warmem Wasser wenig lösliches Kupfersalz. Endlich ist der Siedepunkt des γ-Lutidins aus Steinkohlenteer 153,5—154,5. Es bleibt hiernach noch zu bestimmen, ob die fragliche Säure zur Kategorie der Pyridinmonocarbonsäuren gehört. Die kleine Menge, welche der Vf. noch besafs (0,220 g) schien nicht völlig rein, und eine einzige Analyse hätte zu einem zweifelhaften Resultate führen können; deshalb zersetzte der Vf. dieselbe durch überschüssigen reinen Kalk und fing das Pyridin in einem geschlossenen Rezipienten auf. Dieses Pyridin wurde in das Chloroplatinat umgewandelt und das Salz durch siedendes Wasser vollständig modifiziert. Endlich wurde das modifizierte Salz bei 105° getrocknet und gewogen. Die Rechnung ergiebt, dafs, wenn die Säure eine Pyridinmonocarbonsäure ist, 0,22 g derselben 0,1413 g Pyridin liefern müssen; 0,22 g einer Pyridindicarbonsäure würden nur 0,1040 g derselben Base geben. Nun entsprechen 0,1413 g C_5H_5N 0,4435 g des modifizierten Salzes $(C_5H_5N)_2$ + PtCl$_4$ und andererseits 0,104 g C_5H_5N 0,3271 g desselben Platinsalzes. Der Vf. erhielt von dem bei 105° getrockneten Salze 0,4395 g, was der theoretischen Menge 0,4435 g sehr nahe steht. Die Säure ist deshalb wohl eine Pyridinmonocarbonsäure. und es ist wahrscheinlich, dafs bei der Einwirkung von kaustischem Kali auf Brucin neben dem m-Äthylpyridin (β-Lutidin) eine geringe Menge von p-Äthylpyridin (γ-Lutidin) entsteht.

Salz C. Dieses ist ein basisches Kupferformiat, $(CHO_2)_4Cu$ + CuO.
Die Oxydation des β-Lutidins mufs demnach durch folgende Gleichung ausgedrückt werden:

$$C_5H_4(CH_2—CH_3)N + O_5 = C_5H_4N—CO_2H + CH_2O_2 + H_2O.$$

Salz D. Dieses scheint eine Molekularverbindung von basischem Kupferformiat und -acetat zu sein.

2. Der Vf. hat weiter die Fraktion 185—200°, welche ein Gemenge von α- und β-Collidin enthält, der behutsamen Oxydation unterworfen, indem er 26 g des Gemenges mit 10 l destilliertem Wasser und 250 g Kaliumpermanganat in einem Ballon dem Lichte aussetzte. Von Zeit zu Zeit wurden einige Gramm fein gepulvertes Natriumcarbonat hinzugesetzt. Der Versuch begann am 5. März 1883. Die Permanganatmenge war so berechnet worden, dafs die Flüssigkeit während der ganzen Dauer des Versuches oxydierend blieb. Am 27. Oktober war dieselbe noch rot gefärbt, und man mufste unter Zusatz von etwas Alkohol eine gewisse Zeit lang im Wasserbade erhitzen, um die Entfärbung zu bewirken. Weshalb der Verf. in dieser Weise verfuhr, liegt in folgendem begründet.

Man erinnert sich vielleicht, dafs bei der behutsamen Oxydation von reinem β-Collidin aus Cinchonin eine Methylcarbopyridinsäure, $C_7H_7NO_4$, vom Schmelzp. 211—212° entstand, welche der Vf. *Homonicotianinsäure* nannte, und aufserdem eine Pyridindicarbonsäure vom Schmelzp. 250°, die er als *Cinchomeronsäure* bezeichnete. Er wurde nun zu der Annahme geführt, dafs letztere durch Oxydation der Methylgruppe in der Homonicotianinsäure nach der Gleichung:

$$C_5H_3N{<}{CH_3 \atop COOH} + O_3 = H_2O + C_5H_3N{<}{COOH \atop COOH}$$

entstanden sei. Wenn die Oxydation des β-Collidins in einer an Permanganat reichen Lösung erfolgt, so mufs die Homonicotianinsäure vollständig oder fast vollständig zerstört werden, und das Endprodukt der Reaktion Cinchomeronsäure sein.

Die filtrierte Flüssigkeit wurde konzentriert und durch Kupferacetat gesättigt. Es bildete sich sofort ein bläulichweifses Salz (A.); hierauf ein hellblaues Salz (B.) in sehr geringer Menge; die eingedampften Mutterlaugen hinterliefsen ein hellgrünes Salz (C.); man beobachtete, dafs sich dasselbe teilweise löste, wenn man die Flüssigkeit abkühlen liefs, beim Erwärmen im Wasserbade aber wieder abschied. Ein dunkelgrünes Salz (D.) scheidet sich freiwillig aus den letzten Mutterlaugen ab.

Nach der Behandlung mit Schwefelwasserstoff in alkoholischer Lösung erhielt man aus dem Salze (A.) eine bei 236—237° schmelzende Säure; die Säure des Salzes (B.)

schmolz bei 211—212°; das Salz (C.) enthielt eine bei 250° schmelzende Säure, welche sich über dieser Temperatur rasch zersetzte und wenig löslich in Wasser und Alkohol war. Die Säure des Salzes (B.) war Homonicotianinsäure, die des Salzes (C.) besaß den Schmelzpunkt und die hauptsächlichsten Eigenschaften der *Cinchomeronsäure*. Ihre Menge betrug etwa zehnmal soviel, als die der Homonicotianinsäure; das Salz (D.) war ein basisches Kupferacetat, $(C_5H_3O_5)Cu + CuO$.

Was die Säure des Salzes (A.), welche bei 236—237° schmilzt, anbetrifft, so ist dieselbe entweder ein Gemenge von Homonicotianinsäure und Cinchomeronsäure, oder *Isocinchomeronsäure*, welche durch Oxydation des α-Collidins entsteht.

Die Resultate, welche hier mitgeteilt wurden, bestätigen in allen Punkten diejenigen, welche sich aus der Untersuchung der vom Cinchonin derivierenden Basen ergeben haben. Die gleichzeitige Bildung von Homonicotianinsäure und Cinchomeronsäure in einem stark oxydierenden Mittel, und besonders die so geringe Menge Homonicotianinsäure sind ein Argument zu gunsten der Annahme, daß das β-Collidin ein Methyläthylpyridin ist. Die Oxydation dieser Base erfolgt aller Wahrscheinlichkeit nach in zwei Phasen; in der ersten bildet sich Homonicotianinsäure und Ameisensäure:

$$C_5H_4N{<}^{CH}_{C_2H_5} + O_4 = C_5H_4N{<}^{CH_2}_{CO.OH} + CH_2O_2 + H_2O.$$

In der zweiten wird die Homonicotianinsäure, welche das Zwischenglied der Reaktion ist, durch Oxydation der Gruppe CH_2 in Cinchomeronsäure umgewandelt:

$$C_5H_4N{<}^{CH_2}_{CO.OH} + O_2 = H_2O + C_5H_4N{<}^{CO.OH}_{CO.OH}.$$

Es würde hiernach zwischen der Homonicotianinsäure und der Cinchomeronsäure dieselbe Relation bestehen, wie zwischen den Toluylsäuren und den Phtalsäuren. Der Vf. beabsichtigt, Homonicotianinsäure in einer verdünnten Lösung von Kaliumpermanganat direkt zu oxydieren, um für obige Erklärung einen definitiven Beweis zu liefern; auch reserviert er sich das Studium dieser Reaktion, welche wahrscheinlich ein Verfahren zur Synthese der Cinchomeronsäure liefern wird. (Bull. Par. **42.** 100—4. 20. Juli.)

Oechsner de Koninck, · *Synthese der Pyridinhydrüre.* (Bull. Par. **42.** 116—23. 20. Juli; C.-Bl. 1884. 562.)

G. Calmels, *Über die Konstitution einiger Cyanverbindungen.* Um zu untersuchen, ob auch andere Cyanide als das Cyansilber fähig sind, mit Alkyljodiden Carbylamine zu geben, erhitzte der Vf. 20 g feingepulvertes Cyanquecksilber mit dem gleichen Gewichte Methyljodid auf 110° in einer geschlossenen Röhre eine halbe Stunde lang. Die Masse wurde dunkelrot und teigig und bestand aus einem teerigen Produkte, welches durch Polymerisation des Carbylamins im Momente seiner Entstehung gebildet war, ferner aus freiem Jodquecksilber und Methylcarbylamin, welches man durch mehrmalige Rektifikation reinigen konnte:

$$Hg{<}^{N{\equiv}C}_{N{\equiv}C} + (CH_3J)_2 = HgJ_2 + (C{\equiv}N{-}CH_3)_2.$$

Bei einem anderen Versuche wurde Cyanzink mit Äthyljodid am Rückflußkühler erhitzt; beim Sieden des Jodids war die Reaktion sehr langsam, und man mußte das Erhitzen mehrere Tage fortsetzen, um eine wahrnehmbare Bildung von Äthylcarbylamin zu bewirken. Nach dieser Zeit wurde das Produkt destilliert; das Destillat teilte sich in zwei Schichten, von denen die obere durch Rektifikation Äthylcarbylamin gab.

Gewisse Beobachtungen veranlaßten den Vf. zu versuchen, ob unter den Halogenderivaten des Cyans das Jodid die Konstitution des Silbercyanids besitzt. In eine ätherische Lösung von Zinkäthyl wurde eine ätherische Lösung von Jodcyan getropft; es bildete sich sofort ein Niederschlag von Cyanzink, und Äthyljodid wurde frei. Als man den Versuch mit festem Zinkmethyljodid wiederholte, trat eine energische Erhitzung ein, und diese war die Ursache, daß sich nachher in dem Produkte Jod- und Cyanzink, Methyljodid, Methylcarbylamin und eine durch dessen Zersetzung entstandene harzige Substanz fand.

Erhitzt man in einer geschlossenen Röhre eine ätherische Lösung von Quecksilbermethyl und Jodcyan auf 50°, so setzt sich Cyanquecksilber auf der Wand der Röhre ab; erhitzt man aber auf 110°, so tritt die umgekehrte Reaktion ein, und es entsteht Äthylcarbylamin zugleich mit Quecksilberjodid.

Bringt man in eine lange Röhre Zinkstücke und eine ätherische Lösung von Jodcyan, so wird sofort Jod abgeschieden und Cyanzink gebildet. Nach 24 Stunden ist alles

Jod absorbiert. Dieser Versuch zeigt, daſs das Metallcyanid sich leichter bildet als das Jodid; allein es ergiebt sich auch daraus, daſs man sich nicht auf die vorigen Versuche stützen darf, um für das Jodcyan die Formel $C{=}N-J$ aufzustellen, denn in Wahrheit bildet sich bei der Einwirkung dieses Jodids auf metallorganische Radikale zuerst immer ein Metallcyanid von bestimmter Konstitution. Man muſs demnach für diese Demonstration ein metallorganisches Radikal wählen, von dem kein Cyanid existiert, um auf diese Weise direkt von dem Cyanid CNJ zu dem organischen Cyanid zu gelangen. Der Vf. hat das Aluminiumäthyl gewählt.

Aluminiumäthyl wurde in Äther gelöst und tropfenweise mit gelöstem Jodcyan versetzt. Es schied sich Aluminiumjodid ab, und wenn man von einer Nebenreaktion absieht, welche von der Einwirkung des Aluminiumjodids auf das Jodcyan herrührt, so läſst sich für die Reaktion nur die Gleichung;

$$Al_2(C_2H_5)_6 + \left(\begin{matrix}C{=}N\\ | \\ J\end{matrix}\right)_6 = Al_2J_6 + \left(\begin{matrix}C{=}N\\ | \\ C_2H_5\end{matrix}\right)_6$$

aufstellen. Hierbei bildet sich keine Spur von Äthylcarbylamin. Das Jodcyan muſs demnach $\begin{matrix}C{=}N\\ | \\ J\end{matrix}$ geschrieben werden, und seine Konstitution ist der des Chlorids und Bromids entsprechend. Für die Reaktion von GALL muſs folgende Gleichung gelten:

$$Zn(C_2H_5)_2 + \left(\begin{matrix}C{-}N\\ | \\ C{-}N\end{matrix}\right)_2 = Zn\left\{\begin{matrix}N{=}C\\ | \\ N{=}C\end{matrix}\right. + \left(\begin{matrix}C{=}N\\ | \\ C_2H_5\end{matrix}\right)_2$$

durch Atomwanderung.

Hieraus ergiebt sich, daſs auch unter den einfachsten Verbindungen des Cyans Cyanide und Isocyanide existieren; ihre Konstitution unterscheidet sich dadurch, daſs bei den alkalischen Cyaniden das Radikal mit Kohlenstoff, bei den übrigen mit Stickstoff verbunden ist. Bei den alkoholischen Cyaniden existierten nur ein oder höchstens zwei Fälle von der Bildung eines Nitrils an Stelle eines Carbylamins, was die Existenz zweier nicht umkehrbaren Reihen (A. GAUTIER) gestattet. (C. r. **99.** 239—41 [4.*] August.)

Kleine Mitteilungen.

Darstellung von Holzbeizen in fester Form, von L. E. ANDÉS. *Eichenholzbeize.* Man kocht 5 g gutes Kasselerbraun mit 0,50 kg Pottasche und 10 g Regenwasser durch ungefähr eine Stunde tüchtig miteinander, seiht dann die erhaltene dunkle Farbenbrühe durch ein leinenes Tuch und kocht diese klare, dunkel gefärbte Flüssigkeit so lange ein, bis sie kochend eine siruppartige Beschaffenheit hat. Die Flüssigkeit schüttet man dann in ganz flache Kisten aus Eisenblech, läſst dieselbe darin erstarren und bringt sie nach dem völligen Festwerden durch Stampfen oder auf Mühlen in die Form eines groben Pulvers, welches während einiger Minuten mit Wasser gekocht (1 Tl. feste Beize, 20 Tle. Wasser), eine prächtige, eichenholzartige Beize liefert.

Lichte Eichenholzbeize. Es werden 3 kg Katechu mit 7 kg Regenwasser gekocht, wenn ersteres sich vollkommen zerteilt hat, filtriert man die Flüssigkeit so heiſs wie möglich durch Leinwand und kocht die filtrierte Farbenbrühe ebenfalls wieder so lange ein, bis sie siruppartige Konsistenz zeigt. Nun fügt man derselben eine Auflösung von 250 g doppeltchromsaurem Kali in 2 kg Wasser bei und dampft abermals so lange ein, bis die erwähnte Konsistenz erreicht ist. Behufs völliger Austrocknung verfährt man wie früher.

Nuſsbaumholzbeize. Man kocht 3 g gutes, möglichst dunkles Kasselerbraun mit 0,30 g Pottasche und 7 g Wasser, seiht nach erfolgter Extraktion durch Leinwand und fügt während des Abdampfens 2,5 kg Blauholzextrakt hinzu, während man das Verdampfen so lange fortsetzt, bis Sirupkonsistenz erreicht ist, um die Masse dann ebenfalls in flachen Blechgefäſsen zum völligen Erstarren und Austrocknen zu bringen.

Rosenholzbeize. 4 g gutes Rotholzextrakt werden in Wasser kochend gelöst, andererseits eine Abkochung von 1 kg Kasselerbraun, 0,10 g Pottasche, 3 kg Wasser bereitet, durchgeseiht, beide Flüssigkeiten zusammengemischt und, wie schon mehrfach erwähnt, in die feste Form gebracht.

Mahagoniholzbeize. Man kocht 3 kg Rotholzextrakt mit 0,25 kg Pottasche und 2 kg Wasser, fügt der Auflösung 150 g Eosin (Anilinrot) hinzu und verdampft die Flüssigkeit bis zur Sirup-konsistenz.

Polisanderholzbeize. Wird wie die Mahagonibeize zusammengesetzt, nur nimmt man statt des Eosins 200 g Fuchsin, 25 g Anilinblau.

Satinholzbeize. Satinholz ist ein in England sehr bliebtes, lichtgelbes Holz mit seidenartigem Glanze; die Beize, welche dieses Holz nachahmt, bereitet man wie folgt: Es werden 3 kg Gelb-holzextrakt mit 7 kg Regenwasser gekocht, durchgeseiht und die Flüssigkeit zur Sirupkonsistenz verdampft. Ehe man dieselbe zum Erstarren bringt, fügt man noch eine Auflösung von 100 g Pottasche in 350 g Regenwasser hinzu.

Ebenholzbeize. Man kocht 5 kg Blauholzextrakt in 11 kg Regenwasser, seiht die kochende Brühe sehr sorgfältig durch und beginnt, dieselbe einzudampfen. Wenn solche schon ziemlich konsistent geworden, fügt man 300 g salpetersaures Eisen hinzu und fährt nun nach tüchtigem Umrühren mit dem Abdampfen bis zur Sirupkonsistenz fort. Bis jetzt werden derartige Beizen in fester Form nur in England erzeugt, doch kommen sie von dort zu teuer, während sie, auf dem Kontinente fabriziert, gewiß einen ganz ansehnlichen Konsum versprechen würden. (Neueste Erfind. u. Erfahr.; Ind.-Bl. **21.** 213.)

Bleichen des Meerschwammes, von AUG. VOGEL. Bekanntlich kann man Chlor und dessen Verbindungen zum Bleichen der Meerschwämme nicht anwenden, da dieselben dadurch nicht allein eine gelbe Farbe und unerwünschte Härte annehmen, sondern selbst an ihrer Fein-heit verlieren. Zu diesem Zwecke kommt daher ausschließlich schweflige Säure in Anwendung und zwar, da mit der Einwirkung der Dämpfe des brennenden Schwefels, wodurch Seide und Wolle genügend zu bleichen sind, bei Schwämmen wenig oder gar kein Erfolg erzielt werden kann, durch wässerige Lösung der schwefligen Säure. Am besten eignet sich hierzu eine schweflige Säurelösung von 1,024 spez. Gewichte, welche erhalten wird durch Einleiten von schwefligsaurem Gase, dargestellt durch Erwärmen von 250 g Kohlenpulver mit 250 g Schwefelsäure in 4 l Wasser. Die durch verdünnte Salzsäure (1 Tl. Salzsäure auf 30 Tle. Wasser) und längeres Behandeln mit kaltem Wasser vorher möglichst gereinigten Schwämme läßt man in der erwähnten Lösung von schwefliger Säure sechs bis acht Tage unter wiederholtem Ausdrücken liegen, wodurch sie nach völligem Auswaschen gebleicht erscheinen. Nach neueren Versuchen kann das Bleichen der Schwämme auf kürzerem und weniger umständlichem Wege durch Bromwasser erzielt werden. Bekanntlich löst sich Brom in ungefähr 30 Tln. Wasser; man kann daher durch Schütteln von einigen Tropfen Brom in einer Flasche destillierten Wassers sich in einfacher Weise konzentriertes Bromwasser darstellen. Bringt man nun in Bromwasser Schwämme, es wurden vorzugsweise sehr dunkel gefärbte gewählt, so bemerkt man nach einigen Stunden eine Veränderung der braunen Farbe des Schwammes ins hellere, gleichzeitig geht die dunkelrote Farbe des Brom-wassers ins hellgelbe über. Durch eine zweite Behandlung des Schwammes mit erneutem Brom-wasser gelingt es, dem Schwamme noch kurzem die gewünschte helle Farbe zu verleihen, welche durch Einlegen des Schwammes in verdünnte Schwefelsäure und darauf folgendes Auswaschen mit kaltem Wasser noch wesentlich verbessert wird. Die Konsistenz und Struktur des Schwammes wird durch Bleichen mit Bromwasser keineswegs geändert, sowie dasselbe auch auf dessen Halt-barkeit, wenigstens soviel Vf. bis jetzt beobachten konnte, keinen Einfluß ausübt. Es erscheint auffallend, daß die beiden Zwillingsbrüder, Chlor und Brom, in ihrem Verhalten zum Schwamm-farbstoffe in verschiedener Weise auftreten. (Bayer. Ind.- und Gewerbebl.; Ind.-Bl. **21.** 204.)

Verfahren zum Übertragen von Photographien auf Porzellan oder Holz, von V. PAVLOFFSKI. 25 Tle. vom besten Gummi arabicum weicht man zwei oder drei Tage lang in 100 Tln. destilliertem Wasser und seiht sie dann durch ein leinenes Tuch in eine Ab-dampfschale. Für Bilder, die eingebrannt werden sollen, nimmt man 16—20 Tle. Schmelzfarbe, für Überdrucke auf Holz, Leinwand oder dergl. dasselbe Quantum kalzinierten Lampenruß; man reibt dieselben auf einem Stücke mattem Glase sehr sorgfältig mit ein paar Tropfen der Gummi-lösung an und setzt allmählich 7 Tle. krystallisierten Honig und schließlich 6 Tle. doppelt-chromsaures Kali zu, welch letzteres man vorher in etwas heißem Wasser gelöst hat. Die jetzt lichtempfindlich gewordene Mischung wird mit einem Glasstabe umgerührt, dreimal durch Flanell filtriert und zuletzt durch trockne Baumwolle. Diese Lösung hält sich im Dunkeln nahezu eine Woche lang.

Hierauf überzieht man eine vorher mit einer schwachen Lösung von Wasserglas oder Zucker-wasser behandelte Spiegelglasplatte mit der Lösung, die man auf ungefähr 88°C. erwärmt hat, damit sich alle etwa darin enthaltenen Luftblasen zerteilen; so präparierte Glasplatten halten sich aber nur zwei Tage lang.

Die Lösung wird, wie Collodion, in der Mitte der Platte aufgegossen; man läßt sie gleich mäßig über die ganze Platte fließen und an einer Ecke abtropfen. Sobald das obere Ende der Platte durchsichtig wird, stellt man sie in horizontaler Lage in einen Trockenschrank oder aufeine vorgewärmte Marmorplatte und läßt sie bei einer Temperatur von 38—49°C. trocknen. Eine halbe Stunde genügt hierfür. Dann wird die noch warme Platte unter dem ebenfalls leicht erwärmten und mit Talk abgeriebenen Negative belichtet.

Die Belichtungsdauer beträgt nur etwa ein Fünftel der für Silberdrucke erforderlichen, man belichtet aber besser etwas zu lange als zu wenig, da sich eine Überbelichtung leicht beim Entwickeln korrigieren läßt; durch Unterbelichtung entstehen aber unvermeidlich harte Bilder.

Hat man das Bild aus dem Kopierrahmen genommen, so überzieht man es mit zweiprozentigem Rohcollodion, und wenn sich dieses gesetzt hat, läßt man einen Strahl kalten Wassers vorsichtig darüber streichen. Gleich darauf fängt das Collodion an, Blasen zu werfen: man legt alsdann ein nicht stark geleimtes Stück dünnes Papier von derselben Größe als die Platte, nachdem es in Wasser geweicht worden ist, darauf, löst mit einer Nadel oder mit dem Federmesser die Schicht von zwei Ecken der Platte los und zieht das Papier samt der daran haftenden Collodionschicht sehr sorgfältig von der Platte ab. Man legt die Schicht, Collodionseite nach oben, auf eine reine Glasplatte und spült die noch löslichen unbelichteten Teile mit kaltem Wasser ab. Sobald das Bild ziemlich ausentwickelt ist, gießt man, um die Weiterentwicklung zu verhindern, sehr verdünnten Alkohol von 1:5 darüber; hierauf Alkohol von 1:2 und schließlich ein wenig absoluten Alkohol.

Nun folgt das Übertragen. Man überzieht hierfür die Oberfläche des Holzstockes oder des Porzellangegenstandes, sowie das Bild selbst mit einer Mischung von 1 Tl. dicker Gummilösung und 3 Tln. schwachem Alkohol und legt das Bild zunächst mit der Bildseite nach außen, auf die Stelle, auf welche es umgedruckt werden soll. Man beschneidet das Bild etwas an den Rändern, wendet es dann schnell um und drückt es mit einem Tuche schwach an. Beim Umdrucke auf Porzellan oder Glas kann das Trocknen durch Wärme beschleunigt werden, auf Holz aber, oder auf Elfenbein, Leinwand u. dgl. muß das Bild freiwillig trocknen. Im letzteren Falle kann aber das Papier sofort nach dem Umdrucke abgezogen werden.

Zum Abwaschen des Collodions vom Holzstocke nimmt man erst gleiche Teile von Alkohol und Äther und nachher Äther allein; dies trocknet sofort, ohne die geringste Feuchtigkeit zu hinterlassen. Sobald der Äther sich verflüchtigt hat, ist der Holzstock für die Stichelarbeit fertig, ohne irgend eines Firnisüberzuges zu benötigen. Auch besitzt der Umdruck den Vorzug, daß er nicht kräuselt, da er nicht hygroskopisch ist, und daß er dem Holzschneider während der Arbeit nicht hinderlich ist.

Bei Schmelzfarbenbildern kann das Collodion und die Papierunterlage getrost darauf bleiben, denn beim Einbrennen werden dieselben verzehrt, ohne daß dadurch dem Bilde irgendwie geschadet würde, aber vorher trägt man mittels eines geeigneten Bausches vorsichtig einen ganz dünnen und gleichmäßigen Firnisüberzug auf, bestehend aus Lavendelöl, Zachöl und einer leicht schmelzbaren Emaille, das ganze etwa in der Konsistenz von Cream.

Als Schmelzfarben empfiehlt Vf. Kupferoxyd und Goldpurpur für warme Töne, Kupferoxyd und Kobalt für kalte Töne; Beimischung von Fluß oder Emaille ist nicht notwendig. (Phot. Arch. **25.** 189—91.)

Beiträge für das Centralblatt bittet man an die Redaktion (Leipzig, Lessingstr. 5) zu richten. **Originalarbeiten** von nicht zu großem Umfange werden entsprechend honoriert und gelangen stets sofort nach der Einsendung, und zwar in kürzester Frist, zum Abdruck.

Redaktion: Prof. Dr. **Rud. Arendt** in Leipzig.

Verlag von **Leopold Voss** in Hamburg u. Leipzig. — Druck von **Metzger & Wittig** in Leipzig.

No. 38.

Chemisches Central-Blatt.

17. Septbr. 1884.

Wöchentlich eine Nummer von 1-2 Bogen. Der Jahrgang mit Buch- und Namen-Register, nebst system. Übersicht.

Der Preis des Jahrgangs ist 30 Mark. Durch alle Buchhandlungen und Postanstalten zu beziehen.

REPERTORIUM

für reine, pharmazeutische, physiologische und technische Chemie.

Dritte Folge. XV. Jahrgang.

Wochenbericht.

4. Organische Chemie.

C. Friedel und **J. M. Crafts,** *Über die Zersetzung der Sulfonsäuren durch Schwefelsäurehydrat.* ARMSTRONG und MILLER haben neuerdings eine Methode zur Regenerierung der aromatischen Kohlenwasserstoffe aus deren Sulfonsäuren angegeben, welche darin besteht, letztere mit Schwefelsäure in einem Strome von Wasserdampf zu destillieren; da diese Zersetzungen der einzelnen Sulfonsäuren bei verschiedenen Temperaturen stattfinden, so ist es sogar gelungen, die Trennung der Kohlenwasserstoffe zu bewirken. Die Vff., welche mit Untersuchungen der gleichen Art beschäftigt waren, bestätigen die Richtigkeit dieser Angaben und heben die grofse Nützlichkeit des Verfahrens hervor. Sie haben dasselbe seit zwei Jahren bei der Untersuchung einer Klasse von Körpern angewendet, welche durch Salzsäure nicht zersetzt werden können, und wenn sie bis jetzt ihre Versuche noch nicht veröffentlicht haben, so geschah dies, weil sie ihre Untersuchungen über die Naphtalinhydrüre zuvor beendigen wollten. Diese Arbeit wurde durch die rasche Oxydation der Produkte an der Luft sehr erschwert und hat auch bis jetzt noch nicht vollendet werden können.

Das Naphtalintetrahydrür verbindet sich sehr leicht bei gewöhnlicher Temperatur mit konzentrierter Schwefelsäure unter starker Wärmeentwicklung, und die dadurch entstandene Sulfonsäure ist ein sehr beständiger Körper. Sie beginnt sich erst zu zersetzen, wenn man sie mit Chlorwasserstoffsäure auf 185° erhitzt, und die Zersetzungsprodukte sind Schwefelwasserstoff und Naphtalin, gemengt mit einer mehr oder weniger grofsen Menge Naphtalinhydrür. Die Reduktion der Schwefelsäure durch einen Kohlenwasserstoff dieser Kategorie ist bis jetzt noch nicht beobachtet worden.

In der Absicht, die Zersetzung zu verhüten, haben die Vff. zuerst versucht, die Sulfonsäure und deren Salze durch Erhitzen mit verdünnter Schwefelsäure in geschlossenen Röhren auf 157° zu zersetzen. Die Schwefelsäure wurde hierbei in verschiedenen Verdünnungsgraden angewendet, von $\frac{1}{2}$ bis 3 Gewtl. Wasser. Nach zwölf Stunden ist die Zersetzung vollendet, und es tritt keine Oxydation ein. Die Geschwindigkeit der Zersetzung nimmt innerhalb gewisser Grenzen mit der Konzentration der Schwefelsäure zu, und eine wässerige Lösung der Sulfonsäure ohne Zusatz von Schwefelsäure ist bei der genannten Temperatur vollkommen beständig. Die Zersetzungstemperaturen der Sulfonsäure des Naphtalinhydrürs durch Schwefelsäure von verschiedener Verdünnung liegen zwischen 145 und 160°. Es wurde mit grofsen Mengen Naphtalinhydrür (mehr als 1 kg) gearbeitet, und in vielen Fällen hat man es bequemer, das Gemenge mit Wasserdampf zu destillieren, genau so, wie es ARMSTRONG und MILLER angegeben haben. Es genügt, die Sulfonsäure oder eines ihrer Salze mit dem drei- bis vierfachen Gewichte Schwefelsäure, welche ungefähr mit einem Drittel Wasser verdünnt ist, zu mengen, ein Thermometer in die Flüssigkeit zu tauchen, einen Wasserdampfstrom durch das Gemenge zu leiten und die Retorte bis zu dem Punkte zu erhitzen, bei welchem der Kohlenwasserstoff sich abzuscheiden beginnt. Die Temperatur steigt natürlich mit der Konzentration der in der Retorte enthaltenen Säure, und man kann sie leicht durch Regulierung der Flamme und des Dampfstromes auf einem bestimmten Punkte erhalten, so dafs sich die Operation mehrere Stunden hintereinander fortsetzen läfst. Unter dieser Bedingung geschieht die Zersetzung bei 160° rasch, und die Temperatur kann auf 175—180° gesteigert werden, ohne dafs eine beträchtliche Oxydation des Hydrürs eintritt.

Die Vff. haben dieses Verfahren angewendet, um die Trennung des Naphtalins von dem Naphtalinhydrür zu bewirken, welche durch blofse Destillation sehr schwierig ist. Die Sulfonsäure des Naphtalins wird leichter zersetzt, als die des Hydrürs, und wenn man auf 160° erhitzt, so destilliert unter den ersten Zersetzungsprodukten die gröfste Menge des Naphtalins über. Gleichwohl ist die Trennung niemals vollständig.

Dieselbe Reaktion wurde auch auf die Sulfonsäuren des Benzols und seiner Homologen angewendet, und die Vff. haben, übereinstimmend mit ARMSTRONG und MILLER, gefunden, dafs die Verbindungen der verschiedenen Kohlenwasserstoffe eine verschiedene Stabilität besitzen. In dem Falle aber, welcher sie am meisten interessierte, nämlich bei der Anwendung des Verfahrens zur Reinigung des Pentamethylbenzols, stiefsen sie auf ein unerwartetes Hindernis, welches darin lag, dafs die Sulfonsäure dieses Kohlenwasserstoffes sich nur schwierig bildet. (Bull. Par. **42**. 66—69. 20. Juli. Paris, Soc. Chim.)

Istrati, *Über Monochloräthylbenzol.* Dieses entsteht durch Einwirkung von Phenylchlorid auf Äthylen bei Gegenwart von Chloraluminium, dessen Rolle sich erklärt, wenn man für die Bildung folgende Gleichungen annimmt:

$$1. \begin{cases} C_6H_5Al + Al_2Cl_6 = C_6H_4Cl-Al_2Cl_5 + HCl \\ C_2H_4 + HCl = C_2H_5Cl \end{cases}$$
$$2. \quad C_6H_4Cl-Al_2Cl_5 + C_2H_5Cl = C_6H_4Cl-C_2H_5 + Al_2Cl_6.$$

Übrigens wurde diese Fixation von Äthylen an dem Benzolkerne bereits 1879 durch BALSOHN gezeigt, indem er Äthylen auf Benzol bei Gegenwart von Chloraluminium einwirken liefs und dabei Mono-, Di- und Triäthylbenzol erhielt. (Bull. Par. **42**. 111 bis 116. 20. Juli.)

Ch. S. S. Webster, *Über das Trichlorpyrogallol.* (Journ. Chem. Soc. **45**. 205—9. Juni; C.-Bl. 1884. 402.)

E. Grimaux, *Über die Reaktion des Albumins und ein synthetisches stickstoffhaltiges Colloid.* (Bull. Par. **42**. 74—82; C.-Bl. 1884. 218.)

J. A. Bladin, *Einwirkung von Cyan auf einige o-Diamine.* Das Cyan verbindet sich mit den aromatischen o-Diaminen zu Verbindungen $C_nH_{2n-8}N_4$ (wo n = 8, 9, etc. ist), welche im allgemeinen beständiger, als die Cyanverbindungen der Monamine sind. Es sind ziemlich starke Basen und geben mit Säuren zwei Reihen von Salzen, welche ein und zwei Moleküle einer einbasischen Säure enthalten. Die Salze mit zwei Molekülen Säure sind weniger beständig und geben durch Einwirkung von Wasser ein Molekül davon ab. Im Wasserbade wird nach mehrstündigem Erhitzen aus diesen Basen durch Salzsäure ein Atom Stickstoff nach der Gleichung:

$$C_nH_{2n-8}N_4 + H_2O = C_nH_{2n-8}N_2O + NH_3$$

abgeschieden. Die so entstandenen sauerstoffhaltigen Verbindungen sind ebenfalls Basen, aber schwächere als die, von welchen sie derivieren. Sie bilden mit einem Molekül einer monobasischen Säure Salze, welche indessen wenig beständig sind. Sie besitzen auch die Charaktere schwacher Säuren, denn sie lösen sich in Kalilauge, werden aber durch Kohlensäure daraus wieder abgeschieden. Bei 150° zersetzen sie sich durch Salzsäure unter Abscheidung von zwei NH-Gruppen nach der Gleichung:

$$C_nH_{2n-8}N_4 + 2H_2O = C_nH_{2n-10}N_2O_2 + 2NH_3$$

Die Verbindungen $C_nH_{2n-10}N_2O_2$ besitzen keine basischen Eigenschaften mehr, sondern sie sind schwache Säuren.

Der Vf. hat die Verbindungen, welche sich von dem o-Phenylendiamin und dem m-p-Toluylendiamin ableiten, untersucht. Die beiden letzteren Amine wurde einem eingehenden Studium unterworfen.

Dicyan-m-p-Toluylendiamin.

CH NH

H₃C—C   C   CNH

HC   C   CNH

CH NH

Durch Sättigung einer Lösung von m-p-Toluidin mit Cyan erhält man eine braune Flüssigkeit, welche nach einigen Tagen eine granatrote krystallinische Masse abscheidet. Diese reinigt man durch Krystallisation aus siedendem Wasser und Tierkohle. Sie bildet dann farblose Krystalle, welche 1 Mol. H₂O enthalten, dieses aber bei 100° abgeben. Der Körper ist wenig löslich in Wasser, leicht löslich in Alkohol und in Äther, schmilzt unter Zersetzung etwas über 240°, läßt sich aber teilweise sublimieren, wenn man vorsichtig erhitzt. Von diesem Körper wurden folgende Salze dargestellt:

$$C_9H_{10}N_4.2\,HCl; \quad C_9H_{10}N_4HCl + \tfrac{1}{2}H_2O; \quad C_9H_{10}N_4.2\,HCl,PtCl_4 + 2\,H_2O;$$
$$(C_9H_{10}N_4HCl)_2PtCl_4 + 2\,H_2O; \quad C_9H_{10}N_4,H_2SO_4,H_2O.$$

Einwirkung von Chlorwasserstoffsäure auf das Dicyan-m-p-Toluylendiamin. Durch mehrstündiges Erhitzen im Wasserbade erhält man eine Lösung, aus welcher durch Ammoniak in der Kälte ein amorpher, weißer, und in der Wärme ein in kleinen Nadeln krystallisierender Niederschlag abgeschieden wird. Diesem Körper kommt eine der beiden Formeln zu:

CH N   CH N

CH₃C   C   COH   oder   CH₃C   C   CNH

CH   C   CNH   HC   C   COH

CH NH   CH N

Er ist sehr wenig löslich in Wasser und Alkohol und sublimierbar; Schmelzp. 290°. Er ist eine schwache Base und giebt Salze, welche 1 Mol. einer einbasischen Säure enthalten.

Wird die Einwirkung der Salzsäure bei 150° in geschlossenen Röhren bewirkt, so erhält man zwei Produkte: C₉H₉N₃O und C₉H₈N₂O₂, von welchen das erste mit dem oben beschriebenen isomer ist. Es bildet nach dem Abkühlen der Röhren Flocken, welche mehr oder weniger mit der zweiten Verbindung gemischt sind. Durch Auflösen in kalter Salzsäure, in welcher die zweite Verbindung unlöslich ist, Fällen der Lösung mit Ammoniak und Krystallisieren aus Wasser wird es gereinigt, es bildet dann eine krystallinische, wasserfreie Substanz. Es ist der vorigen Verbindung ähnlich, aber leichter löslich in Wasser und Alkohol. Die salzsaure Lösung wird durch Ammoniak nicht gefällt. Bei 230—240° zersetzt es sich und verkohlt bei 270° vollständig, während die oben beschriebene Verbindung ohne Zersetzung auf 290° erhitzt werden kann.

Beide geben durch Einwirkung von Salzsäure bei 150° die folgende Verbindung, welche unter denselben Bedingungen entsteht.

Die Verbindung C₉H₈N₂O₂ entsteht durch Einwirkung von Salzsäure bei 150°, krystallisiert in seideglänzenden Nadeln mit einem Molekül Wasser, welches bei 110° nicht entweicht, wohl aber bei 135 und 170°. Sie ist sehr wenig löslich in Wasser, leichter löslich in Alkohol; Schmelzp. 295°; sie wird durch Alkalien gelöst und giebt mit Metallen wenig beständige Salze. Die Verbindung ist ihrem ganzen Verhalten nach identisch mit einem von Hinsberg (Ber. **15.** 2690 und **16.** 1531) durch Reduktion der Säure: C₆H₂(CH₃)¹(NO₂)³(NH.CO.CO₂H)⁴ mittels Zink und Essigsäure, sowie auch durch Erhitzen von oxalsaurem m-p-Toluylendiamin auf 160° erhaltenen Körper. Nach den Untersuchungen von Hinsberg scheint demselben mit großer Wahrscheinlichkeit die nebenstehende Formel, d. h. die eines *Dioxytoluchinoxalin* zuzukommen. Man muß also annehmen, daß das Produkt, welches sich zuerst bildet,

CH N

CH₂—C   C   COH

CH   C   COH

CH N

$$C_6H_4{<}^{NH-CO}_{NH-CO}$$, in die isomere Verbindung umgewandelt wird.

Einwirkung von Zink und Salzsäure auf das Dicyan-m-p-Toluylendiamin. Hierbei entwickelt sich Ammoniak. Durch Zusatz von Alkali und nachher von Äther erhält man durch Abdampfen der ätherischen Lösung einen öligen Körper, welcher an der Luft verharzt. Sättigt man die ätherische Lösung mit Salzsäuregas, so scheiden sich mikroskopische, sehr zerfließliche Nadeln ab, welche sich an der Luft violett färben. Wegen der

45*

Unbeständigkeit konnte diese Verbindung nicht in einem für die Analyse geeigneten Zustande erhalten werden.

Dicyan-o-Phenylendiamin.

Eine konzentrierte, alkoholische Lösung von o-Phenylendiamin absorbiert unter Entwicklung von Wärme Cyangas und färbt sich dunkelbraun. Nach einiger Zeit erhält man eine braune krystallinische Masse von Dicyan-o-Phenylendiamin. Die Ausbeute ist weniger beträchtlich, als bei der Darstellung der homologen Verbindung. Durch Krystallisation aus siedendem Wasser, welches etwas Alkohol enthält, und mittels Tierkohle wird der Körper gereinigt und · stellt dann blaßgelbe, rhombische Tafeln dar, welche wenig löslich in Wasser, leicht löslich in Alkohol sind, bei 280° schmelzen und bei vorsichtigem Erhitzen sublimieren. Es wurden davon zwei Chloroplatinate, das eine mit drei, das andere mit einem Moleküle Wasser dargestellt.

Einwirkung von Salzsäure auf das Dicyan-o-Phenylendiamin. Erhitzt man die Lösung der Base mit verdünnter Salzsäure einige Stunden lang im Wasserbade, so erhält man eine Lösung, welche nach der Sättigung mit Ammoniak einen voluminösen, aus dünnen Nadeln bestehenden Niederschlag von der Zusammensetzung $C_8H_7N_3O$ abscheidet. Dieser Körper ist wenig löslich in Wasser, schmilzt über 280° und sublimiert. Er besitzt schwach basische Eigenschaften. Seine Konstitution läßt sich durch die Formel I. ausdrücken.

I.   II.

Erhitzt man das *Dicyan-o-Phenylendiamin* auf 150° mit Salzsäure in geschlossenen Röhren, so erhält man lange dünne, bei 280° schmelzende Nadeln, welche wenig löslich in Wasser sind und Metallsalze geben. Die krystallinische Verbindung enthält 1 Mol. Wasser, welches beim Trocknen über Schwefelsäure entweicht. Die Konstitution der wasserfreien Verbindung kann durch die Formel II. ausgedrückt werden; sie ist demnach ein *Dioxychinoxalin.* (Bull. Par. **42.** 104—11. 20. Juli.)

P. Cazeneuve, *Über den Bromnitrocampher.* Da durch Nitrifikation des rechtsdrehenden Monochlorcamphers linksdrehender Chlornitrocampher entsteht (**83.** 307), so war anzunehmen, daß der umgekehrte Erfolg bei der Nitrifikation des Monobromcamphers eintreten würde. Dieses Nitroderivat ist von R. SCHIFF (**80.** 630) entdeckt worden, welcher indessen nichts über das Rotationsvermögen desselben angiebt. Es wurde durch mehrstündiges Kochen von Monobromcampher mit Salpetersäure, Zersetzen mit Wasser und Reinigen des Produktes durch wiederholtes Auswaschen und Krystallisieren dargestellt.

Der Vf. erhielt es durch Anwendung desselben Verfahrens, welches er zur Darstellung des Chlornitrocamphers benutzt hatte. 400 g rauchende Salpetersäure wurden eine halbe Stunde lang bei Siedetemperatur auf 100 g Monobromcampher einwirken gelassen; hierdurch reduzierte sich das Gemenge auf 200 g. Durch Fällung mit Wasser und Auswaschen mit Ammoniak erhielt man eine teigige, leicht schmelzbare Masse, welche auf Zusatz von kaltem, 85 prozent. Alkohol den Bromnitrocampher in Form einer weißen, körnigen Masse zurückließ. Diese wurde mit kaltem, 60 prozent. Alkohol gewaschen und aus siedendem, 83 prozent. Alkohol krystallisiert, wodurch man weiße, prächtige, in Wasser unlösliche Prismen erhielt, die etwas löslich in kaltem Alkohol, sehr leicht löslich in Äther waren und, wie SCHIFF bereits angiebt, bei 103—104° schmolzen. Die alkoholischen und ätherischen Lösungen werden im Lichte gelb. Wie erwartet, erwies sich der Bromnitrocampher als linksdrehend, wie der Chlornitrocampher α, welchen der Vf. von dem rechtsdrehenden Chlornitrocampher β unterschieden hat; $[\alpha]_j = -27°$. Diese beiden Nitroderivate sind also analog und haben dieselbe Konstitution. (Bull. Par. **42.** 69—70. 20. Juli.)

Filati, *Synthese von Skatol.* Destilliert man o-nitrocuminsaures Barium mit Zinkstaub oder Eisenfeilspänen aus einer metallenen Retorte, so erhält man Skatol in großer Menge. In folgender Weise erhält man die beste Ausbeute.

Man behandelt 40 g Nitrocuminsäure mit Schwefelwasserstoff und verwandelt dieselbe dadurch in Amidocuminsäure; diese mengt man mit 60 g Nitrocuminsäure und 100 g krystallisiertem Bariumhydrat, trocknet bei 120°, mischt zu der Masse das gleiche Gewicht Bariumhydrat und destilliert in Portionen von 50 g. Das Destillat wird durch Behandlung mit Salzsäure von dem darin enthaltenen Cumidin befreit und im Wasserdampfstrome destilliert. Man isoliert schliefslich das Skatol, indem man es in sein krystallisierbares Pikrat verwandelt. Auf diese Weise liefern 100 g Nitrocuminsäure ungefähr 14 g Pikrat. Das reine Skatol besitzt nach dem Vf. nicht den fäkalen Geruch des unreinen. (Gazz. Chim. Ital. 13. 350.)

Filati, *Umwandlung von Skatol in Indol und Darstellung des letzteren.* Wird Skatol in Dampfform durch eine rotglühende Porzellanröhre geleitet, so zersetzt es sich in gasförmige Produkte und in Indol, welches leicht durch sein charakteristisches Verhalten gegen salpetrige Säure zu erkennen ist. Indol entsteht ferner in beträchtlicher Menge, wenn man eine mit Bleioxyd gefüllte rotglühende Porzellanröhre Cumidin leitet, welches aus Amidocuminsäure und Baryt bereitet ist. Die kondensierte, mit verdünnter Salzsäure behandelte Flüssigkeit liefert einen in Wasser unlöslichen Teil, welcher mit Wasserdampf destilliert und dann mit Pikrinsäure versetzt, unlösliches Skatolpikrat abscheidet und lösliches Indolpikrat giebt. Man filtriert diese Flüssigkeit, setzt Ammoniak zu, um das Indol abzuscheiden und destilliert. Auf diese Weise erhält man 8 g Indolpikrat und 25 g Cumidin. (Gazz. Chim. Ital. 13. 378.)

5. Physiologische, medizinische und pharmazeutische Chemie.

P. P. Deherain, *Über die Fabrikation des Stalldüngers.* Die zahlreichen Untersuchungen, welche der Vf. über die Gärung des Stalldüngers ausgeführt hat, haben ihn zu einigen neuen Beobachtungen geführt, deren Resultate er in folgendem mitteilt.

1. *Das Stroh oxydiert sich an der Luft nur unter dem Einflusse eines geformten Fermentes.* Wenn man Stroh in einem Ballon mit Wasser befeuchtet, lange Zeit bei 40° erwärmt und dann einen Strom reiner Luft darüber leitet, so beobachtet man eine reichliche Entwicklung von Kohlensäure, zu gleicher Zeit erfüllt sich die Flüssigkeit mit zahlreichen Vibrionen.

Bringt man Stroh in Röhren, deren einige mit Chloroform befeuchtet sind, schliefst dieselben und erwärmt sie einige Tage lang auf 40°, so findet man, dafs in den nicht chloroformhaltenden Röhren aller Sauerstoff in Kohlensäure umgewandelt ist, während in den anderen, die mit Chloroform beschickt waren, nur sehr wenig Kohlensäure zu finden ist. Eine energische chemische Reaktion, wie die des Kaliumcarbonates bei 100°. ist nicht im stande, die Oxydation des Strohes unter Bildung von Kohlensäure zu bewirken.

2. *Anaerobe Gärung des Strohes.* Wenn das Stroh ein aerobes Ferment enthält, welches fähig ist, seine Oxydation zu bewirken, so scheint es im allgemeinen nicht, als sei es mit anaeroben Fermenten beladen, es geschieht indessen mitunter doch, dafs, wenn man Stroh in einen Ballon bringt, welcher verdünnte Lösungen von alkalischen Carbonaten und Phosphaten enthält, Kohlensäure und Sumpfgas, oder statt des letzteren Wasserstoff gebildet wird; in den meisten Fällen entwickelt sich aber kein Gas, und es ist wahrscheinlich, dafs in denjenigen Fällen, in welchen die Gärung eintritt, sie von einem Fermente herrührt. Die Aufbewahrung der Futtermittel in Mieten zeigt übrigens, dafs die Vegetabilien für gewöhnlich keine besonders aktiven anaeroben Fermente enthalten.

3. *Sumpfgasgärung des Stallmistes.* Die bei der Gärung des Düngers sich entwickelnden Gase sind ausschliefslich Kohlensäure, Stickstoff und Methan; man kann den Versuch im Laboratorium leicht wiederholen, mufs aber die Ballons von Zeit zu Zeit öffnen, da die Luft zur Entwicklung der zahlreichen Keime nötig ist. Es entsteht hierbei keine Säure, welche stark genug ist, die zugesetzten alkalischen Carbonate zu zersetzen. Diese Art der Gärung des Stalldüngers scheint die häufigste zu sein. Das Ammoniak findet sich als Carbonat in der Flüssigkeit.

4. *Buttersäuregärung des Stalldüngers.* Mitunter entwickelt sich aus Stalldünger oder auch aus Pferdemist nach dem Zusatze von alkalischen Flüssigkeiten bei 40° an Stelle von Sumpfgas Wasserstoff. Die Flüssigkeit zeigt eine deutlich saure Reaktion, welche zum gröfsten Teile durch Buttersäure verursacht wird. Die Gegenwart der letzteren läfst sich leicht durch die Bildung von Buttersäureäther, sowie durch ihren charakteristischen Geruch erkennen.

Diese Gärung unter Bildung einer Säure tritt besonders häufig ein, wenn man Stroh mit einigen Tropfen einer Flüssigkeit befeuchtet, die man durch Verreiben von Dünger mit Wasser erhält; hierbei konnte der Vf. häufig die Gegenwart von Sumpfgas nachweisen, selbst wenn die Flüssigkeiten stark sauer waren. Die Frage, ob sich Sumpfgas zugleich mit Buttersäure bilden könne, wird der Vf. durch weitere Versuche zu beantworten suchen.

Gemischte Gärungen. Es ist ziemlich selten, daſs die bei der Gärung entwickelten Gase zugleich Sumpfgas und Wasserstoff enthalten; jedesmal, wenn dies der Fall war, war das eine oder andere der Gase in überwiegender Menge vorhanden.

6. *Ursprung der anaeroben Fermente des Düngers.* Aus dem vorigen ergiebt sich, daſs der Dünger sowohl eine neutrale Gärung unter Entwicklung von Kohlensäure und Sumpfgas, als auch eine saure unter Bildung von Buttersäure, Wasserstoff oder Sumpfgas erleiden kann. Durch Untersuchung der Gärungsvorgänge im Darmkanale der Herbivoren ist TAPPEINER neuerlich zur Unterscheidung zweier verschiedener Gärungen gelangt: einer sauren und einer neutralen; die dabei entwickelten Gase sind auſser Kohlensäure Wasserstoff und Sumpfgas; die Fermente greifen die Cellulose an; ihre Beschreibung paſst sehr gut zu den Mikroben des Düngers, und wenn man sich erinnert, daſs das nicht mit Fermenten versetzte Stroh schwierig gärt, und daſs die Mikroben des Düngers, wie GAYON erkannt hat, die Cellulose ebenso angreifen, wie die von TAPPEINER, endlich, daſs die entwickelten Gase identisch sind, so ist dies sehr wahrscheinlich, daſs die anaeroben Fermente des Düngers aus dem Verdauungskanale der Tiere stammen, und daſs je nach den relativen Mengen und je nach den' Bedingungen, unter denen sie sich befinden, sie bald die eine, bald die andere Art der Gärung des Düngers veranlassen. (C. r. **99**. 45 bis 47. [7.*] Juli.)

P. Cazeneuve, *Kritische Untersuchungen über den Gebrauch der Gipsfilter zum Sterilisieren fermenthaltiger Flüssigkeiten.* (Bull. Par. **42**. 89—94. 20. Juli. Paris, Soc. Chim.)

A. Langlebert, *Untersuchung von Convallaria majalis.* (Journ. Pharm. Chim. [5.] **10**. 26—30.)

Aimé Girard, *Über die chemische Zusammensetzung und den Nahrungswert verschiedener Teile des Getreidekornes.* (C. r. **99**. 16—19. [7.*] Juli.)

J. Regnauld und **Villejean**, *Analyse der Ölsamen von Symphonia fasciculata von Madagaskar.* Die Samen enthalten bis 56 p. c. eines süſslich schmeckenden Öles, ferner adstringierende Substanzen, welche denen der China, der Ratanhia, des Katechu, des Kino etc. ähnlich sind, Quercetin und Pektinsubstanzen, sowie Eiweiſskörper, wie sie in anderen Ölsamen vorkommen. (Journ. Pharm. Chim. [5.] **10**. 12—16. Juli.)

Couty, Guimaraes und **Niobey**, *Über die Einwirkung des Kaffees auf die Zusammensetzung des Blutes und die Verdauung der Nahrungsmittel.* In einer früheren Mitteilung (**83**. 565) hat GUIMARAES dargethan, daſs mittlere Dosen von Kaffee bei der Ernährung eines Hundes die Mengen des während eines Tages verdauten Fleisches steigern. Neuere Untersuchungen haben GUIMARAES überzeugt, daſs diese Vermehrung der Konsumtion, welche sowohl bei Fleisch, als auch bei gemischtem Regime leicht zu konstatieren ist, nicht eintritt, sobald die Ernährung durch stickstoffarme gemischte Kost bewirkt wird. Infolge dieser Erfahrungen haben die Vff. versucht, die Ursache aufzufinden, weshalb der Kaffee die Verdauung und Assimilation der stickstoffhaltigen Nahrungsmittel befördert und die der stickstofffreien unverändert läſst.

Um diese Frage zu lösen, haben sie die Zusammensetzung des Blutes geprüft und von der Untersuchung des Harns, welche schon häufig zu Irrtümern geführt hat, abgesehen. Der Kaffee wurde entweder direkt in das Blut oder auch in den Magen eingeführt. Die Dose betrug 60—100 oder 40—50 g; sie wurde entweder an demselben Tage oder im Laufe von 6—10 Tagen mehrmals wiederholt. Bei der Analyse bestimmte man im Blute die Gase, den Harnstoff und den Zucker. Es ergab sich, daſs, wie auch immer die Bedingungen des Versuches waren, in arteriellem als auch in venösem Blute der Harnstoff und der Zucker vermehrt und die Gase des Blutes vermindert waren. Die Verminderung betrifft den Sauerstoff und besonders die Kohlensäure; sie war namentlich erheblich in dem Falle, in welchem die Verabreichung des Kaffees 6—8 Tage fortgesetzt wurde, und die Gase des venösen Blutes sanken dann von 62 auf 48 und selbst auf 44. Die Verminderung ist immer noch erheblich, nämlich $^1/_6$—$^1/_4$, wenn man den filtrierten Kaffeeinfusum direkt ins Blut spritzt; sie ist endlich noch wahrnehmbar, obgleich schwach, nach Einführung in den Magen.

Die Vermehrung des Zuckers und des Harnstoffes ist immer mit einer Verminderung der Gase verbunden, steht jedoch nicht in einem bestimmten Verhältnisse dazu. Jene ist nach einmaliger Einspritzung kaum wahrnehmbar, wohl aber nach verlängertem Gebrauche; die Vermehrung des Harnstoffes scheint beträchtlicher und konstanter zu sein, unter der Voraussetzung, daſs man wenigstens zwei bis drei Stunden vor der Entnahme des Blutes wartet. Selbst bei Hunden warmer Länder, deren Blut fast immer mit Harnstoff überladen ist, steht dieser unter dem Einflusse des Kaffee und kann auf die doppelte, dreifache, ja selbst vierfache Menge steigen. Diese beträchtliche Zunahme des Hauptproduktes der Desassimilation der Gewebe steht in Beziehung zu der Vermehrung der Verdauung und Absorption der stickstoffhaltigen Nahrungsmittel, sowie mit der von GUIMARAES beobachteten Thatsache, daſs Hunde, denen die feste Nahrung entzogen und Kaffee gegeben wurde, rascher sterben und zuvor rascher abmagern, als solche, denen man bloſs Wasser gab.

Alle diese gut übereinstimmenden Untersuchungen zeigen, daſs der Mechanismus der Kaffeewirkung viel verwickelter ist, als man annimmt; dieses Getränk vermindert die Menge der Blutgase und modifiziert nicht die Menge der konsumierten stickstofffreien Nahrung. Es bildet also, wie man sich ausdrückt, ein Sparmittel, indem es die Aktivität der Verbrennung vermindert. Dagegen steigert es wiederum die Aktivität der verwickelten und für die Ernährung nützlichen Umwandlung der stickstoffhaltigen Nahrung. Indem der Kaffee also die Bildung des Harnstoffes und somit die Desassimilation, zugleich aber auch die Assimilation der in der Nahrung enthaltenen Ersatzmittel erhöht, hält er, in mäſsiger Dose genossen, die Funktionen, indem er sie erhöht, zugleich im Gleichgewichte; er macht den Körper fähig, gröſsere Mengen stickstoffhaltige Nahrung zu konsumieren, und infolgedessen liefert er indirekter Weise Arbeit und ist allen denen nützlich, welche viel disponible Kräfte brauchen. (C. r. **99**. 85—87. [15.*] Juli.)

Ch. Chamberland, *Über ein Filter, welches physiologisch reines Wasser giebt.* Der Vf. schlägt hierzu poröse Gefäſse aus verglühtem Porzellan vor. Sie sind in dem Laboratorium von PASTEUR in Gebrauch, um die Mikroben von ihren Kulturmitteln zu trennen. Vf. hat konstatiert, daſs selbst die unreinsten Wässer, nachdem sie die Wand eines solchen Gefäſses passiert haben, völlig frei von Mikroben und Keimen derselben sind; man kann sie in beliebigen Mengen zu gärungs- und fäulnisfähigen Substanzen hinzusetzen, ohne die geringste Veränderung derselben zu bewirken. Der Apparat besteht einfach aus einer porösen Röhre, welche man unmittelbar an die Wasserleitung schraubt. Mit einer solchen Röhre von 20 cm Länge und 25 mm Durchmesser kann man bei einem Wasserdrucke von zwei Atmosphären in einem Tage 20 l Wasser filtrieren, was für die Verhältnisse einer gewöhnlichen Haushaltung genügend ist. Durch Vermehrung der Röhren und Anordnung derselben zu einer Batterie läſst sich leicht der tägliche Wasserbedarf für eine Schule, ein Hospital, eine Kaserne etc. beschaffen. Die Reinigung gelingt leicht durch Abbürsten, Auskochen mit Wasser oder Erhitzen über freiem Feuer, wodurch die organischen Keime zerstört werden und die Röhren ihre Porosität wieder erlangen. (C. r. **99**. 247—48. [4.*] August.)

E. Mylius, *Anweisung zur Desinfection in Krankheitsfällen.* (Pharm. Centralh. **24**. 323—27.)

J. Uffelmann, *Spektroskopisch-hygieinische Studien. Untersuchung des Weines auf freie Mineralsäuren.* (Schluſs zu **84**. 426). Man führt diese Untersuchung in der nämlichen Weise aus, wie diejenige des Branntweines (S. 427). Man verflüchtigt zunächst den Alkohol des Weines im Wasserbade, setzt dann 0,005 p. c. Methylviolettlösung hinzu und prüft die Art der Färbung und das spektroskopische Verhalten. Zeigt sich, daſs die Farbe statt violett ein mehr blau oder gar blaugrün wird, so ist sicher freie Mineralsäure (Schwefelsäure) vorhanden.

Bei Rotweinen fällt man den Farbstoff durch Zusatz von Tannin- und etwas Gelatinelösung und filtriert. Schon an der Farbe des Filtrates vermag ein Geübter zu erkennen, ob freie anorganische Säuren im Weine vorhanden waren. Ist jenes nämlich noch intensiv rot (Johannisbeerrot) und erzeugt es noch ein dunkles Band von *b* bis fast nach *D*, so kann man mit einer an Gewiſsheit grenzenden Wahrscheinlichkeit auf den Zusatz freier Mineralsäure schlieſsen.

Die Anwesenheit freier Wein-, Essig- oder Bernsteinsäure bewirkt nur Mattrosafärbung des Filtrates und ganz unbedeutende, kaum erkennbare, meist sogar fehlende Absorption zwischen *E* und *D*. Die volle Gewiſsheit des Zusatzes einer Mineralsäure erlangt man durch Hinzufügung von zwei Tropfen konzentrierter Methylviolettlösung zu 10 ccm des Filtrates. In solchem Falle zeigt sich nämlich auf Linie *d*, deren Bereich und Nachbarschaft jetzt völlig frei von einer dem Weinfarbstoffe zuzuschreibenden Beschattung ist, der mehrfach erwähnte charakteristische dunkle Absorptionsstreifen. Die Verwendung von Tannin zum Ausfüllen eines Teiles des Farbstoffes beeinträchtigt die Sicherheit des Verfahrens nicht erheblich; der Tanninzusatz darf kein zu starker sein. Man vermag mit Hilfe des Verfahrens noch 0,05 p. c. freie Schwefelsäure im Rotweine aufzufinden, wenn man vorsichtig operiert, insbesondere nicht zu viel Methylviolettlösung zusetzt und event. eine Schicht von 7—8 cm Tiefe spektroskopiert.

Zur Kontrolle mischt man 4 ccm absoluten Alkohol mit 3 ccm Äther, gieſst 1 ccm des zu untersuchenden Rotweines hinzu und schüttelt stark. Ist der Wein frei von freier

Schwefel-, Salz- und Salpetersäure, so wird die Mischung zwar milchig trübe, aber völlig oder nahezu völlig farblos erscheinen und absolut kein Absorptionsband zwischen D und E hervorrufen. Enthält der Wein aber nur eine jener Mineralsäuren in freiem Zustande, so wird die Mischung zwar gleichfalls etwas trübe, aber intensiv rot sich präsentieren und selbst in einer Schicht von nur 1 cm Tiefe das deutliche Absorptionsband des Rotwein-farbstoffes zwischen D und E erzeugen. Diese Probe bietet eine große Sicherheit, wenn anders nicht ein künstliches Färbemittel zugesetzt war. Es gelingt, noch $^1/_2$ p. c. Salz-säure nachzuweisen. Freie Essig-, Wein- oder Bernsteinsäure in derjenigen Konzentra-tion, in welcher sie im Weine vorkommen, rufen die obigen Erscheinungen nicht hervor.

Untersuchung von Essig auf freie Mineralsäuren. Man setzt zu 100 ccm Essig 12,5 ccm einer Lösung von 0,05 Methylviolett in 1 l Wasser. Ist der Essig frei von Mi-neralsäuren, so wird die Färbung eine bläulichviolette sein, und prüft man ihn dann spektroskopisch, so wird man die bekannte Absorption des Methylviolettes finden, welche auf D liegt, ein wenig von da nach dem roten Ende hin bis etwa $D\,^1/_2\,d$ sich erstreckt, besonders aber von D bis $D\,^1/_2\,E$, und als matter Schatten noch weiter nach E hin reicht, wird jedoch niemals einen Absorptionsstreifen auf d wahrnehmen. Bei Anwesenheit von Schwefel-, Salpeter- und Salzsäure zeigt sich nach Zusatz der Methylviolettlösung zu-nächst eine Farbenänderung. Der Essig erscheint dann blau, wenn wenig von jenen Säuren, und blaugrün oder grünlich, wenn mehr von ihnen anwesend ist. Im ersteren Falle muß das Spektroskop zu Hilfe genommen werden. Als Kontrollflüssigkeit benutze man eine Mischung von 40 ccm Wasser, 10 ccm der obigen Methylviolettlösung und von so viel Schwefelsäure, daß die Farbe grün erscheint. Es ist möglich, mittels jener Probe einen Gehalt von 0,2 g wasserfreier Schwefelsäure von 0,26 g Salpetersäure (N_2O_4) und 0,24 g Salzsäure in 1 l Essig zu erkennen, sobald man bei Schwefelsäure eine 5—6 cm, bei den beiden anderen Säuren eine 6—10 cm tiefe Schicht Flüssigkeit verwendet. Man kann die Probe noch empfindlicher machen (0,05 g SO_3 in 1 l Essig auffinden), wenn man 100 ccm des Essigs auf 3—5 ccm eindampft und diesen Rest nach Zugabe von 0,5 cm der obigen Farbstofflösung spektroskopisch prüft. Vf. bemerkt, daß das Ergebnis der Prüfung nur die Anwesenheit einer der drei mineralischen Säuren anzeigt, was für die Praxis genügt.

Versuche mit Tropäolin, welches von verschiedenen Seiten zur Unterscheidung anor-ganischer von organischen Säuren empfohlen worden ist, haben dem Vf. keine sicheren Resultate geliefert, so daß derselbe vor der Verwendung des Tropäolins zur Prüfung von Nahrungsmitteln auf organische Säuren, als vor einem unsicheren Reagens, warnt.

Spektroskopische Untersuchung von Getreidemehl und Brot auf Mutterkorn, Kornrade und Alaun. Man übergießt zum Nachweise von Secale cornutum 10 g Mehl mit 100 g einer Lösung von 6 ccm Natronlauge (spez. Gew. 1,33) in 100 ccm Wasser, läßt zwei bis drei Stunden stehen und filtriert. Ist Mutterkorn vorhanden, so hat das Filtrat eine schmutzig weinrote Farbe. Es zeigt dann im Spektroskope bei Verwendung eines dünn-wandigen Glases von 2—4 cm Weite eine allgemeine Beschattung von Blau bis nach D, am stärksten neben D bis $D\,^1/_2\,E$ und auch neben E bis $E\,^1/_2\,D$, an welchen beiden Stellen sie stark verwaschene breite Bänder hervorruft. Von denselben ist das neben D liegende, dem Oxyhämoglobinbande ähnliche am dunkelsten. Wird aber die alkalische Flüssigkeit nunmehr mit konzentrierter Salzsäure übersättigt, so färbt sie sich hellrosarot oder geradezu rosarot. Setzt man dann Äther hinzu, so nimmt derselbe beim Schütteln rasch den gesamten Farbstoff auf, färbt sich intensiv rosarot und zeigt zwei deutliche Bänder, von denen das eine zwischen D und E liegt und fast genau das mittlere Drit-teil des zwischen beiden Linien gelegenen Feldes einnimmt. Es zeigt große Ähnlichkeit mit dem Absorptionsbande wässeriger Fuchsinlösungen. Das zweite Band befindet sich zwischen b und F und steht dem ersten an Intensität ein wenig nach. Man kann mit diesem Verfahren noch 0,6 g Secale in 500 g Mehl nachweisen. Es ist ratsam, nicht zu große Mengen Äther zu verwenden, und notwendig, in den ersten fünf Minuten die spek-troskopische Untersuchung vorzunehmen, weil späterhin die rosarote Farbe und die Ab-sorption matter werden. Die beschriebene Methode ist der einfachen Extraktion mit Al-kohol oder Äther vorzuziehen, weil bei letzterer auch das Chlorophyll gelöst wird, wo-durch das Ergebnis getrübt werden kann. Um in Brot Secale aufzufinden, werden 100 g desselben, nachdem fein zerkleinert ist, mit 50 ccm obiger Natronlösung drei Stunden stehen gelassen und wie oben beschrieben weiter behandelt.

Das Vorhandensein von *Kornrade* im Mehle, resp. Brote weist man spektroskopisch, wie folgt, nach. Man versetzt das Untersuchungsmaterial mit verdünnter Natronlauge, rührt stark um und kocht. Ist Kornrade anwesend, so entsteht eine fahlgelbe Farbe, die sehr rasch in ein intensives Kupferrot übergeht. Weiteres Erhitzen verändert letzteres in Gelblichrot. Zeigt sich die kupferrote Farbe, so kühlt man rasch ab und prüft die Flüs-sigkeit mit dem Spektroskop; es zeigt sich eine sehr deutliche Absorption zwischen D u.

E, am stärksten in der Mitte, am schwächsten beiderseits nach *D* und *E* hin; das Band hat grofse Ähnlichkeit in bezug auf seine Lage mit dem einen Bande von Secale. Die kupferrote Lösung wird durch Salzsäure oder Essigsäure gelb; Amylalkohol und Äther extrahieren aus der sauren Lösung den ganzen Farbstoff, während sie aus der kupferroten, alkalischen Lösung nichts davon aufnehmen. Die saure gelbe amylalkoholische Lösung zeigt nur eine einseitige Absorption vom blauen Ende bis *b*, nach Zusatz aber von überschüssiger Kalilauge unter Hervortreten violettroter Farbe das Absorptionsband zwischen *D* und *E*.

Zum Nachweise von *Alaun* wird das Mehl ohne weiteres, das Brot erst nach erfolgtem Trocknen und Pulverisieren mit destilliertem Wasser (etwa im Verhältnis wie 1:10) übergossen und gehörig verrührt. Man filtriert und versetzt bei etwaiger saurer Reaktion des Filtrates das letztere mit Sodalösung bis zur schwachen Alkalität. Zu einer Hälfte des Filtrates giefst man einige Tropfen konzentrierter neutraler Lösung von Campecheholzfarbstoff und prüft das spektroskopische Verhalten der Flüssigkeit nach fünf Minuten. Es ergiebt sich dasselbe Bild, wie bei der Prüfung des Weines auf Alaun (p. 427). Ist das Resultat ein negatives, so dickt man den Rest des alkalischen Filtrates ein und prüft aufs neue. Man kann noch 0,1—0,15 p. c. Alaun auf diese Weise auffinden. Da die Anwesenheit von *Kupfervitriol* im Brote eine dem Alaun ähnliche Einwirkung auf Campecheholzfarbstoff in alkalischer Lösung hervorrufen, insbesondere ein fast völlig identisches spektroskopisches Bild erzeugen würde, ist es nötig, dafs man den wässerigen Extrakt vorher auf Kupfer prüft.

Der Nachweis von Kohlenoxyd in der Luft. Vf. beschreibt zunächst ausführlich das Verhalten des CO-Hämoglobins und O-Hämoglobins, sowie dasjenige eines Gemenges dieser beiden nach Behandlung mit der für die spektroskopische Prüfung angegebenen Reagenzien und kommt dabei hauptsächlich zu folgenden Resultaten. Schüttelt man eine Blutlösung von 1:50 mit kohlenoxydhaltiger Luft, so kann entweder sämtliches Hämoglobin zu Kohlenoxydhämoglobin werden oder nicht. In ersterem Falle ist der Nachweis einfach; ist aber so wenig Kohlenoxyd vorhanden, dafs neben dem CO- noch O-Hämoglobin verbleibt, so zeigt sich dies durch folgende Merkmale: 1. ist die Farbe etwas intensiver rot, als die nämliche Blutlösung, die mit CO-haltiger Luft geschüttelt wird. Das Merkmal ist wenig sicher, wenn O über CO im Blute prävaliert. 2. Das Intervall zwischen den beiden Blutbändern erscheint trüber, als in der Vergleichsblutlösung. 3. Das *D*-Band ist etwas von der *D*-Linie abgerückt, was in der Kontrolllösung nicht der Fall ist. 4. Zusatz von Ammoniumsulfid bewirkt langsamer, als in der Vergleichsblutlösung eine Änderung des spektroskopischen Verhaltens und erzeugt ein weniger vollständiges Reduktionsband. Ist nun eine sehr geringe Menge von O-Hämoglobin vorhanden, so bleiben nach dem Zusatze des Reagens die Blutbänder bestehen, aber sie erscheinen verwaschen mit verdunkeltem Intervall. Ist viel Oxyhämoglobin vorhanden, so verschwinden die beiden Blutbänder vollständig als isolierte Absorption, es bildet eine einzige von *D* bis *E* ausfüllende Absorption. Schüttelt man die Ammoniumsulfidblutlösung mit atmosphärischer Luft, so wird, wenn wenig CO in der Blutlösung vorhanden war, das spektroskopische Bild sehr stark, im anderen Falle wenig verändert. 5. Setzt man zu der mit Ammoniumsulfid vermischten Blutlösung noch konstatierter Einwirkung des Reagens noch etwas zehnprozentiger Kalilauge, so zeigt sich bei Anwesenheit von viel CO keine Absorption des Hämochromogens oder nur eine Andeutung derselben unter Persistenz der Blutbänder; bei wenig CO zeigt sich der dunkle Absorptionstreif des Hämochromogens etwa auf der Mitte zwischen *D* und *E*, aber weniger dunkel und vor allem weniger hervor als in der ebenso behandelten Vergleichsblutlösung. Beim Schütteln der Probe mit atmosphärischer Luft tritt in letzterem Falle eine bedeutsame Änderung des spektroskopischen Verhaltens, im ersteren Falle nur eine schwache Änderung desselben hervor. 6. Zusatz von Schwefelwasserstoffwasser (fünf Tropfen auf 5 ccm Blutlösung) bewirkt bei Gegenwart von CO langsamer als in der Vergleichsblutlösung eine Änderung der Farbe und in dem Verhalten des auf, resp. neben *d* erscheinenden Absorptionsstreifens. Je mehr Kohlenoxyd vorhanden war, desto mehr konzentriert sich die Dunkelheit dieses Streifens auf seinem nach *D* gelegenen Rande.

Zur Ausführung der Untersuchung bereitet man sich aus frischem Rindsblute und destilliertem Wasser eine Lösung von 1:50, mifst von derselben 50 ccm ab und giefst sie in eine etwa 2—4 l fassende Glasflasche, nachdem man diese zuvor mit der zu untersuchenden Luft gefüllt hatte. Dann verschließst man und schüttelt stark, so dafs die Flüssigkeit ringsum an der Wandung sich verteilt, stellt zwei Minuten hin, schüttelt aufs neue und wiederholt dies vier- bis fünfmal. Dann entleert man die Blutlösung, prüft zunächst die Farbe derselben durch Vergleich mit der zur Untersuchung verwendeten Blutlösung und schreitet dann zur spektroskopischen Betrachtung. Zu dieser verwendet man Gläser von 1 cm Weite und prüft bei Tages-, nicht bei Gaslicht. Zum Anhalte dienen die Notizen, welche vorhin gegeben wurden. Vor Täuschung aber sichert die stete chemisch-spektroskopische Mitprüfung einer Vergleichsblutlösung.

Sehr zweckmäßig ist es auch, die zu untersuchende Luft mit einer Blutlösung zu schütteln, welche man vorher mit Ammoniumsulfid versetzte, und in der man die vollständig normale Bildung des Reduktionsbandes konstatierte. Noch augenfälliger ist die Wirkung des Kohlenoxyds, wenn man eine Blutlösung verwendet, welche nach der Behandlung mit Ammoniumsulfid und Kalilauge keine Spur der Blutbänder oder des Reduktionsbandes, sondern nur die charakteristische Absorption des Hämoglobins darbietet. Eine solche Lösung mit einer in geringer Menge Kohlenoxyd enthaltenden Luft geschüttelt, ergiebt bei ruhigem Stehenlassen nicht das vorige spektroskopische Bild, sondern eine weniger intensive Absorption des Chromogens und daneben mehr oder weniger starke CO-Hämoglobinbänder.

Verfasser konnte mittels der beschriebenen Reaktionen noch einen Gehalt von 0,33 p. m. Kohlenoxyd auffinden. Man kann die Genauigkeit noch steigern, wenn man die nämliche Blutlösung zwei- bis dreimal nacheinander mit einem neuen Quantum der zu untersuchenden Luft schüttelt, sobald sich nach dem ersten Male bei Prüfung einer kleinen Portion der Blutlösung ein nicht hinreichendes positives Resultat ergeben sollte. — Man kann sich auf das Verfahren einüben, indem man mit CO gesättigtem Blute nach und nach CO-freies Blut zumischt und die Prüfung anstellt. Nach dem Verfasser kann 1 ccm Blut im Maximum 1,17 ccm CO aufnehmen; ist dieses Gas aber verdünnt, so bedarf man mindestens der doppelten Menge, um die volle Sättigung zu erzielen. (Arch. f. Hygieine **2**. 196—222. Rostock.)

Franz Hofmann, *Über das Eindringen von Verunreinigungen in Boden- und Grundwasser.* (Arch. f. Hygieine **2**. 145—95. Leipzig.)

6. Mineralogische und geologische Chemie.

Paul Sabatier, *Mineralwasser der Saline von Salies-du-Salat.* (Bull. Par. **42**. 96 bis 99. 20. Juli.)

Dieulafait, *Über die natürlichen Salpeter von Chile und Peru mit Rücksicht auf ihren Gehalt an Rubidium, Cäsium, Lithium und Borsäure. Schlußfolgerungen in bezug auf die Runkelrübenterritorien des nördlichen Frankreichs.* (C. r. **98**. 1545—48. [21.*] Juni.)

J. T. Donald, *Über den Samarskit von Berthier County, Que.* (Chem. N. **49**. 259 bis 260. 13. Juni.)

W. N. Hartley, *Über den Scovillit.* Der Vf. erklärt das von PENFIELD unter diesem Namen beschriebene Mineral seiner Zusammensetzung und seinen Eigenschaften nach für eine Varietät des Rhabdophan. (Journ. Chem. Soc. **45**. 167—68. Juni.)

Sacc, *Über ein Salpeterlager in der Nähe von Cochabamba (Bolivia).* Im Osten von Cochabamba, nahe dem Orte Arane existiert ein ausgedehntes Salzlager, dessen Zusammensetzung 60,70 Kaliumnitrat, 30,70 Borax und Spuren von Kochsalz und Wasser, und 8,60 organische Substanz ist. Es genügt, das Salz in siedendem Wasser zu lösen, um beim Abkühlen eine reichliche Krystallisation von reinem Kalisalpeter zu erhalten. Der Boden, auf welchem diese Salzschicht ruht, ist braun, und solange er trocken ist, geruchlos; beim Befeuchten mit Wasser entwickelt er aber einen Geruch nach Ammoniumcarbonat und Ammoniumsulfhydrat. Der Vf. fand seine Zusammensetzung: 74,20 unverbrennlicher Rückstand, 15,50 Borax und Salze, 10,30 organische Substanz, Wasser und Ammoniaksalze. Der unverbrennliche Rückstand besteht aus sehr feinem Sande und Calcium-, Magnesium- und Eisenphosphat.

Das Salpeterlager ist also hier offenbar durch Oxydation der Ammoniaksalze des Bodens bei Gegenwart von Kali und Natron entstanden. Das Kaliumnitrat ist durch Kapillarität an die Oberfläche des Bodens gestiegen, während das zerfließliche Natriumnitrat durch den Regen mehr nach dem trocknen und warmen Küste geführt worden ist, wo es als Chilisalpeter ausgebreitet ist. Dies ist die natürliche Erklärung von der Existenz des Natronsalpeters an der Küste; derselbe stammt von den Auswaschungen der Salpeterlager des Gebirges her. (C. r. **99**. 84—85. [15.*] Juli.)

Dieulafait, *Über den Ursprung der Phosphide und der eisenhaltigen Thone in den kalkigen Gesteinen.* (C. r. **99**. 259—62. [4.*] August.)

Ad. Carnot, *Über die Zusammensetzung und Eigenschaften der Steinkohlen mit bezug auf die Natur der Pflanzen, aus denen sie entstanden sind.* (C. r. **99**. 253—56. [4.*] August.)

Ad. Carnot, *Über den Ursprung und die Verteilung des Phosphors in der Stein-kohle.* (C. r. **99.** 154—56..[21.*] Juli.)

W. T. Wright und **T. Burton,** *Analyse der Mineralquelle von Woodall Spa.* (Journ. Chem. Soc. **45.** 168—70. Juni; C.-Bl. 1884. 423.)

Fr. Strassmann, *Die Marienquelle am Napoleonsteine bei Leipzig.* Die Analyse der Quelle liefert einen treffenden Beweis, wie unter ungünstigen Verhältnissen die starke landwirtschaftliche Benutzung des Bodens das Grundwasser ganz lokal verunreinigen kann, wenn das Grundwasser, wie im vorliegenden Falle, in geringer Menge strömt und aufserdem von einer geringen Bodenschicht bedeckt ist. Die wasserundurchlässige Bodenschicht der oberen Braunkohlenformation streicht gerade an der Quelle in einer breiten Fläche aus, so dafs die seichte Kieslage in dem näheren Umkreise der Quelle ganz in dem Grundwasser steht und letzteres durch seine kapillare Erhebung in das Bereich der gedüngten Bodenschicht steigt. Die

Das Quellwasser besitzt eine Temperatur von 9,5° C.

1 l Wasser der Quelle enthielt 520 mg feste Teile (bei 100° getrocknet), während dieselbe Quantität des reinen Grundwassers, wie es in den reichlich wasserführenden Schichten des Leipziger Diluviums vorkommt und auch seitens der städtischen Wasserversorgung zur Stadt geleitet wird, 230 mg Rückstand liefert. Von den einzelnen Bestandteilen waren vorhanden (Milligr. in 1 l).

	Marienquelle		Grundwasser der Wasserkunst
	I.	II.	
Kieselsäure, SiO_2	7,0	8,0	25,0
Kalk	94,0	92,6	63,5
Magnesia	24,0	24,5	18,3
Kochsalz	66,0	66,0	21,0
Schwefelsäure (SO_3)	140,5		38,7
Salpetersäure (N_2O_5)	63,0		7,0
Ammoniak	fehlt	0,05	fehlt
Sauerstoffverbrauch für organische Stoffe	0,8	0,9	0,7.

(Archiv f. Hygieine **2.** 60—67. Hygieinisches Institut Leipzig.)

7. Analytische Chemie.

Arnaud, *Bestimmung der Salpetersäure durch Fällung mit Cinchonaminnitrat. Anwendung dieses Verfahrens zur Bestimmung der Nitrate in natürlichen Wässern und Pflanzen.* Das Cinchonaminnitrat ist fast unlöslich in Wasser, welches mit 10—15 p. c. Salzsäure versetzt ist; es ist deshalb leicht, die Nitrate qualitativ nachzuweisen, aber für eine exakte quantitative Bestimmung kann man dieses Mittel nicht anwenden, denn beim Trocknen konzentriert sich die Säure und zerfrifst nicht nur das Papier des Filters, sondern zersetzt auch das Cinchonaminnitrat. Nach mehreren Versuchen hat der Vf. auf folgendem Wege gute Resultate erhalten.

Die Flüssigkeit, welche die Nitrate enthält, wird, wenn sie sauer ist, durch Natron und wenn sie alkalisch ist, durch Schwefelsäure neutralisiert; wichtig ist es, eine ganz neutrale Flüssigkeit zu erhalten. Man eliminiert hierauf die Chloride, wenn solche vorhanden sind, durch Silberacetat, dessen Überschufs man durch einige Tropfen einer Lösung von Natriumphosphat beseitigt. Hierauf verdampft man die filtrierte Flüssigkeit fast zur Trockne, filtriert von neuem, säuert leicht durch einen Tropfen verdünnter Essigsäure an und fällt die Lösung bei Siedehitze durch Cinchonaminsulfat; das Cinchonaminnitrat scheidet sich sofort in krystallisiertem Zustande ab. Man läfst dasselbe zwölf Stunden lang an einem kühlen Orte stehen, bringt den Niederschlag auf ein Filter und wäscht mit einer wässerigen, bei gewöhnlicher Temperatur gesättigten Lösung von Cinchonaminnitrat, wodurch man den Überschufs an Sulfat entfernt. Diese Methode des Auswaschens bezweckt, keinen Teil des Niederschlages, so gering dieser auch sein mag, zu lösen; denn reines Wasser würde unter denselben Bedingungen ungefähr $^2/_{1000}$ seines Gewichtes Cinchonaminnitrat lösen; zuletzt mufs man allerdings noch mit einer sehr geringen Menge reinem und kalten Wasser auswaschen. Man trocknet bei 100° und wägt das so erhaltene vollkommen reine Cinchonaminnitrat. Die Formel desselben ist $C_{19}H_{24}N_2O,NO_3H$; sein hohes Molekulargewicht ist also günstig für die Bestimmung der Salpetersäure. 359 Cinchonaminnitrat entsprechen 54 Salpetersäure und 101 Kaliumnitrat oder 82 Calciumnitrat.

Nach diesem Verfahren hat der Vf. zuerst eine Reihe Nitrate geprüft, dann Salpeter-säure in verschiedenen Wässern und Pflanzen bestimmt. Man fand folgende Menge von Nitraten in 1000 Tln. frischer Pflanzen:

> Parietaria officinalis: 9,25 Kaliumnitrat und 6,54 Calciumnitrat
> Urtica dioica: 8,45 Kaliumnitrat und 1,07 Calciumnitrat
> Helianthus tuberosus: 4,12 Kaliumnitrat und 5,82 Calciumnitrat.

(C. r. **99**. 190—93. [28.*] Juli.)

H. Fleck, *Die Nachweisung von Salpetersäureflecken in Geweben.* Die Nachweisung geschieht durch Extraktion der Flecken mit warmem Wasser und Prüfung des Ver-dampfungsrückstandes mit Brucin. Da das Gelingen der Reaktion von der Menge der Salpetersäure abhängig ist und dieselbe ausbleibt, wenn vielleicht die Flecken vorher schon einmal mit Wasser ausgewaschen worden waren, so empfiehlt es sich, letztere aus dem Gewebe auszuschneiden und in einer Porzellanschale mit 20 p. c. Ätzkalilösung aufzulösen. Das hierbei sich bildende xanthoproteïnsaure Kali färbt die Flüssigkeit tief orange und aus der mit der zehnfachen Menge Wasser verdünnten und filtrierten Flüssig-keit scheiden sich beim Neutralisieren mit verdünnter Schwefelsäure gelbe Flocken ab, welche, auf einem Filter gesammelt und mit Ammoniak übergossen, eine tief orangerote, fast blutrote Farbe zeigen. Ein Kontrollversuch mit einem Stücke wollenem Gewebe, das mit Salpetersäure betupft 24 Stunden lang sich selbst überlassen blieb, ist empfehlens-wert. Eine Verwechselung mit Flecken von Pikrinsäure oder Styphninsäure ist, weil beide sich aus dem Gewebe mit kochendem Wasser lösen, kaum zu befürchten. (**12.** und **13**. Jahresb. d. Kgl. Chem. Centr.-Stelle f. öffentl. Gesundh.-Pflege zu Dresden (1884. Dresden) 68—69.).

H. Fleck, *Über den Nachweis von Arsen in Gebrauchsgegenständen.* (**12.** und **13**. Jahresb. d. Kgl. Chem.-Centr. Stelle f. öffentl. Gesundh.-Pflege zu Dresden (1884. Dresden) 70—75.).

Gastine, *Nachweis und Bestimmung kleiner Mengen Schwefelkohlenstoff in der Luft, in Gasen, in Sulfocarbonaten etc.* (C. r. **98**. 1588—90. [30.*] Juni.)

E. Egger, *Bemerkungen zur Prüfung des Weines auf Kartoffelzucker.* Vf. macht darauf aufmerksam, daß es bei der von NESSLER und BARTH (**82**. 252) angegebenen Modifikation des NEUBAUER'schen Verfahrens bei der Prüfung der Weine auf Kartoffel-zucker unumgänglich notwendig ist, die von NESSLER und BARTH beschriebenen Vor-schriften genau festzuhalten, weil abweichende Resultate erhalten werden, sobald der Wein, statt zum dünnen Sirup, zur Extraktdicke eingedampft wird. In letzterem Falle scheinen die in einem Weine vorhandenen unvergärbaren Stärkezuckerreste ihre Löslichkeit in Al-kohol teilweise zu verlieren. (Archiv f. Hygieine **2**. 252—53. Mainzer chem. Untersuch.-Amt f. Rheinhessen.)

Vulpius, *Zur Prüfung der Carbolsäure.* (Pharm. Ztg. **29**. 551.)

Th. Gladding, *Quantitative Scheidung von Harzen und Fetten.* 0,6 g der mit Harzen verfälschten Fettsäure werden in 20 ccm 95 prozent. Alkohol gelöst, die Lösung mit einer Spur Phenolphtaleïn versetzt, durch tropfenweises Zufließenlassen einer alkoho-lischen Kalilauge aus einer Bürette alkalisch gemacht und gekocht. Nach dem Erkalten wird Äther hinzugefügt, bis das Volum der Lösung 100 ccm beträgt und kräftig geschüt-telt. Darauf bringt man zu der Flüssigkeit 1 g möglichst fein verriebenes Silbernitrat und schüttelt wieder kräftig zehn bis funfzehn Minuten lang, so daß sich der flockige Niederschlag von Silberoleat und -stearat vereinigt und zusammengeballt am Boden des Gefäßes festsetzt. Man nimmt nun mit einer Pipette 50—70 ccm der klaren Flüssigkeit fort und gießt sie in ein zweites Probierglas von 100 ccm. Zu letzterem Anteile wird von neuem ein wenig fein gepulvertes Silbernitrat hinzugefügt, um die Fettsäuren, die noch etwa gelöst vorhanden sind, zu fällen; die dabei restierende klare Flüssigkeit ver-mischt man mit 20 ccm verdünnter Salzsäure ($^1/_4$ HCl von 21° auf $^3/_4$ Wasser). Einen aliquoten Teil der oben schwimmenden ätherischen Lösung verdampft man in einer Platin-schale und wägt den aus dem Harz bestehenden Rückstand nach dem Trocknen im Dampf-apparate. Das restierende Harz ist noch durch wenig Ölsäure verunreinigt; direkte Ver-suche ergaben, daß unter obigen Bedingungen 10 g Äther durchschnittlich 0,0024 g Öl-säure zurückhalten. Mit diesem Koeffizienten kann man die Resultate der Analyse kor-rigieren. Das Verfahren läßt sich bei Bestimmung des Harzes anwenden, welches häufig dem Leinöle zugesetzt wird, auch bei Seifenanalysen u. dergl. m. (L'Union Pharm. D.-Amer. Apoth.-Ztg. **5**. 279.)

E. H. Amagat, *Bestimmung der Trockensubstanz des Weines.* (C. r. **99**. 195—97. [28.*] Juli.)

Magnus Troilius, *Über die Bestimmung des Mangans und Phosphors in Eisen und Stahl. Manganbestimmung.* 5 g Bohrspäne von Stahl oder Eisen, 0,5 g von Spiegeleisen und 0,2 g von Ferromangan sind für die Probe passende Mengen. Stahl oder Eisen löst man in verdünnter Chlorwasserstoffsäure und dunstet bis auf mäfsige Trockenheit ein; dann löst man die Masse in Salpetersäure von 1,42 spez. Gewicht und kocht auf ca. 100 ccm Volum ein, wobei die Salzsäure vollständig ausgetrieben wird. Hierauf setzt man kleine Krystalle von Kaliumchlorat vorsichtig hinzu. Ist das Volum geringer wie 100 ccm, so können dabei zu starke Puffe eintreten, ist es aber viel bedeutender, so hat man das Unangenehme, dass die Flüssigkeit im Becherglase heftig steigt. Beim beginnenden Zusatz entweichen reichlich gelbe Dämpfe, die aber bei fortgesetztem Kochen aufhören, und die braune Manganfällung zeigt sich bald. Jetzt setzt man noch einige Krystalle jenes Salzes zu und verlängert das Kochen noch eine Weile. Hierauf setzt man kalte, starke Salpetersäure hinzu und filtriert auf Asbest im Glasrohre mit Hilfe der Saugpumpe. Dabei wäscht man zweimal mit der starken Säure und viermal mit kaltem Wasser aus. Anstatt kalte Säure zuzusetzen, kann man das Becherglas mit seinem Inhalte vor dem Filtrieren auch von selbst erkalten lassen; aber dies dauert länger. In beiden Fällen beugt man einem Verluste durch Bildung von Kaliumpermanganat vor.

Hat man Spiegeleisen und Ferromangan zu behandeln, so ist das Verfahren etwas anders. Es genügt da nicht, mit Kaliumchlorat in der kochenden Salpetersäurelösung einmal zu fällen, sondern man mufs, um vollständige Fällung zu erreichen, neue Säure zusetzen, aufkochen und mehr Kaliumchlorat zusetzen, und dies ist zwei- bis dreimal zu wiederholen. Ein Zusatz von reinem Eisenoxydnitrat erleichtert dabei die Bildung des Niederschlages. Spiegeleisen und Ferromangan löst man auch am besten in verdünnter Salpetersäure, worauf man die Lösung mit der starken Säure einkocht. Derartige Manganbestimmungen im Spiegeleisen und Ferromangan müssen aber immer mit der indirekten Bestimmung verbunden sein.

Nach dem Filtrieren bläst oder schabt man von dem Glasfiltrierrohre den Inhalt in das Becherglas zurück, in welchem die Fällung ursprünglich erfolgte. Aus einer Pipette setzt man dann 100 ccm einer Lösung von Eisensulfat in verdünnter Schwefelsäure hinzu (ungefähr 10 g $FeSO_4 + 7 H_2O$ in 1 l Wasser). Diese Eisensulfatlösung titriert man zunächst mittels Kaliumdichromat (etwa 14 g in 1 l, wobei man für genauere Analysen eine schwächere Lösung haben kann), und Eisencyankalium (ein erbsengrofser Krystall auf 100 ccm Wasser); hierdurch bestimmt man z. B., wie viele Kubikzentimeter Kaliumdichromat 100 ccm Eisensulfat entsprechen. Die Manganfällung schüttelt man im Becherglase gut um, da sie sich so schneller löst als bei blofsem Umrühren; ist jeder Niederschlag verschwunden, so titriert man den nicht oxydierten Teil des Eisensulfates mit Dichromat. Durch die Differenz erfährt man so, wieviel Eisensulfat vom MnO_2 oxydiert wurde. Den Eisentiter multipliziert man mit 0,491 und erhält den Mangantiter nach der Formel:

$$2FeO + MnO_2 = Fe_2O_3 + MnO, \text{ oder } 55 : 112 = 0,491.$$

Ein Beispiel verdeutlicht dies am besten. Wenn 100 ccm Eisensulfat 15 ccm Dichromat mit einem Eisentiter von 0,012 g Fe im Kubikzentimeter entsprechen, den man durch Titrieren mit einer gewogenen Menge von Ammoniumeisensulfat, welches $^1/_7$ Eisen enthält, bestimmt, und wenn ferner von dieser Dichromatlösung 10 ccm zum Titrieren des vom MnO_2 nicht oxydierten Teiles des Eisensulfates verbraucht wurden, so erhält man die Manganmenge:

$$(15-10) \times 0,012 \times 0,491 = 5 \times 0,00589$$

oder, wenn zur Probe 5 g Bohrspäne verwendet wurden, 0,589 p. c. Mn.

Blei, Kobalt, Nickel, Kupfer etc. können, wenn sie vorhanden sind, zusammen mit Mangansuperoxyd gefällt werden und wirken auf das Eisensulfat oxydierend. Bisweilen erhält man beim Zusatze des Eisensulfates auch eine charakteristische rote Färbung, welche Kobalt angiebt; aber aus diesem Grunde hat Vf. nur einmal Kobalt quantitativ bestimmt, dessen Gehalt nur 0,03 p. c. betrug, obgleich die Flüssigkeit intensiv gefärbt war.

Es ist übrigens klar, dafs Kobalt sich in der MnO_2-Fällung befinden kann, ungeachtet keine rote Färbung entsteht, weil Kobaltsalze unter bestimmten Verhältnissen blau sind. Eine rote Farbe kann bisweilen auch von Manganoxydsulfat herrühren, besonders wenn man den Niederschlag lange im Becherglase liegen läfst, bevor man Eisensulfat zusetzt.

Dafs man wirklich MnO_2 und keine andere Manganverbindung erhält, beweist unter anderem der Umstand, dafs diese volumetrische Methode ganz dasselbe Resultat liefert wie die besten vorher bekannten, weit langsameren Methoden zur Manganbestimmung. Dieselbe läfst mit Hilfe der heifsen Eisenplatte und einiger Übung mehrere Proben in zwei Stunden ausführen.

Aber auch aus gewissen bekannten chemischen Thatsachen kann man auf die Entstehung von MnO$_4$ schliefsen. Man weifs nämlich, dafs MnO$_2$ in kochender starker Salpetersäure fast ganz und in kalter vollständig unlöslich ist. Ferner weifs man, dafs man, wenn MnO$_2$ mit Kali und Kaliumchlorat gekocht, trocken eingedampft und mit Wasser behandelt wird, KMnO$_4$ erhält. Aber kocht man KMnO$_4$ mit starker Salpetersäure, so erhält man MnO$_2$, und nun sieht man leicht ein, dafs diese beiden Reaktionen in dieser Fällungsweise des Mangans verbunden sein müssen, wo man das kräftige Kaliumchlorat in einer starken salpetersauren Manganlösung anwendet. Dabei besteht die Neigung zur Bildung von Kaliumpermanganat, welches permanent bliebe, wenn starke kochende Salpetersäure, welche das Permanganat unter Bildung von in starker Salpetersäure unlöslichem Mangandioxydhydrat zerteilt, nicht vorhanden_wäre. Man kann sich davon überzeugen, wenn man beim Ausfällen Kaliumchlorat im Überschufs zusetzt, dann mit Wasser verdünnt und direkt filtriert. Dann giebt sich die dem übermangansauren Kali eigentümliche rotviolette Färbung zu erkennen. Anstatt Eisensulfat und Kaliumdichromat hat man zum Titrieren Oxalsäure und Kaliumpermanganat vorgeschlagen. Aber diese Reagenzien eignen sich für die Praxis nicht so gut, und die Resultate werden nicht so zuverlässige wie mit jenen. Dies liegt besonders daran, dafs das Permanganat gegen organische und weniger kräftig reduzierende Stoffe äufserst empfindlich ist; man kann z. B. die MOHR'sche Bürette mit Gummischlauch und Klemmer nicht benutzen, sondern nur eine Glasbürette. Aufserdem aber kann eine Kaliumpermanganatlösung ohne besondere Mafsnahmen nicht gleich stark erhalten werden, während man sich auf die unveränderliche Dichromatlösung stets verlassen kann, die nur vor Staubzutritt aus der Luft zu schützen ist. Ein weiterer Vorteil des Dichromates ist dessen so zu sagen reinliche Beschaffenheit, da das Permanganat alles Oxydierbare befleckt.

Phosphorbestimmung. In Salpetersäure von 1,2 spez. Gewicht löst man 5 g Bohrspäne und dunstet im Becherglas auf der Platte ein. Gegen Ende des Abdunstens setzt man Chlorwasserstoffsäure von 1,19—1,20 spez. Gewicht zu und setzt das Abdunsten fort, bis aller roter Dampf aufhört. Bei Untersuchung von Eisenmangan und anderen kohlenstoffreichen Eisensorten dauert das Eintrocknen etwas länger als bei kohlenstoffarmen Proben. Nach Erkalten des Becherglases setzt man starke Chlorwasserstoffsäure zu und kocht bis alles gelöst und der Säureüberschufs entwichen ist; dann giefst man heifses Wasser zu und filtriert den Kieselniederschlag ab, wäscht ihn mit verdünnter Salpetersäure und heifsem Wasser und wirft ihn fort oder nicht, je nachdem man Silicium bestimmen will oder nicht. Dem Filtrat setzt man 20 ccm starke Salpetersäure und 80 ccm Molybdänlösung hinzu. Diese erhält man durch Auflösen von 1 Tl. Molybdänsäure in 4 Tln. Ammoniak (0,96 spez. Gewicht) mit Zusatz von 15 Tln. Salpetersäure (1,2 spez. Gewicht) unter starkem Umrühren; nach einigen Tagen Stehen hebert man die klare Lösung vom Bodensatz ab. Nach der Molybdänlösung setzt man endlich 20 ccm Ammoniak von 0,88 spez. Gewicht zu und schüttelt, bis der Eisenniederschlag sich gelöst hat. Der gelbe Niederschlag setzt sich dann sofort ab und bleibt 24 Stunden bei 40° Wärme stehen. Hierauf hebert man die klare Lösung ab, den Niederschlag vereinigt man auf das Filter, wäscht ihn gut mit Wasser, das zur Hälfte mit jener Molybdänlösung versetzt ist, löst mittels verdünnten und gewärmten Ammoniaks und nimmt ihn wieder in die konische Flasche; dann geht die Lösung wieder durch das Filter und das Filtrat sammelt man in einem Becherglas von 100 ccm Volum. Die Flasche und das Filter wäscht man mit ammoniakhaltigem Wasser und läfst die Lösung im Becherglas vollständig erkalten.

Nach Zusatz von 2,5 ccm Chlorwasserstoffsäure (1,12 spez. Gewicht) und ein paar Tropfen Ammoniak zum Lösen des gefällten gelben Salzes, auch 10 ccm Magnesiamischung schüttelt man die Flasche, bis deutlicher Niederschlag erfolgt. (Jene Mischung besteht aus 11 Tln. krystallisiertem Chlormagnesium in 28 Tln. Chlorammonium, gelöst in 130 Tln. Wasser mit Zusatz von 70 Tln. Ammoniak (0,96); dieselbe mufs unter mehrmaligem Umschütteln zwei Tage stehen und wird dann filtriert.) Bei über 0,2 p. c. Phosphorgehalt hat man nur kurz zu schütteln, bei niedrigerem aber länger. Nach weiterem Zusatze von 5 ccm Ammoniak (0,96) läfst man die Mischung zwölf Stunden stehen. Die Lösungsmenge im Becherglase ist bei allen Proben konstant z. B. auf 50 ccm zu erhalten. Durch diese Genauigkeit und genaue Reagenzienmessung erhält man sehr genaue und gleichförmige Resultate.

Den Niederschlag filtriert man auf einem kleinen Filter und wäscht mit höchstens 100 ccm kaltem Gemenge aus 1 Tl. Ammoniak (0,96) und 3 Tln. Wasser. Das Filter legt man noch nafs in einen gewogenen Platintiegel, erhitzt es allmählich zum Glühen und wägt es schliefslich als Magnesiumpyrophosphat mit 28 p. c. Phosphorgehalt. Ist der Niederschlag nicht rein weifs, so feuchtet man ihn mit wenig Salpetersäure an und glüht noch einmal.

Beschleunigen kann man die Operation, indem man den gelben Niederschlag nur vier Stunden bei 80° Wärme und den weifsen sechs Stunden lang stehen läfst, aber unter fleifsigem Umschütteln. Bei gehöriger Aufmerksamkeit liefert diese beschleunigte Operation ganz ebenso gute Resultate, wie die langsamere. (Jern-Kont. Annaler 1883. 466; B.- u. H.-Ztg. 43. 284—85.)

Kleine Mitteilungen.

Verbrennungsprodukte des Steinkohlenleuchtgases, von AUG. VOGEL. Durch zahlreiche Beobachtungen ist festgestellt, dafs Pflanzen sehr schwer zu ziehen sind in Räumen, woselbst Steinkohlenleuchtgas gebrannt wird, ja sogar oftmals in solchen Räumen verkümmern und absterben. Aus vielfachen Mitteilungen über den Einfluſs der Beleuchtung mit Steinkohlenleuchtgas auf Zimmerpflanzen geht auf das entschiedenste hervor, dafs diese Beleuchtungsart auf die Vegetation eine nachteilige Wirkung äuſsert. Vergleichende Versuche mit Kerzen- und Öl-lampenlicht haben gezeigt, dafs in dieser Art beleuchteten Räumen an der Vegetation durchaus keine zerstörenden Veränderungen wahrzunehmen sind, während Pflanzen in Lokalen mit Steinkohlengasbeleuchtung alsbald zu kränkeln anfangen und in der Folge verwelken. Wenn auch zugegeben werden darf, dafs die durch Gasbeleuchtung bedingte höhere Temperatur, sowie das unvermeidliche Entweichen höchst nachteiligen unverbrannten Leuchtgases als mitveranlassend bei der beobachteten schädlichen Wirkung auftreten, so ist doch dem nie fehlenden Schwefelsäure-gehalte unter den Verbrennungsprodukten des Steinkohlenleuchtgases die Hauptrolle dabei zuzuschreiben. Dafs in der That sich unter den Verbrennungsprodukten des Steinkohlenleucht-gases Schwefelsäure befindet, kann durch einfache Versuche nachgewiesen werden. Es reicht hin, eine mit destilliertem Wasser gefüllte kleine Platinschale über dem Gasbrenner zu erhitzen und die untere, mit der Flamme in Berührung gestandene Fläche der Platinschale mit destilliertem Wasser abzuspülen; dieses Wasser giebt, mit Chlorbarium versetzt, einen deutlichen, in Salzsäure unlöslichen Niederschlag.

Um eine entschieden wahrnehmbare Reaktion auf Schwefelsäure in der angegebenen Weise zu erhalten, ist es vollkommen ausreichend, wenn man in einer Platinschale Wasser ungefähr zehn Minuten kochen läfst; selbstverständlich muſs durch allmähliches Zugiefsen von Wasser da-für gesorgt sein, dafs das Platingefäſs nicht wasserleer werde, da in diesem Falle die Temperatur zu hoch steigen würde, so dafs die Schwefelsäure verdampfen müfste. Erhitzt man kohlensauren Baryt, von dessen vollkommener Löslichkeit in Salzsäure und daher gänzlicher Reinheit an schwefelsaurem Baryt man sich durch einen Vorversuch überzeugt hat, einige Zeit auf einem engen Metalldrahtgitter über einer Gaslampe, so ergiebt sich, dafs dieser so behandelte kohlen-saure Baryt nun nicht mehr vollständig in Salzsäure löslich ist, es bleibt vielmehr ein deutlicher Rückstand von ungelöstem schwefelsauren Baryt. Je länger die Erhitzung des kohlensauren Ba-ryts in der angegebenen Weise fortgesetzt wird, um so entschiedener tritt selbstverständlich die Reaktion auf. Als ein weiterer Nachweis des Schwefelsäuregehaltes brennender Steinkohlengases darf hervorgehoben werden, dafs die Fensterscheiben eines Lokales, in welchem mehrere Abende hindurch Gaslampen gebrannt haben, mit einem schwefelsäurehaltigen Anfluge überzogen sind. Wäscht man solche Fensterscheiben mit destilliertem Wasser ab, so zeigt dieses Spülwasser deut-lichen Schwefelsäuregehalt. Dafs der Schwefelsäuregehalt im Anfluge der Fensterscheiben aus-schliefslich von den Verbrennungsprodukten des Steinkohlenleuchtgases herrühre, konnte durch einen Gegenversuch gezeigt werden.

Vf. hat die Eisblumen von den Fensterscheiben eines Lokales, woselbst niemals Gaslampen brennen, in gröfserer Menge gesammelt und in dem hieraus gewonnenen Wasser keine Spur Schwefelsäure nachweisen können. Was endlich die Bildungsquelle des Schwefelsäuregehaltes in den Verbrennungsprodukten des Steinkohlenleuchtgases betrifft, so ist diese in dem Schwefelkohlen-stoffe zu suchen, welcher bei der Destillation schwefelhaltiger Steinkohlen auftritt. Der Schwefel-kohlenstoff kann durch die gewöhnlichen Reinigungsvorrichtungen, wie bekannt, nicht vollständig entfernt werden und ist daher je nach dem Schwefelgehalt der zur Gasbereitung verwendeten Steinkohlen in gröfserer oder geringerer Menge stets ein Begleiter des Steinkohlenleuchtgases. Den Gehalt an Schwefelwasserstoffgas im Steinkohlenleuchtgase zur Erklärung verhältnismäſsig so bedeutender Mengen von Schwefelsäure unter den Verbrennungsprodukten des Gases anzunehmen, scheint bei den groſsen Fortschritten der Gasbereitungsmethoden heutzutage nicht mehr statthaft. Neuester Zeit ist nämlich die Reinigung des Leuchtgases eine so vollständige, dafs man von Schwefelwasserstoffgas im Leuchtgase kaum Spuren zu entdecken vermag; im Münchener Stein-kohlenleuchtgase wenigstens zeigt sich in der Regel auch nach mehrstündiger Einwirkung auf essigsaures Bleioxyd keine Reaktion.

Daß auch in dem Rauche von Steinkohlenheizung Schwefelsäure enthalten, hat jüngst ERKE-MAYER durch eine ausgezeichnete Arbeit bewiesen. Namentlich leiden Koniferen durch den Rauch in der Nähe von Fabriken mit bedeutendem Steinkohlenverbrauche. Holzrauch hat diese Wirkung nicht, Torfrauch nur für den Fall, wenn in der Torfsorte Schwefelkies vorhanden. In Gegenden, wo schwefelfreie Steinkohlen zur Verwendung gelangen, wird die schädliche Wirkung in geringerem Grade beobachtet. (Bayr. Ind.- u. Gewerbebl.; Ind.-Bl. 21. 204.)

Celluloidimitation als Ersatz für Elfenbein. Auch das Celluloid wird bereits nachgemacht. Das Ersatzmittel soll die Härte und den Glanz des Celluloids besitzen und feuersicher sein. Es wird nach dem „Techniker" folgendermaßen hergestellt: Zu einer Lösung von 200 Tln. Cassia in 50 Tln. Ammoniakflüssigkeit und 400 Tln. Wasser, oder von 180 Tln. Eiweiß in 400 Tln. Wasser werden 240 Tle. ungelöschter Kalk, 150 Tle. essigsaure Thonerde, 50 Tle. Alaun, 1200 Tle. schwefelsaurer Kalk und zuletzt 100 Tle. Öl gegeben; für dunkelfarbige Gegenstände fügt man statt der essigsauren Thonerde 75—100 Tle. Tannin hinzu. Die zu einem glatten Teige verarbeitete Masse wird mit Walzen zu Platten geformt; diese werden dann getrocknet und in erhitzte Metallformen gepreßt, oder die Masse wird in Pulver verwandelt und in die erhitzten Formen unter starkem Drucke eingepreßt. Die so gewonnenen Gegenstände werden in ein Bad aus 100 Tln. Wasser, 6 Tln. weißem Leim und 10 Tln. Phosphorsäure gebracht, schließlich getrocknet, poliert und mit Schellack gefirnißt. (Pol. Notizbl. 39. 184.)

Aseptol, ein neues Desinfiziens. Das Aseptol ist ein Analogon der Salicylsäure, seine chemische Zusammensetzung entspricht der Formel $C_6H_4(OH)SO_3H$, d. h. es ist Oxyphenylsulfinsäure (Acid. orthooxyphenylsulfurosum). Es stellt eine klebrige, rötlich gefärbte Flüssigkeit von 1,45 spez. Gew. und schwachem, an Carbolsäure erinnerndem Geruche dar. Weder bei innerlichem, noch bei äußerlichem Gebrauche soll das Aseptol die giftigen Wirkungen des Phenols äußern und besonders bei größeren chirurgischen, sowie bei Augenoperationen Anwendung finden. (Pharm. Ztg.; Ind.-Bl. 21. 238.)

Beiträge für das Centralblatt bittet man an die Redaktion (Leipzig, Lessingstr. 5) zu richten. Originalarbeiten von nicht zu großem Umfange werden entsprechend honoriert und gelangen stets sofort nach der Einsendung, und zwar in kürzester Frist, zum Abdruck.

Redaktion: Prof. Dr. Rud. Arendt in Leipzig.

Verlag von Leopold Voss in Hamburg und Leipzig. — Druck von Metzger & Wittig in Leipzig.

No. 39.

Chemisches
Central-Blatt.

24. Septbr. 1884.

Wöchentlich eine Nummer von
1–2 Bogen. Der Jahrgang mit
Sach- und Namen-Register,
nebst system. Übersicht.

Der Preis des Jahrgangs
ist 20 Mark. Durch alle
Buchhandlungen und Post-
anstalten zu beziehen.

REPERTORIUM

für reine, pharmazeutische, physiologische und technische Chemie.

Dritte Folge. XV. Jahrgang.

Wochenbericht.

4. Organische Chemie.

William H. Greene, *Über Dioxyäthylmethylen und die Darstellung von Methylenchlorid.* Mit Ausnahme des Diäthyläthers des Methylenglykols sind alle Oxyäthylderivate des Methans bekannt. Orthoameisensäureäther, $CH(OC_2H_5)_3$, ist durch KAY und WILLIAMSON, Orthokohlensäureäther, $C(OC_2H_5)_4$, durch BASSETT entdeckt, und das Methyläthyloxyd ist seit langer Zeit bekannt.

Durch eine ähnliche Reaktion, wie diese Äther entstehen, hat der Vf. das Dioxyäthylmethylen gewonnen, indem er eine alkoholische Lösung von Chloroform durch Zink und Salzsäure reduzierte. Zink und Chloroform werden mit ihrem mehrfachen Volum Alkohol gemischt und in einem Destillationsapparate allmählich mit Salzsäure in kleinen Mengen versetzt. Die Reaktion verläuft unter beträchtlicher Wärmeentwicklung, und Methylenchlorid und Chloroform destillieren über. Wenn die Einwirkung einige Zeit gedauert hat, und nichts mehr überdestilliert, so wird noch mehr Salzsäure hinzugesetzt und das Ganze gelinde erwärmt. Zuletzt erhitzt man so stark, bis der Alkohol zu destillieren beginnt. Die in der Vorlage kondensierten Produkte werden gewaschen, getrocknet und rektifiziert, wobei man die unterhalb 53° übergehende Fraktion besonders auffängt. Der Rückstand wird in die Flasche zurückgegossen und nochmals der Einwirkung von Zink und Salzsäure unterworfen. Durch mehrere, sorgfältig ausgeführte Rektifikationen liefert die unter 53° übergehende Fraktion reines Methylenchlorid vom Siedep. 40—41°. Die Ausbeute hieran kann bis zu 20 p. c. des angewendeten Chloroforms steigen.

Das *Dioxyäthylmethylen* wurde durch allmählichen Zusatz von 1 Mol. Natrium zu einer Mischung von 1 Mol. Methylenchlorid und ungefähr der vierfachen theoretischen Menge absolutem Alkohol in einer mit Rückflußkühler versehenen Flasche erhalten. Nachdem alles Natrium verschwunden war, wurde die Mischung eine Stunde lang im Wasserbade erhitzt und dann destilliert; die Fraktion unter 78° enthält alles Diäthyläther. Sie wird mit mäßig konzentrierter Chlorcalciumlösung geschüttelt und die aufschwimmende ätherische Schicht getrennt, über Chlorcalcium getrocknet und vorsichtig rektifiziert, bis eine Flüssigkeit von 86—89° erhalten wurde. Das so erhaltene Dioxyäthylmethylen ist eine ätherartige Flüssigkeit von angenehmem, durchdringendem, ein wenig an Pfefferminze erinnerndem Geruche. Spec. Gewicht 0,851 bei 0°, Siedep. 89° bei 769 mm Druck. Es ist wenig löslich in Wasser und kann daraus durch Chlorcalcium abgeschieden werden. Es läßt sich in allen Verhältnissen mit Äther und Alkohol mischen und kann aus einer größeren Menge Alkohol nicht leicht abgeschieden werden. In diesem Falle muß man die Lösung fraktionieren und das unterhalb 78° übergehende Destillat mit Chlorcalcium behandeln. (Chem. N. **50.** 75—76. 15. Aug. Amer. Phil. Soc.)

Berthold Schudel, *Über den Propylendipropyläther.* Nachdem der Versuch, den Propylendipropyläther nach dem von ENGEL und GIRARD angegebenen Verfahren der Acetaldarstellung (**80.** 278), Einwirkung von Phosphorwasserstoff auf ein Gemenge von Propionaldehyd und Propylalkohol, darzustellen, nicht zu dem gewünschten Resultate geführt hatte, wurden 150 g Propionaldehyd mit 300 g normalem Propylalkohol und 75 g

Essigsäure unter Kühlung gemischt und während zwanzig Stunden in eingeschmolzenen Röhren auf 100° erhitzt. Die Flüssigkeit wurde destilliert und der Rückstand nach der Behandlung mit Kalilauge fraktioniert. Es schien sich neben dem bei 165,6° übergehenden Propylendipropyläther auch noch das Methylakroleïn (LIEBEN und ZEISEL) gebildet zu haben. Das spez. Gewicht des Äthers bei 0° beträgt 0,8495. Essigsäureanhydrid spaltet den Äther in essigsauren Propyläther und eine hochsiedende Verbindung, wahrscheinlich Propylidendiacetat, welche durch Behandlung mit Kalilauge weiter in Essigsäure und Kondensationsprodukte des Propionaldehyds zerlegt wird. Eine Reihe von Versuchen über die Einwirkung von Chlor auf das neue Acetal lieferte Körper, deren Analysen auf drei- und zehnfach gechlorte Körper schliefsen lassen. Es ist dem Vf. noch nicht gelungen, reine Verbindungen zu isolieren. (Monatsh. f. Chem. **5.** 245—50. 13. Juni. [2. Juli.] Laborat. des Prof. LIEBEN.)

Konrad Natterer, *Über die Anlagerung von Chlorwasserstoff an α-γ-Dichlorcrotonaldehyd.* Im Anschlusse an seine frühere Mitteilung (**83.** 598) hat Vf. versucht, durch eine event. Überführung des ClH-Additionsproduktes des obigen Aldehyds in Erythrit die Stellung der Chloratome zu ermitteln. Diese Umwandlung ist ihm, wie die folgenden Versuchsergebnisse zeigen, nicht gelungen. Bei der Behandlung des ClH-Additionsproduktes mit kochendem Wasser und Bariumcarbonat wurde ein brauner Körper erhalten, der bei der Analyse Zahlen ergab, welche sich denen nähern, die einem Körper von der Konstitution CH₂OH—CH₂—CO—CHO zukommen. Derselbe zeigte manche Übereinstimmung mit den natürlich vorkommenden Kohlenhydraten. Durch Alkalien und Alkalicarbonate wird das Additionsprodukt nicht in einen ungesättigten Chlorkohlenwasserstoff übergeführt.

Vf. hat noch auf einem anderen Wege die Frage nach der Art der Anlagerung des Chlorwasserstoffes an α-γ-Dichlorcrotonaldehyd zu entscheiden gesucht, indem er die von ihm beschriebene Trichlorbuttersäure (**83.** 598) in ihrem Verhalten gegen Zinkstaub und Jodkalium untersuchte. Käme dieser Säure die Formel CH₂Cl—CHCl—CHCl—COOH zu, so müfste unter dem Einflusse der genannten Reagenzien eine einfach gechlorte ungesättigte Säure (Monochlorcrotonsäure) entstehen; bei der Formel CH₂Cl—CH₂—CCl₂— COOH ist dies nicht zu erwarten. Die Versuche erwiesen, dafs der Trichlorbuttersäure die Fähigkeit abgeht, mit Zink und Jodkalium zu reagieren, und dafs derselben mithin die zweite Konstitutionsformel zukommt. Hydroxylamin ergab trotz der CCl₂-Gruppe kein stickstoffhaltiges Derivat. Durch weitere Versuche wurde festgestellt, dafs in dieser Trichlorbuttersäure das in der γ-Stellung befindliche Chloratom sehr leicht durch Hydroxyl ersetzt wird, wobei nur teilweise Lactonbildung eintritt. Bei längerem Erhitzen mit Wasser verwandelt sich die Säure in eine chlorfreie sirupöse Säure, die einigermafsen an Brenztraubensäure erinnert.

Es lagert sich die Chlorwasserstoffsäure an α-γ-Dichlorcrotonaldehyd in folgender Weise an:

$$CH_2Cl—CH—CCl—CHO + ClH = CH_2Cl—CH_2—CCl_2—CHO.$$

(Monatsh. f. Chem. **5.** 251—65. 19. Juni. [12. Juli.] Laboratorium des Prof. LIEBEN.)

Joseph Zehenter, *Über die Einwirkung von Phenol und Schwefelsäure auf Hippursäure.* Beim Erhitzen gleicher Teile Hippursäure und Phenol mit der zwei- bis dreifachen Menge Schwefelsäure auf 140° entsteht ein braunrotes Produkt, aus dem nach Entfernung der gebildeten Benzoesäure und der Schwefelsäure ein in Platten krystallisierter Körper erhalten wird, dessen Analyse zu der Formel C₈H₉O₃NS führt. Die Substanz reagiert in wässeriger Lösung sauer, schmilzt bei 183—185°, giebt mit Eisenchlorid eine schwach violettrote Färbung und reduziert Kupferlösung. Die obige Verbindung entspricht vielleicht einem Sulphophenylglykokoll, C₈H₉O₃NS + H₂O, worauf die Analysen des Silber- und Barytsalzes auch hindeuten.

Das Silbersalz besitzt die Formel C₈H₈O₃NSAg + 3H₂O, das Bariumsalz (C₈H₈O₃NS)₂ Ba + H₂O.

Auch das Kupfer- und Kaliumsalz hat der Vf. hergestellt. Beim Erhitzen bis 200° entsteht neben Schwefeldioxyd Phenol. Mischt man die Säure mit der doppelten Menge Salzsäure und Salpetersäure, so erhält man aus dem Reaktionsprodukte durch Ausschütteln mittels Äther einen in citronengelben Nadeln krystallisierten, bei 100—102° schmelzenden Körper, welcher sublimierbar ist, die Haut intensiv gelb färbt, mit Ammoniakdämpfen orangegelb wird und auf Platinblech erhitzt, verpufft. Vf. wird über diesen Körper später noch berichten.

Bei der Einwirkung von Phenol und Hippursäure bei Gegenwart von Wasser und erhöhtem Drucke und Temperatur findet nur eine Spaltung der Hippursäure in Glykokoll und Benzoesäure statt. (Monatsh. f. Chem. **5.** 332—38. 3. Juli. [14. Aug.] Laborat. des Prof. PRIBRAM in Czernowitz.)

S. Habermann, *Über Acetonhydrochinon.* Aceton verbindet sich beim Erwärmen mit Hydrochinon zu Acetonhydrochinon, $C_3H_6O.C_6H_6O_2$. Die Krystalle der Verbindung sind allem Anscheine nach monoklin, zersetzen sich leicht in ihre ursprünglichen Bestandteile und lösen sich in Aceton, Alkohol, Äther und heifsem Wasser. Das letztgenannte Lösungsmittel zersetzt, wie es scheint, die Verbindung vollständig. Das Acetonhydrochinon ist analog zusammengesetzt dem Chinhydron, $C_6H_4O_2.C_6H_6O_2$, und gleicht diesem auch in bezug auf die geringe Beständigkeit. Es ist diese neue Verbindung ein weiterer Beweis für die chemische Ähnlichkeit des Acetons und Chinons, also auch für die Richtigkeit der Anschauung, dafs das Chinon Sauerstoff in derselben Weise gebunden enthält, wie das Aceton (vgl. KEKULÉ **84.** 537.) (Monatsh. f. Chem. **5.** 329—31. 3. Juli. [14. Aug.) Laborat. der k. k. techn. Hochschule in Brünn.)

William H. Greene, *Einwirkung von Chlorwasserstoff und Chlor auf Acetylbenzoylanhydrid.* Vor längerer Zeit hat LOIR mitgeteilt, dafs Acetylbenzoylanhydrid, dargestellt durch Einwirkung von Natriumacetat auf Benzoylchlorid, durch Salzsäure bei 130° in Acetylchlorid und Benzoesäure, und durch Chlor bei 140° in Acetylchlorid und Chlorbenzoesäure zersetzt wird; unter denselben Umständen soll das Anhydrid, welches durch Einwirkung von Acetylchlorid auf Natriumbenzoat entsteht, keine Zersetzung erleiden, aber bei 160° durch Salzsäure in Benzoylchlorid und Essigsäure, und durch Chlor bei 130° in Benzoylchlorid und Chloressigsäure umgewandelt werden.

Diese Reaktionen sind sehr unwahrscheinlich. Das Acetylbenzoylanhydrid beginnt sich bereits unter 150° in Acetylanhydrid und Benzoylanhydrid zu zersetzen; es mufs also bei dieser Temperatur wie ein Gemenge der beiden Anhydride wirken. Überdies bestimmt LOIR die Natur der Zersetzungsprodukte durch Ausgiefsen derselben in Wasser, und scheint nicht versucht zu haben, dieselben zu fraktionieren. Essigsäureanhydrid wird durch Salzsäure bei gewöhnlicher Temperatur zersetzt, und Acetylbenzoylanhydrid, welches eine noch unbeständigere Verbindung ist, wird kaum der Einwirkung desselben Reagens bei Temperaturen in der Nähe von 100° widerstehen.

Der Vf. hat die Versuche von LOIR mit folgenden Resultaten wiederholt.

Wenn trocknes Chlorwasserstoffgas durch Acetylbenzoylanhydrid bei gewöhnlicher Temperatur geleitet wird, so ist die Reaktion immer dieselbe, auf welche Weise das Anhydrid auch dargestellt worden sein mag. Benzoesäure wird abgeschieden und dadurch das Ableitungsrohr verschlossen. Erhöht man die Temperatur, so beginnt das Acetylchlorid bei 55—60° zu sieden, und das bei 130° erhaltene Produkt ist ein Gemenge von Acetylchlorid und Essigsäure. Erhitzt man über 130° und wendet einen raschen Chlorwasserstoffstrom an, so geht eine kleine Menge von Benzoylchlorid mit über und findet sich im Destillate. Der Rückstand in dem Apparate besteht aus Benzoylchlorid und Benzoesäure. War das Anhydrid vor der Einführung des Salzsäurestromes auf 130° oder irgend eine andere Temperatur erhitzt worden, so ist die Reaktion bei den Anhydriden von beiderlei Bereitungsart dieselbe. Überdies scheint es, dafs, je niedriger die Temperatur ist, um so mehr Acetylchlorid und Benzoesäure entstehen, während bei höherer Temperatur (130—150°) die Mengen von Acetylchlorid, Essigsäure, Benzoylchlorid und Benzoesäure nahezu äquivalent sind.

Chlor wirkt in ähnlicher Weise. Die Produkte sind dieselben, nach welcher Art das Anhydrid auch dargestellt war, jedoch mit dem Unterschiede, dafs aufser dem Acetylchlorid die Produkte schwieriger zu trennen sind, als bei der vorigen Reaktion. In der That siedet die Chloressigsäure bei etwa 186° und das Benzoylchlorid bei 198°. Bei 150° sind die Produkte Acetylchlorid, Chloressigsäure, Benzoylchlorid und o-Chlorbenzoesäure; bei niedriger Temperatur sind die Hauptprodukte Acetylchlorid und Chlorbenzoesäure.

Aus seinen Versuchen schlofs LOIR, dafs die Konstitution des Benzoylacetates von der des Acetylbenzoates verschieden sei; diese Annahme ist nach den obigen Versuchen irrig. Beide Körper sind identisch, denn sie geben unter gleichen Umständen dieselben Reaktionen, müssen also auch mit derselben Formel geschrieben werden. (Amer. Chem. Journ. Chem. N. **50.** 61—62. 8. August.)

William H. Greene, *Bildung von Dibenzyl durch Einwirkung von Äthylenchlorid auf Benzol bei Gegenwart von Aluminiumchlorid.* FRIEDEL und CRAFTS haben durch eine Reihe von Untersuchungen in den letzten Jahren gezeigt, dafs die Radikale der gesättigten Kohlenwasserstoffe durch Einwirkung von einatomigen Chloriden, Bromiden etc. auf Benzol bei Gegenwart von Aluminiumchlorid mit dem Benzolkerne verbunden werden können. In dieser Weise kann man, vom Methylchlorid ausgehend, aus Benzol alle Methylderivate desselben, vom Toluol bis zum Hexamethylbenzol darstellen, je nach dem Verhältnisse von Benzol und Methylchlorid. In derselben Weise lassen sich Äthyl-, Propyl- und andere Radikale mit dem Benzolkerne verbinden. Es wird hierbei Chlorwasserstoff entwickelt, und die von FRIEDEL und CRAFTS gegebene Erklärung setzt voraus, dafs

46*

die Reaktion in zwei Phasen verläuft: in der ersten entsteht eine Verbindung von Benzol und Aluminiumchlorid unter Entwicklung von Chlorwasserstoff:

$$C_6H_6 + Al_2Cl_6 = C_6H_5.Al_2Cl_5 + HCl.$$

In der zweiten wirkt die Aluminiumbenzolverbindung auf das einatomige Chlorid, indem sich das organische Radikal desselben mit dem Benzolkerne verbindet und Aluminiumchlorid regeneriert wird:

$$C_6H_5Al_2Cl_5 + C_2H_5Cl = C_6H_5.CH_2 + Al_2Cl_6.$$

Eine kleine Menge von Aluminiumchlorid genügt also zur Darstellung einer beliebig grofsen Menge des neuen Kohlenwasserstoffes.

Bei der Einwirkung von Aluminiumchlorid auf einatomige Chloride allein wird ebenfalls Chlorwasserstoff entwickelt, und die Radikale kondensieren sich. Hiernach läfst sich die Reaktion zwischen Benzol und einem mehratomigen Chlorid unter denselben Umständen nicht vollständig voraussehen. Es ist möglich, dafs z. B. beim Äthylenchlorid beide Chloratome durch die Phenylgruppe ersetzt werden, allein wahrscheinlicher ist es, dafs nach der ersten Substitution ein Molekül Chlorwasserstoff von dem Äthylenchlorid getrennt und ein mehr kondensierter Kohlenwasserstoff, z. B. Styrol, entsteht.

Wird Chloraluminium in ein Gemenge von Benzol und Äthylenchlorid gebracht, so beginnt die Reaktion in der Kälte und wird unter Anwendung von Wärme energisch. Chlorwasserstoff entweicht in reichlicher Menge, und wenn dies beendigt ist, und die Mischung in Wasser gegossen wird, so scheidet sich eine ölige Flüssigkeit ab, welche (zur Zersetzung des noch vorhandenen Äthylenchlorids) mit alkoholischem Kali erhitzt, nach dem Waschen, Trocknen und Fraktionieren nahezu die theoretische Menge von Dibenzyl giebt. Hierbei bleibt eine dicke ölige Mischung zurück, welche bei 200° im Vakuum nicht vollständig destilliert. Diese scheint ein Kondensationsprodukt zu sein, läfst sich nicht fraktionieren und in einer Kältemischung nicht zum Erstarren bringen.

Reines Dibenzyl schmilzt bei 52,5—53° und siedet bei 279° unter 767 mm Druck, wobei das Thermometer ganz im Dampfe ist. Dieser Siedepunkt ist niedriger, als der von CANNIZZARO und ROSSI (284°), und höher, als der von FITTIG (272°) angegebene. (Chem. N. 50. 61. 8. Aug. Amer. Phil. Soc.)

J. Kachler und **F. V. Spitzer**, *Über Camphoronsäure.* (Vorläufige Mitteilung). Vff. haben die Eigenschaften der Säure, die Bildungsweise und Zusammensetzung ihrer Salze neuerdings festgestellt, ferner Acetylchlorid, Phosphorchlorid etc. einwirken lassen und aufserdem Oxydationsversuche ausgeführt. Durch fortgesetztes Behandeln der Camphoronsäure mit Königswasser wurden neben einer mit der Salpetersäure flüchtigen chlorhaltigen Substanz (wahrscheinlich $C_6H_9ClO_4$) hauptsächlich zwei isomere Verbindungen $C_9H_{14}O_5$ erhalten, wovon eine derselben als die Oxycamphoronsäure erkannt wurde (71. 676.) Bei Oxydation mittels Kaliumpermanganat und Schwefelsäure entsteht neben Essigsäure und Kohlensäure eine schöne krystallisierende Verbindung von der Formel $C_8H_{14}O_4$; dieselbe schmilzt bei 222° unter Abspaltung von Kohlensäure, sublimiert unverändert und bildet Salze, von denen bisher das Silbersalz, $C_8H_{11}AgO_4$, und die Barumsalze $C_8H_{11}Ba^{1}O_4$ + H_2O und $C_8H_{10}Ba^{1}O_4 + 5 H_2O$ analysiert wurden. (Monatsh. f. Chem. 5. 415—16. 10. Juli. 14. August.)

William H. Greene, *Neue Synthese des Saligenins.* Diese Synthese hat der Vf. durch Anwendung einer von REIMER und TIEMANN angegebenen allgemeinen Methode zur Darstellung der Phenolderivate bewirkt. Da bei der Einwirkung von Chloroform oder Kohlenstofftetrachlorid auf alkalische Lösung von Natriumphenylat Salicylaldehyd oder Salicylsäure entsteht, so konnte man erwarten, dafs unter denselben Umständen unter Anwendung von Methylenchlorid Saligenin sich bilden würde. Ein Gemenge von 30 g Methylenchlorid, 30 g Phenol und 40 g Natriumhydrat gelöst in 50 g Wasser wurde in einem geschlossenen Rohre im Wasserbade erhitzt. Die Reaktion war in sechs Stunden vollendet. Das Produkt wurde durch Salzsäure neutralisiert und mit Äther geschüttelt, welcher das Saligenin und das überschüssige Phenol aufnimmt. Die ätherische Lösung wurde dekantiert, der Äther abdestilliert und der Rückstand wiederholt mit siedendem Wasser erschöpft, welches das Saligenin aufnahm und den gröfseren Teil des Phenols ungelöst liefs. Die wässerige Lösung konzentrierte man auf ein geringes Volum und beseitigte die wenigen Tropfen Phenol, welche sich beim Abkühlen abgeschieden haben. Durch Trocknen über Schwefelsäure wurde eine krystallinische Masse erhalten, welche man abprefste und aus siedendem Wasser oder Alkohol umkrystallisierte. Das Produkt bestand aus reinem Saligenin. Die Menge desselben steht in keinem Verhältnisse zu dem angewendeten Phenol, und alkoholisches Natron gab keine besseren Resultate als wässeriges, obwohl die Reaktion rascher verlief.

Es ist möglich, dafs isomere Oxybenzylalkohole dabei entstehen, doch konnte der Vf. solche nicht isolieren. (Chem. N. **50.** 76. 15. Aug. Amer. Phil. Soc.)

Jos. Ud. Leroh, *Untersuchung über Chelidonsäure.* Vf. stellte die zu seinen Versuchen verwandte Chelidonsäure nach der Vorschrift von PROBST her. Der Äthyläther schmilzt bei 62°, die Äthylchelidonsäure zwischen 182—184°. Beide Verbindungen erhält man aus der Säure, Alkohol und gasförmiger Salzsäure. Durch Alkalien geht die Chelidonsäure leicht in eine andere gelb gefärbte Säure über, die Vf. Chelihydronsäure nennt, zerfällt aber ebenso leicht in Oxalsäure und Aceton. Der Chelihydronsäure kommt die Formel $C_7H_4O_7$ zu; der Vf. beschreibt das Calciumsalz, $C_7H_2O_7Ca_2$, die Silbersalze: $C_7H_3O_7Ag_2 + 4H_2O$ (gelb) und $C_7H_2O_7Ag_4$ (braun). die Doppelsalze: $C_7H_2O_7 2Ag^1/_2Ca +$ $2H_2O$ (gelb), $C_7H_2O_7 3Ag^1/_2Ca$ (braun), $2C_7H_2O_7 Pb_5Ca_3 + 6H_2O$, $C_7H_2O_7 BaCa$ und schliefslich $C_7H_2O_7 3CaK + 2H_2O$.

Bei der Einwirkung von Ammoniak auf die Chelidonsäure entsteht die Chelidammsäure, $C_7H_5NO_5 + H_2O$, LIEBEN und HAITINGER bezeichnen sie als Oxypyridincarbonsäure, welche, sowie deren Haloidderivate, mit Ausnahme der Jodchelidammsäure, bei höherer Temperatur in CO_2 und die entsprechenden Amide (Chelamide, Oxypyridine) zerfallen. Mit Anilin entsteht ein analoges Anilid.

Beschrieben wurden:

der chelidammsaure Äthyläther, $C_7H_3NO_5(C_2H_5)_2 + H_2O$ (Schmelzp. 80—81°),
das Bleiammonsalz, $C_7H_3NO_5Pb.NH_4$,
das dreibasische Bleisalz, $(C_7H_3NO_5)_2Pb_3$,
das zweibasische chelidammsaure Blei, $C_7H_3NO_5Pb$

und noch einige Bleidoppelsalze, ferner die Silber- und Kalksalze.

Die Bromchelidammsäure, $C_7H_4Br_3NO_5 + 2H_2O$, sowie die Chlorchelidammsäure sind im stande, Salze zu liefern; beschrieben sind die Silbersalze. Diese, sowie die entsprechende Jodverbindung geben mit Eisenchlorid purpurrote Reaktionen.

Das Chelamin (Oxypyridin), C_5H_5NO, entsteht, sobald man die Chelidammsäure trocken destilliert. Vf. beschreibt:

die Platinverbindung: $(C_5H_5NOClH)_2PtCl_4 + H_2O$
die Quecksilberverbindungen: $C_5H_5NOHgCl_2$ und
$C_5H_5NOClH. 2HgCl_2$
das Silbersalz: $C_5H_5NO.NO_3H.AgNO_3$, und
das salzsaure Chelamid: $C_5H_5NO.ClH.$

Das Anilinprodukt besitzt die Formel $C_{11}H_{12}NO + 2H_2O$.

Wendet man bei der Umwandlung der Chelidonsäure statt Ammoniak Schwefelammon an, so bildet sich neben der Chelidammsäure eine schwefelhaltige Säure in kleiner Menge, deren Kalksalz sich durch seine grüne Farbe auszeichnet.

Bei der Abscheidung der Säure aus den gelben, nämlich chelhydronsauren Salzen entsteht wieder eine andere schwefelhaltige Säure, deren Salze durch ihre rote Farbe markiert sind, und endlich bildet sich eine dritte schwefelhaltige Verbindung bei der Behandlung des Calciumchelidonates mit Calciumhydrosulfid, deren krystallinisches Kalksalz durch Säuren in oxalsauren Kalk und einen flüchtigen, stark nach asa foetida riechenden Körper zerfällt, der möglicherweise Schwefelaceton ist.

Bei der Behandlung der Chelidonsäure mit JH und amorphem Phosphor resultiert eine schön krystallisierende Hydrochelidonsäure. Bei der trocknen Destillation zerfällt die Chelidonsäure in CO_2 und das Anhydrid einer Pyrosäure, die der Vf. Chelsäure nennt; diese giebt mit Fe_2Cl_6 gleiche Reaktionen wie die Mekonsäure und die Chelihydronsäure. Aus dem Anhydrid läfst sich mit Ammoniak auch das Chelamid — Oxypyridin — darstellen.

Vf. wird Näheres darüber noch später publizieren.

Schliefslich wird er die Konstitution der Chelidonsäure und ihrer Abkömmlinge besprechen. (Monatsh. f. Chem. **5.** 367—414. 10. Juli. 14. Aug.)

L. Haitinger und **Ad. Lieben,** *Untersuchungen über Chelidonsäure.* Vff. stellten die für ihre Studien nötige Chelidonsäure nach dem Verfahren von LIETZENMAYER (Inaug.-Dissert. Erlangen 1878) dar. Es wird der ausgepreste, durch Aufkochen mit Eiweifs und Kolieren geklärte Saft von Chelidonium majus mit Salpetersäure (6—8 g vom spez. Gew. 1,3 für je 1 kg Saft) angesäuert und so lange mit Bleinitrat versetzt, als ein Niederschlag entsteht. Letzterer wird nach dem Auswaschen mit Calciumhydrosulfid zersetzt und die Lösung des Calciumchelidonates sofort vom Bleisulfid abfiltriert. Das Calciumsalz setzt man in schwach salpetersaurer Lösung in das Silbersalz um, aus dem man · mit HCl die Chelidonsäure in Freiheit sctzt. Das Calciumchelidonat muſs, bevor es weiter verarbeitet wird, mittels Kochens mit Tierkohle farblos gemacht werden, wenn man eine reine farblose Säure erhalten will.

Behufs Darstellung der Äther der Chelidonsäure wurde dieselbe in der zehn- bis zwölffachen Menge absoluten Alkohols suspendiert und dieser mit Salzsäuregas gesättigt. Es schieden sich aus der Flüssigkeit beim Abkühlen derselben blaſsrosa gefärbte körnige Krystalle des primären Äthylchelidonates ab. In Lösung verblieb der Chelidonsäurediäthyläther, $(C_2H_5)_2C_7H_2O_6$. Derselbe krystallisiert in sehr schwach gelblich gefärbten Prismen und schmilzt bei 62,7°. In wässeriger Kalilauge ist der Äther ziemlich leicht und mit gelblicher Farbe löslich, wahrscheinlich unter Bildung der später beschriebenen Xanthochelidonsäure.

Bleiacetat giebt mit der Lösung einen gelben Niederschlag. Eine alkoholische Lösung des Äthers liefert mit alkoholischem Ammoniak eine krystallinische Fällung, wahrscheinlich das Amid der Chelidonsäure.

Der Chelidonsäuremonoäthyläther, dessen oben schon Erwähnung gethan wurde, schmilzt bei 223—224°. (Die rötliche Färbung läſst sich mittels Tierkohle entfernen.) Die Lösungen des Äthers besitzen eine saure Reaktion.

Vff. waren nicht im stande, auch den von SANDOW (51. 400) als lauchartig riechende Flüssigkeit beschriebenen dritten Äther zu erhalten. Beim Kochen der Chelidonsäure mit alkalischen Erden im Überschusse geht folgende Spaltung vor sich: $C_7H_4O_6 + 3H_2O = 2C_2H_2O_4 + C_3H_6O$ (Aceton.) (Vergl. Monatsh. f. Chem. 4. 273). Die Vff. konnten die Bildung des Acetons quantitativ verfolgen, und fanden sie, daſs sich 28,48 p. c. Aceton (die aus der Zersetzungsgleichung berechnete Menge beträgt 31,52 p. c.) entwickelten.

Auch die gefundene Oxalsäuremenge entsprach obigem Zersetzungsvorgange. Beim Kochen der Chelidonsäure mit Kalilauge entsteht neben Oxalsäure immer etwas einer gelben Substanz. Ammoniak wirkt, wie dies schon LIETZENMAYER angiebt, in ganz anderem Sinne unter Bildung einer stickstoffhaltigen Säure.

Bei der Einwirkung von Kalilauge auf Chelidonsäure in der Kälte erfährt diese eine Veränderung, welche in der Zunahme der Basizität besteht. Versuche ergaben, daſs das Reaktionsprodukt vierbasisch ist. Vff. nennen es wegen der gelben Farbe der Salze Xanthochelidonsäure. Die Analyse des Bleisalzes führte zu der Formel $C_7H_2Pb_2O_7 + H_2O$, woraus sich für die Xanthochelidonsäure die Formel $C_7H_6O_7$ ableitet. Einige der Salze der Xanthosäure, z. B. das Bleisalz, spalten sich schon beim bloſsen Aufbewahren unter Bildung von Oxalsäure. Vf. beschreibt auch das primäre Kaliumxanthochelidonat, $C_7H_5KO_7$. Mit Eisenchlorid giebt die Säure eine braune flockige Fällung, die bei Gegenwart von etwas Alkali oder sehr wenig Säure einer braunen, resp. rotbraunen Färbung Platz macht. Das Calciumkaliumxanthochelidonat, aus dem Calciumchelidonat und Kalilauge hergestellt, bildet eine weiche durchsichtige Masse vom Aussehen erstarrter Leimlösungen.

Wenn man die gelbe alkalische Lösung der Xanthochelidonsäure mit Salzsäure ansäuert und bis zur Entfärbung stehen läſst, so enthält die Lösung Chelidonsäure.

Unterwirft man die Chelidonsäure der Einwirkung von Reduktionsmitteln, so erhält man je nach der Natur derselben und der Art der Einwirkung verschiedene Produkte. Wird die Reduktion mit Zink und Essigsäure ausgeführt, so resultiert Hydrochelidonsäure als ein in farblosen vereinigten Blättern krystallisierender, bei 142° schmelzender Körper, dessen Elementaranalyse die Formel $C_7H_{10}O_5$ ergab. Vf. beschreibt das Zink-, Calcium-, Silber-, Kupfer- und Bleisalz dieser Säure. Die Hydrochelidonsäure zeigt die Jodoformreaktion nicht, während Chelidonsäure und Xanthochelidonsäure dieselbe liefern.

Bei Oxydation der Hydrochelidonsäure in alkalischer Lösung mittels Kaliumpermanganat entsteht ein unter teilweiser Sublimation bei 179,7—181,2° schmelzender Körper, der sich als Bernsteinsäure erwies; nebenbei bildete sich Oxalsäure, Kohlensäure und Wasser.

Reduziert man Hydrochelidonsäure mit Jodwasserstoffsäure vom Siedep. 127° in zugeschmolzenen Röhren auf 200—210°, so entsteht die Pimelinsäure, $C_7H_{12}O_4$, während ein kleiner Teil in einen Kohlenwasserstoff reduziert wird. Die erhaltene Pimelinsäure schmolz bei 102,9—103,9°; sie stimmt mit der von DALE und SCHORLEMMER beschriebenen (74. 468), auch mit der von BAEYER (77. 627) aus der Furonsäure erhaltenen überein.

Auch bei der Reduktion der Chelidonsäure mit JH bei 200—210° bildeten sich die nämlichen Produkte. Bei der Reduktion der Xanthochelidonsäure mit Natriumamalgam bildet sich eine Säure, deren Silbersalz die Zusammensetzung $Ag_2C_7H_{10}O_9$ hat, woraus sich die Formel für die Säure $C_7H_{12}O_7$, entsprechend einer Trioxypimelinsäure, ableitet. Vf. nennt sie vorläufig Hydroxanthochelidonsäure. Behandelt man letztere mit JH, so erhält man wieder neben geringen Mengen des oben erwähnten Kohlenwasserstoffes die Pimelinsäure vom Schmelzp. 103°.

Bei der trocknen Destillation der Chelidonsäure ging bei 240° neben Kohlensäure eine dickliche, farblose, stark lichtbrechende Flüssigkeit über, welche krystallinisch erstarrte und bei 32,5° schmolz; die Substanz wird durch Kalilauge gelb gefärbt, liefert beim Erwärmen mit Jod Jodoform, reduziert FEHLING'sche Lösung und giebt mit Ammoniak Oxypyridin; sie scheint mit dem von OST (**83**. 265; **84**. 310) aus Komensäure erhaltenen Pyrokoman identisch zu sein; der Chelidonsäure kommt die Konstitution:

$$COOH - C - O - C - COOH$$
$$CH - CO - CH$$

zu. (Monatsh. f. Chem. **5**. 339—66. 10. Juli. 14. Aug.)

Th. Husemann, *Die neuesten Studien über Ptomaïne und ihre Bedeutung für die gerichtliche Chemie und Toxikologie.* (Arch. Pharm. [3.] **22**. 521—33. Juli. Göttingen.)

J. F. Eijkman, *Über die Alkaloide der Macleya cordata (R. Br.)* Die Macleya cordata gehört zu der Familie der Papaveraceen und wächst in Japan auf Hügeln und Bergen wild. Um den Reichtum an Alkaloiden in den verschiedenen Pflanzenorganen schätzen zu können, hat Vf. diese mit verdünnter Schwefelsäure erschöpft, die Extrakte mit dem dreifachen Volum Alkohol verdünnt und nach der Filtration die Alkaloidmenge mit $^1/_{20}$ Normallösung von MEYER's Reagens titriert. (DRAGENDORFF, Chemische Wertbestimmung einiger starkwirkender Drogen S. 100.)

Die Niederschläge, welche sich gebildet hatten, wurden durch Macerieren mit Alkohol in ein lösliches und ein unlösliches (Sanguinarin-)Jodid getrennt. Es stellte sich heraus, dafs der Gehalt an Alkaloiden in der Wurzel und den Blättern (0,5—1,0 p. c.) ungefähr so grofs ist, als der Alkaloidgehalt von Chelidonium majus.

Das Sanguinarin war in gröfster Menge in den Früchten, in geringerer Menge in den Wurzeln und in geringster Menge in den Blättern vorhanden. Dagegen fand sich das Alkaloid, dessen Jodid sich in Alkohol löste, in den Blättern und den Wurzeln in fast gleichen Mengen, aber reichlicher als in den Früchten vor.

Um die Alkaloide zu trennen, wurde eine genügend grofse Menge der Wurzeln mit verdünnter Schwefelsäure und Alkohol extrahiert; nach dem Abdestillieren des Alkohols wurde der Rückstand mit Ammoniak übersättigt und das erhaltene Präzipitat mit Äther behandelt. Salzsäure erzeugte in der ätherischen Lösung eine Fällung von scharlachroter Färbung, welche in gereinigtem Zustande sich seinen chemischen und physiologischen Eigenschaften gemäfs als identisch mit dem Chlorhydrat des Sanguinarins erwies. Die in Äther unlösliche Substanz wurde in Alkohol gelöst, der nach dem Abdestillieren des letzteren verbleibende Rückstand mit Essigsäure in schwachem Überschufs so lange behandelt, bis keine Fällung mehr entstand. Aus dem Filtrate erhielt Vf. das *Macleyïn*, welches krystallisiert, bei 205 ° (corr.) schmilzt und geschmacklos ist; die Salze sind bitter, besitzen einen herben Nachgeschmack und erzeugen ein Gefühl von Kälte.

Die Elementaranalyse, sowie die Platinbestimmung des Platinchloriddoppelsalzes ergab Zahlen, welche auf die Formel $C_{20}H_{19}NO_5$ passen.

Das Macleyïn zeigt folgende Reaktionen. In Berührung mit frisch destillierter Schwefelsäure färbt sich ein Krystall gelb; bald indessen beobachtet man violette Streifen, welche von dem Krystalle ausgehen, welcher schliefslich eine fast schwarze Farbe annimmt. Wendet man für diese Reaktion das Alkaloid in Pulverform an, so färbt es sich momentan gelb, während die Säure unmittelbar eine schön violette Farbe annimmt, welche nach einiger Zeit, besonders bei mäfsiger Temperaturerhöhung in Grasgrün übergeht; endlich wird die Flüssigkeit braun und dann ganz farblos. — Salpetersäure Dämpfe von Salpetersäure erzeugen eine herrliche ultramarinblaue Färbung, in Salpeter- und Schwefelsäuregemenge eine schöne blaue Farbe, welche dunkelgrün und bald darauf braun wird, wenn die Salpetersäuremenge zu grofs war. Salpetersäure von 1,2 spez. Gew. löst das Macleyïn ohne Färbung. Eine Lösung von Molybdänsäure in konzentrierter Schwefelsäure (FRÖHDE's Reagens) bringt dunkle purpurne, braune und grüne Färbungen hervor.

Vf. beschreibt ferner einige Salze (das Chlorid, Jodid, Sulfat, Chromat, Chlorplatinat, Jodomercurat, Sulfocyanid, Acetat, Oxalat, Tartrat, Pikrat und Benzoat).

Unter den bekannteren Alkaloiden der Papaveraceen gleicht das Macleyïn in seinen Eigenschaften dem Protopin von HESSE (**71**, 661) am allermeisten; die Analogie macht sich besonders in der charakteristischen Form, in der die Base aus ihren ätherischen Lösungen krystallisiert, und in der Zusammensetzung des Chloroplatinats geltend. Der Schmelzpunkt der neuen Base stimmt mit dem von HESSE für das Protopin gefundenen überein. (Recueil des Trav. Chim. des Pays-Bas **3**. 182—89. Tokio 1883.)

Robert Herth, *Untersuchungen über die Hemialbumose oder das Propepton* (vgl. **78**. 197). Die Untersuchungen des Vf's. führten zu den Folgerungen:

1. Die Hemialbumose ist ein einheitlicher Körper.
2. Dieselbe ist im Wasser bei irgend welcher Temperatur ebensowenig löslich, als koaguliertes Eiweifs.
3. Die Hemialbumose ist, einmal im reinen Zustande ausgeschieden, auch in Kochsalzlösung unlöslich, wird dagegen von NaCl in Lösung gehalten. Die relative Löslichkeit in NaCl nimmt von einer gewissen Grenze an mit steigendem Gehalt der Lösung von NaCl ab, ebenso beim Herabsinken unter eine gewisse Grenze.
4. Sie besitzt eine hervorragende Neigung, sich mit Säuren und Alkalien zu verbinden. Eine solche Säureverbindung ist der durch Kochsalz und Säure erzeugte Niederschlag, auf der Unlöslichkeit desselben in NaCl-Lösung beruhend.
5. Die hervorragenden Eigentümlichkeiten der Lösungen von Hemialbumose und der aus diesen erzeugten Niederschläge beruhen auf dem Zusammenwirken jener mit Alkali, Säure und Salzen (der Alkalien und Metalle).
6. Die den Eiweifslösungen eigentümliche Erscheinung der Koagulation durch Wärme ist an den Lösungen der Hemialbumose erhalten und nur graduell geändert infolge der innigeren Beziehungen derselben zu ihren Lösungsmitteln.
7. Die prozentische Zusammensetzung ist dieselbe, wie die des Eiweifskörpers, aus dem die Hemialbumose dargestellt wurde.
8. Da diese letztere nicht verändert ist, da alle das Eiweifs charakterisierenden Eigenschaften erhalten, und ihre Abänderungen nur in graduellen Unterschieden bestehen, die nicht beträchtlicher sind, als sie unter notorischen Eiweifskörpern gefunden werden, so kann die Hemialbumose nicht als durch Spaltung des Eiweifsmoleküls entstanden betrachtet werden.
9. Zur Annahme einer Hydratation liegt keinerlei Anhaltspunkt vor. (Monatsh. f. Chem. **5**. 266—327. 19. Juni 1884. Laboratum des Prof. MALY in Graz.)

Em. N. v. Regéczy, *Beiträge zur Lehre der Diffusion von Eiweifslösungen.* Auf Grund der in der Abhandlung beschriebenen Versuche stellte Vf. folgende Sätze auf: Das Eiweifs diffundiert leichter gegen Salzlösung als gegen destilliertes Wasser; die Diffusion wird durch die auf der anderen Seite der Membran sich befindende Salzlösung umsomehr befördert, je konzentrierter letztere ist. Aus dünneren Eiweifslösungen beginnt die Diffusion der Eiweifsmoleküle in kürzerer Zeit, als aus einer dichteren Lösung. Wenn Salze zu den Eiweifslösungen gemischt werden, verzögert sich die Diffusion des Eiweifses gegen das auf der anderen Seite der Membran sich befindende destillierte Wasser in gröfserem Mafsstabe.

Je gröfser der Salzgehalt der Albuminlösungen im Verhältnis zu dem Salzgehalt der an der entgegengesetzten Seite der Membran sich befindenden Flüssigkeit ist, umso langsamer geht die Diffusion des Eiweifses von statten. Aus mit Salz vermengten Albuminlösungen diffundiert in der Regel zuerst das Salz. Das Durchtreten der Albuminmoleküle fängt dann an, wenn der Unterschied des spez. Gew. der an beiden Seiten der Membran sich befindenden Flüssigkeiten auf einen gewissen niederen Grad gesunken ist. — Dieser Unterschied ist jedoch, wenn auch in einem jeden Falle mefsbar — nicht konstant, sondern variiert nach der Dicke und Dichte der separierenden Membran. Je dichter, resp. dicker diese ist, ein um so geringerer Unterschied des spez. Gew. genügt, um den Durchgang der Eiweifsmoleküle zu verhindern; wenn nämlich das Salz der Eiweifslösung beigemischt, also das spez. Gew. der Albuminlösung gröfser ist.

Eiweifs diffundiert gegen Salzlösung auch durch eine so dicke, resp. dichte separierende Fläche, durch welche es gegen destilliertes Wasser nicht durchgeht. — Der Druck befördert die Diffusion des Albumins, wenn er auf die Membran von der Seite der Eiweifslösung wirkt. (Es kann nürlich nur von einem solchen Drucke die Rede sein, welcher bei der Dicke, resp. Dichte der Membran noch keine Filtration bewirkt. PFLÜGER's Archiv f. Physiol. **34**. 431—49. Budapest.)

7. Analytische Chemie.

Antonio Longi, *Auffindung der Salpetersäure bei Gegenwart anderer Säuren, welche ihre Reaktion verdecken können.* Die Auffindung der Nitrate gelingt oft nur mühsam und unsicher, wenn sie sich in einer zusammengesetzten Mischung befinden, die gleichzeitig Jodide und Bromide, sowie Chlorate, Bromate, Jodate, Chromate etc. enthält. Vf. hat sich mit Untersuchungen über diesen Gegenstand beschäftigt und schlägt eine Methode vor, deren Grundlage die Reduktion der Sauerstoffsäuren, sowie die Entfernung des Broms und besonders des Jods bildet. Die Reduktion der Sauerstoffsäuren bewerkstelligt er mittels schwefliger Säure, nachdem er sich durch besondere Versuche davon überzeugt hat, dafs durch die Behandlung von Nitratlösungen mit schwefliger Säure die

Salpetersäure als solche zurückbleibt oder in Form von Nitrosulfosäure, in welcher Verbindung sie durch die gewöhnlichen Salpetersäurereagenzien entdeckt werden kann. Zur Entfernung des Broms und Jods bedient er sich der Reaktion von .G. VORTMANN (**80.** 347). Erhitzt man Lösungen, in welchen neben einer der genannten Sauerstoffsäuren Ammoniaksalze enthalten sind, so wird ein Teil des Ammoniaks zu Salpetersäure oxydiert, man muß deshalb in diesem Falle die Reduktion der Sauerstoffsäuren in der Kälte vornehmen. Bleihyperoxyd bewirkt dagegen in essigsaurer Lösung keine Oxydation des Ammoniaks zu Salpetersäure.

Die Methode, welche er vorschlägt, ist demnach folgende:

Die auf Salpetersäure zu prüfende Lösung wird, wenn sie sauer ist, mit kohlensaurem Natron neutralisiert und dann mit Schwefligsäureanhydrid behandelt, so daß Ammonsalze nicht mehr in Salpetersäure umgewandelt werden können, so erwärmt man mäßig, um einen Teil der überschüssigen schwefligen Säure zu verjagen, fügt nach und nach kohlensaures Natron bis zur schwach alkalischen Reaktion zu und kocht, um das Chrom und die anderen Schwermetalle zu fällen. Man filtriert dann von einem etwa gebildeten Niederschlag ab und säuert die Flüssigkeit mit Essigsäure an. Wenn nötig, wird nochmals filtriert. Die Flüssigkeit versetzt man mit Essigsäure und reinem Bleihyperoxyd und kocht, bis nach erneutem Zusatze von Essigsäure und Bleihyperoxyd keine Stärkepapier färbenden Dämpfe mehr entweichen. Man läßt erkalten, filtriert von dem überschüssigen Bleihyperoxyd und den etwa sonst noch ausgeschiedenen unlöslichen Körpern ab, fällt das in Lösung gegangene Blei durch schwefelsaures Natron aus, filtriert neuerdings und verdampft das Filtrat auf dem Wasserbade zur Trockne. Den Rückstand nimmt man mit Wasser auf, filtriert, wenn nötig, und prüft nun mit einem der gewöhnlichen Reagenzien auf Salpetersäure. (Ztschr. anal. Chem. **23.** 149—51. Mai. [Aug. 1883.] Pisa.)

W. Mathesius, *Bemerkungen zu einer Mittheilung von Clemens Winkler über einen Absorptionsapparat für die Elementaranalyse.* (Ztschr anal. Chem. **23.** 345—48. Mitte August [Febr.] Hörder Eisenwerke.)

A. Gawalowski, *Platinfilter.* (Ztschr. anal. Chem. **23.** 372—75. Mitte August. [April.] Brünn.)

A. Gawalowski, *Ätherschälchen zum Abdampfen ätherischer Extrakte.* (Ztschr. anal. Chem. **23.** 374—75. Mitte August. [April.] Brünn.)

W. Bachmeyer, *Untersuchungen von Trinkwasser.* Bei der Bestimmung organischer Stoffe im Trinkwasser mittels übermangansauren Kaliums in saurer Lösung ist auf den Grad der Zersetzung des übermangansauren Kaliums von Einfluß: 1. Die Zeitdauer des Kochens der Flüssigkeit; 2. die Quantität und Konzentration der angewendeten Säure. Es empfiehlt sich deshalb, bei der Bestimmung organischer Substanzen im Trinkwasser nach der KUBEL-TIEMANN'schen Methode die Zeitdauer des Kochens der Flüssigkeit auf dreißig Minuten festzusetzen; zu 100 ccm Wasser 10 ccm Schwefelsäure (2:8) zu nehmen und vom Resultate diejenige Verbrauchszahl von übermangansaurem Kalium in Abzug zu bringen, die sich bei einem Versuche von reinstem, destilliertem Wasser in den zweiten dreißig Minuten Kochens ergiebt. Selbstverständlich ist, die Menge übermangansaures Kalium in Rechnung zu ziehen, welche zur Färbung der Flüssigkeit erforderlich ist. Es ist durch die Wahl passender Gefäße (Kolben mit langem Halse) das zu rasche Abdunsten des Wassers zu vermeiden. (Ztschr. anal. Chem. **22.** 353—57. Mitte August.)

Karl Holthof, *Zur Bestimmung des Arsens.* (Ztschr. anal. Chem. **23.** 378—90. Mitte August. [April.] Wiesbaden. FRESENIUS' Laboratorium.)

Fr. Weil, *Analyse der Antimonlegierungen, z. B. des Lettermetalls, welches aus Blei, Antimon und Zinn besteht.* 1. Man behandelt in einer Kochflasche 2 oder 3 g der zerkleinerten Legierung mit Salpetersäure, verdampft fast alle Salpetersäure, fügt einen großen Überschuß reiner Salzsäure zu und kocht, bis die Dämpfe Jodkaliumstärkepapier nicht mehr oder nur noch schwach blau färben. Man setzt wiederum Salzsäure und ein wenig übermangansaures oder chlorsaures Kali hinzu, um sicher zu sein, daß alles Antimon als Antimonsäure in Lösung kommt, und kocht, bis die Dämpfe Jodkaliumstärkepapier gar nicht mehr blau färben, d. h. bis alles freie Chlor verjagt ist. Die Lösung wird in einen engen, graduierten Meßcylinder gebracht und darin bis zur Marke mit Salzsäure und viel Weinsäure enthaltendem Wasser auf 200 ccm verdünnt und tüchtig umgeschüttelt. In 10 ccm dieser Lösung wird alsdann das Antimon nach der WEIL'schen Antimonbestimmungsmethode (siehe FRESENIUS Quantit. Analyse 6. Aufl. **2.** 542) mit Zinnchlorür maßanalytisch bestimmt. Wenn die Legierung sehr viel Blei enthält, so verfährt man besser folgendermaßen, um im Meßcylinder eine klare, nicht von ausgeschiedenem Chlorblei getrübte Flüssigkeit zu erhalten. Die Kochflasche, welche die in Salpetersäure suspendierten, unlöslichen Zinn- und Antimonsäuren enthält, wird mit heifsem Wasser gefüllt, umgeschüttelt und ruhig stehen gelassen. Nachdem der Niederschlag sich vollständig abgesetzt hat, wird die klare salpetersaure Bleiflüssigkeit abpipettiert. Man wäscht den Niederschlag nochmals auf diese Weise mit heifsem Wasser aus, dekantiert und kocht denselben in der Kochflasche mit viel Salzsäure und etwas übermangansaurem oder chlorsaurem Kali, bis alles freie Chlor verjagt ist. Man giefst dann die Flüssigkeit mit wässeriger und salzsaurer Weinsäurelösung in den Mefscylinder bis zur Marke von 200 ccm und titriert schliefslich 10 ccm wie oben angegeben auf Antimon.

2. Man behandelt wiederum 2 oder 3 g der zerkleinerten Legierung mit konzentrierter Salpetersäure und bestimmt nach allgemein bekannten Methoden das Blei in der filtrierten, mit Schwefelsäure versetzten Lösung als schwefelsaures Blei und im gut ausgewaschenen Rückstande, durch Glühen und Wägen die Summe des Antimons und des Zinns in Form von $SbO_4 + SnO_2$.

3. Das in 1. gefundene Antimon wird in SbO_4 umgerechnet und von der in 2. gefundenen Summe von $SbO_4 + SnO_2$ abgezogen. Man erfährt so die Quantität von SnO_2, resp. die des in der Legierung enthaltenen Zinns und die des Antimons.

Diese Methode hat den grofsen Vorzug, die so zeitraubenden und schwierigen Trennungen des Antimons vom Zinn zu ersparen, und liefert Resultate, die an Genauigkeit gar nichts zu wünschen übrig lassen. (Ztschr. anal. Chem. **23**. 348—49. Mitte August. Paris.)

R. Blochmann, *Über ein einfaches Verfahren zur annähernden Bestimmung der Kohlensäure in der Luft bewohnter Räume und in anderen Gasgemischen.* (Ztschr. anal. Chem. **23**. 333—45. Mitte August. [1. April.] Königsberg i. Pr.)

E. Reichardt, *Analyse von Pflanzenstoffen.* Die nachfolgende Methode verfolgt die Aufgabe, in kleinen Mengen ununterbrochen die notwendigsten Ermittelungen vornehmen zu können, benutzt dabei aber die bisher schon empfohlenen Verfahren unter einigen Abänderungen, welche zu Vereinfachungen und, wenn möglich, Verbesserungen führen sollen.

Hierbei sind drei getrennte Bestimmungen notwendig:

1. *Asche.* Dieselbe wird durch Verbrennen der Substanz im offenen Tiegel bestimmt; sobald dieselbe beendet ist, wird die Kohle nur sehr schwach weiter geglüht, so dafs der Tiegel nur am Boden rot erglüht. Die Kohle, selbst die an Phosphaten oder Silikaten reiche, verbrennt hierbei leicht, weil die unten wirkende kleine Flamme den Luftzutritt oben nicht hindert, und gleichzeitig wird eine Verflüchtigung von Chloriden gänzlich umgangen, wie zahlreiche Vergleichsversuche erwiesen. Bei der ersten Verbrennung der Substanz ist es gut, die erhitzenden Flammen über den Tiegel streichen zu lassen, vielleicht nur seitlich. Dadurch verbrennen die Gase sofort, und man kann ohne jede Belästigung selbst Fleisch, Knochen u. dgl. im Zimmer verbrennen lassen. Der kohlefreie Rückstand ist die Asche, welche nötigenfalls weiter untersucht werden kann.

2. *Proteïnsubstanz.* Die sicherste und genaueste Bestimmung liegt bis jetzt nur in der Ermittelung des Gehaltes an Stickstoff durch Glühen mit Natronkalk und Bestimmen des Ammoniaks. Für gewöhnlich nimmt Vf. 1 g der Substanz unmittelbar zum Gemische mit Natronkalk; bei vorliegenden Bedenken wird die Änderung nach STUTZER in Anwendung gebracht oder den die Änderung bedingenden stickstoffhaltigen anderen Bestandteilen Rechnung getragen. Der erhaltene Stickstoff wird mit 6,25 vervielfältigt und das Ergebnis als Eiweifsstoff oder Proteïnstoff in Rechnung gebracht.

3. Die weiteren Bestimmungen geschehen in 1—2 g Trockensubstanz, so dafs man den Versuch mit der Austrocknung bei 100° C. beginnt und nur soviel der vorliegenden Pflanzenteile nimmt, dafs 1—2 g Trockensubstanz erhalten werden. Eine gröfsere Menge fällt in der weiteren Bearbeitung nur lästig.

a. *Fett.* Die Trockensubstanz wird zerrieben oder sonst zerkleinert, mit etwa der zehn- bis zwanzigfachen Menge Äthers eine bis zwei Stunden behandelt, hierauf wird filtriert, mit Äther nachgewaschen und der Rückstand auf dem Filter sofort nach dem Ablaufe des Äthers mit 90 prozent. Alkohol wieder in das Glas zurückgebracht. Beschleunigt man so den Versuch, so kann man ohne jeden Verlust mittels eines Trichters alle Substanz wieder in das Glas bringen und das Filter für später wieder verwenden. Bleiben Teile hängen, so breitet man das Filter auf der Hand aus und spült diese Reste nach zu den anderen.

Das nach dem Verdunsten des Äthers Hinterbleibende wird als Fett bezeichnet, kann aber jedenfalls genauer untersucht werden, wenn nötig, in besonderen Versuchen.

b. *Zucker.* Die Menge des Alkohols mufs ebenfalls wieder das etwa Zehn- bis Zwanzigfache der Substanz betragen, bei zuckerreichen Pflanzen etwas mehr. Nach zwei bis drei Stunden wird abermals filtriert, mit Alkohol nachgewaschen und der Rückstand sofort noch feucht mit Wasser wieder in das Glas gebracht auf gleiche Weise, wie oben bemerkt. Der Abdampfrückstand des Alkohols wird als Zucker in Rechnung gestellt; bei irgend welchem Einwande ist derselbe wiederum genauer zu bestimmen, da namentlich Wachs und ähnliche Körper hier in Lösung gelangen und beispielsweise durch Wasser nachträglich vom Zucker geschieden werden könnten.

c. *Gummi.* Die etwa gleiche Wassermenge, wie oben Alkohol oder Äther, braucht nur sehr kurze Zeit, eine halbe bis eine Stunde, auf die Substanz kalt einzuwirken, um vorhandenes Gummi zu lösen, hierauf wird durch ein nicht zu kleines Filter, welches womöglich die ganze Flüssigkeit aufnehmen kann, möglichst rasch filtriert, mit wenig Wasser nachgewaschen und der noch völlig feuchte Rückstand mit Wasser in die Flasche zurückgebracht, wobei man nur soviel als nötig verwendet. Der Abdampfrückstand des wässerigen Auszuges wird als Gummi berechnet, jedoch unterläßt Vf. sehr häufig diese Bestimmung überhaupt, wenn sie keine weitere Bedeutung hat; es kommt dann das Gummi unter die sogen. verdaulichen Kohlehydrate.

d. *Cellulose.* Auf die Pflanzensubstanz kommen jetzt 20—30 ccm fünfprozentiger Schwefelsäure und wird das Ganze eine bis zwei Stunden mit Rückflußkühler gekocht, d. h. man bringt in die Kochflasche eine lange Glasröhre im durchbohrten Korke, befestigt mit Stativ und regelt das Kochen so, daß oben aus der Glasröhre keine Dämpfe entweichen, die Flüssigkeit aber stets im Kochen bleibt. Hierdurch wird die Säure in gleicher Stärke erhalten und Verkohlen der Substanz, Wasserersatz und dergl. gänzlich vermieden.

Nach Verlauf dieser Zeit wird filtriert, die mit wenig Wasser nachgewaschene Substanz wiederum mit wenig Wasser vom Filter ins Glas gebracht und nunmehr eine gleich lange Zeit mit derselben Menge fünfprozentiger Natronlauge und unter Anwendung des Rückflußkühlers gekocht.

Nach Schluß dieser letzten Einwirkung sammelt man die Cellulose auf gewogenem Filter, wäscht vollständig mit Wasser aus und wiegt dieselbe nach dem Trocknen bei 100° C.

e. *Stärke, verdauliche Kohlehydrate.* Die Flüssigkeiten der Abkochung mit Schwefelsäure und mit Natron werden nun vereint, mit Schwefelsäure stark angesäuert und nochmals eine bis zwei Stunden lang in der Flasche mit Rückflußkühler gekocht, worauf man erkalten läßt, auf ein bestimmtes Maß verdünnt und einen Teil davon, oder mehrere zum Vergleiche, mit FEHLING'scher Lösung titriert, nachdem man vorher alkalisch gemacht hat. Bei der Berechnung stellt man dann anstatt 5 Tle. Zucker ($C_6H_{12}O_6$) 4,5 Tle. Stärke ($C_6H_{10}O_5$) ein.

Einige Beispiele mögen die vom Vf. bereits vielfach erprobte Bestimmung ausführen. Es wurden gefunden:

	Rüben		Weizen
	I.	II.	
Wasser	75,58	77,23	13,83
Fett	0,34	0,22	1,34
Zucker	13,50	13,70	0,20
Cellulose	1,46	1,24	1,36
Verdauliche Kohlehydrate	2,85	2,60	66,60
Proteïnsubstanz	3,45	3,20	13,37
Asche	1,20	1,70	1,80
	98,38	99,89	98,50.

Bei diesen Analysen ist jeder Teil bestimmt und nichts als Ergänzendes angenommen worden; namentlich für die Bestimmung des Nährwertes ist der Gang sehr erleichtert durch die Anwendung einer so kleinen Menge Substanz. Die Ermittelung von Gummi ist hier unterblieben und dasselbe unter die verdaulichen Kohlehydrate gezählt worden, außer Zucker, welcher denselben natürlich noch zugezählt werden müßte.

Die Bestimmung der Cellulose mittels fünfprozentiger Schwefelsäure und ebenso starken Natrons ist vielseitig empfohlen und in Anwendung gelangt. Dieselbe gelingt rascher und vollständiger bei dem Kochen mit Rückflußkühler weit besser, als bei Anwendung vom Dampfbade. Um Vergleiche zu erhalten, wurden dieselben Rüben, welche eine und dieselbe Sorte und Ernte betrafen, mit Kaliumchlorat und Salpetersäure behandelt und dann die Cellulose bei dem Weizen ermittelt. Es wurden nach diesem letzteren Verfahren an Cellulose erhalten bei Rüben 1,5, bei Weizen 1,1 p. c.; die Unterschiede sind völlig unwesentlich und kommen in dieser Höhe bei derartigen Untersuchungen stets vor. (Arch. Pharm. [3.] **22**. 415—19. Anf. Juni.)

J. **Nessler** und **M. Barth**, *Beiträge zur Weinanalyse*. (Forts. von **82**. 252. 522; **83**. 825). Diese Arbeit enthält Mitteilungen über: Quantitative Bestimmung von Fuchsin im Rotweine; Bestimmung des Gerbstoffes im Weine; Flüchtigkeit des Glycerins bei 100° und einige Kautelen für die Glycerinbestimmung. (Ztschr. anal. Chem. **23.** 318—32. Ende Aug. [Mai.] Karlsruhe.)

Pellet und **Biard**, *Bestimmung des Milchzuckers durch Polarisation und durch Kupferlösung.* Folgendes ist eine Zusammenstellung der vom Vf. erhaltenen Resultate:

Drehungsvermögen des Milchzuckers für die empfindliche Farbe 59,0°
,, ,, Rohrzucker ,, ,, 73,8°
Polarisationsgewicht für Milchzucker . . . 20,25 g
,, ,, Rohrzucker . . . 16,19 ,,
1 g Milchzucker lenkt ebensoviel ab wie 0,80 g Rohrzucker
1 ,, Rohrzucker ,, ,, 1,25 ,, Milchzucker
1 ,, Milchzucker fällt 1,166 ,, metallisches Kupfer
1 ,, Rohrzucker fällt 1,857 ,, ,,
1 ,, Kupfer entspricht 0,858 ,, Milchzucker
1 ,, ,, 0,539 ,, Rohrzucker
1 ,, Milchzucker reduziert ebenso stark wie 0,628 ,, Rohrzucker
1 ,, Rohrzucker ,, ,, ,, 1,592 ,, Milchzucker.

(Bull. Ass. Chim.; Ztschr. d. Ver. f. Rüb.-Z.-Ind. **21.** 549—53.)

Olof Hammarsten, *Über die Anwendbarkeit des Magnesiumsulfats zur Trennung und quantitativen Bestimmung von Serumalbuminen und Globulinen.* Als wesentlichstes Resultat der mitgeteilten Untersuchungen hat sich ergeben, dafs das Magnesiumsulfat das einzige bisher bekannte Mittel ist, welches eine ganz vollständige Ausfällung der Globuline aus dem Serum oder einem Transsudate gestattet, während bei der Dialyse, wie auch bei den übrigen älteren Verfahren stets reichliche Mengen von Globulin in Lösung bleiben. Wenn es sich darum handelt, die Globuline von anderen Eiweifsstoffen zu trennen und aus einer Flüssigkeit vollständig zu entfernen, mufs man Magnesiumsulfat verwenden.

Von dem typischen Serumalbumin wird durch Magnesiumsulfat bei neutraler oder schwach alkalischer Reaktion nicht eine Spur mit ausgefällt, während alle anderen, in dem Serum oder in den Transsudaten enthaltenen koagulablen Eiweifsstoffe dadurch vollständig niedergeschlagen werden. Das nach den älteren Methoden dargestellte Serumalbumin ist dagegen stets von nicht unbedeutenden Globulinmengen verunreinigt. Zur vollständigen Trennung des Serumalbumins von anderen Eiweifsstoffen und zur Reindarstellung des ersteren ist ebenfalls einzig und allein Magnesiumsulfat zu verwenden.

Ebenso ist die Brauchbarkeit dieses Salzes zur quantitativen Bestimmung des Serumalbumins über jeden Zweifel erhaben, da es nach obigem feststeht, dafs das typische Serumalbumin dadurch gar nicht gefällt wird; letzteres kann seiner ganzen Menge nach aus dem Filtrate des Magnesiumsulfatniederschlages durch Erhitzen ausgeschieden, oder auch als Differenz zwischen der Gewichtsmenge des Totaleiweifs und der Magnesiumsulfatfällung berechnet werden.

Da man jetzt in dem Blutserum, resp. den Transsudaten aufser dem typischen Serumalbumin und den zweifelhaften Spuren von Peptonen keine anderen Eiweifsstoffe als die Globuline kennt, und da man weiter trotz besonderen darauf gerichteten Untersuchungen in dem Magnesiumsalzniederschlage bisher nichts anderes als Globuline gefunden hat, mufs man diesen Niederschlag bis auf weiteres als nur aus Globulinen bestehende betrachten. (Ztschr. physiol. Chem. **8.** 467—502. 30. Mai. [2. August.])

Th. Lehmann, *Zur Bestimmung der Alkalien im Harn.* 100 ccm Harn, wenn derselbe ein spez. Gew. bis 1,02 besitzt, bei höherem spez. Gew. nur 50 ccm, bringt man in eine circa 60 ccm fassende Platinschale, setzt eine entsprechende Menge (circa 3—4 g) Ammoniumsulfat hinzu, dampft auf dem Wasserbade zur Trockne ein und verascht. In fast allen Fällen erhält man schliefslich ohne Verluste an Alkalien eine weifse Asche; ist dieselbe grau gefärbt, so befeuchtet man sie mit einigen Tropfen Schwefelsäure und glüht wiederum. Die Asche löst man in heifser verdünnter Schwefelsäure, filtriert und verfährt nach Fällung mit Barytwasser in bekannter Weise.

Für die Trennung des Kalium- und Natriumchlorids empfiehlt es sich wegen des Gehaltes des käuflichen Platinchlorids an freier Säure, welche das Kaliumplatinchlorid löst, die mit diesem Reagens versetzte Lösung der Alkalichloride wiederholt auf dem Wasserbade zur völligen Trockne zu verdampfen, den Rückstand mit wenigen Tropfen Wasser zu befeuchten, mit einem Glasstabe zu zerreiben, dann mehr Wasser zuzusetzen und schliefslich bis zur Sirupkonsistenz zu verdampfen. Jetzt fügt man 96 p. c. Weingeist hinzu und filtriert. Die letzten Reste des Niederschlages, welche sich mit einer Spritzflasche schwierig auf das Filter bringen lassen, werden mit Streifchen Filtrierpapier, die vorher mit dem Filter zusammen bei 100° C. getrocknet und gewogen waren, mit Hilfe eines mit einem circa 1 mm langen Platindraht versehenen Glasstabes auf das Filter gebracht.

Durch das beschriebene Verfahren vermeidet man die Verluste, welche bei der NEU-BAUER'schen Methode dadurch verursacht werden, dafs das durch Zusatz der Barytlösung zum Harn entstehende Bariumsulfat stets Alkalien mit niederreifst. (Ztsch. physiol. Chem. **8**. 508—10. 27. Mai. [2. August.] Görbersdorf.)

H. J. Hamburger, *Titration des Harnstoffes mittels Bromlauge.* Vf. giebt nachstehende Vorschrift für die Harnstoffbestimmung: Die für die Titration notwendige Bromlauge bereitet man, indem man 30 g festes Natriumhydrat in 1 l Wasser löst und die Lösung mit etwa 20 ccm Brom schüttelt. Man bekommt dann eine klare gelbe Flüssigkeit, welche sich nach einer Viertelstunde etwa trübt und durch Asbest filtriert werden mufs. Das Filtrat bleibt dann klar. Man gebrauche nicht mehr als 20 ccm Brom auf 1 l obiger Natronlauge, weil das Volum der Bromlauge, das man für eine bestimmte Quantität Harnstoff braucht, gröfser wird, je weniger Brom sich in derselben befindet. — Darauf trägt man 19,8 g arsenige Säure ab, erwärmt im Wasserbade mit einer Lösung von 10,6 g reinem Natriumcarbonat und verdünnt die Lösung auf 1 l. (Da arsenigsaures Natron im Handel zu bekommen ist, könnte man auch zur Darstellung der erwünschten Flüssigkeit 38,4 g dieses Salzes in 1 l Wasser auflösen.) Die für dieses Verfahren notwendige Jodlösung besteht aus 12,7 g Jod in 1 l Jodkaliumlösung.

Bevor man zur Harnstofftitrierung schreitet, bestimmt man das Verhältnis zwischen der Natriumarsenit- und der Jodlösung, indem man 10 ccm der ersteren, welche mit 20 ccm einer gesättigten Natriumcarbonatlösung und einigen Tropfen klarer Stärkelösung versetzt wird, dazu verwendet. Das Verhältnis der Bromlauge und der Arsenitlösung erfährt man dadurch, dafs man 10 ccm oder mehr der Bromlauge abmifst, dazu einen Überschufs von 1,2 bis 3 ccm Natriumarsenit fliefsen läfst, durch die auf diese Weise dargestellte Flüssigkeit zehn bis fünfzehn Minuten Kohlensäure leitet, das Gasleitungsrohr abspült, und mit etwa 20 ccm einer nahezu gesättigten Natriumcarbonat- und darauf mit Stärkelösung versetzt. Das überschüssige arsenigsaure Natron titriert man, wie oben angegeben, mit Jod zurück. Schliefslich stellt man den Titer der Bromlauge auf eine Harnstofflösung von bekannter Konzentration ein, indem man vorsichtig soviel Bromlauge der Harnstofflösung zusetzt, bis die Flüssigkeit eine gelbe Farbe angenommen hat, sodann ein Übermafs von 1,2 bis 3 ccm Bromlauge hinzutröpfeln läfst und mit Natriumarsenit und der Jodlösung zurücktitriert.

Zur Bestimmung des Harnstoffs im Harn wendet man 15 ccm (auch 10 oder 20 ccm) von letzterem an, fügt vorsichtig unter Umschütteln Bromlauge hinzu, bis die Gasententwicklung aufgehört hat, und läfst hierauf noch 1,2—3 ccm Bromlauge hinzutröpfeln. Nach fünf bis zehn Minuten wird arsenigsaures Natron hinzugefügt, bis die Flüssigkeit heller gelb wird, prüft darauf, ob ein Jodkaliumstärkepapier nicht mehr von der Flüssigkeit gebläut wird (das Reagieren mit diesem Papier ist nicht durchaus notwendig, aber bei der ersten Titration notwendig) und setzt dann noch etwa 3 ccm der Arsenlösung im Überschufs hinzu. Jetzt leitet man Kohlensäure durch die Flüssigkeit. fügt etwa 20 ccm Sodalösung und einige Tropfen Stärkekleister hinzu und bestimmt mittels der Jodlösung den Überschufs des Natriumarsenits.

Aus den nach oben angegebenen Methoden ermittelten Titerwerten läfst sich alsdann auf einfache Weise der Harnstoffgehalt berechnen. (Ztschr. f. Biolog. **20**. 286—306. Physiolog. Laboratorium zu Utrecht.)

H. Fleck, *Kupfer und Zink im Weine.* Vf. hatte häufig Gelegenheit, diese Metalle, allerdings in höchst minimalen Mengen, als Weinbestandteile festzustellen, deren Ursprung in der Anwendung messingener Falshähne zu suchen war. In einem Äpfelweine fand Vf. 126 mg Zink im Liter, welcher aus der mit Zink beschlagenen Äpfelpresse in den Wein gelangt war. (12. und 13. Jahresber. d. Kgl. Chem. Centralst. f. öffentl. Gesundh.-Pflege zu Dresden. [Dresden 1884.] 67.)

H. Fleck, *Mehrfaches Vorkommen und Nachweisung von Kupfer und Zink in Leichenteilen.* Vf. ist auf grund mehrfacher Beobachtungen der Meinung, dafs, wie das Kupfer, so auch das Zink sich in denjenigen Organen, welche mit dem Verdauungsapparate in nächster Verbindung stehen, bis zu einem gewissen Grade aufspeichern können. Die Quelle hierfür ist in den zahlreichen, Kupfer und Zink haltenden Speisegeräten, wie Schüsseln und Löffeln, zu suchen, welche, zumal von den ärmeren Volksklassen gebraucht, jederzeit Spuren ihres Metallgehaltes an den Speiseinhalt abgeben, welche in den konsistenteren Organen vielleicht als unlösliche Albuminoidverbindungen zurückgehalten werden. (12. und 13. Jahresber. d. Kgl. Chem. Centralst. f. öffentl. Gesundheitspflege zu Dresden. Dresden 1884. 63—67.)

H. Fleck, *Vorkommen und Nachweisung von Alkohol in Leichenteilen.* (12. und 13. Jahresber. d. Kgl. Chem. Centralst. f. öffentl. Gesundheitspfl. zu Dresden. Dresden 1884. 61—63.)

H. Fleck, *Über die Reaktion der Weinaschen.* (12. und 13. Jahresber. d. Kgl. Chem. Centralst. f. öffentl. Gesundheitspfl. zu Dresden. Dresden 1884. 67—68.)

L. Weigert, *Über die Bestimmung des technischen Wertes von weinsaurem Kalk.* (Ztschr. anal. Chem. **23**. 357—65. Mitte Aug. [April.] Kloster Neuburg.)

H. Fleck, *Über die Beurteilung von Süfsweinen bei deren zollamtlicher Abfertigung.* (12. und 13. Jahresber. d. Kgl. Chem. Centralst. f. öffentl. Gesundheitspfl. zu Dresden. Dresden 1884. 89—91.)

H. W. Langbeck, *Beitrag zur Erkennung verfälschter ätherischer Öle.* (Rep. anal. Chem. **4**. 177—80.)

L. Legler, *Über den Wert verschiedener Methoden zur Prüfung fetter Öle.* Vf. verwertet die Elaidinprobe zur annähernd quantitativen Bestimmung von Olivenölproben. Die Elaidinmasse von reinem Olivenöl (d. i. das Einwirkungsprodukt der salpetrigen Säure auf letzteres) besitzt eine aufserordentliche Festigkeit und ist jene bei den übrigen Ölsorten, je nach dem Grade des in denselben enthaltenen Ölsäureglycerides, eine halbflüfsige schmierige, resp. ganzflüfsige Masse. Um die Festigkeitsgrade sowohl von der Elaidinschicht reinen Olivenöls, als auch von denjenigen anderer Öle und von Gemischen beider durch Zahlenwerte auszudrücken, bedient sich Vf. folgenden Apparates. Ein Stück Verbrennungsrohr dient als Hülse zur Aufnahme eines Glasbolzens und einer Spiralfeder. Ersterer besitzt am oberen Ende ein kleines mittels einer Hülse befestigten Brettchens, zur Aufnahme von Gewichten dienend, innerhalb der Hülse eine scheibenförmige Verdickung, welche zur Führung dient und das Aufsitzen des Bolzens auf die Spiralfeder gestattet, und am unteren Ende eine stumpfe Spitze. Die Spannkraft der Spiralfeder ist so gewählt, dafs einerseits Gewichte von 20—50 g Schwere deutlichen Ausschlag geben, andererseits aber darf letztere vom derselben des aufsitzenden Bolzens nur so weit zusammengedrückt werden, dafs derselbe bei gröfserer Belastung Raum übrig behält, aus der Hülse herauszutreten. Der Punkt, bis zu dem der Bolzen ohne Belastung einsinkt, ist an letzterem mit 0 bezeichnet und eine Millimeterskala von hier nach oben geführt. Die Hülse wird bei Verwendung des Apparates in ein Stativ befestigt, die vorbereitete Elaidinschicht so untergestellt, dafs die Spitze des Bolzens dieselbe berührt, der Nullpunkt mit der oberen Kante der Hülse einsteht. Die Elaidinschicht bereitet man aus 10 ccm Öl, 10 ccm 25 prozent. Salpetersäure und 1 g Kupferdraht, womöglich zweimaliges Umschmelzen der entstandenen Schichten nach beendeter Gasentwicklung und eintägigem Stehen durch Einstellen in warmes Wasser. Die so vorbereiteten Schichten wurden jetzt auf ihre Festigkeit geprüft, indem an der Skala abgelesen wurde, um wie viel Millimeter der Bolzen bei einem bestimmten aufgesetzten Gewichte innerhalb einer gewissen Zeit, z. B. einer Minute, in dieselbe eindrang.

Um für das Olivenöl einige weitere Anhaltspunkte, besonders zur näheren Kenntnis des beschriebenen Druckverfahrens zu gewinnen, wurden in verschiedenen Proben desselben die freien Fettsäuren und die spez. Gew. der Öle festgestellt.

Erfahrungsgemäfs zeigen sowohl das reine, als auch das rohe Olivenöl der Druckprobe gegenüber ein gleiches Verhalten, nur solche rohe Öle von grofsem Gehalte an freier Säure (20 und mehr Prozent) ergaben eine minder feste Elaidinschicht, die sich gegenüber des vom reinen Öle wie $^3/_4$: 1 verhielt. Die untersuchten Olivenölproben ergaben nach zwölftägigem Stehen bei der Druckprobe noch keine wesentliche Festigkeitsabnahme der Elaidinschichten, hatten aber nach 240 Tagen die Fähigkeit, Elaidinsäure zu bilden, verloren. Elaidinschichten aus Olivenöl, welches nach der Vorschrift für den Zolltarif des deutschen Reiches mit 1 p. c. Terpentinöl, $^1/_4$ p. c. Lavendelöl, $^1/_8$ p. c. Rosmarinöl versetzt war, zeigten keine Abnahme in ihrer Festigkeit; die letztere wurde aber beeinflufst, als diese Zusätze in stärkerem Mafse angewendet waren.

Die zur Charakterisierung des Olivenöles empfohlenen Reaktionen, z. B. Unterschiede in den eintretenden Färbungen beim Mischen desselben mit konzentrierter Schwefelsäure. Aufschichten von rauchender Salpetersäure konnten nur insoweit als entsprechend verwendbar gefunden werden, so lange es sich um reines Olivenöl oder um Gemische von diesem mit anderen Ölsorten handelte, da die Reaktionsunterschiede zwischen reinem und rohen Olivenöle oft gröfser waren, als zwischen reinem Öle und Gemischen dieses mit fremden Ölen. Die zur Erkennung von Olivenöl vorgeschlagene optische Prüfung liefs für die zur Untersuchung kommenden Proben vollständig im Stiche.

Zucker und Salzsäure, zur Prüfung auf Sesamöl empfohlen, kann nicht als spezielles Reagens darauf betrachtet werden; der Nichteintritt der Schwefelsäurebildung beim Verseifen von Rüböl mit Alkalien im Silbergefäfse bekundet keine Abwesenheit desselben (überhaupt der Öle der Kruciferen).

Baumwollsamenöl nimmt beim Mischen mit konzentrierter Salpetersäure (1,33 spez. Gewicht) eine kaffeebraune Farbe an; es konnten aber auch ähnliche Färbungen mit Leinöl, Rüböl und auch mit gebleichtem Olivenöle erhalten werden. Die angeführten Denaturierungsmittel veranlafsten im reinen Baumöle, sobald sie den vorschriftsmäfsigen geringen Zusatz nicht um ein Bedeutendes überschritten, keine Braunfärbung. Baumwollsamenöl färbt sich bei Anstellung der Elaidinprobe gelbrot bis rotbraun, Gemische desselben mit Baumöl geben abstufende Nüancen derselben Farbe; ein ganz ähnliches Verhalten konnte aber auch bei anderen Ölsorten, namentlich Leinöl und Rüböl, beobachtet werden. (12. und 13. Jahresber. d. Kgl. Chem. Centralst. f. öffentl. Gesundh.-Pfl. zu Dresden. Dresden 1884. 75—82.)

Richard Kissling, *Zur Frage der Prüfung des Leuchtpetroleums durch fraktionierte Destillation.* Am Schlusse des von G. LUNGE publizierten Aufsatzes: „Über die Ausführung der fraktionierten Destillation zur Wertbestimmung chemischer Produkte" (vgl. **84.** 679) war ein von SCHENKEL gemachter Vorschlag mitgeteilt, welcher dahin geht, bei der Prüfung des Leuchtpetroleums die Destillationsmethode in Anwendung zu bringen, und ein Öl, welches bei seiner unter bestimmten Bedingungen ausgeführten Fraktionierung unter 150° C. mehr als 5 p. c. Destillat abgiebt, als „unzulässig", ein solches, welches bis 300° nicht 90 p. c. Destillat liefert, als „schlecht" zu bezeichnen.

Vf. macht gegen einige der zur Ausführung dieser Prüfung angegebenen Versuchsbedingungen verschiedene Einwände, welche der Hauptsache nach in verschiedenen Sätzen zusammengefafst sind:

Um bei der Prüfung des Leuchtpetroleums durch fraktionierte Destillation brauchbare Resultate zu erzielen, d. h. also solche, welche bei der Untersuchung der nämlichen Petroleumsorte durch verschiedene Chemiker stets annähernd übereinstimmen können, erscheint es zweckmäfsig, die zuzuführende Wärmemenge zu normieren. Es läfst sich dies durch Anwendung eines mit Seesand beschickten und mit eingesenktem Thermometer versehenen Bades in einfacher Weise erreichen.

Zur Beurteilung der Explosionsfähigkeit einer Petroleumsorte ist der offizielle ABEL'sche Testapparat völlig ausreichend, und seine Anwendung ist der Methode der fraktionierten Destillation unbedingt vorzuziehen.

Um die Güte eines Leuchtpetroleums nach den bei der fraktionierten Destillation desselben erhaltenen Resultaten beurteilen zu können, ist zunächst die Beantwortung der Frage erforderlich, in welcher Beziehung die Brennfähigkeit einer Petroleumsorte zu dem quantitativen Mischungsverhältnisse ihrer Komponenten stehe. Zur völligen Klarstellung dieser Frage bedarf es noch eingehender Untersuchungen. (Chem. Ind. **7.** 246—47.)

Kleine Mitteilungen.

Wassergehalt des Torfes, von AUG. VOGEL. Der im Moore liegende frische Torf enthält, wie man weifs, durchschnittlich 80—90 p. c. Wasser, dessen einfache und möglichst billige Entfernung eine sehr wichtige Aufgabe des Torfbetriebes ist, eine Aufgabe, mit deren geeigneter Lösung nicht selten überhaupt das Gelingen eines Torfunternehmens nahe zusammenhängt. Wird es nämlich durch die Lage oder unzweckmäfsige Einrichtung eines Torfwerkes unvermeidlich, den nassen oder wenigstens nicht hinreichend getrockneten Torf mehrmals vom Platze zu bewegen, wie dies z. B. der Fall ist, wenn die Trockenfelder zur Ausbreitung des Torfes vom Orte des Stiches oder der Maschinenbereitung zu entfernt liegen, so erwachsen natürlich ein Torfstücke in der Art vermehrte Arbeitskosten, dafs dieselben den Reinertrag unter Umständen beinahe zu verzehren im stande sind. Dies kann um so leichter hier eintreten, als der Torf, was man bei dessen Gewinnung und Bearbeitung nie übersehen darf, an und für sich als Rohmaterial ein wertloses Objekt ist, welches daher in seiner technischen Bedeutung vom Getreide, Mehl u. a. wesentlich verschieden, durchaus keine komplizierten, kostspieligen Herstellungs- oder Trocknungsmanipulationen erträgt. Nimmt man den Wassergehalt des frischen Torfes zu 85 p. c. im

Mittel an, so erhält man hiernach aus einem Centner frischen Torfes 15 Pfd. vollkommen trockne
Masse; es kann indessen nicht Aufgabe der Torfindustrie sein, vollkommen trocknen Torf herzustellen, ein Ziel, welches einerseits beim Trocknen im großen Maßstabe, namentlich im Freien,
nicht erreichbar ist, andererseits ganz unnötig anzustreben wäre, da der Torf nachweisbar seinen
künstlich bewirkten, vollkommen trocknen Zustand gar nicht behaupten kann, sondern vermöge
seiner Begierde, Wasser aufzunehmen, durch Liegen an der feuchten Luft wieder eine gewisse
Menge des Wassers anzieht.

Man ist im allgemeinen übereingekommen, eine Torfsorte mit 20 p. c. Wasser als lufttrocken zu bezeichnen; von einem Centner frischen Torfes gewinnt man somit 18—19 Pfd. lufttrocknen Materiales. Nach des Vf's. Versuchen ergab vollkommen trockner Torf, nachdem er
fünfzehn Tage im Keller gelegen, eine Wasseraufnahme von 12 p. c., nach weiteren fünfzehn
Tagen Aufenthalt im Keller hatte sich die Wasseraufnahme nur um etwa 2 p. c. vermehrt. Jedoch nimmt auch der lufttrockne Torf, d. i. mit 20 p. c. Wasser, in besonders feuchter Luft
noch Wasser auf. Es ist eine auf vielfache Erfahrung gestützte Beobachtung, daß beim Transporte lufttrocknen Torfes das Gewicht der Wagenladung an feuchten nebligen Tagen, jedoch ohne
Regen, bei der Ablieferung (nach vierstündigem Transporte in offenen Wagen) um ein Bemerk-
bares zunimmt, und zwar bei einer Ladung von 40 Ctrn. um ungefähr 1—2 Ctr. (Bayr. Ind.-
und Gewerbebl.: Ind.-Bl. 21. 205.)

Braune Holzbeize. Eine solche Beize, welche sich zur Imitation von Eichen-, Nuß-
und Kirschbaumholz eignet, erhält man dadurch, daß man die gewöhnliche, in jeder Apotheke
käufliche Jodtinktur mit Alkohol verdünnt: je nach größerem oder geringerem Zusatze des letzteren erhält man hellere oder dunklere Nüancen von Braun. Man trägt die Beize mit einem
breiten Pinsel oder Läppchen auf das Holz, läßt trocknen und poliert dann mit gewöhnlicher
Politur. Anstatt diese zu verwenden, kann man auch der Beize weißen Schellack zusetzen und
erhält alsdann eine Beizpolitur, mit welcher man beide Operationen vornehmen kann. Das Polieren ist unbedingt nötig, wenn die Wirkung der Beize eine dauernde sein soll. (Ztschr. für
Drechsler etc.; Pol. Notizbl. 39. 184.)

Beiträge für das Centralblatt bittet man an die Redaktion (Leipzig, Lessingstr. 5) zu
richten. **Originalarbeiten** von nicht zu großem Umfange werden entsprechend honoriert und
gelangen stets sofort nach der Einsendung, und zwar in kürzester Frist, zum Abdruck.

Redaktion: Prof. Dr. **Rud. Arendt** in Leipzig.

Verlag von **Leopold Voss** in Hamburg u. Leipzig. — Druck von **Metzger & Wittig** in Leipzig.

Chemisches

Wöchentlich eine Nummer von
1-2 Bogen. Der Jahrgang mit
Sach - und Namen - Register,
nebst system. Übersicht.

Central-Blatt.

Der Preis des Jahrgangs
ist 30 Mark. Durch alle
Buchhandlungen und Post-
anstalten zu beziehen.

REPERTORIUM

für reine, pharmazeutische, physiologische und technische Chemie.

Dritte Folge. XV. Jahrgang.

Wochenbericht.

1. Allgemeines und Physikalisches.

H. Schwarz, *Apparat zum Ersatze des Ausschüttelns mit Äther, Ligroin etc.* In der nebenstehenden Figur bedeutet A ein kleines Destillationskölbchen, welches den Äther aufnimmt und mit einem doppelt durchbohrten Korke verschlossen ist. B ist der Kolben für die zu extrahirende Lösung. Etwa auf halber Höhe seines Halses ist ein Abflußrohr angeschmolzen, welches nach abwärts gebogen ist. Die obere Öffnung ist durch einen Kork verschlossen, durch welchen das Trichterrohr D durchgeht, das bis auf den Boden von B herabgeschoben und ebenfalls mit einer seitlichen Abzweigung versehen ist. Die Öffnung des Trichterrohres nimmt den Vorstoß des Rückflußkühlers auf. Zur Verbindung von B und D mit den Röhren des Kolbens A sind die Quecksilberverschlüsse C_1 C_2 angewendet, welche absolut dichten Abschluß und große Beweglichkeit vereinen, und deren Konstruktion sich aus der Zeichnung ergibt. Der Kolben A steht auf einem schwach geheizten Wasserbade. Der sich bildende Ätherdampf geht durch das unter dem Korke mündende Rohr über C_1 nach D und dem Rückflußkühler. Der kondensirte Äther fließt in D und gelangt unter die zu extrahirende Flüssigkeit, steigt durch dieselbe auf und sammelt sich im Halse von B an. Allmählich erreicht die vollkommen klare Äthersäule die Abflußstelle im Halse und fließt dann über C_2 auf den Boden des Kolbens A, bis wohin die zweite Röhre reicht. Man kann die Extraktion auf diese Art tagelang ohne weitere Kontrolle fortgehen lassen, falls nur für gute Kühlung des Rückflußkühlers gesorgt ist. Wird nichts mehr extrahirt, was man durch Lösen der Verbindung und Verdampfen eines Tropfens kontrollirt, so drängt man durch vorsichtiges Eingießen von Wasser in D den letzten Rest Äther nach A, entleert und reinigt B, stellt den Apparat wieder zusammen und destillirt aus A den Äther vollständig ab, der sich in B ansammelt. Ist A entleert und gereinigt, so kann man den Äther wieder durch neu zu extrahirende Lösung, die man in D gießt, verdrängen, nach A treiben und den Prozeß aufs neue beginnen.

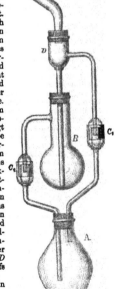

Der Apparat wird nach des Verfassers Angaben in verschiedenen Größen von GREINER und FRIEDRICHS in Stützerbach, Thüringen, angefertigt. (Ztschr. analyt. Chemie **23**. 368—70. Mitte August. [April.] Graz.)

L. Weigert, *Einige Bemerkungen über Apparate zur fraktionierten Destillation.* *A* ist der Kolben von $1^1/_2$—2 l Inhalt, in welchem die zu destillierende Flüssigkeit sich befindet. Die Heizung erfolgt durch Wasser, Kochsalzlösung oder Sandbad, je nach der Flüssigkeit. *B* ist ein leerer Kolben von gleicher Größe, auf welchem ein nach HEMPEL's Vorschlag mit Glasperlen oder Bruchstücken von Glas zu drei Viertel gefülltes Glasrohr aufgesetzt ist. Die Höhe des Rohres ist 65 cm. Das Verbindungsrohr beider Kolben soll nicht zu eng sein, und schaltet man der Beweglichkeit des Apparates wegen ein Stück guten Kautschukschlauches ein. Zur Erhaltung gleichförmigen Kochens, und um die Verdampfung des Wassers im Bade möglichst zu verhindern, ist über den Kolben der aus verzinntem Eisenbleche gefertigte Schirm *C* gestülpt, welcher mit Charnieren versehen ist und sich öffnen läfst. Derselbe vermindert auch bei etwaigem Springen des Kolbens die Gefahr für den Operierenden und hat sich sehr bewährt. Endlich zwischen den beiden Kolben ist eine gewöhnliche längliche Fensterscheibe *D* in Blech gefafst, 30 cm breit und 50 cm hoch, angebracht worden, damit die strahlende Wärme auf den Kühl-

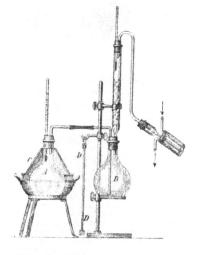

kolben nicht zu sehr einwirkt. Aus dem gleichen Grunde ist auch die Entfernung der beiden Kolben (von Hals zu Hals) 30—35 cm. Diese Fensterscheiben sind überhaupt da am Platze, wo man spritzende oder feuergefährliche Flüssigkeiten in Glasgefäfsen zu erhitzen hat.

Die übrige Einrichtung ist selbstverständlich. Für den Gebrauchswert des Apparates spricht, dafs man mit einer einzigen Destillation Alkoholäther nahezu vollständig separieren kann, was durch Anwendung des HEMPEL'schen Rohres allein nicht vollständig gelingt oder zum mindesten sehr zeitraubend wäre. Auch sind bei gröfseren Kolben gar zu hohe Flüssigkeitssäulen nicht ratsam.

Ein weiterer Vorteil dieses Apparates ist der, dafs z. B. bei der Destillation von Alkohol bis zu 50 Volumprozenten, wobei der Kolben *A* auf dem Sandbade erhitzt wird, die Einschaltung des LIEBIG'schen Kühlrohres überflüssig wird, oder mit anderen Worten, dafs man gar kein Kühlwasser braucht. (Ztschr. anal. Chem. **23.** 365—67. Mitte Aug. [Januar.] Klosterneuburg.)

Ducretet, *Neuer Apparat zum Auffangen der festen Kohlensäure.* Seit THILORIER bedient man sich zum Auffangen der schneeigen Kohlensäure einer Büchse aus dünnem Kupferbleche in Form von zwei Halbkugeln oder Kugelsegmenten mit isoliertem Handgriffe. Es geschieht nicht selten, dafs man unter Anwendung dieses Apparates nur sehr kleine Mengen fester Kohlensäure sammelt. Der Vf. hat einen Apparat konstruiert, der von diesem Übelstande frei ist. Derselbe besteht aus einem Cylinder *R*, welcher als Rezipient dient. Dieser ist mit einem Deckel *G* versehen, der durch einen Bajonnetverschlufs *ii* befestigt werden kann; eine Röhre *T'* ist in schiefer Lage in den Deckel mittels einer Kupferhülse befestigt; endlich vervollständigt ein hohler Handgriff *T* den Apparat. Alle Teile sind aus Ebonit angefertigt, welches ein schlechter Wärmeleiter ist.

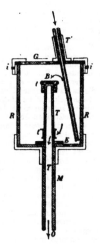

Um den Apparat zu benutzen, steckt man die Röhre, aus welcher die flüssige Kohlensäure entweicht, in die Röhre T. Sobald der Hahn des Kompressionsgefäßes geöffnet wird, wird die flüssige Kohlensäure mit Kraft gegen den Boden des Ebonitcylinders geschleudert und verwandelt sich in Schnee, welcher bald den ganzen Apparat erfüllt. Man braucht dann nur den Deckel abzunehmen, um den Schnee zu sammeln. Das nicht kondensierte Gas und die mitgerissene Luft entweichen durch die Öffnungen t und t' in die Höhlung des Handgriffes und von hier in die Luft. Die Ersetzung des Messings durch Ebonit, die schiefe Stellung der Röhre und endlich die unter möglichst günstigen Bedingungen eintretende Entspannung machen diesen Apparat dem gebräuchlichen überlegen. Von Interesse ist noch die beim Gebrauche des Apparates vom Vf. gemachte Beobachtung, daß sich durch die starke Reibung der Kohlensäure gegen die Ebonitwände eine beträchtliche Menge Elektrizität entwickelt, welche in einem kontinuierlichen Strahle von mehr als 10 mm Funkenlänge zwischen der Metallhülse T' und dem die flüssige Kohlensäure enthaltenden Gefäße überströmt. (C. r. **99**. 235—37. [4.*] August.)

2. Allgemeine Chemie.

F. M. Raoult, *Erstarrungspunkt der Salzlösungen.* (S. 466.) Die Erniedrigungen des Erstarrungspunktes, welche durch einige Salze mehratomiger Metalle, welche das Wasser nicht zersetzt, hervorgebracht werden, sind in der folgenden Tabelle zusammengestellt:

	Formel	Molekular-gewicht M	Erstarrungspunkts-erniedrigung für 1 g Salz in 100 g Wasser A	Molekulare Erniedrigung M $\times$ A
Zinnchlorid	$SnCl_4$	260	0,370	96,3
Aluminiumchlorid	Al_2Cl_6	268	0,481	129,0
Chromchlorid (violett)	Cr_2,Cl_6	318	0,408	130,0
Eisenchlorid	Fe_2Cl_6	325	0,396	129,0
Aluminiumnitrat	$Al_2,6NO_3$	283	0,458	129,8
Chromnitrat (violett)	$Cr_2,6NO_3$	333	0,384	128,0
Aluminiumsulfat	$Al_2,3SO_4$	343	0,129	44,4
Chromsulfat (violett)	$Cr_2,3SO_4$	393	0,115	45,4
Ferrisulfat	$Fe_2,3SO_4$	400	0,115	46,0

Vergleicht man diese Resultate mit früheren, so ergiebt sich folgendes: Hat man ein Salz eines einatomigen Metalles in einer solchen Gewichtsmenge, daß es 1 Äq. Metall enthält, und löst dasselbe in 100 g Wasser, so wird, wenn man das einatomige Metall durch eine äquivalente Menge eines zwei- oder mehratomigen Metalles ersetzt, die Erniedrigung des Erstarrungspunktes um eine nahezu konstante Größe, etwa 10,5, vermindert.

Wird ein Salz einer starken einbasischen Säure in einer solchen Gewichtsmenge, daß es 1 Äq. Säure enthält, in 100 g Wasser gelöst, so wird, wenn man die einbasische Säure durch eine äquivalente Menge einer starken zweibasischen ersetzt, die Erniedrigung des Erstarrungspunktes um eine nahezu konstante Größe, etwa 14, vermindert.

Wenn man die Summen oder Differenzen der partiellen Erstarrungspunktserniedrigungen der Salzradikale kennt, so kann man den absoluten Wert dieser Erniedrigungen berechnen, indem man annimmt, daß ein konstantes Verhältnis zwischen den partiellen Erniedrigungen der elektropositiven und elektronegativen Radikale von gleicher Atomigkeit besteht. Man findet so, daß die partiellen Erniedrigungen der Salzradikale sich folgenden Zahlen nähern:

	Part. Ernied.
Elektronegative einatomige Radikale (Cl, Br, . . ., OH, NO_3, . . .)	20
,, zweiatomige Radikale (SO_4, CrO_4, . . .)	11
Elektropositive einatomige Radikale (H, K, Na, . . ., NH_4, . . .)	15
,, zwei- oder mehratom. Radikale (Ba, Mg, . . ., Al_2, . . .)	8

Mittels dieser vier Zahlen kann man annähernd molekulare Erstarrungspunktserniedrigungen der meisten Salze, die eine starke Base oder eine starke Säure enthalten, berechnen. Man findet z. B.:

			Molekulare Erniedrigung ber.	gef.
K,HO	$15 + 20$	$= 35$	35,3	
$Ba,2HO$	$8 + (20 \times 2)$	$= 48$	49,7	
HCl	$15 + 20$	$= 35$	36,7	
$NaCl$	$15 + 20$	$= 35$	35,1	

47*

| | | Molekulare Erniedrigung | |
		ber.	gef.
BaCl$_2$	$8 + (20 \times 2)$	$= 48$	48,6
SnCl$_4$	$8 + (20 \times 4)$	$= 88$	96,3
Al$_2$Cl$_6$	$8 + (20 \times 6)$	$= 128$	129,0
H,NO$_3$	$15 + 20$	$= 35$	35,8
Na,NO$_3$	$15 + 20$	$= 35$	34,0
Ba,2NO$_3$	$8 + (20 \times 2)$	$= 48$	40,5
Al,6NO$_3$	$8 + (20 \times 6)$	$= 128$	129,0
H$_2$,SO$_4$	$(15 \times 2) + 11$	$= 41$	38,2
K$_2$,SO$_4$	$(15 \times 2) + 11$	$= 41$	39,0
Mg,SO$_4$	$8 + 11$	$= 19$	19,0
Al$_2$,3SO$_4$	$8 + (11 \times 3)$	$= 41$	45,0.

Die befriedigende Übereinstimmung, welche sich zwischen den Resultaten der Beobachtung und Rechnung herstellt, bestätigt die Hypothese, welche als Grundlage der Rechnung dient und gestattet, das folgende Gesetz aufzustellen:

Die molekulare Erstarrungspunktserniedrigung der Salze ein- und zweibasischer Säuren ist nahezu gleich der Summe der partiellen molekularen Erniedrigungen ihrer elektropositiven und elektronegativen Radikale. (C. r. **99**. 324—26. [18.*] Aug.)

3. Anorganische Chemie.

D. Klein, *Über Verbindungen der tellurigen Säure mit Säuren.* Vf. beschreibt folgende Verbindungen: basisches Nitrat der tellurigen Säure, (TeO$_2$),N$_2$O$_5$ + 1,5 H$_2$O; basisches Sulfat der tellurigen Säure, (TeO$_2$)$_2$,SO$_4$. (C. r. **99**. 326—28. [18.*] Aug.)

H. Le Chatelier, *Über einige Verbindungen der Häloidsalze mit Sauerstoffsalzen desselben Metalles.* In einer früheren Mitteilung hat der Vf. gezeigt, dafs die Silikate mit den Chloriden Verbindungen von der Formel SiO$_2$, 2MO, MCl bilden können, welche nach der Art der Wagnerite aus 1 Äq. neutralem Salze und 1 Äq. Chlorid bestehen. Dies hat ihn zu der Annahme geführt, dafs alle Salze analoge Verbindungen geben können und dafs sich ohne Zweifel einige derselben durch Einhaltung passender Bedingungen würden darstellen lassen. Diese Voraussetzung hat sich für die Borsäure und das Eisenoxyd bestätigt.

Calciumchloroborat, BaO$_3$, 3CaO, CaCl. Ein Gemisch nach beliebigen Verhältnissen von Borsäure und Kalk kommt, sobald es in geschmolzenem Chlorcalcium geschüttelt wird, sofort zum Glühen und löst sich darin ohne Rückstand; nach einiger Zeit trübt sich die Schmelze infolge der Bildung eines krystallinischen Niederschlages von Calciumchloroborat. Zuerst bildet eine übersättigte Lösung, welche dadurch entsteht, dafs sich die Verbindung im Entstehungszustande in Berührung mit ihrem Lösungsmittel, dem Calciumchlorid, befindet. Man kann ziemlich voluminöse Krystalle von mehreren Millimetern Länge erhalten, wenn man den Tiegel, welcher das geschmolzene Chlorcalcium enthält, seitlich erhitzt und die Temperatur so regelt, dafs sich das Doppelsalz auf einer bestimmten Stelle der Oberfläche der Flüssigkeit ausscheidet. Infolge der ungleichen Temperaturverteilung löst sich der krystallisierte Niederschlag, welcher sich zuerst am Boden des Tiegels vereinigt hatte, allmählich wieder auf, um neue Krystalle zu geben, welche sich auf dem festen Chloride abscheiden. Nach mehrstündigem Erhitzen dekantiert man rasch das geschmolzene Chlorcalcium und findet die Innenwand des Tiegels mit langen, vollkommen gut ausgebildeten Krystallen besetzt. Das Doppelsalz wird von Wasser und feuchter Luft rasch, von absolutem Alkohol langsam zersetzt. Seine Zusammensetzung entspricht der obigen Formel. Die Krystalle gehören dem triklinen Systeme an, unterscheiden sich aber sehr wenig von einem klinorrhombischen Prisma. (Im Originale sind Krystallmessungen gegeben.)

Calciumchloroferrit, Fe$_2$O$_3$, CaO, CaCl. Diese Verbindung, welche sich wie die vorige darstellen läfst, bildet stark glänzende, leicht spaltbare Prismen; sie ist an der Luft und in Wasser unveränderlich und läfst sich deshalb leicht von dem überschüssigen Chlorcalcium trennen.

Versuche mit Schwefelsäure, Kohlensäure, Chromoxyd, Thonerde, Zinkoxyd und Mangansuperoxyd haben zu keinem Resultate geführt. Man darf deshalb aber nicht auf die Nichtexistenz analoger chlorhaltiger Verbindungen dieser Körper schliefsen, denn bekanntlich sind die Bedingungen zur Entstehung von Doppelsalzen und überhaupt allen komplexen Verbindungen, welche sich unter schwacher Wärmeentwicklung bilden, in sehr enge Grenzen eingeschränkt.

Ihre Entstehung ist durch Gleichgewichtszustände und durch Löslichkeitsverhältnisse der aufeinander einwirkenden Körper bedingt. Die Thonerde z. B. zeigt mit dem Eisenoxyde solche Analogien, dafs man mit Recht die Existenz einer Verbindung $Al_4O_3,CaO,CaCl$ annehmen kann, und dennoch ist es dem Vf. niemals gelungen, eine solche zu isolieren. Der Mifserfolg ist in diesem Falle wahrscheinlich auf die aufserordentliche Löslichkeit des Chloroaluminates in dem Chlorcalcium zurückzuführen. Mit Calciumsulfat wurden ebenfalls negative Resultate erhalten; es bildet sich eine sehr schöne Krystallisation von Anhydrit, welcher sich infolge seiner geringeren Löslichkeit durch partielle Dissociation aus dem Chlorosulfat abscheidet.

Wahrscheinlich existieren auch analoge Verbindungen der Bromide, Jodide und Fluoride. Der Vf. hat einige Versuche mit Fluorcalcium gemacht und dessen grofse Löslichkeit in Chlorcalcium benutzt. Das Calciumsulfat giebt eine blätterig krystallinische Masse, welche die Zusammensetzung $SO_3,CaO,CaFl$ zu haben scheint.

Mit Calciumsilikat, $SiO_2,2CaO$, wurde weder unter Anwendung von Chlorcalcium, noch durch Schmelzen des Gemenges $SiO_2,2CaO + CaFl$ ein positives Resultat erhalten. Beide Verbindungen krystallisieren für sich. (C. r. 99. 276—78. [11.*] August.)

5. Physiologische, medizinische und pharmazeutische Chemie.

Arm. Gautier, *Sterilisation gärungsfähiger Flüssigkeiten in der Kälte.* Es ist nicht zu verkennen, dafs es sehr wichtig sein würde, wenn man sich zur Kultur der verschiedenen atmosphärischen oder pathogenen Mikroben der Flüssigkeiten und Säfte des tierischen Organismus bedienen könnte, ohne dieselben zuvor erwärmen zu müssen, um sie zu sterilisieren. Durch Erwärmen werden sie mehr oder weniger zersetzt oder dissoziiert, das Eiweifs wird koaguliert und überhaupt eine tief greifende Veränderung bewirkt. Man hat, um diesen Übelstand zu vermeiden, zu Gipsfiltern seine Zuflucht genommen, allein abgesehen davon, dafs sich die Flüssigkeit dabei mit Calciumsulfat sättigt, so besitzt Gips überdies, wie P. CAZENEUVE gezeigt hat, die Eigenschaft, die Diastasen vollständig zu absorbieren. Wendet man Pfeifenthon an, so wird dieser leicht durch unwirksam, dafs er feine Risse besitzt, namentlich wenn er vor dem Gebrauche erhitzt war. Endlich stellt sich hierbei noch eine andere Schwierigkeit ein, welche darin besteht, den sterilisierten Saft in das zu dem Versuche bestimmte Gefäfs zu bringen, indem die hierzu benutzten Kautschukverbindungen, weil man sie nicht genügend erhitzen kann, nicht selten die Ursache einer Gärung der sterilisierten Flüssigkeit werden.

Um diese Übelstände zu vermeiden, hat der Vf. Filter aus verglühtem Porzellan und aus Fayence in Form von Flaschen hergestellt, welche einen sehr langen und engen Hals besitzen. Der Boden dieser Flasche besitzt die Form eines umgekehrten Kegels. Eine dicke Glasröhre geht mit gelinder Reibung durch die Öffnung des Halses bis auf den Boden der Flasche, ist oberhalb der Öffnung rechtwinklig umgebogen und endigt in eine konisch abgeschliffene Spitze. Diese Röhre wird in den Hals mittels einer Masse eingekittet, welche aus acht Teilen krystallisierter Borsäure, zwei Teilen Kieselsäure und zwölf Teilen Mennige besteht. Man mischt die drei Substanzen miteinander, schmilzt sie, giefst die geschmolzene Masse aus, pulverisiert sie fein, reibt sie mit Terpentinöl an, trägt sie mittels eines Pinsels auf die zu verkittende Stelle auf und erhitzt letztere zur Rotglut. Dieser Kitt erstarrt, ohne zu reifsen, ist elastisch, leicht schmelzbar und hält sehr gut auf Glas, Porzellan und Fayence, und zwar sowohl auf glasiertem, als auch auf nicht glasiertem.

Dieses Filter besitzt eine vollkommene Kontinuität und nur eine einzige Kittstelle, welche wegen des langen Halses der Filterflasche mit der zu filtrierenden Flüssigkeit in gar keine Berührung kommt. Ist der Apparat einmal hergestellt, so kann er immer wieder mit Leichtigkeit sterilisiert werden; es genügt, ihn von allen Seiten über die Flamme einer BUNSEN'schen Lampe zu halten.

Das für die Aufnahme der zu filtrierenden Flüssigkeit bestimmte Gefäfs ist ein Glasballon mit ausgezogenem Halse, welcher einerseits eine oben rechtwinklig umgebogene, bis auf den Boden des Gefäfses hineinreichende Röhre, und andererseits eine seitlich an den Hals angeschmolzene Röhre trägt, welche mit einer Luftpumpe zu verbinden ist. Beide Röhren sind an ihrem äufseren Ende etwas erweitert und ausgeschliffen. Nachdem der Ballon sterilisiert ist, schiebt man in das erweiterte Ende der rechtwinklig umgebogenen Röhre den geschliffenen Konus der Glasröhre des Filtrierapparates und verkittet beide durch etwas Siegellack. Über das erweiterte und abgeschliffene Ende der zum Auspumpen bestimmten Glasröhre schiebt man einen kleinen, mit Asbest gefüllten Cylinder, welcher am anderen Ende eng ausgezogen ist und mit der Luftpumpe verbunden wird. Nachdem der Asbest ausgeglüht ist, verkittet man auch diese Stelle mit etwas

Siegellack. Der Apparat ist nun vollkommen sterilisiert und frei von allen organischen Substanzen in allen seinen Teilen.

Soll die Filtration beginnen, so befeuchtet man zuerst das Porzellangefäß von außen. taucht es dann in die zu filtrierende Flüssigkeit und setzt die Luftpumpe in Bewegung. Die Flüssigkeit dringt bald durch die poröse Wand der Filtrierflasche, steigt durch das Glasrohr empor und sammelt sich in dem Glasballon an. Lösungen, welche sonst sehr schwer zu filtrieren sind, z. B. Blutserum, Eiweißlösungen, Kulturflüssigkeiten, welche Fermente suspendiert enthalten, erkaltende Abkochungen von Leguminosen etc. gehen ziemlich rasch durch die poröse Wand, während die etwaigen Niederschläge oder die Fermente außen zurückgehalten und dort leicht wieder entfernt werden können. Hat der Apparat längere Zeit gedient, so wird die Filterflasche von dem Glasgefäße gelöst, von außen vollständig gereinigt und in einem Muffelofen zur Rotglut erhitzt. Um die filtrierten Flüssigkeiten in die für die Kulturen bestimmten Ballons zu bringen, bläst man durch die mit Asbest gefüllte Röhre Luft ein und sammelt die aus der anderen Röhre auslaufende Flüssigkeit unter den gewöhnlichen Vorsichtsmaßregeln.

Auf diese Weise hat der Vf. folgende Flüssigkeiten filtriert:

Eiweiß mit der zwei- bis dreifachen Menge Wasser verdünnt, reines und verdünntes Blutserum, Milch, frischen Traubensaft, Peptone von Muskelfleisch und lauwarme Extrakte von Erbsen und süßen Mandeln; endlich eine künstlich dargestellte Lösung, welche im Liter alle Aschenbestandteile von 10 g Bierhefe, zugleich etwas Eisen, Fluor, Kieselsäure und Zucker enthielt.

Im allgemeinen halten sich saure, durch Porzellan oder Fayence filtrierte Flüssigkeiten beliebig lange, alkalische dagegen, wie z. B. verschiedene tierische Säfte, mit Natron neutralisierte Bouillon oder Erbseninfusum trüben sich sehr oft nach einigen Tagen durch Auftreten äußerst kleiner Granulationen, welche bei tausendfacher Vergrößerung noch keine bestimmte Organisation erkennen lassen; merkwürdigerweise verschwinden aber diese Trübungen nach einiger Zeit wieder und die Flüssigkeiten gären nicht; in keinem Falle entwickeln sich Gase oder faulige Gerüche; im Gegenteile erhielt man mit Erbseninfusum nach einigen Monaten eine klare Lösung, welche an der Luft einen starken rosenartigen Geruch annahm, wahrscheinlich infolge der Bildung und Oxydation eines Ptomaïns, welches der Vf. mit Äther ausziehen konnte, aber noch nicht näher untersucht hat.

Die Filtration animalischer Stoffe durch verglühtes Porzellan veranlaßt eine ganz unerwartete Veränderung derselben, wie der Vf. an diesem Orte nicht näher beschreibt, sondern sich nur auf eine kurze Mitteilung in bezug auf das Eiereiweiß und das Caseïn der Milch beschränkt.

Eiweiß, welches mit dem zwei- bis dreifachen Volum Wasser verdünnt wurde, zeigte sich nach dem Filtrieren durch Porzellan absolut klar, farblos, schaumig und unkoagulierbar durch Wärme; es wird in der Kälte weder durch Kohlensäure, noch Essigsäure, noch durch Salpetersäure gefällt. Die Koagulation in der Wärme tritt selbst dann nicht ein, wenn man die Lösung mit Kohlensäure übersättigt. Salpetersäure, welche bei gewöhnlicher Temperatur nur eine schwache Trübung giebt, bewirkt beim Erwärmen die Koagulation. Erhitzt man eine solche Eiweißlösung auf 100° und leitet nach dem Erkalten reine Kohlensäure ein, so entsteht ein Niederschlag, welcher sich in lufthaltiger Kohlensäure oder in einem Luft-Sauerstoffstrome wieder löst. Wird diese Lösung mit etwas Natriumphosphat versetzt, so koaguliert sie nach vorsichtigem Zusatze von Essigsäure in der Kälte nicht, wohl aber, wenn man sie erhitzt.

Eine Caseïnlösung, wie man sie durch Filtration von Milch erhält, ist in der Kälte und in der Wärme durch Essigsäure unkoagulierbar, ebenso wenig nach Sättigung mit Kohlensäure in der Wärme. Es ist übrigens zu bemerken, daß sie nur sehr wenig Caseïn enthält. (Bull. Par. **42.** 146—50. 5. Aug.)

E. Salkowski, *Zur Kenntnis der Eiweisfäulnis.* I. *Über die Bildung des Indols und Skatols nach gemeinschaftlich mit H. Salkowski in Münster i. W. angestellten Versuchen.* Als Fäulnismaterial diente Blutfibrin und Muskelfleisch, daneben Serumalbumin und Fleischinfus, welches mit Natriumcarbonat alkalisch gemacht war und mit einer (und zwar bei allen Versuchen gleichen) faulenden Flüssigkeit geimpft wurde.

Wenn die Fäulnismischung eine bestimmte Zeit im Brutkasten gestanden hatte, wurde sie ohne vorgängige Filtration und ohne Säurezusatz destilliert; in das stark ammoniakalische Destillat gehen Indol und Skatol so gut wie vollständig über. Phenol bis auf ganz verschwindend kleine Reste, die in der rückständigen Flüssigkeit bleiben. Im Destillate befinden sich, abgesehen von Schwefelwasserstoff, resp. Schwefelammonium und Ammoniumcarbonat und den zusammengesetzten Ammoniaken, noch kleine Mengen flüchtiger fetter und aromatischer Säuren in Form von Ammonsalzen, während der größere Teil dieser Säuren als Natriumsalze im Destillationsrückstande bleibt. Neben diesen Körpern sind im Destillate noch einige vorhanden, deren Natur wegen zu geringer Mengen bisher nicht mit Sicherheit festgestellt werden kann:

1. Ein Öl von merkaptanartigem Geruche, das sich als schwefelhaltig und stickstoff-frei erwies.

2. Neben Indol und Skatol scheint das Destillat noch einen dritten indolartigen Körper zu enthalten; derselbe ist charakterisiert durch die Purpurfärbung, welche die Lösung bei Zusatz von $\frac{1}{4}$—$\frac{1}{5}$ des Volums reiner salpetrigsäurefreier Salpetersäure (vom spez. Gew. 1,2) in der Kälte allmählich annimmt. Indol und Skatol geben diese Reaktion nicht.

Das Fibrin lieferte bei den Versuchen 7,2—11,5 p. m. Indol, bezogen auf die in Lösung gegangene Eiweifstrockensubstanz. Die Quantität des in Lösung gegangenen Eiweifs schwankte zwischen 90—98,2 p. c. Beim möglichst fettfreiem Fleische ist die Menge des erhaltenen Indols erheblich geringer, als beim Fibrin, sie beträgt durchschnittlich nur ein Drittel. Das Indol war aufserdem nicht so rein. Auch bei Anwendung des gereinigten Fleischfibrins bleibt die Menge des gebildeten Indols weit hinter der aus Fibrin erhaltenen zurück. Im Indol waren im letzteren Falle reichliche Mengen Skatol vorhanden. Serumalbumin lieferte 3,6—5 p. c., Pankreaspepton (d. i. die durch Trypsin bewirkte, von unverändertem Eiweifs und dem gebildeten Tyrosin befreite Lösung von Fibrin, incl. des durch die Trypsinwirkung entstandenen Leucins und der sonst aus dem Eiweifs hervorgegangenen Produkte) 5 und 6,1 p. c. Indol, bezogen auf gelöstes Eiweifs. (Die in letzterem Falle erhaltene Menge Indol war einem vom Vf. angeführten Grunde zufolge zu niedrig ausgefallen.)

Von allen untersuchten Indolen war keines unzweifelhaft frei von Skatol, am ersten noch das aus Fibrin erhaltene. Der Skatolgehalt schwankt in weiten Grenzen vom eben nachweisbaren bis zu 11,6 p. c., in vereinzelten Fällen bestand das im Indol bezeichnete Produkt zum grofsen, vielleicht gröfsten Teile aus Skatol. Diese Fälle von hohem Skatolgehalte betreffen jedoch ausschliefslich das aus der Fäulnis von Fleisch oder Fleischrückständen gewonnene Indol. Nur ein Fall von 11,6 p. m. Skatolgehalt betrifft das Fibrin. Das Fleisch liefert ein Indol mit geringem Skatolgehalte, der nur schwierig nachzuweisen ist.

Vff. sind der Ansicht, dafs Skatol und Indol sich vertreten können, dafs in dem Eiweifsmolekül nicht ein bestimmter Bruchteil als Skatol, ein bestimmter als Indol präformiert ist, sondern beide aus einer gemeinsamen, im Eiweifs präformierten Muttersubstanz stammen, welche, je nach Umständen, bald vorwiegend Indol, bald vorwiegend Skatol liefert, so zwar, dafs das freie Skatol fast ganz fehlen kann. Die Indolgruppe des Eiweifsmoleküls stellt ferner einen weit gröfseren Bruchteil des Moleküls dar, als man bisher annahm. Es scheint auch, als ob dieser Bruchteil bei den verschiedenen Eiweifskörpern eine verschiedene Gröfse habe. Wenn dies so verhält, so ist damit zum ersten Male eine tiefer gehende chemische Differenz in der Konstitution verschiedener Eiweifskörper im engeren Sinne nachgewiesen.

Weitere Versuche sprechen dafür, dafs bei der Fäulnis des Eiweifs das Indol nicht sofort als solches aus dem Eiweifs frei wird, sondern in Form einer Zwischenstufe, welche allmählich durch weitere Bakterienwirkung gespalten wird. Diese Zwischenstufe ist noch unbekannt, sie ist nicht etwa das Pepton, dessen Menge immer nur gering ist und in den späteren Tagen, wie es scheint, ganz verschwindet. Die Quantität des in faulenden Flüssigkeiten enthaltenen Indols nimmt mit der Dauer der Fäulnis zunächst zu, und alsdann, der allgemeinen Angabe nach, wieder allmählich ab. In den Versuchen der Vff. war eine Abnahme des Indols nicht zu konstatieren; da sie mit geschlossenen Gefäfsen arbeiteten, während die früheren Beobachter offene Gefäfse benutzten, ist unzweifelhaft diese Abnahme des Indols in nicht bewegten Fäulnismischungen von der Verdunstung abhängig. In Fleischflüssigkeiten, die wiederholt mit Luft durchgeschüttelt wurden, kann wohl auch die Oxydation als Ursache für die Indolverminderung in betracht kommen.

Zur Darstellung des Indols aus Eiweifs wird schliefslich folgendes Verfahren empfohlen.

2 kg gut abgeprefstes Blutfibrin, 8 l Wasser von 40—42°, welchem 2 kg KH_2PO_4 und 1 g krystallisiertes Magnesiumsulfat zugesetzt werden, 200 ccm bei gewöhnlicher Temperatur gesättigte Lösung von Natriumcarbonat werden gemischt, dann einige Kubikzentimeter Fleischmaceration nebst einigen darin befindlichen Fleischstückchen zugesetzt und der Kolben mit einem Korke geschlossen, welcher in der Bohrung eine Glasröhre mit aufgesetztem Gummischlauche trägt. Der Schlauch steht mit einer Waschflasche in Verbindung und trägt eine Klemme, die in den ersten Tagen etwas geöffnet wird. Man digeriert bei 42° unter zeitweisem Umschütteln; sobald die Gasentwicklung nachläfst, wird die Klemme geschlossen. Nach Ablauf von fünf- bis sechsmal 24 Stunden wird die Mischung direkt destilliert und mit Äther das Indol ausgeschüttelt. Zur Reinigung des

erhaltenen Indols ist die Fällung mit Pikrinsäure nicht vorteilhaft. Die Darstellung des Skatols durch Eiweifsfäulnis ist so lange nicht empfehlenswert, als man noch nicht im stande ist, beliebig Skatolfäulnis hervorzurufen. Am ersten läfst sich zur Darstellung die Skatolcarbonsäure verwenden, resp. das Gemisch von Oxysäuren und Skatolcarbonsäuren. (Ztschr. physiol. Chem. **8.** 417—66. 7. Mai. [2. Aug.] Berlin.)

Aimé Girard, *Über die Qualität verschiedener Mehlsorten.* (C. r. **99.** 380—83. [25.*] Aug.)

Theodor Bissinger, *Über Bestandteile der Pilze Lactarius piperatus, Elaphomyces granulatus. Ein Beitrag zur chemischen Kenntnis der Pilze.* (Inaugural-Dissertation Erlangen 1884.)

Edward Cullinan jun., *Die Chemie des Leinsamens.* Der Schleim des Leinsamens wird nach THOMÉ durch Konversion der Epidermalzellen bei Verdickung der Zellenwände gebildet. Unter dem Einflusse von Wasser schwellen die inneren Zellenschichten an und durchbrechen diese, worauf der Schleim zu Tage tritt. Man erhält den Schleim aus den Testis durch Kochen mit Wasser oder Ausschütteln mit angesäuertem Wasser, Filtrieren, Erhitzen bis zur Koagulierung des Albumins, Konzentrieren und Präzipitieren mit Alkohol. Die so gewonnene Substanz ist weniger durchsichtig und brüchig als gewöhnliches Gummi und unlöslich in kaltem Wasser und Alkohol. In trocknem Zustande enthält sie ca. 10 p. c. Asche und nach Abzug der letzteren liefert sie bei der Elementaranalyse Zahlen, welche der Formel $C_{12}H_{20}O_{10}$ entsprechen. Salpetersäure liefert beim Kochen mit der Substanz Mucinsäure.

Das *fette Öl* des Leinsamens hat die Zusammensetzung $C_{16}H_{28}O_2$ und ist ein Glycerid der Linolsäure. Beim längeren Kochen verliert es an Gewicht, wird dick und trocknet zu einer festen durchsichtigen Masse, dem *Linoxyn*, $(C_{32}H_{64}O_{11})$, ein. Chlor und Brom geben damit bei einer 50° C. wenig übersteigenden Temperatur dunkelbraune Flüssigkeiten von der Formel $C_{16}Br_2H_{26}O_2$ und $C_{16}Cl_2H_{26}O_2$. Mit Schwefelsäure von 1,478 spez. Gewicht färbt sich das Öl grün, mit konzentrierter Schwefelsäure bildet sich eine gelbbraune koagulierte Masse, die sehr gelatinös und fadenziehend ist, und zur Präzipitierung von Gelatine dient HATCHETT's artificial Tannin.

Die *trocknenden* Öle enthalten auch Glyceride, wahrscheinlich der Linolsäure, Stearin- und Palmitinsäure, deren abweichende Menge die Unterschiede zwischen den einzelnen Ölen bedingt.

Zur *Verfälschung von Leinöl* werden Baumwollsamenöl, Rapsöl, Mohnöl, Hanfsamenöl und Harzöl, Mineral- und Fischöle verwendet. Zur Entdeckung derselben empfiehlt Vf. folgende Prüfungen:

1. Die Dichtigkeit. Das reine Öl schwankt im spez. Gewichte von 0,932—0,937, das gekochte von 0,940—0,941, Mineral- und Saatöle sind leichter, Harzöl ist schwerer.

2. Der Gefrierpunkt reinen Öles liegt bei 27° C.

3. Die Elaidinprobe.

4. Die Einführung von Chlor in das Öl. Bei Gegenwart von Fischölen färbt sich bei dieser Probe das Öl fast schwarz. Auch können Fischöle durch Vermischen von 10 g des zu untersuchenden Öles mit 3 g Salpetersäure entdeckt werden; reines Öl wird zuerst grün, dann schmutziggelb, verfälschtes dunkelbraun bis schwarz.

5. Der Entzündungspunkt. Reines Öl entzündet sich bei 283° C., während MASON verfälschte Öle fand, die sich bereits bei 128° C. entzündeten.

6. Die Wirkung von konzentrierter Schwefelsäure. Beim Mischen von 50 ccm des Öles mit 10 ccm der konzentrierten Säure steigt die Hitze bis zu 134° C., während andere Öle (nach DRAGENDORFF) nur eine Erhitzung bis zu 90° C. hervorbringen.

Gekochtes Öl wird meistens mit Kolophonium und Harzöl gefälscht. Man kann diese Zusätze durch Titrieren mit alkoholischen Alkalilösungen und nachfolgender Extrahierung entdecken. (D.-Amer. Apoth.-Ztg. **5.** 304—5.)

A. Frank, *Über ein Verfahren zur Reinigung und Aufschliefsung von schwefel- und phosphorhaltigen Schlacken und sonstigen Phosphaten.* (Chem. Ind. **7.** 247—50. Charlottenburg.)

F. Hoppe-Seyler, *Über Seifen als Bestandteile des Blutplasmas und des Chylus.* (Ztschr. physiol. Chem. **8.** 503—7.)

A. Kossel, *Über einen peptonartigen Bestandteil des Zellkerns.* Die in bekannter Weise isolierten Blutkörperchen (aus Gänseblut) wurden in Wasser unter Zusatz von Äther gelöst und die ungelöst bleibende Kernsubstanz mit Wasser bis zur vollständigen Entfärbung ausgewaschen. Die Masse enthält nach den Untersuchungen von PLOSZ reichlich Nucleïn. Dieselbe ist äufserst locker und schrumpft in Alkohol gebracht allmählich zusammen. Noch viel auffallender ist die Schrumpfung durch Zusatz geringer Mengen

Salzsäure. Da durch frühere Untersuchungen die Vermutung nahe lag, daſs das Nucleïn, welches saure Eigenschaften zeigt, mit anderen Körpern in den Zellkernen in Verbindung stehe, wurde das salzsaure Extrakt der Kernmasse untersucht. Es ergab sich die Anwesenheit eines Körpers, welcher zu jener Klasse von Substanzen gehört, die unter dem Namen A-Pepton, Propepton, Albumose zusammengefaſst werden. Da dieser Körper in neutralem Wasser löslich ist und das Wasser, mit dem die Kernsubstanz vor dem Salzsäurezusatz gewaschen war, keine Spur desselben enthielt, so konnte er nur durch die Einwirkung der Säure gebildet, oder aus einer Verbindung in Freiheit gesetzt sein. Vf. nennt die Substanz „Histon" und isolierte dieselbe, indem er in die salzsaure Lösung Steinsalz eintrug, den entstehenden Niederschlag filtrierte, mit salzhaltiger Säure auswusch und in Wasser der Dialyse unterwarf. In dem Maſse, als das Salz durch Diffusion entfernt wird, geht die Substanz im Innern des Dialysators in Lösung.

Die neutrale Lösung des Histons wird gefällt durch Ammonsulfat, Magnesiumsulfat, Ammonium- und Natriumchlorid, Natriumsulfat, NH_3, Kalkwasser, Ätznatron, Salpetersäure und Alkohol. Beim Sieden der wässerigen Lösung tritt keine Koagulation ein. Die Lösung giebt die Peptonkupferreaktion. Anhaltendes Erhitzen mit Barytwasser bewirkt Zerfall in Leucin und Tyrosin.

Fügt man zu der salzfreien Histonlösung einige Tropfen Ammoniak, so entsteht ein reichlicher Niederschlag, der völlig unlöslich ist und alle Eigenschaften eines koagulierten Einweiſskörpers zeigt; die von dem Niederschlage filtrierte Flüssigkeit giebt keine Peptonreaktion mehr.

Die Elementaranalysen zeigen, daſs das Histon bei dem durch Ammoniak bewirkten Übergang in den koagulierten Eiweiſskörper reicher an Kohlenstoff und Stickstoff wird, während der Wasserstoffgehalt nur eine unbedeutende und innerhalb der Fehlergrenzen liegende Änderung zeigt. Es ist somit in diesem Falle ein ähnliches Verhältnis hinsichtlich des prozentischen Gehaltes an Kohlenstoff vorhanden, wie es der Vf. bei einem Vergleich der Produkte der Pepsinverdauung mit den ursprünglichen Eiweiſskörpern gefunden hat (**79.** 313). Es dürften somit die Ansichten von MALY (**75.** 393) u. HERTH (**78.** 197), welche für Pepton und Eiweiſs die gleiche prozentische Zusammensetzung annahmen, definitiv beseitigt sein. (Ztschr. phys. Chem. **8.** 511—15. 4. Juli. [2. August.] Chem. Abtlg. des physiol. Instituts. Berlin.)

C. Fr. W. Krukenberg, *Die chemischen Bestandteile des Knorpels* (vergl. **84.** 537.) (Ztschr. f. Biolog. **20.** 307—26. Chem.-physiol. Laborator. d. k. Universität Würzburg.)

O. Loew, *Über Silber reduzierende tierische Organe.* (PFLÜGER's Archiv. **34.** 596—601.)

Max Rubner, *Über den Einfluſs der Extraktivstoffe des Fleisches auf die Wärmebildung.* Das Fleischextrakt hat nach den mitgeteilten Versuchen keinen Einfluſs auf die Wärmebildung. Der Verbrauch an Stoffen wird weder angeregt noch unterdrückt; die Bestandteile des Fleischextraktes verlassen im groſsen und ganzen unverändert, d. h. ohne Spannkraft, den Körper und hat demnach das Fleischextrakt bei Berechnung der Verbrennungswärme unberücksichtigt zu bleiben. (Ztschr. f. Biolog. **20.** 265—76. Physiolog. Institut. München.)

Worm-Müller, *Die Ausscheidung des Zuckers im Harpe des gesunden Menschen nach Genuſs von Kohlenhydraten.* Stärkehaltige Nahrung erzeugte keine nachweisbare Ausscheidung von Zucker oder zuckerbildender Substanz im Harne gesunder Menschen; durch die Nahrung aufgenommene Lävulose ging nicht in den Harn über, dagegen lieſsen sich sowohl Milch- wie Rohrzucker und Traubenzucker (einen Fall ausgenommen) nach Genuſs von 50—250 g dieser Substanzen im Harne nachweisen. Der ausgeschiedene Zucker war indessen niemals modifiziert, sondern entsprach immer der aufgenommenen Zuckerart. (PFLÜGER's Archiv. **34.** 576—96. Christiania.)

Friedrich Müller, *Über den normalen Kot des Fleischfressers.* (Ztschr. f. Biolog. **20.** 327—77. Physiol. Inst. München.

Hermann Rieder, *Bestimmung der Menge des im Kote befindlichen, nicht von der Nahrung herrührenden Stickstoffes.* (Ztschr. f. Biolog. **20.** 378—92. Physiol. Institut. München.)

A. Mairet, *Untersuchungen über die biologische Rolle der Phosphorsäure.* Wenn der Phosphorsäuregehalt des Harns in einer engen Beziehung zur Ernährung steht, wie sich aus dem Einfluſs der letzteren auf die Elimination der Phosphate ergiebt, so scheint aus dem, was wir über die Konstitution der Gewebe und die fortdauernde Abscheidung der Phosphate durch den Harn während des Hungerns wissen, hervorzugehen, daſs diese Salze eine biologische Bedeutung haben. Zahlreiche Versuche sind schon über diesen Gegenstand ausgeführt worden, aber die Resultate waren zum Teil widersprechend. Der Vf. hat sich von neuem mit der Frage beschäftigt und dabei die Irrtümer zu vermeiden gesucht, welche sich bei früheren Untersuchungen finden. Er versuchte zu diesem Zweck die Beziehungen festzustellen, welche einerseits zwischen der Phosphorsäure und andererseits zwischen der Muskelthätigkeit, der geistigen Arbeit und der allgemeinen Ernährung bestehen. Die Elimination der Phosphorsäure durch den Harn wurde 24 Stunden lang während des Wachens und des Schlafes, sowie während der Ruhe, der Muskelthätigkeit und der geistigen Arbeit ·bestimmt. Nachdem so der Einfluß eines jeden dieser Faktoren bekannt war, wurden die erhaltenen Resultate interpretiert; es genügt nicht, die unter dem Einfluß irgend einer, z. B. geistigen Arbeit, eintretenden Modifikationen in der Abscheidung der Phosphorsäure zu kennen, um diese dem Nervensysteme zuzuschreiben; der Organismus bildet ein Ganzes, eine Einheit, und das arbeitende Gehirn kann andere Organe anregen, die Vorgänge ipnerhalb derselben und dadurch auch die Elimination der Phosphorsäure modifizieren. Um die obigen Fragen zu lösen, mußten vergleichende Versuche über die Ausscheidung des Stickstoffs und der an Alkalien und an alkalischen Erden gebundenen Phosphorsäure ausgeführt werden.

Allgemeine Ernährung und Phosphorsäure. Wenn man bei Individuen im Ruhezustand die Elimination des Stickstoffs und der Phosphorsäure zu verschiedenen Tageszeiten studiert, so erkennt man einerseits, daß während des Schlafes die Elimination des Stickstoffs und der Phosphorsäure geringer wird, und zwar sowohl der an Alkalien, als auch an alkalische Erden gebundenen; andererseits nehmen am Tage beide Vorgänge mit der Aktivität des Wachens zu. Da nun die Stickstoffabscheidung eine Folge der Zersetzung der Eiweißsubstanzen ist, und diese mit dem Stoffwechsel innerhalb der verschiedenen Gewebe, also mit der allgemeinen Ernährung zusammenhängt, so muß man auch die Elimination der Phosphorsäure auf die Modifikationen der Ernährung zurückführen. Man kann also sagen: die Elimination der Phosphorsäure hängt mit der allgemeinen Ernährung zusammen; sie läuft parallel mit der Zersetzung der Eiweißkörper, d. h. mit der Abscheidung des Stickstoffs.

Muskelarbeit und Phosphorsäure. Die Muskelarbeit übt je nach der Ernährung einen Einfluß aus oder nicht. Ist die Nahrung knapp, so zeigt sich eine merkliche Vermehrung der Phosphorsäureausscheidung während der Arbeit. Ist sie reichlicher, so wird die Vermehrung geringer, ist sie sehr reichlich, so wird ein Einfluß der Arbeit nicht mehr bemerklich. Bleibt umgekehrt die Nahrung gleich, so kann die Arbeit eine Vermehrung der Phosphorsäureausscheidung bewirken; dies ist aber nicht mehr der Fall, wenn die Nahrung überhaupt sehr reichlich ist. Ebenso wird keine Modifikation der Phosphorsäureausscheidung bewirkt, wenn die Arbeit bei entsprechender Nahrung nur wenig intensiv ist.

Diese negativen Resultate stehen mit den anderweit erhaltenen positiven nicht in Widerspruch; sie beweisen nicht, daß die Muskelarbeit keine Phosphorsäure verbraucht; sie beweisen nur, daß eine innige Beziehung zwischen der Reichhaltigkeit der Nahrung an Phosphorsäure und der Intensität der Muskelarbeit besteht. Ist diese Reichhaltigkeit sehr bedeutend, so verdeckt sie den Verlust an Phosphaten, welchen der Organismus erleidet. Ist der Phosphorsäuregehalt in der Nahrung nicht ausreichend, so zeigt die Muskelarbeit ihre Wirkung sowohl auf die Ausscheidung der Phosphorsäure, als auch auf die des Stickstoffs: sie erhöht beide, aber die durch den Harn ausgeschiedene Phosphorsäure ist nur an Alkalien gebunden. Deshalb lassen sich die Sätze aufstellen:

1. Die Muskelarbeit verbraucht Phosphorsäure.

2. Wenn die Intensität der Arbeit den Reichtum der Nahrung an Phosphorsäure übersteigt, so steigt auch die Elimination von Stickstoff und an Alkalien gebundener Phosphorsäure.

Es fragt sich nun, woher dieses Plus von alkalischen Phosphaten stammt, welches unter dem Einfluß der Muskelarbeit durch den Harn ausgeschieden wird.

Als man Hunde, welche 36 Stunden lang gehungert hatten, arbeiten ließ (ein Lauf von zwei Stunden) und danach das Blut der Schenkelarterie· und Vene untersuchte, so ergab sich folgendes:

1000 ccm venöses Blut enthielten 0,551 Phosphorsäure an Alkalien gebunden, während 1000 ccm arterielles Blut nur 0,494 g enthielten. Hieraus läßt sich schließen:

1. Der Muskel verbraucht Phosphorsäure, um Arbeit zu erzeugen.

2. Die Phosphorsäure, welche man im Harn nach einer Muskelthätigkeit in Überschuß findet, ist ein Auswurfstoff des Muskels. Der Muskel bildet also eine der Quellen derjenigen Phosphorsäure, welche man nach der Arbeit im Harn findet, und man kann sagen:

1. Die Elimination der Phosphorsäure ist an die Ernährung und an die Funktionen der Muskeln gebunden.

2. Die Muskelarbeit vermehrt den Gehalt des Harns an alkalischen Phosphaten.

(C. r. **99**. 243—46. [4.°] August.)

A. Mairet, *Über den Einfluſs geistiger Arbeit auf die Abscheidung der Phosphorsäure durch den Harn.* ·Um diesen Einfluſs zu finden, muſs man wie bei der Muskelarbeit zugleich die Intensität der geistigen Arbeit und der Ernährung berücksichtigen. Die Versuche haben ergeben, daſs sowohl bei gemischter Kost und normaler Menge derselben, als auch bei reiner Pflanzenkost und sehr mäſsiger Nahrung sowohl der Gehalt an Stickstoff als auch an alkalischen Phosphaten durch die geistige Arbeit vermindert wird. Ist aber die Nahrung im Vergleich mit der Intensität der geistigen Arbeit geringer, so tritt insofern eine neue Komplikation hinzu, als nur der Gehalt an Erdphosphaten erhöht wird. Bei ein und demselben Regime war der Gehalt des Harns an letzteren um so gröſser, je intensiver die geistige Arbeit war, und andererseits zeigte sich bei derselben Arbeit die Menge der Erdphosphate um so gröſser, je geringer die Ernährung war.

Wenn also die Intensität der geistigen Arbeit die Reichhaltigkeit der Nahrung übersteigt, so wird durch jene die Elimination der Erdphosphate erhöht.

Die während der geistigen Arbeit ausgeschiedenen Erdphosphate sind ein Produkt des Stoffwechsels der Nervensubstanz, die gleichzeitig dabei eintretende Verminderung des ausgeschiedenen Stickstoffs deutet auf eine Herabsetzung der allgemeinen Ernährung hin. Dasselbe gilt für die Verminderung der alkalischen Phosphate. Indessen hat die letztere noch eine andere Ursache, insofern sie zum Teil wenigstens darauf zurückzuführen ist, daſs die Nervensubstanz während der geistigen Arbeit alkalische Phosphate absorbiert, um den Verlust an Phosphorsäure wieder zu ersetzen. Hieraus glaubt der Vf. folgende Schlüsse ziehen zu können:

1. Die Phosphorsäureausscheidung hängt von der Ernährung und der Thätigkeit des Gehirns ab. Letzteres absorbiert während der geistigen Arbeit alkalische Phosphate und scheidet Erdphosphate aus.

2. Die intellektuelle Arbeit verlangsamt die allgemeine Ernährung.

3. Die intellektuelle Arbeit modifiziert die Elimination der Phosphorsäure durch den Harn; sie vermindert die Abscheidung der alkalischen Phosphate und vermehrt die der Erdphosphate.

Überblicken wir nun die Gesamtresultate dieser und der vorhergehenden Untersuchung, so ergiebt sich, daſs die Phosphorsäure mit der Ernährung des Muskel- und Nervensystems, sowie mit der allgemeinen Ernährung verbunden ist. Gleichwohl machen sich diese drei Faktoren in bezug auf die Abscheidung der Phosphorsäure in verschiedener Weise geltend. Während das Nervensystem bei seiner Thätigkeit die alkalischen Phosphate und den Stickstoff vermindert und die Erdphosphate vermehrt, so wirkt der Muskel gerade in umgekehrter Weise: er vermehrt die alkalischen Phosphate und den Stickstoff und setzt die Menge der Erdphosphate herab. Die allgemeine Ernährung endlich übt ihren Einfluſs in gleichem Sinn auf die beiden Phosphate und den Stickstoff. (C. r. **99.** 282—83. [11.°] August.)

H. Weiske und **B. Schulze,** *Versuche über das Verhalten verschiedener Amidkörper im tierischen Organismus.* (Ztschr. f. Biol. **20.** 277—85. Februar. Tierchem. Institut d. Univers. Breslau.)

Ferd. Aug. Falck, *Über den Einfluſs des Alters auf die Wirkung des Strychnins.* Erster Teil. (Pflüg. Archiv **34.** 530—75. Pharmakogn. Lab. Kiel.)

O. Loew, *Zur Chemie der Argyrie.* (Pelüg. Archiv **34.** 602—6.)

Ferd. Aug. Falck, *Über den Einfluſs des Alters auf die Wirkung der Arzneimittel.* (Pflüg. Arch. **34.** 525—29. Pharmakogn. Lab. Kiel.)

J. F. Eijman, *Über die giftigen Bestandteile der Skopolia japonica.* Die Skopolia Japonica, deren Wurzel bisweilen unter der Bezeichnung „Japanische Belladonna" nach Europa auf den Markt gebracht wird, gehört zur Familie der Solaneen. Nach Martin enthält sie Solanin; Langaard schreibt die giftigen Wirkungen der Pflanze zwei Alkaloiden zu: dem Rotoïn (abgeleitet von dem japanischen Namen der Pflanze Roto) und dem Skopoleïn.

Vf. isolierte aus der Wurzel 1. das *Skopoletin,* eine in feinen Nadeln oder Prismen krystallisierende Substanz, welche in kaltem Wasser und in Äther wenig löslich, in kochendem Wasser und Chloroform löslicher, dagegen fast unlöslich in Benzin und heiſsem Schwefelkohlenstoff ist. Heiſser Alkohol und Essigsäure lösen sie in beträchtlichen Mengen; die wässerigen und noch mehr die alkoholischen Lösungen des Skopoletins zeigen eine schön blaue Fluoreszenz, die bei dem Übersättigen mit Säuren ein wenig ins Violette übergeht, dagegen beim Versetzen mit einem Überschusse von Alkali eine gelbliche Färbung annimmt. Das Skopoletin schmilzt bei 198° C.; bei etwas höherer Temperatur sublimiert es in feinen Nadeln, welche mit Ammoniak noch eine stark blaue Fluoreszenz erzeugen. Die Elementaranalyse lieferte im Mittel 61,1 p. c. Kohlenstoff, 4,18 p. c. Wasserstoff und 34,72 p. c. Sauerstoff, welche ungefähr der Formel $C_{17}H_{10}O_6$ entsprechen.

2. Das *Skopoleïn*, gleichfalls eine krystallisierende Substanz, zeigt alle Reaktionen der Alkaloide; Alkalien fällen es im amorphen Zustande aus den Lösungen. Die Analyse ergab 67,9 C, 7,84 H, 5,4 N und 18,86 p. c. Sauerstoff. Beim Digerieren mit Barytwasser entsteht ein bei 104—105,3° schmelzender krystallisierender Körper, welcher alle Eigenschaften der Atropasäure zeigt.

3. Das *Skopolin* erwies sich als das Glykosid des Skopoletins und besitzt die Formel $C_{24}H_{30}O_{15} + 2H_2O$; durch Säuren wird es in 2 Mol. Zucker und Skopoletin ($C_{11}H_{10}O_4$) gespalten. Der Körper besitzt nicht die Eigenschaft, die Pupille zu erweitern, welche in hohem Mafse dem Skopoleïn zukommt. (Rec. des Trav. Chim. des Pays-Bas **3**. 169—81. Tokio 1883.)

8. Technische Chemie.

Ed. Willm, *Über die Fabrikation einfacher Cyanide mittels Trimethylamin nach dem Verfahren von Ortlieb und Müller.* Diese Darstellung hat als Basis eine Reaktion des Methylamins, welche schon vor längerer Zeit von WURTZ bekannt gemacht worden ist. Leitet man eine rotglühende Porzellanröhre, so zersetzt es sich in Cyanwasserstoffsäure, Cyanammonium und Kohlenwasserstoffe. Um sie industriell zu verwerten, bedienen sich ORTLIEB und MÜLLER zu Croix in Frankreich (Nord) grofser Retorten, ähnlich denen, welche zur Leuchtgasfabrikation benutzt werden.

Das käufliche Trimethylamin wird in besonderen Gefäfsen in Dampf verwandelt und die Dämpfe in glühende Retorten geleitet. Die Zersetzungsprodukte gehen in eine Vorlage und aus dieser nach den Absorptionsgefäfsen, in denen ihre Trennung stattfindet. Die erste Reihe derselben enthält verdünnte Schwefelsäure, welche das Ammoniak bindet und die Cyanwasserstoffsäure frei macht. Diese, zugleich mit derjenigen, welche vorher bereits in freiem Zustande vorhanden war, sowie die brennbaren Gase, treten dann in mit Kali- oder Natronlauge, oder auch mit Kalkmilch etc. gefüllte Absorptionsgefäfse, in denen man mit Leichtigkeit konzentrierte Lösungen der entsprechenden Cyanide erhält, während die brennbaren Gase in einem Gasometer aufgefangen werden und dann zur Beleuchtung dienen. (Bull. Par. **41**. 449—51. 5. Mai.)

E. W. Parnell, *Über die Einwirkung von Nitraten auf Alkalisulfide.* Nach den Untersuchungen von G. LUNGE und SMITH verursacht die Einwirkung der eisernen Gefäfse, in denen bei der Darstellung von kaustischer Soda die Oxydation der Sulfide mit Salpeter vorgenommen wird, eine bedeutende Ammoniakbildung. Dieses Resultat veranlafste den Vf. zu neuen Versuchen. Es zeigte sich, dafs bei einem ganz geringen Gehalte der zu oxydierenden Lösung an Eisensulfür die Ammoniakbildung bedeutend gesteigert wird. Das Eisensulfür wird bei dieser Reaktion jedenfalls abwechselnd durch den Salpeter zu Eisenoxyd oxydiert und dann durch das Natriumsulfid wieder zu Sulfür reduziert. Durch Zusatz von etwas Eisensulfat kann die Ammoniakbildung bis auf 90 p. c. gesteigert werden. Auch Eisenoxydul allein reduziert Salpeter:

$$16Fe_2O + 2KNO_3 + 4H_2O = 8Fe_2O_3 + 2NH_3 + 2KOH.$$

Vf. fafst seine Schlüsse aus diesen und seinen früheren Versuchen folgendermafsen zusammen:

1. Die Oxydation von Natriumsulfid durch Salpeter in kochender Lösung beginnt nicht unter 188° C. (370° F.)

2. Die Oxydation geht ohne Bildung von Ammoniak vor sich.

3. Eisensulfür, Eisenoxydul, Zinksulfid und ohne Zweifel einige andere Metallsulfide werden durch Salpeter oxydiert unter Bildung von Ammoniak.

4. Metallisches Eisen übt beim Kochen in alkalischer Lösung nur eine geringe Reduktion von Salpeter zu Ammoniak aus. (Journ. Soc. Chem. Ind. 1884. 133; Polyt. J. **252**. 532.)

G. Lunge, *Über den Umfang der Schwefelsäure- und Sodafabrikation in England.* (Chem. Ind. **7**. 213—18.)

Bourbouze, *Löten von Aluminium.* Dasselbe gelingt leicht, wenn man die mit dem Aluminium zu verlötenden Metalle in gewöhnlicher Weise verzinnt, aber hierzu nicht reines Zinn, sondern eine Legierung desselben mit Zink, Wismut oder mit Aluminium anwendet. Alle drei eignen sich gut, doch giebt die letztere die besten Resultate. Sind die zu lötenden Gegenstände nachher mit dem Hammer oder der Drehbank zu behandeln, so mufs man eine Lösung von 45 Tln. Zinn und 10 Tln. Aluminium anwenden. (C. r. **98**. 1490—91. [15.*] Juni.)

Boury und **Provins**, *Neues Saftextraktionsverfahren.* Das Verfahren besteht darin, die Pressung bei einer genügend hohen Temperatur vorzunehmen: 1. Um durch die Einwirkung der Wärme alle von der Reibe nicht berührten und nicht zerrissenen Zellen aufzuschließen; 2. die Fermente zu töten, wodurch jeder Veränderung des Saftes vorgebeugt wird; 3. die Eiweißstoffe zum Gerinnen zu bringen; in diesem Zustande werden dieselben alsdann in der Pülpe zurückgehalten und gelangen nicht in den Saft, wo sie nicht allein verloren wären, sondern auch die Reinheit des letzteren beeinträchtigen würden; 4. der Pülpe einen höheren Nährwert zu verleihen; 5. den Ertrag an Zucker zu erhöhen, indem der Saft zuckerreicher und reiner wird. (La Sucrerie indigène **23.** 203 d. Scheibler's Neue Ztschr. **12.** 247—50.)

H. G. Ortenbach, *Füllflasche zum Auffüllen von Flüssigkeiten, insbesondere von Wein auf Fässer.* Die in das Spundloch des Fasses *P* eingesetzte Füllflasche *F* ist oben durch einen hohlen Stöpsel geschlossen, der mit in Salicylsäure getränkter Baumwolle gefüllt ist, um die hindurchtretende Luft zu desinfizieren. Behufs möglichsten Abschlusses von der Luft ist die Flüssigkeit noch mit einem Schwimmer *C* bedeckt. Der Heber *H*, welcher durch die Flasche hindurch in das Faß hinein reicht und außen durch einen Quetschhahn *Q* geschlossen werden kann, dient zum Abfüllen des Fasses. (Pol. Notizbl. **39.** 215.)

R. Kayser, *Ein Beitrag zur Chemie des Weines.* (Ztschr. anal. Chem. **23.** 297—317; C.-Bl. 1884. 501.)

Karl Michel, *Über die sogenannte Glutintrübung.* Vf. weist nach, daß die beim Abkühlen der Bierwürze entstehende Trübung nicht, wie Habich angiebt, als Glutintrübung aufzufassen ist, und auch nicht von anderen Proteïnstoffen herrührt, sondern durch Ausscheidung von harzigen Bestandteilen bewirkt wird. (Sep.-Abdr. aus d. Ztschr. f. d. gesamte Brauwesen 1884.)

Lintner, *Altes und Neues in der Brauerei.* Vortrag, gehalten am fünften deutschen Brauertage zu Berlin. (Ztschr. für das gesamte Brauw. **7.** 239—47.)

C. Lintner jun., *Eine Studie über Brauwasser.* (Nach Versuchen von A. Erhard mitgeteilt.) Vf. stellte sich zunächst nur die Frage, wie Wässer mit verschiedenen Mengen an glühbeständigem Rückstande mit vorwiegend Kalksalzen auf die Quantität der Würzenaschen beim Maischen und Kochen wirken. Es ergab sich, daß die in der Beschaffenheit der Würzen vor und nach dem Kochen derselben eingetretenen Veränderungen unter Anwendung von destilliertem und Brunnenwasser keinen entsprechenden Ausdruck in der Saccharometeranzeige findet. Der Maltosegehalt zeigte unerklärliche Schwankungen. Die stickstoffhaltigen Bestandteile nehmen sowohl mit Verwendung mineralstoffreicherer Wassers, als durch das Kochen deutlich ab; die Aschen vermindern sich ebenso bei Verwendung von Brunnenwasser gegenüber den mit destilliertem Wasser erhaltenen Würzen. Das Gleiche gilt von der Phosphorsäure. In allen Fällen wurden durch destilliertes Wasser die höchsten Zahlen erhalten.

Es ist der Fall denkbar, daß ein Wasser, das verhältnismäßig arm an Kalksalzen, aber reich an anderen, z. B. Magnesiasalzen ist, wohl die Asche der Würze erhöht, aber dieselbe wird dann wohl eine anormale, vielleicht der Gärung gerade schädliche Zusammensetzung erhalten. Es könnte aber auch der Fall eintreten, daß die Eiweißkörper aus einem solchen Wasser einen großen Teil der Salze beim Kochen mit niederreißen und so wieder eine Art Gleichgewichtszustand herstellen. So würde sich vielleicht der Umstand erklären, daß die Aschen von mit den verschiedensten Wassern hergestellten Würzen keine sehr großen Differenzen aufweisen. (Ztschr. für d. ges. Brauw. **7.** 247—51.)

Georg Holzner, *Zur Geschichte der Darrkonstruktionen.* (Ztschr. f. d. ges. Brauw. **7.** 251—53. 26. Mai. Freising.)

M. Delbrück, *Über Hefe und Gärung in der Brauerei.* Vortrag, gehalten auf dem fünften deutsch. Brauertage in Berlin. (Wochenschr. f. Brauerei **1.** 381—86.)

Berthold Schneider, *Studien über den Maischprozeß im Großbetriebe.* Des Vf's. Beobachtungen sind folgende: Eine langsame Verzuckerung schon unter 40°C., sowie eine langsam steigende während der ersten Maische, eine raschere auf Kosten der Dextrine während der zweiten, eine rapide, bei der für die Dextrinbildung günstigsten Temperatur der dritten Maische. Eine höchste Extraktausbeute von dem Abmaischen. Die Wirkung einzelner Ruhepausen war: Eine um ³/₄ Stunden verlängerte Ruhepause der Maische, eine Maltosemehrheit von 1 p. c. bei der ersten und 2 p. c. bei der zweiten Maische, jedoch Abnahme der Dextrine. Ein höchster Extraktgehalt nach dem Abmaischen. Es ergab sich, daſs längeres Kochen und Ruhen der ersteren Maische einen höheren Maltosegehalt zur Folge hat, die Löslichkeit der Diastase bei niederen Temperaturen eine bedeutendere ist. Das Verhältnis des Extraktes der Dextrine und Maltose war bei sämtlichen Bieren ziemlich dasselbe. (Ztschr. f. d. ges. Brauwes. 7. 25—34.)

H. Bungener, *Beitrag zur Kenntnis der Bitterstoffe des Hopfens*. Der Vf. stellt die Hopfenbittersäure mittels Petroleumäther dar und wählt zur Extraktion frisches, aus ungeschwefeltem Hopfen stammendes Lupulin. Es ergaben 6 kg Lupulin über 400 g Hopfenbittersäure. Diese wird in lauwarmem Alkohol gelöst, auskrystallisiert und nun noch mehrere Male der Umkrystallisation in Petroleumäther unterworfen. Die Hopfenbittersäure ist mit Ausnahme von Wasser löslich in allen Lösungsmitteln. Aus der ätherischen Lösung erhält man sie in 1 cm langen Krystallen. Dieselbe geht mit Kupferacetat eine Kupferverbindung ein. Die gelöste, sowie gepulverte Hopfenbittersäure färbt sich bald gelb, wird harzig und geht in eine Isomerie über. Oxydationsmittel rufen die Bildung von Baldriansäure hervor. Die Natur der Hopfenbittersäure scheint die eines Aldehydes oder einer schwachen Säure zu sein. Die Frage, ob der Hopfen lediglich dieser Säure und ihrer harzigen Modifikation seinen Bittergeschmack verdankt, läſst Vf. noch unbeantwortet. (Ztschr. f. d. ges. Brauw. 7. 93—97.)

E. Egger, *Beitrag zu den Studien über das Verhältnis von Alkohol zu Glycerin im Biere*. In Ergänzung der Angaben von E. BORGMANN (84. 201), welcher das Verhältnis des Alkohols zum Glycerin in bereits fertigen durchgegorenen Bieren ermittelte, stellte Vf. Untersuchungen an, in welchem Grade die Bildung von Alkohol und Glycerin im Biere während der Gärung fortschreitet, und wie hierbei das Verhältnis dieser beiden Körper wechselt. Bei den Versuchen wurde die BORGMANN'sche Methode angewandt. Es ergab sich, daſs das Glycerin im Verhältnisse zum Alkohol abnimmt, je mehr die Gärung fortschreitet. Vf. stellt weitere Ermittelungen in Aussicht. (Arch. f. Hyg. 2. 254—56. Mainz. Chem. Unters.-Amt f. Rheinhessen.)

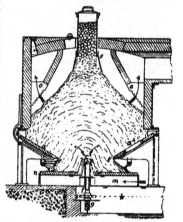

W. Siemens, *Gasgenerator*. (D. P.). Um den früher patentierten Generator (83. 353) stärker und dauerhafter zu machen, denselben für den Gebrauch von Brennmaterial verschiedener Art einzurichten und zu verhindern, daſs der Brennstoff die Gasausströmungsöffnungen verstopft, auch die aus dem frisch eingefüllten Brennstoffe entweichenden Kohlenwasserstoffe nicht mit dem bereits in Glut befindlichen Brennstoffe in Berührung kommen, sind folgende Abänderungen getroffen. Der frühere, steil abfallende, mit Roststäben versehene Boden des Generators ist durch den leicht geneigten Herd *a* ersetzt, welcher für gewisse Sorten Brennmaterial durchaus mit feuerfesten Steinen gefüttert ist, für andere stellenweise Roststäbe *a₁* enthält. Durch die Öffnung *b* läſst sich ein Schüreisen einbringen. Der von der zentralen Düse *c* ausgehende horizontale Rand erstreckt sich eine Strecke weit über die zentrale Öffnung des Herdes *a* hinaus und läſst zwischen sich einen Raum *e* für den Luftzutritt, zum Schüren des Brennmateriales und zur Entfernung der Asche. Statt der stationären Luftzuleitung zu der zentralen Düse *c* ist ein Rohr *f* angebracht, welches mit Schraubengewinden in einer Art Mutter *g* sitzt und oben mit Hörnern oder Schüreisen *h* versehen ist. Die über der Mutter *g* auf dem Rohre *f* sitzende Kettenscheibe *i* ist durch eine Kette *k* mit einer innerhalb des Bereiches des Ofens befindlichen stehenden Welle verbunden, bei deren Umdrehen auch das Rohr *f* gedreht wird, gleichzeitig in die Höhe geht und mit seinen Hörnern *h* die Öffnung der Düse *c* von Asche und Schlacke reinigt. Die Luftzuführung geschieht entweder durch das Rohr *f*, in welchem durch einen Dampfstrahl der Zug befördert wird, oder durch den mit Regulierschiebern *n* versehenen Kanal *m*.

Um die aus dem frisch aufgegebenen Brennmateriale entwickelten Kohlenwasserstoffe mit dem bereits in Glut befindlichen Brennmateriale in Berührung zu bringen, erhält die Beschickungsöffnung für den Brennstoff eine Verlängerung *s*, welche sich so-

weit nach unten erstreckt, daſs der Brennstoff sich niemals dicht vor die Auslaſsöffnungen
o legen kann. (B.- und Hüttenm.-Ztg. **43**. 304.)

Wilh. Ohlmüller, *Zusammensetzung der Kost siebenbürgischer Feldarbeiter.* (Ztschr.
f. Biol. **20**. 393—95. Physiol. Instit. München.)

Dimitrieff, *Der Kephir, eine neue Art Milchwein.* (Blätter f. Gesundheitspfl. (Zürich.)
13. 129—32; vgl. C.-Bl. 1884. 126.)

Scheurer-Kestner, *Über die Darstellung von Koks unter Benutzung der Nebenprodukte.* (Bull. Par. **41**. 595—97. 20. Juni.)

P. F. Frankland, *Über die Zusammensetzung des Steinkohlengases mit Beziehung
auf dessen Leuchtkraft.* (Journ. Chem. Soc. **45**. 189. Juni; C.-Bl. 1884. 502.)

Kleine Mitteilungen.

Guter Klebstoff für Glas und Metall, von F. O. CLAUS. Man rührt 40 g Stärke
und 320 g Schlemmkreide mit 2 l kaltem Wasser an und fügt dazu unter stetem Umrühren
250 ccm Natronlauge von 20° B. (D. P.).

Metalllacke. In der feineren Mechanik benötigt man vielfach sowohl zur Zierde, als
auch zum Schutze der Gegenstände durchsichtige glänzende Überzüge, Goldlacke oder auch farblose Firnisse, an welche die Anforderung gestellt wird, daſs sie nicht springen und reiſsen sollen
(meist von unnötig dickem Auftragen herrührend), und dabei möglichst hart seien. Die Klarheit
der Lacke ist leichter zu erzielen, als man glaubt, und begeht man hierin noch groſse Fehler
dadurch, daſs man die Lacke möglichst konzentriert herstellt, wodurch dann beim Verdünnen die
hierbei weniger löslichen, meist wachsähnlichen Teile wieder herausfallen und die Klarheit vernichten. Nach der „Central-Ztg." für Optik und Mechanik" verfahre man wie folgt. Die betreffenden Harze und Gummisorten löse man ziemlich verdünnt auf, filtriere sie durch ein weiches
Flieſspapier, welches man mit einem Stück Organsin (sehr lockeres Gewebe) zugleich faltete. Der
dünne Lack läuft hier gut und ziemlich rasch durch und kann dann im Wasserbade der überschüssige Alkohol bis zum gewünschten Konzentrationsgrade abgedampft werden, so daſs man
dessen Konsistenz·ganz in seiner Gewalt hat. Die zum Färben des Alkoholfirnisses dienenden
Körper unterzieht man ebenfalls einer vorhergehenden Reinigung, noch besser aber ist die Erzeugung separater Extrakte von Gummigutt, Drachenblut, Sandelholz und Curcuma. Die beiden
letzteren zieht man am besten, und um Alkoholverlust zu vermeiden, nach der sogen. Extrak-
tionsmethode im gepulverten·Zustande, in einem 5 cm weiten und 1 m langen Blechrohre, welches unten eine nicht zu feine, ca. 3 mm weite, mit einem Baumwollpfropfen verschlossene Öffnung,
resp. Spitze hat, aus. In dieses Rohr wird ca. bis zur halben Höhe farbhaltiges Material gefüllt, zusammengedrückt und mit Alkohol übergossen. Letzterer sinkt langsam, besonders bei
Beginn, in der oberen Hälfte bis ganzen Stunde durch und nimmt in vollkommenster Weise den Farbstoff auf. Das Extrakt läuft ganz klar ab und hält sich in wohl verschlossenen Flaschen unbegrenzt lange gut.

Anilinfarben sind sämtlich verwerflich, da dieselben von der Sonne zu rasch gebleicht werden. Es ist das praktischste, sich die Extrakte oder Tinkturen separat zu bereiten, und erst
dann dem Lacke zuzusetzen, wenn man eine bestimmte Farbe laut Mustergegenstand erhalten
will. Der Hauptbestandteil des Lackes ist, um Festigkeit zu erhalten, Schellack (Rubin), ferner
Benzoe und Sandarakharz, um Glanz, und Kopaivabalsam und Leinölfirnis (Sikkativ), um Bieg-
samkeit in hohem Grade zu erzielen. Das Mischungsverhältnis ist: 10 g Rubinschellack, 3 g
Kopaivabalsam, 3 g Leinölfirnis und 100—150 g besten Alkohols.

Für eiserne Gegenstände, welche sowohl der Nässe, als auch sauren Dämpfen, Salzwasser
oder höheren Temperaturen ausgesetzt sind, komponierte man einen vollkommen zweckentspre-
chenden Lack, der unter Umständen auch mit Körperfarben oder Bronzepulvern gemengt werden
kann, aus folgenden Bestandteilen. Da ich das bei, welche man früher ihrer Klebrigkeit halber für unbrauchbar
hielt, zu vollkommenster Befriedigung der Kunden: 2 Gewtln. Damarharz, 4 Terpentinöl, 1 Sikkativ
und 2 Leinölfirnis. Derselbe muſs jedoch, da er ziemlich langsam trocknet, womöglich in einen
Trockenofen gebracht werden, wo er schönen Glanz und Widerstandsfähigkeit annimmt. Wird
ganz heller, sehr harter Lack gewünscht, so erzeuge man denselben folgendermaſsen:

Auf einer vom Nebenlokal aus, durch die Scheidewand getrennt, geheizten guſseisernen
Platte, über der ein gut ziehender, trichterförmiger Schlot angebracht ist, schmelze man in einem
flachen, einer Bratpfanne ähnlichen Gefäſse aus versilbertem Kupfer bei möglichst niedriger

Temperatur besten ostindischen Ganshautkopal und rühre dabei mit einem blank polierten und ebenfalls versilberten Messingstiele um. Ist das Harz gleichmäßig geschmolzen und hat es ein honigartiges Aussehen angenommen, so läßt man es erkalten, wonach man es vorsichtig ausbricht. Zum Auslösen dieses schön klaren, schwach gelblichen Produktes verwendet man Terpentinöl, welches vorher durch Schütteln mit ungelöschtem Kalk und klares Abziehen ganz von Wasser befreit wurde und nimmt auf 1 Gewtl. Kopal 2—3 Gewtle. Terpentinöl. Dieser Lack ist vollkommen farblos in dünner Lage, trocknet fast so schnell wie Spirituslack, wird sehr hart und sogar schleif- und polierbar. Die geringe Mühe bei der Anfertigung wird reichlich durch die Qualität des Produktes entschädigt. (Maschinenbauer; D. Ind.-Ztg. **25.** 277.)

Poteline heißt eine von dem Pariser Ingenieur POTEL erfundene Masse, die im wesentlichen aus Gelatine, Glycerin und Tannin besteht und je nach der Bestimmung mit Schwerspat oder Zinkweiß versetzt, oder mit vegetabilischen Stoffen gefärbt wird. Das Poteline läßt sich drehen, feilen, bohren und polieren, was es zu allen möglichen Verzierungen, zu hermetischen Flaschenverschlüssen, zur Herstellung unzerbrechlicher Puppenköpfe, künstlichen Marmors und einer Menge von Luxusartikeln verwendbar macht. Das vom Erfinder geheim gehaltene Verhältnis der Zusammensetzung schwankt je nach dem einzelnen Zwecke, infolge dessen auch die Konsistenz, die z. B. für Flaschenverschlüsse beinahe flüssig ist. Am meisten Erfolg verspricht sich für die Zukunft der Erfinder aus der Verwendbarkeit des Präparates zur Konservierung von Fleisch und Früchten, da die Masse ganz unschädlich ist, selbst genossen werden kann, sich den zu konservierenden Stücken leicht anpaßt und beim Gebrauche leicht davon abgerissen werden kann. Fleisch soll sich, mit Poteline überzogen, bis zu 60 Tagen in völlig frischem Zustande erhalten lassen, wenn man dasselbe erst auf 50—60° erwärmt, bei welcher Temperatur die Fermentkeime zerstört, das Eiweiß dagegen noch nicht koaguliert wird. (D. Ind.-Ztg. **25.** 328.)

Beiträge für das Centralblatt bittet man an die Redaktion (Leipzig, Lessingstr. 5) zu richten. **Originalarbeiten** von nicht zu großem Umfange werden entsprechend honoriert und gelangen stets sofort nach der Einsendung, und zwar in kürzester Frist, zum Abdruck.

Redaktion: Prof. Dr. **Rud. Arendt** in Leipzig.

Verlag von **Leopold Voss** in Hamburg und Leipzig. — Druck von **Metzger & Wittig** in Leipzig.

N⁰. 41.

Chemisches
Central-Blatt.

8. Oktober 1884.

Wöchentlich eine Nummer von
1–2 Bogen. Der Jahrgang mit
Sach- und Namen-Register,
nebst system. Übersicht.

Der Preis des Jahrgangs
ist 30 Mark. Durch alle
Buchhandlungen und Post-
anstalten zu beziehen.

REPERTORIUM

für reine, pharmazeutische, physiologische und technische Chemie.

Dritte Folge. XV. Jahrgang.

Wochenbericht.

1. Allgemeines und Physikalisches.

L. Kundsen, *Über einen neuen Apparat für konstante Temperaturen.* (Meddelelser fra Carlsberg Laboratoriet **2**; Hft. 3 d. Allgem. Hopf.- u. Brauer-Ztg. **24**. 881—82.)

V. Pierre, *Apparat, um Wasser unter dem Rezipienten der Luftpumpe durch seine eigene Verdampfung möglichst schnell zum Gefrieren zu bringen.* Die vom Vf. seit vielen (mehr als zwanzig) Jahren angewendete Methode, Wasser unter der Luftpumpe zum Gefrieren zu bringen, rührt eigentlich von dem verstorbenen Professor und Ministerialrathe SCHRÖTTER VON KRISTELLI her, ist aber, wie es scheint, nicht bekannt geworden. Da man bei dem eingangs erwähnten Versuche die Wasserdämpfe von konz. Schwefelsäure absorbieren läfst, entsteht durch Wasseraufnahme eine starke Erhitzung der Schwefel-säure, welche noch bedeutender wird, wenn bei lebhaftem Sieden des Wassers Tropfen oder selbst gröfsere Wassermengen aus der das Wasser enthaltenden Schale fortgeschleudert werden und in die Schale mit Schwefelsäure fallen. Da-durch wird aber gewissermafsen die mit Wasser gefüllte Schale über eine Wärmequelle gestellt, welche dem Wasser eine grofse Wärmemenge zur Dampfbildung zuführt und dadurch die Abkühlung des Wassers sehr ver-zögert. Um diesen Übelstand zu be-seitigen, wird die Schale *D*, welche

etwa 5—6 g Wasser fafst, nicht unmittelbar über der die Schwefelsäure enthaltenden Schale *A B* aufgestellt, sondern in eine viel gröfsere, nahezu halbkugelförmige Schale *C* gestellt. In letzterer ist der hohle Kork *E* aufgekittet, auf welchen die Schale *D*, mit Wasser gefüllt, zu ruhen kommt. Mit einer einigermafsen gut, namentlich rasch wirken-den Luftpumpe kann man auf diese Weise die erwähnte Wassermenge selbst in einem überfüllten Hörsale in längstens fünf bis sechs Minuten zum vollständigen Gefrieren bringen, nur mufs man noch die Vorsicht gebrauchen, alle Teile des Apparates und eben-so die Schwefelsäure und das Wasser durch Einlegen in Eis vor dem Gebrauche mog-lichst gut abzukühlen. Unter besonders günstigen Verhältnissen ist es dem Vf. sogar gelungen, mit derselben (DELEUIL'schen) Luftpumpe in drei Minuten ge-frieren zu machen. Die Schale *A B* ist zur Aufnahme der Schwefelsäure bestimmt. (WIED. Ann. **22**. 143—44.)

E. Lommel, *Über einen Gefrierapparat.* Veranlafst durch die vorstehende Mittei-lung von V. PIERRE macht Vf. auf einen von K. BERBERICH, Präparator am physikali-schen Institut der Universität München, konstruierten und ausgeführten Gefrierapparat aufmerksam, welcher, obgleich schon 1876 durch v. JOLLY im South Kensington Museum zu London ausgestellt, nicht so bekannt geworden zu sein scheint, als er es wegen seiner ausgezeichneten Brauchbarkeit zur raschen und sicheren Anstellung des lehrreichen LESLIE'schen Versuches verdient. Das Wasser, welches zum Gefrieren gebracht werden soll, befindet sich in einer weitbauchigen, 15 cm im Durchmesser haltenden Glasflasche *A*, deren Boden es 2—3 cm hoch bedeckt. Von der Flasche führt ein zweimal rechtwinklig gebogenes Glasrohr *b* in

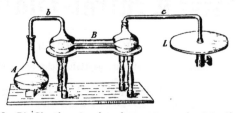

die erste Kugel des ebenfalls gläsernen Schwefelsäuregefäßes *B*; dieses besteht nämlich aus zwei Kugeln von je 10 cm Durchmesser, welche durch ein 4 cm weites Rohr von 15 cm Länge miteinander verbunden sind. Von der zweiten Kugel endlich führt eine Glasröhre *c* nach der Öffnung inmitten des Tellers der Luftpumpe *L*. Die Glasröhren *b* und *c*, deren erstere an den Schwefelsäurebehälter angeschmolzen ist, sind in die Mündungen der Flasche und der zweiten Kugel luftdicht eingeschliffen; die Verbindung der Röhre *c* mit der Luftpumpe wird durch Siegelwachs luftdicht verklebt. Das Schwefelsäuregefäß wird von einem passenden Holzgestelle getragen, unter die Wasserflasche wird, um ihr besseren Halt zu geben, ein oben cylindrisch abgerundetes Holzklötzchen geschoben. Das Gefäß *B* wird bis zur halben Höhe mit konzentrierter Schwefelsäure gefüllt. Setzt man die Pumpe in Thätigkeit, so entwickelt sich zuerst die im Wasser absorbierte Luft, dann kommt das Wasser zum Sieden, und bald darauf, vier bis fünf Minuten nach Anfang des Versuches, beginnt es zu gefrieren. Dabei stürzt sich der Wasserdampf mit solcher Gewalt auf die Schwefelsäure, daß in der ersten Kugel auf der Oberfläche der Schwefelsäure eine Vertiefung entsteht. Eine Füllung des Schwefelsäurebehälters ist, wenn man denselben verstöpselt aufbewahrt, für fünf Versuche ausreichend. Der Apparat ist, wie man sieht, in seiner Anordnung der CARRÉ'schen Eismaschine ähnlich, eignet sich jedoch vermöge seiner Einfachheit, Übersichtlichkeit und Durchsichtigkeit besser als diese zur Demonstration und ist insbesondere dadurch ausgezeichnet, daß der Versuch mit jeder guten Luftpumpe angestellt werden kann. Der Apparat ist in vorzüglicher Ausführung von BERBERICH zu beziehen. (WIED. Ann. **22.** 614—15.)

G. Loges, *Ein vereinfachtes Zersetzungsgefäß zum Scheibler'schen Kohlensäureapparate.* (Fig. 1.) Das Zersetzungsgefäß besteht aus einem einfachen Pulverglase mit weiter Öffnung von ca. 15 cm Höhe und 6 cm Weite. Durch den einfach durchbohrten Kautschukstöpsel geht eine Glasröhre, an welcher unten ein cylindrisches Glasgefäß von ca. 8 cm Länge und 2,5 cm Durchmesser angelötet ist. Letzteres hat in der Nähe der Lötstelle eine größere seitliche Öffnung mit Ausguß, ferner eine Marke für 10 ccm Salzsäure. Man bringt nun in gewöhnlicher Weise die zu zersetzende Substanz in die Flasche, füllt das innere Glasgefäß durch einen Trichter mit gebogenem Rohre bis zur Marke mit Salzsäure und läßt nach Zusammensetzung des Apparates die Säure durch seitliches Neigen des Gefäßes ausfließen. (SCHEIBLER'S N. Ztschr. **12.** 271.)

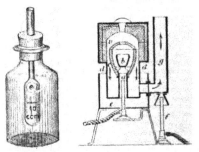

Fig. 1.   Fig. 2.

H. Rössler, *Neuer kleiner Gasofen zur Erzeugung hoher Temperaturen für Laboratoriumszwecke* (Fg. 2). Wenn man gewöhnliches Leuchtgas in atmosphärischer Luft mit einem BUNSEN'schen Brenner verbrennt, so wird theoretisch eine Temperatur von über 2000° erzeugt; in der Praxis aber gelingt es kaum, mit einer solchen Flamme in einem Thontiegelchen ein größeres Stückchen Zink, welches doch schon bei 400—500° schmilzt, flüssig zu machen. Die Hitze zerstreut sich nach allen Seiten und wird nur zum allerkleinsten Teile ausgenutzt. Der hier beschriebene kleine Gasofen, der durch einen einfachen

BUNSEN'schen Brenner geheizt wird, und in welchem man mit Leichtigkeit gröfsere Mengen Feingold schmelzen, d. h. eine Temperatur von 1100° und mehr erzeugen kann, soll diesem Übelstande abhelfen.

Um die Verbrennungswärme des Gases zur Erzielung einer möglichst hohen Temperatur auszunutzen, müssen folgende Bedingungen erfüllt werden: 1. Die Verbrennung mufs eine vollständige sein; 2. es darf nicht mehr Luft zugeführt werden, als zur vollständigen Verbrennung eben notwendig ist; 3. Luft und Gas müssen vor dem Entzünden gut gemengt sein, damit die Verbrennung möglichst auf einen Punkt konzentriert wird; 4. der Schmelz- oder Glühtiegel, in welchem die Heizwirkung erzielt werden soll, mufs eben an diesem Punkte, wo die Verbrennung stattfindet, aufgestellt sein; 5. der Ofen ist mit schlechten Wärmeleitern zu umgeben, um die Verluste durch Ausstrahlung zu verringern; 6. die abziehenden Heizgase müssen zum Vorwärmen sowohl des Schmelzraumes, als auch der Verbrennungsluft und des Gasgemisches ausgenutzt werden.

Alle diese Bedingungen sucht der neue kleine Ofen zu gleicher Zeit zu erfüllen. Die kalte Luft gelangt durch den Raum e, in welchem dieselbe an den heifsen Wandungen des Mantels d vorgewärmt wird, in den BUNSEN'schen Brenner a und, so viel als zur vollkommenen Verbrennung notwendig, auch noch um denselben herum und mit dem Gasgemische aus dem Brenner gemeinsam in den inneren Mantel c unter den Tiegel b, wo die Verbrennung stattfindet. Die Verbrennungsgase treten durch das Deckelchen r aus dem inneren Mantel c und umspülen denselben ganz, indem sie zwischen demselben und dem äufseren Mantel d herabziehen; sie bestreichen dann die Innenwandungen des Vorwärmeraumes e, wo sie einen Teil ihrer Wärme an die Verbrennungsluft abgeben, und entweichen schliefslich durch den Schornstein g. Der zweite Brenner f wird so gestellt, dafs gerade genug Luft, aber nicht mehr, als zur vollständigen Verbrennung notwendig ist, in den Apparat gesaugt wird. Um denselben in Gang zu setzen, werden zuerst beide Deckel abgenommen, beide Brenner angezündet und dann die Deckel wieder aufgelegt.

Der kleine Ofen wird im Laboratorium ebensowohl zum Aufschliefsen von Silikaten und Glühen von Niederschlägen im Platintiegel, als auch zu metallurgischen Schmelzversuchen aller Art Anwendung finden; er wird auch dem Goldarbeiter ein willkommenes Mittel bieten, um kleine Mengen von Edelmetall mit den geringsten Kosten zusammen zu schmelzen, und endlich sich in der Thonwarenindustrie zu allerlei Glüh- und Glasierversuchen mit Vorteil anwenden lassen. Die erzielte Temperatur mifst man am besten durch Metallpyrometer, das sind Legierungen von Gold und Silber und von Gold mit Zusätzen von Platin, von 5 zu 5 p. c. steigend, welche man in gewalztem Zustande vorrätig hat und auf dem Deckel des Tiegels oder sonst in dem Ofen zum Schmelzen bringt. Bei gutem Gange soll nach fünfzehn Minuten Silber, nach zwanzig Minuten Feingold, nach vierzig Minuten eine Legierung von 90 Gold und 10 Platin geschmolzen sein. (Pol. Journ. **253.** 79—80.)

4. Organische Chemie.

A. P. N. Franchimont, *Einwirkung der Salpetersäure auf die Amine, Amidosäuren und Amide* (Forts.) (Vergl. **84.** 529.) Harnstoff und seine methylierten Derivate. (Rec. des Trav. Chim. des Pays-Bas **3.** 216—30. 6. Juli. Leyden.)

C. Scheibler, *Über die Nichtidentität von Arabinose und Laktose.* Um eine von O'SULLIVAN (**84.** 364) gemachte Bemerkung, welche sich auf eine frühere Arbeit des Vf's. bezieht, richtig zu stellen, werden einige Ergebnisse der Untersuchungen, welche lange vor dem Erscheinen der oben zitierten Abhandlung mit gröfseren Mengen Arabinose und Laktose (aus Milchzucker) ausgeführt waren, veröffentlicht. Aus beiden Zuckerarten wurden durch Auflösung bei Kochhitze (um den Einflufs der Birotation zu vermeiden) von je 5 g zu einem Volum von 50 ccm Lösungen hergestellt, welche also zehn Volumprozente enthielten. Dieselben zeigten bei 18° C. folgende spezifische Gewichte und Drehungen:

Arabinose 1,0379; $(\alpha)_D = +104,4°$ und $(\alpha)_j = 118,1°$
Laktose 1,0385; $(\alpha)_D = + 81,2°$ und $(\alpha)_j = 91,1°$.

Um einen weiteren Unterschied zwischen Arabinose und Laktose zu konstatieren, stellte Vf. von beiden Zuckerarten die Phenylhydrazinverbindungen her. Diese letzteren unterscheiden sich schon äufserlich durch ihr Verhalten (die Arabinoseverbindung fällt zuerst in öligen Tröpfchen, die bald darauf fest werden, während die Laktoseverbindung sogleich in fester Form fällt), sowie durch eine sehr verschiedene Färbung; das Phenylarabinos-

48*

azon ist braungelb, das Phenylgalactazon hellgelb mit einem Stiche ins Grüne; der Schmelzpunkt des ersteren liegt bei 157—158° C. und der des letzteren bei 170—171° C. Die Arabinose liefert, entgegen der Angabe KILIANI's (**81**. 133), keinen Dulcit, wie die bei der Laktose der Fall ist. Bei der Einwirkung von Natriumamalgam auf eine wässerige Arabinoselösung findet zwar eine Absorption von Wasserstoff statt, das Produkt dieser Einwirkung ist aber eine organische Säure, deren Untersuchung den Vf. zur Zeit noch beschäftigt. Vf. ist der Meinung, dafs die von O'SULLIVAN beschriebene γ-Arabinose weiter nichts als Laktose, und die β-Arabinose eine noch mit Laktose behaftete Arabinose ist. (SCHEIBL. N. Ztschr. **13**. 84—86.)

C. Scheibler, *Untersuchungen über Glutaminsäure.* Auf Grund von Krystallmessungen ergab sich die Identität der aus Melasse vom Vf. dargestellten Glutaminsäure mit der von RITTHAUSEN beschriebenen Säure.

Da über das Drehungsvermögen der Glutaminsäure nur sehr ungenügende Bestimmungen vorliegen, die Kenntnis dieses Drehungsvermögens aber für die Beurteilung der optischen Zuckerbestimmung in den Melassen von Wert ist, so teilt Vf. darüber seine Untersuchungen mit.

1. Eine wässerige Lösung, welche in 100 ccm 2 g Glutaminsäure enthielt, zeigte bei 21° C ein spez. Gew. von 1,0070 und bei derselben Temperatur im 220 mm langen Beobachtungsrohr eine Drehung von 1,3° Rechts im SCHEIBLER-SOLEIL'schen Apparat: daraus berechnet sich (α)ⱼ = + 11,6 oder (α)ᴅ = 10,2. — 2. Trotzdem die Glutaminsäure bei gewöhnlicher Temperatur nur eine geringe Löslichkeit besitzt, so gelang es doch, eine in der Wärme dargestellte Lösung rasch abzukühlen und die Drehkraft dieser übersättigten Säure zu bestimmen, bevor das Auskrystallisieren der Säure begann. Die Lösung, welche in 100 ccm 4 g Glutaminsäure enthielt, zeigte bei + 23° C eine Drehung von + 2,7° im 200 mm Rohr; daraus folgt (α)ⱼ = 11,0 und (α)ᴅ = 10,6. — 3. Das glutaminsaure Calcium (die verwandte Lösung enthielt 5,03 Volumproz. des Salzes) ergab eine Drehung von: (α)ⱼ = — 4,2 und (α)ᴅ = — 3,7 und 4. das Chlorhydrat der Glutaminsäure (HCl.C₅H₉NO₄) (α)ⱼ = + 23,1 und (α)ᴅ = + 20,4. — 5. Die Lösung der Glutaminsäure in Salpetersäure zeigt starke Rechtsdrehung; α(ᴅ) = 29,9.

Es drehen-also die Glutaminsäure selbst und deren Lösungen in Säuren die Polarisationsebene nach Rechts, die neutralen Salze nach Links. (SCHEIBLER's Neue Ztschr. **13**. 101—103.)

J. Ch. Essner, *Einwirkung von nascierendem Wasserstoff auf Acetamid.* Das Acetamid giebt bei der Behandlung mit Natriumamalgam eine kleine Menge Alkohol, aber der gröfste Teil wird durch das entstandene Natron in Natriumacetat umgewandelt. Wendet man Natrium an unter Zusatz von Natriumdicarbonat, so erhält man eine gröfsere Menge Alkohol, aber ein Teil des Acetamids entzieht sich stets der Reaktion und wird in Acetat umgewandelt. Der Vf. hat versucht, ob Wasserstoff, auf trockenem Wege bereitet, wie er durch das Kupferzinkpaar von GLADSTONE und TRIBE entwickelt wird, nicht vielleicht befriedigendere Resultate giebt. Bei dieser Reaktion bildet sich auch Alkohol, aber man bemerkt dabei zugleich die Bildung einer kleinen Menge Aldehyd und eines öligen Produktes, welches sich bei der Destillation zersetzt. Die Bildung des Alkohols und des Aldehyds bei dieser Reaktion läfst sich durch die folgenden Formeln erklären:

$$C_2H_3O.NH_2 + 2(H_2) = NH_3 + C_2H_6O;$$
$$C_2H_3O.NH_2 + H_2 = NH_3 + C_2H_4O.$$

Die Entwicklung von Ammoniak ist deutlich wahrzunehmen; der Vf. glaubt, dafs der ölige Körper ein Reduktionsprodukt des Aldehyds ist; er scheint stickstofffrei zu sein. (Bull. Par. **42**. 98. 20. Juli.)

J. Ch. Essner und **E. Gossin**, *Einwirkung von Acetylchlorid auf Toluol bei Gegenwart von Chloraluminium.* Beide Körper wirken in der Kälte leicht auf einander ein unter Entwicklung von Chlorwasserstoff. Dieser reifst gröfsere Mengen von C₂H₃OCl mit. und demnach ist die Ausbeute an Acetyltoluol wenig befriedigend. Um diesen Übelstand zu vermeiden, hat der Vf. folgendes Verfahren eingeschlagen.

Das Toluol wird in einen langhalsigen Ballon mit einer kleinen Menge Aluminiumchlorid (1 kg Toluol und 25 g Al₂Cl₆) gebracht und der Hals mit einem Rückflufskühler verbunden. Das Acetylchlorid (200 g) wird in kleiner Menge mittels Hahntrichter eingelassen, von Zeit zu Zeit setzt man kleine Mengen Aluminiumchlorid hinzu. Die Reaktion ist sehr energisch, und die Temperatur steigt auf 60—70°. Sobald alle Entwicklung von Salzsäure aufgehört hat, giefst man Wasser in den Ballon, dekantiert und verjagt das überschüssige Toluol durch Destillation. Bei der fraktionierten Destillation giebt das Produkt eine bei 218—226° siedende Flüssigkeit, und diese liefert bei einer wiederholten Destillation eine klare, angenehm aromatisch riechende Flüssigkeit, welche bei 224—225° siedet und bei 20° nicht erstarrt; spez. Gew. 0,9891 bei 22°. Trotz der angewendeten Vorsichtsmaßregeln überstieg doch die Ausbeute niemals 10 p. c. der theoretischen Menge. Die Analyse des Produktes ergab die Zusammensetzung des Acetyltoluols $C_9H_{10}O$; die Dampfdichte in Schwefeldampf nach der Methode von MEYER bestimmt, wurde 4,46 und 4,70 gefunden, berechnet 4,63.

Um die Stellung der Acetylgruppe in dem Molekül zu bestimmen, wurden 7 g des Produktes (224—225°) durch Permanganat in alkalischer Lösung oxydiert:

$$. \ C_6H_4(CH_3)CO.CH_3 + O_7 = C_6H_4(CO_2H)_2 + CO_2 + 2H_2O.$$

• Nach Beendigung der Reaktion wurde die filtrierte Flüssigkeit mit Chlorwasserstoff behandelt, zur Trockne gedampft und mit Alkohol wieder aufgenommen, welcher nach dem Verdampfen weiße, über 300° schmelzende, leicht sublimierbare Nadeln hinterließ. Dieser Körper scheint *Metaphtalsäure* zu sein. Die alkoholische Lösung scheint keine wahrnehmbare Mengen anderer Phtalsäuren zu enthalten.

Um zu entscheiden, ob sich bei der Einwirkung des Acetylchlorids auf Toluol nicht auch isomere Körper bilden, wurde das Destillationsprodukt, welches bei 218—226° siedet und die Zusammensetzung des Acetyltoluols besitzt, der Oxydation unterworfen. 10 g desselben wurden mit 2 Teilen Salpetersäure vom spez. Gew. 1,4 verdünnt und mit ihrem zweifachen Volum Wasser behandelt; das Gemenge wurde am Rückflußkühler so lange im Sieden erhalten, bis der Geruch nach Acetyltoluol vollständig verschwunden war, eine Operation, welche 48—50 Stunden dauerte. Hierbei ging ein großer Teil des Acetyltoluol in eine teigige, citronengelbe Masse über, welche an den Wänden des Ballons haftete. Diese Substanz ist in Alkohol löslich und scheint ein Nitroderivat des Acetyltoluols oder eines seiner Oxydationsprodukte zu sein. Die salpetersaure Lösung hinterließ beim Eindampfen im Wasserbad eine kleine Menge einer weißen, in Äther und Wasser löslichen Substanz. Die wässerige Lösung gab mit Kalkwasser ein in feinen Nadeln krystallisierendes, in Wasser lösliches Salz; dieser Körper scheint eine der Toluylsäuren zu sein.

Da die Oxydation mit Salpetersäure keine günstigen Resultate gab, so wurden 27 g Acetyltoluol der Einwirkung von übermangansaurem Kali in alkalischer Lösung unterworfen. Die Reaktion erfolgte bei 100° und dauerte 6 Tage. Die filtrierte Flüssigkeit wurde konzentriert, mit Chlorwasserstoffsäure behandelt und zur Trockne gedampft, der Rückstand mit Alkohol zum Sieden erhitzt und durch Filtration der unlösliche Teil abgeschieden. Letzterer wurde von neuem mit Wasser behandelt, um das Chlorkalium zu lösen, und hinterließ dabei einen unlöslichen Rückstand, welcher mit siedendem Ammoniak behandelt wurde. Ein Teil dieser ammoniakalischen Lösung gab mit Chlorbarium einen sehr unbedeutenden Niederschlag; der andere Teil wurde mit Salzsäure gefällt und gab eine Säure, welche nach dem Trocknen sublimiert ohne zu schmelzen. und sehr wenig löslich in Wasser und Alkohol ist: es scheint *Terephtalsäure* zu sein. Die alkoholische, von dem Chlorkalium und der Terephtalsäure getrennte Lösung schied, als sie auf ihr halbes Volum eingedampft und beim Abkühlen eine größe Menge weißer, über 300° schmelzender Nadeln ab, welche leicht ohne Zersetzung sublimierten. Dieser Körper wurde in das Barium- und Calciumsalz umgewandelt und analysiert; hierdurch erwies er sich als *Isophtalsäure*.

Die von der Isophtalsäure getrennte alkoholische Lösung wurde wiederum verdampft und die erhaltene Säure in ammoniakalischem Wasser gelöst und mit Chlorbarium versetzt, worauf sich ein unbedeutender Niederschlag bildete. Die Mutterlauge enthielt Bariumisophtalat, der Niederschlag gab beim Kochen mit Salzsäure eine bei 210—215° schmelzende und sublimierende Säure; diese verliert beim Sublimation, und über der sublimierte Teil bildet kleine bei 126—127° schmelzende Nadeln. Der Körper besitzt also alle Eigenschaften der *Phtalsäure*.

Die Produkte dieser Oxydation zeigen also, daß bei der Einwirkung von Acetylchlorid auf Toluol fast ausschließlich m-*Acetyltoluol* und nur geringe Mengen der o- und p-Verbindung entstehen.

Alkoholisches Kali wirkt in der Siedehitze auf das Acetyltoluol ein und giebt Kaliumacetat und Toluol; in konzentrierter Schwefelsäure löst es sich und scheint damit eine Sulfosäure zu geben. Durch Salpeter-Schwefelsäure wird es lebhaft angegriffen, wobei sich salpetrige Dämpfe entwickeln. Das Produkt der Reaktion, mit Wasser behandelt, giebt eine gelbe Substanz, welche mit derjenigen identisch zu sein scheint, die durch Oxydation des Acetyltoluols mittels Salpetersäure erhalten wurde. (Bull. Par. **42.** 95—98. 20. Juli. Paris. Soc. Chim.)

Albert Colson, *Einwirkung von Phosphorsuperchlorid auf die aromatischen Äther.* Diese Wirkung ist je nach den Versuchsbedingungen verschieden, wie sich an dem Monoäthylin des von GRIMAUX entdeckten Tolylenglykols $C_6H_4 \begin{cases} CH_2OC_2H_5 \\ CH_2OH \end{cases}$ zeigt. In der Absicht, diesen Körper in ein Chloräthylin umzuwandeln, behandelte ihn der Vf. am Rückflußkühler mit Salzsäure. Nach mehrstündigem Sieden erhielt er beim Abkühlen Krystalle vom Schmelzpunkt 100—101°: es war also hierdurch Tolylendichlorid $C_6H_4(CH_2Cl)_2$ regeneriert worden. Der Vf. wendete deshalb Phosphorsuperchlorid an.

10 g des Äthylins wurden mit 12—14 g Phosphorsuperchlorid gemischt; beide reagierten in der Kälte selbst nach längerer Einwirkung nur schwach; am anderen Tage erhitzte man bis zur Destillation des Oxychlorids und erhielt ein in Äther wenig lösliches Harz, welches an warmen Alkohol 20 p. c. eines bei 100—101° schmelzenden Körpers abgab; also auch in diesem Fall war das Tolylendichlorhydrin regeneriert worden. Erhitzt man dieselbe Mischung nur bis zum Schmelzen des Phosphorsuperchlorids, so scheidet sich beim Abkühlen ein Öl ab, welches nach dem Waschen mit siedendem Wasser und Trocknen im Vakuum durch Salzsäure und Phosphorpentachlorid wenig angegriffen wird, die Zusammensetzung eines unreinen Chloräthylins besitzt und bei 245—250° siedet. Dieses Öl hinterläßt nach zwei Monaten einen festen, weißen, fast unschmelzbaren, nicht gechlorten, in Kali löslichen und daraus durch Säuren wieder fällbaren Körper, welcher einen bei 140° schmelzenden Methyläther giebt. Der Körper ist also Terephtalsäure, welche durch Oxydation von Terephtalaldehyd an der Luft, der sich, wie sich sogleich zeigen wird, immer bei der Reaktion bildet, entstanden ist.

Es scheint demnach, daß bei der Einwirkung von Phosphorpentachlorid auf Tolylenäthylin folgende drei Körper in verschiedenen Verhältnissen entstehen: Chloräthylin, Tolylendichlorid und Terephtalaldehyd. Letzterer bildet sich durch Einwirkung von Wasser auf das zuerst entstandene Produkt.

Bildung des Terephtalaldehyds. Dieses ist jedenfalls die interessanteste Umwandlung, denn eine oxydierende Wirkung des Phosphorpentachlorids, wenigstens auf fette Kohlenwasserstoffe oder Seitenketten ist bis jetzt noch nicht beobachtet worden.

Erhitzt man das Äthylin mit seinem $2^1/_2$ fachen Gewicht Phosphorpentachlorid, so nimmt die Flüssigkeit eine weinrote Färbung an, welche in der Regel bald verschwindet. aber wieder auftritt, wenn man fortfährt zu erhitzen. Gießt man die Masse hierauf in kaltes Wasser, so erhitzt sie sich und hinterläßt beim Abkühlen kleine farblose Nadeln von Terephtalaldehyd, während der größte Teil Substanz als ein schweres gelbliches Öl zu Boden sinkt, welches bald krystallisiert. Läßt man das Reaktionsprodukt erkalten und setzt einen großen Überschuß (ungefähr die 25 fache Menge) kaltes Wasser hinzu, so ist das Resultat dasselbe, also ist die Bildung des Aldehyds nicht durch die Temperatur des Wassers bewirkt worden.

Anstatt die gelbliche Masse mit siedendem Wasser zu erschöpfen, ist es besser, sie aus etwas 70 prozentigem Alkohol umzukrystallisieren, das Lösungsmittel verdampfen zu lassen, den Rückstand abzupressen und durch Krystallisation aus Wasser zu reinigen. In diesem Falle steigt die Ausbeute an Aldehyd bis 25 p. c. des angewendeten Äthylins.

Der so gereinigte Körper ist weiß, perlmutterglänzend, bei 113—114° schmelzbar, löslich in Alkohol, ebenso in 80 Teilen siedendem und 5000 Teilen kaltem Wasser und riecht wie Flieder. Er stimmt nicht nur im Schmelzpunkt und Zusammensetzung mit dem Terephtalaldehyd überein, sondern färbt auch alkoholische Lösungen von Cyankalium rot.

Weil bei dieser Reaktion der Glykol reduziert wird, so muß das Phosphorsuperchlorid als Oxydationsmittel auftreten, d. h. Chlor verlieren; in zweiter Linie muß sich die Äthylgruppe als Chlorid entwickeln. Das that wurde die Bildung von Phosphortrichlorid beobachtet, und außerdem traten Dämpfe auf, welche mit grüner Flamme brannten. Um diesen Vorgang durch eine Formel auszudrücken, kann man annehmen. daß das Perchlorid auf das Äthylin wie auf den Glykol wirkt, und außerdem wegen der hohen Temperatur die chlorierende Wirkung des Perchlorids weiter geht, gleich als wenn es sich dissoziierte und durch das dabei abgeschiedene Chlor wirkte:

$$C_6H_4\begin{cases} CH_2OC_2H_5 \\ CH_2OH \end{cases} + 2PCl_5 = 2POCl_3 + C_2H_5Cl + HCl + C_6H_4\begin{cases} CH_2Cl \\ CH_2Cl \end{cases}$$

$$C_6H_4\begin{cases} CH_2Cl \\ CH_2Cl \end{cases} + 2PCl_5 = 2PCl_3 + 2HCl + C_6H_4\begin{cases} CHCl_2 \\ CHCl_2 \end{cases}.$$

Das Wasser wirkt dann in folgender Weise:

$$C_6H_4\begin{cases} CHCl_2 \\ CHCl_2 \end{cases} + 2H_2O = C_6H_4\begin{cases} CHO \\ CHO \end{cases} + 4HCl.$$

Es ist zu beachten, daſs weder das Chloräthylin noch das Dichlorhydrin unter den angegebenen Bedingungen Terephtalaldehyd giebt, selbst wenn man die Einwirkung so lange fortsetzt, bis der Körper sich schwärzt; deshalb ist es möglich, daſs die Reaktion verwickelter ist, als die obigen Formeln andeuten.

Dieses Verhalten charakterisiert nicht nur die Xylolreihe, denn wenn man das Methylin des Benzylalkohols oder das Methylbenzyloxyd $C_6H_5CH_4OCH_3$ mit überschüssigem Phosphorsuperchlorid behandelt, so erhält man eine kleine Menge Benzylaldehyd. (Bull. Par. **42**. 152—56. 5. August.)

J. F. Eijkman, *Über die Zusammensetzung des Chelidonins.* Das zur Analyse verwendete Chelidonin schmolz bei 135—136° C. Die bei der Analyse erhaltenen Zahlen stimmen sowohl auf die Formel $C_{19}H_{17}NO_5 + H_2O$, als auch auf $C_{20}H_{19}NO_5 + H_2O$. Die erstere Formel scheint die richtige zu sein. (Rec. des Trav. Chim. des Pays-Bas **3**. 190—96. Tokio 1883.)

J. F. Eijkman, *Über die Gegenwart von Berberin in der Orixa Japonica (Thunb.)* (Rec. des Trav. Chim. des Pays-Bas **3**. 202—3. Tokio 1883.)

5. Physiologische, medizinische und pharmazeutische Chemie.

A. Certes, *Über die Einwirkung von hohem Drucke auf die Fäulnis- und die Lebensvorgänge der Mikroorganismen in süſsem und salzigem Wasser.* — Um zu untersuchen, unter welchen Bedingungen auf dem Meeresboden die Rückkehr der organischen Substanzen in den unorganischen Zustand erfolgt, hat der Vf. den Einfluſs von hohem Drucke auf die Fäulnis- und die Lebensvorgänge niederer Organismen studiert. Er bediente sich dazu des CAILLETET'schen Apparates. Derselbe wurde, um sich so wenig als möglich von den natürlichen Bedingungen zu entfernen, in einer gewissen Weise modifiziert, so daſs man dabei die plötzliche Zunahme oder Abnahme des Druckes vermeiden konnte. Obwohl es möglich war, die Kompression mit diesem Apparate auf 1000 Atmosphären zu bringen, so wurde doch höchstens mit 600, ja mitunter sogar nur mit 350—500 Atmosphären gearbeitet, welcher Druck demjenigen entspricht, der in mittlerer Meerestiefe herrscht. Es ergab sich, daſs in allen Fällen in den untersuchten Nährflüssigkeiten die Fäulnis bei günstigen Temperaturbedingungen stets eintrat, nach einer gewissen Zeit trübten sich die Lösungen, und eine mikroskopische Untersuchung ergab eine reichliche Entwicklung von Mikroben; allerdings dauerte diese Entwicklung etwas länger, als unter gewöhnlichen Verhältnissen. (C. r. **99**. 385—88. [25.*] Aug.)

Berthelot und **André**, *Untersuchungen über die Vegetation; Studien über die Bildung der Nitrate; analytische Methoden.* Das Vorkommen von Nitraten im Pflanzenreiche ist ganz allgemein und die Folge einer eigentümlichen Funktion des Stengels oder Stammes; aber um die Bildung der Nitrate in einer Pflanze zu erforschen, muſs man alle Lebensvorgänge derselben während einer Jahresperiode untersuchen; denn das Leben besteht aus einer Gesamtheit von Funktionen, und man kann nicht eine derselben für sich untersuchen, ohne nicht zugleich ihre Beziehungen zu dem Ganzen, dem sie angehört, festzustellen. Aus diesem Grunde haben die Vff. eine vollständige Untersuchung der Pflanze ausgeführt und gewissermaſsen eine chemische Gleichung des Vegetationsprozesses von der Keimung bis zur Fruchtreife aufgestellt. Hierbei haben sie zugleich die physiologischen Bedingungen des Wachstumes variiert. Es wurden auf diese Weise zehn verschiedene Spezies während des Jahres 1883 untersucht. Die Analysen wurden folgendermaſsen ausgeführt:

Die aus dem Boden genommene ganze Pflanze wurde gewogen und sofort in ihre verschiedenen Teile: Wurzel, Stengel, Blätter und in einigen Fällen auch Wurzelfasern, Blüten, Blütenstiele und Blattnerven zerlegt. Diese Zerteilung muſste rasch geschehen, um den Einfluſs der Austrocknung möglichst zu verhindern. Durch Trocknen bei 110° bestimmte man das Wasser, resp. die Trockensubstanz. Ein bestimmter Teil wurde dann eingeäschert und zuerst die Gesamtasche, und hierauf der in Wasser lösliche Anteil bestimmt, welcher meistens nur aus Kaliumcarbonat bestand. Ein anderer Teil der getrockneten Pflanzensubstanz diente zur Bestimmung des Stickstoffes als Ammoniak mittels Natronkalk. Diese Methode giebt aber nur dann genügende Resultate, wenn die untersuchten Pflanzenteile sehr wenig Nitrate enthalten; sind diese dagegen in beträchtlicher Menge vorhanden, so wird ein Teil ihres Stickstoffes während der Behandlung mit Natronkalk in Ammoniak umgewandelt und die Analyse ist wertlos. In einem solchen Falle ist es besonders von Wichtigkeit, das Verhältnis zwischen dem Stickstoffe der Nitrate und dem der Eiweiſssubstanzen zu bestimmen. Zu diesem Zwecke wurden die lufttrocknen Pflanzenteile mit 60 prozentigem Alkohol extrahiert, welcher die Nitrate löst und die Eiweiſskörper koaguliert. Die Lösung wurde dann im Wasserbade eingedampft und darin einerseits das Gesamtgewicht der gelösten Substanz (bei 110° getrocknet) bestimmt (sogen. Wasseralkoholextrakt), andererseits das Volum des nach der Methode von SCHLÖSING entwickelten Stickoxydes gemessen und daraus die Nitrate berechnet. Nimmt man an, daß diese nur ein einziges Metall enthalten, was für die untersuchten Pflanzen sehr annähernd richtig ist, so erhält man dadurch das Gewicht des Kaliumnitrates.

Der in Alkohol unlösliche Rückstand der Pflanze wurde getrocknet und darin der Stickstoff mittels Natronkalk bestimmt, aus welchem man durch Multiplikation mit 6 den Gehalt an Eiweißkörpern berechnete. Auf andere, in den untersuchten Pflanzen, z. B. im Tabak vorkommende Stickstoffverbindungen, z. B. Alkaloide, Peptone etc., konnte in Ermangelung genauer Methoden keine Rücksicht genommen werden.

Alle diese Resultate wurden dann auf die ganze Pflanze berechnet, worüber im Originale nähere Mitteilungen gemacht sind. Man erhält auf diese Weise annähernd die Zusammensetzung der Pflanze in ihren einzelnen Teilen und kann die Verteilung der verschiedenen Substanzen, insbesondere der Nitrate, in den verschiedenen Vegetationsperioden übersehen.

Als Beispiel führen die Vff. folgendes an:

Am 12. Juni 1883 wurden vier Borrätschpflanzen geerntet. Diese hatten in frischem Zustande ein Gesamtgewicht von 98,036 g, also eine Pflanze durchschnittlich 24,509 g. Das Trockengewicht derselben betrug 2,1267 g und verteilte sich folgendermaßen:

Blätter	0,8239 g	38,75
Stengel und Blattstiele	0,3663	17,2
Blüten	0,3052	14,35
Wurzeln	0,5352	25,2
Wurzelfasern	0,0962	4,5
	2,1268	100,0.

	Blätter	Stengel	Blüten	Wurzeln	Wurzelfasern	Ganze Pflanze
	g	g	g	g	g	g
Eiweißkörper . .	0,191	0,0235	0,056	0,034	0,005	0,309
Kaliumcarbonat .	0,063	0,057	0,015	0,059	0,011	0,204
Unlösliche Asche .	0,091	0,019	0,021	0,037	0,008	0,176
Extrakt . .	0,098	0,155	0,044	0,137	0,014	0,448
Holzfaser etc. .	0,381	0,112	0,169	0,268	0,058	0,989
	0,824	0,3665	0,305	0,535	0,096	2,126
Kaliumnitrat .	0,00735	0,037	Null	0,0416	0,00203	0,0877

Die Zahl der in dieser Weise ausgeführten Analysen war sehr bedeutend, sie betrug beim Borrätsch allein während seiner Vegetationsperiode zehn. Überhaupt wurden untersucht: Amarantus melancolicus ruber, Amarantus caudatus, Amarantus bicolor, Amarantus giganteus, Amarantus pyramidalis, Amarantus nanus, Celosia cristata, Borrago officinalis, außerdem noch verschiedene andere in weniger ausführlicher Weise. (C. r. **99**. 355—59. [25.*] August.)

Berthelot und **André**, *Untersuchungen über die Vegetationsvorgänge einer einjährigen Pflanze.* Um über die Salpeterbildung in einer Pflanze genauen Aufschluß zu erhalten, muß man zuerst den allgemeinen Verlauf der Vegetation in bezug auf die Entwicklung der wichtigsten Pflanzenteile: Blätter, Stengel, Wurzeln, Blüte etc. feststellen und die Bildung und Anhäufung der wichtigsten Bestandteile: Holzfaser, Eiweißkörper, lösliche Substanzen (Extrakt) Kalisalze und feste unlösliche Substanzen zu verschiedenen Vegetationsperioden und in den verschiedenen Teilen der Pflanze bestimmen. Über diese vorläufigen Untersuchungen erstatten die Vff. in der vorliegenden Abhandlung Bericht, und zwar nur in bezug auf die Borrätschpflanze, doch lassen sich die erhaltenen Resultate jedenfalls als allgemein gültig für die einjährigen Pflanzen auffassen.

Die folgende Tabelle giebt die relativen Gewichte der einzelnen Pflanzenteile im trocknen Zustande und zur Vergleichung das Gewicht der ganzen Pflanze, welches natürlich je nach der Entwicklung der einzelnen Exemplare sehr verschieden sein kann:

	29. Mai	12. Juni	7. Sept.	
	Im Beginn des Wachstums	Im Beginn der Blüte	Ende der Blüte; Fruchtreife	Auf dem Stengel getrock. Pflanze
	g	g	g	g
Blätter	71,5	38,7	53,4	12,0	20,0
Stengel und Blattstiele	25,2	17,2	30,8	50,3	43,0
Wurzeln u. Wurzelfasern	3,3	{ 25,2 / 4,5 }	6,4	5,7	8,6
Blütenstand	0,0	14,4	9,4	32,0	28,4
	100,0	100,0	100,0	100,0	100,0
Gesamtgewicht d. Pflanze	1,4195	2,127	2,446	50,254	34,073

Es nimmt also während des Wachstums nicht nur das Gewicht der ganzen Pflanze und seiner verschiedenen Teile fortwährend zu, sondern der Stengel entwickelt sich im Vergleich zu den Blättern in steigendem Verhältnis, die Wurzel übernimmt eine Zeit lang die Rolle eines Reserveorgans, in welchem sich die gebildeten Pflanzensubstanzen anhäufen; im Anfang aber und zu Ende der Vegetation tritt das Gewicht der Wurzeln zurück.

Die Blütenstände entwickeln sich dagegen gegen die Reife hin in zunehmendem Maße. Um diesen Einfluss zu beseitigen, wurden bei einigen Exemplaren die Blüten von ihrer ersten Entwicklung an abgeschnitten, alles reduziert sich also nur auf die Funktion der Ernährung unter Elimination der Fortpflanzungsorgane:

	22. Juni	30. Juni	7. Sept.
Blätter	34,3 g	31,5 g	17,4 g
Stengel	42,7		
Blattstiele	13,4	58,8	72,8
Wurzeln	6,9		
Wurzelfasern	2,7	9,7	9,8
	100,0	100,0	100,0
Ganze Pflanze	30,650	17,124	47,160.

Hier zeigt sich deutlich das Überwiegen des Stengels von Anfang an. Die einjährige Pflanze verhält sich also ähnlich wie ein Baum oder Strauch.

In den verschiedenen Organen wurden nun die in der vorigen Mitteilung (S. 759) genannten näheren Bestandteile bestimmt: Holzfaser und unlösliche organische Verbindungen; Wasser- und Alkoholextrakt; Eiweißkörper: Kalisalze und feste unlösliche Substanzen. Das Fett findet sich in salpeterhaltigen Pflanzen nur in so unbedeutender Menge, daß eine Bestimmung desselben nicht nötig erschien.

	Samen	Junges Pflänzch. 26. April	Beginn d. Vegetat. 29. Mai	Blüte 12. Juni	Reife 7.Sept.	Getrockn. auf dem Stengel 7. Sept.	Ohne Blüten 7.Sept.
Absolute Gewichte:	g	g	g	g	g	g	g
Holzfaser	0,0093	0,0096	0,592	0,989	29,72	10,390	32,27
Eiweißkörper	0,0024	0,0024	0,308	0,309	2,80	1,615	1,49
Extrakt	0,0004	0,0034	0,244	0,448	8,57	7,358	6,78
Kaliumcarbonat	0,00025	0,0009	0,102	0,204	3,19	2,780	2,40
Unlösl. Substanzen	0,0013	0,003	0,173	0,176	5,93	2,877	4,22
Ganze Pflanze	0,00138	0,017	1,419	2,127	50,21	34,02	47,16
Prozent. Zusammens.							
Holzfaser	68,4	43,6	41,7	46,3	59,1	56,9	68,4
Eiweißkörper	17,3	14,4	21,7	14,7	5,6	4,9	3,2
Extrakt	2,9	18,3	17,2	21,1	17,1	21,6	14,4
Kaliumcarbonat	1,8	6,1	7,2	9,6	6,4	8,2	5,1
Unlösl. Substanzen	9,6	17,6	12,2	8,4	11,8	8,4	8,9
	100,0	100,0	100,0	100,0	100,0	100,0	100,0

Hieraus ergiebt sich folgendes:

Die Holzsubstanz nimmt beim Borrätsch in einem ganz auffallenden Verhältnisse gegenüber den anderen Organen zu, und zwar nicht nur der absoluten, sondern auch der relativen Menge nach. Am bedeutendsten ist diese Zunahme bei der von den Blüten befreiten Pflanze, bei der alle Vegetationsvorgänge nur der Ernährung zu gute kommen; bekanntlich giebt die Ernährung der Tiere zu ähnlichen Beobachtungen Anlaſs.

Auf die einzelnen Organe verteilt sich die Holzsubstanz während der verschiedenen Perioden folgendermaſsen.

	Beginn der Vegetation 29. Mai	Blüte 12. Juni	Fruchtreife 7. Sept.	Pflanze auf dem Stengel getrocknet 7. Sept.	Ohne Blüten 7. Sept.
	g	g	g	g	g
Absolute Gewichte					
Blätter . . .	0,438	0,389	3,31	3,89	4,88
Stengel . . .	0,132	0,110	15,41	8,73	24,82
Wurzeln . . .	0,022	0,321	1,85	1,63	3,15
Blüten . . .	0,0	0,169	9,11	5,14	0,0
Gesamtgewicht	0,592	0,989	29,7	19,39	32,85
Prozentische Zusammensetzung					
Blätter . . .	42,8	46,2	54,7	57,0	59,5
Stengel . . .	37,1	30,1	61,0	59,7	70,5
Wurzeln . . .	47,7	49,0	65,9	55,7	68,6
Blüten . . .	0,0	54,6	56,6	53,1	0,0
	41,7	44,6	59,1	56,9	68,4

Die Zunahme der Holzsubstanz erstreckt sich auf alle Organe, hauptsächlich aber auf den Stengel, hierauf folgen die Blätter und zuletzt die Wurzeln. Sie erreicht für den Stengel ihr Maximum bei der Pflanze mit abgeschnittenen Blüten. Auch der prozentischen Zusammensetzung nach steigt der Gehalt an Holzsubstanz während der ganzen Vegetation, und zwar beim Stengel und in den Wurzeln mehr als in den Blättern. Wurzel und Stengel zeigen in dieser Beziehung eine grofse Analogie.

Der Alkoholwasserextrakt enthält zum gröfseren Teil ebenfalls Kohlenwasserstoffe, nämlich Zucker, Gummi und andere; stickstoffhaltige Substanzen finden sich darin nur in äuſserst geringer Quantität; die Menge der Extraktivstoffe hat also für den Gang der Vegetation bezüglich der Fixation von Kohlenstoff und die Elemente des Wassers eine ähnliche Bedeutung wie die der Holzsubstanz. Die Extraktivstoffe spielen bei der Ernährung der Pflanze eine wesentliche Rolle, indem sie den Saft der Pflanze bilden. welcher in den Geweben zirkuliert. Nach der obigen Tabelle steigt ihre Menge von 0,0004 g bis auf 6—8 g, also in einer ähnlichen Weise wie die Menge der Holzfaser, doch variiert die relative Menge in bezug auf letztere nicht bedeutend. Die Verteilung der Extraktivstoffe in den einzelnen Organen ergiebt sich aus folgender Tabelle (siehe nächste Seite).

Die löslichen Substanzen nehmen also ihrer absoluten Menge nach unaufhörlich zu. hauptsächlich aber im Stengel und in den Blüten. Der Stengel ist in der That der Hauptweg für die Zirkulation des Saftes während der ganzen Vegetation. Auch die relative Menge der Extraktivstoffe ist im Stengel am gröfsten, in den Blättern dagegen am kleinsten; sie wird gegen das Ende der Vegetation in den Wurzeln nahezu ebenso grofs, wie im Stengel. Dies ist ein neuer Beweis für die Analogie der Funktionen des Stengels und der Wurzeln. In den Wurzelfasern sind die Extraktivstoffe in bedeutend geringerer Menge vorhanden, woraus folgt, daſs sie nicht direkt aus dem Boden entnommen sein können. In allen Organen ist übrigens die relative Menge der Extraktivstoffe zur Zeit der Blüte am gröfsten und in der ihrer Blüten beraubten Pflanze am kleinsten, womit die vorwiegende Entwicklung unlöslicher Substanzen in letztere im Einklange steht.

	Beginn der Vegetation 29. Mai	Blüte 12. Juni	Fruchtreife 7. Sept.	Pflanze auf d. Stengel getr. 7. Sept.	Ohne Blüten 7. Sept.
Blätter . .	0,127 g	0,098 g	0,434 g	0,781 g	0,341 g
Stengel . .	0,108	0,155	5,607	3,932	5,869
Wurzeln u. Wurzelfasern . .	0,009	0,137 \ 0,014 /	0,510	0,842	0,660
Blüten . ..	0,0	0,044	1,982	1,803	0,0
Ganze Pflanze .	0,244	0,448	8,533	7,358	6,870
Blätter . :	12,6	11,8	7,3	11,5	4,1
Stengel . .	30,1	42,2	22,3	26,8	16,8
Wurzeln u. Wurzelfasern . .	20,0	25,7 \ 14,6 /	18,3	28,8	14,3
Blüten . .	0,0	14,7	12,4	18,7	0,0
Ganze Pflanze .	17,2 g	21,1 g	17,1 g	21,6 g	14,4 g

(C. r. **99**. 403—9. [1.*] Sept.)

Kleine Mitteilungen.

Anwendung von Wasserdampf im Bessemer-Konverter, von W. R. JONES.
Die allmählichen Verbesserungen des Bessemerprozesses haben die früheren Übelstände zu kühler Chargen vollständig verschwinden lassen und führen im Gegenteil oft den Übelstand zu heifser Chargen herbei, der durch eigentümlich rauchige Konvertergase charakterisiert ist, die die Flamme derart verdunkeln, dafs das Ende des Prozesses schwer sich bestimmen läfst. Aufserdem greift das überhitzte Metall die Gufsformen stark an. Man kann nun Eisenabfälle hinzufügen, sei es im Konverter oder in der Giefspfanne; jedoch ist dies umständlich, teuer und giebt unregelmäfsige Resultate; auch läuft man leicht Gefahr, minderwertiges Metall in die Charge einzuführen. Um alle diese Übelstände zu vermeiden, führt Vf. laut Patent 287,687 vom 30. Oktober 1883 Wasserdampf mit dem Winde in den Konverter ein und hat nach seinen Angaben damit die Überhitzung und die verdunkelnden Gase vollständig beseitigt, so dafs sich der Endpunkt der Charge genau bestimmen läfst (B.-H.-Z. 1884. S. 102). Die Einführung findet gleich nach dem Einlassen des Metalls mit dem Winde statt, indem die Dampfleitung mit der Windleitung in Verbindung gebracht ist, und zwar in dem Mafse und so lange, dafs die Temperatur genügend herabgedrückt und eine klare Flamme erzeugt wird. Hierauf wird der Dampf abgesperrt und die Charge zu Ende geblasen. Die Zeit der Dampfzuführung hängt natürlich von Rohrdurchmesser, von der Pressung, von der Beschaffenheit des Metalles u. s. w. ab; JONES fand indessen, dafs bei Chargen von zehn Tonnen Dampf von 3½ Atmosphären bei einem Rohrdurchmesser von 38 mm Durchmesser der Dampf etwa sechs Minuten lang oder während des dritten Teils bis zur Hälfte der Chargendauer zugeführt werden mufs. — Zuweilen ist es auch zweckmäfsig, kurz vor Beendigung des Blasens noch etwas Dampf einzuführen, und überhaupt läfst sich allgemein sagen, dafs jederzeit, wenn das Erscheinen rauchiger Gase oder sonstige Anzeichen auf zu heifsen Gang hindeuten, die Dampfzuführung nützlich ist. Auch Verteilung auf die ganze Blasezeit ist anwendbar. Schliefslich ist zu bemerken, dafs sich statt Dampfes Wasser fein verteilt mit dem Wind einsprühen läfst, in welchem Fall die abkühlende Wirkung eine noch gröfsere ist.
Bei Anwendung von Eisenabfällen sucht man gewöhnlich den Siliciumgehalt des Roheisens zu erniedrigen, um so die Temperatur im Konverter zu ermäfsigen; dann ist aber wieder die Gefahr gröfseren Schwefelgehaltes vorhanden, da dieser bei entsprechendem Hochofengang leichter ins Roheisen geht. Die vorgeschlagene Verbesserung soll die Anwendung siliciumreichen Roheisens, also die Vermeidung der Schwefelgefahr gestatten, ohne der Unannehmlichkeit zu heifser Chargen zu verfallen. (Eng. and Min. Journ. **86**. No. 23; B.-H.-Ztg. **43**. 315.)

Gehärtetes Glas. Der bekannten SIEMENS'schen Fabrik soll es gelungen sein, in der Fabrikation von gehärtetem Krystallglas so bedeutende Verbesserungen einzuführen, dafs dasselbe so zäh und fest wie Gufseisen wird. Ein Hauptvorzug dieses Materials ist, dafs dasselbe durch Witterungsverhältnisse nicht leidet und dafs es auch bedeutend leichter ist als Gufseisen. Die

Fabrik beabsichtigt, zunächst aus Hartkrystall Straßenlaternenpfosten, Geländer, Gitter, Treppen, sowie auch Gas- und Wasserleitungsröhren herzustellen und in den Handel zu bringen. Wären diese Gegenstände so schwer wie Gußeisen, so würden sie allerdings teurer kommen als diese, allein das Material ist wesentlich leichter, und man hat berechnet, daß unter den gleichen Umständen die Artikel aus Hartkrystall etwa 30 p. c. weniger kosten als solche aus Gußeisen (D. Ind.-Ztg. **25.** 318.)

Extraktion von Gold und Silber aus den Erzen, von C. P. BONNET.

Das Verfahren beruht auf Extraktion der Edelmetalle durch die kombinierte Wirkung von Quecksilber, Elektrizität und Wasser. Zunächst wird Quecksilber entweder heiß oder kalt und im Überschuße, wie es die Amalgamation der Edelmetalle erfordert, in sehr feinen Kügelchen oder in einem Sprühregen in eine, mit einer gewissen Geschwindigkeit sich abwärts bewegende Wassersäule eingespritzt, in der das Erz, Sand etc. durch geeignete Rührvorrichtung suspendiert erhalten wird. Durch die Flüssigkeit, in der die feinen Quecksilberkügelchen und die Erzteilchen etc. gemischt sind, gehen elektrische Ströme. Das entstehende Amalgam wird in geeigneten Behältern gesammelt. Das aus dem Apparate, in welchem der erste Teil des Prozesses erfolgt, austretende Wasser geht mit den suspendiert enthaltenden Teilchen in dünnem Strome zwischen eine elektrisierte Kupferplatte und eine elektrisierte Quecksilberoberfläche hindurch und wird dann einer weiteren Behandlung mit elektrisiertem Quecksilber auf Kupferplatten unterworfen. Hierauf werden die im Wasser enthaltenen Rückstände gesammelt, und der Überschuß des Quecksilbers wird von Neuem in den Prozeß eingeführt. (Amerikan. Patent; Österr. Ztschr. **32.** 457.)

Kohlenproduktion Großbritanniens. Die nachstehende Zusammenstellung liefert ein Bild der fast ausnahmslos progressiven Steigerung der Förderungen der britischen Kohlengruben in den letzten vierzehn Jahren. Für 1883, in welchem der Bedarf der gesamten Industrie, insbesondere aber der Eisen- und Stahlhütten notorisch ein geringerer war, als in den letzten Vorjahren, und gerade die produktivsten Kohlenbecken infolge von Strikes längere Zeit stille standen, kann ein Erklärungsgrund für die um 7 237 350 Tons größere Produktion dem Jahre 1882 gegenüber nur in den billigen Preisen der Kohle gefunden werden, welche zu grösseren Anschaffungen animierten und auch dem Exporte wesentliche Impulse verliehen.

Jahr	Kohlenförderung Tons	Jahr	Kohlenförderung Tons
1870	110 431 192	1877	134 610 700
1871	117 352 000	1878	132 610 900
1872	123 497 300	1879	133 808 000
1873	127 016 700	1880	146 969 000
1874	125 067 900	1881	151 186 300
1875	131 867 100	1882	156 499 977
1876	133 344 800	1883	163 737 327

(Österr. Ztschr. **32.** 427.)

Verarbeitung basischer Schlacken auf Phosphat nach dem Scheibler'schen Verfahren in Schalke und Stolberg, von R. HASENCLEVER.

Man verwendet in Schalke zur Röstung der Schlacken Flammöfen mit geneigter doppelter Sohle, welche 9 m Länge bei 1,5 m Herdbreite besitzen, so daß also eine gesamte Herdlänge von 18 m vorhanden ist, welche die volle Ausnützung der Wärme für den Röstprozeß gestattet. Zum Rösten von 1000 kg Schlacke werden je nach der Qualität 100—130 kg Kohlen notwendig, und ein solcher Ofen röstet in 24 Stunden 15—17,5 t Schlacken. Die gerösteten Schlackenstücke werden mit Wasserdampf behandelt. Der in der Schlacke enthaltene freie Kalk bildet hierbei Kalkhydrat und zersprengt die Schlackenstücke derart, daß sich dieselben, wenn der Dampf lange genug einwirkt, in das feinste Pulver verwandeln, wie solches in gleicher Feinheit durch die besten Zerkleinerungsapparate nicht erzielt werden kann.

Die in geeigneten Schwelapparaten mit Dampf zerkleinerten Schlacken werden dann auf Siebe gebracht, auf welchen die in der Schlacke enthalten gewesenen Stahl-, resp. Eisenkörner abgetrennt werden. Ebenso bleiben diejenigen Schlackenteile auf den Sieben zurück, welche der Einwirkung des Dampfes nicht genügend ausgesetzt und deshalb nicht vollkommen zerfallen waren. Die letzteren lassen sich in Schleudermühlen oder unter Kollergängen leicht vollkommen zerkleinern und werden dann mit den zuerst abgesiebten feinen Schlacken einem Vorratskasten zugeführt, aus welchem die Schlacken für die darauf folgenden Lösungsprozesse entnommen werden.

Der in den gerösteten Schlacken enthaltene freie Kalk kann durch Behandlung dieser Schlacke mit Wasser in Rührwerken oder durch Abschlemmen in Form von Kalkmilch gewonnen und für die später folgenden Fällungsprozesse verwendet werden. Die gerösteten, zerkleinerten, von den Metallteilchen und vom freien Kalke befreiten Schlacken werden dann mit Salzsäure behandelt.' Die Anwendung von Schwefelsäure würde den Nachteil haben, daß der bei der Lösung von Phosphorsäure gebildete schwefelsaure Kalk den Rückstand verunreinigt und in dieser Form zur Wiederverwendung für metallurgische Zwecke unverwendbar machen würde. Außerdem umhüllt der gebildete Gips den feinen Schlackenstaub und verhindert so leicht die vollständige Einwirkung der Säure auf die Schlacken und damit die vollständige Extraktion der Phosphorsäure. Die Menge der Säure ist zweckmäßig so zu bemessen, daß nur die in freiem Zustande vorhandenen und die an Kieselsäure und Phosphorsäure gebundenen Erdbasen in Lösung gehen. Der Verdünnungsgrad wird so hoch gewählt, daß es die Bequemlichkeit beim Großbetriebe gestattet. Man arbeitet am besten mit Verdünnungen von 1 Vol. käuflicher Säure von 21°B· auf 10—15 Vol. Wasser und wird dann die so nachteilige Ausscheidung von gelatinöser Kieselsäure in der Regel vermeiden.

Die angewendeten Säuremengen schwanken naturgemäß je nach der Zusammensetzung der Schlacken und sind um so größer, je höher die in dem Schlackenpulver noch vorhandene Menge an freiem Kalk, sowie die Menge des an Kieselsäure und Phosphorsäure gebundenen Kalkes ist. Bei den in Deutschland dargestellten Thomasschlacken schwankt hiernach der Säureverbrauch für 1 kg Schlacke zwischen 1,25—1,5 l Salzsäure. Die Lösung selbst wird in Gefäßen mit geeigneten Rührwerken vorgenommen und vollzieht sich vollständig binnen wenigen Minuten. Die erhaltene Lösung wird nun von dem Rückstande durch Absetzenlassen getrennt und alsdann der Fällung unterzogen. Diese geschieht am zuverlässigsten durch sorgfältig bereitete Kalkmilch und wird in der Weise bewirkt, daß entweder die Kieselsäure gleichzeitig mit der Phosphorsäure niedergeschlagen wird, oder daß durch nicht vollständige Neutralisierung nur die Erdphosphate, die geringen mitgelösten Mengen von Eisen und unwesentliche Mengen Kieselsäure gefällt werden, während die Hauptmenge der Kieselsäure in der Endlauge gelöst verbleibt und mit derselben abfließt.

Die Fällung geschieht in Rührgefäßen und das gefüllte Material wird am zweckmäßigsten in Filterpressen abgepreßt, ausgewaschen, getrocknet und ist dann als Kalkdiphosphat für die Landwirtschaft direkt verwertbar. Der bei der Behandlung der Schlacke mit Salzsäure bleibende Rückstand hatte die Zusammensetzung:

Kieselsäure	1,48	3,60
Phosphorsäure	3,00	0,00
Eisenoxyd	40,80	68,28
Manganoxyd	17,06	12,70
Kalk	15,60	4,00
Magnesia	12,50	11,35
	90,44	100,53

Es gelang mit Leichtigkeit, unter Anwendung dieses Prozesses ein Produkt zu erzielen, das 35 bis 37 p. c. Phosphorsäure in Form von zweibasisch phosphorsaurem Kalke enthält. (Glüht man dieses Material, so erhält man ein Produkt, dessen Phosphorsäuregehalt 45 p. c. übersteigt. Es liegt auf der Hand, daß das Diphosphat bei seinem niedrigen Kalkgehalte sich zur Darstellung von Superphosphaten vorzüglich eignen ·wird, da hierzu höchstens die Hälfte der Schwefelsäure erforderlich ist, welche notwendig ist, um Phosphorit aufzuschließen. Die Einwirkung dieses Verfahrens auf den Salzsäureverbrauch wird eine sehr beträchtliche sein, da zur Verarbeitung von 1000 kg Schlacken 1000—1500 kg Salzsäure erforderlich sind. (Ztschr. d. Ver. deutsch. Ingen. 1884. 206.)

Fabrikation des Schmieröles aus Baku'scher Naphta, von F. A. ROSSMÄSSLER. Die bei der Destillation der rohen Naphta übrigbleibenden Residien bilden das Material zur Schmierölfabrikation, welche wiederum in zwei Hauptarbeiten zerfällt, in die fraktionierte Destillation der Naphtarückstände und in die chemische Reinigung der Destillate. Der Hauptunterschied, der zwischen der Fabrikation des Photogens und des Schmieröles besteht, beruht im Folgenden. Die Destillation der Residien kann nicht allein mit Feuer bewirkt werden, sondern es muß hierbei überhitzter Dampf angewendet werden, und die Benutzung von Separatoren oder Dephlegmatoren ist hierbei eine Notwendigkeit, wenn die Produkte von guter Qualität sein sollen. Überhitzter Wasserdampf ist unbedingt nötig, weil die bei dieser Destillation sich bildenden Dämpfe so schwer sind, daß sie nur mit großer Schwierigkeit die Steigung von der Oberfläche der kochenden Flüssigkeit durch den Helm überwinden können, um in den Kühler zu gelangen, und durch zu langes Verweilen in dem Kessel, in welchem eine sehr hohe Temperatur herrscht (250 bis 300°), zersetzt werden. Man würde bei der Destillation ohne überhitzten Wasserdampf kein Schmieröl, sondern übelriechende Zersetzungsprodukte desselben erhalten, die so gut wie gar keine

Schmierfähigkeit besitzen. Wird aber in die kochenden Naphtarückstände im Destillierkessel Dampf eingeleitet, so führt dieser die Öldämpfe schnell fort, vermischt sich auf das innigste mit denselben, so daß die kleinsten Teilchen der Öldämpfe von Wasserdämpfen umhüllt und auf diese Weise vor dem auf sie zerstörend einwirkenden Einfluß der heißen metallischen Wände des Kessels und Helmes geschützt sind. Überhitzt muß der Dampf sein, um durch denselben die im Kessel kochende Flüssigkeit nicht abzukühlen, deren Siedepunkt ein bedeutend höherer ist, als die Temperatur des gewöhnlichen Dampfes bei einem selbst sehr hohen Drucke. — Was die chemische Reinigung der rohen Öle anbelangt, so herrscht hierbei im Vergleiche mit der Reinigung des Photogens kein wesentlicher Unterschied; denn daß man größere Mengen der gleichen Chemikalien anwenden muß, kann nur ein unwesentlicher Unterschied genannt werden.

Vf. beschreibt den für die Destillation angewandten Apparat, welcher in der Abhandlung durch eine Zeichnung veranschaulicht ist. Die ersten Destillate bei einer Dampftemperatur von 150° C. zeigen ein spez. Gew. von 0,850—0,860, je nachdem man leichtere oder schwerere Naphtarückstände zur Destillation verwendete. Bei lebhafter Feuerung steigt das spez. Gew. des Destillates nach einigen Stunden auf 0,885. Bei diesem Zeitpunkte beginnt die zweite Periode der Destillation, während welcher, bis zu ihrem Ende, d. h. bis das spez. Gew. des Destillates 0,905 ist, der Dampf auf 240° überhitzt und gleichzeitig der Druck von 15 auf 25 Pfund erhöht wird. Das Gemisch sämtlicher Destillate (Spindelöl) zeigt ein spez. Gew. von 0,895—0,897. In der dritten und letzten Periode der Destillation, die mit dem spez. Gew. 0,905 beginnt, wird die Temperatur des Dampfes auf 300° und dessen Druck auf 30—35 Pfund gesteigert. Die hierbei übergehenden schweren Maschinenöle zeigen bei richtig geleitetem Betriebe ein spez. Gew. bis zu 0,925. Es giebt aber Naphtasorten, welche Öle von 0,935 bis 40 geben. Die Destillation ist als beendet zu betrachten, wenn das Destillat eine dunkelbraunrote Färbung zeigt, oder aber, bei noch guter Farbe, wenn eine Probe desselben bei Abkühlung auf 6—8° auf der Oberfläche ein Häutchen liefert, welches den Beginn der Paraffindestillation kennzeichnet.

Die Ausbeute der Schmieröldestillation beträgt bei der Destillation von Residien aus BALACHANA'scher Naphta annähernd 30 p. c. leichte Destillate, sogen. *Zwischenöl*, weder für Beleuchtungs- noch Schmierzwecke tauglich, 8 p. c. *Spindelöl* und 28—30 p. c. *Maschinenöl*. Die Rückstände werden mit Zwischenölen vermengt zur Beheizung der Destillier- und Dampfkessel benutzt. Die Destillate müssen geruchlos sein oder dürfen, wenn sie heiß sind, höchstens einen schwach fettartigen, aber auf keinen Fall den charakteristisch süßlichen und höchst angenehmen Geruch besitzen, den man an den Zersetzungsprodukten, welche zusammen aus dem Kondensationswasser abfließen, beobachten kann. Ein Zurückgehen der spez. Gewichte während der Destillation darf nicht vorkommen; sollte dies eintreten, so liegt der Fehler an zu starker Heizung des Kessels oder falscher Überhitzung des Dampfes.

Die chemische Reinigung (Raffinerie) des Schmieröles geschieht auf zwei verschiedene Weisen, entweder mit oder ohne Rektifikationsdestillation. Nach der ersten Methode behandelt man das Gemisch der leichten und schweren Öle mit Schwefelsäure, stumpft darauf mittels an der Luft zerfallenen Kalkes ab und rektifiziert, wobei man die verschiedenen Ölsorten voneinander abscheidet. Raffiniert man ohne zweite Destillation, so wird jede Ölsorte für sich mit Schwefelsäure und dann mit Natronlauge allein und nach vollendeter Reinigung zwei- bis dreimal mit heißem Wasser ausgewaschen. Die Menge der zur Reinigung anzuwendenden Schwefelsäure kann, je nachdem man mit leichtem, mittel- oder ganz schwerem Öle arbeitet, von 4—12 p. c. schwanken, ebenso die Laugenmenge. Ehe das rohe Öl zur Reinigung gelangt, muß es vollständig entwässert sein, was mit Sicherheit nur durch ein Erhitzen mittels Dampf bis auf 60—70° und längeres Abstehen erreicht werden kann. Die dabei angewandten Apparate können dieselben sein, wie sie bei der Photogenraffinerie beschrieben sind, nur daß der Laugenmischer eine Vorrichtung haben muß, um das Öl mit Dampf erwärmen zu können. Das rohe Öl darf nicht wärmer als 30° sein, wenn es zur Behandlung mit Säure genommen wird. Die Säure läßt man allmählich zufließen und unterhält die Durchmischung wenigstens 1½ Stunde, wobei das Öl, in dünner Schicht betrachtet, rot sein muß, bis auffallendem Licht einen violetten, sammetartigen Schiller zeigen soll. Nach Abstellung der Durchmischung scheidet sich die Säure in Form einer dicken zähen Schicht aus, die oft nach längerem Stehen feste Stücke bildet. Das Öl wird dann mit 33 grädiger Natronlauge gemischt. Das richtige Mengenverhältnis der Lauge zum Öl ist der am schwierigsten zu treffende Punkt, dessen Überschreitung Ursache für das spätere Auftreten von Emulsionen oder von sich schwierig absetzenden Trübungen werden kann. Die Verbindungen, die das Natron mit den sauren Teilen des Öles eingeht und bei Überschuß der Lauge oder zu großer Hochgrädigkeit derselben in dem Öle löslich sind, müssen durch Waschen entfernt werden. Nach beendigter Laugenmischung erhitzt man das Öl bis 35—40° und überläßt es der Ruhe, um ein vollständiges Absetzen der Laugenausscheidungen zu ermöglichen. Nach Entfernung des Bodensatzes erwärmt man das klare Öl bis auf 60° und wäscht es zwei- bis dreimal mit bestem Fluß- oder Regenwasser derselben Temperatur. Das Öl gelangt darauf in möglichst flache Klärbassins, in denen es so lange bei derselben Temperatur bleibt, bis es vollständig blank geworden ist. (ELSNER's chem.-techn. Mitteil. (3). **5.** 61—66. BAKU.)

Wassergas als Brennstoff, von Jos. v. Ehrenwerth. Leitet man Wasserdampf unter Wärmezufuhr über Kohlen, so entsteht unter entsprechenden Umständen ein Gasgemenge, das der Hauptsache nach aus Kohlenoxyd und Wasserstoff besteht. Die Bestrebungen, Wassergas industriell darzustellen und zu verwerten, ziehen sich beinahe durchs ganze Jahrhundert. Daß gerade in neuerer Zeit die Wassergasfrage wieder Interesse gewinnt, erklärt sich aus zwei Gründen: 1. ist man zur Überzeugung gekommen, daß unsere gewöhnlichen Feuerungen nicht nur unbequem, sondern auch sehr unökonomisch sind; 2. ist Leuchtgas als Heizgas zu teuer. Besonders hat sich Amerika der Sache angenommen, welches Land östlich des Alleghany arm an Gaskohlen ist. Vf. erörtert die beiden Hauptarten der Darstellung des Wassergases. In neuerer Zeit haben sich insbesondere Tessie du Motai, Stong, Lowe, Quaglio-Dwight, Bull u. W. S. Sutherland mit der Wassergasdarstellung befaßt (**80.** 589; **81.** 63), und scheint Quaglios' Apparat als der vollkommenste, Bulls' Apparat als der vervollkommnungsfähigste. Letzterer besteht aus einem Generator und einem Regenerator, beide oben miteinander verbunden, mit feuerfestem Materiale ausgekleidet, letzterer mit Ziegelwerk gefüllt. Der Betrieb zerfällt in zwei Perioden; in der ersten wird der Apparat geheizt, dazu im Generator brennbare Gase erzeugt und dieselben auf ihrem Wege durch den Regenerator zur Esse verbrannt. In der zweiten Periode wird in umgekehrter Richtung Wasserdampf durch den Apparat geleitet, der im Regenerator überhitzt wird, dann die glühenden Kohlen durchströmt und so sich in Wassergas umwandelt, welches unten abgeführt wird (vgl. **83.** 733.)

Als Brennstoff muß Wassergas in zwei Richtungen verglichen werden: mit Generator- und mit Leuchtgas. Die nachstehende Tabelle enthält Zusammensetzung, Verbrennungsprodukte, Temperaturwärmen und mit den Essengasen (200°) abgeführte Wärmen beider Gase. Angeschlossen sind die theoretischen Verbrennungstemperaturen derselben, ferner Temperaturwärme und theoretische Verbrennungstemperaturen von Bull's Wassergas und Steinkohlengeneratorgas angegeben:

Zusammensetzung der Gase			Verbrennungsprodukte			Temperatur, Wärme cal			Essengase cal	
	Wasser-Kohlenoxyd	Luft-Kohlenoxyd		Wasser-Kohlenoxyd	Luft-Kohlenoxyd		Wasser-Kohlenoxyd	Luft-Kohlenoxyd	Wasser-Kohlenoxyd	Luft-Kohlenoxyd
CO	2,333	2,333	CO₂	3,667	3,667		5607	5607	159	159
H₂	0,167	—	H₂O	1,500	—		4800	—	144	—
N	—	4,444	N	—	8,888		—	—	443	443
	2,500	6,777		14,055	12,555		10407	5607	746 / 7,1 p. c.	602 / 10,7 p. c.

Bull's Wassergas.

	I	II	
Wasserstoff	32,50	37,50	Theoretische Verbrennungstemperatur
Kohlenoxyd	39,00	34,50	
Kohlensäure	0,50	3,00	Wasser-Kohlenoxyd 2840°
Stickstoff	24,50	22,00	Luft-Kohlenoxyd 1890°
Sauerstoff	3,50	3,00	

	Wärmecal.	Theor. Verbr.-Temperat.
Wassergas	9783	2690°
Generatorgas	6767	1760°

Auf Grundlage dieser Daten und Rechnungsresultate und den daraus sich ergebenden Diagrammen über die Verbrennungstemperaturen und Maximaltemperaturen der fraglichen Gase läßt sich folgern:

Wassergas ist ein viel konzentrierterer Brennstoff, als Generatorgas, gleiche Wärme erfordert daher weniger Gas, giebt weniger Verbrennungsprodukte und geringere Verluste an Wärme durch die Essengase, nämlich 7 p. c. gegenüber ca. 11 p. c.; aber die Maximaltemperaturen sind bei weitem nicht in dem Maße höher, als man nach den theoretischen Verbrennungstemperaturen schließen könnte. Am bedeutendsten ist der Unterschied (zwischen 260 und 109° C.) noch bei Verwendung von Luft im kalten Zustande. Erwärmung beider vor der Verbrennung bringt alle ähnlich zusammengesetzten Gase einander näher. Dagegen kann man mit Wassergas ohne besondere Erwärmung bereits hohe Temperaturen erzeugen, und zwar bei Zuführung beschränkter Luftmengen, unter Entstehen einer viel weniger oxydierenden, resp. reduzierenden Flamme, und diese beiden Eigenschaften sind von Bedeutung für die Verwendung von Wassergas für metallurgische Zwecke. Dazu kommt noch das Entstehen einer langen heißen Flamme, die leichtere Entründlichkeit des Wassergases. Wassergas bietet also in mancher Beziehung Vorteile, und die Hauptfrage ist daher nur die um die Kosten der Wärme, die vor allem vom Aufwande an Kohlenstoff abhängen.

Für die Erzeugung von 10 000 cal Wärme sind erforderlich:

Aufwand an Kohlenstoff

für die Verdampfung des Wassers	0,176 Gewtl.	
„ Zersetzung „	0,565 „	
„ Erwärmung der Gase	0,208 „	
im Gase selbst	1,000 „	

Nach Besprechung der Rechnungsresultate, der möglichen Verbesserungen an den Apparaten kommt Vf. zu dem Schlusse, daß es selbst bei denkbar besten Einrichtungen nicht zu erwarten sei, die Wärme im Wassergase mit gleichem. Kohlenstoffaufwande zu erzeugen, wie Generatorgas (pro 10 000 cal im Wasserkohlenoxyd 1,808, im Luftkohlenoxyd 1,783, in BULL's Gasen 2,07. im Steinkohlengeneratorgas 1,478, und bei denkbar vollkommenster Einrichtung und Betrieb von BULL's Apparat 1,515 Gewtle. Kohlenstoff).

In Berücksichtigung der höheren Anlage- und Betriebskosten kann daher auch nicht die Rede davon sein, Wassergas im allgemeinen als industriellen Brennstoff anzusehen. Wohl aber ist es vermöge seiner es besonders auszeichnenden Eigenschaften: hohe Temperaturen ohne besondere Vorwärmung und unter Entstehung weniger oxydierender, resp. reduzierender Flammen zu geben, befähigt, in einzelnen industriellen Zweigen eine Rolle zu spielen. Basiert auf diese Eigenschaften wird es zum Schweißen der Rohre der Wellrohrkessel angewendet und verspricht es Erfolge in der Roheisenerzeugung mit Gas, also mit roher, nicht koksbarer Kohle, auch in der direkten Eisenerzeugung, wenn BULL entsprechende Änderungen an Apparaten und Betrieb vornehmen würde. Als Brennstoff fürs Haus, als in Gegenüberstellung zu Leuchtgas, ist Wassergas entschieden billiger, erfordert aber größere Leitungen. Unter Annahme, daß 1 cbm Leuchtgas (mit ca. 6000 cal) 20 Pf., 1 Gewtl. Kohlenstoff für Wassergas 2 Pf., für Generatorgas 1 Pf. koste, Amortisation, Verzinsung und Betrieb bei Wassergas 25 p. c., bei Generatorgas 15 p. c. des Kohlenstoffpreises ausmachen, stellen sich die Kosten von 10 000 l:

		Durchm. der Gasleitung
in Leuchtgas auf	33,4 Pf.	1,00
in Wasser-Kohlenoxyd	7,0 „	1,47
in BULL's Wassergas	7,8 „	1,51
in Steinkohlengeneratorgas	3,4 „	2,85

Gegenüber Leuchtgas ist daher zweifellos Berechtigung vorhanden, dem Wassergase das Prädikat „Brennstoff der Zukunft" zu geben. Wassergas ist jedoch vermöge des Gehaltes an Kohlenoxyd giftig, und müßte daher bei dessen Einführung in dieser Richtung entsprechend Vorsorge getroffen werden (vgl. **84.** 542. 559; BUNTE, Versorgung der Städte mit Heizgas.) (Vortrag, geh. in der Wochenvers. des österr. Ing.- u. Architekt.-Vereins am 20. April 1884; Gesundh.-Ingen. **7.** 447—50.)

Beiträge für das Centralblatt bittet man an die Redaktton (Leipzig, Lessingstr. 5) zu richten. **Originalarbeiten** von nicht zu großem Umfange werden entsprechend honoriert und gelangen stets sofort nach der Einsendung, und zwar in kürzester Frist, zum Abdruck.

Redaktion: Prof. Dr. **Rud. Arendt** in Leipzig.

Verlag von **Leopold Voss** in Hamburg u. Leipzig. — Druck von **Metzger & Wittig** in Leipzig.

No. 42.

15. Oktober 1884.

Chemisches Central-Blatt.

Wöchentlich eine Nummer von
1–2 Bogen. Der Jahrgang mit
Sach- und Namen - Register,
nebst system. Übersicht.

Der Preis des Jahrgangs
ist 30 Mark. Durch alle
Buchhandlungen und Post-
anstalten zu beziehen.

REPERTORIUM

für reine, pharmazeutische, physiologische und technische Chemie.

Dritte Folge. XV. Jahrgang.

Wochenbericht.

8. Anorganische Chemie.

Edward Divers und **Tetsukichi Shimidzu**, *Über Calciumhydrosulfide.* (Journ. Chem. Soc. **45**. 270—91. Juli; C.-Bl. 1884. 613.)

S. M. Jörgensen, *Beiträge zur Chemie der Chromammoniakverbindungen.* VII. *Über die Luteochromsalze.*

Luteochromnitrat, $(Cr_2.12NH_3).6NO_3$,
Luteochromnitratsulfat, $(Cr_2.12NH_3)2NO_3,2SO_4$,
Luteochromnitratplatinchlorid, $(Cr_2.12NH_3)2NO_3,2PtCl_4,2H_2O$,
Luteochromchlorid, $(Cr_2.12NH_3).Cl_6,2H_2O$,
Luteochromplatinchlorid: a. $(Cr_2,12NH_3).3PtCl_6,6H_2O$,
  b. $(Cr_2,12NH_3)Cl_2.2PtCl_6,5H_2O$,
  c. $(Cr_2,12NH_3)Cl_4.PtCl_6,2H_2O$,
Luteochromquecksilberchlorid: a. $(Cr_2,12NH_3)Cl_6,2HgCl_2$,
  b. $(Cr_2,12NH_3)6HgCl_2,2H_2O$,
Luteochrombromid, $(Cr_2,12NH_3).Br_6$,
Luteochromplatinbromid, $(Cr_2,12NH_3).3PtBr_6,4H_2O$,
Luteochromjodid, $(Cr_2,12NH_3).J_6$,
Luteochromjodidsulfat, $(Cr_2,12NH_3).J_2,2SO_4$,
Luteochromsulfat, $(Cr_2,12NH_3).3SO_4,5H_2O$,
Luteochromsulfatplatinchlorid, $(Cr_2,12NH_3).2SO_4PtCl_6$,
Luteochromorthophosphat, $(Cr_2,12NH_3).2PO_4,8H_2O$,
Luteochromoxalat, $(Cr_2,12NH_3).3C_2O_4,4H_2O$,
Luteochromnatriumpyrophosphat, $(Cr_2,12NH_3).2P_2O_7Na,23H_2O$,
Luteochromferridcyanid, $(Cr_2,12NH_3).Fe_2Cy_{12}$,
Luteochromchromidcyanid, $(Cr_2,12NH_3).Cr_2Cy_{12}$.

(Journ. prakt. Chem. **30**. 1—32. Aug. [Mai.] Kopenhagen.)

J. Habermann, *Über einige basische Salze.* Die in seiner letzten Mitteilung (**83**. 678) angekündigten Sulfate, Nitrate und Chloride des Kupfers, Nickels, Kobalts, Zinks und Kadmiums hat der Vf. jetzt dargestellt und untersucht. Es wurde dabei im allgemeinen so verfahren, daß eine konzentrierte Lösung des neutralen Salzes in einem Becherglase zum Sieden erhitzt und in die kochende Lösung sehr stark verdünnte Ammoniaklösung unter fleißigem Umrühren so lange eingetröpfelt wurde, als ein Niederschlag entstand. Die sich zuerst ausscheidenden Anteile des Niederschlages, welche sich manches Mal verunreinigt zeigten, wurden in der Regel beseitigt und die Fällung in der Art zu Ende geführt, daß von Zeit zu Zeit filtrierte Proben der Flüssigkeit auf das Verhalten gegen Ammoniaklösung, resp. auf die Bildung eines Niederschlages geprüft und je nach dem Ergebnisse der Prüfung die Fortsetzung der Arbeit geregelt wurde. Nach beendigter Fällung und vollständigem Erkalten wurde das basische Salz durch Dekantation mit

Wasser von gewöhnlicher Temperatur gewaschen, schließlich auf einen Trichter mit einem kleinen Platinkonus gebracht, mit einer Wasserstrahlpumpe gut abgenutscht und mit Rücksicht darauf, daß einige der Verbindungen aus der Luft begierig Kohlensäureanhydrid anziehen, das Präparat auf einem Uhrglase unter einer Glocke über gebranntem Kalk getrocknet. In dieser Weise wurden folgende Salze dargestellt:

basisches Kupfersulfat, $7\,CuO, 2\,SO_3, 6\,H_2O$,
basisches Kupfernitrat, $4\,CuO, N_2O_5, 3\,H_2O$,
Kupferoxychlorid, $CuCl_2, 3\,CuO, 3\,^1/_2\,H_2O$,
basisches Nickelsulfat, $7\,NiO, 7\,H_2O, SO_3 + 3\,H_2O$,
basisches Nickelnitrat, $8\,NiO, 2\,N_2O_5, 5\,H_2O$,

und ein nicht analysiertes Nickeloxychlorid;

basisches Kobaltsulfat, $5\,CoO, SO_3, 4\,H_2O$,
basisches Kobaltnitrat, $4\,CoO, N_2O_5, 6\,H_2O$,
Kobaltoxychlorid, $CoCl_2, 3\,CoO, 3^1/_2\,H_2O$,
basisches Zinksulfat, $4\,ZnO, 3\,H_2O, SO_3 + 2\,H_2O$,
basisches Zinknitrat, $5\,ZnO, N_2O_5, 5^1/_2\,H_2O$,
Zinkoxychlorid, $2\,ZnCl_2, 9\,ZnO, 12\,H_2O$,
basisches Kadmiumsulfat, $2\,CdO, SO_3, H_2O$,
basisches Kadmiumnitrat, $12\,CdO, N_2O_5, 11\,H_2O$,
Kadmiumoxychlorid, $CdO, CdCl_2, H_2O$.

(Monatsh. f. Chem. 8. 432—50. Aug. [17.* Juli.] Brünn, Techn. Hochschule.)

Wm. P. Blak, *Prismatische Goldkrystalle.* (Amer. Journ. of Sc. [3.] 28. 57—58.)

4. Organische Chemie.

H. Ritthausen und **Felix Weger,** *Über Betaïn aus Preßrückständen der Baumwollsamen.* Die Mutterlaugen der Melitose der Baumwollsamen (S. 628) gaben, in 90 proz. Spiritus gelöst, bei Zusatz von Platinchlorid, beträchtliche krystallinische Niederschläge, welche zu weiterer Untersuchung gesammelt wurden. Bei Verarbeitung von ungefähr 9 kg der Preßrückstände wurden gegen 110 g Platinniederschlag (mit 90 prozent. Spiritus gewaschen) erhalten.

Die Platinverbindung entwickelte beim Erhitzen salmiakähnliche Dämpfe von Trimethylamingeruch und hinterließ geglüht, unter lebhaftem Verglimmen, chlorkaliumhaltiges Platin. Sie wurde, in heißem Wasser gelöst, mit Schwefelwasserstoff bis zur Ausfällung des Platins behandelt, die wasserhelle Lösung bis zur Trockne verdampft. Zur Abscheidung der im krystallinischen Abdampfrückstande, welcher Chlorkalium und wenig Salmiak enthielt, vermutheten basischen Substanz wurden die Chlorverbindungen, in wenig Wasser gelöst, mit Barythydrat bis zur alkalischen Reaktion versetzt, durch CO_2 der überschüssige Baryt und die filtrierte Lösung mit Alkohol gefällt.

Nach Abdestillieren des Weingeistes von der die freie Base enthaltenden alkoholischen Lösung mischten die Vff. den Rückstand mit 96 prozent. Spiritus, wobei sich noch kleine Mengen Barium- und Kaliumchlorid abschieden, destillierten abermals und lösten zuletzt in absolutem Alkohol, wobei noch eine geringe Menge Chlorkalium zurückblieb. Da diese, immer noch wenig KCl enthaltende, kaum wahrnehmbar alkalisch reagierende Lösung auch bei längerem Stehen in der Kälte keinerlei Abscheidung einer Base gab, obwohl Proben davon, verdunstet, einen beträchtlichen weißen Rückstand hinterließen, wurde anfänglich die Fällung durch fraktionierten Zusatz von Salzsäure versucht. Die ersten Tropfen Säure bewirkten sofortige Ausfällung eines grobkrystallinischen Salzes, das aber noch 28 p. c. KCl enthielt; bei weiterem Zusatze erfolgten noch reichliche krystallinische Niederschläge von viel geringerem KCl-Gehalte, und die durch Säure sich nicht mehr trübende Lösung hinterließ nach dem Abdestillieren die fast reine Salzsäureverbindung der gesuchten Base.

Diese Salzsäureverbindung erwies sich als sehr löslich in Wasser; sie krystallisierte bei langsamer Verdunstung in großen farblosen Krystallen von teilweise sehr guter Ausbildung der Flächen. Sie schmilzt, auf dem Platinbleche über der Flamme wenig erhitzt, anfänglich unter Bildung weißer Nebel von Trimethylamingeruch, entzündet sich dann und verbrennt rasch mit blaßblauer Flamme, ohne einen Kohlerückstand zu hinterlassen. der Rückstand von Chlorkalium enthält nur eine Spur Kohle. Die zweite Fällung mit Salzsäure und der hiernach aus der alkoholischen Lösung gewonnene Rückstand, zusammen durch Umkrystallisieren in Wasser in farblose, durchsichtige, klare Krystalle verwandelt, diente, lufttrocken, zur Analyse.

Die Berechnung der analytischen Resultate führte zur Formel des salzsauren Betaïns, $C_7H_{15}NO_2Cl$, und für die salzsäurefreie Substanz zu der des Betaïns, $C_5H_{11}NO_2$. Es wurden dargestellt das Goldsalz und das Platinsalz.

Wenn hiernach auch kein Zweifel besteht, daß die aus den Baumwollsamenkuchen dargestellte Base Betaïn ist, so wollen die Vff. doch jetzt noch nicht darüber entscheiden, ob diese Base als solche in den Samen vorhanden oder etwa erst durch zersetzende Einflüsse während der verschiedenen Verdampfungen aus anderen Körpern erzeugt ist. (Journ. prakt. Chem. **30**. 32—37. Aug.)

Alex. Ehrenberg, *Zur Kenntnis des Knallquecksilbers.* Die Ergebnisse dieser Untersuchung sind folgende: 1. Wässerige Salzsäure zersetzt das Knallquecksilber unter Bildung von salzsaurem Hydroxylamin und Ameisensäure. Beide Stickstoffatome werden in Hydroxylamin übergeführt. Diese Reaktion spricht gegen die Auffassung der Knallsäure' als Nitroacetonitril, indem für Überführung des Stickstoffes eines Cyans in Hydroxylamin Analogieen nicht vorliegen. Je nach der Annahme des Radikals —N≡C oder —C≡N sollte man die Bildung von Methylamin und Ameisensäure oder von Ammoniak und Essigsäure erwarten.

2. Wässerige Rhodanwasserstoffsäure zersetzt das Knallquecksilber unter Bildung von Rhodanammonium und Kohlensäure. Diese Zersetzung ist der vorigen analog, nur giebt die Unbeständigkeit des rhodanwasserstoffsauren Hydroxylamins zur Bildung von Ammonsalz Veranlassung. Das Gleiche beobachtet man bei der Einwirkung der Jodwasserstoffsäure und zum Teil auch bei der der Bromwasserstoffsäure. Auch diese Reaktion spricht nicht für das Vorhandensein von Cyan.

3. Die freie Knallsäure scheint nach den Ergebnissen der Einwirkung trockner Salzsäure nicht existenzfähig zu sein, indem das im Äther gelöste Produkt nach dem Verdunsten dieses selbst im Vakuum totale Zersetzung erleidet. Daß diese ätherische Lösung nach dem Eintragen in Alkalilauge und nachherigem Destillieren kein Methylamin liefert, spricht ebenfalls gegen die Annahme, daß die Knallsäure sich von dem Methylcyanid ableitet.

4. Rhodanammonium wirkt in gleicher Weise auf Knallquecksilber, wie die Chloralkalien, nämlich unter Bildung von fulminursaurem Salze. Die Einwirkung ist jedoch eine energischere, indem sich die Flüssigkeit in diesem Falle selbst erwärmt, während man bei der Darstellung mittels Chloralkalien längere Zeit stark kochen muß.

Bemerkenswert ist, daß beim Eintragen der ätherischen Lösung des durch Salzsäure erhaltenen Produktes in Ammoniak, also unter ähnlichen Umständen, wie bei der Darstellung des gewöhnlichen Ammonfulminurates, die gewöhnliche Fulminursäure gar nicht entsteht, sondern eine ihr isomere Säure; es muß also in diesem oder jenem Falle eine Umlagerung stattgefunden haben. (Journ. prakt. Chem. **30**. 38—68. August. [Mai.] Tübingen.)

L. Scholvien, *Über einige Derivate des Knallquecksilbers. Einwirkung von Schwefelsäure auf Knallnatrium.* Ungefähr 200 g Knallquecksilber wurden mit 800 ccm Wasser übergossen und Natriumamalgam so lange eingetragen, bis die Flüssigkeit klar und quecksilberfrei war. Von der auf 1000 ccm verdünnten Lösung wurden je 250 ccm zu 500 ccm verdünnter Schwefelsäure (1 : 5) allmählich unter Abkühlung zugesetzt und die hellrot gefärbte Flüssigkeit möglichst schnell mit Äther ausgeschüttelt. Aus der ätherischen Lösung werden zwei Säuren erhalten. Zuerst scheidet sich in farblosen, bald gelb werdenden Nadeln krystallisierendes Produkt mit sauren Eigenschaften aus, welches allmählich unter Bildung von Blausäure zersetzt wird. Diese Säure schmilzt bei 85°, ist in lauwarmem Wasser leicht löslich, nach jedoch sich beim Erwärmen mit Wasser, liefert mit salpetersaurem Silber ein prachtvoll rotes, mit salpetersaurem Quecksilberoxyd ein dunkelgelbes, mit Bleisalzen ein citronengelbes Salz. Eisenchlorid färbt die verdünntesten Lösungen derselben tief rot. Wird die Verbindung mit Salzsäure eingedampft, so resultiert salzsaures Hydroxylamin. Die Analyse dieser Substanz gab Zahlen, welche der einfachsten Zusammensetzung: HCNO entsprechen. Die ätherische Mutterlauge giebt, wenn sie ohne Erwärmung möglichst vom Äther befreit und mit wenig Wasser gemischt wird, die zweite Säure, welche sich im Gegensatze zur ersten aus kochendem Wasser umkrystallisieren läßt. Sie krystallisiert sehr gut, ist in kaltem Wasser schwer, in heißem Wasser, sowie in Alkohol und Äther leichter löslich. Sie wird durch Eisenchlorid nicht gefärbt und liefert keine unlöslichen Metallsalze. Nach der Analyse ist diese Säure ebenfalls nach der einfachsten Formel HCNO zusammengesetzt. Beide Körper, sowie ihre Salze sollen demnächst genauer untersucht werden.

Knallsilber. Wird Knallnatriumlösung mit salpetersaurem Silber gefällt, so entsteht Knallsilber, welches mit dem aus metallischem Silber dargestellten in allen Eigenschaften übereinstimmt. Durch Erhitzen desselben mit Salzsäure wurde salzsaures Hydroxylamin

49 *

erhalten. Die Einwirkung von Chloralkalien und Chlormetallen liefert die betreffenden Doppelverbindungen, welche die Zusammensetzung $C_2N_2AgMeO_2$ haben. Salzsaures Anilin gab ebenfalls ein gut krystallisierendes Salz. Jodäthyl in ätherischer Lösung wirkte ziemlich heftig auf trocknes Knallquecksilber ein, doch scheint das Produkt ziemlich leicht zersetzlich zu sein, so daß es dem Vf. noch nicht gelang, hinreichende Mengen zur Analyse zu erhalten. Durch Einfachschwefelkalium wurde ein leicht und heftig explodierender Körper, wahrscheinlich Knallsilberkalium, erhalten.

Einwirkung von Schwefelharnstoff auf Knallquecksilber. Wie schon CARSTANJES und EHRENBERG beobachtet haben, wirkt Schwefelharnstoff auf Knallquecksilber sehr heftig unter Kohlensäureentwicklung ein. Es bildet sich ein Produkt, welches sich nur mit grofser Mühe durch häufiges unvollständiges Auflösen und Umkrystallisieren aus Wasser in zwei Körper trennen läfst, welche ungefähr bei 73 und 128° schmelzen. Beide Körper, sehr gut krystallisierend, gaben mit Salzsäure einen in Wasser fast unlöslichen Niederschlag, der sich aus Salzsäure umkrystallisieren läfst. Dieses salzsaure Salz, sowohl aus dem bei 73, als auch aus dem bei 128° schmelzenden Produkte dargestellt, wurde analysiert; es zeigte sich, dafs beide Schwefelharnstoffquecksilberchlorid, $(CSN_2H_4)_2 \cdot HgCl_2$, waren.

Das erste, aus Schwefelharnstoff und Knallquecksilber erhaltene Produkt war ein Gemisch verschieden zusammengesetzter Verbindungen von Schwefelharnstoff und Rhodanquecksilber. Aufserdem bilden sich noch reichliche Mengen von Schwefelquecksilber und Harnstoff, welcher aus den Mutterlaugen auskrystallisiert. Demnach entstehen durch Einwirkung von Schwefelharnstoff auf Knallquecksilber folgende Körper: Kohlensäure, Schwefelquecksilber, Harnstoff und Schwefelharnstoff-Rhodanquecksilber. (Journ. prakt. Chem. **30**. 90—92. Aug. [Juli.] Leipzig.)

Otto W. Fischer, *Über zwei organische Zinnverbindungen.* Vor langer Zeit hat KUHLMANN (LIEB. Ann. **33**. 97 u. 192) bei seiner Untersuchung über die Ätherbildung durch Einwirkung von Zinntetrachlorid auf absoluten Alkohol eine salzartige Verbindung erhalten, welche er als eine Verbindung mit Äther mit Schmelzpunkt nach seiner Angabe ungefähr bei 75° liegen soll. LEWY (Journ. pr. Chem. **36**. 146), der sie durch Mengen von wasserfreiem $SnCl_4$ mit absolutem Alkohol unter Erkältung auf 0° darstellte und zuerst analysierte, kam zur Formel $C_8H_{12}O_8SnCl_2$, welche er zerlegte in $2C_4H_6O + 2HO + 2Sn\begin{Bmatrix}Cl \\ O\end{Bmatrix}$. Alte Formeln $C = 6$, $O = 8$, $Sn = 58$).

GIRARD und CHAPOTEAUT (Ztschr. f. Chem. 1867. 454) bestätigen im ganzen LEWY's Angaben, schreiben jedoch die Verbindung $C_2H_5OSnCl_3H$ (alte Formeln $C = 6$, $O = 8$, $Sn = 58$), ebenso ROBIQUET (Jahresber. 1854. 560), der Krystalle von der Zusammensetzung $SnCl_2C_4H_6O_2$ erhalten haben will.

Da nun diese Angaben keine befriedigende Übereinstimmung zeigen, so schien eine neuerliche Untersuchung der fraglichen Verbindung um so wünschenswerter, als auch neuere Lehr- und Handbücher sich über dieselbe sehr widersprechend äufsern. Um sie zu erhalten, verfährt man am einfachsten folgendermafsen:

20 Tle. reines wasserfreies Zinntetrachlorid werden mit 14 Tln. absolutem Alkohol unter Kühlung mit Wasser vereinigt; das Zufügen von $SnCl_4$ geschieht partienweise, da die Masse lebhaft reagiert, sich erwärmt und Salzsäure und Chloräthyl entweichen. Beim Erkalten scheiden sich nun bald weifse Krystallblättchen aus, bis schliefslich das Ganze zu einer breiigen Masse geworden; die Krystalle werden von der Mutterlauge durch Absaugen getrennt, mit wenig absolutem Alkohol nachgewaschen, auf Thonplatten gestrichen und über Kalk und Schwefelsäure getrocknet. Diese Operationen müssen mit thunlichster Schnelligkeit ausgeführt werden, da der Einflufs der Atmosphäre, weil zersetzend, soviel als möglich vermieden werden mufs.

Das so erhaltene Salz stellt glänzend weifse, rhombische Krystallblättchen dar, die sich beim Liegen an der Luft rasch zersetzen und zerfliefsen. Es ist in kaltem Wasser schwer, leichter in heifsem löslich; die Lösung scheidet jedoch beim Kochen oder schon bei längerem Stehen einen weifsen, gallertartigen Niederschlag von Zinnoxychlorid aus. In Alkohol und Äther ist es leicht löslich und kann aus ersterem gut umkrystallisiert und in gröfseren Individuen erhalten werden; durch Alkalien wird es in Alkohol und ein Gemenge von Zinnhydroxyd und Zinnoxychlorid zerlegt. Der Schmelzpunkt der Krystalle liegt nicht, wie KUHLMANN angiebt, bei 75°, sondern er ist überhaupt nicht zu bestimmen, da Zersetzung eintritt. Die Analyse der Verbindung führte zur Formel $SnCl_4OC_2H_5 + C_2H_6O$ und wird deren Bildung durch folgende Gleichung:

$$C_2H_6O + SnCl_4 = SnCl_3OC_2H_5 + HCl$$

veranschaulicht.

Die Verbindung enthält nicht, wie KUHLMLNN meint, Äther, oder, wie LEWY glaubt, Chloräthyl. Ein Teil des Salzes wurde mit etwa dem 20 fachen Gewichte Wasser destilliert und die ersten Tropfen getrennt aufgefangen. Im Destillate war nicht eine Spur Äther oder Chloräthyl, wohl aber Alkohol, der mit der Jodoformreaktion nachgewiesen wurde, und sehr geringe Spuren von Salzsäure enthalten.

Obige Bestimmungen machen es mehr als wahrscheinlich, daß KUHLMANN's Salz keine blofs additionelle Verbindung von Äthylalkohol, Äther oder Chloräthyl mit einer Zinnverbindung ist, sondern als ein Zinnchlorid aufgefaßt werden muß, in dem ein Chlor durch die Äthoxylgruppe ersetzt ist, und das ein Molekül Krystallalkohol aufgenommen hat.

Es wurde nun versucht, ob unter sonst gleichen Umständen aber beim Kochen nicht weitere Ätherifikation eintritt.

Mit Anwendung derselben Mengenverhältnisse wurde anfänglich zwar wieder gekühlt, dann aber eine halbe Stunde lang auf dem Wasserbade vor dem Rückflufskühler gekocht. Hierbei wird Salzsäure, Äther und Chloräthyl gebildet. Bei stärkerem Erhitzen über freiem Feuer ist die Ätherentwicklung eine lebhaftere, die Flüssigkeit wird jedoch bald dunkel gefärbt und zersetzt sich. Die beim Erkalten erhaltene Krystallmasse wurde wie früher behandelt und zeigte sich vollkommen identisch mit der oben beschriebenen. Nur scheint in diesem Falle die Ausbeute eine etwas günstigere zu sein.

Um zu versuchen, ob nicht vielleicht auf andere Weise mehr Chlor durch die Äthoxylgruppe ersetzt werden könne, wurde die auf 10 g Zinntetrachlorid berechnete Menge Natrium (3,5 g) in absolutem Alkohol gelöst und mit der Lösung des $SnCl_4$ in überschüssigem Alkohol vereinigt. Es entstand sofort eine weiße Fällung, die, aus Chlornatrium und etwas Zinnoxyd bestehend, abfiltriert wurde; das Filtrat wurde über Schwefelsäure im Vakuum verdunsten gelassen, wobei es immer dicker und dicker wurde und endlich eingetrocknet, eine schwach gelbliche, amorphe Masse, die sowohl in Wasser, als Alkohol und Äther unlöslich ist, hinterließ. Der Analyse zufolge war nicht die erwartete Verbindung entstanden; die Resultate passen am besten zur Formel $SnOC_2H_5(OH)_3$. Diese Substanz steht demnach zu KUHLMANN's Verbindung in ähnlichem Verhältnisse, wie das normale Zinnhydroxyd zum Zinntetrachlorid.

Zinntetrachlorid	Zinnhydroxyd	KUHLMANN's Verbindung	Verbindung aus Natriumalkoholat
$Sn\begin{smallmatrix}Cl\\Cl\\Cl\\Cl\end{smallmatrix}$	$Sn\begin{smallmatrix}OH\\OH\\OH\\OH\end{smallmatrix}$	$Sn\begin{smallmatrix}OC_2H_5\\Cl\\Cl\\Cl\end{smallmatrix}$	$Sn\begin{smallmatrix}OC_2H_5\\OH\\OH\\OH\end{smallmatrix}$

Um hierfür weitere Bestätigung zu erhalten, hat Vf. in die Lösung von KUHLMANN's Salz in Wasser sehr vorsichtig Kalilauge bis zur neutralen Reaktion eingetragen. Der entstandene Niederschlag, abfiltriert und gut gewaschen, enthielt aber nicht die Spur organischer Substanz, war also nicht die Verbindung $Sn(OH_3)OC_2H_5$, und stellte sich als Zinnhydroxyd heraus, während im Filtrate Alkohol und Salzsäure nachgewiesen werden konnten.

Etwas besseren Erfolg hatte der Versuch, aus der Verbindung $SnOC_2H_5(OH_3)$ durch Lösen in konzentrierter Salzsäure KUHLMANN's Salz darzustellen. Die Lösung erfolgte in der Kälte, da beim Erwärmen Zersetzung eintritt. Aber erst nach wochenlangem Stehen im Exsikkator erhält man sehr kleine Krystalle, die kohlenstoffhaltig sind und die größte Ähnlichkeit mit KUHLMANN's Salz haben. Von einer Analyse mußte der geringen Menge wegen abgesehen werden. (Monatsh. f. Chem. 8. 426—31. Aug. [17.*] Juli. Wien. Lab. der Handelsakademie.)

A. Staub und **Watson Smith**, *Über ein Nebenprodukt von der Bereitung des Aurins.* (Journ. Chem. Soc. 45. 301—4. Juli; C.-Bl. 1884. 633.)

A. B. Griffiths und **E. C. Conrad**, *Über das Vorkommen von Salicylsäure im Gartenstiefmütterchen.* Die Vff. fanden bei zwei Versuchen in den Blättern dieser Pflanze 0,1329 und 0,1330, in den Stengeln 0,0852 und 0,0856, in den Wurzeln 6,0531 und 0,0529 p. c. Salicylsäure, in den Blüten dagegen nur Spuren. Die Blätter sind also am reichsten daran. Es wurden verschiedene Schnitte bei stärkster Vergrösserung mikroskopisch untersucht, doch konnte man nirgends im Zellengewebe Krystalle der Säure entdecken, woraus zu schliefsen ist, dafs sie im Zellensaft oder auch vielleicht im Protoplasma gelöst ist. Über die physiologische Funktion der Salicylsäure, sowie über die Art ihrer Bildung läfst sich für jetzt nichst aussagen. (Chem. N. 50. 102. 19. August.)

Fr. Gumpert, *Über die Zersetzung des Benzonitrils mittels rauchender Schwefelsäure.*

Um nach der Angabe von PINNER und KLEIN Kyanphenin darzustellen, brachte Vf. je 10 g Benzonitril in Kölbchen, welche durch Eis gekühlt wurden, und ließ tropfenweise je 7 g stark rauchender Schwefelsäure hinzutreten. Solange das Produkt gekühlt wurde, blieb es flüssig, wurde jedoch bei gewöhnlicher Temperatur fest, wobei sich geringe Wärmeentwicklung bemerklich machte. Nach 24 Stunden wurde die harzige Masse mit Wasser geschüttelt, der reichlich abgeschiedene Niederschlag aus Toluol und Benzol umkrystallisiert und dann der Analyse unterworfen. Der Schmelzpunkt dieses Körpers lag nicht, wie erwartet, bei 231°, sondern bei 148°. Obwohl genau nach der Angabe PINNER's gearbeitet war, hatte sich Kyanphenin nicht oder nur spurenweise gebildet.

Die Analyse des bei 148° schmelzenden Körpers lieferte Zahlen, welche auf die Zusammensetzung einer Verbindung: $C_{14}H_{11}NO_2$ stimmten. Hiernach kann die Verbindung als Dibenzamid, $(C_6H_5CO)_2H.N$, betrachtet werden. Ihre Eigenschaften, sowie Entstehungsweise ließen vermuten, daß sie identisch ist mit dem von BARTH und SENHOFER aus Benzonitril, Schwefelsäure und Phosphorsäureanhydrid mittels Wasser gewonnenen Dibenzamid. In Alkalien löst sich dasselbe, durch Erwärmen damit erfährt es Zersetzung in Benzoësäure und Ammoniak. — Im geschlossenen Rohr mit alkoholischem Ammoniak (auf 100°) erhitzt, geht dasselbe ziemlich glatt in Benzamid (vom Schmelzpunkt 125°) über:

$$(C_6H_5CO)_2H.N = N + NH_3 = 2(C_6H_5CO)H_2.N.$$

Auch mit dem von E. FISCHER und TROSCHKE durch Oxydation des Lophins dargestellten „Dibenzamid" ist das obige Produkt identisch. — Auffallend bleibt es, daß PINNER und KLEIN diese Verbindung durch direkte Einwirkung rauchender Schwefelsäure auf Benzonitril nicht erhalten haben.

Die Ausbeute an Dibenzamid wird durch Anwendung von mehr als 7 Tln. Schwefelsäure auf 10 Tle. Benzonitril, ebenso durch Behandeln des letzteren mit schwächerer Schwefelsäure erheblich verringert. Krystallisierte Schwefelsäure wirkt noch ungünstiger.

Aus der vom Dibenzamid filtrierten sauren Lösung wurde auf Zusatz von Ammoniak ein weißer Niederschlag gefällt, welcher aus Benzol und Alkohol in schönen, bei 105,5° schmelzenden Krystallen erhalten wird. Besonders reichlich bildet sich diese Verbindung, wenn das Gemisch von Benzonitril und rauchender Schwefelsäure durch zeitweiliges Kühlen bis zum Festwerden vor merklicher Wärmeentwicklung bewahrt wird, und wenn man das Produkt möglichst rasch mit Wasser mischt. — Die Analyse der in Frage stehenden Verbindung führte zu der Zusammensetzung: $C_{14}H_{12}N_2O$.

Die Zusammensetzung, Eigenschaften und Bildungsweise dieser Verbindung stimmen genau überein mit denen des von PINNER und KLEIN auf ganz ähnliche Weise dargestellten sogen. Dibenzimidooxyds, welches nach der von ihnen mitgeteilten Formel als Benzoesäureanhydrid angesprochen wird, dessen zwei Carbonylsauerstoffatome durch Imid ersetzt sind: $(C_6H_5.NH)_2O$. — Nach den Angaben von PINNER und KLEIN bildet sich dieser Körper nur dann in merklicher Menge aus Benzonitril, wenn dieses, mit Benzol gemischt, der Einwirkung rauchender Schwefelsäure unterworfen wird; aus obigen Angaben erhellt, daß der Zusatz von Benzol nicht erforderlich ist. Die Annahme PINNER's, daß die in Rede stehende Verbindung Dibenzimidooxyd sein müsse, ist durch nichts gestützt. Durch Behandeln derselben mit verdünnter Salzsäure bildet sich der als Dibenzamid oben beschriebene Körper, wie durch sorgfältige Vergleichung beider Präparate festgestellt wurde. PINNER und KLEIN beschreiben die so aus ihrem „Dibenzimidooxyd"

gewonnene Verbindung als Benzimidobenzoat: $\left.\begin{array}{l}C_6H_5CNH\\C_6H_5CO\end{array}\right\}O$. Diese Hypothese über die Konstitution obiger zwei Verbindungen zu adoptieren, liegt kein Grund vor. Vielmehr darf als wahrscheinlich gelten, daß das „Dibenzimidooxyd" Benzimidobenzamid, das „Benzimidobenzoat" aber Dibenzamid ist, wie aus folgenden Formeln ohne weiteres erhellt:

$(C_6H_5C.NH)(C_6H_5CO)H.N$ $(C_6H_5CO)_2H.N$
Benzimidobenzamid   Dibenzamid.

(Journ. pr. Chem. **30.** 87—90. August. [Juli.] Leipzig.)

H. Kolbe, *Über Isatin. Vorläufige Mitteilung.* Die Versuche, welche der Vf. in dieser Arbeit mitteilt, wurden angestellt, um eine von ihm unlängst ausgesprochene Vermutung, das Isatin möge eine Verbindung von Formyl mit Stickstoffbenzoyl, demjenigen Derivat des Benzoyls sein, dessen Phenyl eines seiner fünf Wasserstoffatome durch ein Atom einwertigen Stickstoffes ersetzt enthält, auf ihren Wert und ihre Haltbarkeit zu prüfen. — Ist diese Vorstellung richtig, so darf man hoffen, daß durch Oxydierung des Isatins aus dessen Formyl Carboxyl wird, und daß so aus Stickstoffbenzoylformyl, Stickstoffbenzoylcarbonsäure hervorgeht.

Die gewöhnlichen Oxydationsmittel, welche die Mehrzahl der Aldehyde in die zugehörenden Säuren verwandeln, versagen hier den Dienst, sowie auch die Lösung von chromsaurem Kali in verdünnter Schwefelsäure; leicht aber bewirkt Chromsäure jene Oxydation, wenn man den Prozeß in Eisessig (auch Essigsäureanhydrid) sich vollziehen läßt. Die Flüssigkeit füllt sich zuerst mit amorphen braunen Flocken, welche sich später in kleine Krystalle verwandeln, die, auf einen Saugfilter gesammelt und mit Wasser ausgewaschen, ein schweres, sandiges, gelbes Krystallpulver darstellen. — Man gewinnt davon gegen 80 p. c. vom Gewicht des angewendeten Isatins.

Dieses Produkt enthält ein Atom Sauerstoff mehr, als das Isatin, nämlich

$$C_8H_5NO_3 = C_6 \begin{Bmatrix} H_4 \\ N \end{Bmatrix} CO.COOH,$$ und kann als Stickstoffbenzoylcarbonsäure aufgefaßt werden. Bis die Frage entschieden ist, ob dieselbe nicht ein doppelt so hohes Molekulargewicht hat, und ob sie eine ein- oder zweibasische Säure ist, nennt sie der Vf., um ihre Beziehung zum Isatin anzudeuten, „*Isatosäure*".

Diese Isatosäure ist in kaltem Wasser und Alkohol wenig löslich, leichter in den heißen Flüssigkeiten, krystallisiert aus heißem Wasser in langen Nadeln, aus siedendem Alkohol in gelben rhombischen Tafeln. Sie ist eine schwache Säure, verbindet sich mit Basen zu Salzen; sie erleidet mancherlei bemerkenswerte Zersetzungen, welche geeignet scheinen, über ihre chemische Konstitution und damit rückwärts über die des Isatins weiteren Aufschluß zu geben. — Wo man dieselbe anfaßt, erweist sie sich dem Beobachter durch Eröffnung von oft ganz unerwarteten Ausblicken dankbar.

Wenige Grade über ihren Schmelzpunkt erhitzt, erleidet sie Zersetzung in Kohlensäure und eine bis jetzt noch nicht weiter untersuchte Substanz. Auch durch längeres Kochen mit Wasser wird sie unter Ausgabe von Kohlensäure verändert. — Siedendes Barytwasser erzeugt damit reichliche Mengen von kohlensaurem Baryt, und das lösliche Barytsalz einer in Wasser leicht löslichen, daraus in farblosen, langen Nadeln krystallisierenden Säure. Damit scheint diejenige Säure identisch zu sein, welche aus der Isatosäure durch mäßig verdünnter Schwefelsäure (1 Tl. Schwefelsäurehydrat und 1 Tl. Wasser) im Kochsalzbade entsteht, unter gleichzeitiger Entwicklung reichlicher Mengen von Kohlensäure. Das Produkt gesteht beim Erkalten mit der überschüssigen Schwefelsäure zu einem Magma farbloser langer, dünner Blättchen.

Der Versuch, die Isatosäure in alkoholischer Lösung mit Salzsäure zu ätherifizieren, hat ein unerwartetes Resultat gegeben. Durch Erhitzen des in der Kälte mit Salzsäuregas gesättigten Alkohols geht die darin suspendierte Isatosäure in Lösung, und mit dem Salzsäuregas entweicht viel Kohlensäure. Die schließlich klare Lösung setzt während des Erkaltens eine große Menge farbloser Krystalle ab, welche durch Absaugen auf einem Trichter mit Glaswolle von der sauren Mutterlauge getrennt, und im Exsikkator über Ätzkalk getrocknet, in trockner Luft sich unverändert halten. Diese Krystalle enthalten Salzsäure in chemischer Verbindung mit einem flüssigen Äther (wie es scheint, dem Äthyläther der Stickstoffphenylcarbonsäure: $C_6 \begin{Bmatrix} H_4 \\ N \end{Bmatrix} COOC_2H_5$) und einer festen sublimierbaren Säure. Dieselben zerfallen in Berührung mit Wasser in Salzsäure, jenen Äther, der sich als Öl von sehr angenehmem Geruch abscheidet und die mit der Salzsäure in Lösung bleibende Säure (vermutlich von der Zusammensetzung: $C_6 \begin{Bmatrix} H_4 \\ N \end{Bmatrix} C \begin{Bmatrix} H \\ OH \end{Bmatrix} COOH$).

Das flüchtige Öl läßt sich mit Wasserdampf abdestillieren und aus dem milchigen Destillat mit Äther ausziehen. Die in der Retorte zurückbleibende saure Flüssigkeit, durch Abdampfen auf dem Wasserbade von Salzsäure befreit, hinterläßt eine krystallinische Säure, welche bei 100° langsam in wolligen lockeren Flocken sublimiert.

Die Isatosäure läßt sich direkt auch aus reinem Indigblau durch Oxydieren mit Chromsäure unter Eisessig darstellen.

Über obige Zersetzungsprodukte der Isatosäure, sowie über ihr Verhalten gegen naszierenden Wasserstoff, die Haloïde u. a. m. wird Vf. in einer späteren Abhandlung ausführlich berichten. (Journ. pr. Chem. **30**. 84—87. August. [Juli.] Leipzig.)

Charles E. Groves, *β-Naphtochinon*. (Journ. Chem. Soc. **45**. 291—301. Juli; C.-Bl. 1884. 635.)

Otto W. Fischer, *Zur Kenntnis der Dichinolyle*. Ähnlich wie 2 Mol. Benzol unter Austritt von zwei H-Atomen zu einem Molekül Diphenyl sich vereinigen, entstehen durch Vereinigung zweier Chinolinmoleküle unter Austritt von zwei H Verbindungen von der Formel $C_{18}H_{12}N_2$, von welchen Dichinolylen bis heute zwei bekannt sind. Eines derselben hat Weidel (Monatsh. **2**. 491) durch Einwirkung von metallischem Natrium auf Chinolin erhalten (α-Dichinolyl, Schmelzp. 175,5°); das zweite haben Japp und Graham (Ber. Chem. Ges. **14**. 1287) aus Benzoylchlorid und Chinolin dargestellt (β-Dichinolyl, Schmelzp. 191°), welch letzteres Weidel (Monatsh. **2**. 501) auch in geringer Menge unter den Destillationsprodukten der Cinchoninsäure mit Kalk aufgefunden hat. Endlich haben noch WILLIAMS (Ber. Chem. Ges. **14.** 1110) und nach ihm CLAUS (Ber. Chem. Ges. **14.** 1940) durch Erhitzen von salzsaurem Chinolin allein oder unter Zusatz von Anilin oder Chinolin auf 180—200° eine krystallisierte Base vom Schmelzpunkte 114° erhalten, die aber nur amorphe Salze bildet, und die sie als Dichinolin, $C_{18}H_{14}N_2$, ansprechen, also als wirkliches Kondensationsprodukt des Chinolins.

Wie bei den genannten Körpern die Chinolinreste verbunden sind, ist bisher nicht bekannt, da die einzigen hierüber angestellten Versuche von WEIDEL, durch Oxydation des α-Dichinolins zu einer Säure zu gelangen, die aller Wahrscheinlichkeit nach Rückschlüsse gestattet hätte, ohne Resultat blieben.

Durch Anwendung der SKRAUP'schen Glycerin-Chinolinreaktion auf die beiden isomeren Diamidodiphenyle konnten nun möglicherweise auf synthetischem Wege Dichinolyle gewonnen werden, deren Verkettung bekannt ist.

Die ersten Versuche gelangten mit dem Benzidin zur Ausführung, welches die beiden NH_2-Gruppen in der Parastellung besitzt:

$$NH_2-\bigcirc-\bigcirc-NH_2$$

Benzidin,

von welchem also ein Dichinolyl folgender Konstitution zu erwarten war:

$$N\diagdown\bigcirc-\bigcirc\diagup N$$

Dichinolyl.

14 g Benzidin, 9,6 g Nitrobenzol, 48 g Glycerin und 40 g englische Schwefelsäure wurden in einem Kolben vor dem Rückflußkühler auf dem Sandbade 2½ Stunden lang erhitzt. Die anfangs durch gebildetes Benzidinsulfat breiige Masse kam nach vollständiger Verflüssigung in gelindes Sieden, wurde dann bald braun und dickflüssig. Schon nach zwei Stunden war kein Nitrobenzol mehr nachweisbar. Chinolin ist bei der Reaktion höchstens in Spuren gebildet worden, da aus der mit Wasser verdünnten und alkalisch gemachten Flüssigkeit durch Wasserdampf nur einige milchige Tropfen übergingen, deren Geruch mit dem des Chinolins übrigens nicht ganz übereinfiel. Das im Destillationskolben zurückgebliebene schwarze Harz wurde nun erkalten gelassen, mit Wasser gut gewaschen und dann wiederholt mit Benzol ausgekocht. Die ersten Benzolauszüge sind intensiv gelb gefärbt; nach zwei- bis dreimaliger Wiederholung geht fast nichts mehr in Lösung. Eine ziemliche Menge eines spröden Harzes, das fast wie Aldehydharz aussieht, und das beim Erhitzen nicht die Spur Chinolingeruch giebt, bleibt zurück. Die vereinigten Benzollösungen wurden durch Schütteln mit geglühter Pottasche getrocknet und bis auf einen geringen Rest abdestilliert. Aus dem Rückstande schieden sich nun beim Erkalten reichlich gelbe Krystalle aus, die durch Absaugen von der Mutterlauge getrennt, auf Thonplatten gestrichen und schließlich im Wasserbade vollständig getrocknet wurden.

Die so erhaltene noch unreine Base wird nun zur weiteren Reinigung in sehr verdünnter Salzsäure gelöst, mit Kalilauge gefällt und mit Äther ausgeschüttelt, am besten so, daß zu der schon mit Äther überschichteten Lösung Alkali gesetzt wird, weil so die Hauptmenge der Base gleich in Lösung gebracht wird. Die färbenden Verunreinigungen gehen dabei nicht in Äther über.

Nach dem Abdestillieren der Hauptmenge des Äthers hinterbleibt die Base in fast farblosen Blättchen, die rasch abgesaugt, mit Äther gut nachgewaschen und über Schwefelsäure getrocknet werden. Ist nicht alle Mutterlauge verdrängt, so wird die Base beim Trocknen leicht harzig. Aus 14 g Benzidin wurden so etwa 8 g reiner Base erhalten. die beschriebene Methode ist daher zur Darstellung des Körpers gut geeignet.

Die einmal aus Alkohol umkrystallisierte Base stellt farblose Blättchen mit lebhaftem Perlmutterglanze dar, die bei 175—176° schmelzen, sowohl in heißem als kaltem Wasser unlöslich sind, aber ziemlich leicht von heißem Alkohol und Benzol, schwieriger von Äther aufgenommen werden. Beim Erhitzen über ihren Schmelzpunkt sublimiert sie anfangs in Blättchen (Schmelzp. 177°) und destilliert dann über der Thermometergrenze, aber nicht ohne teilweise Zersetzung zu erleiden. Die Analyse der reinen Verbindung ergab die Formel $C_{18}H_{11}N_2$.

Das Dichinolyl bildet mit Säuren und Jodmethyl zwei Reihen von gut krystallisierenden Verbindungen.

Es wurden folgende dargestellt und analysiert. Das neutrale Chlorhydrat; das neutrale und saure Sulfat, das Platindoppelchlorid; das Chromat, das Pikrat, das Jodmethyldichinolyl und das Dijodmethyldichinolyl.

Neben der synthetischen Darstellung des Dichinolyls wurde noch versucht, ob nicht, analog der pyrogenen Bildungsweise des Diphenyls, beim Durchleiten von Chinolin durch glühende Eisenröhren Kondensation zu Dichinolyl stattfindet. Der Vf. teilt Versuche mit, welche es nicht wahrscheinlich machen, dafs eine solche pyrogene Bildung stattfindet. (Monatsh. f. Chem. **8.** 417—25. Sept. [17.°] Juli. Wien, Laborat. der Handelsakademie.)

5. Physiologische, medizinische und pharmazeutische Chemie.

L. Boutroux, *Über die Konservation der alkoholischen Fermente in der Natur.* (Ann. agron; Journ. Pharm. Chim. [5.] **10.** 124—26. Ende Aug.)

Ch. Kugler, *Über die Zusammensetzung des Korks.* Höhnel hat durch mikrochemische Reaktionen nachgewiesen, dafs die charakteristische Lamelle der Zellgewebe des Korks einen durch kaustisches Kali verseifbaren Körper enthält, welchen er *Suberin* genannt hat. Über diese Substanz hat der Vf. weitere Versuche angestellt und ist dabei zu folgenden Resultaten gekommen.

Das Suberin ist eine Fettsubstanz, welche durch Kali verseift werden kann und durch Salpetersäure zu Korksäure und einer wachsähnlichen Substanz, *Cerinsäure*, oxydiert. wird. Die enorme Schwierigkeit, welche sich der vollständigen Erschöpfung des Korkes durch einfache Lösungsmittel entgegenstellt, ist überraschend, um so mehr, da das Suberin in isoliertem Zustande leicht löslich ist. Indessen erklärt sich dies, wenn man die Struktur der Suberinlamelle berücksichtigt, in welcher das Molekül dieser Substanz von Cellulosemolekülen umgeben ist, welche sich der Infiltration des Lösungsmittels widersetzen. Eine alkoholische Lösung von kaustischem Kali desaggregiert die Moleküle, indem sie die Cellulose etwas angreift und so der Flüssigkeit den Eintritt gestattet.

Das Suberin ist nach den Untersuchungen des Vf. ein Gemenge von phellonsaurem und stearinsaurem Glycerin. Die Phellonsäure hat die Formel $C_{11}H_{42}O_2$ und gehört vielleicht der Laktonsäurereihe an. Sie bildet ein weifses, krystallinisches, geruchloses und geschmackloses Pulver, schmilzt bei 96° und erstarrt beim Abkühlen zu einer festen, aus feinen Nadeln bestehenden Masse, sie ist in Wasser unlöslich, wenig löslich in absolutem, kaltem Alkohol, löslicher in siedendem Alkohol, in Äther, Chloroform, Petroleumäther, Benzol und Schwefelkohlenstoff. Bei der Destillation zersetzt sie sich, wenn man sie mit rauchender Flamme; der Äthyläther, welchen der Vf. dadurch darstellte, dafs er einen Strom trocknes Salzsäuregas in eine warme alkoholische Lösung von Phellonsäure einleitete, hat die Formel $C_{22}H_{44}O_2.C_2H_5.$

Die *Cerinsäure*, welche man durch Oxydation mit Salpetersäure erhält, ist nach Kugler nur ein Gemenge von unangegriffener Phellonsäure und Oxydationsprodukten. Die *Rizinolsäure* giebt ähnliche Produkte.

Das *Cerin* ist ein Sekretionsprodukt. Die Korksubstanz der Birke (Betula alba) enthält einen ähnlichen Körper, das Betulin, welches wahrscheinlich dieselbe physiologische Funktion besitzt, wie das Cerin, doch nicht identisch damit ist. (Journ. de Pharm. d'Alsace-Lorraine; Journ. Pharm. Chim. [5.] **10.** 123—24. Ende August.)

Berthelot und **André,** *Untersuchungen über die Vegetationsvorgänge einer einjährigen Pflanze. Stickstoffhaltige und mineralische Substanzen. Eiweifskörper.* Aus der Tabelle über die Zusammensetzung der ganzen Pflanze ergiebt sich, dafs die Eiweifskörper, welche während der Keimung stationär sind, sich später in aufserordentlicher Weise vermehren bis zu ihrem tausendfachen Anfangsgewicht. Ihr Verhältnis zu dem Gesamtgewicht der Pflanze schwankt übrigens nicht sehr (zwischen 14 und 21 p. c.) bis zur Blüte; es wird dann geringer und sinkt zur Zeit der Fruchtreife auf etwa 5 p. c. herab; dies rührt entweder von einer teilweisen Zerstörung der Eiweifskörper, oder von einer vorwiegenden Bildung stickstofffreier Substanzen her. Bei der Pflanze, welche ihrer Blüten beraubt worden war, sinken die Eiweifskörper sogar bis auf 3 p. c. herab, ihre Menge steht also in umgekehrtem Verhältnis zur Holzsubstanz. Sie nimmt auch im Verhältnis zu den löslichen Kohlenwasserstoffen ab, welche beim Borrätsch sich kaum ändern. Die Verteilung der Eiweifskörper ergiebt sich aus folgender Tabelle:

	Beginn der Vegetation 29. Mai	Blüte 12. Juni	Fruchtreife 7. Sept.	Pflanze auf dem Stengel getrocknet 7. Sept.	Ohne Blüten 7. Sept.
	g	g	g	g	g
Absolute Gewichte					
Blätter . . .	0,253	0,191	0,453	0,415	0,486
Stengel . . .	0,048	0,0235	0,651	0,439	0,906
Wurzeln . . .	0,003	0,034	0,043	0,078	0,093
Blüten . . .	0,000	0,056	1,586	0,683	0,000
Ganze Pflanze	0,304	0,305	2,733	1,615	1,495
Prozentgehalt					
Blätter . . .	25,4	23,1	7,4	6,2	6,0
Stengel . . .	13,4	6,5	2,6	3,1	2,6
Wurzeln . . .	8,2	6,6	1,9	2,8	2,0
Blüten . . .	0,0	18,8	10,3	7,1	0,0
Ganze Pflanze	2,17	14,7	5,6	4,9	3,2

Diese Verteilung ist sehr charakteristisch, denn die Eiweifskörper sind anfangs in den Blättern konzentriert, in denen die Reduktion der Kohlensäure und des Wassers vorwiegend stattfindet. Später häufen sie sich in der Blüte und in der Frucht an, während in den Blättern ihr Gehalt in dem Mafse, in welchem sich das vegetabilische Leben daselbst vermindert, auf etwa den vierten Teil herabsinkt. Eine gleiche relative Verminderung wird übrigens auch im Stengel und in den Wurzeln beobachtet, und zwar wegen der Zunahme der Kohlenwasserstoffe.

Kalisalze. Die organischen Salze entstehen durch Verbindung mineralischer Basen mit organischen Säuren, welche im allgemeinen Oxydationsprodukte sind, und deren Bildung korrelativ ist mit der der Kohlensäure und der Nitrate. Aus der Tabelle auf S. 761 unten ersieht man, dafs die Kalisalze in einer Pflanze von $^1/_4$ mg bis etwa 3 g anwachsen. Ihre relative Menge variiert wenig während der Vegetation derselben; sie schwankt nur zwischen 6 und 10 p. c. Die Verteilung ergiebt sich aus folgender Tabelle:

	Beginn der Vegetation 29. Mai	Blüte 12. Juni	Fruchtreife 7. Sept.	Pflanze auf d. Stengel getr. 7. Sept.	Ohne Blüten 7. Sept.
Absolutes Gewicht des Kaliums					
Blätter . .	0,034 g	0,037 g	0,275 g	0,297 g	0,254 g
Stengel . .	0,023	0,033	0,962	0,529	1,023
Wurzeln . .	0,0015	0,034	0,079	0,151	0,102
Blüten . .	0,000	0,0085	0,481	0,623	0,000
Ganze Pflanze .	0,0585	0,1125	1,797	1,600	1,379
Relatives Gewicht des Kaliumcarbon.					
Blätter . .	5,6	7,9	8,0	6,6	5,5
Stengel . .	12,0	15,9	6,7	6,4	5,2
Wurzeln . .	5,7	11,7	5,1	9,0	3,8
Blüten . .	0,0	5,0	5,4	11,6	0,0
Ganze Pflanze .	7,2 g	9,6 g	6,4 g	8,2 g	5,1 g

Die Kalisalze nehmen bis zur Fruchtreife zu, und zwar besonders im Stengel, dem Hauptsitze der Holzfaserbildung, sowie in den Organen der Fruchtreife. Ihre relative Menge ist am gröfsten im Stengel und in der Wurzel, und zwar zur Zeit der Blüte; später verteilen sie sich in den verschiedenen Organen; nur die auf dem Stengel getrocknete Pflanze zeigt in den Fruktifikationsorganen einen Überschuſs. Alle diese Beziehungen sind mit Rücksicht auf die Bildung der Nitrate von Wichtigkeit und sollen später in betracht gezogen werden.

Unlösliche Mineralsubstanzen. Diese bestehen aus Kieselsäure, Calciumphosphat und Calciumcarbonat, welches letztere durch Zerstörung der organischen Kalksalze beim Einäschern entsteht.

Das absolute Gewicht dieser Substanzen steigt in der Pflanze bis auf 3—6 g (siehe die Tabelle auf S. 761 unten). Ihre relative Menge beträgt in jeder Vegetationsperiode im allgemeinen 10 p. c. Die Verteilung ergiebt sich aus folgender Tabelle:

	Beginn d. Vegetat. 29. Mai	Blüte 12. Juni	Reife 7.Sept.	Getrockn. auf dem Stengel 7. Sept.	Ohne Blüten 7.Sept.
Absolute Gewichte	g	g	g	g	g
Blätter . .	0,132	0,091	1,378	1,270	2,046 .
Stengel . .	0,026	0,019	1,840	0,582	1,658
Wurzeln . .	0,003	0,037	0,241	0,106	0,525
Blüten . .	0,000	0,021	2,473	0,920	0,000
Ganze Pflanze	0,161	0,168	5,932	2,878	4,224
Relatives Gewicht in Prozenten					
Blätter . .	13,6	11,0	22,5	18,7	24,9
Stengel . .	7,3	5,4	7,3	4,0	4,8
Wurzeln . .	18,2	7,0	8,6	3,7	11,3
Blüten . .	0,0	6,8	15,4	9,5 .	0,0
Ganze Pflanze	12,2	8,3	11,8	8,4	8,9

Hiernach häufen sich die unlöslichen Mineralsubstanzen in den Blättern und Blüten vorwiegend an; ihre relative Menge erreicht $1/5$ und $1/4$ des Gesamtgewichtes der Blätter; sie können hierher nur in gelöstem Zustande gelangen, und die Reaktionen, durch welche sie der Zirkulation entzogen werden, vollziehen sich vorzüglich in den Blättern und Blüten. Die absolute Menge im Stengel ist übrigens auch erheblich, aber die relative Menge ist nur gering. Sie sinkt zuletzt auf 4 p. c. vom Gesamtgewicht der Pflanze. Die Wurzeln, welche wegen ihrer unmittelbaren Berührung mit dem Boden besonders geeignet erscheinen, unlösliche Mineralsubstanzen zu fixieren, erhalten davon im Gegenteil das geringste absolute Gewicht; die relative Menge in den Wurzeln ist im Anfang am gröſsten und sinkt fortwährend. (C. r. **99.** 428—31. [8.*] Sept.)

G. Hüfner, *Über die Verteilung des Blutfarbstoffes zwischen Kohlenoxyd und Sauerstoff. Ein Beitrag zur Lehre von der chemischen Massenwirkung.* (Journ. prakt. Chem. **30.** 68—84. August. [Juli.] Tübingen.)

Gréhant und **Quinquaud**, *Der Harnstoff ein Gift; Bestimmung der toxischen Dose im Blute.* Die Vff. haben eine Reihe von Versuchen ausgeführt, um die Wirkung von Harnstoffeinspritzungen in das Blut zu studieren. Zu den Versuchen dienten Frösche, Meerschweinchen, Kaninchen und Tauben. Bei allen zeigte sich, daſs bei einer gewissen Dose der Tod unter tetanischen Konvulsionen eintrat, ähnlich wie bei Strychninvergiftung. (C. r. **99.** 383—85. [25.*] Aug.)

J. F. Eijkman, *Über die wirksamen Bestandteile von Nandina domestica (Thunb.)* Die Nandina domestica gehört zu der Familie der Berberideen und wächst in China und Japan. Den Blättern der Pflanze schreibt man toxische Eigenschaften, zum wenigsten eine emetische Wirkung zu; alle ihre Organe finden in der Medizin Anwendung.

Aus der Wurzelrinde isolierte Vf. ein Alkaloid, welchem er den Namen *Nandinin* beilegte; dasselbe stellt ein amorphes weiſses Pulver vor, welches im feuchten Zustande (auch in wässeriger Lösung) das Bestreben zeigt, eine dunkle Farbe anzunehmen. Es gelingt nur durch ein mehrmaliges Reinigen und unter beträchtlichen Verluste an Material den Farbstoff zu entfernen. In den meisten Lösungsmitteln ist das Nandinin löslich; krystallisierte Salze darzustellen, gelang nicht. Das Alkaloid ist giftig und verhält sich gegen Reagenzien, wie alle anderen Alkaloide.

Konzentrierte Schwefelsäure löst das Nandinin mit rotvioletter Farbe auf; fügt man zu dieser Lösung eine kleine Menge Salpetersäure hinzu, so färbt sich die Flüssigkeit schön blau. Andere Oxydationsmittel, wie Chlorwasser, Bromwasser, Kaliumdichromat, Ammoniummolybdat und selbst Ferrichlorid bringen in der schwefelsauren Lösung blaue oder grüne Färbungen hervor. Selenige oder tellurige Säure üben eine analoge Wirkung aus, indem sie die Substanz zuerst grün, dann indigoblau färben. Das Chlorplatinat des Nandinins nimmt bei Einwirkung von Schwefelsäure eine herrliche blaue, durch Chlor- und Bromwasser eine grüne Farbe an. Die Analysen ergaben Zahlen, welche auf die Formel $C_{19}H_{19}NO_4$ stimmen; danach würde das Nandinin das Homologon des Hydro- berberins, $C_{20}H_{21}NO_4$ sein. Als zweites Alkaloid scheint in der Pflanze das Berberin sich zu befinden. (Rec. des Trav. Chim. des Pays-Bas **3**. 197—201. Tokio 1883.)

J. F. Eijkman, *Über die wirksamen Bestandteile von Skimmia Japonica (Thunb).* Die Skimmia Japonica, ein Strauch, gehört zu der Familie der Rutaceen und wächst in Japan. Über ihre giftigen Eigenschaften machte bereits SIEBOLD in seiner Flora Japo- nica einige Mitteilungen.

Vf. isolierte mittels Wasserdämpfen aus dieser Pflanze ein ätherisches Öl von einer braunen Farbe und einem eigentümlichen, an Pomeranzenöl und an das Öl verschiedener Juniperusarten erinnerndem Geruche. Das spez. Gewicht des Öles beträgt bei 20°C. 0,8633. In Berührung mit Natriumdisulfit schied sich nach einigen Wochen eine geringe Menge einer butterartigen Masse aus. Ammoniakalische Silberlösung wird nur sehr schwach reduziert. Das Öl dreht die Polarisationsebene nach rechts (im 100 mm-Rohre und SOLEIL-VENTZKE'schen Rohre um 7°45'). Bei der Fraktionierung wurden besonders zwei Flüssigkeiten erhalten, von denen die flüchtigere, zwischen 170—175° destillierende, in größerer Menge vorhanden war, als der höher (zwischen 225 und 235°) siedende Anteil.

Die leichter siedende Flüssigkeit färbte sich mit Schwefelsäure orangerot, mit Salz- säuregas braunviolett und verdickte sich nach und nach an der Luft. Die analytischen Zahlen stimmen ungefähr auf die Formel $C_{10}H_{16}$. Die höher siedenden Fraktionen er- gaben bei der Verbrennung Zahlen, welche auf die Formel $C_{10}H_{16}O$ passen. Der Rück- stand in dem Destillationsapparate, welcher über 250° kochte, erstarrte in der Kälte und war, mit Ausnahme von Chloroform, in den gewöhnlichen Lösungsmitteln nicht oder kaum löslich. Die analytischen Ergebnisse dieses Rückstandes zeigen, daß das rohe ätherische Öl außer einem Terpen (dem Skimmen) eine kampherartige Substanz enthält.

Das alkoholische Extrakt des Skimmiaholzes enthält einen krystallinischen Körper, das *Skimmin*, dessen Lösung in Alkalien eine schöne blaue Fluoreszenz besitzt und wel- ches bei 210°C. schmilzt. Der Körper scheint keine giftigen Eigenschaften zu besitzen. reagiert in wässeriger Lösung neutral, reduziert weder FEHLING'sche Lösung, noch fällt er Metallsalze, mit Ausnahme von basischem Bleiacetat; seine Zusammensetzung ist $C_{15}H_{16}O_9 + H_2O$. Kocht man die Lösung des Skimmins mit Mineralsäuren, so spaltet sich dieser Körper in eine im Wasser unlösliche Masse, das *Skimmetin*, und in Zucker. Erstere bildet nadelförmige, farblose Krystalle, deren wässerige, alkoholische oder alka- lische Lösungen eine schön blaue Fluoreszenz besitzen, welche selbst nicht verschwindet, wenn man die Substanz in konzentrierter Schwefelsäure auflöst. Die wässerige Lösung wird von Eisenchlorid blau, von Goldchlorid rot gefärbt; letztere Farbe geht dann durch Violett in Blau über. Die Zusammensetzung des Skimmetins ist $C_9H_6O_3$. Das Skimmin ist mithin ein Glykosid, welches sich mit Säuren zerlegt nach folgender Gleichung:

$$C_{15}H_{16}O_9 + H_2O = C_6H_{12}O_6 + C_9H_6O_3.$$

(Rec. des Trav. Chim. des Pays-Bas **3**. 204—15.)

Kleine Mitteilungen.

Löten und Darstellung von Metallüberzügen auf Metallen mittels Chlor- blei. Nach der bisherigen Methode des Lötens mit dem Kolben gelingt es nur auf Umwegen oder auch gar nicht, die für Lötzwecke sich eignenden Metalle an dem Kolben zum Anhaften zu bringen, um dieselben auf die Lötnaht zu übertragen. Zu den ersteren gehören Zinn und Schnell- lot (Bleizinnlegierungen). Die Lötbahn des Kolbens muß für diese Fälle durch Feilen blank ge- macht (angefrischt) werden und wird dann durch Reiben auf mit Kolophonium bestreutem Zinn zunächst verzinnt, bevor der Kolben zum Löten geeignet ist. Mit reinem Blei zu löten, gelingt mit dem Kolben nach den bisherigen Methoden gar nicht. Anwendung von Chlorblei gestattet nicht nur, mit Blei zu löten, sondern vereinfacht auch das Löten mit Schnelllot, resp. Zinn.

Dieses Verfahren besteht darin, daß die Lötbahn des erhitzten Kolbens mit dem Chlorblei in Berührung gebracht und, nachdem dasselbe zum Schmelzen gelangt ist, das zu übertragende Lot, analog dem bisherigen Verfahren, aufgenommen und auf die zu verbindende Fuge übertragen wird. Es gelingt auf diese Weise leicht Blei, Zink, Kupfer, Messing, Eisen, verzinktes, verzinntes und verbleites Eisen mit oder ohne Anwendung von Lötwasser mit Blei zu löten. Die Anwendung von Chlorblei bei dem Löten mit Schnelllot macht ein Abfeilen und Verzinnen des Kolbens entbehrlich und erfordert höchstens eine oberflächliche Reinigung desselben von daran haftenden Asche- oder Kohlenteilchen.

Diese vermittelnde Rolle des Chlorbleies für Lötzwecke bewährt sich auch, um Metallüberzüge auf trocknem Wege durch Aufschmelzen eines Metalles auf das andere herzustellen, indem die zu überziehenden Gegenstände nacheinander oder gleichzeitig mit geschmolzenem Chlorblei und dem den Überzug abgebenden Metalle in Berührung gebracht werden. Je nach der Form des zu überziehenden Materiales kann das Schmelzen von Chlorblei und der Überzug auf dem Materiale selbst vorgenommen werden; oder letzteres wird nacheinander in Chlorblei und in den Überzug, beide in geschmolzenem Zustande, getaucht. Es wird auf diese Weise Kupfer, Messing und Eisen mit Zinn, Zink und Blei überzogen.

Die Vorzüge der Anwendung des Chlorbleies bestehen nach Angabe der Patentschrift in Material- und in Zeitersparnis, die bedingt werden: 1. für Lötzwecke dadurch, daß an der Stelle des drei- bis vierfach teureren Schnelllotes mit Blei gelötet werden kann, ferner, daß auch Blei mit Blei mittels des Kolbens gelötet werden kann, was bekanntlich bisher nur auf dem viel umständlicheren Wege der Anwendung einer Wasserstoffflamme, resp. des Knallgebläses gelang, endlich, daß bei Anwendung von Schnelllot, wie schon angeführt, ein Abfeilen und Verzinnen der Lötbahn überflüssig wird; 2. bei der Darstellung von Metallüberzügen dadurch, daß eine Reinigung, resp. Vorbereitung des zu überziehenden Metalles in nur geringem Maße, so z. B. beim Verzinnen von Eisen, oder gar nicht, z. B. beim Verzinnen von Kupfer und Messing, erforderlich ist. (Bad. Gewerbeztg. 1884. 210; Pol. Notizbl. 39. 211—12.)

Bower-Barff's Inoxydationsverfahren, Rostschutz für Eisen und Stahl, von ERNST. Dieses Verfahren hat neuerdings eine recht ausgedehnte praktische Verwendung gefunden. Es besteht darin, durch wechselweise Erhitzung in neutralen Gasen, wie überhitztem Wasserdampfe und luftgemischter Kohlensäure, und in reduzierenden, wie Kohlenoxyd, Eisenstücke mit einer dünnen, völlig deckenden und festhaftenden Schicht von magnetischem Eisenoxydoxydul zu überziehen und dadurch gegen Rost vollständig zu schützen.

Das Verdienst dieser Erfindung wurde zuerst BARFF zugeschrieben, da er der Erste war, welcher 1876 in der „Times" über seine Experimente, Eisen oberflächlich zu oxydieren und gegen Rost zu schützen, referierte. Bei denselben bediente er sich des überhitzten Wasserdampfes, der auf das in einer von außen geheizten Muffel befindliche Eisen einwirken gelassen wurde, und rief dadurch einen fest haftenden Überzug von Eisenoxydoxydul hervor. Allein schon sechzehn Jahre früher war GEORG BOWER (Journ. of the Iron and Steel Instit. 1881. 166) dem Verfahren nahe gekommen, als er überhitzten Wasserdampf durch rotglühendes Eisen zersetzte, wobei er bemerkte, daß die Einwirkung des Eisens immer schwächer wurde und endlich ganz aufhörte, während es sich mit einer emailähnlichen Schicht überzogen erwies. Da er aber beobachtete, daß dieser Überzug nach mehrtägigem Liegen an der Luft sich ablöste, unterließ er es, die Sache zu verfolgen. Durch die Veröffentlichung des BARFF'schen Verfahrens neu angeregt, nahm BOWER seine Versuche wieder auf, indem er sich zum Ziele setzte, das, was BARFF durch Wasserdampf hervorbrachte, mittels atmosphärischer Luft zu bewirken, obwohl der Sauerstoff in dem einen Falle in chemischer, in dem anderen in mechanischer Verbindung vorhanden ist. Anfangs erhielt er Eisenoxyd statt des magnetischen Eisenoxydoxyduls; durch fortgesetzte Experimente und insbesondere durch entsprechende Erweiterung der Muffel und äußere Erhitzung gelang es ihm aber, einen ebenso schönen Überzug auf Eisen und Stahl hervorzubringen, wie bei dem BARFF'schen Verfahren. Das Vorgehen hierbei (Wochenschr. d. Ver. der Ing. 1880. 239) war das folgende:

In einem Regenerativofen werden die Heizgase mit der nötigen Luft gemengt, in einen Verbrennungsraum und sodann in einen darüberliegenden zweiten Raum geleitet, der mit dem zu bedeckenden Eisen gefüllt ist. Nach der Benutzung streichen die Gase um eine Anzahl Rohre, durch welche die zum Verbrennen der Gase nötige Luft einströmt, und entweichen von da in den Kamin. Die zu bedeckenden Gegenstände werden so dicht als erforderlich aufeinander, ohne Zwischenmittel, in den Ofen gesetzt und, nachdem die Kammer geschlossen, mit einem Überschusse von Gas zur Kirschrotglut erhitzt; sodann wird der Luftschieber weiter geöffnet und die Flamme vollständig geklärt. Die Temperatur wird durch den Kaminschieber reguliert. Nachdem während 30 Minuten der Oxydationsprozeß vor sich gegangen, werden Kamin und Luftschieber vollständig geschlossen, der Gasschieber und eine kleine Öffnung in der Kammerthür geöffnet. Die Kammer füllt sich mit Gas, und der Reduktionsprozeß beginnt. Nachdem derselbe 30 Minuten gedauert, wird der Oxydationsprozeß wieder eingeführt u. s. f.; neun bis zehn Wechsel sind für große Gegenstände genügend, für kleine werden einige mehr erfordert. Der letzte Wechsel ist natürlich immer der zur Reduktion.

Das Eisen wird ohne alle weitere Vorsicht aus dem Ofen gezogen und ist nach dem Erkalten mit einer nach Belieben dickeren oder dünneren Schicht einer äußerlich schön blaugrauen Schicht von Fe_3O_4 bedeckt. Gußsand, der etwa dem Eisen anhängt, bildet kein Hindernis, die Umwandlung geht unter demselben ebenfalls vor sich.

Während also BARFF'S Prozeß ein direkter ist, da sich das magnetische Eisenoxydoxydul als unmittelbares Resultat der Zersetzung des Wasserdampfes bildet, ist die Methode BOWER'S intermittierend, da sich der Überzug erst infolge einer Reihe von Oxydations- und Desoxydationsoperationen erzeugt. Nach den gemachten Erfahrungen eignet sich der erstere besser für Stabeisen, als der BOWER'sche; er ist aber kostspielig, weil er außer der Muffel einen eigenen Kessel für die Erzeugung des Dampfes und einen eigenen Apparat für dessen Überhitzung bedarf, er ist daher nicht häufig zur Anwendung gekommen. BOWER'S Verfahren erfordert weniger Kosten, eignet sich aber minder gut für Stabeisen, dagegen besser für Gußeisen.

BOWER war daher darauf bedacht, seine Methode dadurch vollkommener zu gestalten, daß er sie mit jener BARFF'S kombinierte und erwarb zu diesem Behufe BARFF'S Patent. Der von ihm nunmehr konstruierte Ofen vereinigt alle Vorzüge beider Verfahren, denn es werden in demselben alle Operationen, sowohl zur Erzeugung von Kohlenoxyd und überhitztem Wasserdampfe, als auch zur Erhitzung der Kammern auf einmal durchgeführt, so daß Stabeisen ebenso gut wie Gußeisen darin behandelt werden können. Überdies erfolgt die Oxydation wesentlich billiger, als nach einer der beiden Methoden allein.

Die hervorgerufene Schutzdecke haftet nach den gemachten Erfahrungen sehr fest: von schmiedeeisernen Stäben, die auf der Zerreißmaschine geprobt wurden, ist die Inoxydationsschicht erst bei 28 kg pro Quadratmillimeter Belastung, also nach dem Überschreiten der Elastizitätsgrenze, abgesprungen. Die Kosten des Verfahrens sollen 12 bis 15 M. für die Tonne Eisenwaren betragen.

Die Resultate sind mit großer Befriedigung zu begrüßen, denn nunmehr steht der Verwendung von Eisen und Stahl von jeder Form und Größe zu allen Zwecken nichts mehr im Wege, zu welchen diese Materialien doch immer nur mit gewissen Zweifeln und Besorgnissen gebraucht wurden. Träger, Säulen, Traversen etc. können nunmehr gehörig und dauernd vor der Korrosion geschützt werden, ebenso die im Erdboden ruhenden Gas- und Wasserleitungsröhren aus Guß- und Stabeisen.

Der neue Prozeß eignet sich aber ebenso für häusliche und Kunstzwecke, zu letzteren schon deshalb, weil der Überzug durch seine schöne Farbe die Vorzüge des Gegenstandes wesentlich zu heben vermag und dann auch, weil durch ein einfaches Verfahren Gold und Silber auf den Überzug niedergeschlagen werden kann.

Neuestens ist das Verfahren durch DAUMESNIL noch nach einer anderen Richtung hin vervollkommnet worden, welcher die inoxydierten Gegenstände direkt emailliert, vergoldet oder platiniert. In dieser Form findet dasselbe auch im Kunstgewerbe nützliche Anwendung für Ornamente und Verzierungen an den verschiedensten Artikeln.

Für Gußeisen hat das Inoxydationsverfahren noch einen ganz besonderen Wert, da dieses durch dasselbe bedeutend weicher und zäher wird und sich somit in seiner Widerstandsfähigkeit gegen Stöße etc. mehr dem schmiedbaren Gusse nähert.

Die erwähnten Verfahren, welche in allen Ländern patentiert sind, werden auf verschiedenen deutschen Werken, von der Friedrich-Wilhelmshütte, Marienhütte u. a., in Anwendung gebracht, und hat für Österreich-Ungarn (Deutschland und Belgien) die Gesellschaft für Pumpen- und Maschinenfabrikation W. GARVENS in Wien (Hannover, Berlin und Antwerpen) die Berechtigung zu ihrer Anwendung bei Pumpen aller Arten und deren Zubehör erworben. (Österr. Ztschr. **32.** 441—42.)

Kitt, welcher der Wärme und den Säuren Widerstand leistet. Der Kitt besteht aus 100 Tln. Schwefel, 2 Tln. Talg, 2 Tln. Harz und gesiebtem Glase. Schwefel, Talg und Harz werden geschmolzen, bis die Masse bei brauner Farbe sirupdick ist, dann wird soviel gepulvertes Glas zugegeben, daß das Ganze einen weichen Teig bildet. Die zu kittenden Gegenstände müssen erwärmt werden, auch der Kitt selbst wird warm angewandt. (Chemik.-Ztg. 1884. Nr. 14; Pharm. Centralb. **25.** 108.)

Isochromatische Gelatineplatten, von O. LOHSE. Im weiteren Verlaufe der Untersuchungen über die Modifizierung der Farbenempfindlichkeit des Bromsilbers hat Vf. folgende gelbe Farbstoffe zu Sensibilisatoren benutzt. Orthonitrophenol, Orthonitranilin, Paranitranilin. Metanitranilin, Thymochinon, Phenanthrenchinon, Chrysophansäure, Tropäolin 00, Quercitrin, Gelbholzextrakt, Aloë, Diamidoazobenzol, Diamidoazobenzol hydrochloratum, Amidoazobenzol, Amidoasobenzol hydrochloratum, Nitrosodimethylanilin, Nitrosodimethylanilinanilin, Acidum picraminicum, Phosphin, Aurantia, Chrysoidin, Martinsgelb, Diamantgelb, Chrysanilin, Chrysanilin nitricum und Tropäolin J.

Die genannten Stoffe wurden ohne Ausnahme folgendermaßen angewendet. 0,02 g Farbstoff löste man in 100 ccm Wasser mit 10 p. c. Ammoniakgehalt und filtrierte. Wenn erforderlich, wurde der Stoff vor dem Zusatze des Wassers in wenig absolutem Alkohol gelöst. Als Versuchsplatten dienten ausnahmslos die „*Extra rapid plates*" von W. H. und J. NELSON in London, die man zwei Minuten in den betreffenden Flüssigkeiten badete und dann trocknete.

Ohne die Details der umfangreichen Versuchsreihe zu erörtern, möge es genügen zu bemerken, daß unter den 26 Stoffen zwei enthalten sind, deren Eigenschaften sich in der eingeschlagenen Richtung der Untersuchung als stärker hervortretend erwiesen, während manche Stoffe eine die Farbenempfindlichkeit einschränkende, manche keine bemerkenswerte und wieder andere eine mäßige Wirkung hervorriefen. Die Namen der erwähnten zwei Stoffe sind: *Diamidoazobenzol hydrochloratum* und *Chrysanilin nitricum*. Der erstgenannte Körper erhöht die Empfindlichkeit des Bromsilbers für Gelb und Grün ziemlich beträchtlich, so daß im photographierten Sonnenspektrum ein zweites Maximum der Wirkung hervortritt, welches zwischen den FRAUNHOFER'schen Linien D und b gelegen ist. In der Nähe von F, etwas gegen G hin befindet sich eine Stelle geringerer Wirksamkeit, ähnlich wie dies bei Eosin der Fall ist.

Chrysanilin nitricum verstärkt in Verbindung mit Ammoniak die Empfindlichkeit des Bromsilbers im allgemeinen, was zur Folge hat, daß auch die Farbenempfindlichkeit erhöht erscheint. Das photographierte Spektrum erstreckte sich auf den Versuchsplatten bei der normierten Expositionszeit von 25 Sekunden sowohl mit in das Ultraviolett hinein, als auf der anderen Seite über D hinaus. Die beschleunigende Wirkung trat auch noch ein, nachdem sowohl der Chrysanilingehalt der Lösung, als auch der Ammoniakzusatz verringert worden war. Vf. stellte eine Lösung dar, die nur 0,004 g Chrysanilin nitricum und 2 ccm Ammoniakflüssigkeit auf 100 ccm Wasser enthielt, und exponierte eine damit präparierte Platte, zugleich mit einer unpräparierten, unter einer sechzehnstufigen Papierskala einem geeigneten Lichte. Dabei zeigte sich, daß die Chrysanilinplatte bedeutend empfindlicher war, sie ließ noch Nr. 9 der Skala erkennen, während die unpräparierte Platte nur bis 4 ging. Es wird durch dieses Ergebnis nahe gelegt, der Bromsilberemulsion neben Ammoniak geringe Spuren von Chrysanilin nitricum zuzusetzen, um die Empfindlichkeit zu steigern. (Phot. Arch. **25**. 221—22. Potsdam.)

Verfahren, um Holz zu trocknen, von EMIL ROSSDEUTSCHER. Zu den vielfach bekannten Arten, Holz zu trocknen, ist durch den Vf. ein weiteres Verfahren angegeben worden, welches darin besteht, das Holz durch Einbetten in Knochenkohle, Beinschwarz oder Torfstreu zu trocknen. Dieses Verfahren hat den Zweck, grünes Holz aller Art innerhalb zehn bis vierzehn Tagen ohne Anwendung von Hitze zu trocknen und zur Verarbeitung tauglich zu machen. Das Holz wird zu diesem Zwecke von der Rinde befreit und sodann in Knochenkohle, Beinschwarz oder Torfstreu derartig eingebettet, daß dasselbe von der Luft nicht direkt berührt werden kann. Die im Holze enthaltene Feuchtigkeit wird von den vorgenannten Stoffen infolge ihrer enormen Saugfähigkeit sofort gierig aufgenommen; notwendig ist vollständiges Bedecktsein des Holzes, da direkter Luft ausgesetzte Teile des Holzes Sprünge bekommen. Nach Verlauf von zehn bis vierzehn Tagen wird das Holz von dem umhüllenden Stoffe befreit und soll dann rißfrei, vollständig trocken und zur Verarbeitung tauglich sein. Auf dieses Verfahren wurde in Deutschland ein Privilegium erteilt. (Mitteil. des techn. Gewerbemuseums; Deutsche Ind.-Ztg. **25**. 378.)

Patentlack, von GEHRING. (D. P.). Die Herstellung von Bassins, Reservoirs, Fässern etc. aus Cement und Cementmischungen stößt, wie die „Thonind.-Ztg." schreibt, da auf Schwierigkeiten, wo diese Behälter zur Aufnahme von Flüssigkeiten dienen sollen, welche durch die beim Zusammentreffen mit wässerigen Lösungen sich geltend machenden alkalischen Reaktionen des Cementes eine Veränderung oder Zersetzung erfahren. Ein Überzug solcher Behälter mit dem Patentlacke von GEHRING soll diese nachteiligen Wirkungen bestens beseitigen, wie die Münchener Vernickelungsanstalt von J. HIMBSEL mitteilt. Ein zur Aufnahme des Vernickelungsbades bestimmtes großes Bassin aus Kunststein wurde erst dadurch brauchbar, daß es mit dem Lacke überzogen wurde. GEHRING empfiehlt den Lack ferner zur Fixierung von Malereien, die auf trocknen Mörtelflächen hergestellt wurden, als Ersatz für Freskomalerei, dann zur Sicherung von Freskobildern gegen klimatische Einwirkungen zum Anstriche von Mauern und Façaden statt des Ölfarbenanstriches, und verschiedenen sonstigen technischen Verwendungen. (D. Ind.-Ztg. **25**. 358.)

Eine rasche Probe auf die Haltbarkeit gewöhnlicher Töpferglasuren, von HERBELIN. Eine nicht vollkommene Verglasung des Bleioxydes oder ein Überschuß desselben kommt in gewöhnlichen Töpferglasuren immer noch häufig vor. In der letzten Zeit waren in

784

Nantes Bleivergiftungen zu konstatieren, welche auf den Genuß jener Getränke zurückgeführt wurden, die aus trocknen Weintrauben gewonnen werden, welche man mit den nötigen flüssigen Zusätzen in großen glasierten Thongefäßen gären läßt. Vf. wendet nun folgende Methode an, um sich der Festigkeit und Qualität der Glasur solcher Gefäße zu versichern. Man feuchtet zunächst ein Stück weißer Leinwand, auch Seiden- oder Baumwollenstoff, welche keine Stärke enthalten dürfen, mit einer zehnprozentigen Lösung von Salpetersäure an und reibt damit während 10—15 Sekunden die Oberfläche der Glasur. Sodann träufelt man auf die abgeriebene Stelle einige Tropfen einer fünfprozentigen Lösung von Jodkali. Es zeigt sich dann folgendes. Eine weichflüssige Bleiglasur erhält durch die Verbindung, welche das Jodkali mit dem Blei eingeht, einen stark gelb gefärbten Fleck, während unvollkommen ausgeschmolzene Glasuren den gelben Fleck mehr oder weniger zeigen, je nachdem die Verglasung vollendet ist. Ist die Glasur aber von bester Beschaffenheit, so ist gar keine Färbung derselben wahrzunehmen. (Monit. de la Céram.; Ind.-Bl. **21.** 285.)

Verschiedene Wirkungen des Rostes, von GRUNER. Der Vf. hat Untersuchungen über die Wirkungen des Rostes auf Gußeisen, weiches Eisen und Stahl unter dem Einflusse von feuchter Luft, Seewasser und mit einer Säure gemischten Wassers angestellt und ist zu folgenden Ergebnisse gekommen: Unter dem Einflusse feuchter Luft verloren Stahlplatten in zwanzig Tagen 3—4 g von je zwei Quadratdezimetern Oberfläche; Chromstahl rostete noch mehr, Wolframstahl weniger, als der gewöhnliche Tiegelstahl. Gußeisen verlor nur ungefähr die Hälfte als Stahl, und Spiegeleisen weniger als Graueisen. Seewasser löst Eisen schnell auf und wirkt stärker auf dasselbe als auf Stahl, am stärksten aber auf Spiegeleisen. In neun Tagen hatten Stahlplatten von 2 dm Oberfläche 1—2 g verloren, während Bessemereisen $3^{1}/_{2}$ g verlor, phosphorhaltiges Eisen 5 g und Spiegeleisen 7 g. Adonierter Stahl wurde weniger angegriffen als derselbe Stahl, wenn er zweimal ausgeglüht war, weicher Stahl weniger als Chromstahl, und Wolframstahl weniger als der gewöhnliche Stahl mit demselben Kohlenstoffverhältnisse. Daraus geht hervor, daß zur Bekleidung des Rumpfes von Schiffen keine manganhaltigen Bleche verwendet werden sollen. Säurehaltiges Wasser löst Gußeisen viel schneller auf als Stahl, Spiegeleisen aber nicht. (Metallarbeiter; D. Ind.-Ztg. **25.** 338.)

Beiträge für das Centralblatt bittet man an die Redaktion (Leipzig, Lessingstr. 5) zu richten. **Originalarbeiten** von nicht zu großem Umfange werden entsprechend honoriert und gelangen stets sofort nach der Einsendung, und zwar in kürzester Frist, zum Abdruck.

Redaktion: Prof. Dr. **Rud. Arendt** in Leipzig.

Verlag von **Leopold Voss** in Hamburg und Leipzig. — Druck von **Metzger & Wittig** in Leipzig.

№ 43.

Chemisches Central-Blatt.

22. Oktober 1884.

Wöchentlich eine Nummer von
1...g Bogen. Der Jahrgang mit
Sach- und Namen·Register,
nebst system. Übersicht.

Der Preis des Jahrgangs
ist 20 Mark. Durch alle
Buchhandlungen und Post-
anstalten zu beziehen.

REPERTORIUM

für reine, pharmazeutische, physiologische und technische Chemie.

Dritte Folge. XV. Jahrgang.

Wochenbericht.

1. Allgemeines und Physikalisches.

Adolfo Bartoli, *Die elektrische Leitungsfähigkeit der Kohlenstoffverbindungen.* Bei seinen Untersuchungen über die Elektrolyse hatte der Vf. vielfach Gelegenheit, die Leitungsfähigkeit einer grofsen Anzahl organischer und unorganischer Verbindungen zu studieren, und hat dabei Beziehungen allgemeinerer Natur aufgefunden, die er, obwohl diese Untersuchung noch nicht ganz abgeschlossen ist, in einer vorläufigen Mitteilung bekannt macht, während er erst bei einer späteren Gelegenheit auf das Detail der Erscheinungen eingehen will. Das hier erforschte Gebiet ist gleichsam ein ganz neues, da die bisherigen Untersuchungen der Leitungsfähigkeit organischer Körper, nach unsicheren Methoden ausgeführt, sehr widersprechende Resultate ergeben haben. Eine Ausnahme machen nur einige Messungen von GLADSTONE und TRIBE, welche nach guten Methoden gefunden haben, dafs das Chloroform, Äthylacetat, Jodäthyl, Brompropylen, Jodamyl und Jodiso-butyl in reinem Zustande nicht leiten; dafs der Alkohol leitet, aber nur wenig, und dafs die genannten Nichtleiter, dem Alkohol zugesetzt, dessen Leitungsfähigkeit steigern.

Die vom Vf. befolgte Methode war die folgende: Die Substanz wurde, wenn sie fest war, zwischen zwei Metallscheiben gebracht, von denen die eine mit einem Galvanometer, die andere mit einem Pol einer Säule verbunden war; zwei andere Scheiben, die durch eine Schicht derselben Substanz getrennt waren, kommunizierten resp. mit der anderen Klemmschraube des Galvanometers und mit dem anderen Pol der Säule. Die Scheiben wurden klein genommen (1 cm Durchmesser) und die Substanz sehr dünn gewählt. Wenn die Substanz flüssig war, wurde sie in zwei Glas- oder Porzellankapseln gebracht, in welche zwei feine, 1 mm voneinander entfernte Platindrähte hineinragten und die Verbindungen in der Weise wie bei der festen Substanz hergestellt. Weiter wurden zwei Galvanometer, ein RUHMKORFF'sches und ein MAGNUS'sches, benutzt, und die Kette bestand aus 400 gut isolierten Elementen aus Zinkkohle mit Chromsäure.

Eine andere Methode bestand darin, zu beobachten, wie mit der Zeit das Potential einer in die nichtleitende Flüssigkeit tauchenden Metallkugel sich verändert.

Die gefundenen Resultate waren folgende:

1. Alle festen Kohlenstoffverbindungen ohne Ausnahme leiten den elektrischen Strom nicht, wenn sie in einigem Abstande von ihrem Schmelzpunkte beobachtet werden, wenigstens diejenigen, welche vor dem Schmelzen weich werden.

2. Wenn in einer isolierenden Flüssigkeit eine Substanz aufgelöst ist, welche in festem Zustande ein Leiter ist, so ist die Lösung leitend. Dies ist der Grund, warum einige Kohlenwasserstoffe, die leicht sauer werden, nachdem sie längere Zeit der Luft exponiert gewesen oder in schlecht verschlossenen Flaschen aufbewahrt wurden, Zeichen von Leitungsfähigkeit geben. Ebenso zeigen infolge einer partiellen Zersetzung oder Dissociation die zusammengesetzten Äther oft Spuren einer Leitungsfähigkeit.

3. Wenn eine Flüssigkeit nicht leitet, bleibt sie auch nichtleitend beim Erwärmen; wenn sie aber Leitungsfähigkeit besitzt, nimmt dieselbe beim Erwärmen zu.

4. Nichtleiter sind sowohl bei sehr niedriger Temperatur, wie bei der Siedetemperatur

folgende Verbindungen im flüssigen Zustande: Alle Kohlenwasserstoffe ohne Ausnahme, die Derivate derselben, welche durch Substitution von Cl, Br, J und Cy an Stelle des Wasserstoffes entstehen, die Chlorüre, Bromüre, Jodüre und Cyanüre der Alkoholradikale, ferner die Oxyde der organischen Radikale und die einfachen Äther; endlich auch die zusammengesetzten Äther, obwohl einige von diesen letzteren oft Zeichen zufälliger Leitungsfähigkeit zeigen.

5. Hingegen leiten und zeigen unverkennbare Zeichen einer eigenen Leitungsfähigkeit: das Wasser, die Alkohole, die Pseudoalkohole, die Acetone, die Aldehyde, die Säuren, die Anhydride, die Chinone, die Phenole, das flüssige Ammoniak CH_2, die Amine und alle Derivate derselben, welche durch Substitution des negativen Elementes durch Chlor, Brom etc. entstehen.

6. Im allgemeinen nimmt die Leitungsfähigkeit ab mit der Zunahme der Kompliziertheit der Formel oder des Molekulargewichtes, oder, wenn man will, mit der Zunahme der Kompliziertheit des elektropositiven Radikals oder mit Zunahme der spezifischen Viskosität. (Atti della R. Accad. dei Lincei [3.] **8**. 334; Naturf. **17**. 355—56.)

J. H. Gladstone, *Über Refraktionsäquivalente organischer Verbindungen.* (Journ. Chem. Soc. **45**. 241—59. Juli; C.-Bl. 1884. 484.)

W. H. Perkin, *Über die magnetische Molekularrotation chemischer Verbindungen in bezug auf deren Zusammensetzung.* (Journ. Chem. Soc. **45**. 421—580. Sept.; C.-Bl. 1884. 594.)

G. J. W. Bremer, *Über den Grund der Veränderung des spezifischen Drehungsvermögens unter dem Einflusse der verschiedenen Lösungsmittel.* Nach dem Vf. ist die Ursache der Änderung der spezifischen Drehung die chemische Veränderung, welche die Substanzen in den Lösungen erfahren. So z. B. erklärt sich die Umwandlung der linksdrehenden Äpfelsäure in konzentrierter Lösung in eine rechtsdrehende durch die Bildung verschiedener Hydrate, welche durch die Formeln:

$$C\equiv(OH)_3-CH_2-CH(OH)-CO_2H$$

und:

$$C\equiv(OH)_3-CH_2-CH(OH)-C\equiv(OH)_3$$

dargestellt werden können.

Diese Hydrate würden linksdrehend sein, werden aber durch Hinzufügen einer genügenden Wassermenge, so daß die Flüssigkeit nicht hydratisierte Moleküle enthält, rechtsdrehend werden.

Das in wässeriger Lösung linksdrehende Ammoniummalat wird durch Wasserverlust unter dem Einflusse von Salpetersäure rechtsdrehend gemacht. Das Calciummalat besitzt in Lösungen von verschiedener Konzentration die spezifische Drehung $(\alpha)_D = +4,364$ und $+5,175°$. (Maandblad voor Natuurwetenschappen **11**. 20—29; Rec. des Trav. Chim. des Pays-Bas **3**. 162—65.)

Thos. Carnelley und **Thos. Burton**, *Eine neue Form des Pyrometers.* (Journ. Chem. Soc. **45**. 237—41. Juli; C.-Bl. 1884. 484.)

4. Organische Chemie.

A. Buisine, *Über das Fett des Schweißes.* Durch die Untersuchungen von HARTMANN und von SCHULZE ist festgestellt, daß der Schweiß der Schafwolle ein Gemenge verschiedener fetter Äther des Cholesterins und Isocholesterins ist. Der Vf. hat den Gegenstand von neuem untersucht und dabei einige neue Beobachtungen gemacht, insbesondere die, daß dieses Fett auch cerotinsaures Ceryl enthält. Das Fett wurde durch Kalilauge in geschlossenem Gefäße bei 100° verseift, die Seife von dem Alkohol durch Destillation gefällt, das überschüssige Alkali durch Waschen mit Salzwasser entfernt und endlich die Seife in Barytseife umgewandelt, welche man mit einer unwirksamen Substanz vermischte, um das Erschöpfen und das Trocknen zu erleichtern. Mit Ätheralkohol und darauf mit siedendem Alkohol behandelt, giebt die Seife einen löslichen Teil ab, aus welchem man leicht den Cerylalkohol von den Cholesterinen und anderen ihn begleitenden Körpern trennen kann.

Dieses Produkt befindet sich unter den am wenigsten löslichen Teilen; man reinigt es durch Krystallisation aus starkem Alkohol und erhält es auf diese Weise mit allen Eigenschaften des Cerylalkohols aus dem Bienenwachs. Die Mutterlaugen von dem Cerylalkohol lieferten feste krystallisierbare Alkohole, deren Zusammensetzung den niederen Homologen des Cerylalkohols entspricht. Da indessen die Trennung dieser Körper gewisse Schwierigkeiten bietet, so konnte bis jetzt die Zusammensetzung derselben noch nicht genau bestimmt werden.

Die Fettsäuren enthalten eine beträchtliche Menge Cerotinsäure, welche man in der Barytseife findet, worin sie mit Oleïn, Stearinsäure etc. gemischt ist. Besonders in den am schwierigsten verseifbaren Anteilen findet man eine große Menge von Cerotinsäure, welche durch ihre Eigenschaften und die Zusammensetzung ihrer Salze charakterisiert wurde. Da verschiedene Schweißsorten dasselbe Resultat ergeben haben, so erklärt der Vf. die Cerotinsäureäther des Ceryls und anderer Alkohole der Fettreihe als wesentliche Bestandteile des Wollfettes. (Bull. Par. **42**. 201—2. 5. Sept.)

A. Müller, *Über die Extraktion der im käuflichen Methylamin enthaltenen Amine.* (Bull. Par. **42**. 202—6. 5. Sept.)

Ernst Sieben, *Über die Zusammensetzung des Stärkezuckersirups, des Honigs und über die Verfälschungen des letzteren.* (Ztschr. d. Ver. f. Rüb.-Z.-Ind. **21**. 837—83.)

Poleck und **Lustig**, *Einige neue Derivate des Carvacrols.* Das Carvol ist der sauerstoffhaltige Bestandteil des ätherischen Öles von Carum Carvi L. neben dem Carven, einem zur Klasse der Terpene gehörenden Kohlenwasserstoffe. Seine Zusammensetzung entspricht der Formel $C_{10}H_{14}O$, welche zwei Atome Wasserstoff weniger wie der Japancampher enthält, aber dieselbe chemische Struktur besitzt, nämlich ein CO enthält, welche durch die Behandlung mit Hydroxylamin in das *Carvoxim*, $C_{10}H_{14}NOH$, übergeht, welches bei 106⁰C. schmilzt, wie eine vor wenigen Wochen aus dem Laboratorium von V. MEYER hervorgegangene Arbeit dies gelehrt hat. Durch Behandeln mit sirupdicker Phosphorsäure geht das Carvol unter lebhafter Reaktion, welche sich, wie KEKULÉ und FLEISCHER beobachteten, bis zur explosiven Heftigkeit steigern kann, in das isomere Carvacrol über. Das Carvacrol ist gleichzeitig isomer mit dem Thymol. Beide Körper enthalten die Methyl- und die Propylgruppe in der Parastellung und noch eine Hydroxylgruppe, sie unterscheiden sich aber wesentlich in ihren physikalischen Eigenschaften, indem Thymol fest ist, schön krystallisiert, bei 44⁰ schmilzt und bei 230⁰ siedet, während das Carvacrol ein dickes Öl bildet, welches erst bei —20⁰ erstarrt, bei 0⁰ schmilzt und bei 236⁰ siedet. Bei Behandlung mit Phosphorsäureanhydrit geben beide Öle Propylen, dagegen giebt Thymol Metakryol und Carvacrol Orthokryol, woraus der Schluß zu ziehen ist, daß im Thymol die Hydroxylgruppe zur Methylgruppe sich in der Meta-, im Carvacrol in der Orthostellung befindet. Die Umwandlung des Carvols in das isomere Carvacrol spricht sich darin aus, daß der Sauerstoff der Carbonylgruppe in eine Hydroxylgruppe übergeht, und damit zwischen den sechs Kohlenstoffatomen die Bindung des Benzols eintritt. Beide liefern mit Natriumamalgam oder Phosphorchlorid Cymol, $C_{10}H_{14}$. Bei der Destillation mit Fünffachschwefelphosphor giebt das Carvacrol Cymol und Thiocymol, $C_{10}H_{13}SH$, welches fest ist und bei 235⁰ siedet. Es bildet mit Hydroxylamin keine Nitrosoverbindung.

Das Carvacrol ist bis jetzt insoweit Gegenstand einer wissenschaftlichen Arbeit im Laboratorium des pharmazeutischen Institutes zu Breslau geworden, als LUSTIG einige noch nicht bekannte Derivate des Carvacrols dargestellt hat.

Die reine Natriumverbindung dieses Phenols wird leicht erhalten, wenn man das Carvacrol in der vier- bis fünffachen Menge Petroleumäther löst und auf diese Lösung Natrium einwirken läßt. Die Verbindung stellt ein weißes, nicht krystallinisches Pulver dar, welches begierig Wasser und Kohlensäure anzieht. Mit der entsprechenden Menge Äthyljodid im zugeschmolzenen Rohre längere Zeit bei 100⁰ erhitzt, bildet das Carvacrolnatrium den Äthyläther, welcher ein dünnflüssiges Öl von geringerem spezifischen Gewichte wie das Wasser darstellt und bei 235⁰ siedet. Durch Behandeln des Carvacrols mit Acetylchlorid und Benzoylchlorid entstehen der Benzoe- und Essigsäureäther, welche durch Alkalien wieder in Carvacrol und Benzoe- und Essigsäure gespalten werden. Beide Körper sind dickflüssige Öle, schwerer als Wasser.

Carvacrol giebt mit einer wässerigen Lösung von Kaliumhydroxyd und Chloroform nach der von TIEMANN und REIMER gefundenen Reaktion ein Öl von aldehydartigem Charakter, $C_{10}H_{12}\begin{Bmatrix}OH\\CHO\end{Bmatrix}$. Schon durch Stehen an der Luft schieden sich in ihm nadelförmige Krystalle von deutlich saurer Reaktion ab. Durch Behandlung mit Oxydationsmitteln wurde die dem Aldehyd entsprechende Säure $C_{10}H_{12}\begin{Bmatrix}OH\\COOH\end{Bmatrix}$ in größerer Menge gewonnen. Sie krystallisiert in feinen, seidenartig glänzenden Nadeln und ist nicht identisch mit der von KEKULÉ nach KOLBE's Verfahren durch Einwirkung von Natrium auf Carvacrol in einer Kohlensäureatmosphäre dargestellten Carvacrotinsäure. Letztere wurde ebenfalls dargestellt und die beiden isomeren Säuren einem vergleichenden Studium unterzogen. Beide Säuren sind in kaltem Wasser fast unlöslich, in heißem Wasser, Alkohol und Äther leicht löslich. Beide lassen sich sublimieren und mit heißen Wasserdämpfen destillieren. Der Schmelzpunkt der Carvacrotinsäure liegt bei 136⁰C., jener der isomeren

Säure dagegen bei 80°C. Die erstere alkoholische Eisenchloridlösung violett, die letztere dagegen grün. Der nach der vorstehend beschriebenen Methode erhaltene Aldehyd giebt mit Hydroxylamin ein Acetoxim, eine Nitrosoverbindung, welche in kurzen, feinen Nadeln krystallisiert, in Alkohol wenig, dagegen in Äther leichter löslich ist. (Tagebl. der Naturf.-Vers. zu Magdeburg 1884. 81.)

Gustav Spitz, *Über einige gemischte Äther des Resorcins.* In ähnlicher Weise, wie die gemischten Äther des Hydrochinons lassen sich auch die isomeren Verbindungen des Resorcins darstellen. und bietet deren Gewinnung und Reindarstellung bis auf die des Methylisoamyläthers, gerade wie bei den Hydrochinonverbindungen, keine besonderen Schwierigkeiten, so dafs es wohl überflüssig erscheint, im allgemeinen näher darauf einzugehen, und es genügen wird, anzuführen, dafs das nach den Angaben von J. HABERMANN (Sitzber. der Wien. Akad. **74.** Abt. 2. 490) bereitete Monomethylresorcin mit dem betreffenden alkylschwefelsauren Kali und Ätzkali in dem Molekülverhältnisse von 1:1:1 gemischt, im zugeschmolzenen Rohre auf 160—170°C. erhitzt, der Röhreninhalt nach dem Erkalten in Wasser gelöst, mit verdünnter Schwefelsäure angesäuert, der gemischte Äther mit Wasserdämpfen übergetrieben und durch Wiederholung der Operation gereinigt wird etc., sowie die etwa gemachten besonderen Wahrnehmungen an dem betreffenden Orte hervorzuheben.

Bezüglich der Eigenschaften läfst sich im allgemeinen sagen, dafs die von dem Vf. bisher dargestellten Methylalkylresorcinäther durchaus farblose, ölige Flüssigkeiten sind, die sich an der Luft bei längerem Stehen gelb färben, im Wasser unlöslich oder doch sehr schwer löslich sind und sich mit Alkohol, Äther, Eisessig, Benzol, Chloroform etc. fast in jedem Verhältnisse mischen. Aus der alkoholischen und essigsauren Lösung werden sie beim Verdünnen mit Wasser emulsionartig abgeschieden, und zwar mufs der Wasserzusatz beim Alkohol um so gröfser sein, je höher der Kohlenstoffgehalt ist, während bei der Essigsäure das gerade Entgegengesetzte stattfindet. Sie sind, mit Ausnahme des Methylisoamyläthers, schwerer als das Wasser und von eigentümlichem, im verdünnten Zustande durchaus angenehmem Geruche. Alle sind mit Wasserdämpfen flüchtig, besitzen einen erheblich niedrigeren Siedepunkt, als das Resorcin, und lassen sich ohne Zersetzung destillieren. Der Siedepunkt steigt mit dem Kohlenstoffgehalte der Alkoholradikale.

Methyläthylresorcin, $C_6H_4(OCH_3)(OC_2H_5)$. Die farblose Flüssigkeit besitzt einen angenehmen, an gärende Erdbeeren erinnernden Geruch und siedet bei 216°C. (unkorr.). Die alkoholische Lösung wird bereits durch geringen Wasserzusatz getrübt; die Lösung in Eisessig läfst den Äther erst bei einer Verdünnung mit Wasser auf das zehnfache Volum fallen, löst ihn indessen auch jetzt noch beim Erwärmen auf.

Methylpropylresorcin. $C_6H_4(OCH_3)(OC_3H_7)$, bildet eine der früheren ähnlich riechende Flüssigkeit, die bei 226° siedet. Aus der Eisessiglösung scheidet sie sich bereits bei einer Verdünnung mit Wasser auf das doppelte Volum aus und ist in einer fünfzehnprozentigen Essigsäure auch beim Kochen nicht mehr löslich.

Methylisobutylresorcin, $C_6H_4(OCH_3)(OC_4H_9)$. Die Eigenschaften dieses Äthers zeigen viel Ähnlichkeit mit jenen der vorstehend beschriebenen; doch ist das Methylisobutylresorcin in verdünnter Essigsäure noch schwerer löslich, als jener, und liegt sein Siedep. bei 234° C. (unkorr.).

Methylisoamylresorcin. Es ist dem Vf. nicht gelungen, diesen Körper rein darzustellen. Bei der Destillation des Röhreninhaltes mit schwefelsäurehaltigem Wasser ging ein Gemenge des Äthers mit Amylalkohol über. Bei der fraktionierten Destillation dieses Gemenges erhielt er bei einer konstanten Siedetemperatur von 236—237° eine Flüssigkeit, die in bezug auf ihre Eigenschaften, insbesondere ihrer noch leichteren Löslichkeit in verdünntem Alkohol und ihrer schwereren Löslichkeit in verdünnter Essigsäure, unfraglich den, durch sich bei der Destillation bildende Zersetzungsprodukte verunreinigten Methylisoamyläther darstellt. Die wiederholte Analyse ergab indessen keine gut stimmenden Resultate. (Wiener Sitzber. **90.** 2. Abt. [17.*] Juli. Brünn, techn. Hochschule.)

A. Rosenstiehl und **M. Gerber,** *Untersuchungen über die homologen Rosaniline.* (Ann. Chim. Phys. [6.] **2.** 331—72. Juli; C.-Bl. 1882. 490; 1884. 278.)

W. A. Tilden, *Über die Zersetzung von Terpenen durch Hitze.* (Journ. Chem. Soc. **45.** 410—20. Aug.; C.-Bl. 1884. 634.)

H. Oishi, *Über japanesischen Campher, seine Darstellung und die Analyse des Campheröles.* Die Darstellung des Camphers aus der Laurus Camphora (japanisch Kusonoki) geschieht in eisernen Kesseln, in welchen der Stamm und die gröfseren Äste, klein zerhackt, mit Dampf der Destillation unterworfen werden. Die übergehenden Dämpfe enthalten Campher und ätherisches Öl. Alle 24 Stunden wird der Prozefs unterbrochen, frisches Wasser aufgefüllt und darauf wird wieder destilliert. Nach fünf bis sechs Tagen wird das im Kondensator befindliche Destillat herausgenommen und filtriert. Der Ertrag an Campher und Öl schwankt bedeutend, je nach der Jahreszeit. Im Winter erhält man viel mehr festen Campher, als im Sommer; das Gegenteil ist beim Öle der Fall. Man erhält im Sommer ca. 2 p. c. Campher, im Winter 2,5 p. c.; 120 kg Holz liefern im Sommer 1,8 l, im Winter nur 0,5—0,7 l Öl. Aus dem Öle kann man durch Destillation und Abkühlen noch eine beträchtliche Menge Campher erhalten (bis 20 p. c.). Vf. unterwarf das Öl der fraktionierten Destillation und fand, dafs der bei 180—185° übergehende Anteil die Zusammensetzung $C_{10}H_{16}O$ hat, also nahezu wie der gewöhnliche Campher zusammengesetzt ist. Den Fraktionen zwischen 178—180° (Dampfdichte 5,7, Luft = 1) kommt die Formel $C_{17}H_{10}$ zu; das Campheröl erscheint demnach als ein Gemenge von Kohlenwasserstoffen der Terpenreihe mit dem Campher isomeren und ähnlichen Körpern.

Das Campheröl wird wegen seiner Fähigkeit, Harze zu lösen und sich mit trocknenden Ölen zu vermischen, zur Firnisfabrikation verwendet. Beim Verbrennen liefert es einen ausgezeichneten Rufs (Fuligo), welcher für die Darstellung von Tuschen, Tinten und Farben sehr geeignet ist. (Chemist and Drugist: D.-Amer. Apoth.-Ztg. 5. 342.)

J. Habermann, *Über das Fagin.* Im Verlaufe des letzten Sommers fand Vf. Veranlassung, sich mit der Frage nach der Existenz des Fagins zu befassen, welche Substanz von BÜCHNER (SCHWEIGGER's J. 60. 225) in den Samen von *Fagus sylvatica,* den Bucheckern, zuerst beobachtet wurde. Nach ihm haben sich mit dem Gegenstande noch HERBERGER, ZANON, BRANDT und RAKOWIECKI befafst. Während nun die erstgenannten Forscher das Fagin als einen giftigen, alkaloidartigen Körper kennzeichnen, geben die beiden zuletztgenannten an, dafs die in Rede stehende Substanz nichts anderes ist, als Trimethylamin. In dem Handbuch der organischen Chemie von L. GMELIN (4. Aufl. 7. 2162) findet sich der Körper als Alkaloid beschrieben, während in den anderen gleichartigen Werken des Fagins gar nicht Erwähnung geschieht. (z. B. Handwörterbuch der Chemie 1. Aufl. von LIEBIG, POGGENDOREF etc. und 2. Aufl. v. FEHLING).

Bei dem Umstande, dafs die Bucheckern von Kindern häufig genossen und in manchen Gegenden zur Bereitung von Speiseöl verwendet werden, hatte Vf. aufser den besonderen, auch eine allgemeinere Veranlassung, die entgegenstehenden Angaben neuerlich zu prüfen. Die Resultate dieser Prüfung finden sich in dem Folgenden niedergelegt:

Bei den Versuchen, den Körper zu gewinnen, wurden zunächst die Angaben als richtig angenommen, welche das Fagin als Alkaloid beschreiben, und welche besagen, dafs dasselbe eine zähklebrige, gelbbraune Masse bildet, welche mit Wasser- und Weingeistdämpfen flüchtig ist. Vergleicht man hiermit die Angaben über das unreine Koniin, so wird man unschwer eine gewisse Ähnlichkeit zwischen beiden Substanzen erkennen, und im Hinblick hierauf wurde zunächst nach der von STAS-OTTO zur Ausmittelung von Alkaloiden aufgestellten Methode verfahren.

In Arbeit genommen wurde ein Kilogramm frische Bucheckern, welche zunächst in einem Porzellanmörser zerstossen und durch Absieben von den Hülsen nach Thunlichkeit getrennt wurden. Das Samenpulver wurde hierauf in einem Glaskolben mit Weingeist von 90 p. c. T überschichtet, der Weingeist mit Weinsäure bis zur schwach, aber deutlich sauren Reaktion versetzt, der Kolben mit einem Rückflufskühler verbunden und das Ganze auf dem Wasserbade durch mehrere Stunden mäfsig stark erwärmt. Nach dem Erkalten wurde die weingeistige Lösung durch Filtration und Pressung ausgeschieden und der feste Rückstand neuerlich mit durch Weinsäure angesäuertem Alkohol ausgezogen etc.

Die beiden weingeistigen Filtrate wurden vereinigt und der Weingeist teils durch Destillation, teils durch Abdunsten beseitigt. Dabei hinterblieb eine nicht unerhebliche Menge einer wässerigen, sauer reagierenden Flüssigkeit, auf welcher eine beträchtliche Menge Öl schwamm, welches mittels des Scheidetrichters entfernt wurde. Zur weiteren Reinigung wurde die saure Lösung wiederholt mit reichen Mengen von absolutem Alkohol und nach Entfernung desselben mit Äther behandelt. Dadurch wurde die wässerige Flüssigkeit völlig klar und in der Farbe um vieles heller. Sie wurde nun mit Natronlauge deutlich alkalisch gemacht und viermal mit, immer neuen, reichlichen Äthermengen kräftig durchgeschüttelt, die ätherische von der wässerigen Lösung mittels des Scheidetrichters jedesmal getrennt und der Äther bei ersterer teils durch Destillation, teils durch Abdunsten beseitigt, wobei eine sehr kleine Menge eines „gelbbraunen, zähklebrigen" Rückstandes erhalten wurde, welcher sich in einig Wasser teilweise zu einer trüben Flüssigkeit löste, welche auf rotes Lackmuspapier in kaum wahrnehmbarer Weise einwirkte, einen schwach bitteren etwas brennenden Geschmack besafs und mit Phosphormolybdänsäure, Kaliumwismuthjodid, Kaliumquecksilberjodid, Kaliumkadmiumjodid, mit Jod- wie mit Tanninlösung und auch mit salzsaurem Platinchlorid deutliche Niederschläge oder doch Trübungen erzeugte. Eine kleine Menge der Substanz mit einem Tropfen konzentrierter Salzsäure abgedunstet, lieferte einen Rückstand, welcher überwiegend aus harzartigen Flöckchen und öligen Tröpfchen bestand und nur spurenweise, krystallinische Aggregate zeigte, deren Formen, infolge der starken Verunreinigung sich nicht genau erkennen liefsen.

Es wurde nun versucht, auf einem anderen Wege den Körper zu erhalten und eine, wenn möglich, bessere Ausbeute zu erzielen. Zu dem Ende wurde abermals ein Kilogramm Bucheckern in der früher angegebenen Weise vorbereitet und das grobe Pulver mit durch Schwefelsäure schwach angesäuertem Wasser bei niederer Temperatur (6 bis 8° oder Null) durch mehrere Tage unter häufigem Umrühren digeriert. Hierauf wurde durch Leinwand filtriert und schwach geprefst. Die jetzt erhaltene gelbe Lösung war indessen noch trübe und wurde behufs weiterer Reinigung durch ein dickes Papierfilter filtriert. In dem klaren Filtrate wurde die freie Schwefelsäure durch die genau entsprechenden Mengen Barytwasser neutralisiert, der schwefelsaure Baryt durch Filtration abgeschieden und das neutral reagierende Filtrat auf dem Wasserbade bis zur Sirupkonsistenz vorsichtig eingedampft. Nach dem Erkalten wurde der Sirup mit reichen Mengen von absolutem Alkohol in kleinen Anteilen versetzt und hierbei die Flüssigkeiten durch fleißiges Umrühren gut gemischt. Dadurch wurde eine relativ bedeutende Menge von im Weingeist unlöslichen Stoffen abgeschieden, welche sodann durch Filtration leicht beseitigt werden konnten. Die klare weingeistige Lösung wurde teils durch Destillation, teils durch Abdunsten konzentriert, der Rückstand in der früher angegebenen Art neuerdings mit Alkohol behandelt und das ganze Verfahren noch ein drittes Mal wiederholt. Der sodann erhaltene weingeistige Rückstand wurde mit Äther fraktioniert gefällt. Alle hierbei erhaltenen Fraktionen ballten sich rasch zu an den Gefäßwänden festhaftenden harzartigen Massen zusammen. Sie waren alle mehr oder weniger stark braun gefärbt, und war die Menge der letzten (vierten) Fraktion ziemlich geringfügig. Bei der qualitativen Untersuchung erwiesen sich alle Fällungen als wesentlich aus Zucker bestehend.

Die von den festen Ausscheidungen durch Filtration getrennte ätherisch-alkoholische Flüssigkeit war hell gelbbraun gefärbt, reagierte deutlich sauer und hinterließ nach dem Abdunsten der Lösungsmittel eine Flüssigkeit, welche mit zwanzig Tropfen verdünnter Schwefelsäure versetzt und sodann mit reichen Äthermengen wiederholt ausgeschüttelt wurde, so zwar, dafs die letzten Auszüge nicht mehr gefärbt erschienen. Nach dem Abdestillieren des Äthers bei den von dem wässerigen Anteile getrennten ätherischen Lösungen hinterblieb ein braungelber Rückstand, aus dem sich beim Verdünnen mit Wasser eine kleine Menge harziger Flöckchen ausschied, während sich die Hauptmenge zu einer anfangs trüben, später völlig klaren gelbbraunen Flüssigkeit löste. Diese Lösung wurde behufs weiterer Reinigung neuerlich mit Äther geschüttelt und sodann, wie eben angegeben wurde verfahren. Schließlich resultierte eine scharf sauer schmeckende und auf Pflanzenfarben kräftig sauer reagierende Flüssigkeit, welche, nach den bei der qualitativen Prüfung gemachten Wahrnehmungen vorzüglich Apfelsäure gelöst enthält.

Die mit Äther wiederholt geschüttelte wässerige, mit Schwefelsäure sauer gemachte Lösung wurde mit Barytwasser so weit übersättigt, dafs sie Kurkumapapier kräftig bräunte. und hierauf mit reichlichen Äthermengen wiederholt geschüttelt. Beim Abdestillieren hinterließen die Ätherauszüge eine kleine Menge einer gelbbraunen Flüssigkeit, auf welcher einzelne kleine ölige Tröpfchen schwammen, welche durch Wasserzusatz getrübt wurde und sodann eine relativ reichliche Menge harziger brauner Flöckchen absondern liefs. Die wässerige Lösung wurde zum Zwecke der Klärung durch ein nasses Filterchen filtriert und qualitativ untersucht. Sie zeigte mit fast neutraler Reaktion, mit Tannin, Platinchlorid, Kaliumwismutjodid, kurz mit den früher aufgezählten Reagenzien, teils Niederschläge, teils deutliche Trübungen und entwickelte mit Ätzkali übersättigt und schwach erwärmt, schwach ammoniakalisch reagierende, mäuseharnartig riechende Dämpfe. Die Hauptmenge der Lösung wurde mit zwei Tropfen konzentrierter Salzsäure versetzt und im Vakuum, über Natronkalk eingeengt. Es hinterblieb ein brauner firnisartiger Rückstand, in welchem zahlreiche Körnchen eingebettet erschienen. Diese Körnchen erwiesen sich unter dem Mikroskop als aus vier- oder achtstrahligen farblosen Krystallkreuzen von aufserordentlicher Regelmäfsigkeit bestehend. Die Krystallkreuze waren wenigstens dem Anscheine nach in gleichen Winkelabständen angeordnet. Vier derselben waren stets vorherrschend entwickelt, während die vier anderen, zwischen den ersteren regelmäfsig eingelagerten, manchmal nur angedeutet waren oder auch ganz fehlten. Über diesen hellen Kreuzen fanden sich in wesentlich geringerer Menge tief dunkle, welche indessen in der Form mit den ersteren übereinstimmten. Doch erschienen die achtstrahligen Kreuze von einer durchsichtigen farblosen Masse, in der Form einer Pyramide überwachsen. Da dem Vf. Krystallaggregate von den angegebenen, auffälligen Eigenschaften nicht bekannt sind, so ist er geneigt, anzunehmen, dafs in denselben das salzsaure Fagin vorliegt, dessen Existenz nach allen Wahrnehmungen kaum mehr bezweifelt werden kann. (Verh. d. naturf. Ver. zu Brünn. 22. Brünn.)

Carl Arnold, *Untersuchungen über das Vorkommen und die Bildung von Ptomainen und ptomainähnlichen Substanzen.* Als Ptomaine (auch Septicine, Leichen- oder Kadaveralkaloide) bezeichnet man eine Reihe von organischen, basischen Verbindungen, deren chemische Natur nicht näher bekannt ist, und welche sich bei der Fäulnis tierischer und pflanzlicher Organe bilden. Einige dieser Ptomaine sind sehr giftig, andere sind es nur in geringerem Grade oder gar nicht; zum Teil sind sie flüssig und mehr oder minder flüchtig, zum Teil fest und krystallisierbar.

In ihrem chemischen Verhalten zeigen die meisten Ptomaine eine grofse Ähnlichkeit mit den Pflanzenbasen (Alkaloiden), indem sie von Platinchlorid, Goldchlorid, Queck-silberchlorid, Gerbsäure etc. ebenso wie die Alkaloide gefällt werden. Ferner verhalten sie sich gegen Lösungsmittel ähnlich wie Alkaloide, so dafs sie bei gerichtlich-chemischen Untersuchungen an derselben Stelle wie Alkaloide gefunden werden und daher zu grofsen Irrtümern durch eine Verwechselung mit letzteren Anlafs geben können. Solche Fälle sind in der That bekannt; in den letzten Jahren wurden in Italien drei Giftmordprozesse verhandelt, in welchen die erstinstanzlichen Chemiker Vergiftungen mit Alkaloiden nach-zuweisen glaubten, und erst durch das Obergutachten des Professors FRANCESCO SELMI zu Bologna eine Verwechselung mit Ptomainen nachgewiesen und so drei Justizmorden vorgebeugt wurde. Obschon anfangs der sechziger Jahre verschiedene Forscher in Leichen alkaloidähnliche Substanzen entdeckten, so wurde die allgemeine Aufmerksamkeit der Chemiker etc. doch vorzüglich durch SELMI auf diese Körper gelenkt, und SELMI hat für diese Substanzen die Bezeichnung Ptomaine (von $\pi\tau\omega\mu\alpha$, der Leichnam) eingeführt, eine Bezeichnung, die jetzt allgemein angenommen, jedoch nicht mehr ganz richtig ist, da Substanzen, die zu den Ptomainen zu rechnen sind, jetzt auch in verschiedenen noch un-zersetzten tierischen Flüssigkeiten und Geweben aufgefunden worden sind.

Der von BERGMANN (Bibl. for Läger. April 1856. Referat in SCHMIDT's Jahrb. 1859, S. 213—27) dargestellte und von ihm Sepsin genannte Körper ist ohne Zweifel eine zu den Ptomainen gehörende Verbindung, und nach BERGMANN's Versuchen ist wohl anzu-nehmen, dafs die giftige Wirkung faulender organischer Substanzen nicht durch die Auf-nahme tierischer oder pflanzlicher Organismen, sondern durch chemische Stoffe verur-sacht wird.

Die Wirkung der Bakterien im Organismus läfst sich ja auch kaum anders erklären, als dafs durch deren Lebensprozefs im tierischen Organismus schädliche chemische Sub-stanzen erzeugt werden. Dafs selbst Botulismus und fast alle jene rätselhaften Krank-heiten, welche nach dem Genusse zersetzter Nahrungsmittel auftreten, durch Ptomaine hervorgebracht werden, scheint nach neueren Untersuchungen kaum zweifelhaft.

Aber nicht nur bei der Fäulnis tierischer Stoffe, sondern auch bei der pflanzlicher Stoffe entwickeln sich Ptomaine. So hat ja bereits BERGMANN sein Sepsin aus gefaulter Hefe dargestellt. Nach den Untersuchungen von BRUGNATELLI, ferner von PELLOGIO und ERBA ist es höchst wahrscheinlich, dafs das Pellagra, (Lepra lombardica) die Geisel ganzer südeuropäischer Länderstrecken, auf im faulenden Mais entstehende Ptomaine zurückzuführen ist, und legen diese Entdeckungen uns sehr nahe, dafs eine grofse An-zahl solcher Krankheiten, welche bei Pflanzenfressern unter gewissen Fütterungsverhält-nissen auftreten, ebenfalls in der Bildung von Ptomainen ihren Ursprung hat.

In den letzten Jahren hatte Vf. sehr oft Veranlassung, die Kadaver von Tieren, wegen vermuteter Vergiftung, nach dieser Richtung hin zu untersuchen. Aufser in drei Fällen, wo sich Strychnin in gröfserer Menge isolieren liefs, und in zwei Fällen, wo Phosphor-vergiftung vorlag, isolierte Vf. aus dem Magen- und Darminhalte von fünf Hunden und zwei Pferden nach dem von STAS-OTTO in der gerichtlichen Chemie eingeführten Verfahren jedesmal eine ganz geringe Menge eines bräunlichen dickflüssigen Körpers, welcher alle chemischen Reaktionen eines Alkaloids ergab. Frösche zeigten nach der subkutanen In-jektion der mit Salzsäure neutralisierten Substanz Lähmungserscheinungen, erholten sich jedoch nach einiger Zeit wieder; Kaninchen zeigten nach der Injektion keine merkliche Störung im Wohlbefinden (Arch. d. Pharm. [3.] 21. S. 435).

Aus dem Mageninhalte einiger Affen, welche im zoologischen Garten von Hannover unter Symptomen verstorben waren, welche auf eine Vergiftung schliefsen liefsen, wurde nach dem Verfahren von STAS-OTTO eine dicke, gelbliche, schwach aromatisch riechende Flüssigkeit erhalten, welche alle allgemeinen Reaktionen der Alkaloide gab, stark alkalisch reagierte, kaum bitter schmeckte und sowohl Ferricyankalium als Jodsäure reduzierte; einem Frosche und einem Kaninchen injiziert, zeigt sie keine giftige Wirkung.

Gleichfalls im Sommer 1883 isolierte Vf. aus dem Inhalte eines Kuhmagens (der auf Gift zu untersuchen war) nach dem Verfahren von STAS-OTTO wiederum eine gelbliche, dicke Flüssigkeit, welche sich in allen Eigenschaften wie ein Alkaloid verhielt. Dieselbe reduzierte Ferricyankalium sofort, nicht jedoch Jodsäure; 0,05 g der neutralisierten Sub-stanz einem Frosche subkutan appliziert, töteten denselben nach wenigen Minuten. Diese Befunde scheinen zu ergeben, dafs nicht nur bei der Fäulnis, sondern auch bei der Ver-dauung ptomainähnliche Körper entstehen.

Da jedoch in allen angeführten Fällen die Tiere schon längere Zeit vor der Untersuchung des Mageninhaltes gestorben event. getötet waren, so konnte die Bildung der Ptomaïne, besonders der in dem Kuhmagen vorgefundenen sehr giftigen Substanz, auch durch Fäulnisprozesse veranlaßt worden sein. Infolgedessen untersuchte Vf. späterhin noch siebenmal den Mageninhalt von erst vor wenig Minuten mit Blausäure getöteten Hunden, und in vier Fällen gelang ihm wiederum die Isolierung einer alkaloidähnlichen Flüssigkeit, welche auf Frösche betäubend wirkte. Auch bei Körpertemperatur vorgenommene künstliche Verdauungsversuche (5 g Pepsin, 109 g frischbereitetes Fibrin, 2½ , l Wasser und 25 g Salzsäure von 1,135 spez. Gew. wurden bei 37 bis 38° mazeriert) ergaben nach dem Stas-Otto'schen Verfahren 0,04 g einer Substanz von ähnlichen physiologischen, chemischen und physikalischen Verhalten, wie aus dem Hundemagen isolierte Ptomaïne.

Hierdurch ist sicher bewiesen, daß sich bei der Verdauung ptomaïnähnliche, bei subkutaner Injektion betäubend wirkende Körper bilden können.

Bence-Jones und A. Dupré haben bereits im Jahre 1866 aus allen Geweben und Flüssigkeiten des menschlichen Körpers eine alkaloidähnliche Verbindung erhalten, welche besonders durch die Fluoreszenz der schwefelsauren Lösung ausgezeichnet war, und die sie animalisches Chinoïdin nannten. Vf. konnte aus dem Gehirn, der Leber, Milz und den sonstigen Organen verschiedener der oben erwähnten frischgetöteten Hunde keine alkaloidähnliche Verbindung erhalten. Die zu untersuchenden Organe der betreff. Hunde wurden noch ganz warm in angesäuerten Alkohol geworfen, unter Alkohol zerkleinert und dann nach Stas-Otto behandelt. Bei Verarbeitung von drei großen, ganz frischen Hundelebern erhielt Vf. 0,011 g einer weißlichen, schmierigen Substanz, welche alle allgemeinen Reaktionen der Alkaloide gab, aber neutrale Reaktion zeigte. Ein Frosch blieb nach der Injektion dieses Körpers völlig munter.

Es scheinen demnach in frischer Hundeleber ptomaïnähnliche Substanzen vorzukommen, jedoch in so geringer Menge, daß in einer einzigen Leber der Nachweis kaum gelingt.

Wurden die zu prüfenden Organe erst 24 bis 36 Stunden nach eingetretenem Tode den betreffenden Hunden entnommen, so erhielt man stets geringe Mengen eines Ätherextraktes, welches Alkaloidreaktionen zeigte, bei Fröschen aber, bei der subkutanen Injektion, keine Wirkung erkennen ließ. Rörsch und Fassbender (Ber. Chem. Ges. 7. 1064) haben aus frischer Ochsenleber einen alkaloidähnlichen Körper isoliert und berichten ferner, daß dies ebenfalls Gunning in Middelburg gelungen sei. Die von ihnen isolierte Base war unkrystallisierbar, ging aus saurer und alkalischer Lösung in Äther über und war geschmacklos. Über die physiologische Wirkung derselben ist nirgends eine Angabe zu finden. Selmi (Ber. Chem. Ges. 9. 195) hat aus frischem Hirn und Leber des Menschen und Ochsen ein Alkaloid erhalten, welches nicht in Äther, aber in Amylalkohol löslich ist, keine giftigen Eigenschaften besitzt und in seinen chemischen Eigenschaften viel Ähnlichkeit mit Morphin zeigt. F. Coppola (Gazz. chim. 1883. 511) extrahierte aus frischem Hundeblute die allgemeinen Alkaloidreaktionen gebende, entschieden giftige Stoffe.

Um letztere Angabe zu prüfen, wurde das Blut eines mittelgroßen, verblutenden Hundes in angesäuertem Alkohol aufgefangen und weiter nach Stas-Otto behandelt. Vf. erhielt einige Milligramme einer braunen amorphen Masse, welche aus alkalischer Lösung in Äther überging, neutrale Reaktion zeigte, aber mit allen Fällungsmitteln für Alkaloide Niederschläge gab. Einem Frosche injiziert, zeigte sich keine schädliche Wirkung.

Es ist dem Vf. demnach zwar ebenfalls die Isolierung eines alkaloidähnlichen Körpers aus frischem Hundeblute gelungen, jedoch besaß derselbe, entgegen Coppola's Angabe, keine giftigen Eigenschaften.

Ptomaïne aus frischer und faulender Pferdeleber. A. 1500 g frischer Pferdeleber, welche dem noch warmen Kadaver entnommen und sofort in angesäuerten Alkohol gebracht worden war, wurde nach Stas-Otto behandelt. Die nach dieser Methode erhaltene schwachsaure wässerige Lösung wurde zuerst mit Äther ausgeschüttelt, es konnte jedoch in dem geringen Verdunstungsrückstande des Äthers keine alkaloidähnliche Substanz nachgewiesen werden. Hierauf wurde die wässerige Lösung mit Natronlauge alkalisch gemacht und wiederholt mit Äther ausgeschüttelt. Der Ätherauszug aus der alkalischen Flüssigkeit hinterließ beim Verdunsten eine bräunliche, durchsichtige, geschmacklose und fast geruchlose Masse, welche stark alkalisch reagierte und die allgemeinen Reaktionen der Alkaloide zeigte. Die Ausbeute betrug 0,34 g. Die mit Äther ausgeschüttelte alkalische Flüssigkeit gab bei dem nun folgenden Ausschütteln mit Amylalkohol an diesen nichts ab. Das erhaltene Leberalkaloid wurde mit Salzsäure neutralisiert und von der Lösung eine 0,1 g der Substanz entsprechende Menge einem Frosche injiziert. Das Tier war nach mehreren Tagen noch vollständig munter. Der Rest der Substanz wurde einem Kaninchen injiziert, gleichfalls ohne wahrnehmbaren Nachteil.

Die Leber der gesunden Pferde enthält demnach einen den Alkaloiden nahestehenden Körper, der jedoch in seinem physiologischen Verhalten keine Ähnlichkeit mit einem giftigen Alkaloid zeigt.

B. 1500 g von derselben frischen Pferdeleber, die zu dem vorerwähnten Versuche diente, wurden zerkleinert, bei Zimmertemperatur fünf Tage sich selbst überlassen und hierauf 500 g der faulenden Leber nach STAS-OTTO behandelt. Jetzt konnte sowohl aus saurer wie aus alkalischer Lösung beim Ausschütteln mit Äther eine bräunliche, aromatisch riechende und schwach bitter schmeckende Masse isoliert werden, welche die allgemeinen Eigenschaften der Alkaloide zeigte. Die Ausbeute betrug im ganzen 0,25 g. 0,05 g der neutralisierten Substanz wurden einem Frosche injiziert; derselbe war scheinbar nach mehreren Stunden noch munter, fand sich aber nach zwölf Stunden tot vor. Der Rest der neutralisierten Substanz wurde einem zweiten Frosche injiziert; derselbe zeigte bald Lähmungserscheinungen und war nach einer Stunde tot. Die mit Äther erschöpfte Flüssigkeit gab beim Schütteln mit Amylalkohol an diesen ein unangenehm riechendes braunes Liquidum ab (0,05 g), welches gleichfalls alle Reaktionen der Alkaloide gab, aber nicht giftig war.

C. Nachdem die Leber zehn Tage gefault hatte, wurden abermals 500 g derselben nach STAS-OTTO zuerst mit Äther und dann mit Amylalkohol behandelt. Der Äther nahm sowohl aus saurer wie aus alkalischer Lösung einen Körper auf, der sich wie der sub B. beschriebene verhielt. Die Ausbeute betrug 0,39 g. 0,05 g der neutralisierten Substanz tötete einen Frosch nach einigen Minuten. Der Rest der neutralisierten Substanz wurde einem jungen Kaninchen injiziert. Dasselbe starb unter heftigen, krampfartigen Erscheinungen nach etwa zwölf Minuten. Amylalkohol nahm aus der mit Äther erschöpften alkalischen Flüssigkeit eine braune, schmierige Substanz auf, (0,04 g) welche nach wiederholtem Reinigen mit Äther nicht giftig war.

D. Der Rest der faulenden Leber wurde nach fünfzehn Tagen untersucht. Äther nahm aus saurer Lösung nur Spuren, aus alkalischer Lösung nur 0,074 g eines gelblichen Liquidums auf, hingegen erhielt Vf. beim Ausschütteln mit Amylalkohol noch 0,19 g einer gelblichen, schmierigen, undeutlich krystallinischen, widerlich riechenden und fast geschmacklosen Substanz, welche von den allgemeinen Alkaloidreagenzien nur durch Platinchlorid, Sublimat und Gerbsäure gefällt wurde. 0,05 g und hierauf der Rest der neutralisierten Substanz einem Frosche subkutan injiziert, zeigten keine giftige Wirkung. 0,05 g der aus dem Ätherauszuge erhaltenen Substanz wurde einem Frosche injiziert. Derselbe war nach zehn Minuten an den hinteren Extremitäten gelähmt, fiel bald wie tot um, wurde aber am anderen Morgen wieder lebend vorgefunden und erholte sich nach einigen Tagen vollständig.

Diese Versuche zeigen: 1. Frische Pferdeleber enthält eine alkaloidähnliche, in Äther lösliche, nicht giftige Substanz. 2. Beim Faulen der Leber (und jedenfalls aller andern Organe, siehe auch unten) bildet sich nach etwa fünf Tagen ein giftiger in Äther löslicher Körper von den allgemeinen Reaktionen der Alkaloide. Zugleich tritt ein nicht giftiger, in Äther unlöslicher, in Amylalkohol löslicher alkaloidähnlicher Körper auf. Die Gesamtmenge der alkaloidähnlichen Substanzen hat gegen die in der frischen Leber enthaltene Menge zugenommen. 3. Bei fortgesetzter Fäulnis (nach etwa zehn Tagen) nimmt die Menge der alkaloidähnlichen Substanzen sowie deren Giftigkeit noch mehr zu. 4. Hat die Fäulnis einen gewissen Höhepunkt erreicht, so vermindern sich die in Äther löslichen Ptomaine, während die im Amylalkohol löslichen sich vermehren. Die Gesamtmenge der alkaloidähnlichen Substanzen ist geringer, wie im ersten Stadium der Fäulnis, aber größer, wie die der in normaler Leber vorhandenen alkaloidähnlichen Verbindungen; die in Äther löslichen Ptomaine haben an Giftigkeit bedeutend verloren. 5. Die während der Fäulnis entstandenen, in Äther unlöslichen, in Amylalkohol löslichen Ptomaine zeigten sämtlich keine giftigen Eigenschaften.

Ptomaine aus Muskelfleisch. A. Aus einer großen Grube, in welcher am hiesigen Institute die toten Tiere aufbewahrt werden, entnahm Vf. im Sommer 1883 von zwei mindestens acht Tage in der Grube gelegenen Hunden im ganzen 500 g Muskelfleisch und behandelte dasselbe nach STAS-OTTO. Vf. erhielt aus dem Ätherauszug 1,6 g eines eigentümlich aromatisch riechenden, kaum bitter schmeckenden Alkaloids, wovon 0,2 g nach dem Neutralisieren einem Kaninchen subkutan beigebracht wurden. Das Tier war einige Tage an den hinteren Extremitäten gelähmt, erholte sich jedoch nach einigen Tagen wieder vollständig. Hierauf wurde einem anderen Kaninchen ein Gramm der vorher neutralisierten Substanz injiziert. Nach wenigen Minuten traten tetanische Erscheinungen auf, und nach zwei Stunden war das Tier tot. Der Sektionsbefund ergab nichts Abnormes. Die mit Äther erschöpfte Lösung wurde hierauf mit Amylalkohol behandelt. Derselbe nahm nur Spuren einer alkaloidähnlichen, amorphen, braunen Substanz auf, welche nicht giftig war.

B. 1 kg fein gehacktes Pferdefleisch wurde fünf Tage bei 30° C. stehen gelassen und hierauf wie A. behandelt. Äther nahm 0,5 g eines flüssigen, alkaloidähnlichen Körpers auf, von welchem nach dem Neutralisieren mit Salzsäure 0,2 g einem Kaninchen injiziert wurden. Das Tier zeigte nach kurzer Zeit Lähmungserscheinungen und erholte sich nach mehreren Stunden ersichtlich. Hierauf wurde der Rest der Substanz injiziert; das Tier war infolgedessen bald vollständig bewegungslos und am anderen Morgen tot. Amylalkohol nahm aus der an Äther nichts mehr abgebenden Flüssigkeit noch 0,05 g eines alkaloidähnlichen Köspers auf, welcher einem Frosche subkutan injiziert, denselben unter tetanischen Erscheinungen tötete.

Bei der Fäulnis des Muskelfleisches bilden sich bei gewöhnlicher Temperatur Ptomaine, welche in ihren Eigenschaften mit denen aus fauler Leber erhaltenen übereinstimmen. Bei der bei höherer Temperatur stattfindenden Fäulnis sind auch die in Amylalkohol löslichen Ptomaine giftig.

Neuerdings ist es BRIEGER durch eine von dem STAS-OTTO'schen Verfahren abweichende Methode gelungen (Ber. Chem. Ges. 16. 1187 u. 1405), aus gefaultem Fleische zwei wohlcharakterisierte Körper zu gewinnen, von denen der eine ungiftig ist, die Zusammensetzung $C_5H_{14}N_2$ besitzt und jedenfalls eine *sekundäre Ammoniumbase* ist. Der zweite Körper besitzt überaus charakteristische giftige Eigenschaften und ist mit größter Wahrscheinlichkeit *Trimethylvinylammoniumoxydhydrat*, $C_5H_{13}NO$, also ein Derivat des Cholins oder Trimethyläthylenhydrinammoniumhydrats, $C_5H_{15}NO_2$. Jedenfalls verdanken die vom Vf. oben beschriebenen, nach dem STAS-OTTO'schen Verfahren erhaltenen Ptomaine, welche nur Extrakte und keine einheitlichen Körper darstellen, ihre Giftigkeit ganz oder teilweise der BRIEGER'schen Base. Das Cholin bildet in Verbindung mit Glycerinphosphorsäure das sowohl im Pflanzen- wie im Tierreich allgemein verbreitete Lecithin; die Fäulnisbakterien sind also im stande, durch Abspaltung von einem Molekül Wasser aus dem ungiftigen Cholin die äußerst giftige Verbindung zu erzeugen. Die Entdeckung BRIEGERS ist von höchster Bedeutung, indem sie für eine Reihe von bakterischen Krankheiten, bei welchen die Annahme mechanischer Einwirkung der Bakterien nicht genügt, um die Symptome zu erklären, uns überzeugend klar legt, daß die Bakterien fermentative Prozesse einleiten, welche giftige Produkte aus den komplexen Verbindungen im Körper abspalten. (Jahresber. d. Königl. Tierarzneischule zu Hannover. 1883/84; Sep. Abdr.)

6. Mineralogische und geologische Chemie.

Francis Hayes Blake, *Vorkommen von Vanadinit in Pinal County, Arizona.* (Amer. Journ. of Science [3.] 28. 145.)

F. W. Clarke und **T. M. Chatard**, *Mineralogische Notizen aus dem Laboratorium der Geologischen Versuchsstation der Vereinigten Staaten.* Jade und Pektolit, Saussurit, Allanit, Danburit, Margarit, Cimolit (?), Halloysit, Prochlorit, Halotrichit und Alunogen. (Amer. Journ. of Science [3.] 28. 20—25.)

Samuel L. Penfield, *Über das Vorkommen von Alkalien im Beryll.* Es enthielten der Beryll von:

	Hebron	Norwegen	Branchville	Amelia	Royalstone	Stonham	Andutschillon Sibirien
Ca_2O	2,92 p. c.	1,66 p. c.	—	—	—	—	—
Na_2O	1,82 „	1,39 „	1,45 p. c.	0,46 p. c.	0,51 p. c.	0,49 p. c.	0,24 p. c.
Si_2O	1,17 „	0,84 „	0,72 „	0,13 „	0,05 „	Spur	Spur
BeO	10,35 „	10,54 „	10,26 „	11,03 „	11,32 „	11,46 p. c.	11,50 p. c.

(Amer. Journ. of Science [3.] 28. 25—32.)

A. Gawalovski, *Analyse eines grobkrystallinischen Kalkspates.* Dieses aus Wunsiedel in Oberfranken stammende Mineral ist blendend weiß, grobkrystallinisch und ist folgendermaßen zusammengesetzt:

97,689 p. c. Calciumcarbonat
0,529 „ Magnesiumcarbonat
0,194 „ Ferrocarbonat
0,211 „ Calciumsulfat
0,129 „ Calciumtrisilikat
0,139 „ Quarz (eingesprengt)
0,016 „ chemisch gebundenes, resp. Krystallwasser.

Um die Brauchbarkeit dieses Calcits zur Gewinnung von Kohlensäure für Zuckerfabriken, Sodawasseranstalten etc. zu erproben, hat Vf. nachstehende empirische Prüfungen vorgenommen:

1. Im Eisenrohre geglüht, giebt dieser Stein die Kohlensäure gleichmäfsig, vollkommen und leicht ab.

2. Mit Salzsäure übergossen, entwickelt sich stürmisch Kohlensäure, wenn das Mineral in Pulverform verwendet wird, dagegen langsam, wenn es in nufsgrofse Stücke gebrochen ist.

3. Der zu Staub verriebene Stein entwickelt, mit konzentrierter Schwefelsäure übergossen, die Kohlensäure stetig ohne Übersteigen, kurz ähnlich, wie ein zur Beschickung der Selbstentwickler tauglicher Magnesit. (Chem.-techn. Centralanz. 1884. Nr. 44; Ztschr. für Mineralw.-Fabr. 1. 166—67.)

S. F. Peckham, *Die Abstammung des Bitumens.* (Auszug aus des Vf's. Monographie über Petroleum, für den Zehn-Census der Ver.-Staaten ausgearbeitet.) (Amer. Journ. of Science [3.] 28. 105—17.)

E. Ludwig, *Chemische Untersuchung des Säuerlings der Maria-Theresiaquelle zu Andersdorf in Mähren.* Die Temperatur der Quelle betrug 10,5° bei 26,8° Lufttemperatur. Das Wasser ist, frisch geschöpft, völlig klar, wird aber nach längerem Stehen etwas trübe und scheidet einen weifsen Bodensatz ab. Spez. Gewicht 1,002056. Nach der Analyse enthalten 10 000 Teile Wasser folgende Bestandteile:

	Die kohlensauren Salze berechnet	
	als einfache Carbonate	als Dicarbonate
Schwefelsaures Kalium	0,0553	0,0533
Chlorkalium	0,0032	0,0032
Chlornatrium	0,0259	0,0259
Kohlensaures Natrium	1,6514	2,3365
Phosphorsaurer Kalk	0,0013	0,0013
Kohlensaurer Kalk	10,1129	14,5626
Kohlensaures Strontium	0,0048	0,0062
Kohlensaure Magnesia	1,0088	1,5372
Kohlensaures Mangan .	0,0225	0,0311
Kohlensaures Eisen	0,2384	0,3288
Aluminiumoxyd	0,0010	0,0010
Kieselsäureanhydrid	0,6229	0,6229
Organische Substanz	0,0269	0,0269
Lithium und Barium	Spuren	Spuren
Halb gebundene Kohlensäure	5,7636	—
Freie Kohlensäure	22,8579	22,8579
Summe der festen Bestandteile	13,7753	—

Das der Quelle frei entströmende Gas ist reine Kohlensäure. Nach den Ergebnissen der Analyse ist die Quelle unter die alkalisch-erdigen Säuerlinge einzureihen. (Mineralog. und petrogr. Mitt. 6. 1884. Sep.-Abdr.)

7. Analytische Chemie.

Fourmont, *Neues Verfahren zum Nachweise von Chloraten in Lösungen.* Eine Lösung, welche ein Chlorat enthält und mit Schwefelsäure und Kupferspänen versetzt wird, färbt sich grün, während eine Nitratlösung bekanntlich unter gleichen Umständen mitunter Salpetersäure entwickelt und sich blau färbt. Man mufs folgende Fälle unterscheiden:

Die Lösung enthält das Chlorat allein. Behandelt man sie mit den genannten Reagenzien (Cu und H₂SO₄), so entwickelt sich Unterchlorsäure, und es bildet sich Kupferchlorür, welches Lösung grün färbt. Hat man also zuvor die Abwesenheit von Säuren, welche das Silbernitrat fällen, konstatiert, so ist die Gegenwart eines Chlorates erwiesen.

Die Lösung enthält ein Chlorat und ein Nitrat. Man behandelt sie ebenso. Zuerst wird das Chlorat zersetzt unter Entwicklung von Unterchlorsäure und Grünfärbung, dann entweicht Untersalpetersäure, und es tritt die charakteristische Blaufärbung des Nitrates auf.

Die Lösung enthält ein Chlorat und ein Chlorid. Nachdem man die Gegenwart des letzteren durch Silbernitrat nachgewiesen hat, charakterisiert man das Chlorat, wie oben angegeben. Man hat nicht nötig, zuerst aus der Flüssigkeit das Chlorid durch Silbernitrat abzuscheiden.

Die Lösung enthält ein Chlorat, ein Chlorid und ein Nitrat. Behandelt man sie, wie oben angegeben, so werden alle drei Salze zersetzt. Es wird also zu gleicher Zeit Unterchlorsäure, Salzsäure und Salpetersäure frei. Die beiden letzteren geben Königswasser. welches das Kupfer als Kupferchlorid löst und dadurch die Lösung grün färbt. Hat man zuvor die Gegenwart eines Chlorides durch Silbernitrat nachgewiesen, so könnte man dadurch zu der Annahme geführt werden, daß die Lösung zu gleicher Zeit ein Chlorid und ein Chlorat enthält. Erwärmt man sie einige Minuten lang, so verschwindet die Grünfärbung des Chlorides, und die Blaufärbung des Nitrates tritt auf. · Man könnte hiernach die Gegenwart eines Chlorates, eines Chlorides und eines Nitrates annehmen; allein die beiden letzteren für sich geben dieselben Reaktionen infolge der Bildung von Königswasser. Der Vf. empfiehlt daher, in einem solchen Falle zuvor das Chlorid durch Silberacetat zu beseitigen und dann die beiden anderen Säuren in der angegebenen Weise aufzusuchen. (Journ. Pharm. Chim. [5.] **10.** 96—97.)

G. Gore, *Elektrolytische Abscheidung des Kohlenstoffes.* Der Vf. zeigt durch Versuche, daß der Kohlenstoff, ebenso wie das Bor und das Silicium unter Umständen aus ihren geschmolzenen Verbindungen auf elektrolytischem Wege abgeschieden werden können. (Chem. N. **50.** 113—14. 29. Aug.)

Th. Turner, *Über die Bestimmung von Silicium in Eisen und Stahl.* (Journ. Chem. Soc. **45.** 260—66. Juli; C.-Bl. 1884. 495.)

Antonio Longi, *Das schwefelsaure p-Toluidin als Reagens auf Salpetersäure.* Fügt man zu einer Lösung von Paratoluidin in Schwefelsäure Salpetersäure, so bildet sich zuerst eine blaue Färbung, welche dann ins Violette, Rote und endlich ins Gelbbraune übergeht. Rosenstiehl und Lauth wandten daher die Salpetersäure zur Entdeckung des Paratoluidins in einer Lösung der verschiedenen aromatischen Basen in konzentrierter Schwefelsäure an. Vf. hat diese Reaktion im Hinblick auf die Nachweisung der Salpetersäure studiert und sehr gute Resultate erhalten.

Setzt man zu einer Nitrate enthaltenden Flüssigkeit einige Tropfen einer Lösung von schwefelsaurem Paratoluidin und fügt man ein gleiches Volum gewöhnlicher Schwefelsäure vorsichtig so zu, daß sich zwei Schichten bilden, so tritt an der Berührungsfläche der beiden Flüssigkeitsschichten sofort eine rote Färbung auf, welche erst nach längerer Zeit in dunkelgelb übergeht. Wirkt das schwefelsaure Paratoluidin in gleicher Weise auf Chlorate, Bromate, Jodate, Chromate oder Permanganate ein, so erhält man statt der roten eine intensiv blaue Färbung, welche so stark ist, daß die Reaktion der Nitrate vollständig verdeckt wird, wenn die zu untersuchende Flüssigkeit auch nur eine kleine Menge der genannten Salze enthält. (Ztschr. anal. Chem. **23.** 350—52. Mitte August.)

M. Vogtherr, *Eine neue Bürette nach Hübner.* Eine graduierte Röhre von 30 ccm Inhalt ist unten in eine längere Ausflußspitze verjüngt, oben mit einem Kautschukstöpsel luftdicht verschlossen. Seitlich, in beliebiger Höhe über der Graduierung befindet sich ein kurzes, im Winkel gebogenes, engeres Glasrohr, mit schief aufsteigendem Schenkel, an dem ein Gummischlauch von beliebiger Länge, mit Mundstück versehen, befestigt ist. (Das Rohr), der Kautschukschlauch wird mit einem Quetschhahne versehen. Zur Füllung saugt man die Maßflüssigkeit vorsichtig in die Bürette bis über den Nullpunkt, schließt den Quetschhahn und stellt die Flüssigkeit schließlich durch langsames Ausfließenlassen auf den Nullpunkt ein. Beim Öffnen des Quetschhahnes läßt sich das Ausströmen der Flüssigkeit sehr gut regulieren, sowie auch plötzlich verhindern. Man findet sogar, daß, wenn man unmittelbar vor der Endreaktion zu stehen glaubt, man den Quetschhahn gar nicht zu öffnen braucht, um noch einige Tropfen ausfließen zu lassen. man hat nur nötig, oberhalb des Quetschhahnes auf den Gummischlauch zu drücken, worauf noch einige Tropfen fallen werden. Freilich kann man dann nicht verhindern. daß Luftblasen in der Flüssigkeit aufsteigen, was bei manchen Substanzen vermieden werden muß; in solchen Fällen muß dieses Verfahren dann natürlich unterbleiben.

Einen Nachteil besitzt das Instrument: Gefüllt kann es nicht tagelang hingestellt werden; denn da das über der Flüssigkeitssäule befindliche Luftvolum allseitig abgeschlossen ist, so wird es bei der Ausdehnung durch Erwärmung einige Tropfen Flüssigkeit herausstoßen; andererseits würden beim Abkühlen einige Luftblasen durch die Flüssigkeit aufsteigen. Da dieses Stehenlassen der gefüllten Bürette leicht vermieden werden kann und durchaus nicht notwendig ist, so fällt diese Unannehmlichkeit kaum ins Gewicht.

Aus dem Gesagten geht hervor, daß die neue Bürette den alten in nichts nachsteht; sie hat aber den Vorzug der Billigkeit vor der Glashahnbürette (sie ist von Schlag und

BEHREND in Berlin zu beziehen); auch ist sie nicht so zerbrechlich, als jene, läßt sich leicht reinigen und wird nicht unbrauchbar, wie jene, durch Einkitten des Glashahnes bei mangelhafter Reinigung. Wenn man nun dem Quetschhahne noch besondere Aufmerksamkeit schenken will, so wird man bald weitere Vorteile des vorliegenden Apparates entdecken.

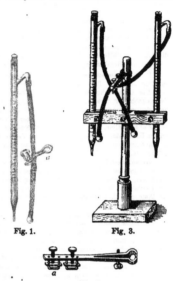

Fig. 1.   Fig. 3.

Fig. 2.

HÜBNER selbst macht darauf aufmerksam, daß wenn man statt des MOHR'schen Quetschhahnes (Fig. 1a) einen HOFFMANN'-schen Schraubhahn (Fig. 2a) verwendet, so kann man den Ausfluß des Büretteninhaltes für einige Zeit regulieren und bekommt dann die rechte Hand frei; da man aber zur Stellung des Quetschhahnes selbst beide Hände nötig hat, so schlägt HÜBNER vor, man möge diesen HOFMANN'schen Hahn in eine Klemme, vielleicht am Büretten-, stativ selbst befestigen.

Dieser Vorschlag ist von wesentlicher Bedeutung. Denn indem der Quetschhahn jetzt selbst festsitzt, braucht man zur Regulierung desselben nur eine Hand und kann die andere für das untergestellte Becherglas oder dergl. verwenden. Man bekommt also eine Hand stets frei; es ist aber eine Unannehmlichkeit dabei, nämlich die, daß der HOFMANN'sche Schraubhahn sich sehr schlecht einspannen läßt, und jede Klemme nur einen Quetschhahn aufnehmen kann. Dies führte den Vf. auf den Gedanken, den Quetschhahn durch Verlängerung des oberen Querbalkens mit einer Klemme zu verbinden, und da man zu einer Maßflüssigkeit meist eine Gegenflüssigkeit verwendet, so vereinigte er zwei solcher Quetschhähne, für zwei Büretten, an einem Balken (Fig. 2 und 3).

Dieser kleine Apparat empfiehlt sich für die HÜBNER'sche Pipettbürette ganz ausgezeichnet und läßt die guten Eigenschaften derselben im besten Lichte erscheinen. (Arch. Pharm. [3.] **22.** 539—43.)

Kleine Mitteilungen.

Preisaufgabe, betreffend Kakao und Kakaofabrikate. 1600 Mark, und zwar 1000 Mark als erster und 600 Mark als zweiter Preis werden für die besten Monographien über Kakao und Kakaofabrikate, unter Berücksichtigung der analytischen Methoden vom Standpunkt der Nahrungsmittelchemie und der Handelswertbestimmung ausgesetzt.

Motive: Auf keinem Gebiete der Chemie fehlten die exakten Forschungen so sehr, als auf dem Gebiete der Nahrungsmittelchemie. Das größte Interesse aber an der Erweiterung der Kenntnisse über die Nahrungs- und Genußmittel, sowie die Erlangung einer sicheren Unterlage zur Beurteilung derselben, hat die Industrie, welche sich mit Herstellung von Nahrungs- und Genußmitteln befaßt, und haben die Berufsanalytiker, welchen als Sachverständigen für chemische Untersuchungen durch das Nahrungs- und Genußmittelgesetz eine große Verantwortlichkeit auferlegt worden ist.

Das Interesse der letzteren muß zugleich das Interesse des „Vereins analytischer Chemiker" sein, welcher statutengemäß zur Entscheidung wichtiger, das Gebiet der analytischen Chemie berührender Fragen, nach § 2 ad 3, durch Stellung von Preisaufgaben und Anordnung von Versuchen beizutragen hat. Da sich nun auf dem Gebiete der Nahrungsmittelchemie die Bestrebungen des genannten Vereines mit denen des Verbandes deutscher Chokoladenfabrikanten begegneten, so wurde die Ausschreibung einer, den Kakao und seine Fabrikate betreffenden Preisschrift schnell gesichert. Mitglieder des Verbandes deutscher Chokoladenfabrikanten stellen das erforderliche Untersuchungsmaterial, welches durch Dr. H. ZERENER, Magdeburg, zu gleichartiger Verabreichung kommt; auch hat der Verband einen erheblichen Anteil an dem oben ausgesetzten Preise auf seine Vereinskasse übernommen.

Es ist zu erhoffen, daß die Preise, ebenso wie die Möglichkeit für die Untersuchungen, genaue Standardmuster zu erhalten, manchen tüchtigen Bewerber heranziehen werden, und daß den, vom wissenschaftlichen, wie vom Standpunkte der Praxis gestellten Anforderungen in einer die Lücke ausfüllenden Weise entsprochen werden wird.

Bei der Bearbeitung sind folgende Punkte ins Auge zu fassen.

I. Die Zusammensetzung von Kakaobohnen verschiedener Abstammung. II. Die Untersuchungsmethoden für Kakaobohnen aus denselben, wie Masse, Pulver etc. III. Die Untersuchungsmethoden von Chokoladen mit Mehlzusatz. IV. Die Zusammensetzung der Kakaobutter verschiedener Kakaosorten unter Berücksichtigung der variierenden Schmelzpunkte und der verwandten vegetabilischen und animalischen Fette. V. Aufführung und Nachweisung von Verfälschungen (gerichtl. Fälle) unter besonderer Berücksichtigung der Prozentsätze, welche von Kakaoschalen, anorganischen Bestandteilen, sowie accessorischen Substanzen im Kakao und seinen Fabrikaten zulässig seien und als Verfälschung nicht angesehen werden dürften. VI. Wäre es wünschenswert, eine leichte Untersuchungsmethode von Exportwaren für weniger Geübte, z. B. Zollbeamte, zu schaffen.

Hervorragende Monographieen über einen einzelnen Punkt der Preisaufgabe, wie z. B. „Über eine feste Grundlage für gerichtliche Untersuchungen" schließen von der Prämiierung nicht aus, jedoch soll besonders hervorgehoben werden, daß bei Beurteilung der Preisaufgaben ein besonderer Wert auf die Erweiterung und Förderung der Kenntnis des Kakao, der Kakaofabrikate und ihre Herstellung gelegt werden muß.

Die Bewerbungsschriften dürfen in deutscher, französischer oder englischer Sprache abgefaßt sein. Dieselben müssen mit einem Motto versehen sein und von einem, den Namen des Einsenders enthaltenden versiegelten Umschlage unter dem gleichen Motto begleitet sein. Preisbewerber, welche Preise nicht gewinnen, erhalten ihre Arbeiten zurück, wenn sie gestatten, den Umschlag zu öffnen, und wenn das Motto mit dem der Preisaufgabe übereinstimmt. Die preisgekrönten Arbeiten bleiben Eigentum des Vereins analytischer Chemiker, welcher das Recht hat, dieselben zu veröffentlichen und ebenso in jeder Weise dem Verbande deutscher Chokoladenfabrikanten zugängig zu machen. Das Preisgericht wird auf Beschluß der Generalversammlung des Vereins analytischer Chemiker vom 9. August 1884 gebildet: durch den Präsidenten des Verbandes deutscher Chokoladenfabrikanten und durch die Mitglieder des jetzigen Vorstandes des Vereins analytischer Chemiker, welchen durch Kooption weitere Mitglieder des Vereins zutreten können. Die Einsendung muß bis zum 1. Juli 1885 an den unterzeichneten Geschäftsführer des Vereins analytischer Chemiker erfolgen.

Der Verein analytischer Chemiker. I. A. des Vorstandes Dr. J. SKALWEIT, Geschäftsführer. (Rep. anal. Chem. 4. Nr. 17; Sep.-Abdr.)

Eine neue Papiermasse. Der schwedische Konsul GADE hat der Regierung der Verein. Staaten einen Bericht über die Verwendung von weißem Moos zur Papierfabrikation unterbreitet. Das Moos, welches sich in Norwegen und Schweden in ungeheuren Mengen vorfindet, wird nicht in frischem Zustande zur Fabrikation verwendet, dazu dienen vielmehr die fußdicken Schichten desselben, die sich im Laufe der Jahre angesammelt haben, und die in ihrem halbverwesten Zustande ein ausgezeichnetes Rohmaterial für die Papiererzeugung bilden. Eine Moospapierfabrik wird bereits in Schweden errichtet, und in der nächsten Nachbarschaft derselben befinden sich so ausgedehnte Mooslager, daß es Jahrzehnte brauchen wird, um dieselben zu erschöpfen. Muster des aus diesem Rohmaterial gewonnenen Papiers und Pappendeckels wurden bereits auf den Markt gebracht, von letzterem sogar Proben bis zu dreiviertel Zoll Stärke. Der Pappendeckel ist so hart wie Holz und kann leicht gefärbt und poliert werden. Man glaubt, daß dieses Fabrikat in vielen Fällen mit Vorteil anstatt des Holzes angewendet werden kann. Es hat alle Vorzüge und keine Nachteile des Holzes; es springt nicht und wirft sich nicht. Dieser Pappendeckel kann daher zur Herstellung von Thüren und Fensterrahmen verwendet werden und dürfte sich auch für allerlei Ornamente eignen. (D. Ind.-Ztg. 25. 348.)

Vegetabilisches Leder, von M. BAUER, L. BROUARD und J. ANCEL. Dieses Produkt, welches alle Eigenschaften des Leders besitzt, außerdem vollständig wasserdicht und ein Nichtleiter der Elektrizität sein soll, wird erhalten durch Mischung von 3 kg Guttapercha, 900 g Schwefel, 1 kg roher Baumwolle, 600 g Zinkweiß, 100 g Kolkothar und 250 g Antimonoxyd. Nach geschehener Mischung wird die Masse, ähnlich wie Kautschuk, mittels Dampf vulkanisiert. Als unerläßliche Bestandteile dieses Leders werden Guttapercha und Schwefel bezeichnet, während die übrigen Bestandteile durch andere Chemikalien von gleicher Natur ersetzt werden können. Auch das Mengenverhältnis der einzelnen Komponenten kann je nach dem Zweck, zu dem das Produkt dienen soll, variiert werden. Die oben angegebene Zusammensetzung wird zur Herstellung von Sohlen und Absätzen empfohlen. (D. Ind.-Ztg. **25.** 338.)

Färben von Eisen. Hierfür werden folgende neuere Vorschriften gegeben. 1. Legt man blanke Eisengegenstände in das Gemisch einer Lösung von 140 g unterschwefligsaurem Natron in 1 l Wasser, und einer Lösung von 35 g essigsaurem Bleioxyd in 1 l Wasser und erhitzt die Mischung allmählich bis zum Sieden, so erhalten dieselben das Aussehen, als wären sie schön blau angelassen. 2. Bringt man eine Mischung von 3 Tln. Mehrfachschwefelnatrium mit 1 Tle. essigsaurem Blei auf blanke Eisenflächen und erhitzt, so lagert sich auf denselben eine Schicht Schwefelblei ab, durch welches die metalline Oberfläche in verschiedenen Farbentönen hindurch scheint. 3. Taucht man kleine Gegenstände von Schmiede- oder Gußeisen in geschmolzenen Schwefel, dem etwas Ruß beigemengt ist, so bildet sich ein Überzug von Schwefeleisen, welcher durch Abreiben schöne Politur erhält. (Metallarbeiter; Pol. Not. **39.** 248.)

Vergoldung und Versilberung verschiedener organischer Objekte, von CHRISTIANI. Man taucht feine organische Objekte, welche mit einem Überzuge versehen werden sollen, in eine Lösung von Silbernitrat in Alkohol, trocknet und behandelt alsdann mit Schwefel- oder Phosphorwasserstoff, wodurch er einen so vorzüglich leitenden Überzug herstellt, daß die feinsten Linien an den Körpern von Insekten etc. in dem galvanischen Überzuge von Gold, Silber, Kupfer etc. zu erkennen sind. (Scient. Americ.; Pol. Notizbl. **39.** 232.)

Chinoidinum depuratum, von de VRIJ. Der Vf. teilt mit, daß nach jahrelanger Arbeit es ihm gelungen sei, die Bestandteile dieses sehr zusammengesetzten Arzneimittels zu ermitteln, und er die Veröffentlichung der Resultate sich vorbehält. Zunächst giebt er eine Methode zur Reinigung dieses Mittels an, das in folgendem besteht.

100 g Chinoidin des Handels werden mit einer verdünnten Lösung von Natriumhydrat unter anhaltendem Rühren fünf bis zehn Minuten gekocht[1]. Nach dem Abkühlen wird die braungelbe alkalische Flüssigkeit abgegossen und das hinterbleibende Chinoidin mit etwas Wasser abgewaschen. Dann erwärmt man es mit 300 g Wasser bis zum Kochpunkt und fügt eine möglichst geringe Menge Salpetersäure[2] hinzu, so daß man eine homogene, dunkel gefärbte, rotes Lackmus blaufärbende Lösung erhält. Der Zusatz einer nicht größeren als zur Lösung erforderlichen Menge Säure ist die Hauptbedingung der ganzen Arbeit. Ehe man hierin nicht die nötige Übung erlangt hat, lasse man lieber einige Gramme Chinoidin ungelöst zurück, als nur einen Tropfen Säure zuviel zu verwenden. Sobald Lösung erfolgt ist, gieße man sie in ein hohes Glasgefäß zum Abkühlen und lasse über Nacht stehen. Hierbei findet eine Scheidung von zwei Schichten statt[3], eine hellrotgelbe, dünnflüssige und eine weit größere untere dickflüssige Schicht von dunkel rotbrauner Farbe. Die obere wird soviel als möglich in ein hohes Glas abgegossen, die untere wird durch wiederholten Zusatz von Wasser, Umrühren, Absetzenlassen und Abgießen der oberen Wasserschicht ausgewaschen. Dieses wird so lange wiederholt, bis das Wasser nichts mehr aufnimmt und eine zähe braunschwarze, in Wasser unlösliche Masse zurückbleibt, die ganz wertlos ist.

Von der durch Zusammengießen mit der ersten oberen Schicht und den Waschwässern erhaltenen trüben Lösung filtriert man etwas in Wasser. Tritt Trübung ein, so muß die ganze trübe Lösung noch mit soviel Wasser verdünnt werden, bis weitere Verdünnung des Filtrats keine Trübung mehr erzeugt. Man läßt dann zwölf Stunden absetzen, filtriert die fast helle Flüssigkeit und mischt sie in einer Porzellanschale mit einem Überschuß von verdünnter Natronlauge, wodurch sich das gereinigte Chinoidin abscheidet. Nachdem die alkalische Flüssigkeit durch Absetzen klar geworden, wird sie abgegossen und das auf dem Boden der Schale befindliche Chinoidin so lange mit Wasser gewaschen, bis es Kurkumapapier unverändert läßt. Unter öfterem Umrühren erwärmt man dann die Schale auf dem Wasserbade.

---

[1] Der Zweck ist, ein armorphes Alkaloid und einen in Natronhydrat schwer löslichen unbekannten Stoff wenigstens teilweise zu lösen. Die braungelbe Farbe der alkalischen Lösung, die durch überschüssige Säure stark getrübt wird, beweisen die Erreichung des Zweckes. Die Folge dieser Behandlung ist, daß das Chinoidin bei der späteren Erwärmung mit Wasser schmelzbarer, und daher in einer möglichst geringen Menge Salpetersäure löslich gemacht wird.

[2] Salpetersäure ist jeder anderen Säure vorzuziehen, da scheinbar reine und in Salzsäure wie Alkohol lösliche Chinaalkaloide in Salpetersäure einen nicht alkaloidischen Körper zurückließen.

[3] Falls keine Trennung in zwei Schichten stattfindet, ist die Flüssigkeit durch Anwendung von zuviel Salpetersäure nicht alkalisch genug.

Das anfangs dünnflüssige Chinoidin verdickt sich mit dem Verluste von Wasser und hat bei dessen Austreibung dicke Honigkonsistenz. Sobald dieses eintritt, und eine herausgenommene Probe nach dem Abkühlen eine harte, bröckliche, harzartige Masse bildet, nimmt man die ganze Masse möglichst vollständig aus der Schale und läfst das fertige Präparat erkalten. Der in der Schale zurückbleibende Rest läfst sich nach dem Erkalten leicht ablösen. Während des Eintrocknens entwickelt die Masse einen angenehmen, aromatischen Geruch. Die Ausbeute an reinem Chinoidin von dem in Rollen käuflichen ZIMMER'schen Chinoidin betrug 86 p. c. Das auf obige Weise gereinigte Präparat ist dunkel gelbrot, in dünnen Schichten klar durchscheinend, spröde und leicht zum gelbgrauen, haltbaren Pulver zerreiblich. Mit Wasser oder verdünnter Sodalösung auf dem Wasserbade erwärmt, wird die Flüssigkeit kaum merklich rein hellgelb gefärbt. In Säuren ist es leicht löslich und giebt alkalische Lösungen, welche bei gehöriger Konzentration durch Wasserzusatz sich nicht trüben dürfen. Äther löst 80 p. c. Das Präparat enthält mindestens zwei amorphe Alkaloide, eines bei weitem die gröfsere Masse ausmachend und in Äther leicht löslich, rechts drehend, das andere weniger leicht in Äther löslich, links drehend. Zur vollständigen Lösung gehört daher eine beträchtliche Menge Äther. Die Verbindung mit Säuren bläuen rotes Lackmuspapier und sind mit Ausnahme der borsauren mehr hygroskopisch; beim Erwärmen im Wasserbade bleiben sie pulverförmig. Das Hydrochlorat wird von ZIMMER in Frankfurt a. M. seit Jahren als Chininum amorphum muriaticum purum in den Handel gebracht und hier und da viel gebraucht. Da es wie alle Chinoidinsalze in allen Verhältnissen in Wasser löslich ist und alkalisch reagiert, so ist die konzentrierte Lösung auch mit gutem Erfolge zu subkutanen Injektionen angewandt worden. (HOFFMANN's Pharm. Rundschau 2. 122; Pharm. Ztschr. f. Rufsl. 23. 562—64.)

Medizinische Seifen, von KRÄTZER. *Glycerincarbolseife*. 30 Tle. Talg, 30 Tle. Kokosnufsöl, 30 Tle. einer 38—39⁰ Lauge, 15 Tle. konz. Alkohol, 10 Tle. Carbolsäure, 10 Tle. Glycerin. Wird mit Zuckerkouleur gefärbt. *Teerseife*. 20 Tle. Kokosnufsöl werden mit 3 Tln. Steinkohlenteer zerlassen und mit 11 Tln. einer 40⁰ Lauge verseift. *Teerschwefelseife*. Wie oben bereitet aus 20 Tln. Kokosnufsöl, 3 Tln. Steinkohlenteer und 11 Tln. Lauge. Ist der Verband der Seife eingetreten, so setzt man 2 Tle. Schwefelblumen hinzu. *Vaselinteerseife*. 60 Tle. Kokosöl werden mit 9 Tln. Steinkohlenteer zerlassen, mit 33 Tln. einer 40⁰ Lauge verseift. (Seifenfabrikant; Ind.-Bl. 21. 294.)

Beiträge für das Centralblatt bittet man an die Redaktion (Leipzig, Lessingstr. 5) zu richten. **Originalarbeiten** von nicht zu grofsem Umfange werden entsprechend honoriert und gelangen stets sofort nach der Einsendung, und zwar in kürzester Frist, zum Abdruck.

Redaktion: Prof. Dr. **Rud. Arendt** in Leipzig.

Verlag von **Leopold Voss** in Hamburg u. Leipzig. — Druck von **Metzger & Wittig** in Leipzig.

Hierzu eine litterarische Beilage von:
Leopold Voss in Hamburg, betr. Beilstein, *Handbuch der organischen Chemie*. 2., umgearbeitete Auflage.

N= 44.

Chemisches

29. Oktober 1884.

Wöchentlich eine Nummer von
1–2 Bogen. Der Jahrgang mit
Sach- und Namen-Register,
nebst system. Übersicht.

Central-Blatt.

Der Preis des Jahrgangs
ist 20 Mark. Durch alle
Buchhandlungen und Post-
anstalten zu beziehen.

REPERTORIUM

für reine, pharmazeutische, physiologische und technische Chemie.

Dritte Folge. XV. Jahrgang.

Über die Krystallisation, Beobachtungen und Folgerungen,

von

Dr. G. BRÜGELMANN in Bonn.

Dritte Mitteilung,[1]
zugleich als Entgegnung auf die Artikel der Herren M. C. MARIGNAC[2],
O. LEHMANN[3] und HERMANN KOPP[4].

Wie in den beiden früheren Mitteilungen (**82.** 522; **83.** 471, 493 und 507) gezeigt worden ist, giebt es zwei Krystall-Hauptarten, nämlich einfache Krystalle aus reinen Verbindungen, und kombinierte Krystalle aus verschiedenen Verbindungen. Letztere wurden weiter eingeteilt in Misch- und Schicht- (auch Kombinationen beider)[5], sowie in chemisch homogene und chemisch inhomogene Krystalle. Von diesen Unterabteilungen der kombinierten Krystalle kommen, wenn es sich, wie im Verfolge der nunmehr vorzunehmenden Untersuchungen, um das Studium des Einflusses der Komponenten auf die Eigenschaften des aus ihnen hervorgegangenen Mischkrystalles handelt, wie sich von selbst versteht, nur chemisch homogene Objekte in betracht. Wie ebenfalls früher gezeigt wurde, entstehen dieselben in Lösungen, sobald die Abscheidung der Komponenten gleichzeitig in einer für diese gesättigten Flüssigkeit bei der Sättigungstemperatur stattfindet, für Sublimationen und Schmelzen bei gleichzeitiger Erstarrung der Komponenten. Kurzweg: Das gemischte Krystallisieren findet ausnahmslos und ausschliefslich statt nach Mafsgabe gleichzeitiger Krystallisation der Komponenten. (Neues Grundgesetz von der gemischten Krystallisation.) Daraus ergiebt sich weiter, dafs, während bei der Krystallisation aus Lösungen nur unter der eben angegebenen Bedingung homogene Krystalle entstehen (Sublimationen verhalten

---

[1] Stark gekürzt; ungekürzt, als Original, vom Vf. gratis zu beziehen.
[2] M. C. MARIGNAC, Archives des sciences physiques et naturelles, Genève, troisième période, tome XI. 399 ff.; C.-Bl. 1884. 545.
[3] O. LEHMANN, Chem. C.-Bl. 1883. 705 ff., und GROTH's Ztschr. f. Kryst. **8.** 526 ff.
[4] HERMANN KOPP, Ber. Chem. Ges. **17.** 1105 ff.
[5] Über diese mehrfach mifsverstandene Einteilung und besonders über den Unterschied zwischen „kombinierten" und „gemischten" Krystallen vgl. Mitteil. 2 (Chem. C.-Bl. 1883.) Abschn. 8.

sich voraussichtlich ebenso), bei derjenigen von Schmelzen, wenn überhaupt gleichzeitige Krystallisation eintritt, und der Schmelzfluß durch und durch gleichartig gemischt ist, sich stets chemisch homogene Objekte bilden müssen.

Da dieselben zudem in ganzen Serien, sowie oft in jedem Verhältnisse gemischt zu erhalten sind, da sie' für Lösungen und Sublimationen mitbeweisend sind, keine Analysen erfordern, sobald man nur bekannte Mengen anwendet, jedes Mischungsverhältnis zu jeder Zeit leicht wieder zu erhalten gestatten, und endlich, vor allem, die Unerläßlichkeit des gleichzeitigen Überganges direkt vor Augen führen, so wurden sie zunächst in den Kreis der Untersuchung gezogen.

Sechs Beispiele der erhaltenen Resultate finden sich in der folgenden Tabelle (S. 803).[1] Sie zeigen eine Reihe von homogenen krystallisierten Mischungen aus den verschiedenst konstituierten anorganischen und organischen Verbindungen[2], welche sich ausnahmslos physikalisch und insbesondere optisch einheitlich verhalten.

Zahlenermittelungen konnten nur für das spez. Gew. vorgenommen werden; die übrigen physikalischen Konstanten ließen sich nicht messen, sondern nur schätzen; dabei ist aber zu bedenken, daß einerseits das spez. Gew. die zugänglichste aller physikalischen Konstanten ist und somit nicht nur das umfassendste, sondern auch ein ausnehmend deutliches Bild der vorgegangenen Veränderungen liefert, und daß andererseits die Schätzung der übrigen physikalischen Konstanten diese zur Behandlung der nachher beantworteten Spezialfragen immer noch genau genug liefert.

Insbesondere ist bei den Mischungen aus regulären und nichtregulären Körpern auch ohne Messung genau zu ersehen, ob die Mischung regulär oder nichtregulär ist, d. h. auf das polarisierte Licht wirkt oder nicht, ein Umstand, welcher bei der Zusammenstellung der Versuche mit zur besonderen Beachtung gerade solcher Kombinationen geführt hat.[3]

Die Erniedrigung des Schmelzpunktes wurde besonders deshalb mit berücksichtigt, weil in ihr der unumstößliche Beweis dafür liegt, daß die Komponenten wirklich gleichzeitig und nicht nacheinander erstarrt sind, also einheitliche Mischkrystalle bilden. Dieser Umstand ist von besonderer Bedeutung, sobald es sich nicht um die Prüfung einzelner Objekte, sondern, wie hier, krystallisierter Schmelzmassen handelt.[4] Bei einer Erniedrigung des Schmelzpunktes, also bei einheitlichem Schmelzpunkte, gelangt nämlich die eine schwerer schmelzbare Komponente eben erst durch die andere leichter schmelzbare zur Verflüssigung; sie bleibt also nur so lange, d. h. bis zu dem Momente flüssig, bis zu dem die leichter schmelzbare sich und die im flüssigen Zustande erhält; mit anderen Worten, die Komponenten werden gleichzeitig fest: Einheitlichem Schmelzpunkt entspricht demnach einheitlicher Erstarrungspunkt.

Die Kombinationen wurden stets so gewählt, daß sie chemisch ganz verschieden konstituierte Verbindungen repräsentieren, welche sich aber dennoch in keinem Falle chemisch beeinflussen können. Bei den anorganischen Mischungen wurde dies ganz allgemein durch die' Wahl von Verbindungen mit verschiedenen Basen bei gleicher Säure, oder verschiedenen Säuren bei gleicher Base erreicht. Bei den organischen, sowie organisch-anorganischen Mischungen mußten vorher besondere Versuche zur Orientierung angestellt werden.

Von den das spez. Gewicht wiedergebenden Zahlenreihen entspricht bei allen Beispielen die zur Linken befindliche den gefundenen, und die zur Rechten befindliche den (aus den Zahlen für die reinen Komponenten) berechneten Werten.

Von den das Mischungsverhältnis bedeutenden Zahlen entspricht jedesmal die Reihe links auch der in der Aufschrift links stehenden Substanz, die Reihe rechts auch der in der Aufschrift rechts stehenden Substanz.

---

[1] Die Tabelle des Originales enthält 21 Beispiele.

[2] Beim Zusammenschmelzen von essigsaurem und salpetersaurem Natron entstehen bei unvorsichtigem, zu starkem Erhitzen leicht sehr heftige Verpuffungen; bei allmählichem, nicht zu starkem Erhitzen dagegen resultiert ohne jede Gefahr eine klare Schmelze.

[3] Ich machte schon am Schlusse von Mitteil. 2. darauf aufmerksam, daß die Kombinationen aus regulären und nichtregulären Körpern besonders interessante Resultate liefern würden.

[4] Auch die bei den Mischungen im Vergleiche zu den Komponenten (oft stark) geänderten Härte- und Elastizitätsgrade sind aus demselben Grunde höchst beachtenswert.

Die die einzelnen Spalten der Tabelle kennzeichnenden Aufschriften sind Ab-
kürzungen von M.-V. für Mischungs-Verhältnis, sp. G. gef. und ber. für spezifisches Gewicht gefunden und berechnet, von Pol. für Polarisation und von Sch.-P.
für Schmelzpunkt [1].

1. KCl + PbCl₄.

Chlorkalium u. Chlorblei.
Sp. G. Sp. G. Pol. Sch.-P.

M.-V.	gef.	ber.		
20	1,93	—		Weit unt. demj. des KCl
18+ 2	2,15	2,33	Null	
16+ 4	2,31	2,73		
14+ 6	2,48	3,12		
12+ 8	2,70	3,52		
10+10	2,98	3,91		
8+12	3,37	4,31		
6+14	3,71	4,69	Spur	
4+16	4,38	5,09		
2+18	4,91	5,49	Deutl.	
20	5,88	—	Stark	

2. NaCl + BaCl₂.

Kochsalz u. Chlorbarium.
Sp. G. Sp. G. Pol. Sch.-P.

gef.	ber.		
2,23	—		Weit unt. demj. des BaCl₂
2,24	2,40	Null	
2,40	2,57		
2,43	2,74		
2,64	2,91		
2,79	3,08		
2,91	3,24		
3,14	3,41		
3,35	3,58	Spur	
3,53	3,75		
3,92	—	Deutl.	

3. KCl + K₄P₂O₇,

Chlorkalium u. pyrophos-
phorsaures Kali
Sp. G. Sp. G. Pol. Sch.-P.

M.-V.	gef.	ber.		
20	1,93	—	Null	W. unt.d.des K₄P₂O₇
18+ 2	2,00	1,97		
16+ 4	2,05	2,01		
14+ 6	2,05	2,05	Spur	
12+ 8	2,11	2,09		
10+10	2,18	2,13		
8+12	2,19	2,17		
6+14	2,22	2,21		
4+16	2,35	2,25		
2+18	2,31	2,29	Schwach	
20	2,33	—	Deutl.	

4. NaNO₃ + Ba(NO₃)₂.

Natronsalpeter und
salpetersaurer Baryt
Sp. G. Sp. G. Pol. Sch.-P.

M.-V.	gef.	ber.		
20	2,24	—	Deutl., doch allm. schwächl. in der Richtung	—
18+ 2	2,28	2,34		—
16+ 4	2,39	2,44		—
14+ 6	2,44	2,54		—
12+ 8	2,50	2,64		—
10+10	2,57	2,73		—
8+12	2,69	2,82		—
6+14	2,77	2,92		—
4+16	2,98	3,02		—
2+18	3,03	3,12		—
20	3,22	—	Null	—

5. C₁₀H₇OH + CHJ₃.

β-Naphtol u. Jodoform.
Sp. G. Sp. G. Pol. Sch.-P.

gef.	ber.		
1,23	—		122°
1,37	1,52		—
1,44	1,81		—
1,58	2,10	Bei 102° alles ge- schmol- zen	—
1,73	2,39		—
1,82	2,66		—
2,15	2,95		—
2,45	3,24		—
2,89	3,52		—
3,38	3,81		—
4,09	—		119°

6. C₂H₃NaO₂ + NaNO₃.

Essigsaures Natron und
Natronsalpeter
Sp. G. Sp. G. Pol. Sch.-P.

M.-V.	gef.	ber.		
20	1,53	—	Stark	319°
18+ 2				—
16+ 4				—
14+ 6				—
12+ 8				—
10+10	1,75	1,89	Deutl.	Bei100° alles gesch.
8+12				—
6+14				—
4+16				—
2+18				—
20	2,25	—	Deutl.	310-330

Aus der Betrachtung der Tabelle folgt zunächst als allgemeinstes Ergebnis die
ausnahmslose Bestätigung derjenigen Sätze, welche ich in meinen beiden früheren
Mitteilungen aufgestellt und als neues Grundgesetz von der gemischten Krystallisation zusammengefaßt habe in die Worte: Das gemischte Krystallisieren
findet, auch für die verschiedenst konstituierten Verbindungen und
in veränderlichen Mengen, statt nach Maßgabe gleichzeitigen Überganges aus dem amorphen in den krystallisierten Zustand, oder, was
dasselbe, nach Maßgabe gleichzeitiger Krystallisation der Komponenten.

Weiter aber führen die erhaltenen Zahlen noch zur Aufstellung folgender Regeln:

Regel 1. Mischkrystalle haben meist ein anderes, und soweit sich dies nach den erhaltenen Zahlen beurteilen läßt, fast ausnahmslos geringeres, oft bedeutend geringeres
spez. Gew., als es den Komponenten in demselben Mischungsverhältnis der Rechnung
nach entspricht.

---

[1] Näheres über die Ausführung der Versuche enthält die Originalmitteilung.

Regel 2. Die physikalischen und krystallographischen Eigenschaften von Mischkrystallen stehen in keinem einfachen Verhältnisse zu deren Zusammensetzung; das spez. Gew. liegt zwar nie aufserhalb desjenigen der Endglieder, für die übrigen physikalischen Konstanten ist dies jedoch nicht immer der Fall. (Vgl. die Resultate von Andreas Fock in Groth's Ztschr. f. Kryst. [1880] **4.** 607 u. 608.)

Regel 3. Der Schmelzpunkt von Gemischen liegt unter demjenigen der schwerer, oder bei mehr als zwei Komponenten am schwersten schmelzbaren Komponente, eine Erscheinung, welche schon früher an anorganischen und organischen Schmelzgemischen vielfach beobachtet worden ist. —

Ganz allgemein zeigen die aus verschiedenen Komponenten in allen möglichen Verhältnissen hergestellten Mischkrystalle rücksichtlich ihrer physikalischen und krystallographischen Eigenschaften in der Richtung von einer Komponente zur anderen keine mit der Zusammensetzung fortschreitende gleichmäfsige, wohl aber eine almähliche Änderung, derart, dafs von der einen reinen Komponente ausgegangen, deren Eigenschaften nach und nach im Sinne komplizierter, und für die einzelnen Eigenschaften nicht mit Notwendigkeit parallel laufender Kurven, in diejenige der anderen Komponente übergehen. Die Mischkrystalle können dabei in das System der in ihnen in geringerer Menge vorhandenen Komponente gehören (Beispiel: $PbCl_2 + NaCl$, eine Mischung, welche schon bei dem Verhältnis $16\,PbCl_2 + 4\,NaCl$ regulär krystallisiert), und die Grenze, bei der der Übergang von einem in das andere System stattfindet, braucht keineswegs etwa mit der aus gleichen Gewichtsteilen beider Komponenten in der Mitte liegenden Mischung zusammenzufallen, sondern kann sich mehr oder weniger von dieser Mittellage entfernen (Beispiel: wiederum $PbCl_2 + NaCl$); in der That findet eine solche Entfernung auch bezüglich des spez. Gew. und der übrigen physikalischen Konstanten so gut wie immer statt.

Aufser der Bestätigung des Grundgesetzes und der Ableitung der eben aufgestellten, dann nochmals in kurzer Zusammenfassung reproduzierten drei Regeln liefert die Betrachtung der Tabelle noch eine gröfsere Reihe neuer Beispiele von Poly- und Iso-Polymorphie. (Schlufs folgt.)

Wochenbericht.

2. Allgemeine Chemie.

W. A. Tilden, *Über die Schmelzpunkte und deren Beziehung zu der Löslichkeit der wasserhaltigen Salze.* (Journ. Chem. Soc. **45.** 266—70. Juli; C.-Bl. 1884. 516.)

Mart. Websky, *Über Idunium, ein neues Element.* In einem derben, hellgelben, im wesentlichen aus zinkhaltigen Bleivanadat bestehenden, aus der Grube Aquadita, Provinz Cordoba, Laplata, herstammenden Erze, welches sich unter den von Professor Brackebusch in Cordoba nach Europa gebrachten Mineralien befindet, hat Vf. die Anwesenheit eines neuen, dem Vanadin verwandten Elementes wahrgenommen. Legt man die durch Quecksilbernitrat fixierte und durch Glühen isolierte rote Metallsäure in Ätzammoniak, so löst sich dieselbe unter anfänglicher Zurücklassung eines hochgelben Rückstandes auf, der auch, wenn auch langsamer, in Lösung übergeht. Die erste Fraktion der Lösung enthält fast nur Vanadinsäure und läfst, mit wenig Schwefelammon versetzt, nach einiger Zeit schwarze Flocken von Vanadoxyd fallen. Die späteren Fraktionen geben, mit wenig Schwefelammon versetzt, viel schneller purpurrote Flocken.

Veranlassung zu diesem Versuche gaben allerhand verwickelte Erscheinungen bei der Bildung eines dem Chlorsilber gleichenden, auch wohl dieses enthaltenden Niederschlages, der bei der behufs Chlorbestimmung angestellten Behandlung des wässerigen Auszuges einer Sodaschmelze des Erzes mit Silbernitrat und Salpetersäure und in noch gröfserer Menge beim Eindampfen des zweiten Filtrates mit Chlorwasserstoffsäure erhalten wurde. Nach Vornahme einer Reihe geeigneter und, wie sich später herausstellte, ungeeigneter Prozeduren ergab sich, dafs der Niederschlag das Silbersalz einer neuen Metallsäure enthalte, die auch schliefslich in der gelben höheren Oxydationsstufe, als auch in der roten niederen Menge zum Vorschein kam.

Der neue Körper, dem Vf. den Namen Idunium beilegen möchte, zeichnet sich besonders durch die Widerstandsfähigkeit des Silbersalzes der höher oxydierten Säure gegen Reagenzien aus, folgt sonst im allgemeinen im analytischen Gange der Vanadinsäure;

wird die letztere als vanadinsaures Ammoniak in Salmiaklösung abgeschieden, so bleibt die Idunsäure in der Mutterlauge, die sich alsbald auf Zusatz von etwas Schwefelammon rötet und rotes Idunoxyd fallen läfst, wie es scheint mit grofser Empfindlichkeit. (Math. Naturw. Mitt. d. Berliner Akad. 1884. 331—32.)

Wilh. Ostwald, *Notix über das elektrische Leitungsvermögen der Säuren.* (Journ. prakt. Chem. **30.** 93—95. August. [Juli.] Riga, Polytechnikum.)

Wilh. Ostwald, *Zur Lehre von der chemischen Verwandtschaft.* (Tagebl. d. Naturf.-Vers. zu Magdeburg 1824. 83—84.)

3. Anorganische Chemie.

S. v. Wroblewski, *Über die Dichte des flüssigen Sauerstoffes.* (Ann. Chim. Phys. [6.] **2.** 309—21. Juli; C.-Bl. 1883. 584.)

D. Klein und **J. Morel**, *Über die Produkte der Einwirkung von Salpetersäure auf Tellur.* (C. r. **99.** 540—42. [29.*] Sept.)

D. Tommasi, *Ein neuer Beweis für die Nichtexistenz des Ammoniumhydrates.* Der Vf. hat vor kurzem (S. 418) aus dem Gesetz der thermischen Konstanten die Ansicht abgeleitet, dafs das Ammoniumhydrat in einer wässerigen Ammoniaklösung nicht existiert, und dafs man eine solche infolge dessen nicht mit einer Lösung von Kali oder Natron vergleichen könne. Diese Ansicht ist neuerlich durch die Untersuchungen von BOUTY (S. 690) bestätigt worden. In der That geht aus denselben hervor, dafs die Lösung eines wasserfreien Alkali die Elektrizität nicht leitet, während die Lösung eines alkalischen Hydrates den elektrischen Strom in derselben Weise leitet, wie die Salzlösungen. BOUTY hat nun beobachtet, dafs Ammoniakwasser 110mal schlechter leitet, als ein Salz von demselben Molekulargewicht, dafs dagegen Kali, Natron, Lithion, Kalk und Thalliumoxyd in wässeriger Lösung den Strom gut leiten. Diese Thatsache läfst sich nicht anders erklären, als durch die Annahme, dafs, während die löslichen Metalloxyde mit dem Wasser wahre Hydrate bilden, das Ammoniakgas mit dem Wasser keine wahre Verbindung giebt, deren Konstitution mit den metallischen Hydraten zu vergleichen wäre. (Bull. Par. **42.** 216—17. 5. Sept.)

Lecoq de Boisbaudran, *Trennung von Cerium und Thorium.* Die genaue Trennung eines Gemenges der Oxyde von Thorium und Cerium bietet, wenn man nach den gebräuchlichen in den Lehrbüchern angegebenen Methoden verfährt, ziemlich grofse Schwierigkeiten. Sie läfst sich dagegen leicht ausführen, wenn man den folgenden Gang einschlägt.

Die gemischte, fast neutrale Lösung (Sulfate oder Chloride) wird mit einigen Tropfen Salzsäure versetzt und mehrere Minuten lang über Spänen von reinem Kupfer gekocht. Hierbei werden die Cerisalze zu Cerosalzen reduziert. Man setzt nun der Flüssigkeit (ohne sie von den Kupferspänen abzugiefsen) einen geringen Überschufs von Kupferoxydul[1] hinzu und erhält das Ganze wenigstens ³/₄ Stunde lang im Sieden. Der auf dem Filter gesammelte Niederschlag wird mit destilliertem Wasser, welches vorher über etwas Kupferoxydul gekocht worden ist, gewaschen; er enthält die Thorerde, sowie eine geringe Spur von Ceroxyd (herrührend von Fehlern beim Auswaschen) und wird in Salzsäure, der man etwas Salpetersäure zugesetzt hat, aufgelöst. Das Kupfer beseitigt man entweder durch Schwefelwasserstoff in sehr saurer Lösung oder durch überschüssiges Ammoniak. Die schwache cerhaltige Thorerde wird ein zweites oder, wenn nötig, ein drittes Mal in gleicher Weise behandelt und ist dann frei von Cer: sie färbt sich in Berührung mit Luft nicht mehr orangegelb.

Die verschiedenen cerhaltigen Lösungen werden vereinigt und durch Schwefelwasserstoff oder Ammonia vom Kupfer befreit. Wegen der Leichtigkeit der Behandlung mit Kupfer und Kupferoxydul ist es nicht von besonderem Nachteil, bei der ersten Fällung der Thorerde etwas gröfsere Mengen von Ceroxyd darin zu lassen, wichtig aber ist es, erstere vollständig zu fällen; es ist deshalb besser, die Flüssigkeit mit überschüssigem Kupferoxydul etwas länger, vielleicht eine Stunde lang, zu kochen. Wenn man übrigens fürchtet, dafs noch Spuren von Thorerde in dem Ceroxyd enthalten sein dürften, so kann man letzteres in Salzsäure lösen und die Lösung von neuem mit überschüssigem Kupferoxydul längere Zeit kochen. (C. r. **99.** 525—26. [29*.] Sept.)

---

[1] Am besten stellt man das Kupferoxydul durch Reduktion einer siedenden Lösung von weinsaurem Kupfer in überschüssigem Kali durch Traubenzucker dar. Dieses Oxydul mufs vollständig ausgewaschen werden, damit es keine Spur organischer Substanz mehr enthält.

L. Godefroy, *Über die Verbindungen des Chromchlorides mit anderen metallischen Chloriden.* (Bull. Par. **42.** 194—201. 5. Sept.; C.-Bl. 1884. 696.)

C. Rammelsberg, *Über die essigsauren Doppelsalze des Urans.* Der Vf. giebt eine Mitteilung über die Zusammensetzung und Krystallform folgender Doppelsalze:

Essigsaures Uranylnatron, $NaC_2H_3O_2 + UO_2.C_2H_6O_4$
,, Uranylammoniak, $NH_4.C_2H_3O_2 + UO_2.C_2H_6O_4$ und
  $(NH_4.C_2H_3O_2 + UO_2.C_2H_6O_4) + 3aq$
,, Uranylkali, $(KC_2H_3O_2 + UO_2.C_4H_6O_4) + aq$
,, Uranylsilber, $(AgC_2H_3O_2 + UO_2.C_4H_6O_4) + aq$
,, Uranyllithion, $(LiC_2H_3O_2 + UO_2.C_4H_6O_4) + 3aq$
,, Uranylthallium, $(TlC_2H_3O_2 + 2UO_2.C_4H_6O_4) + 2aq$
,, Uranylbarium, $(BaC_4H_6O_4 + 2UO_2.C_4H_6O_4) + 6aq$
,, Uranylstrontium, $(SrC_4H_6O_4 + 2UO_2.C_4H_6O_4) + 6aq$
,, Uranylcalcium, $(CaC_4H_6O_4 + 2UO_2.C_4H_6O_4) + 8aq$
,, Uranylberyllium, $(BeC_4H_6O_4 + UO_2.C_4H_6O_4) + 2aq$
,, Uranylmagnesium, $(MgC_4H_6O_4 + 2UO_2.C_4H_6O_4) + 12aq$
  und $(MgC_4H_6O_4 + 2UO_2.C_4H_6O_4) + 7aq$
,, Uranylmangan, $(MnC_4H_6O_4 + 2UO_2.C_4H_6O_4) + 12aq$
  und $(MnC_4H_6O_4 + UO_2.C_4H_6O_4) + 6aq$
,, Uranylzink, $(ZnC_4H_6O_4 + 2UO_2.C_4H_6O_4) + 7aq$
,, Uranylnickel, $(NiC_4H_6O_4 + 2UO_2.C_4H_6O_4) + 7aq$
,, Uranylkobalt, $(CoC_4H_6O_4 + 2UO_2.C_4H_6O_4) + 7aq$
,, Uranyleisen, $(FeC_4H_6O_4 + 2UO_2.C_4H_6O_4) + 7aq$
,, Uranylkadmium, $(CdC_4H_6O_4 + UO_2.C_4H_6O_4) + 6aq$
,, Uranylblei, $(PbC_4H_6O_4 + UO_2.C_4H_6O_4) + 4aq$
,, Uranylnatriumkupfer, $(NaC_2H_3O_2 + UO_2.C_4H_6O_4 +$
  $CuC_4H_6O_4 + 2UO_2.C_4H_6O_4) + 9aq$

(Math.-Naturw. Mitteil. der Berl. Akad. 1884. 411—40.)

C. Rammelsberg, *Zur Analyse der Uranverbindungen.* Von Kalium, Natrium oder Lithium trennt man das Uran am besten, indem man das Salz glüht und das uransaure Alkali nach H. Rose, mit Chlorammonium gemischt, in Wasserstoff erhitzt. Wasser zieht das Alkalichlorid aus. Thallium wird durch Jodkalium gefällt. Barium, Strontium, Calcium und Blei werden durch Schwefelsäure, resp. unter Zusatz von Alkohol, gefällt. Die Fällung des Urans durch kohlensauren Baryt ist bei Magnesium und Zink nicht anwendbar. Im ersten Falle bleibt häufig etwas Uran, auch bei Wiederholung der Operation, in der Flüssigkeit, und Zink wird durch kohlensauren Baryt teilweise mit niedergeschlagen. Nur bei Nickel und Cobalt hat Vf. sich dieser Trennungsmethode bedient. Magnesium trennt man von Uran dadurch, daß man die schwach saure Lösung mit frisch bereitetem Ammonhydrosulfür fällt, welches frei von kohlensaurem Ammon sein muß. Mangan scheidet man, indem man die Lösung mit kohlensaurem Ammon im Überschusse versetzt und mit Ammonhydrosulfür fällt. Ebenso verfährt man beim Zink. Kadmium und Kupfer werden aus saurer Lösung durch Schwefelwasserstoff gefällt. Jenes wird als Schwefelmetall bestimmt. (Math.-Naturw. Mitteil. der Berl. Akad. 1884. 441.)

4. Organische Chemie.

E. Lippmann, *Über eine Methode zur Darstellung sauerstoffhaltiger Verbindungen.* (Tagebl. der Naturf.-Vers. zu Magdeburg 1884. 307—10.)

Th. Carnelley und **L. T' O'Shea,** *Schmelzpunkte einiger anorganischer Substanzen.* Die folgenden Schmelzpunkte wurden nach der von Carnelley früher (**76.** 625; **77.** 194 und 242; **78.** 498) beschriebenen Methode bestimmt:

	Schmelzpkt.	Mittel	Bemerkungen
Kupferjodür Cu_2J_2	625 631	628	Diese Verbindung zersetzt sich in der Luft nahe bei ihrem Schmelzpunkte; wird sie vorsichtig erhitzt, so kann man sie ohne Zersetzung zum Schmelzen bringen
Thalliumoxyd Tl_2O_3 . . .	762 757 731	759	
Kaliumbromat $KBrO_3$ . . .	436 431	434	
Natriumperchlorat $NaClO_4$.	481 483	482	
Silberperchlorat $AgClO_4$ . .	485 486	486	Dargestellt durch Sättigung von reinem $HClO_4$ mit den entsprechenden Carbonaten
Thalliumperchlorat $TlClO_4$.	500 502	501	
Bariumperchlorat $Ba(ClO_4)_2$.	502 508	505	

Ebenso die der folgenden Gemische der Halogenverbindungen von Silber, Blei und Kupfer:

	Schmelzpkt.	Mittel	Bemerkungen
$(AgJ, Ag_2Br_2, Ag_2Cl_2)$ . .	385 376 387	383	
$(AgJ, AgBr, AgCl)$ . . .	329 335 330	331	
$(Ag_6J_2, AgBr, AgCl)$ . . .	328 323	326	
$(Ag_3J_2, AgBr, AgCl)$ . . .	355 354	354	
$(Ag_4J_4, AgBr, AgCl)$ . . .	382 378	380	
(AgJ, PbJ_2)	345 352 353 347 352	350	Vom unt. Teile d. Gußstückes „ „ „ „ „ „ „ „ Vom obern T. des Gußst. nach einmal. Umschmelzen desgl. nach mehrm. Umschm.
(AgJ, Cu_2J_2)	513 514 515	514	
$(2AgJ, Cu_2J_2)$	491 501	496	
$(3AgJ, Cu_2J_2)$	493 495	494	
$(4AgJ, Cu_2J_2)$	479 492 505 496	493	Allmählich geschmolzen
$(12AgJ, Cu_2J_2)$	514 514	514	

(Journ. Chem. Soc. **45**. 409—10. Aug.)

Charles F. Mabery, *Über β-Bromtetrachlorpropionsäure.* Beim Zusammenbringen einer Lösung von Brompropiolsäure in Chloroform mit Chlor entsteht eine in kaltem Schwefel-kohlenstoffe und Chloroform unlösliche Verbindung, welche bei 225° C. unter Zersetzung schmilzt. Die Analyse führte zu der Formel $C_3HCl_4BrO_2$ — *Bromtetrachlorpropionsäure.* Die Salze dieser Säure sind äußerst zersetzlich. Behandelt man Bariumcarbonat mit der Säure, so löst sich jenes zuerst klar auf, bald aber wird die Lösung unter Abscheidung eines Öles trübe; letzteres ist wahrscheinlich Tetrachloräthylen. Das Silbersalz, welches aus der Säure und Silbernitrat sich bildet, veränderte schnell seine Farbe, wurde dunkel und konnte in eine zur Analyse geeignete Form nicht gebracht werden. Die Konstitution der erhaltenen Bromtetrachlorpropionsäure ist $CBrCl_2$ — CCl_2 — COOH. (Amer. Chem. Journ. **6.** 155—57.)

C. Willgerodt und **A. Müller,** *Beiträge zur Kenntnis des Acetonbromoforms und des Acetonchloroforms. Über die Einwirkung von festem Ätzkali auf eine Lösung von Jodoform in Aceton.* Das Acetonbromoform ist bereits im Jahre 1881 von WILLGERODT durch Eintragen festen Ätzkalis in ein Acetonbromoformgemisch erhalten worden. Durch neue von den Vff. ausgeführte Versuche hat sich herausgestellt, daß man diesen Körper in weit ergiebigerer Weise gewinnt, wenn man in das Gemisch besagter Flüssigkeiten gepulverten Natronkalk einträgt. 5 g Bromoform wurden mit 30 g Aceton vermischt und alsdann mit 5—10 g gepulvertem Natronkalk versehen. Durch Erwärmen der mit Rück-flußkühlern verbundenen Kölbchen sei die Reaktion zu begünstigen. Beim Erkalten gesteht der Kolbeninhalt oft zu einer Gallerte, die beim Erwärmen wieder verschwindet. Nach Vollendung der Reaktion ist zu filtrieren und der Rückstand mit Aceton auszuwaschen. Beim Destillieren der gewonnenen Flüssigkeiten im Wasserbade hinterbleibt ein Gemisch von Bromoform und Acetonbromoform. Beide Körper sind durch Destillation mit Wasserdämpfen, oder noch besser durch fraktionierte trockene Destillation und darauf folgende fraktionierte Destillation mit Wasserdämpfen zu trennen. Zuerst destilliert immer das Bromoform über, am Schlusse aber erscheint das Acetonbromoform in fester Form im Kühler.

Das Acetonbromoform ist dem Acetonchloroform in Form und Eigenschaften sehr ähnlich, dasselbe existiert wie dieses in einer wasserhaltigen und wasserfreien Modifikation; beide sind fest; ersteres schmilzt bei 165—167°, letzteres dagegen bei 175°. Die wasser-haltige Verbindung wird erhalten wenn man das bei der Darstellung gewonnene Produkt aus wasserhaltigem Äther oder Alkohol krystallisieren läßt. Aus wasserfreien Lösungs-mitteln, besonders aus Schwefelkohlenstoff, und durch Sublimieren der Substanz erhält man schließlich das bei 175° schmelzende wasserfreie Produkt. Das Acetonbromoform ist unlöslich in Wasser, aber außerordentlich leicht löslich in fast allen organischen Lö-sungsmitteln. Mit dem weiteren Studium des Acetonbromoforms, sowie mit der Dar-stellung etc. des Methyläthylketonchloroforms ist MÜLLER im CLAUS'schen Laboratorium betraut.

Das Acetonchloroform ist in der letzten Zeit von WILLGERODT zu physiologischen Versuchen verwendet worden; aus denselben scheint hervorzugehen, daß dasselbe ein Anästhetikum ist und sehr wahrscheinlich in derselben Weise wie das Chloral Verwen-dung finden kann. Die Versuche über diesen Gegenstand sind indessen noch nicht ab-geschlossen. Giebt man einem Kaninchen 1 g Acetonchloroform, mit sehr wenig Alkohol und viel Wasser versetzt, auf die Zunge zum Verschlucken, so wird dasselbe momentan bewußtlos und stirbt nach längerer Zeit, ohne wieder zu sich zu kommen. Giebt man indessen einem Kaninchen nur 0,25 g Acetonchloroform, mit Wasser angerührt, in der-selben Weise, so wird es rasch schlaff und ist nur wenig Herr über die Bewegung seiner Glieder. Nach vier bis fünf Stunden wird das Tier aber wieder vollständig gesund und munter.

WILLGERODT erwähnt schließlich noch, daß es ihm bis jetzt nicht gelungen sei, das Acetonjodoform zu erzeugen. Behandelt man eine Lösung von Jodoform in Aceton mit festem, gepulvertem Ätzkali, so tritt eine starke Reaktion ein, und es bildet sich unter anderen Produkten hauptsächlich Methenjodid, CH_2J_2. Durch die Jodbestimmung des schweren, öligen Körpers ist die Formel bestätigt worden. (Tagebl. der Naturf.-Vers. zu Magdeburg 1884. 304.)

Edmund v. Lippmann, *Über Nichtidentität von Arabinose und Galaktose.* Vf. be-stätigt die von SCHEIBLER (**84.** 755) gemachten Angaben. Schon die physikalischen Eigenschaften beider Zuckerarten, die Galaktose war nach dem Verfahren von RIEDELL (SCHEIBLER's Neue Ztschr. **4.** 163) dargestellt, erwiesen sich als sehr verschieden: aus Wasser umkrystallisiert, erhält man die Arabinose in glänzenden, langen, leicht zerbrech-lichen Krystallen, die, bei 100° getrocknet, bei 160° schmolzen, während die Galaktose große Prismen vom Schmelzpunkt 148° vorstellt. Die Arabinose und ihre Lösungen schmecken bedeutend süßer als Galaktose, resp. gleichprozentige Lösungen derselben.

Beim Erkalten der heifsgesättigten Lösung scheidet sich die Arabinose nur langsam wieder ab, bei der Galaktose bildet sich sehr rasch ein dicker, oft zu Krusten erhärtender Krystallbrei. Das Drehungsvermögen der Arabinose wurde vom Vf. $\alpha_D = +105,4°$ und $\alpha_J = +118°$, und für Galaktose $\alpha_D = +81,5°$ und $\alpha_J = +92,0°$ gefunden. Die Arabinose zeigt keine Birotation, dagegen die Galaktose; das Drehungsvermögen einer frisch dargestellten Lösung der letzteren betrug $+134,5°$, dasselbe sinkt, wie schon RIEDELL beobachtete, auch beim Kochen nur langsam herab, bis 81,5°. Mit Hefe versetzt, vergärt die Galaktose mit Leichtigkeit, 100 Tle. des Zuckers lieferten 47,8 Tle. Alkohol und 46,8 Tle. Kohlensäure, es fand also vollständige Vergärung statt. Hingegen ist Arabinose auf keine Weise in Gärung zu versetzen und wird durch Hefe überhaupt nicht verändert. Oxydation mit Salpetersäure ergab bei Arabinose nur Oxalsäure, bei Galaktose ausschliefslich Schleimsäure. 1 g Galaktose fällt in einprozentiger Lösung aus unverdünnter FEHLING'scher Lösung 1,7 g metallisches Kupfer, 1 g Arabinose 1,832 g Kupfer aus. Zieht man nun noch die von SCHEIBLER angegebene Verschiedenheit der Phenylhydrazinverbindungen in betracht, sowie das Verhalten gegen nascierenden Wasserstoff, und bedenkt man ferner, dafs Chlorsulfonsäure die Arabinose verkohlt, die Galaktose aber in eine Tetrasulfosäure überführt, so wird man füglich.nicht mehr an eine Identität der Zuckerarten denken können.

Was die Untersuchungen O'SULLIVAN's anbetrifft, denen zufolge die Arabinsäure durch längeres Kochen mit Schwefelsäure in eine ganze Reihe von verschiedenen Arabinonsäuren und Arabinosen abgebaut werden kann, die successive ineinander übergehen, so meint SCHEIBLER, O'SULLIVAN hätte nur Gemische von Arabinose und Galaktose in Händen gehabt; es kann dies sehr wohl der Fall sein, immerhin mag aber daran erinnert werden, dafs die Existenz solcher labiler Modifikationen ihre Analoga hat. (Deutsche Zuckerindustrie; SCHEIBLER's Neue Ztschr. 13. 140—41.)

H. Erdmann, *Über in der Seitenkette nitrierte aromatische Körper.* Der Vf. berichtet über Versuche von B. PRIEBS in Halle, welcher aus Benzaldehyd und Nitromethan durch Wasseraustritt einen Körper von der Zusammensetzung und den Eigenschaften des von SIMON i. J. 1839 zuerst dargestellten Nitrostyrols erhielt. Dieses ist somit zweifellos als *Phenylnitroäthylen* $C_6H_5-CH=CHNO_2$ aufzufassen. Denselben Körper war der Vf. bei Einwirkung von Salpetersäure auf Phenylisocrotonsäure $C_6H_5 \cdot CH \cdot CH \cdot CH_2 \cdot COOH$ begegnet, deren Derivate er bei Gelegenheit seiner Synthese des α-Naphtols studierte. Es überraschte ihn sehr, als der seines Schmelzpunktes wegen anfänglich für Metanitrobenzaldehyd gehaltene Körper bei der Oxydation reine Benzoesäure lieferte. Einmal mit dem PRIEBS'schen Phenylnitroäthylen bekannt, konnte er leicht die Identität nachweisen. (Berl. Chem. Ges. 17. 412.) Unterdessen war durch FRIEDLÄNDER und MÄHLY (Berl. Chem. Ges. 16. 850) bei Nitrierung des p-Nitrozimmtsäureesters ein Dinitrozimmtsäureester erhalten worden, dessen eine Nitrogruppe ebenfalls in der Seitenkette steht, wie durch Reduktion nachgewiesen wurde. Die entsprechende freie Säure spaltet Kohlensäure ab und geht in p-Nitrophenylnitroäthylen über.

Diese Erfahrungen brachten den Vf. zu der Überzeugung, dafs auch die *Zimmtsäure* durch geeignete Nitrierung in Phenylnitroäthylen direkt überführbar sein müsse. In der That entstehen kleine Mengen dieses Körpers bereits, wenn man Zimmtsäure in heifse, rote rauchendende Salpetersäure einträgt. Viel besser jedoch erhält man denselben durch Einleiten von salpetriger Säure in eine absolut ätherische Lösung von Zimmtsäure und nachherige Destillation mit Wasserdampf. Die Homologen der Zimmtsäure verhalten sich analog; die Ausbeute kann sich allerdings nicht mit der bei der PRIEBS'schen Synthese erhaltenen messen.

Bei Reduktion liefert Phenylnitroäthylen und seine Homologen stets Ammoniak; auch zahlreiche Versuche, um vom o-Nitrophenylnitroäthylen zum hypothetischen „Cinnolin" zu gelangen, schlugen fehl. (Tagebl. der Naturf.-Vers. zu Magdeburg 1884. 306—7.)

C. Willgerodt und **P. Mohr,** *Über die unsymmetrische m-Dinitrobenzolsulfosäure,* $C_6H_2(NO_2)^4(NO_2)^2(SO_3H)^1$. Es ist den Vff. gelungen, die a-m-Dinitrobenzolsulfosäure dadurch mit Leichtigkeit im gröfseren Mafsstabe zu gewinnen, dafs α-Dinitrophenyldisulfid kurze Zeit mit rauchender Salpetersäure zum Kochen erhitzt und darauf die Salpetersäure auf dem Wasserbade verdampft wird. Die a-m-Dinitrobenzolsulfosäure ist etwas gelblich gefärbt, krystallisiert beim Verdunsten des Wassers ihrer wässerigen Lösungen in langen Prismen und schmilzt bei 106—108°. Wasser, Alkohol und Aceton sind ausgezeichnete Lösungsmittel für die neue Säure, in Äther, Chloroform und selbst in Eisessig ist sie schwierig, in Petroläther gar nicht zu lösen. Wässerige Lösungen der Alkalien nehmen sie mit gelber Farbe auf unter Bildung der Alkalisalze. Die quantitative Bestimmung des Bariums bei dem entsprechenden Salze bestätigt das Vorhandensein der Säure, da 20,73 p. c. Ba gefunden und 20,45 p. c. Ba berechnet sind. Die Anwesenheit von Schwefel ist qualitativ konstatiert worden. Das Sulfochlorid dieser Verbindung läfst sich schon dadurch gewinnen, dafs man Phosphorpentachlorid auf die freie Säure einwirken läfst.

P. Mohr ist mit dem Studium gedachter Säure und ihrer Derivate im Claus'schen Laboratorium beschäftigt und wird somit später auf diesen Gegenstand zurückkommen.

Von den sechs Dinitrobenzolsulfosäuren, die sich nach Kekule's Theorie vom Benzol ableiten lassen, sind schon im Jahre 1876 zwei durch Limpricht bekannt geworden. Die beststudierte dieser beiden Säuren ist die symmetrische Dinitrobenzolsulfosäure, die durch Sulfonierung des m-Dinitrobenzols und durch Nitrierung der m-Nitrobenzolsulfosäure erhalten worden ist. Die Erzeugung ein und derselben Dinitrobenzolsulfosäure aus jenen beiden verschiedenartigen Ausgangsprodukten läfst nur auf die (1:3:5) Stellung der Substituenten schliefsen. Auch die zweite Limpricht'sche Säure kann nicht mit der a-m-Dinitrobenzolsulfosäure identisch sein, da sie durch Nitrierung der m-Nitrobenzolsulfosäure neben der s-m-Dinitrobenzolsulfosäure entsteht, diese aber die einzig denkbare m-Dinitrosulfosäure unter den vier von dieser Mononitrosulfosäure abzuleitenden Verbindung ist. (Tagebl. der Naturf.-Vers. zu Magdeburg 1884. 303—4.)

J. Ch. Essner u. E. Gossin, *Einwirkung von aktivem und inaktivem Amylchlorid und Amylen auf Toluol bei Gegenwart von Chloraluminium.* Das aktive Amylchlorid reagiert mit der gröfsten Leichtigkeit auf Toluol bei Gegenwart von Chloraluminium unter Entwicklung von Salzsäure. Das Reaktionsprodukt giebt nach dem Waschen und Destillieren eine Reihe von Produkten, von denen das zwischen 205 und 215° siedende in reichlichster Menge übergeht. Nach wiederholter Rektifikation siedet es zwischen 207 und 209°. Es hat die Zusammensetzung und die Dampfdichte 5,49 und 5,54 (5,60 berechn.) des Amyltoluols $C_{12}H_{18}$, ist farblos, von aromatischem, schwach campherartigem Geruche; spez. Gew. 0,8679 bei 22°. Bei der Oxydation mit Kaliumpermanganat bei 100° giebt es nach zehn Tagen eine Lösung, welche nur Isophtalsäure zu enthalten scheint. Es ist indes auch eine geringe Menge Terephtalsäure und Spuren gewöhnlicher Phtalsäure vorhanden.

Die Fraktion 200—205°, welche den von Pabst erhaltenen Körper enthalten könnte, wurde analysiert und gab ebenfalls einen Körper von der Zusammensetzung des Amyltoluols, welcher aber bei der Oxydation mit Permanganat nur m-Phtalsäure und o-Phtalsäure gab. Der von Pabst nach der Methode von Zincke erhaltene Körper scheint sich also bei der Reaktion von Friedel und Crafts nicht zu bilden.

Das inaktive Amylchlorid reagiert ebenfalls auf Toluol und giebt ein bei 207—209° siedendes Produkt von der Zusammensetzung des Amyltoluols, welches überdies in allen Eigenschaften mit dem durch das aktive Chlorid erhaltenen übereinstimmt.

Amylen reagiert in der Kälte auf Toluol; die beste Ausbeute erhält man aber nach folgendem Verfahren. Ein Ballon mit langem Hals wird mit 500 g Toluol und 25 g Aluminiumchlorid beschickt und mit einem Rückflufskühler verbunden. Dieses Gemenge erhitzt man auf 25—30°. Das Amylen trägt man in kleinen Mengen mittels eines Hahntrichters ein; die Reaktion tritt unter allmählicher Erwärmung sofort ein. Wenn sämtliches Amylen (200 g) zugesetzt ist, so schüttelt man den Ballon um, worauf das Gemenge zum Sieden kommt; die Reaktion ist so energisch, dafs die Toluoldämpfe bis in die Mitte des Rückflufskühlers hinaufsteigen. Es entwickelt sich keine Salzsäure, und am oberen Ende des Rückflufskühlers kann kein Geruch von Amylen wahrgenommen werden. Sobald die Mischung zu sieden aufgehört hat, wird sie gewaschen und destilliert. Das Destillat giebt ungefähr 200 g einer farblosen, zwischen 206 und 210° siedenden Flüssigkeit. Dieselbe besitzt alle physikalischen Eigenschaften des Amyltoluols aus aktivem und inaktivem Amylchlorid; sein Geschmack ist scharf und stechend. Die Analyse ergab die Formel $C_{12}H_{18}$; die Dampfdichtebestimmung ergab 5,52 und 5,57 (ber. 5,60), spez. Gew. 0,8647 bei 20°.

Bei der Oxydation mit Permanganat entsteht hauptsächlich m-Phtalsäure und eine kleine Menge o- und p-Phtalsäure. Mit Brom entsteht ein unkrystallisierbares flüssiges Bromid, welches ein Gemenge mehrerer bromierter Derivate zu sein scheint. Durch gewöhnliche Schwefelsäure wird das Amyltoluol weder in der Wärme noch in der Kälte gelöst, mit rauchender Schwefelsäure scheint sich eine Sulfoverbindung zu bilden. Mit rauchender Salpetersäure färbt es sich intensiv blau. Diese Reaktion haben die Vf. schon bei anderen Benzolderivaten, z. B. dem Butylbenzol, beobachtet. Das Amylbenzol giebt eine Rosafärbung. Die Färbung verschwindet auf Zusatz von Wasser. Durch Salpeterschwefelsäure wird ein rascher Angriff bewirkt, wobei sich nitrose Dämpfe entwickeln und ein gelbes, flüssiges, unkrystallisierbares Nitroderivat entsteht.

Es geht hieraus hervor, dafs das Produkt, welches aus aktivem und inaktivem Amylchlorid entsteht, mit dem aus Amylen erhaltenen identisch ist. Diese Thatsache erklärt sich, wenn man annimmt, dafs das Aluminiumchlorid auf die alkoholischen Chloride derart wirkt, dafs Salzsäure frei wird, und dafs der dadurch entstehende nicht gesättigte Kohlenwasserstoff in direkte Verbindung mit dem aromatischen Kohlenwasserstoff tritt:

$$\begin{array}{c} CH_3 \\ CH_3 \end{array}\!\!>\!\! C\!=\!CH\!-\!CH_3 \; + \; C_6H_5.CH_3 \; = \; \begin{array}{c} CH_3 \\ CH_3 \\ C_6H_5 \end{array}\!\!>\!\! C.C_6H_4.CH_3.$$

Das aktive Amylchlorid verliert Salzsäure und giebt Amylen, welches sich mit dem Toluol zu tertiärem *Isoamyltoluol* vereinigt. Das inaktive Amylchlorid verliert nicht nur die Elemente der Salzsäure, sondern muſs noch eine molekulare Umlagerung erfahren, um denselben Körper zu geben. Die Konstitution dieses Isoamyltoluols kann also leicht aus der Bildungsweise desselben abgeleitet werden. Es würde hiernach ein *Dimethyl-äthylmetakresylmethan* sein. (Bull. Par. **42.** 213—17. 5. Sept.)

C. Willgerodt, *Über einige neue Methoden der Jodierung phenolartiger Körper.* (Tagebl. der Naturf.-Vers. zu Magdeburg. 1884. 304—6.)

Leuckhardt, *Über eine Synthese aromatischer Monocarbonsäuren, welche sich auf eine Wechselwirkung zwischen aromatischen Kohlenwasserstoffen und Cyanaten bei Gegenwart von Aluminiumchlorid gründet.* (Tagebl. der Naturf.-Vers. zu Magdeburg. 1884. 310—11.)

Emil Schilling, *Über Caffeïnmethylhydroxyd.* Die Resultate dieser Untersuchungen sind folgende: 1. Die Bindung der Methylgruppe an das Caffeïn in den Verbindungen: Caffeïnmethyljodid, Caffeïnmethylchlorid und Caffeïnmethylhydroxyd ist nur eine lockere, da die betreffenden Verbindungen schon bei Temperaturen von gegen 200° C. in ihre Komponenten gespalten werden.

2. Die wässerige Lösung des Caffeïnmethylhydroxyds erleidet bei Temperaturen von nahe 200° C. eine Zersetzung; als Spaltungsprodukte treten hierbei: Sarkosin, Methylamin, Kohlensäure und Ameisensäure auf.

3. Caffeïnmethylhydroxyd giebt mit trocknem Brom zunächst ein Additionsprodukt, das jedoch so leicht zersetzbar ist, daſs es schon beim Zusammenbringen mit Wasser eine Spaltung erleidet; die bezüglichen, infolge eintretender Oxydation entstandenen Produkte bestehen aus Allocaffeïn, Cholestrophan, Methylamin und Bromwasserstoff.

4. Bei der Oxydation des Caffeïnmethylhydroxyds mit Chromsäure entstehen Cholestrophan, Methylamin, Ameisensäure und Kohlensäure.

5. Bei der Einwirkung von Salzsäure und Kaliumchlorat wird das Caffeïnmethylhydroxyd in Dimethylalloxan, Allocaffeïn, Amalinsäure, Cholestrophan und Methylamin gespalten.

6. Salpetersäure wirkt sofort oxydierend auf Caffeïnmethylhydroxyd ein; die betreffenden Oxydationsprodukte bestehen aus Cholestrophan, Methylamin und Kohlensäure.

7. Bei der Einwirkung von Schwefelsäure auf Caffeïnmethylhydroxyd werden Dimethyldialursäure, Ameisensäure und Methylamin gebildet. Die Dimethyldialursäure erleidet allmählich infolge ihrer leichten Zersetzbarkeit eine weitere Oxydation zu Amalinsäure.

8. Ebenso wie durch Säuren, erfährt das Caffeïnmethylhydroxyd auch beim Behandeln mit Alkalien eine Zersetzung; bei der Einwirkung von Barythydrat auf Caffeïnmethylhydroxyd entstehen: Sarkosin, Methylamin, Kohlensäure und Ameisensäure.

9. Das bei der Bromierung des Caffeïnmethylhydroxyds infolge weiterer Oxydation entstandene Allocaffeïn ist als methyliertes Apocaffeïn aufzufassen, ebenso ist die beim Kochen des Allocaffeïns mit Wasser auftretende Säure als eine Methylcaffursäure anzusehen.

10. Unter den verschiedenen Spaltungsprodukten des Caffeïnmethylhydroxyds tritt stets nur Methylamin auf, nie ein Gemisch substituierter Aminbasen mit Ammoniak, wie solches in den entsprechenden Fällen beim Caffeïn beobachtet wird.

Wenn man nun auf grund dieser experimentellen Resultate einen Schluſs auf die Konstitution des Caffeïnmethylhydroxyds, bezüglich des Caffeïns ziehen wollte, so wäre in erster Linie die Frage zu beantworten, in welcher Weise die Gruppe CH₂OH an das Caffeïn angelagert ist. Von den für das Caffeïn aufgestellten Konstitutionsformeln zieht Vf. nur zwei, welche höheren Grad von Wahrscheinlichkeit besitzen, als die von STRECKER acceptierte Formel, in betracht, nämlich:

1. Die von MEDICUS (Ann. **175.** 250) aufgestellte Formel (I), nach welcher sich die

I·

$$\begin{array}{l} CH_3N\!-\!CO \\ \quad | \qquad | \quad \diagdown CH_3 \\ \quad CO \; C\!-\!N \\ \quad | \qquad || \quad \diagup CH \\ CH_3N\!-\!C\!-\!N \end{array}$$

II·

$$\begin{array}{l} CH_3N\!-\!CO \\ \quad | \qquad | \quad \diagdown CH_3\,H \\ \quad CO \; C\!-\!N\!\diagdown \; C \\ \quad | \qquad || \qquad \diagup \diagdown \\ CH_3N\!-\!C\!-\!N \quad \diagdown OH \\ \qquad\qquad\qquad\quad CH_3 \end{array}$$

Anlagerung der Gruppe CH_3OH in der Weise veranschaulichen lassen würde, daß die doppelte Bindung zwischen dem N- und C-Atom aufgehoben und an das N-Atom die Gruppe CH_3, an das C-Atom die Gruppe OH angelagert wird (II).

2. Die von E. Fischer (Ann. 215. 314) aufgestellte Formel (III); auch bei dieser

III.   IV.

wäre das mit einem C-Atom durch doppelte Bindung verbundene N-Atom der Ort, an dem die Methylgruppe angelagert zu denken ist, während die Hydroxylgruppe sich nach Aufhebung der doppelten Bindung an das C-Atom anlagert (IV).

Welche von beiden Formeln als die richtigere anzusehen ist, wagt Vf. nicht zu entscheiden. Mit der von Medicus für das Caffeïn aufgestellten und davon abgeleiteten Formel des Caffeïnmethylhydroxyds ist die Bildung der Dimethyldialursäure (welche bei der Einwirkung von Schwefelsäure auf Caffeïnmethylhydroxyd entsteht) am besten in Einklang zu bringen. Nach den Angaben von Maly und Andreasch (Monatsh. f. Chem. 3. 105—6) ist die Konstitutionsformel der Dimethyldialursäure:

Dieselbe würde sich deshalb nicht von der von E. Fischer aufgestellten Formel ableiten lassen, weil in derselben an dem oberen N-Atom des Dimethylharnstoffrestes CH_3N--CO--CH_3N die Gruppe CH angelagert ist, während bei der Dimethyldialursäure an dieser Stelle die Gruppe CHOH steht.

Die übrigen Bildungsweisen der Spaltungsprodukte lassen sich aber ebensogut von der von E. Fischer aufgestellten Formel ableiten, und wäre es immerhin nicht undenkbar, daß gerade bei dieser Reaktion eine Umlagerung der einzelnen Atome stattfindet. (Ztschr. f. Naturwissensch. [4.] 3. 207—57.)

H. Beckurts, *Zur Kenntnis des Strychnins.* Das Ferrocyanstrychnin, welches die Zusammensetzung $(C_{21}H_{22}N_2O_2)_4H_4FeCN_6 + 4H_2O$ besitzt, wird durch Fällen einer Strychninsalzlösung mit einer Lösung von Ferrocyankalium in Form eines gelblichweißen Niederschlages erhalten und krystallisiert, entweder in gelblichweißen Nadeln oder soliden vierseitigen Prismen. Es zeigt, wie Vf. schon früher berichtete, ein eigentümliches Verhalten, indem es sich, längere Zeit Licht und Luft ausgesetzt, allmählich unter Annahme einer gelben Färbung in Ferricyanstrychnin umsetzt. Dabei wird aber nicht, wie Vf. anfangs glaubte, Oxystrychnin gebildet, sondern das Ferrocyanstrychnin durch Einfluß von Licht und Luft gemäß der Gleichung

$$2([C_{21}H_{22}N_2O_2]_4H_4FeCN_6) + O = (C_{21}H_{22}N_2O_2)_6H_6Fe_2CN_{12} + 2(C_{21}H_{22}N_2O_2) + H_2O$$

in Ferricyanstrychnin, Wasser und Strychnin gespalten. Das reine Alkaloid krystallisierte in wasserfreien, vierseitigen Prismen und erwies sich bei fraktionierter Krystallisation als Weingeist als ein einheitlicher, bei 285° (unc) unter Schwärzung schmelzender Körper. Die Elementaranalyse verschiedener Krystallisationen ergab Zahlen, welche auf die Formel $C_{21}H_{22}N_2O_2$ für das Strychnin hinweisen. Auch die Zusammensetzung der Mono- und Dibromstrychnine spricht für das Vorhandensein von 21 Atomen Kohlenstoff und 22 Atomen Wasserstoff in dem Molekül des Strychnins. Das Ferrocyanstrychnin wird durch Einwirkung von Brom in wässeriger Lösung in Ferricyanstrychnin umgewandelt, daneben entstehen je nach der Menge des angewandten Broms Gemenge von Strychnin und Monobromstrychnin, resp. Mono- und Dibromstrychnin.

Es wurden folgende Salze dargestellt und analysiert. Bromstrychnin $C_{21}H_{21}BrN_2O_2$; chlorwasserstoffsaures Bromstrychnin $C_{21}H_{21}N_2O_2Br.HCl$; bromwasserstoffsaures Bromstrychnin $C_{21}H_{21}BrN_2O_2HBr$; salpetersaures Bromstrychnin $C_{21}H_{21}BrN_2O_2HNO_3$; schwefelsaures Bromstrychnin $(C_{21}H_{21}BrN_2O_2)_2H_2SO_4 + 7H_2O$; Dibrom- Tribromstrychnin; salzsaures Dibromstrychnin $C_{21}H_{20}Br_2N_2O_2HCl$; bromwasserstoffsaures Dibromstrychnin $C_{21}H_{20}Br_2N_2HBr$.

Weitere noch nicht abgeschlossene Versuche scheinen zu beweisen, daß Bromstrychnin mit mehr als drei Atomen Brom im Moleküle nicht existiert, daß auch das Tribromstrychnin schon Additions- und Substitutionsprodukt ist, wofür außer anderen

Thatsachen auch diejenige spricht, dafs jener gelbe, die Zusammensetzung eines Tribromstrychnins besitzende Niederschlag auch bei Darstellung des Monobromstrychnins bei dem jedesmaligen Zusatze von Brom entsteht, nach dem Umrühren aber wieder verschwindet. (Tagebl. d. Naturf.-Vers. zu Magdeburg. 1884. 311—13.)

Jul. Schiff, *Das ätherische Öl von Sassafras officinalis.* (Tagebl. d. Naturf.-Vers. zu Magdeburg. 1884. 79—81.)

Poleck und **Samelson,** *Über das Jalapin.* Das Jalapin ist ein harzartiges Glykosid, welches in den Knollen von Ipomoea orizabensis Ledanois enthalten ist und diesen durch Alkohol entzogen werden kann, ist mehrfach Gegenstand chemischer Arbeiten gewesen. Die erste eingehendere Untersuchung rührt von MAYER her, welcher dem Körper den wenig geeigneten Namen Jalapin gab, dann war es SPIRGATIS, welcher zuerst die Identität des Jalapins mit dem in den Knollen von Convolvulus Scammonia L. vorhandenen Scammonin nachwies.

SAMELSON gelangte in seiner Arbeit zu nachstehenden, von den früheren Untersuchungen abweichenden Resultaten.

Die Analyse des nach bekannten Methoden rein dargestellten Glykosids führte zu der von MAYER gefundenen Elementarzusammensetzung und zu derselben Formel $C_{34}H_{56}O_{16}$, welche ihre volle Bestätigung in der Zusammensetzung der Derivate findet. Das Jalapin wird durch Behandeln mit Barytwasser in der Siedehitze gelöst und geht in das Bariumsatz der Jalapinsäure über, deren Zusammensetzung $C_{17}H_{30}O_{9}$ durch die Analyse ihres Baryum- und ihres Bleisalzes festgestellt, und deren Entstehung durch die Gleichung:

$$C_{34}H_{56}O_{16} + 2\,Ba(OH)_{2} = 2\,C_{17}H_{28}O_{9}Ba + 2\,H_{2}O$$
$$\text{Jalapin} \qquad\qquad \text{Jalapinsaures Barium}$$

ausgedrückt wird. Es ist daher das Jalapin das Anhydrid der zweibasischen Jalapinsäure, deren Salze, wie sie selbst, sämtlich in Wasser löslich sind. Diese einfachen Beziehungen zwischen Jalapin und Jalapinsäure sind von den früheren Forschern nicht erkannt worden.

Wenn Jalapin in kleinen Portionen mit verdünnter Salzsäure behandelt wird, so wird es in Traubenzucker, Dextrose und in einen in Wasser unlöslichen harzartigen Körper, das *Jalapinol*, gespalten, welches aus Alkohol in langen feinen Nadeln krystallisiert und bei ca. 63° schmilzt. Die Analyse desselben führt zu der Formel $C_{16}H_{30}O_{4} + \frac{1}{2}H_{2}O$. Das Jalapinol besitzt alle Eigenschaften eines Aldehyds. Es ist in Wasser unlöslich, leicht löslich in Alkohol und Äther. Eine frisch bereitete alkoholische Lösung reagiert neutral, nach längerem Stehen an der Luft aber sauer. Es reduziert ammoniakalische Silberlösung, indem sich schon bei gewöhnlicher Temperatur nach einiger Zeit ein metallischer Silberspiegel bildet. Es verbindet sich mit saurem, schwefligsaurem Kalium zu einer krystallisierten Verbindung, deren Zusammensetzung auf Grund der Kohlenstoff-, Wasserstoff- und Schwefelbestimmung durch die Formel $C_{16}H_{30}O_{8}HKSO_{3}$ ihren Ausdruck findet.

Die Aldehydnatur des Jalapinols geht aber zweifellos aus seinem Verhalten gegen alkoholische Lösung von Kaliumhydroxyd hervor, durch deren Einwirkung die Aldehyde die ihnen entsprechenden Säuren und Alkohole liefern. Dies war hier der Fall. Durch Aufnahme von einem Atom Sauerstoff entstand einerseits die zweibasische *Jalapinolsäure*, $C_{16}H_{30}O_{5}$, und andererseits Isobutylalkohol, $C_{4}H_{10}O$, neben einem indifferenten Harz, welches sich wahrscheinlich, analog dem Acetaldehydharz, durch eine Polymerisation des Jalapinols bildete. Die Zusammensetzung der Jalapinolsäure wurde durch die Analysen des Barium- und Silbersalzes festgestellt. Die freie Säure ist in Wasser unlöslich, leicht löslich in Alkohol und Äther, aus deren Lösungen sie in weifsen Nadeln krystallisiert, welche bei 64° schmelzen.

Durch Kaliumpermanganat wurde das Jalapinol zu einer flüchtigen flüssigen Säure, der Isobuttersäure, $C_{4}H_{8}O_{2}$, und zu einer festen, flüchtigen Säure, der Oxyisobuttersäure, $C_{4}H_{8}O_{3}$, oxydiert. Andere Oxydationsprodukte traten dabei nicht auf. Beide Säuren wurden durch die Analyse ihrer Barium- und Silbersalze identifiziert. Die Oxyisobuttersäure ist zweifellos Oxydationsprodukt der in erster Linie entstandenen Isobuttersäure. Diese glatte Oxydation des Jalapinols zu Isobuttersäure erklärt in befriedigender Weise das Auftreten des Isobutylalkohols bei der Behandlung des Jalapinols mit Kaliumhydroxyd. Man kann in der That das Jalapinol als Tetrabutylaldehyd ansehen, welchem bei seiner Darstellung aus dem Jalapin durch die Behandlung mit Salzsäure ein Molekül Wasser entzogen wurde, analog der Entstehung des Crotonaldehyds aus zwei Molekülen Acetaldehyd. Während ein Teil des Jalapinols durch Kaliumhydroxyd unter Aufnahme von einem Atom Sauerstoff in Jalapinolsäure übergeführt wurde, wurde ein anderer Teil unter Aufnahme von einem Molekül Wasser zu vier Molekülen Isobutylalkohol reduziert, dessen Identität durch den Geruch und Siedepunkt nachgewiesen wurde, da er nach seiner Entwässerung durch Chlorcalcium und wasserfreies Kupfersulfat zum gröfsten Teil bei

814

ca. 109° C. destillierte, aber nur in verhältnismäfsig geringer Menge erhalten wurde, so dafs Analyse und Dampfdichtebestimmung späteren Versuchen vorbehalten wird. Während bei der Oxydation des Jalapinols mit Kaliumpermanganat nur Iso- und Oxyisobuttersäure erhalten wurden, trat bei der gleichen Behandlung des Jalapins neben diesen Säuren auch noch Oxalsäure auf, deren Entstehung sich leicht aus der Anwesenheit des Zuckermoleküls in diesem Glykosid erklärt. Wurde dagegen das Jalapin mit rauchender Salpetersäure oxydiert, so wurden Kohlensäure, Isobuttersäure und die bereits von MAYER beobachtete Ipomsäure, $C_{10}H_{18}O_4$, erhalten. Letztere ist mit der Adipinsäure zwar isomer, aber nicht identisch, und bleibt die Feststellung ihrer chemischen Struktur weiteren Versuchen vorbehalten. Die Identität dieser Oxydationsprodukte des Jalapins wurde durch die Analyse der Calcium-, Kupfer- und Silbersalze festgestellt.

Die Resultate der Arbeit lassen sich kurz dahin zusammenfassen, dafs das Jalapin das Anhydrid der Jalapinsäure ist und durch Säuren in Jalapinol und Traubenzucker zerlegt wird. Das Jalapinol ist ein Aldehyd, welches durch Kaliumhydroxyd einerseits in Jalapinolsäure, und andererseits in Isobutylalkohol übergeführt wird. Die Oxydationsprodukte des Jalapins und des Jalapinols sind vorzugsweise Iso- und Oxyisobuttersäure. Die Arbeit wird fortgesetzt und auf das Convolvulin ausgedehnt, welches drei Atome Kohlenstoff und sechs Atome Wasserstoff mehr enthält als das Jalapin. (Tagebl. d. Naturf.-Vers. zu Magdeburg. 1884. 81—82.)

W. A. H. Naylor, *Die Gewinnung des Alkaloides aus Hymenodictyon excelsum.* Das aus der Pflanze erhaltene Alkaloid, welches Vf. „Hymenodictyonin" nennt, besitzt die Formel $C_{22}H_{40}N_2$ und ist als eine tertiäre Diaminbase und als ein Homologes des Nicotins aufzufassen. In Berührung mit kalter konzentrierter Schwefelsäure nimmt es eine citronengelbe Farbe an, welche bald in weinrot übergeht. Die Krystallisation gelang durch sehr langsames Verdunstenlassen der wässerigen Lösung. Die Drogue wird als Tonicum und Febrifugum bei den Hindus angewendet. Physiologische Versuche damit werden in Angriff genommen werden. (Von der British Pharmaceutical Conference; Chem. and Drug. 1884. 375. August; Pharm. Ztg. 29, 670.)

O. Hammarsten, *Über die mucinartigen Substanzen und ihr Verhältnis zu den Eiweifsstoffen.* Die abweichende elementare Zusammensetzung der verschiedenen bisher analysierten Mucine rührt nicht allein von einer ungleichen Reinheit der analysierten Präparate her, denn einerseits haben die Mucinsubstanzen verschiedenen Ursprungs unzweifelhaft eine ungleiche elementare Zusammensetzung und andererseits giebt es auch Stoffe, die wegen ihres Verhaltens zur Essigsäure für Mucine gehalten und als solche analysiert worden sind, obwohl ihre Mucinnatur mindestens sehr fraglich ist. Die Eigenschaft, von Essigsäure gefällt zu werden, kommt zwar dem typischen Mucin zu, ist aber nichts für diesen Stoff Spezifisches. Auf dieselbe Weise verhalten sich nämlich auch andere, proteïnartige Protoplasmabestandteile; die Anwendung der Essigsäure als mikrochemisches Reagenz auf Mucin kann deshalb auch unter Umständen zu Täuschungen führen.

Zu einigen der gewöhnlichen Eiweifsreagenzien verhält sich nicht alles Mucin in gleicher Weise, und wie man verschiedene Eiweifsstoffe unterscheidet, so kann man auch verschiedene Mucine unterscheiden. Es kann also nicht von einem Mucin die Rede sein, man mufs vielmehr von Mucinstoffen oder von einer Mucingruppe sprechen.

Bezüglich der elementaren Zusammensetzung, welche für die verschiedenen Mucine, wie für die verschiedenen Eiweifsstoffe eine etwas wechselnde ist, zeichnen sich alle bisher analysierten Mucine den Eiweifsstoffen gegenüber, durch einen niedrigen Stickstoffgehalt — etwa 12—14 p. c. — aus. Der Schwefelgehalt ist in den verschiedenen Mucinen ebenfalls ein sehr verschiedener, 2—5 p. c., und es ist nicht entschieden, ob es überhaupt (wie dies von älteren Forschern behauptet worden ist), schwefelfreies Mucin giebt. Ebensowenig läfst es sich jetzt sagen, ob ein beobachteter Gehalt des Mucins an Phosphor von einer Beimengung mit Nucleïn herzuleiten sei.

Beim Kochen mit verdünnten Mineralsäuren liefert jedes typische Mucin neben Acidalbuminat und weiteren Zersetzungsprodukten des Eiweifses eine Substanz, die in alkalischer Lösung Kupferoxyd reduziert. Die Menge dieser Substanz ist bei einigen Mucinen eine so geringe, dafs man sie leicht übersehen kann, um so eher, als das Kupferoxydul von dem gleichzeitig entstandenen Acidalbuminat in Lösung gehalten werden kann.

Die Fähigkeit, beim Sieden mit verdünnten Säuren eine reduzierende Substanz zu geben, die physikalische zähe Beschaffenheit und das Verhalten zu Essigsäure sind die drei wichtigsten Eigenschaften, welche die Mucinstoffe in qualitativer Hinsicht von den Eiweifsstoffen unterscheiden. Es ist jedoch nicht zu übersehen, dafs es im Tierreiche Stoffe giebt, welche namentlich rücksichtlich der zwei letztgenannten Eigenschaften gewissermafsen Übergangsstufen zwischen Mucin und Eiweifs darstellen.

Die beim Kochen mit verdünnten Säuren entstehende reduzierende Substanz rührt nicht von irgend einer fremden, dem Mucin als Verunreingung beigemengter Substanz her, sondern von einem Spaltungsprodukte des Mucins. Durch geeignete Behandlung mit Kalilauge bei Zimmertemperatur ist es auch gelungen, aus allen auf diese Weise bisher behandelten Mucinen ein Kohlehydrat zu erhalten, welches mit dem tierischen Gummi von LANDWEHR (**84.** 170) identisch zu sein scheint. Dieses Kohlehydrat giebt beim Sieden mit verdünnten Säuren die fragliche reduzierende Substanz.

Ein Gemenge von Gummi (sei es tierischem oder vegetabilischem) mit Globulinen oder Albuminaten verhält sich in mehreren Beziehungen (physikalisch wie chemisch) ganz anders wie die Mucine, wenn es auch in einigen Hinsichten mit ihnen übereinstimmt. Es liegt auch gar kein Grund vor, die Mucine als Gemenge von Gummi mit Eiweißstoffen anzusehen. Vielmehr spricht vieles dafür, daß die Mucine zusammengesetzte Proteïne sind, welche unter Umständen in Eiweißstoffe und Kohlehydrat sich spalten können. (Aus der Sektion für Physiologie des 8. internation. mediz. Kongresses in Kopenhagen 1884. d. Wien. Med.-Bl. **7.** 1195—1176.)

Greshoff, *Notizen zur Kentnis der Farbstoffe der Bixa Orellanea.* Vf. isolierte aus den Früchten der Bixa 2,046 p. c. Bixin nach der Vorschrift ETTI's (**74,** 328 u. **78,** 249. 725). Derselbe bestätigte die von ETTI über das Bixin gemachten Beobachtungen; bei 110° giebt die Verbindung ein Sublimat von saurer Eigenschaft. Nach dem Schmelzen bei 174° entwickeln sich bei 190° saure Dämpfe; bei 215° verwandelt sich das Bixin in eine braune harzige Masse, bei 225° entsteht von neuem ein Sublimat von schönen glizernden Blättchen. Das spezifische Gewicht des krystallisierten Bixins beträgt (nach dem Trocknen bei 105°) bei 15° C. 1,070. Längere Zeit in Wasser, in dem es unlöslich ist, erhitzt, wird es amorph; dieselbe Veränderung erleidet es bei gewöhnlicher Temperatur. Unter dem Einfluß von Luft und Wasser zugleich findet eine Entfärbung des Bixins statt. Vf. konnte keinen Unterschied zwischen den Reaktionen des krystallisierten, amorphen Bixins und der harzigen ätherlöslichen Masse finden; alkalische Kupferlösung wird nicht von diesen Körpern reduziert; selbst nach dem Erhitzen des Bixins mit verdünnter Schwefelsäure findet eine Reduktion nicht statt. (N. Tijdschrift voor Pharm. in Neederland 1884 Juni; Rec. des Trav. Chim. des Pays-Bas **3.** 165—167.)

5. Physiologische, medizinische und pharmazeutische Chemie.

Krannhals, *Über das kumysähnliche Getränk „Kephir" und über den „Kephirpilz"* (vgl. **84,** 126 u. 181). Die Kephirkörner bestehen aus Bakterien und Hefezellen. Als Krankheiten derselben gelten das „Sauerwerden", wobei die Milch klumpig gerinnt, und die Milchsäurebildung vorherrscht und die „Verschleimung" der Körner, welche von einem stark fadenziehenden Schleim überzogen sind und ein süßliches, fades Getränk liefern. Die Hefe ist als eine Kulturhefe anzusehen, welche sich durch Knospung vermehrt, und bei der bis jetzt eine Sporenbildung nicht beobachtet wurde. Die für die Kephirgärung spezifischen Bacillen vermehren sich durch Teilung und eine fast immer an beiden Enden eintretende Sporenbildung (KERN's dispora caucasica); hin und wieder konnte ein Zerfall des ganzen Stäbchens in ovale Körperchen beobachtet werden.

Die chemische Wirkung der Körner setzt sich aus drei Faktoren zusammen, indem ein Teil des Zuckers in Milchsäure, ein anderer Teil in Alkohol und Kohlensäure zerlegt wird, und ein Teil des Caseïns und Albumins peptonisiert wird. Bei Temperaturen über 25° C. herrscht die Milchsäuregärung vor, während bei 13—14° die drei Umsetzungen in richtiger Weise nebeneinander verlaufen. Das Caseïn erscheint dabei in feinen Flocken geronnen und sammelt sich bei ruhigem Stehen in der oberen Hälfte der Flasche an, während in der unteren Hälfte sich die ziemlich klare Molke befindet. Beim Schütteln tritt wieder eine gleichmäßige Emulsion ein. (D. Arch. f. klin. Med. **35,** 18; Fortschr. d. Med. **2.** 612—14.)

Berthelot und **André,** *Untersuchungen über die Vegetationsvorgänge einer einjährigen Pflanze.* Amarantaceen. Die Zahl der Gewächse ist so groß, und die Bedingungen ihres Lebens sind so verschieden, daß man nicht hoffen darf, dieselben durch das Studium einer einzigen Pflanzenspezies in allgemeiner Weise festzustellen. Eine solche Spezialuntersuchung war aber nötig, um das Problem zu präzisieren und auf bestimmte Daten zu beziehen: aus diesem Grunde haben die Vff. zunächst ihre Untersuchungen über den Borrätsch mitgeteilt. Allein sie haben gleichzeitig den Vegetationsverlauf von noch anderen Pflanzen untersucht, welche, mit Ausnahme einer einzigen, zur Gruppe der salpeterbildenden Pflanzen gehören. In den folgenden Tabellen sind die Resultate dieser Untersuchungen zusammengestellt:

II. *Amarantus caudatus.*

	Beginn der Vegetation 29. Mai	Beginn der Blüte 30. Juni	Blüte 11. Sept.	Auf d. Stengel getrocknet 19. Okt.
	g	g	g	g
Blätter . . .	49,0	40,45	16,0	15,2
Stengel . . .	40,2	39,95	28,5	22,1
Wurzeln . . .	10,8	15,9	10,4	4,3
Blütenstand . .	0,0	3,7	45,1	58,4
	100,0	100,0	100,0	100,0
Ganze Pflanze	0,610	16,15	177,8	287,9

Die relativen Mengen der Blätter und Wurzeln nehmen stetig ab, wie sich auch schon aus dem blofsen Anblicke der Pflanze sofort ergiebt.

	Samen	Pflänzchen	Beginn d. Vegetat. 29. Mai	Beginn d. Blüte 30. Juni	Blüte 11. Sept.	Fruchtr. 19. Okt.
Absolute Gewichte	g	g	g	g	g	g
Holzfaser	0,00051	0,00039	0,216	8,770	124,3	201,8
Eiweifskörper . . .	0,00076	0,00013	0,093	0,973	10,63	19,0
Extrakt etc. . . .	0,00025	0,00047	0,160	3,471	20,74	29,8
Kaliumcarbonat. . .	0,00011	0,00009	0,0845	2,662	9,69	20,3
Feste unlösliche Stoffe .	0,00013	0,00023	0,0555	1,017	13,16	16,3
Gesamtgew. d. Pflanze	0,000635	0,0013	0,610	16,150	177,8	287,9
Prozent. Zusammensetzung						
Holzfaser	80,1	30,0	35,4	54,3	69,4	70,1
Eiweifskörper . . .	12,0	10,0	15,3	6,1	6,1	6,6
Extrakt	4,0	36,2	26,3	21,6	11,7	10,4
Kaliumcarbonat. . .	1,7	8,2	13,9	11,7	5,4	5,6
Feste unlösliche Stoffe .	2,2	15,6	9,1	6,3	7,4	7,3
Gesamtgew. d. Pflanze	100,0	100,0	100,0	100,0	100,0	100,0

Das relative und absolute Übergewicht der Holzfaser tritt im Laufe der Vegetation mehr und mehr hervor, ganz wie beim Borrätsch. Die löslichen Substanzen nehmen weniger schnell zu. Die Bildung beider Arten von Pflanzenstoffen entspricht hauptsächlich der Fixation von Kohlenstoff und der Elemente des Wassers, wodurch vorwiegend die Gewichtszunahme der Pflanze bedingt wird. Die Eiweifskörper nehmen ebenfalls ihrer absoluten Menge nach zu, aber ihre relative Menge variiert nach einem anderen Gesetz: sie ist bei Amarantus caudatus, ebenso wie beim Borrätsch, am gröfsten vor der Blüte: dann nimmt sie rasch ab. Doch ist diese Oscillation von 15 : 6 beim Amarantus kleiner als beim Borrago (21 : 3). Die Kaliumsalze, welche den Gehalt an organischen Säuren und an Salpetersäure repräsentieren, also dafs Phänomen der Oxydation repräsentieren. nehmen in absoluter Menge stetig zu. Ihre relative Menge ist am gröfsten in derjenigen Periode, in welcher auch der Gehalt an Eiweifskörpern am gröfsten ist. nämlich vor der Blüte. Dieses dreifache Maximum weist in frappanter Weise auf die gröfsere Intensität der Lebensvorgänge in dieser Periode hin. Die unlöslichen Substanzen endlich nehmen iu absoluter Menge ebenfalls zu, aber langsamer. Ihre relative Menge ist im jungen Pflänzchen am gröfsten, und zuletzt übertrifft sie die der Kaliumsalze bei Amarantus sowohl wie bei Borrago.

III. *Amarantus nanus.*

	29. Mai	22. Juni	30. Juni	7. Sept.
	g	g	g	g
Blätter . . .	52,0	37,5	47,1	11,4
Stengel . . .	34,1	28,3	36,3	13,4
Wurzeln . . .	9,6	15,5	10,4	3,1
Blüten . . .	4,3	18,7	6,3	72,1
	100,0	100,0	100,0	100,0
Gesamtgewicht der Pflanze . . .	0,518	4,75	15,34	123,1

Das Übergewicht des Blütenstandes wird gegen das Ende der Vegetation enorm.

	Samen	29. Mai	22. Juni	30. Juni	7. Sept.
Absolute Gewichte.		g	g	g	g
Holzfaser	0,00065	0,225	2,22	7,17	85,8
Eiweißkörper	0,0001	0,085	0,86	1,99	11,5
Extrakt	0,0001	0,110	0,86	3,14	12,7
Kaliumcarbonat	0,00001	0,088	0,34	2,03	5,3
Feste unlösliche Stoffe . . .	0,00002	0,060	0,47	1,01	7,8
Gesamtgewicht der Pflanze	0,00079	0,518	4,75	15,34	123,1
Prozentische Zusammensetzung.					
Holzfaser	81,85	42,9	46,7	46,7	69,7
Eiweißkörper	13,2	16,7	18,1	13,0	9,4
Extrakt	1,0	21,5	18,1	20,45	10,3
Kaliumcarbonat	1,75	7,4	7,3	13,25	4,35
Feste unlösliche Stoffe . . .	2,2	11,5	9,8	6,6	6,25
Gesamtgewicht der Pflanze	100,0	100,0	100,0	100,0	100,0

IV. *Amarantus giganteus.*

	29. Mai	22. Juni	17. Sept.	19. Okt.
	g	g		g
Blätter . . .	42,6	24,7	12,5	13,6
Stengel . . .	32,4	34,6	36,3	34,9
Wurzeln . . .	8,9	11,4	{ Wurz. 3,5 / W.-Fas. 3,4 }	10,3
Blüten . . .	16,1	29,3	44,4	41,2
	100,0	100,0	100,0	100,0
Gesamtgewicht der Pflanze . .	0,092	3,104	415,2	318,3

	Samen	26. April	29. Mai	22. Juni	17. Sept.	19. Okt.
Absolute Gewichte.						
	g	g	g	g	g	g
Holzfaser, Stärke etc. .	0,00063	0,00055	0,036	1,942	271,5	219,6
Eiweifskörper . . .	0,00009	0,0004	0,0135	0,195	35,3	23,9
Extrakt etc. . . .	0,000002	0,00055	0,0215	0,526	56,9	35,0
Kaliumcarbonat . .	0,00002	0,0002	0,010	0,195	26,6	15,9
Feste unlösliche Stoffe	0,00002	0,0005	0,011	0,239	24,9	23,9
Gesamtgewicht d. Pflanze	0,00076	0,0022	0,092	3,104	415,2	318,3
Prozentische Zusammensetzung.						
Holzfaser etc. . . .	82,5	23,5	38,9	62,6	65,4	69,0
Eiweifskörper . . .	12,4	21,6	14,7	6,4	8,5	7,5
Extrakt	0,2	23,0	23,5	17,0	13,7	11,0
Kaliumcarbonat . .	2,2	8,1	11,0	6,2	6,4	5,0
Feste unlösliche Stoffe	2,7	23,8	11,9	7,8	6,0	7,5
Gesamtgewicht d. Pflanze	100,0	100,0	100,0	100,0	100,0	100,0

V. *Amarantus melancolicus ruber.*

Langsame Vegetation, verzögerte Blüte, unvollendete Fruchtbildung mit Ausnahme einiger dürftiger Stengel.

	Beginn der Vegetation	Vor der Blüte			
	27. Mai	16. Juli	7. Sept.	3. Okt.	19. Okt.
	g	g	g	g	g
Blätter	65,8	64,2	39,8	48,8	25,5
Stengel	23,9	24,9	50,9	33,9	34,3
Wurzeln	10,3	10,9	9,3	8,7	6,2
Blüten	0,0	0,0	0,0	10,6	34,0
	100,0	100,0	100,0	100,0	100,0
Gesamtgewicht der Pflanze	0,286	8,51	134,16	56,915	13,438

	26. April	27. Mai	16. Juli	7. Sept.	3. Okt.	16. Okt.
Absolute Gewichte.						
	g	g	g	g	g	g
Holzfaser etc. . . .	0,00055	„	2,89	62,2	25,4	7,20
Eiweifskörper . . .	0,00031	0,050	1,46	18,3	7,4	1,45
Extrakt etc. . . .	0,00050	0,072	2,21	28,7	12,5	1,89
Kaliumcarbonat . .	0,00017	„	1,06	14,3	4,2	0,85
Feste unlösliche Stoffe	0,00024	„	0,89	10,7	7,4	1,98
Gesamtgewicht d. Pflanze	0,00177	0,286	8,52	134,2	56,9	13,37
Prozentische Zusammensetzung.						
Holzfaser etc. . . .	32,9	„	34,0	46,4	45,4	54,0
Eiweifskörper . . .	17,2	17,8	17,1	13,6	11,3	10,9
Extrakt etc. . . .	27,5	38,0	25,9	21,4	22,9	14,1
Kaliumcarbonat . .	9,4	„	12,5	10,6	7,4	6,3
Feste unlösliche Stoffe .	13,0	„	19,5	8,9	13,0	14,7
Gesamtgewicht d. Pflanze	100,0	—	100,0	100,0	19,0	100,0

Die geringe Zunahme der Holzfaser, die Permanenz der Eiweifskörper und der löslichen Substanzen, deren Einwirkung nicht vollendet wurde, stehen im Zusammenhang mit der unvollkommenen, gewissermaßen erschöpften Vegetation dieser Pflanze. Die Anhäufung der unlöslichen Substanzen ist ebenfalls charakteristisch.

VI. u. VII. *Amarantus pyramidalis* und *Amarantus bicolor.*

Beide Pflanzen wurden ebenfalls untersucht, doch sehen die Vf. von einer Mitteilung der Resultate ab, weil dieselben einerseits denen von Amarantus giganteus, und andererseits denen von Amarantus melancolicus nahe stehen.

VIII. *Celosia cristata.*

Die Pflanze hat eine rote und eine gelbe Varietät, welche einzeln untersucht wurden.

	29. Mai	30. Juni		3. Okt.		19. Okt.	
		Gelb	Rot	Gelb	Rot	Gelb	Rot
	g	g	g	g	g	g	g
Blätter . .	45,2	35,6 ·	35,6	10,2	6,7	9,9	18,1
Stengel . .	37,0	37,8	37,8	34,4	27,1	42,0	50,2
Wurzeln . .	17,8	14,8	14,8	7,3	4,7	7,7	5,7
Blüten . .	—	11,8	11,8	48,2	61,5	40,4	26,0
	100,0	100,0	100,0	100,0	100,0	100,0	100,0
Gesamtgewicht	0,085	2,05	2,29	14,24	14,34	11,33	32,77

	26. April	29. Mai	30. Juni		3. Okt.		19. Okt.	
			Gelb	Rot	Gelb	Rot	Gelb	Rot
Absolute Gewichte.								
	g	g	g	g	g	g	g	g
Holzfaser	0,0017	0,034	1,18	1,30	—	—	—	19,9
Eiweifskörper . . .	0,0004	0,012	0,17	0,16	1,40	1,26	0,90	3,3
Extrakt	0,0011	0,020	0,38	0,50	3,10	3,02	1,79	5,2
Kaliumcarbonat . .	0,0002	0,007	0,19	0,18	—	—	—	1,6
Feste unlösliche Stoffe	0,0005	0,012	0,13	0,15	—	—	—	2,8
Gesamtgewicht d. Pflanze	0,0039	0,085	2,05	2,29	—	—	—	32,8
Prozentische Zusammensetzung.								
Holzfaser	43,3	41,3	57,7	57,0	—	—	—	60,1
Eiweifsstoffe . . .	10,2	14,6	8,0	7,0	9,9	8,7	7,9	10,3
Extrakt	27,7	21,9	18,6	21,3	21,6	21,0	15,8	16,2
Kaliumcarbonat . .	4,4	8,2	9,4	8,0	—	—	—	4,9
Feste unlösliche Stoffe	14,4	14,0	6,3	6,7	—	—	—	8,5
Gesamtgewicht d. Pflanze	100,0	100,0	100,0	100,0	100,0	100,0	100,0	100,0

Die Stengel und Blütenstände überwiegen gegen das Ende, ebenso wie die prozentische Menge der Holzfaser. Im allgemeinen steht Celosia dem Amarantus sehr nahe.

X. *Luzerne.*

Bei dieser Pflanze sind die Vegetationsvorgänge, wie sich voraussehen läfst, merklich verschieden von denen der vorgenannten Spezies. Die Wurzel erlangt gegen das Ende der Vegetation ein bedeutendes Übergewicht, zu gleicher Zeit nehmen die löslichen Substanzen in der zweiten Periode auffallend zu.

	25. Juni	3. Okt.
Blätter	37,0 g	22,5 g
Stengel	47,3	30,3
Wurzeln . . .	15,7	47,2
	100,0	100,0

Holzfaser etc. . .	77,5	61,8
Eiweißkörper . .	10,7	11,0
Extrakt	1.9	17,8
Kaliumcarbonat .	5,4	5,4
Feste unlösl. Stoffe	5,4	6,3.

(C. r. **99**. 493—99. [22.*] Sept.)

Berthelot und André, *Wachstum der Amarantaceen. Verteilung der Hauptbestandteile.* Nachdem die allgemeine Zusammensetzung der Amarantusarten und verwandter Spezies festgestellt ist (vergl. S. 815), soll nun die Verteilung der wichtigsten Bestandteile in den verschiedenen Teilen der Pflanze und in verschiedenen Wachstumsperioden tabellarisch zusammengestellt werden. Die Zahlen für das absolute Gewicht bedeuten in allen folgenden Tabellen stets Gramm.

I. *Holzfaser und unlösliche Kohlenwasserstoffe.*

Amarantus caudatus.

	29. Mai		30. Juni		11. Sept.		19. Okt.	
	Absolut. Gewicht	Relatives Gewicht	Absolut. Gewicht	Relatives Gewicht	Absolut. Gewicht	Relatives Gewicht	Absolut. Gewicht	Relatives Gewicht
Blätter	0,108	36,1	3,70	55,6	14,50	50,8	21,6	49,4
Stengel	0,077	31,3	3,13	47,4	37,00	72,8	48,8	76,6
Wurzeln	0,031	47,0	1,60	61,7	13,82	74,9	9,6	77,9
Blütenstand	0,0	0,0	0,34	56,5	59,00	72,0	121,8	72,4
Ganze Pflanze	0,216	35,4	8,77	54,3	124,32	69,4	201,8	70,1

Amarantus melancolicus.

	27. Mai		16. Juli		7. Sept.		3. Okt.		19. Okt.	
	A. G.	R. G.	A. G.	R. G.	A. G.	R. G.	A. G.	R. G.	A. G.	R. G.
Blätter	0,050	27,0	1,75	32,4	22,6	42,3	10,2	38,5	16,71	51,9
Stengel	0,033	48,3	0,76	36,5	31,6	46,3	9,1	47,8	2,51	54,4
Wurzeln	—		0,38	36,4	8,0	64,4	2,7	55,4	0,44	52,8
Blütenstand	0,0	0,0	0,0	0,0	0,0	0,0	2,8	47,0	2,62	57,3
Ganze Pflanze	—	—	2,89	34,0	62,2	46,4	25,8	45,4	7,24	54,8

Amarantus nanus.

	29. Mai		22. Juni		30. Juni		7. Sept.	
	A. G.	R. G.	A. G.	R. G.	A. G.	R. G.	A. G.	R. G.
Blätter	0,114	41,7	0,70	43,6	3,25	47,6	7,7	54,9
Stengel	0,178	43,4	0,71	60,0	2,54	49,2	12,2	75,3
Wurzeln	0,025	50,6	0,40	59,7	0,82	62,3	2,9	75,2
Blütenstand	0,008	35,4	0,41	53,2	0,56	58,4	63,0	70,8
Ganze Pflanze	0,225	42,9	2,22	46,7	7,17	46,7	85,8	69,7

Amarantus giganteus.

	29. Mai.		22. Juni.		17. Sept.		19. Nov.	
	A. G.	R. G.	A. G.	R. G.	A. G.	R. G.	A. G.	R. G.
Blätter	0,014	34,6	0,436	58,1	24,1	46,4	19,8	45,6
Stengel	0,012	40,7	0,766	72,5	104,7	69,5	86,0	77,5
Wurzeln	0,0035	43,4	0,202	57,4	Wurzeln 9,3 / Wurzel-fasern 10,3	64,8	24,1	73,7
Blütenstand	0,0065	43,5	0,538	56,9	123,1	66,8	89,7	68,3
Ganze Pflanze	0,036	48,9	1,942	62,6	271,5	65,4	219,6	69,0

Celoria cristata.

	29. Mai		30. Juni				3. Okt.				19. Okt.			
			Gelb		Rot		Gelb		Rot		Gelb		Rot	
	A.G.	R.G.	A.G.	R.G.	A.G.	R.G.	A.G.	R.G.	A.G.	R.G.	A.G.	R.G.	A.G.	R.G.
Blätter	0,017	46,2	0,44	58,2	0,52	61,0	—	—	—	—	—	—	3,23	54,0
Stengel	0,011	35,9	0,45	59,7	0,46	54,6	3,00	61,4	2,6	66,5	3,05	63,6	11,40	68,1
Wurzeln	0,006	40,1	0,17	55,6	0,20	54,9	—	—	—	—	—	—	0,91	49,2
Blütenstand	0,0	0,0	0,12	51,1	0,13	54,0	3,43	50,1	4,8	54,8	2,84	62,0	4,36	51,2
Ganze Pflanze	0,034	41,3	1,18	57,7	1,31	57,0	—	—	—	—	—	—	19,90	60,1

Die Vff. unterlassen die Zusammenstellung für Amarantus pyramidalis und bicolor, da die eine dieser Spezies sich dem giganteus, und die andere dem melancolicus nähert. Die Zunahme der Holzfaser und analoger Substanzen erstreckt sich auf alle Teile der Pflanze, sowohl nach absolutem, als nach relativem Gewicht; sie bildet zuletzt ³/₄ vom Gewicht des Stengels und der Wurzel bei Amarantus caudatus, nanus, pyramidalis und giganteus, bleibt aber in den Blättern etwas zurück. Bei den Spezies, deren Vegetation weniger kräftig, deren Blüte langsam und deren Fruchtbildung unvollendet geblieben war (melancolicus, bicolor), übersteigt die Holzfaser kaum die Hälfte des Gesamtgewichtes und bleibt in den verschiedenen Pflanzenteilen nahezu gleich. Hieraus ergiebt sich deutlich der Unterschied zwischen einer Pflanze, welche wegen mangelhafter Ernährung schlecht fruktifiziert und bei einer anderen, bei welcher die Fruktifikation durch Beseitigung des Blütenstandes unterdrückt wurde.

II. *Extrakt (lösliche Kohlenwasserstoffe.)*

Amarantus caudatus.

	29. Mai		22. Juni		30. Juni		7. Sept.	
	A. G.	R. G.	A. G.	R. G.	A. G.	R. G.	A. G.	R. G.
Blätter	0,066	22,2	1,267	19,5	5,934	20,8	6,43	14,7
Stengel	0,082	33,5	1,633	25,2	6,024	12,0	5,17	8,1
Wurzeln	0,012	18,1	0,419	16,4	1,305	7,2	0,85	6,6
Blütenstand	0,0	0,0	0,162	26,9	7,480	0,3	17,35	10,3
Ganze Pflanze	0,160	26,3	3,471	21,6	20,743	11,7	29,80	10,4

Amarantus melancolicus.

	27. Mai		16. Juli		7. Sept.		3. Okt.		9. Okt.	
	A. G.	R. G.	A. G.	R. G.	A. G.	R. G.	A. G.	R. G.	A. G.	R. G.
Blätter	0,047	25,1	1,37	24,8	10,9	20,5	7,05	26,5	0,47	13,7
Stengel	0,018	26,4	0,62	29,5	16,1	23,5	4,09	21,2	0,65	14,2
Wurzeln	0,007	25,0	0,22	24,3	1,8	14,0	0,73	14,7	0,07	8,6
Blütenstand	0,00	0,0	0,0	0,0	0,0	0,0	1,33	22,1	0,70	15,3
Ganze Pflanze	0,072	28,0	2,21	25,9	2,87	21,4	12,50	22,9	1,89	14,1

Amarantus nanus.

	29. Mai		22. Juni		17. Sept.		19. Okt.	
	A. G.	R. G.	A. G.	R. G.	A. G.	R. G.	A. G.	R. G.
Blätter	0,049	18,3	0,35	18,7	1,03	14,3	2,0	14,4
Stengel	0,046	26,6	0,22	17,2	1,64	29,3	1,7	10,3
Wurzeln	0,010	19,1	0,09	12,8	0,31	19,3	0,3	8,1
Blütenstand	0,005	25,0	0,20	22,6	0,16	17,2	8,7	9,8
Ganze Pflanze	0,110	21,5	0,86	10,1	3,14	20,45	12,7	10,3

Amarantus giganteus.

	29. Mai		30. Juni		11. Sept.		19. Okt.	
	A. G.	R. G.	A. G.	R. G.	A. G.	R. G.	A. G.	R. G.
Blätter	0,0095	23,7	0,141	18,3	9,0	17,4	8,2	18,9
Stengel	0,0075	24,4	0,154	14,5	23,8	15,7	7,2	6,5
Wurzeln	0,002	23,6	0,053	15,1	Wurz. {1,6 W.-Fas. {1,5	11,7} 10,4}	3,4	10,5
Blütenstand	0,003	21,4	0,178	19,6	0,21	11,4	16,2	12,5
Ganze Pflanze	0,0215	23,5	0,526	17,0	56,9	13,7	35,0	11,0

Die löslichen und im Saft beweglichen Kohlenwasserstoffe (Extrakt etc.) nehmen während des ganzen Wachstums zu; die relative Menge war zur Zeit der Blüte am gröfsten, besonders im Stengel. Zuletzt war sie gröfser in den Blättern der kräftigeren Amarantusarten (caudatus, nanus, giganteus, pyramidalis). Der Stengel bewahrte sein Übergewicht in dieser Hinsicht nur bei den schwächeren Spezies (melancolicus, bicolor).

III. Eiweifskörper.

Amarantus caudatus.

	29. Mai		30. Juni		11. Sept.		19. Okt.	
	A. G.	R. G.	A. G.	R. G.	A. G.	R. G.	A. G.	R. G.
Blätter	0,058	19,4	0,433	6,7	2,41	8,8	4,11	9,4
Stengel	0,028	11,2	0,352	5,5	0,93	1,9	1,03	1,8
Wurzeln	0,075	11,3	0,146	5,7	0,36	2,0	0,26	2,1
Blütenstand	0,0	0,0	0,042	7,0	6,93	8,9	13,62	8,1
Ganze Pflanze	0,093	15,3	0,973	6,1	10,63	6,1	19,02	6,6

Amarantus melancolicus.

	27. Mai		16. Juli		7. Sept.		30. Okt.		19. Okt.	
	A. G.	R. G.	A. G.	R. G.	A. G.	R. G.	A. G.	R. G.	A. G.	R. G.
Blätter	0,042	22,8	1,11	20,3	10,9	20,5	4,13	15,3	0,43	12,4
Stengel	0,006	9,0	0,20	9,8	6,3	9,3	1,61	8,3	0,37	8,0
Wurzeln	0,002	7,3	0,15	16,0	1,7	7,0	0,39	7,8	0,95	11,3
Blütenstand	0,0	0,0	0,0	0,0	0,0	0,0	0,96	15,9	0,46	10,3
Ganze Pflanze	0,050	17,8	17,8	17,1	18,9	13,6	7,04	11,3	1,45	10,9

Amarantus nanus.

	29. Mai		22. Juni		30. Juni		7. Sept.	
	A. G.	R. G.	A. G.	R. G.	A. G.	R. G.	A. G.	R. G.
Blätter	0,056	21,0	0,36	19,2	1,26	17,3	0,9	6,7
Stengel	0,020	11,4	—	—	0,51	9,4	0,75	4,4
Wurzeln	0,005	10,8	0,04	4,7	0,09	5,7	0,15	3,8
Blütenstand	0,004	21,4	0,11	12,5	0,13	14,9	9,7	10,0
Ganze Pflanze	0,085	16,7	—	—	1,99	13,0	1,5	9,4

Amarantus giganteus.

	29. Mai		22. Juni		17. Sept.		19. Okt.	
	A. G.	R. G.	A. G.	R. G.	A. G.	R. G.	A. G.	R. G.
Blätter	0,007	17,5	0,046	6,1	5,6	12,8	5,4	12,5
Stengel	0,003	10,7	0,030	2,8	4,2	2,8	4,8	4,3
Wurzeln	0,001	9,5	0,013	11,9	Wurz. {0,4 W.-Fas.{0,5 } 2,9		0,9	2,8
Blütenstand	0,003	18,5	0,116	11,9	24,6	12,7	12,8	9,7
Ganze Pflanze	0,014	14,7	0,95	6,4	35,3	8,5	23,9	7,5

Die Eiweißkörper sind im Anfang des Wachstums in den Blättern und zuletzt in den Blättern und Blütenständen konzentriert. Zur Zeit der Blüte streben sie nach einer gleichmäßigen Verteilung wegen der Wanderung der stickstoffhaltigen Substanzen während dieser physiologischen Periode. Bei denjenigen Pflanzen, deren Fruktifikation mangelhaft ist (Amarantus melancolicus und bicolor), zeigte die schließliche Verteilung der Eiweißkörper geringere Unterschiede, weil sie nicht in demselben Maße für die Funktionen der Fortpflanzung in Anspruch genommen werden.

IV. *Kaliumcarbonat.*

Amarantus caudatus.

	29. Mai		30. Juni		11. Sept.		19. Okt.	
	A. G.	R. G.	A. G.	R. G.	A. G.	R. G.	A. G.	R. G.
Blätter	0,037	12,3	0,692	10,6	2,67	9,4	2,40	5,5
Stengel	0,043	17,5	1,060	16,4	2,60	5,2	4,15	6,5
Wurzeln	0,005	8,1	0,278	10,8	0,50	2,7	0,64	5,2
Blütenstand	0,0	0,0	0,032	5,4	3,92	4,9	9,07	5,4
Ganze Pflanze	0,085	13,9	2,062	12,7	9,69	5,4	16,26	5,6

Amarantus melancolicus.

	27. Mai		16. Juli		7. Sept.		3. Okt.		19. Okt.	
	A. G.	R. G.	A. G.	R. G.	A. G.	R. G.	A. G.	R. G.	A. G.	R. G.
Blätter	0,021	11,0	0,65	11,6	3,6	6,8	1,52	5,7	0,10	3,0
Stengel	0,005	7,4	0,33	15,5	9,9	14,4	2,00	10,3	0,42	9,1
Wurzeln	—	—	0,10	11,2	1,8	6,9	0,24	4,9	0,03	3,4
Blütenstand	0,0	0,0	0,0	0,0	0,0	0,0	0,38	6,4	0,30	6,5
Ganze Pflanze	—	—	1,06	12,5	14,3	10,6	4,14	7,4	0,85	6,3

Amarantus nanus.

	29. Mai		22. Juni		30. Juni		7. Sept.	
	A. G.	R. G.	A. G.	R. G.	A. G.	R. G.	A. G.	R. G.
Blätter	0,017	6,2	0,15	8,1	0,93	13,0	1,5	10,3
Stengel	0,016	9,2	0,11	8,7	0,90	16,0	1,0	6,4
Wurzeln	0,0035	7,4	0,03	4,7	0,13	8,2	0,1	2,9
Blütenstand	0,0015	8,0	0,05	6,1	0,07	7,9	2,7	3,0
Ganze Pflanze	0,038	7,4	0,34	7,3	2,03	13,25	5,3	4,35

Amarantus giganteus.

	29. Mai		12. Juni		17. Sept.		19. Okt.	
	A. G.	R. G.	A. G.	R. G.	A. G.	R. G.	A. G.	R. G.
Blätter	0,0045	11,3	0,063	8,1	4,8	9,0	2,5	5,8
Stengel	0,004	12,75	0,071	6,5	11,0	7,3	4,3	3,9
Wurzeln	0,0005	7,3	0,010	2,7	Wurz. {1,2 / W.-Fas. {0,3	8,6} / 1,8}	1,5	4,6
Blütenstand	0,001	8,6	0,051	5,4	9,3	5,1	7,6	5,8
Ganze Pflanze	0,010	11,0	0,195	6,2	26,6	6,4	15,9	5,0

Die Kalisalze, deren Gegenwart und Menge den Oxydationsvorgängen entsprechen, sind besonders im Anfang im Stengel und in den Blättern konzentriert. Sie streben gegen das Ende hin nach gleichmäßiger Verteilung bei Amarantus caudatus, Amarantus giganteus und Celosia cristata. Die Wurzeln enthalten im allgemeinen immer die geringste relative Menge.

V. Unlösliche Mineralsubstanzen.

Amarantus caudatus.

	29. Mai		30. Juni		11. Sept.		19. Okt.	
	A. G.	R. G.	A. G.		A. G.	R. G.	A. G.	R. G.
Blätter	0,030	9,9	0,492	7,6	2,912	10,2	9,09	20,8
Stengel	0,016	6,4	0,355	5,5	4,066	8,2	4,57	7,2
Wurzeln	0,010	15,4	0,136	5,4	2,410	13,2	0,97	7,9
Blütenstand	0,0	0,0	0,025	4,3	3,665	4,6	5,71	3,4
Ganze Pflanze	0,056	9,1	1,008	6,3	1,3053	7,4	20,34	7,3

Amarantus melancolicus.

	27. Mai		16. Juli		7. Sept.		3. Okt.		29. Okt.	
	A. G.	R. G.	A. G.	R. G.	A. G.	R. G.	A. G.	R. G.	A. G.	R. G.
Blätter	0,024	14,1	0,60	10,9	5,30	9,9	3,70	13,2	0,65	-19,0
Stengel	0,006	8,9	0,19	8,8	4,46	6,5	2,39	12,4	0,65	14,2
Wurzel	—	—	0,11	12,0	0,97	7,7	0,86	17,3	0,20	23,8
Blütenstand	0,0	0,0	0,0	0,0	0,0	0,0	0,52	8,6	0,48	10,6
Ganze Pflanze	—	—	0,89	10,5	10,73	8,0	7,47	13,0	1,98	14,8

Amarantus namus.

	29. Mai		22. Juni		30. Juni		7. Sept.	
	A. G.	R. G.	A. G.	R. G.	A. G.	R. G.	A. G.	R. G.
Blätter	0,035	12,8	0,18	10,3	0,58	7,8	2,0	13,7
Stengel	0,017	9,4	0,10	7,3	0,33	6,0	0,6	3,6
Wurzeln	0,006	12,8	0,14	18,1	0,07	4,6	0,4	10,0
Blütenstand	0,002	9,4	0,05	5,5	0,03	3,5	4,8	5,4
Ganze Pflanze	0,060	11,5	0,47	9,8	1,01	6,6	7,8	6,25

Amarantus giganteus.

	29. Mai		12. Juni		17. Sept.		19. Okt.	
	A. G.	R. G.	A. G.	R. G.	A. G.	R. G.	A. G.	R. G.
Blätter	0,005	12,8	0,067	9,3	7,5	14,4	7,5	17,3
Stengel	0,0035	11,4	0,039	3,7	7,1	4,7	8,6	7,7
Wurzeln	0,0015	16,2	0,075	21,1	Wurz. {1,7 / W.-Fas. {1,5	12,0 / 10,5	2,8	8,4
Blütenstand	0,001	8,0	0,058	6,2	7,1	3,8	5,0	3,8
Ganze Pflanze	0,011	11,9	0,239	7,8	24,9	6,0	23,9	7,5

Die unlöslichen Mineralsubstanzen haben eine ausgesprochene Neigung, sich in den Blättern anzuhäufen; nur in den Pflanzen mit langsamer Vegetation, wie Amarantus melancolicus und bicolor, scheinen sie in den Wurzeln zurückgehalten zu werden, wahrscheinlich wegen der ungenügenden Wirkung derjenigen Agenzien, die sie löslich machen und ihnen so die Zirkulation in der Pflanze bis zu den Blättern ermöglichen. (C. r. **99.** 518—25. [29.*] Sept.)

Gaston Bonnier und **Louis Mangin**, *Über den Gasaustausch zwischen den Flechten und der Atmosphäre.* Bekanntlich hält man die Flechten für Pflanzen, die ganz unabhängig sind von dem Substrat, auf dem sie wachsen, wenigstens inbezug auf den Kohlenstoff, den sie assimilieren. Die Vff. stellten sich die Aufgabe, zu untersuchen, ob wirklich die Kohlensäure der Luft für die Assimilation der Flechten ausreiche, oder ob der von ihnen assimilierte Kohlenstoff einer anderen Quelle entnommen werden müsse. Von dem chlorophyllfreien Teile der Flechten, den Hyphen, wissen wir, dafs ihr Protoplasma fortwährend Sauerstoff absorbiert und Kohlensäure exhaliert, so dafs sie einen beständigen Verlust von Kohlenstoff veranlassen. Der grüne Teil der Flechten, die Gonidien, atmen mit ihrem Protoplasma ebenso wie die Hyphen, erzeugen also gleichfalls Kohlenstoffverluste. Am Tage jedoch tritt neben der Atmung die Assimilation durch die Chlorophyllkörper auf, und eine bestimmte Menge von Kohlenstoff wird für den Gesamtkörper gewonnen. In der Nacht haben wir also Kohlenstoffverlust infolge der Atmung aller Teile der Flechte, am Tage Kohlenstoffverlust derselben Teile und aufserdem

Kohlenstoffgewinn durch die Gonidien. Es fragt sich nun, ob der Gewinn sämtliche Verluste übertrifft.

Die Versuche von BONNIER und MANGIN wurden in einer abgeschlossenen Atmosphäre unter solchen Bedingungen ausgeführt, daß der normale Gasaustausch in keiner Weise beeinträchtigt wurde, wie dies auch bei Untersuchungen derselben Forscher über das Atmen der Pilze der Fall war. Die Arten, welche zu den Versuchen benutzt wurden, waren: Cladonia rangiferina, Evernia Prunastri, Parmelia caperata und Peltigera canina.

Im Dunkeln, im zerstreuten Licht, in der Sonne und bei verschiedenen Temperaturen von 10—32° wurde stets als Resultat des Gasaustausches eine Absorption von Sauerstoff und eine Entwickelung von Kohlensäure beobachtet, selbst in gesättigter Luft, welche für die Entwickelung der Flechten die günstigste zu sein scheint. So absorbierte Cladonia rangiferina, intensivem Sonnenlicht ausgesetzt, bei 30° in gesättigter Luft in zwei Stunden 6,75 p. c. Sauerstoff und entwickelte in derselben Zeit 4,64 p. c. Kohlensäure. Bei schwacher Sonne in zerstreutem Licht und bei weniger hohen Temperaturen wurden ähnliche Resultate gefunden. Dasselbe war bei den übrigen Arten der Fall.

Die Wirkung des Chlorophylls kompensiert also selbst unter den günstigsten Beleuchtungs-, Temperatur- und Feuchtigkeitsverhältnissen die Atmung nicht. Die Flechten verlieren also sowohl am Tage wie in der Nacht Kohlenstoff, wenn man nur ihren Gasaustausch berücksichtigt. Dafür absorbieren sie Sauerstoff; denn immer war das Volum der ausgeschiedenen Kohlensäure kleiner als das Volum des absorbierten Sauerstoffes.

Aus diesen Versuchen folgt, daß die Flechten nicht all den Kohlenstoff, den sie brauchen, der Luft entnehmen. Es bleibt zu untersuchen, ob sie denselben den organischen Substanzen, welche von den Hyphen angegriffen werden, oder der im Wasser gelösten Kohlensäure entlehnen. (Bull. de la Soc. bot. de France 31. 110; Naturf. 17. 312.)

T. L. Phipson, *Chemische Erscheinungen bei der Respiration der Pflanzen.* Durch Versuche an *Protococcus palustris* und vielen anderen einzelligen Algen glaubt Vf. sichere Belege dafür gewonnen zu haben, daß die grünen Pflanzen nicht im stande sind, Kohlensäure in der Weise zu zerlegen, wie es allgemein in den Lehrbüchern der Pflanzenphysiologie gelehrt wird. Über die betreffenden Versuche wird folgendes mitgeteilt:

Im vorigen Jahre zeigte Vf. einen einfachen Apparat, in welchem einzellige Algen, wenn sie dauernd mit frischem Quellwasser versorgt und dem Sonnenlicht exponiert werden, eine beständige Entwickelung von Sauerstoffgas geben. Wenn die Kohlensäure des Quellwassers erschöpft ist, dann wird frisches Quellwasser in den Apparat eingelassen, während das alte abfließt, und die Sauerstoffentwickelung dauert fort. Wenn die Kohlensäure des Wassers erschöpft war, dann es richtig, neue Kohlensäure zuzuführen und nicht neues Wasser; mit anderen Worten, wenn Kohlensäure beständig zugeführt werden könnte, dann hätte, wie es scheint, die Sauerstoffentwickelung kontinuierlich sein müssen. Dies wurde versucht: Kohlensäure wurde dem Wasser zugesetzt, nachdem ein drei- bis viertägiges Bescheinen seine Fähigkeit erschöpft hatte, die Algen zur Sauerstoffentwickelung zu veranlassen. Die Fähigkeit zur Sauerstoffentwickelung wurde zwar wieder hergestellt, aber nicht in bedeutendem Grade, und sie wurde immer weniger deutlich bei der successiven Zufuhr von Kohlensäure.

Das Quellwasser wurde gekocht und dann mit reiner Kohlensäure versetzt (etwa 0,1 Vol.); dabei fand man, daß der Protococcus wenig oder überhaupt kein Gas abgab. Eine weitere Menge Kohlensäure wurde zugeführt; kein Resultat. Der Versuch wurde mehrere Male wiederholt mit frischen Mengen von Quellwasser und mit anderen Pflanzen; dieselben Resultate. Hieraus schloß man, daß im Quellwasser, das fünf Minuten lang ordentlich gekocht, dann schnell abgekühlt und kalt mit geringen oder bedeutenden Mengen von Kohlensäure versehen war, Pflanzen nicht im stande sind, im Sonnenlicht Sauerstoff zu entwickeln.

Es war somit klar, daß noch etwas erforderlich ist, und daß dieses noch etwas durch das Kochen des Quellwassers während fünf Minuten zerstört wird. Es ist das Wasserstoffsuperoxyd, das erforderlich ist. In allen Quellwassern kommt es vor, und kann seine Anwesenheit nachgewiesen werden, und es ist ebenso erforderlich für das Leben der Pflanzen, wie die Kohlensäure. Wie Vf. schon früher angedeutet, rührt die als „Respiration" der Pflanzen bekannte Erscheinung von der Reaktion her, welche in den Pflanzenzellen zwischen Kohlensäure und Wasserstoffsuperoxyd eintritt. Theoretisch kann sie ausgedrückt werden durch:

$$CO_2 + H_2O_2 = CH_2O + O_3, \text{ oder } = CH_2O_2 + O_2, \text{ oder } = CH_2O_3 + O;$$
$$\text{oder } 2CO_2 + H_2O_2 = C_2H_2O_3 + O_3 \text{ u. s. w.}$$

In dieser Weise wird O entwickelt, während ternäre Verbindungen in der Pflanze entstehen. Wenn Quellwasser gekocht wird, enthält die gesammelte Luft (nach Absorption der Kohlensäure) 30—33 p. c. Sauerstoff statt 21 p. c. Dieser Unterschied rührt hauptsächlich her von Sauerstoff in der Verbindung des Wasserstoffsuperoxyds. Die Menge ist verschieden bei verschiedenen Wassern und unter verschiedenen Umständen, aber wahrscheinlich ist 6—8 p. c. des vom Quellwasser gelieferten Sauerstoffes im Zustande des Wasserstoffsuperoxyds vorhanden gewesen.

Vf. hofft, bei anderer Gelegenheit bekannt zu machen, wie das Wasserstoffsuperoxyd im Quellwasser nachgewiesen und seine Menge annähernd bestimmt wird. Vorläufig muß er sich begnügen, zu behaupten, daß Mangansuperoxyd im Quellwasser starkem Sonnenlicht exponiert, wie eine einzellige Alge „atmen" kann.

Einzellige Algen können im Quellwasser, welches nach dem Kochen mit Kohlensäure imprägniert worden war (und das also seiner geringen Ladung mit H_2O_2 beraubt worden), und das reichlich mit der atmosphärischen Luft in Berührung ist, nachdem sie einige Tage der Sonne exponiert worden, geringe Mengen von Sauerstoff entwickeln, und zeigen dadurch, daß unter diesen Umständen sich H_2O_2 neu bildet in dem Wasser, das desselben beraubt worden war. (Chem. News **50.** 37; Naturf. **17.** 330—331).

V. Marcano, *Über die Transpiration der Pflanzen in den Tropen.* Der Vf. nahm zwei Blumentöpfe aus undurchlässigem Material von gleicher Beschaffenheit und gleicher Dimension, und füllte dieselben mit einem gleichen Gewicht derselben homogenen Erde. In den einen setzte er die zu untersuchende Pflanze, den anderen Topf ließ er unbepflanzt und stellte sie dann auf die Schalen einer Wage, indem er sie ins Gleichgewicht brachte, begoß sie, so oft es erforderlich war, stets mit demselben Gewicht Wasser; in beliebigen gleichen Epochen, stündlich oder öfter, stellte er dann das durch Verdunstung der Pflanze gestörte Gleichgewicht wieder her. Die Versuche sind in Caracas (Venezuela) gemacht an einem Kohl, einer *Laurus Persea*, *Colocasia esculenta*, *Agave* und einem Maisbüschel; sie wurden ohne Unterbrechung sechs Monate fortgesetzt und ergaben folgende Thatsachen:

1. Die Pflanzen verdunsten unter den Tropen während der Nacht (6 Uhr abends bis 6 Uhr morgens) eine Wassermenge, die ziemlich gleich ist der, welche sie am Tage verdunsten.

2. Die Verdunstung während des Tages erfolgt vorzugsweise am Morgen (6 Uhr bis Mittag). Sie zeigt ein durch Konstanz und Größe ausgezeichnetes Maximum, welches die Hälfte und selbst oft drei Viertel der Wassermenge giebt, die während der zwölf Tagesstunden verdampft wird. Dieses Maximum tritt gewöhnlich nach 10 Uhr 15 Minuten, und fast immer vormittags ein. Von dem Kulminationspunkt der Sonne bis 6 Uhr abends ist die Verdunstung sehr schwach, es war unmöglich, zu beobachten, ob in letzterem Falle ein Maximum während dieser Periode eintritt.

3. Der Feuchtigkeitsgehalt der Luft scheint ohne merklichen Einfluß auf die Erscheinung zu sein. (C. r. **99.** 53; Naturf. **17,** 356).

H. Weiske, *Über Vegetationsversuche mit Lupinen in wässeriger Nährstofflösung.* Die Resultate der vom Vf. angestellten Versuche sprechen aufs neue dafür, daß das in der Atmosphäre vorhandene, resp. das bei der Wasserverdunstung sich fortwährend entwickelnde salpetrigsaure Ammonium für die Ernährung der Lupinen von wesentlicher Bedeutung ist, jedoch wohl nur dann, wenn die Aufnahme dieser stickstoffhaltigen Nährstoffe durch die Wurzeln erfolgen kann. (L. V. St. **30.** 437—444. August).

Emmerling, *Über die Eiweißbildung in der grünen Pflanze.* Die bisherigen Beobachtungen über das Auftreten der Amidosäure in allen Teilen der grünen Pflanze ließen noch unentschieden, ob dieselben durch eine Synthese in den assimilierenden Organen, oder ob sie durch Spaltung aus zuvor vorhandenem Eiweiß nach Analogie des Keimungsprozesses entstehen. Der Referent hat neue Versuche zur Entscheidung dieser Frage unternommen. Die Methode bestand darin, daß die Amidosäure und auch andere Formen des Stickstoffes in den verschiedenen Organen der Versuchspflanze (Vicia faba) und in verschiedenen Perioden der Entwicklung derselben ermittelt wurden. Es ließ sich der Zuwachs oder die Abnahme der einzelnen Bestandteile für 1000 ganze Pflanzen in den verschiedenen Wachstumsperioden berechnen.

Die vorliegenden Einzelbeobachtungen, auf deren Wiedergabe hier verzichtet werden muß, stehen in bestem Einklang mit der ersten Hypothese, d. h. einer synthetischen Bildung von Amidosäuren in den Blättern. Diese werden in der ersten Zeit verbraucht zur Ausbildung der Wurzeln und der Blätter selbst. Nach der vollständigen Entwicklung der letzteren sieht man die Amidosäuren in der bereits angesetzten Frucht sich häufen und für die rasche Ausbildung derselben verwerten. Die Hülsen bilden dabei Vorratskammern für die Nichteiweißkörper, welche sich während des Reifens der Samen allmählich zu gunsten des letzteren entleeren. Die Wahrscheinlichkeit der ersten Hypothese wird noch vergrößert durch die Schwierigkeiten, welche die zweite Hypothese einer

Erklärung der beobachteten Vorgänge bereiten würde. Da die Amidosäuren schon in den jungen Blättern auftreten, so würde man zu der Annahme einer Eiweifszersetzung an dem Herd der lebhaftesten Proteïnneubildung gezwungen werden. Bilden die Amidosäuren der Blätter keine Vorstufen des Eiweifses, so würde die Bildung dieser Verbindung hier in anderer Weise stattfinden, als in den Samen, da die Untersuchung mit Sicherheit eine Bildung von Eiweifs in der Frucht auf Kosten von Amidosäure lehrt. Mit Rücksicht auf die sehr komplizierte Natur des Eiweifses ist es aber wenig wahrscheinlich, dafs dasselbe auf zwei gänzlich verschiedenen Wegen entstehen könne. Die erstere Hypothese hat dagegen den grofsen Vorzug, nur eine Art. der Eiweifsbildung, nämlich auf Kosten von Amidosäuren, vorauszusetzen, während die letzteren selbst auf doppelte Weise entstehen, 1. während der Hauptentwicklungsperiode durch Synthese, 2. im Keimstadium und im Schlufsstadium der Entwicklung durch Zersetzung von Reserveeiweifs und durch teilweise Ausnutzung des noch in den Blättern enthaltenen Vorrates. Diese letzteren Mengen würden aber im Verhältnis zu den durch Synthese erzeugten nur gering sein. (Tagebl. der Naturf.-Vers. zu Magdeburg. 1884. 187.)

F. Nobbe, P. Baessler und **H. Will**, *Untersuchung über die Giftwirkung des Arsens, Bleies und Zinks im pflanzlichen Organismus.* Schlufs (s. S. 671). Die Resultate sind folgende. Das Arsen ist ein äufserst heftig wirkendes Gift für die Pflanze; schon eine Beigabe von $^1/_{1\,000\,000}$ zur Nährstofflösung bringt mefsbare Wachstumsstörungen hervor. Das Element tritt nur in sehr geringen Mengen in die Pflanze ein; es ist nicht möglich, in die letztere irgend erhebliche Mengen einzuführen. Die Wirkung des Arsens geht von den Wurzeln aus, deren Protoplasma desorganisiert und in seinen osmotischen Aktionen gehindert wird; die Wurzel stirbt schliefslich ohne Zuwachs ab. Die oberirdischen Organe erfahren die Wirkung des Arsen zunächst durch intensives, von Erholungsperioden unterbrochenes Welken, aber der Tod folgt. Durch Verhinderung der Transspiration (Verdunklung, Einstellung in feuchte Räume etc.) wird es möglich, Pflanzen in Arsenlösung eine Zeit lang turgeszent zu erhalten, ohne dafs hierdurch die spätere Giftwirkung aufgehoben würde. Wird die Pflanze nur kurze Zeit (länger als zehn Minuten) der Einwirkung des Arsens auf die Wurzeln ausgesetzt und hierauf in normale Ernährungsverhältnisse zurückgeführt, so läfst sich die Wirkung des Giftes etwas verzögern; späterhin tritt gleichwohl Wąchstumsverzögerung oder gänzliches Absterben ein.

Das Blei und Zink können auch dann vegetativ nachteilig wirken, wenn sie in so geringen Gaben angewendet werden, dafs die Pflanzen äufserlich gesund erscheinen. Die schädliche Wirkung macht sich auch dann noch in der Herabsetzung der Massenproduktion bemerklich. In solcher Weise wirkte das Blei, als kohlensaures Salz angewendet, das Zink als salpetersaures und auch als kohlensaures. (Landw. Vers.-Stat. **30**. 401—19. September.)

Anton Baumann, *Das Verhalten von Zinksalzen gegen Pflanzen und im Boden.* (Landw. Vers.-Stat. **31**. 1—52. Sept. München, forstlich-chemisches Laboratorium.)

Aug. Morgen, *Ergänzende Mitteilung zu der Frage des Stickstoffverlustes, welchen organische stickstoffhaltige Stoffe bei der Fäulnis erleiden.* (Vergl. S. 262). Bei der Fäulnis stickstoffhaltiger organischer Substanzen, unter successiver Zersetzung etc., bildet sich unter successiver Zersetzung und unter Zutritt von Sauerstoff Ammoniak. Sind gleichzeitig absorbierende Medien, wie Gips, Kalimagnesia, Boden vorhanden oder gleichzeitig hinreichend viel Wasser, so wird das Ammoniak von diesen gebunden und vor weiterer Zersetzung geschützt. Sind aber keine Ammoniakabsorbierende Medien vorhanden oder dieselben nicht ausreichend[1], oder endlich ist wegen unzureichender Feuchtigkeit dem Sauerstoff freier Zutritt zu der porösen stickstoffhaltigen Substanz gestattet, so wird das Ammoniak durch den Sauerstoff verbrannt, es bildet sich, ähnlich wie bei der Zersetzung des Ammoniaks durch Chlor zu Chlorwasserstoffsäure und Stickstoff, in diesem Falle Wasser und Stickstoffgas. (Landw. Vers.-Stat. **30**. 429—36.)

---

[1] Man vergleiche hierzu den starken Stickstoffverlust· des geglühten Bodens zu dem natürlichen (in Versuch IV. Nr. 4 und 5). Von 5 g schwefelsaurem Ammon in einem Liter Wasser absorbierte 1 kg des gebrannten Bodens nur 14,4 p. c., der natürliche dagegen 37,2 p. c. des im Ammoniaksalz vorhandenen Stickstoffs.

Kleine Mitteilungen.

Beitrag zur Chemie der Siambenzoe, von Ed. HIRSCHSOHN. Die zu dieser Untersuchung benutzte Benzoe bestand fast nur aus schönen, plattenförmigen, etwa 2—6 cm breiten Stücken, die eine vollkommen milchweiße Bruchfläche zeigten, beim Verreiben ein hellgelbes, nach Vanille riechendes Pulver gaben und alle für die Siambenzoe angeführten chemischen Reaktionen zeigten. Das aufs feinste verriebene Harz wurde mit ungefähr der zehnfachen Menge Schwefelkohlenstoff übergossen, gut durchgeschüttelt und zur Abscheidung der Ruhe überlassen. Nach 24 stündigem Stehen hatten sich zwei Schichten gebildet, eine obere dickflüssige, das unlösliche Harz enthaltende, und eine untere hellgelb gefärbte Schwefelkohlenstofflösung. Letztere wurde vermittels eines Hebers vom Unlöslichen getrennt und der Rückstand wiederum mit Schwefelkohlenstoff übergossen. Diese Behandlung mit dem Lösungsmittel wurde so lange wiederholt, bis der Rückstand eine halbfeste Masse bildete, die sich an den Wandungen des Glases festsetzte.

Die vereinigten Schwefelkohlenstoffauszüge wurden filtriert (es blieb hierbei auf dem Filter eine gallertartige Masse), vom Filtrat der Schwefelkohlenstoff zum größten Teil ($^3/_4$ des Auszuges) abdestilliert und der Destillationsrückstand an einem kühlen Orte der Ruhe überlassen. Nach einigen Tagen hatten sich reichliche Krystallmassen abgeschieden, die von der gelbgefärbten Mutterlauge getrennt und durch mehrmaliges Umkrystallisieren aus Äther gereinigt wurden. Die auf diese Weise erhaltenen warzenförmigen Krystalle sind vollkommen farblos und besitzen einen deutlichen Vanillegeruch. Schwefelkohlenstoff, Äther, Benzol, Chloroform und 95 prozentiger Alkohol gaben mit den Krystallen farblose Lösungen von neutraler Reaktion. Petroleumäther löst sowohl bei als gewöhnlicher Temperatur als beim Kochen nur geringe Mengen.

Wasser löst die Krystalle nicht, beim Kochen schmilzt der Körper zur gelben öligen Masse, und zeigt der wässerige Auszug eine saure Reaktion, welche beim längeren Kochen an Intensität zunimmt. Kühlt man den wässerigen Auszug ab, so erhält man Krystalle (Benzoësäure?). Ein ähnliches Verhalten zeigt die alkoholische Lösung, welche, wie oben angeführt, vollkommen reagiert, indem beim Kochen die Lösung eine grünlichgelbe Farbe bekommt und anfängt sauer zu reagieren.

Natronlauge (1,16) löst beim Kochen die Krystalle zu einer vollkommen klaren gelben Flüssigkeit, die mit Wasser verdünnt werden kann, ohne daß eine Ausscheidung stattfindet. Beim Übersättigen dieser Lösung mit Salzsäure scheidet sich ein weißes Harz ab, das beim Trocknen an der Luft rosa wird, und in der sauren Flüssigkeit bemerkt man nach einiger Zeit Krystalle. Ammoniakflüssigkeit (0,90) färbt sich in Berührung mit den gepulverten Krystallen grünlich. Kocht man die Mischung, so färbt sich die Ammoniakflüssigkeit gelb, und der unlösliche Rest nimmt eine schöne Fleischfarbe an. Konzentrierte Schwefelsäure löst den neuen Körper mit prachtvoll roter Farbe, und wenig Wasser fällt aus dieser Lösung violette Flocken, die aber auf Zusatz von mehr Wasser sich zu einer veilchenblauen Flüssigkeit lösen. Beim Ausschütteln dieser sauren Lösung mit Äther erhält man beim Verdunsten Krystalle, die alle Eigenschaften der Benzoësäure zeigen. Eine Elementaranalyse dieser, sowie der direkt von der Benzoe erhaltenen Krystalle hat Vf. noch nicht ausgeführt, hofft dieselbe aber demnächst mitteilen zu können; jedenfalls behält er sie sich vor.

Behandelt man Sumatrabenzoe wie oben angegeben mit Schwefelkohlenstoff, so werden hier nur geringe Mengen aufgenommen, während bei der Siambenzoe über 50 p. c. gelöst und bis 30 p. c. Krystalle erhalten werden. Hier erhält man schöne tafelförmige Krystalle. Über diese, sowie auch über solche aus Tolubalsam behält sich Vf. weitere Mitteilungen vor. (Pharm. Ztschr. f. Rußl. **23.** 601—3.)

Leblanc- und Solvay-Ammoniaksodafabrikation, von R. HASENCLEVER. Nach dem Vf. hat die sehr verbreitete Soda konsumierende Industrie seit Regulierung der Zölle einen wesentlichen Aufschwung genommen, indem der deutsche Konsum doppelt so groß ist, wie vor einigen Jahren; das Produkt wird jetzt im Inlande produziert und kostet den Konsumenten halb soviel, als vor Jahren. Auch werden bei dem starken Bedarfe an Rohmaterialien (auf 1 t Soda 8 t Rohmaterialien) indirekt viele Arbeiter beschäftigt, um Salz, Kohlen, Kalkstein und Schwefelkiese zu fördern, welche Stoffe im vaterländischen Boden reichlich vorhanden sind. Während die deutsche Gesamtproduktion an calcinierter, kaustischer und krystallisierter Soda auf 100 p. c. Natriumcarbonat berechnet, im Jahre 1877 etwa 42 500 t betrug, stieg sie im Jahre 1883 auf 115 500 t, davon 56 200 t Leblanc- und 59 100 t Ammoniaksoda (letztere im Jahre 1877 kaum $^1/_8$ der Gesamtproduktion). In England beträgt die Jahresproduktion an letzterer an 52 000 t (Norwich, Sandbach), in Frankreich (Couillet bei Charleroi, Dombasle bei Nancy) an 50 000 t, und können in beiden Ländern die alten Fabriken mit den neuen nur durch günstige Salzsäureverwertung konkurrieren. Auch in Amerika, Rußland und Österreich (Szczakowa in Galizien, Ebensee, Aussig) sind Solvayfabriken gebaut.

Nachdem in Deutschland, nach dem Bekanntwerden der SOLVAY'schen Erfolge, von HONIG-
MANN und anderen Chemikern Versuche angestellt und zahlreiche Anlagen an mehr oder weniger
günstig situierten Orten gemacht waren, setzte SOLVAY seine erste Fabrik in Wyhlen in Betrieb,
und es sind seine Anlagen in Deutschland erst in der Entwicklung begriffen. Wyhlen und Bern-
burg sind vergrößert, und in Saaralben ist eine neue Anlage im Bau, wonach auf diesen erfreu-
lichen Aufschwung der Industrie eine schwere Krisis durch Überproduktion folgen wird. Es steht
der in anderen Ländern wenigstens stillstehende Kampf zwischen Leblanc- und Ammoniaksoda-
fabrikation in Deutschland noch bevor. In dem Kampfe zwischen dem alten und neuen Verfahren hatte man auf beiden Seiten, zur Befestigung der Konkurrenzfähigkeit für die Zukunft,
gewisse neue Verfahren im Auge, und zwar beim Solvayprozesse die Nutzbarmachung des Chlors
aus dem erfolgenden Chlorammonium durch Behandlung desselben nach MOND's Verfahren mit
Schwefelsäure zur Salzsäurebildung und Mischen des erfolgenden doppelt schwefelsauren Ammoniaks mit Kalkphosphaten zu Dünger. Man spart hierbei den zur Wiedergewinnung des Ammoniaks erforderlichen Kalk und kann das in den Laugen vorhandene Kochsalz wieder gewinnen.
Können auch die Kosten der nach diesem Verfahren dargestellten Salzsäure noch nicht berechnet
werden, so können doch die Salzsäurepreise denen für Salzsäure vom LEBLANC-Verfahren Konkurrenz machen. Dem neuen Verfahren kommen noch zu gute die Produktion in einem zusammenhängenden Systeme von Apparaten, geringere Anlagenkosten und Arbeitslöhne, und niedrige
Preise für Ammoniaksalze.

Beim LEBLANC-Verfahren setzten die Fabrikanten ihre Hoffnung auf die Wiedergewinnung
des Schwefels aus den Sodarückständen, und es hat sich das hierzu von SCHAFFNER-HELBIG angegebene Verfahren mit Hilfe von Chlormagnesium wohl bewährt, indem der dabei entwickelte
Schwefelwasserstoff nach dem Verbrennen zu schwefliger Säure für die Schwefelsäurefabrikation
billiger kam, als Schwefelkies. Dagegen ist aber dieses Verfahren nicht mehr rentabel, wenn,
wie in Aussicht gestellt, von 1885 an die Schwefelkiesproduzenten in Spanien den Preis für Kies
wesentlich herabsetzen. Günstiger würde sich die Sache gestalten, wenn man aus den Rückständen
reinen Schwefel darstellte. Ersparnisse und erhebliche Reduktionen in den Selbstkosten —
herbeigeführt durch geringeren Kohlenverbrauch, Einführung der THELEN'schen Apparate zum Eindampfen und Calcinieren, billigere Preise der Schwefelsäure und bessere Verwertung der Salzsäure — werden dahin führen, daß, wenn in Deutschland der Kampf ums Dasein durch Überproduktion entstehen sollte, wahrscheinlich nur einige wenige ungünstig situierte Fabriken nach
beiden Methoden mit der Zeit den Betrieb einstellen werden. Von einem Verdrängen des einen
oder anderen Verfahrens kann vorläufig keine Rede, wohl aber kann die Rentabilität der deutschen Sodafabriken auf Jahre hinaus eine schlechte sein. (Chem. Ind. 7. 84—86; B.- u. H.-
Ztg. 43. 335—36.)

Schweifsbarkeit des Bessemereisens, von HUPFELD. Die von der Schweißkommission
des Vereins zur Beförderung des Gewerbfleißes in Preußen mit diversen Flußeisen und schlesischen
Schweißeisen angestellten Versuche haben nach WEDDING zu dem Schlusse geführt, daß eine
durch Schweißung des Eisens hergestellte Verbindung auch bei der größten Sorgfalt des Schmiedes unzuverlässig sei, und daß man daher Schweißungen bei Flußeisen überhaupt vermeiden
solle. Dagegen nimmt HILL (Stahl und Eisen Nr. 9 de 1883) in seinem im Americ. Inst. of
Mining Engineers gehaltenen Vortrage die Schweißbarkeit des Flußeisens als vollkommen erwiesen an und setzt dabei nur eine vorsichtige Behandlung im Feuer und einen erfahrenen und
geschickten Schmied voraus. Nach dem Vf. hält man auch in England im allgemeinen zuverlässige Schweißungen mit Flußeisen für anwendbar, doch dürften, wie wohl behauptet, Schmiede-
stücke aus papuettierten Bessemereisen nicht zuverlässiger sein, als solche aus großen oder façon-
nierten Ingots herabgeschmiedete. Auch in Österreich gilt nach dem Vf. das Flußeisen für
schweißbar; sowohl die Maschinenfabriken, als auch die Zeugschmieden setzen diese Eigenschaft
bei weichem Bessemer- oder Martinmetall voraus; auch die k. k. Marine hat in dieser Hinsicht
eine scharfe Probe vorgeschrieben.

Zur Klärung der sich noch ziemlich unvermittelt gegenüberstehenden Ansichten hat der Vf.
seine Erfahrungen mitgeteilt, welche sich auf die Untersuchung von Bessemereisen von Prevali
beziehen, welches aus feinkörnigem grauen Roheisen mit 2—2,5 p. c. Si, 5—6 p. c. Mn, 3—3,5
p. c. Gesamtkohlenstoff, 0,03—0,04 p. c. P, 0,01—0,02 p. c. S und Spuren von Cu erhalten
wird, indem man das Roheisen aus dem Hochofen in Chargen von 7000 kg in den Konverter
absticht, bis auf den Siebener (0,1 p. c. C) herabbläst und dann mit 4 p. c. kaltem oder 5 p. c.
flüssigem krainischen Spiegeleisen mit 12 p. c. Mn zurückkohlt. Es wurden nun von jeder von
27 Schienenstahlchargen zwei Probeingots von 70 mm Seite und 300 mm Länge gegossen, von
denen der eine für die Schweißprobe, der andere für den Versuch mit dem ungeschweißten Material galt. Die Ingots wurden dann unter einem Dampfhammer ausgeschmiedet und passende
Probestücke daraus gefertigt, dann Schweißproben mit geschweißtem und ungeschweißtem Material angestellt. Nach diesen Versuchen wird die Zerreißfestigkeit durch das Schweißen durchschnittlich um 1,7 p. c. vermindert, in maximo um 5 p. c., in einzelnen Fällen gar nicht; die

Dehnung nimmt durch das Schweißen um genau ebensoviel zu und die Kontraktion durchschnittlich um 3,75 p. c. ab. Mit voller Sicherheit läßt sich aus dem vorliegenden Materiale der Schluß ziehen, daß ein Bessemereisen von der Zusammensetzung des Prevalier noch für flinkes Schweißen mit Hand bei geeigneten Dimensionen ohne besondere Kunstgriffe und zuverlässig sich schweißen läßt, sobald es möglich ist, den zu schweißenden Flächen einen genügenden Querschnitt zu geben und das Stück nach der Schweißung entsprechend zu bearbeiten. Das Bessemereisen wird durch das Schweißen nur wenig und unbeschadet etwas weicher. Somit unterscheiden sich obige Resultate wesentlich von den nach WEDDING im Moabiter Eisenwerk erhaltenen, und es ist wahrscheinlich, daß hier die Schmiede das Stahlschweißen nicht recht verstanden haben, indem der Stahl von ungeübten Schmieden leicht verbrannt wird.

Ein besonderer Einfluß der chemischen Zusammensetzung des Bessemereisens konnte nicht konstatiert werden, es dürfte jedoch, worauf auch LEDEBUR und REISER aufmerksam gemacht haben, für die Schweißung die reine Kohlenstoffstahl am geeignetsten sein; nicht aber dürfte WEDDING's Ansicht beizutreten sein, nach welcher Silicium schweißungsbefördernd und Mangan das Gegenteil bewirken soll. Bei Abwesenheit von Phosphor und Schwefel und bei niedrigem Kohlenstoffgehalt schaden beide Körper in geringen Quantitäten vorhanden gar nicht, sondern haben einen sehr günstigen Einfluß auf Festigkeit und Kontraktion. Bei über 0,45 p. c. Siliciumgehalt hört nach dasigen Erfahrungen die Schweißbarkeit bald auf, namentlich bei gleichzeitig zunehmendem Kohlenstoffgehalt. Da der Mangangehalt mit dem Siliciumgehalt in Prevali fällt und steigt, so können sich die Eigenschaften beider Bestandteile hier nicht korrigieren.

Während man in Schweden reinen Kohlenstahl mit 1,5 p. c., und in Prevali solchen mit 0,8—1,0 p. c. Kohlenstoff gut schweißt, so läßt sich ein Stahl mit 0,5 p. c. C, 0,6 p. c. Si und 1 p. c. Mn nicht mehr schweißen. (Österr. Ztschr. 32. 005; B.- u. H.-Ztg. 43. 334—35.)

Kobaltvorkommen in den Vereinigten Staaten. Kobalt kommt in den Vereinigten Staaten meist mit Nickel, zuweilen mit Kupfer zusammen vor. Zu Silver Islet enthält der mit den Silbererzen gefundene Macferlanit kleine Mengen Kobalt. In Missouri auf Mine la Motte und Saint Joe lead mines werden Nickel und Kobalt haltende Mineralien mit Bleiglanz zusammen gefunden, das Nickel als Nickelkies mit geringem Kobaltgehalt, Kobalt als Kobaltkies in ausgezeichneten Krystallen. Auf der Gap mine in Lancaster county in Pennsylvanien ersetzt Kobalt einen Teil des Eisens im Magnetkies; der Kobaltgehalt ist jedoch gering, so daß das Erz nicht auf Kobalt allein verarbeitet werden kann. Speiskobalt kommt in Gunnison County in Colorado auf den Gruben der Sterling Mining company vor; eine Analyse ergab dann 11,50 p. c. Co. Auch manche Kupfererze in Westnevada sollen kobalthaltig sein, und in Spuren kommt es in den Eisenerzen von Pennsylvanien und Virginien vor. Die beim Verschmelzen der Bleierze in Utah entstehende Speise enthält bestimmbare Mengen Kobalt. Auf Kobalt allein wird kein amerikanisches Erz verarbeitet; die geringe Production entsteht als Nebenprodukt bei der Reduktion der Nickelerze der Gap mine. Dieselben werden gleich bei der Grube auf Stein verschmolzen, der auf den Camden Nickel Works weiter verarbeitet wird; der Kobaltgehalt wird dort als Oxyd gewonnen. Zu Mine la Motte geht das Kobalt in den beim Verschmelzen der Bleierze entstehenden Stein, der zur weiteren Verarbeitung nach England und Deutschland exportiert wird. (Min. an Scient. Press. 47. Nr. 20; B.- u. H.-Ztg. 43. 336.)

Direkte Eisenreduktion durch den Bullprozess, von W. SCHMIDHAMMER. Nach Beobachtungen, welche der Vf. anstellte, kann der Prozeß theoretisch selbst strengen ökonomischen Anforderungen genügen. Die Erzeugung des dazu erforderlichen Gases macht keine Schwierigkeiten, wohl aber der Erzprozeß selbst, indem die Erzsäule den Durchgang der Gase erschwert, und zwar um so mehr, als sich eine Zone bilden wird, in welcher das reduzierte Eisen, besonders aber die Schlacken noch nicht geschmolzen, aber doch schon weich sind. Dadurch kann sich eine die Gase nicht durchlassende Schicht bilden. Bei Stückerzen ist der Prozeß noch eher denkbar, als bei Klein- und mulmigen Erzen. Die technischen und konstruktiven Schwierigkeiten sind bei diesem Prozesse keineswegs geringe, und nur die Erfahrung kann, wie in so vielen Fällen, den Weg zum Gelingen zeigen. Deshalb sollte man dem Prozeß Wohlwollen entgegenbringen und nicht gleich alles und Unmögliches davon verlangen. Es würde schon als Fortschritt zu betrachten sein, wenn man mit dem Prozeß ein billiges und reines Material für den Martinprozeß erzeugen könnte. Ein in dieser Absicht konstruierter Apparat würde auch jedenfalls an Einfachheit gewinnen. (Österr. Ztschr. 32. 111—12 und 125—27; B.- u. H.-Ztg. 43. 400—1.)

Über die Löslichkeit des Seidenfibroins in einigen organischen Säuren, von LIDOW. In geschmolzenem Zustande können folgende organische Säuren zum Auflösen des Fibroins der Seide benutzt werden; die Oxal-, Gallus-, Pyrogallus-, Citronen- und Weinsäure. In Eisessig und Milchsäure löst sich das Fibroin nur beim Erwärmen in zugeschmolzenen Röhren. Besonders leicht erfolgt die Lösung in geschmolzener Oxalsäure, von welcher 10 g fast 12 g Fibroin zu lösen vermögen. Eine solche Lösung kann mit heißem Wasser vermischt werden, ohne daß ein Ausscheiden des Fibroins stattfindet; beim Zugießen von 96 grädigem Alkohol jedoch scheidet sich dasselbe quantitativ in Form weißer, glänzender Flocken aus. Fällend wirken auf die Lösung des Fibroins in den genannten organischen Säuren überhaupt konzentrierte Lösungen von neutralen Salzen, z. B. Kochsalz und ebenso Gerbsäure. Das zu den Versuchen benutzte Fibroin war nach der Methode von STÄDELER aus der Rohseide dargestellt worden. Die Rohseide selbst löst sich übrigens in den angeführten organischen Säuren ebenso wie das Fibroin, und Vf. macht daher den Vorschlag, die Lösungen der Rohseide in geschmolzenen organischen Säuren zum Fixieren von Anilinfarbstoffen auf Baumwoll- oder Leingeweben zu benutzen. Zu diesem Zwecke müssen die Gewebe mit der Lösung der Seide getränkt und dann zur Fällung des Fibroins in der Faser mit Alkohol oder irgend einer Salzlösung, z. B. von Kochsalz, behandelt werden. Endlich kann die Löslichkeit der Seide in geschmolzener Oxalsäure auch zur Bestimmung derselben in gemischten Geweben benutzt werden, da auf Wolle, die Oxalsäure gar nicht und auf Cellulose nur ganz allmählich einwirkt, wobei letztere aber nicht aufgelöst, sondern zerstört wird. (Buß. Physik. Chem. Ges. 1884. 280; Cent.-Bl. f. Textilind. 1884. 556.)

Universallack, von CAMPE. Vf. empfiehlt nachstehenden Lack in der Öl- und Fettindustrie. Derselbe kann für Papier, Metall, Holz etc. mit gleichem Vorteil verwendet werden. Durch Anilinfarben (spritlösliche) kann derselbe beliebig gefärbt werden und giebt dann sogenannten Brillantlack zum Lackieren von Flaschen, Kapseln, Blechtafeln etc. Man nimmt: Schellack, gebleicht 60 g, Manillakopal 60 g, Mastix 60 g, Terpentin, venet. 15 g, setzt hinzu 1 kg Spiritus von 92—95 p. c. Tr., giebt etwas grob gestoßenes Glas dazwischen und läßt ca. acht bis vierzehn Tage und öfterem Umschüttteln stehen; vor dem Filtrieren giebt man zur Erzielung größerer Härte noch 1 g Borsäure hinzu. Den Manillakopal läßt Vf. stoßen, da er die Beobachtung gemacht, daß längere Zeit an der Luft gelegener und vorher gestoßener Kopal sich viel schneller in Sprit löst. Zum Färben verwendet Vf. spritlösliche Farbe, als: Orange und Schwefelgelb, Parme pencé (blau), Viktoria violett, Pfaugrün (sämtliche Anilinfarben). Mit Orange giebt es einen sehr guten Goldlack für Metall, man setze auf 1 kg Lack 10 g spritlösliche orange Farbe bei. (Ind.-Bl. 21. 202.)

Beiträge für das Centralblatt bittet man an die Redaktion (Leipzig, Lessingstr. 5) zu richten. **Originalarbeiten** von nicht zu großem Umfange werden entsprechend honoriert und gelangen stets sofort nach der Einsendung, und zwar in kürzester Frist, zum Abdruck.

Redaktion: Prof. Dr. Rud. Arendt in Leipzig.

Verlag von Leopold Voss in Hamburg und Leipzig. — Druck von Metzger & Wittig in Leipzig.

Chemisches

Wöchentlich eine Nummer von 1–3 Bogen. Der Jahrgang mit Sach- und Namen-Register, nebst system. Übersicht.

Central-Blatt.

Der Preis des Jahrgangs ist 30 Mark. Durch alle Buchhandlungen und Postanstalten zu beziehen.

REPERTORIUM

für reine, pharmazeutische, physiologische und technische Chemie.

Dritte Folge. XV. Jahrgang.

Über die Krystallisation, Beobachtungen und Folgerungen,

von

Dr. G. Brügelmann in Bonn.

Dritte Mitteilung,
zugleich als Entgegnung auf die Artikel der Herren M. C. Marignac, O. Lehmann und Hermann Kopp.

(Schluß.)

Das reguläre KCl bildet z. B. gemischte Krystalle mit dem rhombischen PbCl₂; weiter krystallisiert, von den hier in allen Verhältnissen möglichen Mischungen, ein Teil regulär, ein anderer nicht regulär, nämlich rhombisch, da reines geschmolzenes PbCl₂ gleichfalls rhombisch angenommen werden muß[1]. Die keineswegs gleich konstituierten Verbindungen KCl und PbCl₂ sind also isodimorph, denn sie vermögen sowohl regulär, wie rhombisch aufzutreten.

Bereits eingangs wurde erwähnt, entscheidende Schmelzversuche seien allgemein, und daher auch für Lösungs- und Sublimations-Versuche beweisend, und sie sind es in der That, denn wenn zwei oder mehr Verbindungen im Schmelzflusse gemischt krystallisieren können, aus einer Lösung oder durch Sublimation aber nicht (Beispiel: Jodoform und Benzoësäure, welche in allen drei Aggregatszuständen zu existieren vermögen), so ist damit, da ihre chemische Natur dem gemischten Krystallisieren im einen Falle, also überhaupt, kein Hindernis in den Weg stellt, für die anderen Fälle mit erwiesen, daß es nur physikalische, und zwar die gefundenen physikalischen Bedingungen sein können, welche das Zusammentreten zu einheitlichen Krystallen regulieren; wenn also verschiedene Verbindungen unter den einen Verhältnissen nicht gemischt krystallisieren, so folgt daraus nicht, daß sie überhaupt, und etwa auf grund ihrer chemischen Konstitution, nicht gemischt krystallisieren können.

Das Mißlingen der Versuche der Herren Marignac und Kopp beweist somit durchaus nicht, daß chemisch ungleich konstituierten Verbindungen die Fähigkeit des gemischten Krystallisierens überhaupt abgeht, sondern nur, dass unter den Bedingungen, unter denen gearbeitet wurde, die betreffenden Verbindungen eben nicht gemischt krystallisiert sind.

Der Auffassung des Hrn. Lehmann, Lösung und Mischung seien dasselbe, Schmelzen seien also z. B. stets einer und derselben Natur, kann ich nicht beistimmen; denn Mischungen verhalten sich rücksichtlich des vorhandenen einheitlichen, d. h. gemeinschaftlichen Schmelz- und Erstarrungspunktes eben physikalisch einheitlich, Lösungen dagegen nicht,

---

[1] Vergl. hierzu die Originalmitteilung S. 20 und 21.

insofern die Verflüssigungs- oder Erstarrungspunkte des gelösten und lösenden Körpers stets mehr oder weniger auseinander liegen, womit also ein gesondertes, auf einander folgendes und einer physikalischen Bindung daher nicht entsprechendes Festwerden verbunden ist. Eine Unterscheidung von Mischung (Schmelzung) und Lösung ist also sachlich begründet, da bei jener die physikalische Bindung auch über den flüssigen Zustand hinaus fortdauert, bei dieser mit dem Festwerden dagegen aufhört. Worin die eigentliche Ursache dieses unterschiedlichen Verhaltens beruht, und warum bestimmte Körper sich gerade als Mischung, andere gerade als Lösung verhalten, ist freilich vorerst nicht zu sagen. das Vorhandensein der Erscheinung aber nicht wegzuleugnen [1]. Ich muſs demgemäſs meine früher (Mittlg. 2. Chem. C.-Bl. 1883, S. 473) gegebene Einteilung des Gesamtgebietes in Lösungen und Mischungen beibehalten.

Auf die Auslassungen der Herren MARIGNAC, LEHMANN und KOPP näher einzugehen, ist übrigens um so weniger nötig, als diese Auslassungen in meinen früheren Mitteilungen bereits eine vorgreifende Beantwortung erfahren haben, und zwar um so entschiedener, als nun auch homogene Mischkrystalle in groſser Zahl zu meinen Gunsten sprechen. [2]

Zu der Bemerkung des Hrn. HERMANN KOPP aber (vgl. Ber. Chem. Ges. 17. 1105), meine Sache enthalte „nur meiner Ansicht nach neue Folgerungen, weil doch Hauptsächliches derselben als ein Wiederaufblühen der Lehre R. HERMANN's von der Heteromerie oder dem heteromeren Isomorphismus (Jahresber. f. Chem. 1847 u. 1848. S. 1149) anzusehen ist, für Anderes Andere die Priorität beanspruchen könnten", habe ich noch Einiges zu sagen, und zwar zunächst, daſs ich diese Äuſserung als, wie sich sogleich ergeben wird, mit den Thatsachen in direktem Widerspruche stehend, aufs entschiedenste zurückweise.

Es ist mir niemals in den Sinn gekommen (und meine entsprechenden Citate und Äuſserungen in Mittlg. 1 und 2 beweisen dies), den Nachweis von der Möglichkeit des gemischten Krystallisierens ungleich konstituierter Verbindungen überhaupt, als mein Eigentum auszugeben, und hierin wende ich mich auch an Hrn. LEHMANN, der seine betreffenden Beobachtungen als von mir nicht genügend beachtet glaubt. Das, was ich aber als meine Entdeckung ausgegeben habe, und wofür ich die Priorität voll beanspruche, das ist die Thatsache, daſs das gemischte Krystallisieren, auch für Verbindungen von der ungleichartigsten atomistischen Konstitution und in veränderlichen Mengen, stattfindet nach Maſsgabe gleichzeitigen Überganges aus dem amorphen in den krystallisierten Zustand.

Ob man, wie bisher, ohne inneren Zusammenhang, eine Reihe von zudem spärlichen Thatsachen anführt, oder sie einem einheitlichen, in dem Wesen der Erscheinungen begründeten Gesichtspunkte unterordnet, der wiederum, seine Richtigkeit zeigend, zur weitgehendsten Vermehrung der schon bestehenden Thatsachen führt, das ist doch, und zwar so handgreiflich wie möglich, zweierlei.

Dieser einheitliche, vollkommen neue Gesichtspunkt ist aber das Prinzip von der Gleichzeitigkeit der Krystallisation, welches ich an die Spitze aller meiner Betrachtungen gestellt habe, und aus dem sich umgekehrt sämtliche daran geknüpften Folgerungen mit Notwendigkeit ergeben haben.

Das Prinzip von der Gleichzeitigkeit, also die Unerläſslichkeit eines gleichzeitigen Überganges, wenn gemischte Krystallisation stattfinden soll, sowie das ausnahmslose Auftreten gemischter Krystallisation, sobald gleichzeitiger Übergang (und selbstverständlich überhaupt Krystallisation) eintritt, ist nur vor niemand, also auch nicht von HERMANN, weder aufgestellt, noch auch nur gestreift worden.

Nach HERMANN's Ansicht (vgl. Jahresber. f. Chem. 1847 u. 1848, S. 1149) können überhaupt „alle Körper von gleicher Krystallform — die Natur, Anzahl uud Gruppierung ihrer Atome mag noch so verschieden sein — nach Art isomorpher Körper zusammenkrystallisieren, wenn sie nur den erforderlichen Grad von Molekularanziehung haben." HERMANN zieht also in der Gleichheit der Krystallform der reinen Com-

---

[1] Eine und dieselbe Flüssigkeit könnte sich übrigens einmal als Lösung, das andere Mal als Mischung verhalten, und zwar zunächst als Lösung, wenn bei sinkender Temperatur der gelöste Körper für sich zur Abscheidung gelangt, als Mischung aber, wenn bei der Erstarrungstemperatur des lösenden Mediums von dem gelösten noch mehr oder weniger sich mit im flüssigen Zustande befindet; denn sobald das lösende, für sich bei niederer Temperatur flüssige Medium fest wird, muſs auch das gelöste, welches für sich ja nur in höherer Temperatur flüssig zu sein vermag, mit fest werden.

[2] Im Originale findet sich dennoch eine speziellere Entgegnung auf die Ausstellungen genannter Herren, um durch die wiederholte Besprechung der betreffenden wichtigen Punkte diese in ein womöglich noch helleres Licht zu stellen als bisher.

ponenten die Grenzen, innerhalb deren das gemischte Krystallisieren möglich sein soll, und denkt keineswegs an die fundamentale Bedeutung der Gleichzeitigkeit des Überganges aus dem amorphen in den krystallisierten Zustand. Während für mich hierin allein das Maßgebende besteht, die Form (und Zusammensetzung) aber gar nicht in Betracht kommt, verlegt HERMANN grade umgekehrt den Ausgangs- und Schwerpunkt seiner Betrachtungen in die Gleichheit der Krystallform.

Der Ausspruch des Hrn. KOPP, Hauptsächliches meiner Sache sei als ein Wiederaufblühen der Lehre R. HERMANN's von der Heteromerie oder dem heteromeren Isomorphismus anzusehen", ist also nichts weiter als eine leere unbegründete Behauptung, hervorgegangen aus dem völligen Übersehen des „Hauptsächlichen".

„Für Anderes könnten," nach Hrn. KOPP, „Andere die Priorität beanspruchen." Wenn Andere auf anderem Wege zu denselben Spezialfolgerungen gelangt sind, wie ich, so benimmt mir dies durchaus nicht die Berechtigung, die sich aus meinem Gesetze direkt ergebenden Folgerungen eben als solche hinzustellen; die etwaige Priorität Anderer wird damit ebenso wenig angetastet wie bestritten, auch wenn die Nennung der betreffenden Autoren unterbleibt. Sollte Hr. KOPP aber an diesem letzteren Umstande Anstoß genommen haben, so ist es um so unbegreiflicher, warum er selbst, statt die bewußten Autoren zu nennen, dieselben nur unter dem unbestimmten Kollektivnamen der „Anderen" zitiert.

Auch aus dem sich noch anschließenden, aufs allgemeinste gehaltenen Rückblicke auf die Entwickelung der Lehre von der gemischten Krystallisation und die damit gewonnene Einsicht in die Abhängigkeit der Form vom Stoffe geht die Eigentümlichkeit der von mir entwickelten Sätze hervor.

Um folgerichtig zu verfahren, mußte man, nachdem Mischkrystalle überhaupt als existenzfähig erkannt waren, zur Beurteilung des ganzen in betracht kommenden Gebietes folgende vier Kombinationen, welche sämtliche möglichen Gruppierungen einschließen, in betracht ziehen, nämlich die Kombinationen:

1. Von gleich konstituierten Körpern bei gleichzeitiger Krystallisation,
2. von gleich konstituierten Körpern bei ungleichzeitiger Krystallisation,
3. von ungleich konstituierten Körpern bei gleichzeitiger Krystallisation,
4. von ungleich konstituierten Körpern bei ungleichzeitiger Krystallisation.

Von diesen vier möglichen Fällen hat man aber bis zu meinen Veröffentlichungen nur 1 und 2 berücksichtigt [1], ohne indessen an das Ausschlaggebende der Gleichzeitigkeit der Krystallisation zu denken, während die Fälle 3 und 4, von denen übrigens 4 — wie auch 2 — wegen Mangels gleichzeitiger Krystallisation von vornherein jede Versuchsperspektive ausschließen, unbeachtet blieben. Auf dem Boden dieser einseitigen, weil die physikalischen Verhältnisse vernachlässigenden Betrachtungsweise, mußten notwendig auch einseitige Schlüsse sich bilden, welche in der auf eine ausschließlich chemische Auffassung gegründeten Lehre E. MITSCHERLICH's von der Isomorphie verkörpert sind. Erst durch die Prüfung der einzelnen Erscheinungen unter Beobachtung der Beiden erwähnten Möglichkeiten, Fälle 1 und 3, konnte auch der Einfluß der physikalischen Momente auf das gemischte Krystallisieren im rechten Lichte erscheinen, einem Lichte, welches die gemischten Krystalle aus chemisch gleich konstituierten Verbindungen nur als einen Spezialfall der durch das Grundgesetz von der gemischten Krystallisation zusammengefaßten Erscheinungen kennzeichnet. Die Beobachtungen MITSCHERLICH's und seiner Nachfolger waren richtig, die Folgerungen dagegen mußten falsch und einseitig ausfallen, weil man nur einseitig beobachtet, und gerade die wesentlichsten, nämlich die physikalischen Einflüsse, übersehen hatte. —

Wenn man nunmehr die Weiterentwicklung der Frage nach der Abhängig-

[1] Auf Fall 1 stützt sich die Lehre MITSCHERLICH'S, auf Fall 2 stützen sich Versuche RAMMELSBERG'S (POGG. Ann. 91. 321) und MOSHEIM'S (Verhandl. des naturhist. Ver. d. preuß. Rheinlande, 9. Jahrg.)

keit der (Krystall-)Form vom Stoffe charakterisieren will, so können es nur zwei von einander deutlich verschiedene Richtungen sein, in welchen diese Weiterentwicklung erfolgen muſs.

Die eine Richtung wird in der Aufgabe bestehen, zu untersuchen, wie sich ein und derselbe Körper unter gleichen physikalischen, aber geänderten chemischen Bedingungen verhält, oder, wenn man ihm, speziellerausgedrückt, bestimmte Atome oder Atomgruppen von bestimmtem Werte entzieht und dafür andere von ebenfalls bestimmtem Werte, ohne den Körper sonst zu ändern, wieder einfügt. Der hierher gehörige Kreis von Erscheinungen, und überhaupt die ganze Betrachtungsweise, ist zuerst bekanntlich von P. GROTH gekennzeichnet und in das Wort „Morphotropie" zusammengefaſst worden [1].

Die andere Richtung wird umgekehrt in der Aufgabe bestehen, zu untersuchen, wie sich ein und derselbe Körper unter gleichen chemischen aber geänderten physikalischen Bedingungen verhält. Die vielseitigste Behandlungsweise dieser zweiten Richtung aber besteht in dem Studium des Verhaltens der verschiedenen Verbindungen beim gemischten Krystallisieren, einem Studium, welches nunmehr an der Hand eines bis ins kleinste hinein sicher orientierenden Gesetzes mit Erfolg in systematischer Weise betrieben werden kann.

Um die hier vorgenommene Definierung der Frage nach der Abhängigkeit der Form vom Stoffe in ganz allgemeiner Weise durchzuführen, muſs man übrigens noch die amorphen Körper in betracht ziehen. Nach meiner Auffassung und nach den erhaltenen Versuchsergebnissen besteht nämlich zwischen krystallisierten und amorphen Mischungen, wenn man sie zunächst, und nur von diesem Gesichtspunkte aus, als physikalische Bindungen betrachtet, kein Unterschied. Sowohl im einen wie im anderen Falle vermögen sich chemisch gleich oder chemisch ungleich konstituierte Körper mechanisch anzuziehen und Mischungen zu bilden, deren wechselnder Gehalt an verschiedenen Verbindungen bedingt wird durch die das Zusammentreten zur Mischung allein regelnden, in Mitteil. 1 und 2, sowie in vorstehendem eingehend geschilderten Löslichkeits- und Erstarrungsverhältnisse.

Als das Wesentliche an den hier betrachteten Erscheinungen erweist sich also das Bestehen der physikalischen Bindung, während das Auftreten einer solchen Mischung in Krystallform erst in zweiter Linie in betracht kommt. Hätte man diese Sachlage schon früher erkannt, so würde man (zumal dessen eingedenk, daſs bei amorphen Mischungen dem Glase [2], oder amorphen Legierungen z. B., beziehungsweise verschieden konstituierte Verbindungen oder verschiedenwertige Atome zu einer physikalischen, sich einheitlich verhaltenden, aber doch keine chemische Verbindung darstellenden Masse zusammentreten können), von vornherein die Haupterscheinung, die eigentliche Ursache zur Bindung, in die rein mechanisch wirkenden Anziehungskräfte, nicht aber in die chemisch gleiche oder ähnliche Beschaffenheit und in das Auftreten der Verbindungen in Krystallform verlegt haben, und würde nicht durch die Verwechselung von Haupt- und Nebensache in die Irre geraten sein. Krystallform und etwa vorhandene gleiche Konstitution sind also nicht die Ursache für das Entstehen einer physikalischen Bindung, sondern nur Begleiterscheinungen, welche naturgemäſs infolge ihres se-

---

[1] Über die soeben durch C. HINTZE vorgenommene viel versprechende Verallgemeinerung des Begriffes der Morphotropie vergl. Chem. C.-Bl. 1884. 657 ff.

[2] Hier ist daran zu erinnern, daſs die gewöhnlichen Gläser aus Silikaten von schwankender Zusammensetzung bestehen, und daſs die für die Zwecke der qualitativen Analyse hergestellten Phosphorsalz- und Boraxperlen ebenfalls Gläser sind, mit denen die verschiedensten, ganz anders konstituierten Verbindungen einheitlich amorph und wieder als Glas erstarren können.

kundären Charakters nicht zur Aufstellung eines die Einzelnheiten ausnahmslos beherrschenden Gesetzes führen konnten.

Das Zustandekommen der physikalischen Bindung ist auf Anziehungskräfte als Ursache zurückzuführen, die Krystallisation dagegen nur eine aus orientirenden oder richtenden Kräften hervorgehende, das Zusammentreten zur physikalischen Bindung ebenso wenig regelnde, wie durch die Qualität des Stoffes geregelt werdende Begleiterscheinung, welche also erst zum Ausdrucke kommen kann, wenn vorher die physikalische Bindung schon eingetreten ist [1].

Kurz läfst sich daher die Entstehung physikalischer Bindungen ganz allgemein mit folgenden Worten wiedergeben:

Die physikalische Bindung findet, wie für gasförmige und flüssige, so auch für feste, gleichviel ob krystallisierte oder amorphe Verbindungen, nur auf grund der molekularen Anziehungskräfte statt; insbesondere geschieht diese Bindung bei festen, amorphen oder krystallisierten, gleich oder ungleich konstituierten Körpern, in durch die Löslichkeits- und Erstarrungsverhältnisse geregelten wechselnden Mengen, nach Mafsgabe gleichzeitigen Überganges aus dem flüssigen oder gasförmigen Zustande in den festen, oder, wenn man die zwischen festen Stoffen allein, z. B. durch Druck, hervorgerufene Bindung noch mit einschliefsen will: Nach Mafsgabe gleichzeitig eintretender Bindung (Anziehung) der Komponenten.

Auch dieser die Allgemeinheit umfassende Satz ist, soweit er die Gleichzeitigkeit der Abscheidung betrifft, wie das die betreffenden Sondererscheinungen der Krystallisation umschliefsende Grundgesetz von der gemischten Krystallisation, und aus denselben, in der zweiten und der vorliegenden Mitteilung eingehend entwickelten Gründen a priori gültig und mag kurz als „Satz von der physikalischen Bindung" bezeichnet werden.

Die Aufnahme der amorphen Verbindungen in den Kreis der Betrachtung, und der damit erlangte Ausblick auf die quantitative Seite der Entstehung der physikalischen Bindungen ihrem ganzen Umfange nach, hat erst in vorliegender dritter Mitteilung stattgefunden. Der Mittelpunkt dieses neuen weitest reichenden Gesichtskreises besteht in dem eben gegebenen „Satze von der physikalischen Bindung", welcher also das Grundgesetz von der gemischten Krystallisation als besonderen Fall mit einschliefst. Wie dieses eine Orientierung in dem Gebiete der Erscheinungen des gemischten Krystallisierens ermöglicht, so jener eine solche in dem Gesamtgebiete der die Vorgänge der gemischten Krystallisation mit einschliefsenden physikalischen Bindungen fester Stoffe.

Bonn, 10. Sept. 1884. Laborat. d. Verf.

Wochenbericht.
3. Anorganische Chemie.

Klein und J. Morel, *Über die Einwirkung von Wasser und Salpetersäure auf das basische Nitrat des Tellurdioxyds.* (C. r. **99**. 567—68. [6.*] Okt.)

Heinrich Beckurts, *Darstellung von arsenfreier Salzsäure durch fraktionierte Destillation unter Zusatz von Eisenchlorür.* Die Leichtigkeit, mit welcher sich in mäfsig kon-

[1] Belege für die Richtigkeit dieser Auffassung bilden die bekannten Beispiele der Krystallisation innerhalb fester Körper, wie Verwandlung von amorphem Eisen in krystallisiertes, infolge lang andauernder Erschütterung; Verwandlung von monosymmetrischem in rhombischen Schwefel, und umgekehrt; Verwandlung von rhombischem in tetragonales Nickelsulfat.

zentrierten salzsauren Flüssigkeiten bei Gegenwart von Eisenchlorür Arsen als Chlorarsen in der Wärme verflüchtigt, worauf nach den Versuchen von FISCHER eine quantitative Bestimmung des Arsens gegründet werden konnte, liefsen es wahrscheinlich erscheinen, dafs es gelingen müfste, mit Eisenchlorür versetzte Salzsäure durch fraktionierte Destillation gänzlich von Arsen zu befreien. Die käufliche, wenn auch als arsenfrei bezeichnete Salzsäure enthält meist noch deutlich nachweisbare Mengen von Arsen und darf daher zu gerichtlichchemischen Untersuchungen, wo oft bedeutende Mengen derselben Verwendung finden, nicht benutzt werden. Nach des Vf.s Versuchen ist es nun möglich, durch fraktionierte Destillation von arsenhaltiger Säure unter Zusatz von Eisenchlorür vollkommen arsenfreie Salzsäure darzustellen. Das Arsen geht vollständig und um so leichter, je konzentrierter die Säure ist, in die ersten Anteile des Destillates über.

Man versetzt eine möglichst konzentrierte Säure (30—40 prozentige) mit einer Auflösung von Eisenchlorür, entfernt die bei der Destillation zuerst übergehenden 30 p. c. als arsenhaltig und fängt die dann übergehenden 60 p. c., welche von Arsen frei sind, gesondert auf, während die restierenden 10 p. c. beseitigt werden.

Diese Methode liefert eine 20—30 prozentige Säure, von welcher 2000 ccm, nach der unten angegebenen Methode geprüft, kein Arsen mehr erkennen lassen, so dafs Vf. kein Bedenken trägt, diese Methode als aufserordentlich geeignet zur Darstellung arsenfreier Salzsäure für gerichtlichchemische Untersuchungen zu empfehlen. Es wurden in verschiedenen Versuchen je 3—5 kg 39 prozentiger Salzsäure, mit 20—50 ccm einer gesättigten Eisenchlorürlösung versetzt, der fraktionierten Destillation unterworfen. Die einzelnen Fraktionen wurden unter Zusatz von chlorsaurem Kalium (zur Oxydation vorhandenen Arsens zur Arsensäure) nach dem reichlichen Verdünnen mit Wasser und unter häufigem Erneuern des verdampfenden Wassers (um Verflüchtigung von Chlorarsen zu vermeiden) im Wasserbade eingedunstet, der Rückstand mit reiner Schwefelsäure aufgenommen und im Apparat von MARSH auf Arsen geprüft. Es ergab sich, dafs jedes erste Drittel des Destillates stark arsenhaltig, die folgenden zwei Drittel vollständig frei von Arsen waren.

Die Methode eignet sich auch bequem zur fabrikmäfsigen Darstellung arsenfreier Salzsäure. Man versetzt die rohe, meist Ferrichlorid enthaltende Säure zur Reduktion des Eisenchlorids zu Eisenchlorür mit einigen Schnitzeln metallischen Eisens und unterwirft die Eisenchlorür enthaltende Flüssigkeit, wie oben angegeben, der fraktionierten Destillation. Gewifs verdient diese Methode den Vorzug vor der Beseitigung des Arsens mittels Schwefelwasserstoff, dessen Benutzung man nach Möglichkeit gern umgeht.

Auch sehr kleine Mengen von Arsen lassen sich durch Destillation unter Zusatz von Eisenchlorür in der Salzsäure erkennen, worüber die folgenden Versuche Aufschlufs geben: 1. 500 g einer absoluten arsenfreien Salzsäure wurden mit 0,001 g As₂O₄ und 20 ccm Eisenchlorürlösung versetzt. In 20 ccm des Destillates liefs sich mittels der Arsenprobe der Pharmakopöe innerhalb weniger Minuten das Arsen nachweisen. 2. 500 g derselben Säure wurden mit 0,0001 g As₂O₄ und 20 ccm Eisenchlorürlösung versetzt. In 50 ccm des Destillates war Arsen deutlich nachweisbar. (Arch. Pharm. [3.] **22.** 684—85. Ende Sept. [15. Juli.] Braunschweig.

Stanford, *Jodgehalt verschiedener Meeresprodukte.* In den meisten der untersuchten Leberthransorten stieg die Menge des Jods nicht über 0,00043 p. c., während andere sogar nur 0,000052 p. c., filtrierte Sorten sogar nur 0,00004 p. c. Jod enthielten. STANFORD glaubt daher, dafs der Jodgehalt des Leberthrans sehr wenig zu thun habe mit seiner therapeutischen Wirkung. In englisch-portugiesischen Austern, in welchen nach CHAMPOUILLON 0,0039 Jod vorhanden ist, fand Vf. nur 0,00004, im gebrannten türkischen Schwamm 0,2 und im Honeycombschwamm 0,054 p. c. Jod. (Von der British Pharmaceut. Conference a. Chemist and Drugist. 1884. 375. August; Pharm. Ztg. **29.** 671.)

Carl Auer von Welsbach, *Über die seltenen Erden.* (Monatsh. f. Chem. **5.** 548—22. August. [17.° Juli.] Wien, LIEBEN's Laborat.)

Charles L. Bloxam, *Über einige Reaktionen des Silbercyanides.* Wird konzentrierte Salpetersäure auf frisch gefälltes Silbercyanid gegossen, so entwickelt sich Cyanwasserstoff, und beim Sieden wird das Cyanid vollständig gelöst, worauf die Lösung beim Abkühlen Silbernitrat in Krystallen abscheidet; dekantiert man aber die Lösung, nachdem ein Teil des Niederschlags gelöst ist, so scheiden sich beim Abkühlen kleine Nadeln ab, welche sich miteinander verfilzen, sobald man die Flüssigkeit umrührt. Die Beobachtung der Bildung dieser Nadeln unter dem Mikroskop wurde von dem Vf. in einer früheren Mitteilung empfohlen, um das Silbercyanid zu identifizieren. Sie gleichen in ihrem Aussehen dem sogenannten Nitrocyansilber, welches durch Auflösung von Silbercyanid in Silbernitrat erhalten wird und die Formel AgCN.2AgNO₃ hat. Eine gewisse Menge dieser Krystalle aus der salpetersauren Lösung wurde durch Pressen zwischen Fliefspapier von der Mutterlauge befreit und durch Wasser zersetzt, wobei amorphes Silbercyanid zurückblieb und Silbernitrat in Lösung ging. Zwei verschiedene Proben gaben in dieser

Weise 21,5 und 22,44 p. c. Ag als AgCN; obige Formel verlangt 22,78 p. c. Der Rückstand von der Salpetersäure war eine Mischung der Nadeln mit etwas unverändertem Silbercyanid, und das in jenen enthaltene Silbernitrat betrug 53,4 p. c. Wird Silbercyanid ungefähr zwanzig Stunden mit kalter konzentrierter Salpetersäure in Berührung gelassen, so geht etwa die Hälfte davon in nadelförmiges Nitrocyanid über. Konzentrierte Säure (1,4) mit dem gleichen Volum Wasser verdünnt, scheint das geeignetste Mittel zur Umwandlung des Cyanids in Nitrocyanid durch Kochen zu sein.

Gefälltes Silbercyanid mit einer konzentrierten Lösung von Natriumcarbonat in der Kälte behandelt, verliert sein flockiges Aussehen und wird körnig. Beim Sieden wird das Silbercyanid grau und in eine Masse von kleinen, stark verfilzten Nadeln umgewandelt; die siedende Lösung, in ein Becherglas dekantiert, setzt nadelförmige Krystalle in reichlicher Menge ab. Diese Krystalle zeigen alle Reaktionen des Silbercyanids, und die Mutterlauge erhält nur noch eine Spur von Natriumcyanid.

Der graue krystallinische Rückstand, nach zweimaligem Sieden des Silbercyanids mit einer konzentrierten Lösung von Natriumcarbonat, wurde gut ausgewaschen und bei 100° getrocknet. Sein Aussehen unter dem Mikroskop war unverändert und ergab beim Glühen 81,3 p. c. Silber, das Cyanid sollte 80,6 p. c. geben, aber die dunkle Farbe der Nadeln deutete auf eine Reduktion hin. Die qualitative Prüfung ergab nur Silbercyanid und etwas metallisches Silber.

Die aus der Natriumcarbonatlösung abgeschiedenen Nadeln sind voluminös und gehen beim Umrühren in eine filzartig vereinigte Masse über. Um eine genügende Menge zur Analyse zu erhalten, wurden 10 Gran Silbernitrat gelöst, durch Cyanwasserstoff gefällt, der Niederschlag gut ausgewaschen, abgepreßt und mit einer Lösung von 300 Gran krystallisiertem Natriumcarbonat in einer Unze Wasser gekocht; die heiße Lösung wurde dekantiert und krystallisierte beim Umrühren; die Mutterlauge wurde von dem ungelösten Cyanid abgegossen, welches man von neuem mit der Lösung kochte. Eine fünfzehnmalige Wiederholung war nötig, um alles Silbercyanid zu lösen. Die Krystalle wurden gewaschen und bei 100° getrocknet; sie gaben beim Glühen 80,46 p. c. Silber, während das Silbercyanid 80,0 verlangt.

Mit Kaliumcarbonat gelingt die Herstellung des krystallisierten Silbercyanids leichter, als mit Natriumcarbonat. Das aus 10 Gran Silbernitrat gefällte Cyanid wurde mit einer Lösung von 150 Gran Kaliumcarbonat und einer Unze Wasser gekocht; die dekantierte Flüssigkeit setzte Nadeln ab, welche mit den durch Natriumcarbonat erhaltenen identisch waren; die vollständige Lösung des zurückbleibenden Cyanids gelang durch zehnmalige Wiederholung des Kochens. Die Mutterlauge von den letzten Krystallen enthielt nur eine Spur Cyan. Hiernach wird Silbercyanid durch Kochen mit konzentrierten Lösungen von Kalium- oder Natriumcarbonat nicht zersetzt, sondern nur in krystallinische Form umgewandelt. (Chem. N. **50.** 155.)

4. Organische Chemie.

Konrad Natterer, *Zur Kenntnis des Dichloräthers.* (Monatsh. f. Chem. **5.** 491—507. August. [17.* Juli.] Wien, LIEBEN's Laborator.)

Stanislaus Schubert, *Über das Verhalten des Stärkekorns beim Erhitzen.* (Monatsh. f. Chem. **5.** 472—87. August [17.* Juli.] Brünn, technische Hochschule. HABERMANN's Laboratorium.)

R. Benedikt und **P. Julius,** *Über ein neues Resorcinblau.* Resorcin geht, wie bekannt, in WESELSKY's Diazoresorcin über, wenn man seine ätherische Lösung mit roter rauchender Salpetersäure versetzt. Läßt man dagegen eine Lösung von salpetrigsaurem Kali in konzentrierter Schwefelsäure (LIEBERMAN's Reagens) auf eine ebensolche Resorcinlösung einwirken, so erhält man WESELSKY's Diazoresorufin. Von diesen beiden Farbstoffen ist ein dritter verschieden, welchen man beim Verschmelzen von Resorcin mit salpetrigsaurem Natron erhält.

55 g Resorcin (1 Mol.) werden mit 18 g salpetrigsaurem Natron (ca. $^1/_2$ Mol.) gemischt und in einem geräumigen Kolben im Paraffinbade allmählich auf 130° erhitzt. Die Masse kommt in starkes Schäumen unter reichlicher Entwicklung von Ammoniak, wird intensiv blau und erstarrt. Man löst in wenig Wasser, filtriert und salzt aus. Der Niederschlag, das Natronsalz des neuen Farbstoffes, kann aus wenig Wasser umkrystallisiert werden und wird dann in Form undeutlicher Krystalle erhalten, welche nach dem Trocknen an der Luft kupferroten Reflex zeigen. Die wässerige Lösung ist schmutzig blauviolett gefärbt. In absolutem Alkohol ist die Substanz schwer löslich, die Flüssigkeit ist rein blau. Zuweilen zeigt sie eine intensive grüne Fluorescenz, was offenbar von der Beimengung eines zweiten Farbstoffes herrührt. Aus einer mit Alkohol versetzten Lösung läßt sich der Farbstoff mit Äther in blauen Flocken fällen.

Aus der wässerigen Lösung scheidet sich beim Ansäuern der freie Farbstoff in dunkelroten Flocken aus, die sich in Alkohol leicht lösen und daraus durch Wasser wieder gefällt werden. In konzentrierter Schwefelsäure löst er sich mit blauer Farbe. Durch Zinkstaub und Alkali wird der Farbstoff leicht reduziert, die abfiltrierte Lösung färbt sich an der Luft sehr rasch wieder blau. Durch dieses Verhalten unterscheidet er sich von WESELSKY's Diazoresorcin, welches bei der Reduktion und Reoxydation in Diazoresorufin übergeht, dessen Lösung carmoisinrot mit zinnoberroter Fluorescenz ist.

Es ist den Vff. bisher nicht gelungen, zum Färben geeignete Derivate dieses Körpers darzustellen. Auch von der Elementaranalyse desselben haben sie Abstand genommen, da davon vorläufig wenig Aufschlufs zu erwarten war. Die Reaktion als solche, die bisher ohne Analogon dasteht, schien Vffn. interessant genug, um in aller Kürze mitgeteilt zu werden. Erwähnt sei noch, dafs sich beim Schmelzen von Resorcin mit salpetersaurem Harnstoff Diazoresorufin bildet, und dafs sich das Orcin sowohl in dieser Reaktion, als auch gegen salpetrigsaures Natron dem Resorcin ähnlich verhält. (Monatsh. f. Chem. **5.** 534—35. August. [17.* Juli.] Wien, technische Hochschule.

Franz Berger, *Über die Einwirkung von Acetamid auf Phenylcyanamid.* **(Monatsh.** f. Chem. **5.** 451—71. August. (17.* Juli.] Brünn, technische Hochschule, HABERMANN's Laboratorium.)

Zd. H. Skraup und **0. W. Fischer,** *Über das Methylphenanthrolin.* SKRAUP und VORTMANN haben früher (**82.** 714 und **83.** 610) aus dem m- und p-Phenylendiamin mit der Glycerinreaktion zwei isomere Basen von der Formel $C_{13}H_9N_2$ dargestellt, welche Phenanthrolin und Pseudophenanthrolin genannt wurden. In der Absicht, eine Carbonsäure des Phenanthrolins zu gewinnen, gingen die Vff. von dem gewöhnlichen Dinitrotoluol (Schmelzp. 71°; $CH_3 : NO_2 : NO_2 = 1 : 2 : 4$) aus, welches in das Toluylendiamin übergeführt ein Methylphenanthrolin liefern und dann durch Oxydation die gesuchte Säure geben konnte.

Das Dinitrotoluol wurde mit Zinn und Salzsäure behandelt, das Produkt durch Schwefelwasserstoff vom Zinn befreit und das Filtrat bis zur Krystallisation des salzsauren Toluylendiamins eingedampft. Die erste Krystallisation wurde ohne weitere Reinigung mit Nitrobenzol, Glycerin und Schwefelsäure am Rückflufskühler vier Stunden lang erhitzt, das Produkt mit Wasser verdünnt, durch Einblasen von Wasserdampf von unverändertem Nitrobenzol befreit und dann mit Ätznatron alkalisch gemacht, wobei ein braunes Harz ausfiel. Letzteres löst sich in verdünnter Salzsäure, und die eingedampfte salzsaure Lösung lieferte nach vorsichtigem Zusatz von Alkohol und nach langem Stehen Krystalle des Chlorhydrats des Methylphenanthrolins, welche in das Chromat verwandelt wurden, aus dem man dann durch Ammoniak ein lichtbräunliches, leicht erstarrendes Öl abschied, das die Krystallwasserverbindung des Methylphenanthrolins war. Nach $1^1/_2$ stündigem Trocknen bei 100° hatte es das Wasser verloren und zeigte die Zusammensetzung $C_{13}H_{10}N_2$. Es destilliert über der Thermometergrenze in reinem Zustande nahezu ohne Zersetzung. Den gebräuchlichen Lösungsmitteln gegenüber verhält es sich ganz ähnlich dem von SKRAUP und VORTMANN beschriebenen Phenanthrolin, dem es auch im Geruche ähnelt, nur riecht die neue Base schärfer, an Akridin erinnernd. Mit Wasser zusammengebracht, wird es augenblicklich weifs und undurchsichtig und in die Krystallwasserverbindung $C_{13}H_{10}N_2 + 5H_2O$ übergeführt, die in ziemlich kurzen Prismen krystallisiert und ebenso wie die wasserfreie Base bei 95—96° schmilzt. In Wasser löst sich die Base in der Kälte etwas leichter, als in der Hitze; die wässerige Lösung, sowie die in Alkohol und Säuren sind ungefärbt und fluorescieren nicht. Die verdünnte alkoholische Lösung wird auf Zusatz von Eisenchlorid gelblichbraun gefärbt; mit Silbernitrat vermischt, scheidet sie allmählich kuglige Aggregate von weifsen Nädelchen ab, Kupferacetat fällt nach einiger Zeit lange weiche blaue Nadeln.

Es wurde das basische Chlorhydrat, $C_{13}H_{10}N_2.HCl + 4H_2O$, das Dichromat, $(C_{13}H_{10}N_2)_2.$ $H_2Cr_2O_7$, das Platindoppelsalz, $C_{13}H_{10}N_2.H_2Cl_6Pt + 2H_2O$ und die Pikrinsäureverbindung dargestellt.

Die Oxydation des Methylphenanthrolins gelang am besten, indem man 8 g der Base mit 20 g konzentrierter Schwefelsäure bis zur vollständigen Lösung erwärmte und dann unter steter Kühlung und sorgfältigem Verrühren mit 10 g Chromsäure allmählich vermischte, die in der eben notwendigen Menge Eisessig gelöst war. Durch weitere Verarbeitung erhielt man dann die in weifsen Nadeln krystallisierende *Phenanthrolincarbonsäure* $C_{13}H_8N_2O_2$. Diese ist in kaltem Wasser nahezu unlöslich, in heifsem sehr schwer löslich, gleichfalls schwer in Alkohol, in Eisessig und in verdünnter Essigsäure, leicht und ohne Färbung löslich in Alkalien und Mineralsäuren. Die kaltgesättigte, wässerige Lösung reagiert gar nicht, die kochendgesättigte sehr schwach sauer. Sie schmilzt unter Zersetzung bei 277°. Die wässerige Lösung wird auf Zusatz von Eisenchlorid oder Eisenvitriol nicht verändert, sie krystallisiert wasserfrei.

Das Calciumsalz hat die Formel $[(C_{18}H_7N_2O_3)_2Ca + 5H_2O]_2 + C_{18}H_8N_2O_3$. Ein normales Kalksalz konnte bis jetzt nicht erhalten werden.

Destillation des Calciumsalzes. Phenanthrolincarbonsäure in wenig Ätznatron gelöst und dann mit dem fünffachen Gewicht Ätzkalk im Wasserbade eingetrocknet, roch schon deutlich nach Phenanthrolin. Beim Erhitzen des Gemisches in einem Glasrohr entwich anfangs Wasser, bei dunkler Rotglut aber ein fast ungefärbtes, dickes Öl, erst die letzten Tropfen waren gelblichbraun. Das Öl erstarrte weder für sich, noch mit Wasser verrührt.

In verdünnter Schwefelsäure gelöst und mit Kaliumdichromat versetzt, schied es ein bräunliches Chromat ab, das in viel heißem Wasser unter Abscheidung bräunlicher Flocken in Lösung ging und beim Erkalten zunächst in körnigen, rötlichen, dann in gelben, nadligen Krystallen wieder anschofs. Beim Verreiben mit Ammoniak gingen letztere augenblicklich, erstere nur langsam und unter vorhergehender Ölabscheidung in feine Krystallfäden über, die den Schmelzpunkt 65—66, resp. 63—64° hatten, also nahezu bei derselben Temperatur sich verflüssigten, wie das Phenanthrolinhydrat, beim Erwärmen den eigentümlichen Geruch des Phenanthrolins zeigten und auch eine in Alkohol äußerst schwer lösliche Pikrinsäureverbindung eingingen.

Die Entstehung des Phenanthrolins aus der beschriebenen Säure einerseits, die Bildung des Methylphenanthrolins aus dem gewöhnlichen Toluylendiamin andererseits, lassen die Konstitution der genannten Verbindungen nicht zweifelhaft. Sie wird durch folgende Formeln ausgedrückt:

Toluylendiamin   Methylphenanthrolin   Phenanthrolincarbonsäure.

Die Vff. beabsichtigen, von Diamidobenzoesäuren ausgehend, Isomere der Phenanthrolincarbonsäuren darzustellen. (Monatsh. f. Chem. 5. 523—30. August. [17.* Juli.] Wien, Handelsakademie.)

Zd. H. Skraup, *Eine neue Bildungsweise des Phenanthrolins.* Nach den gegenwärtigen Vorstellungen über die Konstitution des Chinolins sind sieben Monosubstitutionsderivate desselben denkbar, von denen vier die substituierende Gruppe im Benzolring drei im Pyridinring besitzen. Zwei der ersteren vier sind ihrer Stellung nach bekannt, jene nämlich, die vermittels der Glycerinreaktion aus dem Ortho-, resp. Paraderivat des Anilins dargestellt werden können. Anders ist es bei den sogenannten Metaderivaten der Chinolinreihe, die aus in der Metastellung substituierten Anilinen entstehen, da letztere bei der Glycerinreaktion in zwei der Stellung nach verschiedene Chinoline übergehen können und gegenwärtig keine anderen Thatsachen vorliegen, welche es ermöglichen, für die wirklich erhaltenen die Stellung außer Zweifel zu setzen. So kann beispielsweise das m-Toluidin zwei verschiedene m-Toluchinoline geben:

von denen das der Formel 1 das wirkliche Metaderivat wäre, das der Formel 2 die Methylgruppe in jener Stellung besitzt, die nach dem Vorschlage von O. FISCHER als ana-Stellung bezeichnet werden sollte.

In der Hoffnung, zur Klärung dieser Frage beizutragen, versuchte Vf., die Glycerinreaktion bei einem *Amidochinolin* auszuführen, das von R. LAIBLIN im Laboratorium der Badischen Anilin- und Sodafabrik aus einem Nitrochinolin dargestellt worden war, das neben dem o-Nitrochinolin von KÖNIGS bei Nitrierung des Chinolins entsteht; es ist, wie H. LAIBLIN dem Vf. weiter mitgeteilt hat, identisch mit dem β-Amidochinolin von

RIEMERSCHMID und geht nach der Diazotierung in das β-Oxychinolin von O. FISCHER und RIEMERSCHMID über.

Vorausgesetzt, daſs die Amidogruppe desselben mit Glycerin ähnlich reagiere, wie die aromatischer Amine, konnten je nach der Stellung jener verschiedene Basen entstehen.

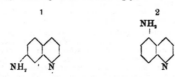

Hat das β-Amidochinolin die Stellung 2, so kann dasselbe bei der Glycerinreaktion wohl nur in Phenanthrolin übergehen, besitzt es aber die Formel 1, dann kann es ebensogut Phenanthrolin, wie auch eine mit demselben isomere Base liefern, wenn die Schlieſsung des Pyridinringes nicht in der Ortho-, sondern in der Parastellung erfolgt. Gelang es nun, die Bildung einer mit dem Phenanthrolin isomeren Base nachzuweisen, dann war die Stellung 1 für das β-Amido- und für das β-Oxychinolin zum mindesten sehr wahrscheinlich gemacht.

Das β-Amidochinolin liefert nun mit Nitrobenzol, Glycerin und Schwefelsäure erhitzt in ziemlich guter Ausbeute Phenanthrolin (aus 5 g etwa 3 g), das durch seine physikalischen Eigenschaften, Schmelzpunkt der wasserfreien und krystallwasserhaltigen Base, der Pikrinsäureverbindung, endlich Analyse des Chromates leicht erkannt werden konnte; eine zweite Base zu isolieren gelang aber nicht, die gewünschte Entscheidung muſs daher auf anderem Wege versucht werden.

Immerhin hat der Nachweis einiges Interesse, daſs die groſse Ähnlichkeit zwischen Chinolinderivaten und solchen der aromatischen Reihe sich auch in der Fähigkeit zeigt. abermals die Chinolinglycerinreaktion einzugehen.

Das β-Amidochinolin hat Vf. in einer Ausbeute von etwa 50 p. c. in ein *Oxychinolin* verwandelt, welches alle Eigenschaften des β-Oxychinolins zeigt. Ob letzteres mit seinem Metaoxychinolin identisch ist, hält er für sehr fraglich. Die Differenzen im Schmelzpunkt sind sehr bedeutend (β-Oxychinolin 224—228 RIEMERSCHMID, 223—224 SKRAUP, Metaoxychinolin 235—238°), das Metaoxychinolin zeigt grüne Fluoreszenz, das β-Oxychinolin nicht, letzteres scheint weit luftempfindlicher und weit schwieriger ganz rein darstellbar zu sein, wie ersteres. Ebenso krystallisiert die Pikrinsäureverbindung des β-Oxychinolins stets in Blättern, die des Metaoxychinolins immer in Nadeln. (Monatsh. f. Chem. **5.** 531—33. August. [27.* Juli.] Wien, Handelsakademie.)

Olof Hammarsten, *Beitrag zur Kenntnis des Mucins und der mucinähnlichen Stoffe.* (vgl. **84.** 814.) (Upsala täkareſören. förhandl. **19.** 381; SCHMIDT's Jahrb. d. ges. Med. **203.** 5—8.)

5. Physiologische, medizinische und pharmazeutische Chemie.

Berthelot und **André,** *Die Nitrate der Pflanzen in verschiedenen Vegetationsperioden.* Der allgemeine Gang der Vegetation und die Verteilung der Hauptbestandteile während der verschiedenen Vegetationsperioden in den verschiedenen Teilen der Pflanze ist in den früheren Abhandlungen (S. 759. 760. 777. 815. 820) mitgeteilt worden. Es erübrigt jetzt, die Entstehung des Salpeters in diesen Pflanzen zu besprechen. In der folgenden Tabelle sind die Resultate der Salpeterbestimmungen zunächst für Borrago officinalis zusammengestellt:

I. *Borrago officinalis.*

Datum 1883	Vegeta-tions-periode	Trocken-gewicht	Nitrate		Prozentisches Verhältnis			
			Absolutes Gewicht	Relatives Gewicht	K	N	Extrakt	Wasser
	A	0,0139	0,0000014	0,01	0,3	0,05	3	0,01
26. April	B	0,017	0,000084	0,5	5,0	2,5	3	0,2
29. Mai	C	1,4195	0,0348	2,5	22,6	9,5	15	0,3
12. Juni	D	2,1267	0,0877	4,2	29,0	14,1	20	0,8
12. „	E	2,446	0,1225	5,0	27,5	32,0	20	0,4
30. „	F	17,124	0,341	2,0	18,7	35,2	9	0,8
7. Sept.	G	50,254	0,0114	0,02	0,27	0,4	0,1	0,01
7. „	H	34,073	0,244	0,7	5,8	12,8	3,2	0,6
7. „	I	47,16	Spuren	0,0	—	—	—	—

Die Buchstaben in der zweiten Rubrik haben folgende Bedeutung:
A Samen; B Pflänzchen; C Beginn der Entwicklung; D Beginn der Blüte; E desgl. für eine andere etiolierte Pflanze; F Pflanze ohne Blütenstand; G Fruchtreife; H Pflanze auf dem Stengel getrocknet; I Pflanze ohne Blütenstand. Die dritte und vierte Rubrik bedarf keiner Erklärung.

Die Zahlen der fünften Rubrik drücken das Verhältnis (multipliziert mit 100) zwischen dem absoluten Gewichte des Nitrates und dem absoluten Gewichte der Pflanze, d. h. die prozentische Menge des Stickstoffes aus.

Die sechste Rubrik enthält das Verhältnis (multipliziert mit 100) zwischen dem Gewichte des im Nitrate enthaltenen Kaliums und dem Gesamtgewichte desselben Elementes in der ganzen Pflanze.

Die siebente Rubrik enthält das Verhältnis (multipliziert mit 100) zwischen dem Gewichte des im Nitrate enthaltenen Stickstoffs und dem Gewichte des Stickstoffs der Eiweißkörper, wie letztere nach der früher beschriebenen Methode bestimmt worden sind; diese Menge ist nur ein Teil, allerdings der größte der Stickstoffverbindungen.

Die achte Rubrik giebt das Verhältnis (multipliziert mit 100) zwischen dem Gewichte des Kaliumnitrates und dem Gewichte der löslichen Bestandteile des Alkoholwasserextraktes, von denen das Kaliumnitrat selbst einen Teil bildet.

Die neunte Rubrik endlich enthält das Verhältnis (multipliziert mit 100) zwischen dem Gewichte des Nitrates und dem in der Pflanze enthaltenen Wasser; die Variationen in dieser Rubrik hängen von dem Zustand des Bodens und der Regenmenge ab.

Nach diesen Analysen existiert das Kaliumnitrat in bestimmbaren Mengen bereits im Samen. Seine relative und absolute Menge wächst in dem Maße wie die Pflanze sich entwickelt und bis zum Beginne der Blüte; hier erreicht sie ein Maximum; sie vermindert sich dann in dem Maße, wie die Funktion der Reproduktion sich entwickelt. Diese Funktion beansprucht die Bildung stickstoffhaltiger Substanzen, wodurch das Kaliumnitrat in einer größeren Menge zerstört wird, als es sich innerhalb des Gewächses wieder bildet. Gegen das Ende der Fruchtreife verliert diese Ursache des Salpeterverbrauches an Einfluß, und dementsprechend vermehrt sich der Salpeter von neuem. Der Verbrauch an Salpeter infolge der Bildung von Eiweißkörpern und anderen stickstoffhaltigen Bestandteilen macht sich nicht nur während der Blüte und der Reife bemerklich, sondern auch dann, wenn die Entwicklung der grünen Teile überwiegt, wie es der Fall ist, wenn die Pflanze längere Zeit ohne Blütenstand wächst (30. Juni) oder besser noch, wenn sie ihres Blütenstandes systematisch beraubt wird, so daß der Einfluß der Funktion der Fortpflanzung wegfällt. In diesem Falle entwickelt sich die Pflanze buschig, belaubt und kräftig, aber die Nitrate verschwinden fast vollständig.

Man erkennt aus diesen Einzelheiten, daß man behufs Begünstigung der Salpeterbildung in der Borrätschpflanze diese dicht säen und ihre Entwicklung von Beginn der Blüte an zurückhalten müßte. Dies wird auch durch die Untersuchung der Amarantaceen bestätigt, wie sich sogleich zeigen wird.

Die Erzeugung der Nitrate verlangt, daß die Pflanze eine gewisse Kräftigkeit besitzt; dementsprechend findet man sie nicht in Getreidearten, welche in Wasser kultiviert werden.

Das Welken und Austrocknen der Pflanze auf dem Stengel macht den Salpeter nicht verschwinden. Dementsprechend wurden noch in den Stengeln der Borrätschpflanze, nachdem sie an der Luft völlig getrocknet und sechs Monate lang in einem offenen Schuppen aufbewahrt waren, bei der Analyse 2 p. c. Salpeter gefunden, also etwa ebensoviel, als im Anfang der Entwicklung. Ferner fand man in einem grünen und in einem auf der lebenden, allerdings etwas etiolierten, Pflanze verwelkten Blatt, welche beide an demselben Tage gepflückt worden waren, nahezu die gleiche Menge Nitrat, nämlich 0,9 p. c. in dem grünen und 1,11 p. c. in dem gelben Blatt. Die chemischen Vorgänge, welche während des Welkens stattfinden, modifizieren also die Menge der Nitrate nur wenig, ohne Zweifel weil diese keinen reduzierenden Einfluß durch die grünen Pflanzenteile mehr erleiden. Es würde jedenfalls anders sein, wenn die Pflanze während des Welkens feucht bliebe und Gärungs- oder Fäulnisprozesse durchmachte, welche fähig sind, die Nitrate zu zerstören.

Beobachtungen dieser Art müssen mit Blättern vorgenommen werden, welche während des Wachstums von dem Stengel getrennt sind, denn wenn man die Pflanze im ganzen abtrocknen läßt, so tritt infolge der rein physikalischen und kapillaren Thätigkeit, welche die Flüssigkeiten und infolgedessen die darin enthaltenen Nitrate in den Blättern, als dem letzten Sitz der Abdampfung, anzuhäufen strebt, eine Fehlerquelle auf. Ihre Menge kann sich auf diese Weise bis auf 3,65 p. c. erhöhen. Das Verhältnis zwischen dem Wasser und dem Salpeter bleibt dann nicht, wie in der obigen Tabelle verzeichnet ist, ein geringes, sondern kann so groß werden, daß der Salpeter krystallisiert und an der Oberfläche der Blätter und des Stengels effloresziert. Dieser Vorgang ist aber keine physiologische Erscheinung.

Das Kaliumnitrat absorbiert, indem seine relative Menge bis zu 5 p. c. der ganzen Pflanze steigt, eine zunehmende Menge von Kalium und Stickstoff. Diese Menge beträgt trotzdem noch nicht den dritten Teil der Gesamtmenge des Kaliums, deshalb ist es fehlerhaft, den Salpeter aus dem in der Asche enthaltenen Kaliumcarbonat zu berechnen.

Man sieht aus der Tabelle ferner, daß der Stickstoff des Salpeters bis zum dritten Teil des in den Eiweißkörpern enthaltenen steigen kann, aus denen jener durch Oxydation entsteht. Dieses Maximum tritt während der Blüte ein, dagegen sinkt die relative Menge während der Reife auf ein Minimum herab und beträgt am Ende der Vegetation etwa $^1/_3$.

Das Verhältnis des Salpeters zu den löslichen Substanzen zeigt ähnliche Schwankungen. Es erreicht während der Blüte ein Maximum von 20 p. c. und sinkt zuletzt auf 3 p. c. herab.

Die Analysen der etiolierten Pflanzen und derjenigen, deren Blüte sich langsam entwickelte (12. und 30. Juni) zeigen, daß, wenn die Eiweißkörper leidet, die Eiweißkörper zu verschwinden streben, oder vielmehr aufhören, sich vor den Nitraten zu entwickeln. Mit anderen Worten: die Reduktionsvorgänge, die im Zusammenhang mit der Bildung der grünen Pflanzenteile stehen, welche ihrerseits korrelativ mit der der Eiweißkörper ist, treten gegen die Oxydationsvorgänge, welche die Bildung der organischen Säuren, der Kohlensäure und der Nitrate bewirken, zurück. Dies erklärt sich, wenn man erwägt, daß die Bildung der grünen Teile eine besondere Arbeit verlangt, welche durch die Intervention fremder Energien (Licht, Wärme) vom Chlorophyll geleistet wird. Die Oxydationsvorgänge dagegen vollziehen sich ohne Entwicklung von Wärme und ausschließlich unter Aufwand von chemischer Energie: sie können also fortdauern, selbst in einer Pflanze, in der die Reduktionsvorgänge suspendiert oder wenigstens stark vermindert sind.

Diese Schlußfolgerungen werden durch die Untersuchung der Amarantaceen, deren Resultate in der folgenden Tabelle zusammengestellt sind, bestätigt.

II. *Amarantus caudatus.*

Datum 1883	Vegetationsperiode	Trockengewicht	Nitrate		Prozentisches Verhältnis			
			A. G.	R. G.	K	N	Extrakt	Wasser
26. April	A	0,00127	0,000097	7,6	62	61	21	1,0
29. Mai	B	0,610	0,0267	4,4	22	24	20	0,7
30. Juni	C	16,15	0,924	5,7	31	17	26,5	1,2
11. Sept.	D	177,8	0,394	1,0	2,7	3	1,9	0,6
19. Okt.	E	287,9	7,430	3,1	8,6	11,6	7,7	2,5

Die Buchstaben der zweiten Rubrik bedeuten: A Pflänzchen; B Beginn der Vegetation; C Beginn der Blüte; D Blüte; E Fruchtreife (getrocknete Pflanze.

Das absolute Gewicht des Stickstoffes (in Grammen) wächst bis zur Blüte, geht durch ein Maximum, nimmt ab, und vermehrt sich dann von neuem, ohne jedoch die im Anfang vorhandene prozentische Menge zu erreichen; dies sind dieselben Resultate, wie beim Borrätsch. Zuerst im jungen Pflänzchen existieren $^2/_5$ des Kaliums als Nitrat, welches aus dem Boden aufgenommen oder durch die Pflanze erzeugt ist. Zuletzt beträgt die Menge nicht mehr als $^1/_{12}$. Das Verhältnis des Stickstoffs beträgt im Anfang ebenfalls nahezu $^2/_3$, nimmt dann während der folgenden Wachstumsperioden ab, ist am kleinsten während der Blüte und steigt dann wieder gegen das Ende hin, gerade so wie beim Borrätsch. Auch das Verhältnis zum Extrakt zeigt die gleiche Variation. Der Reichtum des Saftes an Nitraten ist gröfser, als beim Borrätsch, und erreicht zuletzt ein Maximum.

III. *Amarantus nanus.*

Datum 1883	Trockengew.	Nitrate		Prozentisches Verhältnis			
		A. G.	R. G.	K	N	Extrakt	Wasser
29. Mai	0,518	0,0069	1,35	12,5	6,6	6,3	0,2
22. Juni	4,75	0,103	2,0	18	9	12	0,6
30. „	15,34	0,320	2,1	11	13	10	0,4
7. Sept.	123,1	2,658	2,2	32,7	18	21	0,5

Im Samen ist kein Nitrat enthalten. Die Blütenstände haben sich seit dem 29. März entwickelt, im September war ihr Übergewicht enorm. Diese Bedingungen weichen von den vorhergehenden ab; gegen das Ende beträgt der Stickstoff des Salpeters fast $^1/_3$ vom Gesamtstickstoff und $^1/_5$ der löslichen Substanzen.

IV. *Amarantus giganteus.*

Datum 1883	Trockengew.	Nitrate		Prozentisches Verhältnis			
		A. G.	R. G.	K	N	Extrakt	Wasser
Samen	0,00076	Spur	—	—	—	—	—
26. April	0,0022	Spur	—	—	—	—	—
29. Mai	0,092	0,00445	4,8	29,0	23,0	20,6	1,3
22. Juni	3,104	0,0393	1,3	11,2	16,7	7,5	0,4
10. Juli	77,8	4,043	5,2	29,0	30,5	19,0	0,07
17. Sept.	415,2	10,02	2,4	26,0	24,3	17,6	10,8
19. Okt.	318,3	16,28	5,15	71,0	57,0	47,0	25,1

Die Nitrate treten erst mit der Entwicklung der Pflanze auf, welche rasch zunimmt. Am Ende des Wachstums ist der relative Gehalt an Salpeter am gröfsten (5,15 p. c.), das Kalium desselben beträgt mehr als $^2/_3$ vom Gesamtkalium, der Stickstoff mehr als ein Drittel vom Gesamtstickstoff der Pflanze und fast die Hälfte vom Stickstoffe des Extraktes. In diesem Zeitpunkte stirbt die Pflanze ab, und der Salpeter krystallisiert darin, wie sich aus dem Verhältnisse zum Wasser ergiebt.

V. *Amarantus melancolicus.*

Datum 1883	Zustand	Trocken-gewicht	Nitrate		Prozentisches Verhältnis			
			A. G.	R. G.	K	N	Extrakt	Wasser
26. April	A	0,00177	0,000039	2,2	16,0	7,6	8,0	0,9
27. Mai	B	0,286	0,0036	1,9	—	6,0	5,0	0,6
16. Juli	C	8,52	0,374	4,4	23,9	21,0	13,0	0,7
7. Sept.	D	134,2	9,303	6,9	44,6	41,7	32,0	1,2
3. Okt.	E	56,9	1,708	3,0	26,0	22,0	13,0	0,9
19. „	F	13,37	0,238	1,8	19,4	14,4	12,6	0,6

Die Buchstaben der zweiten Rubrik bedeuten: A Pflänzchen; B Beginn des Wachstums; C vor der Blüte; D desgl.; E schwächlich entwickelter Blütenstand; F getrocknete Pflanze.

Der Salpetergehalt erreicht vor der Blüte sein Maximum, und sein Kalium beträgt nahezu die Hälfte des Gesamtkaliums der Pflanze etc. Von da ab entwickelt sich die Pflanze kränklich und von da ab nimmt auch der Salpetergehalt ab.

VI. und VII. Die Analysen von Amarantus pyramidalis und bicolor teilen die Vff. nicht mit.

VIII. Celosia cristata.

Datum 1883	Zustand	Trockengewicht	Nitrate		Prozentisches Verhältnis			
			A. G.	R. G.	K	N	Extrakt	Wasser
29. Mai	A	0,085	0,0014	1,7	14,0	10	8,0	0,2
30. Juni	B	2,05	0,021	1,0	7,4	10	5,5	0,4
„	C	2,29	0,038	1,7	14,0	20	8,0	0,8
3. Okt.	B	14,24	0,133	1,0	—	8	4,3	0,5
	C	14,34	0,068	0,5	—	5	2,0	0,2
19. „	B	11,33	0,223	2,0	24,0	20	12,6	0,8
„	C	32,77	0,390	1,2	16,0	9	7,0	0,4

In der zweiten Rubrik bedeutet A vor der Blüte; B die gelbe und C die rote Varietät. Die Resultate dieser Untersuchungen nähern sich denen von Amarantus nanus. (C. r. **99**. 550—55. [6.*] Okt.)

L. Kuntze, *Parallelversuche zwischen Torfmulldünger und Chili zu Rüben.* (KOHLRAUSCH'S Org. d. Centralv. für Rübenz.-Ind. 1884 496; SCHEIBL. N. Z. **13**. 133—35.)

E. Heiden, *Beitrag zum Absorptionsvermögen des Sandbodens.* (Tagebl. d. Naturf.-Vers. zu Magdeburg 1884. 189—92.)

J. B. Lawes und **J. H. Gilbert**, *Über die Zusammensetzung der Asche von Weizensamen und Weizenstroh, geerntet bei Rothamsted zu verschiedenen Zeiten und bei verschiedener Düngung.* (Journ. Chem. Soc. **45**. 305—8. August. C.-Bl. 1884. 379.)

E. Flechsig, *Über den Nährstoffgehalt verschiedener Lupinenarten und Varietäten.* (Landw. Vers.-Stat. **30**. 445—54. Aug. Breslau, tierchem. Instit.)

E. Flechsig, *Zur Frage über die Verluste der Rohfaser beim Einsäuern.* (Landw. Vers.-Stat. **30**. 455—57. Aug. Breslau, tierchem. Instit.)

L. C. Wooldridge, *Über einen neuen Stoff des Blutplasmas.* (DU BOIS-REYMOND'S Arch. f. Physiol. 1884. 313—15. Physiol. Instit. Leipzig.)

Gerald F. Yeo und **E. F. Herroun**, *Über die Zusammensetzung der aus einer Fistel gewonnenen menschlichen Galle.* Von einem Patienten, dem die Gallenblase geöffnet war, wurde zwei Monate lang die Galle aufgesammelt und analysiert. Durchschnittlich wurden täglich 374,5 ccm abgesondert. Der mittlere Gehalt an festen Bestandteilen betrug 1,3468 p. c., etwas weniger als in den bis jetzt vorliegenden Analysen von Fistelgalle und (in Übereinstimmung mit früheren Beobachtungen) mindestens viermal weniger, als in den Analysen von Blasengalle. Die quantitative Analyse der festen Bestandteile ergab:

Mucin (und Farbstoff) . . . 0,148 p. c.
Glykocholsaures Natron . . . 0,165 „
Taurocholsaures „ . . . . 0,055 „
Fett, Cholestearin und Lecithin 0,038 „
Chlornatrium . . . . . . 0,7168 „

Der Gehalt an den übrigen Salzen schwankte zwischen 0,003 und 0,5 p. c.

Das Mucin wurde durch Fällung mit einem Überschuß von starkem Alkohol, Waschen mit Alkohol und verdünnter Essigsäure und Wägen bestimmt. Die gallensauren Salze fällten die Vff. aus der alkoholischen Lösung durch Überschuß von Äther. Der Schwefel des taurocholsauren Natrons wurde oxydiert und als Bariumsulfat bestimmt. Die Quantität des glykocholsauren Natrons ergab sich aus der Differenz. HAMMARSTEN hatte angegeben, daß man durch Zusatz von Bariumchlorid zu einer Lösung von gallensauren Salzen aus Menschengalle einen Niederschlag erhielte. Derselbe konnte auch im vorliegenden Falle, wenn auch nur schwach, erhalten werden. Die Galle zeigte deutliche Einwirkung auf Stärke, die sie in Zucker umwandelte. Indessen wirkte sie bei weitem schwächer, als Speichel. (Journ. of Physiol. **5**. 116; SCHMIDT's Jahrb. d. ges. Med. **203**. 5.)

C. Dietzsch, *Untersuchungen von kondensierter Milch.* (Rep. anal. Chem. **4**. 262 bis 265.)

M. Schrodt und **H. Hansen**, *Über die Zusammensetzung der Aschen von Kuhmilch.* (Landw. Vers.-Stat. **31**. 55—80.)

L. Ranvier, *Über das Eleïdin und sein Vorkommen in der Haut, der Schleimhaut des Mundes, der Speiseröhre und des Magens bei den Wirbeltieren.* Im Gegensatz zu WALDEYER konnte Vf. das Eleïdin niemals in der Epidermis, den Federn, dem Schnabel und der Mundschleimhaut der Vögel, in der Epidermis und den Horngebilden der Schlangen und Eidechsen, endlich ebensowenig bei den Batrachiern auffinden. Das Eleïdin scheint also nur bei den Säugetieren zu existieren, ist jedoch bei den letzteren keineswegs auf die Epidermis beschränkt, sondern findet sich bei mehreren Spezies in der Schleimhaut des Mundes, des Ösophagus und selbst des Magens. — Die Ansichten von UNNA über das Wachstum der sog. Vollwurzelhaare kann Vf. nicht teilen. Bei den letzteren finden sich keine Eleïdinkörner in irgend einer der Epithelzellen, mit welchen der Bulbus pili in Kontakt steht. Dagegen besitzt die Epidermis des Follikelhalses in der Höhe und der Mündung der Talgdrüsen ein Stratum granulosum, welches sehr reich an Eleïdin ist. — Bei den Haaren mit Hohlwurzel findet Vf. ebenso wie WALDEYER große Eleïdinkörner nicht allein in den Epithelialzellen des Haarmarks, sondern auch in der HENLE'schen und HUXLEY'schen Scheide, während er in den Zellen des Haarschaftes und des Oberhäutchens niemals Eleïdin konstatieren konnte. Diese Thatsachen, besonders an den marklosen Hohlwurzelhaaren, beweisen, daß der Prozeß der Verhornung im Haarschaft und in den Nägeln sich ohne Teilnahme des Eleïdins vollzieht. — Bei menschlichen Embryonen zeigt sich die Epidermis, welche den Nagel bedeckt, aus mehreren Lagen von weichen Zellen bestehend, welche reich an Glykogen sind und außerdem große Tropfen Eleïdin enthalten. In der eigentlichen Nagelplatte, Nagelmatrix oder im Nagelbett fanden sich diese Dinge nicht.

Zum Schlusse bespricht Vf. das Vorkommen des Eleïdins bei verschiedenen Hautkrankheiten: bei schuppigen, blasigen oder postulösen Affektionen der Haut ist diese Substanz nicht mehr an der Stelle der Schuppen oder Bläschen vorhanden, während dieselbe umgekehrt bei Epitheliomen, papillären Hypertrophieen aller Art, in der Umgebung von Variolapusteln, ebenso bei der Akne varioliformis stark vermehrt auftritt. (Arch. de phys. normale 1884. Nr. 2; Med. C.-Bl. **22**. 582.)

Th. Weyl, *Physiologische und chemische Studien an Torpedos.* IX. *Einiges über den Stoffwechsel des elektrischen Organs.* Forts. (vgl. **83**. 642.) § 2. Stoffwechsel des thätigen Organs. 3. Das Alkoholextrakt des Organs in Ruhe und Thätigkeit. 4. Das Wasserextrakt des gereizten Organs: a. Das Wasserextrakt des gereizten Organs nimmt gegen das nicht gereizte zu. — b. Das Wasserextrakt des nicht gereizten Organs enthält mehr Salze als das gereizte. — c. Im gereizten Organ findet sich konstant mehr im Wasser lösliche („anorganische") Phosphorsäure. (DU BOIS-REYMOND's Arch. f. Physiol. 1884. 416—24.)

G. Kempner, *Neue Versuche über den Einfluß des Sauerstoffgehaltes der Einatmungsluft auf den Ablauf der Oxydationsprozesse im tierischen Organismus.* — (DU BOIS-REYMOND's Archiv f. Physiol. 1884. 396—433; Tierphysiol. Laborat. d. landwirtsch. Hochschule Berlin.)

7. Analytische Chemie.

Hanns Freiherr von Jüptner, *Veränderlichkeit der Titerflüssigkeiten.* Wie wenig veränderlich die gebräuchlichsten Titerflüssigkeiten sind, zeigen folgende Zahlen:

	10. Januar 1884	23. April 1884
Hyposulfittiter . 1 ccm	= 0,000 058 2 g Jod	= 0,000 059 6 g Jod
Jodtiter . . 1 „	= 1,15 ccm Na$_2$S$_2$O$_3$	= 1,145 ccm Na$_2$S$_2$O$_3$
Bichromattiter . 1 „	= 0,98 „ „	= 1,01 „ „
Permanganattiter 1 „	= 7,96 „ „	= 7,93 „ „

Der Hyposulfittiter wurde auf Kaliumdichromat, alle übrigen auf Hyposulfit gestellt; der Titerwert der ersteren wurde in Gewichtsteilen Jod, der aller übrigen in ccm Hyposulfittiter ausgedrückt. Jede Titerstellung wurde dreimal ausgeführt und hieraus das Mittel genommen.

Bei dieser Gelegenheit macht Vf. auf die von J. VOLHARD angegebene Methode zur

Titerstellung des Kaliumpermanganates aufmerksam, welche alle anderen an Verläßlichkeit, und wenn man den Hyposulfit und Jodtiter auch sonst öfter gebraucht, auch an Einfachheit übertrifft. Sie gründet sich auf die Zersetzung der Übermangansäure mit Salzsäure, welche (LÖWENTHAL und LENSSEN) nach der Gleichung:

$$Mn_2O_7 + 14HCl = 7H_2O + 2MnCl_2 + 10Cl$$

erfolgt. Ungefähr 10 ccm einer ca. 5 prozentigen KJ-Lösung werden auf etwa 200 ccm verdünnt und dann mit 10—20 ccm Permanganatlösung unter Umrühren versetzt. Das freigewordene Chlor scheidet die äquivalente Menge Jod aus, und diese wird nach Zusatz von Stärkekleister mit Hyposulfittiter titriert. (Österr. Ztschr. **32**. 560.)

Mayrhöfer, *Die Ausführung der Salpetersäurebestimmung im Trinkwasser mittels Indigolösung.* Vf. hat die Methode der Salpetersäurebestimmung mittels Indigo in folgender Weise modifiziert. Man bereitet sich eine Indigolösung aus reinem Indigotin, welches mit der 20—30 fachen Menge chemisch reiner konzentrierter Schwefelsäure in einer Reibschale innig zerrieben wird; das Gemenge läßt man einen Tag lang bei gewöhnlicher Zimmertemperatur stehen und gießt es dann, ohne zu filtrieren, in Wasser (auf 1 g Indigo beiläufig 1,5 l Wasser). Dabei scheidet sich das unveränderte Indigotin und auch die Indigomonosulfosäure unlöslich ab. Durch Absetzenlassen und Filtrieren erhält man eine Lösung der Indigoschwefelsäure, welche noch soweit verdünnt werden muß, daß 5 ccm derselben 5 ccm einer Kaliumnitratlösung (0,0962 g KNO₃ pro Liter), die mit 5 ccm chemisch reiner konzentrierter Schwefelsäure versetzt sind, eben dauernd blaugrün färben. 5 ccm Indigolösung entsprechen unter diesen Bedingungen genau 60 mg HNO₃ im Liter.)

Die Titration wird in einem 25—30 ccm fassenden Glaskölbchen in der Weise vorgenommen, daß man zu 5 ccm konzentrierter reiner Schwefelsäure und 5 ccm des zu untersuchenden Wassers in raschem, aber doch noch tropfenweisem Strahl die Indigolösung aus einer GAY-LUSSAC-Bürette unter stetem Umrühren zufließen läßt. Es ist Sorge zu tragen, daß ein momentaner Überschuß der Indigolösung vermieden wird, weil sonst zu niedrige Resultate erhalten werden. Zum Abmessen des zu untersuchenden Wassers und konzentrierter Schwefelsäure bedient man sich zweckmäßig Büretten von 50 ccm, für die Schwefelsäure empfiehlt sich eine Bürette, deren offene Ausflußöffnung nicht zu weit, und deren oberes Ende durch Kautschuk und Quetschhahn leicht zu verschließen und zu öffnen ist. Bei salpetersäurereichen Wässern ist das Ende der Reaktion weniger gut zu erkennen, als bei salpetersäurearmen, im anderen Falle färbt sich die Flüssigkeit stark gelb, der Übergang in Grün ist manchmal nicht sehr deutlich und rasch, daher es zweckmäßig ist, das Ende der Reaktion durch Erwärmen zu unterstützen. (Das gilt aber nur für sehr salpetersäurereiche Wasser.) Es mag dann als praktisch erscheinen, das zu untersuchende Wasser zu verdünnen. Der beste Verdünnungsgrad ist derjenige, welcher die Probe auf eine wenigstens annähernd der Salpetertiterlösung gleiche Konzentration bringt. Der Verdünnungsgrad läßt sich aus einer der Abhandlung beigegebenen graphischen Darstellung leicht ersehen. Bei an Salpetersäure sehr armen Wässern darf man die Indigolösung nur sehr langsam zufließen lassen. (Corresp. d. freien Vereinig. bair. Vertreter d. angewandt. Chem. 1884. Nr. 1. 3—5. Aug. Erlangen.)

Hanns Freiherr von Jüptner, *Bestimmung von Silicium in Eisen und Stahl.* Vergleichung verschiedener Methoden auf ihre Genauigkeit. (Österr. Ztschr. **32**. 559—60. Neuburg.)

Prunier, *Maßanalytische Bestimmung des Aluminiums in Kalk und Cementen.* Der Vf. benutzt die Eigenschaft des Tropäolins 00 (Orange Poirrier 4) mit den neutralen Aluminiumsalzen nicht zu reagieren, um den in einer Thonerdelösung enthaltenen Überschuß von Säure zu sättigen und diese Base auf alkalimetrischem Wege zu bestimmen. Hierdurch wird es möglich, eine Thonerdebestimmung in weniger als einer Stunde auszuführen, indem man alles Auswaschen, Trocknen und Glühen von Niederschlägen, sowie andere langwierige Operationen vermeidet. Hat man einen Kalk oder Cement zu untersuchen, so verfährt man folgendermaßen. 0,428 g des fein gepulverten Cements werden mit 2 ccm Wasser und 2 ccm reiner Salpetersäure in einem tarierten Kölbchen gemischt und etwas erwärmt, um die Lösung so vollständig als möglich zu machen. Dann setzt man 20 g Wasser und 10 Tropfen einer Lösung von Orange Poirrier 4 (1 : 5000). sowie konzentrierte Ammoniakflüssigkeit in kleiner Menge so lange hinzu, bis die anfangs rote Farbe der Flüssigkeit in schwach rosa übergeht. Zuletzt vollendet man die Entfärbung durch kohlensäurefreies Ammoniak, welches mit seinem vierfachen Volum Wasser verdünnt ist, bis eine Probe der Lösung auf einer weißen Porzellanplatte mit dem Orange 4 eine farblose oder höchstens blaßgelblich gefärbte Mischung giebt, welche keine Spur von rot erkennen läßt. Es ist dann alle freie Salpetersäure gesättigt: hierauf wird die Thonerde durch einen Überschuß einer titrierten Ammoniaklösung (halbnormal, 10 oder 15 ccm) gefällt und soviel Wasser zugesetzt, daß das Gesamtgewicht 50 g beträgt. Man mischt und filtriert und nimmt 20 g oder 20 ccm des Filtrats (gleich 0,1712 Cement) heraus, färbt dieselben mit 3—5 Tropfen Lackmus und bestimmt das überschüssige Alkali mit $^1/_{10}$ Normalsalpetersäure, indem man letztere aus einer in Zehntel-kubikzentimeter geteilten Bürette zufließen läßt, bis das Rot in Violett übergeht. Da das Volum der halbnormalen Ammoniaklösung (4 oder 6 ccm), welches in den 20 ccm des Filtrats enthalten ist, 20 oder 30 p. c. Aluminium entspricht, so giebt jeder Kubik-zentimeter zehntelnormaler Säure 1 p. c. Aluminium weniger an, wenn die Probe kein Eisenoxyd enthielt. Da aber die Cemente immer mehr oder weniger Eisen enthalten, so muß man zur genauen Bestimmung der Thonerde das Fe_2O_3 von der Rohsumme $Al_2O_3 + Fe_2O_3$, welche sich durch die alkalimetrische Probe ergeben hat, abziehen. Dies geschieht, indem man vorher die prozentische Menge des Eisenoxyds mittels Kaliumper-manganat bestimmt und sich dabei auf die Thatsache stützt, daß: 1 p. c. $Fe_2O_3 = 0,642$ ccm Zehntelnormalsäure ist, so daß sich folgende Regel ergiebt:

Die prozentische Menge der Thonerde allein wird erhalten, wenn man die Zahl der Kubikzentimeter Zehntelnormalsalpetersäure zu dem Produkt aus dem prozentischen Fe_2O_3-Gehalt und 0,642 addiert und diese Summe von 20 oder 30 abzieht, je nachdem man 10 oder 15 ccm Halbnormalammoniak genommen hat. (Journ. Pharm. Chim. [5.] 10. 97—100. Ende August.)

Heinrich Peterson, *Über die Bestimmung des Eisens und des Chroms in ihren Legierungen.* Man koche in einem bedeckten Becherglase $^1/_2$ g der fein gepulverten Chrom-eisenlegierung mit 35 ccm verdünnter Schwefelsäure, worin sich nach des Vf.'s Erfahrungen selbst Proben von sehr hohem Chromgehalte leicht und vollständig lösen, versetze die Lösung, falls sie lösliche, von etwaigem Kohlenstoffgehalte der Legierung herrührende Kohlenwasserstoffe, enthält, behufs deren Zerstörung mit möglichst konzentrierter Chamä-leonlösung; reduziere das Ferrisulfat mit Zink, wobei nicht zu befürchten steht, daß das Chromsulfat zum Teil sich in Oxydulsalz verwandelt, solange noch eine Spur von Eisen-oxydsalz vorhanden ist, verdünne mit Wasser auf 1 l und titriere das Eisen mit Chamä-leon. Nach geschehener Titration erhitze man die stark schwefelsaure Lösung zum Kochen, träufle aus einer Bürette Chamäleonlösung, wovon 1 ccm 0,01 g Eisen entspricht, langsam zu, bis starke Ausscheidung von Manganhyperoxyd eintritt, durch welche das Ende der Chromoxydation angezeigt wird, indem Mangandioxyd erst durch Einwirkung von über-mangansaurem Kali auf das bei der Oxydation des Chromoxyds zu Chromsäure entstandene Manganosulfat gebildet wird, wenn kein Chromoxyd mehr in Lösung ist. Minder geübte werden jedoch gut thun, wenn sie übermangansaures Kali über diesen Punkt hinaus, und zwar bis zur dauernden Rotfärbung der Flüssigkeit, zusetzen und den Überschuß des-selben mit schwefelsaurem Manganoxydul zerstören, wovon man selbst über das nötige Maß zufügen kann, ohne die nachfolgende Titration zu beeinflussen. Ist die Überführung des Chromoxyds in Chromsäure nach angegebener Weise vollends bewirkt, dann filtriere man durch ein großes Filter, wasche den Niederschlag mit heißem Wasser gut aus und lasse vollkommen erkalten. Nachdem dies geschehen, versetze man das Filtrat zur Redu-zierung der Chromsäure mit überschüssigem Eisendoppelsalz und titriere den Überschuß des letzteren mit Chamäleon.

Handelt es sich bloß um die Chrombestimmung allein, dann braucht man selbstver-ständlich die bei der Einwirkung von Schwefelsäure auf die kohlenstoffhaltige Chrom-eisenlegierung auftretenden Kohlenwasserstoffe nicht erst besonders zu zerstören; man braucht auch die durch Kochen der Legierung mit verdünnter Schwefelsäure erhaltene Lösung nicht sonderlich stark zu verdünnen, da mehrfache Versuche ergaben, daß die Oxydation des Chromoxyds zu Chromsäure selbst in stark schwefelsaurer Lösung voll-ständig vor sich geht. Man oxydiere also zu diesem Zwecke die durch Kochen von $^1/_2$ g der Legierung in 35 ccm verdünnter Schwefelsäure erhaltene, mit 100—200 ccm Wasser ver-dünnte Lösung kochend heiß mit Chamäleon in angegebener Weise bis zum Eintritt stärkerer Ausscheidung von Mangandioxyd; filtriere, lasse erkalten, verdünne mit Wasser auf 1 l, reduziere mit Eisendoppelsalz und titriere den Überschuß desselben mit über-mangansaurem Kali.

Diese Methode ist höchst einfach, scharf und in wenigen Stunden ausführbar, weshalb sie sich besonders für den Hüttenchemiker in hohem Grade empfiehlt. (Österr. Zschr. 32. 462—465.)

Albano Brand, *Verfahren zur Analyse von Stahl.* Bestimmung der Kieselsäure, des Kupfers, Eisens, Nickels und Kobalts, Mangans, Phosphors, Schwefels und Kohlenstoffes. (Inaug.-Dissert.; B. u. H.-Ztg. 43. 346—47.)

Charles L. Bloxam, *Bestimmung von Mangan in Gußeisen und Spiegeleisen.* Die Bestimmung kleiner Mengen Mangan bei Gegenwart größerer Mengen Eisen durch Ver-wandlung des letzteren in Acetat und Kochen der verdünnten Lösung behufs Abscheidung des basischen Eisenacetates ist wegen der grofsen Flüssigkeitsmenge und des reichlichen Niederschlages mühsam und ungenau. Vorteilhafter ist es, das Eisen als Phosphat bei Gegenwart von Essigsäure zu fällen, welche das Mangan in Lösung hält. Das Metall wird in Salzsäure gelöst, die Lösung in dem Becherglase zur Trockne gedampft, der Niederschlag mit Zusatz von etwas Salzsäure wieder in Wasser gelöst, der Graphit und die Kieselsäure durch Filtrieren abgeschieden, das Filtrat durch Zusatz einiger Krystalle von Kaliumchlorat oxydiert, dann mit einer genügenden Menge Wasser verdünnt, mit so viel Ammoniak versetzt, dafs der zuerst entstandene Niederschlag sich beim Umrühren wieder löst, hierauf eine Mischung von Ammoniakflüssigkeit und überschüssiger Essigsäure und ein Überschufs von Natriumphosphat hinzugemischt. Der hierdurch entstehende Niederschlag von Ferriphosphat wird abfiltriert, unausgewaschen wieder in Salzsäure gelöst, die Lösung nahezu mit Ammoniak neutralisiert und abermals durch eine Mischung von Ammoniak mit überschüssiger Essigsäure gefällt. Beide Filtrate werden gemischt, mit überschüssigem Ammoniak versetzt und gekocht, wobei das Mangan als krystallinisches Ammoniumphosphat gefällt wird; dieses wird schliefslich ausgewaschen; sobald das Waschwasser beim Abdampfen keinen Rückstand mehr hinterläfst, wird das feuchte Filter mit dem Niederschlage in einem bedeckten Platintiegel allmählich bis zur Rotglut erhitzt und der Glührückstand ist dann $Mn_2P_2O_7$. Es ist gut, die ammoniakalische Lösung etwa eine Stunde lang bei ihrem Siedepunkte zu erhalten und sie über Nacht bei Seite zu setzen. Der geglühte Rückstand wird dann in Salzsäure gelöst und die Lösung mit Ammoniumacetat versetzt, um etwa noch vorhandene Spuren von Eisenphosphat abzuscheiden, welche dann, wenn nötig, besonders gewogen und in Rechnung gebracht werden.

Zur Bestimmung von Mangan in Spiegeleisen werden 10 Gran genommen. Diese verlangen ungefähr 100 Gran krystallisiertes Natriumphosphat. Bei drei Bestimmungen erhielt der Vf. 10,1, 10,05 und 9,98 Mangan, während zur Fällung des Eisens als basisches Acetat und des Mangans als Superoxyd durch Brom 10,47 p. c. erhalten wurden. (Chem. N. 50. 112—13.)

Thomas Moore, *Trennung des Zinks von Nickel.* Enthält eine Lösung überschüssige Säure, so wird diese durch Abdampfen entfernt, der Rückstand in 20—25 ccm Wasser gelöst und vollständig durch überschüssiges Schwefelammonium gefällt. Der Niederschlag wird durch Erwärmen in Cyankalium gelöst. Ist dies geschehen, so verdünnt man die Lösung auf ungefähr 250 ccm, setzt einige Kubikzentimeter Natriumacetatlösung hinzu, säuert mit Essigsäure an und erhitzt bis zum Sieden. Das Zink wird hierdurch als Sulfid gefällt, und nachdem es einige Stunden ruhig gestanden hat, durch Dekantieren ausgewaschen, wozu man heifses Wasser anwendet, welches man mit etwas Natriumacetat und Schwefelwasserstoffwasser versetzt; zuletzt verwandelt man das Schwefelzink auf gewöhnlichem Wege in das Oxyd. Das Filtrat wird mit Königswasser zur Trockne gedampft und das Nickel im Rückstande durch Auflösen in Wasser, Fällen mit Kaliumhydrat und Brom, Wiederlösen in verdünnter Schwefelsäure, Versetzen mit Ammoniak und Abscheidung des Metalles durch Elektrolyse bestimmt. (Chem. N. 50. 151.)

Arnold Eiloart, *Reaktionen des Chinins, Narkotins und Morphins mit Brom. Chinin.* Vogel's Rotfärbung durch successiven Zusatz von Bromwasser, Ferrocyankalium und Borax giebt noch $^1/_{60000}$ Chinin an. Nimmt man statt des Ferrocyanids Quecksilbercyanid und statt des Borax frisch gefällten Kalk, so läfst sich noch $^1/_{300000}$ entdecken. Die von Bloxam erhaltene Rosafärbung durch Kochen mit Bromwasser zeigt $^1/_{15000}$ Chinin in sauren Lösungen an; setzt man vor dem Behandeln mit Brom Kalk hinzu, so läfst sich noch $^1/_{60000}$ erkennen, eine stärkere Lösung wird dann in der Kälte violett, beim Erhitzen blau, und wird auf Zusatz von mehr Brom wieder violett. Wird die neutrale Lösung von Chinin mit überschüssigem Brom gemischt und bis zum Austreiben dieses Überschusses gekocht, so erhält man beim Abkühlen eine schöne grüne Fluoreszenz, welche noch auftritt, wenn die Lösung $^1/_{60000}$ Chinin enthält.

Narkotin. Wird Narkotin in Salzsäure gelöst und mit Brom in geringem Überschusse versetzt, so wird die Lösung nach dem Neutralisieren mit Calciumcarbonat rot; enthält sie mehr als $^1/_{1000}$ Narkotin, so geht die rote Farbe in violett und blau über.

Dies geschieht auch noch, wenn die Lösung nach dem Zusatze des Broms einige Zeit lang bei Seite gesetzt wird, während eine bromierte Chininlösung nach dem Stehen keine Färbung mehr giebt. 1 Tl. Narkotin in 6000 Tln. Wasser gelöst, giebt eine Rotfärbung.

Morphin. Wird eine Morphinlösung mit überschüssigem Bromwasser gekocht, mit Kalk neutralisiert und wieder gekocht, so tritt eine hellrote Färbung auf, sobald die Lösung mehr als $^1/_{1200}$ Morphin enthält; ist der Gehalt geringer, so ist die Färbung orange oder braun und vergeht auf Zusatz von mehr Bromwasser.

Strychnin, Cinchonin und Caffeïn geben mit Brom und Kalk keine charakteristischen Färbungen. (Chem. N. 50. 102. 29. Aug.)

J. Skalweit, *Der Wirkungswert des künstlichen und des sublimierten Indigotins.* Reines käufliches Indigotin wird in einer Verdünnung von 1 : 10 000 durch Chamäleon genau der Formel:

$$4\,KMnO_4 + 5\,C_{16}H_{10}N_2O_2 + 6\,H_2SO_4 = 4\,MnSO_4 + 2\,K_2SO_4 + 6\,H_2 + 5\,C_{16}H_{10}N_2O_4$$

entsprechend, in Isatin umgewandelt. Auch die reinsten Indigotine des Handels enthalten fremde, von dem künstlichen Indigotin verschiedene Substanzen, welche auf Chamäleon ähnlich wie Indigotin wirken. Vergleichbare Resultate über den Gehalt der Indigotinsorten des Handels giebt die Titration verdünnter Salpeterlösungen mit den entsprechenden Indigotinlösungen. Je reiner Indigotin, desto mehr nähert sich sein Wirkungswert gegen Salpetersäure demjenigen des künstlichen Indigotins. Eine Lösung von reinem Indigotin 1 : 5000 ist so stark, daſs 10 ccm derselben nach der MARX'schen Methode der Salpeterbestimmung im Trinkwasser fast genau 4·4 mg Salpetersäure anzeigen. (Rep anal. Chem. **4.** 247—51. Ende Aug. Hannover.)

H. W. Bettinck und **Van Dissel,** *Neue Reaktion der Ptomaïne.* Bekanntlich reduzieren Ptomaïne rotes Blutlaugensalz, jedoch ist diese Reaktion nicht charakteristisch, da auch viele Alkaloide dieses thun. Vff. haben nun gefunden, daſs die Gegenwart von etwas Chromsäure die Reduktion des Blutlaugensalzes durch Ptomaïne nicht verhindert, hingegen die durch Alkaloide, ausgenommen das Morphin und das Nikotin, welch letzteres jedoch erst nach Minuten schwache Reduktion bewirkt. Von Glykosiden geben Askulin und Arbutin die Reaktion in einer Minute, Koniferin, Digitain, Gentianin und Quassin in fünf Minuten. Die Art und Weise, in welcher die holländischen Chemiker die Reaktion anwenden, ist folgende:

Man bringt in ein Uhrglas eine geringe Menge des betreffenden Alkaloids oder Ptomaïns, ferner einen Tropfen verdünnte Salzsäure, fügt ein Körnchen Ferricyankalium hinzu und nach Lösung einen Tropfen Ferrichlorid $+$ Chromsäure (2,0 g Ferrichlorid werden in 2 ccm verdünnter Salzsäure gelöst, dann mit Wasser auf 100 ccm verdünnt und je 15 ccm dieser Lösung mit 0,075 g Acid. chromic. versetzt). Der Zusatz anderer oxydierender Mittel liefert kein so günstiges Resultat, wie derjenige der Chromsäure. (N. Tijdschr. voor Pharm. Neederl. 1884. 95; Arch. Pharm. [3.] **22.** 532; Rep. anal. Chem. **4.** 262; Recueil des Trav. Chim. des Pays-Bas **3.** 158—61.)

Heinrich Spiethoff, *Über Ehrlich's Diazoreaktion. Ein Beitrag zur Chemie des Harnes.* (vgl. EHRLICH, **83.** 428; PENZOLDT ebenda, PETRI, **84.** 329.) Zur Entscheidung der Frage, ob zum Zustandekommen der Reaktion und des grünen Niederschlages stärkere Lösungen, als von EHRLICH angegeben, notwendig oder vorteilhaft resp. schädlich seien, hat Vf. eine Reihe von Versuchen (85) angestellt, welche zu dem Resultate führten, daſs Harne, die dem normalen Reagens gegenüber sich indifferent verhielten, mit stärkeren Mischungen nur Pseudoreaktionen, nicht aber die wahre durch Schaumfarbe und grünen Niederschlag charakterisierte Reaktion lieferten. Bei einer roten Reaktion tritt konstant ein grüner Niederschlag auf; Anwendung stärker konzentrierter Diazolösungen ist zu vermeiden, weil sie einmal die Beurteilung, ob eine Reaktion vorhanden ist, erschweren oder gar vereiteln und dann auch gelegentlich die Bildung eines grünen Niederschlages stören. Vf. fand, daſs das Sulfodiazobenzol zum Nachweis von Äthyldiacetat im Harn dienen kann. Zu diesem Zwecke muſs man stärkere Lösungen von Sulfodiazobenzol, welche pro Liter Sulfanillösung 0,5—1,0 g Natriumnitrit enthalten, anwenden. Gleiche Mengen Harn und des stärkeren Reagens werden vermischt und mit Ammoniak, nicht mit Kalilauge, gesättigt. Tritt Rotfärbung ein, so wird eine kleine Menge der Mischung mit viel Salzsäure versetzt und auf Violettfärbung geprüft; der Rest des obigen Harn- und Sulfodiazobenzolgemenges wird mit groſsem Überschusse von Ammoniak oder Kali versetzt und muſs, falls Äthyldiacetsäure vorhanden, eine schöne selbst bei groſsen Verdünnungen deutliche Rotfärbung zeigen. (Inaug.-Dissertat. 12. Aug. 1884. Berlin.)

Charles Tennant Lee, *Methode der Indigoprüfung.* Zur Bestimmung des Indigotins im Indigo hat der Vf. seit mehreren Jahren die Sublimation desselben benutzt und befriedigende Resultate erhalten. Das Indigoblau sublimiert leicht und kann dadurch bei vorsichtiger Regulierung der Temperatur von den übrigen Bestandteilen des Indigos vollständig getrennt werden. Man führt die Arbeit am besten in einem flachen Platinschiffchen aus, welches 7 cm lang, 3—4 cm breit und 3 cm tief ist. Es werden 0,25 g Indigo fein gepulvert, in dem Schiffchen flach ausgebreitet und bei 100° getrocknet. Dann erhitzt man das Schiffchen vorsichtig auf einer Eisenplatte, so daſs die Substanz nicht verbrennt. Sobald sich an der Oberfläche eine dünne Schicht glänzender Krystalle gebildet hat, bedeckt man das Schiffchen mit einem flachen Dach aus Eisenblech, welches etwas länger als jenes ist, und dessen höchster Punkt etwa 1 cm über der Eisenplatte steht. In diesem Augenblick muſs man die Flamme etwas erniedrigen, weil die Temperatur nach dem Bedecken rasch steigt, das Indigotin entweicht nun in Form purpurroter Dämpfe, welche zum Teil an der unteren Seite des Eisendachs kondensieren. Man reguliert die Temperatur so, dafs die Sublimation regelmäfsig verläuft. Bei einem Gehalte von 50 p. c. nimmt die Operation etwa 30—40 Minuten in Anspruch; bei gewissen Sorten aber dauert sie viel länger, mitunter zwei Stunden. Man kann die letzten Krystalle sehr leicht auf der dunkelgefärbten Oberfläche des Rückstandes erkennen. Schliefslich läfst man das Schiffchen im Exsiccator abkühlen und wägt. Der Gewichtsverlust entspricht dem Indigotin. Man sorge dafür, dafs die Hitze nicht höher gesteigert wird, als zum Sublimieren des Indigoblaus nötig ist, und dafs keine gelben Dämpfe mit entweichen. Wenn der Boden des Platinschiffchens vollkommen flach ist und die Eisenplatte überall berührt, so geht auch die Sublimation ganz regelmäfsig von statten; bei sehr reichen Sorten aber mufs man besondere Sorgfalt anwenden, um das Verbrennen zu verhüten. (Journ. Amer. Chem. Soc. 6. 185—86. Juni. [Mai.] Boston.)

Medicus, *Prüfung der Weine auf Rohrzucker.* (Vorläufige Mitteilung.) Vf. hat in einigen echten Weinen zuerst direkt den Zuckergehalt bestimmt, dieselben dann mit Salzsäure gekocht und nochmals den Zuckergehalt ermittelt. Bei der zweiten Bestimmung wurden jedesmal geringe Mengen Kupfer mehr (nach der ALLIHN'schen Modifikation des SOXHLET'schen gewichtsanalytischen Verfahrens) gefunden, als bei der ersten Bestimmung. Da möglicher Weise diese Mehrfällung von Kupferoxydul der Inversion eines gummiartigen Körpers zuzuschreiben sein könnte, versetzte Vf. 100 ccm Wein nach dem Eindampfen auf ein Viertel des Volums mit Alkohol, wobei sich an die Wandungen des Gefäses eine klebrige Fällung ansetzte. Die letztere wurde gelöst, invertiert und in der Lösung die Zuckerfällung vorgenommen. Die erhaltenen Kupfermengen stimmten ziemlich genau mit den oben erwähnten Differenzen überein.

Des weiteren stellte Vf. fest, dafs bei Zuckerbestimmungen in Weinen eine stets gleiche Kochdauer einzuhalten ist. Welche Zeit zu wählen sei, mufs noch ermittelt werden. Das Entfärben der Rotweine mit Tierkohle scheint bedenklich zu sein; es scheint Zucker zurückgehalten zu werden, wie auch NESSLER und BARTH angeben. Andererseits dürfte bezüglich der Entfärbung mittels Bleiessig noch die Frage zu entscheiden sein, ob durch letzteren nicht auch der „gummiartige Körper" mit niedergeschlagen wird. Vielleicht wird man doch mit unentfärbten Weinen wenigstens vergleichende Bestimmungen ausführen, d. h. ersehen können, ob die Differenz zwischen „Zucker direkt bestimmt", und „Zucker nach der Inversion bestimmt" normal ist oder auf unvergorenen Rohrzucker deutet. (Corresp. d. freien Vereinig. bair. Vertreter d. angewandt. Chem. 1884. Nr. 1. 5—8. Würzburg.)

Geissler, *Über die Prüfung des Pepsins.* Vortrag, gehalten auf der Generalversammlung des Deutschen Apotheker-Vereins zu Dresden am 5. September 1884. (Pharm. Ztg. 29. 691—92.)

Casali, *Nachweis von Oxalsäure im Essig.* Diesen bewirkt der Vf. auf die Weise, dafs er 0,2 bis 0,5 l des letzteren mit Bleiacetat fällt, den getrockneten Niederschlag mit konzentrierter Schwefelsäure befeuchtet auf den Boden eines engen Proberöhrchens bringt, eine mit auf Asbest gebetteten Stückchen von Ätzkali und Chlorcalcium gefüllte kleine Röhre darüber steckt und nun erhitzt, während man gleichzeitig einen brennenden Körper der Mündung der Röhre nähert. War Oxalsäure zugegen, so wird diese jetzt in Kohlensäure, Wasser und Kohlenoxyd zerlegt werden und das letztere, nachdem die beiden anderen Zersetzungsprodukte von dem Kali und Chlorcalcium absorbiert worden sind, sich an dem vorgehaltenen brennenden Körper entzünden und mit der bekannten bläulichen Flamme brennen. (Annali di Chimica. 1884. 85; Arch. Pharm. [3] 22. 584.)

Grocco, *Nachweis von Albumin im Harn.* Hierbei ergeben sich häufig genug unvorhergesehene Schwierigkeiten und Täuschungen, deren Ursachen, wenn auch in vielen, so doch nicht in allen Fällen aufgestellt sind. Dem Vf. ist es gelungen, in einem der letzteren Fälle den ursächlichen Zusammenhang nachzuweisen. Nachdem er konstatiert hatte, dafs bei Gelbsüchtigen ein vollkommen eiweifsfreier Harn sowohl beim Erwärmen als auch beim Kochen mit Essigsäure einen starken in einem bedeutenden Essigsäureüberschufs, sowie in Alkalien löslichen Niederschlag geben kann, und dafs der gleiche Harn mit Salpetersäure in der Kälte eine durch überschüssige Säure wieder verschwindende, beim Erhitzen bis zum Kochen dagegen stehen bleibende Trübung giebt, wies er in Gemeinschaft mit POLLACI nach, dafs der Grund dieses eigentümlichen Verhaltens in einem Gehalt des Harns an Biliverdin zu suchen sei. (Annali di Chimica 1884. 76; Arch. Pharm. [3] 22. 584.)

Schlickum, *Prüfung der Carbolsäure.* Schüttelt man nämlich gleiche Volume Carbolsäure und Wasser, so nimmt erstere bis zur vollständigen Sättigung Wasser auf und vermehrt dadurch ihr Volum um stark ein Drittel; andererseits löst sich eine vollständig gewässerte Säure teilweise in dem übrigen Wasser auf, wodurch wieder eine kleine Verminderung eintritt. 10 g der „wasserfreien" Carbolsäure (*Phenolum absolutum* in losen

Krystallen) nehmen bei 20° C. 3,6 g Wasser klar auf, ein weiterer Wasserzusatz trübt die Säure. Für diese völlig gewässerte Carbolsäure stimmt nahezu die Formel: $C_6H_6O + 2H_2O$); sie löst sich in der zehnfachen Menge Wasser mittlerer Temperatur klar auf; denn schüttelt man 10 ccm derselben mit 10 ccm Wasser, so verringert sich das Säurequantum auf 9 ccm. Vf. stellte sich nun aus 100 Tln. „wasserfreier" Carbolsäure mit verschiedenen Wasserzusätzen verflüssigte Säure dar und schüttelte stets 10 ccm derselben mit 10 ccm Wasser von 20°; dabei gelangte er zu folgenden Wahrnehmungen:

Verhältnis des Phenols zum Wasser	Höhe d. (unteren) Säureschicht	Verhältnis des Phenols zum Wasser	Höhe d. (unteren) Säureschicht
100 Phenol + 5 Wasser	12,6 ccm	100 Phenol + 17 Wasser	11,1 Phenol
„ 6 „	12,45 „	„ 18 „	11,0 „
„ 7 „	12,3 „	„ 19 „	10,0 „
„ 8 „	12,1 „	„ 20 „	10,8 „
„ 9 „	12,0 „	„ 21 „	10,7 „
„ 10 „	11,85 „	„ 22 „	10,6 „
„ 11 „	11,7 „	„ 23 „	10,5 „
„ 12 „	11,6 „	„ 24 „	10,4 „
„ 13 „	11,5 „	„ 25 „	10,3 „
„ 14 „	11,4 „	„ 30 „	9,8 „
„ 15 „	11,3 „	„ 36 „	9,0 „
„ 16 „	11,2 „		

Hiermit ist also in einfachster Weise das Mittel geboten, den Wassergehalt einer verflüssigten Carbolsäure in wenigen Minuten genau zu finden. Man hat nur nötig, in einem fein graduierten Cylinder 10 ccm der betreffenden Säure genau abzumessen, dann 10 ccm Wasser (nicht mehr!) zuzugeben und, nachdem man den Cylinder verschlossen, umzuschwenken. Darauf ergiebt der Stand der unteren Flüssigkeitsschicht aus obiger Tabelle das Verhältnis, wie die flüssige Carbolsäure hergestellt worden ist. Bei Ausführung der Probe ist zu beachten, daß man, wie es auch in der Analyse bei Ausschüttelungen mit Äther oder dergl. Vorschrift ist, den verschlossenen Cylinder nicht stark schüttelt, sondern ihn nur mehrere Male sanft umwendet, damit dann die Trennung der beiden Flüssigkeiten sich leichter vollziehe.

Macht man den Versuch mit der bisher gewöhnlich verwendeten kompakten Carbolsäure, welche bei 37° schmilzt, nachdem man 100 Tle. derselben mit 10 Tln. Wasser verdünnt hat, so findet man die Höhe der Säureschicht auf 11,6 ccm., was anzeigt, daß die verflüssigte Säure 12 p. c., die benutzte kompakt krystallisierte 2 p. c. Wasser enthält. Hiermit stimmt auch die Erstarrungstemperatur dieses *Acid. carbol. liquefactum* überein, welche bei 9° liegt. Da nun aber die Pharmakopöe sogar eine Carbolsäure zuläßt, deren Schmelzpunkt bei 35° liegt, so würde noch eine verflüssigte Carbolsäure zu dulden sein, welche beim Schütteln von 10 ccm mit gleichviel Wasser eine untere Flüssigkeitsschicht von 11,5 ccm ergiebt — mit anderen Worten: schüttelt man gleiche Teile der verflüssigten Carbolsäure und Wasser bei gewöhnlicher Temperatur, so muß die Säure ihr Volum um mindestens anderthalbzehntel vermehren. (Arch. Pharm. [3] 22. 579—586.)

8. Technische Chemie.

Beco und **Thonard**, *Schwefelgewinnung in Italien.* (Revue universelle [2] 14. 387.) (B.- u. H.-Z. 43. 331—33 und 343—45.)

A. Frank, *Über die bisherige technische Entwicklung der Stafsfurter Kaliindustrie und ihre nächsten Ziele.* (Tagebl. der Naturf.-Vers. zu Magdeburg. 1884. 78—79.)

C. Larsson, *Versuche über den Einfluss des Mangans beim Eisenfrischen im Herd.* (B.- u. H.-Z. 43. 368—69.)

St. Paul de Sincay, *Die belgische Zinkindustrie.* (B.- u. H.-Z. 43. 366—68 und 379—80 und 395—97.)

Gauchy, *Anwendung des Chlorzinks bei der zweiten Saturation.* Das Chlorzink bewirkt: 1) Entfärbung, indem es in dem Augenblicke, wo es in den Saft gelangt, sich mit Kalkmilch unter Bildung von Chlorkalium und Zinkhydrat umsetzt. Letzteres reißt die färbenden Substanzen mit nieder. 2) Neutralisation der Alkalien, und 3) Erhöhung der Ausbeute und des Reinheitsgrades der Zuckersäfte.

Es ist nötig, in das Gefäß, welches das Chlorzink enthält, ein Stück metallisches Zink zu legen, um sicher zu sein, daß keine freie Chlorsäure vorhanden ist. Das Chlorzink muß rein und frei von Eisenchlorür sein. Bei Anwendung dieses Salzes empfiehlt sich das Osmoseverfahren. (Journ. des Fabricants de sucre. 1884. Nr. 22; SCHEIBLER's N. Ztschr. **13.** 43.)

Richard Graetzel, *Darstellung der Metalle alkalischer Erden durch Elektrolyse.* (D. P.) Schmelzgefäße *A* aus Metall, welche zugleich als negative Elektrode dienen, sind zu mehreren in einem Ofen *O* angeordnet. Die positive Elektrode *K* ist mit einem Isoliermantel *G*, welcher unten an den Seiten bei *g* durchlöchert ist, umgeben, so daß das sich an derselben entbindende Chlorgas getrennt von dem durch Rohr *o*¹ zu und durch Rohr *o*² abgeleiteten reduzierenden Gase durch Rohr *p* abgeführt werden kann. Um die elektrische Spannung zu verringern und das sich an Metallchlorid, resp. Fluorid erschöpfende Schmelzbad wieder anzureichern, werden im Innern des Isoliermantels *G* Stangen, aus Kohle und Thonerde, resp. Magnesia bestehend, eingesetzt. Statt das Gefäß selbst als negative Elektrode zu benutzen, kann man bei der Darstellung von Aluminium auch in die Gefäße aus nichtleitendem Material, wie Porzellan, Thon etc., Einsätze aus Metall, besonders Aluminium, als Elektrode anwenden, an denen sich dann das abgeschiedene Metall ansetzt. (Pol. Notizbl. **39.** 211.)

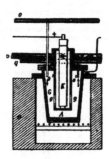

L. Battut, *Die schweflige Säure in der Zuckerfabrikation.* Die schweflige Säure wird, um als reinigendes Agens zu wirken, den Rohsäften im Verhältnis von 1 pro 100 (für Diffusionssäfte) als 8—10prozentige Lösung zugesetzt werden müssen. Die gebildeten unlöslichen Substanzen werden durch eine Filtration ad hoc getrennt. — Als Entfärbungsmittel benutzt, wird sie in Gasform über dem dritten Körper des Tripleeffet angewendet werden, der einzigen Stelle, wo man ihre Absorption leicht und vorteilhaft regeln kann. Als Reinigungsmittel wird sie eine Verringerung des Kalkquantums ermöglichen, ohne daß deswegen die Reinheit der Produkte zu leiden hat. — Die Säure bildet nur dann Glykose aus dem Rübenzucker, wenn sie mit der atmosphärischen Luft längere Zeit in Berührung ist. (La Sucrerie indigène **24.** 16. 42 u. 76. SCHEIBLER's N. Ztschr. **13.** 117—25.)

G. Lunge, Victor Meyer und **E. Schulze,** *Über die analytische Bestimmung und technische Beseitigung des Fuselöles im Sprit.* Gutachten, abgestattet im Auftrage des Departements des Innern der schweizerischen Eidgenossenschaft. (Bern. 1884. STAEMPFLI'sche Buchdruckerei.)

Über die Reinigung des Alkohols auf technischem Wege. Man ist allgemein übereingekommen, das Fuselöl im eigentlichen Sinne (also die dem Amylalkohol homologen Alkohole, event. auch die aldehydartigen Körper als Verunreinigungen, und zwar als solche sehr schädlicher oder geradezu toxischer Natur zu bezeichnen, welche aus dem Rohsprit entfernt werden sollten, um ihn in einen Feinsprit (esprit-de-vin bon goût) zu verwandeln. Letzteren in möglichster Reinheit zu erhalten, ist nicht nur ein Erfordernis für viele technische Zwecke, sondern auch dann, wenn der Sprit zur Anfertigung von feineren Spirituosen, als Zusatz zum Wein etc. gebraucht werden soll. Aber es ist sehr fraglich, ob der eigentliche Schnapstrinker gerade mit einem reinen verdünnten Äthylalkohol zufrieden sein würde. Was uns als abscheulicher Fusel vorkommt, das ist für ihn doch immerhin Aroma, welches er oft dem für ihn viel zu wenig „scharfen" Geschmack des reinen Alkohols vorzieht. Jedenfalls würde er, wenn er letzteren trinken müßte, ein viel größeres Quantum davon zu sich nehmen, um das Gefühl der Betäubung zu erreichen, das nun einmal das Ziel seines Schnapsgenusses ist, und es würden dann einmal seine Ausgaben für Schnaps nur um so größer werden, zweitens aber auch die toxischen Wirkungen des reinen Alkohols selbst, bei dessen größerem Quantum, denen des in geringer Menge konsumierten fuseligen Branntweins nahe kommen. Was hier als „fuseliger Branntwein" bezeichnet wird, gilt namentlich vom Kartoffelschnaps, der in der Schweiz und in Deutschland die größte Rolle spielt. In Frankreich wird sehr viel Spiritus aus Melasse oder direkt aus Rüben gewonnen, welcher einen so schlechten Geschmack hat, daß derselbe als Getränk gar nicht zu verwenden ist und besonderer Reinigungsoperationen bedarf. Ähnlich verhält es sich mit dem in Amerika in ungeheurer Menge fabrizierten Maissprit.

Von den in den Spritfabriken zur Entfuselung angewendeten Methoden unterziehen die Verfasser folgende einer Erörterung: *die fraktionierte Destillation,* die *Anwendung von Holzkohle,* diejenige von *Oxydationsmitteln* und die *Reduktionsmethode von* NAUDIN und SCHNEIDER.

Die *fraktionierte Destillation* ist gerade in der Spiritusfabrikation zu so großer Vollkommenheit ausgebildet worden, wie gewiß wenige andere Zweige der Technik. Man
gewinnt durch ein- oder höchstens zweimalige Destillation aus der Maische und sicher
durch einmalige Destillation aus dem Rohsprit einen Spiritus von ca. 90 p. c., der vom
Vorlauf und Nachlauf bis höchst geringe Spuren befreit ist, und zwar mit Aufwendung
von verhältnismäßig sehr wenig Brennmaterial. Es ist kaum zu erwarten, daß in dieser
Beziehung noch erheblich mehr geleistet werden kann. — Auf fraktionierter Destillation
beruht auch das in jüngster Zeit von R. PICTET in Genf ausgebildete Verfahren; doch
unterscheidet sich dieses von dem sonst üblichen durch Anwendung eines luftverdünnten
Raumes. Das nach PICTET's Verfahren gewonnene Endprodukt ist kein wesentlich
besseres, als das nach der gewöhnlichen vervollkommneten Methode erhaltene. Ein Nachteil der ersteren ist, daß die Kühlung bei derselben schwieriger von statten geht, als bei
dem gewöhnlichen Verfahren und nach PICTET's eigenen Angaben nur durch Anwendung
von flüssiger schwefliger Säure erreicht werden kann. Dies macht die Manipulation zu
einer viel umständlicheren und kostspieligeren, als es die gewöhnliche Rektifikation in
der Kolonne ist.

Das PICTET'sche Verfahren ist bisher in Frankreich sehr wenig, in Deutschland gar
nicht ausgeübt, und ist die Einführung desselben nach Auskunft der Prof. DELBRÜCK in
Berlin und MAERKER in Halle kaum zu erwarten. Zur Zeit ist also die Lösung der
Alkoholfrage von dem Verfahren PICTET's keinesfalls zu erhoffen; außerdem ist aber
nicht erwiesen, daß die Qualität des damit erzeugten Alkohols erheblich über derjenigen
eines nach gewöhnlicher Methode rektifizierten steht.

Das Verfahren der *Filtration über Holzkohle* ist namentlich in Deutschland für „hoch-
feinen" Sprit üblich und liefert in der That bei richtiger Ausführung und Anwendung
von Kartoffelspiritus in Verbindung mit möglichster Rektifikation einen Sprit, der bis auf
einige Prozent Wasser als faktisch rein angesehen werden kann und sicher die technisch
reinste, hier in Betracht kommende Form ist. Man muß zu diesem Zwecke den Rohsprit verdünnen, mit frisch ausgeglühter Holzkohle behandeln und wieder destillieren;
man erhält ein Produkt, das in verdünntem Zustande die toxischen Eigenschaften der
höheren Homologie des Alkohols nicht zeigt und überhaupt allen Ansprüchen, welche
man in dieser Beziehung stellen kann, genügen wird. Die Wirkung der Holzkohle auf
das Fuselöl ist für sich allein jedenfalls eine ungenügende, und muß also auch hierbei
das Hauptgewicht auf die Rektifikation gelegt werden.

Die Anwendung von *Oxydationsmitteln* zur Entfuselung hat in ihren verschiedenen
Formen (Kaliumchromat, Kaliumhypermanganat, Ozon) keinen wesentlichen Erfolg
aufzuweisen. Die den Fusel zusammensetzenden Körper werden dadurch nicht entfernt,
sondern im besten Falle in Säuren oder zusammengesetzte Ätherarten verwandelt, deren
Aroma zwar ein anderes, besseres sein kann, deren Unschädlichkeit aber noch keineswegs erwiesen ist. Auch behauptet man, daß mit der Zeit die Alkohole daraus wieder
zurückgebildet werden.

NAUDIN und SCHNEIDER's Verfahren besteht in einer reduzierenden Behandlung mit
verkupfertem Zink, dessen galvanische Wirkung hier benutzt wird. Hierdurch sollen die
Aldehyde, welche, bei der Oxydation in Säuren vom Typus Essigsäure übergehen würden,
umgekehrt in Alkohole zurückverwandelt werden, die man durch Fraktionierung von dem
Äthylalkohol trennen kann. (Vgl. auch **83.** 432. 638; Journ. d'Hygiène 1882. 69 und
die Brochüre: Désinfection des alcools mauvais goût par l'électrolyse des flegmes; Paris,
GAUTHIER-VILLARS 1883.) Das Verfahren ist in erster Linie für die sonst untrinkbaren
Alkohole aus Rüben und Mais bestimmt, welche viel Aldehyd und Aceton enthalten und
diese in trinkbaren Sprit, aber keinesfalls in ganz fuselfreien Alkohol umwandeln. Um
die bei diesem Verfahren neu entstehenden Fuselalkohole zu entfernen, wird man zu
dem oben beschriebenen Verfahren der Behandlung mit Holzkohle greifen müssen und
damit schließlich nicht weiter kommen, als ohne das NAUDIN'sche Verfahren bei Kartoffelspiritus.

Zum Schluß dieses Teiles des Berichtes erklären die Vff. daher folgendes: Um die
Fuselöle, welche wesentlich höhere Homologe des Äthylalkohols sind, zu entfernen, ist
für die obwaltenden Verhältnisse die Behandlung mit Holzkohle in Verbindung mit
gründlichster Rektifikation am geeignetsten. Das Produkt, wie es als „hochfeiner Sprit"
z. B. von den meisten größeren deutschen Etablissements geliefert wird, stellt die reinste
Form dar, in welcher der Äthylalkohol auf technischem Wege geliefert werden kann, und
würde in verdünnter Form genossen, die toxischen Wirkungen der Fuselöle (höhere Al-
koholhomologe) nicht zeigen. Die Verfahren von PICTET und NAUDIN-SCHNEIDER werden,
selbst wenn ihr ökonomischer Erfolg außer Zweifel stände, in hygieinischer Beziehung an
dem eben erwähnten Feinsprit kaum etwas verbessern können.

Analytischer Teil. Im zweiten Teile ihres Gutachtens beantworten die Autoren die ihnen vorgelegten analytischen Fragen: Giebt es Verfahren, welche zum qualitativen Nachweis und zur quantitativen Bestimmung der neben Äthylalkohol in den Branntweinen enthaltenen Alkoholarten (von der allgemeinen Formel $C_n H_{2n} + 2O$) geeignet sind? Welches dieser Verfahren würde der Leichtigkeit seiner Ausführung wegen sich zur Anwendung durch diejenigen Beamten empfehlen, denen die Untersuchung alkoholischer Getränke obliegt? Welches ist speziell der Wert der Untersuchungsmethode mittels Schwefelsäure (Verfahren von STENBERG) und Durchsichtigkeitsmesser (von SAVALLE)?

Vff. erinnern zunächst wieder daran, dafs derjenige Bestandteil, welcher in den Branntweinen und in dem Rohspiritus neben Äthylalkohol und Wasser in relativ gröfster Menge vorkommt, der Amylalkohol ist; bei den für die Untersuchung der Branntweine vorgeschlagenen Methoden hat man daher hauptsächlich den Nachweis und die quantitative Bestimmung dieses im Auge gehabt. Vff. schildern zunächst die von MARQUARDS vorgeschlagene Methode (**82**. 648) und das Verfahren von OTTO (**82**. 60) und kommen zu dem Schlusse, dafs in allen Fällen, in denen es sich blofs darum handelt, im Spiritus die Anwesenheit von Fuselöl nachzuweisen, vorausgesetzt, dafs keine ätherischen Öle zugegen sind, von der qualitativen Methode OTTO'S Gebrauch gemacht werden kann, und zwar empfiehlt sich dieselbe hierbei umsomehr, da sie ebenso leicht als rasch ausführbar ist. Indessen darf hier die Menge des Fuselöles keine allzu geringe sein, während man nach der MARQUARDT'schen Methode selbst noch Spuren von Fuselöl nachzuweisen vermag. Die letztere ist schon deshalb die empfindlichere, weil sie einerseits keine Gelegenheit zur Verflüchtigung des Fuselöles bietet, und weil andererseits der Geruch der Valeriansäure weitaus charakteristischer ist, als der des Fuselöles.

Alle übrigen Methoden, die zur Ermittelung des Fuselöles im Branntwein oder Spiritus in Vorschlag gebracht worden sind, haben nur wenig oder gar keinen Wert. (Vff. rechnen dazu die Methoden von HAGER (**61**. 712); von JORISSEN (**83**. 234. 380; vgl. auch NESSLER und BARTH **83**. 199), und von STENBERG-SAVALLE (Diaphonometer), welches nur bei Untersuchung von gereinigtem Sprit gute Resultate giebt).

Da unter den zur Bestimmung des Amylalkohols in den Branntweinen vorgeschlagenen Methoden keine sich vorfindet, welche mit Leichtigkeit der Ausführung Zuverlässigkeit verbindet, und demgemäfs zur Anwendung durch die nicht der Kontrolle der Handelswaren betrauten Beamten zu empfehlen wäre, so hat sich auf Anregung der Vff. Dr. B. RÖSE mit Versuchen beschäftigt, welche eine quantitative Bestimmung des Amylalkohols im Branntwein oder im Rohspiritus zum Zwecke hatten. Die bisher erlangten, immerhin wichtigen Resultate dieser Untersuchungen können aber unmöglich schon als eine endgültige Lösung der Aufgabe, so wie sie den Vff. vorschwebt, angesehen werden, denn in der Praxis handelt es sich in der Mehrzahl von Fällen um Gemenge, welche neben Äthylalkohol und Amylalkohol noch eine Anzahl fremder Beimengungen, teils bekannter, teils unbekannter Natur enthalten. Ehe also die nachstehenden bezeichnete Methode als eine den Bedürfnissen der Praxis entsprechende bezeichnet werden kann, wird es nötig sein, den dadurch komplizierter gestalteten Bedingungen Rechnung zu tragen, d. h. es müssen Untersuchungen angestellt werden, welche sich auf natürliche Produkte von verschiedenartiger und womöglich bekannter Zusammensetzung beziehen; es müssen die verschiedenen Arten Fuselöl eingehend berücksichtigt, es mufs der Einflufs fremder Beimengungen, wie der das Aroma bildenden ätherischen Öle etc., gründlich studiert werden.

Die Methode, welche B. RÖSE ausfindig machte, beruht auf der Eigenschaft des Chloroforms, aus einer Lösung der kohlenstoffreicheren Glieder der früher erwähnten Alkoholreihe in 50 prozent. Weingeiste beim Durchschütteln diese höheren Glieder mit gröfserer Leichtigkeit aufzunehmen, als den Äthylalkohol. Der Grund dieser Thatsache ist darin zu suchen, dafs die Löslichkeit der Alkohole in Wasser oder in Weingeist, der viel Wasser enthält, mit wachsendem Kohlenstoffgehalte abnimmt, während sämtliche Alkohole in allen Verhältnissen mit Chloroform mischbar sind.

Da das Sättigungsvermögen des Chloroforms für Weingeist von genau 50 p. c. Alkoholgehalt bei stets genau denselben Temperatur- und Mengenverhältnissen von Chloroform und Weingeist eine konstante Gröfse ist, und da dasselbe sich bei Gegenwart von Amylalkohol, der ja der hauptsächlichste Bestandteil des Fuselöles ist, als ein wesentlich höheres erweist, so besitzt man hierin ein Mittel zur Beurteilung der Frage, ob ein Weingeist Fuselöl enthält oder nicht. Bemerkenswert ist hierbei, dafs man bei einem Weingeiste, der Amylalkohol enthält, die Gröfse der Zunahme der Chloroformschicht bedeutend gröfser findet, als man von vornherein erwarten sollte. Diese auffallende Erscheinung erklärt sich einfach daraus, dafs der in das Chloroform übergetretene Amylalkohol seinerseits lösend auf den Äthylalkohol einwirkt, und zwar ist dieses Lösungsvermögen stets proportional der Menge des Amylalkohols.

Hat man einerseits, immer dieselben Temperatur- und Mengenverhältnisse vorausgesetzt, das Sättigungsvermögen des Chloroforms sowohl für chemisch reinen 50 prozent.

Äthylalkohol, als auch dasjenige für 50 prozent. Weingeist von bekanntem Gehalte an Amylalkohol bestimmt, so kann man andererseits durch Ermittelung des Sättigungsvermögens für einen 50 prozent. Weingeist, dessen Gehalt an Amylalkohol nicht bekannt ist, aus der Differenz der sich ergebenden Zahlen einen Rückschluß auf die Menge des in dem betreffenden Weingeiste enthaltenen Amylalkohols ziehen.

Man hat also nur nötig, von einem Weingeiste von beliebigem Alkoholgehalte das spezifische Gewicht (am besten mittels der MOHR'schen Wage) zu ermitteln, denselben durch Alkohol- oder Wasserzusatz auf genau 50 p. c. zu bringen und hierin das Sättigungsvermögen des Chloroforms zu bestimmen. Die Anwesenheit von ätherischen Ölen im Branntwein ist in bezug auf die Größe der Zunahme der Chloroformschicht, ihrer geringen Quantität halber, ohne Bedeutung. Sind dagegen andere Stoffe, wie Zucker, Glycerin etc. in Lösung, die auf das spez. Gewicht einen bemerkenswerten Einfluß ausüben, so muß man 100 ccm des zu untersuchenden Liqueurs anfangs aus dem Wasserbade und später über freiem Feuer bis auf einen kleinen Rest abdestillieren. In dem auf 100 ccm aufgefüllten Destillat ist nun das Sättigungsvermögen von Chloroform zu bestimmen, nachdem man demselben das erforderliche spezifische Gewicht gegeben hat. Die angewandte Temperatur betrug 15° C., und als günstiges Mengenverhältnis von Chloroform zu Weingeist erwiesen sich die Zahlen 1 : 5; es wurde stets rektifiziertes Chloroform verwandt.

Bei Ausführung des Versuches bringt man mittels eines an einer 30 cm langen Röhre zugeschmolzenen Trichters 20 ccm Chloroform in den einen Schüttelapparat, welcher aus einer unten zugeschmolzenen, am anderen Ende mit einem gut eingeschliffenen Stöpsel versehenen Röhre von 20 mm Weite, die an ihrem oberen Teil eine längliche birnförmige Erweiterung trägt, besteht. Um das Absetzen der Chloroformtröpfchen nicht zu erschweren, muß diese Aufbauchung eine ganz allmählich verlaufende sein. Der cylindrische Teil der Röhre ist mit einer in $^1/_5$ ccm geteilten Skala versehen, die sich von 20—45 ccm erstreckt. Die Gesamtlänge der ganzen Apparates beträgt 45 cm und der Rauminhalt 175 ccm.

In diesem Apparate schichtet man vorsichtig auf das Chloroform 100 ccm des zu untersuchenden 50 p. c. Weingeistes, bringt den Inhalt des Apparates durch Einstellen des letzteren in Wasser auf genau 15° und schüttelt darauf kräftig. Man läßt alsdann wieder bei 15° die Schichtung der Flüssigkeiten sich vollziehen. Es ist vorteilhaft, den Apparat von Zeit zu Zeit zwischen den Fingern um seine Axe hin und her drehend zu bewegen, um Chloroformtröpfchen, die sich an der Wand festgesetzt haben, zum Loslösen zu bringen. Nach Verlauf einer Stunde wird abgelesen.

20 ccm Chloroform mit 100 ccm chemisch reinen 50 proz. Weingeist geschüttelt ergaben eine 37,10 cm betragende Chloroformschicht (Mittel von 10 Versuchen; die Zahlen schwanken zwischen 37,15 bis 37,05 cm Höhe). — Ein Weingeist (50 Volumproz.), der in 100 ccm 1 ccm Amylalkohol enthielt, lieferte eine 39,11 cm hohe Chloroformschicht (Mittel von sechs Versuchen, welche zwischen 39,05 bis 39,15 cm schwanken). Wurden 50 ccm reiner absoluter Alkohol mit 50 ccm 50 p. c. Weingeist gemischt, welch' letzterer 1 ccm Amylalkohol enthielt, so restierte eine 38,05 bis 38,15 cm hohe Chloroformschicht. Einem Gehalte von 1 Volumproz. Amylalkohol entspricht demnach eine Chloroformschicht von 2,0 cm.

Der Isobutyl- und Propylalkohol verhalten sich dem Chloroform gegenüber im wesentlichen dem Amylalkohol analog, nur ist bei ihnen das Bestreben, in die Chloroformschicht überzugehen, weniger groß, als beim Amylalkohol.

Ein in dieser Richtung mit Isobutylalkohol angestellter Versuch zeigte, daß einem Gehalt von 1 Volumproz. dieses Alkohols eine Zunahme der Chloroformschicht von 1,70 cm entspricht, während ein Gehalt von 1 Volumproz. Propylalkohol 1,0 cm Zunahme ergab. Ein fuselölhaltiger Alkohol wird daher, da diese Alkohole zum Fuselöl gehören, eine geringere Zunahme der Chloroformschicht bewirken, als ein solcher, welcher Amylalkohol allein enthält. Ein Alkohol (50 Volumproz.), dem 1 Volumproz. Kornbranntwein dargestelltes Fuselöl beigemengt worden war, ergab eine Vermehrung der Chloroformschicht um 1,8 cm. Letztere wird natürlich um so höher auffallen, je reicher das Fuselöl an Amylalkohol ist, und es ist vorauszusetzen, daß trotz der verschiedenartigen Zusammensetzung der verschiedenen Fuselöle solche derselben Darstellungsweise keine großen Schwankungen der Bestandteile zeigen werden.

Wenn man das Sättigungsvermögen des Chloroforms für die verschiedenen Fuselöle experimentell ermittelt, so findet man die Zahlen, auf welche bei den zu untersuchenden Alkoholen, vorausgesetzt, daß man deren Ursprung kennt, die Chloroformschicht bezogen werden muß, um eine richtige Vorstellung von der Quantität des in dem Weingeist enthaltenen, ihm eigentümlichen Fuselöls zu bekommen. Durch Vergleich dieser Zahlen findet man für jedes Fuselöl einen Faktor, mit dem die auf reinen Amylalkohol bezogene Größe der Zunahme der Chloroformschicht multipliziert werden muß, um zum wahren Gehalt an Fuselöl zu gelangen, auch hier vorausgesetzt, daß man den Ursprung des betreffenden Weingeistes kenne. Für Fuselöl aus Kornbranntwein stellt sich dieser Faktor auf 1,111. Versuche, die übrigen Faktoren festzustellen, sind in Aussicht genommen worden.

A. Klinger, *Analysen von württembergischen Weinen.* (Jahresber. d. Ver. f. vaterl. Naturk. in Württemb. 1884. 300; Rep. anal. Chem. **4.** 266—67.)

E. List, *Süfsweine.* (Vortrag, gehalten auf der dritten Vers. der freien Vereinigung bairischer Vertreter der angewandten Chemie zu Nürnberg am 24. Mai 1884. Verlag von LEOPOLD VOSS in Hamburg und Leipzig.)

H. Weigmann, *Über ein neues Mahlverfahren bei Roggen.* Der Ingenieur Dr. UHL-HORN hat neuerdings auf eine Maschine ein Patent erhalten, mit welcher das schon oft angestrebte, und nach vielfachen mifslungenen Versuchen wiederholt aufgegebene Mahl-verfahren gelingt, die Schale des Roggens so abzutrennen, dafs nicht, wie bisher, durch Mitabtrennung der Kleberschicht ein grofser Verlust an Nährstoffen entsteht, sondern dafs nur der äufsere Teil der Schale, die oberen Membranen, abgetrennt werden, und die Kleberschicht, wenigstens zum gröfsten Teile, dem Kerne und der Mitverwendung zum Brodbacken erhalten bleibt.

Der Roggen wird, nachdem er durch die bekannten Maschinen, Siebcylinder, Aspi-rator und Trieur von Sand, Spreu und Unkrautsamen etc. befreit ist, etwas mit Wasser angefeuchtet und die Körner nun in der Schälmaschine unter starkem Drucke aneinander gerieben; hierbei reguliert sich die Maschine selbstthätig und gestattet den Austritt des Kornes, so dafs selbst, wenn der Druck innerhalb der Maschine zu grofs werden sollte, eine Verstopfung derselben nicht möglich ist. Durch das Reiben der nassen Körner an-einander unter Druck löst sich die äufsere Hülle vollständig ab und die Körner erhalten eine elfenbeinartige Politur. Nach dem Entschälen wird der Roggen nochmals über einen Aspirator geführt, der die feuchte Holzfaser ausbläst, und hierauf kurze Zeit einem kräf-tigen Windstrome ausgesetzt, wodurch derselbe noch etwas an Feuchtigkeit verliert, so dafs er nach dem Mahlprozesse, der nur etwa acht Minuten dauert, trockner ist, als vorher. Die Veränderung, welche durch dieses Mahlverfahren in der Zusammensetzung des Kornes hervorgerufen wird, und den Unterschied in der Zusammensetzung des aus geschältem und ungeschältem Roggen gebackenen Brodes zeigt folgende Analysenzusam-menstellung auf natürliche Substanzberechnet:

	Wasser	Proteïn-stoffe	Fett (Äther-extrakt)	N-fr. Extrakt-stoffe	Rohfaser	Reinasche
	p. c.	p. c.	p. c.	p. c.	p. c.	p. c.
a. Roggen:						
1. Ungeschält. Rogg.	13,37	12,31	1,85	68,51	2,31	1,64
2. Geschälter „	13,24	12,37	1,79	69,12	1,95	1,53
3. Samenschal.(Abf.)	11,12	8,94	2,19	59,39	13,95	4,41
b. Brod aus:						
1. Ungeschält. Rogg.	40,55	7,54	0,89	47,84	1,90	1,28
2. Geschältem „	39,40	8,56	0,76	48,37	1,61	1,30

Es ergiebt sich aus diesen Zahlen eine nicht unbedeutende Verminderung der Holz-faser im geschälten gegenüber dem ungeschälten Roggen, ohne dafs zugleich eine Ver-minderung der Porteïnstoffe zu konstatieren ist. Dasselbe Verhältnis zeigen die aus beiden Proben gebackenen Brote. (Das Brot aus geschältem Roggen hat sogar wesentlich mehr Protein, als das aus ungeschältem Roggen; jedoch dürfte dieser Unterschied zum Teil wenigstens auf den verschiedenen Proteïngehalt des verwendeten Roggens zurückzuführen sein.) Das aus geschältem Roggen hergestellte Brot zeigt eine hellere Farbe und ist ent-schieden feiner, als das aus ungeschältem Roggen gebackene, und darin liegt ein grofser Vorteil bezüglich der Verdaulichkeit. (D. Wochenbl. f. Gesundheitspflege u. Rettungswes. **1.** 204—205. Landwirtsch. Versuchsstation Münster.)

A. Müller-Jacobs, *Zur Bestimmung der Natur des Rohöles im Türkischrotöl.* (Pol. Journ. **253.** 473.)

W. Markownikoff und **W. Ogloblin,** *Untersuchungen über das kaukasische Petro-leum.* (Ann. Chim. Phys. [6.] **2.** 372—484. Juli u. August; C.-Bl. 1881. 609; 1882. 754; 1883. 228.)

Percy F. Frankland, *Über den Einflufs nicht brennbarer Verdünnungsmittel auf die Leuchtkraft des Äthylens.* (Journ. Chem. Soc. **45.** 227—37. Juli; C.-Bl. 1884. 413.)

Schaar, *Ölgasbeleuchtung.* Vortrag, gehalten im Hamburger Bezirksvereine deutscher Ingenieure am 5. Februar 1884. (Gesundheits-Ing. **7.** 578—84.)

Halenke und **Möslinger,** *Zur Untersuchung von Rüböl.* Vff. haben bei der Prüfung eines Rüböles auf Reinheit zunächst die Thatsache konstatiert, daß dasselbe schon bei gewöhnlicher Temperatur reichlich Ausscheidungen einer festen kugligen Fettmasse zeigte, während allgemein für Rüböl in der Litteratur angegeben wird, daß dasselbe bei — 4⁰ beginnt fest zu werden, bei — 7 bis — 10⁰ vollkommen erstarrt. Der Schmelzpunkt der bei gewöhnlicher Temperatur ausgeschiedenen Fettmasse lag bei 38,5⁰. Bei näherer Prüfung, speziell Anwendung der Methode KÖTTSTORFER, verbrauchte 1 g des festen Fettes 161,76 mg Kaliumhydrat. Nachdem eine größere Menge des fraglichen Öles verseift worden war, gelang es, aus dieser Seife eine Fettsäure abzuscheiden mit dem Schmelzpunkte 34⁰ C., welche zur Verseifung von 1 g = 160,05 mg KHO nötig hatte. Diese Thatsachen sprachen mit Sicherheit für das Vorhandensein der Eruca-, resp. Brassinsäure, vielmehr das Triglycerides der Brassinsäure, des Tribrassins. Aus diesen Beobachtungen geht hervor, daß Tribrassin, wie es scheint, oft in großer Menge als Bestandteil des Rüböles auftritt, ferner wird der Umstand erklärt, daß Rüböl, das in der Zusammensetzung dem Olivenöle ziemlich gleichwertig erachtet wird, bei der Verseifung einen geringeren Kaliverbrauch aufweist, als Olivenöl. (Corresp. d. freien Vereinig. bayr. Vertreter d. angewandt. Chem. 1884. Nr. 1. 1—2. August. Speyer.)

Kleine Mitteilungen.

Rauchfreie Halbgasfeuerung, von W. HEISER. Ein wesentlicher Übelstand der gewöhnlichen Feuerungsanlagen besteht darin, daß bei jeder frischen Aufschüttung von Kohlen, also gerade in dem Moment, wo die meiste Hitze und Luft zur vollständigen Verbrennung der reichlich sich entwickelnden Rauchgase nötig ist, eine Temperaturerniedrigung und meist auch ein Luftmangel eintritt. Das Resultat davon ist ein unvollständiger Verbrennungsprozeß und eine reichliche Entwicklung von Rauch, wobei zugleich große Mengen halbverbrannter Gase entweichen, welche noch einen bedeutenden Heizwert in sich bergen, der auf diese Weise verloren geht, sodaß ein entsprechender Brennmaterialverlust herbeigeführt wird. Bei der HEISER'schen Halbgasfeuerung, welche ihrer rationellen Wirkungsweise und ihres guten Effektes halber auf der Hygieineausstellung mit der silbernen Medaille prämiiert wurde, ist der geschilderte Übelstand vermieden. Die Verbrennung des Materials erfolgt rauchlos, und die Brennmaterialersparnisse sind derart, daß die Einrichtungskosten in verhältnismäßig kurzer Zeit vollständig gedeckt werden, wofür die Firma sich erbietet, weitgehendste Garantien zu leisten. Das in der Einrichtung dieser Feuerungsanlage hervortretende Prinzip beruht darauf, daß die Kohlen vor der eigentlichen Verbrennung einer Vorwärmung und teilweisen Entgasung unterliegen, wobei die sich entwickelnden Rauchgase, Kohlenwasserstoffe und Kohlenoxyd, gezwungen werden, über das vorher entgaste und darum rauchlos verglühende Brennmaterial hinwegzustreichen, nachdem dieselben mit der zu ihrer vollständigen Verbrennung nötigen Luftmenge vermischt worden sind. Die Firma W. HEISER & Co. in Berlin, Turmstr. 7, welche bereits über 200 Feuerungsanlagen nach diesem Systeme eingerichtet hat, liefert Zeichnungen und Kostenanschläge jederzeit gratis. . (Ind.-Bl. **21.** 302.)

Ein Guttaperchasurrogat. Balata ist der Name des milchigen Saftes eines am Amazonenstrome in großer Menge vorkommenden Baumes, welcher so nahe mit Guttapercha verwandt ist, daß er aus Guyana häufig unter demselben Namen verschickt wird. Die neue Substanz übertrifft aber in manchen Eigenschaften die Guttapercha. Sie ist geschmacklos, verbreitet erwärmt einen angenehmen Duft, kann so leicht geschnitten werden wie Guttapercha, ist aber elastischer, biegsamer und lederartiger. Die Stücke können leicht bei einer Temperatur von 120⁰ F. aneinandergeschweißt werden, während zur vollständigen Schmelzung der Balata eine höhere Temperatur als für Guttapercha erforderlich ist, nämlich etwa 270⁰ F. (D. Ind.-Ztg. **25.** 408.)

Härtemittel für Feilen. 21 g Kochsalz, ¹/₁₀ g gestoßenes weißes Glas, ³/₄ g Ochsenklauen gebrannt und pulverisiert, ¹/₄ g Roggenmehl, ¹/₄ g Kolophonium, ¹/₅ g Holzkohlenpulver, 120 g Blutlaugensalz. Diese fein pulverisierten Ingredienzien werden mit Spiritus oder Urin zu einem Teige angerührt, und mit diesem werden die Feilen vor dem Einlegen in das Feuer vermittels eines Pinsels dick bestrichen. Ist der Anstrich trocken, bringt man die Feilen in das Feuer. Sollten dann beim Erwärmen vielleicht Teilchen des Anstriches abspringen, so streue man auf diese Stelle rasch etwas gelbes Blutlaugensalz. Nachdem die Feile genügend erwärmt ist, taucht man sie langsam vertikal, ohne sie nach rechts oder links zu bewegen, in das Härtwasser.. (Neue Erfind. u. Erfahr.; D. Ind.-Ztg. **25.** 408.)

Vergoldung von Stahl. Polierter Stahl wird am vorteilhaftesten vermittels einer ätherischen Goldlösung vergoldet. Man löst möglichst reines Gold in Königswasser auf, verdampft die Lösung so weit, daß die überschüssige Säure vertrieben ist, löst wieder in Wasser und setzt dreimal soviel Äther hinzu. Wenn die Lösung 24 Stunden in einer geschlossenen Flasche gestanden hat, nimmt man die obenauf schwimmende ätherische Goldlösung ab. Polierter Stahl, in diese Lösung eingetaucht, ist sofort schön vergoldet. Wenn man einzelne Stellen des Stahls mittels Lack und Firnis schützt, so kann man eine schöne Goldziselierung auf der Stahloberfläche hervorbringen. Für andere Metalle als Stahl ist die galvanische Vergoldungsmethode vorzuziehen. (Österr.-Ung. Mont. u. Metall. Ind.-Ztg.; Pol. Not. **39.** 264.)

Über Fällung von Gold. Bei einem Vergleiche der Goldniederschlagsprozesse ergiebt sich, daß die Fällung mit *Ferrosulfat* in saurer Lösung in der Ausführung einfach und, falls die Goldlösung frei von Chlor, Brom, Hypochloriten, des Calciums, Magnesiums und Natriums, von Salpetersäure etc., auch vollkommen ist. Dies ist jedoch nicht der Fall bei Chlorierungsmutterlaugen; diese können nicht allein absorbiertes Chlor enthalten, sondern auch Chloride und Hypochlorite von Alkalien und alkalischen Erden, die eine unvollständige Niederschlagung verursachen können, während auf der anderen Seite die Laugen von reinem Goldquarz, die nicht Magnesia und Kalk enthalten, durch Eisenoxydulsulfat vollständig niedergeschlagen werden. Eisenchlorür hat dieselbe Wirkung, ist jedoch teuer, mehr der Zersetzung unterworfen und kann nicht in Papier und Holz, sondern nur in Porzellan und Glas transportiert werden; auch ist es nicht als Nebenprodukt bei Hüttenprozessen zu gewinnen, sondern muß durch Auflösen von reinem Eisen in Salzsäure besonders hergestellt werden.

Das Fällen mittels Schwefelwasserstoffs ist in der Ausführung komplizierter, da ein Apparat zur Entwicklung des Gases und eine Temperatur von 50—60° C. nötig ist; er kann angewandt werden in allen Fällen, wo die goldhaltigen Lösungen unrein sind, jedoch kein Kupfer, auch nicht in geringen Mengen enthalten. Die Vorzüge dieses Verfahrens sind, daß in einer warmen Lösung der Niederschlag rasch vor sich geht, und daß nach Reduktion aller oxydierenden Verbindungen der Niederschlag sich schnell absetzt und ohne Zeit- und Geldverlust auf einmal von der Flüssigkeit getrennt werden kann. (Min. and Scient. Press. **48.** 153; B.- u. H.-Ztg. **48.** 349—50.)

Bestimmung der Phosphorsäure in Düngern. Auf der letzten *Versammlung der Agrikulturchemiker in Atlanta*, Ga., wurde folgende Methode zur Bestimmung der Phosphorsäure sämtlichen Chemikern als Norm empfohlen:

1. Das *Muster* soll gut gemischt und vorbereitet sein, so daß jeder Teil den Gesamtcharakter desselben repräsentiert.

2. *Wasserlösliche Phosphorsäure.* 2 g der Probe werden auf einem Filter nach und nach mit kleinen Portionen destillierten Wassers ausgezogen, bis das ablaufende Filtrat keine Phosphorsäure mehr enthält. Trübung des Filtrats stört nicht. Das Residuum wird dann in einem Mörser mit einem mit Gummi überzogenen Pistill zu einem Teig verrieben, dann auf das Filter zurück gegeben und ausgewaschen, bis das Waschwasser aufhört, saure Reaktion zu zeigen. Dann wird ein aliquoter Teil (meist 0,33 bis 0,5 g der Substanz entsprechend) zur Bestimmung der Phosphorsäure, wie weiter unten unter „Totalphosphorsäure" angegeben, verwendet.

3. *In Citraten unlösliche Phosphorsäure.* Der oben erhaltene Rückstand wird mit 100 ccm einer ganz neutralen Ammoniumcitratlösung vom spez. Gew. 1,09 versetzt und in einen 150 ccm-Ballon, in welchem sich auch das kleingeschnittene Filter befindet, hinein gebracht. Nach dem Verkorken des Ballons wird der Inhalt desselben bei 65° C. unter häufigem Umschütteln 30 Minuten lang digeriert, die noch warme Lösung rasch filtriert und der Rückstand mit Wasser gewöhnlicher Temperatur nachgewaschen. — Das Filter und der Inhalt desselben werden in einer Porzellanschale bis zur vollkommenen Zerstörung der organischen Substanzen geglüht, darauf bei gelinder Wärme mit 10—15 ccm rauchender Salzsäure digeriert, bis das Phosphat etc. gelöst ist, die Lösung bis zu 500 ccm verdünnt, gut gemischt und durch ein trockenes Filter gegossen; in einem aliquoten Teil des Filtrates wird die Phosphorsäure nach der folgenden Vorschrift bestimmt.

4. *Totalphosphorsäure.* 2 g des Materials werden in einer Kapsel gewogen, mit 4—7 ccm einer gesättigten Lösung von Magnesiumnitrat innig gemischt, eingetrocknet, behutsam geglüht, dann mit Salpetersäure angefeuchtet und wieder geglüht, um alle organischen Substanzen zu zerstören. Der Rückstand wird mit 15—20 ccm rauchender Salzsäure bei gelinder Wärme bis zur Auflösung aller Phosphate digeriert, auf 200 ccm verdünnt, und nach dem Umschütteln die Flüssigkeit durch ein trockenes Filter filtriert. 50 ccm des Filtrates werden mit Ammoniak

neutralisiert, mit 15 g trockenem Ammoniumnitrat und für jedes Dezigramm P_2O_5, welches vorhanden ist, mit 50 ccm Molybdänlösung versetzt. Man digeriert eine Stunde bei 65° C., filtriert und wäscht mit Ammoniumnitratlösung aus. (Das Filtrat wird durch erneuerte Digestion und Zusatz von mehr Molybdänlösung geprüft.) Den auf dem Filter befindlichen Niederschlag löst man in Ammoniak und heißem Wasser, indem man ihn in ein Becherglas von ca. 100 ccm hineinwäscht. Die Lösung wird mit Salzsäure nahezu neutralisiert und nach dem Abkühlen Magnesiamischung (1 Tropfen per Sekunde) unter fortwährendem Umrühren zugegeben. Nach 15 Minuten setzt man 30 ccm Ammoniak von 0,96 spez. Gew. zu und läßt mehrere Stunden lang stehen (zwei Stunden genügen in der Regel). Es wird filtriert, mit Ammoniak gewaschen, der Rückstand scharf geglüht und dann gewogen.

5. *In Citraten lösliche Phosphorsäure.* Die Summe der wasserlöslichen + der in Citraten unlöslichen Phosphorsäure, abgezogen von der Totalphosphorsäure giebt die Menge der citratlöslichen Säure an. (Amer. Chem. Review d. D. Amer. Apoth. Ztg. **5.** 336—37.)

Aus der Bessemerstahlindustrie, von ED. AGTHE. In der Sitzung des „Iron and Steel Institute" in Wien vom 21. Sept. 1882 hielt Mr. JOHN GJERS aus Middlesbrough einen Vortrag über „das Walzen von Stahlgußblöcken mit ihrer eigenen ursprünglichen Hitze mittels Anwendung der Durchweichungsgrube", welcher ein besonderes Interesse noch darum verdient, weil er die letzte Lücke in der Bessemerstahlfabrikation ausfüllt. Jetzt ist der Prozeß so weit vorgeschritten, daß man im stande ist, aus dem Roheisen die fertige Schiene herzustellen, ohne dabei ein Stück Brennmaterial zu gebrauchen. Ein solches ideales Stahlwerk nimmt dann vom Hohofen das Roheisen in den Konverter, bläst direkt, d. h. ohne späteren Zusatz von geschmolzenem Spiegeleisen, und verwalzt die gegossenen Blöcke, nachdem dieselben die GJERS'schen Durchweichungsgruben passiert haben, in eigner Hitze zu Schienen. Die vom Hohofen abziehenden Gase sind noch im stande, den für die Hütte notwendigen Dampf zu liefern. Natürlich müssen verschiedene Bedingungen erfüllt sein, um es zu ermöglichen, in dieser Weise zu arbeiten.

Was zuerst das direkte Arbeiten vom Hohofen anbelangt, so ist es, so nahe auch die Ersparnis liegt, doch nicht überall in Anwendung, wo Hohofen und Bessemerbirnen zur Verfügung stehen, und zwar deshalb, weil es gar zu leicht vorkommt, daß die Chargen einen ungleichmäßigen Verlauf zeigen, wodurch dann auch wieder der Stahl ungleichmäßig wird. Der Gang des Hohofens muß in bester Ordnung sein, um das Roheisen gleich der Birne überliefern zu können, während man bei späterem Umschmelzen, nach vorhergegangenen Analysen oder Probechargen, durch zweckentsprechende Gattierung stets einen gleichmäßigen Gang in der Birne erzielen kann. Wenn man die einheimischen Verhältnisse ins Auge faßt, wobei freilich bemerkt werden muß, daß außer im Ural noch keine Bessemerhütte in der Lage ist, Hohöfen zu besitzen, so kostet das Umschmelzen in den allgemein verwandten Kupolöfen nicht unter 4 Kop. das Pud. Rechnet man eine gute Produktion von 12 000 Pud täglich, so könnten durch direktes Arbeiten vom Hohofen täglich 480 Rubel gespart werden.

Von nicht so großem pekuniären Einflusse und trotzdem noch mehr an bestimmte Bedingungen geknüpft, ist das Direktblasen ohne späteren Zusatz in geschmolzenem Zustande. Ist das Roheisen genügend manganreich, so ist ein direktes Blasen auf Stahl jedenfalls das billigste. Es läßt sich auch der richtige Zeitpunkt bei Zuhilfenahme eines Spektroskops und von Schlackenproben sehr leicht feststellen. Jedoch erfordert dies immerhin einige Zeit und eignet sich deshalb nicht besonders zur Massenproduktion. Ein solches Produkt ist bestimmt gleichmäßiger, als ein durch Zusatz erzeugtes, da die Mischung des Zusatzes mit dem Bade keine vollkommene ist. Giebt man dagegen den Zusatz in kaltem Zustande in die Birne, so ist man an sehr kleine Mengen gebunden (das Maximum sollten wohl 400 Pfd. sein). Deshalb muß man seine Zuflucht zu manganreicheren Produkten (Ferromangan) nehmen, die viel teurer sind, so daß von einer Ersparnis dabei nicht die Rede sein kann. Ein Direktblasen mit nicht manganhaltigem Roheisen ist bis jetzt nur in Schweden gebräuchlich, wo man sogar Flußeisen direkt aus einem Roheisen mit 0,6 p. c. Mangan erblasen soll.

Nachdem hierauf die Blöcke auf irgend eine der üblichen Weisen abgegossen sind, sollen sie, statt wie früher in einem Wärmeofen, in einer GJERS'schen Grube für die Weiterverarbeitung erhitzt werden.

Das Prinzip der GJERS'schen Gruben, welche sich mit großer Geschwindigkeit verbreiten, ist nun folgendes:

Wenn der gegossene Stahl erstarrt, so erstarren zuerst natürlich die Seiten. Die Mitte bleibt je nach der Größe des Blockes noch bis eine halbe Stunde lang flüssig. Wollte man den Block in diesem Zustande verarbeiten, so würde der flüssige Stahl aus der Mitte herausgequetscht, und der Block würde hohl werden. Würde man dagegen warten, bis die Mitte genügend fest ist, so würden die Seiten schon viel zu kalt sein und deshalb eine Verarbeitung nicht zulassen. Deshalb mauert GJERS aus feuerfesten Steinen Gruben aus, in welchen der Ingot eben Platz hat, und erhitzt diese Gruben durch warme Ingots. Sind nun die Gruben warm, und man setzt den

Ingot hinein, so teilt sich, sowie er aufsen erstarrt ist, die beim Erstarren des Innern frei werdende Wärme den schon mehr erkalteten Teilen und dem Mauerwerke mit. Läfst man nun den Ingot ca. eine halbe Stunde in der Grube, so hat sich die Hitze in demselben ganz gleichmäfsig verteilt, und der Ingot ist warm genug, um sofort bearbeitet zu werden. In die einmal warme Grube kann jetzt Ingot auf Ingot eingesetzt werden, so dafs ein kontinuierlicher Betrieb aus denselben möglich ist. Baut sich also ein Werk so viele GJERS'sche Gruben, als Ingots für jeder Charge abgegossen werden, so kann es seine ganze Produktion aus den Gruben verarbeiten. Nur dort, wo man genötigt ist, verschiedene Sorten Stahl herzustellen und deshalb sehr verschieden grofse Ingots zu giefsen, ist das Arbeiten aus den Gruben mit Schwierigkeiten verknüpft. Die Stahlwerke in Seraing haben es schon so weit gebracht, dafs sie 96 p. c. ihrer Schienenproduktion aus den GJERS'schen Gruben verarbeiten. Die Ersparnis, welche bei Anwendung dieser Gruben erzielt werden kann, ist eine sehr grofse. Zieht man noch gar nicht in Rechnung, dafs man die teure Anlage der Wärmeöfen nicht braucht, und dafs die Reparaturen an den Öfen fortfallen (die GJERS'schen Gruben selbst brauchen sehr wenig Reparatur), so fällt erstens der Preis für die zum Anwärmen notwendigen Kohlen fort, und zweitens gewinnt man 3 p. c. Stahl, da in den GJERS'schen Gruben fast kein Abbrand stattfindet. Legt man wieder unsere einheimischen Preise der Berechnung zu grunde, so können bei einer Produktion von 12 000 Pud täglich, nur Kohle und Abbrand gerechnet, ca. 650 Rubel täglich gespart werden.

Geht man jetzt zur letzten Bedingung eines, wie Vf. es nannte, idealen Stahlwerkes über, so ist dies das Direktwalzen der gegossenen Ingots in eigner Hitze zur fertigen Schiene.

Der Flufsstahl, sei es nun Bessemer- oder Thomas- oder Siemens-, Martin- oder Tiegelstahl, enthält im gegossenen Zustande je nach der Herstellungsweise und je nach der Zusammensetzung mehr oder weniger Blasenräume. Diese Blasenräume rühren von im flüssigen Stahl absorbierten Gasen her, welche beim Erstarren sich ausscheiden und in der teilweise erstarrten Masse schon zuviel Widerstand finden, um an der Oberfläche austreten zu können. Ein normaler Flufsstahl darf nun freilich erstens nicht zu viele Blasen haben, und zweitens dürfen dieselben nicht oxydiert sein, jedoch mufs der Ingot immer eine gewisse Bearbeitung erhalten, damit man sicher ist, dafs alle Blasen zugeschweifst sind. Will man nun den Ingot in einer Hitze auswalzen, so kann man ihm nicht soviel Bearbeitung geben, denn man ist erstens an eine bestimmte Anzahl Stiche (Durchlässe) in der Walze gebunden, und zweitens auch an einen bestimmten Druck in den einzelnen Kalibern. Deshalb mufs ein Ingot, der in einer Hitze zur Schiene ausgewalzt werden soll, vor allen Dingen sehr wenig oder gar keine Blasen haben, und es müssen diese dann die Blasen noch so gruppiert sein, dafs sie beim Direktwalzen nicht schaden. Die Frage über die Ursache der Entstehung und verschiedenen Lagerung der Blasen im gegossenen Ingot ist noch immer nicht vollständig erledigt. Man kann wohl blasenfreien Stahl herstellen, und man giefst ja aus Martinstahl und auch aus Bessemerstahl fehlerfreien Formgufs, jedoch mufs man dann einige Freiheiten in betreff des Härtegrades und des Siliciumgehalts haben. In neuerer Zeit ist nun eine sehr dankenswerte Arbeit vom schwedischen Ingenieur C. A. CASPERSSON über den Einflufs des Wärmegrades der Bessemerchargen auf die Beschaffenheit des Stahlblocks veröffentlicht worden (Stahl und Eisen, Febr. 1883), jedoch behandelt derselbe nur eine bestimmte Art Stahl, und zwar Stahl, der aus manganhaltigem Roheisen direkt erblasen ist. Es ist nun bekannt, dafs gerade dieser Stahl mehr Blasen enthält, indem bei der durch den Spiegeleisenzusatz hervorgerufenen Reaktion gleichsam im Umrühren, und dadurch eine starke Gasausscheidung stattfindet. Man vermifst wohl auch ungern bei den verschiedenen Blöcken die Angabe des Siciliumgehalts neben dem Kohlenstoffgehalt. Es ist ja bekannt, dafs bei heifsen Chargen Sicilium im Stahl zurückbleibt, und zwar umsomehr, je heifser die Charge ist, und es würde so der Siliciumgehalt einen sehr guten Anhaltspunkt über den Wärmegrad der Charge abgeben. Durch diese Arbeit ist sicher nachgewiesen, dafs der Stahl, wenn man dichte Ingots haben will, um so heifser gegossen werden mufs, je weicher er ist. In der Praxis sind über den notwendigen Wärmegrad des Stahls beim Giefsen behufs späteren Direktwalzens zwei Ansichten vertreten, welche sich scheinbar gegenüberstehen. Während die einen zu dem Zweck sehr heifse Chargen blasen, halten die anderen die Chargen möglichst kalt. Dieser scheinbare Widerspruch wird aber sofort aufgehoben, wenn wir die Blasengruppierung bei den verschiedenen Wärmegraden verfolgen. Bei den heifsesten Chargen sinkt der Kopf des Blockes trichterförmig ein, und es zieht sich durch die Mitte des Blockes ein kleiner, an manchen Stellen schon sehr schwer bemerkbarer poröser Kanal. Bei abnehmendem Wärmegrade folgen jetzt ganz dichte Blöcke und dann Blöcke, welche einen ganz gesunden Kern haben, aber an den Aufsenseiten Blasen zeigen. Diese Blöcke lassen sehr gut schmieden, reifsen zwar, wenn die Blasen sehr nah an der Oberfläche liegen, oder sehr häufig auftreten, anfangs etwas ein, geben aber, wenn die etwaigen Risse beim Schmieden herausgeputzt werden, nach dem Verwalzen einen vollständig gesunden Stahl. Direkt walzen lassen sich diese Blöcke nicht, weil hierbei die Blasen von der Walze aufgerissen werden, und da beim Walzen von Putzen kaum die Rede sein kann, so reifst die Walze bei den späteren Durchgängen die Stellen immer mehr auf, und die Schiene wird Ausschufs. Sinkt jetzt die Temperatur des Stahls beim Giefsen noch tiefer, so gehen die Blasen von der Oberfläche immer mehr zur Mitte hin. Solche Blöcke lassen sich nicht gut schmieden.. Sie spritzen beim Schmieden, d. h. man sieht an beiden Enden des Blockes bei jedem Schlag in der Mitte Funken heraustreten, und der Block ist nach beendetem Schmieden in der Mitte unganz. Solche Blöcke lassen sich aber gut direkt walzen, nur müssen sie genügende Bearbeitung erhalten, damit man sicher ist, daß die Blasen in der Mitte zugeschweißt sind. Deshalb wird dieser Stahl auch zumeist in zwei Hitzen direkt gewalzt, jedoch ist auch nicht ausgeschlossen, daß man denselben fehlerfrei in einer Hitze auswalzt. Es würde nämlich sonst, als in einer Hitze auswalzbar, nur der vollkommen dichte Stahl nachbleiben, und dieser ist auch nicht vorwurfsfrei. Wenn die Charge nämlich so heiß verläuft, daß der Stahl dicht ist, so bleibt immer ein beträchtlicher Gehalt an Silicium zurück, soweit die Erfahrungen reichen, auch bei guter Betriebsleitung noch 0,2 p. c., oder fast soviel. Es ist nun die Wirkung des Siliciums im Stahl noch sehr schlecht bekannt, aber soviel steht doch fest, daß Silicium den Stahl kaltbrüchig macht. Zwar wirkt es in viel geringerem Maßstabe als Phosphor, und außerdem hängt seine Einwirkung noch von dem gleichzeitigen Kohlenstoff- und Mangangehalte des Stahls ab. Jedenfalls muß hier bemerkt werden, daß man im stande ist, einen gleich dichten Stahl mit weniger Siliciumgehalt herzustellen, wenn man, statt heiße Chargen zu blasen, am Ende einen entsprechenden Ferromangansilicium-Zuschlag giebt.

Einesteils die oben angeführten Übelstände, anderenteils auch noch der Umstand, daß eine gute (starke) Bearbeitung und wiederholte Hitzen dem Stahle sehr vorteilhafte Eigenschaften geben, haben es veranlaßt, daß noch verhältnismäßig wenig Schienen in einer Hitze direkt gewalzt werden. Ob man aber die Blöcke, bevor sie in die Fertigwalzen kommen, vorschmiedet oder vorwalzt, ist kein bedeutender Unterschied, und man ist ziemlich allgemein der Ansicht, daß das Schmieden für den Stahl vorteilhafter ist. Bei richtiger Betriebsleitung ist das Schmieden nicht teurer, als das Vorwalzen. Eine strikte Zahl für die durchs Direktwalzen in einer Hitze erzielte Ersparnis anzugeben, ist nicht ganz leicht, da dieselbe in den verschiedenen Hütten recht verschieden ist, jedoch wird sie immer täglich 1000 Rubel weit übersteigen. Diese Ersparnisse sind nun freilich nur für die Schienenfabrikation möglich und setzen andererseits noch eine kontinuierliche Massenproduktion voraus. (D. Ind.-Ztg. **25.** 405—6.)

Studien über das Blut, von H. STRUVE. Die Versuche des Vf. haben ergeben, daß man die, durch Alkohol in einen unlöslichen Zustand übergeführten Hämoglobinkrystalle, ohne Veränderung ihrer Form durch eine einfache Behandlung mit ammoniakalischem Spiritus, Eisessig, konzentrierter Schwefelsäure, Chlorwasser in farblose Krystalle überführen kann.

Daraus folgert der Vf., daß die Hämoglobinkrystalle als Krystalle einer farblosen, eiweißartigen Substanz aufzufassen sind, die bisher noch nicht in reinem Zustande hergestellt werden konnten, sondern immer von kleinen, aber überaus gleichen Quantitäten eines oder verschiedener Blutfarbstoffe mechanisch gefärbt sind.

Vf. stellte sich nun die Beantwortung der Fragen:
1. Wie ist im allgemeinen die Zusammensetzung des defibrinierten Blutes?
2. Wie ist die Zusammensetzung der Blutkrystalle? Bezüglich der ersten Frage ergab sich aus einer Reihe quantitativer Blutanalysen, sowie aus sonstigen Thatsachen, daß aus den Blutkörperchen je nach den Lösungsmitteln drei Gruppen von Verbindungen extrahiert werden können. Der Ätherauszug hinterläßt neben einem noch nicht näher untersuchten Farbstoff Cholesterin, Lecithin, Cerebrin und Glyceride.

Der Wasserauszug hinterläßt eine dunkel gefärbte amorphe Masse, die in Wasser und Alkohol überaus leicht löslich, in Äther dagegen schwer löslich ist. Durch Säuren wird der Farbstoff aus der wässerigen Lösung leicht gefällt, er giebt keine Häminkrystalle, ist in Ammoniak leicht löslich und erscheint als eine schwache Säure, die im Blut an Natron oder an eine organische Base gebunden ist; Vf. nennt sie *Hämatinsäure.*

Eine fernere Säure, die *Häminsäure,* erhielt Vf. aus dem ammoniakalischen Spiritusauszuge.

Was die zweite Frage anbelangt, so ist die empirische Formel der Blutkrystalle nach PREYER $C_{600}H_{960}N_{154}FeS_3O_{179}$, nach GOBUP-BESANEZ $C_{636}H_{1025}N_{164}FeS_3O_{189}$. Da nun, wie oben erwähnt, den Blutkrystallen durch geeignete Behandlung ohne Veränderung der Form der Krystalle der ganze Farbstoff entzogen werden kann, so folgert Vf. daraus, daß die Blut- oder Oxyhämoglobinkrystalle als Krystalle eines *Blutalbumins, Globulinkrystalle,* angesehen werden müssen, die nur mechanisch durch kleine, aber bestimmte Quantitäten von Hämatin- und Häminsäure gefärbt sind; ferner nimmt Vf. an, daß das Eisen nicht zur Konstitution der Krystalle gehört. Vf. weist schließlich darauf hin, daß hier der exakten chemischen Untersuchung noch ein weites Feld sich darbietet. (Journ. prakt. Chem. **29.** 305; Arch. Pharm. [3.] **22.** 674—75.)

Einwirkung von Ammoniumchlorid auf Bleijodid, von HENRY MAISCH. Zur Prüfung des Bleijodids auf Chromat hatte die Amerikan. Pharm. den Vorgang HAGER'S angenommen und vorgeschrieben, daß 1 Tl. Bleijodid mit 2. Tln. Wasser und 2 Tln. Ammoniumchlorid eine farblose Lösung geben sollte. Vf. bezeichnet dies Verlangen als Fehler; die Substanzen geben keine farblose Lösung, sondern eine weiße Mischung, welche erst beim Erhitzen allmählich klar wird. Daher beantragt Vf. eine Änderung des Textes dieser Prüfungsmethode. (Amer. Journ. of Pharm; Arch. Pharm. [3.] 22. 672.)

Kunstbutter. In Holland ist eine Gesellschaft im Entstehen begriffen und hat bereits einen Statutenentwurf veröffentlicht, welche beabsichtigt, den Handel mit Kunstbutter zu beschützen. Speziell will sie den nachteiligen Einfluß bekämpfen, welcher aus dem Verkauf von Kunstbutter unter dem Namen von Naturbutter resultiert. Die Gesellschaft soll von allen ehrlichen Mitteln Gebrauch machen: 1. Aufklärung des Publikums über den wirklichen Wert der Kunstbutter; 2. Ausschreibung von Preisfragen über die besten Unterscheidungsmittel zwischen Kunst- und Naturbutter; 3. Verpflichtung der Händler, Kunstbutter nur unter ihrem wahren Namen zu verkaufen; 4. Erlaß dahin gehender Bestimmungen u. s. w. (Milchzeitg. 1884. Nr. 35.)

Beiträge für das Centralblatt bittet man an die Redaktion (Leipzig, Lessingstr. 5) zu richten. **Originalarbeiten** von nicht zu großem Umfange werden entsprechend honoriert und gelangen stets sofort nach der Einsendung, und zwar in kürzester Frist, zum Abdruck.

Redaktion: Prof. Dr. **Rud. Arendt** in Leipzig.

Verlag von **Leopold Voss** in Hamburg u. Leipzig. — Druck von **Metzger & Wittig** in Leipzig.

No. 46. **Chemisches** 12. Novemb. 1884.

Wöchentlich eine Nummer von 1–2 Bogen. Der Jahrgang mit Sach- und Namen-Register, nebst system. Übersicht.

Central-Blatt.

Der Preis des Jahrgangs ist 30 Mark. Durch alle Buchhandlungen und Postanstalten zu beziehen.

REPERTORIUM

für reine, pharmazeutische, physiologische und technische Chemie.

Dritte Folge. XV. Jahrgang.

Wochenbericht.

2. Allgemeine Chemie.

Richard Brix, *Über den Austausch von Chlor, Brom und Jod zwischen organischen und anorganischen Verbindungen.* Nachdem PERKIN und DUPPA (LIEB. Ann. 112. 125) die Umsetzung des bromessigsauren Äthyls in die entsprechende Jodverbindung mittels Jodkalium gezeigt hatten, sind zahlreiche Versuche dieser Art ausgeführt worden. Wir wissen, daß leichte Metalle, wie K, Al und andere das Jod abgeben und Chlor aufnehmen, während ihre Chloride sich mit den organischen Jodiden nicht umsetzen. Gerade umgekehrt verhält sich das Quecksilber, welches den organischen Jodiden das Jod entzieht und durch Chlor oder Brom ersetzt. Um die Erfahrungen nach dieser Richtung hin zu erweitern, hat der Vf. auf Veranlassung von LOTHAR MEYER den Einfluß studirt, den die Natur der in den anorganischen Halogenverbindungen enthaltenen Elemente auf die Fähigkeit, sich mit den Halogenverbindungen der Alkohole und alkoholartigen Körper umzusetzen, ausübt. In der folgenden Tabelle sind die Resultate zusammengestellt.

Einwir-kung von	Auf	Produkt	Umsatz	Temperatur	Bemerkungen
CaCl₂	C₂H₅J	—	nicht	+ 72°	Fünf Stunden am Rückflußkühler
BaCl₂	C₂H₅J	C₂H₅Cl	teilweise	+ 130 bis 140°	im Rohre mit Alkohol
BaCl₂	C₂H₅J	—	nicht	+ 72°	am Rückflußkühler
BaJ₂	$\frac{C_2H_5ClO}{C_2H_5}{>}O$	$\frac{C_2H_5JO}{C_2H_5}{>}O$	nahezu vollständig	+ 100°	″
BaJ₂	C₆H₅.CH₂Cl	C₆H₅.CH₂J	teilweise	Zimmertemp.	
BaJ₂	C₄H₉Cl	—	nicht	+ 69°	drei Stunden am Rückflußkühler
CuCl₂	C₂H₅J	—	nicht	+ 72°	drei Stunden am Rückflußkühler
CuCl₂	C₂H₅J	C₂H₅Cl	vollständig	+ 150 bis 160°	im Rohre mit Alkohol
ZnJ₂	$\frac{C_2H_5ClO}{C_2H_5}{>}O$	$\frac{C_2H_5JO}{C_2H_5}{>}O$	nahezu vollständig	+ 100°	eine Stunde am Rückflußkühler
ZnJ₂	C₆H₅.CH₂Cl	C₆H₅.CH₂J	teilweise	+ 8 bis 12°	eine Stunde am Rückflußkühler
ZnJ₂	C₆H₅.CH₂Cl	—	vollständig	+ 45 bis 50°	Zersetzung unter Aufschäumen
ZnJ₂	C₄H₉Cl	—	nicht	+ 68 bis 70°	am Rückflußkühler

Einwirkung von	Auf	Produkt	Umsatz	Temperatur	Bemerkungen
$CdCl_2$	C_2H_5J	C_2H_5Cl	teilweise	$+130$ bis $140°$	durch sechs bis sieben Stunden im Rohre mit Alkohol
$CdCl_2$	C_2H_5J	—	nicht	$+72°$	am Rückflußkühler im Wasserbade
$CdBr_2$	$\begin{smallmatrix}C_2H_5ClO\\C_2H_5\end{smallmatrix}{>}O$	$\begin{smallmatrix}C_2H_5BrO\\C_2H_5\end{smallmatrix}{>}O$	teilweise	$+100$ bis $140°$	am Rückflußkühler
$CdBr_2$	$C_6H_5.CH_2Cl$	$C_6H_5CH_2Br$ und Harz	teilweise	$+100°$	zwei Stunden am Rückflußkühler
$CdBr_2$	C_2H_5J	C_2H_5Br	Spuren	—	am Rückflußkühler
CdJ_2	$\begin{smallmatrix}C_2H_5ClO\\C_2H_5\end{smallmatrix}{>}O$	$\begin{smallmatrix}C_2H_5BrO\\C_2H_5\end{smallmatrix}{>}O$ und Harz	teilweise	$+100°$	drei Stunden am Rückflußkühler
CdJ_2	$C_6H_5.CH_2Cl$	$C_6H_5.CH_2J$ u. Polymere	teilweise	$+100°$	drei Stunden am Rückflußkühler
CdJ_2	C_4H_9Cl	—	nicht	$68°$	drei Stunden am Rückflußkühler
CdJ_2	C_4H_9Cl	Zersetzungsprodukte	wenig	$135°$	fünf Stunden im Rohre
$TlCl$	C_2H_5J	—	nicht	$72°$	fünf Stunden am Rückflußkühler
$TlCl$	C_2H_5J	—	nicht	$160°$	fünf Stunden im Rohre mit Alkohol
TlJ	$\begin{smallmatrix}C_2H_5ClO\\C_2H_5\end{smallmatrix}{>}O$	$\begin{smallmatrix}C_2H_5JO\\C_2H_5\end{smallmatrix}{>}O$	teilweise	$+160°$	sechs bis sieben Stunden im Rohre
$PbCl_2$	C_2H_5J	—	nicht	$72°$	am Rückflußkühler
$PbCl_2$	C_2H_5J	C_2H_5Cl	nahezu vollständig	$+150$ bis $160°$	sechs Stunden im Rohre mit Alkohol
PbJ_2	$C_6H_5CH_2Cl$	—	nicht	—	am Rückflußkühler
PbJ_2	$C_6H_5CH_2Cl$	$C_6H_5CH_2J$	teilweise	$+150$ bis $160°$	neun Stunden im Rohre mit Alkohol
$AsBr_3$	$\begin{smallmatrix}C_2H_5ClO\\C_2H_5\end{smallmatrix}{>}O$	$\begin{smallmatrix}C_2H_5BrO\\C_2H_5\end{smallmatrix}{>}O$	vollständig	$+140$ bis $145°$	sechs bis sieben Stund. im Rohre mit Alkohol
$AsBr_3$	$C_6H_5.CH_2Cl$	$C_6H_5.CH_2Br$	vollständig	$+140$ bis $145°$	sechs bis sieben Stund. im Rohre mit Alkohol
$SbBr_3$	$\begin{smallmatrix}C_2H_5ClO\\C_2H_5\end{smallmatrix}{>}O$	$\begin{smallmatrix}C_2H_5BrO\\C_2H_5\end{smallmatrix}{>}O$	vollständig	$+140$ bis $145°$	sechs bis sieben Stund. im Rohre mit Alkohol
$SbBr_3$	C_2H_5J	C_2H_5Br	vollständig	$+140$ bis $145°$	sechs bis sieben Stund. im Rohre mit Alkohol
$BiBr_3$	C_2H_5J	C_2H_5Br	teilweise	$+150$ bis $160°$	sechs Stunden im Rohre mit Alkohol
$BiBr_3$	$\begin{smallmatrix}C_2H_5ClO\\C_2H_5\end{smallmatrix}{>}O$	Zersetzung	—	$140°$	sechs Stunden im Rohre mit Alkohol

Gleichzeitig giebt der Vf. noch eine Zusammenstellung der Ergebnisse, welche von anderen Beobachtern früher erhalten worden sind, nebst den betreffenden Litteraturangaben.

Einwirkung von	Auf	Produkt	Beobachter	Quellenangabe
KJ	bromessigsaures Äthyl	jodessigsaures Äthyl	Perkin und Duppa	LIEB. Ann. 112. 125.
KJ	Epichlorhydrin	Epijodhydrin	Reboul	Suppl. 5. 218.

Einwirkung von	Auf	Produkt	Beobachter	Quellenangabe
KJ	monobrombutters. Äthyl	monojodbutters. Äthyl	Butlerow	Ber. Chem. Ges. **5.** 479.
KJ	Chlormilchsäure	Jodmilchsäure	Glinsky	Ber. Chem. Ges. **6.** 28.
KJ	Dichlorhydrin	Dijodhydrin	Claus und Nahmacher	Ber. Chem. Ges. **5.** 353.
KJ	Dichloräther	keine Einwirkung	Lieben	LIEB. Ann. **150.** 87.
KJ	Mono- u. Dichloraceton	Mono- u. Dijodaceton	Glutz u. Fischer	J. pr. Ch. [2] **4.** 52; LIEB. Ann. **192.** 89.
KJ	Bromvinyl	keine Einwirkung	Völker und Baumann	LIEB. Ann. **163.** 308.
KJ	β-Dibrompropionsäure	vollständige Zersetzung	v. Zotta	LIEB. Ann. **192.** 102.
KJ	Chloral	$CHCl_3 + CO_2$	Amalo	Ber. Chem. Ges. **9.** 83.
KJ	Dichloraceton	Dijodaceton	v. Hörmann	Ber. Chem. Ges. **13.** 1706.
KBr	Dichloraceton	Dibromaceton	Völker	LIEB. Ann. **192.** 89.
Al_2Br_6	CCl_4, C_2Cl_4, C_2Cl_6	CBr_4, C_2Br_4, C_2Br_6	Gustavson	Ber. Chem. Ges. **13.** 157 u. 2382.
Al_2J_6	CCl_4	CJ_4	Gustavson	Ber. Chem. Ges. **7.** 128.
Al_2J_6	Chloräthyliden	Jodäthyliden	Gustavson	Ber. Chem. Ges. **7.** 731.
Al_2J_6	Hexachlorbenzol	keine Einwirkung	Gustavson	Ber. Chem. Ges. **9.** 1607.
Al_2J_6	Perchloräthylen	keine Einwirkung	Gustavson	Ber. Chem. Ges. **9.** 1607.
Al_2J_6	Perchloräthan	Zersetzung in $C_2Cl_4 + Cl_2$	Gustavson	Ber. Chem. Ges. **9.** 1607.
Al_2J_6	Trichlorhydrin	Jod u. Allyljodid	Gustavson	Ber. Chem. Ges. **9.** 1607.
$CuBr_2$	Jodallyl	Bromallyl und Brom	Oppenheim	Ber. Chem. Ges. **3.** 442.
$CuBr_2$	Jodamyl	Bromallyl	Oppenheim	Ber. Chem. Ges. **3.** 443.
AgCl	Bromäthyltriäthylphosphoniumbromid	Bromäthyltriäthylphosphoniumchlorid	Hofmann	LIEB. Ann. **1.** 145.
AgCl	Äthylenhexaäthyldiphosphoniumbromid u. -jodid	Äthylenhexaäthyldiphosphoniumchlorid	Hofmann	LIEB. Ann. Suppl 1. 145.
AgCl	Dijodaceton	Dichloraceton	Völker	LIEB. Ann. **192.** 96.
AgBr	Dijodaceton	Dibromaceton	Völker	LIEB. Ann. **192.** 89.
$HgCl_2$	Jodoform	Chlorjodoform	Borodine	LIEB. Ann. **126.** 239.
$HgCl_2$	Dibrompropylen	Chlorbrompropylen	Friedel und Silva	Ber. Chem. Ges. **3.** 505.
$HgCl_2$	Bromäthylen	Chloräthylen	Friedel und Silva	Ber. Chem. Ges. **3.** 505.
$HgCl_2$	Jodallyl	Chlorallyl	Oppenheim	LIEB. Ann. **140.** 204.
$HgCl_2$	Jodamyl	Chloramyl	Lieben	LIEB. Ann. **150.** 87.
$HgCl_2$	Jodäthyl	Chloräthyl	Lieben	LIEB. Ann. **150.** 87.
$HgBr_2$	Chlorjodäthylen	Chlorbromäthylen	Henry	Ber. Chem. Ges. **3.** 598.
$SbCl_5$	Bromäthyl	Chloräthyl	Lössner	Journ. pr. Chem. [2.] **13.** 418.
$SbCl_5$	Äthylenbromid	Äthylenchlorobromid	Lössner	Journ. pr. Chem. [2.] **13.** 418.

(LIEB. Ann. **225.** 146—70. Ende August. Tübingen, Hauptlaborat.)

Benjamin Köhnlein, *Über den Austausch von Chlor, Brom und Jod zwischen anorganischen und organischen Halogenverbindungen.* Diese Arbeit ist eine Fortsetzung der vorstehenden von BRIX. Die Resultate sind aus der folgenden Tabelle ersichtlich.

Zusammenstellung.

Einwirkung von	Auf	Produkt	Bemerkungen
$MgCl_2$	C_2H_5J	—	
CaJ_2	C_2H_5Cl	$CaCl_2$	
$SrCl_2$	C_2H_5J	—	
SrJ_2	C_2H_5Cl	$SrCl_2$	12,55 p. c. Cl
$BaCl_2$	C_2H_5J	—	
PCl_5	C_2H_5J	—	
PJ_3	$\begin{matrix}CH_2ClCO\\C_2H_4O\end{matrix}>$	—	bei 143° im Kölbchen keine Einwirkung; im Rohre totale Zersetzung: Abscheidung von J und C. C_2H_5Cl
PJ_3	C_4H_9Cl	—	im Rohre auf 140° keine Einwirkung; bei 170° Butylen, HJ? HCl?
PJ_2	C_3H_5Cl	—	Zersetzung, Propylen, HJ?
$TiCl_4$	C_2H_5J	—	Zersetzung, Gas und HJ + HCl
$MnCl_2$	C_2H_5J	—	teilweise Zersetzung in Propylen und J und HJ
MnJ_2	C_2H_5Cl	$MnCl_2$	
$FeCl_2$	C_2H_5J	w. FeJ_2	22,199 p. c. Chlor
FeJ_2	C_2H_5Cl	w. $FeCl_2$	50,11 p. c. Jod
$CoCl_2$	C_2H_5J	w. CoJ_2	22,515 p. c. Chlor
CoJ_2	C_2H_5Cl	$CoCl_2$	
$NiCl_2$	C_2H_5J	w. NiJ_2	21,29 p. c. Chlor
NiJ_2	C_2H_5Cl	w. $NiCl_2$	51,40 p. c. J (0,94 p. c. Cl)
$CuCl_2$	C_2H_5J	Cu_2J_2	vollständige Umsetzung nach BRIX
$ZnCl_2$	C_2H_5J	ZnJ_2	30,74 p. c. Jod
$AsCl_3$	C_2H_5J	AsJ_3	im Kölbchen bei Siedetemperatur
$AsBr_3$	C_2H_5Cl	—	
$AsBr_3$	$\begin{matrix}CH_2ClCO\\C_2H_4O\end{matrix}>$	w. $AsCl_3$	28,9411 p. c. Brom, 7,9176 p. c. Cl
$AsBr_2$	C_2H_5J	AsJ_3	
$AsBr_3$	C_2H_5J	AsJ_3	bei 160—170°
AsJ_3	$\begin{matrix}CH_2ClCO\\C_2H_4O\end{matrix}>$	—	
AsJ_3	C_4H_9Cl	—	
$CdCl_2$	C_2H_5J	CdJ_2	46,14 p. c. Jod
$SnCl_4$	C_2H_5J	SnJ_4	38,41 p. c. Jod (und Propylen?)
$SnCl_2$	C_2H_5J	SnJ_2	39,47 p. c. Jod
SnJ_2	C_2H_5Cl	—	Spuren von Chlor
$SbCl_3$	C_2H_5J	SbJ_3	im Kölbchen beim Siedepunkte des C_2H_5J
$SbBr_3$	$\begin{matrix}CH_2ClCO\\C_2H_4O\end{matrix}>$	—	nur 3,60 p. c. Chlor
$SbBr_3$	C_2H_5J	SbJ_3	Entwicklung eines brennbaren Gases
SbJ_3	C_4H_9Cl	—	Zersetzung in Butylen (?)
$TlCl$	C_2H_5J	TlJ	19,09 p. c. Jod
$PbCl_2$	C_2H_5J	PbJ_2	36,647 p. c. Jod
PbJ_2	C_4H_9Cl	w. $PbCl_2$	51,15 p. c. Jod.

In der Tabelle sind diejenigen Halogenverbindungen, von welchen sich weniger als die Hälfte bildete, durch ein vorgesetztes w. (wenig) bezeichnet. Aus den beigefügten Bemerkungen ersieht man die Prozentverhältnisse. Die Prozente: 24,729 Chlor, 42,354 Brom und 54,029 Jod würden totalen Umsatz bedeuten, da die Prozente auf das zur Analyse verwandte Chlor-, Brom- und Jodsilber berechnet sind.

Fasst man die Ergebnisse aller bisherigen Versuche zusammen, so ergibt sich folgendes: Chlor wird vor Brom und Jod, Brom vor Jod bevorzugt von:

K, Mg, Ca, Sr, Ba, Al, Mn, Co;

doch können Sr, Ba und Co unter Umständen auch eine geringe Umsetzung im entgegengesetzten Sinn geben. Schwankend verhalten sich:

Zn, Cd, Tl, Bi, Fe, Ni,

von welchen die Salze der vier ersten leicht weitgehende Zersetzungen der organischen Substanz erzeugen, während die beiden letzten, Fe, Ni, träge im Umsatz erscheinen. Das Jod bevorzugen vor Brom und Chlor, Brom vor Chlor die folgenden:

Cu, Ag, Hg, Sn, Pb, As, Sb.

Gar kein Umsatz war zu erzielen mit den Verbindungen von:

P und Ti.

Obschon die angestellten Versuche schon ziemlich zahlreich sind, lassen sie doch das diesem verschiedenen Verhalten zu grunde liegende Gesetz noch nicht völlig erkennen. Doch lassen sich schon einige Regeln angeben, nämlich: *Die schwer reduzierbaren leichten Metalle bevorzugen durchweg das Chlor*, so die Metalle der Alkalien, der alkalischen Erden und das Aluminium. *Die leicht reduzierbaren Schwermetalle ziehen meistens das Jod vor.* Auch von den oben als schwankend angegebenen scheinen Zn, Cd und Tl leichter ihr Chlor gegen das Jod einer organischen Substanz, als umgekehrt Jod gegen das Chlor derselben auszutauschen.

Die Versuche mit Wismut wurden ausschliefslich bei Gegenwart von Alkohol angestellt und lieferten verwickelte Zersetzungen, so dafs über dieses Element eine sichere Angabe nicht zu machen ist.

Von Schmermetallen ziehen nur zwei, Mn und Co, entschieden das Chlor vor, Fe und Ni geben Umsetzungen im einen wie im anderen Sinne, jedoch nur schwierig und träge. Diese vier Metalle haben alle ziemlich kleine Atomgewichte. Sie stehen aufserdem in ihrer Reduzierbarkeit in der Mitte zwischen den leicht reduzierbaren schweren und den schwer reduzierbaren leichten Metallen. Ob eine dieser Eigenschaften mit ihrem Verhalten in den beschriebenen Versuchen in naher Beziehung steht, ist zur Zeit nicht zu entscheiden.

Bemerkenswert ist, dafs manche anorganische Chloride etc. leicht weitergehende Zersetzungen der organischen Halogenverbindungen bewirken. Am auffallendsten ist dies beim Aluminium, dessen Chlorid aus den Alkoholjodiden Jodwasserstoff abspaltet, der alsdann den Rest des Jodids zu einem gesättigten Kohlenwasserstoff reduziert. Die hierauf beruhende vorzügliche Methode zur Darstellung der Paraffine hat Vf. bereits an einem anderen Orte (Ber. Chem. Ges. 16. 560) beschrieben. (Lieb. Ann. 225. 171—95. Ende Aug. Tübingen, Hauptlaborat.)

Alfred G. Page, *Über anorganische Chloride als Chlorüberträger.* Die Versuche wurden ausgeführt mit Molybdänpentachlorid, Molybdäntrichlorid, Eisenchlorid, Aluminiumchlorid, Thalliumchlorür, Kupferchlorid, Thalliumchlorid, Zinnchlorid, Titanchlorid, Bleichlorid, Phosphortrichlorid, Arsentrichlorid, Wismuthtrichlorid, Chromchlorid, Wolframhexachlorid, Schwefelchlorür, Manganchlorür, Kobaltchlorür und Nickelchlorür. Von diesen erwiesen sich nur $MoCl_5$, Fe_2Cl_6, Al_2Cl_6, TlCl und TlCl als wirksame Chlorüberträger. Die organischen Körper, auf welche man diese Chloride einwirken liefs, waren Benzol, Nitrobenzol, Essigsäure und Alkohol. Als besonders empfehlenswert sind zu nennen Eisenchlorid und die Chloride des Thalliums. Mit diesen geht die Chlorierung im gegebenen Falle sehr rasch und regelmäfsig vor sich. Chlorthallium bietet aber noch den weiteren Vorzug von dem Reaktionsprodukt sich leichter trennen zu lassen, während Eisenchlorid infolge von Nebenzersetzungen oft erhebliche Rückstände liefert. (Lieb. Ann. 225. 196—211, Ende Aug.)

3. Anorganische Chemie.

Oskar Frölich, *Über die bei der Einwirkung von Stickoxydgas auf Brom entstehenden Produkte.* Nach Landolt (Ann. 116. 177) entstehen hierbei je nach der Menge des eingeleiteten Stickoxydgases die drei Verbindungen $NOBr$, $NOBr_2$ und $NOBr_4$. Der Vf. hat auf Veranlassung von Geuther nach den Angaben von Landolt die Verbindung $NOBr_2$ dargestellt, um durch ihre Einwirkung auf alkoholisches Natriumalkoholat möglicherweise zum dreibasischen Salpetersäureäther zu gelangen. Der Versuch ergab aber ein ganz anderes Resultat: es entstand dabei kein Abkömmling der Salpetersäure, sondern aufser Bromnatrium Salpetrigsäureäther und Essigsäure. Die Substanz $NOBr_2$ verhält sich also wie $NOBr$ und $2Br$.

Dieses Ergebnis forderte auf, zu untersuchen, ob aufser dem Nitrosylbromid $NOBr$

wirklich noch Verbindungen von der Zusammensetzung $NOBr_3$ und $NOBr_4$ existierten, oder ob diese nicht vielmehr Gemenge der ersteren Verbindung mit Brom seien.

In 100 g Brom wurde gereinigtes und getrocknetes Stickoxydgas bei $+ 7^0$ so lange eingeleitet, bis eine Probe der Flüssigkeit sich mit Wasser rasch entfärbte. Diese dunkelrotbraune Substanz, deren Gewicht sich durch Aufnahme des Gases um 12 g vermehrt hatte. wurde der Destillation unterworfen. Während die Temperatur sehr langsam bis auf $+ 24^0$ gesteigert wurde, destillierte eine beträchtliche Menge, 36 g, einer schwarzbraunen Flüssigkeit in die mit einer Kältemischung umgebene Vorlage über, während ein Teil des Stickoxyds entwich. Als eine weitere Temperatursteigerung eintrat, destillierte, bis das Thermometer $+ 55^0$ zeigte, nur eine ganz unerhebliche Quantität, und nun ging der Rest bis 59^0 über. Es war also die Substanz, welche ihrer Darstellung nach aus der Verbindung $NOBr_3$ hätte bestehen sollen, durch eine einzige Destillation fast vollständig in zwei Teile zerlegt worden. Der Bromgehalt des niedrig siedenden Teils wurde zu 73,2 p. c. gefunden, dasselbe war also fast reines Nitrosylbromid mit 72,7 p. c. Bromgehalt, während das höher Siedende fast reines Brom war. Eine erneute Rektifikation des Niedrigstsiedenden zeigte, daß dasselbe schon unter 0^0 zu sieden begann, unter teilweiser Zersetzung in entweichendes Stickoxydgas und in Brom, welches letztere bei allmählich steigender Temperatur zurückblieb und erst zwischen 56 und 59^0 destillierte. Von einer Bromuntersalpetersäure $NOBr_2$, die dabei nach LANDOLT entstehen soll, konnte nichts wahrgenommen werden. Daß die höher, zwischen 55 und 59^0 überdestillierte Partie nahezu reines Brom war, wurde durch Analysen sowohl, als durch folgenden Versuch erwiesen. 25 g davon wurden auf überschüssiges alkoholisches Natriumalkoholat einwirken gelassen und dabei nur erhalten 1,76 g Salpetrigsäureäther, was auf 25 Mgte. Brom 2 Mgte. Nitrosylbromid ergiebt. Bei einem zweiten Versuch wurde in 80 g Brom anfangs bei einer Temperatur von 0^0, später von $- 10^0$ bis zur vollen Sättigung Stickoxydgas geleitet, wobei das Gewicht sich um 28 g vermehrte. Das Produkt, welches somit aus fast reinem Nitrosylbromid bestand, wurde einer raschen Destillation unterworfen. Die beträchtliche, zwischen 30 und 50^0 übergegangene Menge Flüssigkeit, welche nach LANDOLT die Verbindung $NOBr_3$ darstellen soll, zerlegte sich bei jeder erneuten Destillation in $NOBr$ und Br, welch erstere Verbindung ihrerseits sich stets wieder teilweise in NO und Br zersetzte. Erhitzt man langsam, so kann man das Produkt durch eine einzige Destillation fast vollständig in $NOBr$ und Br zerlegen.

Aus diesen Versuchen geht hervor, daß die von LANDOLT angenommenen Verbindungen Bromuntersalpetersäure ($NOBr_2$) und Bromsalpetersäure ($NOBr_4$) eine größere Beständigkeit, als einem Gemenge von Nitrosylbromid und Brom zukommen kann, nicht besitzen, und daß sie sich bei ihren Umsetzungen wie ein solches Gemenge in der That verhalten. (LIEB. Ann. **224**. 270—73. Ende Juli. Jena.)

G. Gore, *Über Magnesiumsuboxyd.* Im Jahre 1866 beobachtete BEETZ (WIED. Ann. **127**. 45) bei der Elektrolyse einer Lösung von Natriumchlorid mittels Magnesiumelektroden die Bildung einer reichlichen Menge einer schwarzen Substanz am positiven Pol. Er versuchte, dieselbe zu analysieren, da sie sich aber beim Waschen und Trocknen rasch oxydierte, so mußte er davon abstehen; da sie übrigens in Berührung mit gewissen wässerigen Lösungen Wasserstoff entwickelte, so sah er sie für Magnesiumsuboxyd an.

Der Vf. ist dieser Substanz bei verschiedenen Versuchen mit Magnesium gleichfalls begegnet. Wird das Metall in Berührung mit Platin in eine Lösung von Eisessig und absolutem Alkohol getaucht, so überzieht sich dasselbe in einer Stunde mit einem schwarzen Überzuge, welcher nach Verlauf von mehreren Tagen immer dicker wird; derselbe löst sich augenblicklich in verdünnter Salpetersäure, und die Lösung wird grün, was auf eine Desoxydation deutet. Bei anderen Versuchen wurde beobachtet, daß Magnesiumband, wenn es in Berührung mit Platin, Gold, Palladium, Silber oder Eisen teilweise in Wasser untergetaucht mit Steinkohlengas, Kohlensäure, Dämpfen von CCl_4 oder C_2Cl_4 (aber nicht CS_2) in Berührung gebracht wird, sich in ein oder zwei Tagen mehr oder weniger stark mit der schwarzen Substanz bedeckt. Dieselbe entstand auch, jedoch weniger rasch, wenn Magnesium allein in der genannten Weise behandelt wurde, doch auch hier wiederum niemals in Berührung mit Schwefelkohlenstoff. Wird Magnesium für sich in eine Mischung von absolutem Alkohol und Eisessig gebracht, so entsteht die schwarze Substanz ebenfalls nach wenig Stunden; nimmt man das Metall heraus, wischt es ab und taucht es von neuem unter, so tritt die schwarze Substanz wiederum auf.

In allen diesen Fällen und noch in anderen, die der Vf. aufführt, bildet sich die schwarze Substanz immer in den ersten Tagen und geht dann in eine weiße Kruste von Magnesiumhydrat über. Auch beim Erhitzen zur Rotglut wird sie weiß. Sie löst sich unter Aufschäumen in verdünnter Salzsäure und Schwefelsäure.

Durch wiederholtes Eintauchen eines Magnesiumbleches in eine Lösung von etwa 20 Gran Natriumchlorid in einer Unze Wasser und Beseitigung des entstandenen Überzugs durch eine mit Salzsäure befeuchte Bürste wurde eine Lösung von Chlormagnesium erhalten. Diese Resultate bestätigen die Annahme, dafs die betreffende Substanz ein Magnesiumsuboxyd ist. (Chem. N. 50. 157. 3. Okt.)

4. Organische Chemie.

Georg Berju, *Über einige Abkömmlinge des Amidoazobenzols.* Das Acetylamidoazobenzol $C_6H_5.N = N.C_6H_4NH.C_2H_3O$ bildet sich aus Amidoazobenzol und Essigsäureanhydrid und stellt gelbe Nadeln vom Schmelzpunkt 143° vor. Vf. bestätigt die Bildung von Acetylamidohydrazobenzol $C_6H_5NH.NH.C_6H_4.NH.C_2H_3O$ durch Einleiten von Schwefelwasserstoff in die Azoverbindung, welche bereits A. MÜLLER (Inaug. Dissertat. Freiburg 1883. 11) beschrieben hatte. Das Monomethylamidoazobenzol, $C_6H_5N.N.C_6H_4NH.CH_3$, aus Jodmethyl und dem Amidoazobenzol hergestellt, besteht aus ziegelroten Nadeln, welche bei 108° schmelzen und mit Salzsäure violette Nadeln bilden. Bei Einwirkung von Essigsäureanhydrid auf Monomethylamidoazobenzol erhält man die Acetylverbindung, $C_6H_5.N.N.C_6H_4N.CH_3.C_2H_3O$, seidenglänzende, bei 139° schmelzende Nadeln. Das Dimethylamidoazobenzol ist am leichtesten nach dem von GRIESS (77. 341) angegebenen Verfahren aus Diazobenzol und Dimethylanilin darzustellen, kann aber auch durch Einwirkung von Jodmethyl auf Monomethylamidoazobenzol erhalten werden. Die Verbindung bildet bei 117° schmelzende orangefarbige Nadeln. Die Einführung der dritten Methylgruppe in das Amidoazobenzol gelang erst nach zweistündigem Erhitzen des Dimethylamidoazobenzols mit Jodmethyl im zugeschmolzenen Glasrohre auf 100°. Das dabei entstehende Azobenzoltrimethylammoniumjodid $C_6H_5.N.N.C_6H_4N.(CH_3)_3J$ bildet fleischfarbige Blättchen vom Schmelzpunkt 273—274°. Das in dem Produkt enthaltene Jod wird durch Kochen mit Alkalien nicht herausgenommen. Benzaldehyd und Amidoazobenzol reagieren schon in der Kälte aufeinander; beim gelinden Erwärmen resultieren die orangefarbigen, bei 128° schmelzenden Nadeln von Benzylidenamidoazobenzol $C_6H_5N.N.C_6H_4.CH = N.C_6H_5$. Salzsäure spaltet es wieder in Benzaldehyd und Amidoazobenzol. Eine verdünnte alkoholische Bromlösung führt das Amidoazobenzol in das Dibromamidoazobenzol $C_{11}H_9N_3Br_2$ über, hellgelbe Nadeln vom Schmelzpunkt 152°. Bei der Reduktion mit Zinn und Salzsäure findet Spaltung in Anilin und Paraphenylendiamin statt. Wird zu einer Lösung von Amidoazobenzol in Benzol eine Lösung von Phosgengas in Benzol zugefügt, so bildet sich vornehmlich ein rotbrauner Niederschlag von salzsaurem Amidoazobenzol. In der Lösung befindet sich ein der Formel $CO\begin{cases}NH.C_6H_4N=N-C_6H_5\\NHC_6H_4N=N-C_6H_5\end{cases}$ entsprechender Harnstoff, das Carbamidoazobenzol, das gelbe mikroskopisch kleine Blättchen vom Schmelzp. 270° vorstellt. Mit Säuren verbindet sich dieser Harnstoff nicht zu Salzen. Phenylsenföl in alkoholischer Lösung vereinigt sich beim Kochen mit Amidobenzol zu den gelben mikroskopischen Blättchen des Amidoazobenzolmonophenylthioharnstoffs, $CS\begin{cases}NH.C_6H_5\\NH.C_6H_4N=N.C_6H_5\end{cases}$ (Schmelzp. 170°). Neben diesem Körper entstand das Thiocarbamidoazobenzol $CS\begin{cases}NH.C_6H_4N=N.C_6H_5\\NH.C_6H_4N=N.C_6H_5\end{cases}$ (Schmelzpunkt 199°). Erhitzen mit gelbem Quecksilberoxyd bewirkt Entschwefelung und Bildung von Carbamidoazobenzol. (Inaug. Dissertat. 28. Juli 1884. Berlin.)

Charles F. Mabery und **George H. Palmer**, *Über Orthojodtoluolsulfonsäure.* HÜBNER und GLASSNER (75. 468) haben beim Eintragen von p-Jodtoluol, welches in Chloroform gelöst war, in die berechnete Menge Schwefelsäureanhydrid α- und β-Parajodsulfitoluol erhalten. Beim Behandeln von Orthojodtoluol, das in Chloroform gelöst war, mit Schwefelsäureanhydrid konnte weder in der Kälte noch Wärme eine Reaktion erzielt werden. Erst wenn man frisch destilliertes Schwefelsäureanhydrid mit Jodtoluol direkt zusammenbringt, indem man anfangs kühlt und am Ende schwach erhitzt, wird die Reaktion bewirkt. Das Reaktionsprodukt wurde zur Entfernung der Schwefelsäure mit Bariumcarbonat versetzt und das Filtrat vom Bariumsulfatniederschlage eingedampft; der Rückstand enthielt das Bariumsalz der Orthojodtoluolsulfonsäure: $Ba(C_7H_6JSO_3)_2 1\frac{1}{2}H_2O$, aus dem durch Schwefelsäure die betreffende Säure in Freiheit gesetzt werden konnte. Dieselbe bildet eine ölige Flüssigkeit, welche beim Abkühlen mit 0°, noch beim Stehen über Schwefelsäure fest wurde. Vff. beschreiben das Calciumsalz $Ca(C_7H_6JSO_3)_2 + 2\frac{1}{2}H_2O$, und das Bleisalz, welches mit 2 Mol. Wasser krystallisiert. (Amer. Chem. Journ. 6. 170—175. Aus dem Chemischen Laboratorium des „Harvard College".)

Hans Kobek, *Über einige Abkömmlinge des Thymols.* Durch Erhitzen von Thymol mit Chloroform und Kaliumhydrat entstand der Parathymotinaldehyd $C_3H_7(CH_3)^1(OH)^3 (C_6H_7)^4(COH)^6$, welcher in langen weifsen, seidenglänzenden Nadeln vom Schmelzp. 133° krystallisiert. In Natriumdisulfit ist dieser Aldehyd nur äußerst schwierig löslich; eine krystallisierende, gut charakterisierbare Verbindung hat Vf. nicht zu erhalten vermocht.

Das Anilid des Parathymotinaldehyds, $C_9H_7.CH_2.OH.C_6H_7.CHNC_6H_5$, erhält man leicht durch mäſsiges Erwärmen des Aldehyds mit Anilin. Das Anilid, schwachgelbe Nadeln, schmilzt bei 142°. Kochen mit Wasser oder verdünnten Säuren spaltet die Verbindung wieder in ihre Bestandteile.

Die Reduktion des Parathymotinaldehyds mit Natriumamalgam lieferte den entsprechenden Alkohol, als hellgelbes, amorphes Pulver, welches in allen Lösungsmitteln, Wasser ausgenommen, sehr leicht löslich ist; Kochen mit Wasser oder verdünnten Säuren bewirkte Verharzung. Auch zeigte der Körper keinen scharfen Schmelzpunkt (130—140°); konzentrierte Schwefelsäure löst ihn mit schön dunkelroter Farbe, ohne ihn zu zersetzen, auf.

Der Methylparathymotinaldehyd ist ein hellgelbes, bei 278° siedendes Öl($C_9H_6.CH_2.$ (OCH$_3$).C$_6$H$_7$.COH), dessen Anilid in hellen durchsichtigen Blättchen krystallisiert und bei 80° schmilzt. Oxydiert man den Methylparathymotinaldehyd mittels Kaliumpermanganat, so erhält man die Säure, als lange, weiſse, seideglänzende Nadeln, mit dem Schmelzpunkt 137°; Vf. beschreibt einige Salze.

Da sämtliche Versuche, die Methylparathymotinsäure zu entmethylieren, resultatlos verlaufen waren, so versuchte Vf., die Parathymotinsäure auf andere Weise, nämlich aus Thymol, Natriumhydrat und Tetrachlorkohlenstoff herzustellen, was durch acht- bis zehntägige Digestion der Mischung bei 100° in geschlossenen Seltersflaschen gelang. Die Parathymotinsäure krystallisiert in breiten weiſsen Nadeln und zeigt einen Schmelzpunkt von 157°, unterscheidet sich also von der KOLBE'schen Thymotinsäure um beinahe 35° (vgl. LIEBIG's Ann. 115. 305). (Nach Vf. besitzt die nach der KOLBE'schen Vorschrift hergestellte Thymotinsäure nicht, wie KOLBE angiebt, den Schmelzpunkt 120°, sondern 123°). In ihren Löslichkeitsverhältnissen zeigen beide Säuren keine wesentlichen Unterschiede; während aber die KOLBE'sche Säure mit Eisenchlorid eine prachtvoll tiefblaue Reaktion zeigt, giebt die vom Vf. hergestellte Säure keine Spur von Farbenerscheinung. Vf. beschreibt noch die Bildung und das Aussehen einiger Salze. Aus der Parathymotinsäure läſst sich mittels Jodmethyl leicht die oben beschriebene Methylparathymotinsäure erhalten.

Bei der Destillation des angesäuerten Chloroformthymolreaktionsproduktes, mit Wasserdämpfen geht neben unangegriffenem Thymol noch ein Öl über, welches mit der Zeit erstarrte und nach dem Umkrystallisieren aus verdünntem Alkohol bei 79—80° schmolz. Eisenchlorid erzeugt in der verdünnten alkoholischen Lösung eine schön dunkelrote Reaktion. Die Zahlen führten zu der Formel eines Thymotindialdehyds, in welchem dem Eintreten der Eisenchloridreaktion zufolge die eine Aldehydgruppe zum Hydroxyd in der Orthostellung sich befindet.

Beim Erhitzen des Parathymotinaldehyds mit geschmolzenem Natriumacetat und Essigsäureanhydrid resultierte ein bei 280° schmelzendes amorphes Pulver, welches Thymoakrylsäure war. Eine Analyse wurde wegen Mangel an Material nicht ausgeführt. Der Methylparathymotinaldehyd läſst sich durch die gleiche Operation in die Methylthymoakrylsäure, kleine gelbliche Nadeln vom Schmelzpunkt 140—142°, überführen. (Inaug. Dissertat. 6. August 1884. Berlin.)

5. Physiologische, medizinische und pharmazeutische Chemie.

Curt Lehmann, *Über die Wirkung der Alkalien auf den respiratorischen Stoffwechsel.* Die bisher vorliegenden Untersuchungen über die Bedeutung der Aschenbestandteile der Nahrung für den Stoffwechsel suchen vorwiegend die Frage zu entscheiden, in wieweit Zufluſs, resp. Mangel der betreffenden Elemente als solche wirken, z. B. inbezug auf das Allgemeinbefinden der Tiere, Lebendgewichtsveränderungen, Aufspeicherung, Abgabe, Zurückhalten etc. derselben im Körper etc. Weniger ist bisher erforscht worden, inwieweit der Stoffwechsel von diesen Elementen beeinfluſst wird, je nach der basischen oder sauren Natur ihrer Verbindungen. Bisher nahm man vielfach an, daſs durch Vergröſserung der Alkalienreiz der Säfte, oder kurz durch Zufluſs von Alkalien die Oxydationsvorgänge und damit der Umsatz gesteigert würden, während im Gegensatze hierzu die Säuren den Stoffwechsel herabdrückten. Experimentelles Material zur Stütze dieser Annahme liegt jedoch noch wenig vor. In bezug auf den Umsatz der N-Verbindungen scheint durch MÜNCH und SEVERIN erwiesen, daſs derselbe jedenfalls nicht durch Alkalizufuhr in beachtenswertem Grade gesteigert wird. Vermehrte CO-Produktion, resp. O-Konsumtion bei Alkalizufuhr durch Beschleunigung der Oxydation der freien Körper ist aus zum Teil auſserhalb des Organismus angestellten Experimenten als wahrscheinlich zu betrachten. (J. MUNK, A. AUERBACH, WALTER, NENKI und SIEBER etc.) Um speziell letztere Frage zu prüfen, hat Vf. eine Reihe von Respirationsversuchen im tierphysiologischen Institut von ZUNTZ in Berlin mit Kaninchen angestellt. Dieselben wurden nach

18—24 stündigem Fasten tracheotomiert an den Respirationsapparat (vgl. dessen Beschreibung in PH. PFLÜGER's Archiv 1884) gebracht, bei welchem in einviertelstündigen Perioden genau der O-Verbrauch abgelesen und eventuell durch Absorption in Kaliventilen die CO_2 zur Analyse gesammelt werden konnte. Nachdem durch längere Zeit der O-Verbrauch beobachtet worden war, um dessen normale Höhe bei dem Versuchstier zu ermitteln, wurde erst Alkali oder Säure zugeführt (CO_3Na_2 und Cl.N).

Bei spontaner Atmung der Tiere und Zufuhr des Alkalis in den Magen per Schlundsonde fand durchschnittlich eine Steigerung des O-Verbrauchs um über 5 p. c. statt, bei Säurezufuhr eine Abnahme von 8,3 p. c.

Um möglichst bald die Reaktion auf den Stoffwechsel zu erhalten, wurden in einer Reihe weiterer Versuche Alkali und Säure direkt in die Vene in geeigneter Verdünnung (2 p. c. CO_3Na_2 und 0,5 p. c. Cl.K.) injiziert; ferner um möglichst die Schwankungen auszuschließen, die durch subjektive Einflüsse besonders Muskelkontraventionen im Stoffwechsel hervorgebracht werden, wurden die Tiere kurarisiert und künstlich ventiliert. Es zeigte sich hierbei der O-Verbrauch durch Alkali zwischen 4—5 p. c. (in den nächsten ein bis zwei Stunden nach der Zufuhr) die CO-Produktion, (unter Berücksichtigung der Linderungsfähigkeit des verwendeten CO_3M_2, sowie CO) um 7 bis über 20 p. c. gesteigert, so daß sich demgemäß auch der respiratorische Koeffizient erhöhen müßte. Es deutet dies darauf hin, daß durch die Alkalizufuhr besondere Stoffe einer beschleunigten Expedition unterliegen, die sich in ihrer Zusammensetzung mehr den Kohlenhydraten nähern. Säurezufuhr (hier 0,5 prozentige ClA) erniedrigte den O-Verbrauch um ebenfalls ca. 5 p. c. und durch die CO_2 Produktion in stärkerem Grade, wie der O-Verbrauch (unter Berücksichtigung der direkt aus den Carbonaten des Blutes durch die ClH ausgetriebenen CO_2, so daß der respiratorische Koeffizient sich unter normal verkleinerte.

Eine weitere Reihe von Respirationsversuchen, die unter den gleichen Bedingungen angestellt wurden, bei denen aber der Alkali, resp. Säurelösung noch 3 p. c. Traubenzucker zugesetzt worden war, lieferten in der That die Bestätigung, daß die N-freien Stoffe durch Alkali leichter, resp. durch Säure schwerer oxydierbar gemacht werden. Bei Injektion gleicher Mengen Alkali plus Zucker wurde der O.-Verbrauch gegenüber normal noch mehr, in einem Falle um 15 p. c. gesteigert, die CO_2 Produktion bis 24 p. c. Die respiratorischen Koeffizienten (in gleicher Weise wie oben gerechnet) erhöhten sich bei Alkalizuckerinjektion um 5—9 p. c., bei Säurezuckerinjektion erniedrigen sie sich um 5 p. c.

Daß die Methode der Injektion in die Vene an sich, sowie überhaupt die ganze Versuchsanordnung keinen sehr störenden Eingriff in die Funktionen des Organismus bildeten, z. B. baldige Erschöpfung, daß deshalb etwa die Resultate keine sichere Schlußfolgerung zuließen, zeigten unter den gleichen Verhältnissen angestellte Respirationsversuche mit Injektionen von indifferenter Flüssigkeit, nämlich physiologischer Kochsalzlösung (0,7 prozentiger). Weder O-Verbrauch, noch CO_2-Produktion wurden durch die (sehr reichliche und relativ rasche) Injektionen in irgend beachtenswerter Weise gegenüber normal verändert. In einem Falle wurde den Tiere, nachdem es fast $^2/_3$ seiner (berechneten) Blutmenge ClNa-Lösung injiziert erhalten, und nachdem es bereits mehrere Stunden in der Narkose ventiliert worden war, Zuckeralkalilösung in den Magen mittels der Schlundsonde gebracht, und hob sich O-Verbrauch und CO_2-Produktion bedeutend über die normale Größe. (Tagebl. d. Naturf.-Vers. zu Magdeburg. 1884. 186—87.)

Victor Lehmann, *Die nächsten Verdauungsprodukte der Eiweißkörper.* Über die chemische Konstitution des Peptons und sein Verhältnis zur Muttersubstanz existieren zur Zeit hauptsächlich folgende Ansichten:

1. Die Peptone haben dieselbe prozentische Zusammensetzung, wie die Eiweißkörper. Sie müssen etwa wie die Isomere derselben aufgefaßt werden. Diese Ansicht wird von MALY, C. G. LEHMANN, MIALHÉ, HEÂTH vertreten. Sie stützt sich auf die erhaltenen analytischen Resultate.

2. Die Ansicht von ADAMKIEWICZ, daß Pepton nur salzarmes Eiweiß sei, wird von ihm dadurch begründet, daß Pepton nicht mehr durch Hitze gerinnt, und daß nach den Untersuchungen von SCHMIDT und ARONSTEIN die Koagulation der Eiweißkörper nur durch ihren Salzgehalt bedingt ist.

3. Die jetzt wohl verbreitetste Auffassung ist die, welche von HOPPE-SEYLER und seiner Schule, von WURTZ und HENNINGER (**78.** 551 u. 615) u. a. vertreten wird, daß nämlich die Peptone Hydratationsprodukte der Eiweißkörper sind. Gestützt wird diese Anschauung durch Versuche von HOFMEISTER (**78.** 552), welcher durch Erhitzen von trocknem Fibrinpepton (einige Stunden auf 140 oder kürzere Zeit auf 160—170°) eine eiweißähnliche Substanz darstellen konnte, und durch Versuche von HENNINGER, welcher durch Erhitzen von Pepton mit Essigsäureanhydrid und nachfolgender Dialyse eine Flüssigkeit erhielt, welche durch Hitze und Salpetersäure getrübt, bei Überschuß der

874

letzteren wieder klar wurde. Ferner wurde darin bei Anwesenheit von Essigsäure und Ferrocyankalium und einige andere Salze eine Fällung erzeugt.

4. Die Peptone sind Zersetzungsprodukte. Diese Ansicht wird von MULDER. BRÜCKE, PLOSZ (**75.** 518) und, nicht für sein Pepton, sondern für das unfällbare Produkt der Eiweißkörper, von ADAMKIEWICZ vertreten.

Ebenso verschieden sind die Ansichten über die Rolle, welche das Pepton im Körper spielt. Auf der einen Seite wird es als wertvolles Produkt des Eiweißes betrachtet, weil es weniger Stickstoff und Kohlenstoff enthielt, als die Eiweißkörper, und besonders, weil zur Darstellung längere Zeit nötig sei, als der Magensaft im lebenden Organismus einwirken könne. Dabei hat man übersehen, daß auch Darmsaft und pankreatischer Saft nachpeptonisierend wirken. Außerdem hat SCHMIDT-MÜLHEIM gezeigt, daß im Magen wirkliches Pepton (unfällbares) entsteht. Schließlich haben MALY und PLOSZ durch Fütterungsversuche nachgewiesen, daß das Pepton im stande ist, das Eiweiß der Nahrung zu vertreten. (Biol. C.-Bl. **4.** 407—12. Berlin.)

Hugo Schulz, *Über die Giftigkeit der Phosphorsauerstoffverbindungen und über den Chemismus der Wirkung unorganischer Gifte.* Die sämtlichen Glieder der Stickstoffgruppe: N, P, As, Sb, Bi, Va wirken direkt auf das Zellenleben ein durch unmittelbare Sauerstoffwirkung. Dadurch, daß sie befähigt sind, den Sauerstoff in eine gegen die normale wesentlich erhöhte Bewegung zu versetzen, wirken sie entweder als Gifte, indem sie eine übermäßige chemische Leistung innerhalb des Zellprotoplasmas und damit als notwendige Folge dessen Zerfall hervorrufen, oder aber sie wirken als Heilmittel, indem sie in therapeutischer Absicht und kleinen Mengen gegeben, die darniederliegende Thätigkeit der Zellen zu neuem kräftigen Leben anregen.

In gleicher Weise, nur mit dem Unterschiede, daß sie vorher Albuminate bilden, wirken die Glieder der Eisengruppe: Fe, Mn, Ni, Co, Cr. Die Albuminatbildung ist für die genannten Elemente, ebenso wie für die noch zu nennenden, nur als Mittel zum Zweck aufzufassen, wo es sich um interne Wirkung handelt.

Indirekt wirken Quecksilber, Gold und Platin: Ihre Aktion beruht wahrscheinlich darauf, daß sie als Chlorverbindungen in Thätigkeit treten. Aber durch das sich stets aus diesen abspaltende freie Chlor und durch dessen Anwesenheit hervorgerufenen Zerfall von Wasser wird eine Sauerstoffwirkung von größter Intensität bedingt, die die Folgeerscheinungen, welche nach der Aufnahme dieser Elemente in den Organismus zu stande kommen, durchaus entsprechen.

Für Zinn, Zink, Kupfer und Silber muß es vor der Hand noch zweifelhaft bleiben, ob wir ihnen einfache Sauerstoffwirkung zusprechen wollen, oder ob wir für dieselben gleichfalls die Chlorwirkung mit beanspruchen müssen. Vielleicht bestehen beide Verhältnisse nebeneinander. Für den Endeffekt und die ganze Stellung, welche diese vier Elemente dadurch in unserem System erhalten, ist es irrelevant, welcher von den angegebenen Möglichkeiten der Vorzug eingeräumt wird.

Alle besprochenen Metalle wirken mit Wahrscheinlichkeit durch ihr eigenartiges Verhalten zum Sauerstoff. Je nach ihrer spezifischen Natur äußern die einzelnen Elemente mehr oder weniger verschiedene Effekte, d. h. die Wirkungsbilder können sich different gestalten. Wismut und Phosphor beeinflussen z. B. die Drüsen des Abdomens in nahezu gleicher Weise, aber die zerstörende Wirkung auf das Knochengewebe, zumal das der Kieferknochen, ist dem Phosphor allein eigentümlich. Aus der verschiedenen spezifischen Energie der einzelnen Elemente resultiert ihre differente therapeutische Bedeutung. (Arch. f. experim. Patholog. u. Pharmakolog. **18.** 174—208. März. Greifswald.)

T. P. Anderson Stuart, *Über den Einfluß der Nickel- und Kobaltverbindungen auf den tierischen Organismus.* (Arch. f. experim. Patholog. und Phamakol. **18.** 151—73.)

Berthold Israel, *Zur Kenntnis der Wismutwirkung insonderheit auf die Magenverdauung.* (Inaug. Dissertat. 15. Aug. 1884. Berlin.)

L. Hermann, *Die Wirkung der Trichloressigsäure.* Die Gesamtheit der vom Vf. mitgeteilten Beobachtungen lehrt vor allem, daß die Trichloressigsäure keine Spur von schlafmachender Wirkung entfaltet. Diejenigen Beobachter. welche ihr solche zugeschrieben haben, und welche sämtlich von Theorien ausgingen, nach welchen sie dieselben erwarteten, soweit sie überhaupt über theoretische Spekulation hinausgegangen sind, haben offenbar in der Befangenheit vorgefaßter Meinung die Motilitätsstörungen, welche das Gift zur Folge hat, und deren charakteristische Erscheinungen ihnen entgangen sind, mit Schlaf verwechselt. Zunächst hat sich die Trichloressigsäure auch diesmal, wie in allen früheren im Laboratorium des Vf.'s angestellten Versuchen, am ausgewachsenen Kaninchen in Dosen unter 5 g völlig wirkungslos gezeigt. Erst bei Dosen über 5 g zeigen sich Wirkungen, und zwar äußerst merkwürdige und charakteristische. Höchst seltsam ist die äußerst geringe Empfänglichkeit des Frosches, welcher für die wirkliche Hypnotika gerade ungemein empfindlich ist. Die Wirkung besteht in einer Lähmung, welcher bei weniger empfindlichen Tieren Reizerscheinungen vorausgehen. (PLLÜGER's Archiv. **35.** 35—44. Zürich.)

Bruno Tacke, *Über die Bedeutung der brennbaren Gase im tierischen Organismus.* (Inaug. Dissertat. 23. Juni 1884. Berlin.)

Okiandi-Bey, *Über die antiseptischen Eigenschaften des Schwefelkohlenstoffs.* Während einer zwanzigjährigen Beschäftigung mit Arbeiten über die Extraktion von fetten Körpern und anderer Produkte mittels Schwefelkohlenstoff, hat der Vf. verschiedene Beobachtungen über letzteren gemacht, welche nach seiner Ansicht von nicht geringer Bedeutung für die Bekämpfung der Cholera sein können. Er hat dieselben in einer ausführlichen Abhandlung zusammengestellt und giebt hier in der Kürze die Resultate.

1. Der Schwefelkohlenstoff ist in Wasser löslich, und zwar mindestens in Mengen von 2—3 g in 1 l Wasser bei 18—20°. Durch Schütteln von reinem Schwefelkohlenstoff in einem ganz mit Wasser gefüllten Ballon erhielt er eine Lösung, welche ungefähr 0,50 g im Liter enthielt, doch kann er für die Genauigkeit dieser Zahlen nicht einstehen, da er über keine praktischen Mittel verfügte, um so kleine Mengen zu bestimmen.

2. Der Schwefelkohlenstoff in wässeriger Lösung und noch mehr in reinem Zustand hebt alle Gärungen auf; er tötet die Mikroben, ist eines der energischsten Antiseptika und besitzt insbesondere ein aufserordentliches Durchdringungsvermögen.

3. Eine Lösung von Schwefelkohlenstoff in 96 prozentigem Alkohol zersetzt sich langsam und giebt verschiedene Produkte, darunter besonders Schwefelwasserstoff.

4. Im Widerspruch mit den Angaben verschiedener anderer Autoren hat er seit zwanzig Jahren bei einem Personal von etwa 2000 Arbeitern niemals einen Fall von Paralyse der oberen oder unteren Gliedmafsen konstatieren können, ebensowenig eine Verminderung der Zeugungsvermögens, indem die fest angestellten Beamten der Fabrik sich fast sämtlich einer zahlreichen Familie erfreuen.

5. Das Einatmen von Schwefelkohlenstoffdämpfen in gewisser Menge bringt ähnliche Erscheinungen hervor, wie die Atherisation, ohne anderweite Belästigungen als eine Schwere des Kopfes von geringer Dauer.

6. Verschlucken von Schwefelkohlenstoff in wässeriger Lösung bringt Wärme und süfsen Geschmack im Munde, hierauf Wärme im Magen hervor und bewirkt nach etwa ¹⁄₄ Stunden ein Prickeln in der Nasenschleimhaut, ähnlich wie schweflige Säure; hierauf folgt eine geringe Schwere des Kopfes von kurzer Dauer.

7. Schwefelkohlenstoff, mittels eines Baumwollenballens auf der Haut appliziert, ist eines der heftigsten Ableitungsmittel, seine Wirkung ist fast momentan, und der dadurch hervorgebrachte Schmerz gleicht der Verbrennung durch siedendes Wasser, hört aber sofort auf, wenn man Luft über die Stelle bläst.

Auf Grund dieser Beobachtungen empfiehlt Vf. den Schwefelkohlenstoff als Mittel zur Bekämpfung der Cholera und aller durch Mikroben verursachten Krankheiten (Typhus, Dipheritis, Phtisis). Für den inneren Gebrauch kann er als Arzneimittel wesentliche Dienste leisten, ebenso als Mittel zur Desinfektion der Choleradejekte und der Wäsche von Cholerakranken. In wässeriger Lösung könnte er zur Besprengung der Strafsen und zum Auswaschen der Wohnungen benutzt werden. Die hierzu dienenden Lösungen lassen sich leicht und in ökonomischer Weise dadurch herstellen, dafs man das Wasser vor dem Gebrauch durch Apparate leitet, welche nach Art der WOULF'schen Flaschen konstruiert sind. Für den inneren Gebrauch mufs man den Schwefelkohlenstoff durch Schütteln mit Quecksilber reinigen, bis kein schwarzer Niederschlag mehr entsteht; die Lösungen werden zu diesem Zweck hergestellt, indem man das Trinkwasser einfach mit Schwefelkohlenstoff schüttelt. Der völlig gereinigte Schwefelkohlenstoff hat einen Geruch, welcher an Chloroform erinnert. Die wässerigen Lösungen sind eines der billigsten Arzneimittel, denn die Herstellung von 10 l kostet nicht mehr als 1 Centime. (C. r. **99.** 509 bis 511. [22.*] September.)

Fleischmann, *Eigenschaften verschiedener Fette.* Im Margarimeter ergab sich das spez. Gewicht von reinem filtrierten Schweineschmalz bei einem 0° reduzierten Barometerstande von 764,52 mm und bei Siedehitze des Wassers zu 0,8609. Bei der Prüfung nach E. REICHERT wurden zum Zurücktitrieren der flüchtigen Fettsäuren 0,4 ccm ¹⁄₁₀ Normalnatronlauge gebraucht. In ähnlicher Weise wie das Schweineschmalz wurde Oleomargarin untersucht. Das spez. Gewicht ergab sich bei einem Barometerstande von 754,0 (auf 0° C. reduziert) und bei Siedehitze des Wassers zu 0,8582; bei der Prüfung nach REICHERT wurden 0,3 ccm ¹⁄₁₀ Normalnatronlauge gebraucht. Reines Butterfett hatte ein spez. Gewicht von 0,8658 bei der Siedehitze des Wassers und 760,27 mm Luftdruck. Der Schmelzpunkt der verschiedenen Fette stellte sich, wie folgt, heraus:

Butterfett schmolz bei 30,5° und 31,00° C.
Oleomargarin „ 34,5°
Schweineschmalz „ 36,35°

Unlösliche Fettsäuren aus:

Butterfett schmolz bei 38,20° und 38,50° C.
Schweineschmalz „ 39,50°

(Bericht über die Wirksamk. der milchwirtsch. Vers.-Stat. u. des Molkerei-Instit. **Baden** im J. 1883.)

Peter Andreoni, *Die Wirkung und die·Verwandlungen einiger Stoffe im Organismus in Beziehung zur Pathogenese der Acetonämie und des Diabetes.* I. Aceton und Acetonämie. II. Acetessigäther, Essigsäure, Diacetämie und Diaceturie. III. Crotonsäure, Crotonaldehyd, saure Intoxikation und diabetisches Koma. (Arch. f. experim. Patholog. u. Pharmakol. **18.** 219—41. Genua.)

J. Seegen, *Die physiologische Grundlage für die Theorie des Diabetes mellitus.* Vf. schliefst aus seinen Versuchen:
1. Die Zuckerbildung in der Leber ist eine normale physiologische Funktion.
2. Die normale Zuckerbildung ist eine der wichtigsten Funktionen des Stoffwechsels.
3. Das Material für die Zuckerbildung bilden die mit der Nahrung eingeführten Albuminate.
4. Es ist mehr als wahrscheinlich, dafs das als Glykogen bezeichnete Leberamylum an der normalen Zuckerbildung keinen Anteil hat. (Ztschr. f. klin. Med. **8.** 328 bis 363. Wien.)

Casper, *Aus der Hygieineausstellung in London.* Dem Berichte des Vf's. entnehmen wir folgende Kapitel:
1. *Kälteerzeugungsmaschinen,* welche hauptsächlich bestimmt sind, Fleisch und andere Nahrungsmittel zu konservieren. Besonders handelt es sich hierbei um die Konservierung des aus aufsereuropäischen Ländern importierten Fleisches. Die meisten Apparate gehören zu den „Kaltluftmaschinen", welche auf dem Prinzip beruhen, dafs jede Kompression eines Gases mit Temperaturerhöhung, jede Expansion mit Erniedrigung der Temperatur verbunden ist. Die von J.· und E. HALL in London ausgestellte „Cold dry Air machine" besteht aus drei nebeneinander liegenden Cylindern, von denen der eine, ein Dampfcylinder, die Maschine treibt, der zweite die Luft komprimiert und der dritte expansiert. Von dem letzten führen Röhren in die die Nahrungsmittel fassenden Räume. HALL's gröfste Maschine produziert 50000 Kubikfufs Luft von einer Temperatur von —67,7°C. (90° F. unter 0°) in einer Stunde, die kleinste 1000 Kubikfufs von —34,4°C. (30° F. unter 0); die Temperatur in den Ausstellungsräumen betrug —10,5° C.
2. *Wasserfilter.* Zu erwähnen ist das „Filtre rapide" von MAIGNEN. Das Füllmittel besteht aus „Carbo calcis", d. i. mit Kalk bereitete Kohle, und aus Asbest. Dieses Mittel befindet sich nicht unter dem zu filtrierenden Wasser, sondern seitlich von demselben. Die Wirkung des Filters soll eine gute sein; Wasser z. B., das mit alkalischem Urin vermischt wurde, erwies sich nach dem Filtrieren klar, von gutem Geschmacke und frei von Ammoniak.
Die Firma JOHNSON u. Co. hatte ein Kohlenpapierfilter ausgestellt. Dasselbe besteht aus einer mit Tierkohle imprägnierten Pappscheibe, welche auf einer Metallscheibe ruht, zu der das zu filtrierende Wasser geleitet wird. Aus der Tierkohle sind die Phosphate entfernt, um auf diese Weise den Mikroorganismen die Nährsalze zu entziehen (?). Das Filtermaterial der von der Silicated-Carbon-Filter-Company in London ausgestellten Filter besteht aus einer mit Kieselsäure vermischten Kohle, die oben und unten eine nicht poröse Schicht enthält, so dafs das Wasser nur durch die seitliche poröse Wand eindringen kann und nach wieder austreten mufs. Das Filter soll im stande sein, etwa im Wasser gelöstes Blei zurückzuhalten.
3. *Desinfektionsmittel.* Die von der Sanitas-Company (London) ausgestellten Desinfektionsmittel enthalten als wirksame Bestandteile Wasserstoffsuperoxyd und Destillationsprodukte verschiedener Fichtenarten, besonders der Terebinthina laricina. Die Präparate sind recht gute Desodorantia, ihre antiseptische Kraft ist sehr gering, da sie auf Mikroorganismen keinen Einflufs ausüben. Ein anderes Mittel ist das Chlorozon, eine Flüssigkeit, welche durch naszierenden Sauerstoff und Chlor wirken soll. Das von DOUGHTY u. Co. (London) ausgestellte Eukalyptozone ist das Destillationsprodukt verschiedener Fichten- und Cedernarten, welches die Wirkung der Carbol- und Salicylsäure kombiniert. (Die Aussteller scheinen nicht klar darüber zu sein, was man unter einem Desinfektionsmittel versteht! D. Ref.). Das Gleiche ist von dem von G. WHEELER (Ilfracombe) fa-

brizierten Pixene zu sagen, das eine Mischung flüchtiger Kohlenwasserstoffe vorstellt, gewonnen durch Destillation von Fichtenholz und Teer.

TÜSON stellte ein Desinfektionspulver und eine Flüssigkeit aus. Letztere besteht aus einer Chlorzink- und schwefligen Säurelösung, ersteres aus Aluminium-, Zinksulfat und Calciumsulfit (?). Wird das Pulver der Luft ausgesetzt, so absorbiert es Wasser, und es entweicht schweflige Säure. (Rundschau 10. 617—20. aus D. Med. Ztg.)

Friedr. Ilse, *Über künstliche Beleuchtung in Schulen.* (Inaug.-Dissert. 14. August 1884. Berlin.)

Reichardt, *Über die Verunreinigung von Abfallwässern.* (Vortrag, geh. auf d. Generalvers. d. deutsch. Apoth.-Ver. z. Dresden am 4. Sept. 1884; Pharm. Ztg. 29. 669 bis 670.)

F. Prollius, *Über Bau und Inhalt der Aloineenblätter, Stämme und Wurzeln.* (Arch. Pharm. [3.] 22. 553—78. Mitte Aug.)

Kaysser, *Das Roeckner-Rothe'sche Verfahren zur Reinigung von Abfallwässern von Städten und gewerbl. Anlagen.* (Gesundh.-Ing. 7. 569—72. Dortmund.)

M. Greinert, *Über das Vorkommen von Ammoniak, salpetriger Säure und Salpetersäure in Trinkwässern.* (Pharm. Ztg. 29. 701.)

J. W. Runeberg, *Zur Filtrationsfrage.* (Erwiderung auf die Abhandlung von E. REGECZY, Beiträge zur Filtrationslehre PFLÜGERS's Arch. 30. 544; vgl. auch C.-Bl. 84. 728.) (PFLÜGER's Arch. 35. 54—67. Helsingfors.)

William Elborne, *Über die englische Rhabarber.* Vf. fand in der Wurzel von Rheum officinale 3,5 p. c. Cathartinsäure, 14,3 p. c. Chrysophansäure und Tannin, 2,6 p. c. Harz und 6,5 p. c. Schleim. Der Werth der Wurzel von Rheum officinale kommt demjenigen der asiatischen Wurzel gleich. (Von der British Pharmaceutical Conference. Chem. and Drug. 1884. 375. August; Pharm. Ztg. 29. 670.)

Julius Denzel, *Analyse des indischen Hanfs.* (Tagebl. d. Naturf.-Vers. zu Magdeburg. 1884. 87—88.)

Peter Mac Ewan, *Über Perubalsam und die Methoden zur Untersuchung desselben.* Die Bestimmung des spezifischen Gewichtes ist zur Erkennung einer Verfälschung sehr wichtig. Der Vf. empfiehlt als Norm 1,137—1,150 anzunehmen. Sehr gute Dienste leistet die Schwefelsäureprobe nach der Ver.-Staaten-Pharmakopö und die Ammoniakprobe nach der Pharmacopöa Germ.

Das riechende Prinzip (Cinnameïn) wird mittels Petroleumäther (spez. Gewicht 0,710 und 65° C. Siedep.) aufgelöst. Gute Ware liefert mehr als 41 p. c. Cinnameïn. Verfälschungen mit Kopaivabalsam werden in dem Petroleumätherextrakte mittels Salpetersäure (spez. Gew. 1,420) entdeckt; bei Gegenwart desselben erhält man eine intensiv blaue Färbung; war Kolophonium vorhanden, so entsteht eine schön smaragdgrüne Farbe. Vf. bespricht noch den Nachweis von Ricinusöl und macht einige Bemerkungen über die Chemie des Balsams, welche noch einer gründlichen Revision bedarf. (The Chemist and Drugist 1884. 15. Aug.; Rundschau 10. 590—92.)

A. W. Gerrard, *Vergleichende Wertbestimmungen zwischen der wilden und kultivierten Atropa Belladonna.* Der Unterschied im Gehalte an Alkaloid zwischen beiden Pflanzen ist zwar kein sehr grofser, aber trotz etwas geringerem Alkaloidgehalte ist die kultivierte Pflanze wegen des gleichmäfsigeren Gehaltes der wilden vorzuziehen. Eine kurze Übersicht der Analysen giebt folgende Zusammenstellung:

a. *Wilde Pflanze.*

Alter der Pflanze	Alkaloidgehalt	
	Wurzel	Blätter
2 Jahre	0,260 p. c.	0,431 p. c.
3 „	0,381 „	0,407 „
4 „	0,410 „	0,510 „

b. *Kultivierte Pflanze.*

	Wurzel	Blätter
2 Jahre	0,207 p. c.	0,320 p. c.
3 „	0,307 „	0,457 „
4 „	0,313 „	0,491 „

(Von der British Pharm. Confer. u. Chemist and Drugist 1884. 375. August; Pharm. Ztg. 29. 670.)

John C. Tresh, *Analyse des Rhizoms von Alpinia officinarum.* Neben verschiedenen unwichtigen Körpern fand Vf. 0,6 p. c. flüchtiges Öl, 0,2 p. c. Harz, 0,6 p. c. Tannin, 1,2 p. c. Phlobophan, 1,6 p. c. wirksames Prinzip und Fett. Der wirksame Bestandteil wurde noch nicht genügend rein dargestellt, doch scheint er sich ähnlich den im Ingwer und in den Paradieskörnern vorhandenen scharfen Körpern zu verhalten. (Von der British Pharmac. Conferenc. und Chem. and Drug. 1884. August. 375; Pharm. Ztg. **29.** 671.)

John C. Tresh, *Die scharfen Stoffe der Pflanzen.* Für das Paradol, die wirksame Substanz aus den Paradieskörnern, fand Vf. die Formel $C_9H_{14}O_2$; es ist daher isomer mit dem Capsaicin aus Capsicum annuum. *Gingerol,* das scharfe Prinzip des Ingwers, ist wahrscheinlich dem Paradol homolog, doch scheint die Substanz noch nicht genügend rein erhalten zu sein; als empirische Formel ergab sich bisher $C_8H_8O_4$. Auch die wirksamen Körper aus dem Pfeffer und der Gangala wurden nur in annähernder Reinheit erhalten. Alle diese scharfen Substanzen sind sehr oxydierbar, zum Teil reduzieren sie Silbersalze. Durch Ätzkali wird der brennende Geschmack schnell zerstört und eine Verbindung mit dem Alkali gebildet. Capsaicin ist krystallisierbar, die anderen Verbindungen bilden zähe unkrystallisierbare Flüssigkeiten, sie geben amorphe Salze mit Barium, Calcium und Blei. (Von der British Pharmac. Conference und Chem. and Drug. 1884. 375. August; Pharm. Ztg. **29.** 670.)

Kleine Mitteilungen.

Analyse eines englischen Flaschenglases, von L. GOTTSTEIN. Die Flaschenfabriken im Nordosten von England, welche alljährlich einen grofsen Teil ihrer Erzeugung nach Deutschland absetzen, arbeiten ohne jeglichen Zusatz von Alkalien; trotzdem erweist sich ihr Fabrikat, wie durch Versuche festgestellt worden ist, ebenso widerstandsfähig selbst gegen saure Flüssigkeiten, wie die Alkaligläser. Das stark grün gefärbte Glas ist in dünnen Schichten vollkommen durchsichtig. Die in den Stockton Bottle Works zur Verwendung kommende Mischung besteht, nach einer Mitteilung von G. LUNGE aus: 36 Sand, 18 Thon, 24 Kalk, 12 Mergel und 10 Tln. Flufsschlamm. Es war anzunehmen, dafs geringe Mengen Alkalien aus einem der Mischungsbestandteile in die Schmelze übergegangen seien.

Die folgenden Analysen entsprachen dieser Voraussetzung:

	I.	II.
Kieselsäure	60,91	61,20
Eisenoxyd	3,16	3,29
Thonerde	3,39	3,47
Kalk	22,61	22,76
Magnesia	6,07	5,73
Kali	1,10	1,06
Natron	2,51	2,39
	99,75	99,90.

Es liegt also hier ein Glas von ganz ungewöhnlicher Zusammensetzung vor, sehr arm an Alkalien, aber aufserordentlich reich an Kalk und Magnesia. Thonerde- und Eisengehalt zeigen nichts Auffälliges. (Pol. J. **253.** 338—39.)

Über Bildung von Oxy- und Chlorocellulose auf elektrochemischem Wege, von FR. GOPPELSROEDER. Wenn man ein Stück Baumwoll- oder Leinenzeug mit einer neutralen, sauren oder alkalisch gemachten Lösung von Salpeter oder Kochsalz oder chlorsaurem Kalium tränkt, dann auf eine acht bis sechzehnfache ebenfalls getränkte Zeuglage legt, welche ihrerseits auf einem als negative Elektrode dienenden Platinbleche ruht, so wird, wenn man das Zeugstück mit einem als positive Elektrode dienenden Platinbleche berührt, durch die während kürzerer oder längerer Zeit stattfindende Einwirkung des Stromes, d. h. durch die an der positiven Elektrode frei werdenden Produkte, die Pflanzenfaser in der Weise mehr oder weniger stark verändert, dafs dieselbe an den von der positiven Elektrode berührten Stellen gewisse Farbstoffe, wie z. B. Methylenblau, weit begieriger anzieht, gerade so, als wenn man die Faser an diesen Stellen gebeizt hätte. Färbt man z. B. die durch Elektrolyse behandelten Baumwoll- oder Leinenmusterchen in einem Bade von Methylenblau oder Anilingrün und nimmt dasselbe hernach noch, selbst mehrere Male, durch kochendes Wasser, so sind die von der positiven Elektrode bedeckt gewesenen Stellen je nach der Dauer der Einwirkung des Stromes, je nach dem angewendeten Elektrolyten, je nachdem die Lösung desselben neutral, angesäuert oder alkalisch war, mehr oder weniger lebhaft bis dunkelblau, grün oder rot gefärbt. Ringsherum ist die Baumwoll- oder Leinwandfaser weit heller gefärbt, so daß ein dunkelfarbiges Muster auf mehr oder weniger hellem Grunde, je nach der mehr oder weniger grofsen Reinheit der benutzten Zeugfaser erscheint. Beim Ätzen des Türkischrot und Indigblau auf elektrolytischem Wege ist die Cellulose an den geätzten Stellen ebenfalls verändert, da dieselbe die Farbstoffe weit stärker anzieht, als das gewöhnliche weifse Zeug. Man kann deshalb beim nachherigen Färben helle Färbungen auf einem türkischroten oder indigblauen, auf elektrolytischem Wege geätzten Zeuge erhalten. (Pol. Journ. **254.** 42—43.)

Zur Nachahmung der Patina, von ED. DONATH. Nach einer Zusammenstellung der bis jetzt gebräuchlichen Methoden gelangt der Vf. zu dem Resultat, dafs keine der bekannten sauren oder alkalischen Patinierungsmethoden im grofsen einen befriedigenden Erfolg ergiebt. Vor nicht langer Zeit hat BRÜHL an einem Aachener Bronzedenkmale Patinierungsversuche (mit einer Mischung von 20 Tln. Eisessig und 100 Tln. Knochenöl) mit, wie er berichtet, günstigen Erfolgen angestellt. Anknüpfend daran hat Vf. nun zunächst, statt Knochenöl, käufliche Ölsäure genommen, ja das Knochenöl zumeist aus Ölsäureglycerid besteht und die Bildung der Kupferseife, welche die von BRÜHL beobachteten grünen Überzüge veranlafst, erst nach der erfolgten Zersetzung des Fettes in Glycerin und freie Fettsäure erfolgen kann, zudem aber die oxydierende Einwirkung der Ölsäure auf Metalle bei Gegenwart von Sauerstoff eine viel energischere ist. Weiter hat Vf. die Ölsäure selbst mit etwas ölsaurem Kupferoxyd versetzt, was sehr einfach durch Erwärmen von Kupferoxyd oder gefälltem Kupfercarbonat mit überschüssiger Ölsäure bei ungefähr 60° geschieht, bis sich dieselbe tiefgrün gefärbt hat. Solche ölsaures Kupferoxyd gelöst enthaltende Ölsäure hält sich für längere Zeit unverändert; mit Eisessig gemischt aber entfärbt sich dieselbe allmählich gröfstenteils, indem das gelöste Kupferoxyd durch die Essigsäure entzogen wird und sich am Boden des Gefäfses abscheidet. Diese Mischungen müssen daher vor der später zu erörternden Anwendung gelinde erwärmt und durch Schütteln gemischt werden.

Die Versuche mit den angeführten Mischungen von Ölsäure und Essigsäure allein, sowie mit kupferhaltiger Ölsäure und Essigsäure ergaben keine befriedigenden Ergebnisse. Es bildeten sich zwar auf den Gegenständen nach mehrfacher Abreibung oder sorgfältiger Bepinselung grüne Anflüge, welche jedoch zu saftgrün und selbst in stärkeren Schichten zu durchsichtig waren und aufserdem sich sehr lange fettig anfühlten. Vf. hat deshalb die Versuchsstücke zuerst mit einer starken Lösung von kohlensaurem Ammoniak möglichst dünn und gleichmäfsig überpinselt, wobei nach mehrmaliger Wiederholung alsbald genügend starke blaugrüne Überzüge sich bildeten. Nun wurde die oben angeführte Mischung von Ölsäure und Eisessig, welche zugleich ölsaures Kupferoxyd gelöst enthält, gelinde erwärmt, um sie möglichst dünnflüssig zu erhalten, und ebenfalls mittels eines Pinsels sorgfältig und möglichst dünn auf die erwähnten Stücke aufgetragen. Durch Aufstellen der letzteren an einem mäfsig warmen Orte wurde deren Oberfläche binnen wenigen Tagen trocken, und hatten zugleich die Überzüge eine mehr dunkelgrüne Färbung erhalten. Die Färbung war abhängig von dem Verhältnisse der Stärke der Schichten, welche durch die Behandlung mit kohlensaurem Ammoniak einerseits und durch die mit der ölsauren Mischung andererseits erzielt wurden. Beim Überwiegen der ersteren sind die schliefslich erhaltenen Überzüge mehr hellgrün, der Malachitfärbung gleichkommend, im entgegengesetzten Falle, beim Überwiegen des ölsauren Kupferoxydes, mehr dunkelgrün. Die mit den angeführten kleineren Versuchsstücken erhaltenen Ergebnisse waren ganz befriedigend.

Vf. will dessenungeachtet die gemachten Mitteilungen nur als Vorschläge betrachtet wissen, da ihm Erfahrungen an gröfseren und freistehenden Bronzedenkmälern vollständig fehlen. Um dieselben nach dem im Prinzipe beschriebenen Verfahren zu patinieren, wäre es zu empfehlen, dieselben zuerst zu wiederholten Malen mit sehr verdünnten Lösungen von Ammoniumcarbonat zu behandeln, bis ein genügend starker und zugleich gleichmäfsiger Überzug von basischem Kupfercarbonat sich gebildet hat, und sodann ebenfalls wiederholt mit der kupferhaltigen Ölsäuremischung entweder mit Wolle abzureiben oder mittels Pinsel zu behandeln. Für die Nachahmung der Patina als Metallverzierung auf kleineren Gegenständen aus Kupfer, Bronze oder bronziertem Eisengufs aber eignet sich das beschriebene Verfahren zweifellos. Zu diesem Zwecke erfolgt die Behandlung der ersteren in der bereits angegebenen Weise; bei den letzteren nur mit einer Bronzeschicht überzogenen Gegenständen aus Eisengufs, aber hat man einfach statt der Lösung von kohlensaurem Ammoniak allein eine solche von Kupfercarbonat in kohlensaurem Ammoniak anzuwenden, welche sich sehr einfach durch längeres Digerieren von auf nafsem Wege erhaltenem Kupfercarbonat in einer Lösung von kohlensaurem Ammoniak und nachheriges Filtrieren herstellen läfst. (Pol. Journ. **253.** 376—80.)

Darstellung von Natriumchlorat, von E. K. MUSPRATT. (D. P.). Magnesia wird mit Wasser angerührt und unter Umrühren mit Chlor gesättigt, so dafs auf 1 Äq. Magnesiumchlorat

5—5,5 Äq. Magnesiumchlorid in Lösung gehen. Diese Lösung kann man zunächst auf 35—40° B. eindampfen, so daſs sich beim Erkalten ein Teil des Chlormagnesiums ausscheidet. Die verbleibende Lösung, welche nur noch 4 Äq. Chlorid auf 1 Äq. Chlorat enthält, oder, wenn man es vorzieht, die ursprüngliche Lösung wird nun entweder mit kaustischem Natron, oder mit Natriumcarbonat, oder mit einem Gemische beider versetzt. Infolge der eintretenden Umsetzung fällt hierbei Magnesia oder Magnesiumcarbonat oder ein Gemisch beider aus, während Natriumchlorat und Natriumchlorid in Lösung gehen. Die abdekantierte Lösung von Natriumchlorat und Natriumchlorid wird zunächst zur Abscheidung von Natriumchlorid auf 48—50° B. eingedampft und dann erkalten gelassen, wobei Natriumchlorat auskrystallisiert. Die Krystalle werden auf bekannte Weise von der Mutterlauge getrennt. Der Dekantationsrückstand wird gewaschen und, falls er aus Magnesia besteht, erst gebrannt und dann wieder zur Chlorabsorption in einer neuen Behandlung benutzt.

Das beschriebene Verfahren der Darstellung von Natriumchlorat bietet den Vorteil, daſs die zum Absorbieren des gasförmigen Chlors angewendete Magnesia immer wieder in den Kreislauf zurückgeführt wird. (Pol. J. **254.** 47.)

Kopiertinte, von R. KAYSER. Zur Herstellung einer guten Schreib- oder Kopiertinte sind Auflösungen von Blauholzextrakt weniger geeignet, als frisch bereitete Abkochungen von Blauholz. Man kocht daher Blauholz wiederholt mit weichem Wasser aus und dunstet die Abkochung ein, bis dieselbe, erkaltet, 1,028 spez. Gewicht zeigt. Man löst hierauf 10 g Kaliumdichromat in 1 l Wasser auf, fügt dieser Lösung 100 g krystallisierte schwefelsaure Thonerde, 200 g Glycerin und 100 g Kandiszucker hinzu und erwärmt eine halbe Stunde bis zum Sieden; die letztere Lösung wird nach dem Erkalten zu 10 l der Blauholzabkochung gefügt, hierauf noch 100 g 50 prozent. Essigsäure hinzugefügt. Die tüchtig durchgeschüttelte Mischung läſst man eine Woche absetzen und gieſst dieselbe klar ab. Die Tinte flieſst braunrot aus der Feder, wird in kurzer Zeit violettschwarz und besitzt ein gutes Kopiervermögen. (Mitt. d. Bayer. Gewerbemus. 1884. Nr. 113.)

Beiträge für das Centralblatt bittet man an die Redaktion (Leipzig, Lessingstr. 5) zu richten. **Originalarbeiten** von nicht zu groſsem Umfange werden entsprechend honoriert und gelangen stets sofort nach der Einsendung, und zwar in kürzester Frist, zum Abdruck.

Redaktion: Prof. Dr. **Rud. Arendt** in Leipzig.

Verlag von **Leopold Voss** in Hamburg und Leipzig. — Druck von **Metzger & Wittig** in Leipzig.

No. 47.

Chemisches
Central-Blatt.

19. Novemb. 1884.

Wöchentlich eine Nummer von
1.–2 Bogen. Der Jahrgang mit
Sach- und Namen-Register,
nebst system. Übersicht.

Der Preis des Jahrgangs
ist 30 Mark. Durch alle
Buchhandlungen und Post-
anstalten zu beziehen.

REPERTORIUM

für reine, pharmazeutische, physiologische und technische Chemie.

Dritte Folge. XV. Jahrgang.

Wochenbericht.

1. Allgemeines und Physikalisches.

William Thomson, *Über die kinetische Theorie der Materie.* Vortrag, gehalten in der mathematisch-physikalischen Sektion der diesjährigen British-Association zu Montreal. (Naturf. **17**, 379—84. 11. Okt.)

J. Habermann, *Über einige neue chemische Apparate.* 1. *Eine neue Waschflasche* (Fig. 1.) Alle zum Waschen der Gase gebräuchlichen Fla-schen leiden an dem Übelstande, daß sie der Wasch-flüssigkeit unter Umständen gestatten, in das Gasentwick-lungsgefäß einzudringen (zurückzusteigen), wodurch unlieb-same Störungen des Experimentes und mitunter auch viel schlimmere Verhältnisse herbeigeführt werden. Das tritt na-mentlich häufig ein, wenn die Entwicklung des Gases, wie es bei dem Chlorwasserstoffe, beim Ammoniak etc. der Fall ist, bei höheren Temperaturen erfolgt, und hierbei aus irgend einem Grunde die Temperatur in dem Entwick-lungsgefäße sinkt. Die nebenstehende Figur versinnbildet nun einen Apparat, bei welchem dieser Übelstand kaum eintreten kann. Seine Einrichtung ist eine so einfache, daß es überflüssig erscheint, ihn näher zu beschreiben. Es wird genügen, darauf hinzuweisen, daß die Waschflasche beim Gebrauche mit der Waschflüssigkeit so weit zu füllen ist, daß der verengte untere Teil des Gefäßes unter der Waschflüssigkeit taucht. Die Kapazität der inneren Röhre, welche in den Hals der eigentlichen Flasche eingeschliffen ist, wurde so gewählt, daß beim Zurücksteigen die durch vorerwähnte Angabe fixierte Gesamtmenge der Waschflüs-sigkeit darin Platz findet, ohne die Röhre mehr als zur Hälfte zu erfüllen.

2. *Ein neuer Absorptionsapparat* (Fig. 2 und 3 auf nächster S.). Nach ähnlichen Gesichtspunkten, wie die eben beschriebene Waschflasche, hat Vf. einen Absorptionsapparat konstruiert, welcher zunächst bestimmt ist, bei der quantitativen Bestimmung des Ammoniaks Verwendung zu finden, der indessen ohne Frage auch mancher anderen Anwendung fähig ist, wie z. B. als Waschgefäß.

Die beiden Figuren 2 und 3 zeigen den Apparat in zwei verschiedenen Modifika-tionen. Sie lassen seine Wirkungsweise, sowie auch erkennen, daß alle seine Teile an-einander geschmolzen sind. Seine Kapazität ist fast diejenige der analogen Vorrichtungen von VOLHARD und H. FRESENIUS (Ztschr. f. analyt. Chem. **14**. 332), vor welchen er sich durch seine größere Stabilität auszeichnet, ohne in anderer Beziehung irgend wie zurück-zustehen, wie das die häufige Anwendung in des Vf's. Laboratorium gezeigt hat.

882

Die Anfertigung des Absorptionsgefäfses, wie auch der Waschflasche wurde in zufriedenstellender Weise durch die Firma W. J. ROHRBECK'S Nachfolger in Wien besorgt.
3. *Ein neuer Brenner* (s. untenst. Fig. 4). Von den zahlreichen, dermalen in Verwendung stehenden Gaslampen sind die meisten dort kaum anwendbar, wo es sich um Einstellung auf eine bestimmte Temperatur, also um entsprechende Regelung der Menge des ausströmenden Gases handelt, weil die an den Lampen angebrachten Hähne eine auch nur einigermafsen feinere Regulierung nicht gestatten. Eine ganz geringfügige Drehung des Hahnes genügt meistens schon, um die Gröfse der Flamme um ein sehr bedeutendes zu ändern. Vf. hat vor Jahren, noch während seiner Thätigkeit in dem Laboratorium von HLASIWETZ in Wien einen Brenner konstruiert, welcher sich in der angegebenen Richtung sehr gut bewährt hat und der auch heute noch in vielen der Wiener Laboratorien Verwendung findet. Derselbe wurde von ihm nie beschrieben, weil der Preis jener Lampe etwas hoch ist, was seiner allgemeinen Verwendung entgegen ist. Der Brenner, der in Fig. 4 abgebildet ist, ist im Preise von den ganz gewöhnlichen Brennern nicht verschieden und besitzt ihnen gegenüber den Vorteil, dafs sich die Gröfse der Flammen in sehr bequemer und empfindlicher Weise regulieren läfst. Dieser Effekt wurde dadurch erzielt, dafs der gewöhnliche Gashahn durch einen Schraubenhahn ähnlicher Konstruktion ersetzt ist, wie sie derjenige besitzt, welchen Vf. für die Regulierung des Luft-, resp. des Sauerstoffstromes bei der organischen Elementaranalyse konstruiert hat.

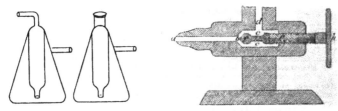

Fig. 2 u. 3.   Fig. 4.

Auf diese Vorrichtung konnte um so eher zurückgegriffen werden, als sie in geradezu tadelloser Weise funktioniert. Die Anordnung dieses Gashahnes bei dem neuen Brenner ist durch die Figur, welche den unteren Teil des Brenners, mit dem Schraubenhahne in senkrechtem Schnitte versinnbildlicht, leicht verständlich. Das Gas tritt durch das kurze Röhrenstück *a*, an welches der Gasschlauch angesetzt werden kann, und die Öffnung *b* in den Raum *c*, und aus diesem durch die Bohrung *d* in die eigentliche Brennvorrichtung. Die Öffnung *b* kann durch den konischen Pfropfen *f*, welcher das eine Ende des Schraubenstiftes *g* bildet, geschlossen, resp. durch Drehen an dem geränderten, scheibenförmigen Schraubenkopfe *h*, der aus naheliegenden Gründen einen ansehnlichen Durchmesser hat, innerhalb der gegebenen Grenzen, beliebig weit geöffnet werden. Man sieht aus dieser kurzen Beschreibung, dafs dem vorliegenden Zwecke der früher zitierte Gashahn angepafst ist, und diese Anpassung wurde auch in der Richtung vollzogen, dafs von dem feinen Schraubengewinde abgesehen und ein gröberes, steileres gewählt wurde, so dafs eine Umdrehung des Kopfes genügt, um den Hahn voll zu öffnen, resp. zu schliefsen. Die Regulierbarkeit bleibt gegenüber den gewöhnlichen Brennerhähnen immer noch sehr grofs; der Brenner selbst aber wird um ein erhebliches billiger. Eine vom Mechaniker P. BÖHME in Brünn in guter Ausführung angefertigte Lampe steht seit mehreren Wochen im Gebrauche und hat sich in jeder Beziehung gut bewährt. (Verh. d. naturf. Ver. zu Brünn 22. Brünn, techn. Hochschule.)

Hans Kreis, *Vergleichende Untersuchungen über die Methoden der fraktionierten Destillation.* Die besten Methoden für fraktionierte Destillation von Substanzen mit Siedepunkt gegen 100° sind: der LINNEMANN'sche Drahtnetzaufsatz und die HEMPEL'sche Siederöhre. Letztere verdient wegen ihrer leichten Herstellbarkeit und Solidität, und weil sie ganz aus Glas besteht, den Vorzug. Bei Anwendung des WURTZ'schen Glaskugelaufsatzes erreicht man mit sechs Destillationen ebenso viel, wie bei Destillation aus dem Kolben ohne Aufsatz mit zwölf Destillationen. Die Wirkung des WURTZ'schen Aufsatzrohres wird nicht verändert, wenn man statt zwei, vier Kugeln anwendet oder die Röhre den vier Kugeln entsprechend erweitert. Auch für hochsiedende Körper ist die Destillation aus einem Kolben mit Kugelaufsatz wesentlich besser, als aus dem Kolben mit verlängertem Halse. (LIEB. Ann. **224**. 259—69. Ende Juli. Zürich, V. MEYER's Laborat.)

4. Organische Chemie.

W. Lossen und **A. Zander,** *Untersuchungen über die spezifischen Volume flüssiger Verbindungen.* V. *Untersuchung einiger Kohlenwasserstoffe.* Untersucht wurden Hexahydrotoluol, C_7H_{14}, Hexahydroisoxylol, C_8H_{16}, Naphtalin, $C_{10}H_8$, Hexahydronaphtalin, $C_{10}H_{14}$. Eine Vergleichung der beiden erstgenannten mit den metameren Olefinen Heptylen und Caprylen ergiebt für letzteren ein auffallend gröfseres spezifisches Volum, und ebenso verhalten sich das Toluol, Isoxylol und Naphtalin im Vergleiche mit den zugehörigen Hexahydrüren. Hieran knüpfen die Vff. folgende Betrachtung über die Konstitution des Benzols.

SCHIFF (LIEB. Ann. **220**. 303) hat aus dem spez. Volum der Kohlenwasserstoffe geschlossen, dafs die Kohlenstoffatome im Benzolkerne gesättigt sind, indem jedes mit drei anderen Kohlenstoffatomen und mit einem Wasserstoffatome direkt verbunden ist. SCHIFF nimmt an, dafs das spez. Volum des Wasserstoffatoms konstant ist; unter dieser Voraussetzung ist das Volum des Kohlenstoffatoms in den Paraffinen ebenso grofs, als im Benzol und seinen Homologen, in den Olefinen und im Styrol dagegen gröfser, als in den erstgenannten Kohlenwasserstoffen; daraus folgert SCHIFF, dafs die Kohlenstoffatome im Benzol auf gleicher Stufe der Sättigung stehen, wie in den Paraffinen.

Die Vff. kommen auf Grund ihrer Beobachtungen zum gerade entgegengesetzten Schlusse, indem sie die Benzolkohlenwasserstoffe nicht mit den Olefinen, sondern mit ihren eigenen Hexahydrüren vergleichen. Da die Atomverkettung von wesentlichem Einflusse auf das spez. Volum ist, so ist es geboten, in erster Linie Verbindungen mit gleicher Atomverkettung miteinander zu vergleichen. Dabei ergiebt sich, wie schon bemerkt, dafs Toluol, Xylol und Naphtalin ihrem spez. Volum nach ebenso gut ungesättigte Kohlenwasserstoffe sind, als Amylen, Styrol und Diallyl.

Die Vff. behaupten keineswegs, dafs ihre Versuche die Frage nach der Konstitution des Benzols entscheiden, wohl aber, dafs die bis jetzt vorliegenden Beobachtungen über die spez. Volume nicht gegen, sondern für die Ansicht sprechen, dafs im Benzol jedes Kohlenstoffatom mit nur zwei anderen Kohlenstoffatomen direkt verbunden ist.

Denselben Schlufs hat BRÜHL aus dem Lichtbrechungsvermögen des Benzols gezogen [1]. THOMSEN dagegen hat aus der Verbrennungswärme des Benzols geschlossen, dafs jedes einzelne Kohlenstoffatom in demselben mit drei anderen direkt verbunden ist. Es wäre von Interesse, wenn THOMSEN seine Untersuchungen ausdehnte auf die Olefine und die mit denselben metameren Hydrüre. Nach den von ihm aufgestellten Sätzen dürfte zwischen der Bildungswärme des Caprylens und derjenigen des Hexahydroisoxylols höchstens ein Unterschied von 14 570 cal sein; nur der Versuch kann darüber entscheiden, ob der Unterschied nicht gröfser ist. (LIEB. Ann. **225**. 109—20. Ende Juli.)

A. Geuther, *Untersuchung über die Affinitätsgröfsen des Kohlenstoffes.* In einer zweiten Abhandlung über diesen Gegenstand (**83**. 481) hat Vf. mitgeteilt, dafs nach den mit Aldehydäthylchlorid angestellten Versuchen sich mit Hilfe dieses Körpers gemischte Acetale erzeugen liefsen. Die Versuche, auf welche diese Meinung sich stützte, waren diejenigen, welche BACHMANN angestellt hatte, um durch die Einwirkung des Natriummethylalkoholates auf Aldehydäthylchlorid das Äthylmethylacetal zu erhalten. Bei Anwendung von 30 g des Chlorides erhielt er im Produkte 14 g einer „zwischen 80 und 90° siedenden" Flüssigkeit, welche bei der Analyse mit dem Äthylmethylacetal stimmende Resultate ergab und deshalb für dieses gemischte Ketal angesehen wurde. Bei einem zweiten, mit noch gröfserer Menge Material angestellten Versuche erhielt BACHMANN abermals eine sehr grofse Menge solcher bei 80—90° destillierender Flüssigkeit.

Um diese Reaktion für die Beantwortung der Frage, ob die „Kohlenoxydaffinitäten" des Kohlenstoffes unter sich gleich oder ungleich seien, zu verwerten, war es nötig, den Siedepunkt des Äthylmethylacetals, welchen WURTZ als „gegen 85°" angiebt, genau zu bestimmen, um dieses Acetal mit dem etwa aus Aldehydmethylchlorid und Natriumäthylalkoholat zu erhaltenden sicher vergleichen zu können. RÜBENCAMP, welcher diese Aufgabe zu lösen unternahm, fand nun, dafs dieses zwischen 80 und 90° siedende Produkt bei fortgesetzter Rektifikation sich stetig in niedriger siedendes und höher siedendes, d. h. in Dimethylacetal und Diäthylacetal zerlegte, dafs demnach bei dieser Reaktion gemischte

---

[1] Ob mit Recht, das lassen die Vff. dahingestellt. Die Untersuchungen von BERNHEIMER und NASINI (Gazz. chim. 1883. 317), sowie diejenigen von KANONNIKOW (Ber. Chem. Ges. **16**. 3047) stehen teilweise mit BRÜHL's Annahme im Widerspruche.

Acetale nicht erhalten werden. Ein Versuch, den Vf. nach den Angaben von WURTZ ausführen liefs, um durch Destillation eines Gemisches von Methyl- und Äthylalkohol mit Braunstein und Schwefelsäure das Äthylmethylacetal darzustellen, ergab ebenfalls als schliefsliches Resultat, dafs die zwischen 80 und 90° destillierende Partie durch fortgesetzte fraktionierte Destillation sich völlig in die beiden einfachen Acetale, das Dimethylacetal und das Diäthylacetal, zerlegen läfst, also auch nach der Methode von WURTZ ein gemischtes Acetal nicht gebildet wird.

Da demnach mit Hilfe der Acetalbildungsreaktionen die Frage nach der relativen Gröfse der „Kohlenoxydaffinitäten" nicht zu beantworten war, so veranlafste der Vf. RÜBENCAMP, zu versuchen, ob dies nicht mit Hilfe gemischter Äthylidensauerstoffsäure- äther möglich sei. Die zu diesem Zwecke angestellten, weiter unten mitgeteilten Versuche haben nun in der That diese Möglichkeit ergeben. Es lassen sich gemischte Äthyliden- äther mit zwei verschiedenen Säureradikalen darstellen. Und da dieselben, einerlei, in welcher Reihenfolge die Säureradikale eintreten, völlig identisch und nicht blofs metamer sind, so müssen auch die „Kohlenoxydaffinitäten" des Kohlenstoffes unter sich gleich sein.

So bleibt nur noch die Aufgabe zu lösen übrig, nachzuweisen, ob die „Kohlensäure- affinitäten" und die „Kohlenoxydaffinitäten" unter sich ungleich oder gleich sind, ob man
$$\overset{aabb}{\text{also schreiben mufs:}} \quad \text{C} \quad \text{oder} \quad \overset{aaaa}{\text{C.}}$$
Vf. hofft bald auch darüber einiges mitteilen zu können. (LIEB. Ann. **225**. 265—66. Ende Sept. [1. Aug.] Jena.)

Rob. Rübenkamp, *Über einige Aldehyd-, resp. Äthylidenabkömmlinge und über die Gröfse der „Kohlenoxydaffinitäten" des Kohlenstoffes.* Der Vf. hat zuerst versucht, ein Methyläthylacetal herzustellen, indem er Natriummethylalkoholat und Aldehydäthylchlorid, und andererseits Natriumäthylalkoholat und Aldehydmethylchlorid aufeinander einwirken liefs. Die Versuche zeigen, dafs in keiner Weise ein gemischtes Ketal der genannten Art entsteht, dafs vielmehr immer die einfachen Acetale: Dimethylacetal und Diäthyl- acetal, auftreten. Es darf daher mit gröfster Wahrscheinlichkeit behauptet werden, dafs ein solches gemischtes Acetal nicht existiert.

Weiter teilt der Vf. Versuche mit, welche bezweckten, zusammengesetzte Äthyliden- äther darzustellen. Es wurden in dieser Weise erhalten: 1. *Äthylidendiacetat*, durch Ein- wirkung von Äthylidenacetochlorhydrin auf essigsaures Silber; 2. *Äthylidendipropionat*, durch Einwirkung von Äthylidenpropiochlorhydrin auf propionsaures Silber; 3. *Äthyliden- butyrat*, durch Einwirkung von Äthylidenbutyrochlorhydrin auf buttersaures Silber; 4. *Äthylidendivalerianat*, durch Einwirkung von Äthylidenvalerochlorhydrin auf valeriansaures Silber; 5. *Äthylidenacetatpropionat*, durch Einwirkung von Äthylidenacetochlorhydrin auf propionsaures Silber; und *Äthylidenpropionatacetat*, durch Einwirkung von Äthyliden- propiochlorhydrin auf essigsaures Silber; 6. *Äthylidenacetatbutyrat*, durch Einwirkung von Äthylidenacetochlorhydrin auf buttersaures Silber; und *Äthylidenbutyratacetat*, durch Ein- wirkung von Äthylidenbutyrochlorhydrin auf essigsaures Silber; 7. *Äthylidenacetat- valerianat*, durch Einwirkung von Äthylidenacetochlorhydrin auf valeriansaures Silber; und *Äthylidenvalerianatacetat*, durch Einwirkung von Äthylidenvalerochlorhydrin auf essig- saures Silber.

Hieraus ergiebt sich, dafs die Herstellung der gemischten Sauerstoffsäureäther des Äthy- lidenalkohols immer möglich ist. Es ist hierbei einerlei, in welcher Reihenfolge die Sauer- stoffsäurereste eintreten, es entstehen immer identische Verbindungen. Daraus folgt, dafs die beiden Kohlenoxydaffinitäten nicht verschieden, sondern unter sich gleich sind. (LIEB. Ann. **225**. 267—90. Ende Sept.)

G. Th. Gerlach, *Über Glycerin, spezifische Gewichte und Siedepunkte seiner wässe- rigen Lösungen, sowie über ein Vaporimeter zur Bestimmung der Spannkräfte der Gly- cerinlösungen.* Auf grund seiner Versuche stellt Vf. für die spezifischen Gewichte und Siedepunkte der Glycerinlösungen, sowie die Spannkraft der Dämpfe dieser Lösungen bei 100° C. folgende Tabelle zusammen:

Gewtle. Glycerin in 100 Tln. der Lösung	Gewtle. Glycerin bei 100 Tln. Wasser	Spezifische Gewichte der Glycerinlösungen		Siedetemperat. bei 780 mm B. °C.	Spannkraft der Dämpfe von Glycerinlösungen bei 100°C.	
		bei 15°C. Wasser von 15°C. = 1	bei 20°C. Wasser von 20°C. = 1		Verminderte Spannkraft gegen Wasserdampf mm	Spannkraft bei 760 mm Barometerstand mm
100	Glycerin	1,2653	1,2620	290	696	64
99	9900	1,2628	1,2594	239	673	87
98	4900	1,2602	1,2568	208	653	107
97	3233,33	1,2577	1,2542	188	634	126
96	2400	1,2552	1,2516	175	616	144
95	1900	1,2526	1,2490	164	598	162
94	1566,66	1,2501	1,2464	156	580	180
93	1328,571	1,2476	1,2438	150	562	198
92	1150	1,2451	1,2412	145	545	215
91	1011,11	1,2425	1,2386	141	529	231
90	900	1,2400	1,2360	136	513	247
89	809,090	1,2373	1,2333	135	497	263
88	733,333	1,2346	1,2306	133,5	481	279
87	669,231	1,2319	1,2279	130,5	465	295
86	614,286	1,2292	1,2252	129	449	311
85	566,666	1,2265	1,2225	127,5	434	326
84	525	1,2238	1,2198	126	420	340
83	488,235	1,2211	1,2171	124,5	405	355
82	455,555	1,2184	1,2144	123	390	370
81	426,316	1,2157	1,2117	122	376	384
80	400	1,2130	1,2090	121	364	396
79	376,190	1,2102	1,2063	120	352	408
78	354,50	1,2074	1,2036	119	341	419
77	334,782	1,2046	1,2009	118,2	330	430
76	316,666	1,2018	1,1982	117,4	320	440
75	300	1,1990	1,1955	116,7	310	450
74	284,615	1,1962	1,1928	116	300	460
73	270,370	1,1934	1,1901	115,4	290	470
72	257,143	1,1906	1,1874	114,8	280	480
71	244,828	1,1878	1,1847	114,2	271	489
70	233,333	1,1850	1,1820	113,6	264	496
65	185,714	1,1710	1,1685	111,3	227	533
60	150	1,1570	1,1550	109	195	565
55	122,222	1,1430	1,1415	107,5	167	593
50	100	1,1290	1,1280	106	142	618
45	81,818	1,1155	1,1145	105	121	639
40	66,666	1,1020	1,1010	104	103	657
35	53,846	1,0885	1,0875	103,4	85	675
30	42,857	1,0750	1,0740	102,8	70	690
25	33,333	1,0620	1,0610	102,3	56	704
20	25	1,0490	1,0480	101,8	43	717
10	11,111	1,0245	1,0235	100,9	20	740
0	0	1,000	1,000	100	0	760

Um die Dampfspannungen der Glycerinlösungen von verschiedenen Prozentgehalten bei verschiedenen Temperaturen, namentlich bei 100°, zu messen, konstruierte Vf. ein Heberbarometer, dessen einer Schenkel oben offen ist, dessen anderer Schenkel aber in einem luftdicht eingeschliffenen Fläschchen endet, in welchem der Dampf der Glycerinlösung erzeugt werden konnte. Dieser nach Art des GEISSLER'schen Alkoholvaporimeters konstruierte Apparat (Zu beziehen bei F. MÜLLER, Dr. GEISSLER's Nachfolger in Bonn), besitzt, wie die beistehende Figur zeigt, ein gläsernes Bad G, in welchem sowohl die Dampfbildung, als auch der ungleiche Stand des Quecksilbers in dem Fläschchen F beurteilt werden konnte. Das Vaporimetergestell besteht aus einer Hülse A von Rotkupfer oder Neusilber, diese Hülse ist auf einen Teller B von gleichem Metall aufgenietet. In die Öffnung C wird das gebogene Glasrohr $D'D''$ mit einem Gummistopfen eingesetzt. Um später den Glascylinder G mit der Hülse A dicht verbinden zu können, ist über den oberen Rand der Hülse ein Stück dicken Gummischlauches gestülpt und mit Draht befestigt. Ein schmaler konischer Metallring H drückt den Gummischlauch fest an den Glascylinder.

Die Büchse A und der Cylinder G können, 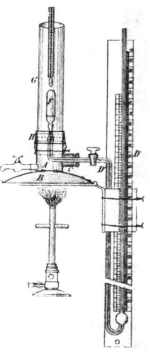 so verbunden, das erwärmende Bad aufnehmen, welches aus der Flüssigkeit im Fläschchen F Dampf entwickelt. Beabsichtigt man die Temperatur von 100^0 C. nicht zu überschreiten, so dient Wasser als Bad, im anderen Falle können andere Flüssigkeiten (Glycerinlösungen, Öl, Stearin u. a.) in Anwendung kommen. Die Büchse A hat einen Messinghahn zum Ablassen des Bades nach beendetem Versuche. Um die Temperatur des Bades zu messen, wurde das Thermometer so aufgehängt, daß die Kugel unmittelbar in Berührung mit dem Fläschchen F war. Will man darauf verzichten, die Dampfspannung der zu untersuchenden Lösung auch bei anderen Temperaturen als 100^0 C. zu beobachten, und legt man keinen Wert darauf, die Dampfspannung selbst vor sich gehen zu sehen, so kann man auch das GEISSLER'sche Dampfvaporimetergestell benutzen. Nur bei Untersuchungen, welche die Temperaturen des Siedepunktes nicht erreichen, die aufwärts steigende Skala des GEISSLER'schen Vaporimeters in eine abwärts gerichtete Skala umzuwandeln.

Vf. macht schließlich darauf aufmerksam, daß das Vaporimeter in der obigen Gestalt zu vielseitiger Benutzung anwendbar ist, und sein Gebrauch sich keineswegs allein auf die Bestimmung der Spannkräfte der Glycerinlösungen beschränkt. (Chem. Ind. **7.** 277–87. Köln.)

Fr. Nafzger, *Die Säuren des Bienenwachses.* Aus den Beobachtungen und Analysen des Vf's. hat sich in der Hauptsache folgendes ergeben:

Die Einheitlichkeit der *Cerotinsäure*, welche schon von HEINTZ bezweifelt, durch die Untersuchungen SCHALFEJEW'S aufs neue unwahrscheinlich geworden war, ist durch die Unmöglichkeit, mittels partieller Fällung und Umkrystallisieren die erhaltene Säure zu zerlegen, festgestellt. Aus den zahlreichen Fällungsver- 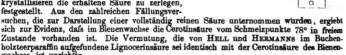 suchen, die zur Darstellung einer vollständig reinen Säure unternommen wurden, ergiebt sich zur Evidenz, daß im Bienenwachse die Cerotinsäure vom Schmelzpunkte 78^0 in freiem Zustande vorhanden ist. Die Vermutung, die von HELL und HERMANNS im Buchenholzteerparaffin aufgefundene Lignocerinsäure sei identisch mit der Cerotinsäure des Bienenwachses, ist unrichtig.

Hinsichtlich der Zusammensetzung der Cerotinsäure lassen des Vf's. Analysen die Wahl zwischen der Formel $C_{26}H_{52}O_2$ und der bisherigen $C_{27}H_{54}O_2$; die für die Formel $C_{27}H_{54}O_2$ berechneten Werte sind niemals erreicht worden. Dagegen kommen bei der Mehrzahl der Analysen der freien Säuren sowohl als auch ihrer Salze die für die Formel $C_{26}H_{52}O_2$ geforderten Zahlen am häufigsten vor; bei dem Bleisalze wurden sogar Zahlen gefunden, welche der Formel $C_{25}H_{50}O_2$ am nächsten kommen. Welche von diesen Formeln der Cerotinsäure in Wirklichkeit zukommt, muß noch unentschieden bleiben.

Die Differenzen in der Zusammensetzung dieser Säuren liegen häufig noch innerhalb der erlaubten Fehlergrenzen, so daß eine sichere Entscheidung auf analytischem Wege nicht möglich sein wird. Gegen die Formel $C_{26}H_{52}O_2$ läßt sich die von BAEYER beobachtete Gesetzmäßigkeit über Schmelzpunktsdifferenzen zwischen Verbindungen mit einer paaren und unpaaren Anzahl von Kohlenstoffatomen anführen. Diese Gesetzmäßigkeiten scheinen dem Vf. bis jetzt jedoch noch zu unsicher zu sein, als daß sie im vorliegenden

Falle ernstlich in betracht gezogen werden dürften, wo Isomerieverhältnisse der verschiedensten Art vorliegen können, welche auf den Schmelzpunkt von Einfluß sind.

Sollten ·sich in Zukunft die von BAEYER beobachteten Gesetzmäßigkeiten als allgemein zutreffend erweisen und der Cerotinsäure eine Formel mit ungeradem Kohlenstoffgehalte beigelegt werden müssen, so könnte möglicherweise die Wahl auch auf die Formel $C_{26}H_{50}O_2$, statt auf $C_{27}H_{54}O_2$, fallen.

Sodann hat Vf. das Vorkommen von freier *Melissinsäure* im Bienenwachse zu konstatieren.

Eine Säure von der Zusammensetzung $C_{24}H_{48}O_2$, welche SCHALFEJEW erhalten haben wollte. konnte er nicht nachweisen; dagegen haben seine Untersuchungen das Vorhandensein einer Säure vom Schmelzp. 75—76° wahrscheinlich gemacht.

Schließlich ist noch anzuführen, daß außer *Palmitinsäure* keine andere Fettsäure in dem veresterten Teile des Bienenwachses, dem sogen. Myricin, enthalten zu sein scheint, dagegen ist durch die Versuche des Vf's. das Vorhandensein einer *Ölsäure* nachgewiesen, welche als der Träger der spezifischen Eigenschaften des Wachses, so namentlich des Geruches, angesehen werden darf. Über Zusammensetzung und Eigenschaften der Verbindung müssen jedoch erst weitere Versuche Aufklärung verschaffen. (LIEB. Ann. **224.** 225—58. Ende Juli. [14. März.] Stuttgart, techn. Hochschule.)

Richard Michael, *Über Carbonsäuren synthetisch erhaltener Pyridinbasen.* Als Ausgangsmaterial diente der Collidindicarbonsäurediäthyläther, $C_5N(CH_3)_2(COOC_2H_5)_2$, dessen Darstellung (Lieb. Ann. **215.** 21) von HANTZCH angegeben worden ist. Es wurden dargestellt und untersucht: Collidindicarbonäthersäure, $C_5N(CH_3)_2(COOC_2H_5)COOH$; deren Silber-, Zink-, Kadmium-, Kupfer-, Calcium-, Barium- und Kaliumsalz; Chlorwasserstoffverbindung, Platindoppelsalz und Äthyläther. Collidinmonocarbonsäureäther, $C_5NH(CH_3)_2$. $COOC_2H_5$, dessen Platindoppelsalz. Collidinmonocarbonsäure, $C_5NH(CH_3)_2COOH + 2H_2O$, deren Kalium- und Calciumsalz, Chlorwasserstoffverbindung und Platindoppelsalz. Aus letzterer Säure wurden durch successive Oxydation der in ihr enthaltenen drei Methyle folgende drei Säuren erhalten, welche mit jener eine genetische Reihe bilden:

Lutidindicarbonsäure, $C_5NH(CH_3)_2(COOH)_2$
Picolintricarbonsäure, $C_5NH(CH_3)(COOH)_3$
Pyridintricarbonsäure, $C_5NH(COOH)_4$.

Von diesen Carbonsäuren synthetisch dargestellter Pyridinbasen ist bis jetzt keine durch Oxydation der Alkaloide, auch nicht auf anderem Wege erhalten worden, wenigstens gilt dies mit Sicherheit von der Collidinmonocarbonsäure, der Lutidindicarbonsäure und der Pyridintetracarbonsäure. Ob die Picolintricarbonsäure mit einer von BESTHORN und FISCHER (Ber. Chem. Ges. **16.** 71) durch Oxydation des Flavinols erhaltenen Picolintricarbonsäure identisch ist, ist zweifelhaft. (LIEB. Ann. **225.** 121—46. Ende August. [11. Juni.] Leipzig.)

Robert Lehmann, *Über Lävulose. 2. Das Reduktionsvermögen der Lävulose und des Invertzuckers.* (Die 1. Abhandl. S. 522.) (Ztschr. d. Ver. f. Rüb.-Zuck.-Ind. **21.** 903 bis 1009.)

Fr. v. Goppelsroeder, *Über Bereitung des Persulfocyans und über seine Bildung und gleichzeitige Befestigung auf Pflanzen- und Tierfasern auf elektrolytischem Wege.* Der Vf. fand, daß bei der Elektrolyse einer wässerigen Rhodankaliumlösung an der positiven Elektrode ein gelber amorpher Körper auftritt, welcher sich vollständig wie das Persulfocyan verhält. Er benutzte eine Platinschale, welche als positive Elektrode diente, und die mit der Lösung gefüllt war. In dieser stand eine Thonzelle, mit derselben Flüssigkeit gefüllt, in welche die negative Elektrode eintauchte. In der Kälte fand keine Reaktion statt. Beim Erwärmen, aber am besten bis zur Siedehitze, bildeten sich bald orangegelbe Flocken, bis endlich das Rhodanat vollständig verschwunden und in Farbstoff umgewandelt war. Die Flüssigkeit an der positiven Elektrode wurde stark sauer, die an der negativen stark alkalisch. An der letzten entwickelte sich ein Gas, welches der Vf. noch untersuchen wird.

Der gelbe Farbstoff ist unlöslich in Wasser, Äther, Benzol, Chloroform, Eisessig, selbst in der Siedehitze, sehr wenig löslich in kochendem absoluten Alkohol, ebenfalls wenig löslich in Glycerin, leicht löslich mit gelber Farbe in Alkalilösung, ebenso löslich in Schwefelsäure, und daraus beim Eingießen in Wasser als gelbe Flocken sich ausscheidend. Hiernach scheint der Körper identisch mit dem Farbstoffe zu sein, welchen SCHÜTZENBERGER (Traité de Chimie générale **2.** 620) beschrieben, indem er sagt: „Das Persulfocyan, dessen Zusammensetzung sehr wahrscheinlich durch die Formel $C_3N_3HS_3$ (LAURENT und GERHARDT) auszudrücken ist, setzt sich ab, wenn man eine wässerige Lösung von Rhodankalium mit Chlor oder kochender verdünnter Salpetersäure behandelt.

Es bildet ein gelbes amorphes Pulver und ist in Wasser, Alkohol und Äther unlöslich". Der Vf. hat das Persulfocyan auch direkt auf der pflanzlichen und tierischen Faser dargestellt und gleichzeitig darauf befestigt, indem er das Zeug mit einer wässerigen Rhodankaliumlösung tränkte, dasselbe in mehrfacher Lage auf ein als negative Elektrode dienendes Platinblech ausbreitete, auf das Zeugmuster legte und dieses mit einem als positive Elektrode dienenden Platinbleche bedeckte. Nach Schliefsung des Stromes wird das Zeug da, wo es von der positiven Elektrode berührt wird, kanariengelb bis dunkelorange gefärbt.

In einer Nachschrift bemerkt der Vf., dafs ihm die Arbeit von A. LIDOW (Journ. der rufs. phys.-chem. Ges. 1884. [1.] 271 im Auszuge Ber. Chem. Ges.) zur Zeit seiner Untersuchung unbekannt war. (Pol. J. **254.** 83—85.)

Alb. R. Leeds, *Über Akroleïnharnstoff oder Akrylureïd.* Im J. 1869 hat H. SCHIFF (Lieb. Ann. **151.** 203) unter dem Namen Akrylureïd ein Kondensationsprodukt aus zwei Molekülen Harnstoff und einem Molekül Akroleïn beschrieben, welchem er die Formel:
$$\left. \begin{array}{c} CO.N_2H_3 \\ CO.N_2H_3 \end{array} \right\} C_3H_4 + H_2O$$
gab. Ohne Kenntnis von dieser Arbeit SCHIFF's hat der Vf. auf anderem Wege dieselbe Verbindung erhalten, derselben aber eine andere Formel gegeben. Dieser Mangel an Übereinstimmung erklärt sich durch die Art, auf welche SCHIFF die Verbindung gewann, indem nach des Vf's. Ansicht auf diesem Wege die fragliche Substanz nicht entstehen konnte. SCHIFF schüttelte eine konzentrierte wässerige Lösung von Harnstoff mit Akroleïn, und dabei soll sich die fragliche Körper in Form kleiner weifser Nadeln abscheiden, welche mit Äther und Wasser gewaschen und im Vakuum getrocknet wurden. SCHIFF giebt ferner an, dafs sich die Verbindung auch durch Einwirkung von Akroleïn auf gepulverten Harnstoff bilden kann: „der Harnstoff quillt dabei auf und verwandelt sich in eine weifse bröckliche Masse, welche an einzelnen Stellen vollkommen krystallinisches Aussehen hat; der bei weitem gröfste Teil ist aber von einem weifsen porzellanartigen Umsetzungsprodukte des Akroleïns innigst durchzogen." Die Analyse dieses Körpers gab, wie leicht vorauszusehen war, keine befriedigende Resultate, indem SCHIFF 44—47 p. c. C und 6,9—7,1 p. c. H erhielt. Die Formel des Diakryltriureïds verlangt 42,2 p. c. C und 6,3 H, während die von SCHIFF angenommene Formel 38 p. c. C und 6,3 p. c. H verlangt.

Die ersten Versuche des Vf's. bestanden darin, dafs er Akroleïn, welches durch Erhitzen von wasserfreiem Glycerin mit Kaliumdisulfat erhalten war, in eine alkoholische Lösung von Harnstoff leitete. Hierbei entstand sogleich ein Niederschlag, und nach einiger Zeit wurde eine beträchtliche Menge dieses Produktes erhalten, während der Harnstoff immer noch im Überschusse war. Das Filtrat von diesem Niederschlage war rötlich gefärbt und hinterliefs beim Abdampfen eine harzartige oder gummiartige Masse, welche weder sublimierte, noch aus Lösungsmitteln krystallisiert werden konnte. Der auf dem Filter bleibende Niederschlag besafs eine gelblichweifse Farbe, wurde aber nach wiederholter Behandlung mit Alkohol ganz weifs. Die Analyse zeigte, dafs der Körper durch Verbindung von einem (nicht zwei) Molekül Harnstoff mit einem Molekül Akroleïn entstanden ist, und dabei ein Molekül Wasser ausgeschieden war: $C_4H_8N_2O$ oder $CO(NH_2)_2C_3H_4$.

Es gelang auf keine Weise, diesen Körper in krystallinischem Zustande zu erhalten. Er konnte weder geschmolzen, noch sublimiert werden, und zersetzte sich beim Erhitzen vollständig; er wird leicht durch Salpetersäure angegriffen, doch konnten die Zersetzungsprodukte nicht untersucht werden. Aus seiner alkoholischen Lösung konnte durch Zusatz von Brom kein Niederschlag erhalten werden, und bei der Behandlung mit Salzsäure, Weinsäure und Essigsäure bildete sich kein Salz.

Die alkoholischen Extrakte wurden gesammelt und gaben nach successiver Lösung in Alkohol und Fällung mit Wasser eine weifse, der obigen ähnliche Substanz vom Schmelzp. 185°.

Um mehr Untersuchungsmaterial zu erhalten, wurden 40 g Harnstoff in alkoholischer Lösung successive mit Akroleïn in einem geschlossenen Gefäfse behandelt, bis nach längerem Erwärmen der Geruch nach Akroleïn vollständig verschwunden war. Hierbei entstand nicht, wie vorher, ein Niederschlag, aber auf Zusatz von Wasser schied sich eine weifse amorphe Substanz aus. Diese wurde mit Alkohol wiederholt gekocht und die alkoholischen Extrakte mit Wasser versetzt. In solcher Weise erhielt der Vf. ein Produkt, welches dem vorhergehenden glich und bei der Analyse die Formel $CO(NH_2)_2$. C_3H_4 gab. Die Ausbeute war aber sehr gering und betrug nicht viel mehr als die bei der ersten Darstellung. Dies erklärt sich durch die Entstehung eines öligen oder gummiartigen Nebenproduktes, welches im zweiten Falle in viel gröfserer Menge sich bildete als im ersten; es gelang nicht, dieses Öl zu isolieren, und hieraus erklären sich wohl auch die abweichenden Resultate Schiff's. (Journ. Amer. Chem. Soc.; Chem. News **50**. 182.)

7. Analytische Chemie.

G. Hoppe, *Titrierapparat für Rübensäfte*. (D. P.). Auf dem Tische *T* (s. beisteh. Figur) ist ein Stativ *S* mit drehbarer Scheibe *s* befestigt, in deren Öffnungen *o* die Titrierschalen *t* eingehängt werden. Um Verwechselungen zn vermeiden, sind die Öffnungen *o* nach einander mit den drei römischen Ziffern I bis III entsprechend der ersten, zweiten und dritten Saturation des Saftinhaltes der Schalen bezeichnet. Die Stativstange *S* trägt oben eine Flasche *f* zur Aufnahme der Probesäure, ein Gabelarm *a* an einem Ende eine Bürette *b* mit Probesäure, am anderen Ende eine Röhre *r* mit Corallin. Drei in der

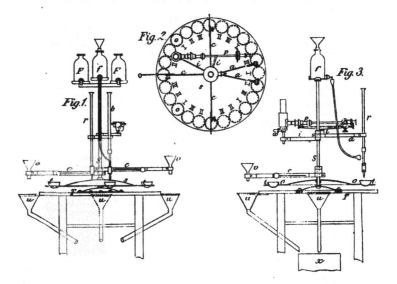

Fig. 2.
Fig. 3.
Fig. 1.

Länge verstellbare Arme *c* tragen je einen Trichter *v* zum Filtrieren der drei verschiedenen Säfte. Unter jedem dieser Trichter sind am Tische *T* Auffangtrichter *u* angebracht, welche den überlaufenden Saft in ein gemeinsames, unter dem Tische aufgestelltes Gefäfs *x* überleiten. Der zu untersuchende Saft wird in einem der Trichter *v* filtriert, von welchen drei, je einer für einen der Säfte, vorhanden sind. Den durchfiltrierten Saft läfst man in ein Gefäfs von 10 ccm Inhalt eintropfen, giefst nach erfolgter Füllung den Saftinhalt in die dazu bestimmte Schale *t* und stellt die letztere zunächst unter die mit Corallinflüssigkeit gefüllte Röhre *r* ein. Von dieser Flüssigkeit setzt man dem Safte soviel zu, bis derselbe rot gefärbt erscheint. Hierauf stellt man die betreffende Schale unter die Probesäure enthaltende Bürette *b* ein und läfst davon soviel zutröpfeln, bis der Saft wieder diejenige Farbe annimmt, welche derselbe vor dem Zusatze von Corallinflüssigkeit hatte. Aus der Menge der abgelaufenen Probesäure ersieht man dann, ob die Säfte genügend saturiert sind.

Die ebenfalls von dem Stative *S* getragenen Flaschen *F* dienen zur Bestimmung des Zuckergehaltes im Abdruckwasser und in den ausgelaugten Schnitzeln; ferner ist an dem Stativ mittels zweier Arme *i* ein Polarisator *p* mit der Spitze *w* für den Anschlufs eines Gummischlauches zur Speisung des Gasbrenners befestigt. (Pol. J. **254.** 75.)

Ira Remsen und **E. H. Keiser**, *Die quantitative Bestimmung von Kohlenstoff im gewöhnlichen Phosphor.* Vff. haben bereits in einer früheren Abhandlung den Beweis geliefert, daß im gewöhnlichen Phosphor Kohlenstoff enthalten sei (Amer. Chem. Journ. **5.** 424), und berichten in der vorliegenden Arbeit über ein Verfahren, diesen Kohlenstoff quantitativ zu bestimmen. Dasselbe besteht im wesentlichen darin, den Phosphor mit ganz reiner Salpetersäur zu oxydieren. Die dabei sich entwickelnden Gase, darunter Kohlensäure, streichen zuerst durch reines Wasser, dann über glühendes granuliertes Kupfer, dem sich eine kurze Schicht granuliertes Kupferoxyd anschließt. Nachdem das Gas hierauf nochmals mit Wasser gewaschen worden war, tritt es in eine klare Barytlösung ein, welche etwas Alkalihydrat enthält. Aus dem ganzen Apparate wird vor der Bestimmung die Luft durch eine solche verdrängt, welche kohlensäurefrei ist. Das gefällte Bariumcarbonat wurde in das Sulfat übergeführt und bestimmt. Vff. fanden in sechs Proben von Phosphor 0,011 bis 0,043 p. c. Kohlenstoff auf. (Amer. Chem. Journ. **6.** 153—55.)

J. Quessaud, *Bestimmung des Silbers und Kupfers in derselben Lösung.* Die Methode beruht auf folgenden Prinzipien:

1. Eine Lösung von Ferrocyankalium zu einer gemischten Lösung von Silber und Kupfer gesetzt, fällt zuerst alles Silber als weißen Niederschlag vollständig aus, ohne auf das Kupfer zu reagieren. Während der Operation kommt es wohl vor, daß im Berührungspunkte des Reagenz eine mehr oder weniger deutliche Rosafärbung auftritt; diese verschwindet beim Umrühren, solange in der Flüssigkeit noch Silber gelöst ist. Der Niederschlag ist dann völlig weiß. Die geringste Färbung, welche auftritt und nicht wieder verschwindet, zeigt an!, daß die Ferrocyankaliumlösung auf das Kupfer wirkt. Dies ist die Grenze der Silberbestimmung. Um eine Vorstellung von der Empfindlichkeit der Reaktion zu haben, genügt es, zu konstatieren, daß man noch eine sehr deutlich wahrnehmbare Färbung erhält, wenn man 10 ccm einer Lösung, welche 3 mg Silber enthält, mit zwei Tropfen einer einprozentigen Kupfersulfatlösung mischt und in der beschriebenen Weise behandelt.

2. Das Ferrocyankalium fällt das Kupfer, ein Überschuß des Fällungsmittels aber löst, besonders bei verdünnten Flüssigkeiten, den Niederschlag auf und giebt eine rötliche Färbung. Diese Reaktion zeigt an, daß alles Kupfer in Ferrocyankupfer umgewandelt ist.

3. Weinsaures Kalinatron (Seignettesalz) in alkalischer Lösung zersetzt das Ferrocyankupfer und verwandelt die rote oder Rosafärbung der Lösung in eine bläulichweiße.

Zur Ausführung der Methode braucht man folgende drei Flüssigkeiten.

1. Eine Normallösung, welche 1 g Silber und 0,10 g Kupfer in 400 ccm Wasser enthält. Man löst das Metall in 3 g Salpetersäure und 1 g destilliertem Wasser, dampft zur Trockne, nimmt den Rückstand mit Wasser auf und bringt auf das angegebene Volum.

2. Eine Lösung von Ferrocyankalium von 1 : 100.

3. Eine Lösung von 10 g Seignettesalz, 25 g Kalilauge in so viel destilliertem Wasser, daß das Ganze 550 ccm beträgt.

Man muß mit neutralen oder schwach sauren Flüssigkeiten arbeiten, da das Ferrocyankalium das Kupfer in alkalischen Lösungen nicht fällt und das Seignettesalz in sauren Lösungen mehr oder weniger neutralisiert wird.

Zuerst nimmt man 40 ccm der normalen Kupfersilberlösung, welche 0,10 Silber und 0,01 g Kupfer enthält. Aus einer in Zehntelkubikzentimeter geteilten Bürette läßt man unter fortwährendem Umrühren die einprozentige Ferrocyankaliumlösung zufließen, bis ein letzter Tropfen eine schwache, nicht wieder verschwindende Färbung hervorbringt und notiert den Stand in der Bürette als diejenige Menge, welche nötig ist, um 0,10 g Silber zu fällen.

Hierauf läßt man mehr Ferrocyankaliumlösung hinzufließen, bis durch einen kleinen Überschuß davon eine Spur Ferrocyankupfer gelöst wird und die Flüssigkeit nach dem Absetzen schwach rötlich gefärbt erscheint. Endlich setzt man aus einer ebenfalls in Zehntelkubikzentimeter geteilten Bürette tropfenweise die Seignettesalzlösung hinzu, bis die rote Färbung verschwunden ist und einer bläulichweißen Platz gemacht hat. Man notiert die Zahl der verbrauchten Kubikzentimeter, welche zu dieser Umwandlung nötig waren, und welche 0,1 g Kupfer entsprechen.

Um nun eine unbekannte Legierung nach dieser Methode zu analysieren, stellt man die Lösung derselben ebenso dar, wie die der normalen, nimmt dann 40 ccm von letzterer und verfährt genau so, wie oben angegeben. Das Verhältnis der abgelesenen Kubikzentimeter für jedes Metall in der einen und der anderen Lösung giebt das gesuchte Resultat. (Journ. Pharm. Chim. [5.] **10.** 260—62. Okt.)

Richard Ulbricht, *Über die Bestimmung der Trockensubstanz in Mosten und Weinen.* Die Vorschläge, welche hinsichtlich der Bestimmungsweise der Weintrockensubstanz gemacht wurden, sind außerordentlich zahlreich, ohne daß auch nur einer allgemeine Anerkennung gefunden hätte. G. HOLTZNER (Ztschr. f. d. gesamte Brauwesen 1883. 67) hat nachgewiesen, daß die saccharimetrischen Tabellen von BALLING, STEINHEIL und SCHULTZE-OSTERMANN sehr übereinstimmende Werte liefern und als gleichwertig betrachtet werden dürfen, wenn man die ursprünglichen Zahlen auf einerlei Temperatur (15° C.) und auf wasserfreie Substanz bezieht. Vf. ist hierin einen Schritt weiter gegangen und zu Resultaten gelangt, die im Auszuge in der folgenden Tabelle mitgeteilt sind:

Gewichts-prozente	BRIX	GERLACH	CHANCEL	SCHULTZE-OSTERMANN	CHANCEL	SALOMON
	Rohrzucker			Würzeextrakt	Invertzucker	Dextrose
	Spez. Gewichte bei 15° C., wenn das des Wassers von 15° C. = 1					
0,5	1,00196	1,00196	—	1,00197	—	—
1,0	1,00393	1,00393	1,00370	1,00393	1,00380	1,00382
5,0	1,01982	1,01981	1,01937	1,01996	1,01967	1,01970
10,0	1,04032	1,04028	1,03985	1,04061	1,04024	1,03983
15,0	1,06155	1,06150	1,06111	1,06200	1,06151	1,06087
19,0	1,07909	1,07903	1,07860	1,07966	1,07890	1,07829
20,0	1,08355	1,08349	1,08313	—	1,08333	1,08273
25,0	1,10638	1,10631	1,10597	—	1,10597	1,10462
30,0	1,13003	1,12995	—	—	—	1,12718

Die Übereinstimmung dieser Zahlen, denen später noch die STEINHEIL'schen und HAYER'schen (für Weinextrakt) angefügt werden sollen, ist, mit Ausnahme der für Dextrose, welche letztere aber als solche für gewöhnlich in Mosten und Weinen nicht vorzukommen pflegt, eine so große, daß der Trockensubstanzgehalt zuckerreicher Weine und der Moste unbedenklich selbst dann aus deren spezifischem Gewichte (bei Weinen nach Entfernung des Alkohols) abgeleitet werden kann, wenn es sich um möglichste Genauigkeit der Resultate handelt. Die aus obiger Tabelle ersichtlichen Differenzen der spez. Gewichte entsprechen Differenzen im Trockensubstanzgehalte:

für 1 prozent. Lösungen: von 0,001 bis 0,058 p. c.
für 5 „ „ 0,034 bis 0,111 „
für 10 „ „ 0,013 bis 0,109 „
für 15 „ „ 0,003 bis 0,110 „
für 20 „ „ 0,044 bis 0,089 „
für 25 „ „ 0,0 bis 0,082 „ .

Es ist dieses Resultat um so erfreulicher, als Versuche, über die Vf. erst später ausführlich berichten kann, darthun, daß Lösungen von Äpfelsäure, Invertzucker und Lävulose im Vakuum über Schwefelsäure einen ziemlich so hohen Trockenrückstand hinterlassen, der Trockenrückstand von Invertzucker- und Lävuloselösungen, sowie Glycerin, bei fortgesetztem Trocknen bei höherer Temperatur aber mehr und mehr an Gewicht verliert.

Leider steht nun weiter der verhältnismäßig hohe Glyceringehalt zuckerarmer Weine der unmittelbaren Berechnung des Trockensubstanzgehaltes auch dieser aus ihrem spez. Gewichte im entgeisteten Zustande hindernd im Wege. Vor längerer Zeit hat Vf. das spez. Gewicht wässeriger Glycerinlösungen bestimmt und bei 17,5 p. c. (Wasser von 17,5° C. = 1) gefunden:

für eine 0,5 prozent. Lösung zu 1,00108
„ 1,0 „ 1,00224
„ 2,0 „ 1,00462
„ 4,0 „ 1,00927.

Die angeführten Glycerinmengen entsprechen 0,3044, resp. 0,6087, 1,2175 und 2,4349 p. c. $C_3H_5(OH)_3 - 2H_2O$. Berechnet man jetzt die spez. Gewichte, welche zu 0,5, resp. 1 und 2 p. c. der Differenz $C_3H_5(OH)_3 - 2H_2O$ gehören, so erhält man:

$$\begin{array}{lllll}
\text{für } 0,5 \text{ p. c.} & . & . & . & 1,001825 \\
\text{„ } 1 \text{ „} & . & . & . & 1,00377 \\
\text{„ } 2 \text{ „} & . & . & . & 1,00761,
\end{array}$$

also Zahlen, die von den BRIX'schen und GERLACH'schen Originalzahlen sehr wenig abweichen. Die Differenzen kommen 0,028—0,046 p. c. Trockensubstanz gleich; in der That muſs aber der dadurch in die Trockensubstanzbestimmung gebrachte Fehler viel kleiner sein, da er nur das Glycerin als den einen Bestandteil der Trockensubstanz trifft.

Um den Einfluſs des Glycerins auf das Resultat der pyknometrischen Trockensubstanzbestimmung zu eliminieren, sind daher für 1 p. c. im Weine gefundenen Glycerins dem Trockensubstanzgehalte 0,39126 p. c. zu addieren, denn:

$$\begin{array}{ll}
C_3H_5(OH)_3 - 2H_2O & = 0,60874 \\
2H_2O & = 0,39126 \\
\hline
C_3H_5(OH)_3 & = 1,0.
\end{array}$$

In ähnlicher Weise wird sich auch der Einfluſs der Essigsäure und Mineralstoffe auf das Resultat pyknometrischer oder aräometrischer Trockensubstanzbestimmungen beseitigen lassen. In dieser Richtung behält sich Vf. die Durchführung einschlagender Versuche vor. (Landw. Vers.-Stat. **30.** 425—27. Sept. Ung.-Altenburg, landw. Akademie.)

E. Schulze, *Zur Kenntnis der Methoden, welche zur Bestimmung der Amide in Pflanzenextrakten verwendbar sind.* Nachträge zu den Angaben, welche der Vf. in früheren Abhandlungen über den gleichen Gegenstand machte. (Landw. Vers.-Stat. **30.** 459—67.)

J. F. Eijkman, *Über die Bestimmung des Harnstoffes.* Vf. zersetzt den Harnstoff mit Bromalkalilauge und fängt den sich entwickelnden Stickstoff in einem graduierten Rohre auf. Der zu dieser Operation notwendige Apparat ist im wesentlichen ähnlich konstruiert, wie der von SCHULZE-TIEMANN zur Bestimmung der Salpetersäure angegebene. (Rec. des Trav. Chim. des Pays-Bas **3.** 125—36. Jan. 1884. Tokio.).

H. Veale, *Über Erbach's Methode zur Schätzung der Eiceiſsmenge im Harn.* Der Vf. giebt spezielle Vorschriften hierfür nach der Höhe des durch Pikrinsäure bewirkten Niederschlages. Er benutzt dazu eine Lösung von 1 g Pikrinsäure und 2 g Citronensäure in 100 ccm Wasser. Der Harn wird, falls er nicht deutlich sauer reagiert, mit Essigsäure angesäuert. Im Mittel gaben acht Bestimmungen nach dieser Methode und durch Wägung 4,06 p. m. Die Einzelbestimmungen stimmten annähernd miteinander überein. (Brit. Med. Journ. 1884. 898; Med. C.-Bl. **22.** 607.)

L. Siebold, *Über die Bestimmung der Blausäure und der Cyanide.* Vf. lenkte die Aufmerksamkeit auf einen Fehler, welchen man bei der LIEBIG'schen Methode begeht, wenn man nicht Alkali im Überschusse hat. Nachdem verschiedene schwache Punkte in den Verbesserungsvorschlägen dieser Methode, welche von anderer Seite gemacht worden sind, besprochen worden waren, wird die Anwendung einer bestimmt zusammengesetzten Sodalösung und deren Bestimmung durch eine vorher gemachte Titration empfohlen. Auch könnten statt der gebrannten Magnesia, welche die Ver.-St.-Pharmakopöe vorschlägt, die Carbonate der alkalischen Erden unter gewissen Vorbedingungen gebraucht werden. Bei Gegenwart von Silbernitrat ist die Blausäure im stande, Mineralien wie Kalkspat und Magnesit zu zersetzen. (Von der British Pharm. Confer. Chem. and Drug. 1884. 375. Aug.; Pharm. Ztg. **29.** 670.)

E. Endemann, *Bemerkungen zu Koppeschaar's Bestimmung des Phenols.* Die von KOPPESCHAAR (**76.** 776) veröffentlichte Methode der Phenolbestimmung ist auf das LANDOLT'sche Verfahren gegründet, welches, wesentlich umgeändert, sowohl der Genauigkeit, als auch der gröſseren Handlichkeit Rechnung trägt. Auf gleicher Grundlage fuſst WALLER's Bestimmung (Sanitarian 1873. 337), doch ist die KOPPESCHAAR'sche Methode als eine bedeutende Verbesserung anzusehen. Der Hauptunterschied besteht darin, daſs WALLER titriert, bis kein Niederschlag mehr entsteht, während KOPPESCHAAR einen Bromüberschuſs anwendet und den letzteren ermittelt.

Was die Resultate betrifft, welche mittels dieser Methoden erzielt sind, so kommen ganz abgesehen von den kleineren Fehlerquellen, namentlich in WALLER's Methode, welche Unterschiede von 1—2 p. c. zur Folge haben, Differenzen von 12—20 p. c. und mehr vor. Je reiner die Carbolsäure, um so genauer werden die Resultate, dagegen steigern sich die Ungenauigkeiten mit dem Grade der Verunreinigung. Die Gründe hierfür sind folgende:

Erstens entfernt das Wasser die Phenole nicht vollständig von den Ölen, indem sich die Phenole zwischen Wasser und Ölen im Verhältnisse ihrer Löslichkeit in beiden Lösungsmitteln und im Verhältnisse der relativen Quantität, in welchem beide vorhanden sind, verteilen. Die Phenole sind aber in den Ölen bei weitem löslicher, als im Wasser, und selbst ein sehr großer Überschuß des letzteren kann die Resultate der Phenolbestimmung niemals derart rektifizieren, daß die Zahlen der wirklich vorhandenen Menge gleichkommen. Dem gegenüber schlägt KOPPESCHAAR vor, die Menge des zu untersuchenden Teeröles, die mit 1000 ccm Wasser behandelt werden soll, zu vermehren, wenn zu vermuten ist, daß das Teeröl nur geringe Mengen von Phenolen enthalte.

Zweitens nehmen die höheren Phenole weniger Brom, und zwar im umgekehrten Verhältnisse der Atomgewichte als die Carbolsäure auf, da sie unter diesen Umständen in Tribromkresole etc. übergehen. Eine vollständig reine Mischung von Cresylsäuren würde daher nur 87 p. c. von wirksamem Materiale zu enthalten scheinen.

Würden die höheren Phenole eine geringere Desinfektionskraft besitzen, als die Carbolsäure, so wäre dagegen vielleicht nicht soviel einzuwenden; da aber in Wirklichkeit vergleichende Versuche zu gunsten der höheren Phenole sprechen, so ergiebt sich daraus, daß ein verminderter Bromverbrauch in Gegenwart der höheren Phenole einer Desinfektionssteigerung gegenübersteht. Das Brom kann daher unter diesen Umständen kein Maß für die Desinfektionsfähigkeit abgeben.

Wenn Desinfektionsmittel in großem Maßstabe angewendet werden, so ist es finanziell nicht thunlich, die reineren Produkte zu verwenden, da diese im Verhältnisse zu ihrem Gehalte einen unverhältnismäßig hohen Preis besitzen, verglichen mit den geringhaltigen Teerölen. In einer Stadt namentlich, wie z. B. in Newyork, wo alljährlich im Durchschnitte 500 Fässer zur Anwendung kommen, würde es thöricht sein, besonders für Desinfektion von Kloaken, die mühselig gereinigten Produkte zu verwenden. Aber gerade für die Wertbestimmung dieser so häufig verwendeten Stoffe sind die bis jetzt vorgeschlagenen Brommethoden wertlos. Vf. hält daher noch an der alten Differenzmethode fest, d. h. der Extraktion der Phenole mit Natronlauge, zusammen mit einer Wasserbestimmung durch Destillation. Die Brommethode verwendet er mehr im Sinne einer qualitativen Untersuchung, indem er aus dem Aussehen des durch Brom erzeugten Niederschlages einen Rückschluß auf die Natur der anwesenden Phenole zu fällen sucht.

Carbolsäure giebt einen flockigen Niederschlag, Mischungen von Carbolsäure und Cresylsäuren eine harzige Fällung, und Cresylsäuren allein ein flüssiges Produkt.

Zum Beweise, daß Wasser die Säuren nicht vollständig extrahiere, führt Vf. folgenden Versuch an: Englische Carbolsäure, welche nach einer Analyse 2,6 p. c. Wasser, 2 p. c. Öle und 95,4 p. c. Phenol und Kresole enthielt, gab nach WALLER's Methode nur einen Phenolgehalt von 82,6 p. c., 100 ccm dieser Säure, mit 4 l Wasser geschüttelt, gaben einen öligen Rückstand von 12,5 ccm. Nach dem Entfernen der Lösung wurde dieser Rückstand in Benzol aufgenommen, eine Quantität der Lösung, entsprechend 10 ccm des Rückstandes, an der Luft verdunsten gelassen und dann mit 500 ccm Wasser behandelt. 10 ccm der so erhaltenen Lösung brauchten zur Sättigung 10 ccm Bromlösung, von der 74,2 ccm nötig waren, um 10 ccm einer einprozentigen Phenollösung vollständig zu fällen. Der durch ungenügende Wasserbehandlung erhaltene Rückstand enthielt daher noch mindestens 67 p. c. Phenole. (D.-Amer. Apoth.-Ztg. 5. 365.)

K. Lasch, *Nitroprussidnatrium, ein neues Reagenz auf Zuckerarten.* Diese Prüfungsweise gründet sich auf folgende Thatsachen.

1. Ein Gemisch von einem Teile Nitroprussidnatrium mit einem halben Teile Kalihydrat in wässeriger Lösung wirkt nicht auf eine reine Lösung von Rohrzucker, weder bei gewöhnlicher Temperatur, noch beim Erhitzen bis zum Kochen. Eine außerordentlich geringe Quantität dieses Reagenz färbt die Flüssigkeit stark braungelb, und diese Farbe behält sie bei.

2. Dasselbe Reagenz, auf Traubenzucker oder Invertzucker angewendet, entfärbt sich in einer Lösung desselben in der Kälte höchst langsam, schneller zwischen 50—60° C., aber sehr rasch zwischen 60—80° C.

Gießt man einige Tropfen der Lösung dieses Reagenz in eine Lösung von Traubenzucker, nachdem letztere auf 60° C. erwärmt worden ist, und schüttelt dieselbe dann um, so verschwindet die entstandene braungelbe Färbung sehr bald (bei 80° C. fast augenblicklich). Nachdem die Färbung wieder eingetreten ist, wird sie durch erneuerten Zusatz des Reagenz stets wieder aufgehoben, solange noch Traubenzucker vorhanden ist. Gegen das Ende erfolgt die Entfärbung langsamer und man durch Erwärmen der Flüssigkeit auf 80° C. beschleunigt. Behält die Flüssigkeit ihre braungelbe Farbe in dieser Temperatur bei, so ist aller Traubenzucker zerstört. Dieses Reagenz ist außerordentlich empfindlich; da es endlich infolge eines zugesetzten Überschusses des Reagenz verbleibende braungelbe Färbung der Flüssigkeit läßt sich durch einige Tropfen Traubenzuckerlösung aufheben.

3. Wird eine Auflösung von Rohrzucker in seinem vierzigfachen Gewichte Wasser, welcher 25 p. c. des Zuckergewichtes in konzentrierter Salzsäure zugesetzt wurden, im Wasserbade auf 54—55° C. erwärmt, so geht aller Rohrzucker bekanntlich in Invertzucker über. Neutralisiert man nun diese Lösung mit kohlensaurem Natron (wovon ein Überschufs keinen Einflufs hat), so verhält sie sich, wie bei 2 angegeben.

Um diese Thatsachen zur Bestimmung von Trauben- oder Invertzucker und Rohrzucker in ihrer Vermischung anzuwenden, mufste zuerst die Quantität von Nitroprussidnatrium ermittelt werden, welche erforderlich ist, um ein gewisses Gewicht von Invertzucker zu ersetzen. Drei Versuche mit titrierter Lösung dieses Salzes ergaben, dafs von demselben im Mittel 10980 mg zur Zersetzung von 1000 mg chemisch reinsten Rohrzuckers, welcher mittels Salzsäure invertiert war, hinreichen, also auf 1 g Rohrzucker 10,980 g des Salzes.

Es wurde nun eine Probeflüssigkeit hergestellt, welche in 100 ccm 10,980 g Nitroprussidnatrium und 5¹/₂ g Kalihydrat enthielt. Andererseits wurde 1 g Zucker (käuflich beste Raffinade) in 40 ccm Wasser gelöst und 250 mg konzentrierter Salzsäure zugesetzt, hiernach die gemischte Lösung im Wasserbade zehn Minuten lang auf 54—55° C. erwärmt. Hierauf wurde die Lösung mit kohlensaurem Natron neutralisiert und nach und nach mit Probeflüssigkeit versetzt; von dieser wurden 99,7 ccm entfärbt, der Zucker enthielt also 99,7 p. c. Rohrzucker. Derselbe Zucker ergab bei der optischen Probe einen Gehalt von 99,8 p. c.

Hierbei erwies sich also das Reagenz als sehr genau. Gegen das Ende der Operation tritt zwar eine schwache gelbliche Färbung bleibend ein, die aber leicht von derjenigen zu unterscheiden ist, welche ein Zehntel Kubikzentimeter der Probeflüssigkeit hervorbringt. Erstere Färbung ist aber kaum bemerklich, wenn man den Zucker in zweimal soviel Wasser, als vorgeschrieben wurde, auflöst; desgleichen bei Proben, welche einen geringeren Zusatz von Probeflüssigkeit erfordern.

Um ein Gemenge von Rohrzucker und Invertzucker zu untersuchen, wägt man von demselben (Rohrzucker, Raffinade oder Sirup) genau 1 g ab, löst ihn in 40 ccm Wasser auf, erwärmt die Lösung auf 70° C. und giebt dann ¹/₁₀ ccm Probeflüssigkeit aus einer Bürette hinzu. Verschwindet die Färbung sogleich (z. B. bei indischen Sirupen), so ist ziemlich viel Traubenzucker vorhanden, und man kann nun ganze Kubikzentimeter zufügen, bis die Färbung bei 70° C. langsam verschwindet, worauf man mit Zehntelkubikzentimetern zu titrieren anfängt. Verschwindet die Färbung vom letzten Zusatze beim Schütteln 15—20 Sekunden nicht mehr, so ist die Operation beendigt, und man liest nun den Gehalt des Zuckers rein ab, wobei man die letzte Menge von Probeflüssigkeit, welche nicht entfärbt wurde, abrechnet.

Aus dem angezeigten Rohrzucker berechnet man den Traubenzucker (welchen die angewandte Zuckerprobe enthält) in Prozenten x nach der Proportion:

$$171 : 180 = n \text{ ccm} : x.$$

Erfolgt in der Lösung die Entfärbung von anfang an nicht (wie bei Raffinade), so ist kein oder nur sehr wenig Invertzucker vorhanden, und man hat alsdann sehr vorsichtig zu titrieren, wie es vorher zur Beendigung der Operation vorgeschrieben wurde.

Um andererseits den in dem Gemenge enthaltenen Rohrzucker zu bestimmen, wägt man von derselben Probe wieder 1 g ab, löst in 40 ccm Wasser auf, setzt 250 mg konzentrierter Salzsäure zu und erwärmt das Gemisch im Wasserbade zehn Minuten lang auf 54—55° C.; nachdem man es dann mit kohlensaurem Natron neutralisiert hat, prüft man es in vorher angegebener Weise. Man findet nun (weil der Rohrzuckergehalt der Probe in Invertzucker umgewandelt wurde) eine entsprechend gröfsere Anzahl von Zuckerprozenten, als vorher. Zieht man die bei der vorhergehenden Probe verbrauchte Anzahl von Kubikzentimetern Probeflüssigkeit von der nun gefundenen Anzahl derselben ab, so ergiebt die Differenz den Rohrzuckergehalt in Prozenten.

Vf. fand durch Proben zahlreicher Gemische von Rohrzucker- und Traubenzuckerlösung, deren Gehalt an beiden Zuckerarten bekannt war, dafs sich dieselben mittels des beschriebenen Verfahrens bis auf ¹/₁₀ p. c. genau bestimmen lassen. Er bemerkt noch, dafs er unter den organischen Säuren, welche in den Rüben vorkommen können, nur zwei fand, welche selbst an Kali gebunden, durch die Probeflüssigkeit zersetzt werden, wie der Zucker, und daher dieselbe entfärben, nämlich Oxalsäure und Weinsäure; dagegen wirken Citronensäure, Bernsteinsäure und Essigsäure nicht auf die Probeflüssigkeit. Rübensäfte sind daher erst nach der Kalkscheidung oder nach dem Entfärben mittels Bleiessig, wodurch die störenden organischen Säuren entfernt werden, zu untersuchen.

Wie man sieht, beruht diese Bestimmungsmethode des Rohrzuckers und Traubenzuckers auf demselben Prinzip, wie die FEHLING'sche Zuckerprobe, nur dafs die Endreaktion schärfer zu erkennen ist, und die Resultate viel genauer sind.

Die Bestimmung des Rohrzuckers und Invertzuckers nach diesem Titrierverfahren scheint noch schärfer zu sein, als mittels des Polarisationsinstrumentes; denn Vf. konnte mittels seines Verfahrens im Rohzucker noch einen Gehalt an Invertzucker auffinden, welcher sich mit dem optischen Saccharometer nicht mehr zu erkennen gab.

Über das Verhalten des neuen ·Reagenz gegen Milchzucker, welcher ein anderes Reduktionsvermögen als der Invertzucker zeigt, sowie über die Produkte des Zerfalles, welche bei der Reaktion des Zuckers auf die Nitroprussidgruppe aus der letzteren entstehen, hofft Vf. bald weiter berichten zu können. (Ztschr. des Ver. für Rüben-Zucker-Industr. **21.** 884—886.)

Kleine Mitteilungen.

Leim, um Papier undurchdringlich zu machen. Zum Aufkleben von Etiquetten auf Blechschachteln, welche der Feuchtigkeit ausgesetzt sind etc., nimmt man Eiweiß, zur Hälfte mit Wasser verdünnt, oder käufliches Albumin mit dem doppelten oder dreifachen Gewichte an Wasser und bringt dies auf die zu vereinigenden Oberflächen. Dann fährt man mit einem sehr heißen Bügeleisen darüber hin. Durch mehrmaliges abwechselndes Aufeinanderbringen von Papier und Leimschicht kann man für Wasser undurchdringliche Gefäße herstellen. (Le Monde [3.] **7.** 561; Beibl. **8.** 671.)

Blaues Kollodium, von G. P. A. GABJEANNE. Vf. hatte einen Rest von Kollodium nach folgendem Rezepte: Äther 50, Alkohol 50 Tle., Wolle ein Teil, Jodammonium, Jodkadmium einen halben Teil, Bromkadmium einen vierten Teil mit einer Spur Salpetersäure. Das Kollodium war goldgelb, ins rote spielend geworden, es arbeitete langsam und hart. Er färbte es durch HOFMANN-Violett BB (Anilinfarbe, wonach die Negative reich wurden, und die Empfindlichkeit sich sehr vermehrt hatte. Nunmehr bereitete er ein Kollodium aus: 50 Tln. Äther, 50 Tln. Alkohol, 1 Tl. Wolle, $^2/_4$ Tl. Jodkadmium, $^1/_2$ Tl. Bromkalium (letzteres gepulvert und in einigen Tropfen Wasser gelöst), und färbte es mit Methylviolett; mit einem schlechten einfachen Objektive erhielt er im Schatten Aufnahmen in fünf Sekunden, in der Sonne fast momentan. (Phot. Arch. **25.** 227.)

Vorschrift zu einer Lederappretur, von A. GAWALOVSKI. Leinölfirnis $25^1/_2$ Tle., gerbsaures Eisen 50 Tle., blauschwarzes Anilinpigment 29 Tle., Schellack 5 Tle., Campher 10 Tle., gelöst in 260 Tln. vierzigprozentigem Alkohol. Das gerbsaure Eisen kann durch Eisenchlorid u. Tanninlösung, ex tempore gemischt, substituiert werden. Diese Appretur eignet sich nur für Lederzeug, welches nachher schwarz lackiert werden soll. Für naturfarbiges Leder wird die Appretur derart zusammengesetzt, daß $25^1/_2$ Tle. Leinölfirnis, 5 Tle. Schellack, 10 Tle. Campher in 260 Tln. vierzigprozentigem Alkohol gelöst werden. Das Leder wird in beiden Fällen ein- bis zweimal gestrichen. Für Wagengeschirr empfiehlt es sich, noch eine Spur Glycerin zuzusetzen. (Leitmeritzer Rundschau 1884. 518.)

Über die färbenden Eigenschaften des Anthragallols, von R. BOURCART. Dasselbe wird durch Erhitzen von Gallussäure und Benzoesäure oder von Pyrogallussäure und Phtalsäureanhydrid mit Schwefelsäure erhalten und ist ein Trioxyanthrachinon, $C_{14}H_8O_6$. Während jedoch die drei industriell verwendeten Purpurine, Krapppurpurin, Anthrapurpurin und Flavopurpurin, mit Thonerdebeizen Rot liefern, erzeugt das Anthragallol damit ein lebhaftes Braun. Konzentrierte Eisenbeize färbt sich mit Anthragallol schwarz an, gemischte Eisenthonerdebeize flohfarben. Diese Farben sind von derselben Seifen- und Chlorbeständigkeit wie Alizarinfarben und würden in der Druckerei eine nützliche Anwendung finden, wenn nicht der zu hohe Herstellungspreis des Anthragallols hindernd in den Weg träte. (Journ. Soc. Chem. Ind. **3.** 140; Pol. J. **253.** 392.)

Kampechehols, als Reagens auf Metalle, von A. WEDDELL. Ein sehr verdünnter Kampecheholzauszug giebt mit vielen Metallsalzen, namentlich des Eisens, Kupfers, Bleies in alkalischer Lösung blaue Niederschläge. Bei 1 Tl. Metallsalz in 100 000 Tln. Flüssigkeit soll noch Fällung, bei 200 000 Tln. blaue Färbung entstehen. Zur Bereitung des Reagenz extrahiert man 1 Tl. Kampecheholz mit 100 Tln. Alkohol, setzt ebenso viel Wasser hinzu und macht bis zur Rotfärbung alkalisch. (Pharm. Journ. and Transact. [3.] 715.)

Darstellung von langsam bindendem Portlandcement, von C. HEINTZEL. (D. P.). Statt zu dem frisch gemahlenen Portlandcement 1—2 p. c. Gips zuzusetzen, um ersteren langsam bindend zu machen, versetzt der Vf. die Cementmischung vor dem Brennen mit der schwachen Lösung eines leicht löslichen Sulfates; 0,5—2 p. c. Ferrosulfat zur Mischung gesetzt, sollen den Zweck besonders gut erfüllen. (Pol. J. **254.** 89.)

Mahagonifarbe auf Holz. Man macht einen Anstrich von 1 Tl. Salpetersäure in 10 Tln. Wasser, was dem Fichtenholze, wenn es nicht zu viel Harz enthält, ganz das Aussehen von Mahagoni verleiht. Ist dann das Holz wieder vollkommen trocken, wird Schellackfirnis der Oberfläche eine feine Politur verleihen. Karmin oder Lackfarbe giebt ihm ein Aussehen von Rosenholz. Ein Terpentinextrakt von Alkanatwurzel bringt eine schöne Färbung hervor, welche sich nach französischer Art polieren läßt. Asphalt, verdünnt mit Terpentin, bewirkt auf frischem Holze ebenfalls eine ausgezeichnete Mahagonifärbung. (D. Ind.-Ztg. **25.** 398.)

Eine neue Bezugsquelle von Kautschuk. In den Wäldern Kochinchinas wächst die zu den Apocyneen gehörende Prameria glandulifera häufig, die reichliche Mengen reinen Kautschuks liefert. Die Annamiten verwenden den flüssigen Saft der Pflanze als Arzneimittel. Die Chinesen nennen ihn Tuchung, und bildet das Mittel ein oft angewandtes Ingredienz im chinesischen Arzneischatze in Gestalt schwarzer Fragmente der Rinde oder kleiner Äste. Die Droge wird von Kochinchina aus eingeführt und ist der Preis für die trocken geräucherte Rinde etwa 40 Centime per Kilogramm. Bricht man die Äste, so kann man in dem Inneren eine reichliche Menge Kautschuk erkennen, das in Fäden gezogen werden kann, wie bei der Landelphia in Ostafrika. Die Pflanze kann durch junge Stecklinge vermehrt werden, und hofft der Direktor des botanischen Gartens in Saignon, daß es möglich sein wird, dieselbe in Schonungen anpflanzen zu können, wenn sie noch nicht zehn Jahre alt geworden ist, und daß sie eine wertvolle Beigabe für die indische Forstkultur werden wird. (Arch. Pharm. [3.] **22.** 670—71.)

Beiträge für das Centralblatt bittet man an die Redaktion (Leipzig, Lessingstr. 5) zu richten. Originalarbeiten von nicht zu großem Umfange werden entsprechend honoriert und gelangen stets sofort nach der Einsendung, und zwar in kürzester Frist, zum Abdruck.

Redaktion: Prof. Dr. **Rud. Arendt** in Leipzig.

Verlag von Leopold Voss in Hamburg und Leipzig. — Druck von Metzger & Wittig in Leipzig.

Chemisches Centralblatt.

REPERTORIUM
für reine, pharmazeutische, physiologische u. technische Chemie.

1884. **Beiblatt.** **19. November.**

Alle auf das Beiblatt bezüglichen Mitteilungen, Anfragen und Zusendungen sind zu richten an die Buchhandlung LEOPOLD VOSS in Hamburg, Hohe Bleichen 18.
Inserate werden mit 20 Pf. für die gespaltene, mit 40 Pf. für die durchlaufende Petit-Zeile berechnet.
Bei größeren Inseraten und mehrmaligen Wiederholungen tritt entsprechende Ermäßigung des Preises ein.
Beilagen nach Übereinkunft.

Anzeigen.

No. 48.

Chemisches

26. Novemb. 1884.

Wöchentlich eine Nummer von
1...2 Bogen. Der Jahrgang mit
Sach- und Namen-Register,
nebst system. Übersicht.

Central-Blatt.

Der Preis des Jahrgangs
ist 80 Mark. Durch alle
Buchhandlungen und Post-
anstalten zu beziehen.

REPERTORIUM

für reine, pharmazeutische, physiologische und technische Chemie.

Dritte Folge. XV. Jahrgang.

Wochenbericht.

4. Organische Chemie.

A. Winkelmann, *Über die Diffusion homologer Ester in Luft, Wasserstoff und Kohlensäure.* (WIED. Ann. **23**. 203—28.)

Paul Spindler, *Über den Nitrierungsprozefs der Benzolderivate.* Die von GULD-BERG und WAAGE aufgestellte Theorie der chemischen Massenwirkung setzt bekanntlich voraus, dafs zwei einander entgegengesetzte Umsetzungen gleichzeitig nebeneinander vorkommen und durch ihr Widerspiel den endlichen Gleichgewichtszustand erzeugen. Diese Theorie ist daher nur auf umkehrbare chemische Vorgänge anwendbar. Manche Beobachtungen zeigen aber, dafs in ähnlicher Art wie die umkehrbaren auch nicht umkehrbare Umsetzungen von der Masse der wirkenden Stoffe abhängen können. Um auch diese einer theoretischen Behandlung zugänglich zu machen, erscheint es erforderlich, zunächst ganz empirisch den Verlauf solcher nicht umkehrbaren Umsetzungen mit der Beobachtung genau zu verfolgen und auf ihre Abhängigkeit von der Masse der wirkenden Stoffe zu untersuchen. Auf Veranlassung von LOTHAR MEYER hat der Vf. den zur Kategorie der nicht umkehrbaren gehörigen, bei synthetischen Arbeiten so oft eingeleiteten Nitrierungsprozefs der Benzolderivate näher untersucht.

Nach den gemachten Erfahrungen war es zwar nicht wahrscheinlich, dafs dem völligen Nitriertwerden eines Benzolderivates das bereits vorhandene oder während des Prozesses gebildete Wasser dadurch im Wege stehe, dafs es seinerseits rückwärts das entstandene Produkt in seine Faktoren zerlege und so einen Gleichgewichtszustand herstelle; indes waren darüber noch keine eingehenden quantitativen Versuche angestellt, auch nicht entschieden, ob nicht der Prozefs, wenn ihm das Wasser nicht entgegenwirkt, ad infinitum sich weiter vollzieht, wenn auch nach und nach sich bedeutend verlangsamend. In letzterem Falle würde selbst eine sehr verdünnte Säure nach genügend langer Zeit, vielleicht einer Reihe von Jahren, nachweisbare Mengen Nitroprodukts erzeugen.

Der Untersuchung bieten sich demnach folgende Fragen: 1. In welchem Verhältnisse stehen die in gleichen Zeiten durch verschieden starke Säuren gebildeten Mengen. Nitroprodukt zueinander, oder wie ändert sich das Resultat mit wechselnden aktiven Massen? 2. Bis zu welchem Grade der Verdünnung von Salpetersäure darf man herabsteigen, um nach gewisser Zeit überhaupt nachweisbare Mengen Nitroprodukt zu erhalten? Welchen Einflufs übt: 3. die Zeit? 4. die Temperatur?

Die Untersuchung erstreckte sich auf Benzol, Toluol, Chlorbenzol, Brombenzol, o-, m- und p-Benzoenitranilid. Die Resultate sind im Originale in Tabellen zusammengestellt und durch graphische Darstellungen erläutert. Es ergab sich im allgemeinen eine Abhängigkeit des Nitrierungsgrades von den wirkenden Massen, von der Zeit und von dem Verdünnungsgrade der Salpetersäure. In letzterer Hinsicht hat sich gezeigt, dafs der durch eine Säure von bestimmter Verdünnung zu irgend einer Zeit erreichte Grad der Nitrierung von einer verdünnteren Säure ebenfalls erreicht wird, jedoch erst nach längerer Zeit. Der Einflufs der Masse ist unverkennbar, obwohl die Nitrierung kein umkehrbarer Vorgang ist. Dieser Einflufs begreift sich leicht, da in gleicher Zeit um so mehr. Substanz nitriert werden wird, je mehr vorhanden ist, dagegen ist der Einfluſs des Wassers weniger leicht zu erklären, wenigstens kann es bei dieser Reaktion nicht in ähnlicher Weise verzögernd wirken, wie bei der Esterbildung. Wahrscheinlich kommt hierbei der Umstand mit in betracht, daſs die Hydrate der Salpetersäure nicht in unzersetztem, sondern nur in dissoziiertem Zustande nitrierend wirken, die Nitrierung also um so rascher verläuft, je mehr HNO_3 in der Mischung vorhanden ist. (LIEB. Ann. **234**. 283—313. Ende Juli.)

Willy Böttcher, *Über Umlagerungen in der Orthoreihe der Diderivate des Benzols.* ZINCKE (**81.** 629) hat beobachtet, daſs beim Erhitzen von -β-Naphtochinonanilid mit Eisessig α-Naphtochinonanilid sich bildet; die Umlagerung geht durch die Zwischenstufe der Bildung von Oxy-α-Naphtochinon hindurch. Ähnliches konnte Verfasser bei Wiederholung eines Teiles der Versuche von HÜBNER über Anhydrobasen wahrnehmen. HÜBNER und STÜNCKEL (**82.** 301) gelangten vom Amidophenol ausgehend zum o-Benzamidophenol-benzoat, $C_6H_4 \big\langle {}^{NH.CO.C_6H_5}_{O.CO.C_6H_5}$, welches sie beim Kochen mit Wasser und Bariumcarbonat in o-Benzamidophenol vom Schmelzpunkt 167° überführten. Das Anhydrobenzamidophenol erhielten dieselben, sowie LADENBURG (**76.** 820) teils aus o-Nitrophenolbenzoat durch Reduktion, teils durch Einwirkung von Benzoylchlorid auf o-Amidophenol. Vf. hat diese Substanz aus o-Nitrophenolbenzoat dargestellt, welche sich beim Schmelzen von o-Nitrophenol und Benzoesäure und nachheriger Behandlung der Reaktionsmasse mit Phosphoroxychlorid bildet. HÜBNER und STÜNKEL (l. c.) geben an, daſs bei der Reduktion des α-Nitrophenolbenzoats mit Zinn- und Salzsäure in alkoholischer Lösung eine Zinnverbindung entsteht, durch deren Zersetzung mit Schwefelwasserstoff sie das Anhydrobenzamidophenol (Schmelzpunkt 103°) gewannen. Das als Zwischenprodukt zu erwartende o-Amidophenolbenzoat entsteht nach ihnen nicht, und sie erklären deshalb, daſs diese Verbindung nicht beständig sei. Bei einem ersten Versuch erhielt Vf. aus der Zinnverbindung genau wie HÜBNER und STÜNKEL die Anhydroverbindung. Bei der Wiederholung dagegen eine höher schmelzende Substanz. Wird nämlich die auf oben beschriebene Weise dargestellte Zinnverbindung in Alkohol gelöst und in der Kälte mit Schwefelwasserstoff zersetzt, so entsteht fast reines Anhydrobenzamidophenol $C_6H_4 \big\langle {}^O_N \big\rangle C-C_6H_5$; leitet man dagegen in die heiſse alkoholische Lösung Schwefelwasserstoff ein. und bedarf es für die Entfernung des Zinns längere Zeit, wie es bei Verarbeitung gröſserer Mengen der Fall ist, so erhält man einen bei 167°C schmelzenden Körper, der ein Molekül Wasser mehr, also die Formel $C_{13}H_{11}NO_2$ besitzt; er ist Benzoylamidophenol. Meist bekommt man ein Produkt, das zwischen 130° und 140° schmilzt und ein Gemisch beider Verbindungen darstellt, wovon man sich durch Ausziehen der Anhydrobase mit Petroleumäther, worin das Benzamidophenol unlöslich ist, überzeugen kann. Dieses Gemisch kann man einerseits durch Destillation in die Anhydrobase und andererseits durch Digestion der alkoholischen Lösung mit Salzsäure auf dem Wasserbade in das Benzamidophenol überführen, und die aus der Zinndoppelverbindung durch Schwefelwasserstoff freiwerdende Salzsäure ist es auch, welche, wie ein direkter Versuch zeigt, die bei dieser Zersetzung zuerst entstehende Anhydrobase in Benzamidophenol überführt.

Zur Erhärtung des Gesagten hat Verf. 2,5 g der reinen Anhydroverbindung in Alkohol gelöst, mit Salzsäure versetzt und zwei Tage lang am Rückfluſskühler im Wasserbade erwärmt. Aus der Flüssigkeit schied sich etwa 1 g von o-Benzoamidophenol vom Schmelzpunkt 167° ab. Die Eigenschaften des Körpers stimmen mit denen der gleichnamigen Base von HÜBNER und STÜNKEL überein. Die Identität dieser Verbindung mit derjenigen des Verfassers erhellt auch daraus, daſs es gelang, die Benzpikraminsäure $C_6H_2(OH)NH(CO.C_6H_5).(NO_2)_2$ (Schmelzp. 222—223°) aus derselben darzustellen. Bedenkt man, daſs das Anhydrobenzamidophenol aus o-Nitrophenolbenzoat $C_6H_4 \big\langle {}^{O.CO.C_6H_5}_{NH}$ entstand, in welchem das Benzoyl zweifellos an Sauerstoff gebunden ist, und betrachtet man die Formel des o-Benzamidophenols $C_6H_4 \big\langle {}^{NH.CO.C_6H_5}_{OH}$, in welchem das Benzoyl ebenso zweifellos an Stickstoff gebunden erscheint, so ergiebt sich, daſs bei der Überführung des Nitrophenolbenzoates in Benzamidophenol eine Wanderung der Benzoylgruppe vom Sauerstoff zum Stickstoff stattgefunden hat. Dies erklärt sich aber leicht durch die Kenntnis des als Zwischenprodukt auftretenden Anhydrobenzamidophenols, wie folgende Formeln erläutern:

$C_6H_4 \big\langle {}^{NO_2}_{O.CO.C_6H_5}$ $\qquad$ $C_6H_4 \big\langle {}^N_O \big\rangle C.C_6H_5$ $\qquad$ $C_6H_4 \big\langle {}^{NH.CO.C_6H_5}_{OH}$

o-Nitrophenolbenzoat $\qquad$ Anhydrobenzamidophenol $\qquad$ o-Benzamidophenol.

Dadurch ist die Umlagerung der Benzoylgruppe als die Folge zweier aufeinänderfolgender Reaktionen, von denen die eine eine Wasserabspaltung, die andere dagegen eine Wasseranlagerung im entgegengesetzten Sinne ist, erkannt.

Vf. untersuchte weiter, ob die erwähnte Reaktion eine einzelne Erscheinung oder eine den Säureäthern der o-Nitrophenole gemeinsame Gruppenreaktion sei und ging dabei von dem o-Nitrophenolacetat $C_6H_4\diagdown\!\begin{smallmatrix}O.CO.CH_3\\NO_2\end{smallmatrix}$ aus; denn der Übergang des Äthenylamidophenols $C_6H_4\diagdown\!\begin{smallmatrix}O\\N\end{smallmatrix}\!\diagup C.CH_3$, welches LADENBURG (l. c.) durch Erhitzen von Amidophenol mit Essigsäureanhydrid erhalten hatte, in Acetylamidophenol $C_6H_4\diagdown\!\begin{smallmatrix}OH\\NH.COCH_3\end{smallmatrix}$ geht nach demselben Forscher beim Erwärmen der wässerigen Lösungen der Salze dieser Anhydrobase sehr leicht vor sich.

Zur Darstellung des o-Nitrophenolacetats bediente sich Vf. des trocknen o-Nitrophenolnatriums und Acetylchlorids. Das Reaktionsprodukt wird aus Petroleumäther umkrystallisiert. Die Verbindung schmilzt bei 40—41° und siedet unter theilweiser Zersetzung bei 253°. Die Reduktion der Verbindung gab nicht das gewünschte Resultat.

Bessere Resultate wurden in der Naphtolreihe erzielt; als Orthoverbindung wurde das von STENHOUSE und GROVES (77. 438. 824) zuerst dargestellte α-Nitro-β-Naphtol gewählt, dessen Benzoyläther leicht aus dem Natronsalz der Verbindung und Benzoylchlorid sich bildet.

Das α-Nitro-β-Naphtolbenzoat schmilzt bei 142° $\left(C_{10}H_6\diagdown\!\begin{smallmatrix}O.CO.C_6H_5\\NH_2\end{smallmatrix}\right)$. Die Reduktion desselben gelang erst beim Kochen der Eisessiglösung mit Zinkstaub; das dabei resultierende Benzoyl-α-Amido-β-Naphtol, $C_{10}H_6\diagdown\!\begin{smallmatrix}OH\\NH.CO.C_6H_5\end{smallmatrix}$ bildet kleine farblose Blättchen vom Schmelzpunkt 245°, die leicht in Kali- und Natronlauge löslich sind. Ein in Alkali unlösliche Teil des Reduktionsproduktes erwies sich als die Anhydrobase, das Benzenyl-α-Amido-β-Naphtol $C_{10}H_6\diagdown\!\begin{smallmatrix}O\\N\end{smallmatrix}\!\diagup C.C_6H_5$, welche als Zwischenprodukt auftretend, die Entstehung des Benzoylamidonaphtols allein erklärt. Obige Anhydrobase bildet bei 136° schmelzende farblose Nadeln; dieselbe behufs weiterer Identifizierung auch durch Reduktion des Nitrosonaphtolbenzoats (vgl. WORMS, 82. 802) zu erlangen, gelang nicht; dagegen gab das Benzoylamidonaphtol bei vorsichtigem Erhitzen die Anhydrobase. Die Lösungen ihrer Verbindungen fluoresziertem schön blau. Vf. beschreibt das Platinchloriddoppelsalz.

Schließlich wird noch der Versuch angeführt, von den Alkyläthern der o-Nitrosophenole durch Wasserabspaltung zu denselben Anhydrobasen zu gelangen, welche man bisher aus den Säureäthern der Orthoamidophenole erhalten hat. Der als Ausgangspunkt gewählte α-Nitroso-β-Naphtolbenzyläther $C_{10}H_6(O.CH_2.C_6H_5)(NO)$ (aus dem α-Nitroso-β-Naphtol von STENHOUSE und GROVES (l. c.) und Benzoylchlorid erhalten und vom Schmelzpunkte 98°) ließ die Wasserabspaltung nicht zu; ebenso scheiterten die Versuche, dem Benzenyl-o-Amido-β-Naphtol Wasser zuzuführen.

Das α-Nitro-β-Naphtolacetat $C_{10}H_6(O.CO.CH_3)(NO_2)$, aus Nitronaphtolnatrium und Acetylchlorid darstellbar und vom Schmelzpunkt 61°, geht beim Behandeln mit Zink und Eisessig in das in Alkali lösliche, in Blättchen krystallisierende Acetyl-α-Amido-β-Naphtol $C_{10}H_6(NH.CO.CH_3)(OH)$ mit dem Schmelzpunkt 225° über. Zugleich wurde bei der Reduktion ein öliger, in Alkali unlöslicher Rückstand erhalten. Letzterer ist Äthenylamidonaphtol $C_{10}H_6\diagdown\!\begin{smallmatrix}O\\N\end{smallmatrix}\!\diagup C.CH_3$, welches auch beim Sublimieren des Acetylamidonaphtols entsteht. Das Öl besitzt anisartigen Geruch, erstarrt mit verdünnten Säuren zu einem Krystallbrei, während die Lösung in Äther blau fluoresziert. Erhitzen der wässerigen Lösung des schwefelsauren Salzes der Anhydrobase liefert das Acetyl-α-Amido-β-Naphtol zurück. (Inaug.-Dissertat. 26. Juni 1884. Berlin.)

C. Stöhr, *Über die Hydroparacumarsäure.* (LIEB. Ann. **225**. 57—94. Ende Juli. [26. Mai.])

H. Hübner, Alfred **Tölle** und **Wilh. Athenstädt**, *Über die Einwirkung von Dimethylparatoluidin und Dimethylanilin auf Äthylenbromid.* (LIEB. Ann. **224**. 331—53. Ende Juli. [Mai.])

Friedr. Wiesinger, *Einwirkung von Eisenchlorid auf o-Phenylendiamin.* Mischt man zu eine erwärmten, ziemlich gesättigten Lösung von salzsaurem Orthophenylendiamin eine nicht zu gesättigte Lösung von Eisenchlorid, so sieht man bald schöne, lange rubinrote Nadeln die ganze Flüssigkeit durchsetzen. Die Krystalle bestehen aus dem salzsauren Salze einer Basis, das in folgender Weise sich bildet:

$$4\,C_6H_4(NH_2Cl)_2 + H_2O + 10\,FeCl_3 = C_{24}H_{18}N_6O.2\,HCl + 2\,NH_4Cl + 10\,FeCl_2 + 14\,HCl.$$

Zur Herstellung dieses Salzes würde man also die Bestandteile am zweckmäßigsten nach dieser Gleichung zusammengeben. Das so gewonnene Salz ist bereits von GRIESS (Journ. f. prakt. Chem. **3**. 143) beobachtet, aber nicht untersucht worden. Dieser Forscher schreibt über dasselbe (Journ. f. prakt. Chem. **5**. 202): „Versetzt man die salzsaure Lösung des aus β-Diamidobenzoesäure erhaltenen Orthodiamidobenzols mit Eisenchlorid, so scheiden sich alsbald rubinrote Nadeln aus, welche das Salz einer neuen Base sind. Im freien Zustande bildet letztere hochgelbe mikroskopische Nädelchen, welche in allen neutralen Lösungsmitteln fast vollständig unlöslich sind. Ich habe Gründe, zu vermuten, daß der freien Base die Formel $C_{12}H_{10}N_3$ zukommt und daß sie nach folgender Gleichung entsteht:

$$2(C_6H_5N_2) + O_2 = C_{12}H_{10}N_4 + 3\,H_2O.``$$

Diese Vermutung ist durch des Vf's. Untersuchung nicht bestätigt worden.

Bei der Lösung der Basis in Wasser oder in Alkohol wird sie stets teilweise zersetzt. Zu ihrer Reindarstellung muß man sich daher mit der Fällung der nicht zu gesättigten Lösung des reinen salzsauren Salzes mit reiner Sodalösung begnügen. Die Verbindung scheidet sich dann als ockergelber, krystallinischer Niederschlag ab, den man mit kaltem Wasser leicht auswaschen kann. Die Basis ist unter teilweiser Zerlegung sehr schwer löslich in Alkohol und in Wasser. Beim Erwärmen scheint sie eine tief greifende Zersetzung zu erleiden. Die Analyse ergab die Formel $C_{24}H_{18}N_6O$. Will man sich ein ungefähres Bild davon machen, welche Art von Formel der hier erhaltenen Basis entsprechen könnte, so wäre die nebenstehende Formel als Beispiel aus vielen ähnlichen zu wählen: Diese Formel wurde durch die Analyse des salzsauren und schwefelsauren Salzes: $C_{24}H_{18}N_6O.2\,HCl.5\,H_2O$, resp. $C_{24}H_{18}N_6O.H_2SO_4.3\,H_2O$ bestätigt. (LIEB. Ann. **224**. 353 bis 356. Ende Juli.)

O. Wallach und **W. Brass**, *Über das Oleum Cynae; ein Beitrag zur Kenntnis der Terpene.* Die bisher über das Oleum Cynae vorliegenden Untersuchungen haben zur einer vollständigen Klarheit über die in demselben enthaltenen Hauptbestandteile nicht geführt. Während VÖLCKEL (LIEB. Ann. **87**. 312) das Vorhandensein einer Verbindung $C_{12}H_{20}O$ im Wurmsamenöl annahm, hielt KRAUT (Jahresber. für Chemie u. s. w. f. 1862. 460) dafür, daß ein Gemenge einer Verbindung $C_{10}H_{18}O$ mit einem Kohlenwasserstoff, vielleicht $C_{10}H_{16}$ vorliege. FAUST und HOMEYER (Ber. Chem. Ges. **7**. 1429), welche sich zuletzt mit dem Gegenstande beschäftigt zu haben scheinen, verzichten darauf, eine Formel aus den Zahlen zu berechnen, welche sie selbst und andere Forscher bei der Analyse des rektifizierten Öles erhielten, stellen aber mit Entschiedenheit die Existenz des *Cynen*, d. h. des Kohlenwasserstoffs $C_{10}H_{16}$ in Abrede, welchen VÖLCKEL, KRAUT sowie WAHLFORS und GRÄBE aus dem Oleum Cynae erhalten zu haben angeben. FAUST und HOMEYER sind der Ansicht, daß der als Cynen beschriebene Körper mit dem gewönlichen Cymol identisch sei.

Die Vff., welche in den Besitz einer größeren Menge Wurmsamenöl gelangt waren, haben dasselbe einer genauen Untersuchung unterworfen und als Hauptbestandteil des Öles einen sauerstoffhaltigen Körper $C_{10}H_{18}O$ gefunden, welcher isomer mit dem Borneol ist und *Cyneol* genannt wird. Beim Kochen mit Salpetersäure liefert das reine Cyneol neben niederen Fettsäuren wesentlich Oxalsäure und keine aromatischen Säuren; Chromsäure verbrennt es leicht vollkommen. Dem durch bloße Rektifikation aus dem Oleum Cynae abgeschiedenen Cyneol haften immer noch gewisser Menge Kohlenwasserstoffe, $C_{10}H_{16}$, $C_{10}H_{14}$, an; daher liefert es bei der Oxydation mit Salpetersäure von 1,15 immer mehr oder weniger *Toluylsäure* oder *Terephtalsäure*, wie durch eine Reihe von Versuchen festgestellt wurde. Mit Salzsäure giebt das Cyneol eine Verbindung von der Formel $(C_{10}H_{18}O)_2HCl$, welche bei der Behandlung mit Wasser in ihre Komponenten zerfällt, beim Erhitzen unter Abschluß von Feuchtigkeit aber nach der Gleichung:

$$(C_{10}H_{18}O)_2HCl = 2\,H_2O + HCl + 2\,C_{10}H_{16}$$

zersetzt wird. Dieselbe Zersetzung tritt ein, wenn man in das kochende Wurmsamenöl Salzsäuregas einleitet, wobei das ganze Öl in den Kohlenwasserstoff $C_{10}H_{16}$ umgewandelt wird. Gegen Bromwasserstoff verhält sich das Cyneol ganz ähnlich.

Dagegen zeigt es gegen Jodwasserstoff ein abweichendes Verhalten. indem es, wenn man das Einleiten von HJ lange genug fortsetzt, zu einem dicken, braungefärbten Krystallbrei erstarrt, während gleichzeitig das Auftreten von Wasser sich bemerklich macht.

Durch Absaugen der Mutterlauge von den Krystallen und Abwaschen mit absolutem Alkohol, Abtrocknen auf porösen Platten oder Abpressen zwischen Fliefspapier und Umkrystallisieren aus warmem Petroleumäther erhielt man grofse durchsichtige, mitunter prachtvoll ausgebildete rhombische Krystalle von der Zusammensetzung $C_{10}H_{18}J_2$, so dafs die Einwirkung von Jodwasserstoff der Gleichung:

$$C_{10}H_{18}O + 2HJ = H_2O + C_{10}H_{18}J_2$$

entspricht. Dieses Jodid spaltet sich bei der Einwirkung von Alkalien und am glattesten unter Anwendung von Anilin nach der Gleichung:

$$C_{10}H_{18}J_2 = 2HJ + C_{10}H_{16}$$

in *Cynen* $C_{10}H_{16}$ (s. u.) und Jodwasserstoff.

Bei der Einwirkung von Chlor auf Cyneol wird kein bemerkenswertes Resultat erhalten, Brom aber wirkt sehr energisch ein unter Bildung der Verbindung $C_{10}H_{18}O \cdot Br_2$. Wird diese längere Zeit an einem kühlen Ort in zugeschmolzenen Röhren aufbewahrt, so scheiden sich daraus weifse Krystallschüppchen ab, welche, nachdem sie durch fraktionierte Krystallisation aus einem Gemenge von Chloroform und Petroleumäther gereinigt waren, durchsichtige, rhombische, bei 125,5° schmelzende Krystalle von Cynentetrabromid $C_{10}H_{16}Br_4$ gaben. Hieraus geht hervor, dafs die freiwillige Zersetzung des Cyneolbromids nachfolgender Gleichung sich vollzieht:

$$(C_{10}H_{18}O)Br_2 = H_2O + C_{10}H_{16} + Br_2.$$

Das gebildete freie Brom wird dann auf den Kohlenwasserstoff $C_{10}H_{16}$ einwirken und das Tetrabromid bilden können. Da aber zur Umwandlung der gesamten Menge des Kohlenwasserstoffs das vorhandene Brom nicht ausreicht, so mufs die Ausbeute an Tetrabromid sich erhöhen, wenn man freies Brom hinzusetzt, was in der That der Fall ist.

Durch Einwirkung von Jod auf Cyneol in Petroleumäther erhält man dunkelgefärbte nadelförmige Krystalle von der Formel $(C_{10}H_{18}O)_2J_2$.

Um die Art der Bindung des im Cyneol enthaltenen Sauerstoffatoms festzustellen, wurden verschiedene Versuche ausgeführt, aus denen man schliefsen mufs, dafs ein Hydroxyl in dem Cyneol nicht enthalten, sondern dafs der Sauerstoff mit je einer Affinität an zwei verschiedene Kohlenstoffatome geknüpft ist.

Das bereits erwähnte Cynen $C_{10}H_{16}$ hat die Formel eines Terpens. Es entsteht auf verschiedene Weise und wurde im Verlauf der Untersuchung nach folgenden Methoden erhalten.

1. Durch Erhitzen von Cyneol mit gasförmiger Salzsäure; 2. durch Erhitzen desselben mit Benzoylchlorid; 3. durch Erhitzen des aus dem Cyneol gewonnenen Jodids $C_{10}H_{18}J_2$ mit Anilin. Letztere Darstellungsweise ist die vorteilhafteste. Dieser Kohlenwasserstoff siedet bei 181—182° und hat das spezifische Gewicht 0,85384 bei 16°. Er zeichnet sich durch einen höchst angenehmen citronenartigen Geruch aus, der sich auch bei starker Verdünnung des Öles mit Alkohol bemerklich macht.

Schliefslich machen die Vff. genaue Angaben über die Reaktionen des Cynens und stellen die von ihnen erhaltenen Thatsachen mit den Angaben anderer Forscher zusammen. (LIEB. Ann. **225**. 291—314. Ende Sept. [10. Aug.] Bonn.)

O. Wallach, *Über die Bestandteile einiger ätherischer Öle.* Der Vf. teilt Versuche mit, welche zeigen, dafs das sogen. Cajeputol, welches nach SCHMIDL einen Bestandteil des Cajeputöles bildet, mit dem in der vorigen Abhandlung beschriebenen Cyneol identisch ist. Ferner scheinen nahe Beziehungen zu bestehen zwischen dem Cynen und einigen Terpenen, welche in den angenehm riechenden ätherischen Ölen der Aurantiaceen enthalten sind, z. B. mit dem Hesperiden. (LIEB. Ann. **225**. 314—18, Ende Sept. [August.] Bonn.)

7. Analytische Chemie.

E. Greiner, *Titrierapparat zur Bestimmung der Alkalität in Saturationssäften.* (D. P.). Die Skala der Bürette (s. Fig. 1 nächste S.) zeigt rechts die Einteilung in Kubikzentimeter, links die entsprechende Kalkmenge. Man füllt die Flasche A mit Normalsäure, mifst mit dem Glase F 100 ccm Saturationsflüssigkeit, giebt dieselbe in die Schale E und färbt mit einigen Tropfen Lackmustinktur blau. Dreht man nun das Küken der Hahnbürette B, so fliefst die Normalsäure zu und steigt bis zum Nullstriche. Dann wird durch Rechtsdrehen weiteres Zufliefsen verhindert. Dreht man noch weiter nach rechts, so kann die Säure durch den Hahn abfliefsen und mischt sich tropfenweise mit dem gemessenen Safte in der Schale E. Tritt die violette Färbung ein, so dreht man

902

das Küken zurück. Die Skala gestattet nun die direkte Ablesung der Alkalität in Prozenten. (Pol. J. **254.** 75—76.)

R. **Hübner**, *Pipettbürette* (s. Fig. 2.) (D. P.). Dieselbe ist ein unten zu einer feinen Öffnung ausgezogenes, entsprechend geteiltes Glasrohr, welches oben gebogen ist. Dasselbe wird mit dem oberen, nicht geteilten Ende *d e* in einen Halter geschraubt, dann das Gefäß mit der Normallösung so weit von unten über dasselbe geschoben, daß die ausgezogene Spitze *f*, je nach der gewünschten Menge Lösung, genügend weit in die Flüssigkeit taucht. In dieser Stellung saugt man unter Lüftung des Quetschhahnes *c* Luft durch den Schlauch und so die Flüssigkeit in dem Rohre bis zu jedem beliebigen Punkte, auf welchem dieselbe selbstverständlich stehen bleibt, sobald man den

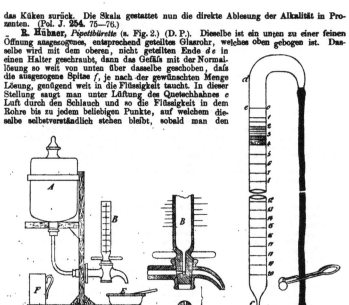

Fig. 1.   Fig. 2.

Quetschhahn wieder wirken läßt. Das Austreten der Flüssigkeit aus der so gefüllten Bürette kann nun durch den Quetschhahn *c*, also durch allmählichen Luftzutritt zu dem luftverdünnten Raume, genau so geregelt werden, wie bei jeder anderen Bürette. (Pol. J. **254.** 76.)

François Sachs und **Riccardo de Barbieri**, *Der Einfluß des Bleiniederschlages auf die Polarisation*, Vff. gelangen zunächst zu dem Resultaten, daß der in den Osmosewässern oder in der Melasse durch basisches Bleiacetat gebildete Niederschlag auf den Polarisationsgrad keinerlei merklichen Einfluß hat. Dagegen ist der Bleiniederschlag eine Fehlerquelle für die Gradanzeige, wenn man Zuckerrübensaft analysiert, da der Zuckergehalt des Saftes mit dem Volum des Bleiniederschlages zunimmt. Es entstehen die Fragen, warum der Bleiniederschlag, welcher sich in den Osmosewässern bildet, eine gewisse Menge Zucker enthält, und zwar in solcher Menge, daß dadurch die Verringerung des Volums der Flüssigkeit, welche diesen Zucker gelöst enthält, ausgeglichen wird, und warum dies nicht auch beim Rübensafte geschieht.

Es war natürlich anzunehmen, daß wegen der verschiedenen Zusammensetzung des Melassen- und des Zuckerrübensaftes die Körper, welche für den Zucker diese absorbierende Eigenschaft hatten, sich in der Melasse in größerer Quantität, als im Rübensafte fänden. Vff. haben daher die Untersuchung unternommen, ob diese Absorptionserscheinung sich bestätigen würde und in welchem Maße für die verschiedenen Körper, welche man am häufigsten in diesen Zuckerlösungen antrifft. Zu dem Behufe wurden zu 16,19 g weißem raffinierten Zucker von 99,8 Polarisation nacheinander Kaliumcitrat, Tannin, Natriumoxalat, Natriumcarbonat, Chlornatrium und Kaliumsulfat, und zu allen Proben basisches Bleiacetat zugesetzt und alsdann polarisiert. Es ergaben sich folgende Zahlen:

Weiſser Zucker allein			99,8	Polarisation
„	+ Kaliumcitrat + Bleiessig		98,9	„
„	+ Tannin +	„	103,4	„
„	+ Natriumoxalat +	„	100,2	„
„	+ Natriumcarbon.+	„	99,0	„
„	+ Chlornatrium +	„	99,9	„
„	+ Kaliumsulfat +	„	99,0	„

Der aus jeder Mischung erhaltene Niederschlag wurde durch Auswaschen vom Zucker befreit und gewogen; dabei ergab sich für Bleicitrat 4,85 g, Bleitannat 10,80 g, Bleioxalat 4,9 g, Bleicarbonat 9.9 g, Chlorblei 7,55 g und Bleisulfat 4,50 g. Da die Bestimmung des von diesem Niederschlage gewonnenen Volums angestrebt werden muſste, so wurde das spez. Gewicht jeder dieser Bleiverbindungen mit Hilfe von Benzin im Piknometer ermittelt. Es wurde zu diesem Zwecke zunächst das Gewicht des Piknometers und sein Volum V, und alsdann das spez. Gewicht d des Benzins festgestellt; in das Piknometer brachte man dann eine Gewichtsmenge p des zu untersuchenden Niederschlages und füllte jenes mit obigem Benzin voll. Ist P das Gesamtgewicht weniger dem Gewichte des Piknometers, so ist D das spez. Gewicht der Bleiniederschläge $= \dfrac{pd}{Vd-P+p}$. Hieraus ergaben sich für die Niederschläge folgende Zahlen:

	Spez. Gew.	Gewicht des Niederschlages	Volum desselben
	g	g	ccm
Bleicitrat	4,31	4,85	1,12
Bleitannat	3,05	10,80	3,54
Bleioxalat	3,5	4,90	0,89
Bleicarbonat	6,27	9,98	1,58
Chlorblei	6,0	7,55	1,26
Bleisulfat	5,6	4,50	0,80

Nach Ermittelung des aus dem Volum des Niederschlages sich ergebenden Fehlers würde es genügt haben, denselben von der gefundenen Polarisation abzuziehen und zu sehen, ob infolge dieser Korrektion der Rest noch der vom reinen Zucker gelieferten Polarimeteranzeige entspreche.

Wenn man ungeachtet dieser Korrektion ein Resultat erhielt, welches von dem des reinen Zuckers abwich, so muſste man daraus schlieſsen, daſs noch eine andere Fehlerquelle vorhanden sei, welche auſserhalb des Einflusses des Volums des Niederschlags lag. Nur für das Bleitannat allein entsprach das aus dem Niederschlag eingenommene Volum genau der Zunahme des Zuckergehaltes, während alle anderen der Rechnung nach eine Zuckermenge absorbieren würden, welche keineswegs der Verringerung des Volums der Lösung entspricht. — Verfasser suchten noch nach anderen Ursachen, welche auſserhalb der Absorption des Zuckers stehend, die obigen Ergebnisse hätte erklären können. Aus den zur Ergründung dieser Ursachen angestellten Versuchen können die Verfasser die Folgerung ziehen, daſs bei den Natron- und Kalisalzen, welche geprüft wurden (s. oben), die Bleiniederschläge keine Spur von Zucker mitfällen. Man kann sich hierdurch von den Abweichungen Rechnung geben, welche man zwischen der Analyse des Zuckerrübensaftes und derjenigen der Melasse beobachtet. Im letzteren Falle sind die meisten der gefällten Salze nicht Kalisalze, sondern vielmehr organische Substanzen und teilweise Säuren, welche nicht Alkaliacetate, sondern Essigsäure freimachen. Nun hat die Essigsäure auf die Polarisation des Zuckers keinen Einfluſs und kann sogar die Wirkung der Alkaliacetate, welche in Gegenwart des Zuckers ein Drehungsvermögen nach links haben (0,57 Grade für 1 g Kaliumacetat), zum Teil verhindern.

Man muſs daher bei der Analyse des Zuckerrübensaftes das ganze Volum des gebildeten Niederschlags in Rechnung ziehen. Aus den Versuchen geht aber auch noch hervor, daſs die Anwendung des Tannins zum Entfärben von Säften und Melassen in den Laboratorien äuſserst bedenklich ist, in dem Sinne, daſs das Volum des gebildeten Bleiniederschlages einen sehr merklichen Einfluſs auf die Polarisation haben kann. Diese Thatsache haben Verfasser auch beim Vergleich der Analysen roher Dicksäfte, osmosierter Dicksäfte und fester Zucker, welche sowohl mit, als auch ohne Anwendung von Tannin ausgeführt worden waren, konstatiert. (La Sucrerie Belge 12. 443; SCHEIBLER'S N. Z. 13. 136—140.)

Dumond, *Bestimmung der Diastase im Malzextrakt.* Die angegebene Bestimmungs-

·methode der Diastase ist eine Modifikation der von DUNSTAN und DYMOCK veröffentlichten: 1,5 g Malzextrakt werden in 15 ccm Wasser gelöst, mit einem Schleim aus 0,1
Stärke in 100 ccm Wasser gemischt und etwas erwärmt. Von Zeit zu Zeit werden 5 ccm
der Mischung herausgenommen, mit zwei Tropfen Jodlösung geprüft und die Reaktion mit
5 ccm der gleichen Mischung, wozu kein Jod gesetzt wurde, verglichen. Die Zeit, zu
welcher keine Blaufärbung mehr eintritt, notiert man. Gutes Malzextrakt zerlegt die obige
Menge Stärke in einer halben Stunde, weniger gutes braucht drei Stunden; wenn eine längere
Zeit nötig ist, so ist das Malzextrakt wahrscheinlich bei der Bereitung überhitzt worden.
(Von der British Pharm. Conference and Chemist and Drug. 1884. 375 August; Pharm.
Ztg. **39.** 671.)

Worm Müller, *Die Bestimmung des Traubenzuckers im Harne mittels des* SOLEIL-
VENTZKE'schen *Polarimeters und die linksdrehenden Substanzen.* Vergleichende Bestimmungen des Traubenzuckers im Harne durch Titrierung und Polarisation haben im großen
ganzen nur minder ·befriedigende Resultate ergeben, was namentlich aus TSCHERINOFF's
Untersuchungen von 26 diabetischen Harnen, deren Zuckergehalt mehr als 3 p. c. (3,1—
8,2 p. c.) betrug, zahlreiche vergleichende Zucker-bestim-
mungen im Laufe von 8 Jahren. ausgeführt, um nähere Aufschlüsse über die Ursache
dieser Abweichungen zu erhalten. Nachdem die Brauchbarkeit des SOLEIL-VENTZKE'schen
Polarimeters zur Bestimmung des Traubenzuckergehaltes im normalen Harne erwiesen
worden war, nahm Vf. die Bestimmung des Zuckergehaltes im diabetischen Harn außer
auf polarimetrischem Wege teils durch Titrierung mit FEHLING'scher, teils mit KNAPP'-
scher Flüssigkeit vor, welche beide Methoden übereinstimmende Resultate geben, wenn
man die nötige Übung erworben hat. Da die meisten Beobachter darüber einig zu sein
scheinen, daß die Polarisation keine besonders genauen Resultate im Harn ergiebt, wenn
dieser nur 0,3—0,4 p. c. Traubenzucker enthält, giebt Vf. zuerst eine tabellarische Übersicht der Bestimmungen von 212 diabetischen Harnen, in denen der Zuckergehalt nicht
unter 0,5 p. c. betrug. Im Mittel erhielt man bei diesen Ermittelungen 0,35 p. c.
weniger Traubenzucker bei dem SOLEIL-VENTZKE'schen Apparate, als bei Titrierung mit
FEHLING, resp. KNAPP. Bei siebzehn Harnen gaben die Titrierungen und die Polarisation dasselbe Resultat und bei fünfzehn gab die Polarisation einen höheren Wert. Die
tabellarische Übersicht zeigt indessen, daß die Abweichungen in dieser Richtung so unbedeutend sind, daß sie jedenfalls nahe bei den Fehlergrenzen der Methoden liegen. Man
könnte sich als möglich denken, daß 1. andere reduzierende Substanzen von größerem
spezifischen Drehungsvermögen wie Milchzucker und Maltose, oder 2. daß rechtsdrehende,
aber nicht (oder schwach) reduzierende Stoffe, wie Rohrzucker und Gallensäure in den
Harn übergegangen wären, aber da weder KÜLZ noch der Vf. bei Diabetikern nach Genuß von Rohrzucker und Milchzucker diese Stoffe im Harn nachzuweisen vermocht haben.
und die Patienten keine· ikterische Phänomene darboten, so können diese Zuckerarten
und die Gallensäure kaum in Betracht kommen. Vf. wagt jedoch nicht, den bestimmten
Schluß zu ziehen, daß alle diese Differenzen von methodischen Unvollkommenheiten und
Observationsfehlern herrühren.

Die überwiegende Anzahl (180) der Bestimmungen ging in entgegengesetzter Richtung und man erhielt hier bei der Polarisation im Durchschnitt 0,43 p. c. weniger als
bei der Titrierung, so daß die Durchschnittszahl der Differenzen bei sämtlichen 212 Versuchsreihen 0,35 p. c. wurde.

Dieser Unterschied rührt davon her, daß:

1. Alle diabetischen Harne andere reduzierende, aber optisch indifferente Substanzen
(wie Harnsäure und Kreatinin) enthalten; da aber die durchschnittliche Menge derselben
nach des Vf's. Erfahrungen nur auf ca. 0,2 p. c., wie Traubenzucker berechnet[1], angenommen werden kann (Maximum ca. 0,4 p. c., Minimum ca. 0,05 p. c.) so müssen auch
andere Momente berücksichtigt werden.

2. Eine nicht geringe Anzahl diabetischer Harne eine bedeutende Abweichung in
dieser Richtung zeigte, indem dreizehn Harne, von 1,0—2,4 p. c. und fünfzehn Harne
von 0,7—0,9 p. c. weniger bei der Polarisation, als bei der Titrierung ergaben.

Die große Zahl bedeutender Differenzen ist in nicht geringem Grad dadurch bedingt,
daß Verf. seine Aufmerksamkeit vorzugsweise auf Harne derjenigen Diabetiker gerichtet
hatte, die bedeutende Abweichungen in dieser Richtung zeigten, und deshalb eine verhältnismäßig größere Anzahl Bestimmungen mit diesen Harnen vornahm; da aber auch
KÜLZ (S. 553) gefunden hat, daß solche Abweichungen nicht selten vorkommen, so erhellt
aus den Versuchen jedenfalls, daß man namentlich bei schweren Formen von Diabetes,

---

[1] Kann durch Behandlung des Harns mit Hefe und durch Titrierung mit KNAPP'scher Flüssigkeit nach dem Ausgären leicht bestimmt werden.

selbst bei größerem Zuckergehalt denselben durch Titrieren sicherer bestimmt, weil dann die Abweichungen von dem wahren Zuckergehalt aller Wahrscheinlichkeit nach nur ungefähr 0,2 %, (0,1 % bis 0,3 %) betragen.

Es könnte vielleicht ratsam erscheinen, den Zucker im diabetischen Harn in letzterem Falle zu vergären und vor und nach der Vergärung zu polarisieren. Verf. kann aber z. Z. noch nicht die Meinung vertreten, daß die Polarisation in diesem Falle konstant den wirklichen Zuckergehalt angeben wird; denn abgesehen davon, daß die Farbe des Harnes für die vollaus exakte Bestimmung nicht selten etwas hinderlich ist, so ist es im voraus unmöglich zu sagen, ob nicht andere Substanzen, z. B. die reduzierenden, leicht dekomponierbaren und (circumpolarisierenden) Glycurensäureverbindungen in Betracht kommen, worüber erst eine große Anzahl von vergleichenden Bestimmungen durch Polarisation und Titrieren vor und nach Behandlung mit Hefe Aufschluß geben könnte.

Daß der SOLEIL-VENTZKE'sche Apparat zur Bestimmung von diabetischen Harnen, deren wirklicher Zuckergehalt 0,3—0,4 % beträgt, nicht geeignet ist, beweist eine Reihe von Harnen, welche Verf. anführt, und welche sich leicht mit FEHLING'scher Flüssigkeit titrieren ließen. Es sieht sich der Verf. zur Aufstellung der Schlußfolgerung veranlaßt, daß bei solchen Harnen selbst dann die polarimetrischen Bestimmungen mit dem VENTZKE-Soleil keine sicheren Resultate geben, wenn man die Polarisation nach Behandlung mit Hefe kontrolliert und korrigiert; sogar eines qualitativen Wertes entbehrt bei diesem Zuckergehalte des Harns die Polarisation.

Was die im Harn vorkommenden linksdrehenden Stoffe anbetrifft, so kann man es als sicher ansehen, daß Lävulose im Harn von Diabetikern nicht auftritt; daß aber die linksdrehenden Substanzen (bez. Substanz) in einer gewissen Relation zum Zuckergehalte stehen, indem sie im ganzen mit demselben ab- resp. zuzunehmen schienen. Da sich KÜLZ ausdrücklich das Vorrecht reserviert hat, die Konstitution der linksdrehenden Substanzen im diabetischen und normalen Harn zu untersuchen, hat Verf. vorläufig dieses Studium aufgegeben. Eine der linksdrehenden Substanzen ist die Pseudooxybuttersäure (S. 553 u. 406). (PFLÜGER's Archiv **35**. 76—108. Christiania.)

H. Beckurts, *Versuche über die Abscheidung der Alkaloide aus Leichenteilen* Wer häufig gerichtlich-chemische Untersuchungen auszuführen Gelegenheit hat, wird die bei Abscheidung der Alkaloide nicht zu umgehende Anwendung des Amylalkohols höchst lästig und zeitraubend empfunden haben. Abgesehen davon, daß in dem käuflichen Amylalkohol aromatische Basen oft in merklicher Menge vorkommen, eine Reinigung desselben zur Vermeidung von Irrtümern durch Schütteln mit salzsäurehaltigem Wasser und darauf folgender Destillation daher unumgänglich ist, wirkt der Alkohol auch durch seine auf die Respirationsorgane des Arbeitenden höchst reizend wirkende Eigenschaften, die bei dem Verdunsten infolge des hohen Siedepunktes noch schärfer hervortreten, sehr unangenehm. Gerade der letztere Umstand, der in einem Laboratorium, in welchem viele derartige Untersuchungen ausgeführt werden, doppelt fühlbar ist, veranlaßte den Vf., Versuche zur Abscheidung des *Morphins,* resp. *Narceïns* ohne Benutzung von Amylalkohol anzustellen. Dieselben haben zu folgendem Verfahren geführt:

Die zu untersuchenden Massen werden mit durch Oxalsäure (nicht Weinsäure) angesäuertem Weingeiste extrahiert und die vereinigten weingeistigen Auszüge wie gewöhnlich behandelt. Nach dem Ausschütteln der sauren wässerigen Lösung mit Äther wird die Lösung statt mit Natronlauge mit Kalk- oder Barytwasser eben neutralisiert (unter Vermeidung eines Überschusses der Base) und mit Äther ausgeschüttelt. Die mit Äther völlig erschöpfte, von allen Alkaloiden, mit Ausnahme des Morphins, Narceïns und Curarins befreite Flüssigkeit nebst dem in ihr suspendierten, aus oxalsaurem Kalk, resp. Baryt und event. Morphin und Narceïn bestehenden Niederschlage wird filtriert und dem auf. den Filter bleibenden Niederschlage nach dem Trocknen das Morphin und Narceïn durch siedend heißen Weingeist entzogen. Letzterer hinterläßt beim Verdunsten die Alkaloide nach des Vf's. bisherigen Erfahrungen in weit reinerem Zustande, als der beste Amylalkohol. (Tagebl. d. Naturf.-Vers. zu Magdeburg 1884. 313.)

Halenke und **Möslinger,** *Über Mehluntersuchung.* Nicht das Verhalten des Klebers, sondern der übrigen Komponenten des Mehles, speziell der Stärke während des Backprozesses, veranlassen die abnormen Erscheinungen beim Backen und die Unbrauchbarkeit so vieler Mehlsorten zum Backen. Schlecht backende Weizenmehle z. B. zeigen vollkommen normale Beschaffenheit des Klebers in Qualität und Quantität.

Wenn man Mehl (50 g) mit der Hälfte Wasser zu einem Teige knetet und sich selbst überläßt, am besten unter einer Glasglocke, so zeigt schlecht backendes Mehl nach kurzer Zeit, oft nach einer halben Stunde einen Glanz auf der Oberfläche, der Teig giebt beim Drucke mit dem Finger leicht nach und beginnt auseinander zu fließen. Nach 12 Stunden ist derselbe vollkommen zerflossen. Gut backendes Mehl bildet dagegen einen lastischen zähen Teig, welcher nicht zerfließt, sondern trockne t und unverändert bleibt.

Die Art und Weise der Kleisterbildung, vielmehr das Fehlen einer Verkleisterung kann ebenfalls zur Erkennung eines schlecht backenden Mehles, das aus ausgewachsenem Getreide dargestellt, oder auch durch zu langes Liegen verändert ist, mit Erfolg benutzt werden. Das zu prüfende Roggen- oder Weizenmehl (10 g) wird mit 50 ccm Wasser in der Kälte angerührt und allmählich bis auf 60° C erwärmt; gutes Mehl bildet einen steifen Kleister, der sich unverändert längere Zeit hält, schlecht backendes Mehl bildet entweder keinen Kleister oder nur vorübergehend einen Kleister, der sich bald verflüssigt und die Konsistenz eines dünnen Sirups annimmt.

Sehr interessant und beachtenswert ist noch endlich folgende Prüfung des Mehles, welche gleichzeitig uns den Vorgang erklärt, der im Samenkorn speziell beim sogenannten Auswachsen des Getreides stattfindet:

2 g Mehl werden mit 100 ccm Wasser, unter allmählichem Zufügen des letzteren in einer Porzellanschale fein zerrieben und hierauf in einem 250 ccm fassenden Glaskolben gespült, welcher in einem Wasserbade $1^{1}/_{2}$ bis 2 Stunden bei 60—70° stehen bleibt und hierauf kurze Zeit bei 100° erwärmt wird. Nach dem Erkalten wird mit Wasser bis auf 250 ccm verdünnt und filtriert. Im Filtrate werden die Zuckermengen bestimmt und auf Maltose berechnet. Normales Mehl giebt trübe Flüssigkeiten, schwer filtrierbar, die viel unzersetzte Stärke enthalten; schlecht backendes Mehl liefert klare Filtrate, einen Rückstand, welcher aus Fett, Proteïnstoffen und Rohfaser besteht.

In den Filtraten sind nach den Beobachtungen der Vff. folgende Zuckermengen, als Maltose berechnet, vorhanden:

	Roggenmehl	Weizenmehl
Gutes Mehl	10—20 p. c.	10—15 p. c.
Schlechtes Mehl	40—50 „	30—50 „

Über diese interessanten Fragen werden die Vff. an einem anderen Orte ausführlich berichten. (Korrespond. d. freien Vereinigung bayr. Vertreter der angewandten Chemie 1884. Nr. 1. 2—3. August. Speyer.)

Kleine Mitteilungen.

Chemischer Nachweis und Bestimmung des Arsens, Bleies und Zinks in vergifteten Pflanzen, von F. NOBBE, P. BÄSSLER und H. WILL. Die nachfolgend beschriebene Methode wurde von den Vffn. bei ihren grofsen Untersuchungen über die Giftwirkungen des Arsens, Bleies und Zinks (S. 671. 828) in Anwendung gebracht.

A. *Untersuchung auf Arsen.* Zur Zerstörung der organischen Substanz wurde in den meisten Fällen das fein gepulverte Pflanzenmaterial mit Salzsäure und Kaliumchlorat unter den bekannten Vorsichtsmafsregeln behandelt. Diese Methode verdient auch entschieden den Vorzug vor anderen, welche bei dieser Gelegenheit auf ihre Brauchbarkeit im gegebenen Falle geprüft worden sind. Nur einige Male, wo sehr wenig Untersuchungsmaterial vorlag, fand vorsichtige Behandlung der Trockensubstanz mit chlorfreier, rauchender Schwefelsäure statt. Nach vollendeter Einwirkung wurde die Flüssigkeit eingedampft, der Rückstand mit Natronhydrat und etwas Natronsalpeter geschmolzen und in die zur Prüfung im MARSH'schen Apparate geeignete Form übergeführt.

Im übrigen sind die von OTTO (Lehrb. d. anorg. Chem. 5. Aufl. S. 506) gegebenen Vorschriften für die Weiterbehandlung der nach Zerstörung der organischen Substanz mit Salzsäure und Kaliumchlorat resultierenden sauren Flüssigkeit genau eingehalten worden, wie es auch selbstverständlich ist, dafs die zur Verwendung gelangenden Reagenzien vor ihrem Gebrauche sorgfältig auf Abwesenheit des Arsens geprüft wurden. Die gewichtsanalytische Bestimmung des schliefslich abgeschiedenen Arsens geschah durch Wägung des reinen Arsensulfids.

Um auch bei der vorliegend sehr geringen Mengen von Arsen, die im Untersuchungsmateriale vorlagen, eine annähernd quantitative Bestimmung des Elementes mittels des MARSH'schen Apparates zu ermöglichen, ist eine „Spiegelschätzungsmethode" zur Anwendung gekommen. Es wurde bei derselben so verfahren, dafs in unter sich immer ganz gleich bleibenden Verhältnissen zuerst Vergleichsarsenspiegel entsprechend einer in den MARSH'schen Apparat gebrachten Menge von Arsenigsäureanhydrid von 1,00, 0,10, 0,05 und 0,02 mg hergestellt wurden. Nachdem nun bei späterer Prüfung einer Flüssigkeit auf Arsen dieselbe auf ein bestimmtes kleines Volum (meist 50 ccm) gebracht war, fand das Einbringen derselben in den MARSH'schen Apparat in kleinen Anteilen statt, und die bei der Herstellung der Vergleichsarsenspiegel beobachteten Verhältnisse bezüglich Zink- nnd Säureverbrauches, Erhitzung und Weite der Reduktionsröhren, namentlich aber bezüglich der Zeit, in welcher ein erneuter Zusatz von Prüfungsflüssigkeit oder Säure stattfand, wurden streng eingehalten.

Die Operation nahm so lange ihren Verlauf, bis entweder die ganze Prüfungsflüssigkeit in den Apparat gebracht oder bis vorher schon ein Spiegel entstanden war, der, nach den Vergleichsarsenspiegeln geschätzt, einen Rückschluß auf den Arsengehalt der verbrauchten Lösung gestattete. Im letzteren Falle ließ sich durch Messung des event. nicht verbrauchten Teiles der der Prüfungsflüssigkeit die gesamte Arsenmenge bestimmen. Bei der Langsamkeit des Gasstromes und der Länge der Zeit, auf welche eine Operation ausgedehnt wurde (meist nicht unter sechs bis acht Stunden), endlich bei den geringen Mengen von Arsen, die überhaupt in den zu prüfenden Lösungen vorlagen, kann man gewiß sein, daß auf diese Weise nur zu vernachlässigende Mengen von Arsen sich der Bestimmung entzogen haben.

Normalpflanzen in derselben Weise auf Arsen untersucht, erwiesen sich als frei von demselben.

Auch indirekt versuchte man die von den Pflanzen aufgenommene Menge von Arsen auf folgende Weise zu bestimmen.

In einem Vegetationscylinder wurde ein bestimmtes Volum (meist 2—2½ l) einer gegen $\frac{1}{100}$ Jodlösung gestellten Lösung von arsenigsaurem Kalium gegeben.

Am Deckel des Vegetationsgefäßes befand sich eine Vorrichtung, um nach dem Einbringen einer Pflanze (im gegebenen Falle Mais) und nach dem Absterben derselben das aufgenommene Wasser genau auf das ursprüngliche Volum ergänzen zu können. Durch einen besonderen Versuch wurde das den Wurzeln der Pflanze noch anhaftende Wasser beim Einbringen derselben in die Arsenlösung als eine zu vernachlässigende Fehlerquelle ermittelt. Nach dem Absterben der Pflanze fand wiederum Titration der Arsenlösung statt. Bei Anwendung von 2½ l Lösung zu dem Vergiftungsversuche, mit einem Gehalte von $\frac{1}{50000}$ As, mußte sich, falls zur Rücktitration 1 l Flüssigkeit benutzt wurde, der Eintritt von 1 mg As in die Pflanze durch einen Wenigerverbrauch von ca. 1 cbm $\frac{1}{100}$ Jodlösung bemerklich machen. Bei der Schärfe und Genauigkeit dieser maßanalytischen Bestimmungsmethode konnte man also wohl erwarten, da auch durch Nebenversuche konstatiert war, daß ein Übergang der arsenigen Säure in Arsensäure nicht stattfand, auf diesem indirekten Wege zu annehmbaren Resultaten zu gelangen. Leider zeigte es sich, daß Substanzen aus der Maiswurzel in die Arsenlösung diffundierten, welche den Endpunkt der Titration nicht mehr scharf erkennen ließen. Immerhin gestatteten jedoch die mehrfach unternommenen Versuche den Schluß, daß die von einer starken Maispflanze aus einer Flüssigkeit, die $\frac{1}{50000}$ As enthielt, bis zu ihrem Absterben aufgenommenen Mengen von Gift nur höchst minimale sein können.

B. *Untersuchung auf Blei.* Die Pflanzensubstanz wurde bei möglichst niedriger Temperatur verkohlt, die Kohle mit schwach N_2O_5-haltigem Wasser ausgezogen, vollständig verascht und die Asche mit dem sauren, wässerigen Auszuge vereinigt, unter Zusatz einer hinreichenden Menge von Schwefelsäure zur Trockne verdampft. Durch dieses Verfahren werden etwaige kleine Mengen bei den Verkohlungsprozesse reduzierten Bleies in Lösung gebracht und die Gesamtmenge desselben in Bleisulfat übergeführt. Die durch wiederholte Digestion der Asche mit weinsaurem Ammoniak erhaltene Lösung ließ beim Einleiten von Schwefelwasserstoff das vorhandene Blei als Schwefelblei ausfallen, welches durch Oxydation mit rauchender Salpetersäure in das Sulfat übergeführt und als solches gewogen wurde. Wo es notwendig erschien, ist das schwefelsaure Blei durch weinsaures Ammoniak wieder in Lösung gebracht und der angegebenen Behandlung nochmals unterworfen worden.

C. *Untersuchung auf Zink.* Nach Zerstörung der organischen Substanz mittels Salzsäure und Kaliumchlorat wurde der Rückstand der zur Trockne verdampften sauren Flüssigkeit nach Abscheidung der geringen Menge vorhandener Kieselsäure unter Zusatz von etwas Chlorwasserstoffsäure in Wasser gelöst, die Lösung filtriert, das Filtrat mit kohlensaurem Natron genau neutralisiert, zur Abscheidung des Eisens eine mäßige Menge essigsaures Natron hinzugefügt und zum Sieden erhitzt. Die vom entstandenen Niederschlage abfiltrierte Flüssigkeit wurde zuerst mit Ammoniak, dann mit Essigsäure im Überschusse versetzt und mit Schwefelwasserstoff behandelt, solange noch Schwefelzink ausfiel. Das Zinksulfid ist durch Behandlung mit verdünnter Chlorwasserstoffsäure und Fällung der Chlorzinklösung mit kohlensaurem Natron in das Carbonat übergeführt und als Zinkoxyd gewogen worden. Wo es sich um sehr geringe Mengen von Zink handelte, begnügte man sich, das aus der essigsauren Lösung durch Schwefelwasserstoff ausgefällte Schwefelzink durch heftiges Glühen im offenen Porzellantiegel in das Oxyd umzuwandeln. (Landw. Vers.-Stat. **30.** 420—22.)

Das Schmelzen und Reinigen der Fette für den pharmaceutischen Gebrauch und für Parfümeriezwecke, von J. KULINSKI. · 30 kg Fett, die vorher möglichst von anhängendem Blut und Fleischteilen befreit wurden, zerschneidet man in kleine Stücke, giebt dieselben in einen blanken Eisenkessel oder in ein glasiertes Thon- oder Holzgeschirr, gießt soviel reines Wasser hinzu, daß das Fett vollständig damit gedeckt ist. Nun wird das Fett unter dem Wasser entweder durch Kneten mit den Händen, was auch das Praktischste ist, oder durch Schlagen mit einem Pistill oder Holzkeule so lange bearbeitet, bis das Wasser eine deutlich wahrnehmbare rote Färbung angenommen hat. Diese Operation mit dem Wasser wird zwei- bis dreimal oder so oft wiederholt, bis dasselbe vollständig hell bleibt. Das Fett wird nun mit dem letzten Waschwasser in den Schmelzkessel gethan und unter Zusatz von 300 g Kochsalz und krystallisiertem Alaun zum Kochen gebracht. Der Zusatz von den letsterwähnten Salzen bezweckt das leichtere Gerinnen der im Fett enthaltenen Schleim- und Albuminsubstanzen. Das Gerinnsel muß, sobald es auf die Oberfläche kommt, abgeschöpft werden. Beeilt man sich mit dem Abschöpfen nicht, so sinkt das Gerinnsel zu Boden, resp. mengt sich mit der Fett-schicht und wird von derselben derart aufgenommen, daß man in dem flüssigen, warmen, dekan-tierten Fett mit freiem Auge kaum eine Verunreinigung bemerkt. In diesem Falle kann man entweder das ganze Quantum Fett zu einer anderen Portion zusetzen und frisch anfangen oder durch Dekantieren des Fettes und Überhitzen dasselbe verwendbar machen. Im letzteren Falle setzt sich die Verunreinigung in Form eines grauen Anfluges ab und das Fett ist nicht mehr erste Qualität. Sobald, wie oben angegeben, das Gerinnsel abgeschöpft worden ist, dekantiert man das Fett und gießt es in soviel Eiswasser, daß es sofort erstarrt, knetet durch, gießt das Wasser möglichst gut ab und schmilzt es nochmals. Das geschmolzene Fett wird durch mehrere Stunden warm erhalten, damit sich die Spuren von Wasser absetzen können. Von dem ganzen Quantum Fett werden etwa ⁴/₅ Teile, die vollständig klar sein müssen, in schmale, hohe, glasierte Thongefäße eingefüllt; der überbleibende fünfte Teil des wasserhaltigen Fettes kann zu rasch verbrauchbaren Salben oder geringeren Pomaden verwendet werden. — Pomaden- und Cosmetique-fabrikanten, die für alle Fälle den verwendeten Fetten einen Präventivzusatz geben wollen, empfiehlt man 0,1 p. C. Salicylsäure oder 1 p. c. Benzoesäure, beide in warmem Fette leicht löslich. (Deutsch-amerikan. Apotheker-Ztg.; Ind.-Bl. 21. 353—54.)

Leguminosenmehl Maggi. Diese Präparate, welche hauptsächlich als Suppenmehle empfohlen werden, haben folgende Zusammensetzung:

	Eiweißstoffe p. c.	Kohlenhydrat p. c.	Fette p. c.	Salze p. c.	P₂O₅ p. c.	Wasser p. c.
Magerleguminose A	23,21	59,27	1,70	2,89	1,40	12,87
B	20,20	66,20	1,88	2,54	1,39	11,06
C	19,42	63,69	1,51	2,60	1,32	12,76
Fettleguminose AA	30,50	49,50	6,44	3,80	1,40	19,87
BB	27,19	50,92	6,20	3,45	1,45	12,24
CC	19,25	63,17	4,21	2,92	1,39	10,92
Extrafettlegum. AAA	25,90	46,70	13,00	2,97	1,47	11,50
BBB	27,41	43,85	14,23	3,41	1,55	11,10
CCC	20,21	53,33	12,63	2,43	1,42	11,40

(Blätter für Gesundheitspflege 13. 169—71.)

Über den Gehalt von freien Fettsäuren in einzelnen Ölen des Handels, von L. ARSCHBUTT. 1. *Olivenöl.*

Herstammung	Fettsäuren in Prozenten			
	Anzahl der Muster	Höchster	Niedrigster	Durchschnitt
		Gehalt		
Malaga	12	25,1	2,3	8,1
Sevilla	7	10,0	2,5	5,3
Galliopolis	3	15,0	8,2	12,2
Gioja	2	10,4	10,0	10,2
Messina	5	11,3	8,2	9,0
Aus unbekannter Quelle	60	24,5	2,2	8,0

Diese Resultate zeigen, daß Olivenöl sehr erhebliche Mengen von freien Fettsäuren enthalten kann, ein Umstand, welcher den Wert desselben erheblich herabdrückt, weil ein säurehaltiges Öl wegen seiner Eigenschaft, den Docht leicht zum Kohlen zu bringen, für Brennzwecke sich schlecht eignet.

2. *Rüböl* enthält stets eine gewisse Menge freie Fettsäuren, aber in weit geringerer Menge und in engeren Grenzen, als Olivenöl. 44 Muster von reinem raffinierten Rüböle enthielten im Maximum 5,5, im Minimum 1,7, und im Durchschnitte 3,0 p. c.

3. *Palmöl* ist stets reich an freien Fettsäuren und schwankt der Gehalt zwischen 11,9 und 78,9 p. c. Freie Palmitinsäure greift Stahl ungeheuer leicht an, doch ist die korrosierende Wirkung, welche das Öl auf Stahl ausübt, nicht in konstantem Maße mit dem Gehalte von freien Fettsäuren zunehmend. (Analyste; Rep. anal. Chem. **4.** 330.)

Graphitsorten, von HANNS Freih. v. JÜPTNER. 1. Graphit von Hartmuth, wie derselbe für das Bessemergebläse verwendet wird; 2. Graphit von Buchscheiden; 3. Rohgraphit aus der Nähe von Neuberg (Eigentümer H. THALL in Neuberg); alle drei Sorten bei 110° C. getrocknet; der Wassergehalt der letzten Sorte betrug 2,39 p. c.

	1 p. c.	2 p. c.	3 p. c.
Kohlenstoff	}83,77	52,11{	73,81
Wasserstoff			1,05
Asche	16,23	47,89	25,14
	100,00	100,00	100,00
Die Asche enthielt:			
Kieselsäure	45,96	53,85	49,24
Eisenoxyd	}52,04	30,30{	6,84
Thonerde			31,98
Kalk	1,91	11,43	0,84
Magnesia	—	Spur	—
Kohlensäure			
Alkalien	} 0,09	4,42{	
Verlust			10,42
	100,00	100,00	100,00

(Österr. Ztschr. **32.** 593.)

Darstellung von Naphtylaminverbindungen, von L. LANDSHOFF. (D. P.). Während bei dem bisherigen Verfahren, die Hydroxylgruppe der Naphtylverbindungen der β-Reihe in die Amidogruppe überzuführen, ein Druck von 30—40 Atmosphären erforderlich war, vermeidet dies der Vf. durch folgendes Verfahren:

Die Alkalisalze der β-Naphtolsulfosäuren werden etwa zwölf Stunden lang auf 200—250° erhitzt, während ein langsamer Strom Ammoniakgas durchgeleitet wird. Die Umsetzung geht nach der Formel vor sich:

$$C_{10}H_6.OH.SO_3M + NH_3 = C_{10}H_6.NH_2.SO_3M + H_2O \text{ oder}$$
$$C_{10}H_5.OH.(SO_3M)_2 + NH_3 = C_{10}H_5.NH_2.(SO_3M)_2 + H_2O \text{ oder}$$
$$C_{10}H_4.OH.(SO_3M)_3 + NH_3 = C_{10}H_4.NH_2.(SO_3M)_3 + H_2O.$$

Das Verfahren läßt sich ganz allgemein auf alle bisher bekannten β-Naphtolsulfosäuren anwenden. Die entstandenen β-naphtylaminsulfosauren Salze geben, in bekannter Weise diazotiert, mit Aminen, Phenolen, Oxyphenolen, Naphtolen, resp. deren Äthern und Sulfosäuren konibiniert, eine Reihe von Farbstoffen, welche sich in der Phenolreihe zwischen gelb, orange und braun, in der α-Naphtolreihe zwischen rot und blauviolett, in der β-Naphtolreihe zwischen gelborange und rotorange bewegen. (Pol. Journ. **254.** 232.)

Calciumdisulfit als Desinfektionsmittel. In manchen Häusern sind die Keller nicht wohl zu benutzen, da in denselben die Vorräte einen dumpfgen Geruch und Geschmack annehmen, bei längerer Aufbewahrung sogar dem Verderben ausgesetzt sind. In solchen Fällen hat sich der doppeltschwefligsaure Kalk bewährt, der als wasserhelles, flüssiges Präparat mittels eines scharfen Pinsels auf die vorher mit einem stumpfen harten Besen oder einer Bürste gereinigten Wände aufgetragen wird, bis dieselben hinreichend von der Flüssigkeit durchzogen sind. Auch gegen Hausschwamm wird das Präparat vorteilhaft angewendet. Bei ansteckenden Krankheiten, auch solchen des Viehes, ist der doppeltschwefligsaure Kalk zum Ausstreichen der Zimmer oder Ställe zu benutzen, da er die an den Wänden haftenden Ansteckungsstoffe unschädlich macht. Um in Zimmern das gefällige Aussehen der Wände nicht zu beeinträchtigen, kann über den Anstrich mit dem Präparate ein solcher von Weißkalk oder einer ähnlichen Farbe aufgetragen werden, doch ist der schwefligsaure Kalk nicht darunter zu mischen, weil hierdurch seine Wirkung bedeutend abgeschwächt würde. In Brennereien, Brauereien, Stärke- und Hefefabriken etc. findet der doppeltschwefligsaure Kalk als vorzügliches Desinfektionsmittel bereits eine ziemlich ausgedehnte Verwendung zum Reinhalten der Gärgefäße, Malztennen, Bottiche, kurz, überall da, wo krankhafte oder unzeitige Gärung oder Schimmelbildung vermieden werden soll. Vorzüge des Präparates sind die Unschädlichkeit und der niedrige Preis desselben. Mit der Herstellung von schwefliger Säure, sowie von Präparaten derselben beschäftigen sich u. a. die Fabriken von Dr. F. WILHELMI in Reudnitz und von M. BROCKMANN in Eutritzsch bei Leipzig. (D. Ind.-Ztg.; Pol. Notizbl. **39**. 295—96.)

Schnellbleichverfahren für Öle und Fette von MOR. HERZOG. — Die festen Fettstoffe werden in derselben Weise behandelt wie die flüssigen. Um Baumwollsamenöl, Rüböl etc., sowie alle fetten Öle zur weiteren Behandlung vorzubereiten, werden dieselben bei gewöhnlicher Temperatur zuerst in größeren Behältern mit zwei bis drei p. c. Kochsalz vermischt und dann mit 25—30 p. c. kaltem Wasser 5—10 Minuten lang gut durchgerührt. Nach einer Ruhe von 24—48 Stunden hat sich dann ein Teil der Verunreinigungen mit dem Wasser und Salz zu Boden gesetzt. Das darüber 'stehende Öl wird nun abgezogen und in einem anderen Behälter mittelst Kurbelschaufeln noch einmal mit kaltem Wasser tüchtig ausgewaschen. Nach 6 bis 12 Stunden Ruhe hat sich das Öl wieder über dem Wasser angesammelt und wird zur weiteren Behandlung abgezogen. Diese Behandlung mit Kochsalz ist besonders zur Herstellung feiner Speiseöle wertvoll, kann aber auch auf andere Öle, wie Leinöl, Fischöl etc. Anwendung finden. Leitet man gleichzeitig einen elektrischen Strom durch das Gemisch während der mechanischen Behandlung, so wird das Öl auch noch zugleich gebleicht, indem sich das Kochsalz unter der Einwirkung des elektrischen Stromes zersetzt und sich stark bleichende sekundäre Verbindungen bilden. Für manche Öle und Fette, welche sonst leicht ranzig werden oder verderben, empfiehlt es sich, bei obigem Verfahren zwei bis drei p. c. doppeltkohlensaures Natron zuzugeben, welches einen präservierenden Einfluß auf dieselben ausübt. Neben dem zweiten Waschen mit kaltem Wasser in dem zweiten Behälter kann das Öl auch mit Wasserdampf behandelt werden, welchen man, fein zerteilt, durch das Öl leitet. Für Baumwollsamenöl empfiehlt sich eine solche Behandlung von 5—10 Minuten, für Rüböl 15—20 Minuten und für Fischöl eine halbe Stunde. Durch diese Behandlung werden die ranzigen Bestandteile entfernt, während die Schleimteile angefällt werden und in' der Folge zu Boden sinken. An Stelle von Dampf kann man auch erwärmte Luft mit einem Gebläse durch das Öl hindurchtreiben, welches mit 20—30 p. c. heißem Wasser vermischt ist, und zwar wiederholt etwa fünf Minuten lang mit Zwischenpausen von zwei bis drei Minuten. Wird das so vorbereitete Baumwollenöl, Rapsöl oder dergl. nun noch einmal filtriert und eine Zeit lang gelagert, so erhält man ein reines Produkt von angenehmem, süßem Geschmack und hellem, blaßgelbem Aussehen. Zum Filtrieren nehme man endloses Filtrierpapier, mit welchem man die gerippten Wände und den Boden der Filtriergefäße belegt. Nach einmaliger Benutzung, Auspressung und Auswaschung kann das Papier dann in Flockenform von neuem zur Belegung der Filtrierböden gebraucht werden. Zur Vorbereitung von Firnis-, Brenn-, Schmierölen etc. versetze man das Öl mit zwei p. c. Kochsalz, in 15—20 p. c. Wasser von 80—100° C. gelöst, was durch eingeleiteten Dampf während des Rührens noch weiter erwärmt wird. Danach gebe man bei stetem Umrühren 1—1,5 p. c. Salzsäure in 15—20 p. c. Wasser verdünnt zu und leite schließlich in Intervallen von fünf Minuten noch mehrmals Dampf durch, wobei die Mischung eine Temperatur von 120° F. zeigen soll. Hierauf läßt man die Öl in Absatzgefäßen sich wieder sammeln. In vielen Fällen hält HERZOG einen Zusatz von Kaliumpermanganat oder Kaliumchlorat oder doppeltchromsaurem Kali mit Salzsäure für sehr nützlich, welche Stoffe man vorher in möglichst wenig Wasser von 120° F. löst. Für 100 Pfund Öl nehme man etwa $\frac{1}{10}$ Pfund der letztgenannten Salze und $1\frac{1}{2}$—2 Pfund Kochsalz. Das zu bleichende Öl wird in einem Behälter bei 120—130° F. mit den Salzlösungen successive vermischt, wobei man 2—3 p. c. Salzsäure oder 1—1$\frac{1}{2}$ p. c. Schwefelsäure mit einer Brause unter stetem Umrühren während einer Stunde zugiebt. Dann gießt man noch 30 p. c. warmes Wasser zu und überläßt die Mischung der Ruhe. Das abgezogene Öl wird noch mehrmals mit reinem Wasser, zu welchem etwas Soda gegeben ist, ausgewaschen und auch noch mit Dampf behandelt. Der schleimige Bodensatz kann zur Seifenfabrikation verwendet werden. Dieses Verfahren kann mit geringen Variationen sowohl auf mineralische, wie auf animalische und vegetabilische Öle Anwendung finden. (Techniker 1884. 274; Ind.-Bl. **21**. 362.)

Über Cassiaöl und dessen Prüfung, von G. HEPPE. Es ist eine bekannte Thatsache, daß das Cassiazimmtöl trotz seines niedrigen Preises häufig Verfälschungen .unterworfen ist und daß diese Fälschungen nicht bloß hier von Zwischenhändlern vorgenommen werden, sondern daß dieses Öl auch schon an seinen Produktionsorten, also in China selbst, zuweilen verfälscht wird.

Vor kurzem erhielt Vf. ein Cassiaöl, welches mit Kopaivabalsam verfälscht sein sollte, da dieses Öl bei der Rektifikation mit Wasserdampf eine reichliche Menge einer weißen harzartigen Masse hinterließ. Bei näherer Untersuchung und Vergleichung mit dem Harze, welches aus

Kopaivaharz selbst hergestellt war, ergab sich jedoch, daß das aus dem Cassiaöle abgeschiedene Harz kein Kopaivaharz war, denn ersteres, eine lockere, gelblichweiße Masse, schwamm auf dem Wasser, während das Kopaivaharz untersank; ferner löste sich letzteres sehr leicht in Petroleumäther, wobei sich nur einige weiße Flocken wieder abschieden, während das aus dem Cassiaöle erhaltene Harz in dem Petroleumäther fast ganz unlöslich war, auch beim Schmelzen einen ganz anderen Geruch verbreitete. Hierbei will Vf. zugleich erwähnen, daß die von HAGER angegebene Prüfung des Cassiaöles mit Petroleumäther ganz gute Resultate giebt; echtes Cassiaöl und auch solches, welches durch Äther oxydiert ist und einen Destillationsrückstand hinterläßt, giebt beim Schütteln mit dem gleichen Volum Petroleumäther nichts oder nur eine höchst unbedeutende Menge an diesen ab. Absichtlich mit Kopaivabalsam versetztes Cassiaöl zeigte aber beim Schütteln mit dem gleichen Volum Petroleumäther sofort eine Volumverminderung. Als man jedoch Kopaivaharz in dem Cassiaöle löste und mit Petroleumäther schüttelte, wurde das Volum nicht verändert, trotzdem sich Kopaivaharz für sich allein leicht in Petroleumäther löste; eine Verfälschung mit Kopaivaharz ist also im Cassiaöle auf diese Weise nicht nachzuweisen.

Das dem Vf. zur Untersuchung übergebene Cassiaöl, welches mit Kopaivabalsam verfälscht sein sollte, gab an Petroleumäther nichts ab, löste sich in 80 prozent. Alkohol klar auf, ebenso in Eisessig; Verfälschungen mit Ricinusöl oder anderen fetten Ölen konnten ebenfalls nicht nachgewiesen werden. Nicht unerwähnt darf hier bleiben, daß zwar Kopaivabalsam in Eisessig nicht löslich ist, wohl aber eine Mischung von Cassiaöl mit Kopaivabalsam; diese verhält sich also wie reines Cassiaöl zu Essigsäure.

Um eine andere, etwa vorhandene Beimengung herauszufinden, schüttelte Vf. das fragliche Cassiaöl mit einer konzentrierten Lösung von Natriumsulfit; die hierbei nach einigen Stunden entstandene Verbindung des Zimtaldehydes mit dem Natriumdisulfit wurde dann mit Alkohol und schließlich auch noch mit Äther gewaschen, um sie ganz rein und weiß zu erhalten. Beim Verdunsten der alkoholischen und auch der ätherischen Lösung blieben Öle zurück, die noch einen starken Zimmtgeruch hatten. Da Vf. hierdurch auf die Vermutung kam, daß noch nicht alles Zimtaldehyd in die krystallinische Natriumdisulfitverbindung übergeführt sein könnte, so wurde das nach dem Verdunsten des Alkohols und Äthers zurückbleibende Öl nochmals mit einer frischen Lösung von Natriumsulfit geschüttelt und dieses Verfahren, obschon sich fast keine Krystallmasse mehr ausschied, noch ein drittes Mal wiederholt; das zurückbleibende Öl hatte aber immer noch starken Zimmtgeruch und war schwerer als Wasser; es enthielt Zimmtsäure und Harz neben einem flüssig bleibenden Teile. Obschon man bis jetzt keine polymeren Aldehyde in der aromatischen Reihe kennt, so wäre es doch nicht unmöglich, daß dieser noch nach Zimmtöl riechende, aber mit Natriumdisulfit nicht mehr verbindbare Teil des Cassiaöles aus polymerisiertem Zimmtaldehyd besteht.

Kopaivabalsam konnte in dem betreffenden Cassiaöle auf keine Weise nachgewiesen werden und ein absichtlich mit diesem Balsam vermischtes Cassiaöl verhielt sich in jeder Weise verschieden. (Pharm. Centralh. **25.** 468—69.)

Pasteurisieren des Bieres mit warmer Luft von J. EXNER. Der Verkauf des Bieres in Flaschen wird immer allgemeiner, nimmt fortwährend größere Dimensionen an, und da zeigt sich oft die Notwendigkeit, irgend ein Mittel anzuwenden, um das Bier, besonders wenn es auf größere Entfernungen versendet wird, auch für längere Zeit klar und trinkbar zu erhalten. Außer vollkommen entsprechenden Brau- und Kellermanipulationen und ev. Benutzung von Salicylsäure bewährte sich dabei am besten das Pasteurisieren des Bieres. Bisher wurden zu dem Zweck die mit Bier gefüllten Flaschen allmählich bis auf 60° R. erwärmt, welche Manipulation jedoch viel Zeit in Anspruch nimmt, und wobei viele Flaschen ruiniert werden. Vf. kam nun auf die Idee, daß derselbe Zweck durch Erwärmen mittelst heißer Luft auch erreicht werden könnte, was auf der Darre veranstaltete Proben bestätigten. In dem Darrraum hängen während und längere Eisendrähte mit Häkchen an ihrem Ende, auf welche man die gefüllten, mit dem JUNG'schen patent. Korkhalter versehenen Bierflaschen aufhängt, und so 500 Flaschen auf einmal der Pasteurisierung übergiebt. Nun wird auf der Darre der Dunstschlauch zugemacht und mit dem Heizen begonnen; in ³/₄ Stunden ist die Temperatur auf 60° R. gestiegen, bei welcher man die Flaschen mindestens ¹/₂ Stunde hängen läßt. Das Bier erreicht in den Flaschen eine Temperatur von 50° R., welche vollkommen genügt, und da die Erwärmung sehr langsam geschieht, zerbricht kaum eine Flasche. Man könnte einwenden, daß viel Brennmaterial bei dieser Operation verwendet wird; dies ist jedoch nicht der Fall, denn bei verschlossenem Dunstschlauch ist der Darrraum bald warm, da keine Wärme entweichen kann. Überdies braucht man zum Erwärmen des Wassers ja auch Brennmaterial. Besonders im Sommer, wo die Darre meistens unbenutzt ist, eignet sie sich sehr gut zu der betreffenden Manipulation. Die pasteurisierten Biere halten sich mehrere Monate klar, werden aber dann doch trübe. Auch in einem unter 5° R. kalten Keller wird ein pasteurisiertes Bier trüb und erst wieder hell, wenn es in einen wärmeren Keller, am besten von 6° R., kommt. Dunkle, volle Biere lassen sich übrigens zum Pasteurisieren besser verwenden wie helle Biere, die dadurch merklich an Qualität einbüßen. (Böhm. Bierbrauer; Pol. Notizbl. **39.** 293—94.)

Bleichen des Talges. — Man schüttet etwa 50 Pfund Lauge von kaustischer Soda in einen reinen Kessel und dreht dann den Dampf an. Salz wird der Lauge zugesetzt, bis sie 25 bis 28° B. zeigt. Nun wird das Fett — 300 Pfund — in den Kessel gethan und der Dampf wieder zugelassen, bis die Masse zum Kochen gebracht ist, worauf der Dampf abgesperrt werden muß, um das Überlaufen zu verhüten. Man läßt dann bis auf 1—2 Zoll einkochen und überläßt es 3—5 Stunden lang sich selbst, so daß das Fett klar werden kann. Am Ende dieser Zeit wird die obere, verseifte Schicht abgeschöpft, der reine Talg entfernt und durch ein Haarsieb oder durch ein Leinentuch in ein reines Gefäß durchgehen gelassen, bis man die untere, ebenfalls verseifte Schicht erreicht hat. Der Bodensatz in dem Kessel, welcher aus verseiftem Fette und Lauge besteht, wird entfernt und mit der oberen Schicht zur Zubereitung von „Curd Soap" verwendet. Dann wird der Kessel wieder gründlich gereinigt und gegen 30—35 Pfd. Wasser mit ³/₄—1 Pfd. Alaun darin bis zum Kochen erhitzt, worauf die Fettlösung hinzugegeben wird und man die Masse etwa 15 Minuten lang kochen läßt, bis alles Unreine aus dem Fette verschwunden ist. Die Masse wird dann in ein anderes Gefäß übertragen und sich 3—5 Stunden wiederum selber überlassen. Das reine Fett wird hierauf wieder in den Kessel gethan und derselbe zum Kochen erhitzt, bis sich eine Temperatur von 170—208° C. ergeben hat. Infolge dieser letzteren Verrichtung wird das Fett schneeweiß. Der Dampf muß dann abgesperrt werden, sobald sich auch nur die leichteste Spur eines Dunstes von unangenehmem Geruche wahrnehmen läßt. Daß Fett kann man nun direkt gebrauchen und läßt es abkühlen. Wie vorerwähnt, muß der Dampf abgesperrt oder das Feuer ausgelöscht werden, sobald sich auch nur die geringste Spur von widerlich riechenden Dünsten zeigt, gleichviel, ob die Temperatur 150° C. oder 170° C. ist; denn wenn solches nicht gleich geschieht, so wird das Fett wieder dunkel. Auf solche Weise wird frisch gewonnenes, süßes Fett (aber kein saueres oder ranziges) ganz gut gebleicht und kann sehr hoch erhitzt werden. Doch soll das Fett auch nicht zu frisch sein, oder man riskiert, daß es sich verseift, ohne daß etwas zum Bleichen übrig bleibt. Talg, welcher auf diese Art behandelt worden ist und zu Toilette-Seifen verwendet wurde, hat stets eine weiße Farbe und einen angenehmen Geruch. Gebleichter Talg eignet sich besonders zur Herstellung von Kerzen, da er äußerst hart wird. (Techniker 1884, 261; Ind.-Bl. 21. 337.)

Beiträge für das Centralblatt bittet man an die Redaktion (Leipzig, Lessingstr. 5) zu richten. **Originalarbeiten** von nicht zu großem Umfange werden entsprechend honoriert und gelangen stets sofort nach der Einsendung, und zwar in kürzester Frist, zum Abdruck.

Redaktion: Prof. Dr. **Rud. Arendt** in Leipzig.

Verlag von **Leopold Voss** in Hamburg u. Leipzig. — Druck von **Metzger & Wittig** in Leipzig.

Chemisches Central-Blatt.

Wöchentlich eine Nummer von
1–2 Bogen. Der Jahrgang mit
Sach- und Namen - Register,
nebst system. Übersicht.

Der Preis des Jahrgangs
ist 30 Mark. Durch alle
Buchhandlungen und Post-
anstalten zu beziehen.

REPERTORIUM

für reine, pharmazeutische, physiologische und technische Chemie.

Dritte Folge. XV. Jahrgang.

Wochenbericht.

1. Allgemeines und Physikalisches.

Ad. Blümcke, *Über den Einfluß des Konzentrationsgrades auf die spezifische Wärme wässeriger und alkoholischer Lösungen von Metallchloriden.* (WIED. Ann. **23.** 161—73.)

Schmidt und **Hänsch**, *Über eine beim Polarisieren beobachtete störende Erscheinung.* Bei den Beobachtungen mit dem Polarisationsinstrument wird zuweilen die Wahrnehmung gemacht, daß eine im Polarimeter liegende gefüllte Röhre bei Umdrehung um ihre Axe verschieden polarisiert, sogar wenn sie nur mit destilliertem Wasser gefüllt ist. Die Ursachen dieser störenden Erscheinung können sehr verschiedene sein, nämlich: 1. mangelnde Homogenität der Lösung, 2. Unreinheit der Röhren, 3. unvollkommene Planparallelität der Gläser, 4. unparallele Begrenzung der Beobachtungsröhren und 5. eigene Polarisation der Deckgläser. Ad 1. die mangelnde Homogenität der Lösung verschiebt die optische Axe vollständig, d. h. das Fernrohr vereinigt dann nicht mehr die reinen Axenstrahlen, sondern auch solche aus irgend einer seitlichen Richtung einfallende; hierdurch wird der optische Schwerpunkt des Gesichtsfeldes aus dessen Mitte verschoben, und die beiden Hälften desselben, deren Intensitäten bei der Beobachtung zu vergleichen sind, werden ungleich stark erleuchtet. Demzufolge können gegen die Beobachtung bei normaler Axenwirkung Fehler von 0,8—0,9 kaum vorkommen. Erfahrungsgemäß tritt die Homogenität einer Lösung in so langen und engen völlig gefüllten Gefäßen, wie die Beobachtungsröhren sind, nur sehr langsam ein, weshalb unter allen Umständen gleich eine neue Lösung zu machen ist. — Ad 2. Nach Füllung einer unreinen Röhre mit destilliertem Wasser gehen die vorhandenen Zuckerreste allmählich in Lösung, mit allen möglichen Übergängen von größerer Konzentration bis zu reinem Wasser; es tritt also der gleiche Mangel an Homogenität, verursacht durch eine mit Polarisationsfähigkeit begabte Verunreinigung, ein. Ob eine Zuckerlösung homogen ist, oder die Beobachtungsröhre verunreinigt war, ist durch einmalige scharfe Einstellung des Fernrohres zu erfahren; bleibt die Einstellung nach dem Umdrehen der Röhre nicht dauernd scharf, so beruht das eben auf einer allmählich sich vollziehenden Ausgleichung verschiedener Lösungsgemische in der Röhre. — Ad 3. Die mangelnde Planparallelität der Deckgläser bewirkt ebenfalls eine seitliche Verschiebung des Lichtes, und deshalb eine Differenz mit dem normalen Nullpunkte. Wird eine Röhre mit solchen fehlerhaften Deckgläsern im Apparat gedreht, so reißt sie gewissermaßen den optischen Schwerpunkt des Gesichtsfeldes mit sich herum. — Ad 4. Dieselbe Erscheinung tritt ein, wenn das Beobachtungsrohr an den Enden nicht rechtwinklig gegen die Axe abgeschnitten ist. Fehlerhafte Deckgläser erkennt man daran, daß sie, wenn schnell zwischen Daumen und Zeigefinger gedreht, die durch sie fixierten Gegenstände in tanzender Bewegung erscheinen lassen. Hat man auf diese Weise seine Deckgläser kontrolliert, so kann man mit Hilfe von zwei tadellosen Deckgläsern in gleicher Weise (die natürlich vorher gefüllten) Beobachtungsröhren kontrollieren. — Ad 5. Man drücke dies betreffende Deckglas mit aufgelegtem weichen Gummiring durch die aufgeschraubte Kapsel gelind an ein Beobachtungsrohr an und lege das letztere so in den auf den Nullpunkt gestellten Polarisationsapparat, daß das

Deckglas möglichst nahe an die Doppelplatte oder das Schattennicol kommt. Bemerkt man nun eine Veränderung der Farbe oder des Halbschattens, so hat man es mit einem selbstpolarisierenden Deckglas zu thun, das ohne weiteres zu verwerfen ist. Um die Strömungen kennen zu lernen, welche aus polarisierenden Deckgläsern entspringen, braucht man nur ein sonst gutes Deckglas durch scharfes Anschrauben der Kapsel zu pressen. Sogleich macht sich im Apparat eine Veränderung der Farbe oder des Halbschattens bemerkbar. Die Erscheinung ist beim Schattenapparat um soviel merkbarer, als derselbe den Farbenapparat (SOLEIL-VENTZKE) an Empfindlichkeit übertrifft. (Ztschr. f. Instrumk. **4.** 348—49.)

W. Spring, *Über ein neues Differenzialdilatometer und seine Anwendung auf die Untersuchung der Ausdehnung der Alaune.* (Bull. de l'Acad. royale de Relgique (3) **6.** Nr. 12. Ztschr. f. Instrumk. `4. 357.)

2. Allgemeine Chemie.

A. Boillot, *Verbindungswärme der Wasserstoff- und Sauerstoffverbindungen.* Verbindet man 1 g oder 11,3273 l Wasserstoff mit 8 g oder 5,6637 l Sauerstoff (gemessen bei +4° und 760 mm), so erhält man 9 g oder 9 ccm Wasser, von denen 6 ccm durch den Wasserstoff und 3 ccm durch den Sauerstoff eingenommen sind. Bei dieser Reaktion entwickeln sich 34,5 cal, von denen zwei Drittel, also 23 auf den Wasserstoff und ein Drittel, also 11,5 cal auf den Sauerstoff kommen. Würde man die 11,3273 l Wasserstoff durch Kompression auf 6 ccm reduzieren, so müßten sich $23 + \frac{2}{3} s$ cal entwickeln, wenn s die latente Bildungswärme von 9 g Wasser ist. Komprimiert man ebenso 5,6637 l Sauerstoff auf 3 ccm, so erhält man $11,5 + \frac{1}{3} s$.

Bei der Bildung von 17 g Wasserstoffsuperoxyd, welche 12 ccm einnehmen, von denen 6 ccm oder 1 g auf den Wasserstoff und 6 ccm oder 16 g auf den Sauerstoff kommen, entstehen diese Flüssigkeiten aus demselben Volum Gas, nämlich 11,3273 l. Bei dieser Verbindung werden 23,7 cal entwickelt, von denen die Hälfte durch den Sauerstoff und die Hälfte durch den Wasserstoff geliefert wird. Was die latente Wärme betrifft, so beträgt diese $s + \frac{s}{3} + 10,8 + 11,5$, und übertrifft die latente Wärme von 9 g Wasser um $\frac{2}{3} s + 22,3$ cal. Jede der beiden Komponenten hat $\frac{2}{3} s + 11,15$ cal Wärme beigetragen.

Komprimiert man die 11,3273 l eines jeden Gases, welches sich an der Bildung des Wasserstoffsuperoxydes beteiligt, auf 6 ccm, so würden sich k cal entwickeln, und man hat:

$$k = 23 + \frac{2}{3} s,$$

woraus sich s berechnen läßt.

Seien nun Θ und Θ' die Temperatur derselben Gasmasse, p, p' und d, d' der entsprechende Druck und die Dichtigkeiten, c das Verhältnis der Wärmekapazitäten des Gases bei konstantem Drucke und konstantem Volum, so hat man nach LAPLACE:

$$p' = p \left(\frac{d'}{d} \right)^c, \quad \Theta' = (272,48 + \Theta) \left(\frac{d'}{d} \right)^{c-1} - 272,48,$$

dies gilt für +4° und 760 mm.

Die Wärmekapazität des Sauerstoffes, in bezug auf die des Wassers als Einheit genommen, ist 0,2361, und die des Wasserstoffes 0,4090 nach REGNAULT; für dieselben Gase ist $c = 1,415$.

Es ist leicht, zu sehen, daß das Verhältnis $\frac{d'}{d} = \frac{p'}{p}$ für Wasserstoff und Sauerstoff dasselbe ist, und zwar gleich 1887,887; man hat also:

$$\frac{p'}{p} = (1887,887)^{1,115}, \quad \Theta' = 276,48 \, (1887,887)^{0,415} - 272,48;$$

woraus sich ergiebt:

$$\frac{p'}{p} = 43202 \quad \text{und} \quad \Theta' = 6054,52.$$

Die Menge k von Kalorien, welche entwickelt werden, wenn 16 g Sauerstoff vom Volum 11,3273 l auf das 1887,877 mal kleinere Volum komprimiert werden, wird dann sein:

$$k = 0{,}016 \times 0{,}2361 \times 6054{,}52 = 22{,}8716,$$

und aus der Gleichung $k = 23 + \dfrac{2}{3}\, s$ berechnet sich:

$$s = -0{,}192 \text{ oder } s = 0.$$

Führt man die Rechnung mit Wasserstoff aus, so findet man, daß die Wärmekapazität 3,409 auf 3,79 oder 3,80 gebracht werden müßte, um das Resultat $s = 0$ zu geben.

Aus dem Vorhergehenden ergiebt sich:

1. Die Kalorien, welche durch die Verbindung von Wasserstoff und Sauerstoff zu Wasser frei werden, werden zu zwei Drittel vom ersteren und zu einem Drittel vom letzteren geliefert. Das gebildete Wasser absorbiert keine latente Wärme. Für 9 g gebildetes Wasser entwickelt das eine Gramm Wasserstoff 23 cal und die 8 g Sauerstoff 11,5 cal.

2. Bei der Bildung von Wasserstoffsuperoxyd entwickeln beide Gase die gleiche Menge von Kalorien, nämlich für 17 g Wasserstoffsuperoxyd das eine Gramm Wasserstoff 11,85 cal und die 16 g Sauerstoff ebenfalls 11,85 cal. Die latente Wärme dieser Menge Wasserstoffsuperoxyd ist 22,3 cal, von denen die Hälfte auf jedes der Elemente kommt.

Als eine Konsequenz dieser Rechnung ergiebt sich die Dichte des flüssigen Sauerstoffes gleich 0,888 oder $\dfrac{8}{9}$. WROBLEWSKI hat bekanntlich für dieselbe 0,89 und 0,90 gefunden. (C. r. 99. 712—14. [27.*] Okt.)

3. Anorganische Chemie.

E. Mulder, *Über ein Ausströmungsozonometer und über die Geschwindigkeit der Zersetzung des Ozons.* (Erster Teil.) (Rev. des Trav. Chim. des Pays-Bas 3. 137—57. 26. Mai. [3. Juni.] Utrecht.)

H. Moissan, *Über Phosphortrifluorid.* Das Phosphortrisulfid PFl_3 ist ein gasförmiger Körper, welcher entsteht, wenn man gut getrocknetes Phosphorkupfer auf kieselsäurefreies Bleifluorid einwirken läßt; seine Darstellung geschieht in einer mit einem Kork verschlossenen Messingröhre, welche mit einem Ableitungsrohr aus Blei versehen ist. Bei 24° läßt es sich durch einen Druck von 180 Atm. im CAILLETET'schen Apparat noch nicht verdichten; unterwirft man aber das Gas unter diesen Bedingungen einer raschen Entspannung, indem man den Druck plötzlich bis 50 Atm. erniedrigt, so verwandelt es sich in eine Flüssigkeit, welche rasch wieder Gasform annimmt. Bei —10° kann es unter einem Druck von 40 Atm. in flüssigem Zustande erhalten werden; es bildet unter diesen Bedingungen eine sehr bewegliche farblose Flüssigkeit, welche das Glas nicht angreift. Seine Dichte im Gaszustand wurde mit Hilfe des CHANCEL'schen Apparates bestimmt und gleich 3,022 gefunden; die Theorie verlangt 3,0775 für PFl_3, wenn man die Dichte des Fluors gleich 1,32673 annimmt. In gewöhnlicher Luft ist es unverbrennbar; wird es aber mit seinem halben Volum Sauerstoff gemischt, so detoniert es in Berührung mit einer Flamme oder durch den elektrischen Funken. In reinem Zustande raucht es an der Luft nicht. Es zersetzt sich langsam bei gewöhnlicher Temperatur bei Gegenwart von Wasser, die auf diese Weise entstandene Lösung enthält Fluorwasserstoffsäure und phosphorige Säure. Seine Zersetzung mit Wasser ist der des Phosphortrichlorids analog:

$$PFl_3 + 6 HO = PO_3, 3 HO + 3 HFl.$$

Bei Gegenwart von Wasserdampf von 100° ist die Zersetzung rascher.

Das Phosphortrisulfid wird durch Temperaturerhöhung durch Kali- oder Natronlösung rasch absorbiert, wobei sich ein alkalisches Phosphit bildet.

Die Absorption durch Barytwasser oder eine Lösung von Kaliumcarbonat ist langsamer. Mit Lösungen von Chromsäure oder Kaliumpermanganat zersetzt es sich sofort; von absolutem Alkohol wird es unter Temperaturerhöhung absorbiert, ohne daß aus der hierdurch sofort zum Sieden gebrachten Lösung das Gas regeneriert würde. Von Brom wird das Phosphortrifluorid augenblicklich absorbiert. Mit amorphem Bor oder krystallisiertem Silicium zur Rotglut erhitzt, bildet es Borfluorid oder Siliciumfluorid. Durch geschmolzenes Natrium wird es rasch zersetzt, durch Kupfer langsamer. Mit Ammoniakgas verbindet es sich in der Kälte zu einer weißen, sehr leichten, flockigen Substanz, welche in Berührung mit Wasser schwindet.

Mischt man 4 Vol. Phosphortrifluorid mit 1 Vol. Sauerstoff und läßt den elektrischen

Funken hindurch schlagen, so tritt eine heftige Detonation ein; das Volum vermindert sich, und man erhält ein Gas, welches an der Luft raucht, durch Wasser absorbiert wird und damit eine Lösung giebt, welche keine Spur phosphorige Säure enthält, vielmehr alle Reaktionen der Phosphorsäure giebt. Das entstandene Gas ist ein zur Hälfte verbranntes Phosphortrifluorid, wahrscheinlich ein Oxyfluorid PFl_4O_2.

Die Bestimmung des Phosphors im Trifluorid wurde ausgeführt, indem man ein bestimmtes Volum des Gases durch Kalilauge absorbieren ließ, die Lösung mit Salpetersäure versetzte, zur Trockne dampfte, glühte, wieder mit Wasser aufnahm und nach der Filtration die Phosphorsäure als Ammoniummagnesiumphosphat fällte.

Das Fluor wurde auf Grund des folgenden Verhaltens bestimmt. Fängt man in einer gekrümmten Röhre über trocknem Quecksilber ein bestimmtes Volum Phosphortrifluorid auf und erhitzt den umgebogenen Teil der Röhre zur Rotglut, so trennt sich der Phosphor von dem Fluor. Das Volum vermindert sich, und der Phosphordampf verdichtet sich in dem kalten Teile der Röhre als Tröpfchen. Die Zersetzung ist nach etwa 40 Minuten vollendet. Das Volum ist dann auf ein Viertel vermindert, und die Wand der Glasröhre stark angegriffen. Das zurückbleibende Gas besteht nur aus Siliciumfluorid, welches durch Wasser unter Abscheidung von Kieselsäure zersetzt werden kann.

$$4PFl_3 + 6Si = 3Si_4Fl_4 + 4P$$
$$16 \text{ Vol.} \qquad\qquad 12 \text{ Vol.}$$

Aus dem Volum des entstandenen Fluorsiliciums kann man also leicht die Menge des Fluors berechnen. Der Rückstand in der Röhre besteht zum größten Teil aus gewöhnlichem, in Schwefelkohlenstoff löslichem Phosphor, einer gewissen Menge Phosphorsäure und einer kleinen Menge amorphem Phosphor. (C. r. **99**. 655—657 [20°] Okt.)

E. J. Maumené, *Über die alkalischen Hydrate.* III. Abhandlung. *Kalium- und Natriumhydrat. Kaliumhydrat.* Das normale Hydrat wurde im Jahre 1796 durch LOWITZ dargestellt, doch gab dieser die Zusammensetzung nicht an, sondern konstatierte nur einen Gewichtsverlust von 43 p. c. Krystallwasser. Zu jener Zeit hielt man das geglühte Kali für wasserfrei. PHILIPP WALTER hat im Jahre 1836 das LOWITZ'sche Hydrat analysiert und 49,9 KO und 50,1 HO gefunden. Hieraus leitete er die Formel $KO(HO)_5$ ab, welche indessen sehr wenig mit der Analyse stimmt.

Der Vf. hat ein Produkt untersucht, welches nach dem Trocknen im Salzwasserbad in einem Strom von trockener Luft genau 50,00 KO und 50,00 Wasser enthielt. Hieraus läßt sich die Formel $(KO)_5(HO)_{47}$ oder $KO(HO)_{5,222}$ berechnen.

LOWITZ hat ein anderes, aus warmer Lösung in großen rechteckigen Tafeln krystallisierendes Hydrat beschrieben, welches sich von dem vorigen dadurch unterscheidet, daß es in Berührung mit Wasser Wärme entwickelt, während das oktaedrische Hydrat die Temperatur auf 0° erniedrigen soll. Man erhält jene Krystalle leicht, wenn man die Flüssigkeit, aus welcher sich beim Abkühlen das normale Hydrat abscheiden würde, noch sehr warm in dem kalten Schale gießt. Hierbei bildet sich rasch eine krystallinische Kruste, aus welcher sich kleine Krystallblättchen, ähnlich dem Kaliumchlorat oder dem Naphtalin abscheiden. Diese enthalten weniger Wasser und entwickeln in Berührung mit Wasser Wärme. 32,51 g mit 20 ccm Wasser gemischt steigern die Temperatur von 17—45°. Diese Analyse ergab auf einen Teil KO 3,15 Teile HO. Dies ist das Hydrat der zweiten Ordnung:

$$\frac{KO}{HO} = \frac{47}{9} \times \frac{3}{5} = 3,1333 .$$

PH. WALTER hat ein anderes Hydrat angegeben, welches aus dem Hydrat, das nach seiner Ansicht 5 HO enthalten soll, im trocknen Vakuum durch Verlust von 3,5 Äq. Wasser entstehen soll, also der Formel $(KO)_5(HO)_1$ entspricht. Allein dieses Hydrat ist in Wahrheit $(KO)_9(HO)_{47,13}$ oder $KO(HO)_{1,2740}$. Der Wassergehalt ist auf ein Viertel reduziert. Durch Erwärmen verliert es noch mehr Wasser und führt zu Hydraten, welche man für krystallisiert halten kann. Das reine Hydrat, im Silbertiegel so lange geschmolzen, bis das Schäumen aufhört und dann langsam erkaltet, giebt Krystalle, welche denen des Schwefels ähnlich sind. Diejenigen, welche man bei Rotglühhitze erhält, sind identisch mit den vorhergehenden $KO(HO)_{47,127}$. Diejenigen, welche bei dunkler, im Tageslicht noch sichtbaren Rotglut entstehen, enthalten 1,205 Wasser, und die bei Weißglühhitze sich bildenden 0,746 Wasser.

Ein von DAVY mit allen Details beschriebener Versuch führte zu einem Wassergehalt von 1,30 Äq. auf einen Teil bei Rotglühhitze geschmolzenes Kali. Kein Hydrat enthielt 1,000 Äq.

Natriumhydrat. Das normale Hydrat kann krystallisiert erhalten werden. Es wurde von SCHOENE analysiert, welcher die Formel $NaO(HO)_5$ angiebt. Der Vf. fand, daß nach gehörigem Trocknen die Krystalle aus genau gleichen Teilen NaO und HO bestehen. Dies führt zu einem Wassergehalt von 3,444 Äq. zur Formel $(NaO)_8(HO)_{21}$. In Weißglühhitze erhält man ein Hydrat, in dem der Wassergehalt auf ein Achtel von dem Gewicht des Ganzen reduziert ist, also 0,492 Äq. entspricht. Dasselbe Hydrat wurde in verschiedenen käuflichen Produkten von PICHON nachgewiesen.

Die Untersuchung der Hydrate von BaO, SrO, KO und NaO führte den Vf. zu folgenden Schlüssen:

1. „Die allgemeine Theorie ist die einzige Basis für die Erklärung der chemischen Erscheinungen."

2. „Sie zerstört die Hypothese von der Annahme der Hydrate MO, HO, welche eine der Grundstützen der atomistischen Theorie bildet."

3. „Sie befreit die Chemie von allen Hypothesen, welche für diese Erklärung unnütz sind und (nach dem Ausspruch eines ihrer Anhänger) der intellektuellen Erziehung der Jugend schaden."

4. „Ich habe „wahre Chemie" das Studium genannt, welches sich auf die allgemeine Theorie stützt. Diese Benennung wird, wie ich hoffe, von jetzt ab von allen Chemikern angenommen werden." (C. r. 99. 631—34 [20*] Okt.)

Quantin, *Über einige Reaktionen der Chlorochromsäure.* Die Versuche von RIBAN haben gezeigt, daß durch gleichzeitige Einwirkung von Chlor und Kohlenoxyd bei niedriger Temperatur in Gegenwart eines porösen Körpers die Kohle ein sehr kräftiges Reduktions- und Chlorierungsmittel abgiebt. Der Vf. hat dieses Verfahren auf grünes Chromoxyd unter Hinweglassung der Kohle angewendet und die Einwirkung bei Rotglühhitze stattfinden lassen. Wie vorauszusehen war, verwandelte sich hierbei das Oxyd in das Sesquichlorid. Nimmt man statt des grünen Oxydes Chromoxychlorid, so geht die Einwirkung noch leichter: erhitzt man Chlorochromsäure, trockenes Chlor und Kohlenoxyd in einer Glasröhre auf 500 — 600°, so füllt sich die Röhre mit krystallisiertem, violettem Chromchlorid, und Chromsäure entweicht:

$$2CrO_3Cl + 4CO + Cl = 4CO_2 + Cr_2Cl_6.$$

Man könnte annehmen, daß das Chromoxychlorid durch das Kohlenoxyd zu Chlorür reduziert wird, und daß ein Überschuß von Chlor nötig sei, um das Chromsesquichlorid zu bilden. Der Vf. hat sich aber überzeugt, daß dies nicht der Fall ist, denn wenn man bei dem Versuch das Chlor wegläßt, so tritt die Reduktion des Chlorids unter lebhafter Lichterscheinung ein; die Entzündung des Gemenges pflanzt sich mitunter bis in die Retorte fort, welche die Chlorochromsäure enthält, obgleich die Temperatur hier nicht über 100° steigt. Der vordere Teil der Röhre füllt sich mit grünem Chromoxyd, und weiterhin findet man krystallisiertes violettes Sesquichlorid. Die Stelle, wo die Erhitzung der Röhre beginnt, ist mit einem Ring von schwarzem Chromoxyd ausgekleidet.

Die Bildung des amorphen grünen Oxydes wird offenbar durch das Kohlenoxyd bewirkt, welches die augenblickliche Zersetzung der Chlorochromsäure veranlaßt; das Kohlenoxyd verbindet sich mit dem Sauerstoff und wirkt nicht auf das entstandene Sesquioxyd ein; aber das dabei abgeschiedene Chlor und das überschüssige Kohlenoxyd wirken zusammen auf das gebildete Sesquioxyd ein, indem sie dasselbe in Sesquichlorid überführen. Dies läßt sich durch folgende Gleichungen ausdrücken:

$$CO + 2CrO_3Cl = Cr_2O_3 + 2Cl + CO_2;$$
$$Cr_2O_3 + 3CO + 3Cl = Cr_2Cl_6 + 3CO_2.$$

Zwei Drittel des nötigen Chlors stammen also aus der Chlorochromsäure selbst.

Um dieses Resultat zu erhalten, ist es nicht nötig, fertig gebildete Chlorochromsäure anzuwenden, sondern es genügt ein Gemenge, aus dem sie sich bildet. Der Vf. hat mit Erfolg ein Gemisch von Kaliumchlorochromat und Schwefelsäure benutzt, ja selbst ein Gemenge von Kochsalz, Kaliumdichromat und Schwefelsäure, wobei die beiden ersten Körper zuvor getrocknet oder besser noch zusammengeschmolzen wurden. Da sich in diesem Falle ausser Chromoxychlorid Chlor und Salzsäure entwickeln, so war die Anwendung eines besonderen Chlorstromes nicht nötig, und durch Überleiten von Kohlenoxyd allein über das Gemenge erhielt man in der erhitzten Röhre krystallisiertes Chromsesquichlorid · ohne Beimengung von Sesquioxyd. Die Salzsäure spielt keine Rolle bei der Reaktion; ihre Einwirkung auf Chlorochromsäure in der Rotglühhitze giebt eine gewisse Menge Wasserdampf, schwarzes Chromoxyd und Chlor, aber es bildet sich kein violettes Sesquioxychlorid, ohne Zweifel wegen der von MOISSAN angegebenen umgekehrten Reaktion, nach welcher das Sesquichlorid bei Gegenwart von Chlor und Wasserdampf wieder in Chlorochromsäure übergeht.

Wenn man Chlorochromsäure durch Erhitzen zersetzt, so erhält man nur schwarzes Chromoxyd, Chlor und Sauerstoff; die Versuche von MOISSAN zeigen, daß sich in diesem

Falle kein Sesquichlorid bilden kann; der Vf. hat gefunden, dafs wenn Chlor, selbst im Überschufs auf Chlorochromsäure einwirkt, kein Sesquichlorid entsteht; die Bildung des letzteren bei den obigen Versuchen kann also nur in der oben angegebenen Weise stattfinden.

Die Hauptresultate dieser Untersuchung sind demnach:

1. Wirkt Kohlenoxyd allein auf Chlorochromsäure, so bildet sich grünes Chromsesquioxyd und violettes Chromsesquichlorid.

2. Durch kombinierte Einwirkung von Kohlenoxyd und überschüssiges Chlor wird das Chromoxychlorid vollständig in Sesquichlorid umgewandelt. (C. r. **99**. 707 — 9. [27.*] Oktober.)

Henry Maclayan, *Quecksilberjodür und Quecksilberjodürjodid.* (D.-Amer. Apoth.-Ztg. **5**. 462.)

Debray und **Joannis.** *Über die Zersetzung des Kupferoxyds durch Wärme.* Bekanntlich wird das schwarze Kupferoxyd CuO durch die Wärme zersetzt, und man nimmt gewöhnlich an, dafs das Zersetzungsprodukt ein intermediäres Oxyd zwischen dem schwarzen und dem roten Oxyd oder dem Oxydul ist. Nach FAVRE und MAUMENÉ hinterläfst das schwarze Oxyd, wenn es in einem Platintiegel zur hellen Rotglut erhitzt wird, als Rückstand eine Verbindung, welche der Formel Cu_2O_2 entspricht. Seitdem hat SCHÜTZEN-BERGER jedenfalls unter anderen Temperaturbedingungen ein Oxyd von der Formel Cu_4O_3 erhalten. Diesen Thatsachen gegenüber liegt indes kein Beweis vor, dafs die erhaltenen Produkte wirklich bestimmte chemische Verbindungen sind. Sie verhalten sich gegen Reagenzien wie Gemenge; als chemische Verbindungen würden sie nur durch thermochemische Messungen oder besser noch durch Untersuchungen über die Dissociation des Kupferoxyds identifiziert werden können. Letzteres ist der Gegenstand der vorliegenden Arbeit.

Wenn das Kupferoxyd, indem es durch die Wärme zersetzt wird, eine bestimmte chemische Verbindung, z. B. Cu_2O_4 giebt, so mufs sich konstatieren lassen, dafs dieses Oxyd, wenn es auf einer passenden Temperatur erhalten wird, eine konstante Dissociationsspannung bewirkt, solange man ihm nicht ein Fünftel seines Sauerstoffs entzogen hat. Von diesem Punkt an mufs ein rasches Sinken der Spannung beobachtet werden, denn es ist dann nicht mehr die Dissociationsspannung des schwarzen Oxyds, welche man mifst, sondern die viel schwächere des unmittelbar niedrigeren Oxyds. Wandelt sich dagegen das Kupferoxyd in Kupferoxydul und Sauerstoff um ($Cu_2O_2 = Cu_2O + O$) in der Weise, dafs die erhaltenen Produkte Cu_2O_2 und Cu_2O, in Wahrheit nur Gemenge von Oxyd und Oxydul sind, so mufs die Dissociationsspannung des schwarzen Oxyds so lange konstant bleiben, bis dasselbe die Hälfte seines Sauerstoffs verloren hat. Dies ist die Anwendung eines Gesetzes der Dissociation, welches der eine der Vf. in bezug auf die Effloreszenz der wasserhaltigen Salze aufgestellt hat, und welches durch ISAMBERT in bezug auf die Verbindungen der Metallchloride mit Ammoniak bestätigt worden ist.

Dissociation des Kupferoxyds. Das Kupferoxyd beginnt im Vakuum erst Sauerstoff zu entwickeln, wenn es bis zur Dunkelrotglut erhitzt ist. Bei der Temperatur des schmelzenden Silbers beträgt die Dissociationsspannung 56 mm; von diesem Moment an steigt sie rasch; ein wenig oberhalb der Goldschmelzhitze erreicht sie den Wert von etwas 1 m, und das Oxyd schmilzt. Man mufs also hierbei den Fall, wo das feste Oxyd sich zersetzt, von dem anderen unterscheiden, bei welchem seine Zersetzung unter Schmelzen eintritt.

Die Vff. sehen von einer genauen Beschreibung des Apparates, den sie zu diesen Versuchen benutzt haben, ab; er besteht aus einer Porzellanröhre mit einem Platinschiffchen, worin das Kupferoxyd enthalten ist, welches selbst in festem Zustand das Porzellan angreift. Das Vakuum wird in der Röhre durch eine mit einem Manometer versehene Quecksilberluftpumpe bewirkt. Die Erhitzung der Röhre geschieht in einem Röhrenofen, welcher durch Leuchtgas geheizt wird. Die Temperatur kann leicht reguliert werden. Treibt man diese bis zur Goldschmelzhitze und darüber hinaus, so zieht sich das geschmolzene Kupferoxyd an dem Rande des Schiffchens hinauf, kommt mit dem Porzellan in Berührung und zerstört die Röhre. Um dies zu vermeiden, wurde statt des Platinschiffchens ein Platinapparat angewendet, welcher die Form eines Thermometers hatte. Die Kugel desselben ist mit dem Kupferoxyd gefüllt, welches daraus nicht entschlüpfen kann, weil sich die Öffnung der Röhre in dem kälteren Teile des Porzellanrohrs befindet.

Arbeitet man bei konstanter Temperatur unterhalb der Schmelzhitze des Kupferoxyds, so zeigt sich, dafs die Dissociationsspannung immer einen konstanten Wert annimmt, wie grofs auch die Sauerstoffmenge sein mag, welche durch die Pumpe extrahiert wird, wenn nur die in dem Oxyd zurückbleibende Sauerstoffmenge noch etwas gröfser ist, als der Formel des Oxyduls entspricht. Es läfst sich also offenbar die Hälfte des Sauerstoffs beseitigen, ohne dafs eine Veränderung des Druckes eintritt, und hieraus mufs man schliefsen, dafs sich das Kupferoxyd unter den angegebenen Bedingungen in Oxydul und Sauerstoff spaltet; das Oxydul bleibt einfach mit dem schwarzen nicht zersetzten Oxyd gemischt, ohne damit intermediäre Verbindungen zu bilden.

Diese Spaltung in Oxydul und Sauerstoff wird auch durch das Aussehen des im Schiffchen bleibenden Rückstandes bestätigt. Nach der Abkühlung findet man in der Mitte desselben, also in dem Teil, welcher am stärksten erhitzt war, und welcher sich auch zuletzt abgekühlt hat, eine mehr oder weniger grofse Menge von Kupferoxydul Cu_2O, welches sich durch seine schöne rote Farbe kenntlich macht und keine Spur von schwarzem Oxyd enthält. Letzteres, vollständig frei von Oxydul, findet sich an den beiden Enden des Schiffchens, welche weniger stark erhitzt waren, als die Mitte. An den heifsesten Stellen des Apparates tritt also zuerst die Zersetzung des Kupferoxyds in Oxydul und Sauerstoff ein; die geringste Temperaturdifferenz schützt die weniger heifsen Teile vor der Zersetzung, weil das schwarze Oxyd, welches sich hier befindet, in einer Sauerstoffatmosphäre von geringerem Drucke als seiner Dissociationsspannung entspricht, unzersetzbar ist. Umgekehrt wird während der Abkühlung der in dem Apparate enthaltene Sauerstoff durch das Oxydul wieder absorbiert; aber es sind nur die kälteren Teile desselben, welche sich zuerst wiederum in schwarzes Oxyd verwandeln, weil dies diejenigen sind, welche die geringste Dissociationsspannung haben. Übrigens ist die Wiederabsorption des Sauerstoffs während der Abkühlung immer total.

Wenn man das schwarze Kupferoxyd durch ein Oxyd ersetzt, welches teilweise durch Schmelzung zersetzt war, also eine ganz verschiedene Zusammensetzung haben kann, so beobachtet man immer (unter der Bedingung, dafs die Substanz vorher gepulvert war) dieselbe Spannung wie mit dem gewöhnlichen Oxyd und ebenso eine Konstanz derselben bis zur Zersetzung in Cu_2O; endlich auch dieselbe glatte Trennung der Substanz in rotes und schwarzes Oxyd. Die Schmelzung des Gemenges der beiden Oxyde hat also ihre Verbindung nicht bewahren können; das erhaltene Produkt ist einfach ein inniges Gemenge, in welchem jedes Oxyd seine besondere Eigenschaft bewahrt.

Wird nun die Temperatur bis zur Schmelzung des Kupferoxyds gesteigert, so tritt bei konstanter Temperatur eine ziemlich rasche Gasentwicklung ein, welche aufhört, sobald die Spannung einen bestimmten Wert angenommen hat. Diese Spannung aber variiert mit dem Zustand der Zersetzung des Oxydes, sie nimmt rasch ab in dem Mafse, wie man den Sauerstoff entfernt, und wie der Rückstand sich der Zusammensetzung des Oxyds nähert. Diese Änderung des Druckes scheint der Erscheinung zu entsprechen, welche die Auflösung eines Gases in einer Flüssigkeit zeigt.

Wenn nun, nachdem ein Teil des Oxyds zersetzt ist, die Röhre langsam zum Erkalten gebracht wird, so vermindert sich zunächst der Sauerstoffdruck in dem Apparat bis zu dem Moment, wo das Oxydgemenge wieder fest wird. Die Spannung steigt dann rasch, erreicht ein Maximum und sinkt bei fortgesetzter Abkühlung regelmäfsig bis auf 0°, falls die Absorptionsfläche grofs genug ist. Bei einem Versuch betrug die Dissociationsspannung des geschmolzenen Produktes 90 mm, stieg rasch auf 250 mm und nahm dann wieder regelmäfsig ab.

Diese Resultate erklären sich leicht, wenn man annimmt, dafs die Auflösung eines dissociierbaren Körpers in einer Flüssigkeit, welche unfähig ist, mit ihm eine chemische Verbindung einzugehen, eine Verminderung der Dissociationsspannung dieses Körpers bewirkt. Die Dissociation, welche in so vielen Beziehungen mit der Verdampfung zu vergleichen ist, zeigt sich also auch hierin mit dieser analog. Eine flüchtige Flüssigkeit, zu welcher man eine andere mit ihr mischbare, aber nicht verbindungsfähige Flüssigkeit hinzusetzt, giebt eine Dampfspannung, welche oftmals viel geringer ist, als diejenige, welche sie allein besitzt. Diese Verminderung hängt von der Natur und der Menge der zugesetzten Flüssigkeit ab. Sie ist stets um so grofser, je grofser diese Menge ist. Dies ergiebt sich aus den Versuchen von REGNAULT über die Dampfspannungen der Flüssigkeitsgemenge. Hiernach darf man annehmen, dafs die Dissociationsspannung des schwarzen Kupferoxydes, nachdem es mit einer steigenden Menge Oxydul gemischt ist, bei konstanter Temperatur um so geringer wird, je grofser die Menge des geschmolzenen Oxyduls ist. Wenn durch Abkühlung der Substanz die Erstarrung eintritt, so hat man in dem Schiffchen ein inniges Gemenge der beiden festen Oxyde, welche ohne Einwirkung auf einander sind, wie sich aus den Versuchen mit dem festen Oxyd ergiebt; das schwarze Oxyd nimmt dann alle seine Eigenschaften wieder an und besonders auch seine eigene Dissociationsspannung. Die Erhöhung des Druckes, welche im Moment der Erstarrung eintritt, erklärt sich ebenfalls in einfacher und natürlicher Weise. (C. r. **99.** 583—87 [13*] Okt.)

Daniel Klein, *Über die Einwirkung von telluriger Säure und Tellursäure auf die Parawolframate.* Die tellurige Säure, TeO_3H_2, löst sich reichlich in Lösungen von parawolframsaurem Natrium, Ammonium und Kalium. Mit dem Kaliumsalze erhält man eine dichte Mutterlauge und glimmerartige Krystalle. Jene wird durch Salzsäure in der Kälte nicht gefällt und zeigt auch gegen warme Salzsäure einen beträchtlichen Widerstand; sie wird erst nach mehrmaligem Abdampfen zur Trockne zersetzt. Die qualitative Analyse ergab die Gegenwart von telluriger Säure darin, welche durch Natriumdisulfit oder durch schweflige Säure erst nach Zusatz von Salzsäure zersetzt wird.

Durch Einwirkung von telluriger Säure auf parawolframsaures Kalium und Ammonium erhält man keine krystallinische Verbindung, sondern pulverförmige Niederschläge, welche tellurige Säure enthalten.

Durch Einwirkung von Tellursäure, H_2TeO_4, auf parawolframsaures Kalium erhielt der Vf. ein gut krystallisiertes Produkt, welches Kali, Wolframsäure und Tellursäure enthält. (Bull. de Paris **42**. 169—70.)

4. Organische Chemie.

Charles F. Mabery und **Rachel Lloyd**, *Über α- und β-Chlordibromakrylsäuren.* Um α-Chlordibromakrylsäure zu erhalten, stellten die Vff. zunächst ein von überschüssigem Brom freies Monochlorbrom in der Weise her, daß sie Brom bei 0° mit Chlor sättigten, das Produkt in Chloroform lösten und in diese Lösung bei 0° nochmals Chlor bis zur Sättigung einleiteten. Zu diesem Präparate wurde Brompropiolsäure zugefügt und das Chloroform durch Verdunsten entfernt. Der Rückstand enthielt die α-Chlordibromakrylsäure, $C_3HClBr_2O_2$, welche in heifsem Wasser, heifsem Schwefelkohlenstoff und in Chloroform löslich ist und bei 104° schmilzt. Bei langsamer Verdampfung ihrer Lösung in Schwefelkohlenstoff scheidet sie in triklinischen Prismen ab, welche OLIVER W. HUTINGTON einer Messung unterwarf. Das Bariumsalz, $Ba(C_3ClBr_2O_2)_2 + 3H_2O$, krystallisiert in langen, flachen Prismen; das Calciumsalz enthält 2½ Mol. Krystallwasser. Vff. beschreiben noch das Kalium- und Silbersalz der in Rede stehenden Säure. Die β-Chlordibromakrylsäure gewinnt man aus Chlortribrompropionsäure, indem man Alkali- oder besser Bariumhydratlösung zur abgekühlten Säure langsam hinzufügt. Die entstandene Lösung wird schwach alkalisch gemacht und 24 Stunden lang stehen gelassen. Man säuert nach dieser Zeit mit Salzsäure an und erhält die Chlordibromakrylsäure dabei zunächst als ein Öl; dasselbe erstarrt und kann aus heifsem Wasser umkrystallisiert werden. Die β-Chlordibromakrylsäure, $C_3HClBr_2O_2$ (CBrCl=CBr—COOH), krystallisiert in schiefen Prismen, welche bei 99° schmelzen. Die Säure unterscheidet sich noch durch ihre Löslichkeit in Wasser von der isomeren α-Chlordibromakrylsäure. Auch ihr Bariumsalz krystallisiert mit 3 Mol. H_2O, ist aber löslicher in Wasser, als die α-Säure. Das Calciumsalz enthält 4 aq. Die Herstellung eines Silbersalzes gelang nicht, weil sich sofort Bromsilber ausscheidet. Der α-Säure kommt die Konstitution $CBr_2=CCl—COOH$ zu. (Amer. Chem. Journ. **6**. 157—65.)

C. A. Lobry de Bruyn, *Über die Propenylglykolsäure.* Der Vf. hat das Bariumsalz dieser Säure erhalten, indem er ein Gemenge aus gleichen Teilen Crotonaldehyd und flüssiger Cyanwasserstoffsäure in geschlossenen Röhren fünfzehn Tage lang auf etwa 40° und dann noch zehn Tage lang auf 70—80° erhitzte. Nach dieser Zeit hatte sich das Volum, des Gemenges vermindert, und fast aller Aldehyd war verschwunden. Um das schwach bräunliche Produkt von der überschüssigen Cyanwasserstoffsäure zu befreien, liefs man es einige Tage lang im Vakuum und versetzte es dann mit schwach verdünnter Chlorwasserstoffsäure.

Es erhitzte sich bald und schied Chlorammonium ab, welches nach einigen Tagen getrennt wurde. Die mit Wasser verdünnte Flüssigkeit wurde durch Äther erschöpft, welcher nach dem Abdampfen ein braunes, stark saures, mit Wasser mischbares Öl hinterliefs. Dasselbe wurde durch Barytwasser neutralisiert und eingedampft. Hierbei bildeten sich Krusten, welche mit Alkohol gewaschen und dann durch mehrmaliges Umkrystallisieren aus warmem Wasser gereinigt wurden. Die in diesem Salz enthaltene Säure hat die Formel: $CH_3 \cdot CH = CH — CHOH — CO_2H$. Da der Vf. bemerkt hatte, dafs die Mutterlauge des Bariumsalzes noch sauer reagierte, so neutralisierte er sie, aber nach dem Eindampfen trat die saure Reaktion wiederum hervor. Er schreibt dies der Existenz eines Anhydrids zu und glaubt, durch Eindampfen der letzten Mutterlaugen ein amorphes, mehrsäuriges Salz erhalten zu haben. (Bull. Par. **42**. 159—61.)

Martin Freund, *Beitrag zur Kenntnis der Malonsäure.* Die von OSTERLAND (**74**. 673) angegebene Darstellungsmethode des Malonsäure hat Vf. in der Weise abgeändert, dafs er eine recht konzentrierte Ammoniakflüssigkeit, etwa 150 ccm von 0,925 spez. Gew., auf 50 g des Malonsäureäthers anwendet und das Gemenge unter öfterem Schütteln ein bis zwei Tage im verkorkten Kolben stehen läfst. Man erhält alsdann einen ziemlich dicken Krystallbrei, welcher, abgesaugt und mit etwas absolutem Alkohol gewaschen, fast chemisch rein ist. — Acetylchlorid wirkt selbst bei mehrstündigem Kochen auf das Malonamid nicht ein.

Wird eine concentrierte wässerige Lösung des Malonamides mit frisch gefälltem Quecksilberoxyd erhitzt, so wird eine beträchtliche Menge des letzteren gelöst. Die Lösung enthält das *Quecksilbermalonamid* $C_6H_4N_2O_2Hg$. Brom verwandelt das Malonamid in das *Dibrommalonamid* $CBr_2(CONH_2)_2$, sobald die berechnete Menge Brom (2 Mol.) in eine auf 70—80° erwärmte wässerige Malonamidlösung (1 Mol.) eingetragen wird. Die Verbindung krystallisiert in schön ausgebildeten Säulen oder treppenförmigen Oktaedern, welche bei 206° unter Zersetzung schmelzen. Wässeriges oder alkoholisches Ammoniak, sowie Anilin zersetzen das Bromamid, sobald sie mit diesem auf 100° im Einschlußrohr erhitzt werden. — Beim Kochen des Bromkörpers mit Kalkmilch bildet sich neben Calciumbromid, Ammoniak und Calciumcarbonat noch Bromoform. Ähnlich verläuft der Prozeß bei Verseifung des Bromamids mit Kalilauge; hierbei war es möglich, auch noch die Mesoxalsäure als Reaktionsprodukt nachzuweisen. — Glatt tauscht dagegen das Dibrommalonamid seinen Bromgehalt gegen Sauerstoff beim Kochen mit frisch gefälltem Silberoxyd aus; eine Elementaranalyse ergab, daß aus dem zweifellos zuerst gebildeten Amide durch Addition von 2 Mol. Wasser das Ammoniumsalz der Mesoxalsäure entstanden war. Von dem mesoxalsaurem Calcium erwähnt Vf., daß dasselbe in verdünnter Essigsäure unlöslich ist und, mit concentrierter Schwefelsäure erhitzt, Kohlenoxydgas entwickelt. — Beim Kochen des Bromamids mit frisch gefälltem Quecksilberoxyd bildet sich die entsprechende Quecksilberverbindung $CBr_2(CONH)_2Hg$, welche durch verdünnte Salzsäure in das Bromamid zurückgeführt wird.

Das *Dimethylmalonamid* $CH_2(CONH.CH_3)_2$ gewinnt man aus 1 Mol. Malonsäure-äther und 2 Mol. Methylamin. Die wässerige Lösung beider wird zur Trockne verdampft und mit Benzol am Rückflußkühler gekocht. Ungelöst bleibt dabei eine geringe Menge einer öligen Flüssigkeit, die wahrscheinlich den Äthyläther der Methylmalonaminsäure $CH_2\diagdown^{CONHCH_3}_{CO_2C_2H_5}$ vorstellt. Die Benzollösung enthält das Dimethylmalonamid, kleine platte, an der Luft zerfließliche Nadeln vom Schmelzpunkt 128°. Auch dieses tauscht, wenn man Brom zur erwärmten wässerigen Lösung hinzufügt, Wasserstoffe gegen Halogen aus; es entsteht $CBr_2(CONHCH_3)_2$, Dibromdimethylmalonamid, weiße bei 162° schmelzende Nadeln. — Das *Malonanilid (Diphenylmalonamid)* $CH_2(CONHC_6H_5)_2$, bildet sich sowohl aus Äthylmalonat (1 Mol.), als auch aus dem Malonamid und Anilin (2 Mol.). Der Schmelzpunkt der Verbindung liegt bei 223°.

Löst man Malonanilid in Eisessig und fügt Brom zu der erwärmten Lösung, so erstarrt die Flüssigkeit beim Erkalten zu einem dichten Brei von Nadeln, die bei 145—146° schmelzen, und deren Bromgehalt auf die Verbindung $CH_2(CONH.C_6H_4Br_2)_2$, ein symmetrisches Malontribromanilid, hinweist. Aus dem Spaltungsprodukte geht die Zusammensetzung des Körpers unzweifelhaft hervor. Erhitzt man nämlich die Substanz im Einschluß vorher auf 200° mit etwas rauchender Salpetersäure und versetzt danach mit verdünntem Alkali im Überschuß, so fällt das symmetrische Tribromanilin (Schmelzpkt. 119—120°) heraus. — 1 Mol. Malonamid mit nur 1 Mol. Anilin im Ölbade auf 200—220° erhitzt, liefern neben dem Diphenyl- auch Monophenylmalonamid (Schmelzpkt. 163°). Versuche, aus diesem Körper durch Erhitzen 1 Mol. Ammoniak abzuspalten und $CH_2\diagdown^{CO}_{CO}NC_6H_5$, das Malonanil, zu erzeugen, führten zu keinem Resultat; es bildete sich dabei neben Malonamid das Malonanilid. Kalkmilch liefert mit dem Monophenyl-malonamid das *malonanilsaure Calcium* $\left(CH_2\diagdown^{CONHC_6H_5}_{COO}\right)_2Ca + 4\frac{1}{2}$ aq, woraus sich mittels Oxalsäure die *Malonanilsäure*, $CH_2\diagdown^{CONH.C_6H_5}_{COOH}$, welche bei 132° unter Zersetzung schmilzt, in Freiheit setzen läßt. Vf. hat auch das Silbersalz dargestellt und analysiert, aus letzterem konnte er mittels Jodäthyl den Malonanilsäureäthyläther nicht darstellen.

Monomethylanilin wirkt nicht auf das Äthylmalonat, wohl aber auf Malonamid unter Bildung von *Dimethyldiphenylmalonamid* $CH_2(CONCH_3.C_6H_5)_2$, Schmelzpkt. 109°, ein.

Äthylenmalonamid $CH_2(CONH)_2C_2H_4$, bildet sich, wenn man Äthylendiamin entweder bei 170—180° auf Malonamid wirken läßt, oder es einige Zeit mit der berechneten Menge Äthylmalonat kocht. Wegen Mangel an Material konnte der Körper in vollkommener Reinheit nicht dargestellt werden. — Phenylendiamin wirkt in ganz analoger Weise auf das Malonamid, Vf. verzichtete auf die weitere Untersuchung des Reaktionsproduktes. — Die Malonaminsäure konnte weder durch Kochen von Malonamid und Ammoniak, noch beim Erhitzen von Äthylmalonat mit alkoholischem Ammoniak erhalten werden.

Reines *äthylmalonsaures Kalium* $CH_2(CO_2C_2H_5)(CO_2K)$ stellt man aus einer Lösung von Äthylmalonat (25 g) in 100 ccm absolutem Alkohol und alkoholischem Kali (8,7 g KHO in 100 ccm absolutem Alkohol) dar. Nach längerem Stehenlassen der Masse verschwindet die alkalische Reaktion. Man erhitzt alsdann zum Sieden und filtriert heiß; es bleibt das Kaliummalonat auf dem Filter, während in dem Filtrat das äthylmalonsaure Kalium sich befindet. Das Salz liefert beim Veraschen 40,6 p. c. Kaliumcarbonat (und nicht, wie van t' Hoff angiebt, 37,64 p. c.) und muß zur Analyse im Vakuum getrocknet werden. Bei der Einwirkung von Brom auf äthylmalonsaures Kalium findet eine Zersetzung statt, welche analog der von Petriew (**74.** 311) bei der Einwirkung von Brom auf Malonsäure beobachteten verläuft. Es bildet sich neben Kohlensäure und Bromkalium ein Gemenge bromierter (monoditribromierter) Essigsäuren.

Über einige Derivate der Tartronsäure. Den *Tartronsäureäthyläther* $CH(OH)(CO_2C_2H_5)_2$, erhielt Vf. aus tartronsaurem Calcium, absolutem Alkohol und Salzsäuregas. Die Verbindung ist eine wasserhelle, leicht bewegliche, angenehm riechende Flüssigkeit, schwerer als Wasser, vom Siedepunkt 218 — 219°. Konzentriertes wässeriges Ammoniak erzeugt damit *Tartronamid* $CHOH(CONH_2)_2$ (Schmelzpunkt 198°). (Inaug. Dissertat. 18. August 1884. Berlin.)

Henry B. Hill und **Edward K. Stevens**, *Über Mucophenoxybromsäure.* Kaliumphenolat wirkt auf Kaliummucobromat in wässeriger Lösung schon bei gewöhnlicher Temperatur ein. Bringt man 25 g krystallisiertes Phenol und eine Lösung von 17,5 g Kaliumhydrat in 30 g Wasser zu 20 g Mucobromsäure, so erhält man die rhombischen Krystalle des mucophenoxybromsauren Kaliums, aus dem Salzsäure die *Mucophenoxybromsäure* $C_4H_2(OC_6H_5)BrO_2$ in Freiheit setzt. Letztere krystallisiert aus Wasser in kleinen flachen Prismen vom Schmelzpunkt 104—105°, ist leicht löslich in heißem, schwer löslich in kaltem Wasser. Gute Lösungsmittel der Säure sind auch Alkohol, Äther, warmes Benzol oder Chloroform; in Schwefelkohlenstoff oder Ligroin ist die Mucophenoxybromsäure fast unlöslich. Eine wässerige Lösung der Säure reduziert Silberoxyd in der Wärme und giebt mit Eisenchlorid eine weißliche Fällung. Das Kaliummucophenoxybromat, $KC_4H(OC_6H_5)BrO_2$, scheidet sich beim Auskrystallisieren aus Wasser in schiefen rhombischen Tafeln ab. Das Bariumsalz krystallisiert mit 3 Mol. H_2O in den rhombischen Blättern. — Beim Zusammenbringen der heißen wässerigen Lösungen von Mucophenoxybromsäure (1 Tl.) mit (1 Tl.) Kali (beide in 1 Tl. Wasser gelöst) erhält man das phenoxybromakrylsaure Kalium, in rhombischen Tafeln (KC$_3$H(OC$_6$H$_5$)BrO$_2$) und daraus die *Phenoxybromakrylsäure* (C$_3$H$_2$(OC$_6$H$_5$)BrO$_2$), welche seidenglänzende Nadeln vom Schmelzpunkt 138° bildet. Das Barium- und Calciumsalz enthalten 5 Mol. Krystallwasser. — Bei der Bildung der Säure aus Mucophenoxybromsäure verläuft der Prozeß nach folgender Gleichung: $C_4H_2(OC_6H_5)BrO_2 + H_2O = C_3H_2(OC_6H_5)BrO_2 + CH_2O_2$. Die Ameisensäure konnte unter den Zersetzungsprodukten nachgewiesen werden.

Beim Erwärmen einer Lösung von Mucophenoxybromsäure mit Silberoxyd scheidet sich Silber aus. Fällt man aus der zum Sieden erwärmten Lösung mit Salzsäure das Silber aus, so enthält das Filtrat *Phenoxybrommaleïnsäure*, C$_4$H$_2$(OC$_6$H$_5$)BrO$_4$, welche sich beim Erkalten des Filtrates in verfilzten Nadeln vom Schmelzpunkt 103—104° ausscheidet. Beim Trocknen giebt die Säure teilweise in ihr Anhydrid über. — Der Mucobromsäure muß die Konstitution CHO — CBr   CBr — COOH, der Mucophenoxybromsäure CHO — CBr   C.(OC$_6$H$_5$) — COOH und der entsprechenden Akrylsäure CHBr : C(OC$_6$H$_5$) — COOH gegeben werden. (Amer. Chem. Journ. **6.** 187—94.)

A. Geuther, *Über einen neuen Phosphorsäureäthyläther.* Ein solcher wurde durch Einwirkung von Phosphortrichlorid auf überschüssiges Natriumalkoholat erhalten. Seiner Entstehung und seinem Verhalten nach kommt ihm die Konstitutionsformel:

$$P\begin{array}{l} O.PH(OC_2H_5)_2 \\ (OC_2H_5)_2 \end{array} \text{ zu.}$$ (Lieb. Ann. **224.** 274—82. Ende Juli.)

C. Friedel und **J. M. Crafts**, *Über die Zersetzung der Sulfonsäuren beim Erhitzen mit Schwefelsäurehydrat.* (vgl. **84.** 705.) (Amer. Chem. Journ. **6.** 182—84. 12. Juni Paris.)

W. Städel, *v-s-Dinitrotoluol.* In einer früheren Arbeit (Lieb. Ann. **217.** 205) hat der Vf. die Vermutung ausgesprochen, daß das aus Tiemann's Dinitrotoluidin (Schmp. 168°) durch Elimination von NH$_2$ und Ersatz desselben durch H dargestellte, bei 60—61° schmelzende Dinitrotoluol mit der Formel C$_6$H$_3$(CH$_3$)^1(NO$_2$)^2(NO$_2$)^5 konstituiert sei. In der vorliegenden Mitteilung bringt er die Beweise für diese Ansicht bei. (Lieb. Ann. **235.** 384—88, Ende Sept. [22. Juli] Darmstadt.)

C. A. Lobry de Bruyn, *Einwirkung von Cyanwasserstoff und verdünnter Schwefelsäure auf Aldol.* Der Aldol verbindet sich mit nascierendem Cyanwasserstoff, wenn man in folgender Weise verfährt. Eine schwachsaure Lösung von 12 g Cyankalium und eine ätherische Lösung von 10 g Aldol werden in einen Ballon gebracht, tropfenweise unter fortwährendem Schütteln mit 23 g Chlorwasserstoffsäure von 33 p. c., welche mit ihrem gleichen Volum Äther gemischt ist, versetzt. Ein oder zwei Stunden nachher trennt man die ätherische Lösung, verdampft den Äther und schüttelt den sirupartigen Rückstand zwei- bis dreimal mit einer kleinen Menge Wasser, um etwa nicht verbundenen Aldol zu entfernen. Die dicke Flüssigkeit, welche mitunter farblos, mitunter schwach bräunlich gefärbt ist, wird über Chlorcalcium getrocknet; sie löst sich in Wasser nur in geringer Menge und kann nicht destilliert werden, denn beim Erhitzen giebt sie selbst im Vakuum Cyanwasserstoff ab. Die Analyse ergab, dafs eine Verbindung von 2 Mol. Aldol mit 1 Mol. Cyanwasserstoff vorlag.

Der Vf. hat versucht, dieses Cyanhydrin in eine Säure umzuwandeln, indem er es im Wasserbad mit konzentriertem Barytwasser zehn Tage lang erhitzte. Das Barytsalz wurde durch fraktionierte Fällung mittelst trocknem Äther aus seiner absolut alkoholischen Lösung gereinigt; es ist sehr hygroskopisch, amorph und färbt sich an der Luft braun. Das Silbersalz ist ebenfalls amorph, ziemlich löslich in Wasser und zersetzt sich nach einiger Zeit. Die wässerige Lösung wird durch Merkurinitrat und Bleinitrat gefällt.

Die reine flüssige Cyanwasserstoffsäure wirkt auf den Aldol wasserentziehend. Ein Gemenge von 1 Volum Aldol und 2 Vol. Cyanwasserstoffsäure wurde zwei Monate lang bei gewöhnlicher Temperatur sich selbst überlassen und dann in Wasser gegossen. Es schied sich am Boden des Gefäfses eine ölige Schicht ab, welche nach einiger Zeit zu einer aus kleinen Nadeln bestehenden Masse erstarrte, die nach dem Umkrystallisieren aus Äther bei 113—114° schmolz. Die Analyse ergab 60,45 und 60,6 C, 8,9 und 9,0 H; die Theorie verlangt 60,76 C und 8,86 H.

Der Vf. hat ferner die Einwirkung eines anderen wasserentziehenden Mittels, nämlich Schwefelsäure vom spezifischen Gewicht 1,32 versucht. Ein Gemenge von 5 g Aldol und 30 g Schwefelsäure trübt sich nach einigen Stunden und färbt sich schwach. In einem Falle bildeten sich kleine Krystalle, welche sich bald zu Flocken zusammenballten. Diese gaben bei der Analyse 60,9 C und 8,6 H, der Schmelzpunkt war 70°. Gewöhnlich wurden die Flocken durch Auflösen in Alkohol und Fällen mittels Wasser gereinigt. Zwei andere Portionen (Schmelzpunkt 80°) gaben 62,8 und 63,2 C und 9,0 und 8,6 H.

Durch Erschöpfen der Säure mit Äther erhielt der Vf. in einem Falle nach dem Abdampfen des Äthers eine farblose, dicke, in Wasser sehr wenig lösliche Flüssigkeit, welche nach dem Trocknen im Vakuum 63,6 C und 8,6 H gab.

Aus diesen Analysen schliefst der Vf., dafs Wasserentziehung stattgefunden hat, welche bis 2 Mol. Wasser auf 3 Mol. Aldol geht.

Schliefslich betrachtet der Vf. das Verhalten des Aldols, sich freiwillig einige Zeit nach seiner Destillation zu erhitzen und sirupdick zu werden, als eine Kondensationserscheinung und nimmt auf Grund der Bildung eines aus zwei Molekülen Aldol und einem Molekül Cyanwasserstoff bestehenden Cyanhydrins an, dafs das Molekül des dickflüssigen Aldols aus zwei Molekülen besteht, also ein Dialdol ist. (Bull. Par. **42**. 161—66.)

Nölting und **Baumann**, *Über Chinone.* Die Vff. erhielten, als sie verdünnte Lösungen von Sulfaten verschiedener Basen mit einem Überschufs von Chromsäure (ungefähr zwei Teile auf einen Teil Base) destillierten, Chinone, und zwar selbst in dem Fall, wo die Parastellung des Amides durch eine Methylgruppe eingenommen war. So gab das Mesidin $C_6H_2(CH_3)'(CH_3)'(CH_3)''(NH_2)''$: m-Xylochinon $C_6H_2(CH_3)'(CH_3)''O^2.O^6$: das krystallisierte Cumidin $C_6H_2(CH_3)'(CH_3)''(CH_3)''(NH_2)''$: p-Xylochinon $C_6H_2(CH_3)_2(O.O)$. Dieses letztere Resultat ist bereits von CARSTANJEN erhalten worden, indem er Cumidin mit Mangansuperoxyd und Schwefelsäure behandelte. Das asymmetrische m-Xylidin $C_6H_3(CH_3)'(CH_3)''(NH_2)''$ gab eine sehr kleine Menge von Toluchinon $C_6H_3(CH_3)''O^2.O^4$, mit p-Toluidin gelang es nicht, ein Chinon zu isolieren, obwohl man den Geruch desselben wahrnehmen konnte. Das m-Toluidin liefert, wie das o-Toluidin, reichliche Mengen dieses Toluchinons. (Bull. Par. **42**. 341. 5. Okt.)

Ira Remsen, *Eine neue Klasse von den Phtaleïnen analogen Verbindungen.* Diese Verbindungen hat Vf. durch Einwirkung von o-Sulfobenzoesäure und einigen Derivaten derselben auf Resorcin unter Mitwirkung von Schwefelsäure erhalten. Man kann die Verbindungen als *Sulfonphtaleïne* betrachten, welche sich von den normalen BAEYER'schen Phtaleïnen und den Thiophtaleïnen dadurch unterscheiden, dafs an Stelle der einen CO- oder der CS-Gruppen die Gruppe SO eingetreten ist. Weiteres darüber stellt Vf. in Aussicht. (Amer. Chem. Journ. **5**. 180—81.)

Theodor Salzer, *Über das Verhalten von Alkalicarbonaten zu Phenolphtaleïn.* (Pharm. Ztg. **29**. 746.)

Paul de Berchem, *Über die Darstellung von Ditolylphtalid.* Dieser Körper entsteht nach der Reaktion von FRIEDEL und CRAFTS, wenn man ein Gemenge von 100 g Phtalylchlorid und 450 g Toluol mit 40 g Aluminiumchlorid im Wasserbade erhitzt. Man unterbricht die Reaktion, wenn die theoretische Menge Salzsäure, welche man in einem mit Wasser gefüllten, zuvor tarierten Kolben auffängt, entwickelt worden ist. Dies dauert ungefähr fünf bis sechs Stunden. Das Ganze wird mit Wasser aufgenommen, um das Aluminiumchlorid zu zersetzen, und dann mit verdünntem Kali erhitzt, um die Phtalsäure, welche sich bilden könnte, zu lösen. Das überschüssige Toluol, welches das Ditolylphtalid gelöst enthält, wird dekantiert und destilliert. Es bleibt ein schwarzes Öl, welches nach dem Auflösen in Alkohol und Entfärben mittelst Tierkohle eine krystallinische, aber noch sehr unreine Masse abscheidet. Diese wird zwischen Papier abgepreßt und durch mehrmaliges Umkrystallisieren und Behandeln mit Tierkohle gereinigt. Die Ausbeute beträgt nur 4—5 p. c. Da sich bei dieser Reaktion sechs Isomere bilden können, so ist es möglich, daß eines davon krystallisiert, und daß es gerade dasjenige ist, welches man auf diesem Wege erhält. Die Krystalle scheinen klinorhombisch zu sein (der Winkel des Prismas ist 63° 15'); sie schmelzen bei 116°, sind in Alkohol, Äther, Benzol und Toluol löslich, in Wasser und verdünnter Kalilauge unlöslich. (Bull. Par. **42.** 168—69.)

5. Physiologische, medizinische und pharmazeutische Chemie.

Berthelot und **André**, *Die Nitrate in den verschiedenen Teilen der Pflanzen.* Nach dem bisher Erörterten bleibt jetzt noch die Frage übrig, wie sich der Salpeter in der Pflanze in den verschiedenen Vegetationsperioden verteilt und welches sein Verhältnis zu der Gesamtmenge von Kalium und Stickstoff in den Blättern, Stengeln, Wurzeln und Blüten ist. Zu diesem Behufe besprechen die Vff. zunächst die Resultate der Untersuchungen des Borätsch.

I. *Borrago officinalis.*

29. Mai Beginn der Vegetation; Gesamtgewicht der Pflanze 1,4195 g. Die mit K, N, Extrakt und Wasser überschriebenen Kolumnen drücken dieselben Verhältnisse aus, wie die entsprechenden Kolumnen auf S. 843.

	Nitrate		Prozentisches Verhältnis			
	Abs. Gew.	Rel. Gew.	K	N	Extrakt	Wasser
Blätter	0,0053	0,5	5,9	1,8	4,2	0,08
Stengel	0,0289	7,6	44,6	46,8	25,0	0,6
Wurzeln . . .	0,0026	5,4	65,3	54,7	27,2	0,8
Ganze Pflanze	0,0348	2,5	22,6	9,5	15	0,3

Die Nitrate finden sich besonders im Stengel, dem Hauptsitze ihrer Bildung, angehäuft, sie erreichen hier sowohl das höchste absolute, als auch relative Gewicht; die Wurzel enthält wenig davon, woraus hervorgeht, daß sie nicht aus dem Boden stammen, wenigstens nicht ihrer Gesamtmenge nach.

Die Konzentration der wässerigen Lösung ist im Stengel ebenfalls eine andere, was hierfür als Bestätigung gelten kann. Denn wenn die Nitrate ganz aus dem Boden stammten, so wie das Wasser, so müßte der Gehalt der Lösung in der Wurzel und im Stengel nahezu gleich sein. In den Blättern dagegen 'streben die Nitrate zu verschwinden, indem sie infolge der hier stattfindenden Reduktionsvorgänge in Proteïnsubstanzen übergehen: diese Verminderung der Nitrate in den Blättern ist schon von allen Chemikern beobachtet worden, welche sich mit der Untersuchung der Salpeterpflanzen beschäftigt haben.

Das Verhältnis des Salpeterstickstoffes zum Proteïnstickstoff beträgt im Stengel und in der Wurzel ungefähr die Hälfte und erreicht in den Blättern noch nicht 2 p. c., was mit der eben gegebenen Erklärung vollständig übereinstimmt. Der Kaliumgehalt der Nitrate beträgt in der Wurzel zwei Drittel, im Stengel die Hälfte und in den Blättern nur 6 p. c. des Gesamtkaliums; obgleich letztere die absolut größte Menge Kalium enthalten, so beträgt die relative Menge desselben nur etwa die Hälfte von dem im Stengel.

Beginn der Blüte 12. Juni; Gesamtgewicht der Pflanze 2,127 g.

	Nitrate		Prozentisches Verhältnis			
	A. G.	R. G.	K	N	Extrakt	Wasser
Blätter	0,00735	0,9	3,1	6,3	7,5	0,12
Stengel	0,0367	10,1	13,0	42,0	23,8	0,5
Blüten	0,000	0,0	—	—	—	—
Wurzeln	0,0416	7,9	100	45,8	30,3	0,6
Wurzelfasern . . .	0,0023	2,2	30,0	—	14,8	0,5
Ganze Pflanze	0,0879	4,2	14,1	29,0	19,6	0,4

Die Nitrate herrschen immer noch in der Wurzel und im Stengel vor, sowohl nach dem absoluten, als auch nach dem relativen Gewichte. Der Stengel enthält davon am meisten; die Arbeit der Blüte ist in diesem Zeitpunkt so aktiv, daſs die Blüten keine Spur von Nitraten enthalten, indem aller Salpeterstickstoff in Proteïnsubstanzen umgewandelt wird; ebenso enthalten die Blätter weniger als 1 p. c. Nitrate, während sie dreimal soviel Stickstoff in Form von Eiweiſskörpern enthalten. Der Gehalt an Proteïnsubstanzen steigt übrigens auf 19 p. c. vom Gewichte der Blüten und auf 23 p. c. vom Gewichte der Blätter, während er im Stengel und in den Wurzeln nur 6,6, und in der Wurzelfasern 5,9 p. c. beträgt.

Da die Wurzelfasern in dieser Wachstumsperiode für sich analysiert werden konnten, so erhielt man dadurch einen neuen Aufschluſs über die Bildung der Nitrate. Denn die Wurzelfasern enthalten davon nur 2,2 p. c., die Wurzel selbst 7,9 und der Stengel 10,1 p. c.; die relative Wassermenge ist in allen drei Organen nahezu die gleiche. Die doppelt so groſse Extraktmenge in der Wurzel deutet auf besondere Arbeiten hin, die sich hier vollziehen. Im Stengel vermindert sich die Extraktmenge und noch mehr in den Blättern, infolge der Bildung von unlöslichen Substanzen. Die Funktionen der Wurzel und des Stengels sind in physiologischer Hinsicht nicht gänzlich verschieden, denn die Ursachen für die Bildung der Nitrate sind im Stengel so gut wie in der Wurzel vorhanden. Die Analysen der Wurzelfasern sind in dieser Hinsicht sehr bezeichnend für das Vorhandensein eines Überganges aus dem Boden in die Pflanze. Die Dunkelheit, in welcher sich die Wurzel befindet, bildet in dieser Hinsicht kein Hindernis, denn sie ist, wie die Untersuchungen von SCHLÖSING und MÜNTZ gezeigt haben, günstig für die Nitrifikationsfermente. Das Licht im Gegenteil beschleunigt die Entwicklung der grünen Teile und infolgedessen die Umwandlung der Nitrate in Eiweiſskörper. Letztere enthalten in der Wurzel soviel Stickstoff, als die Nitrate, achtmal soviel im Stengel und dreiſsigmal soviel in den Blättern: dies zeigt, wie aktiv ihre Entwicklung in dieser Vegetationsperiode (Beginn der Blüte) ist.

Die folgenden Perioden sind sehr charakteristisch. Am 7. September zur Zeit der Reife wog die Pflanze 50,25 g und enthielt nur 0,114 g Salpeter, welcher sich ausschlieſslich im Stengel befand. Die Blätter und die Blüten enthielten nur Spuren, die Wurzel nichts. Hieraus ergiebt sich, daſs in diesem Zeitpunkte aus dem Boden keine Nitrate in die Pflanze übergehen. Die Bildung der stickstoffhaltigen Substanzen, welche für die Fortpflanzung dienen, bringt alle Nitrate zum Verschwinden. An demselben Tage enthielt eine andere, auf dem Stengel getrocknete Pflanze (34,07 g) Nitrate nur im Stengel (0,195 g oder 1,35 g) und in der Wurzel (0,949 g), sowie Spuren in den Blättern und Blüten.

Endlich fanden sich in der des Blütenstandes beraubten Pflanze (47,16 g), in welcher die Funktionen der Ernährung unterdrückt waren, nur 0,004 g Nitrate.

II. *Amarantus caudatus.* Beginn des Wachstums 29. Mai; Gewicht 0,610 g.

	Nitrate		Prozentisches Verhältnis			
	A. G.	R. G.	K	N	Extrakt	Wasser
Blätter	0,0024	0,8	0,3	0,1	3,7	0,16
Stengel	0,0204	8,4	32,4	6,3	25,0	1,0
Wurzeln	0,0049	5,9	49,2	41,8	32,4	1,0
Ganze Pflanze	0,0267					

Der absolute und relative Gehalt an Nitraten ist im Stengel am größten; in den Blättern am kleinsten. Das Kalium des Salpeters beträgt in der Wurzel die Hälfte, im Stengel ein Drittel vom Gesamtkalium.

Beginn der Blüte 30. Juni, Gewicht der Pflanze 16,15 g.

	Nitrate		Prozentisches Verhältnis			
	A. G.	R. G.	K	N	Extrakt	Wasser
Blätter	0,012	0,2	1,2	2,3	1,0	0,16
Stengel	0,827	13,0	52,6	196	50,6	1,5
Wurzeln	0,074	2,9	19,3	84	17,7	0,8
Blüten	0,010	1,7	18	22	6,0	1,7

Die Bildung der Nitrate findet hier vorwiegend im Stengel statt, verschwindet aber in den Blättern und Blüten. Man bemerkt, daß die Menge des Salpeters im Safte des Stengels nahezu doppelt so groß ist, als in dem der Wurzel; dieser große Unterschied zeigt deutlich, daß der Stengel der Sitz für die Bildung der Nitrate ist.

Blüte 11. Sept.; Gewicht der Pflanze 177,8 g.

	Nitrate		Prozentisches Verhältnis			
	A. G.	R. G.	K	N	Extrakt	Wasser
Blätter	0,017	0,06	0,4	0,6	0,3	0,03
Stengel	0,136	0,3	3,4	11,3	2,2	0,12
Wurzeln	0,090	0,5	12,7	20,8	6,9	0,3
Blüten	0,151	1,0	2,7	3,0	1,9	0,7

Die Nitrate gehen zurück infolge der Reproduktionsarbeit, durch welche sie in Proteïnsubstanzen umgewandelt werden.

III. Amarantus nanus.

	Nitrate		Prozentisches Verhältnis			
	A. G.	R. G.	K	N	Extrakt	Wasser
29. Mai; Gew. 0,518 g						
Blätter	0,0004	0,13	1,5	0,5	0,7	0,03
Stengel	0,0054	3,15	23,2	22,6	11,7	0,4
Wurzeln	0,0011	2,24	21,0	17,0	11,6	0,5
Blüten	Spuren	—	—	—	—	—
22. Juni; Gew. 4,75 g						
Blätter	0,003	0,18	1,5	0,8	1,0	0,05
Stengel	0,072	5,4	4,2	64,0	31,0	0,91
Wurzeln	0,017	2,2	33,0	41,0	18,0	1,0
Blüten	0,011	1,2	13,7	8,0	5,4	0,3
30. Juni; Gew. 15,34 g.						
Blätter	0,007	0,09	0,5	0,4	0,6	0,02
Stengel	0,239	4,4	19,4	39,0	14,5	0,6
Wurzeln . . .	0,056	3,6	29,0	50,0	18,0	1,0
Blüten	0,018	1,9	16,0	10,5	11,0	0,5
7. Sept.; Gew. 123,1 g						
Blätter	0,100	0,7	5,0	9,0	9,0	0,5
Stengel	0,670	4,1	44,0	76	40,0	1,4
Wurzeln	0,096	2,5	60	55,0	31,0	1,2
Blüten	1,792	1,9	43,0	14,0	20,0	1,0

Der relative Gehalt im Stengel ist immer am höchsten; in den Blüten dagegen erhebt er sich zuletzt wegen des Überwiegens desselben zu einem absoluten Maximum.

IV. *Amarantus melancolicus.*

	Nitrate		Prozentisches Verhältnis			
	A. G.	R. G.	K	N	Extrakt	Wasser
29. Mai Beginn des Wachstums						
Gew. 0,286 g						
Blätter	0,00075	0,4	2,6	1,6	1,6	0,14
Stengel	0,0017	2,4	24,0	24,0	10,5	0,67
Wurzeln	0,0010	3,5	—	35,0	15,0	1,4
16. Juli Vor d. Blüte; Gew. 8,52 g						
Blätter	0,049	3,4	5,4	3,9	3,7	0,6
Stengel	0,249	1,6	52,0	50,6	40,5	0,18
Wurzeln	0,076	2,7	50,6	43,1	33,2	0,38
7. Sept. Vor d. Blüte; Gew. 134,2 g						
Blätter	1,414	2,66	27,1	10,5	13,0	0,85
Stengel	7,409	10,8	51,5	97,0	46,1	1,5
Wurzeln	0,480	3,9	39,2	46,4	27,8	1,0

Das Überwiegen der Nitrate im Stengel zeigt sich vor der Blüte hier ebenso, wie beim Borätsch; auch hier sieht man wiederum, daß der Saft im Stengel reicher an Nitraten ist, als in der Wurzel

3. Okt. Blüte einer mittelmäßigen Pflanze. Gew. 56,9 g.

	Nitrate		Prozentisches Verhältnis			
	A. G.	R. G.	K	N	Extrakt	Wasser
Blätter	0,271	1,9	12,0	6,2	6,1	0,85
Stengel	0,640	3,3	22,1	32,8	15,5	0,67
Wurzeln	0,320	6,4	87,0	68,6	43,6	2,5
Blüten	0,467	7,1	78,1	40,0	32,1	2,0

19. Okt. Dürftige Pflanze. Gew. 13,37 g.

	Nitrate		Prozentisches Verhältnis			
	A. G.	R. G.	K	N	Extrakt	Wasser
Blätter	0,050	1,5	11,7	27,0	10,7	0,75
Stengel	0,073	1,6	12,3	17,5	10,1	0,36
Wurzeln	0,008	0,9	16,6	16,7	11,3	0,20
Blüten	0,107	2,4	25,0	18,8	15,3	0,9

Die allmähliche Austrocknung hat infolge der Kapillarität die Konzentration des Saftes in dem Blütenstande auf ein Maximum gebracht.

V. *Amarantus pyramidalis. 16. Juli. Gew. der Pflanze 81,6 g.*

	Nitrate		Prozentisches Verhältnis			
	A. G.	R. G.	K	N	Extrakt	Wasser
Blätter	0,42	1,4	10,0	5,0	8,3	0,3
Stengel	4,21	10,6	51,0	96,0	43,0	1,2
Wurzeln	0,34	5,3	45,0	63,0	29,5	0,9
Wurzelfasern	0,20	5,7	52,0	50,0	36,0	0,9
Blüten	0,013	0,8	13,3	3,1	3,7	0,2

VI. *Celosia cristata. 29. Mai. Gew. 0,085 g.*

		Nitrate		Prozentisches Verhältnis			
		A. G.	R. G.	K	N	Extrakt	Wasser
Blätter	. . . . .	0,0001	0,34	3,5	1,5	2,0	0,05
Stengel	. . . .	0,0009	3,0	23,0	21,0	12,0	0,3
Wurzeln	. . .	0,0004	2,5	16,0	19,0	10,0	0,3
Blüten	. . . .	—	—	—	—	—	—

30. Juni. Gew. 2,05 g und 2,29 g.

	Nitrate				Prozentisches Verhältnis							
	A. G.		R. G.		K		N		Extrakt		Wasser	
	Gelb	Rot	Gelb	Rot	Gelb	Rot	Gelb	Rot	Gelb	Rot	Gelb	Rot
Blätter	0,00035	0,0003	0,05	0,03	0,4	0,2	0,5	0,4	0,3	0,2	0,02	0,01
Stengel	0,0175	0,035	2,3	4,2	15,0	21,0	28,0	4,3	12,0	16,0	1,1	1,4
Wurzeln	0,003	0,002	0,9	0,55	9,0	6,0	—	8,0	4,7	2,5	0,3	0,15
Blüten	0,0002	0,0006	0,09	0,26	0,9	28,0	0,6	18,0	0,3	10,5	0,05	0,1

3. Okt. Gew. 14,24 und 14,34 g.

Blätter	0,003	0,001	0,23	0,1	—	—	1,2	0,7	1,2	0,5	0,11	0,06
Stengel	0,105	0,039	2,2	1,1	28,0	17,0	30,0	25,0	12,0	6,8	0,7	0,4
Wurzeln	0,004	0,002	0,4	0,3	—	--	5,6	4,0	1,8	1,6	0,15	0,1
Blüten	0,021	0,026	0,3	0,3	3,6	4,5	2,1	2,3	1,3	1,3	0,1	0,1

Die beiden Varietäten zeigen keine auffallende Verschiedenheit, aber das Verhältnis des Wassers zum Nitrat ist in der Wurzel größer als im Stengel und zeigt also auch hier wiederum, daß die Bildung des Salpeters im Stengel stattfindet. (C. r. **99**. 591—92 [13*] Okt.)

Beiträge für das Centralblatt bittet man an die Redaktion (Leipzig, Lessingstr. 5) zu richten. **Originalarbeiten** von nicht zu großem Umfange werden entsprechend honoriert und gelangen stets sofort nach der Einsendung, und zwar in kürzester Frist, zum Abdruck.

Redaktion: Prof. Dr. **Rud. Arendt** in Leipzig.

Verlag von **Leopold Voss** in Hamburg und Leipzig. — Druck von **Metzger & Wittig** in Leipzig.

Wöchentlich eine Nummer von
1.–2 Bogen. Der Jahrgang mit
Sach- und Namen-Register,
nebst system. Übersicht.

Central-Blatt.

Der Preis des Jahrgangs
ist 30 Mark. Durch alle
Buchhandlungen und Post-
anstalten zu beziehen.

REPERTORIUM

für reine, pharmazeutische, physiologische und technische Chemie.

Dritte Folge. XV. Jahrgang.

Wochenbericht.

4. Organische Chemie.

Arnold Reissert, *Über die Einwirkung von Phenylhydrazin auf die Cyanhydrine von Benzaldehyd, Acetaldehyd und Aceton.* Das zu den Versuchen verwendete Benzaldehyd-cyanhydrin (Mandelsäurenitril) erhielt Vf. durch Einwirkung von nascierender Blausäure auf in Äther gelösten Benzaldehyd. Beim Zusammenbringen des Nitrils mit der äquivalenten Menge von Phenylcyanhydrin trat sofort eine Wärmeentwicklung ein, und sehr bald begann eine Ausscheidung von Krystallen. Letztere erwiesen sich als das bereits von E. FISCHER (**78.** 150) dargestellte, bei 152,5° schmelzende Benzylidenphenylhydrazin. Auch bei der Umsetzung des Phenylhydrazins mit Phenylchloressigsäure entstand dieselbe Verbindung. Wird Acetaldehydcyanhydrin mit Phenylhydrazin versetzt und in einem geschlossenen Gefäße schließlich bis auf 100° erhitzt, so erhält man eine Verbindung, deren Analyse zur Formel $C_9H_{11}N_3$ stimmte; dieselbe erwies sich als das α-Phenylhy-

$$CH_3 - CH - CN$$
drazidpropionitril $\overset{|}{\underset{N_2H_2 . C_6H_5}{}}$. Die Substanz schmilzt bei 58° und spaltet sich

beim Erhitzen mit Säuren und Alkalien in Blausäure und Äthylidenphenylhydrazin; letzteres geht schließlich beim fortgesetzten Erwärmen wieder in Acetaldehyd und Phenylhydrazin über. Die Verbindung reduziert FEHLING'sche Lösung. — Zur Umwandlung des Nitrils in das betreffende Amid wird das erstere mit rauchender Salzsäure versetzt und mehrere Tage stehen gelassen. Man gewinnt aus der Reaktionsmasse durch geeignete Behandlung die weißen Krystalle des α-Phenylhydrazidopropionamids

$$CH_3 - CH \Big\langle {CONH_2 \atop N_2H_2C_6H_5}$$, welches bei 124° schmilzt und gleichfalls FEHLING'sche Lö-

sung reduziert. Aus der Verbindung entsteht beim Kochen mit Natronlauge die

α-Phenylhydrazidopropionsäure $CH_3 - CH \Big\langle {COOH \atop N_2H_2 . C_6H_5}$ mit dem Schmelzpunkt 187°.

Ihr Äthyläther bildet sich nicht beim Einleiten von Salzsäuregas in die ätherische Lösung des Nitrils und absoluten Alkoholes (PINNER und KLEIN, **78.** 40, 180 u. 436), wird dagegen leicht nach dem von R. OTTO und H. BECKURTS (**77.** 5) empfohlenen Verfahren aus dem obigen Nitril gewonnen und schmilzt bei 116° C. Salzsäure verbindet sich mit dem Äther zu einem in Wasser und Alkohol leicht löslichen Salze. Um zu entscheiden, ob die α-Phenylhydrazidopropionsäure und ihre Derivate als symmetrische oder unsymmetrische sekundäre Hydrazine aufzufassen seien, wurde sowohl das Amid, als auch der Säureäther in salzsaurer Lösung mit Zinn gekocht. Nach Analogie des Phenylhydrazins mußte hierbei eine Spaltung zwischen den zwei Stickstoffatomen des Hydrazinrestes eintreten und der Propionsäurerest $CH_3CH = COOH$ entweder mit einem Rest von Anilin oder von Ammoniak in Verbindung bleiben. In beiden Fällen konnte eine Sprengung des Phenylhydrazinrestes konstatiert und sowohl aus dem Amid, als auch aus dem Äther als Endprodukt der Reaktion α-Anilidopropionsäure erhalten werden.

Demnach ist der Propionsäurerest in der α-Phenylhydrazidopropionsäure mit demselben Stickstoffatom, wie die Phenylgruppe verbunden. Die beschriebenen Hydrazinderivate sind also unsymmetrische und daher die Formel für die neue Säure $CH_3 — CH \begin{smallmatrix} COOH \\ N \end{smallmatrix} \begin{smallmatrix} NH_2 \\ C_6H_5 \end{smallmatrix}$.

Beim Digerieren von Acetoncyanhydrin (α-Oxyisobuttersäurenitril) mit Phenylhydrazin entstand α-Phenylhydrazidoisobuttersäurenitril $(CH_3)_2CH \begin{smallmatrix} CN \\ N_2H_2 . C_6H_5 \end{smallmatrix}$. (Schmelzpunkt 70°.) Weder durch rauchende Salzsäure in der Kälte, noch durch Lösen in mit Salzsäuregas gesättigtem Eisessig war eine Verseifung des Nitrils herbeizuführen. Beim vorsichtigen Erwärmen der Lösung des Nitrils in konzentrierter Schwefelsäure wird das

α-Phenylhydrazidoisobuttersäureanhydrid $(CH_3)_2 . C \begin{smallmatrix} CO \\ N_2HC_6H_5 \end{smallmatrix}$ mit dem Schmelzpunkt

175° erhalten. Beim Kochen des Anhydrids mit Natronlauge entsteht wahrscheinlich das Natronsalz der α-Phenylhydrazidisobuttersäure, welches aber beim Neutralisieren sogleich wieder in Wasser und ihr Anhydrid zerfällt. Das letztere vereinigt sich mit Salzsäure zu einem krystallisierten Salze.

Wenn bei dem Verseifungsprozeß des Nitrils mit konzentrierter Schwefelsäure sogleich nach dem Verschwinden der Blausäurereaktion das Erwärmen der schwefelsauren Lösung eingestellt wird, so bildet sich neben dem bei 175° schmelzenden Produkt in geringer Menge noch ein bei 117° schmelzender Körper, welcher beim weiteren Erhitzen der Lösung in dem Reaktionsprodukt nicht mehr nachzuweisen ist. Diese bei 117° schmelzende Substanz stimmt in allen Eigenschaften überein mit dem Derivat des α-Phenylhydrazidoisobuttersäurenitrils, welches aus Salzsäuregas und einer Lösung des Nitrils in überschüssigem, absolutem Alkohol dargestellt wird und sich der Analyse zufolge als α-Phenylhydrazidisobuttersäureimid:

$$(CH_3)_2C \begin{smallmatrix} CO — NH — CO \\ N_2H_2C_6H_5C_6H_5H_2N_2 \end{smallmatrix} C(CH_3)_2 \qquad \text{erwies.}$$

Beim Eindampfen der salzsauren Lösung entsteht das salzsaure Salz des Imids, dessen Analyse einen Gehalt von drei Mol. Salzsäure auf ein Mol. der Base ergab. Beim Kochen des Imids wird das Anhydrid der α-Phenylhydrazidisobuttersäure gebildet. Um auch von diesen Verbindungen zu konstatieren, ob dieselben symmetrische oder unsymmetrische Abkömmlinge des Phenylhydrazins seien, wurde das beschriebene Imid mit Zinn und Salzsäure gekocht, wobei die α-Anilidoisobuttersäure gewonnen wurde. Die Konstitution

des inneren Anhydrids der Phenylhydrazidisobuttersäure ist demnach $(CH_3)_2C \begin{smallmatrix} CO \\ C_6H_5 — N — NH \end{smallmatrix}$.

(Inaug.-Dissertat. 30. Juli 1884. Berlin.)

E. Grevingk, *Über die Dinitrometaxylole und die entsprechenden Nitroxylidine.* Durch Behandlung von m-Xylol mit Salpeterschwefelsäure erhielt der Vf. neben dem bekannten bei 93° schmelzenden Dinitroxylol ein bei 82° schmelzendes Isomeres, welches er durch zahlreiche Krystallisationen reinigte. Durch Reduktion mit Schwefelammonium giebt es ein bei 78° schmelzendes Nitroxylidin. Dasselbe Nitroxylidin erhält man auch in geringerer Menge neben einem bei 123° schmelzenden Isomeren, wenn man reines m-Xylidin in schwefelsaurer Lösung nitriert; das neue Dinitroxylol hat die Konstitution $C_6H_2(CH_3)^1(CH_3)^3(NO_2)^4(NO_2)^6$, denn durch weiteres Nitrieren giebt es, wie sein Isomeres $C_6H_2(CH_3)^1(CH_3)^3(NO_2)^4(NO_2)^6$ das Trinitroxylol (1, 3, 2, 4, 6).

Durch Elimination der NH_2-Gruppe mittels Äthylnitrit wurden die beiden Nitroxylidine in Nitroxylol umgewandelt. Das bei 123° schmelzende Nitroxylidin giebt gewöhnliches Nitroxylol 1, 3, 4, welches in reinem Zustande bei 245° siedet; es wurde schon von FITTIG dargestellt. Das bei 78° schmelzende Nitroxylidin giebt das Nitroxylol 1, 3, 2, welches bei 225° schmilzt. (Bull. Par. **42**. 335—36 u. 39. 5. Okt.)

Gastiger, *Über das Äthylparatolylnitrosamin*, $C_6H_4(CH_3)^1N^4 = (C_2H_5)(NO)$. Dieses wurde aus reinem Äthylparatoluidin dargestellt. Die Diazoderivate des letzteren wurden untersucht. (Bull. Par. **42**. 338. 5. Okt.)

Nölting und **Forel**, *Über die isomeren Xylidine.* Das o-Xylol liefert beim Nitrieren mit der theoretischen Menge Salpetersäure, gelöst in Schwefelsäure, zwei isomere Mononitroderivate wie das Toluol. Das eine ist krystallinisch, schmilzt bei 29° und siedet bei 256°; es wurde schon von JACOBSEN durch Nitrieren mit rauchender Salpetersäure allein erhalten und giebt durch Reduktion krystallisiertes o-Xylidin. Das andere ist flüssig, siedet bei 250° und läßt sich von seinem Isomeren, wenngleich nicht vollständig, durch eine Reihe fraktionierter Destillationen trennen. Durch Reduktion mit Eisen und Essigsäure giebt es ein flüssiges Xylidin, welches ein Gemenge von wenigen festem o-Xylidin mit einem neuen flüssigen o-Xylidin, dem sechsten durch die Theorie vorauszusehenden ist. Man erhält dieses in reinem Zustande, wenn man das Gemenge mit Essigsäureanhydrid behandelt, die Acetoxylidine durch fraktionierte Krystallisation trennt und dann verseift. Das neue o-Xylidin hat die Konstitution $C_6H_3(CH_3)^1(CH_3)^2(NH_2)^3$, siedet bei 223° und hat das spezifische Gewicht 0,991 bei 15°; sein Acetylderivat schmilzt bei 134°. Durch Transformation in das Diazoderivat und Sieden desselben mit Wasser erhält man das o-Xylenol $C_6H_3(CH_3)^1(CH_3)^2(OH)^3$ in schönen weifsen bei 73° schmelzenden Nadeln, welche mit Wasserdampf leicht überdestillieren.

Oxydiert man das o-Xylidin (1, 2, 3) mit Kaliumdichromat und Schwefelsäure, so erhält man das o-Xylochinon $C_6H_3(CH_3)^1(CH_3)^2(O^3.O^5)$; es schmilzt bei 221° unter Zersetzung.

Das neue o-Xylidin giebt, wenn es bei Gegenwart von p-Toluidin mit Arsensäure oxydiert wird, kein Rosanilin.

Die Vff. haben auch das symmetrische m-Xylidin $C_6H_3(CH_3)^1(CH_3)^3(NH_2)^4$ nach dem Verfahren von WROBLEWSKY dargestellt und durch Oxydation desselben das m-Xylochinon $C_6H_3(CH_3)^1(CH_3)^3(O^5.O^2)$ in schönen gelben, bei 73° schmelzenden Nadeln erhalten; das korrespondierende Hydrochinon bildet weifse Nadeln vom Schmelzpunkt 149°. Das symmetrische m-Xylenol schmilzt bei 68° und gleicht seinem festen Isomeren.

Man kennt also bis jetzt sechs Xylenole; von diesen sind fünf krystallinisch, und nur das m-Xylenol (1, 3, 4) ist flüssig. Das p-Xylochinon $C_6H_2(CH_3)^1(CH_3)^4(O^2.O^5)$, dargestellt aus reinem p-Xylidin, schmilzt bei 123° und ist identisch mit dem schon von NIETZKI und CARSTANJEN beschriebenen Chinon.

Aus den fünf Xylidinen (zwei Ortho, einem Para, dem gewöhnlichen Meta von 134° und dem symmetrischen Meta), welche die Vff. im Zustand völliger Reinheit zu ihrer Verfügung hatten, haben sie die Amidoazoderivate dargestellt und die Konstitution derselben festgestellt:

$C_6H_3(CH_3)^1(CH_3)^2N^3.N^6-C_6H_2(CH_3)^1(CH_3)^2(NH_2)^3$ Schmelzp. 110,5°

$C_6H_3(CH_3)^1(CH_3)^2N^4.N^3$ oder $^5-C_6H_2(CH_3)^1(CH_3)^2(NH_2)^4$ Schmelzp. 179°

$C_6H_3(CH_3)^1(CH_3)^2N^4.N^5-C_6H_2(CH_3)^1(CH_3)^3(NH_2)^4$ Schmelzp. 78°

$C_6H_3(CH_3)^1(CH_3)^2N^5.N^2-C_6H_2(CH_3)^1(CH_3)^3(NH_2)^5$ Schmelzp. 95°

$C_6H_3(CH_3)^1(CH_3)^4N^2.N^5-C_6H_2(CH_3)^1(CH_3)^4(NH_2)^2$ Schmelzp. 150°

$C_6H_3(CH_3)^1(CH_3)^3N^4.N^5-C_6H_2(CH_3)^1(CH_3)^4(NH_2)^4$ Schmelzp. 110–111°.

Die letzte dieser Verbindungen, welche zugleich von dem asymetrischen m-Xylidin und dem p-Xylidin deriviert, ist schon durch NIEZKI aus käuflichem Xylidin erhalten worden. Die Vff. sind gegenwärtig beschäftigt, das m-Xylidin (1, 3, 2), welches noch wenig untersucht ist, darzustellen.

Nitriert man m-Xylol mit Salpeterschwefelsäure, so bildet sich neben dem gewöhnlichen Nitroxylol eine gewisse Menge eines Isomeren von der Konstitution 1, 3, 2. Diese läfst sich durch eine Reihe fraktionierter Destillationen trennen. Das neue Nitroxylol findet sich besonders in dem zwischen 222 und 227° übergehenden Anteile. Im reinen Zustande, wie es von GREVINGK auf anderem Wege hergestellt wurde, siedet es bei 225°. Durch Reduktion der Fraktion 222–227° erhält man ein Xylidin, $C_6H_3(CH_3)^1(CH_3)^3(NH_2)^2$, welches man durch Umwandlung in sein Acetylderivat, das bei 176° schmilzt, reinigt. Es siedet bei 214,5°. Dieses Xylidin wurde schon von SCHMITZ aus Amidomesitylensäure, $C_6H_3(CH_3)^1(CH_3)^3(NH_2)^2(COOH)^5$, erhalten, aber wegen Mangel an Material nicht genauer untersucht. (Bull. Par. **42**. 332—34 und 338—39. 5. Okt.)

Nölting und **Kohn**, *Über Cumidin.* Ein neues Cumidin von der Formel $C_6H_2(CH_3)_3(NH_2)$, also ein Amidotrimethylbenzol, wurde erhalten durch Erhitzen von symmetrischem salzsauren m-Xylidin, $C_6H_3(CH_3)^1(CH_3)^3(NH_2)^4$, mit Methylalkohol. Dieses Isocumidin, welches wahrscheinlich von dem Hemimellitol, dem dritten Trimethylbenzol. $C_6H_3(CH_3)^1(CH_3)^2(CH_3)^3$, deriviert, schmilzt bei 69° und destilliert bei 245°. (Bull. Par. **42**. 340. 5. Okt.)

Erastus G. Smith, *Über die Einwirkung von Brom auf Anhydropropionylphenylendiamin.* Die Anhydrobase, das Anhydropropionylphenylendiamin, ist zuerst von WUNDT (**78**. 456) beschrieben worden. Vf. stellte diese Verbindung aus o-Nitropropionanilid, welches er aus o-Nitranilin und Propionylchlorid erhielt und das bei 63° schmilzt, durch Reduktion mit Zinn und Eisessig her. Der Verfasser analysierte das salzsaure Salz.

$C_6H_4\{^N_{NH_2Cl}\}>C.CH_2-CH_3$, und das Platinchloriddoppelsalz, sowie die Verbindung mit Quecksilberchlorid.

Setzt man Bromwasser zu 'einer verdünnten wässerigen Lösung der Anhydrobase, so erhält man das *Anhydropropionyldibromphenylendiamin,* $C_9H_3Br_2\{^N_{NH}\}C.CH_2.CH_3$, und die entsprechende Tribromverbindung $C_9HBr_3\{^N_N\}C.CH_2.CH_3$. Ersteres schmilzt bei 224 bis 226°, letztere bei 257—262°C. Von der Dibromverbindung wird das Nitrat, Chlorid und Platinchloriddoppelsalz, von der Tribrombase das Chlorid beschrieben. (Amer. Chem. Journ. **6**. 172—78.)

Nölting und **Baumann**, *Über einige Derivate des krystallisierten Cumidins.* Das Amidoazocumol schmilzt bei 138° und giebt durch Reduktion ein Diamin der Orthoreihe. Es hat also die Konstitution:

$$C_6H_3(CH_3)^1(CH_3)^3(CH_3)^4N^6{=}N^2{-}C_6H(CH_3)^1(CH_3)^3(CH_3)^4(NH_2)^6.$$

Das Pseudocumenol, $C_6H_2(CH_3)_3OH$, erhalten aus Pseudocumidin, verbindet sich leicht mit den Diazoderivaten.

Das Chlorhydrat des Pseudocumidins giebt, wenn es in einem geschlossenen Gefäße mit Methylalkohol auf 300° erhitzt wird, ein Tetramethylamidobenzol, $C_6H(CH_3)_3NH_2$, welches bei 250° siedet und dessen Acetylderivat bei 210° schmilzt. Man erhält dieselbe Base, wenn man das salzsaure Mesidin derselben Behandlung unterwirft. Das neue Amin kann hiernach nur die Konstitution $C_6H(CH_3)^1(CH_3)^3(CH_3)^4(CH_3)^4(NH_2)^2$ haben. Die Vff. haben auch ihre Untersuchungen über die Substitutionsprodukte des Amidoazobenzols fortgesetzt. Nitriert man letzteres in schwefelsaurer Lösung, so erhält man ein Isomeres des Nitroamidoazobenzols:

$$C_6H_4(NO_2)^4N^1{=}N^4{-}C_6H_4(NH_2)^1$$

von **Nölting** und **Binder**. Die Struktur dieses Körpers ist noch nicht genau festgestellt. Methyliert man das Dimethylamidoazobenzol, $C_6H_4(CH_3)^4N^1{=}N^4{-}C_6H_4(N(CH_3)^7)^1$, so erhält man das Tetramethylazylin von **Lippmann** und **Fleissner**. (Bull. Par. **42**. 335. 5. Oktober.)

Nölting und **Kohn**, *Einwirkung von Diazodimethylparaphenylendiamin auf Dimethylanilin.* Hierbei entsteht symmetrisches Tetramethyldiamidoazobenzol, welches identisch mit dem Tetramethylazylin von **Lippmann** und **Fleissner** ist:

$$C_6H_4N(CH_3)_2.N{=}N{-}Cl + C_6H_5N(CH_3)_2 = C_6H_4N(CH_3)_2.N{=}N{-}C_6H_4N(CH_3)_2 + HCl.$$

(Bull. Par. **42**. 334. 5. Okt.)

Nölting und **Weingärtner**, *Über das salzsaure Acetanilid.* Die Vff. haben beobachtet, daß die Anilide die Eigenschaft besitzen, sich mit Salzsäure zu verbinden; hauptsächlich haben sie das salzsaure Acetanilid, $[C_6H_5N.(C_2H_2O)H],HCl$, studiert. Dasselbe giebt, wenn man es in geschlossenen Röhren eine Stunde lang auf 250° erhitzt, Äthenyldiphenylamidin. Steigert man die Temperatur auf 300—330° und erhitzt 12—15 Stunden lang, so erhält man neben Anilin und teerartigen Substanzen noch Basen der Chinolinreihe. Von diesen wurden zwei isoliert: eine, welche bei 265—268° siedet und die Formel $C_{11}H_{11}N$ hat, und eine andere von der Formel $C_{11}H_{13}N$ vom Siedep. 283—285°. Beide geben, wenn sie mit Phtalsäureanhydrid erhitzt werden, Farbstoffe wie das Chinaldin. (Bull. Par. **42**. 334—35. 5. Okt.)

Nölting und **Binder**, *Über die Diazoamidoderivate.* Die Vff. haben die Derivate genauer studiert, welche bei folgenden Reaktionen entstehen:

> I. $p{-}C_6H_4(CH_3)^1N^4{=}N{-}Cl$ und $C_6H_5NH_2$.
> II. $C_6H_5N{=}N{-}Cl$ und $p{-}C_6H_4(CH_3)^1(NH_2)^4$.
> III. $p{-}C_6H_4Br^4N.N{-}Cl$ und $C_6H_5NH_2$.
> IV. $C_6H_5N{=}N{-}Cl$ und $p{-}C_6H_4Br^4NH_2$.
> V. $C_6H_4(NO_2)^4N^1{=}N{-}Cl$ und $C_6H_5NH_2$.
> VI. $C_6H_5N{=}N{-}Cl$ und $C_6H_5N(CH_3)H$.
> VII. $C_6H_4NO_2N{=}N{-}Cl$ und $C_6H_4CH_3NH_2$.
> VIII. $C_6H_4(NO_2)^4N^1{=}N{-}Cl$ und $C_6H_4CH_3NH_2$.
> IX. $C_6H_4(NO_2)^4N^1{=}N{-}Cl$ und $C_6H_4(CH_3)^4(NH_2)^1$.

Wie **Griess** bereits vor acht Jahren mitgeteilt hat, sind I, II, III und IV identisch miteinander. Behandelt man I und II mit Brom in Benzollösung, so erhält man das Diazotoluolbromid, $C_6H_4CH_3N{=}N{-}Br$, und das Tribromanilin. Nach dieser Reaktion würde dieser Körper die Formel $C_6H_4CH_3N{=}N{-}N{<}^H_{C_6H_5}$ haben. Durch Sieden mit einer verdünnten Säure spaltet er sich einerseits in Toluidin und Phenol, andererseits in

Kresylol und Anilin. Durch Reduktion mit Zinnchlorür giebt er Phenylhydrazin, $C_6H_5NH.NH_2$ und p-Toluidin.

III und IV gaben durch Sieden mit verdünnten Säuren Bromanilin und Phenol, V Nitranilin und Phenol; VI gab durch Reduktion Phenylhydrazin und Monomethylanilin. Es gelang nicht, die Körper $C_6H_5N{=}N{-}Cl$ und $C_6H_4(NO_2)'(NH_2)^4$ miteinander zu verbinden.

Bei der Reaktion VII bildete sich keine Diazoamidoverbindung, sondern unmittelbar das isomere Amidoazoprodukt $C_6H_4NO_2N{=}N{-}C_6H_4N(CH_3)H$.

Mit V, VIII und IX wurden Transpositionsversuche gemacht.

V, dessen rationelle Formel noch nicht festgestellt ist, giebt mit Anilin Amidoazobenzol unter Elimination von Nitranilin, und daneben eine kleine Menge von Nitroamidoazobenzol, $C_6H_4(NO_2)^4N^1{.-}N^1C_6H_3(NH_2)^1$, welches bei 203—205° schmilzt. Dieses Derivat entsteht leichter, wenn man IX derselben Behandlung unterwirft. Durch Reduktion des Nitroderivates erhält man das symmetrische Diamidoazobenzol, $C_6H_4(NH_2)^4N^1{=}N^4C_6H_4$ $(NH_2)^1$, die Muttersubstanz der Azyline. Dieser Körper ist neuerlich auf andere Weise dargestellt worden, und zwar einerseits durch MIXTER und andererseits durch NIETZKI.

Mit VIII gelingt die Transposition des o-Toluidins in das nitrierte Amidoazoderivat leichter, als mit V und Anilin. Man erhält trotzdem immer Amidoazoorthotoluol neben dem Nitroderivat $C_6H_4(NO_2)^4N^1{.-}N^4C_6H_3(CH_3)^1(NH_2)^2$ vom Schmelzp. 198°. Durch behutsame Reduktion giebt letzteres Methylazylin, $C_7H_6NH_2N{=}NC_6H_3CH_3NH_2$, welches in einem Phenylkerne methyliert ist. (Bull. Par. 42. 336—37. 5. Okt.)

Nölting und Baumann, *Über die Substitution der Axoderivate.* Behandelt man Dimethylamidoazobenzol (Phenylazodimethylanilin) $C_6H_5N{.-}N.C_6H_4N(CH_3)_2$ mit seinem dreifachen Gewicht konzentrierter Schwefelsäure im Wasserbad, so erhält man eine Monosulfosäure, welche durch Reduktion Sulfanilsäure und Dimethylparaphenylendiamin giebt. Sie hat die Konstitution $C_6H_4(SO_3H)^4N^1{.-}N^1{-}C_6H_4[N(CH_3)_2]^4$ und ist identisch mit dem Produkt der Einwirkung von p-Diazophenylsulfosäure auf Dimethylanilin. Behandelt man in derselben Weise das p-Tolylazodimethylanilin $C_6H_4(CH_3)^4N^1{-}N^1.C_6H_4[N(CH_3)_2]^4$, so erhält man eine Sulfonsäure, welche durch Reduktion neben Dimethylphenylendiamin Amidokresylsulfonsäure $C_6H_3(CH_3)^1(NH_2)^4(SO_3H)^2$ giebt. In beiden Fällen vertritt die Gruppe SO_3H ein Atom Wasserstoff, in dem Kern, welcher die Gruppe $N(CH_3)^2$ nicht enthält. (Bull. Par. 42. 340—41. 5. Okt.)

Nölting und Binder, *Über die Diazoamidoderivate.* Die Vff. haben die Produkte der Einwirkung der Chloride vom Diazobenzol und Diazoparatoluol auf das Monoäthylanilin studiert:

$$C_6H_5N{.-}N{-}N{<}^{C_6H_5}_{C_2H_5} \text{ und } C_6H_4(CH_3)^4N^1{=}N{-}N{<}^{C_6H_5}_{C_2H_5}.$$

Durch Erhitzen mit einer verdünnten Säure spalten sich diese Körper: der erste in Phenol und Äthylanilin, der zweite in p-Kresol und Äthylanilin. Mit Reduktionsmitteln geben sie Äthylanilin und der erste außerdem Phenylhydrazin, der zweite p-Tolylhydrazin.

Ein Isomeres des zweiten von **Gastiger** dargestellt, indem er das Chlorid des Diazobenzols auf Monoäthylparatoluidin $C_6H_5N{=}N{-}N{<}^{C_6H_4CH_3}_{C_2H_5}$ einwirken ließ. Es bildeten sich Krystalle, welche bei 38—39° schmelzen, es giebt beim Erhitzen mit verdünnter Schwefelsäure Phenol und Äthylparatoluidin und durch Reduktion dieselbe Base und Phenylhydrazin (Bull. Par. 42. 341—42. 5. Okt.)

Hugo Steudemann, *Über m-Nitrophenylsenföl, o-Nitro-p-Tolylsenföl und α-m-Toluylensenföl. Ein Beitrag zur Kenntnis aromatischer Senföle.* Als Ausgangsmaterial für die Darstellung des m-Nitrophenylsenföls diente fast ausschließlich m-Mononitrodiphenylsulfoharnstoff $CS{<}^{NH.C_6H_5}_{NH.C_6H_4NO_2}$ (LOSANITSCH, 82. 72), welches mit Essigsäureanhydrid erwärmt wurde. Das aus der Reaktionsmasse erhaltene m-Nitrophenylsenföl $C_6H_4{<}^{NO_2(.)}_{NCS(3)}$ schmilzt bei 58° C. Beim Erwärmen über dem Schmelzen zeigt die Substanz den charakteristischen Senfölgeruch; zwischen 280—285° siedet sie unter teilweiser Zersetzung.

Mit Wasser digeriert — auch schon bei der Destillation im Wasserdampfstrome — geht das Senföl unter Entwicklung von Kohlenoxysulfid in einen Körper über, welcher nach wiederholtem Umkrystallisieren aus Eisessig und Alkohol zwischen 160—161° schmolz und auch in seinen sonstigen Eigenschaften dem Dinitrodiphenylsulfoharnstoff glich. Neben demselben entstand eine zwischen 167—168° schmelzende Verbindung, welche in feinen gelben Nadeln krystallisiert und dieselbe empirische Zusammensetzung, wie das Nitrophenylsenföl hat. Nascierender Wasserstoff spaltet das Nitrophenylsenföl in Phenylendiamin und Sulfaldehyd. Leitet man Schwefelwasserstoff in alkoholische Lösung des Senföls, so verwandelt sich dasselbe glatt in Schwefelkohlenstoff und Nitranilin.

Beim Erhitzen des obigen Senföls mit Alkohol entsteht das m-Nitrophenyläthylsulfurethan $CSH\Big\langle{}^{NC_6H_4NO_2}_{OC_2H_5}$, welches auch aus einer alkalischen Nitranilinlösung in Alkohol und aus Schwefelkohlenstoff gewonnen werden kann. Der Körper schmilzt bei 114°. In ähnlicher Weise kann man aus Methylalkohol und dem Senföl das entsprechende Methylsulfurethan bekommen [CSH(NHC$_6$H$_4$NO$_2$)(CH$_3$O) Schmelzpunkt 119—120°]. Das Nitrophenylsenföl tritt mit Aminen leicht zu substituierten Harnstoffen zusammen. Alkoholische Lösungen des Senföles liefern mit Nitranilin den Dinitrophenylsulfoharnstoff CS(NHC$_6$H$_4$NO$_2$)$_2$, mit alkoholischem Ammoniak den Mononitromonophenylsulfoharnstoff $CS\Big\langle{}^{NH_2}_{NH.C_6H_4NO_2}$, citronengelbe Krystalle.

Beim Vermischen ätherischer Lösungen von p-Toluidin und Nitrophenylsenföl fallen die schwach gelbgefärbten, bei 173° schmelzenden Krystalle des m-Nitrophenyl-p-tolylsulfoharnstoffs heraus. m-Nitrophenyl-p-oxyphenylsulfoharnstoff entsteht, wenn äquivalente Mengen Nitrophenylsenföl und p-Amidophenol in alkoholischer Lösung erhitzt werden. Die weifsen Nadeln dieser Verbindung schmelzen bei 152° C., o-Nitro-p-toluidin erzeugt mit dem Senföl den o-Nitro-p-tolyl-m-nitrophenylsulfoharnstoff CS(NHC$_6$H$_4$NO$_2$)(NHC$_7$H$_6$NO$_2$) vom Schmelzpunkt 188°.

Zur Darstellung des o-Nitro-p-tolylsenföls diente der Mono-o-nitro-p-tolylphenylsulfoharnstoff CS(NHC$_7$H$_6$NO$_2$)(NHC$_6$H$_5$), welcher letzterer aus Phenylsenföl und o-Nitrop-toluidin erhalten wird. Der Harnstoff schmilzt bei 143°, jedoch wird die geschmolzene Masse bald wieder undurchsichtig und schmilzt zum zweiten Male bei 167°. Essigsäureanhydrid erzeugt daraus neben dem Nitrotolylsenföl Nitracettoluid und Acetanilid. Das Senföl ist in allen seinen Eigenschaften dem Nitrophenylsenföl sehr ähnlich, zeigt den Schmelzpunkt 56—57°, verflüchtigt sich schwierig mit Wasserdämpfen und verwandelt sich dabei zum gröfsten Teile unter Abgabe von Schwefelwasserstoff und Kohlensäure in o-Dinitroditolylsulfoharnstoff. Ebensowenig wie beim Nitrophenylsenföl gelang es auch hier, die Nitrogruppe in die Amidogruppe durch Reduktion zu verwandeln oder zu einem Umlagerungsprodukt, dem Toluylenharnstoff zu gelangen. Bei der Reduktion mit Zinn und Salzsäure entstand Toluylendiamin (Schmelzpunkt 99°).

Das Nitrotolylsenföl tritt mit Alkoholen zu Sulfurethanen zusammen. Vf. beschreibt das o-Nitro-p-tolylsulfurethan (Schmelzpunkt 95,5°, CSH(NHC$_7$H$_6$NO$_2$)(OC$_2$H$_5$). Alkoholisches Ammoniak löst das Senföl auf und vereinigt sich damit zu o-Nitromono-p-tolylsulfoharnstoff CS(NH$_2$)(NHC$_7$H$_6$NO$_2$) mit dem Schmelzpunkt 176°. Toluidin und Nitrotolylsenföl geben den o-Mononitrodi-p-tolylsulfoharnstoff CS(NH.C$_7$H$_7$)(NHC$_7$H$_6$NO$_2$) (Schmelzpunkt 169°), Nitrotoluidin den Dinitrotolylsulfoharnstoff CS(NHC$_7$H$_6$NO$_2$)$_2$. Schmelzpunkt 207° (s. oben).

Aus salzsaurem Toluylendiamin und Sulfocyankalium gelangt man zum Toluylendiaminsulfocyanat; dieses verwandelt sich beim Erhitzen auf 120—130° in Toluylendisulfoharnstoff C$_6$H$_6$(NHCSNH$_2$)$_2$ und letzterer wieder beim Erhitzen mit Salzsäure in Toluylendiamin, Kohlensäure, Ammoniak und Schwefelwasserstoff. Der Diphenyltoluylendisulfoharnstoff: C$_{21}$H$_{21}$N$_4$S$_2$CS$\Big\langle{}^{NHC_6H_5C_6H_5NH}_{NHC_6H_5NH}$CS bildet sich durch Vermischen ätherischer oder alkoholischer Lösungen von Toluylendiamin mit Phenylsenföl. Er schmilzt bei 172°. Während der von LUSSY (75. 470) beschriebene derartige Körper leicht ein Toluylensenföl gab, wurde der hier angeführte m-Toluylendiphenylsulfoharnstoff selbst bei anhaltender Salzsäureeinwirkung nur wenig angegriffen und in Phenylsenföl, Toluylendiamin, Anilin, Kohlensäure und Schwefelwasserstoff zersetzt. Konzentrierte Phosphorsäure wirkt etwas weniger in demselben Sinne darauf und es gelang, eine geringe Mengen eines bei 60° schmelzenden Spaltungsproduktes zu isolieren, dessen Analyse auf ein Toluylensenföl hinweist. Dasselbe α-Toluylensenföl C$_6$H$_3$(CH$_3$)(NCS)(NCS)$_4$ ist mit dem von LUSSY (l. c.) erhaltenen vielleicht identisch. (Inaug.-Dissert. 12. April 1884. Berlin.)

Nölting und **Kohn**, *Über Terephtalophenon*, C$_6$H$_4$(CO.C$_6$H$_5$)'(CO.C$_6$H$_5$)'. Dieses wurde durch Einwirkung von Terephtalylchlorid C$_6$H$_4$(COCl)'(COCl)' auf Benzol bei Gegenwart von Chloraluminium erhalten. Es ist eine krystallinische, weifse, in Wasser unlösliche, in Alkohol und Äther lösliche Substanz, welche von Alkalien selbst in alkoholischer Lösung nicht angegriffen wird. Nach diesem Verhalten hat es die Konstitution eines Diketons, ebenso wie das Isophthalophenon von ADOR, und nicht die eines Laktons, wie das Phtalophenon von FRIEDEL und CRAFTS. (Bull. Par. **42**. 339—40. 5. Okt.)

P. Cazeneuve, *Über einen Trichlorcampher.* Bei der Darstellung des normalen Monound Dichlorcamphers durch Einwirkung von Chlor auf gewöhnlichen Campher in alkoholischer Lösung hat der Vf. gezeigt, dafs das Disubstitutionsprodukt das höchste ist, welches unter den genannten Bedingungen entsteht. Es ist ihm jetzt gelungen, einen Trichlorcampher zu erhalten, indem er einen Chlorstrom bis zur Sättigung in normalen, im Wasserbad erhitzten Monochlorcampher leitete. Letzterer schmolz bei 83—84°. Es wurde in dieser Weise das aus 700 g Kochsalz entwickelte Chlor in 100 g Monochlorcampher geleitet. Dabei entwickelte sich Salzsäure, welche das überschüssige Chlor entführte. Das entstandene Produkt blieb wegen der gelösten Salzsäure bis 30° flüssig; nachdem jene durch Schütteln mit Wasser beseitigt war, stieg der Schmelzpunkt auf 50°. Die Reinigung wurde durch Auflösen in Alkohol und Abkühlung der Lösung in einer Kältemischung von Eis und Kochsalz bewirkt. Hierbei teilt sich die Flüssigkeit in zwei Schichten. Der größere Teil des Produktes bildet mit Alkohol eine flüssige, dichte molekulare Verbindung, welche sich am Boden ansammelt und unter 0° erstarrt. Die teigige Masse, welche durch Wasser zersetzt wird, wurde stark abgepreßt und dadurch von einer Flüssigkeit befreit, welche ein höheres Chlorsubstitutionsprodukt zu sein scheint. Zuletzt erhielt man eine weiße, aus kleinen Krystallen bestehende Masse, welche nach nochmaligem Auflösen in Alkohol und Fällen mit Wasser ein Produkt von der Formel $C_{10}H_{13}Cl_3O$ gab. Dieser Trichlorcampher bildet kleine weiße mikroskopische Krystalle, welche sich beim Reiben im Mörser zusammenballen und einen schwachen, an Terpentin erinnernden Geruch besitzen. Er ist in Wasser unlöslich, sehr löslich in kaltem Alkohol, Äther, Chloroform, Schwefelkohlenstoff und allen Lösungsmitteln des Camphers. Mit schwachem Alkohol giebt er eine flüssige Verbindung, welche sich am Boden des Gefäßes ansammelt. Er schmilzt in Dämpfen von Äther und Chloroform wie die Mono- und Diderivate des β-Camphers. Sein Schmelzpunkt und Erstarrungspunkt liegt bei 54°; er dreht das polarisierte Licht nach rechts $[\alpha]_j = +64°$. Dieses Resultat wurde mit einer Lösung von 4,57 g in 100 g Alkohol erhalten. Das Rotationsvermögen differiert wenig von dem des normalen Dichlorcamphers.

Der Trichlorcampher zersetzt sich beim Sieden unter Entwicklung reichlicher Mengen von Chlorwasserstoff und Bildung schwarzer, verkohlter Produkte. Die Temperatur steigt rasch über 250° und zuletzt auf 300°, wobei vollständige Zersetzung eintritt. Nur ein geringer Teil des Trichlorcamphers destilliert unzersetzt. Nach Aussehen, Löslichkeit und Krystallisation scheint dieser Trichlorcampher der β-Reihe anzugehören, von welcher der Vf. die beiden ersten Substitutionsprodukte, die dem sogenannten normalen Mono- und Dichlorcampher verwandt sind, beschrieben hat. Es bleibt hiernach übrig, die Bedingungen für die Bildung des normalen Trichlorcamphers aufzufinden, welcher sich den beiden ersten bekannten Gliedern, die prachtvoll krystallisieren, und in den verschiedenen Lösungsmitteln weniger löslich sind, anschließt. (C. r. **99**. 609—11. [13.*] Okt.)

Wyndham Dunstan und **F. W. Short**, *Über das Loganin.* In den Früchten von Strychnos nux vomica sind die Samen mit einem Mus gemischt, welches bis jetzt noch nicht genauer untersucht worden ist. HAMBURG hat darin die Gegenwart von Strychnin nachgewiesen. Die Vff. behandelten die getrocknete Substanz mit einem Gemenge von 100 Tln. Chloroform und 25 Tln. Alkohol unter Erwärmen und erhielten beim Abkühlen aus der Lösung Krystalle, welche nach mehrmaligem Umkrystallisieren analysiert wurden. Die Analyse ergab die Formel $C_{25}H_{34}O_{14}$. Diese krystallinische Substanz, das Loganin, schmilzt bei 215°, ist löslich in Wasser und Alkohol, weniger löslich in Äther, Chloroform, Benzin. Die Lösungen werden durch diejenigen Reagenzien, welche zur Abscheidung der Alkaloide dienen, nicht gefällt, weder durch Bleiacetat noch durch Silbernitrat, auch werden sie durch Eisenchlorid nicht verändert. Schwefelsäure giebt eine charakteristische Reaktion: erhitzt man eine kleine Menge Loganin mit einigen Tropfen konzentrierter Schwefelsäure, so erhält man eine rote Färbung, welche, wenn die Flüssigkeit sich selbst überlassen bleibt, in purpurrot übergeht. Die wässerige Lösung des Loganins reduziert die FEHLING'sche Flüssigkeit nicht. Das Loganin ist ein Alkaloid, denn wenn man es mit verdünnter Schwefelsäure kocht, so spaltet es sich in Zucker, welcher auf die Kupferlösung reduzierend wirkt, und in eine andere Substanz, das Loganetin. Letzteres giebt mit Schwefelsäure dieselbe Reaktion, aber weniger rasch. Es löst sich in Wasser und Alkohol, weniger gut in Chloroform und in Äther. Das getrocknete Mus der Früchte von Strychnos nux vomica scheint 4—5 p. c. Loganin zu enthalten. Auch in den Samen kommt es vor, doch in geringerer Menge. (Pharm. Journ. 1884. Juli; Journ. Pharm. Chim. [5] **10**. 275—76. Okt.)

O. Hesse, *Über Chinin und Homochinin.* Das Homochinin ist eine Modifikation des Chinins; die China cuprea enthält in vielen Fällen neben diesem diese Modifikation. Vom Chinin existieren mehrere Modifikationen, welche bei geeigneter Behandlung in das gewöhnliche Chinin übergehen. (LIEB. Ann. **225**. 95—108. Ende Juli.)

O. Hesse, *Über die Rinde von Remijia Purdieana Wedd. und ihre Alkaloide.* 1. Cinchonin. 2. Cinchonamin $C_{19}H_{24}N_2O$. Salze desselben, Verhalten des Cinchonamins zu Salpetersäure; Einwirkung von Jodmethyl auf Cinchonamin: Methylcinchonamin; Einwirkung von Jodäthyl auf Cinchonamin, Cinchonaminäthylhydroxyd; *Concusconin* $C_{22}H_{26}N_2O_4 + H_2O$; Salze desselben; Verhalten zu Jodmethyl: α- und β-Methylconcusconin und deren Salze. — 4. *Chairamin* $C_{22}H_{26}N_2O_4$; dessen Salze. — *Conchairamin* $C_{22}H_{26}N_2O_4$ und dessen Salze; Verhalten zu Jodmethyl: Conchairaminmethyl. — 6. *Chairamidin* $C_{22}H_{26}N_2O_4$. — *Conchairamidin* $C_{22}H_{26}N_2O_4 + H_2O$.

Aus diesen Resultaten ergiebt sich, daſs die Rinde von Remijia Purdieana auſser dem bekannten Cinchonin und dem von ARNAUD entdeckten Cinchonamin noch eine Reihe von Alkaloiden enthält, welche weder in der echten China cuprea oder der Rinde von Remijia pedunculata vorkommen, noch in den wirklichen Chinarinden, den Rinden von verschiedenen Cinchonaspecies. Nur gewisse Beziehungen scheinen zwischen einigen dieser Alkaloide und den wirklichen Chinaalkaloiden zu bestehen.

So ist das Cinchonamin als Homologes vom Paricin $C_{16}H_{18}N_2O$ vielleicht als Propylparicin aufzufassen. Anfänglich glaubte Vf., dasselbe stehe in derselben Beziehung zu Paricin, wie das Narcotin zu Nornarcotin, d. h. es wäre Trimethylparicin; da aber der bezügliche Versuch mit Salzsäure keine Abspaltung von Methyl, resp. Bildung von Chlormethyl ergab, so hat Vf. diese Ansicht wieder aufgegeben.

Bei alledem war doch die Annahme nahegelegt, daſs die fragliche Rinde auch Paricin enthalte; indes lieferte die nähere Untersuchung keinen Anhaltspunkt, welcher für das Vorkommen des Paricins in der genannten Rinde spricht.

Aus den Beobachtungen ist ferner ersichtlich, daſs das Cinchonamin gleich dem Cinchonin ein Hydroxyl enthält, also $C_{18}H_{22}N(OH)$ ist. Ob nun bei der Bildung von Methyl- und Äthylcinchonamin das betreffende Alkyl an Stelle des Hydroxylwasserstoffes eingelagert wurde oder in anderer Weise substituierte, das konnte vorerst nicht ermittelt werden. Immerhin wäre es möglich, daſs das Cinchonamin sehr nahe verwandt mit Cinchonin wäre, das ja nach CLAUS und Genossen (Ber. Chem. Ges. **13.** 2286 u. 2290) unter ähnlichen Bedingungen wie das Cinchonamin alkylierte Derivate liefert. Auch mag es sein, daſs die Remijia Purdieana die besondere Kraft hat, Cinchonin direkt in Cinchonamin überzuführen. Es würde dies eine Addition von Wasserstoff an Cinchonin bedeuten. In diesem Sinne hat Vf. versucht, das Cinchonin in Cinchonamin überzuführen, jedoch waren die bezüglichen Versuche erfolglos. Gleichwohl hat Vf. damit noch nicht jede Hoffnung aufgegeben, da ein Isomeres des Cinchonins, das Homocinchonidin, bei einer gewissen Behandlung Wasserstoff aufnimmt und in eine Substanz übergeht, welche mit Salzsäure und Salpetersäure schwer lösliche Salze bildet, die mit den entsprechenden Cinchonaminsalzen groſse Ähnlichkeit haben und, wie diese, durch Salpetersäure gefällt werden.

Während Vf. nun annimmt, daſs zwischen Cinchonamin und Cinchonin eine sehr nahe Beziehung stattfindet, glaubt er andererseits nicht, daſs dies auch zwischen diesem Alkaloid und dem Concusconin, Chairamin und Cusconin der Fall ist. Letztere gehören vielmehr einer ganz besonderen Gruppe von Alkaloiden an.

Zunächst muſs daran erinnert werden, daſs das Concusconin dieselbe Formel hat, wie das Cusconin, Aricin und Brucin. Seine Reaktionen erinnern wirklich etwas an die der Strychnosalkaloide. Es unterscheidet sich ferner vom Cusconin, durch seinen Krystallwassergehalt, der für Cusconin $4H_2O$, für Concusconin $1H_2O$ beträgt, ferner durch sein optisches Drehungsvermögen, in dem das Cusconin nach links, das Concusconin nach rechts dreht, endlich durch·den Schmelzpunkt. Im übrigen nähert es sich aber dem Chairamin und seinen Isomeren und giebt, wie diese, die allgemeine Reaktion, welche Cusconin sowohl wie sein Isomeres Aricin nicht zeigt, die nämlich, daſs seine Auflösung in Essig-, Salz- oder Schwefelsäure auf Zusatz von konzentrierter Salpetersäure intensiv dunkelgrün gefärbt wird.

Weiter glaubt Vf., darauf hinweisen zu sollen, daſs sich das Echitammin bezüglich seiner Formel um 2 At. von Chairamin und seiner Isomeren unterscheidet. Vf. hat früher das Echitammin in seiner Verbindung mit $1H_2O$ mit Bezug auf seine energische Basizität und sein Verhalten in der Wärme als Ammoniumbase angesprochen; allein in der vorliegenden Alkaloidgruppe zeigt z. B. das Concusconiummethylhydroxyd im Widerspruch zur üblichen Anschauung über Ammoniumbasen gar keine Basizität, wenn man darunter das Verhalten der Substanz zu Lackmuspapier verstehen darf. Abgesehen von dieser Differenz bestehen doch andererseits gewisse Ähnlichkeiten des Echitammins mit den Alkaloiden der Gruppe A, insbesondere der nach $C_{22}H_{26}N_2O_4$ zusammengesetzten. Als ein damit verwandtes Alkaloid dürfte vielleicht das Gelsemin zu betrachten sein. Zwar giebt GERRARD (Pharm. J. Trans. [3] **13.** 641), der diese Base anscheinend rein analysierte, derselben die Formel $C_{12}H_{14}NO_2$; allein, da es ihm gelang, die betreffenden Chlor- und Bromwasserstoffverbindungen in gut zu beurteilendem Zustande darzustellen, und diese Salze nun auf·ein Mol. HCl, resp. $HBr 2C_{12}H_{14}NO_2$ enthalten, so würde sich aus diesen Versuchen doch wohl für das Gelsemin die Formel $C_{24}H_{28}N_2O_4$ ergeben.

Ingleichen würde die Formel des betreffenden Platinsalzes von $(C_{12}H_{14}NO_2)_4$, $(HCl)_2$, $PtCl_4$ in $(C_{24}H_{28}N_2O_4, HCl)_2$, $PtCl_4$ abzuändern sein oder, da wir in den Chloroplatinaten der organischen Basen als Säure Platinchlorwasserstoffsäure anzunehmen haben, in $(C_{24}H_{28}N_2O_4)_2$, $PtCl_6H_2$.

Die empirische Formel des Gelsemins darf man also auf Grund von GERRARD's Versuchen zu $C_{24}H_{28}N_2O_4$ annehmen. Es wird sich jetzt nur noch darum handeln, zu untersuchen, ob dasselbe homolog ist oder in sonstiger Beziehung steht zu dem Brucin, Aricin, Cusconin oder Concusconin. Vf. fügt bei, dafs nach WORMLEY sich das betreffende Alkaloid mit konzentrierter Salpetersäure anfangs braungrün, dann dunkelgrün färbt, durch welche Reaktion es etwas an das Concusconin erinnert. (LIEB. Ann. **225.** 211—62. Ende August.)

Georg Baumert, *Einwirkung von Acetylchlorid und Essigsäureanhydrid auf Lupinin.* Diese Untersuchung liefert den Nachweis, dafs das Lupininmolekül zwei Hydroxylgruppen mit alkoholischem Charakter enthält, da es eine Diacetylverbindung bildet. Diese Thatsache, sowie die von dem Vf. früher gemachte Angabe, dafs dieses Alkaloid als eine tertiäre Diaminbasis anzusehen ist, erhält ihren bündigen Ausdruck durch $N_2[C_{21}H_{38}(OH)_2]^{VI}$. Weitere Versuche werden darauf zu richten sein, den vorläufig als sechswertiges Ganze angenommenen Atomkomplex $[C_{21}H_{38}(OH)_2]^{VI}$ eventuell in drei zweiwertige Radikale zu zergliedern (LIEB. Ann. **224.** Ende Juli [April] Halle.)

Georg Baumert, *Über das flüssige Alkaloid von Lupinus luteus.* Für den durch sein eminentes Krystallisationsvermögen ausgezeichneten niedrigst siedenden Teil der Lupinenalkaloide hatten sich im Lauf der Zeit vier verschiedene empirische Formeln ergeben: $C_{10}H_{23}NO$, (BEYER), $C_{10}H_{21}NO$ (Dimethylconhydrin, SIEWERT), $C_{10}H_{21}NO_2$ (SCHULZ) und $C_{10}H_{20}NO$ (LIEBSCHER). Den flüssigen Teil dieser Alkaloide hielt man für ein Gemenge mehrerer in Eigenschaften und Zusammensetzung nahe verwandter Basen, von denen SIEWERT und SCHULZ zwei, $C_8H_{17}NO$ und $C_7H_{15}NO$, isoliert haben wollten, daneben wurde noch Coniin und Methylconhydrin vermutet.

Dem gegenüber hat Vf. nun nachgewiesen, dafs dem niedrigst siedenden krystallisierbaren Teil der Lupinenalkaloide keine der genannten Formeln zukommt, sondern dafs dieses, vom Vf. Lupinin benannte, Alkaloid ein tertiäres Diamin von der Zusammensetzung $C_{21}H_{40}N_2O_2$ ist. Von einem flüssigen Alkaloidgemisch aber kann nach den vom Vf. mitgeteilten Erfahrungen fortan nur noch in dem Sinne die Rede sein, dafs man darunter ein Gemenge der flüssigen Base $C_8H_{15}N$ mit einem krystallisierbaren Hydrat $(C_8H_{17}NO$ oder $C_8H_{15}N + H_2O)$, welche beide dieselben Salze liefern, versteht.

Das dem Paraconiin $C_8H_{15}N$ isomere *Lupinidin* wird in der folgenden Arbeit genauer beschrieben. (LIEB. Ann. **224.** 321—30, Ende Juli [Mai] Halle; C.-Bl. 1884. 443.)

Georg Baumert, *Das Lupinidin aus Lupinus luteus.* Der Vf. beschreibt in dieser Abhandlung zuerst die Trennung des Lupinidins vom Lupinin und dann folgende Salze. Lupinidinplatinchlorid $(C_8H_{15}N.HCl)_2PtCl_4 + 2H_2O$; chlorwasserstoffsaures Lupinidin; Lupinidingoldchlorid; saures Sulfat $C_8H_{15}N.H_2SO_4$; jodwasserstoffsaures Lupinidin und schließlich die freie Base; ferner Lupinidinhydrat und das Verhalten gegen wasserentziehende Mittel und gegen Acetylchlorid. (LIEB. Ann. **225.** 365—84, Ende Sept.)

E. Fournaux, *Über p-Toluchinolin.* Durch Nitriren desselben in schwefelsaurer Lösung (1 : 20) mit der theoretischen Menge Salpetersäure erhielt der Vf. das Nitroparatoluchinolin $C_9H_5CH_3NO_2N$, welches aus Ligroin in weifsen, bei 116—116,5° schmelzenden Nadeln krystallisiert. Das Chloroplatinat krystallisiert aus Wasser in gelben Nadeln. Durch Reduktion giebt das Nitroparatoluchinolin ein Amidoparatoluchinolin $C_9H_5NH_2CH_3N$, welches bei 132—133° schmilzt, in gelben Nadeln krystallisiert und löslich in Toluol, Ligroin, siedendem Wasser, Alkohol und Äther ist. Ein mit dem vorigen identisches Nitroparatoluchinolin entsteht, wenn man m-Nitroparatoluidin $C_6H_3(CH_3)'(NO_2)^3(NH_2)^4$ vom Schmelzpunkt 114° mit Glycerin, Nitrobenzol und Schwefelsäure erhitzt. Durch diese Synthese ist die Konstitution dieser Derivate festgestellt. Das Nitrochinolin hat die nebenstehende Formel. (Bull. Par. **42.** 337—73. 5. Okt.)

CH₃ / NO₂, N

Ostermayer, *Über Chlorjod und seine Einwirkung auf organische Verbindungen insbesondere die der Chinolin- und Alkaloidreihe.* Das zu den folgenden Versuchen benutzte Chlorjod war das nach SCHÜTZENBERGER's Untersuchungen nach der Formel JClHCl zusammengesetzte. Vf. stellte dieses Reagens in folgender Weise her. Zu 500 g Jodkalium in Wasser gelöst und 2 l conc. Salzsäure wurden allmählich 500 g Natriumnitrit hinzugefügt. Anfangs findet eine Ausscheidung von fein verteiltem Jod statt, dieses geht aber durch eine weitere Reaktion mit Chlor vereinigt in Lösung. Bei Gegenwart von Jod oxydiert also die salpetrige Säure auch die Salzsäure. Ist alles Jod in Jodchlor übergeführt, so tritt eine Veränderung der Verbindung erst dann wieder ein, wenn *alle* Salzsäure vom Natriumnitrit neutralisiert ist, und zwar zeigt sich das durch eine Jodaus-

938

scheidung, da das freie Jodchlor sogleich mit Wasser zerfällt in Jodsäure, Salzsäure und Jod. Das Reaktionsprodukt zwischen JHClH und Nitrit kann man zur Entfernung der salpetrigen Säure kochen; es ist völlig beständig gegen Licht und hält sich beliebig lange ohne Zersetzung.

Die Lösung von Chlorjodsalzsäure kann sehr leicht und bequem dazu benutzt werden für die Darstellung jodhaltiger organischer Verbindungen überhaupt, und ist diese Art der Jodierung in den meisten Fällen den sonst bekannten Methoden vorzuziehen. Anilin gab mit dem Chlorjod das von A. W. HOFMANN beschriebene p-Jodanilin (Schmelzpunkt 60⁰). Die Mutterlaugen des Reaktionsproduktes hinterließen beim Eindampfen der Lösung rubinrote zolllange dicke Krystalle, welche bei 200⁰ schmelzen. Auch Dimethylanilin, Diphenylamin, Methyldiphenylamin, Naphtylamin geben mit dem Reagens Niederschläge, die ohne Zweifel jodierte Derivate der speziellen Basen darstellen. Aus dem Fluoresceïn wurde mit Chlorjodsalzsäure ein Jodeosin erhalten; β-Naphtol gab damit ein neues Monojodnaphtol, das bei 88⁰ schmolz.

Ganz anders verläuft die Reaktion bei den Chinolin- und Alkaloidbasen.

Chinolin gab dunkelgelbe spröde Nadeln einer Verbindung $C_9H_7NJCl.HCl$ (salzsaures Chlorjodchinolin), welche bei 118⁰ schmolz. Dieses Produkt verlor bei der Behandlung mit Wasser seinen äußerst herben Geschmack, sein Schmelzpunkt stieg dabei auf 158⁰, und ferner krystallisiert es aus Chloroform in goldgelben Nadeln. Die Analyse ergab für diesen Körper die Formel C_9H_7NJCl. Pikrinsäure liefert einfach Chinolinpikrat mit dieser Chlorjodbase, dagegen bildet Chromsäure ein Salz von der Formel C_9H_7NJCl, H_2CrO_4, das bei 160⁰ schmilzt und in der Flamme explodiert. Bei der Reaktion von JClHCl auf Chinolin entsteht noch ein anderer Körper, dessen dunkelbraune Prismen bei 100⁰ schmelzen, und welcher ebenfalls in die freie Chlorjodbase übergeführt werden kann. Beim Einleiten von Chlor in obige Verbindungen oder beim Kochen mit Kaliumchlorat gewinnt man einen Körper von der Formel $C_9H_7NJCl_2HCl$. (Schmelzpunkt bei 180⁰ unter Chlorentwicklung.)

Oxychinolin mit Chlorjodsalzsäure lieferte salzsaures Dijodoxychinolin, $C_9H_4(OH)NJ_2.HCl$ (Schmelzpunkt 100⁰ mit Zersetzung). Beim Behandeln mit Wasser geht dieses in das Dijodoxychinolin (Schmelzpunkt 205⁰) über.

Die Chlormethylate des Chinolins und Tetrahydrochinolins geben Chlorjodprodukte, wobei das Chlor an der Methylgruppe auszutreten scheint und nach der C-Bindung dieser Methylgruppe an den nun freien Stickstoff des Chlorjods herantritt. oder aber es bleibt die Chlormethylgruppe am Stickstoff, und das Chlorjod löst die doppelte Bindung vom Kohlenstoff zum Stickstoff.

Das Chlorjodchinolinchlormethylat schmilzt bei 112⁰ und bildet gelbe Blättchen.

Die Jodmethylate der Chinolinbasen gehen bei der Reaktion unter Ausscheidung von allem Jod in die Chlormethylate über.

Das Dichinolylin nimmt 2 Mol. Chlorjod auf.

Die Cinchoninsäure liefert bei der Chlorjodierung schöne gelbe Nadeln (Schmelzpunkt 190⁰) $C_9H_6NCOOHJCl.HCl$. Pyridin wird in Chlorjodpyridin $C_5H_5NJCl.HCl$ (Schmelzpunkt 178⁰) umgewandelt.

Cinchonin lieferte mit JCl.HCl einen bei 215⁰ schmelzenden Körper, Chinin nimmt 3 Mol. Chlorjodsalzsäure auf, wovon aber 2 Mol. nur zur Jodierung verbraucht werden; die Analysen des dabei resultierenden Körpers ergaben die Formel $C_{20}H_{24}N_2O_2J_2JCl.2HCl$.

Chlorjodchinolin mit Ammoniak behandelt wird schwarz, und es bildet sich ein explosiver, von Licht und Luft leicht zersetzbarer Körper, der beim Erwärmen mit Flüssigkeiten Stickstoff und Jod abgiebt. Beim Kochen mit Alkohol geht z. B. Stickstoff fort, und es bleibt ein Gemenge von Körpern zurück, aus dem bei 76⁰ schmelzende Dijodchinolin isoliert werden konnte. (Mitth. a. d. amtl. Lebensmittel-Untersuch.-Anst. u. Chem. Verf.-Stat. zu Wiesbaden von Dr. SCHMITT 1883/84. 105—15.)

Fred. B. Power, Über Hydrastin. Das vom Vf. benutzte Alkaloid war auf folgende Weise dargestellt worden. 1000 Pfd. pulverisierte Hydrastis canadensis wurde mit Alkohol angefeuchtet liegen gelassen · und dann mit offizinellem Alkohol extrahiert. Das Extrakt schied nach dem Verzetzen mit Schwefelsäure Berberinsulfat ab; in dem Filtrat hiervon wurde zunächst die freie Säure möglichst abgestumpft, zur Sirupkonsistens eingedampft und der Rückstand in sein zehnfaches Volum Wasser gegossen. Es schieden sich hierbei Öle und Harze etc. ab, welche von der das Hydrastinsulfat enthaltenden Lösung durch Filtrieren getrennt werden konnten. Mit Ammoniak wurde dann das Hydrastin gefällt, letzteres nach dem Abfiltrieren in Schwefelsäure wieder gelöst und nochmals mit Ammoniak gefällt. Erst dann wurde das Hydrastin aus kochendem Alkohol umkrystallisiert. Die Krystalle sind wasserfrei, farblos und glänzend und schmelzen bei 132⁰ C. Das Hydrastin ist unlöslich in Wasser und in Petroleumbenzin, dagegen löslich in verdünnten Säuren, Chloroform, Benzol, Äther und Alkohol.

10 Tle. des Alkaloids in 97 Tln. Chloroform gelöst, lenken den polarisierten Strahl im Natriumlichte und im 100 mm-Rohre — 17° ab. Daraus berechnet sich die spezifische Drehung $\alpha_{(D)} = -170°$. Die molekulare Rotation (nach KRECKE berechnet) ergiebt sich zu $(M) = -674{,}9°$.

Hydrastin wird beim Erhitzen mit konzentrierter Schwefelsäure rot und nimmt mit Ammoniummolyldat und konzentrierter Schwefelsäure eine olivengrüne Farbe an.

Die Resultate der Elementaranalysen stimmen nahezu mit der früher angenommenen Formel $C_{22}H_{23}NO_6$ überein. — Vf. analysierte das Sulfat und das Goldchloriddoppelsalz.

Ein im Handel unter dem Namen „lösliches Hydrastincitrat" vorkommendes Salz bestand aus 1 Tl. Hydrastin zu 8 Tln. Citronensäure. Die Stabilität und Löslichkeit des Handelspräparates ist daher durch den großen Überschuß an Citronensäure erklärt.

Bei der Einwirkung von Wasserstoff in statu nascenti scheint das Hydrastin in ein Hydrohydrastin von der Formel $C_{22}H_{25}NO_6$ überzugehen. Beim Schmelzen mit Kalium, hydrat fand sich Ameisensäure und Protocatechinsäure $C_7H_6O_4$ in der Schmelze vor. Digestion des Alkaloids mit Äthyljodid führt zu einem Äthylhydrastin $C_{22}H_{22}(C_2H_5)NO_6$, und darf man dieser Reaktion zufolge mit ziemlicher Wahrscheinlichkeit das Hydrastin als Imidbase ansehen. Die Äthylverbindung schmilzt bei ca. 183°, doch fangen die Krystalle bereits bei einer bedeutend niederen Temperatur an, sich zu zersetzen.

Das in der Hydrastis canadensis noch vorhandene dritte Alkaloid, das Xanthopucin, wurde selbst beim Verarbeiten von Tausenden von Pfunden Hydrastin nicht erhalten. (Vortrag gehalten vor der 32. Jahresversammlung der „A. P. A." zu Milwaukee.) (D. Amer. Apoth.-Ztg. 5. 404—7.)

Vulpius, *Über Cocaïn.* Das Cocaïn, das Alkaloid der Cocablätter $(C_{17}H_{24}NO_4)$ steht seit einiger Zeit im Vordergrunde des therapeutischen Interesses. Das Chlorid dieser Base bildet, wie es in den Handel gelangt, nahezu weiße Klümpchen, deren eigentümlicher betäubender Geruch vielleicht teilweise auf Rechnung der bei der Herstellung benutzten Extraktions- und Trennungsmittel zu setzen sein dürfte. Der Luft preisgegeben, wird das Salz bald feucht. Gegen Reagenzien, z. B. konzentrierte Schwefelsäure, Salpetersäure, Kalilauge verhält es sich auffallend indifferent. Jodjodkalium erzeugt in Cocaïnlösungen, selbst noch in 1:10000 Verdünnung, eine starke braunrote Fällung, welche als Unterscheidungsmerkmal vom Coffeïn dienen kann, da letzteres vom Jodjodkalium nicht gefällt wird. (Pharm.-Ztg. 29. 746.)

5. Physiologische, medizinische und pharmazeutische Chemie.

Berthelot und **André,** *Über die Bildung des Salpeters in den Gewächsen.* Das Kaliumnitrat ist im Pflanzenreiche ganz allgemein verbreitet. Die Vff. haben durch ihre Versuche gezeigt, daß es in den sogenannten Salpeterpflanzen hauptsächlich im Stengel konzentriert ist, und zwar sowohl nach der relativen, als auch nach der absoluten Menge, hierauf folgt die Wurzel. Die Wurzelfasern, Blüten und besonders die Blätter enthalten davon am wenigsten; die letzteren jedenfalls, weil sie der Sitz reduzierender Vorgänge sind, durch welche der Salpeter zerstört wird. Durch Bestimmung des Salpeters in den verschiedenen Wachstumsperioden wurde festgestellt, daß seine Menge von der Keimung an bis zu der Periode, welche der Blüte unmittelbar vorausgeht, zunimmt und, nachdem sie in dieser Zeit ihr Maximum erreicht hat, wieder abnimmt, solange das Gewächs blüht, und die Fruchtbildung ihren Anfang nimmt; später jedoch, wenn die Funktionen der Reproduktion in voller Thätigkeit sind, findet wieder eine merkliche Zunahme statt, ohne daß indes der relative Gehalt seine ursprüngliche Höhe wieder erreicht, obwohl die absolute Menge wegen der Zunahme des Trockengewichtes am Ende des Wachstums größer sein kann als vorher. Die Abnahme des bereits gebildeten Salpeters während der Blüte und des Ansetzens der Früchte ist darauf zurückzuführen, daß er zur Bildung der Proteïnsubstanzen in der Blüte und im Samen verbraucht wird, neben den stickstoffhaltigen Substanzen, welche die Pflanze aus dem Boden entnimmt — und dem Ammoniak, welches sie aus der Atmosphäre schöpft. Die Bildung von Nitraten in der Pflanze ist hierdurch nicht notwendig suspendiert, aber dieselben werden in dem Maße, wie sie sich bilden, sofort wieder verbraucht und überdies auch der vorhandene Vorrat zum Teil zersetzt.

Es ist aber nicht allein die Entwicklung der Reproduktionsorgane, wodurch die Nitrate wieder zerstört werden, sondern dieselbe Effekt kann auch durch eine allzuaktive Ernährung, welche die Bildung grüner Pflanzenteile zur Folge hat, hervorgebracht werden. Dies ergiebt sich aus der Untersuchung derjenigen Pflanzen, welche ihres Blütenstandes beraubt waren, insofern in diesen die Nitrate fast vollständig verschwanden.

Man erkennt hieraus, daß die Bildung des Salpeters korrelativ ist mit den Hauptfunktionen der Pflanze, nämlich mit der Ernährung und der Entwicklung der grünen, sowie der Reproduktionsorgane, und hieraus ergiebt sich ein Zusammenhang mit den großen charakteristischen Phänomenen des pflanzlichen Lebens: die Nitrate nehmen mit der Oxydation, welche hauptsächlich im Stengel stattfindet zu, und nehmen mit der Reduktion, welche ihren Sitz in den Blättern unter dem Einfluß des Chlorophylls hat, ab. Dieser Antagonismus zwischen den chemischen Funktionen, welche unter dem Einfluß des Lichtes stattfinden, und der Bildung der Nitrate ist konform mit dem, was wir über die Bildung des Salpeters und die Wirkung der Nitrifikationsfermente wissen.

Es bleibt jetzt nur noch übrig, den Ursprung des Salpeters in den Gewächsen festzustellen, d. h. zu untersuchen, ob das Kaliumnitrat direkt aus dem vom Boden gelieferten Dünger oder dem Boden als Salpetererzeuger selbst, oder aber aus der Salpetersäure der Atmosphäre stammt, oder endlich, ob er innerhalb der Pflanze erzeugt wird. Die Fragen sind schwer zu entscheiden für Pflanzen, welche nur einige Tausendstel Salpeter enthalten, wie es meistens der Fall ist, doch lassen sich aus der Analyse salpeterreicher Pflanzen hieraus einige Schlüsse ziehen.

Berechnen wir zu diesem Zwecke zunächst die Menge Salpeter, welche auf einer bestimmten Bodenfläche erzeugt wird. Nach den Untersuchungen der Vff., welche sich auf Flächen von 25 qm erstrecken, ergiebt sich folgendes:

Borrago officinalis liefert per Hektar	. . .	120 kg Salpeter
Amarantus bicolor „ „ „	. . .	128 „ „
Amarantus caudatus „ „ „	. . .	140 „ „
Amarantus pyramidalis (160 Pflanzen auf 1 a)	.	163 „ „
Amarantus giganteus (160 Pflanzen auf 1 a)	.	320 „ „

Diese Salpetermengen wurden durch Bestimmung des Stickoxydes festgestellt. Durch direktes Eindampfen der wässerigen Extrakte, zuerst über freiem Feuer und zuletzt freiwillig, kann man etwa die Hälfte des Salpeters zum Krystallisieren bringen. Der Rest kann nur unter Anwendung analytischer Methoden isoliert werden. Das in dem Salpeter der Pflanze enthaltene Kalium kommt notwendig aus dem Boden. Die Analyse bestätigt dies übrigens, denn 1 kg Erde enthielt vor dem Versuch 6,4 g und nach Beendigung der Vegetation in unmittelbarer Nähe der Pflanze 4,7 g. Der Stickstoff des Salpeters stammt ebenfalls aus dem Boden, und zwar entweder ganz oder doch zum größten Teil, denn 1 kg Erde enthielt vorher 2,75 g Stickstoff und nachher 1,73 g, der Boden hatte also Stickstoff an die Pflanze abgetreten. Die Atmosphäre kann übrigens auch noch einen Teil liefern, und zwar als Ammoniak, als Salpetersäure, vielleicht auch als freien Stickstoff, eine Frage, welche die Vff. außer Erörterung lassen wollen. Der Stickstoff kann sowohl aus dem Boden, als auch aus der Atmosphäre unter verschiedenen Formen aufgenommen werden, entweder als Nitrat oder Salpetersäure oder als Ammoniaksalz oder auch als stickstoffhaltige Verbindungen.

Diese drei Möglichkeiten sollen einzeln diskutiert werden.

1. Der Stickstoff kann aus dem Dünger stammen. Dies ist der Fall bei der Kultur der Zuckerrübe. Aber CORENWINDER und LADUREAU haben festgestellt. daß diese Pflanze immer mehr Stickstoff enthält, als das zum Düngen angewandte Natriumnitrat. Bei den Versuchen der Vff. mit Borrago und Amarantus war dem Dünger keine Spur von Nitrat zugesetzt worden, und der Gehalt des ersteren an Nitraten war selbst so unbedeutend, daß er vernachlässigt werden konnte. Diese erste Quelle bleibt also außer betracht.

2. Das Nitrat kann im Boden existieren. Dieses Salz findet sich in der That in allen Ackererden. Um über die Verteilung desselben Aufschluß zu erlangen, wurde nach einer Reihe trockner Tage eine Pflanze von Amarantus pyramidalis, welche 6,65 g Salpeter enthielt, ausgerissen und um ihren Standort herum eine quadratische Grube von 0,26 m Seitenlänge, also 625 qcm Fläche ausgehöhlt, so daß man die aufeinander folgenden Schichten einzeln auf Salpeter untersuchen konnte. Es ergab sich folgendes:

	Tiefe	Gewicht der feuchten Erde	Gewicht der trocknen Erde	Nitrate
	m	kg	kg	g
Erste Schicht	0,05	5,65	5,085	0,0743
Zweite „	0,10	8,900	7,912	0,0879
Dritte „	0,175	17,000	15,262	0,1753
	0,325	31,550	28,259	0,3375

Die Wurzeln der Pflanzen reichten nicht tiefer; trotzdem wurden noch zwei tiefere Schichten analysiert:

Vierte Schicht	0,175	16,200	14,965	0,1797
Fünfte „	0,100	11,200	6,737	0,1560

Das Verhältnis zwischen dem Nitrate und dem Wasser im Boden ist das folgende: Erste Schicht 565 g Wasser auf 0,074 Nitrat; die drei oberen Schichten 3,3 kg Wasser auf 0,337 Nitrat; die Lösung des Nitrates im Boden ist also aufserordentlich verdünnt. Wenn man sich auf diejenigen Schichten beschränkt, bis zu welchen die Wurzeln eingedrungen sind, so ist die Menge der Nitrate (0,3375 g) zwanzigmal geringer, als in der Amarantuspflanze, welche in der Erde gewachsen war (6,65 g). Die Verteilung der Nitrate in diesen Schichten nimmt nur wenig mit der Tiefe ab, denn für eine und dieselbe mittlere Dicke von 0,05 m berechnet sich der Nitratgehalt wie folgt:

$$\begin{array}{ll} \text{Erste Schicht} & \text{0,074 g} \\ \text{Zweite Schicht} & \text{0,044 „} \\ \text{Dritte Schicht} & \text{0,050 „} \\ \text{Vierte Schicht} & \text{0,051 „} \cdot \end{array}$$

Nach diesen Zahlen enthält 1 ha Boden bis zur Tiefe von 0,325 m 54 g Kaliumnitrat, welche Menge bedeutend kleiner ist, als die in den darauf gewachsenen Pflanzen; sie beträgt für Borrago kaum die Hälfte und für Amarantus giganteus etwa den sechsten Teil. Der Boden kann also diese Nitrate nicht geliefert haben. Hierzu kommt noch, dafs der Nitratgehalt des Bodens, auf dem die Pflanzen gewachsen waren, sich während der Vegetation nur unmerklich geändert hat. Die Untersuchung von 1 kg Erde von derselben Bodenstelle bis zur Tiefe von 0,33 m ergab eine solche Menge Nitrat, dafs dieselbe sich auf 1 ha vor der Kultur auf 81 kg, und nach der Kultur auf 80 kg berechnete. Der Boden war also durch die Ernten nicht wesentlich ärmer an Nitrat geworden. Mag dies nun daher rühren, dafs die Pflanze ihm entweder kein Nitrat entzogen hat, oder dafs dieselben sich während der Vegetation von neuem gebildet haben.

3. Der Stickstoff der Nitrate stammt aus der Atmosphäre. Nach den Analysen auf dem Observatorium von Montsouris, nicht weit von den Versuchsfeldern der Vff. gelegen ist, betrug der Salpeterstickstoff während des Sommers 1883, in welchem die obigen Versuche ausgeführt waren, 610 g per Hektar, entsprechend 40,4 g Kaliumnitrat, eine Menge, welche kaum den 20. Teil der im Boden enthaltenen und den 30. Teil der im Borrago enthaltenen Menge übersteigt. Hieraus ersieht man, wie gering der Einflufs des atmosphärischen Stickstoffes ist.

Es ergiebt sich aus diesen Thatsachen, dafs das in dem Borrätsch und in den Amarantaceen enthaltene Kaliumnitrat weder im Dünger, noch im Boden, noch in der Atmosphäre präexistiert. Es soll nun keineswegs behauptet werden, dafs nicht irgend ein Anteil desselben aus dem Boden gezogen wäre; immerhin aber ergiebt sich aus den Versuchen, dafs das Wasser, welches den Boden imprägniert, nicht viel mehr als ein Zehntausendstel seines Gewichtes Salpeter enthält, während in den Pflanzen der Gehalt des Saftes an Salpeter meistens auf mehrere Tausendstel, und in einigen Fällen sogar auf 1¹/₂ Hundertstel steigt. Die bekannten Thatsachen der Dialyse können diese Differenz nicht erklären, denn der Durchgang eines Salzes aus einer konzentrierten wässerigen Lösung zu reinem Wasser hat im allgemeinen zur Folge, dafs sich zwei Lösungen bilden, deren Gehalt geringer ist, als der der ersteren. Der Saft der Pflanze, sowohl in den Stengeln, als auch in den Wurzeln, wo doch durchaus keine Verdampfung stattfinden kann, ist nun immer reicher an Salpeter, als die Bodenflüssigkeit, und es läfst sich dies auf keine andere Weise erklären, als dafs man annimmt, der Salpeter bildet sich in dem Safte des Gewächses selbst. Hierzu kommt noch die Thatsache, dafs die Menge des Salzes sowohl in absolutem, als auch relativem Sinne von den Wurzelfasern zur Wurzel, und von hier ab zum Stengel zunimmt, was durchaus für die Meinung spricht, daß der Stengel der Hauptsitz für die Bildung des Salpeters ist. Die Wurzel nimmt hieran vielleicht auch einen Anteil, doch wohl nur in geringerem Maße. Die Bildung des Salpeters innerhalb der Pflanze geschieht vielleicht in bestimmten Zellen, welche im Inneren der Pflanze ähnlich wirken, wie die Nitrifikationsfermente im Boden. Es existieren verschiedene Thatsachen, welche eine solche Annahme statthaft erscheinen lassen; so z. B. tritt die alkoholische Gärung im allgemeinen unter dem Einflusse der Hefe ein, sie kann aber auch, wenngleich weniger regelmäßig, durch gewisse andere Mycodermen hervorgerufen werden, ebenso kann sie auch, wie sich aus den Untersuchungen von LECHARTIER und BELLAMY ergiebt, innerhalb der lebenden Früchte vor sich gehen. Die Salpeterbildung in den Pflanzen scheint das Resultat einer allgemeineren Funktion der Zellen zu sein, welche die Oxydationsvorgänge innerhalb der Pflanze bewirkt und die Bildung von Kohlensäure, Carbonaten, Oxalsäure, Weinsäure, Äpfelsäure, Citronensäure und anderen sauerstoffreichen Säuren bedingt. (C. r. **99**. 683—88. [27.*] Okt.)

Kleine Mitteilungen.

Herstellung von Farben für den Baumwolldruck aus Alizarin und den anderen Anthracenfarbstoffen, von J. JAGENBURG und C. LEVERKUS. (D. P.) Das Alizarin und die anderen vom Anthracen abgeleiteten Farbstoffe finden sich im Handel in Form von wässerigen Pasten von 10—20' p. c. Trockengehalt. Um mit den letzteren Druckfarben zu bereiten, mischt man dieselben mit Thonerde-, Eisen-, Chromsalzen u. dergl., verdickt mit Stärke oder Dextrin mit oder ohne Zusatz von fetter Beize und druckt auf das zum voraus mit Öl oder Fettstoff vorbereitete Zeug. Die Vff. verwenden nun zum Drucke solche Mischungen, welche eine vorhergehende Vorbereitung des Stoffes unnötig machen. Zu diesem Behufe wird das pastenförmige Alizarin oder Nitroalizarin oder Alizarinblau mittels Filterpressen oder hydraulischen Pressen bis zu einem Trockengehalte von 40—50 p. c. ausgedrückt und dann im Trockenkasten vollends getrocknet, indem man schließlich auf 130—140° erhitzt. Das so erhaltene Farbpulver wird mit 4 Tln. Öl oder einem anderen geeigneten Fettstoffe in einer Farbmühle gemahlen und so in eine lockere Paste von 20 p. c. Farbgehalt übergeführt. Endlich wird die letztere noch behufs gleichmäßiger Mengung durch eine MATTER'sche Siebmaschine (Pol. J. **252**. 111) geschickt und ist dann für die Anwendung in der Druckerei fertig.

Eine Farbe für Rot wäre folgendermaßen zusammenzusetzen. Verdickungsmittel: 6 kg Stärke, 6 kg Mehl, 60 l Wasser, 10 l Essigsäure von 8°. Farbe: 2750 g Verdickungsmittel, 470 g obiges 20 prozentiges sogen. Fettalizarin, 30 g Chlorzinn von 24°, 548 g essigsaure Thonerde von 10°, 280 g essigsauren Kalk von 17°. Die essigsaure Thonerde kann durch rhodanwasserstoffsaure ersetzt werden. Die anderen Farben des Alizarins, ebenso diejenigen des Nitroalizarins und Alizarinblaues werden entsprechend zusammengesetzt.

Ein längere Zeit fortgesetzter Gebrauch in der Fabrik Rydboholm-Bolay in Rydboholm (Schweden) hat gezeigt, daß der Farbstoff unter der neuen Form besser ausgiebt und trotz der scheinbaren Umständlichkeit seiner Behandlung eine bemerkenswerte Ersparnis gestattet. Die mit dem „präparierten Alizarin" hergestellten Farben bieten folgende Vorteile dar: Dieselben halten sich leichter, geben stets reines Rot, wenn man sie mit Bronzerakeln und verzinnten Farbkasten druckt und widerstehen der Chrombehandlung besser. Die erhaltenen Töne zeigen ferner größeren Glanz und Beständigkeit, und das dem Drucke vorausgehende Ölen der Stücke fällt weg.

Der Vorschlag, Alizarin vor dem Gebrauche mit Fettstoffen zu mischen, ist nicht neu. Schon vor etwa zehn Jahren hat R. FORSTER in Augsburg (Pol. Journ. **219**. 539) das zum Färben bestimmte Alizarin in fettsaurem Alkali gelöst, dann durch Säure gefällt und so eine innige Mischung von Farbstoff und Fettsäure erhalten, welche beim Färben gute Erfolge lieferte. Die jetzt nicht mehr bestehende PRZIBRAM'sche Alizarinfabrik in Prag hat seiner Zeit geradezu mit Öl gemischtes Alizarin in den Handel gebracht. Heute kommt im oben beschriebenen Vorschlage derselbe Gedanke wieder zum Vorscheine. Gut an diesem Verfahren ist jedenfalls die innige und tadellose Mischung von Farbstoff und fettem Elemente auf mechanischem Wege; doch wird erst eine längere Erfahrung über seinen wirklichen Wert entscheiden. Von Wichtigkeit wäre jedenfalls, wenn ohne die Ölbehandlung der Stücke ein ebenso schönes Rot erhalten werden könnte. Hingegen können die Vff. nicht verlangen, daß für ihre Farbe anstatt der stählernen die schlecht arbeitenden Abstreichmesser aus legiertem Metalle angewendet werden. (Pol. J **254**. 224—26.)

Färben eines Gewebes von weißer Seide und Baumwolle mit zweierlei Farben, von O. BREUER. Man färbt zuerst die Seide, ohne daß die Baumwolle die Farbe annimmt, und dann die Baumwolle, ohne die Nüance der Seide zu ändern. Dies wird erreicht mit Hilfe eines Tanninbades zwischen den beiden Färbungen; um beispielsweise die Seide des Musters rosa und die Baumwolle grün zu färben, verfährt man danach wie folgt: Zum Färben der Seide werden die besten und der Seife am meisten widerstehenden Mittel angewendet, die in in Alkohol löslichen sind die am meisten gebräuchlichen. Die Seide wird heiß und unter Behandlung mit Seife, welche schon beim Entschälen gedient haben darf, gefärbt, indem man dem Farbbade ein wenig Essigsäure zusetzt. Ohne diese Vorsicht nimmt die Seide den Farbstoff nicht gut auf. Nach dem Färben wäscht man gründlich aus; sollte alsdann noch die Baumwolle leicht angefärbt bleiben, so genügt ein äußerst schwaches Chloren zur Reinigung, Dann nimmt man die Tanninpassage vor, den wichtigsten Teil des Verfahrens. Zu diesem Zwecke werden 8 p. c. vom Gewichte der Stücke Alkoholtannin in Wasser aufgelöst, das Stück kalt hineingebracht und zwölf Stunden lang darin manipuliert, dann herausgenommen und getrocknet, ohne zu waschen. Nach dem Trocknen passiert man durch Brechweinstein, 150 g pro Stück kalt während 1³/₄ Stunden und spült dann in Wasser. Hierauf wird die Baumwolle kalt, schnell und mit reichlichem Farbstoffe unter Hinzufügung von etwas Essigsäure gefärbt. Das Färben darf nicht länger als eine halbe Stunde dauern, um die Seide zu schonen, welche nicht mitfärben darf. Nach dem Färben wird gewaschen. Man präpariert eine etwas konzentrierte Seifenlösung und läßt das Stück kalt zehn bis funfzehn Minuten passieren, um die Seide von der falschen Färbung zu befreien, welche sie möglicherweise in dem für die Baumwolle bestimmten Bade angenommen hat. Wenn nötig, wird das Seifen wiederholt und dann gewaschen. Für Rosa wählt man Rose bengale oder alkoholisches Eosinrot, für das Grün eine glänzende Nüance. Die Vorzüge dieser Färbart, verglichen mit dem früheren Verfahren des Webens mit vorher und besonders gefärbtem Kette- und Schlußgarne beruhen in der Ersparung des Arbeitslohnes und in der Unabhängigkeit, welche sich der Fabrikant gegenüber der schnell wechselnden Mode bewahrt. (Bull. de Mulhouse; Centralbl. f. Textilind. 1884. 477.)

Prüfung der konzentrierten Schwefelsäure, Phosphorsäure etc. auf Arsengehalt nach der Kramatomethode, von H. HAGER. Die Kramatomethode des Arsennachweises ist noch vielen Modifikationen unterworfen und kann in manchen Fällen noch bedeutend vereinfacht werden, wie wir dies bei der Prüfung der konzentrierten Schwefelsäure wahrnehmen können.

Geben wir auf einen (3—4 cm breiten und 10 cm langen) Streifen blanken Messingbleches mittels Glasstabes in dicker Lage einen bis zwei Tropfen reine konzentrierte Schwefelsäure und erwärmen das Blech entfernt über einer kleinen Weingeistflamme unter sanftem Hinundherbewegen bis auf 50—70° C. im Verlaufe einer Minute und spülen dann die Säure mit Wasser ab, so finden wir an der Lagerstelle des Säuretropfens keinen farbigen Fleck. Enthält die Säure aber Arsenigsäure oder Arsensäure, so hinterbleibt ein grauer bis stahlgrauer Fleck. Hat man keinen Blechstreifen der erwähnten Größe (diese kann man bei jedem Klempner erlangen), etwa schmale, ca. 1 cm. breite, 10—15 cm lange Messingblechstreifchen, so gießt man in einen Reagiercylinder ca. 4 ccm der konzentrierten Schwefelsäure, stellt den Messingblechstreifen hinein und erhitzt bis auf etwa 80° C. Eine reine Säure bewirkt keine Veränderung, arsenhaltige beschlägt aber im Verlaufe einer Minute den von ihr bedeckten Teil des Messingbleches mit dem stahlgrauen Überzuge. Wäre nur Arsensäure als Verunreinigung vorhanden, so wird der Beschlag um einige Sekunden langsamer auftreten, aber er tritt auf. Das Messingblech wird durch Bereiben mit feuchtem Sande wieder von dem Flecke befreit, um es für weitere Reaktionen brauchbar zu machen.

Wenn bei Beschreibung der Kramatomethode, in der Modifikation des Erhitzens und Eintrocknens eines Tropfens der arsenhaltigen Lösung auf Messingblech, die Abwesenheit freier Schwefelsäure zur Bedingung gemacht wurde, so geschah dies auf grund von Versuchen. Wenn ein Eintrocknen der Flüssigkeit nicht gefordert ist, sondern nur ein Erwärmen, so kann Schwefelsäure immerhin gegenwärtig sein. Bei gewöhnlicher Temperatur zeigt konzentrierte Schwefelsäure keine Aktion auf Messingblech, selbst wenn sie arsenhaltig ist. Reine Säure verhält sich auch bei 90° C. gegen Messing indifferent, wenigstens die erste halbe Stunde hindurch.

Mit der oben angegebenen Methode haben wir für die konzentrierte Schwefelsäure eine Reaktion erlangt, welche in Zeit einer Minute vollendet werden kann und keine Umstände macht, dabei auch noch eine ungemein große Schärfe aufweist.

Bei der Phosphorsäure kann in gleicher Weise vorgegangen werden, nur ist die Dauer des Erwärmens auf zwei bis drei Minuten auszudehnen, bis dort vor Verdampfen des Wassers die Säure in einen konzentrierten Zustand übergegangen ist, und dann ist ein Erhitzen auf etwa 150° C. notwendig. Um leichter und sicherer zum Ziele zu gelangen, versetze man 1 ccm der Phosphorsäure mit 0,5 ccm Ameisensäure, damit die etwa gegenwärtige Arsensäure in Arsenigsäure übergeführt wird. Bei der Salzsäure kann der Tropfen verdampft werden. Die Phosphorsäure kann auch zuvor mit einem doppelten Volum reiner konzentrierter Schwefelsäure vermischt werden, dennoch tritt die Reaktion nicht eher ein, als bis der Wassergehalt der Phosphorsäure verdampft ist. Auch in diesem Falle ist etwas stärkere Hitze erforderlich.

Substanzen, welche sich in konzentrierter Schwefelsäure farblos lösen, wie z. B. die Salze der Alkalien, können ebenfalls für diese Probe in konzentrierter Schwefelsäure gelöst zur Anwendung kommen. Nitrate sind auszuschließen.

Messing zersetzt auch Arsensulfid mit verdünnter Salzsäure gemischt bei Siedehitze, indem Arsenmetall ausscheidet. (Pharm. Centralh. **25.** 461—62.)

Schätzung des Ölgehaltes verschiedener Substanzen, von Abraham. Der Vf.

verfährt folgendermaßen: In eine Probierröhre von 14 Zoll Länge und 1 Zoll Durchmesser, mit Glasstopfen versehen und unterhalb desselben etwas verengt, werden 5,0 der betreffenden Substanz, etwa zerkleinerter Leinsamen, geschüttet und 100 ccm Spiritus minus der Menge Öl, die in 5,0 eines normalen Leinsamens enthalten ist, zugefügt. Die Röhre wird nun geschüttelt, um die Luft aus der gepulverten Substanz zu entfernen, und die Höhe des Röhreninhaltes mittels eines Feilstriches markiert. Nachdem die Röhre geleert und getrocknet ist, werden 5,0 der zu untersuchenden Substanz hineingethan und Äther bis zur Marke dazugefügt, die Röhre geschlossen und öfter geschüttelt. Nach vollständigem Absetzen werden mittels einer Pipette etwa 50 ccm herausgenommen, verdampft und gewogen. Der Rückstand, mit 40 multipliziert, giebt den Prozentgehalt an Fett, welches die Substanz enthält. Bei der Bestimmung des Fettgehaltes der Milch müßte man das Verfahren etwas ändern. 50 ccm derselben werden mit etwa 10,0 gepulvertem Glase oder Gipse verdampft, der Rückstand gepulvert und in eine Röhre gethan, dann 100 ccm Äther mittels einer Pipette zugefügt, die Röhre geschlossen und während einiger Stunden hin und wieder geschüttelt. 25 ccm werden davon verdampft, gewogen und zu dem Gewichte ein Neuntel desselben addiert, um den Unterschied des spez. Gewichtes des Äthers und der Butter auszugleichen. (The Analyst 1884. 20; Repert. f. anal. Chem. **4.** 108; Ind.-Bl. **21.** 293.)

Beiträge für das Centralblatt bittet man an die Redaktion (Leipzig, Lessingstr. 5) zu richten. **Originalarbeiten** von nicht zu großem Umfange werden entsprechend honoriert und gelangen stets sofort nach der Einsendung, und zwar in kürzester Frist, zum Abdruck.

Redaktion: Prof. Dr. **Rud. Arendt** in Leipzig.

Verlag von **Leopold Voss** in Hamburg u. Leipzig. — Druck von **Metzger & Wittig** in Leipzig.

Chemisches Centralblatt.

REPERTORIUM
für reine, pharmazeutische, physiologische u. technische Chemie

. 1884. **Beiblatt.** 3. Dezember.

Alle auf das Beiblatt bezüglichen Mitteilungen, Anfragen und Zusendungen sind zu richten an die Buchhandlung LEOPOLD VOSS in Hamburg, Hohe Bleichen 18.
Inserate werden mit 20 Pf. für die gespaltene, mit 40 Pf. für die durchlaufende Petit-Zeile berechnet.
Bei größeren Inseraten und mehrmaligen Wiederholungen tritt entsprechende Ermäßigung des Preises ein.
Beilagen nach Übereinkunft.

No. 51.

Chemisches Central-Blatt.

17. Dezemb. 1884.

Wöchentlich eine Nummer von
1–2 Bogen. Der Jahrgang mit
Sach- und Namen-Register,
nebst system. Übersicht.

Der Preis des Jahrgangs
ist 20 Mark. Durch alle
Buchhandlungen und Post-
anstalten zu beziehen.

REPERTORIUM

für reine, pharmazeutische, physiologische und technische Chemie.

Dritte Folge. XV. Jahrgang.

Wochenbericht.

5. Physiologische, medizinische und pharmazeutische Chemie.

John **M. H. Munro**, *Zusammensetzung der Erdbeerasche.* 256 g reife Erdbeeren von Stengeln und Kelchen befreit, bestanden aus 89,30 Wasser, 10,27 organischer Substanz und 0,43 Asche. Zusammensetzung der Asche: Sand und unlösliche Substanz 6,61, Calciumphosphat 23,91 (enthaltend 11,70 P_2O_5), Magnesiumphosphat Spuren, Kaliumcarbonat 60,77 (enthaltend 41,40 K_2O), Magnesia 2,93, Natron 1,29, Schwefelsäure 3,88 (SO_3), Verlust 0,61. (Chem. N. **50**. 227. 14. Nov.)

Julius v. Sachs, *Zur Kenntnis der Ernährungsthätigkeit der Blätter.* Zweck der Untersuchung war, die Stärkebildung im Chlorophyll der Blätter und das Verschwinden dieses Assimilationsproduktes unter normalen Vegetationsbedingungen kennen zu lernen, also bei Pflanzen, welche im freien Lande eingewurzelt, unter dem wechselnden Einflusse der Witterung sich normal entwickeln. Die Versuche wurden, der Hauptsache nach, im Juni, Juli und August 1883 bei abwechselnd großer Hitze mit kräftigem Sonnenschein und trübem Wetter, Regen und Abkühlung, ausgeführt an 18 Dikotylenarten, welche den verschiedensten Familien angehörten.

In betreff der Untersuchungsmethode kam es wesentlich darauf an, ein Verfahren zu besitzen, welches die Stärke makroskopisch derart nachweist, daß man mit Bestimmtheit angeben kann, ob überhaupt Stärke im Mesophyll vorhanden ist oder nicht, und ob eine deutliche Vermehrung oder Verminderung derselben stattgefunden hat. Vf. hat für diesen Zweck folgende Methode angegeben und bewährt gefunden: Die grünen, frisch geernteten Blätter werden zehn Minuten lang in Wasser gekocht und dann in starken Alkohol (96 p. c.) gelegt; hierdurch werden sie von all den Stoffen befreit, welche in kochendem Wasser und in Alkohol überhaupt löslich sind; sie entfärben sich gewöhnlich vollständig und erscheinen dann weiß wie gewöhnliches Papier; nur in manchen Fällen (Holzpflanzen) bleiben die Blätter nach dem Extrahieren braun und sind dann für manche Zwecke der Untersuchung nicht geeignet. Die extrahierten Blätter und Blattstücke werden dann in eine starke Jodlösung gebracht, welche erhalten wird durch Auflösen eines größeren Quantums Jod in starkem Alkohol und Verdünnen durch destilliertes Wasser, bis die Flüssigkeit etwa die Farbe eines dunklen Bieres hat. Die Blätter bleiben je nach Umständen eine halbe, oder zwei bis drei, selbst mehr Stunden in der Jodlösung, nämlich so lange, bis keine Färbenänderung mehr eintritt. An den mit Jod gesättigten Blättern beobachtet man dann folgende Färbungen: 1) hellgelb oder ledergelb, wenn keine Stärke im Chlorophyll vorhanden ist, 2) schwärzlich, bei sehr wenig Stärke, 3) matt schwarz, bei reichlicher Stärke, 4) kohlschwarz, bei sehr reichlicher Stärke und 5) metallisch glänzend schwarz, bei dem Maximum des Stärkegehalts. Die so nach der „Jodprobe" behandelten Blätter kann man beliebig lange in schwachem Jodalkohol aufbewahren und sie beliebig oft als Beleg- und Vergleichungsobjekte benutzen.

Zunächst wurde der Stärkegehalt der Blätter zu verschiedenen Tageszeiten und bei verschiedenem Wetter untersucht. Entsprechend einer älteren Beobachtung, daß die Stärke aus dem Chlorophyll der Blätter verschwindet, wenn man die Pflanzen längere

Zeit in einem finsteren Raume wachsen läſst, und aus einzelnen Teilen der Blätter, die man durch Bekleben mit Stanniol oder Papier verdunkelt hat, wurden bei vielen Pflanzen die Blätter bei Sonnenaufgang völlig stärkefrei gefunden; die am Abend vorhanden gewesene Stärke war während der Nacht völlig verschwunden. Dies wurde namentlich nach sehr warmen Nächten beobachtet. Anders war das Verhalten nach kühlen Nächten; zwar lieſsen manche Arten auch bei niederer Temperatur die Stärke aus ihren Blättern verschwinden, andere aber wurden nur teilweise oder gar nicht entleert.

Die während der Nacht entleerten Blätter bilden nun während des Tages von neuem Stärke, die sich bei günstiger, aber nicht allzuhoher Temperatur (15—25°) mehr und mehr anhäuft, so daſs man im allgemeinen die Blätter am Vormittage noch stärkearm, am Nachmittage stärkereich, am Abend so reich daran fand, daſs sie bei der Jodprobe metallisch glänzend schwarz wurden. Doch ist diese regelmäſsige Zunahme nicht ausnahmslos; zuweilen zeigten Helianthus-Blätter, die um 5 Uhr früh ganz stärkefrei waren, schon um 8 Uhr soviel Stärke, daſs eine Vermehrung derselben kaum noch denkbar erschien.

Diese Beweglichkeit, dieses rasche Auftreten und Verschwinden der Stärke wurde jedoch nur in den Blättern kräftig und normal vegetierender, namentlich solcher Pflanzen beobachtet, an denen neue Sprosse, oder Blüten und Früchte sich entwickeln. Sehr auffallend war dies zu beobachten an Tabakpflanzen, von denen im freien Lande wachsende die beschriebenen Erscheinungen sehr schön zeigten, während in Blumentöpfen gezogene, anscheinend sehr kräftige Exemplare keine Variation des Stärkegehalts erkennen lieſsen.

Daſs die am Tage im Chlorophyll der Blätter durch Assimilation erzeugte Stärke während der Nacht nicht nur aufgelöst, sondern daſs das Lösungsprodukt auch aus den Blättern fortgeführt und in den Stamm hineingeleitet werde, bewies Vf. durch Versuche an abgeschnittenen Blättern. Die Nerven und Rippen der Blätter, welche unter normalen Verhältnissen bei der Jodprobe sich farblos und durchscheinend erwiesen, waren an abgeschnittenen und mit dem Stiel in Wasser gestellten Blättern stärkereich, da das aus dem Mesophyll entleerte Lösungsprodukt der Stärke nicht abflieſsen konnte und wieder in Stärke zurückverwandelt wurde. Andererseits zeigten Mesophyllstücke, die von vorspringenden Nerven befreit waren, eine höchst unbedeutende Verminderung ihres Stärkegehalts.

Daſs die unter Zersetzung der Kohlensäure assimilierte Stärke aus dem Chlorophyll der Blätter wieder verschwindet, wenn dieselben zwar dem Licht ausgesetzt sind, aber in einer CO₂-freien Luft nicht weiter assimilieren können, wurde schon vor mehreren Jahren von Herrn MOLL konstatiert (Ntf. 10. 183). Vf. überzeugte sich auch durch die Jodprobe von dem Stattfinden dieser Stärkeauflösung im Sonnenlicht und fand, daſs diese Auflösung um so energischer erfolge, je höher die Temperatur ist; sie konnte bei sehr hohen Sommertemperaturen sogar durch das Verhalten der Pflanzen in der freien Luft bestätigt werden.

Was aus der Stärke wird, wenn sie aus dem Chlorophyll der Blätter verschwindet darüber gilt allgemein die Annahme, daſs nur ein geringer Teil zur Atmung verbraucht, das meiste aber in Zucker umgewandelt werde. MÜLLER-THURGAU konnte diesen aus der verschwundenen Stärke gebildeten Zucker in Rieſslingblättern quantitativ nachweisen. Auch dem Vf. gelang es in einzelnen Fällen, im Dekokt der Blätter Zucker zu finden, besonders wenn die Pflanzen zu wachsen aufgehört; hingegen gelang dies nicht in sehr kräftig wachsenden Pflanzen, wahrscheinlich weil der Zucker zu rasch aus den Blättern entfernt wird.

Ob die Auflösung der Stärke im Chlorophyll durch eine dem Chlorophyllkorn selbst innewohnende Kraft bewirkt wird, oder ob ein besonderes diastatisches Ferment die Stärke in Zucker verwandelt, ist nicht bekannt. Es läſst sich aber experimentell zeigen, daſs die im Chlorophyllkorn eingeschlossene Stärke durch Diastase saccharifiziert und extrahiert werden kann.

Die Beobachtung, daſs Blätter, die am Abend einen Maximalgehalt von Stärke zeigten, am nächsten Morgen keine Spur davon enthielten, ließ erwarten, daſs diese Unterschiede sich auch in merklichen Gewichtsdifferenzen erkennbar machen werden. Da nun aus allgemein physiologischen Erwägungen bei chlorophyllhaltigen Blättern es vor allem auf die Flächenausbreitung, nicht aber auf ihr Gewicht ankommt, stellte Vf. die Frage so: Wieviel Stärke kann in einem Quadratmeter Blattfläche einer Pflanzenart unter bestimmten Bedingungen in einer Zeiteinheit erzeugt oder aufgelöst und fortgeschafft werden?

Zur Beantwortung derselben wurden mittels zweier Schablonen von 100 qcm und 50 qcm gleich groſse Stücke von Blättern, möglichst ohne Rippen und Nerven, ausgeschnitten, rasch durch Wasserdampf getötet, dann getrocknet und gewogen. Unter den notwendigen Vorsichtsmaſsregeln wurden folgende Werte gefunden: von Helianthus annuus wogen 500 qcm am Abend 4,022 g, am Morgen 3,540 g; es betrug also der Gewichtsverlust während einer Nacht pro 1 qm 9,64 g, und in einer Nachtstunde waren 0,964 g Stärke ausgewandert. ·Bei Cucurbita Pepo betrug die Menge der in einer Nachtstunde aus 1 qm ausgewanderten Stärke 0,828 g. Für die Stärkebildung am Tage wurden folgende Werte gefunden pro Stunde und Quadratmeter: Helianthus 0,914 g; Cucurbita 0,680 g; Rheum 0,652 g. Bedeutender war die Gewichtszunahme bei einem Helianthus-Blatt, das abgeschnitten im Wasser stand; hier, wo die neugebildete Stärke nicht fortgeführt werden konnte, betrug die Gewichtszunahme pro Stunde und Quadratmeter 1,65 g.

Diese Zahlen können selbstverständlich kein genaues Maß der Assimilationsgröße von 1 qm Blattfläche geben; denn erstens ist in der Messung ein bedeutender Teil von wirkungslosen Rippen und Nerven eingeschlossen; zweitens sind die gefundenen Zahlen nur giltig für die während des Versuchs herrschenden äußeren und inneren Versuchsbedingungen; drittens endlich ist nachgewiesen, daß auch während des Tages Stärke aufgelöst und fortgeführt wird; es müßte daher, will man die Größe der Assimilation beurteilen, zu der gefundenen Stärkemenge die der fortgeführten hinzuaddiert werden. Gleichwohl geben die gefundenen Werte einen wichtigen Anhaltspunkt für die Beurteilung dessen, was die Blätter an einem günstigen Sommertage bei kräftigen, vegetierenden Pflanzen leisten können. Denn es wird gestattet sein, die durch Beobachtung in der Nacht ermittelte Größe der Stärkeabfuhr auch als für den Tag maßgebend zu betrachten, und man erhält so für die Größe der Assimilation von 1 qm Helianthus-Blatt pro Stunde die gefundenen 0,914 g + den Verlust durch Fortführung = 0,964 g, im ganzen also 1,818 g und für das Cucurbita-Blatt in gleicher Weise pro Quadratmeter und Stunde 1,502 g.

Wenn man nicht unbeachtet läßt, daß diese Werte nur giltig sind für die besonderen Beobachtungs- und Temperaturverhältnisse, unter denen die Beobachtungen gemacht sind, so kann man unter dieser Einschränkung sich eine Vorstellung machen von dem gesamten Stärkequantum, welches an einem schönen und langen Sommertage von so kräftigen Pflanzen wie Helianthus und Cucurbita gebildet wird. Man findet nämlich als Mittel für beide Pflanzen, die Tageslänge zu 15 Stunden gerechnet, daß 1 qm Blattfläche an einem Sommertage 24 g Stärke assimiliert. Für die Assimilation der ganzen Pflanze an einem Sommertage fand Vf., nach Ausmessung der gesamten Blattfläche zweier Pflanzen im August, die Assimilationsgröße für Helianthus = 36 g und für Cucurbita = 185 g; Werte, welche sicherlich nicht als die höchsten zu betrachten sind, da es noch weit größere Pflanzen der genannten Arten giebt, die in derselben Vegetationszeit viel mehr assimilieren.

In seinen Schlußbetrachtungen legt Vf. besonderes Gewicht auf die zwei Thatsachen, 1) daß man durch die Jodprobe sehr leicht konstatieren kann, ob überhaupt Stärke in den Blättern ist oder nicht, ob ihr Quantum zu- oder abnimmt; 2) daß man imstande ist, die durch Assimilation angesammelte, ebenso wie die nach der Auflösung fortgeführte Stärke nach einer sehr einfachen und bequemen Methode ihrem Gewichte nach zu bestimmen. „Durch verständige Anwendung beider Methoden wird es gelingen, eine lange Reihe der wichtigsten Fragen der Pflanzenphysiologie zu beantworten."

Weiter wird hervorgehoben, daß die Ergebnisse der vorstehenden Versuche den günstigen Einfluß warmer Nächte auf das Wachstum der Pflanzen erklären, weil nur in warmen Nächten die Auflösung und Fortführung der tags zuvor überschüssig gebildeten Stärke eine vollkommene ist. Von praktischer Wichtigkeit wird die oben nachgewiesene Fortführung der Stärke aus den Blättern während der Nacht für die Fälle sein, wo die Blätter eingesammelt und als Futter benutzt werden; abends geben sie ein stärkereiches, morgens ein stärkearmes Futter. Endlich ist auf die hier gefundene Thatsache Rücksicht zu nehmen bei den Aschenanalysen der Blätter; vergleichbar sind die Zahlen nur bei solchen Blättern, welche zur selben Tageszeit gesammelt sind. (Arbeiten aus dem botan. Inst. in Würzburg 3. 1; Ntf. 17. 392—94.)

6. Mineralogische und geologische Chemie.

Hanns Freiherr von Jüptner, *Über Strontianit*. Im verflossenen Jahre entdeckte Bergmeister HAMPEL am Steinbauernfelsen bei Neuberg ein Strontianitvorkommen. Die Analyse einer Probe desselben ergab:

Kohlensaurer Strontian	97,65 %
„ Kalk	1,97 „
„ Magnesia	Spur
Eisenoxyd und Thonerde	Spur
Verlust	0,38 „
	100,00 %.

(Österr. Ztsch. 32. 594.)

W. G. Brown, *Über die Cassiterite von der irländischen Bucht Rockbridge Co.*, *Viriginia.* Die Analyse ergab: 94,895 SnO$_2$, 0,760 SeO$_2$, 0,237 Ta$_2$O$_5$, 3,418 Fe$_2$O$_3$, 0,244 CaO, 0,027 MgO, 0,385 Glühverlust. (Amer. Chem. Journ. **6**. 185—87. Juni 1884. Virginia.)

F. P. Dunnington und **J. M. Cabell,** *Untersuchung einer Infusorienerde von Richmond, Va.* Die Erde war gelblichweifs, etwas hart anzufühlen. Die Analyse ergab: Kieselsäure löslich in zwanzigprozentiger Natronlauge nach einer Stunde 29,60, nach zwei Stunden 4,79; unlösliche 41,29; im ganzen 75,68. Thonerde 9,88, Eisenoxyd 2,92, Kalk 0,29, Magnesia 0,69, Kali 0,02, Natron 0,08, stickstoffhaltige Subtanz (N × 6) 0,84, Wasser über Schwefelsäure entweichend 3,37, bei 100° entweichend 1,17, beim Glühen (abzüglich N) entweichend 3,83, im ganzen 8,37: Summe 98,77. (Chem. N. **50**. 219. 7. Nov.)

F. P. Dunnington und **G. H. Rowan,** *Analyse eines Kaolinit von Calhoun Co., Ala.* Eine ungewöhnlich reine Probe von Thon aus einem Lager ungefähr zwölf Meilen südwestlich von Jacksonville zeigte folgende Eigenschaften: weifs mit einem Stich ins gelbliche, erdig, von thonigem Geruch, an der Zunge haftend, sich fettig anfühlend, spezifisches Gewicht des Pulvers 2,509. Die Analyse ergab: Kieselsäure 45,77, Thonerde 89,45, Kalk 0,79, Wasser 13,96, Magnesia und Eisenoxyd Spuren, Summa 99,97. Sauerstoffverhältnis von SiO$_2$: Al$_2$O$_3$: H$_2$O = 197 : 150 : 100. Dies stimmt fast genau mit der Zusammensetzung des Kaolinits 2 SiO$_2$, Al$_2$O$_3$, 2 H$_2$O. Das Mineral ist bereits 1855 durch J. W. MALLET analysiert worden. (Chem. N. **50**. 220. 7. Nov.)

F. P. Dunnington und **L. N. Chappell,** *Analyse eines Chloropals von Albemarle Co., Va.* Das Mineral wurde in blätterigen Stücken bis zu 8 cm Länge und 1 cm Dicke gefunden; es ist in frischem Zustande ziemlich weich, wird aber nach dem Trocknen härter und brüchig mit erdigem Bruch, zeigt Fettglanz, ist fettig anzufühlen, haftet nicht an der Zunge und besitzt eine hell gelblichgrüne Farbe; Härte etwa 1; spezifisches Gewicht 2,06; wird durch Salzsäure oder Schwefelsäure unter Abscheidung von Kieselsäure zersetzt. Die Analyse ergab folgende Zusammensetzung: Kieselsäure 38,64, Thonerde 20,05, Eisenoxyd 22,18, Eisenoxydul 0,04, Kalk 1,09, Magnesia 0,44, Wasser 15,71, Summa 98,15. Sauerstoffverhältnis SiO$_2$: Al$_2$O$_3$: Fe$_2$O$_3$: H$_2$O = 128 : 60 : 30 : 120. Hieraus leitet sich die Formel: 2(^{3}/$_4$H$_2$O , ^{1}/$_4$Fe$_2$O$_3$, ^{2}/$_4$Al$_2$O$_3$).3SiO$_2$ + 4^1/$_2$H$_2$O ab, welche nahezu der des Pinguits, einer Varietät des Chloropals 2 Al$_2$O$_3$. 3SiO$_2$ + 4^1/$_2$H$_2$O entspricht. (Chem. N. **50**. 219—20. 7. Nov.)

A. Vivier, *Analyse eines Apatits von Logroxan (Spanien).* (C. r. **99**. 709 — 10. [27.*] Okt.)

F. P. Dunnington und **C. M. Bradbury,** *Analyse des Granat (varietas Spessartin) von Amelia Co., Va.* Das Mineral ist blafsrosa bis fleischrot und ähnelt dem Rhodonit im Aussehen mehr als der gewöhnliche Granat; Härte 6,5, spezifisches Gewicht 4,20. Die Analyse ergab: Kieselsäure 36,34, Thonerde 12,63, Eisenoxydul 4,57, Manganoxyd 43,20, Kalk 1,49, Magnesia 0,47 Wasser Spur, Summe 99,7. Der Mangangehalt ist aufsergewöhnlich hoch und der Gehalt an Eisen und Thonerde aufsergewöhnlich niedrig. (Chem. News. **50**. 220. 7. Nov.)

F. P. Dunnington und **James Douglas Bruce,** *Analyse des Marmalits von der Grube Himmelfahrt bei Freiberg.* Die Probe stammte von O. KRANTZ und zeigte das gewöhnliche Aussehen des Marmalits. Die Analyse ergab: Zink 50,82, Eisen 14,52, Kupfer 2,35, Antimon 1,14, Mangan Spur, Schwefel 31,67, Rückstand 0,14, Summa 100,64. Dies stimmt mit der Formel 3 ZnS. FeS überein. (Chem. N. **50**. 220. 7. Nov.)

Pavesi, *Über das Wasser der Heilquelle von Salvarola bei Sassuolo in Modena.* Das Wasser enthält folgende Bestandteile pro Liter:

Chlornatrium	14,956 g	Natriumdicarbonat	2,270 g
Chlorcalcium	0,043 „	Kieselsäure	0,004 „
Chlormagnesium	0,040 „	Eisen und Thonerde	0,0008 „
Jodnatrium	0,044 „	Natriumsulfat	
Bromnatrium	0,076 „	Magnesiumborat }	Spuren.

Man wird die Quellen daher als ein sehr stark alkalisches Bromjodwasser ansprechen dürfen. (Annali di Chim. **72**. 344; Arch. Pharm. [3] **22**: 745—46.)

Giacomo Bertoni, *Analyse der Mineralquellen von Aquarossa bei Biasca.* Das Wasser enthält neben Spuren von Salpetersäure, Phosphorsäure, Ammoniak und Strontian, in 10 000 Tln.:

Ferrocarbonat	. . .	0,3469 g	Magnesiumsulfat	. . .	5,0805 g
Manganocarbonat	. . .	0,0193 „	Chlorlithium	. . . .	0,0467 „
Calciumcarbonat	. . .	6,5967 „	Chlormagnesium	. . .	0,0165 „
Calciumarseniat	. . : .	0,0024 „	Thonerde	. . . . .	0,0485 „
Magnesiumborat	. . . .	0,0254 „	Kieselsäure	. . . .	0,3518 „
Calciumsulfat	. . . .	11,5172 „	Freie Kohlensäure.	. .	3,7828 „
Kaliumsulfat.	. . . .	0,4179 „	Stickstoff	. . . . .	0,1418 „
Natriumsulfat	. . . .	0,8840 „	Sauerstoff	. . . . .	0,0233 „

Annali di Cim. **78**. 257; Arch. [3] **22**. 746.)

7. Analytische Chemie.

Lothar Meyer, *Über die Berechnung der Gasanalysen.* (Journ. Chem. Soc. **45**. 601—12. Okt.; Lieb. Ann. **226**. 115—32. Ende Sept.)

Ach. Livache, *Darstellung titrierter Lösungen von Schwefelkohlenstoff.* Wenn man eine Seifenlösung mit etwas Petroleum versetzt, so kann man darin durch Schütteln eine grofse Menge Schwefelkohlenstoff lösen, welche auf 200 g per Liter steigen kann für etwa 150 g Seife. Setzt man dieser vollkommen klaren Mischung Wasser zu, so scheidet sich der Schwefelkohlenstoff nicht aus. Auf diese Weise lassen sich Lösungen von jeder Konzentration unterhalb der angegebenen herstellen. Dasselbe erreicht man unter Anwendung von Harzseifen oder Steinkohlenteeröl, Terpentinöl u. dgl. (C. r. **99**. 697. [27.*] Okt.]

Hanns Freiherr von Jüptner, *Über die Gröfse des Nachfliefsens bei Büretten.* Wie bekannt, zeigt sich bei Büretten folgende Erscheinung: Hat man aus einer solchen Flüssigkeit ausfliefsen lassen, und notiert man sich sofort den Stand derselben, so findet man, dafs das Flüssigkeitsniveau nach einiger Zeit wieder gestiegen erscheint. Dies rührt daher, dafs beim Ausfliefsen eine Flüssigkeitsschicht an den Glaswänden hängen blieb, die, an denselben herabfliefsend, nach einiger Zeit das Flüssigkeitsniveau wieder merkbar erhöht. Um hierdurch mögliche Fehler zu vermeiden, empfiehlt Emil Fleischer („Die Titriermethode als selbständige, quantitative Analyse" 2. Aufl., p. 14) vor jeder Ablesung ein bis zwei Minuten zu warten, um der an den Glaswänden hängenden Flüssigkeitsschicht Zeit zu lassen, sich zu sammeln. Da es nun im Vorhinein wahrscheinlich war, dafs die zum Ablaufen dieser Schicht nötige Zeit sowohl von den Dimensionen der verwendeten Bürette, als auch von der Natur der benutzten Flüssigkeit abhängen werde, erschien es nicht ganz unwichtig, Versuche darüber anzustellen, ob die angegebene Zeit in allen Fällen genüge oder nicht.

Die hierzu verwendeten Büretten wurden vor dem Versuche mit Ätzkalilauge entfettet (um das Anhängen von Tropfen an der Innenseite der Röhre zu verhindern), hierauf mit destilliertem Wasser und zuletzt mit der zum Versuche dienenden Flüssigkeit ausgewaschen. Die innere Weite der Bürette, die Temperatur der Flüssigkeit (und der Bürette, weil letztere lange Zeit mit der Flüssigkeit gefüllt stehen gelassen wurde, um die gleiche Temperatur anzunehmen), sowie das spezifische Gewicht der angewendeten Flüssigkeit wurden gemessen.

Die 0,01 cm des Flüssigkeitsstandes in den in $^1/_{10}$ cm geteilten Büretten wurden geschätzt. Die Resultate sind folgende:

1. *Kaliber der Bürette 13 mm, Temperatur 16,5° C.; angewendete Flüssigkeit: destilliertes Wasser (spex. Gew. = 1,000).*

Die Zunahme des Flüssigkeits- standes betrug nach	Nach dem Ablassen bis auf					
	50,0 ccm			Mittel	24,7 ccm		Mittel
				Mittel			Mittel
1 Minute	0,04 ccm	0,04	0,03	0,037	0,02	0,02	0,020
2 Minuten	0,08	0,09	0,06	0,077	0,04	0,03	0,035
3 „	0,10	0,10	0,08	0,097	0,06	0,05	0,055
4 „	0,10	. 0,10	0,08	0,097	0,06	0,05	0,055
5 „	0,10	0,10	0,08	0,097	0,06	0,05	0,055
10 „	0,10	0,10	0,08	0,097	0,06	0,05	0,055

2. *Kaliber 10,5 ccm; Temperatur 17,5° C.;*
angewendete Flüssigkeit: destilliertes
Wasser [1]

3. *Kaliber der Bürette 13 mm; Temperatur*
= 18° C.; angewendete Flüssigkeit: Alkohol
(spez. Gew. = 0,8032.)

Die Zunahme des Flüssigkeitsstandes betrug nach	Nach dem Ablassen bis auf 25,0 ccm		Mittel	Die Zunahme des Flüssigkeitsstandes betrug nach	Beim Ablassen bis auf 50 ccm in ccm		Mittel
	Kubikzentimeter						
$^1/_2$ Minute	0,10	0,09	0,095	$^1/_2$ Minute	0,15	0,04	0,045
1 „	0,12	0,11	0,115	1 „	0,10	0,09	0,095
$1^1/_2$ Minuten	0,15	0,15	0,150	$1^1/_2$ Minuten	0,14	0,13	0,135
2 „	0,18	0,17	0,175	2 „	0,14	0,14	0,14
$2^1/_2$ „	0,19	0,18	0,185	$2^1/_2$ „	0,15	0,14	0,145
3 „	0,19	0,19	0,190	3 „	0,16	0,17	0,165
$3^1/_2$ „	0,19	0,19	0,190	$3^1/_2$ „	0,16	0,17	0,165
10 „	0,19	0,19	0,190	10 „	0,16	0,17	0,165

4. *Kaliber der Bürette 13 mm; Temperatur 18° C.; angewendete Flüssigkeit: konzentrierte*
Schwefelsäure (spez. Gew. = 1,7102).

Nach dem Ablassen bis auf 50 ccm betrug das Steigen des Flüssigkeitshorizontes:

nach $^1/_2$ Minute	0,10 ccm	nach $4^1/_2$ Minuten	0,42 ccm
„ 1 „	0,20	„ 5 „	0,43
„ $1^1/_2$ Minuten	0,27	„ $5^1/_2$ „	0,44
„ 2 „	0,30	„ 6 „	0,48
„ $2^1/_2$ „	0,34	„ 7 „	0,49
„ 3 „	0,39	„ 8 „	0,50
„ $3^1/_2$ „	0,40	„ 9 „	0,50
„ 4 „	0,41	„ 10 „	0,50

Die Ungleichmäfsigkeit im Steigen der Flüssigkeit beim letzten Versuche rührt wohl daher, dafs sich infolge der Dickflüssigkeit der Schwefelsäure wirkliche Tropfen an der Gefäfswand bildeten, die dann plötzlich herabrinnend, eine bedeutende Erhöhung des Flüssigkeitsstandes hervorriefen.

Aus den angeführten Versuchen ergiebt sich, da man zum Titrieren nur Flüssigkeiten von nahe derselben Dichte und Konsistenz wie Wasser anwendet, dafs ein drei Minuten langes Abwarten vor dem Ablassen beim Titrieren für die rigorosesten Bestimmungen völlig hinreicht. (Österr. Ztsch. **32.** 592—93. Ende Okt.)

Lothar Meyer und **Karl Seubert**, *Über Gasanalyse bei stark vermindertem Druck.* Bei der Analyse kohlenstoffreicher Gase geschieht es oft, dafs der zur Abschwächung der Explosion in Form von Luft zugesetzte Stickstoff die Genauigkeit beeinträchtigt, insofern es schwierig ist, den Punkt zu treffen, bei welchem kein Stickstoff oxydiert, das brennbare Gas aber vollständig verbrannt wird. In solchen Fällen ist es vorteilhaft, das explosive Gemenge durch Druckverminderung zu verdünnen, anstatt ihm ein indifferentes Gas hinzuzusetzen. Der hierzu vom Vf. gebrauchte Apparat ist eine Modifikation des von Schoop bei seiner Untersuchung „Über die Änderung der Dampfdichte einiger Ester mit Druck und Temperatur" (Wied. Ann. **12.** 550) benutzten. Die Fig. 1 auf der folgenden Seite zeigt ihn in der abgeänderten Form.

In der mit dickem, gufseisernem Boden versehene Quecksilberwanne W ist mittels einer eingeschraubten Eisenfassung das Barometerrohr B und mittels eines eingedrehten eisernen Zapfens das etwa 400 mm lange Eudiometerrohr E eingesetzt. Die Rohre B und E kommunizieren, wenn eingesetzt, mit einer horizontalen Bohrung im Boden der Wanne, die aufserhalb der Wanne als eiserner Ansatz endigt, in welchen das Glasrohr g luftdicht eingekittet ist. Dasselbe biegt sich bald abwärts und reicht, die Platte des Tisches T durchsetzend, bis nahe zum Boden herab. Ein am unteren Ende von g befestigter, stark übersponnener Kautschukschlauch mit dem Quecksilberbehälter Q, der in einem hölzernen Schlitten in den Laufleisten L vertikal auf und ab bewegt werden kann. Durch Anziehen oder Nach-

---

[1] Warum diese Zahlen gegenüber denen der vorigen Tabelle so hoch ausfielen, ist dem Vf. unerklärlich; nach dem Verhältnisse der benetzten Glasflächen hätten sie nur um ca. 50 p. c. gröfser sein sollen.

lassen der über eine Rolle gehenden Schnur läfst sich die Stellung von Q zwischen L_1 und L_4 beliebig verändern.

Das mit Millimeterteilung versehene Barometerrohr ist mittels seiner eisernen Fassung in dem Boden der Wanne festgeschraubt. Die Schraube wird, um vollkommen luftdichten Schlufs zu erzielen, zweckmäfsig mit einer dünnen Lage von Münchener Wachs überzogen.

Soll, wie dies meist der Fall ist, mit feuchten Gasen gearbeitet werden, so bringt man in das Barometer einige Tropfen Wasser, entweder vor dem Einschrauben des Rohres, oder auch nach dem Einsetzen desselben in den Boden der Wanne, in welchem Falle folgendermafsen verfahren wird.

Man entfernt das Eudiometer E und läfst durch Senken von Q das Quecksilber aus der Wanne abfliefsen, bis das Capillarrohr des Barometers nicht mehr eintaucht.

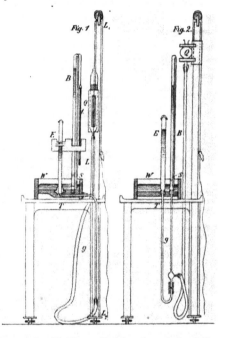

Schiebt man nun unter die untere Mündung des Capillarrohres ein passendes Gefäfs, etwa ein kleines Tiegelchen oder Glühschälchen, füllt dieses mit Wasser und setzt jetzt das mit Quecksilber gefüllte Eudiometer wieder ein, so kann man durch Heben von Q die Luft aus dem Barometer austreiben und durch Senken Wasser wieder einziehen. Indem man Luft wieder nachströmen läfst, zieht man das Wasser abwärts bis unter eine etwa 10 cm über dem Boden der Wanne im Barometerrohre befindliche BUNTE'sche Spitze S, neben der sich, wenn das Quecksilber wieder gehoben wird, ein Teil des Wassers ansammelt. während der Überschufs mit der Luft durch das jetzt wieder in das Quecksilber der Wanne tauchende Capillarrohr hinausgedrückt wird. Durch wiederholtes Heben und Senken von Q läfst sich die Luft so gut wie vollständig aus B verdrängen. Die Wände des Rohres bleiben dabei genügend benetzt, um die der jedesmaligen Beobachtungstemperatur entsprechende Tension des Wasserdampfes zu liefern.

Die Füllung des in der Kuppe mit einem Wassertröpfchen befeuchteten Eudiometers geschieht nach dem üblichen BUNSEN'schen Verfahren. Nachdem das mit Quecksilber gefüllte Rohr in den Boden der Wanne eingesetzt ist, vermindert man zunächst den Druck möglichst, um etwa am Glase haftende Luftbläschen loszulösen und durch Heben von Q nach oben zu treiben. Sollte sich an den Drähten des Eudiometers eine Luftblase zeigen, so wird dieselbe, nachdem das Quecksilber in Q mit dem Niveau der Wanne gleichgestellt worden, durch Ausheben und Umkehren des Rohres in gewohnter Weise entfernt.

Die Ausführung der Analysen geschieht in folgender Weise. Nachdem das Eudiometer in der beschriebenen Weise völlig mit Quecksilber gefüllt ist, wird das zu analysierende Gas eingeführt, und zwar wird die Menge desselben so bemessen, dafs nach dem Zusatz des erforderlichen Sauerstoffes das Eudiometer beim Druck einer Atmosphäre nur etwa zu einem Zehntel gefüllt sein würde. Ist z. B. die lichte Weite des Rohres 18 mm, sein Querschnitt demnach 2,5 qcm und, bei einer Länge von 40 cm, sein gesamter Iuhalt 100 ccm, so sind etwa 10 ccm des explosiven Gemisches anzuwenden. Bei Gasen indessen, welche zur Explosion einer weniger starken Druckverminderung bedürfen, kann über die angegebene Grenze entsprechend hinausgegangen werden.

Um die Abmessung der kleinen Gasvolume zu erleichtern, verwendet man bei der Luftkalibrierung des Eudiometers (BUNSEN, gasometrische Methoden, 2. Aufl., S. 74) ein kleines Maßgefäß von kaum 2 ccm Inhalt und nimmt von den dichteren Gasen etwa ein, von den leichteren zwei bis drei Volume zur Analyse. Da die Masse eines Gases durch das Produkt aus Volumen und Druck bestimmt wird, so gestaltet sich die Messung am genauesten, wenn Druck und Volum durch eine ungefähr gleiche Zahl von Millimetern dargestellt werden; denn eine Ungenauigkeit in der Ablesung erzeugt einen um so größeren Fehler im Endergebnis, je kleiner der absolute Wert der gemessenen Größe ist, sei diese Druck oder Volum. Beträgt z. B. der in der Messung des Druckes wie des Volumens mögliche Fehler je 0,1 mm, so werden zehn Volume bei 500 mm oder 500 Volume bei 10 mm gemessen nur bis auf $\frac{0,1}{10} + \frac{1}{500} = 0,0102$ oder auf etwa 1 p. c. genau bestimmt sein, während die Messung derselben Gasmenge mit dem Volum 70 unter einem Druck von 71,43 mm nur um $\frac{0,1}{70} + \frac{0,1}{71,43} = 0,0027$, also etwa $^1/_4$ p. c. falsch sein kann. Um dieses möglichst günstige Verhältnis zu erlangen, hat man nur nötig, das Gefäß Q so einzustellen, daß die Kuppe des Quecksilbers in B mit dem zugeschmolzenen Ende des Eudiometers E ungefähr in gleicher Höhe steht.

Die Ablesungen können schon nach fünfzehn bis zwanzig Minuten stattfinden, da das Volumen dieser geringen und stark verdünnten Gasmengen sich sehr rasch einstellt. Zunächst wird der Stand des Quecksilbers im Eudiometer und die entsprechende Zahl an der Skala des Barometerrohres abgelesen. Ist das Fernrohr des Kathetometers um eine genau senkrechte Axe drehbar, ohne aus seiner horizontalen Lage zu kommen, so kann es nacheinander auf das Eudiometer und das Barometer eingestellt werden. Noch bequemer und mit vollkommen hinreichender Genauigkeit erreichten die Vff. denselben Zweck, indem sie den Abstand zwischen E und B so klein machten, daß die Skalen beider gleichzeitig im Gesichtsfeld sichtbar wurden, und der genau horizontale Faden des Fadenkreuzes zugleich auf beiden abgelesen werden konnte.

Die Beleuchtung der Skalen geschieht durch einen an E angebrachten weißen Papierschirm von der in Fig. 1 angedeuteten Form. Es gelingt auf diese Weise leicht, die Ablesungen bis auf 0,1 mm abzuschätzen. Der Stand der Quecksilberkuppe in B und die von dem am Barometerrohr hängenden Thermometer t angezeigte Temperatur werden wie gewöhnlich abgelesen.

Man vermindert nunmehr den Druck auf die oben angegebenen Werte und läßt den Funken überschlagen. Sollte derselbe die Explosion nicht bewirken, so kann durch Heben von Q der Druck in kürzester Zeit in erforderlichem Maße gesteigert werden. Die Explosion erfolgte stets mit schönem Licht und so ruhig, daß trotz der geringen entgegenwirkenden Quecksilbersäule nur ein schwaches Oszillieren der Quecksilberkuppe in E eintrat und niemals Gasblasen bis zum unteren Ende des Eudiometers geschleudert wurden. Durch Senken und Heben von Q bespült man die Eudiometerwände mit Quecksilber und stellt schließlich zur Ablesung Druck und Volum wieder annähernd gleich ein.

Zur Absorption der Kohlensäure bedient man sich zweckmäßig der von BUNSEN empfohlenen Natronlauge von 7 p. c. NaOH. Ein genügendes Volum derselben wird unmittelbar vor der Verwendung in einem ERLENMEYER'schen Becher etwa zehn Minuten lang gekocht, um die absorbierte Luft auszutreiben, und sodann noch warm in das Eudiometer eingeführt. Es geschieht dies, nachdem man das Quecksilber in Q und in der Wanne auf gleiche Höhe gebracht und E an der Bohrung herausgehoben hat, in gewohnter Weise mittels einer Hakenpipette. Sobald das Eudiometer wieder eingesetzt ist, wird der Druck so geregelt, daß die Lauge möglichst nahe an die Eudiometerdrähte hinaufsteigt, ohne dieselben jedoch zu erreichen. Sollte letzteres eintreten, so entsteht ein freilich meist ganz unbedeutender Fehler dadurch, daß sich Lauge zwischen Glas und Drähten in die Höhe zieht, dort hängen bleibt und so das Volum des Gases etwas zu groß finden läßt. Man kann sich übrigens durch Messung des Volums der Lauge vor dem Hinauftreiben derselben auch vor diesem geringfügigen Fehler schützen.

Die Absorption der Kohlensäure geht in dem kleinen Gasvolum sehr rasch vor sich und kann schon nach einer halben Stunde als beendet angesehen werden. Man stellt wie früher Druck und Volum annähernd gleich ein und liest eine Viertelstunde später ab, wobei diesmal natürlich auch der Stand der Lauge beobachtet wird.

Zur Berechnung der Analysen werden die an der Teilung des Eudiometers abgelesenen Volume wie gewöhnlich nach der Kalibrierungstabelle, eventuell unter Zuziehung der

Korrektion für den Meniskus, korrigiert. Der Druck des Gases ist gleich der Differenz zwischen der in gleicher Höhe mit der Quecksilberkuppe in E auf der Skala von B abgelesenen Zahl und der an der Kuppe des Quecksilbers in B abgelesenen. Eine Korrektion für die Tension des Wasserdampfes ist nicht anzubringen, weil letztere im Barometerrohr gleichfalls herrscht. Als einzige Berichtigung des Druckes ist die Reduktion der an der Glasskala abgelesenen Länge der Quecksilbersäule auf 0° anzubringen, die bei der meist sehr geringen Größe derselben kaum ins Gewicht fällt. Bei der Absorption der Kohlensäure ist noch die der Höhe der Natronlauge im Rohr entsprechende Quecksilbersäule vom Druck abzuziehen, dagegen die Differenz zwischen der Dampftension über reinem Wasser und jener über der Natronlauge (BUNSEN, gasom. Meth. 2. Aufl. S. 357 u. 360) dem Druck hinzuzufügen.

Die Vff. knüpfen hieran eine Reihe analytischer Belege, welche die Zweckdienlichkeit und Genauigkeit der Methode beweisen.

Die Herstellung des Apparates erfordert sehr sorgfältige Mechanikerarbeit, damit die in den Boden der Wanne eingesetzten eisernen Zapfen luftdicht schließen. Nach einigen vorläufigen Versuchen wird man aber diese feinen und etwas kostspieligen Teile durch leichter herzustellende Vorrichtungen ersetzen und dem ganzen Apparate die Einrichtung geben können, welche durch Fig. 2 veranschaulicht wird. Hier ist das Eudiometer sowohl wie das Barometer durch gute weiche Gummistopfen, welche mit ihrem breiteren Ende in den Boden der Wanne eingelassen und, wenn nötig, festgekittet sind, auf die Glasröhren g aufgesetzt. Unter Quecksilber läßt sich auf diese Art ein vollkommen dichter Verschluß herstellen. Den Röhren g wird man etwas mehr als Barometerlänge geben, um nicht Gefahr zu laufen, daß durch die unvermeidlichen Schlauchverbindungen ihrer unteren Enden Luft eintrete. Sollte dies von den langen Schlauche aus doch einmal geschehen, so kann die Luft nur in das Barometerrohr gelangen und leicht durch Heben von Q entfernt werden. Bei dieser Befestigungsart der Apparate wird es aber nötig sein, Eudiometer und Barometer mit besonderen Haltern zu versehen, und zwar am besten mit den korkgefütterten Kappen des Statives an der gewöhnlichen BUNSEN'schen Wanne. Giebt man dem Quecksilbergefäß Q Kugelform, so wird eine geringere Höhe des Tisches und der Hebevorrichtung erforderlich sein; auch könnte man dasselbe an besonderem Stative (W. HEMPEL, a. a. O. p. 93, Fig. 14) anbringen. (LIEB. Ann. **226.** 87—115. Ende Sept.; Journ. Chem. Soc. **45.** 581—601. Okt.)

Theodor Salzer, *Über die Verfahren von Ballo und von Blochmann zur Bestimmung der Kohlensäure in der Luft.* (vgl. **84.** 730.) Vf. kommt zu dem Ergebnis, daß von dem BALLO'schen Verfahren bei sorgfältiger Ausführung gute Resultate zu erwarten sind, daß das BLOCHMANN'sche Verfahren dagegen zwar manche Vorteile bietet, aber noch weiter vervollkommnet, resp. experimentell geprüft werden muß, ehe es zu allgemeiner Nutzanwendung empfohlen werden kann. (Pharm. Ztg. **29.** 738.)

Thomas B. Osborne, *Trennung von Zink und Nickel.* Vf. modifiziert die von FRESENIUS in dessen quantitativer Analyse angegebene Trennungsmethode für Zink und Nickel in der Weise, daß er die auf 300 ccm verdünnte Flüssigkeit mit Schwefelsäure schwach ansäuert und dann mit Natriumcarbonat so lange versetzt, bis sich ein zwar schwacher, aber bleibender Niederschlag gebildet hat. Man fügt dann 1 ccm Salzsäure (vom spez. Gew. 1,1) zur Flüssigkeit und leitet 1½ Stunden lang Schwefelwasserstoff ein. Während dieser Operation werden nach und nach 50 ccm einer Lösung von essigsaurem Natrium hinzugesetzt; letztere enthält soviel festes Salz, daß es sich möglichst mit der Hälfte der durch den Schwefelwasserstoff freiwerdenden Säure sättigt. Auf diese Weise findet eine sichere Trennung der Metalle statt, und erhält man auch ein schneeweißes Zinksulfid. Ammoniak ist dem Natriumcarbonat dann vorzuziehen, wenn voraussichtlich Ammoniumsalze die Bestimmung des Nickels nicht beeinträchtigen. Entsteht beim Zusatz von Ammoniak wegen der Anwesenheit von Ammoniumsalzen keine Fällung, so muß genau neutralisiert und alsdann noch ein Zusatz von 4—5 Tropfen Salzsäure gemacht werden. Bei etwaiger elektrolytischer Bestimmung des Nickels ist die Gegenwart von Ammonsalzen sogar von Vorteil. (Amer. Chem. Journ. **6.** 149—51.)

H. Hager, *Nachweis des Arsens als Schwefelarsen mittels Natriumthiosulfat.* Dieser Nachweis ist nur bis auf $^1/_{1500}$facher Verdünnung möglich. Wenn man eine stark salzsaure Arsenlösung, welche mindestens $^1/_{150}$ Arsen enthält, in eine Lösung des Natriumthiosulfats giebt und erwärmt, so erfolgt ein gelb-weißer oder ein so gelbfarbiger Niederschlag, daß er sich von dem mehr weißen Schwefelniederschlage, welchen Salzsäure in der Thiosulfatlösung hervorbringt, leicht unterscheiden läßt. Eine $^1/_{100}$ Arsenlösung giebt schon einen kräftig gelben Niederschlag, dagegen bewirkt eine Lösung mit weniger denn $^1/_{150}$ Arsengehalt eine Fällung, welche sich von der weißen mittels Salzsäure kaum unterscheidet.

Einen weit kräftigeren Erfolg erlangt man, wenn man zu der salzsauren Arsenlösung die Natriumthiosulfatlösung in geringer beschränkter Menge hinzusetzt, in welchem Falle noch das Arsen bei einer bis zu $^1/_{1500}$facher Verdünnung erkannt werden kann. Giebt man zu 3 bis 5 ccm der Arsenlösung zwei bis fünf Tropfen der Natriumthiosulfatlösung, so ist auch die Bildung des Schwefelarsens gesichert, und dieses scheidet sich beim Erwärmen frei von freiem Schwefel oder doch nur mit sehr geringen Mengen Schwefel gemischt aus, so dafs seine gelbe Farbe von der Farbe des weifsen Schwefels nicht gedeckt ist. Es wird auf diese Weise eben nur soviel Schwefel frei, als zur Schwefelarsenbildung erforderlich ist.

Um die salzsaure Lösung auf Arsengehalt (es ist gleich, ob Arsen als Arsenigsäure oder Arsensäure gegenwärtig ist) zu prüfen, giebt man 3 bis 5 ccm derselben in ein enges Reagierglas, erhitzt auf 80 bis 90° C. und giebt zuerst einen Tropfen der Natriumthiosulfatlösung hinzu. Erfolgt keine deutlich gelbfarbige Trübung, so läfst man einen zweiten, dritten, vierten und fünften Tropfen folgen. Ist Arsen gegenwärtig, und zwar bis zu $^1/_{1400}$, so erfolgt auch ein gelblicher bis gelber Niederschlag.

Bis zu dieser Grenze des Arsengehaltes kann die Anwendung des Schwefelwasserstoffs gemieden werden, andererseits läfst sich mit dieser Probe neben der Probe mit H_2S der Arsengehalt annähernd abschätzen, ob derselbe in geringen oder äufserst unbedeutenden Spuren vertreten ist. (Pharm. C.-H. **25**. 527.)

Eug. Lundin, *Bestimmung von Arsen in Eisen und Eisenerzen.* 1. *Eisen und Stahl.* 6 g Roheisen, Stabeisen oder Stahl löst man in einem Becher von mindestens 300 ccm Inhalt mittels 70 ccm Salpetersäure von 1,2 spez. Gew. auf. Nach erfolgter Auflösung bringt man die Lösung in eine Porzellanschale von etwa 150 ccm Inhalt, versetzt sie mit 40 bis 45 ccm Schwefelsäure von 1,83 spez. Gew. und verdampft, bis die letzte Spur Salpetersäure entwichen ist. Beim Abdampfen rührt man mit einem Glasstabe fleifsig um, um das starke Aufkochen zu verhüten, das sonst beim Entweichen der Gase entsteht. Das Abdampfen, am besten auf dem Sandbade, setzt man fort, bis ein Teil Schwefelsäure mit fortgerissen wird, und in der Masse keine Blasen mehr erscheinen; letztere versetzt man, wenn sich Klumpen bilden wollen, wieder mit 5—10 ccm Schwefelsäure. Durch Versuche wurde festgestellt, dafs beim Abdampfen mit Schwefelsäure kein Arsen fortgeht.

Die rückständige und von Salpetersäure vollständig befreite Masse bringt man in einen 300 ccm grofsen Setzkolben und setzt dann 8—12 g feinverteiltes schwefelsaures Eisenoxydul zu, um die Arsensäure in arsenige Säure zu reduzieren; dies ist notwendig, weil bei der Destillation mit Salzsäure das in der Probe befindliche Arsen nicht überdestilliert, wenn es als Arsensäure vorhanden ist. Zuletzt bringt man in den Kolben 70 ccm Salzsäure von 1,19 spez. Gew. In den Kolben steckt man dann einen Kautschukpfropfen mit einer durchgehenden gebogenen Glasröhre, die durch einen Schlauch mit einer 50 ccm grofsen Pipette verbunden ist. Den Kolben hängt man an der gebogenen Glasröhre auf, und die Pipette stellt man in einen Becher mit 300 ccm destilliertem Wasser so, dafs die Spitze ungefähr 12 mm unter die Wasserfläche kommt. Unter den Kolben stellt man einen BUNSEN'schen Brenner mit einer 30 mm hohen Flamme, wobei man die Spitze derselben etwa 120—140 mm unter dem Kolben hält. Die nun beginnende Destillation setzt man fort, bis der erweiterte Pipettenteil warm zu werden beginnt; dann ist alles Arsen als Arsenchlorid (AsCl$_3$) überdestilliert, wozu gewöhnlich 15—20 Minuten erforderlich sind. Das vollständig im Becher befindliche Destillat erwärmt man auf 60 —70° und leitet dann unter anhaltendem Erwärmen einen raschen Schwefelwasserstoffstrom ein, bis der Niederschlag sich vollkommen abgeschieden hat. Nach diesem Abscheiden mufs die Lösung ganz klar und vollständig frei von Schwefeltrübung sein; letztere stammt immer daher, dafs die Salpetersäure beim Abdampfen mit Schwefelsäure nicht vollkommen fortgeschafft wurde. Besteht diese Trübung, so ist zu befürchten, dafs infolge von vorhandenem Chlor auch alles Arsen überdestilliert, auch kann man die erhaltene Fällung (As$_2$S$_5$), als mit Schwefel verunreinigt, nicht direkt wägen, sondern mufs sie zuvor mit Schwefelkohlenstoff behandeln.

Ist die Lösung mit Schwefelwasserstoff gesättigt, so leitet man unter fortgesetztem Erwärmen sofort einen Kohlensäurestrom hinein, bis man kaum noch Schwefelwasserstoff riecht, und derselbe im Überschufs also nicht mehr existiert, welcher beim Filtrieren Schwefelausfällen bewirken kann. Den Niederschlag nimmt man möglichst schnell auf ein tariertes Filter, trocknet ihn bei 100—110° und wägt. Beim Filtrieren ist das Saugrohr anzuwenden, damit die Operation genügend schnell erfolgt. Der Niederschlag enthält 60,98 p. c. Arsen.

2. *Eisenerz.* 4 g sehr fein geriebenes Erz behandelt man in gelinder Wärme etwa zwölf Stunden lang mit 40 ccm Salpetersäure von 1,4 spez. Gew., dann digeriert man gleich lange unter allmählichem Zusatz von Salpetersäure von 1,19 spez. Gew. weiter. Hier-

auf dampft man bis zur Trockenheit ab, setzt Schwefelsäure (1,83 spez. Gew.) zu, und behandelt dann die Probe ganz wie die vorige. Beim Digerieren und Abdampfen muſs Salpetersäure durchaus im Überschuſs vorhanden sein, weil sonst Arsen fortgehen kann. (Jern-Kont. Annaler 1884, Heft 2; B. H. Z. **43**. 465—66.)

H. Hager, *Über den Nachweis von Arsen neben Antimon und über die Entwicklung des Arsenwasserstoffgases aus alkalischer Flüssigkeit mittels Zinkmetall.* Schon vor längerer Zeit (**71**. 384) hat der Vf. über dieses Thema Mitteilung gemacht, welche er jetzt in einiger Beziehung modifizieren und nach seinem Werte beurteilen will. In jenem Artikel erwähnte Vf., daſs aus der Arsensäure enthaltenden Ätzkalilauge nach Zusatz von arsenfreiem Zink beim Erhitzen kein Arsenwasserstoff entwickelt werde. Enthält die Alkalilösung Phosphorigsäure, Antimonoxyd, so erfolgt ebenfalls keine Entwicklung eines Wasserstoffgases, welches auf mit Silbernitratlösung genäſstes Filtrierpapier Einfluſs ausübt, dasselbe also nicht bräunt. Diese Bräunung erfolgt auch nicht, wenn neben Arsensäure Phosphorigsäure, Antimonoxyd, Formiate, Oxalate vertreten sind, also eine desoxydierende Einwirkung auf Arsensäure angenommen werden könnte. Enthält die etwa zehnprozentige Alkalilauge Arsenigsäure, Arsentrioxyd, so erfolgt beim Erhitzen die Entwicklung von Arsenwasserstoff, welcher auf das Silbernitratpapier bräunend einwirkt, auch in den Fällen, in welchen Phosphorigsäure oder Antimon gegenwärtig sind. Andere Stoffe, wie Extraktivstoffe, Weingeist, Ammon etc. sind ohne Einfluſs auf die Reaktion und die Entwicklung des arsenfreien und Arsen enthaltenden Wasserstoffgases. Ammon macht die Reaktion auf das Silbernitratpapier sogar äuſserst elegant, insofern das Papier durch den Arsen enthaltenden Wasserstoff mit Metallglanz überzogen wird.

Um die Entwicklung des Arsenwasserstoffes zu beleben und kräftiger zu machen, gebe man etwas Magnesiumband oder Eisendrahtstücke dem Zinke zu, so daſs zwei Metalle im Kontakte sind.

Bei Gegenwart des in Lösung befindlichen Antimons wird dieses vom Zink zunächst metallisch abgeschieden, und erst nach diesem Akte tritt die Entwicklung von Arsenwasserstoffgas ein, wenn eben Arsenigsäure gegenwärtig ist.

Diese Reaktion schlug Vf. vor dreizehn Jahren zur Prüfung des Brechweinsteins auf Arsen vor. Arsen vertritt bekanntlich als Arsenyl die Stelle des Antimonyls und bildet Kaliumarsenyltartrat $(C_4H_4K[AsO]O_6 + 0,5 H_2O)$. Zur Ausführung dieser Prüfung verfahre man in folgender Weise: Man gebe 0,4 bis 0,5 g Brechweinstein in Pulverform in einen 12 bis 14 cm langen Reagiercylinder, dazu 6 bis 5 ccm Ätzkalilauge (1,16 spez. Gew.), zwei erbsengroſse Stückchen Zink und zwei bis drei Stückchen Magnesiumband, erhitze über dem Zuge einer Petrollampe oder besser im Wasserbade, bis daſs eine etwas lebhafte Gasentwicklung eintritt und erhalten bleibt. Nach fünf bis sechs Minuten gebe man noch ein Stückchen Zink und Magnesiumband nebst einem erbsengroſsen Stück Salmiak hinzu, schlieſse den oberen Teil des Cylinders mit einem lockeren Bäuschchen Baumwolle, agitiere und setze den gespaltenen Kork mit eingeklammertem Pergamentpapierstreifen, welcher mit Silbernitrat benetzt ist, oder ein Tütchen aus Filtrierpapier, dessen Spitze mit der Silberlösung genäſst ist, locker auf und stelle den Cylinder mit seinem unteren Teile eine Stunde hindurch in warmes (50 bis 70° C.) Wasser. Giebt man kein Salmiakstückchen hinzu, so muſs die Digestionszeit auf 1½ Stunden ausgedehnt werden, wenn die Bräunung des Papiers nicht im Verlaufe der ersten Stunde eingetreten sein sollte.

Statt der Magnesiumbandstückchen können auch zwei 1 cm lange Stücke einer dünnen Stricknadel in Anwendung kommen, jedoch ist dem Magnesium der Vorzug zu geben.

Die Prüfung unter Heranziehung der Kramatomethode kann leicht zu einem Irrtume führen, weil die Unlöslichkeit des Brechweinsteins in einem ammoniakalischen Weingeist keine absolute ist. Diese Probe besteht darin, ungefähr 0,5 g des feingepulverten Brechweinsteins mit zehn Tropfen Ätzammon und 2 ccm absolutem Weingeist in einem Reagierglase zu mischen, nach fünf Minuten weitere 2 ccm Weingeist dazuzugieſsen und gut zu durchschütteln. Nach Verlauf von zehn Minuten wird filtriert und das Filtrat so oft in das Filter zurückgegeben, bis das Abtropfende total klar ist. Das auf 2 ccm eingedampfte Filtrat versetzt man mit fünfzehn Tropfen arsenfreier Salzsäure und zehn Tropfen Oxalsäurelösung, giebt davon mit Hilfe eines Glasstäbes zwei Tropfen auf eine blanke Fläche eines Messingstreifens und erhitzt anfangs mäſsig über dem Cylinder einer Petrollampe, nach dem Verdampfen des Tropfens stark, bis die Oxalsäurereste fast verschwunden sind. Zuletzt spült man mit Wasser ab. Ein kaum erkennbarer Fleck wäre nicht zu beachten, ein roter oder permanganatroter Fleck zeigt Arsen an.

Diese Prüfungsmethode verwirft Vf. heute, denn der Brechweinstein ist nicht total unlöslich in dem ammoniakalischen Weingeist, so daſs der auf dem Messingbleche erlangte Fleck durch Antimon erzeugt sein kann. Nur ein sehr dunkler Fleck wäre dem Arsen zuzuschreiben, wenn Arsen nämlich in reichlicher Menge im Brechweinstein vertreten wäre, denn das Kaliumarsenyltartrat ist im ammoniakalischen Weingeist bedeutend löslicher als das Kaliumantimonyltartrat.

Das von der Pharm. Germ. vorgeschriebene Prüfungsverfahren muß als das gültige anerkannt werden, insofern es der Praxis entspricht und höchst unbedeutende Arsenspuren im Brechweinstein zugelassen werden müssen.

Eine andere Methode der Prüfung des Brechweinsteins auf Arsen ist die BETTEN-DORF'sche. In einen langen und weiten Reagiercylinder giebt man circa 0,3 g des Antimonylsalzes, dazu eine doppelt so große Menge Stannochlorid (Zinnchlorür) und von der offizinellen Salzsäure etwa 3 ccm. Nach genügender Agitation giebt man zu diesem Gemisch behutsam 1 bis 1,5 ccm konzentrierte Schwefelsäure, so daß diese an der Innenwandung des Cylinders sanft herabfließt. Dieser Zusatz geschehe an einem zugigen Orte, und man halte die Öffnung des Cylinders von sich abgewendet, so daß beim etwaigem Herausspritzen das Gesicht nicht gefährdet ist. Es empfiehlt sich, dem Cylinder einen kleinen Glastrichter aufzusetzen, das Abflußrohr desselben an die Glaswandung anzulegen und nun die Schwefelsäure tropfenweise in den Trichter einfließen zu lassen. Stände eine arsenfreie, etwa 33prozentigen Salzsäure zur Disposition, so wäre natürlich der Schwefelsäurezusatz überflüssig.

Den mit einem Trichter geschlossenen Cylinder agitiert man sehr sanft und langsam, bis die Mischung vervollständigt ist. Bei Zusatz von Schwefelsäure ist ein Erhitzen des Cylinderinhaltes nicht notwendig, wohl aber, wenn konzentrierte Salzsäure in Anwendung kommt. Wäre nicht alsbald in der heißen Flüssigkeit eine dunkle Färbung eingetreten, welche die Gegenwart des Arsens anzeigt, so stellt man den Cylinder auf mehrere Stunden bei Seite. Ist auch dann keine dunkle Färbung erkennbar, so ist auch Arsen nicht gegenwärtig.

Diese letztere Prüfung stimmt in ihren Resultaten mit derjenigen der Pharmakopöe überein, dagegen ist die alkalische Arsenwasserstoffmethode als die schärfste zu betrachten.

Bei dieser Gelegenheit macht Vf. darauf aufmerksam, daß die Anweisung im Kommentar zur Pharm. Germ. 2. p. 643, aus dem *Goldschwefel* das etwa vorhandene Schwefelarsen mittels Ammoniumdicarbonatlösung zu extrahieren, eine irrtümliche ist, und dieses Dicarbonat durch das gewöhnliche Ammoniumsesquicarbonat besser ersetzt wird, denn Antimonsulfid ist in der Lösung des Ammoniumsesquicarbonats nicht löslich. Ferner wolle man die oben angeführte Prüfung des Brechweinsteins auf Arsengehalt mittels Extraktion mit ammoniakalischen Weingeist, Kommentar 2. p. 696, als eine unpraktische streichen. (Pharm. Centralh. 25. 538—39.)

W. J. Taylor, *Nachweis von Cyaniden neben Ferrocyaniden.* Destilliert man ein Gemenge von Cyankalium und Ferrocyankalium mit verdünnten Säuren, z. B. Salzsäure, Schwefelsäure oder auch Essigsäure, so verhält sich dasselbe ganz so, wie eine Lösung von reinem Ferrocyankalium: man erhält in beiden Fällen Cyanwasserstoff, welcher in Schwefelammonium geleitet, Schwefelcyankalium giebt, das sich leicht durch die bekannte Eisenreaktion nachweisen läßt. Es ist demnach nötig, eine Substanz zu finden, welche das Cyanid zersetzt, ohne das Ferrocyanid anzugreifen. Diese Bedingung erfüllt das Natriumdicarbonat. Dasselbe läßt eine zehnprozentige Lösung von Ferrocyankalium unangegriffen, während es bereits eine 0,01 prozentige Lösung von Cyankalium vollständig zersetzt. Cyanquecksilber wird weniger leicht angegriffen, setzt man aber etwas metallisches Zink hinzu, so erhält man leicht, wenn man wie oben verfährt, die blutrote Färbung mit Eisenchlorid. Es wurden 20 ccm einer 0,01prozentigen Lösung von Cyanquecksilber mit 2 g Dicarbonat und 5 g Zink destilliert. Der erste Kubikzentimeter, welcher überging, wurde wie oben behandelt und gab sofort die Rhodanreaktion. Die Reaktion wird durch die Gegenwart von Kaliumsulfat, Ferricyankalium, Rhodankalium und Ammoniaksalze nicht gehindert.

Um demnach Cyanide der Gegenwart von zusammengesetzten Cyaniden nachzuweisen, destilliert man die Substanz mit einer angemessenen Menge Wasser und überschüssigem Natriumdicarbonat. Hat man durch eine vorhergehende Probe gefunden, daß Quecksilber zugegen ist, so muß man einige Gramm Zink hinzusetzen.

Diese Methode dürfte besonders bei der gerichtlichen Analyse willkommen sein. Da sie mit einer Farbenreaktion endigt, so läßt sie sich vielleicht auch quantitativ, wenigstens annähernd, durch Farbenvergleichung gestalten. (Chem. N. 50. 227. 14. Nov.)

R. W. Atkinson, *Maßanalytische Bestimmung des Eisens.* Das gut getrocknete Eisenerz wird durch Kochen mit konzentrierter Salzsäure aufgelöst, die Lösung von Eisenchlorid reduziert und mit Kaliumdichromat und Ferricyankalium titriert. Die Reduktion kann mit Zink, Zinnchlorür oder Schwefligsäure vorgenommen werden. Nach dem Vf. hat letztere Methode große Vorzüge. Die filtrierte Eisenchloridlösung wird mit Ammoniak neutralisiert und eine konzentrierte Lösung von Ammoniumdisulfit und kochendes Wasser zugefügt; dann wird mit Schwefelsäure angesäuert und ¼ Stunde gekocht, um die überschüssige Schwefligsäure zu entfernen. Die Titration wird mit Kaliumdichromatlösung (1ccm entspricht 0,00025g Fe) unter Anwendung von frischem Ferricyankalium als Indikator ausgeführt. (Chem. N. **49**. 217.)

Theodor Benas, *Zur maßanalytischen Bestimmung des Zinns und über einige Zinnoxydulsalze. I. Zur maßanalytischen Bestimmung des Zinns in saurer und alkalischer Lösung.* Den bisher in der Litteratur mitgeteilten Erfahrungen zufolge hat man die bei der Titration des Zinns beobachteten Unregelmäßigkeiten auf zwei Ursachen zurückgeführt, nämlich 1. auf die Einwirkung des im Wasser absorbierten Sauerstoffes und 2. auf eine unvollständige Umsetzung zwischen dem Zinnchlorür und dem Oxydationsmittel, veranlaßt entweder durch Verdünnung oder Säuregehalt der Lösung. Was die erste Erklärungsweise anbetrifft, so hat sie schon nach dem bekannten Verhalten der Zinnoxydulsalze an der Luft große Wahrscheinlichkeit für sich und ist auch durch eine Reihe wohl angeordneter Versuche überzeugend dargethan. Indessen sind die letzteren nicht derart, daß sie daneben nicht auch die andere Erklärungsweise zuließen. Denn da sie nur mit gemessenen Mengen Zinnlösung von nicht genau bekanntem Zinngehalte, und nicht mit gewogenen Mengen Zinnsalz angestellt sind, so sind sie zwar unter einander vergleichbar, bieten aber keine Sicherheit dafür, daß die bei Benutzung luftfreien Wassers erhaltenen, wenn auch unter einander übereinstimmenden Resultate wirklich den gesamten Zinngehalt der Lösung angeben, und daß sie nicht etwa stets mit einem bestimmten Minus behaftet sind, welches der behaupteten unvollständigen Oxydation zugeschrieben werden könnte. Außerdem ist nicht untersucht worden, ob nicht neben dem in der Zinnlösung absorbierten Sauerstoffe auch derjenige der die Oberfläche der Flüssigkeit beim Titrieren umgebenden äußeren Luft und der in der stets lufthaltigen Titrierflüssigkeit enthaltene Sauerstoff einen störenden Einfluß ausübt. Alle diese Punkte suchte Vf. in der Absicht, eine zuverlässige maßanalytische Bestimmungsmethode für das Zinnoxydul zu ermitteln, durch eine Reihe von Versuchen zu entscheiden.

Als Oxydationsmittel wurde hierbei, abweichend von den früheren Chemikern, nicht Chromsäure (und Jodkalium), sondern wie von Lenssen, Jodlösung benutzt, weil so 1. der chemische Vorgang einfacher ist, und 2. die Endreaktion durch Jodstärke in der farblosen Lösung schärfer, als in der durch Chromchlorid grün gefärbten wahrgenommen werden kann. Das Ergebnis dieser Untersuchungen läßt sich in kürze folgendermaßen zusammenfassen:

1. Als Ursache der bei der Titration saurer Zinnoxydullösungen beobachteten Unregelmäßigkeiten ist ausschließlich der Sauerstoff anzusehen, und zwar nicht nur: a. der von Streng, Kessler und Löwenthal auch derjenige der Oberfläche der Flüssigkeit beim Titrieren in betracht gezogene, in der Zinnlösung enthaltene, sondern auch b. derjenige der lufthaltigen Titrierflüssigkeit, und c. in konzentrierten Lösungen auch der Sauerstoff der die Flüssigkeitsoberfläche beim Titrieren umgebenden äußeren Luft.

Dagegen ist:

2. die Behauptung Lenssen's, daß das Zinnoxydul in saurer Lösung nicht vollständig in Oxyd übergeführt werden könne, irrig; denn einerseits läßt sich nach beendigter Titration (Eintritt der blauen Jodstärkereaktion) kein Zinnoxydul mehr nachweisen und andererseits sind:

3. die Konzentration und der Säuregehalt der Lösungen nicht an sich, sondern nur bei Gegenwart des Sauerstoffes von Einfluß, indem a. durch wechselnde Mengen lufthaltigen Wassers verschiedene Mengen Sauerstoff eingeführt werden, oder b. ein wechselnder Säuregehalt die Schnelligkeit der durch den absorbierten Sauerstoff bewirkten Oxydation ändert.

4. Auch bei der von Lenssen empfohlenen und von Mohr als fehlerfrei bezeichneten Titriermethode des Zinns mit Jod in alkalischer Lösung werden durch den Sauerstoff gleiche Störungen hervorgerufen, wie in saurer Lösung.

5. Übereinstimmende und zuverlässige Resultate können demnach nur dann erhalten werden, wenn man den Sauerstoff entweder ganz ausschließt oder doch seinen Einfluß möglichst verringert. Am bequemsten läßt sich dies bei Anwendung saurer Lösungen bewirken, und man verfährt dann zweckmäßig so, daß man die zu untersuchende Zinnoxydulverbindung in luftfreiem salzsaurem Wasser auflöst und diese Lösung darauf sofort zu überschüssiger Jodlösung hinzubringt. Schließlich wird das nach der Oxydation des Zinns noch vorhandene Jod in bekannter Weise mit Natriumhyposulfit zurückgemessen. Die Verdünnung ist ungefähr so zu wählen, daß auf 250 mg Salz etwa 100 ccm Wasser kommen.

II. *Über einige Zinnoxydulsalze.* In diesem Abschnitte werden beschrieben:

1. *das wasserfreie krystallisierte Zinnchlorür*, SnCl₂, Einfachchlorkaliumzinnchlorür, SnCl₂KCl.H₂O, Zweifachchlorkaliumzinnchlorür, SnCl₂.2KCl.H₂O. Ersteres Salz erhält man, sobald eine etwa 40° C. warme konzentrierte Zinnchlorürlösung (1 : 0,5) mit gesät-

tigter Chlorkaliumlösung versetzt wird. Konzentrierte Salzsäure zerlegt das Salz in Chlorkalium und das Zweifach-Kaliumchloridzinnchlorür, während letzteres durch Behandeln mit Wasser in das Salz mit 1 Mol. KCl übergeführt wird.

2. Das Zweifach-Chlorammoniumzinnchlorür, $SnCl_2.2NH_4Cl H_2O$, und Einfach-Chlorammoniumzinnchlorür, $SnCl_2.NH_4Cl$, entstehen aus Chlorammonium und Zinnchlorür.

3. Das Zinnbromür, $\left(SnBr_2 + {}^\alpha_\beta \begin{matrix} 1H_2O \\ 2H_2O \end{matrix} \right)$ ist bis jetzt nur schlecht bekannt. Granuliertes Zinn löst sich in kochend heiſser konzentrierter Bromwasserstoffsäure vom spez. Gewichte 1,48 ziemlich leicht mit grünlichgelber Farbe auf. Die konzentrierte erkaltete Lösung liefert die farblosen, seidenglänzenden Nadeln des $SnBr_2 + 1H_2O$, welche sich im polarisierten Lichte als doppeltbrechend erweisen. Die Krystalle zerflieſsen in feuchter Luft und verwittern unter Verlust des Krystallwassers in ganz trockner Luft. Letzteres läſst sich durch längeres Erhitzen auf 70—80° vollständig entfernen. Die Lösung des Salzes in Wasser ist nur dann vollkommen klar, wenn man auf einen Teil der frisch bereiteten Verbindung nicht mehr als höchstens $^2/_3$ Tle. Wasser anwendet. Gröſsere Mengen Wasser zersetzen das Salz, indem sich ein gallertartiger weiſser Niederschlag bildet. Die wässerigen Zinnbromürlösungen liefern, zur Krystallisation gebracht, ein zweites, von dem aus konzentrierter Bromwasserstoffsäure gewonnenen, verschiedenes Salz mit 2 Mol. H_2O. Dasselbe bildet groſse monokline Säulen oder Tafeln, welche leicht verwittern und schnell in das Salz mit 1 Mol. H_2O übergehen. Von Doppelsalzen des Zinnbromürs stellte Vf. dar: das Einfach-Bromkaliumzinnbromür, $SnCl_2.KCl.H_2O$, und die Bromammoniumverbindungen: $SnBr_2.2NH_4Br.H_2O$, $SnBr_2.1NH_4Br.H_2O$, $2SnBr_2.1NH_4Br$. (Inaug.-Dissert. 28. Mai 1884. Berlin.)

Henry B. Parsons, *Zur Bestimmung der Reinheit von Chininsulfat.* Vf. prüfte, ob die KERNER'sche Methode (**80.** 315; **81.** 88) praktisch sei und verläſsliche Resultate liefere. Vor allem zeigen die Versuche, daſs die Probe besonders dann zu Irrtümern führen könne, wenn nicht sehr genau nach Vorschrift verfahren wird; werden alle von KERNER angegebenen Versuchsbedingungen erfüllt, so gelangt man zu den Erfahrungen, welche Vf. machte, manche Chininfabrikate weniger als die vorgeschriebenen 7 ccm Ammoniaklösung. Der Durchschnitt von 1033 Analysen betrug 6,1 ccm Ammoniak. (Vortrag gehalten vor der 32. Jahresvers. der „A. P. A." zu Milwaukee. D.-Amer. Apoth.-Ztg. **5.** 430—31.)

Otto Schweissinger, *Zur Erkennung des Atropins.* Vor einiger Zeit veröffentlichte A. W. GERRARD (Pharm. Journ. and Trans. (3) No. 715) einen Aufsatz über das Verhalten des Atropins zu Quecksilberchlorid. Im Gegensatz zu allen anderen Alkaloiden gab das Atropin mit diesem Reagens einen roten Niederschlag. Die meisten der anderen Alkaloide wurden weiſs, Codeïn und Morphin blaſsgelb, Strychnin und Coffeïn gar nicht gefällt. Vf. hat die GERRARD'schen Versuche wiederholt und dieselben auch auf eine Anzahl anderer Alkaloide, wie Arbutin, Condurangin, Cocaïn, Scoparin, Paracotoïn, Sparteïn, Hyoscyamin, Hamatropin, und einige den Chinolinderivaten nahe stehende Basen ausgedehnt, welche von GERRARD noch nicht untersucht worden waren.

Als Reagens diente wie bei GERRARD eine 5 p. c. Quecksilberchloridlösung in Weingeist von 50 p. c. Ein Körnchen des betreffenden Alkaloids wird mit 2 ccm des Reagens übergossen und schwach erwärmt. Die Ergebnisse bestätigen die Angaben G.'s vollkommen. Die Reaktionen gehen nur in den Lösungen der reinen Alkaloide vor sich, nicht in denjenigen der Salze; Atropinsulfat scheidet jenen roten Niederschlag nicht aus. Die GERRARD'sche Atropinprobe tritt in der vorgeschriebenen Konzentration sicher ein; Hyoscyamin giebt in konzentrierter Lösung dieselbe Reaktion, Hamatropin nicht. Die GERRARD'sche Probe ist in Verbindung mit der ARNOLD'schen (**82.** 647) geeignet, Atropin, Hyoscyamin und Hamatropin voneinander zu unterscheiden. Wendet man anstatt der fünfprozentigen eine einprozentige Lösung des Quecksilberchlorids an, so vollziehen sich die Reaktionen noch deutlicher, besonders was den Unterschied zwischen Atropin und Hyoscyamin anbelangt. (Pharm. Ztg. **29.** 683. Heidelberg.)

Ferd. Aug. Falck, *Beitrag zum Nachweis des Strychnins.* Vf. schildert den physiologischen Nachweis des Strychnins, welcher nach Ansicht dem chemischen Nachweis als ebenbürtig zur Seite gestellt werden darf; für „unendlich viel feiner," als den chemischen Nachweis (wie RANKE angiebt) kann man jenen aber nicht erklären. (EULENBERG's Vierteljahrsschr. f. ger. Med. u. öff. Sanit.-Wesen. N. F. **41.** 345—51. Kiel.)

Georg Buchner, *Zur Zuckerprüfung im Harn.* Bekanntlich kommen nicht selten zuckerhaltige Harne vor, namentlich solche mit geringem, unter 1 p. c. betragendem Zuckergehalt, welche sowohl auf Zusatz von Kupfersulfatlösung und Kalilauge, als auch von FEHLING'scher Kupferlösung eine lasurblaue Flüssigkeit geben, welche beim Erwärmen goldgelb bis bräunlich, oft auch grünlich und opalisierend werden, und auch beim Kochen kein Kupferoxydul ausscheiden. Der Genannte macht nun in der „Chem. Ztg." (1884. p. 945) auf die Fällungen aufmerksam, welche namentlich Harnsäure und Kreatinin mit Kupferlösung hervorbringen, und empfiehlt für derartige Harne, welche sich, wie angedeutet, verhalten, zuerst mit einer verdünnten Kupfersulfatlösung (1 : 10) zu erhitzen, den erhaltenen Niederschlag abzufiltrieren, und darauf das einen Überschuß von Kupfersulfat enthaltende Filtrat mit Kalilauge und Seignettesalzlösung zu versetzen, bis eine lasurblaue Flüssigkeit entstanden ist. Bei der geringsten vorhandenen Zuckermenge wird alsdann schön rotes Kupferoxydul ausgeschieden. (Chem. Ztg. 1884. 945.)

M. Schmöger, *Bericht über die Thätigkeit des milchwirtschaftlichen Instituts zu Proskau für das Jahr vom 1. April 1883 bis 1. April 1884.* Dieser Bericht enthält zuerst Mitteilungen über die Einrichtung des genannten Instituts und dann ein Referat über folgende Arbeiten: 1. Über Centrifugenkäse; 2. Entrahmungsversuche mit der dänischen Milchcentrifuge; 3. Über zwei- und dreimaliges Melken; 4. Über Fettbestimmung in der Milch mittels des SOXHLET'schen aräometrischen Apparates; 5. Über Zuckerbestimmung in der Milch. (Bericht.)

Y. Shimoyama, *Über die quantitative Bestimmung der Chinaalkaloide.* — 1. Bestimmung des Gesamtalkaloidgehaltes der Chinarinden. Der Vf. bespricht die hierzu von anderen empfohlenen Methoden, unter anderen auch die der deutschen Pharmacopöe, und findet dieselbe unzulänglich. Am besten hat er nach seinen Versuchen die Methode von H. MEYER (**83.** 200) gefunden, deren Ausführung er bespricht. (Arch. Pharm. [3] **22.** 695—99.)

L. Arschbutt, *Bestimmung von freien Fetten in Ölen.* Statt des gewöhnlichen Alkohols und Äthers, deren man sich bei der Bestimmung der freien Fettsäuren zur Auflösung des Fettes bedient, gebraucht Vf. doppelt destillierten Methylalkohol, welchen er vorher mit Natronlauge neutralisiert, bis einige Tropfen Phenolphtaleïn demselben eine schwach rosa Farbe erteilen. Es wird titriert mit Normalsoda (40NaHO in einem Liter) wobei 1 ccm entspricht: 0,040 g SO₃, 0,281 g Ölsäure, 0,283 g Stearinsäure, 0,255 g Palmitinsäure. Viele Öle enthalten kleine Mengen von freien Mineralsäuren, welche nach dem Raffinationsprozeß nicht ausgewaschen sind. Diese kann man schnell dadurch entdecken und bestimmen, daß man das Öl anstatt mit Alkohol und Phenolphtaleïn mit Wasser und Methylorange schüttelt, welch letzterer Indikator bekanntlich durch fette Säuren nicht angegriffen wird. Am besten trennt man in diesem Falle vorher das Wasser vom Öle und titriert beide einzeln für sich. (Analyste; Rep. anal. Chem. **4.** 330.)

Wiley, *Über ein Mittel, das Ende der Kupferreaktion zu erkennen.* Bei allen mittels der FEHLING'schen Lösung ausgeführten Bestimmungen beurteilt Vf. das Ende der Reduktion, indem er einige Tropfen der Flüssigkeit in ein weißes Gefäß, etwa einen Porzellantiegel, filtriert, in welchem sich vorher ein Tropfen, mit Essigsäure angesäuerter Ferrocyankaliumlösung befindet. Zu genauen Resultaten ist es notwendig, so rasch wie möglich und bei hoher Temperatur zu filtrieren; hierzu ist folgendes Verfahren anwendbar: Man nimmt eine beiderseits offene Glasröhre von 10—20 cm Länge und 20—30 mm Durchmesser, deren eines Ende durch Erhitzen und Aufstoßen auf dem Tisch eine kleine Wulst hat, über welcher man ein Stückchen feine Leinwand festbindet. Man bringt nun dieses Ende der Röhre in ein Schälchen mit fein zerschnittenem und in Wasser verteiltem Asbest, worauf man etwa 1 ccm Wasser ansaugt. Dadurch erhält der Leinwandverschluß einen Überzug von einer schwachen Schicht Asbest. Das Wasser wird ausgegossen. Wenn man nun eine Reduktion ausgeführt hat und beendet glaubt, so führt man das verbundene Ende der Glasröhre in die siedende Flüssigkeit und saugt einige Tropfen auf, die man dann in den Tiegel mit der Blutlaugensalzlösung ausfließt. Erscheint ein brauner Kupferniederschlag, so ist dies ein Beweis dafür, daß die Reduktion noch nicht vollendet ist, und es muß noch Zuckerlösung zugefügt werden, bis kein Niederschlag mehr erscheint. Man kann so mit der größten Genauigkeit das Ende der Reaktion erkennen. Die Röhre wird in verdünnter Salpetersäure und dann in Wasser ausgewaschen und ist zum Gebrauche wieder fertig; gut ist es, stets mehrere zur Verfügung zu haben. (Bull. assoc. chim. 1884. No. 4; Zschr. d. Ver. f. Rüb.-Zuck.-Ind. **21.** 1151.)

G. Dragendorff, *Beiträge zur gerichtlichen Chemie.* Im Anschlusse an seine früheren Untersuchungen (**82.** 732) veröffentlicht die Vf. jetzt eine weitere Fortsetzung derselben. I. Über Chinidin (Conchinin) und Cinchonidin. II. Über die wichtigeren Berberideenalkaloide: Berberin, Oxyacanthin und Hydrastin. III. Über Caffeïn und Theobromin. (Pharm. Ztschr. f. Rußl. **23.** 665—74. 681—90. 697—706.)

Kleine Mitteilungen.

Gummiöl, ein Öl, welches gegen Rost schützen soll, wird auf folgende patentierte Weise hergestellt: Die rohen Öle, welche man bei der trocknen Destillation von Brownöl, Torf oder anderen erdharzigen Substanzen erhält, werden einer weiteren Destillation unterworfen. Dünn gerollter Gummi (India-Rubber), in schmale Streifen geschnitten, wird mit einer vierfachen Quantität dieses Öles gesättigt und acht Tage lang stehen gelassen. Die so zusammengesetzte Masse wird dann der Einwirkung von Vulkanöl oder einer ähnlichen Flüssigkeit unterworfen, bis sich eine ganz gleichförmige, klare Substanz gebildet hat. Diese Substanz, in einer möglichst dünnen Schicht auf Metallflächen aufgetragen, bildet nach langsamem Trocknen eine Art Häutchen, welches vollkommenen Schutz gegen atmosphärischen Einfluß darbietet. Die Dauerhaftigkeit dieses Überzuges soll aufs höchste befriedigend sein. Dieses Öl soll aber auch dazu dienen, bereits gebildeten Rost zu entfernen. (Metallarbeiter; Pol. Notizbl. **39**. 233.)

Neue Art der Reinigung von Niederschlägen, von K. ZULKOWSKY. Wie Vf. bereits früher fand, scheidet sich beim Schütteln eines filtrierten Malz- oder Hefenauszuges mit $^1/_4$—$^1/_3$ Raumteil Äther das als durchsichtige, schleimige Masse in der Flüssigkeit verteilte Ferment nach kurzer Ruhe als froschlaichartige Masse in der obenauf schwimmenden Ätherschicht ab. Diese Masse wird beim Schütteln mit Äther in unzählige kleine Kügelchen zerteilt, welche durch die feinen Äthertropfen beim Aufsteigen derselben an die Oberfläche mit nach oben genommen werden. Die Erklärung für diese Wirkung des Äthers fand kürzlich eine Bestätigung. Eine bei der Darstellung eines Farbstoffes aus Salicylaldehyd und Phenol erhaltene Substanz war so schleimig, daß sie sich selbst bei tagelangem Stehen nicht absetzte, auch durch Filtration oder Dekantation nicht gereinigt werden konnte. Bei minutenlangem Schütteln der Flüssigkeit mit $^1/_4$—$^1/_3$ Volum Äther trat indessen sofort eine Trennung des Niederschlages ein, der an die Oberfläche getragen und in der Ätherschicht abgeschieden wurde. Diese Reinigungsmethode, die sowohl für organische, wie für mineralische Niederschläge möglich ist, und die der Vf. „Ätherscheidung" nennt, dürfte bei der Herstellung von Präparaten oftmals gute Dienste leisten. Wird z. B. aus Alaunlösung die Thonerde mit Ammoniak ausgefällt, so scheidet sich letztere beim Schütteln der Flüssigkeit mit $^1/_3$ Raumteil Äther sofort nach oben ab. Vf. hat die Ätherscheidung, welche übrigens bei verschiedenen Substanzen verschieden schnell erfolgt, bis jetzt namentlich bei Eisen-, Chrom-, Mangan-, Nickel-, Kupfer- und Magnesiumverbindungen beobachtet. (Ber. zur Förd. d. chem. Industrie; Pol. Notizbl. **39**. 280.)

Beiträge für das Centralblatt bittet man an die Redaktion (Leipzig, Lessingstr. 5) zu richten. Originalarbeiten von nicht zu großem Umfange werden entsprechend honoriert und gelangen stets sofort nach der Einsendung, und zwar in kürzester Frist, zum Abdruck.

Redaktion: Prof. Dr. **Rud. Arendt** in Leipzig.

Verlag von Leopold **Voss** in Hamburg und Leipzig. — Druck von **Metzger & Wittig** in Leipzig.

No. 52.

Chemisches
Central-Blatt.

24. Dezemb. 1884.

Wöchentlich eine Nummer von
1–2 Bogen. Der Jahrgang mit
Sach- und Namen-Register,
nebst system. Übersicht.

Der Preis des Jahrgangs
ist 30 Mark. Durch alle
Buchhandlungen und Post-
anstalten zu beziehen.

REPERTORIUM
für reine, pharmazeutische, physiologische und technische Chemie.

Dritte Folge. XV. Jahrgang.

Wochenbericht.

1. Allgemeines und Physikalisches.

Edward Hart, *Neue Formen von Laboratoriumsapparaten.*
1. *Apparat zur fraktionierten Destillation.* Das Abflußrohr einer LIE-
BIG'schen Aufsatzröhre geht ein wenig nach oben, wird alsdann in Zickzack-
form nach aufwärts gebogen und mit dem Kühler verbunden. Auf diese Weise
bildet es einen Dephlegmator.

2. *Ein Ventil zum Gebrauche für die Permanganattiterlösung.* Dasselbe
besteht aus einer oben zugeschmolzenen, durch den Kork gehenden Glasröhre,
welche seitlich oberhalb des Korkes ein Loch hat, und dient hauptsächlich als
Verschluß von Flaschen, welche die zur Einstellung einer titrierten Permanganatlösung bestimmte Eisenchlorür-lösung enthalten. Sobald die Gase,
Luft oder Dämpfe aus der siedenden Flüssigkeit ausgetrieben sind, wird die
Röhre in den Kork bis zur Verdeckung des Loches eingesenkt.

3. *Eine Retorte und ein Rezipient zur Destillation im kleinen.* Erstere besteht aus einem rechtwinklig gebogenen Reagensgläschen, über dessen kürzeren
Schenkel eine längere Röhre als Rezi-pient geschoben wird. Verf. benutzt
diesen Apparat bei der Herstellung der Chlorochromsäure behufs Nachweises
von Chlor. (Amer. Chem. Journ. **6.** 178—80.)

3. Anorganische Chemie.

Albert R. Leeds, *Die Litteratur des Ozons und Wasserstoffsuperoxydes.* (Chem. N.
50. 215—18. 7. Nov.)

F. P. Dunnington und **C. L. Reese,** *Vergleichende Oxydation von Lösungen von
schwefliger Säure und Sulfiten.* Das angewendete Natriumsulfit enthielt ungefähr ein

Fünftel Sulfat. Sein Gehalt an schwefliger Säure wurde zuvor genau bestimmt, dann wurden drei Lösungen davon, 1, 3 und 5, und zwei Lösungen von schwefliger Säure, 2 und 4, in Stöpselgläser gegossen, so dafs diese beinahe davon angefüllt waren. Die Öffnungen wurden mit Korken verschlossen, durch deren Durchbohrung kurze, 2 mm weite, offene, aufsen zur Verhütung von Staub umgebogene Glasröhren gingen. Die Flaschen wurden neben einander in das Tageslicht gestellt und jede Woche daraus eine Probe zur Analyse entnommen. Die in der folgenden Tabelle zusammengestellten Resultate geben den Gehalt von SO_2 in 1000 Teilen Wasser an:

	1	2	3	4	5
Anfang	21,10	6,00	3,77	1,063	0,765
Nach 1 Woche	20,60	5,94	2,45	0,971	0,183
„ 2 Wochen	18,30	5,29	1,28	0,737	0,028
„ 3 „	17,16	4,97	0,64	0,664	0,006
„ 4 „	16,42	4,62	0,29	0,577	—
„ 5 „	15,53	4,61	0,18	0,461	—
„ 6 „	14,21	4,29	0,11	0,362	—
„ 7 „	13,03	3,73	0,00	0,240	—
„ 8 „	11,93	3,52	—	0,162	—
„ 9 „	11,05	3,16	—	0,100	—
„ 10 „	9,21	2,95	—	0,072	—
„ 11 „	8,70	2,77	—	0,055	—
„ 12 „	7,34	2,55	—	0,031	—
Nach 12 W. oxydiert	13,76	1,85	3,77	1,055	0,765

Bezeichnet man in jedem Falle den ursprünglichen Gehalt an schwefliger Säure mit 100, so erhält man folgende Zusammenstellung:

	1	2	3	4	5
Anfang	100	100	100	100	100
Nach 1 Woche	98,1	99,1	65,1	91,3	23,8
„ 2 Wochen	86,7	88,2	35,4	69,3	2,3
„ 3 „	81,4	82,9	17,0	62,3	0,7
„ 4 „	77,8	76,9	7,8	54,3	0,0
„ 5 „	72,6	76,8	4,8	43,4	—
„ 6 „	67,3	71,6	2,7	34,0	—
„ 7 „	61,7	62,1	0,0	22,6	—
„ 8 „	56,5	58,6	—	15,1	—
„ 9 „	52,4	52,7	—	9,4	—
„ 10 „	43,6	49,2	—	6,5	—
„ 11 „	41,2	46,1	—	5,1	—
„ 12 „	34,1	42,5	—	2,9	—
Nach 12 W. oxydiert	65,9	30,8	100,0	98,3	100,0

Aus diesen Zahlen läfst sich folgendes schliefsen:

1. Die verdünnteren Lösungen oxydieren rascher.

2. Die verdünnten Lösungen des Sulfites werden rascher oxydiert, als die der schwefligen Säure.

3. Obgleich Lösung 2 nicht so stark oxydiert wurde, als Lösung 1, so nimmt doch ihr Gehalt an schwefliger Säure nahezu in demselben Verhältnisse ab.

4. Die Sulfitlösung nimmt, solange sie noch Sulfit enthält, Sauerstoff in nahem konstantem Verhältnisse auf, und zwar unabhängig von der Konzentration der Lösung. (Chem. N. **50**. 219. 7. Nov.)

Prud'homme, *Einwirkung doppeltschwefligsaurer Salze auf Chlorate.* Freie schweflige Säure giebt mit Chlorsäure Schwefelsäure und Chlorwasserstoffsäure. Die Disulfite der

Alkalien hingegen reduzieren die Chlorate nur in unvollständiger Weise, welche in folgenden Gleichungen ihren Ausdruck findet:

$$NaClO_3 + NaHSO_3 = HClO_2 + Na_2SO_4 \text{ und}$$
$$NaClO_3 + 2NaHSO_3 = HClO + Na_2SO_4 + NaHSO_4.$$

Das im letzteren Falle gebildete Natriumdisulfat kann wiederum auf Disulfit einwirken und daraus schweflige Säure frei machen, welche ihrerseits reduzierend auftreten wird. Giefst man 30°-Natriumdisulfit in eine konzentrierte Lösung von chlorsaurem Natrium (z. B. 100 g in 1 l), so findet heftige Einwirkung statt, namentlich, wenn die Lösung des Chlorates schon vorher warm war. Das Disulfit mufs in kleinen Gaben zugefügt werden; die Flüssigkeit wird sich bald von selbst bis zum Sieden erhitzen. Finden sich auf dem Boden des Gefäfses noch ungelöste Chloratkrystalle, so bewirken dieselben bei ihrer Berührung mit dem Disulfit eine Reihe kleiner Explosionen.

Während der Dauer der Einwirkung entwickelt sich ein starker Geruch nach Chloroxydationsprodukten und nach schwefliger Säure. Die Flüssigkeit entfärbt Indigo und andere Farbstoffe und verwandelt die Cellulose in von G. Witz beschriebene Oxycellulose, welche durch ihre Anziehung des Methylenblau u. s. w. leicht zu erkennen ist. Mit Anilinsalzen giebt die chlorhaltige Flüssigkeit Anilinschwarz; diese Bildungsweise des letzteren Farbstoffes ist insofern bemerkenswert, als dieselbe durch Disulfit hervorgerufen wird; sie bestätigt aufserdem die von Rosenstiehl aufgestellte Theorie über die Bildung von Anilinschwarz durch verschiedene Chloroxydationsstufen.

Läfst man Chlorat und Disulfit in Gegenwart von Alkohol auf einander einwirken, so bilden sich u. a. gechlorte Äther. Das Gemisch von Natriumchlorat und Natriumdisulfit läfst sich bei stattgehabter Einwirkung in die von Krystalle von Natriumsulfat anschiefsen. (Bull. de Mulhouse 1884. 436; Pol. J. **254**. 226.)

K. Olszewski, *Relation zwischen dem Druck und der Temperatur des flüssigen Kohlenoxydes.* Vollständig von Kohlensäure befreites Kohlenoxyd wurde in einer Natterer'schen Flasche, in welche man einige Stücke geschmolzenes Kaliumhydrat gebracht hatte, bis 70 Atm. komprimiert. Hierbei wurden folgende Resultate erhalten.

Druck	Temperatur	Druck	Temperatur
35,5 Atm.	−139,5° (kritischer Punkt)	16,1 Atm.	−154,4°
25,7 „	−145,3	14,8 „	−155,7
23,4 „	−147,7	6,3 „	−168,2
21,5 „	−148,8	4,6 „	−172,6
20,4 „	−150,0	1,0 „	−190,0
18,1 „	−152,0	Vakuum	−211,0 (Erstarrungspunkt)

Bei Temperaturen zwischen −139,5° und −190° ist das flüssige Kohlenoxyd durchscheinend und farblos; beim Vakuum sinkt die Temperatur auf −211°, und die Flüssigkeit erstarrt zu einer schneeigen oder auch zu einer kompakten opaken Masse, je nachdem das Vakuum rasch oder langsam erzeugt war. Stellt man es hinreichend langsam her, so dafs das Kohlenoxyd nicht ins Sieden kommt, sondern nur an der Oberfläche verdampft, so ist es im erstarrten Zustand vollkommen durchsichtig. Erhöht man den Druck auf 1 Atm., so schmilzt die Masse zu einer farblosen Flüssigkeit.

Die Versuche haben gezeigt, dafs das gasförmige Kohlenoxyd, welches dem Stickstoff in mancher Hinsicht ähnlich ist, sich von diesem bei sehr niedriger Temperatur unterscheidet: seine kritische Temperatur und sein Siedepunkt bei 1 Atm. liegen um einige Grade höher, als beim Stickstoff; auch die Erstarrungstemperaturen der beiden Gase sind ziemlich verschieden, denn es gelang niemals, den Stickstoff allein durch Anwendung des Vakuums zum Erstarren zu bringen, während das Kohlenoxyd unter analogen Bedingungen fest wird, indem es eine höhere Temperatur giebt, als der im Vakuum verdampfende Stickstoff. Diese Differenzen rühren jedenfalls daher, dafs das Kohlenoxyd ein festes Element enthält. (C. r. **99**. 706—7 [27.*] Okt.)

S. U. Pickering, *Über isomere Modifikationen des Natriumsulfates.* Der Vf. hat die Lösungswärme des Natriumsulfats mittels Berthelot's Apparat (Mec. Chim. **1**. 140) bestimmt. Er liefs grofse Mengen des Sulfates effloreszieren, bis es nahezu wasserfrei war. Dann wurden verschiedene Mengen davon bei verschiedenen Temperaturen getrocknet. Nach den erhaltenen Resultaten ist es unzweifelhaft, dafs es zwei Modifikationen des Natriumsulfates giebt. Alle Proben, welche nicht über 150° erhitzt waren, gaben 57 cal für $Na_2SO_4 + 420 H_2O$. Mit anderen Proben, welche bis zum Schmelzpunkt erhitzt waren, wurden 760 cal erhalten. Die Existenz dieser beiden Modifikationen erklärt vielleicht die abweichenden Resultate verschiedener Autoren. (Chem. N. **50**. 232—33. 14.[6.*] Nov. London Chem. Soc.)

E. Divers, *Über die Bildung des Calciumthiosulfats.* Eine nachträgliche Bemerkung zu der Untersuchung über die Calciumhydrosulfide (S. 613). Durch eingehende Prüfung der verschiedenen Reaktionen, bei denen Calciumthiosulfat gebildet wird, kommt der Vf. zu dem Schluß, daß es wesentlich nur eine Entstehungsweise dieses Salzes giebt, nämlich die durch Vereinigung von Schwefel mit Calciumsulfit. (Chem. N. **50.** 233. 14.[6.*] Nov. London Chem. Soc.)

E. Divers und **Tetsukichi Shimidzu,** *Über Magnesiumhydrosulfidlösung und deren Gebrauch als Schwefelwasserstoffquelle bei gerichtlich-chemischen Untersuchungen.* Ein sehr gleichmäßiger Strom von gereinigtem Schwefelwasserstoff kann leicht durch mäßiges Erhitzen einer Lösung von Magnesiumhydrosulfid erhalten werden. Gewöhnliches Schwefelwasserstoffgas aus Salzsäure und Schwefeleisen bereitet wird in Wasser geleitet, in welchem Magnesia suspendiert ist. Das Gas wird absorbiert und die Magnesia gelöst. Die dekantierte Flüssigkeit ist farblos und entwickelt beim Erhitzen auf 60—65° Schwefelwasserstoffgas, welches frei von Wasserstoff und Arsenwasserstoff ist. Die Magnesia, welche während dieser Entwicklung abgeschieden wird, kann wieder zur Bereitung neuer Mengen des Hydrosulfids benutzt werden. (Chem. N. **50.** 233. 14.[6.*] Nov. London Chem. Soc.)

C. Meineke, *Über Mangansuperoxyd.* Die Resultate der gemeinschaftlichen Arbeiten, welche die auf der Generalversammlung des Vereines analytischer Chemiker (Berlin 1883) eingesetzte Kommission zur Ausarbeitung einer Normalmethode zur Bestimmung des Mangans demnächst veröffentlichen wird, lassen sich kurz dahin zusammenfassen, daß sämtliche von den in der genannten Kommission vertretenen (7) Chemikern abgegebenen Gutachten die Titrierung des Mangans mit Kaliumpermanganat empfehlen, und zwar:

1) Genau nach der von VOLHARD angegebenen Weise (**79.** 812).

2) Nach der VOLHARD'schen Methode mit der Modifikation, daß die mit Zinkoxyd neutralisierte Lösung direkt, ohne Filtration des Niederschlages titriert wird. (Chem. Ztg. **8.** 927.)

3) Nach der VOLHARD'schen Methode mit der vom Vf. eingeführten Modifikation, daß die Fällung mit einem Überschusse an Permanganat, welcher zurückgemessen wird, geschieht (**84.** 15).

4) Nach der VOLHARD'schen Methode mit der SCHÖFFEL-DONATH'schen Modifikation. Titrieren einer abgemessenen, durch Natriumcarbonat stark alkalischen, heißen Lösung von Kaliumpermanganat bekannten Gehalts durch die möglichst neutrale Lösung der Probe bis zum Verschwinden der Permanganatfarbe (**83.** 332).

Vf. unterzog die verschiedenen in Vorschlag gebrachten Methoden einer experimentellen Prüfung und lieferte, im Anschluß daran, einige vorläufige Erörterungen über die Konstitution des nach der Gleichung $3 MnO + Mn_2O_7 = 5 MnO_2$ entstehenden Niederschlages.

Was zunächst die VOLHARD'sche Methode anbetrifft, so ist es nicht gleichgültig, welche Mengen eines fremden Salzes der zu titrierenden Manganoxydlösung hinzugefügt werden. VOLHARD spricht im allgemeinen von 1 g Zinksulfat, während nach den Untersuchungen des Vf.'s, wenigstens bei der Analyse manganreicher Substanzen, diese Menge den gewünschten Zweck nicht erreichen läßt, vielmehr der zu titrierenden Lösung stets mindestens 25—30 g Zinksulfat hinzugefügt werden müssen. Es ist ratsam, in die zu titrierende Flüssigkeit größere Mengen der Permanganatlösung auf einmal einfließen zu lassen und alsdann heftig zu schütteln. Man braucht keineswegs so großen Wert auf das Vorhandensein gleicher Flüssigkeitsmengen zum Titrieren zu legen; das gleiche gilt vom Zusatz von Salpetersäure vor dem Titrieren. Ebenso braucht die Gegenwart von Chloriden gar nicht so überaus ängstlich vermieden zu werden, da die bei der Umsetzung von Manganchlorür mit Permanganat frei werdende Salzsäure auf den schließlichen Überschuß von Permanganat nicht so rasch einwirkt, daß das Erkennen der Endreaktion dadurch erschwert wird. Auch bei völliger Abwesenheit von Salzsäure ist die als Endreaktion zu betrachtende, soeben eingetretene Rötung nicht von großer Beständigkeit.

Was die Endreaktion der Titrierung und das chemische Verhalten des Niederschlages anbetrifft, so lauten die Resultate der Beobachtungen des Vf.'s gegenüber den Angaben von VOLHARD folgendermaßen:

1) Die eingetretene Rotfärbung ist bei ruhigem Stehen nach kurzer Zeit verschwunden. Digeriert man den Niederschlag nach weiterem Zusatze von Permanganat auf dem Dampfbade, so tritt unter Sauerstoffentwicklung wieder Entfärbung ein. Man kann unter Umständen bis nahezu 30 p. c. der ursprünglich bis zur eben eingetretenen Rötung verwandten Menge Permanganat mehr von letzterer zusetzen, bis die Rotfärbung bestehen bleibt. 2) Der Niederschlag wird beim Digerieren auf dem Dampfbade mit verdünnter Schwefelsäure, Salpetersäure und Essigsäure unter Sauerstoffentbindung zersetzt, und es gehen dabei nicht nur Spuren, sondern sehr beträchtliche Mengen Manganoxydul in Lösung.

Die Versuche zeigten, daſs der VOLHARD'sche Manganniederschlag wohl eine gewisse Beständigkeit hat, daſs er aber einer dauernden Einwirkung selbst sehr verdünnter Säuren nicht zu widerstehen vermag, und daſs seine Zersetzbarkeit bei gleichzeitiger Anwesenheit von Permanganat noch wächst. Der Niederschlag pflegt in dem Momente, in dem die Titrierung als beendet angesehen wurde, etwas mehr Mangan zu enthalten, als der Formel MnO_2 entspricht, und verschwindet dieses Plus bei fortgesetzter warmer Digestion mit Permanganat. Am Anfange der Titrierung ist der Niederschlag wesentlich reicher an Mangan, als der Voraussetzung entspricht, er enthält etwa die gleiche dem Superoxyde angelagerte Menge Manganoxydul, als der ohne Zusatz eines Zinksalzes dargestellte Permanganatniederschlag; schrittweise nähert sich aber bei fortgesetztem Permanganatzusatze

das Verhältnis $\dfrac{Mn^{\,1}}{+\,O}$ dem des Superoxydes und wird diesem gleich, sobald die soeben ein-

getretene Rosafärbung der Flüssigkeit das Ende der Titration anzeigt. $\left(\dfrac{Mn}{+\,O}\ \text{ist alsdann}==1.\right)$

Auf westdeutschen Eisenwerken hat man nach einer Mitteilung von LEDEBUR (Chem. Ztg. **8.** 927) die VOLHARD'sche Methode dadurch zu vereinfachen gesucht, daſs man die salzsaure, eisenhaltige Manganlösung mit Zinkoxyd fällt und, ohne den Eisenniederschlag zu filtrieren, mit Permanganat titriert. LEDEBUR erhielt jedoch bei Anwendung dieser Modifikation regelmäſsig Abweichungen von mehreren Prozenten. Dieselbe Erfahrung hat auch der Vf. bei einer groſsen Anzahl von Versuchen gemacht. Der Grund liegt darin, daſs man mit einer stets neutralen Lösung arbeitet, da die durch die Zersetzung des Manganchlorürs mittels Permanganat frei werdende Salzsäure sofort durch das im Überschuſs vorhandene, in der Flüssigkeit fein zerteilte Zinkoxyd gebunden wird, und zwar um so leichter, je gröſser dieser Überschuſs ist. Es folgt hieraus, daſs man durch die direkte Titrierung ebenfalls genaue Resultate erhalten muſs, wenn man mit Zinkoxyd so genau neutralisiert, daſs ein Überschuſs davon nicht vorhanden ist. In weit schwächerem Grade absorbiert das im Niederschlage enthaltene Eisenoxyd frei werdende Salzsäure: neutralisiert man eine Schwefelsäure enthaltende Eisenlösung, so gelingt es, alles Eisen als basisches Sulfat abzuscheiden (KESSLER, **79.** 90), auch wenn die Flüssigkeit zuletzt noch deutlich sauer reagiert; das ausgeschiedene basische Salz wird also von sehr verdünnter Salzsäure nicht angegriffen. Dieser Fall liegt auch bei der Neutralisation mit Zinkoxyd vor, wenn vorher Zinksulfat hinzugefügt war. Es wird also die direkte Titrierung nach sehr vorsichtig ausgeführter Neutralisation durch Zinkoxyd auch bei Gegenwart von Eisen ein genaues oder nur sehr wenig von der Wirklichkeit abweichendes Resultat geben, was mehrere Versuche bestätigten.

Die Methode teilt die oben hervorgehobenen Übelstände des schnellen Ablassens der Rotfärbung nach beendeter Titrierung, der Unmöglichkeit, die Endreaktion stets nur nach erfolgter Abklärung erkennen zu können, und der Notwendigkeit stets mindestens doppelter Ausführung der Titration.

Die geschilderten Übelstände glaubt Vf. durch die von ihm angegebene Modifikation beseitigt zu haben. (**84.** 15.)

Die SCHÖFFEL-DONATH'sche Methode der Manganbestimmung giebt keine genauen Resultate, wie bereits HAMPE (Chem. Ztg. **7.** 1105) nachgewiesen hat.

Die Methode der Ausfällung des Mangans aus einer konz. stark salpetersauren Lösung, welche keine andere Säure neben Salpetersäure enthalten darf, durch allmählichen Zusatz von Kaliumchlorat als Superoxyd und die Titrierung desselben ist bereits von verschiedenen Seiten abweichend beurteilt worden. (HANNAY, **78.** 41. 600; BEILSTEIN und JAWEIN, **79.** 651; HAMPE, l. c.; u. a. m.) Nach des Vf.'s Beobachtungen fällt aus eisenfreien oder eisenarmen Lösungen durch diese Methode Superoxyd aus. Bei Gegenwart von groſsen Eisenmengen wurden jedoch stets oxydulhaltige Niederschläge erhalten und infolge dessen bei Eisenanalysen nach dieser Methode stets zu wenig Mangan gefunden. Der Anwendbarkeit der Kaliumchlorat-Methode steht noch der Übelstand entgegen, daſs sich nur Eisensorten oder leicht zersetzbare Erze, wie Manganspat nach ihr analysieren lassen. Braunsteine dagegen werden auch nach andauerndem Kochen durch Salpetersäure nicht oder nur ausnahmsweise in der Art aufgeschlossen, daſs das in ihnen enthaltene Manganoxydul vollständig in Lösung geht und durch Kaliumchlorat oxydierbar wird. (Mittl. a. d. amtl. Lebensmittel-Untersuchungs-Anst. u. Chem. Vers.-Stat. zu Wiesbaden 1884. 63—104.)

---

[1] Mit $\dot O$ bezeichnet Vf. den Sauerstoff, welchen eine Manganverbindung mehr enthält, als Manganoxydul erfordert.

F. P. Dunnington und **J. D. Bruce,** *Über Silberhydrat.* Vollkommen weifses Silberhydrat wurde erhalten, als man sehr stark (bis —45°) abgekühlte Lösungen von Silbernitrat und Kaliumhydrat in neunzigprozentigem Alkohol miteinander mischte. Kühlte man blofs bis —40° ab, so war der Niederschlag hellbraun, bei noch höherer Temperatur nahm er bald die braune Farbe des gewöhnlichen Silberoxydes an. (Chem. N. **50.** 208. 31. Oktober.)

Debray und **Joannis,** *Über die Oxydation des Kupfers.* Kupfer in Luft erhitzt, verwandelt sich in gewöhnliches schwarzes Kupferoxyd, ohne erst Oxydul zu bilden. Diese Reaktion tritt ein bei allen Temperaturen zwischen der, wo die Oxydation beginnt (Kupferspäne beginnen sich bereits bei 350° zu oxydieren), und derjenigen, bei welcher die Dissociationsspannung des gebildeten Oxydes etwa den fünften Teil des Atmosphärendruckes, d. h. den Druck des in der Luft enthaltenen Sauerstoffes erreicht. Über dieser Temperatur zersetzt sich das gebildete schwarze Oxyd teilweise, und beim Schmelzpunkte des Goldes tritt ein Moment ein, bei dem ein Gemenge von Oxyd und Oxydul schmilzt; die Zersetzung hört auf, sobald die variable und abnehmende Spannung des aus dem geschmolzenen Gemenge entwickelten Sauerstoffes den Wert von $^1/_5$ Atmosphären erreicht. Die Zusammensetzung des Gemenges hängt also von der Versuchstemperatur ab. Es ist klar, dafs die direkte Oxydation des Kupfers bei so hohen Temperaturen sofort zu diesem Resultate führen mufs. Man wird stets ein geschmolzenes Produkt erhalten, welches je nach der Temperatur aus einem Gemenge von rotem und schwarzem Oxyd besteht.

Umgekehrt mufs das mehr oder weniger zersetzte Oxyd beim Abkühlen an der Luft sich wieder oxydieren, wenn es hinreichend porös ist. Die Oxydation ist vollständig, wenn das Gemenge ungeschmolzen geblieben war; sobald es aber geschmolzen ist und beim Abkühlen wieder erstarrt, so kann die Absorption des Sauerstoffes nur in einer dünneren Schicht der Oberfläche stattfinden und die Oxydation mufs also unvollständig sein: das erstarrte Gemenge behält nahezu die mittlere Zusammensetzung, welche es im geschmolzenen Zustande besessen hat.

Wenn man das Kupfer als Oxyd, CuO, bestimmen will, so darf man es hiernach nicht so stark erhitzen, dafs es teilweise schmelzen oder zusammensintern könnte. Will man nach der Abkühlung ein von Oxydul völlig freies Produkt haben, so mufs die Masse pulverförmig sein.

Wenn man Luft durch eine zur Dunkelrotglut erhitzte Schicht von Kupferspänen leitet, so wird bekanntlich aller Sauerstoff absorbiert und man erhält reinen Stickstoff, wenn die Luft vorher von Kohlensäure und Wasserdampf vollständig befreit war. Welches aber ist der Zustand des oxydierten Kupfers?

In der Regel, wenn man den Versuch unter Rotglühhitze ausgeführt hat, erhält man schwarzes Kupferoxyd, welches sich an der Oberfläche des Metalles bildet und bei dieser Temperatur nicht so stärker wird. Erhitzt man aber stärker, so dafs die Dissociationstemperatur des schwarzen Oxydes erreicht wird, so bildet sich letzteres nur an den unteren Stellen der Röhre und geht an den heifseren teilweise in Oxydul über. In der That kann ein Gemenge aus schwarzem Oxyd und metallischem Kupfer bei einer Temperatur, bei welcher jenes sich zu dissociieren beginnt, nicht existieren, weil der frei werdende Sauerstoff sich mit dem Kupfer zu Oxydul verbindet und dadurch in eine Verbindung übergeht, deren Dissociationsspannung entweder Null oder doch sehr viel geringer, als die des schwarzen Oxydes ist. Das Kupfer spielt gewissermafsen die Rolle eines Aspirators, welcher sich von dem schwarzen ·Oxyd entwickelten Sauerstoffes bemächtigt und diesen verhindert, die Dissociationsspannung anzunehmen, d. h. denjenigen Druck zu erreichen, welcher der Zersetzung des Oxydes eine Grenze setzt, so dafs letzteres also vollständig in Oxydul übergeht.

Hieraus ergiebt sich, dafs bei der Darstellung von Stickstoff durch Überleiten von Luft über erhitztes Kupfer nur schwarzes Oxyd entsteht, sobald die Temperatur hinreichend niedrig ist, wie es meistens an den Enden der Röhre der Fall sein wird. An den stärker erhitzten Stellen dagegen bildet sich nur Oxydul, dessen Auftreten die Farbe des metallischen Kupfers kaum verändert.

Es bleibt nur noch der Fall zu untersuchen übrig, wenn der Sauerstoff nicht ausreicht, um das Kupfer bis zur vollständigen Sättigung zu oxydieren, wohl aber um ein Gemenge von Oxydul und Oxyd zu bilden. Dieser Fall entspricht den Bedingungen der in der vorigen Mitteilung (S. 918) beschriebenen Versuche, welche zu dem Zwecke angestellt waren, um das Verhalten des Kupferoxydes unter dem Einflusse der Hitze zu studieren. Es genügt demnach, darauf hinzuweisen, dafs man in dem Falle, wo die beiden Oxyde nicht geschmolzen sind, niemals ein inniges Gemenge derselben erhält. Nach der Abkühlung findet man das rote und schwarze Oxyd örtlich scharf getrennt, aber der Sauerstoff, welcher bei hoher Temperatur mit ihnen in Berührung war, wurde während der Abkühlung vollständig absorbiert. Das Oxydul kann den Sauerstoff also ebenso vollständig absorbieren, als das Kupfer selbst. Ja, es absorbiert denselben bei niedriger Temperatur sogar leichter. Erhitzt man eine Röhre, welche Luft in Berührung mit Kupferspänen und Kupferoxydul, die beide aneinander liegen, enthält, so findet man, daſs das Oxydul allein den Sauerstoff aufnimmt und sich in Oxyd verwandelt, sobald es nur in genügender Menge vorhanden ist. Es kann sich also bei niedriger Temperatur gar kein Oxydul bilden.

Läſst man in einem mit Manometerrohr und Quecksilberpumpe versehenen Dissociationsrohre ein teilweise zersetztes Gemenge von Kupferoxyd und Kupferoxydul in der Atmosphäre des entwickelten Sauerstoffes erkalten, so wird das Gas vollständig absorbiert und das Quecksilbermanometer zeigt, daſs keine Spur von Gas zurückgeblieben ist. Dies läſst sich noch in einer weit empfindlicheren Weise konstatieren. Schaltet man nämlich zwischen dem Manometer und dem Dissociationsrohre ein Glasrohr ein, in welches zwei Platindrähte eingeschmolzen sind, die einander in einer Entfernung von 1 mm gegenüber stehen, so schlägt, wenn man letztere mit einem Induktionsapparate verbindet, eine Reihe von Funken über, solange noch während der Abkühlung eine Spur von Sauerstoff vorhanden ist. Während dessen zeigt das Manometer eine kontinuierliche Abnahme der Spannung, und zuletzt, wenn jenes nicht mehr sinkt, tritt ein Augenblick ein, in welchem der Induktionsfunken, wenn er nicht sehr kräftig ist, nicht mehr überschlägt. Die Vff. hatten zu diesem Versuche einen Induktionsapparat angewendet, welcher in der Luft Funken von 12 mm Länge gab und trotzdem den Widerstand des im Apparate zuletzt entstandenen Vakuums nicht mehr überwinden konnte.

Diese Methode empfiehlt sich demnach zur Darstellung eines Vakuums und ist jedenfalls noch der Vervollkommnung fähig, jedenfalls kann man hier schon mit einer Quecksilberpumpe einfachster Konstruktion ein Vakuum herstellen, welches man selbst mit sehr komplizierten Apparaten kaum erreicht. (C. r. **99**. 688—92. [27.ᵉ] Okt.)

Gerhard Krüss, *Über die Schwefelverbindungen des Molybdäns.* (LIEB. Ann. **225**. 1—57. Ende Juli. [3. Mai.] München.)

4. Organische Chemie.

Richard Anschütz, *Über die Ersetzung zweier Chloratome in Chloriden durch ein Sauerstoffatom mittels entwässerter Oxalsäure.* Vf. lieſs entwässerte Oxalsäure auf Acetylchlorid, Benzoylchlorid und Succinylchlorid einwirken. Hierbei ergab sich folgendes: erhitzt man das Chlorid einer einbasischen Säure mit entwässerter Oxalsäure, so erhält man glatt das Anhydrid dieser Säure, wenn man auf ein Molekül Oxalsäure zwei Moleküle Chlorid zur Anwendung bringt. Erhitzt man das Chlorid einer zweibasischen Säure mit entwässerter Oxalsäure im Verhältnisse gleicher Moleküle, so entsteht glatt das Anhydrid der zweibasischen Säure.

Weitere Versuche wurden mit Benzalchlorid (Chlorbenzalchlorid) angestellt und ergaben das Resultat: erhitzt man das Chlorid eines aromatischen Aldehyds mit entwässerter Oxalsäure, so wird jener in den Aldehyd umgewandelt.

Endlich erhielt man durch Einwirkung von entwässerter Oxalsäure auf Benzotrichlorid im Verhältnisse von drei Molekülen der ersteren zu zwei Molekülen des letzteren die dem Benzotrichlorid entsprechende Menge Benzoesäureanhydrid.

Alle diese Versuche zeigen, daſs man in einem abgewogenen Gewichte entwässerter Oxalsäure eine abgewogene Menge Wasser zur Verfügung hat, in festem Aggregatzustande, flüchtig bei der Zersetzungstemperatur der Oxalsäure und doch bei verschiedenen der vom Vf. beschriebenen Reaktionen ungemein viel reaktionsfähiger als gewöhnliches Wasser.

So muſs man z. B. nach LIMPRICHT (LIEB. Ann. **139**. 319) Benzalchlorid und Wasser im geschlossenen Rohre auf eine Temperatur von 140—160° erhitzen, um das Benzalchlorid in Benzaldehyd umzuwandeln, während sich mit Hilfe entwässerter Oxalsäure dieselbe Reaktion bei einer niedrigeren Temperatur, im offenen Gefäſse, quantitativ vollzieht. Dabei hat man es vollkommen in der Hand, den Gang der Reaktion zu beschleunigen oder zu verlangsamen.

Mit Hilfe der entwässerten Oxalsäure kann man nach den bis jetzt vom Vf. mitgeteilten Versuchen folgende Kategorien von Substanzen gewinnen:

1. Aus den Chloriden der einbasischen Carbonsäuren die entsprechenden Anhydride.
2. Aus den Chloriden der zweibasischen Carbonsäuren die entsprechenden Anhydride.
3. Aus den aromatischen Aldehydchloriden die aromatischen Aldehyde.
4. Aus den aromatischen Orthosäurechloriden die aromatischen Säurechloride und die entsprechenden Anhydride. (LIEB. Ann. **226**. 13—22.)

Richard Anschütz, *Über die Anhydridbildung bei einbasischen und bei zweibasischen Säuren.* Die Anhydride wurden durch Einwirkung von Säurechloriden auf Säurehydrate dargestellt, und zwar entweder auf das dem Säurechlorid entsprechende Hydrat oder auf das Hydrat einer anderen Säure. Diese Untersuchungen sind zum gröfsten Teile schon früher in den Berichten der Chemischen Gesellschaft veröffentlicht worden. Die vorliegende Mitteilung giebt ein Gesamtbild der Arbeit. (LIEB. Ann. **226.** 1—13. Ende Sept.)

Albert Schweizer, *Über Oktdecyl- und Nondecylcarbonsäure.* Nach des Vfs. Untersuchungen gelingt es, durch Überführung der Stearinsäure in das Oktdecyljodid und durch weitere Behandlung desselben mit Cyanquecksilber zu einer Nondecylsäure zu gelangen, über deren Konstitution kein Zweifel möglich ist. Sie ist eine normal aufgebaute Talgsäure, welche sich der Stearinsäure zunächst anschliefst.

Nicht mehr Schwierigkeiten bietet die Herstellung des Zusammenhanges der Stearin- und Arachinsäure, welche letztere aus dem Oktdecyljodid mit Hilfe des Natriumacetessigesters erhalten wird. Auch hier kann die normale Konstitution nicht in Frage kommen. da dieselbe vollkommen durch die Synthese nachgewiesen ist. Die Arachinsäure steht somit zu der Nondecylsäure in derselben Beziehung, wie letztere zur Stearinsäure, beide Säuren gehören zu der grofsen Gruppe der normalen Fettsäuren. (Arch. Pharm. [3.] **22.** 753—75. Bern.)

W. Savary, *Über Atripasäure, eine neue organische Säure als Bestandteil der Zuckerrüben.* Diese Säure scheint, wie verschiedene Voruntersuchungen gezeigt haben, in allen Atripliceen vorzukommen. Aus dem Kalkscheideschlamme der Zuckerfabriken hat sie der Vf. folgendermafsen dargestellt: Der Kalkgehalt des Schlammes wurde zuerst genau festgestellt, dann die getrocknete und abgeprefste Masse mit der genau entsprechenden Menge Schwefelsäure und soviel Wasser zu einem Teige angerührt, als der entstehende Gips an Krystallwasser ($2H_2O$) zu binden vermag. Bei der Vermischung der Säure mit dem Schlamme entwickelt sich zuerst unter Aufschäumen Kohlensäure, dann aber wird die Masse plastisch und hinterläfst zuletzt eine poröse bröckliche Substanz. Dieselbe bestand nunmehr aus Gips, $CaSO_4 + 2H_2O$, welcher wie ein Schwamm die frei gewordenen Säuren aufgesaugt enthält. Diese Masse wurde in zerbröckeltem Zustande mit absolutem Alkohol bis zur Erschöpfung extrahiert, wobei verschiedene organische Säuren in Lösung gehen, andere aber ungelöst in der Gipsmasse zurückbleiben. Von der erhaltenen Lösung wurde der Alkohol abdestilliert und der sirupöse Rückstand in der Luftleere über SO_2 weiter verdampft, in der Erwartung, Krystallisationen zu erhalten, welche sich aber nicht einstellten. Der in der Luftleere möglichst konzentrierte Rückstand wurde nun von neuem in absolutem Alkohol gelöst, worin jetzt ein kleiner flockiger Anteil ungelöst blieb, der abfiltriert wurde. Durch die klare alkoholische Lösung wurde darauf unter Erwärmung am Rückflufskühler ein Strom trocknen Chlorwasserstoffgases bis zur Sättigung geleitet, um die organischen Säuren in die Äthyläther überzuführen. Nach längerem Erhitzen wurde dann die salzsaure Flüssigkeit mit Wasser versetzt, wobei sich die gebildeten Äther als schwere Ölschicht am Boden des Gefäfses absetzten, welche mit Hilfe einer Pipette herausgehoben, gewaschen und rektifiziert wurde. Bei dieser Rektifikation fing das Gemisch der erhaltenen Äther zwischen 140 und 145° C. an zu sieden unter fortwährendem raschen Steigen des Thermometers. Die Hauptmenge destillierte bei 184—188° C. über. welche besonders aufgefangen wurde. Diese Hauptmenge des Äthers wurde hierauf durch Kochen mit überschüssigem Ätzbaryt zerlegt und nach dem Abdestillieren des Alkohols der Baryt genau an Schwefelsäure gebunden, wodurch die Säure frei wurde. Die Lösung der letzteren lieferte schöne Krystalle, welche nach einmaligem Umkrystallisieren völlig rein waren. Aus 10 kg der trocknen Schlammes wurden 13,7 g reine Krystalle Atripasäure gewonnen. Die Krystallform dieser Säure gehört dem monoklinischen Systeme an. Die Analyse ergab die Formel $C_6H_6O_{12} + 6H_2O$.

Die Krystalle der Atripasäure sind bei gewöhnlicher Temperatur luftbeständig, verwittern aber bei höherer Temperatur und hinterlassen bei 100° ein weifses Pulver von Atripasäurehydrat. Die Säure schmeckt stark sauer und zerlegt die kohlensauren Salze unter Aufbrausen. Sie schmilzt bei etwa 98° in ihrem Krystallwasser; bei fortgesetztem Erhitzen sublimiert ein Teil als Anhydrid, während die Hauptmasse Zersetzung erleidet. Die Alkalisalze, sowie die Ammoniaksalz sind löslich und in schönen Krystallen zu erhalten. Die Salze der Erden dagegen sind sehr schwer löslich, resp. fast unlöslich, wie sich erwarten liefs, da die Säure sich im Kalkscheideschlamme vorfindet.

Aus dem Gesamtverhalten der Atripasäure schliefst Vf., dafs ihrem Anhydrid die rationelle Formel $C_6(HO)_6O_6$ zukommt. Hiernach kann man sie als eine hydrooxylierte Oxybenzoesäure oder decarburierte Mellithsäure ansehen, welche statt der Carboxyle Hydroxyle enthält. Unter der Voraussetzung dieser rationellen Zusammensetzung erkennt man leicht, dafs die Säure in Beziehung zum Traubenzucker steht und wahrscheinlich durch Einwirkung von Natriumamalgam darein übergeführt werden kann. Bei einem dahin abzielenden Versuche der Einwirkung von Natriumamalgam auf die Säure erhielt Vf. jedoch nicht Glykose, sondern Oxycitronensäure nach folgender Gleichung:

$$C_6H_8O_{12} + 10H = C_6H_8O_8 + 4H_2O$$

Atripasäure   Oxycitronens.

Vf. gedenkt in nächster Zeit neue, gröfsere Quantitäten der Säure aus getrocknetem Scheideschlamme zu gewinnen, um die Einwirkung auf Natriumamalgam weiter fortzusetzen, alsdann beabsichtigt er auch, die wichtigsten Salze derselben in gröfseren Mengen darzustellen, um sie genau zu untersuchen und zu beschreiben. (Ztschr. d. Ver. f. R.-Z.-Ind. **21**. 1143—45.)

J. W. James, *Beiträge zur Kenntnis des Acetessigäthers.* 1. Teil. Der Vf. beginnt seine Untersuchungen mit einer Übersicht über die Reaktionen des Acetessigäthers und einer Feststellung seiner Formel. Durch Einwirkung von verdünnter Essigsäure auf Natriummäthylacetessigäther scheint unzweifelhaft Äthylacetessigäther zu entstehen. Es wurden einige gemischte Dialkylacetessigäther dargestellt, mit der Absicht, zu bestimmen, ob die Ordnung, in welcher die Radikale eingeführt wurden, von. Bedeutung ist oder nicht. Der Vf. konnte nicht beweisen, dafs Allylmethylessigäther identisch mit dem Methylallylessigäther ist, wegen der Schwierigkeit, diese Körper in reinem Zustande zu erhalten. Das Methyläthylderivat scheint mit dem Äthylmethylkörper identisch zu sein. Es wurden ferner der Acetylacetessigäther, sowie dessen Kupfer-, Nickel- und Kobaltverbindung dargestellt und die Einwirkung von Wasser und Natriumäthylat auf diesen Körper studiert. Ebenso wurde der *Methylacetylacetessigäther* und der *Benzoylacetessigäther* dargestellt und untersucht. (Chem. N. **50**. 233. 14.[6.*] Nov. London Chem. Soc.)

G. H. Bailey, *Über einige Vanadate der Amine.* Der Vf. hat die Eigenschaften einer grofsen Zahl dieser Verbindungen untersucht. Die Resultate sind folgende. Im Vergleich mit den Vanadaten der Alkalimetalle sind die Orthovanadate der Amine ebenso schwer darzustellen, als die entsprechenden Kaliumsalze, während das Natriumorthovanadat leicht krystallisiert. Die Metavanadate der Amine sind viel leichter löslich, als das Ammoniummetavanadat, aber in ihrem allgemeinen Charakter und in ihren Reaktionen ähneln sie dem Ammoniumsalz: die Derivate der primären Amine krystallisieren gut, aber die weitere Einführung von Alkoholradikalen setzt die Beständigkeit dieser Reihen von Salzen herab. Die Salze, welche das Äthylradikal enthalten, scheinen mindestens ebenso beständig zu sein, als die entsprechenden Methylverbindungen. Der optische Charakter der roten Vanadate zeigt, dafs sie zum monosymmetrischen System gehören. (Chem. N. **50**. 233. 14.[6.*] Nov. London Chem. Soc.)

Oechsner de Koninck, *Über die Zersetzung der Jodide der Pyridinbasen durch Alkalien.* Wenn man die Jodmethylate und Jodäthylate der Pyridinbasen von Brucin und Cinchonin mit einem geringen Überschufs von kaustischem Kali und etwas Wasser destilliert, so verläuft die Reaktion in drei Phasen: in der ersten bilden sich neutrale Produkte, und dies sind die Farbstoffe; in der zweiten entstehen Pyridinhydrüre, wie HOFMANN für das Pyridin des Steinkohlenteers nachgewiesen hat; endlich bei höherer Temperatur treten Produkte auf, welche brennbare Gase sind.

Der Vf. beschäftigt sich in dieser Mitteilung nur mit den Farbstoffen. Diejenigen, welche er dargestellt hat, stammen von dem β-Lutidin, dem α- und β-Collidin (aus Brucin und Cinchonin) und dem α-Pikolin und γ-Lutidin (des Steinkohlenteers). Die günstigsten Bedingungen für die Bildung derselben lassen sich leicht realisieren; man braucht nur dem Jodmethylat und Jodäthylat, welche zuvor mit Äther gewaschen und bei niedriger Temperatur getrocknet sind, einen leichten Überschufs von festem Kaliumoxydhydrat in Stücken hinzuzusetzen und dann das Gemenge mit soviel Wasser zu mischen, dafs eine flüssige Masse entsteht. Schon in der Kälte beobachtet man den Eintritt einer Färbung von bräunlichrot bis zu lebhaft rot. Man destilliert dann aus dem Sandbad, wobei der Farbstoff mit den Wasserdämpfen übergeht und bald den Hals des Kolbens und das Kühlrohr färbt. Diese Färbung dauert bis zum Auftreten der basischen Produkte. Das wässerige Destillat wird mit Äther erschöpft, welcher den Farbstoff leicht löst, ohne das Wasser vollständig aufzunehmen. Man dampft den Äther ab und nimmt den Rückstand mit Methyl- oder Äthylalkohol auf. Die Farbe dieser Lösungen wird durch Zusatz von Säuren (besonders Essigsäure) um vieles lebhafter. Durch Kali- oder Natronlauge wird sie blafsrot. Mitunter tritt nach dem Zusatz von Säuren (besonders von organischen) Fluoreszenz ein.

Die Reaktion der Farbstoffe ist vollständig neutral.

Der Vf. beschreibt das Verhalten der einzelnen Pyridinbasen, worauf zu verweisen ist. (Bull. Par. **42**. 177—80.)

Ostermayer, *Die Chlormethylate der Chinolinreihe. Chinolinchlormethylat*, $C_9H_7N.CH_3Cl$ $+ H_2O$, wird aus 1 Tl. Chinolin und 2 Tl. konz. Salzsäure mit $^1/_2$ Tl. Methylalkohol und Erhitzen im geschlossenen Rohre auf 160° hergestellt. Rhombische Krystalle vom Schmelzpunkt 126°. Das Krystallwasser wird erst bei 140—150° vollständig abgegeben. Das Chinolinmethylpikrat schmilzt bei 164—165°. Wird die alkoholische Lösung des Chlormethylats mit Jodmethyl gekocht, so entsteht das bei 72° schmelzende Chinolinjod-methylat. Brom liefert mit derselben Lösung ein Additionsprodukt $C_9H_7Br_2N{<}{^{Br}_{CH_3}}$ (Schmelzpkt. 123°). Wird das Chlormethylat mit Chlorzink auf 180° im Rohre erhitzt, so erhält man eine Base vom Schmelzpunkt 112°. Dieselbe Verbindung bildet sich auch durch Erhitzen von Chinolinchlorid mit Methylalkohol und Chlorzink auf 200°. Das Goldsalz entspricht der Formel $(C_9H_7NCH_2)_2O.ClHAuCl_3$. Die ätherische Lösung der freien Base färbt sich an der Luft nach und nach rot, läfst sich destilliren, und ihre Krystalle schmelzen bei 72—75°. Die Verbrennung führte zu der Formel ${^{C_9H_7N}_{C_9H_7N}}{>}{^{CH_3}_{O}}{>}{^{CH_3}}$.

Tetrahydrochinolinchlormethylat, $C_9H_{11}NCH_3Cl + H_2O$, durch Erhitzen von 2 Tln. Tetrahydrochinolinchlorhydrat mit 1 Tl. Methylalkohol im geschlossenen Rohr auf 180° gebildet, zeichnet sich durch Krystallisationsfähigkeit aus. Schmelzpunkt 244°. Das Pikrat $C_9H_{11}N(CH_3)(O.C_6H_2(NO_2)_3/$ schmilzt bei 125°.

Oxychinolinchlormethylat, $C_{10}H_{10}NOCl + H_2O$, aus Oxychinolin, Methylalkohol und konz. Salzsäure dargestellt, schmilzt bei 210°, färbt sich mit Alkalien schön gelbrot, mit Eisenchlorid tief dunkelgrün und schmeckt sehr bitter.

Dimethylamidochinolinchlormethylat, $C_9H_9N(CH_3)_2NCH_3Cl + H_2O$, aus Dimethyl-amidochinolin mit Methylalkohol und konz. Salzsäure. Zinnoberrote Nadeln vom Schmelz-punkt 244°.

Hydrodimethylamidochinolinchlormethylat, $C_9H_{10}N(CH_3)_2NCH_3Cl + 2H_2O$; die freie Base wird durch Behandeln der vorher erwähnten Verbindung mit Zinn und Salzsäure erhalten. Eine Spur der ätherischen Lösung der Base auf die Haut gebracht, erzeugt äuſserst schmerzhaftes Brennen. Ebenso ist der Geschmack des salzsauren Salzes sehr scharf. Das auf die gewöhnliche Weise hergestellte Chlormethylat schmilzt bei 220°.

Dichinolylinchlormethylat, $C_{18}H_{12}N_2(CH_3Cl)_2 + 6H_2O$, in gleicher Weise wie die obigen Methylate aus Dichinolylin gebildet, krystallisiert in weiſsen, an der Luft sich gelbfärbenden Nadeln, die sich bei 260° ohne zu schmelzen zersetzen. (Mittl. a. d. amtl. Lebensmittel-Unters.-Anst. u. chem. Vers.-Stat. zu Wiesbaden 1884. 116—23.)

Ostermayer, *Über die Einwirkung von Phosgengas auf Chinolin*. Vf. gewann bei dieser Einwirkung zunächst eine Verbindung, deren Schmelzpunkt und Eigenschaften einem der bekannten Dichlorchinoline sehr nahe kommen. Es scheint sich das von LA COSTE aus m-Dichloranilin erhaltene m-Dichlorchinolin gebildet zu haben. Weitere Mitteilungen über das obige Thema sind vorbehalten. (Mittl. a. d. amtl. Lebensmittel-Untersuchungs-Anst. u. chem. Vers.-Stat. zu Wiesbaden 1884. 137—39.)

E. Ostermayer, *Über das Vorkommen von Chrysen und anderen Kohlenwasserstoffen in den Gasretorten beim Schweiſsofenprozeſs*. Das vorliegende Untersuchungsmaterial enthielt nahezu 6 p. c. Chlorammonium. Ligroin nahm einen Kohlenwasserstoff auf, dessen Pikrat bei 193° schmolz, und welcher selbst in nahezu farblosen kleinen Blättchen vom Schmelzpunkt 275—280° krystallisierte. Die Feststellung der Formel und Konsti-tution konnte wegen Mangel an Material nicht ausgeführt werden.

Das mit Ligroin ausgekochte Material wurde mit Alkohol extrahirt; in diesem Extrakt fand sich Chrysen. Es sei noch erwähnt, daſs aus den öligen, schmierigen Ab-scheidungen der eingedampften Reste der Ligroinauszüge, beim Extrahiren mit kaltem Alkohol daraus eine kleine Menge sehr niedrig schmelzender Kohlenwasserstoffe erhalten wurde, die aber, wenn auch anscheinend fest, beim Abpressen zwischen Filtrierpapier sich wieder verflüssigten. Es scheint, daſs dieselben der Paraffinreihe angehören. (Mittl. a. d. amtl. Lebensmittel-Untersuchungs-Anst. u. Chem. Vers.-Station zu Wiesbaden 1884. 140—143.)

E. Ostermayer, *Über einige jodierte Azofarbstoffe*. Naphtolsulfosaures Natrium giebt mit Chlorjodsalzsäure eine jodierte Naphtolsulfosäure, und Naphtionsäure mit demselben Agens eine Jodnaphtylaminsulfosäure. Diese jodierten Sulfosäuren bildeten das Ausgangs-material für die Versuche. Trägt man Diazobenzolchlorid in die Jodnaphtolsulfosäure ein, so erhält man ein zinnoberrotes Pulver, welches Seide und Wolle schön orange färbt. Der Farbstoff entspricht dem benzolazojod-β-naphtolsulfosaurem Kalium:

$$C_6H_5-N=N-C_{10}H_4 \underset{\diagdown SO_2K}{\overset{\diagup J}{-OH}} + H_2O.$$

Diazoxylolchlorid wirkt in gleicher Weise auf die Jodnaphtolsulfosäure ein. Die dabei entstehenden zinnoberroten Blättchen sind das xylolazojod-β-naphtolsulfosaure Ammon:

$$C_6H_3(CH_3)_2N=N-C_{10}H \underset{\diagdown SO_2NH_4}{\overset{\diagup OH}{-J}}.$$

Das durch Vermischen der Lösungen von Diazoazobenzolsulfosäure und Jodnaphtolsulfosäure erhaltene jodierte Croceïnscharlach bildet ein aus wässerigem Alkohol schön krystallisierendes Natronsalz, das sich im Farbentone nur wenig vom gewöhnlichen Croceïn unterscheidet. Die Jodnapthionsäure gab ähnliche Azofarbstoffe von braunroter Tinte, welche sich rasch zersetzten. Im allgemeinen geht hervor, dafs das Eintreten des Jods keine wesentlichen Veränderungen im Farbentone hervorzubringen im stande ist. (Mittl. a. d. Lebensmittelunters.-Anst. u. chem. Vers.-Stat. z. Wiesbaden 1884. 144—46.)

B. Wiederhold, *Über Lävonsäure, ein Produkt der Einwirkung des Ätzbaryts auf Lävulose.* Die zu diesen Versuchen erforderliche Lävulose wurde aus Inulin nach bekannter Methode dargestellt; als kaustische Erde wurde Ätzbaryt verwendet, weil das Barium sich leicht aus dem Reaktionsprodukt quantitativ durch verdünnte Schwefelsäure entfernen läfst. Die Bariumverbindung, welche beim Erhitzen eines Gemisches von Barytwasser und Lävuloselösung sich ausscheidet, und welche auch erhalten wird, wenn die braune, durch Zusammenschmelzen von Barythydrat und Lävulose erhaltene Masse so lange mit Wasser verdünnt wird, als sich noch ein Niederschlag bildet, besteht vorwiegend aus dem Barytsalz einer Säure, welche Vf. Lävonsäure nennt, weil der Name Lävulinsäure schon einer von TOLLENS entdeckten Säure erteilt worden ist. Man mufs, um die in dem Niederschlage enthaltene Lävonsäure rein zu erhalten, diesen in Wasser zerteilen und von verdünnter Schwefelsäure soviel zusetzen, dafs die Flüssigkeit schwach sauer reagiert, d. h. also den überschüssigen Baryt ausfällen. Es bildet sich hierbei ein in Wasser lösliches saures Barytsalz, während schwefelsaurer Baryt sich abscheidet. Nach Entfernung des letzteren wird die filtrierte Lösung mit essigsaurem Blei versetzt und der erhaltene Bleiniederschlag schnell ausgewaschen, da er sich an der Luft leicht bräunt. Aus diesem erhält man durch Zersetzen mit Schwefelwasserstoff die reine, stark sauer reagierende Säure. Ihre Lösung, bei gelinder Wärme verdunstet, giebt eine braune, pulverisierbare Masse, welche sich leicht bei erhöhter Temperatur zersetzt, wie es scheint unter Bildung von kohlenstoffreichen Körpern.

Die bei 80° C. getrocknete Säure zeigte sich bei der Analyse zusammengesetzt nach der Formel $C_{14}H_{18}O_{11}$, oder, zufolge der Zusammensetzung der Salze, nach der theoretischen Formel $C_{14}H_{12}O_8 + 3H_2O$. Die Säure ist ein gelbbraunes Pulver von zusammenziehendem Geschmack; sie löst sich leicht in Wasser und Alkohol, schwierig und nur wenig in Äther. Die wässerige Lösung färbt sich an der Luft dunkler und scheidet beim längeren Stehen braune Substanzen ab. Auf dem Platinblech erhitzt, bläht sich die trockne Säure nur wenig auf, unter Ausstofsen von sauren Dämpfen. Alkalien färben die Säure dunkler; neutralisiert geben sie beim Eindampfen braune Massen. Kohlensaurer Kalk oder Baryt werden unter Entweichen der Kohlensäure von der Säure zersetzt, es bilden sich saure Salze. Kalkwasser giebt einen geringen, Barytwasser einen stärkeren Niederschlag von entsprechenden basischen Verbindungen. Eisenoxydullösung wird von einer Lösung der Säure nicht gefällt, aber beim Stehen an der Luft durch sie schwarz gefärbt. Eisenchlorid erzeugt mit ihr einen tintenartigen Niederschlag, in verdünnten oder etwas sauren Lösungen aber nur eine intensiv schwarze Färbung, die auf Zusatz von Alkali braunrot wird. Kupfersalze geben in neutralen Lösungen einen graubraunen Niederschlag, löslich in vielem Wasser, leichter bei Gegenwart von freier Säure oder freiem Alkali; letzteres löst ihn zu einer in durchscheinendem Lichte betrachtet, braunen, von oben gesehen aber grün opalisierenden Flüssigkeit. Aus dieser scheidet sich bei gewöhnlicher Temperatur langsam, beim Erhitzen sofort Kupferoxydul ab. Salpetersaures Quecksilberoxydul giebt graue, Quecksilberoxyd graubraune Niederschläge; diese lösen sich ebenso wie die schon erwähnte Bleiverbindung wenig in Wasser, mehr beim Zufügen von Essigsäure. Salpetersaures Silberoxyd wird graubraun gefällt, es tritt jedoch rasch weitere, jedenfalls mit Reduktion begleitete Veränderung auf. Brechweinstein giebt nur schwache Fällung; Leimlösung wird gar nicht gefällt.

Folgende Salze wurden dargestellt: $BaO.C_{14}H_{12}O_6 + 2H_2O$; $2BaO.C_{14}H_{12}O_6 + 6H_2O$; $2CaO.C_{14}H_{12}O_9 + 4H_2O$; $2PbO.C_{14}H_{12}O_6 + H_2O$; $3PbO.C_{14}H_{12}O_6$. (Zschr. d. Ver. f. Rüb.-Zuck.-Ind. **21**. 1139—40.)

J. Ch. Essner und **Gossin**, *Einwirkung von Benzoylchlorid auf Isodurol bei Gegenwart von Chloraluminium.* Die Einwirkung von Benzoylchlorid auf Durol ist schon von Friedel, Crafts und Ador (1879), welche Durylbenzoyl erhielten, studiert worden. Die Vff. haben das Isodurol der gleichen Behandlung unterworfen; dasselbe war durch Einwirkung von Methylchlorid auf Toluol, wobei man alle Methylderivate des Benzols erhält, dargestellt worden. Die zwischen 185 und 195° siedende Fraktion wurde mehrmals auf 20° abgekühlt und die Flüssigkeit kalt filtriert. Auf diese Weise gelang es, den gröfsten Teil des festen Durols abzuscheiden und etwa 500 g eines zwischen 185 und 192° siedenden Öles zu erhalten.

Dieses Öl, welches noch Durol enthält, wurde mit 2 Tln. Schwefelsäure, und das Produkt mit Natron behandelt und zuletzt durch Krystallisieren von dem gebildeten Natriumsulfat befreit. Die Sulfosäure, welche auf diese Weise entsteht, krystallisiert in bündelförmig vereinigten Nadeln; sie wurde bei 210° durch Chlorwasserstoff behandelt und gab ein Produkt, welches zum gröfsten Teile zwischen 185 und 190° überging.

Das so erhaltene Isodurol wurde mit Benzoylchlorid (120 g des ersteren und 60 g des letzteren) gemischt und mit Chloraluminium versetzt. Die Reaktion trat schon bei gewöhnlicher Temperatur mit grofser Leichtigkeit ein, das Gemenge erhitzte sich stark und wurde braun; sobald die Entwicklung von Chlorwasserstoff aufgehört hatte, setzte man Benzol zu und wusch das Produkt mit Wasser. Die dekantierte Flüssigkeit gab bei der Destillation ein gelbes, klebriges, bei 250—360° siedendes Produkt, welches, nachdem es mehrere Tage lang sich selbst überlassen war, zu einer Krystallmasse erstarrte, welche von einem sehr dicken gelben Öle durchtränkt war. Diese Krystalle wurden, um sie von dem Öle zu trennen, mit Alkohol gewaschen und durch fraktionierte Krystallisation aus Alkohol gereinigt. Sie sind dann ziemlich voluminös, schmelzen bei 62—63° und destillieren bei 300°.

Es wurde auch Benzoylchlorid auf Isodurol, welches nur durch Abkühlen gereinigt war, zur Einwirkung gebracht. Die Reaktion geht ebenfalls leicht. Das Durol scheint nicht angegriffen zu werden, denn man erhielt nach der Abkühlung des Isodurols, welches sich der Einwirkung entzogen hatte, noch einige Krystalle. Das Isodurol wird also jedenfalls leichter angegriffen, als das Durol.

Die Vff. haben versucht, ob man unter den genannten Bedingungen aus einem Gemenge der beiden Durole nicht vielleicht ein Gemenge von Ketonen erhalten würde. Nach Vollendung der Reaktion wurde das Produkt in Wasser gebracht und schied eine flockige weifse Masse ab, welche nichts anderes als unangegriffenes Durol war. Der flüssige Teil lieferte nach dem Dekantieren Krystalle von Benzoylisodurol, dagegen kein Benzoyldurol. Bei dieser Reaktion scheint also das Isodurol allein angegriffen zu werden, da fast die ganze Menge des Durols nach der Reaktion unverändert wieder gewonnen wurde.

Die Krystalle des Benzoylisodurols gaben bei der Analyse die Formel $C_6H(CH_3)_4—CO.C_6H_5$. Mit Kalilauge behandelt giebt dieses Keton Kaliumbenzoat und Isodurol. Es löst sich leicht in konzentrierter Schwefelsäure und bildet eine, in Wasser wenig lösliche, in Äther leicht lösliche Sulfosäure. Durch Salpeterschwefelsäure wird es lebhaft angegriffen und giebt ein flüssiges, gelbes Nitroderivat und ein in Wasser lösliches Produkt, welches ein Nitroderivat einer bei dieser Reaktion gebildeten Säure zu sein scheint.

In alkoholischer Lösung fixiert das Benzoylisodurol die Elemente der Cyanwasserstoffsäure. Das erhaltene Produkt, welches von dem überschüssigen Benzoylisodurol schwer zu trennen ist, wurde in Siedehitze mit alkoholischem Kali behandelt, wobei sich Ammoniak entwickelte; das Produkt dieser Reaktion gab nach dem Neutralisieren mit Salzsäure, Filtrieren und Abdampfen zur Trockne ein weifses Pulver, welches man mit absolutem Alkohol erschöpfte. Die Säure bildet ein in Wasser, Alkohol und Äther lösliches Pulver und ein in Blättern krystallisierendes Natriumsalz. Das Silbersalz hat der Analyse zufolge die Formel $\dfrac{C_6H(CH_3)_4}{C_6H_5}{>}C(OH)—COOAg$. Die entstandene Säure ist also *Phenylisodurylglykolsäure*.

Wird das Benzoylisodurol bei 250° mit rauchender Jodwasserstoffsäure sechs Stunden lang behandelt, so giebt es nach dem Waschen mit Wasser und Destillieren im Wasserdampfstrome eine farblose, bei 300° siedende Flüssigkeit, welche sich teilweise zersetzt. Dieser Körper, welcher nicht gereinigt werden konnte, gab der Analyse Zahlen, welche gut mit der Zusammensetzung des *Benzylisodurols* oder *Benzyltetramethylbenzols* $C_6H_5.CH_2.C_6H_5(CH_3)_4$ übereinstimmen.

Da das nach der Methode von FRIEDEL und CRAFTS erhaltene Isodurol identisch mit dem β-Durol von JANNASCH ist, so kann die Konstitution des Benzylisodurols und des Benzoylisodurols durch die beiden Formeln:

$$C_6H_5-CH_2-C_6H(CH_3)_4^{(2.\,3.\,4.\,6)} \text{ und } C_6H_5-CO-C_6H(CH_3)_4^{(2.\,3.\,4.\,6)}$$

ausgedrückt werden.

Die Vff. haben ferner das Benzoylisodurol in Äther gelöst und der hydrogenisierenden Wirkung des Natriums unterworfen, indem sie es auf eine gesättigte Natriumdicarbonatlösung schichteten, um dadurch das Natron in dem Maße, wie es sich bildete, zu binden. Es wurde dann der Äther abgedampft und das Reduktionsprodukt als ein braunes Öl erhalten. Dieses enthielt kein Benzoylisodurol mehr. Es siedete über 360° und gab nach möglichster Reinigung bei der Analyse Zahlen, welche zwischen den Formeln $C_{17}H_{20}O$ und $C_{24}H_{28}O_2$ nicht entscheiden ließen; es bleibt also ungewiß, ob man es mit einem Alkohol oder mit einem Pinakon zu thun hat, obgleich die Zahlen mehr mit denen des *Phenylisodurylcarbinols* übereinstimmten. Dieser Körper giebt beim Erhitzen mit Benzoesäure eine Flüssigkeit, welche nach dem Abkühlen zu einer krystallinischen Masse erstarrt.

Das mit alkalischem Wasser gewaschene und in Äther gelöste Produkt lieferte beim Abdampfen farblose, bei 75° schmelzende Krystalle von der Formel $\begin{array}{c}C_6H(CH_3)_4\\C_6H_5\end{array}\!\!>CO.C_7H_5O_2$, es würde hiernach *Phenylisodurylcarbinolbenzoat* sein. Der Essigäther wurde erhalten, indem man einen Teil des Alkohols mit 5 Tln. Acetanhydrid 48 Stunden lang im geschlossenen Gefäße auf 100° erhitzte und das Reaktionsprodukt destillierte: in dem erhaltenen, über 360° siedenden gelblichen Öle konnte die Gegenwart von Essigsäure konstatiert werden.

Das Benzoylisodurol wurde auch der Oxydation mittels Kaliumpermanganat, und zwar sowohl in der Kälte, als auch in der Wärme unterworfen:

$$C_6H(CH_3)_4-CO-C_6H_5 + 6(O_2) = C_6H(CO_2H)_4-CO-C_6H_5 + 4H_2O.$$

In beiden Fällen erhielt man dasselbe Produkt, welches *Benzoylbenzoltetracarbonsäure* zu sein scheint. Beim Behandeln mit einem sehr großen Überschusse von Kaliumpermanganat entsteht keine Pentacarbonsäure. (Bull. Paris **42.** 170—74.)

Th. Zincke und **A. Breuer,** *Über einen Kohlenwasserstoff,* $C_{16}H_{12}$, *aus Styrolenalkohol.* Läßt man auf Styrolenalkohol konzentrierte Schwefelsäure einwirken, so entsteht (wahrscheinlich unter vorheriger Bildung von Phenylacetaldehyd) ein Kohlenwasserstoff, $C_{16}H_{12}$:

$$2C_6H_5-C_2H_3(OH)_2 = (C_6H_5)_2C_4H_2 + 4H_2O.$$

Dieser Kohlenwasserstoff erscheint demnach als ein Diphenylderivat eines Tetren oder Butin, wie man die Verbindung C_4H_2 nennen kann. Er zeichnet sich dadurch aus, daß er in Essigsäurelösung durch Chromsäure zu einem Chinon, $C_{16}H_{10}O_2$, oxydiert wird; letzteres polymerisiert sich in direktem Sonnenlichte sehr leicht und liefert zwei polymere Chinone. Von Alkalien wird es langsam gelöst und geht dabei in ein Oxychinon, $C_{16}H_9(OH)O_2$, über.

Das Verhalten des Chinons gegen Ammoniak und primäre Amine wurde eingehend studiert und von dem Oxychinon verschiedene Salze dargestellt. Schließlich erörtern die Vff. die Konstitution beider Verbindungen. (LIEB. Ann. **226.** 23—60.)

Th. Zincke und **A. Hebebrand,** *Über die Einwirkung von Chinonen auf Amidophenole.* Es sind in der Abhandlung die folgenden Reaktionen beschrieben: Einwirkung von Benzochinon 1. auf o-Amidophenol, 2. auf o-Amidophenylmethyläther und Acetyl-o-amidophenol, 3. auf p-Amidophenol, 4. auf Amidokresol, 5. auf Amidothymol, 6. auf Amido-β-naphtol. (LIEB. Ann. **226.** 60—76.)

M. Wallach, *Über die Kohlensäureäther zweiwertiger Alkohole und Phenole.* Folgende Körper wurden der Einwirkung von Natriumamalgam und Chlorkohlensäureäther unterworfen und in die entsprechenden Kohlensäureäther umgewandelt: Isohydrobenzoin, Hydrobenzoin, Äthylenalkohol, Brenzkatechin, Resorcin, Hydrochinon und Orcin. (LIEB. Ann. **226.** 77—87.)

Bernhard Priebs, *Über die Einwirkung des Benzaldehyds auf Nitromethan und Nitroäthan.* Der Benzaldehyd verbindet sich mit dem Nitromethan und Nitroäthan unter Austritt von einem Molekül Wasser gerade so, wie er sich mit Acetessigester und Malonsäureester verbindet. Die durch diese Reaktion entstehenden Körper sind Phenylnitroäthylen, $C_6H_5-CH=CHNO_2$, und Phenylnitropropylen, $C_6H_5-CH=CNO_2-CH_3$.

Bei dieser Reaktion tritt der Aldehydsauerstoff mit zwei Atomen Wasserstoff des Nitroparaffins zu Wasser zusammen, und die beiden Reste verbinden sich miteinander:

$$C_6H_5COH + H_2CNO_2 = H_2O + C_6H_5-CH=CHNO_2 \text{ und}$$
$$C_6H_5CHO + H_2NO_2C-CH_3 = H_2O + C_6H_5-CH=CNO_2-CH_3.$$

Das Phenylnitroäthylen giebt bei der Oxydation mit Chromsäuremischung Benzoesäure; dies beweist, dafs es die Nitrogruppe in der Seitenkette enthält. Der Vf. beschreibt das Verhalten desselben zu Alkalien, zu Metallsalzen und zu Wasser, ferner die Einwirkung von Schwefelsäure und Salzsäure auf dasselbe. Von den Derivaten sind folgende zu erwähnen:

Isophenylnitroäthylen, $(C_8H_7NO_2)$;
Phenylnitroäthylendibromid, $C_6H_5-CBrH-CBrHNO_2$;
Phenylbromnitroäthylen (Phenylnitroacetylenhydrobromid),
$C_6H_5-CBr=CHNO_2$;
Phenylnitroäthylendichlorid, $C_6H_5-CHCl-CHClNO_2$;
Phenylchlornitroäthylen, $C_6H_5-CCl=CHNO_2$;
p-Nitrophenylnitroäthylen, $C_6H_4(CH=CHNO_2)^1(NO_2)^4$;
p-Nitrophenylnitroäthylendibromid, $C_6H_4(CHBr-CHBrNO_2)^1(NO_2)^4$;
o-Nitrophenylnitroäthylen, $C_6H_4(CH=CHNO_2)^1(NO_2)^2$;
o-Nitrophenylnitroäthylendibromid, $C_6H_4(CHBrCHBrNO_2)^1(NO_2)^2$.

Das Phenylnitropropylen giebt ebenfalls bei der Oxydation Benzoesäure; sein Verhalten gegen Alkalien und gegen rauchende Salzsäure wird beschrieben. Von den Derivaten sind folgende zu nennen:

Phenylnitropropylendibromid, $C_6H_5-CHBr-CBrNO_2-CH_3$;
p-Nitrophenylnitropropylen, $C_6H_4(NO_2)^4(CHCNO_2CH_3)^1$;
o-Nitrophenylnitropropylen, $C_6H_4(NO_2)^2(CH·CNO_2-CH_3)^1$.

(LIEB. Ann. **225.** 319—64. Ende Sept. Halle.)

F. R. Japp und **S. C. Hooker**, *Über die Einwirkung von Aldehyden und Ammoniak auf Benzil.* Fortsetzung. In einer früheren Mitteilung (**82.** 391) über die Einwirkung von Aldehyden und Ammoniak auf Körper, welche die Dicarbonylgruppe (—CO—CO—) enthalten, wurden zwei Reaktionen beschrieben:

I.

II.

Aufser diesen findet noch eine dritte, vollkommen abweichende statt:

$$C_{14}H_{10}O_2 + 2C_7H_6O_2 + 2NH_3 = C_{28}H_{24}N_2O_4 + 2H_2O$$
$$\text{Benzil} \qquad \text{Salicylaldehyd} \qquad \text{Neue Verbindung.}$$

Eine ähnliche Reaktion tritt ein, wenn Furfuraldehyd statt Salicylaldehyd angewendet wird. Die vorliegende Arbeit ist der Untersuchung dieser neuen Reaktion und der mit Salicylaldehyd erhaltenen Verbindungen gewidmet. Der Vf. giebt für die neue Reaktion das folgende Schema:

III.

Einwirkung von Salicylaldehyd und Ammoniak auf Benzil. Gleiche Gewichtsmengen von Salicylaldehyd und Benzil wurden in Alkohol unter Erwärmen gelöst und die warme Lösung mit gasförmigem Ammoniak gesättigt. Die neue Verbindung scheidet sich als citronengelbes Krystallpulver ab. Dasselbe wurde abfiltriert, mit siedendem Alkohol extrahiert und durch Auflösen in siedendem Phenol und Wiederfällen mit Alkohol gereinigt. Es bildete dann ein weifses, krystallinisches, sandiges Pulver, welches sich beim Erhitzen dunkel färbt und bei 300° schmilzt. Es ist ziemlich unlöslich in Alkohol, Äther, Eisessig etc. Die Analyse führte zu der Formel $C_{28}H_{24}N_2O_4$. Diese Substanz löst sich in siedender Natronlauge und wird fast unverändert daraus durch Salzsäure wieder gefällt; mit kaustischem Natron geschmolzen, liefert sie Benzoesäure und Salicylsäure.

Durch Einwirkung von verdünnter Salzsäure (1 : 2) bei 210° entsteht Benzoesäure und die salzsaure Verbindung einer neuen Base. Diese Base hat nach dem Fällen mit Ammoniak etc. die Formel $C_{14}H_{16}N_2O_2$. Ihr Platinsalz, Hydrochlorat, Sulfat und Pikrat wurden dargestellt und untersucht. Sie giebt beim Schmelzen mit kaustischem Natron Salicylsäure. Die Vff. geben ihr die Formel:

$$C_6H_4(OH)-CH-NH_2$$
$$C_6H_4(OH)-CH-NH_2$$

und nennen sie *Dihydroxystilbendiamin*. Durch Einwirkung von Essigsäureanhydrid entsteht ein Diacetylderivat von der Formel $C_{28}H_{22}(C_2H_3O)_2N_2O_4$, und durch weitere Einwirkung des Anhydrids wird ein Körper von der Formel $C_{22}H_{24}N_2O_6$ gebildet, dessen Reaktionen ihn als ein *Diacetyldiacetoxystilbendiamin* charakterisieren.

Er giebt beim Erhitzen mit Kaliumpermanganat keine Benzoesäure. Durch Einwirkung von kaustischem Kali auf den Körper $C_{22}H_{24}N_2O_6$, Fällung mit Salzsäure etc. entsteht *Diacetyldihydroxystilbendiamin*, $C_{18}H_{20}H_2N_4$. Durch fortgesetzte Einwirkung von Kali werden alle Acetylgruppen beseitigt und *Dihydroxystilbendiamin* gebildet. Dieses kann auch durch Erhitzen der Verbindung $C_{22}H_{24}N_2O_6$ mit konzentrierter Salzsäure in geschlossenen Röhren erhalten werden. Die Einwirkung von Benzoësäureanhydrid auf das Kondensationsprodukt wurde ebenfalls studiert: es entsteht ein Dibenzoylderivat, $C_{28}H_{22}(C_7H_5O)_2N_2O_4$, welches identisch mit dem Tetrabenzoylderivat der Base ist. Das Kondensationsprodukt ist demnach *Dibenzoyldihydroxystilbendiamin*.

Die Vff. haben endlich noch die Einwirkung von Furfuraldehyd und Ammoniak auf Benzil studiert. Hierbei entstehen zwei isomere Körper $C_{24}H_{20}N_2O_4$. (Chem. N. **50.** 232. 14. [6.*] Nov. London, Chem. Soc.)

H. Maas, *Über Fäulnisalkaloide des gekochten Fleisches und des Fischfleisches.* Vf. teilt die Resultate mit, welche zwei seiner Schüler (BUCHMANN und WASMUND) in Versuchen zur Entscheidung der Frage erhielten, in welcher Menge und in welcher Zeit sich Fäulnisalkaloide im gekochten Fleische entwickeln. Die Fäulnisalkaloide, welche sich bei der Fäulnis von Kalbfleisch bildeten, wurden nach dem MAAS-OTTO'schen Verfahren extrahiert, und zwar aus alkalischen Lösungen. Die Extraktion mit Äther ergab bei gekochtem und dann 24 Stunden der Fäulnis überlassenem Fleische die vom Vf. (**83.** 712) beschriebenen Alkaloide: ein sehr flüchtiges, in geringer Menge, welches mit dem Äther destillierte, als Chlorid in weißen Nadeln krystallisierte und ein in der Retorte in Form öliger Tropfen zurückbleibendes Alkaloid. Beim Ausziehen mit Amylalkohol wurde eine relativ größere Menge eines besonders giftigen Alkaloides gewonnen. Auch Chloroform löste ein Alkaloid auf, welches in seinen physiologischen Wirkungen dem Amylalkoholalkaloid glich. Die Untersuchung des rohen, kurze Zeit (24 Stunden) der Fäulnis ausgesetzten Kalbfleisches, welches nur mit Äther und Amylalkohol extrahiert wurde, lieferte keine besonderen Ergebnisse, dagegen gaben die Alkaloidauszüge derjenigen Kalbfleischmenge, welche vorher gekocht, aber sieben Tage hindurch der Fäulnis überlassen worden war, bemerkenswerte Resultate.

Die mittels Äther, sowie mittels Amylalkohol und auch mittels Chloroform gewonnenen Alkaloide zeigten mehr oder weniger giftige Wirkungen. Mit Rindfleisch angestellte Versuche führten zu dem Ergebnisse, daß sich die Fäulnisalkaloide mit den schon in der früheren Abhandlung (l. c.) beschriebenen Eigenschaften sowohl in dem rohen, als auch in dem gekochten Rindfleische bilden; daß ferner bei längerer Dauer der Fäulnis die Menge und Giftigkeit der Alkaloide abnimmt. Auch im gekochten Fleische können sich Fäulnisalkaloide mit derselben Schnelligkeit, ja vielleicht noch schneller bilden, als im rohen Fleische.

Wie die Untersuchungen mit gefaulten Fischen darthun, sind die Fischvergiftungen ebenfalls zu den Vergiftungen mit Fäulnisalkaloiden zu rechnen. (Fortschr. d. Med. **2.** 729—36. Oktober. Würzburg.)

Carl Buchmann, *Beiträge zur Kenntnis der Fäulnisalkaloide und ihrer Bedeutung für die Ätiologie der Fleischvergiftungen.* (Inaug.-Dissert. Würzburg 1884.)

Richard Wasmund, *Über Fäulnisalkaloide des rohen und gekochten Rindfleisches.* (Inaug.-Dissert. Würzburg 1884.)

Kleine Mitteilungen.

Rasch trocknender Ölfirnis, von L. E. ANDÈS. Unter den Metallsalzen, welche die Fettölfirnisse nach dem Aufstreichen durch Oxydation rasch trocknend machen, ist das borsaure Manganoxydul bemerkenswert. Zur Herstellung eines rasch trocknenden Ölfirnisses mittels desselben giebt Vf. in seinem Handbuche über die Fabrikation der Lacke folgende Vorschrift: 2 kg trocknes, staubfeines, eisenfreies Manganborat werden in 10 kg auf 200° C. erhitztes Leinöl unter Umrühren allmählich eingetragen. Das so erhaltene Gemisch läfst man zu 1000 kg zum Sieden erhitzten Leinöles fliefsen, kocht zwanzig Minuten lang und filtriert nach dem Erkalten durch Baumwolle. (Pol. Notizbl. **39.** 281.)

Glänzendes Schwarz auf Eisen und Stahl. Ein glänzendes Schwarz kann auf Eisen und Stahl hergestellt werden, wenn man mittels eines feinen Haarpinsels eine gekochte Lösung von Schwefel in Terpentin aufträgt. Wenn das Terpentin verdunstet ist, bleibt eine dünne Schicht Schwefel zurück, welche sich aufs innigste mit dem Metalle vereinigt, sobald man dasselbe eine Zeit lang über einer Spirituslampe erwärmt. Dieser Firnis bildet für das Metall einen vollkommenen Schutz und ist sehr dauerhaft. (Pol. Notizbl. **39.** 281.)

Beiträge für das Centralblatt bittet man an die Redaktion (Leipzig, Lessingstr. 5) zu richten. **Originalarbeiten** von nicht zu grofsem Umfange werden entsprechend honoriert und gelangen stets sofort nach der Einsendung, und zwar in kürzester Frist, zum Abdruck.

Redaktion: Prof. Dr. **Rud. Arendt** in Leipzig.

Verlag von **Leopold Voss** in Hamburg u. Leipzig. — Druck von **Metzger & Wittig** in Leipzig.

REGISTER.

Dritte Folge. Fünfzehnter Jahrgang. 1884.

I. Autoren-Register.

Abel (F.) und Deering (W. H.), Zustand des Kohlenstoffes im Stahl 167.

Abney, Verfahren mit Bromsilbergelatine 544.

Abraham, Ölgehalt verschiedener Substanzen 944.

Adam (P.), Bromxylenol 439.

Agema, Prüfung von Jodoform 282.

Agthe (Ed.), Bessemerstahlindustrie 861.

Aktiengesellschaft für Anilinfabrikation in Berlin, Darst. blauer schwefelhaltiger Farbstoffe 527.

Albertoni (K.), Acetonämie u. Diabetes 142.

Allen (A. H.), Beständigkeit von Hypobromitlösungen und ihre Anwendung zur Titration von Ölen 679.

Allihn (F.), Einw. der verdünnten Salzsäure auf Stärkemehl 60.

Amagat (E. H.), Bestimm. der Trockensubstanz des Weines 716.

Amat (L.), Siehe: Parmentier.

Ancel (J.), Siehe: Bauer.

Andeer (J.), Phloroglucin 340.

Andés (L. E.), Holzbeizen in fester Form 702. — Rasch trocknender Ölfirniß 976.

André, Siehe: Berthelot.

André (G.), Bildungswärme einiger Oxychloride und Oxybromide des Bleies 20. — Bildungswärme der Quecksilberoxychloride 302; Bildungswärme der Quecksilberoxybromide 306. — Bariumoxychlorid 373.

Andreä (J. L.), Löslichkeit fester Körper in Wasser 600.

Andreasch (R.), Allylharnstoff 277.

Andreoni, Wirkung und Verwandlungen einiger Stoffe im Organismus in Beziehung zur Pathogenese der Acetonämie und des Diabetes 876.

Andresen (M.), Trichlorchinonchlorimid, Tri- und Tetrachlorchinon 26.

v. Anrep (B.), Physiol. Wirkungen der Ptomaine 107.

Anschütz (R.), Anhydridbildung bei Säuren 968. — Ersetzung zweier Chloratome in Chloriden durch ein Sauerstoffatom mittels entwässerter Oxalsäure 967.

Arche (A.), Cerit 319.

Armstrong (H. E.), Fulminate 58. — Konstitution der Fulminate 168.

Armstrong (H. E.) und Miller (A. K.), Sulfonsäuren 375; — Einw. hoher Temperaturen auf Petroleumkohlenwasserstoffe 616.

Arnaud, Bestimm. der Salpetersäure 715.

Arnaud (A.) und Padé (L.), Nachw. von Salpetersäure und Nitraten in vegetab. Geweben 570.

Arnold (C.), Bestimm. des Stickstoffes im Harn 380; Verh. von Kalium carbonicum gegen Silbernitrat 380. — Ptomaine 790.

Arschbutt (L.), Über den Gehalt von freien Fettsäuren in einzelnen Ölen des Handels 908. — Bestimm. von freien Fetten in Ölen 959.

Arth (G.), Neue Spaltung des Äthylcarbamats 325. — Oxydation des Menthols durch übermangansaures Kalium 342.

Athenstädt (H.), Prüfung der Citronensäure auf Weinsäure 446.

Athenstädt (J.), Darst. essigs. Thonerdepräparate 128.

Athenstädt (W.), Siehe: Hübner.

Atkinson (R. W.), Bestimm. des Eisens 956.

Aubert, Siehe: Lépine.

Aubin (E.), Bestimm. der Phosphorsäure in den Superphosphaten 650. — Siehe: Müntz.

Aubry, Ebullioskop 14; Nachweis der schwefligen Säure 15.

Auerbach (B.), Fäulnißkrystalle in Leichen 537.

Austen (P. T.) und Wilber (Fr. A.), Reinigung von Ammoniumfluorid 91.

63*

II. Sachregister.

XV.   65